Liebe Campingfreunde,

auf geht's in die neue Campingsaison. Der druckfrische ACSI Campingführer ist die perfekte Hilfe, um Ihren nächsten Urlaub zu planen. Wählen Sie aus einem riesigen Angebot an Campingplätzen. Für jeden Geschmack ist etwas dabei, ganz gleich ob es Sie in die Berge zieht oder eher ans Meer.

Das Angebot der deutschen und europäischen Campingplätze ist dabei wieder einmal enorm vielfältig. Aus einfachen Stellplatzwiesen sind teilweise moderne Freizeitanlagen mit allem Komfort entstanden. Wellness und unzählige Sportangebote haben Einzug gehalten und sind aus dem Repertoire der Campingplätze nicht mehr weg zu denken. Viele Plätze bieten alles – außer Langeweile. Das wird vor allem bei Familien sehr geschätzt. Doch auch wer den schlichten Platz in der Natur mit viel Ruhe sucht wird noch fündig.

Ganz gleich, wonach Sie suchen: Dieser Campingführer hilft Ihnen, den richtigen Platz zu finden! Bei einer Gesamtzahl von immerhin 8.500 Campingplätzen in den genannten Ländern dürfte das nicht allzu schwierig sein.

Obendrein können Sie hier auf den neuesten Informationsstand bauen. Denn alle in diesem Werk genannten Plätze werden Jahr für Jahr gründlich inspiziert – ein Aufwand, den sich derzeit vermutlich nur ACSI leistet. Wir sind das Ihnen, lieber Leser schuldig, denn nur so können Sie aus erster Hand verlässlich erfahren, was es auf den Campingplätzen tatsächlich Neues gibt.

Die 13. Ausgabe dieses neuen Standardwerkes haben wieder zwei Verlagshäuser in bewährter Kooperation realisiert, die beide seit Jahrzehnten dem Camping verpflichtet sind. CARAVANING, Deutschlands großes Camping-Magazin, schaut auf eine mehr als 55-jährige Geschichte zurück! Und das Schwesterblatt *promobil*, Europas größtes Reisemobil-Magazin, setzte bereits vor mehr als 30 Jahren als erste Zeitschrift ausschließlich auf den modernen Trend zum Reisemobil.

Ich wünsche Ihnen mit der Ausgabe 2015 viel Spaß bei der Suche nach Ihrem persönlichen Traumplatz und uns allen eine wunderschöne Campingsaison 2015.

Kai Feyerabend

Ihr Kai Feyerabend

Norwegen
Schweden
Finnland
Dänemark
Niederlande
Belgien
Luxemburg
Deutschland
Schweiz
Österreich
Polen
Litauen
Lettland
Estland
Tschechien
Slowakei
Ungarn
Rumänien
Slowenien
Kroatien
Bosnien-Herzegowina
Griechenland
Türkei

Liebe ACSI-Leser,

Seit nun 33 Jahren arbeite ich in diesem Verlag, den mein Vater Ed van Reine vor 50 Jahren gegründet hatte. Damals in meiner Jugend hörte ich schon am Küchentisch die ganzen Geschichten, die sich meist um Campingplätze gedreht hatten, über Redaktionsschluss und Probleme die schnell gelöst werden mussten.

ACSI hat aufregende Zeiten erlebt. Durch die Einwirkung eines unlauteren Mitarbeiters stand ACSI damals fast am Rande des Abgrunds. Ein Notfall. Nach anfänglicher Skepsis, hatte ich nach einem halben Jahr den Bogen raus bei ACSI. Mit nur einer Handvoll Leuten haben wir ACSI wieder in die Spur gebracht!

Inzwischen sind wir nicht mehr bloß der kleine Führer aus Holland, sondern bedienen den europäischen Camper mit fantastischen Campinginformationen, Campingrabatten und Campingreisen. Die innovativen ACSI-Produkte haben uns keine Windeier gelegt. Wir waren als erste mit unseren Campinginformationen gleich in mehreren Sprachen online. Recht schnell gefolgt von der ersten Camping-CD mit Routenplaner, später dann die DVD. Und letztes Jahr hatten wir gleich drei gewaltige Apps veröffentlicht, die man sowohl offline wie online benutzen kann.

Am meisten bin ich jedoch darauf stolz, dass wir immer an unseren Grundwerten festgehalten haben, die uns mein Vater mitgegeben hat. Qualität und Zuverlässigkeit! Das verdanken wir unseren 327 Inspektoren, die jährlich über 10.000 Campingplätze besuchen und einem motivierten Verlagsteam von 135 Mitarbeitern.

Letzten September haben wir mit unserem Inspektoren- und Verlagsteam unser 50-jähriges Jubiläum auf Campingplatz De Zanding in Otterlo gefeiert. In dieser familiären ACSI Atmosphäre war das ein tolles Campingerlebnis, wo jeder voller Zuversicht in die Zukunft geschaut hat.

Ich wünsche Ihnen viel Freude mit dem einen oder anderen unserer tollen Erzeugnisse. Sie werden mit Leidenschaft und Freude für Sie gemacht!

Ramon van Reine
Direktor ACSI

Inhalt

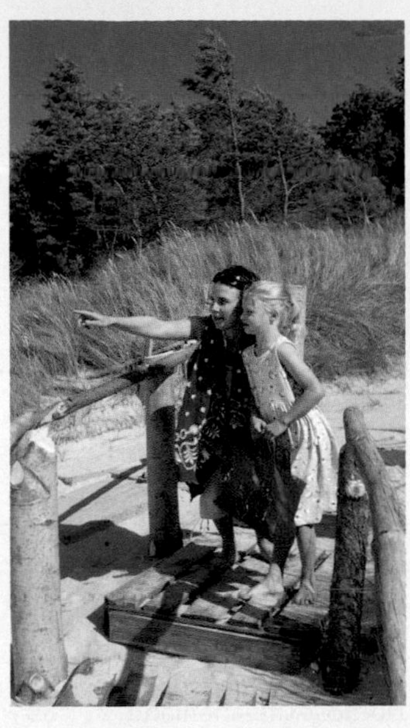

Unsere Inspektoren besuchten die folgenden Länder/Gebiete für Sie:

Inhalt

CARAVANING
Hallwag

2015 • 13. Deutsche Ausgabe
Auflage 23.000

Motor Presse Stuttgart GmbH & Co. KG
Geschäftsbereich Aktive Freizeit
Leuschnerstr. 1
70174 Stuttgart
Deutschland
Tel. 00 49 / 711 / 1 82 01

In Kooperation mit
ACSI Publishing BV
Geurdeland 9, Andelst

Postadresse:
Postbus 34
6670 AA Zetten, Niederlande
Tel. 00 31 / 488 / 452055

Herausgeber
Kai Feyerabend

Fragen oder Anmerkungen?
Für Camper:
www.acsi.eu/Kundendienst
Für Campingplätze:
www.acsi.de/kontakt

Karten
MapCreator BV, 5628 WB Eindhoven
Internet: www.mapcreator.eu
©Here

Anzeigen Schweiz
SPATZ Camping + Touring Service
Zürich, Schweiz

Druck
Roto Smeets GrafiServices Utrecht, NL
Printed in the Netherlands.

Bindung
Hexspoor BV, Boxtel, NL

ISBN: 9789492023001

Dieser Campingführer wurde mit größter Sorgfalt erstellt. Die in ihm verwerteten Daten wurden bis einschließlich September 2014 erhoben. ACSI ist nicht verantwortlich für eventuelle in der Zwischenzeit eingetretene Änderungen. Für die Richtigkeit der Angaben kann keine Haftung übernommen werden. Inhalt und Gestaltung von Anzeigen liegen außerhalb der Verantwortung der Redaktion.

Jubiläum 100 Jahre Campen

Hurra: Doppelfeier: 100 Jahre Campen und 50 Jahre ACSI

Ein Kanu, ein Stoffzelt und Proviant. Damit ist der erste Camper Anfang des 20. Jhdts. in England auf die Reise gegangen. Der holländische Schneider Carl Denig wurde damals in London davon inspiriert, als er die Campingabenteuer seines Kollegen Thomas Hiram Holding aufgeschnappt hatte. Er ging mit einem selbst genähten Zelt auf die englische Insel Wight zum Campen. Zurück in Holland gefiel den Leuten seine Geschichte, worauf Denig die Idee hatte, anstatt Kleider von jetzt ab Zelte herzustellen.

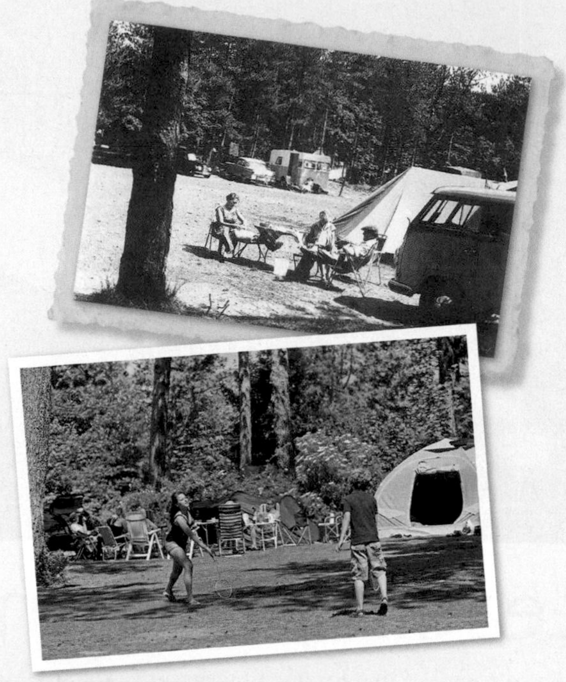

Vom Elitehobby zum Volkssport

Bis dahin wurde Campen von den Pfadfindern, organisierten Jugendgruppen und dem Militär wahrgenommen. Nur die 'lucky few', die sich eine Campingausrüstung leisten konnten, zogen raus in die Natur. Campen wurde eher sportlich gesehen. Nach dem 2. Weltkrieg veränderte sich das und in Holland stieg Campen zum Massenphänomen auf. Die Gesundheitsbehörden waren der Ansicht, dass die frische Luft und Ruhe dem allgemeinen Wohlbefinden gut tat. Zelte wurden billiger und das Campen erfuhr einen rasanten Anstieg. In den sechziger Jahren saß man dichtgedrängt auf den Campingplätzen in den Dünen und sang frohgemut mit der Gitarren ums Lagerfeuer. In dieser Zeit gewann das Bungalowzelt an Beliebtheit und danach war der Wohnwagen im Kommen.

Gründer Ed van Reine

ACSI kommt nachschauen

Der Lehrer Ed van Reine war ein anspruchsvoller Camper und zog 1965 im Sommer mit seiner Familie los. Endlich auf einem Camping in Spanien angekommen, schien kein Platz mehr frei zu sein. Das war nach der langen Reise höchst ärgerlich. Mit zwei Lehrerkollegen dachte er vor Ort über ein Reservierungssystem von Holland aus, für populäre Campingplätze in Europa nach. 'Auto Camper Service International', mit anderen Worten: ACSI war geboren. Zu dritt suchten Sie 55 Campingplätze aus. Zurück daheim in Holland wurden die Hintergrundinformationen zu den Plätzen gesucht und das ganze veröffentlicht. Ziel war, dass kein einziger Camper mehr vor einem vollen Camping stehen sollte, weil er Dank der Infos aus dem Führer vorab reservieren konnte. Für 1,- Gulden schon war das Büchlein zu haben. In einer Zeit, in der Campen zum 'Volkssport Nummer Eins' wurde, war ein solcher Führer sehr gefragt.

Allrounder in der Campingwelt

Langsam wuchs ACSI in der Campingwelt zu einem Betrieb mit einem breiten Produktangebot heran. So wurden über die Jahre die ACSI Campingreisen, die ACSI Club ID, Eurocampings und die unterschiedlichsten neuen Führer mit Teilgebieten und Themen herausgebracht. Heutzutage sorgen über 300 Inspektoren dafür, dass nur qualitativ hochwertige Campingplätze in den ACSI Führern erscheinen. War das Auswählen der Campingplätze zunächst noch reines Hobby, ist es heute ein hartes Stück Arbeit. Ausgerüstet mit Produktinformationen, Verträgen, Anweisungen, Führern, Karten, Schildern und Flaggen ziehen die Inspektoren jedes Jahr raus in ihr Inspektionsgebiet. Dank ihnen ist ACSI in 50 Jahren zum europäischen Marktführer herangewachsen, der jährlich 500.000 Führer in 14 Ländern an den Camper bringt.

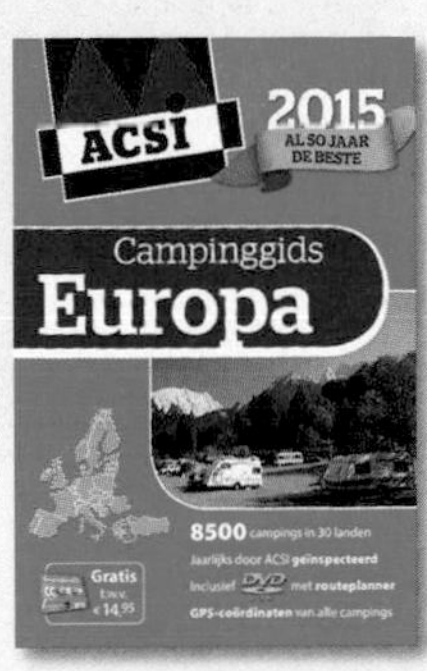

“Individuelle Freiheit mit den Vorteilen einer Gruppe”

Gebrauchsanweisung

Wie finden Sie den Camping?

Die Suche nach einem Camping in den ACSI Campingführern ist sehr einfach. Jedes Land beginnt mit einer Landkarte. Diese Landkarte ist eingeteilt in Bundesländer bzw. Regionen. Diese Landesteile korrespondieren mit der Teilkarte weitergehend im Führer. In jedem Bundesland/Region ist angegeben, auf welcher Seite sich diese Teilkarte befindet. Auf der Teilkarte können Sie sich ausreichend informieren, um einen Camping zu finden. Sie finden die wichtigen Straßen angezeigt, die Ortsnamen und die Zeltchen für die Campings. Es gibt sowohl offene als geschlossene Zeltchen. Ein offenes Zeltchen bedeutet, dass ein Camping unter dem Ortsnamen im Führer aufgenommen ist. Ein geschlossenes Zeltchen bedeutet, dass mehrere Campings unter dem Ortsnamen zu finden sind. Hinter der Teilkarte finden Sie die Campings in diesem Gebiet in alphabetischer Reihenfolge der Ortsnamen.

Kleine Länder bzw. Gebiete sind in den (größeren) Nachbarländern eingegliedert. Die Campings in Liechtenstein finden Sie in der Schweiz und die von Åland in Finnland. Schließlich finden Sie im Grenzgebiet Klein Walsertal im Vorarlberg in Österreich eine Anzahl Campings, die Sie im Deutschlandteil finden werden. Dieses Gebiet betrifft nämlich ein sogenanntes 'Deutsches Zollgebiet', das auch nur von Deutschland aus erreichbar ist. Länder mit relativ wenigen Campings haben keine Teilkarten.

Hierunter ist beschrieben, wie Sie schnell einen Camping nach Ihrem Geschmack finden können.

Wissen Sie den Ortsnamen?

Gehen Sie ins Ortsnamenregister auf Seite 579 und weiter. Hinter dem Ortsnamen finden Sie die Seitennummer des/der Camping(s), der/die in diesem Ort liegt/liegen.

Alphabetische Ländertabelle

Campingplätz Park Soline in Biograd na Moru (HR)

A	
Aabenraa	130
Aabenraa/Løjt Norreskov	130
Aagtekerke	171,177

Suchen Sie ein bestimmtes Land?

Sie wissen in welches Land Sie (eventuell) in Urlaub wollen? Vorne im Führer finden Sie eine Aufstellung aller Länder, so dass Sie sofort das Land Ihrer Wahl aufsuchen können. Jedes Land beginnt mit einer Landkarte. Diese Landkarte ist eingeteilt in Bundesländer bzw. Regionen, auch Teilgebiet genannt. Suchen Sie auf der Landkarte der Region/Bundesland aus, wohin Sie wollen. In dieser Region/Bundesland stehen die Seitenzahlen, wo Sie die Teilkarten finden können. Auf der Teilkarte können Sie sich ausreichend orientieren, um einen Camping zu finden. Sie finden die wichtigen Straßen angezeigt, die Ortsnamen und Zeltchen für die Campings. Hinter der Teilkarte finden Sie die Campings in diesem Gebiet in alphabetischer Reihenfolge der Ortsnamen. An den Rändern der Teilkarte sehen Sie Pfeile mit einer Seitenzahl darin, wo die angrenzende Teilkarte zu finden ist.

Weitere Erläuterungen

▲ Name des Campings, Sterne und andere Klassifizierungen

ACSI gibt den Campings keine Sterne oder andere Klassifizierungen. Die gemeldete Sternenangabe oder andere Arten von Klassifizierungen sind durch örtliche Instanzen dem Camping zuerkannt. Sterne sagen nicht immer etwas über die Qualität, aber oft etwas über den Komfort, den die Campings bieten. Je mehr Sterne, umso mehr Ausstattung, aber oft auch... ein höherer Preis.

Landkarte

Teilkarte

Legende

Ein offenes Zelt, bedeutet daß sich hier ein Campingplatz befindet.

Ein geschlossenes Zelt, bedeutet daß hier mehrere Campingplätze zu finden sind.

Camping(s) die CC CampingCard ACSI akzeptieren.

152 Auf dieser Seite finden Sie das Teilgebiet.

Dies sind die Grenzen des Teilgebietes.

130 Pfeile mit Seitenangaben am Kartenrand verweisen auf angrenzende Gebiete.

BERLIN Die Übersichtskarte des betreffenden Landes und im welchen Teilgebiet Sie sich befinden.

Es ist übrigens unmöglich eine garantierte Wiedergabe über das Maß der Reinheit/ Sauberkeit in einem Campingführer anzugeben. Jedes Jahr werden viele Anlagen von den Inhabern verändert. Das kann zu Unterschieden kommen zwischen dem Jahr, in dem unsere Inspektoren den Platz besucht hatten und ein Jahr später, also dem Jahr, in dem Sie den Führer nutzen.
Wenn in einem bestimmten Land Sterne benutzt werden, um die Klasse des Campings anzugeben, steht das aber dennoch hinter dem Campingnamen. Seien Sie sich aber klar darüber, dass diese Sterne nie von ACSI vergeben wurden. Unsere Inspektoren sind nicht verantwortlich für die Qualität der Einrichtungen, nur für die Meldung des Vorhandenseins dieser Einrichtung. Das Urteil, ob nun ein Camping schön ist oder nicht und ob er gerade für Sie zwei oder vier Sterne wert ist, müssen Sie selbst fallen. Die Geschmacker und Wünsche sind nun mal verschieden. Ein guter Rat: wenn Sie es nicht nach Ihren Vorstellungen antreffen, bleiben Sie keine zehn Tage auf dem selben Platz. Packen Sie Ihre Sachen und reisen weiter. Wer weiß, was da noch schönes hinter dem Horizont liegt!

 **Straße**

Öffnungszeitraum

Die von der Campingdirektion gemeldete Periode, in der der Camping 2015 geöffnet sein wird. Manche Campings kennen 2 Öffnungszeiträume. In diesem Fall sind beide Perioden gemeldet, zum Beispiel 01/04-30/09, 01/12-31/12. Leider wollen einige Campings (vorallem in der Vor- und Nachsaison) darüber hinaus ziemlich von der von Ihnen angegebenen Öffnungsperiode abweichen. Sie können eine Woche früher oder später offen/geschlossen sein als das 2014 vorgesehen war. Sorgen Sie also dafür, dass Sie in der Vor- und Nachsaison nicht zu früh oder zu spät beim Camping eintreffen. Eben mal beim betreffenden Camping anrufen ist daher zu empfehlen.
Rechnen Sie auch damit, dass in der Vor- und Nachsaison nicht alle Einrichtungen offen sind. Oft sind Schwimmbad, Laden, Freizeitprogramme usw. erst später in der Saison in Betrieb. Siehe auch in dem hierunter Beschriebenen über Einrichtungen, welche das sein können. Weiterhin wird auch die Personalbesetzung in der Vor- und Nachsaison etwas geringer sein.

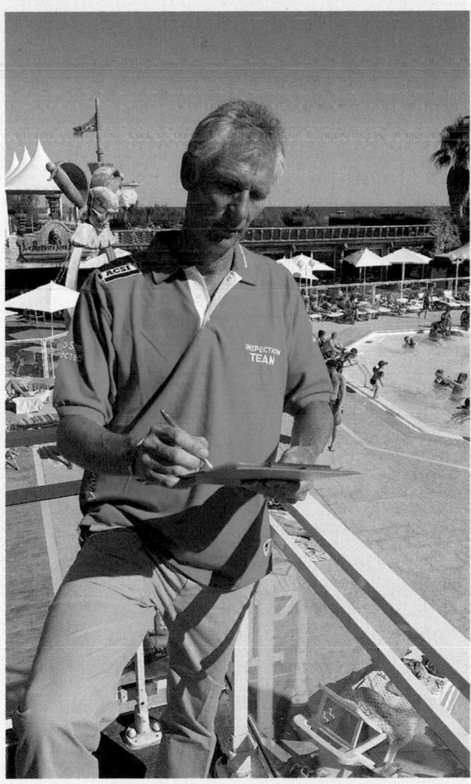

Inspektion auf Camping Yelloh! Village Le Club Farret, Vias-Plage (F)

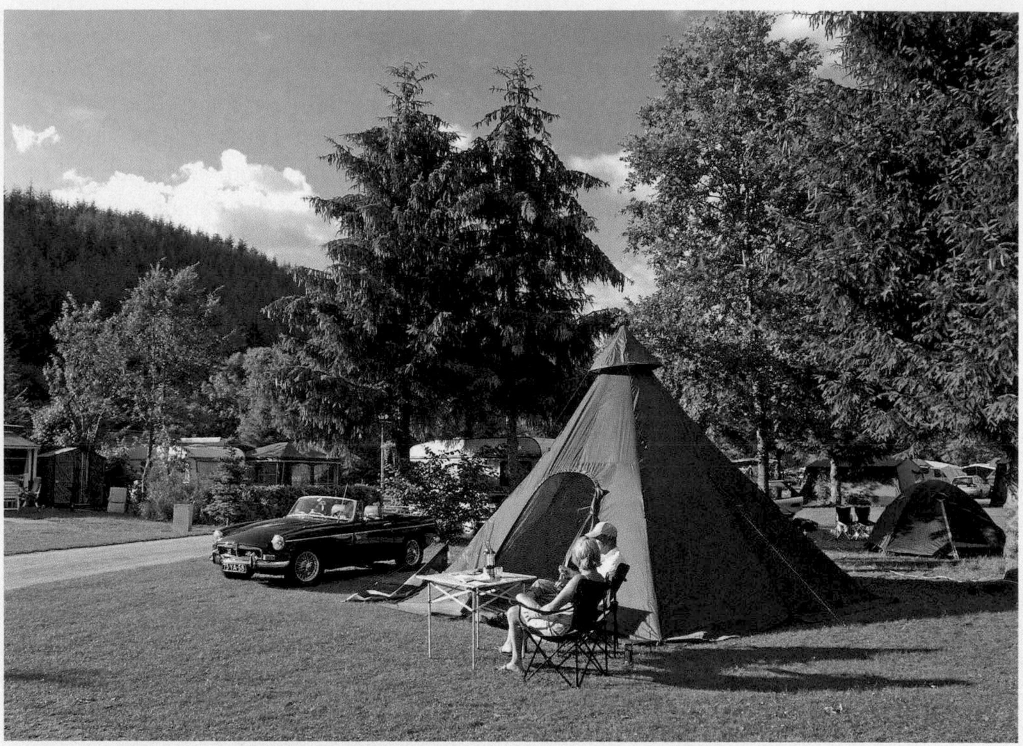

Camping Parc La Clusure in Bure/Tellin (B)

Telefonnummer

Die Telefonnummer des Campings. Die internationale Zugangsnummer ist bei jedem Camping gemeldet. Rufen Sie bspw. von Deutschland oder Österreich aus an, dann wählen Sie die Nummer zwischen der Klammer (meistens ist das die Null der Ortskennzahl) nicht.

FAX Faxnummer

Die Faxnummer des Campings. Wir melden sie nur, wenn der Camping nicht über eine E-Mailadresse verfügt. Hinten in diesem Führer finden Sie einen Reservierungscoupon. Wenn Sie möchten, können Sie eine Kopie davon zum Camping Ihrer Wahl faxen. Diesen Coupon kann man auch benutzen, wenn man nur eine Extrainformation anfragen möchte.

@ E-Mail

Die E-Mailadresse des Campings. Fast alle Campings haben eine E-Mailadresse. Sie können also direkt mit dem Camping zu Informations- oder Reservierungszwecken Kontakt aufnehmen.

GPS-Koordinaten

Benutzen Sie ein Navigationssystem, dann sind die GPS-Koordinaten des Campings fast unentbehrlich. ACSI hat in diesem Führer gerade für die Nutzer eines Navigationssystems die GPS-Koordinaten notiert. Unsere Inspektoren haben am Schlagbaum des Campings die Koordinaten gemessen, also kann fast nichts mehr schief gehen. Aber...Vorsicht. Denn nicht alle Navigationssysteme sind auf eine Kombination Auto-Caravan eingestellt.

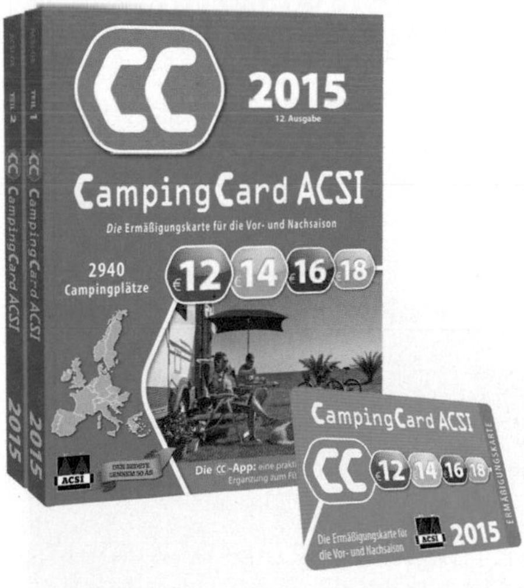

Lesen Sie darum auch immer die Routenbeschreibung, die beim Camping steht und vergessen Sie nicht auf die Schilder zu achten. Denn der kürzeste Weg ist nicht immer der leichteste.
In manchen Fällen kommen Sie mit dem Navi nicht am Camping an, wenn Sie den Koordinaten zum Schlagbaum folgen. In diesen Fällen hat man sich dafür entschieden auf die Zufahrtstraße zum Campingplatz zu navigieren. Wenn Sie ab diesem Punkt den Hinweisschildern folgen, können Sie den Camping fast nicht mehr verfehlen!
Die GPS-Koordinaten werden wiedergegeben in Graden, Minuten und Sekunden. Kontrollieren Sie darum bei der Eingabe in Ihr Navigationssystem, ob dieses auch in Graden, Minuten und Sekunden eingestellt ist. Vor der ersten Zahl steht ein N. Vor der zweiten Zahl ein E oder ein W (rechts oder links gelegen vom Greenwich-Meridian).

W-Lan/WiFi Hotspot und/oder
W-Lan/WiFi 80%

Gibt es auf einem Camping einen W-Lan/WiFi Hotspot, dann gibt es auf der Anlage eine Stelle, wo man drahtlos ins Internet kommt. Im Redaktionseintrag steht bei diesem Camping folgendes Symbol
Gibt es 80% W-Lan/WiFi-Empfang, können Sie auf dem größten Teil der Anlage drahtlos ins Internet. Im Redaktionseintrag steht bei diesem Camping folgendes Symbol

CampingCard ACSI

Wenn dieses Zeichen mit dem Betrag € 12, € 14, € 16 oder € 18 beim Camping

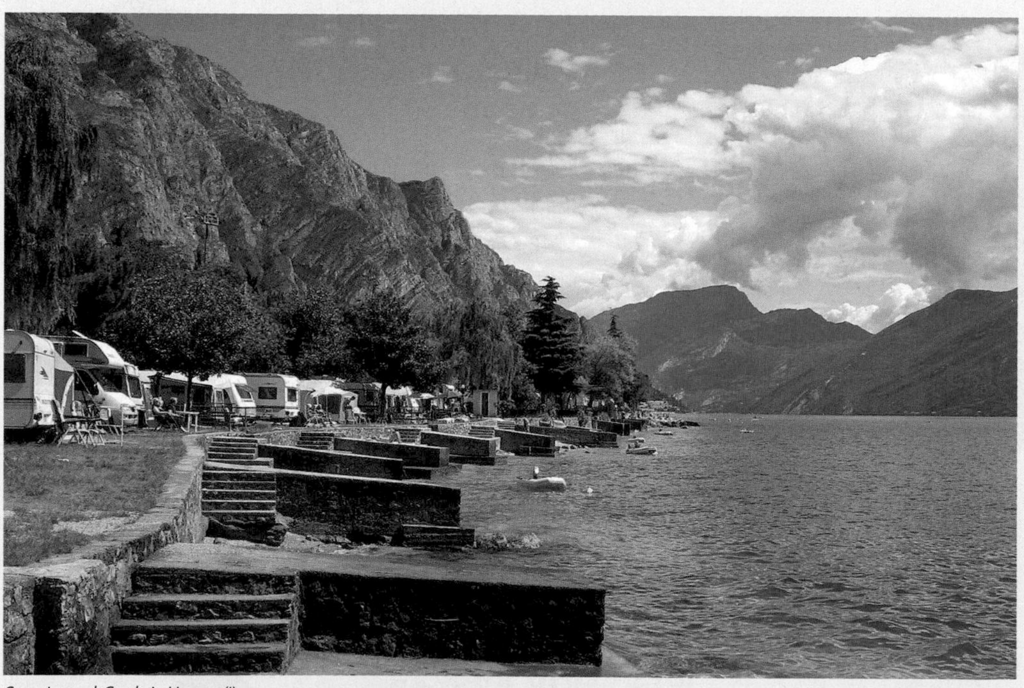

Campingpark Garda in Limone (I)

angegeben ist, dann nimmt dieser Platz an der CampingCard ACSI teil. Zu dem hier angegeben Tarif können Sie in der Vor- und Nachsaison übernachten, wenn Sie eine gültige CampingCard haben. Mehr Informationen finden Sie auf Seite 609 und weiter.

iD ACSI Club ID

Wenn Sie dieses Zeichen sehen bei einem Campingplatz, dann wird die ACSI Club ID dort akzeptiert. Mehr Information finden Sie auf Seite 22.

✿ Umweltfreundlicher Camping

Von einer Umweltorganisation aus dem betreffenden Land anerkannt.

Spezielle Campings oder Campings mit bestimmten Eigenschaften

Oben in dem hellgrünen Block finden Sie oft Angaben wie W **FKK** FKK B.
Hiermit wird angegeben, ob Campings bestimmte Eigenschaften haben.

W – Wintersportcampingplatz – siehe auch Seite 30
FKK = FKK-Campingplatz – siehe auch Seite 44
FKK = Camping mit einem FKK-Teil – siehe auch Seite 46
B = Camping geeignet für Behinderte – siehe auch Seite 53

Höhenlage eines Campings

Hier wird die Höhenlage eines Campings in Metern gemeldet. Übrigens wird diese Zahl erst bei einer Höhenlage des Campings von mindestens 50m/ü. NN angegeben. Am Abend und in der Nacht kann die Temperatur auf einem 'Camping auf der Höhe' ordentlich fallen. Auch für Menschen mit Herzproblemen oder Atemwegserkrankungen zum Beispiel kann es wichtig sein, die Höhenlage des Campings zu beachten.

Oberfläche des Campings

Mit dieser Zahl wird die Oberfläche des Campings ins Hektar angegeben (1 ha = 10.000 m^2). Je größer der Camping, umso größer ist auch oft die Zahl der Einrichtungen. Bei einem kleineren Camping können Sie nicht nur weniger Einrichtungen antreffen, sondern auch mehr Ruhe. Oftmals verfügt ein kleinerer Camping auch über einfachere Einrichtungen.

Tourplätze/Feste Stellplätze

Die Zahl, die vor dem T steht, gibt die Anzahl der Tourplätze auf dem Camping an. Die Zahl vor dem D weißt auf Plätze hin, die nicht für den Tourcamper bestimmt sind, sondern für Dauercamper. Darunter fallen nicht nur Plätze die für Saisoncamper bestimmt sind (Saisonplätze und Nebensaisonplätze), sondern auch alle Mietobjekte. Mit der Anzahl der Tourplätze können Sie ungefähr einschätzen, ob Sie es mit einem kleinen oder großen Camping zu tun haben und was sehr wichtig ist: Sie bekommen mit der Anzahl der Dauerplätze eine Einschätzung, worauf der Camping Wert legt. Besteht ein Camping vornehmlich aus Dauerplätzen, dann können Sie davon ausgehen, dass Sie als Tourcamper meist die minderen Plätze zugeteilt bekommen. Sie laufen auch bei einem Camping mit überwiegend Dauerplätzen die Gefahr, keinen freien Tourplatz zu finden.
Bei Campings wo die Anzahl etwa gleich ist, wird oft eine Aufteilung zwischen Tourplätzen und Dauerplätzen gemacht.

Kleinster / größter Tourplatz

Hinter der Anzahl der Tourplätze finden Sie eine Angabe über die Abmessung der Tourplätze. Steht dort z.B. (80-120 m^2), dann können Sie davon ausgehen, dass der kleinste Tourplatz 80 m^2 misst und der größte Tourplatz 120 m^2. So haben Sie eine gute Einschätzung der Größe der Tourplätze.

Richtpreis 1 / Richtpreis 2

In den ACSI Campingführern handhaben wir 2 Richtpreise. Es wird unterschieden zwischen der Kombination mit und ohne Kinder.

Richtpreis 1:
2 Erwachsene, 1 Auto, 1 Caravan, Touristenabgaben (2 Erwachsene), Umweltabgabe und Strom (niedrigste Ampère).

Richtpreis 2:
Wie Richtpreis 1, nur inklusive 2 Kinder von 6 und 9 Jahren.

Da beide Preisen im Führer gemeldet sind, bekommen Sie als Camper eine bessere Preiseinschätzung.
Sowohl bei Richtpreis 1 und 2 betrifft das die Preise für einen Stellplatz pro Nacht, als auch die, die in der **Hochsaison** berechnet werden. Das ist der Tarif für Stellplätze, wobei die meisten davon auf dem Camping sogenannte Standardplätze sind. Für Komfortplätze muss extra bezahlt werden (das sind Plätze oft mit RTV-Anschluss und Wasseranschluss und -abfuhr). Die Preise basieren auf dem Preis in der Valuta des Landes Stand September 2014. Die Valuta und der Kurs findet man erwähnt unter der Überschrift 'Währung und Geld' auf der Seite mit den Länderinfos. Genannter Richtpreis ist in Euro.
Achtung!! Die Preise wurden notiert beim letzten Besuch des Inspektors auf dem Camping, d.h. dass Sie im Führer 2015 Tarife antreffen, die 2014 Anwendung fanden.

Recreatiepark TerSpegelt, Eersel (NL)

Camping Des Glaciers in La Fouly (CH)

Die Preise sind indikativ und geben keine Sicherheit.
Die Preise, die wir Ihnen angeben (die ACSI-Richtpreise) sind also sicher keine Angaben, mit denen Sie genau auf den Cent ausrechnen können, was Ihr Urlaub an Campingkosten kosten wird.
Dennoch können die ACSI-Richtpreise wichtig für Sie sein. Mit deren Hilfe können Sie nämlich feststellen, ob Sie es mit einem teuren oder günstigen Camping zu tun haben. Es gibt Campings mit Richtpreisen, die weitüber € 30 pro Tag liegen. Aber.... es gibt auch welche, wo Sie unter € 15 campen können. Und das sind ganz schöne Unterschiede, die auf Ihr Urlaubsbudget Einfluss haben können.

Ampère

Wir melden bei jedem Camping die maximale Ampèrezahl, über die der Camping verfügt. Es kann passieren, dass es Plätze auf dem Camping gibt mit niedrigerer Ampèrezahl.

CEE

Diese Angabe bedeutet, dass ein dreipoliger Eurostecker notwendig ist.

Einrichtungen

Wie schon vorher beschrieben, beurteilt ACSI die Campings nicht hinsichtlich der Sterne oder anderen Bewertungssymbolen. ACSI kann über nicht weniger als 217 verschiedene Punkten informieren, was und was Sie nicht auf einem Camping antreffen.
Die Einrichtungen sind auf sehr übersichtliche Weise in 10 verschiedene Rubriken unterteilt. Aus der Rubrik 1 (Reglement), können Sie bspw. entnehmen, ob Sie den ACSI Club ID nutzen können, oder ob Sie einen Hund mitbringen dürfen. Ihre Teenager schauen natürlich direkt, ob unter Rubrik 4 einer der Punkte M oder N (Diskothek oder Disco-Abende) auch aufgenommen ist.
Das erste, was ein leidenschaftlicher Angler tun wird, ist natürlich nachschauen,

ob in Rubrik 6 Punkt N (Angelmöglichkeit) auch gemeldet ist. So erhalten Sie eine vollkommen objektive Beurteilungsweise.

In der Umschlagseite dieses Führers finden Sie eine Aufstellung aller Einrichtungen. Diese Einrichtungsliste können Sie neben dem Camping Ihrer Wahl aufklappen.
Bei jedem Camping in den ACSI Führern werden die Einrichtungen die vorhanden sind durch Buchstaben angegeben. Mit vorhanden meinen wir auf dem Camping anwesend. Wenn ein Schwimmbad oder eine andere Einrichtung direkt neben dem Camping liegt und die entsprechenden Einrichtungen dürfen vom Campinggast genutzt werden, dann sind diese Buchstaben der Einrichtung auch gemeldet. Sie können so auch nachschauen, ob diese bestimmte Einrichtung extra bezahlt werden muss.
Auf der Einrichtungsliste haben wir ein Sternchen bei den Einrichtungen platziert, von denen die Inspektoren 2014 kontrolliert haben, ob sie gratis sind oder bezahlt werden müssen. Wenn für bestimmte Einrichtungen extra bezahlt werden muss, dann ist die betreffende Einrichtung **fett** gedruckt. Zum Beispiel 3M will sagen, dass Sie gratis Tennis spielen können, 3**M** will sagen, dass Sie dafür extra zahlen müssen. Einrichtungen bei denen kein Sternchen steht, werden nie fett gedruckt, aber das heißt nicht, dass sie gratis sind.
Lieber damit rechnen, dass nicht alle erwähnten Einrichtungen während der gesamten Öffnungsperiode verfügbar sind. Sie haben hauptsächlich Bezug auf die Hochsaison. Im Prinzip sind das immer die Sommerferien. Meistens betrifft es die Einrichtungen 10A (Deutsch gesprochen an der Rezeption), 2O (öffentliches Verkehrsmittel beim Campingplatz), 3, 4 und 6 teilweise (Sport und Spiel, Erholung und Wellness, Erholung am Wasser) und teilweise 5 und 9 (Einkauf und Restaurant und Mieteinrichtungen).
Die vollständige Einrichtungsliste finden Sie auf der ausklappbaren Vorderseite des Führers. Die vorhandenen Einrichtungen auf einem Camping stehen bei jedem Camping separat gemeldet. Sollte dennoch bestimmtes Wissenswertes nicht in unserem Führer gemeldet sein, nehmen Sie bitte Kontakt mit dem Camping auf.

Match2Camp

Mit Match2Camp finden Sie noch leichter den Camping Ihrer Wahl. Mehr Informationen finden Sie auf Seite 26.

Extra ACSI-Service!

Hinten in diesem Führer finden Sie Coupons. Diese Coupons bieten Ihnen die Möglichkeit selbst auf dem Camping Ihrer Wahl in 5 Sprachen zu reservieren oder Prospektinformationen mit Preisliste anzufragen.
Tipp: machen Sie eine Kopie von diesen Reservierungscoupons, dann können Sie sie öfter gebrauchen.

Möchten Sie mehr Informationen?

Schicken Sie den Coupon direkt zum Camping um Informationen anzufragen und/oder sofort zu reservieren.
Schauen Sie auch auf unsere Webseite ▸ *www.eurocampings.eu* ◂ Hier finden Sie noch viel ausführlichere Informationen zu jedem Camping. Sie können sofort nach Thema einen Camping suchen und Fotos betrachten.

Club ID

Die ACSI Club ID, *das* Camping Carnet für Europa, ist unverzichtbar für den anspruchsvollen Camper. Sie profitieren nicht nur in Ihrem Campingurlaub davon, sondern auch zuhause! Schnell Mitglied werden und nur € 4,95 pro Jahr bezahlen.

Alle Vorteile auf einen Blick:

Ersetzt Identitätsnachweis

Das Camping Carnet, die ACSI Club ID, können Sie auf allen teilnehmenden ACSI Campings als Ausweis- oder Passersatz abgeben. So müssen Sie nicht mehr Ihren eigenen Pass/Ausweis abgeben, sondern haben ihn jederzeit bei sich.*

Haftpflichtversicherung

Wenn Sie im Besitz der ACSI Club ID sind, dann sind Sie und Ihre Mitreisenden (max. 11 Personen) in Ihrem Campingurlaub oder bei einem Hotelaufenthalt oder einer Mietunterkunft haftpflichtversichert. Sie gilt bei Schäden, die Sie Dritten zufügen, z.B: wenn Sie in Ihrem Urlaub das Fahrrad auf das Nachbarzelt fallen lassen.

Profitieren Sie von diversen Angeboten

Als ACSI ClubID-Inhaber können sie von den Angeboten profitieren, die Sie auf unserer Webseite ▸ *www.ACSIclubID.de* ◂ finden. Dadurch erhalten Sie u.a. Rabatt auf Campingartikel. Außerdam zahlen Sie im ACSI Webshop immer den niedrigsten Preis. Wenn Sie sich für unseren Newsletter auf ▸ *www.ACSIclubID.de* ◂ anmelden, werden Sie über die neuesten Angebote auf dem Laufenden gehalten.

Auf rund 8600 Campingplätzen in Europa akzeptiert

Rund 8600 Campings in Europa akzeptieren die ACSI Club ID. Auf diesen Campings wird sie als Legitimationsnachweis akzeptiert. Bei den Einrichtungen können Sie unter 1A sehen, ob Campings die ACSI Club ID akzeptieren. Sie können diese Campings auch am 'ID' Logo im grünen Balken über dem redaktionellen Eintrag erkennen.
Auf skandinavischen Campings ist die Chance groß, dass Sie eine Spezialkarte an der Rezeption vorzeigen müssen. Diese Karte können Sie sich auf dem ersten Camping anschaffen, den Sie besuchen. Achtung: mit der ACSI Club ID bekommen Sie keine Rabatte auf Campingplätzen.

Besuchen Sie schnell ▸ *www.ACSIclubID.de* ◂ um über die neuesten Entwicklungen im Bereich des Camping Carnets von ACSI auf dem Laufenden zu bleiben.

Warum die ACSI Club ID

ACSI möchte Ihnen als Camper auf möglichst verschiedenen Wegen einen sorglosen und vergnüglichen Campingurlaub bieten.

Beantragen

Sie können die ACSI Club ID über ▸ *www.ACSIclubID.de* ◂ anfordern. In nur

wenigen Schritten ist Ihr Camping Carnet bestellt. Halten Sie dafür Ihren Pass oder Ausweis bereit.

Die ACSI Club ID kann von Campern nachfolgender Nationalitäten genutzt werden: Deutsche, Niederländer, Belgier, Franzosen, Österreicher, Schweizer, Briten (Engländer, Schotten, Waliser und Nord-Iren), Iren und Dänen.

Achtung! Camper o.g. Nationalitäten, die nicht in den Niederlanden, Deutschland, Frankreich, Belgien, Dänemark, der Schweiz, Österreich, Irland, Vereinigtes Königreich, Norwegen, Schweden, Finnland, Portugal, Spanien oder Italien wohnen, können die ACSI Club ID aus versicherungstechnischen Gründen nicht anfordern.

Newsletter

Wenn Sie ▸ *www.ACSIclubID.de* ◂ besuchen, vergessen Sie nicht, sich für unseren speziellen ACSI Club ID Newsletter anzumelden! Dadurch bleiben Sie über die neuesten Campingnews auf dem Laufenden.

** Achtung: in manchen Ländern braucht man immer noch einen Pass oder Ausweis.*

Erklärung Eurocampings.eu

Anwenderfreundlich, viele Suchoptionen und ein frisches Design

Die neugestaltete Webseite von ACSI Eurocampings ist eine praktische Plattform den Campingurlaub zu planen. Alle von ACSI inspizierten Plätze werden mit Fotos, Videos und Beurteilungen übersichtlich präsentiert. Dank der umfangreichen Filteroptionen finden Sie schnell und einfach einen Campingplatz, der zu Ihnen passt.

Suchen nach Karte, Name oder Reiseziel

Man kann auf verschiedene Arten den Campingplatz finden. Über 'Detailsuche' können Sie rund nach 200 Einrichtungen suchen, aber auch zunächst über die Karte Ihr Reiseziel festlegen. Wissen Sie schon, wohin es geht? Dann ist die Suche nach Region, Ort, Campingplatznamen vielleicht noch einfacher.

Umfangreiche Campinginformationen

Alles was wir über einen Campingplatz wissen, wird auf Eurocampings.eu gezeigt. Anhand dieser Infos können Sie die richtige Auswahl treffen. Diese Daten haben wir auch in das Match2Camp-System eingebettet. Mit Hilfe der kleinen Frageliste können Sie festlegen, welche Farbkombination und damit welcher Platztyp am besten zu Ihnen passt. Einfach praktisch!

Darum ACSI Eurocampings;

- **Fotos und Videos**
  Bei den meisten Campingplätzen können Sie mehrere Fotos oder Videos betrachten. Dadurch erhalten Sie schon einen ganz guten Eindruck von Ihrem Reiseziel.
- **Campingbeurteilungen von Mitcampern**
  Insgesamt wurden über 85.000 Beurteilungen von Campern wie Ihnen hinterlassen. Natürlich können Sie auch Ihre Meinung über einen Campingplatz abgeben und damit anderen Campern helfen.
- **Campingplätze vergleichen**
  Fällt die Auswahl schwer? Stellen Sie zwei oder drei Campings nebeneinander und vergleichen Sie!
- **Interaktives Kartenmaterial**
  Ein- und Auszoomen und die Campingplätze im Umkreis finden.

Campingtipps

Möchten Sie zweimal monatlich kostenlose Campingtipps und Angebote in Ihrer Mailbox haben? Dann melden Sie sich für den ACSI Eurocampings Newsletter an. Das geht auf jeder Seite von Eurocampings.eu.

Match2Camp

Finde den Campingplatz, der zu Ihnen passt!

In diesem Führer sind 8500 Campingplätze mit ausführlichen Infos zur Lage und verfügbaren Einrichtungen gelistet. Es ist aber nicht immer so einfach, schnell mal eben eine Auswahl zu treffen. Match2Camp kann in diesem Fall helfen.

Match2Camp ist eine praktische Hilfe, mit der man schnell bestimmen kann, welcher Camping am besten den eigenen Wünschen entspricht. ACSI hat den Bedürfnissen der Camper entsprechend eine Umfrage machen lassen. Auf Basis dieser Untersuchung sind die Campingplätze in diesem Führer in vier Erlebniswelten und neun Kategorien umschrieben. Jeder Camping wurde in eine dieser Kategorien eingeteilt.

Bestimmen Sie zunächst die Erlebniswelt, die Sie am ehesten anspricht. Suchen Sie dann weiter in der Kategorienbeschreibung das Beste was Ihren Urlaub entspricht. Alle Campings in diesem Führer haben Match2Camp Symbole mit einer Farbe oder Farbkombination, die mit der Kategorienbeschreibung übereinstimmt. So erkennen Sie schnell den Camping, der zu Ihnen passt.

Die Erlebniswelten und die verschiedenen Kategorien

Gelbe Erlebniswelt

Für Camper in der gelben Erlebniswelt bedeutet Urlaub Aktivität, die man vor allem selbst ausleben will. Dort darf schon Anstrengung dabei sein. Der Campingurlaub wird als jährlicher Höhepunkt erfahren. Die Gesellschaft

Erlebniswelten in kurzen Worten

In der gelben Erlebniswelt treffen wir Camper, die auf der Suche nach lebendigen Campings sind, mit einem großen Angebot an Einrichtungen und geselligen Aktivitäten.

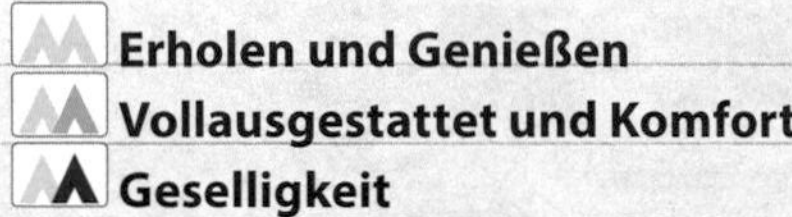
Erholen und Genießen
Vollausgestattet und Komfort
Geselligkeit

In der grünen Erlebniswelt treffen wir Camper, die auf der Suche nach Erholung sind.
Stichwörter: Ruhe und Privatsphäre.

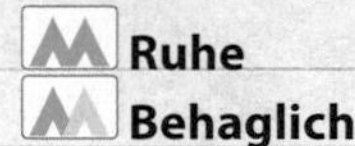
Ruhe
Behaglich

In der blauen Erlebniswelt treffen wir Camper, die auf der Suche nach einem komfortablen Camping sind, der als Ausgangsbasis für einen aktiven und sportlichen Urlaub dienen kann.

Komfort
Aktiv

In der roten Erlebniswelt treffen wir Camper, die auf der Suche nach der außergewöhnlichen Camperfahrung sind, ein Camping der 'anders' ist. Stichwörter: Natur, Sport und Freizeitbeschäftigung.

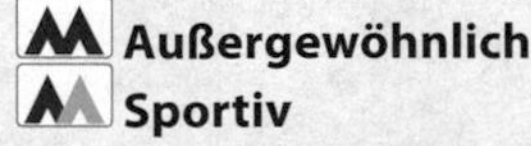
Außergewöhnlich
Sportiv

mit der man auf Reise geht, steht dabei im Vordergrund. Jeder muss die Chance haben schöne Aktivitäten zu finden und Mitcampern zu begegnen.

Camper aus der gelben Erlebniswelt fahren meist zweimal im Jahr in Urlaub. Ein längerer Sommerurlaub und ein kürzerer Urlaub in der Nebensaison zwischendurch. Der Sommerurlaub ist der wichtigste. Campingplätze mit vielen Einrichtungen sind sehr geschätzt und dürfen dann auch schon etwas mehr kosten.

In dieser Erlebniswelt sind drei Kategorien zu unterschieden:

Gelb: Erholen und Genießen
Diese Kategorie von Campern sucht vor allem den Erholungsurlaub. Unter dem Motto: 'man kann nicht alles haben', ist man weniger auf der Suche nach einem Camping 'mit allem drum und dran'. Es sollten aber schon ausreichend schöne Aktivitäten für einen erholsamen Urlaub sein.

Gelb/blau: Vollausgestattet und Komfort
Diese Kategorie von Campern sucht nach einem Camping mit allem drum und dran. Oft eine größere Anlage mit großen Plätzen, viel Ausstattung und einem rundum Animationsprogramm. Dieser Platz darf ruhig etwas teurer sein, wenn sich das auf die vielen Einrichtungen, die man benutzen kann, niederschlägt.

Gelb/rot: Geselligkeit
Diese Kategorie von Campern sucht vor allem einen Camping, auf dem viele Freizeiteinrichtungen sind und auf dem für die Gäste gesellige Aktivitäten organisiert werden.

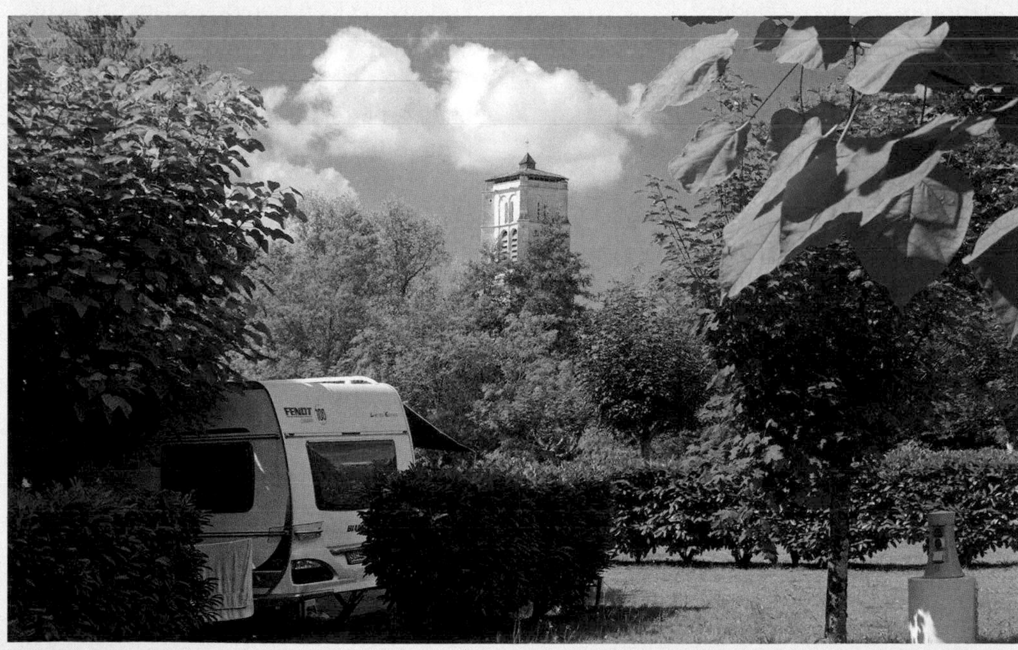

Grüne Erlebniswelt

Für Camper aus der grünen Erlebniswelt bedeutet Urlaub vor allem 'zur Ruhe kommen' und 'sich schön zu erholen'. Genau wie in der gelben Erlebniswelt steht hier die Gesellschaft, die mitreist, im Vordergrund.

Der grüne Camper sucht am liebsten einen Camping, der nicht allzu groß ist. Der menschliche Maßstab und die Übersichtlichkeit sind sehr wichtig. Wenn die Basisausstattungen gut und ordentlich sind, dann ist dieser Camping für den grünen Camper in Ordnung.

Dieser Camper schaut mehr auf Ruhe auf dem Land und authentische Dörfer und Natur, als auf umfangreiches Vergnügen mit Badelandschaften und Wildwasserrutschbahnen.

In dieser Erlebniswelt sind zwei Kategorien zu unterschieden:

Grün: Ruhe

Diese Kategorie von Campern sucht vor allem einen Platz mit ausreichend Privatsphäre, Ruhe und Raum. Zum Beispiel parzellierte Plätze. Fehlende Animation oder Restaurant stellt für diesen Camper kein Problem dar.

Grün/gelb: Behaglich

Dieser Kategorie von Campern ist die Atmosphäre wichtig. Diese Camper suchen Kontakt mit anderen und genießen einen schöne Wanderung oder ruhige Radtour in der Umgebung des Campingplatzes.

Blaue Erlebniswelt

Der Camper der blauen Erlebniswelt will eben weg von der Alltagshektik. Zeit für Familie und Hobbys. Der Camping muss vor allem darauf eingestellt sein, das zu leisten.

Erholung heißt für den blauen Camper nicht 'nichts tun'. Wenn es um das Hobby geht, hat der blaue Camper oft die (gute) eigene Ausrüstung, zum Beispiel ein Rad, ein Golfset oder ein Motorboot. Der Camping wird nach dem Hobby ausgesucht.

Dieser Camper geht oft mehr als einmal im Jahr in Urlaub. Es gibt zwar ein Budget hierfür, aber der Campingplatz muss nicht der luxuriöseste sein. Wenn allerdings ausreichend Komfort geboten wird und (spezifische) Einrichtungen/Anlagen vorhanden sind, die zu den Aktivitäten/Hobbys passen, die man unternehmen will. Es darf aber kein 'geradeso-damit-zurecht-kommen' sein.

In dieser Erlebniswelt sind zwei Kategorien zu unterschieden:

Blau: Komfort

Für diese Kategorie von Campern ist es wichtig, dass der Camping etwas an (luxuriösen) Extras anzubieten hat: Komfortplätze, eine Sauna, Wellnesscenter oder Sonnenbank sind da höchst willkommen.

Blau/rot: Aktiv

Diese Kategorie von Campern sucht einen Camping, der in erster Linie auf sportliche Aktivitäten ausgerichtet ist, wie Golfen, Rad fahren oder Wassersport.

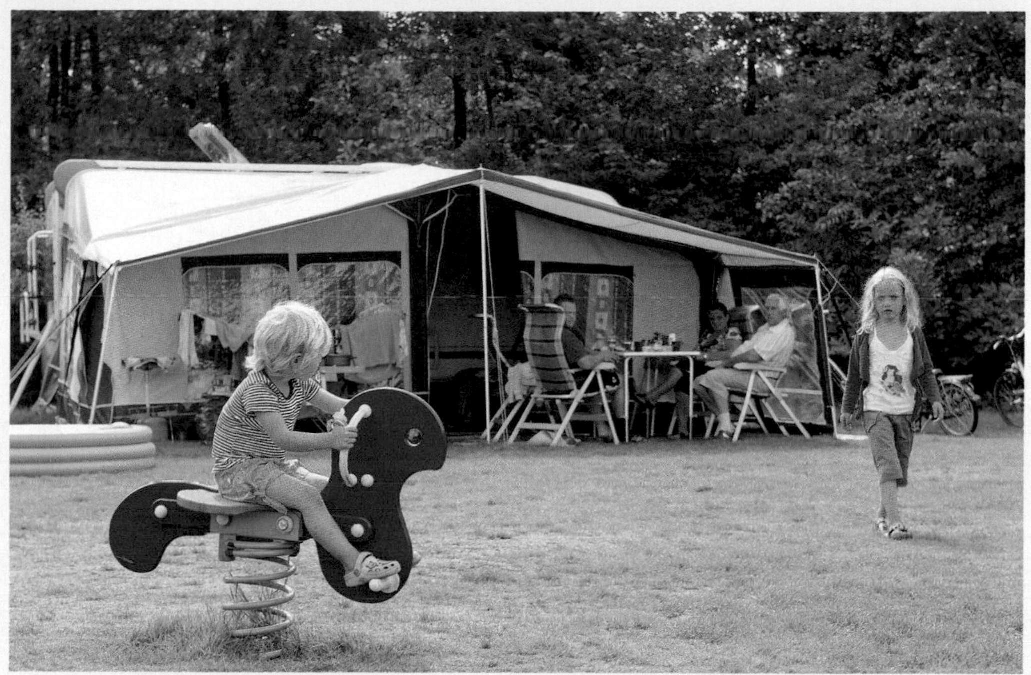

Rote Erlebniswelt

Der Camper aus der roten Erlebniswelt hat meist eine genaue, konkrete Vorstellung von seinem Urlaub. Dieser Camper muss entweder mal 'kurz raus', um eben mal runter zu kommen, einen Themenurlaub haben oder einfach nur mal etwas unternehmen (aktiv/sportiv). Der Camping wird danach gezielt ausgesucht. Camper aus dieser Gruppe suchen gerne den besonderen Camping, einen der 'anders ist als anders'.

In dieser Erlebniswelt sind zwei Kategorien zu unterschieden:

Rot: Außergewöhnlich

Diese Kategorie von Campern will gerne etwas außergewöhnliches erleben, etwas anderes als sonst. Der Camper will mit einer 'Geschichte' heimkommen. Die Aktivität steht meist im Vordergrund und deswegen wird nach einer 'ungewöhnlichen' Stelle gesucht. Der Camping hat etwas besonderes, z.B. eine Baumhütte oder ein Tipi-Zelt. Oft sind es auch kleinere Camps mit einen eingeschränkten Anzahl von Einrichtungen.

Rot/grün: Sportiv

Diese Kategorie von Campern ist sportiv ausgerichtet und sucht einen ins selbst gestaltete Programm passenden Camping. Dieser Platz is dann auch eher ein Basiscamp. Angenehm ist es, wenn bei der Rückkehr Einrichtungen angeboten werden, die man benutzen kann. Zum Beispiel einen Supermarkt, Restaurant oder Schwimmbad. Sehr anspruchsvoll ist diese Gruppe nicht. Es geht mehr um die Atmosphäre, die kreiert ist. Das Ungewohnte ist eine schöne, bereichernde oder interessante Erfahrung.

Wintersportcampingplätze

Bisher haben wir alle unten genannten Ausstattungen erwähnt bei den Campingplätzen. Da die Zahl der Wintercampingplätze ständig zunimmt, haben wir beschlossen, in Zukunft nur noch die Plätze zu erwähnen, aber nicht die Ausstattungen.

Stattdessen gibt es eine Liste mit den Wintersportplätzen und ihren Ausstattungen.

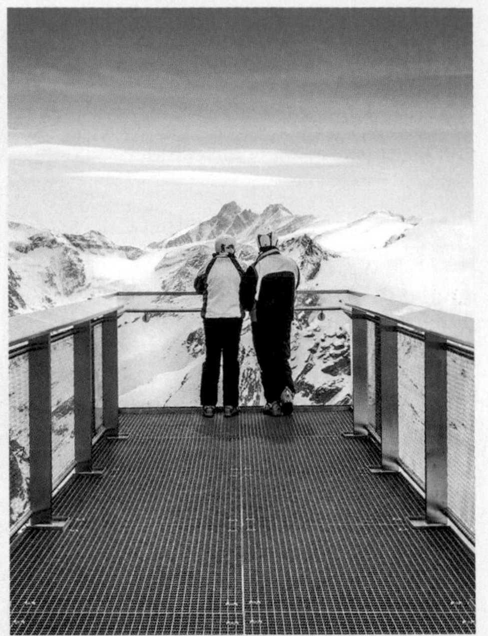

Bestellen Sie die Liste gratis!
Sie erhalten die Liste bei:
ACSI Publishing BV
z.H.v. Redactie
Postbus 34
6670 AA Zetten, Niederlande
(vermelden Sie Ihre Anschrift)

Ausstattungliste

1 Allgemein
- A Gut erreichbar
- B Mäßig erreichbar
- C Schlecht erreichbar
- D Überdachte Stellplätze
- E Gasanschlüsse am Stellplatz
- F Elektrische Anschlüsse am Stellplatz
- G Große Propangasflaschen
- H Beheizte sanitäre Anlagen
- I Trockenraum
- J Ski-Abstellraum
- K Lebensmittel erhältlich
- L Skiverleih
- M Skireparatur/ -einstellung
- N Sportshop
- O Reservierung empfohlen

2 Gemeinschaftliche Aufenthaltsräume
- A Mäßig
- B Durchschnittlich
- C Gut
- D Après-Ski
- E Folklore und Animation

3 Langlaufen
- A Langlaufloipe in (....) km Entfernung
- B Gesämtlänge der Langlaufloipen (….) km

4 Alpinski
- A Übungslifte in (….) km Entfernung
- B Großes Skigebiet in (….) km Entfernung
- C Anschluß an andere Skigebiete

5 Umgebung
- A Haltestelle Skibus am Camping
- B Shuttle vom Camping zu den Skipisten
- C Einkaufs- / Ausgangszentrum in (….) km Entfernung
- D Skiverleih
- E Skireparatur/ -einstellung
- F Wintersportartikel erhältlich
- G Kino und/oder Theater
- H Folklore und Veranstaltungen

Wir schicken Ihnen die Liste mit Wintersportcampings umgehend gratis zu! Noch schneller kann man die Liste selbst downloaden auf:

▸ *www.eurocampings.de/wintersport* ◂

Dann haben Sie die ausführliche Liste sofort in der Hand.

Nützliche Adresse

Deutscher Skiverband (DSV)
Hubertusstraße 1
D-82152 Planegg
Tel. +49 (0)89-85790-0
E-Mail: info@deutscherskiverband.de
Internet: ▸ *www.deutscherskiverband.de* ◂

Norwegen

Mittel-Norwegen

Süd-Norwegen

Schweden

Mittel-Schweden

Nord-Schweden

Süd-Schweden

Tranås / Hätte Camping ____ Seite 92

West-Schweden

Falköping / Mössebergs Camping & Stugby ____ Seite 94
Filipstad /
Munkebergs Camping-Stugor-Vandrarhem ____ Seite 94
Habo / Habo Camping & Stugby ____ Seite 95
Mullsjö / Mullsjö Camping ____ Seite 97
Skövde / Billingens Stugby och Camping ____ Seite 97
Stenkällegården/Tiveden /
Stenkällegårdens Camping Tiveden ____ Seite 97
Stöllet / Björkebo Camping ____ Seite 97
Sunne / Sunne Swecamp Kolsnäs ____ Seite 98
Sysslebäck / Sysslebäcks Stugby & Fiskecamping Seite 98
Torsby/Mårbacken / Cp. Nya Skogsgården ____ Seite 98
Torsby/Vägsjöfors /
Abbas Stugby och Camping ____ Seite 98
Torsby/Vitsand / Knut's Camping ____ Seite 98
Ulricehamn / Skotteksgården Camping & Stugby _ Seite 98

Finnland

Åland

Vårdö / Sandösunds Camping ____ Seite 115

Nord-Finnland

Aavasaksa / Cp. Aavasaksanilomakylä ____ Seite 122
Kaamanen/Inari / Cp. Giellajohka ____ Seite 123
Kuusamo / Cp. Rantatropiikki ____ Seite 123
Kuusamo / Cp. Kuusamon Portti ____ Seite 123
Posio / Cp. Himmerki ____ Seite 124
Sirkka / Levilehto Apartments ____ Seite 124
Taivalkoski / Cp. Kylmäluoma ____ Seite 124

Südost-Finnland

Ahmovaara / Cp. Koli Freetime ____ Seite 119
Hartola / Cp. Koskenniemi ____ Seite 119
Hillosensalmi / Cp. Orilammen Lomakeskus ___ Seite 120
Joensuu / Cp. Holiday Linnunlahti ____ Seite 120
Punkaharju / Cp. Punkaharjun Lomakeskus ___ Seite 121
Puumala/Mannilanniemi / Cp. Mannilanniemi Seite 121

Südwest-Finnland

Helsinki / Rastila Camping Helsinki ____ Seite 116
Kevo/Kustavi / Cp. Kustavi Lomavalkama ____ Seite 116
Mussalo/Taivassalo / Cp. Mussalo ____ Seite 117
Riihimäki / Holiday Center Lempivaara ____ Seite 118
Ruissalo/Turku / Ruissalo Camping ____ Seite 118
Säkylä / Kristalliranta ____ Seite 118
Somero / Cp. Kökkö ____ Seite 118
Uusikaupunki / Cp. Rairanta ____ Seite 118
Yyteri/Meri-Pori / Top Camping Yyteri ____ Seite 119

Belgien

Wallonien

Amel/Deidenberg / Camping Oos Heem BVBA . Seite 238
Bihain/Vielsalm / Cp. Aux Massotais ____ Seite 240
Blier-Erezée / Cp. Le Val de l'Aisne ____ Seite 240
Bütgenbach / Cp. Worriken ____ Seite 240
Dochamps / Cp. Petite Suisse ____ Seite 241
Hogne / Cp. Le Relais ____ Seite 241
Neufchâteau / Cp. Spineuse Neufchâteau ____ Seite 243
Odrimont / Cp. Floreal Gossaimont ____ Seite 243
Robertville / Cp. La Plage ____ Seite 243
Sankt Vith / Cp. Wiesenbach ____ Seite 243
Tenneville / Cp. Pont de Berguème ____ Seite 244
Waimes / Cp. Anderegg ____ Seite 244

Luxemburg

Clervaux / Cp. Clervaux ____ Seite 249
Lieler / Cp. Trois Frontières ____ Seite 251

Deutschland

Braunschweig

Altenau / Cp. Polstertal ____ Seite 273
Altenau / Cp. Okertalsperre ____ Seite 273
Bad Harzburg / Freizeit Oase Harz Camp ____ Seite 273
Bad Lauterberg /
Campingpark Wiesenbeker Teich ____ Seite 273
Bad Sachsa / Campingpark Im Borntal ____ Seite 273
Braunlage / Cp. Braunlage ____ Seite 273
Clausthal-Zellerfeld /
Campingplatz Waldweben ____ Seite 273
Clausthal-Zellerfeld / Cp. Prahljust ____ Seite 274
Goslar / Cp. Sennhütte ____ Seite 274
Hohegeiß (Harz) / Cp. Am Bärenbache ____ Seite 274
Osterode (Harz) / Campingplatz Eulenburg ___ Seite 274
Walkenried / Knaus Campingpark Walkenried _ Seite 275

Wintersportcampingplätze

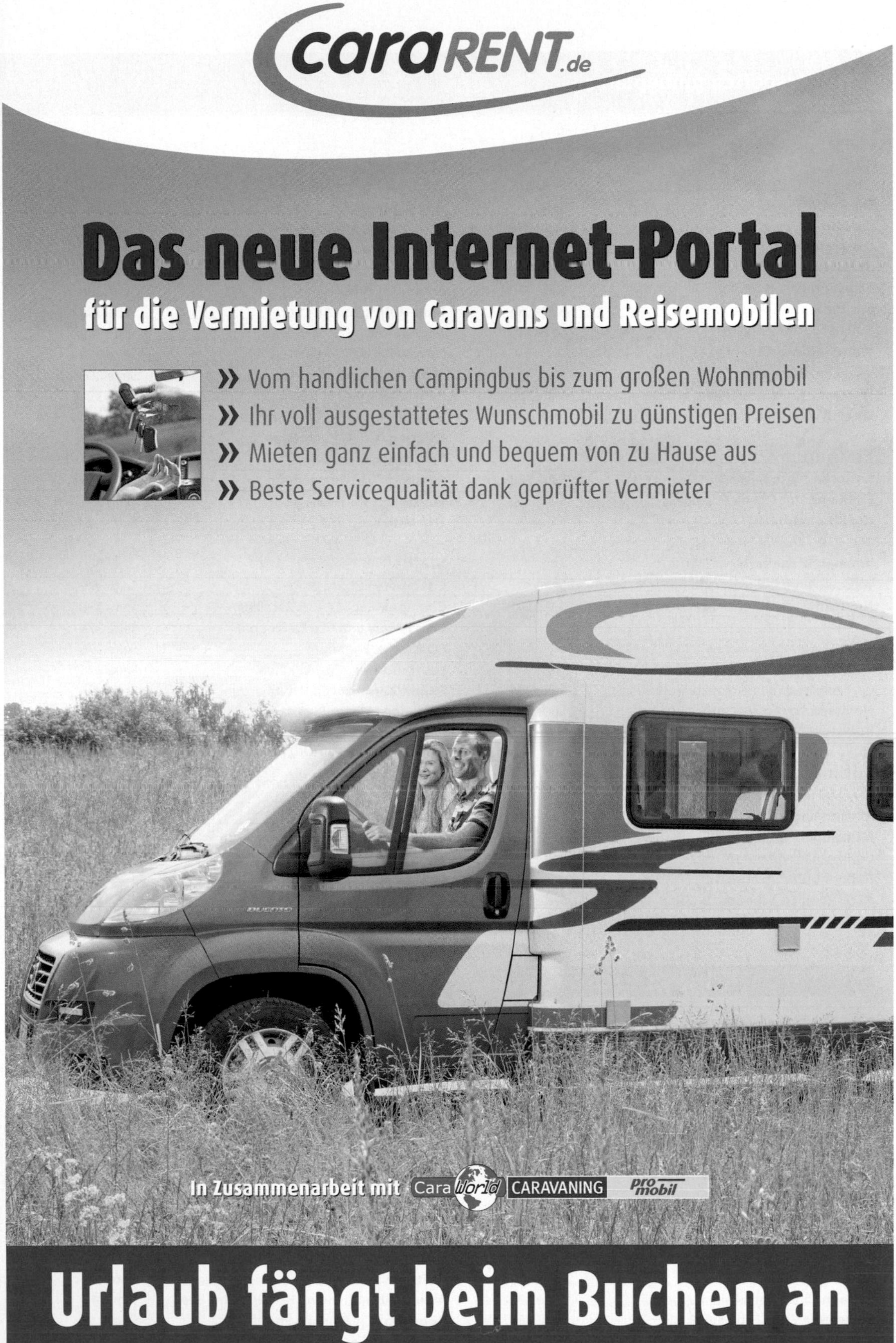
caraRENT.de
Das neue Internet-Portal
für die Vermietung von Caravans und Reisemobilen
» Vom handlichen Campingbus bis zum großen Wohnmobil
» Ihr voll ausgestattetes Wunschmobil zu günstigen Preisen
» Mieten ganz einfach und bequem von zu Hause aus
» Beste Servicequalität dank geprüfter Vermieter
In Zusammenarbeit mit Cara World CARAVANING pro mobil
Urlaub fängt beim Buchen an

Niederösterreich/Wien

Oberösterreich

Salzburg

Steiermark/Burgenland

Tirol

Wintersportcampingplätze

Vorarlberg

Polen

Süd-Polen

Lettland

Tschechien

Slowakei

Slowenien

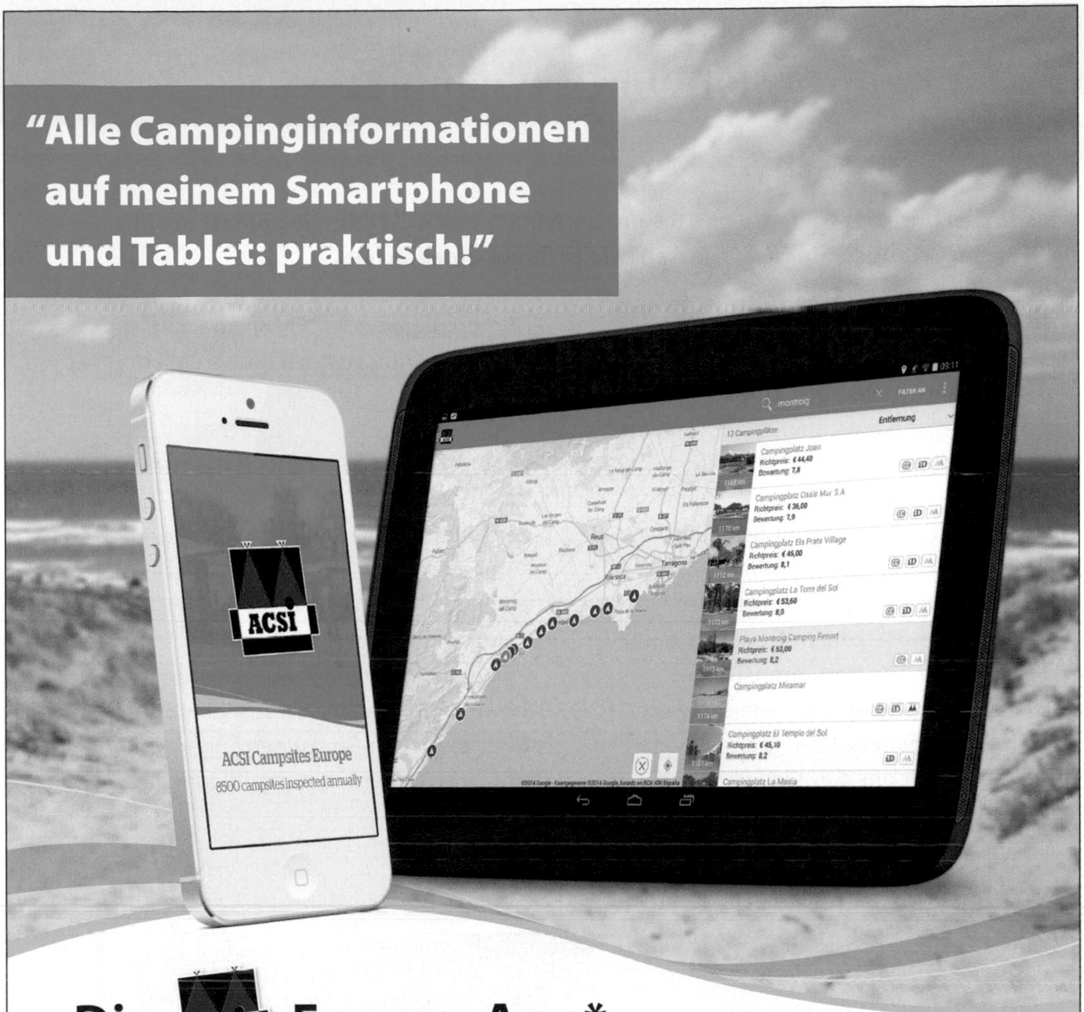
"Alle Campinginformationen
auf meinem Smartphone
und Tablet: praktisch!"
ACSI
ACSI Campsites Europe
8500 campsites inspected annually

Ihre Meinung ist wichtig

Wir würden uns sehr freuen, wenn Sie uns als Nutzer des ACSI Campingführer Europa nach Ihrem Urlaubsende wissen lassen, wie er Ihnen gefallen hat.

Ihre Anmerkungen

Unser Inspektorenteam besucht jährlich die im Führer gemeldeten Campings, um zu überprüfen, ob die Campinginformation zuverlässig, objektiv und up-to-date ist. Das machen die Inspektoren auf Grund einer Liste mit 217 Ausstattungsmerkmalen und vielen anderen Anhaltspunkten. Sie fragen auch bei den Campern, die sich gerade auf dem Platz befinden, nach. Auf diese Weise können bestimmte Dinge objektiver beurteilt werden, wie bspw. die Nachtruhe auf dem Campingplatz. Daher freuen wir uns natürlich über Ihre Anmerkungen oder Vorschläge, um unseren Führer zu noch größerem Erfolg zu verhelfen.

Was halten Sie zum Beispiel von...

dem Zustand der Sanitäranlagen, der Kundenfreundlichkeit des Personals, dem Preis - Leistungsverhältnis? Auf unserer Webseite ▸ *www.eurocampings.eu* ◂ können Sie auf einfache Weise Ihre Meinung veröffentlichen. So können andere Camper von Ihren Erfahrungen profitieren.

Wir sind 3 Wochen auf Camping Des Mures gewesen. Es war super. Wir waren die letzte Aprilwoche und die ersten beiden Wochen von Mai dort gewesen. Wir überlegen nächstes Jahr wieder dort hin zu fahren und haben schon mal vorreserviert. Das Personal spricht gut deutsch und das ist für uns ein Pluspunkt. Außerdem kann man in der Gegend herrlich Rad fahren. Mit dem Auto ist es nicht so toll, denn dafür ist es zu voll. Daher nur unser vollstes Lob für diesen Platz.

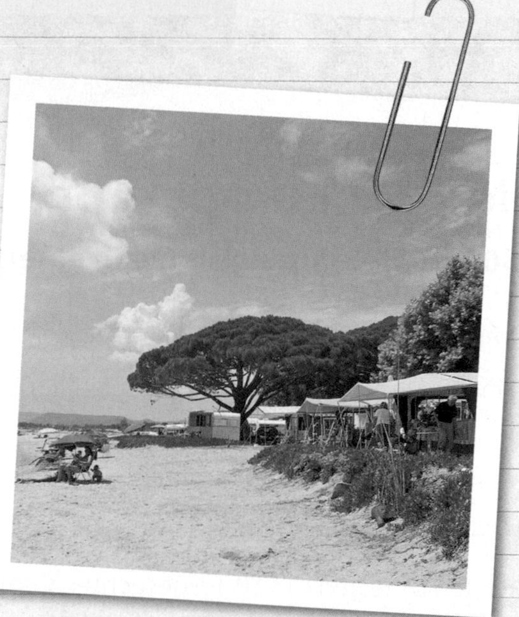

Mit freundlichem Gruß,
Adam Schäfer

Stimmt tatsächlich, dass die Stellplätze sonnig liegen. Meine Frau und ich haben dadurch die ganze Frühlingssonne genießen können. Auch die Navigation zum Camping mit den GPS-Koordinaten war super einfach.

Mit freundlichen Grüßen,
Felix Schwarz

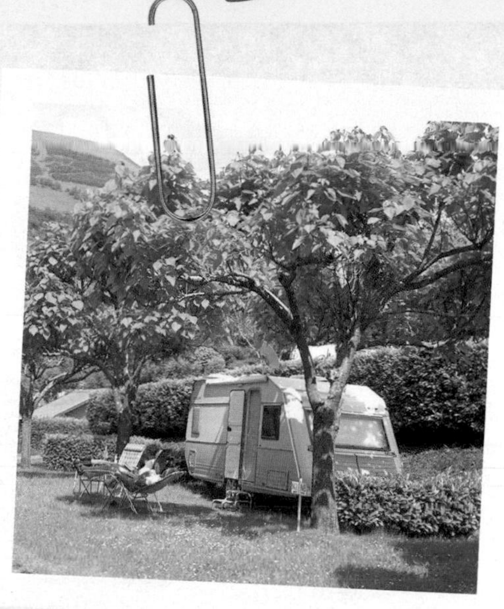

Die Beurteilung des Camping La Plage d'Argens

Share your camping experience with other and help them make their camping choice. ACSI Eurocampings hat einige Regeln, denen Ihre Beurteilung genügen muss.

* = Das ist ein Pflichtfeld

Campingbeurteilung

	entfällt	Sehr gut	Gut	Ordentlich	[illegible]	[illegible]
Sporteinrichtungen						
Schwimmbad						
Umgebung						
Stellplatz						
Preis-Leistungsverhältnis						
Kinderfreundlichkeit						
Unterkunft						
Personal						
Unterhaltung						
Essen und Trinken						
Sanitäranlagen						

Kommentar*
Ihre Antwort muss mindestens 100 Zeichen beinhalten

Reiseperiode* Auswählen

Reisegesellschaft* Auswählen

Meine Daten

Name*

Anrede* Männlich Weiblich

E-Mailadresse*

Darf Ihre E-Mail Adresse auf der Webseite gezeigt werden?* Yes No
(Andere Personen können dann vielleicht wegen der Beurteilung Kontakt mit Ihnen aufnehmen.)

Möchten Sie unseren Newsletter erhalten?* Yes No

Platzbeurteilung

Man hört hin und wieder Geschichten über Campings, die zwar gut aussehen, deren Service aber schlecht ist. Davon kann auf diesem Platz keine Rede sein! Das Personal gibt sein Bestes alle Wünsche zu erfüllen und alle möglichen Fragen zu beantworten. Das Sanitär war super sauber. Den ganzen Tag war ständig jemand am putzen und reinmachen. Es hat wirklich Spaß gemacht ins Sanitärgebäude zu kommen. Dieser Camping verdient seine hohe Bewertung voll und ganz.

Stephan und Heike

FKK-Campingplätze

Dänemark

Süd-Jütland

Niederlande

Drenthe

Flevoland

Süd-Holland

Luxemburg

Deutschland

Hessen

Karlsruhe

Mecklenburg-Vorpommern

Österreich

Kärnten

Steiermark/Burgenland

Ungarn

Ost-Ungarn

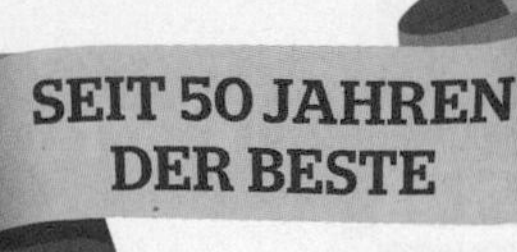

West-Ungarn

Kroatien

Istrien

Primorje-Gorski Kotar/Lika-Senj/Zadar/ Sibenik-Knin

Beachten Sie

daß Sie auf den meisten der hieroben genannten Campings Mitglied eines Naturistenvereins sein müssen! Informieren Sie sich beim Camping ob Sie vorher Mitglied werden müssen, oder ob Sie das vor Ort auf dem Camping werden können.

Nützliche Adresse

DFK Federation
Ferdinand-Wilhelm-Fricke Weg 10
D-30169 Hannover
Tel. +49 (0)511-12685500
Fax +49 (0)511-12685515
E-Mail: dfk@dfk.org
▸ *www.dfk.org* ◂

Campingplätze mit einem FKK-Teil

Schweden

Mittel-Schweden

Skutskär / Rullsand Bad & Camping ____ Seite 104

Finnland

Åland

Föglö / CC Camping ____ Seite 114

Niederlande

Nord-Holland

Den Hoorn / Texelcamping Loodsmansduin ____ Seite 164

Luxemburg

Diekirch/Bleesbruck / Cp. Bleesbrück ____ Seite 249

Deutschland

Brandenburg

Bantikow / Knatter Camping ____ Seite 294
Falkenberg/Elster /
Cp. Erholungsgebiet Kiebitz ____ Seite 294
Senftenberg / Familien Park Senftenberger See Seite 296

Hessen

Eschwege/Meinhard /
Campingplatz Meinhardsee ____ Seite 312

Koblenz

Birkenfeld / Campingpark Waldwiesen ____ Seite 317

Lüneburg

Cappel-Neufeld /
Naturistenverein 'Wattenfreunde' e. V. ____ Seite 266
Oberohe/Faßberg / Cp. Heidesee ____ Seite 268

Mecklenburg-Vorpommern

Prerow / Regenbogen Ferienanlage Prerow ____ Seite 289

Sachsen

Eilenburg /
Freizeit und Erholungszentrum Eilenburg ____ Seite 298
Halbendorf / Cp. Halbendorfer See ____ Seite 298
Volkersdorf / Cp. Oberer Waldteich ____ Seite 299

Thüringen

Neuengönna/Porstendorf /
Camping & Ferienpark bei Jena ____ Seite 301

Österreich

Kärnten

Pesenthein / Terrassencamping Pesenthein ____ Seite 418

Steiermark/Burgenland

Oberwölz / Cp. Rothenfels ____ Seite 426

Lettland

Kegums Nov./Tomes Pag. / Cp. Sniedzes ____ Seite 449

Tschechien

Pasohlávky / ATC Merkur Pasohlávky ____ Seite 466

Slowenien

Banovci/Verzej / Cp. Terme Banovci ____ Seite 500
Smlednik / Cp. Smlednik ____ Seite 504

Kroatien

Istrien

Medulin / Camping Village Kažela ____ Seite 512
Rovinj / Cp. Polari ____ Seite 514

Primorje-Gorski Kotar/Lika-Senj/Zadar/Sibenik-Knin

Cres (Cres) / Camp Kovacine ____ Seite 520
Novalja (Pag) / Cp. Strasko ____ Seite 526
Punta Kriza (Cres) / Camping Baldarin FKK ____ Seite 528

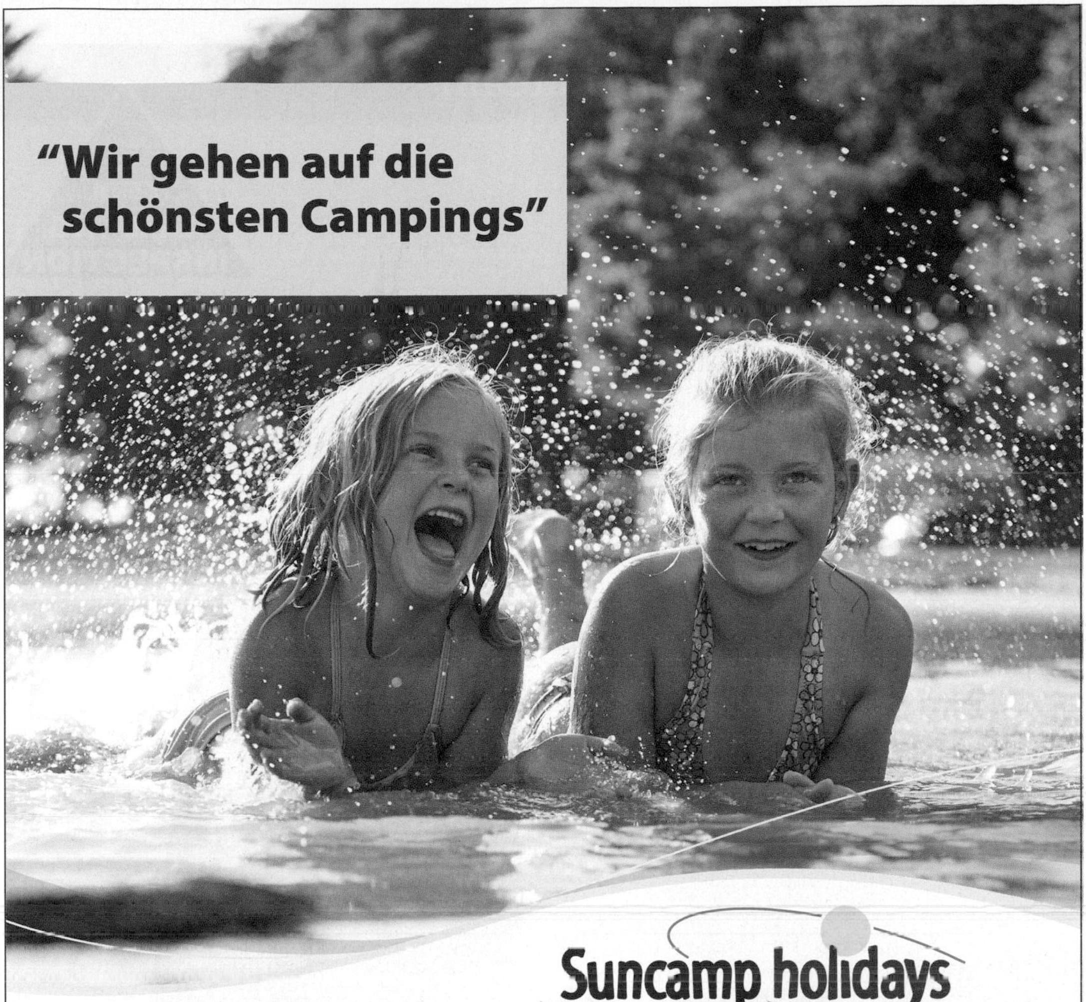
"Wir gehen auf die schönsten Campings"

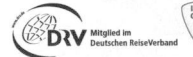

ACSI
CAMPING
INSPECTION

Camping Le Sérignan Plage, Sérignan-Plage (F)

Auch Kinder kommen zu Wort. Was halten sie vom Miniklub oder wie finden sie bspw. den Spielplatz?

Die Einrichtungen werden nicht nur aufgenommen, sondern auch auf den Qualitätszustand hin überprüft.

Die exakte Lage des Campingplatzes wird mit Hilfe eines Navigationssystems erstellt.

Zuverlässig, objektiv und up-to-date

Warum ist der ACSI-Führer so populär? Weil die Informationen, die hier drin stehen, stimmen. Nichts besonderes, werden Sie denken, das ist doch klar?! Nein, das ist überhaupt nicht klar. Jährlich kommen neue Ausstattungen hinzu oder fallen weg. Regelmäßig wechseln die Campingplätze ihre Eigentümer. Mit der Folge, daß sich die Anlagen qualitativ verändern. Einer investiert in höherwertige Ausstattungen wie etwa sanitäre Anlagen, ein anderer läßt die Anlage möglicherweise verkommen. Verlässliche, aktuelle Informationen von neutralen Beobachtern sind für den Camper bei der Wahl seines Urlaubsziels von großer Wichtigkeit. ACSI ist sich dessen sehr bewusst. Darum machen sich jährlich 327 Inspektoren auf den Weg, um so etwa 8500 Campingplätze in Europa zu besuchen, anzuschauen und einzuordnen. Dies tun sie mit einer Checkliste, die 217 Punkte enthält und natürlich auch ihrer persönlichen Erfahrung. Auch sprechen sie mit den Campinggästen vor Ort. Auf diese Art und Weise fließen auch Kriterien in die Beurteilung ein wie etwa die nächtliche Ruhe auf dem Platz.

Jährliche Kontrolle

ACSI ist einer der wenigen Campingführer in Europa, der jedes Jahr aufs Neue alle Campingplätze, die veröffentlicht werden, untersuchen lässt. Der Jahreskontroll-Aufkleber von ACSI wird jedes Jahr vom Inspektor persönlich unter dem Punkt 'letzte Kontrolle ACSI-Inspektor' bei der Rezeption geklebt. Dies bedeutet, daß der betreffende Campingplatz wirklich vom ACSI-Inspektor besucht und kontrolliert worden ist. Die meisten

Der ACSI-Inspektor kontrolliert Schwimmbäder u.a. auf Hygiene und Sicherheit (Camping Le Méditerranée Plage, Vias-Plage (F)).

Ausreichendes Sanitär, gut, schön und funktionell? Aus Erfahrung und durch Einweisung lernt der Inspektor das Sanitär eines Platzes zu beurteilen.
Die Unterschiede können so groß sein, aber sollte ein Platz nicht den ACSI-Kriterien genügen, wird er nicht aufgenommen (Camping Le Sérignan Plage, Sérignan-Plage (F)).

CEE oder nicht und ein sicherer Kasten oder nicht? Die Ampèrezahl ist ebenfalls im Führer aufgenommen. Immer mehr Camper legen Wert auf diese Information, weil Sie entweder Airkondition oder Mikrowelle an Bord haben. Auch die Ausstattung mit ausreichenden Feuerlöschern ist wichtig (Camping Le Sérignan Plage, Sérignan-Plage (F)).

anderen Campingführer dagegen schicken ihre Jahresmarken lediglich zu, mit dem Vermerk, daß der Campingplatz in ihrem Führer aufgenommen ist. Das ist schon ein gewaltiger Unterschied!
Teilweise kontrollieren unsere Inspektoren bis Anfang September Campingplätze. So kann es natürlich passieren, daß Sie auch einmal auf einem Campingplatz noch nicht den aktuellen Jahreskontroll-Aufkleber vorfinden.

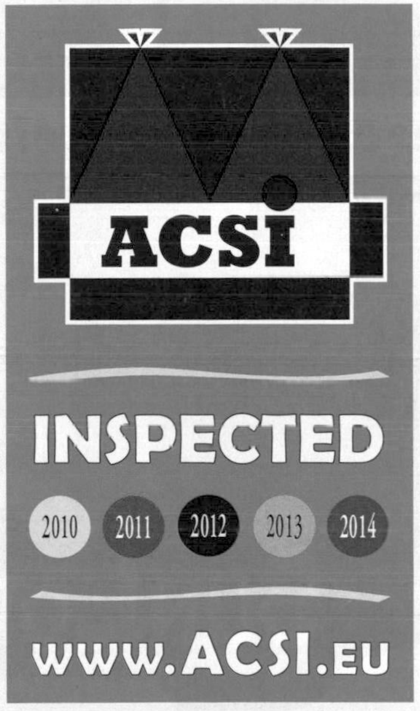

Nachdem der Camping kontrolliert wurde, wird der Aufkleber vom Inspektor angebracht.

Während des Besuchs werden auch Fragen gestellt, die der Inspektor nicht beurteilen kann, bspw. ob ein Platz nachts gut ausgeleuchtet ist oder ob es nachts auch ruhig ist.

Behindertengerechte Campingplätze

Ausstattungliste

1 Sanitärraum-Einteilung
- A Getrennte Dusch- und Toilettenräume
- B Beide Einrichtungen in einem Raum

2 Extra Ausstattungen im Sanitärbereich
- A Leichtgängige automatische Türschliesser
- B Sanitäre Ausstattungen für Behinderte im selben Block wie für die übrigen Campinggäste
- C Sanitäre Ausstattungen für Behinderte nicht im selben Gebäude, aber mit Alarmanlage ausgestattet
- D Behindertensanitär nur für Behinderte geöffnet
- E Duschstuhl (ausklappbar oder entfernbar) ungefähr 48 cm hoch
- F Wasserhahn ohne Drucktaste

3 Weitere Ausstattungen
- A Spezielle Stellplätze für Behinderte
- B Spezielle Parkplätze für Behinderte
- C Imbiss / Restaurant zu ebener Erde oder über eine Rampe erreichbar
- D Imbiss / Restaurant hat eine für Behinderte zugängliche und angepasste Toilette
- E Supermarkt zu ebener Erde oder über eine Rampe erreichbar
- F Rezeption für Behinderte gut zugänglich
- G Schwimmbad mit einem Lift ausgestattet
- H Schwimmbad nicht mit Lift ausgestattet sondern mit einer Rampe einschließlich Kunststoff Rollstuhl

ACSI stellt jährlich eine Liste von Campingplätzen zusammen, die behindertengerecht ausgestattet sind. Die Voraussetzungen für einen behindertengerechten Platz wurden in Absprache mit dem Holländischen Behindertenrat festgelegt.
Die Campingplätze, die in diese Liste aufgenommen werden, verfügen alle über für Behinderte geeignete Toiletten und Duschen oder über eine Kombination von beiden. Weiterhin geben wir bei jedem Campingplatz an, ob dieser über zusätzliche, für Behinderte nützliche Ausstattungen verfügt.

In den letzten Jahren ist diese Anzahl derartig gestiegen, daß wir beschlossen haben, diese Liste nicht mehr im Führer zu veröffentlichen. Dies würde den Umfang des Führers sprengen, außerdem ist die Anzahl der Nutzer vergleichsweise gering.

Fragen Sie die kostenlose Liste an!

Damit sich behinderte Camper aber weiterhin über die auf sie zugeschnittenen Angebote informieren können, verschicken wir die jährlich aktualisierte Liste gratis.

Die Bestelladresse lautet:
ACSI Publishing BV
z.H.v. Redaktion
Postbus 34
6670 AA Zetten
Niederlande

Wir schicken Ihnen die Liste mit Campingplätzen, die für Behinderte geeignet sind, postwendend zu.

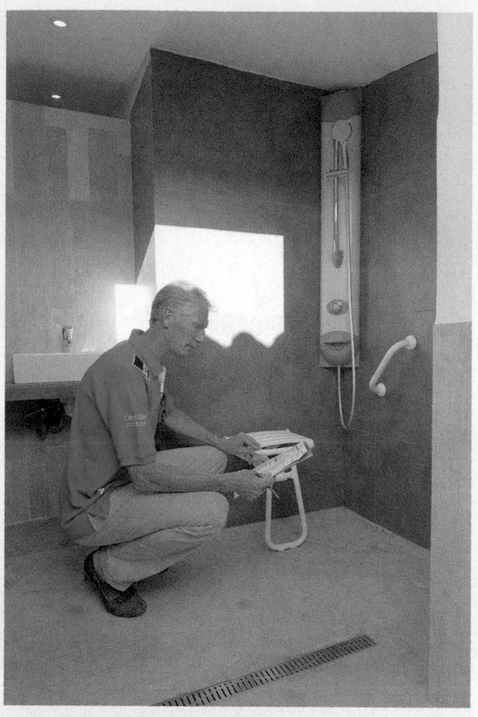

Noch schneller kann man die Liste selbst downloaden auf
▸ *www.eurocampings.de/behinderte* ◂
Dann haben Sie die ausführliche Liste sofort in der Hand.

Nützliche Adresse

Allgemeiner Behindertenverband in Deutschland e.V. (ABiD)
Friedrichstraße 95
D-10117 Berlin
Tel. +49 (0)30-27593429
Fax +49 (0)30-27593430
E-Mail: abid.bv@t-online.de
▸ *www.abid-ev.de* ◂

Norwegen

Nordkap
Nördliches Eismeer
Atlantischer Ozean
Vadsø
Alta
NORD-NORWEGEN
75
Tromsø
Balsfjord
Vesterålen
Sortland
Narvik
Lofoten
Hamarøy
Bodø
Meløy
Polarkreis
Hattfjelldal
Steinkjer
73
Trondheim
Kristiansund
MITTEL-NORWEGEN
Molde
Leikanger
Lillehammer
Hamar
Bergen
SÜD-NORWEGEN
OSLO
Trøgstad
Sarpsborg
Skien
63
Stavanger
Tønsberg
Arendal
Kristiansand
FINNLAND
Kiruna
Pajala
Gällivare
Rovaniemi
Jokkmokk
Tornio
Kemi
Älvsbyn
Luleå
Kalix
Arvidsjaur
Piteå
Oulu
Storuman
Skellefteå
Raahe
Umeå
Vaasa
Bottnischer Meerbusen
Östersund
Härnösand
Tampere
SCHWEDEN
Hämeenlinna
Turku
Falun
Uppsala
STOCKHOLM
Kärdla
Haapsalu
ESTLAND
Karlstad
Örebro
Nyköping
Norrköping
Linköping
Ostsee
Jönköping
Göteborg
Ventspils
LETTLAND
Saldus
Aizpute
Liepaja
CF-EU

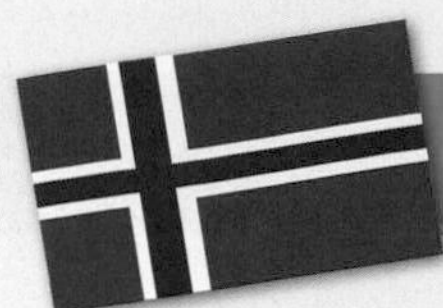

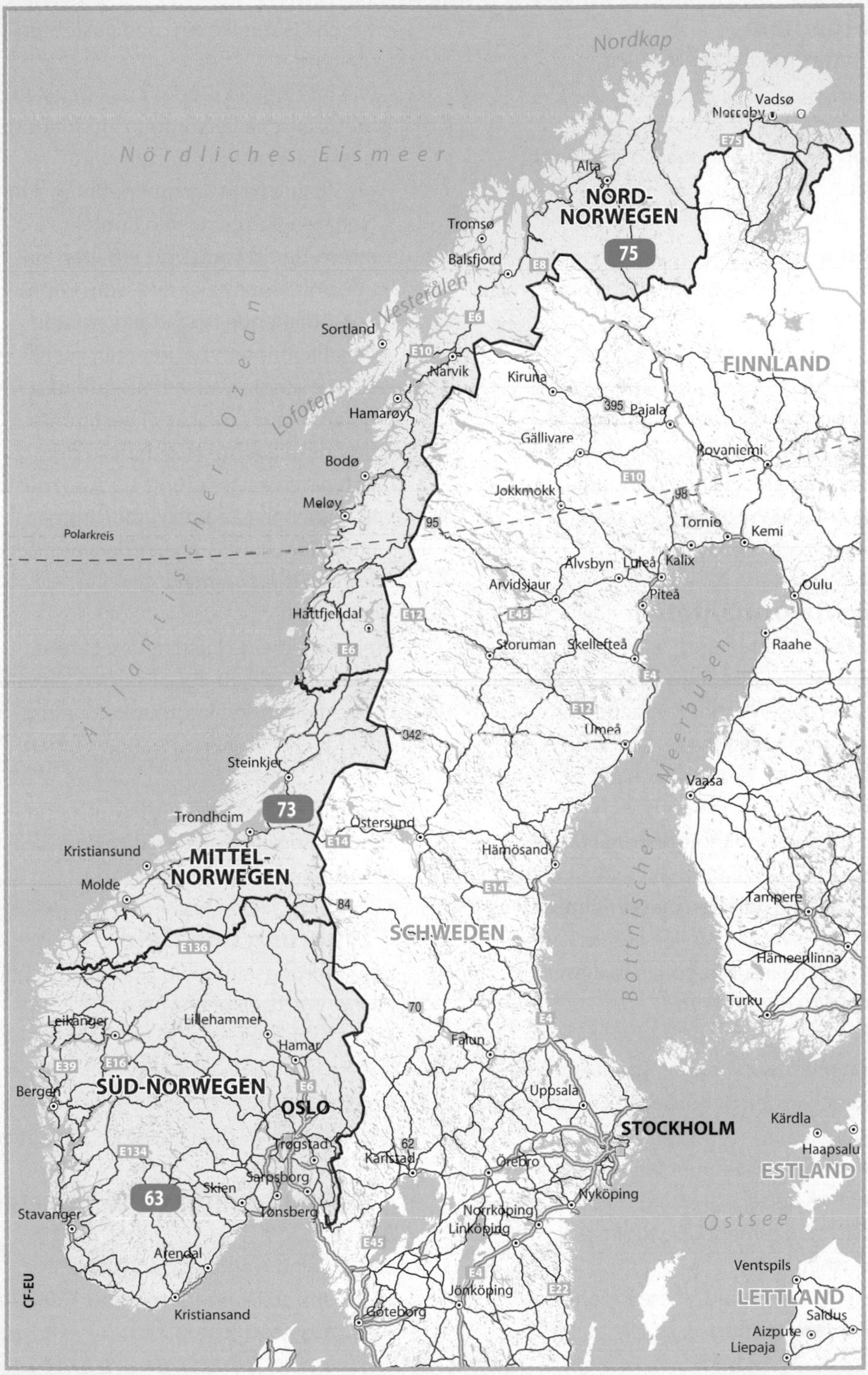

Allgemein

Norwegen ist kein EU-Mitglied.

Zeit

In Norwegen ist es genauso spät wie in Berlin.

Sprache

Norwegisch, aber mit Englisch kommt man sehr gut weiter.

Fähren

Via Kopenhagen (Dänemark) und Malmö (Schweden) über die Sontbrücke, aber es gibt auch Fährverbindungen. Siehe auf ▸ *www.aferry.de* ◂ oder ▸ *www.directferries.de* ◂

Grenzformalitäten

Viele Formalitäten und Vereinbarungen, wie erforderliche Reisedokumente, KFZ-Papiere, Anforderungen an Ihr Fahrzeug und Ihren Aufenthalt, Krankenkosten und das Mitführen von Tieren, sind nicht nur vom Zielort abhängig, sondern auch von Ihrem Ausgangsort und Ihrer Nationalität. Auch die Dauer Ihres Aufenthaltes spielt dabei eine Rolle. Im Rahmen dieses Führers ist es leider nicht möglich, allen Lesern korrekte und aktuelle Informationen in dieser Hinsicht zu garantieren.

Wir raten Ihnen, vor Ihrer Abreise bei den entsprechenden Behörden in Erfahrung zu bringen:

- welche Reisedokumente Sie für sich selbst und Ihre Reisebegleitung brauchen
- welche Dokumente Sie für Ihr Auto brauchen
- welchen Anforderungen Ihr Fahrzeug entsprechen muss
- welche Güter Sie ein- und ausführen dürfen
- wie im Unglücks- oder Krankheitsfall die medizinische Versorgung im Urlaubsland organisiert ist und bezahlt wird
- ob Sie Ihre Haustiere mitnehmen können. Nehmen Sie rechtzeitig Kontakt zu Ihrem Tierarzt auf. Dort erhalten Sie Informationen über relevante Impfungen, entsprechende Bestätigungen und Verpflichtungen bei Ihrer Rückkehr. Es ist auch sinnvoll herauszufinden, ob an Ihrem Urlaubsziel bestimmte Bedingungen für Haustiere in der Öffentlichkeit geknüpft sind. So müssen in manchen Ländern Hunde immer einen Maulkorb tragen oder vergittert transportiert werden.

Viele allgemeine Infos finden Sie auf ▸ *www.europa.eu* ◂ aber sorgen Sie selbst dafür, die richtige Information für Ihre individuelle Situation herauszufinden.

Aktuelle Zollbestimmungen entnehmen Sie den Botschaften des jeweiligen Urlaubslandes an Ihrem Wohnort.

Währung und Geld

Die Währungseinheit in Norwegen ist die Krone. Wechselkurs (September 2014): € 1,- = NOK 8,02.

Kreditkarten

Kreditkarten werden vielerorts akzeptiert.

Öffnungszeiten und Feiertage

Banken

Banken sind werktags geöffnet bis 15.30 Uhr, an Donnerstagen bis 17.00 Uhr. Samstags geschlossen.

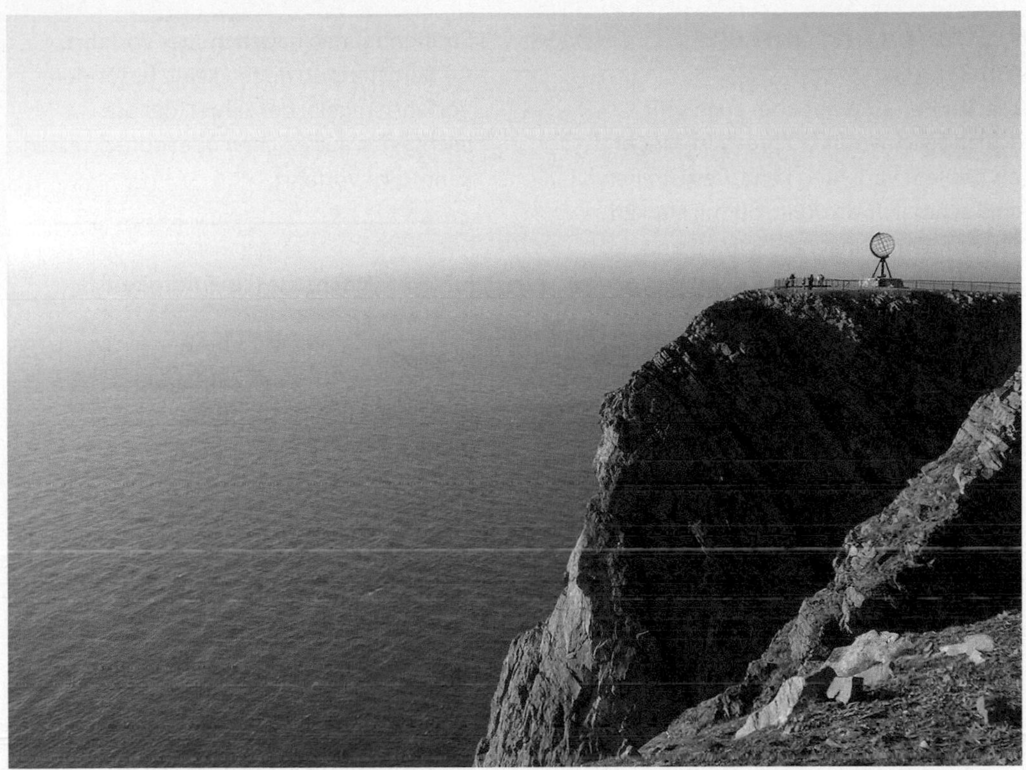

Geschäfte
Die Geschäfte in Norwegen sind montags bis mittwochs und freitags zwischen 9.00 und 17.00 Uhr geöffnet. Donnerstags bis 20.00 Uhr und samstags zwischen 9.00 und 15.00 Uhr.
Wein, Hochprozentiges und Starkbier gibt es nur in staatlichen Spezialgeschäften des Vinmonopolet.

Apotheken, Ärzte
Ärzte und Apotheken sind überall über eine spezielle Rufnummer Tag und Nacht zu erreichen. 'Legevakt' ist ein lokaler ärztlicher Notdienst außerhalb der Öffnungszeiten.

Feiertage
1. Januar, Gründonnerstag, Karfreitag, Ostern, 1. Mai (Tag der Arbeit), Himmelfahrt, 17. Mai (Nationalfeiertag), Pfingsten, Weihnachten.

Kommunikation

(Mobil) Telefon
Das Mobilfunknetz ist fast in ganz Norwegen gut, abgesehen von schlecht zugänglichen Naturgebieten. Es gibt ein 3G-Netz für das mobile Internet.

W-Lan, Internet
Restaurants und Bars verfügen oft über W-Lan. Internetcafés gibt es hauptsächlich in den Städten.

Post
Geöffnet von Montag bis Freitag bis 17.00 Uhr, samstags bis 13.00 Uhr.

Ⓐ Straßen und Verkehr

Straßennetz

Die Straßen sind gut aber auch sehr schlängelig, wodurch Ihre Reise länger als geplant verlaufen kann. Bergstraßen sind schmal und kurvig, oft mit starken Steigungen. Durch den Schnee sind sie häufig nur von Mitte Juni bis Mitte Oktober befahrbar. Achtung: Die norwegische Polizei kontrolliert nicht-Skandinavische Fahrzeuge streng, die mit der Fähre über Hirtshals (Dänemark) und Kristiansand (Norwegen) einreisen! Die norwegische Straßenwacht (NAF) ist über Notrufsäulen an den Autobahnen und über die landesweite Pannennummer 81000505 zu erreichen.
Kostenlose Hilfe bekommen Sie, wenn Sie einen Auslandsschutzbrief haben:

- Tel. 02222 (Falken)
- Tel. 06000 (Viking)

Nehmen Sie sich das neueste Kartenmaterial mit, da 2010 alle Nationalstraßen neu eingeteilt wurden.

Verkehrsvorschriften

In Norwegen hat der von rechts kommende Verkehr stets Vorfahrt, falls nicht anders angegeben. Kreisverkehr hat Vorfahrt.

Straßenbahnen haben immer Vorfahrt. An Bergstrecken gelten keine besondere Vorfahrtsregeln: der Fahrer, der am leichtesten ausweichen oder zurücksetzen kann, gibt Vorfahrt.

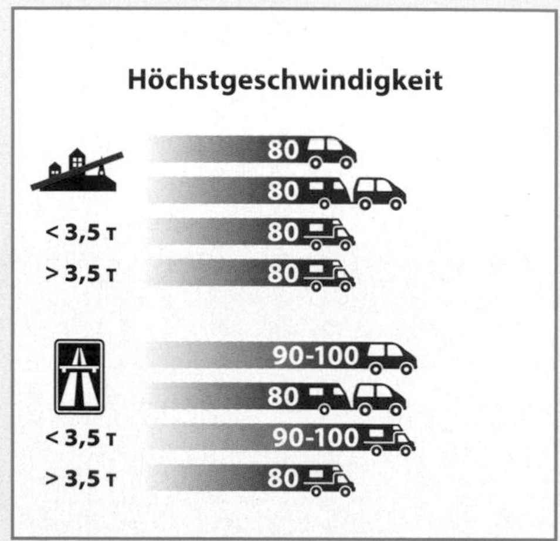

Promillehöchstgrenze: 0,2 ‰. Achten Sie auf Tiere auf Schnellstraßen in Waldgebieten und Bergen! Tagsüber ist Abblendlicht Vorschrift. Telefonieren nur mit Freisprechanlage. Innerhalb geschlossener Ortschaften ist es im Auto nicht erlaubt zu rauchen. Keine Winterreifenpflicht.

Navigation

Warnung vor festen Blitzern durch Navi oder Mobiltelefon Apps ist erlaubt.

Wohnwagen, Reisemobil

Rechnen Sie bei Fahrt in die Fjordgebiete und Berge damit, dass es mit dem Wohnwagen oder Reisemobil Probleme geben kann. Ein gutes Zugfahrzeug ist sehr zu empfehlen. An der Straße darf kein Brauch/Schmutzwasser entleert werden. An den wichtigsten Routen gibt es im ganzen Land ausreichend Serviceanlagen.

Zulässige Maße

Höhe keine Beschränkungen, Breite 2,55m und maximale Länge (Auto und Caravan) 18,75m. Auf manchen Landstraßen ist die Durchfahrtsbreite weniger als 2,55m.

Kraftstoff

Bleifrei und Diesel sind gut erhältlich. LPG am besten im Süden und rund um Oslo erhältlich. Besonders in Mittel- und Nordnorwegen ist die Anzahl der Tankstellen beschränkt, abgesehen von der Reichsstraße Nr. 6. Beachten Sie, dass die Benzinpreise in Nordnorwegen bedeutend höher sind.

Tankstellen

Tankstellen sind geöffnet zwischen 7.00 und 23.00 Uhr. Vielerorts können Sie mit Kreditkarte bezahlen.

Maut

In Norwegen kann man auf 3 Arten die Mautstrecken benutzen:

- Visitors' payment: wenn Sie weniger als 2 Monate in Norwegen bleiben.
- AutoPASS: wenn Sie länger als 2 Monate in Norwegen bleiben.
- Ohne AutoPASS.

Siehe ▸ *www.autopass.no* ◂

Notruf

- 112: Polizei
- 110: Feuerwehr
- 113: Krankenwagen

Campen

Die Sanitäranlagen sind durchweg als gut zu bezeichnen und das Niveau steigt weiter. Parzellierte Plätze gibt es weniger. Auf den Campings ist das Angebot von Lebensmitteln, Einrichtungen und Freizeit im Vergleich zu populären Campingländern eher bescheiden. Dafür gibt es Natur im Überfluss, also bestens geeignet zum Wandern, Bergsteigen und Angeln.

Prinzipiell darf man in der freien Natur campen. Es ist nicht erlaubt auf Kulturland (u.a. Mähwiesen, Wiesen, neu angelegte Wälder) ohne Zustimmung des Inhabers zu verbleiben.

Praktisch

Wenn Sie in Norwegen, Finnland oder Dänemark campen, dann ist es sehr wahrscheinlich, dass Sie noch eine Spezialkarte brauchen, die man an der Rezeption vorzeigen muss. Sie können sich diese Karte auf dem ersten Camping, auf dem Sie übernachten, besorgen.

- Am besten immer Universalstecker dabei haben.
- Beachten Sie: Die Möglichkeiten Ihre Propangasflaschen zu füllen sind sehr begrenzt. Sie sollten also möglichst volle Flaschen mitbringen.
- Das Leitungswasser ist bedenkenlos zu trinken.

Angeln

Jeder Angler über 16 Jahre muss im Besitz einer öffentlichen Erlaubnis sein. Darüber hinaus kann örtlich noch ein Angelschein verlangt werden, meist aber nur bei Süßwasser. Angelscheine erhält man in Sportgeschäften, Kiosks, Fremdenverkehrsbüros oder Campingplätzen. An der Küste und damit auch in den Fjorden (Salzwasser) darf jedermann frei angeln.

Klima Oslo	Jan.	Feb.	März	April	Mai	Juni	Juli	Aug.	Sept.	Okt.	Nov.	Dez.
Tagestemperatur	-4	-3	1	7	12	17	19	18	13	7	2	-1
Sonnenstunden am Tag	2	3	5	6	7	8	7	6	5	3	1	1
Regentage	10	8	6	7	6	8	10	9	9	9	10	11

Klima Isfjord	Jan.	Feb.	März	April	Mai	Juni	Juli	Aug.	Sept.	Okt.	Nov.	Dez.
Tagestemperatur	-10	-10	-11	-8	-2	3	6	5	2	-2	-5	-8
Sonnenstunden am Tag	0	0	2	7	8	5	5	5	2	0	0	0
Regentage	9	8	9	8	7	7	8	9	9	10	9	8

Klima Bergen	Jan.	Feb.	März	April	Mai	Juni	Juli	Aug.	Sept.	Okt.	Nov.	Dez.
Tagestemperatur	2	2	4	7	12	14	17	16	13	9	6	4
Sonnenstunden am Tag	1	2	4	5	6	6	5	4	3	2	1	0
Regentage	16	14	12	14	11	13	15	15	17	19	16	18

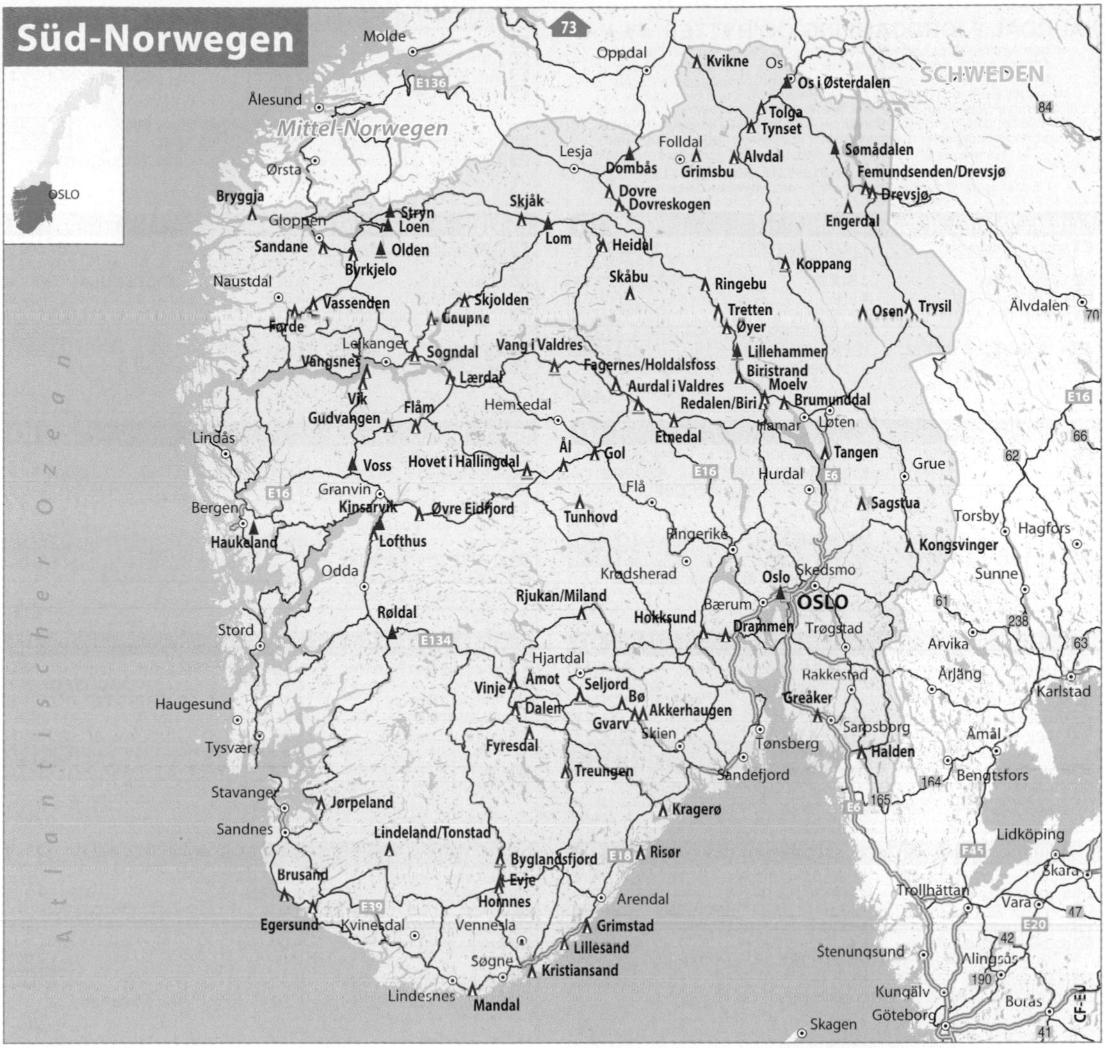

Süd-Norwegen

In diesem Führer finden Sie eine handliche Karte mit Campingplätzen an den wichtigen Durchgangsstrecken zu Ihrem Ferienziel.

Alvdal, N-2560 / Hedmark

Gjelten Bru Camping	1 ADJMNOPRST	JNUX 6
R.V. 29	2 COPQRXY	ABDEFHI 7
1 Jan - 31 Dez	3 BE	ABCDEFJNQRV 8
+47 62487444	4 IO	FJ 9
post@gjeltenbrucamping.no	5 CKL	AGHJR 10
	B 10A	❶ €29,95
N 62°7'53'' E 10°33'58''	H500 0,8 ha 45T(80-100m²) 14D	❷ €29,95

CP liegt an Straße 29 gegenüber Geschäft von N. Dæhlie, über der Brücke (gut ausgeschildert). 5 km von Alvdal-Zentrum entfernt.

Akkerhaugen, N-3812 / Telemark

Norsjø Ferieland AS****	1 ADEJMNOPRST	LNPQSWXZ 6
Liagrendvegen 71	2 DFGHIOPUWX	ABDEFGIJ 7
1 Mai - 1 Okt	3 BEFIQSTU	ABCDEFJKMNQRSV 8
+47 35958430	4 FHLO	DEFQT 9
post@norsjo-ferieland.no	5 ABEFGJL	AHJPRV 10
	B 10A	❶ €48,65
N 59°23'15'' E 9°15'47''	20 ha 200T(80m²) 168D	❷ €48,65

Die 360 Notodden-Gvarv, nach 24 km links, über die Brücke rechts. CP gut ausgeschildert.

Åmot, N-3890 / Telemark

Hyllandsfoss Camping	1 JMNOPRST	LN 6
Drottning Støylane	2 BCDHOPWX	AB 7
15 Mai - 30 Sep	3 S	ABEFNQR 8
+47 35071328	4 FH	FJ 9
krbergla@online.no	5	JR 10
	10A	❶ €18,70
N 59°34'52'' E 8°0'5''	H575 1,5 ha 30T(90m²) 10D	❷ €18,70

Von Åmot Straße 37 in nördliche Richtung. Nach 2 km liegt CP linkerhand der Straße.

Ål, N-3570 / Buskerud

Ål Camping	1 ADJMNOPRST	JN 6
R.V. 7	2 COPWX	ABDEHI 7
20 Mai - 20 Sep	3	ABEFNQ 8
+47 41300332	4 H	F 9
aalcamping@aalcamping.no	5	AJRV 10
	Anzeige auf dieser Seite 16A	❶ €24,95
N 60°38'33'' E 8°35'38''	H416 2 ha 30T(90m²) 10D	❷ €24,95

Liegt an der Straße 7 von Gol nach Geilo, ca. 2 km vor Ål auf der linken Seite. CP-Schildern folgen.

Teilkarte Süd-Norwegen auf Seite 63

Aurdal i Valdres, N-2910 / Oppland

CC€18 iD

Aurdal Fjordcamping og Hytter****	1 ADEJMNOPRST	LNQSXYZ 6
	2 DFHPQRWX	ABDEFGI 7
1 Jan - 31 Dez	3 BIKS	CDEFJNQRS 8
+47 61365212	4 FHIO	FJPV 9
post@aurdalcamp.no	5 ABDEGKL	ADEHJORV 10
	Anzeige auf dieser Seite WB 16A	❶ €33,65
N 60°54'59" E 9°23'22"	H309 7 ha 60T(90m²) 191D	❷ €33,65

In Aurdal, E16 (17 km südöstlich von Fagernes). An der Kirche abfahren, von dort ist der CP ausgeschildert. Nach 2 km erreicht man den CP.

Biristrand, N-2837 / Oppland

iD

Biristrand Camping***	1 ADEJMNOPQRST	LNQSWXYZ 6
E6	2 ADFGHKOPQTWX	ABDEFGHI 7
1 Jan - 31 Dez	3 AFI	ABCDEFIJNQRSV 8
+47 61184672	4 FIO	FJPT 9
post@biristrandcamping.no	5 ABL	AGHKPR 10
	WB 10A	❶ €32,40
N 61°1'31" E 10°26'58"	H170 6 ha 100T 107D	❷ €32,40

CP an der E6, 11 km südlich von Lillehammer, Ausfahrt Vingrom/Biristrand, Beschilderung folgen.

Bø, N-3800 / Telemark

iD

Bø Camping****	1 ADEJMNOPRST	ABFG 6
Lifjellvegen 51	2 BOPQWX	ABDEFGHI 7
1 Jan - 31 Dez	3 BFIST	ABCDEFJNQRS 8
+47 35952012	4 FHIOST	FIJV 9
bocamping@bo.online.no	5 ABDFKL	AHJNOSV 10
	WB 16A	❶ €44,90
N 59°26'40" E 9°3'48"	H150 8 ha 300T 124D	❷ €44,90

Von Bø Richtung Notodden dem weißen Pfeil folgen: 'BO SOMMARLAND 3 km'. Dort ist der Bø CP links angezeigt.

Brumunddal, N-2380 / Hedmark

iD

Mjøsa Ferie og Fritidssenter	1 ADEJMNOPRST	HLNPSWXYZ 6
Bureiservegen 5	2 ADFGILPSUW	ABDEFGI 7
1 Jan - 31 Dez	3 AFI	ABCDFGIJNQRST 8
+47 62359800	4 FHIO	FIQT 9
post@mjosaferie.no	5 AB	GIJPRV 10
	WB 16A CEE	❶ €32,40
N 60°52'47" E 10°53'27"	H135 13 ha 110T 252D	❷ €34,90

Auf der E6 angezeigt und zu sehen. 800m von der E6, Ausfahrt 73.

Brusand, N-4363 / Rogaland

iD

Brusand Camping****	1 ADEJMNOPQRST	KNQS 6
Nordsjøvegen 3769	2 EFGHKPQWX	ABDFGHIK 7
1 Apr - 30 Sep	3 BEK	ABEFGIJLNQRS 8
+47 93625823	4 HIO	FGJ 9
kari@brusand-camping.no	5 ABL	AFGIJNORVZ 10
	16A	❶ €32,40
N 58°32'24" E 5°43'33"	8,6 ha 85T(80m²) 200D	❷ €32,40

Der CP liegt an der Straße Nr. 44 (zwischen Egersund und Sandnes), auf der Höhe von Brusand ausgeschildert.

Bryggja, N-6711 / Sogn og Fjordane

iD

PlusCamp Nore Fjordsenter	1 ADEJMNOPRST	KLNSWXYZ 6
Indre Nore	2 CDEFGHJKLMOPRUW	ABDEFGIK 7
1 Jan - 31 Dez	3 AS	ABEFGJNQRV 8
+47 94784042	4 FO	FJNQ 9
post@nore-fjordsenter.com	5 B	BHJPR 10
	B 16A CEE	❶ €31,80
N 61°56'26" E 5°27'9"	90T 28D	❷ €31,80

CP liegt an der RV15/E39 Skei-Moskog kurz vor Bryggja.

Byglandsfjord, N-4741 / Aust-Agder

CC€16 iD

Neset****	1 ADEJMNOPQRST	LNQSUWXYZ 6
1 Jan - 31 Dez	2 CDFGHKPQRSTWX	ABCDEFGHIJK 7
+47 37934050	3 AFLST	ABCDFIJKNQRSV 8
post@neset.no	4 AFIOT	FJPQRT 9
	5 ABDEFIL	AFGHJNPRV 10
	Anzeige auf Seite 65 B 10A	❶ €35,55
N 58°41'20" E 7°48'12"	H202 7 ha 235T 130D	❷ €36,80

Der CP liegt 13 km nördlich von Evje, und 3 km nördlich von Byglandsfjord. Der CP ist ab der 9 gut ausgeschildert.

Byrkjelo, N-6826 / Sogn og Fjordane

iD

Byrkjelo Camping og Hytter***	1 ADEJMNOPRST	ABFGN 6
E39	2 BCFGOPQRSWX	ABDEFGHIJK 7
27 Mär - 20 Sep	3 BEFGL	ABCDEFGIJKNQRSV 8
+47 91736597	4 EFH	FJV 9
mail@byrkjelo-camping.no	5 CL	ABHIJPRV 10
	B 10A	❶ €27,45
N 61°43'50" E 6°30'30"	2,5 ha 75T(80-140m²) 50D	❷ €27,45

CP an der E39, 100m von Byrkjelo-Zentrum entfernt, hinter Tankstelle.

Dalen, N-3880 / Telemark

iD

Buøy Camping Dalen	1 ADEJMNOPRST	JN 6
Buøyvegen 24	2 CGOPQRWY	ABFGHIK 7
1 Mai - 7 Sep	3 BLT	ABEFNQRSV 8
+47 35077587	4 FHI	GJV 9
infodalencamping@gmail.com	5 AL	AHJNORV 10
	16A	❶ €34,30
N 59°26'32" E 8°0'26"	H70 7 ha 100T(90m²) 31D	❷ €34,30

Straße Nr. 9 Kristiansand-Grungedal; in Rotemo auf die Straße Nr. 45 fahren. In Dalen ist der CP gut ausgeschildert.

Dombås, N-2660 / Oppland

iD

Furuhaugli Turisthytter AS****	1 ADJMNOPRST	N 6
E6	2 BFPQWX	ABCDEFGHIK 7
1 Jan - 31 Dez	3 ALS	ABCDEFGIJNQRSV 8
+47 61240000	4 EFIOQU	FJKP 9
post@furuhaugli.no	5 ABDEGIKL	AFHJNPRV 10
	WB 10A	❶ €26,20
N 62°9'2" E 9°22'15"	H1007 4 ha 30T(80-110m²) 54D	❷ €26,20

Der CP liegt 15 km von Dombås an der E6, 60 km von Oppdal.

Dombås, N-2660 / Oppland

iD

Pluscamp Hageseter	1 ADEJMNOPQRST	JN 6
Dovrefjell	2 CPRW	ABDEFGI 7
15 Apr - 15 Okt	3 A	ABCDEFINQRS 8
+47 61242960	4 EFI	JP 9
post@hageseter.no	5 ABHJKL	AFHJO 10
	10A	❶ €30,55
N 62°11'44" E 9°32'49"	H915 10 ha 30T(100m²) 58D	❷ €30,55

An der E6, 30 km nördlich von Dombås, 50 km südlich von Oppdal.

Dovre, N-2662 / Oppland

iD

Toftemo-Turiststasjon	1 ADEJMNOPRST	ABJN 6
E6	2 ABCGOPRWXY	ABDEFGHIK 7
1 Jan - 31 Dez	3 A	ABCDEFJNQRSV 8
+47 61240045	4 IO	FG 9
post@toftemo.no	5 ABEGHL	AGHJPR 10
	B 16A	❶ €26,20
N 61°59'56" E 9°13'20"	H500 4 ha 100T(80-110m²) 104D	❷ €27,45

An der E6 aus dem Süden kommend, auf der linken Straßenseite in Dovre. 10 km vor Dombås, 2 km nördlich von Dovre.

Dovreskogen, N-2663 / Oppland

iD

Dovreskogen Camping	1 ADJMNOPRST	JN 6
RV6	2 CGHOPRWX	ABDEFHI 7
1 Jun - 15 Sep	3 AGH	ABCDEFJNQV 8
+47 61240843	4 FHIO	FJ 9
info@dovreskogencamping.no	5 A	AJORV 10
	10A	❶ €27,45
N 61°55'45" E 9°19'3"	H415 0,5 ha 30T(90-100m²) 12D	❷ €27,45

An der E6, nördlich von Sel gut ausgeschildert. In Richtung Dombås rechts der E6, CP-Schilder beachten.

Drammen, N-3027 / Buskerud

iD

Drammen Camping	1 ADEJMNOPRST	JN 6
Buskerudveien 97	2 ACJOPQRWXY	ABDEFGI 7
1 Mai - 15 Sep	3	ABCDEFNQR 8
+47 32821798	4 FH	F 9
d-camp@online.no	5 L	AKOR 10
	Anzeige auf dieser Seite 10A	❶ €34,90
N 59°45'3" E 10°8'4"	3,5 ha 90T(60m²) 28D	❷ €34,90

Aus Drammen Richtung Kongsberg über die Straße 283 (nicht die E134 durch den Tunnel nehmen). An der Ampel (McDonalds) links ab und CP-Schildern folgen.

Teilkarte Süd-Norwegen auf Seite 63

Norwegen

Drevsjø, N-2443 / Hedmark

Drevsjø camping**	1 ADEJMNOPRST	LNUX 6
Kopparleden 1018	2 DFGHIOPQRTWX	ABDE**FG**I 7
1 Jan - 31 Dez	3 AV	ABCDE**F**JNQR 8
+47 62459203	4 **S**	FJPQ 9
tobronke@bbnett.no	5	AHJNPRV 10
	W 10A	❶ €26,20
N 61°53'54'' E 12°0'24''	H670 3,3 ha 80**T**(100m²) 33**D**	❷ €26,20

CP an der RV26 von Drevsjø nach Femundsenden und Røros. 2 km von Drevsjø auf der linken Seite. Gut ausgeschildert.

Etnedal, N-2890 / Oppland

Etna Familiecamping	1 ADEJMNOPQRST	**JN** 6
Maslangrudvegen 50	2 BCFGOPRWX	ABDE**FG**IK 7
1 Jan - 31 Dez	3 BEFLS	ABCDE**F**GIJNQRV 8
+47 61121755	4 FHIOQ	FJQV 9
info@etnacamping.no	5 ABEK**LM**	ABFGHIJN**O**PRVZ 10
	Anzeige auf dieser Seite B 16A CEE	❶ €29,30
N 60°49'57'' E 9°45'1''	H220 4,5 ha 45**T**(80-100m²) 55**D**	❷ €29,30

An der 33 zwischen Dokka (19 km) und Björgo (19 km). CP ist gut angezeigt.

Egersund, N-4370 / Rogaland

Steinsnes NAF**	1 ADEJMNOPQRST	**N** 6
Jaerveien 190	2 CEPVWX	ABDE**FG**IK 7
1 Jan - 31 Dez	3 A**I**	ABDEFNQRV 8
+47 97400966	4 O	FJV 9
post@steinsnescamping.no	5 ADEIL	AGPRZ 10
	Anzeige auf dieser Seite B 16A CEE	❶ €28,05
N 58°28'40'' E 5°59'49''	1,3 ha 70**T**(80-120m²) 42**D**	❷ €33,05

Westlich von Egersund an der 44. Ist ausgeschildert.

Evje, N-4735 / Aust-Agder

Odden Camping****	1 ADEJMNOPQRST	**JNU** 6
Verksvegen 6	2 CGHIKLOPSWXY	ABDE**FG**HIK 7
1 Jan - 31 Dez	3 AF**ILPS**	ABCDE**F**IJKNQRSUV 8
+47 37930603	4 **OS**	FIJQV 9
odden@oddencamping.no	5 CFHIL	AFGHJNPRV 10
	Anzeige auf dieser Seite WB 10A	❶ €36,80
N 58°35'5'' E 7°47'45''	H150 4,5 ha 230**T**(80-100m²) 104**D**	❷ €36,80

Der CP liegt an der Straße 9 südlich von Evje, dort gut ausgeschildert.

Engerdal, N 2440 / Hedmark

Sølenstua Camp & Hytter***	1 ADEJMNOPQRST	**NU** 6
Sundveien 1011	2 BCPSWX	ABDE**FG**HIK 7
1 Jan - 31 Dez	3 B	ABCDE**FG**JNQRV 8
+47 62459742	4 FIO	FJ 9
camping@solenstua.com	5 ABDEFGHIL	AHJ**NO**RV 10
	Anzeige auf dieser Seite W 16A	❶ €27,45
N 61°50'7'' E 11°43'49''	H650 4 ha 90**T**(100-120m²) 71**D**	❷ €27,45

CP ist an der Straße RV217 ausgeschildert.

Fagernes/Holdalsfoss, N-2900 / Oppland

Fossen Camping
RV51
1 Mai - 1 Okt
+47 90789520

1 AJMNOPRST	JN 6
2 CKOPRWX	ABDE**FG**HI 7
3 A	ABCDE**F**NQR 8
4 FO	F 9
5 AB**L**	AJR 10
Anzeige auf dieser Seite B 10A	❶ €23,05
H378 1,5 ha 60**T**(90m²) 35**D**	❷ €24,95

N 61°2'0'' E 9°10'37''

An der 51 Fagernes-Valdresflya ausgeschildert.

Femundsenden/Drevsjø, N-2443 / Hedmark

Femundtunet
RV26
15 Jun - 31 Aug
+47 62459066
post@femundtunet.no

1 ADEJMNOPRST	LNQSUWXY 6
2 BDGHOPQWXY	ABDE**FG**IK 7
3 AFI	ABCDE**F**JNQRV 8
4 FIO**T**	FGIJNPQR 9
5 AGIL	AHJPRV 10
B 16A	❶ €27,45
H670 25 ha 80**T**(100-150m²) 33**D**	❷ €27,45

N 61°55'13'' E 11°56'20''

Der CP liegt beim Femundsee an der RV26, wo er in beiden Richtungen ausgeschildert ist.

Flåm, N-5743 / Sogn og Fjordane

Flåm Camping****
Brekkevegen 12
1 Mär - 31 Okt
+47 57632121
camping@flaam-camping.no

1 ADEJMNOPQRST	K**N**XY 6
2 CEGOPSTUVWXY	ABD**EFG**HIK 7
3 BEF	ABCDE**F**JNQRS 8
4 **AE**H	FGJV 9
5 ABL	AGHIJ**P**R 10
B 10A	❶ €33,05
3 ha 180**T** 40**D**	❷ €38,05

N 60°51'46'' E 7°6'36''

Neben der E16 in Flåm gelegen. Ausgeschildert.

Førde, N-6800 / Sogn og Fjordane

Førde Gjestehus og Camping***
Kronborgvegen 44
1 Jan - 31 Dez
+47 46806000
post@fordecamping.com

1 ADEJMNOPQRS**T**	JN 6
2 CFGOPRSVW	ABDE**FG**HI 7
3 AB**I**	ABCDEFGINQRSV 8
4 **E**FHIO	GHIJK 9
5 CL	ABGHJORV 10
Anzeige auf Seite 67 WB 16A	❶ €33,65
H50 5 ha 94**T**(ab 50m²) 56**D**	❷ €39,90

N 61°26'58'' E 5°53'32''

Aus Richtung Moskog liegt der CP an der E39/RV1, zwischen VW- und Fordwerkstatt, ca. 1 km vor dem Zentrum Førde. Gut ausgeschildert. Geradeaus über den Kreisel dann 1. rechts.

Fyresdal, N-3870 / Telemark

Fossumsanden Camping
Hauggrend
1 Jun - 31 Aug
+47 35042514
fossum@fyresdal.online.no

1 ADJMNOPR**T**	L**N** 6
2 BCDFHIKOPTWX	ABCDE**FG**HI 7
3	ABCDE**F**JNQ 8
4 FHI**T**	FIPQ 9
5 L	AJNRV 10
10A	❶ €37,40
H358 2 ha 35**T**(90m²) 15**D**	❷ €37,40

N 59°19'12'' E 8°8'12''

Von Dalen (Telemark) Straße Nr. 38 bis vor Vråliosen. Dort Straße 355 wählen und ins Fyresdal fahren. Nach 5 km liegt der CP rechts der Straße.

Gaupne, N-6868 / Sogn og Fjordane

Sandviks Camping***
RV55
1 Jan - 31 Dez
+47 57681153
sandvik@pluscamp.no

1 ADEILNOPQRS**T**	**CDI**LNX 6
2 EFOPQRWXY	ABDE**FG**HI 7
3 AFS	ABCDE**FG**IJKNQRSV 8
4 **E**FIO	FGJNPV 9
5 IL	AEHIJNPRVY 10
WB 10A	❶ €32,40
1 ha 40**T** 58**D**	❷ €32,40

N 61°24'2'' E 7°18'2''

Gut ausgeschildert in beiden Fahrtrichtungen an der RV55, in Gaupne in der Nähe des Fjords.

Gol, N-3550 / Buskerud

Personbråten Camping**
RV7
1 Jan - 31 Dez
+47 90783273
bpersonbraten@gmail.com

1 AJMNOPRST	JN 6
2 CKPRWX	AB**FG**HI 7
3 AS	CDEFNQR 8
4 FHI	F 9
5 L	K**NP**RV 10
Anzeige auf dieser Seite 10A	❶ €27,45
H200 2 ha 60**T**(90m²) 19**D**	❷ €27,45

N 60°41'30'' E 8°55'9''

An Straße Gol-Geilo, ca. 1 km vom Zentrum entfernt auf der linken Seite.

Greåker, N-1719 / Østfold

Utne Camping AS***
Desiderias vei 41
1 Jan - 31 Dez
+47 69147126
post@utnecamping.no

1 ADEGJMNOPQRST	6
2 AGOPQTWX	ABDE**FGH**IJK 7
3 AB**K**	ABCDEFJNQRTV 8
4 IO	DEIVX 9
5 L	ABEIJNOST 10
10A	❶ €38,65
160**T**(80-100m²) 103**D**	❷ €38,65

N 59°19'5'' E 10°58'49''

Von Götenborg aus Ausfahrt 8, die 118 Richtung Grålum-Salli nehmen. Im Kreisel 2. Ausfahrt rechts. Nach etwa 3 km Fahrt auf der 118 ist der Utne Camping gut ausgeschildert.

Grimsbu, N-2582 / Hedmark

Grimsbu Turistsenter****
RV29
1 Jan - 31 Dez
+47 62493529
mail@grimsbu.no

1 ADEILNOPRST	L**N**UV 6
2 CDOPRWX	ABCDE**FG**HIK 7
3 AU	ABCDE**FG**IJKNQRSV 8
4 FHIO**QRSTU**	FGJQRV 9
5 ABDEGHIKL	AEGHJ**NP**RV 10
WB 16A	❶ €28,70
H664 2,1 ha 60**T**(80-110m²) 50**D**	❷ €28,70

N 62°9'20'' E 10°10'19''

CP an der RV29, gut ausgeschildert. 30 km von Alvdal, 40 km von Hjerkinn entfernt.

Grimstad, N-4885 / Aust-Agder

Marivoll Resort****
Marivold
1 Apr - 30 Sep
+47 37257050
post@marivoll.no

1 ADEJMNOPQRST	KNQSWXZ 6
2 AEGHIMNPQWX	AB**C**DE**FG**IK 7
3 ABEF**IK**	ABCDFKNQRSTUV 8
4 EFHIO	FJPQV 9
5 ABDFGHIJK**L**	AEHIJNPRVY 10
B 16A	❶ €41,15
6,4 ha 165**T**(120m²) 73**D**	❷ €41,15

N 58°20'4'' E 8°37'0''

Auf der E18 Ausfahrt 79 zur 420 Richtung Grimstad nehmen. Weiter auf der 420 Richtung Vikkilen. Danach den CP-Schildern folgen. Der letzte Teil der Straße ist eng, aber durch Ausweichbuchten gut befahrbar.

Gudvangen, N-5747 / Sogn og Fjordane

Vang Camping***
E16
1 Mai - 15 Sep
+47 57633926
post@vang-camping.no

1 ADEJMNOPQRS**T**	N 6
2 COPRSWX	ABDE**FG** 7
3 A	AB**F**NQV 8
4	FJRV 9
5 L	AK**P**R 10
16A	❶ €24,95
1 ha 40**T**(80-120m²) 12**D**	❷ €29,95

N 60°52'17'' E 6°49'45''

CP 'Vang' liegt an der E16 bei Gudvangen. Großes Schild am Rezeptionsgebäude.

Gvarv, N-3810 / Telemark

Teksten Camping AS
Strannavegen 140
1 Mai - 9 Sep
+47 35955596
teksten@barnascamping.no

1 AJMNOPRST	HJNXYZ 6
2 CGHIPWX	ABDE**FG**HI 7
3 BEFSTU	ABCDE**F**NQRS 8
4 FHO	JPQT 9
5 ABL	AGJ**N**RV 10
B 10A	❶ €27,45
70 ha 250**T**(90m²) 65**D**	❷ €29,95

N 59°23'6'' E 9°10'54''

Von Notodden aus an der 360 durch Gvarv und dann über die Brücke nach links (die 36 nach Skien). Der CP ist gut angezeigt.

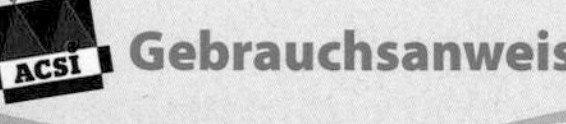

Gebrauchsanweisung

Um die Möglichkeiten des Führers optimal nutzen zu können, sollten Sie die Gebrauchsanweisung auf Seite 10 gut durchlesen. Hier finden Sie wertvolle Informationen, beispielsweise die Berechnung der Übernachtungspreise.

❶ € 25,00
❷ € 35,80

Teilkarte Süd-Norwegen auf Seite 63

Norwegen

Halden, N-1751 / Østfold — iD

Fredriksten-Camping NAF***	1 ADEJMNOPQRST	6
Generalveien 16	2 BFPQRTWX	ABDE**F**GHI 7
1 Mai - 15 Sep	3 A**IJ**	ABE**F**NQRV 8
+47 69184032	4 IO	FJ 9
FAX +47 69187573	5 ABDEL	AGHJRW 10
	10A	❶ €29,95
N 59°6'58'' E 11°23'54''	H137 3 ha 100**T** 10**D**	❷ €29,95

Direkt neben der Festung 'Fredriksten'; gut ausgeschildert im Zentrum, auch an der Straße Nr. 22 und der E6.

Hovet i Hallingdal, N-3577 / Buskerud — CC€16 iD

Birkelund Camping	1 ADEJMNOPRST	**AN** 6
Hovsvegen 50	2 OPRSWX	ABDE**FG**IJK 7
1 Jan - 31 Dez	3 AS	ABCDE**F**JNQRS 8
+47 32089768	4 FH**S**T	FGUV 9
informasjon@	5 ABDL	ADGJNO**P**RV 10
birkelund-camping.com	Anzeige auf dieser Seite W 10A	❶ €28,70
N 60°37'8'' E 8°13'10''	H592 1,3 ha 45**T**(90m²) 15**D**	❷ €28,70

Auf der 50 von Hol nach Aurland. 8 km hinter der Kreuzung mit der 7. Gut an der linken Wegstrecke zu erkennen.

Haukeland, N-5268 / Hordaland — iD

Bratland Camping***	1 ADJMNOPQRS**T**	NXZ 6
Brattlandsveien 6	2 DFOPQRTVWXY	ABDE**FG**HI 7
1 Mai - 15 Sep	3 AS	ABCD**F**NQRV 8
+47 55101338	4 IO	FGIJQ 9
post@bratlandcamping.no	5 ABL	AFGK**P**RV 10
	B 16A	❶ €32,40
N 60°21'7'' E 5°26'7''	H90 1 ha 85**T**(80-120m²) 37**D**	❷ €34,90

An der 580 ausgeschildert. Über die E16 oder E39 zu erreichen.

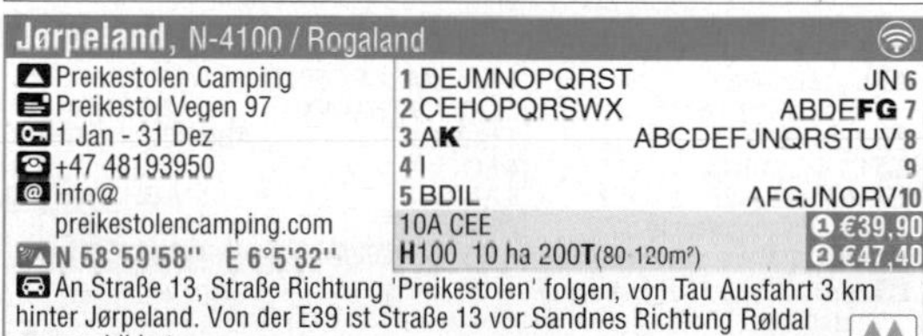

Haukeland, N-5268 / Hordaland — iD

Lone Camping A/S***	1 ADEJMNOPQRS**T**	LNQS 6
Hardangerveien 697	2 CDIKOPRTUWX	ABDE**FGI** 7
2 Jan - 20 Dez	3 BF**I**	ABCD**F**IJNQR 8
+47 55392960	4 IO	FIJQ 9
booking@lonecamping.no	5 CDEI**L**	AFGJ**P**R 10
	Anzeige auf dieser Seite B 16A	❶ €34,90
N 60°22'26'' E 5°27'28''	H50 6 ha 175**T**(80-120m²) 40**D**	❷ €36,15

Über die E16 oder E39 zur 580 östlich von Bergen. Aus Richtung Voss (E16) hinter dem letzten Tunnel, im Kreisel links. Zwischen Indre Arna und Nestun. Einfahrt neben der Tankstelle.

Jørpeland, N-4100 / Rogaland

Preikestolen Camping	1 DEJMNOPQRST	JN 6
Preikestol Vegen 97	2 CEHOPQRSWX	ABDE**FG** 7
1 Jan - 31 Dez	3 A**K**	ABCDEFJNQRSTUV 8
+47 48193950	4 I	9
info@	5 BDIL	AFGJNORV 10
preikestolencamping.com	10A CEE	❶ €39,90
N 58°59'58'' E 6°5'32''	H100 10 ha 200**T**(80-120m²)	❷ €47,40

An Straße 13, Straße Richtung 'Preikestolen' folgen, von Tau Ausfahrt 3 km hinter Jørpeland. Von der E39 ist Straße 13 vor Sandnes Richtung Røldal ausgeschildert.

Heidal, N-2676 / Oppland — iD

Jotunheimen Feriesenter****	1 ADEILNOPRST	**N**UX 6
Leirflata	2 CGPRWXY	ABDE**FG**HI 7
1 Jan - 31 Dez	3 AEISU	ABCDE**F**JNQRV 8
+47 61234950	4 FIO	FJ 9
post@	5 ABDEIL	HJORV 10
jotunheimenferiesenter.no	B 10A	❶ €32,40
N 61°43'45'' E 9°7'15''	H700 5 ha 100**T**(80-100m²) 16**D**	❷ €33,65

Der CP liegt an der 257, 2 km von Randsverk entfernt, 30 km von der E6 in Sjoa.

Hokksund, N-3300 / Buskerud — iD

Hokksund Camping AS****	1 ADJMNOPRST	**NXYZ** 6
Stryken 73	2 ABCGHOPWX	AB**FG**HI 7
15 Mai - 15 Sep	3 ABE**KS**	ABCDE**F**JNRSV 8
+47 32754242	4 FH	FIJVY 9
booking@	5 BGHL	HJ**NO**RV 10
hokksund-camping.no	16A	❶ €41,15
N 59°46'25'' E 9°54'56''	4 ha 260**T**(90m²) 100**D**	❷ €41,15

Von der Ortsmitte Hokksund gibt es Wegweiser zum CP.

Hornnes, N-4737 / Aust-Agder — iD

Hornnes Camping****	1 ADEJMNOPQRST	JL**N**QSWX 6
RV9/42	2 BCDHPQWXY	ABD**EFG**HI 7
15 Mai - 15 Sep	3 A	ABCDE**F**IJKNQRSV 8
+47 37930305	4 H	PQ 9
post@hcamp.no	5 BL	AHJPR 10
	B 10A	❶ €28,70
N 58°33'13'' E 7°46'57''	H175 2 ha 125**T**(80-100m²) 55**D**	❷ €31,15

5 km südlich von Evje gelegen, an den Straßen Nr. 9 und 42. Gut ausgeschildert. Navigation von Norden her verwirrend: durchfahren über die Brücke bis zur Straße Nr. 9.

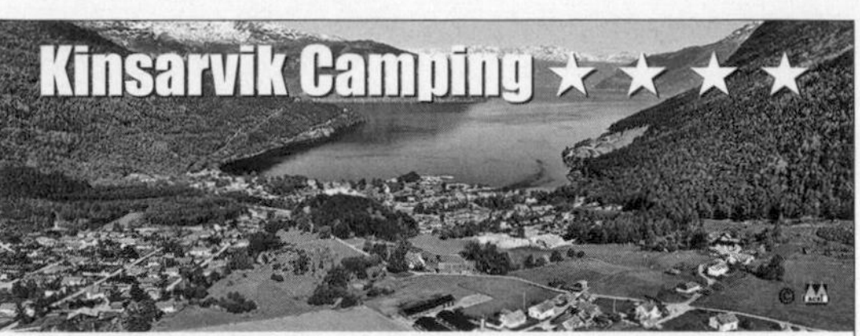

Kinsarvik, N-5782 / Hordaland

Kinsarvik Camping****
RV13
1 Jan - 31 Dez
+47 53663290
evald@kinsarvikcamping.no
N 60°22'27'' E 6°43'7''

1 ADEJMNOPQRST	KNXYZ 6	
2 BCEFGHIJKPRWXY	ABCFGI 7	
3 AEFT	ABEFGIJNQRSV 8	
4 F	EHJN 9	
5 CDL	AIKPR10	
Anzeige auf dieser Seite 10A		❶ €31,15
4 ha 64T(100m²) 48D		❷ €34,90

Über die 13 nach Kinsarvik. An der Esso Tankstelle in die kleine Seitenstraße und den Schildern folgen.

Kinsarvik, N-5780 / Hordaland

Hardangertun****
RV13
1 Jan - 31 Dez
+47 53671313
info@hardangertun.no
N 60°22'34'' E 6°43'29''

1 ADEJMNOPQRST	ABFGKNQSWXYZ 6	
2 CEGOPSWXY	ABCDEFGHIK 7	
3 BCFIST	ABCDEFIJKNQRSTUV 8	
4 IOTU	IJ 9	
5 ACDEFGHJL	AGIJNPRVYZ10	
B 16A		❶ €39,30
1,8 ha 77T(100m²) 34D		❷ €43,00

Der CP liegt an der Wasserseite der Straße Nr. 13 in Kinsarvik. Gut ausgeschildert.

Kongsvinger, N-2200 / Hedmark

Sigernessjøen Familiecamping***
Granli, RV2
1 Jan - 31 Dez
+47 40601122
post@sigernescamp.no
N 60°7'4'' E 12°3'9''

1 ADEJMNOPQRST	HLNOPQSWXYZ 6	
2 DGHOPRTUWX	ABDEFGHIK 7	
3 BIJKS	ABCDEFJNQRSV 8	
4 FO	F 9	
5 ABK	AGHJNPRV10	
W 16A		❶ €34,90
H185 8 ha 200T(100-150m²) 102D		❷ €34,90

Aus Richtung Süden ist der CP rechts von der RV2 Skotterud-Kongsvinger ausgeschildert. 17 km nördlich von Skotterund und 8 km südlich von Kongsvinger in Granli.

Koppang, N-2480 / Hedmark

Koppang Camping & Hytteutleie****
Sundfloen
1 Mai - 30 Sep
+47 62460234
info@koppangcamping.no
N 61°34'19'' E 11°1'1''

1 AJMNOPRST	JLNUX 6	
2 CDGJOPQRTWXY	ABDEFGHIK 7	
3 BEGSV	ABCDEFIJNQRSV 8	
4 AFGHIO	FJNQUV 9	
5 BK	ABGIJORV10	
WB 16A		❶ €29,30
H350 5,5 ha 100T(75-125m²) 30D		❷ €29,30

Die RV3 Richtung Koppang über die FV30, direkt vor der großen Brücke links.

Kragerø, N-3770 / Telemark

Lovisenberg Familiecamping
Lovisenbergveien 86
27 Mär - 30 Okt
+47 35988777
booking@campingplassen.com
N 58°54'4'' E 9°24'28''

1 ADEGJMNOPRST	ABFGHKNPQSWXY 6	
2 DEFGHIMPUWXY	ABDEFGHI 7	
3 AFIKT	ABCDEFJKNQRSV 8	
4 F	FJUY 9	
5 ABKL	AJNRV10	
16A		❶ €36,15
22,4 ha 122T(90m²) 162D		❷ €48,65

E18 Ausfahrt Kragerø (die 38). Nach ca. 14 km kurz vor Kragerø-Zentrum, Ausfahrt Lovisenberg. Dann noch 5 km bis zum Ende der Straße.

Kristiansand, N-4639 / Vest-Agder

Kristiansand Feriesenter*****
Dvergsnesveien 571
1 Jan - 31 Aug
+47 38041980
post@kristiansandferiesenter.no
N 58°7'20'' E 8°3'58''

1 ADEILNOPRST	HKNOPQSUVWXZ 6	
2 EGHIKLMPQRSTUVWX	ABCDEFGIJK 7	
3 ABEFIKSU	ABCDFIJKNQRSV 8	
4 ILORTU	FGIJPRS 9	
5 CDEL	AFGHJNPRVXYZ10	
B 10A CEE		❶ €49,90
10 ha 40T(70-100m²) 196D		❷ €49,90

Über die E18, östlich von Kristiansand, Straße 401 folgen. Ausfahrt 91 folgen. CP ist ausgeschildert.

Kvikne, N-2512 / Hedmark

Kvikne Camping
1 Jan - 31 Dez
+47 62484104
camping@storeng.no
N 62°37'18'' E 10°14'51''

1 ADEILNOPQRST	JNU 6	
2 CFOPWX	ABCDEFGHIK 7	
3 BSV	ABEFJNQRS 8	
4 O	EQ 9	
5	EJNPRVZ10	
10A		❶ €29,95
H543 50T 50D		❷ €29,95

CP liegt an der RV3 zwischen Tynset und Ulsberg. Kurz hinter Kvikne. Ist gut ausgeschildert.

Lærdal, N-6887 / Sogn og Fjordane

Lærdal Ferie og Fritidspark****
Grandavn 5
1 Jan - 31 Dez
+47 57666695
info@laerdalferiepark.com
N 61°6'2'' E 7°28'13''

1 ADEJMNOPQRST	KNQSWXYZ 6	
2 EGHKMOPVWX	ABDEFGHIJ 7	
3 AEFMSU	ABCDEFJNQRSTUV 8	
4 AEFHIO	GIJPQUVY 9	
5 ABFGJL	ABHIJPR10	
Anzeige auf Seite 69 B 16A		❶ €31,15
2 ha 100T(80-120m²) 58D		❷ €37,40

Von der E16, Straße 5 fahren. Der CP liegt beim Lærdal-Zentrum.

Lillehammer, N-2625 / Oppland

Hunderfossen Camping***
E6, Fåberg
1 Jan - 31 Dez
+47 61277300
camping@hunderfossen.no
N 61°13'20'' E 10°26'19''

1 ADEJMNOPRST	NUX 6	
2 CFGOPRWX	ABDEFGIK 7	
3 BEIKS	ABCDEFIJNQRSV 8	
4 BIO	FGJT 9	
5 L	AEGHKPRZ10	
WB 16A		❶ €32,40
H200 18 ha 450T(80-100m²) 141D		❷ €32,40

Von der E6 Ausfahrt 'Hunderfossen Familiepark', über die Brücke in Øyer. Gut ausgeschildert nach beiden Richtungen.

Lillehammer, N-2609 / Oppland

Lillehammer Camping****
Dampsagvn. 47
1 Jan - 31 Dez
+47 61253333
resepsjon@lillehammer-camping.no
N 61°6'9'' E 10°27'48''

1 DEJMNOPQRST	LNQSWXY 6	
2 DGHPSVWX	ABDEFGIK 7	
3 B	ABCDEFJNQRS 8	
4 IOQS	FIJ 9	
5 AL	AFGHJNPRV10	
B 10A		❶ €31,80
H129 2 ha 270T(38-70m²) 74D		❷ €31,80

Am Mjøsa-Ufer gelegen, vom Zentrum am Kjøpesenter (McDonald's) am Kreisverkehr links von der E6, Ausfahrt Zentrum.

Lillehammer, N-2619 / Oppland

Lillehammer Turistsenter A/S****
Sandheimsbakken 20
1 Jan - 31 Dez
+47 61259710
post@lillehammerturistsenter.no
N 61°7'35'' E 10°26'27''

1 ADEJMNOPQRST	JLNQSW 6	
2 ACDFHPUVWX	ABDEFGHIK 7	
3 AFIKST	ABCDEFIJNQRSV 8	
4 IOT	FGIJ 9	
5 ABKL	AEGHJPRV10	
WB 10A		❶ €32,40
H155 4 ha 250T(32-100m²) 33D		❷ €32,40

E6, Ausfahrt Lillehammer-Nord, rechts Esso-Tankstelle; dieser Straße 800m folgen.

Alle Campingplätze in diesem Führer wurden im vergangenen Jahr von einem unserer 327 ACSI-Inspektoren besucht und begutachtet.

Sie erkennen diese Campings an der Jahresprüfplakette, die meist im Rezeptionsbereich auf dem ACSI-Schild zu finden ist.

Teilkarte Süd-Norwegen auf Seite 63

Lillesand, N-4790 / Aust-Agder

Tingsaker Camping AS****
Tingsaker bakken 2
1 Mai - 1 Sep
+47 37270421
post@tingsakercamping.no
N 58°16'3'' E 8°23'41''

1 ADEJMNOPQRST	KNQSWXYZ 6
2 ACEFGHIMOPTWX	ABDEFGI 7
3 ABT	ABEFGHINQRSV 8
4 FHIO	JNPQR 9
5 ABDFL	AGIKNPRVY 10
B 10A	❶ €41,75
2,5 ha 182T(80-120m²) 61D	❷ €45,50

Auf der E18 Ausfahrt 84 Richtung Tingsaker. Über die Kreisel der Beschilderung Richtung Tingsaker folgen.

Lindeland/Tonstad, N-4440 / Vest-Agder

Lindeland Camping
RV468
15 Mai - 1 Sep
+47 92419142
karintove@powermail.no
N 58°45'36'' E 6°44'32''

1 ADJMNOPRST	N 6
2 CJPW	ABFGHIK 7
3 AS	ABEFJNQ 8
4 FI	GIQ 9
5 ABL	JRV 10
16A	❶ €31,15
H200 1,5 ha 70T(90m²) 7D	❷ €31,15

Von Tonstad (Sirdalen), 12 km der 468 in nordwestlicher Richtung folgen.

Loen, N-6789 / Sogn og Fjordane

Lo-Vik Camping NAF****
RV60
1 Apr - 30 Sep
+47 57877619
post@lo-vik.no
N 61°52'3'' E 6°50'59''

1 ADEILNOPQRST	CDINOQSXYZ 6
2 EFGHOPRWX	ABDEFGHIJ 7
3 AB	ABCDEFGIJNQRSV 8
4 FHIOT	FJPT 9
5 ABL	AHKNPRW 10
B 10-16A	❶ €33,65
3,5 ha 100T 124D	❷ €37,40

CP liegt an der RV60. Gut ausgeschildert, gegenüber vom Hotel Loen gelegen.

Loen, N-6789 / Sogn og Fjordane

Sande Camping****
RV60/FV723
1 Jan - 31 Dez
+47 41669192
sande@pluscamp.no
N 61°51'5'' E 6°54'46''

1 ADEJMNOPQRST	LNQSXZ 6
2 DFGHJPRUWX	ABDEFGHIK 7
3 ABL	ABCDEFGIJNQRSV 8
4 AEFHIOTVXZ	FIJNPQTV 9
5 ABDEHIJL	ABFHJPRVY 10
10-16A CEE	❶ €26,80
H50 1,2 ha 70T 56D	❷ €30,55

Der CP liegt am Ufer vom Loenvatn, zwischen Loen und Kjendal. Entlang der Strecke ausgeschildert. RN60 und FV723. Diese Straße fängt am Alexandra Hotel an.

Loen, N-6789 / Sogn og Fjordane

Tjugen Camping***
FV723
1 Apr - 15 Okt
+47 57877617
camping@tjugen.no
N 61°52'5'' E 6°52'36''

1 ADEJMNOPQRST	N 6
2 CFGPRUWX	ABDEFGHIK 7
3 ABS	ABCDEFIJNQRSV 8
4 EFHIO	FJ 9
5 ABL	AGHJPR 10
10-16A	❶ €26,20
2 ha 60T 31D	❷ €28,70

Ins Zentrum von Loen der FV723 nach Lodalen/Kjendal folgen. Nach 2 km ist der CP auf der linken Seite angezeigt. Diese Straße fängt am Alexandra Hotel an.

Lofthus, N-5781 / Hordaland

Lofthus NAF****
RV13
1 Mai - 30 Sep
+47 53661364
post@lofthuscamping.com
N 60°20'10'' E 6°39'27''

1 ADEJMNOPQRST	KNQS 6
2 EFKPTWXY	ABDEFGHIK 7
3 AL	ABCDEFJNQRSV 8
4 FIO	FP 9
5 ABL	AHJPRV 10
Anzeige auf dieser Seite B 10A	❶ €28,70
H62 1,7 ha 75T(100m²) 27D	❷ €33,65

Der Straße 13 bis nach Lofthus folgen. Dort CP gut ausgeschildert, Zufahrtsstraße sehr schmal.

Lom, N-2686 / Oppland

Nissegården Hytter og Aktiviteter cp
RV15
15 Mai - 1 Okt
+47 61211930
post@nissegaard.no
N 61°51'0'' E 8°31'40''

1 ADEJMNOPQRST	ABFGHJLNUXZ 6
2 CDFGIJOPRWX	ABDEFI 7
3 ADSU	ABEFIJNQR 8
4 FIO	FJP 9
5 ADFHL	AJRV 10
10A	❶ €28,70
H389 4 ha 160T 30D	❷ €28,70

Im Kreisverkehr im Zentrum von Lom Straße 15 in Richtung Grotli. Nach 2,6 km ist der CP rechts der Straße zu sehen.

Lom, N-2686 / Oppland

Nordal Turistsenter****
RV15/RV55
15 Mai - 30 Sep
+47 61219300
booking@nordalturistsenter.no
N 61°50'22'' E 8°34'15''

1 ADJMNOPQRST	JNX 6
2 CFGOPTUWX	ABDEFGHIK 7
3 AEFSU	ABCDEFGIJNQRSV 8
4 OSTV	EFGIJ 9
5 CDEFGHIJKL	AGHIKNORY 10
10A	❶ €39,30
H360 3,5 ha 130T 92D	❷ €39,30

Gelegen im Zentrum von Lom bei der Tankstelle.

Mandal, N-4516 / Vest-Agder

Sandnes Camping***
Holumveien 133
1 Mai - 1 Sep
+47 98887366
sandnescamping@online.no
N 58°2'35'' E 7°29'42''

1 ADJMNOPQRST	JNXZ 6
2 CGHIJPQSWX	ABDEFGHIK 7
3 K	ABCDFINQRSV 8
4 F	FIJPQVY 9
5 BL	AGHJORV 10
Anzeige auf dieser Seite B 16A	❶ €31,15
1 ha 50T(100m²) 15D	❷ €36,15

Über die E39, östlich von Mandal die Straße Nr. 455 nehmen. Der CP ist ausgeschildert.

Moelv, N-2390 / Hedmark

Steinvik Camping****
Kastebakkveien 5
1 Jan - 31 Dez
+47 62367228
info@steinvikcamping.no
N 60°54'57'' E 10°42'1''

1 ADEJMNOPQRST	LNQSWXYZ 6
2 ADFGHIOPQVWX	ABDEFGHIK 7
3 BK	ABCDEFIJNQRST 8
4 FOST	FJPQT 9
5 ABKL	AGHJPR 10
Anzeige auf dieser Seite 16A	❶ €32,40
H144 6,2 ha 45T(80-120m²) 193D	❷ €32,40

Der CP ist an der E6, an der großen Brücke über die Mjøsa, ausgeschildert.

Norwegen

Olden, N-6788 / Sogn og Fjordane

Gryta-Camping***
RV60/FV724
1 Mai - 1 Okt
+47 57875950
gryta@gryta.no
N 61°44'27'' E 6°47'27''

1 ACDEJMNOPQRST **LN**QSXYZ 6
2 CDFGJKOPQRSUWX ABDE**FG**HIJK 7
3 ABES ABCDE**F**IJNQRSV 8
4 **E**FIKO FJPV 9
5 AB AGHJNPRV 10
10-16A ①€24,30
H57 1,5 ha 80T 10D ②€24,30

In Olden die FV 724 Richtung Briksdal. Camping nach 12 km, 1. Camping linke Straßenseite nach dem Tunnel.

Olden, N-6788 / Sogn og Fjordane

Olden Camping Gytri***
RV60 (FV724) Oldedalen
1 Mai - 15 Sep
+47 48226970
post@oldencamping.com
N 61°44'26'' E 6°47'27''

1 ADEJMNOPQRS**T** **L**NQSWXYZ 6
2 CDFGJKOPQRUWX ABDE**FG**HI 7
3 ABES ABCDE**F**IJNQRS 8
4 **EF** FIPT 9
5 ABL ABHJNPRVX 10
B 16A ①€24,95
1 ha 50T 4D ②€24,95

In Olden FV724 Richtung Briksdal, nach 13 km liegt der CP auf der linken Seite. Achtung: Der 2. CP hinter dem Tunnel ist Olden Camping Gytri.

Olden, N-6788 / Sogn og Fjordane

Oldevatn****
RV60/FV724
1 Mai - 15 Sep
+47 57875915
post@oldevatn.com
N 61°45'31'' E 6°48'45''

1 ADEJMNOPQRS**T** **L**NQSUWXZ 6
2 CDFGKOPRUWX ABDE**FG**HIK 7
3 BST ABCDE**F**IJNQRSV 8
4 **E**FIO FJPQRTV 9
5 ABL AGHJNPRV 10
B 10A ①€27,45
2,2 ha 75T 18D ②€27,45

Von der Reichsstraße 60 in Olden auf die FV724, Richtung Briksdal. Nach 10 km liegt der CP an einer Brücke.

Os i Østerdalen, N-2550 / Hedmark

Hummelfjell Camping
RV30
15 Mai - 15 Sep
+47 62497258
hummelfjellcamping@gmail.com
N 62°26'49'' E 11°7'12''

1 AILNOPR**T** J**N**UXZ 6
2 CFGOPRWX ABDE**FG**I 7
3 AV ABCDE**F**NQS 8
4 IO FJ 9
5 B AHJRV 10
10A ①€24,95
H598 0,6 ha 30T(100m²) 12D ②€24,95

CP zwischen Os und Tolga, von der Straße 30 gut sichtbar.

Os i Østerdalen, N-2550 / Hedmark

Røste Hyttetun og Camping
RV30
1 Jan - 31 Dez
+47 62497055
post@rostecamping.no
N 62°30'13'' E 11°15'41''

1 ADEJLNOPRS**T** J**N** 6
2 CGOPRWX ABDE**FG**HI 7
3 A**G** ABCDE**F**JNQR 8
4 I FJ 9
5 AHJNPR 10
W 16A ①€25,55
H624 0,7 ha 20T(100m²) 11D ②€25,55

Røste Hyttetun og Camping liegt in der Gemeinde Os an der RV30. 2 km nördlich vom Zentrum von Os und 10 km südlich von Røros.

Osen, N-2460 / Hedmark

Osen Vannsport og Camping
Osveien 2593
1 Jan - 31 Dez
+47 62444108
info@osenvannsportcamping.com
N 61°18'4'' E 11°47'25''

1 ADEJMNOPRS**T** **LN**QSWXZ 6
2 BDFGHOPQRWXY ABDE**FG**I 7
3 AFL ABCDE**F**GIJNQRV 8
4 F**XZ** JMPQY 9
5 ADE ABJ**P**RV 10
WB 10A ①€32,40
H437 1,5 ha 30T(100m²) 60D ②€32,40

Der CP liegt an der 215 zwischen Rena (35 km) und Jordet (22 km) an der Nordseite vom Osen-meer (Sjøen).

Oslo, N-0766 / Oslo

Bogstad Cp & Turistsenter NAF****
Ankerveien 117
1 Jan - 31 Dez
+47 22510800
bogstad@naf.no
N 59°57'44'' E 10°38'33''

1 ADEJMNOPQRS **L**NQSXZ 6
2 ADGHIOPSTVWX ABE**GH**I 7
3 AF**GIK** ABCDE**F**IJKNQRSV 8
4 FH FJQT 9
5 ACDEFIK**L** AFGHIJ**NO**RV 10
WB 10A ①€40,50
H190 16 ha 1000T(70-120m²) 131D ②€40,50

Von Oslo Richtung Drammen, gut ausgeschildert. Von Hønefoss E16, dann E18 fahren. Ist gut ausgeschildert. Auch am Ring 3.

Oslo, N-1181 / Oslo

Ekeberg Camping***
Ekebergveien 65
1 Jun - 1 Sep
+47 22198568
ekeberg@naf.no
N 59°53'54'' E 10°46'21''

1 ABDEJMNOPQRS**T** 6
2 AFGOPTWX ABDE**FG**HI 7
3 E**I** ABCDE**F**NQRSV 8
4 F 9
5 ABDEL AGHIK**P**R 10
10A ①€38,65
8 ha 700T(90-140m²) ②€38,65

CP liegt südöstlich vom Oslo-Fjord im Ortsteil Ekeberg. Ab dem Zentrum an der E18/E6 und der großen Ringstraße Nr. 3 ausgeschildert.

Øvre Eidfjord, N-5784 / Hordaland

Sæbø Camping***
RV7
1 Mai - 25 Sep
+47 53665927
scampi@online.no
N 60°25'27'' E 7°7'25''

1 ADEJMNOPQRS**T** L**N**XY**Z** 6
2 CDGHKOPWXY A**B**DE**FG**H**I** 7
3 ABS ABCD**FI**NQRS 8
4 FJPQR 9
5 AB**L** AGJPR 10
10A ①€29,95
3 ha 100T(100-120m²) 34D ②€33,65

Straße Nr. 7, von Brimnes in Richtung Eidfjord, ca. 6 km hinter Eidfjord links (ca. 500m vor dem Hardangervidda Natursenter). Ausgeschildert.

Øyer, N-2636 / Oppland

Rustberg Hytteutleie Og Cp.****
Kongsvegen 691 (E6)
1 Jan - 31 Dez
+47 61277730
rustberg@online.no
N 61°16'48'' E 10°21'35''

1 ADEJMNOPRS**T** ABFGH**N** 6
2 ABFOPRUX ABDE**FG**IK 7
3 AE**KS** ABCDE**F**GIJNQRSV 8
4 FIO**ST** FIJP 9
5 ABHKL AGHJPRV 10
WB 16A ①€34,90
H195 10 ha 50T(80-106m²) 74D ②€34,90

Der Camping liegt an der alten Straße. Von Norden Ausfahrt 87. Am Kreisel geradeaus. Noch 7 km. Von Süden Ausfahrt 86. Am Kreisel an der Tankstelle den Parallelweg entlang. 4 km bis zum Camping.

Redalen/Biri, N-2836 / Oppland

Sveastranda-Camping****
RV4
1 Jan - 31 Dez
+47 61181529
resepsjon@sveastranda.no
N 60°53'21'' E 10°40'34''

1 ADEJMNOPQRST LNQSWXZ 6
2 DFHOPVWX ABD**EFG**HIK 7
3 BEF**IK**S ABCDE**F**GIJKNQRSV 8
4 FHIO FJPQT 9
5 ABEL AGHKORV 10
B 10A ①€36,80
H100 9 ha 150T 183D ②€36,80

An der RV4 ist der CP ausgeschildert, 12 km nördlich von Gjøvik und 4 km südlich der Mjøsa Brücke.

Ringebu, N-2630 / Oppland

Elstad Camping***
E6
1 Mai - 30 Sep
+47 61280071
o-elstad@online.no
N 61°30'7'' E 10°10'9''

1 ADEJMNOPRST JNUXY 6
2 CGHOPWX ABDE**FG**HI 7
3 BEFLSU ABCDE**F**JNQR 8
4 FPQ 9
5 AB**L** AJRV 10
10A ①€32,40
H250 4 ha 100T(100m²) 60D ②€32,40

CP gelegen an der E6, in beiden Fahrtrichtungen gut ausgeschildert.

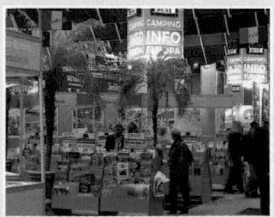

Teilkarte Süd-Norwegen auf Seite 63

Risør, N-4950 / Aust-Agder

Sørlandet Feriesenter****
Sandnes
1 Jan - 31 Dez
+47 37154080
sorferie@online.no
N 58°41'29'' E 9°9'48''

1 ADEJMNOPRST	AFGKNOPQSWXYZ 6
2 EFGHMOPSTUWX	ABDEFGIK 7
3 BEFIS	ABCDEFJKLMNQRSV 8
4 AHIO	FGIJPQRTY 9
5 ACEIKL	AEHIJPRV 10
12A	❶ €47,40
5 ha 128T(90m²) 138D	❷ €47,40

Von der E18, Ausfahrt Laget. Dieser Straße (N411) 18 km weit folgen. Oder Ausfahrt Risør nehmen (N416) und nach 4 km der N411 Richtung Laget folgen. Dort ist der CP angezeigt.

Rjukan/Miland, N-3658 / Telemark

Rjukan Hytte og Caravan Park
Gaustaveien 78
1 Mai - 1 Okt
+47 35096353
post@rjukanhytte.com
N 59°54'9'' E 8°42'28''

1 ADEJMNOPRST	6
2 BCFOPQRWX	ABDFGHIK 7
3 AK	ABCDEFJNQRS 8
4 FH	FGJ 9
5 ABL	AJMOR 10
10A	❶ €32,40
H250 2 ha 100T(90m²) 17D	❷ €36,15

Der CP liegt an der 37 zwischen Rjukan und Miland und ist gut ausgeschildert.

Gemütlicher kleiner Campingplatz mit prima Sanitäranlagen. Sehr schöne Hütten und gemütliches TV-Zimmer. Zentral gelegen für Wanderungen zu Fuß (Hardangervidda) und mit dem Auto nach Seljestad, Sauda und Haukeligrend. Vergessen Sie auch nicht, tagsüber die Stabkirche an der selben Straße zu besuchen! Der See liegt 20 Laufminuten vom Campingplatz entfernt. Ermäßigung in der Nebensaison.

E134, 5760 Røldal • Tel. 53647133
E-Mail: adm@roldal-camping.no
Internet: www.roldal-camping.no

Røldal, N-5760 / Hordaland

Røldal Hyttegrend Camping****
E134
1 Jan - 31 Dez
+47 53647133
adm@roldal-camping.no
N 59°49'51'' E 6°49'40''

1 ADEJMNOPQRST	JN 6
2 CFPRWX	ABDEFGIK 7
3 AS	ABCDEFJNQRS 8
4 FHIOS	FJ 9
5 L	AJNPRV 10
Anzeige auf dieser Seite WB 16A	❶ €23,70
H390 0,5 ha 50T(100m²) 13D	❷ €26,20

Über die Straße E134 nach Røldal, bei der Brücke CP-Schildern folgen. Hinter der Kirche, auf der linken Seite.

Skåbu, N-2643 / Oppland

Skåbu Hyttegrend
Hølmyra
1 Jan - 31 Dez
+47 61295578
post@skabu-hyttegrend.no
N 61°28'59'' E 9°22'31''

1 ADEJMNOPQRST	LNQSXYZ 6
2 BDFGKPRTW	ABDEFGIK 7
3 AELQSV	ABEFJNQV 8
4 EFGHI	FJNPQU 9
5 ABL	AGHJPRV 10
W 16A	❶ €29,95
H650 27 ha 46T(80-100m²) 8D	❷ €36,15

Von Skåbu der 425 Richtung Jotunheimvegen folgen. CP liegt 7 km ortsaußerhalb. Ist angezeigt.

Røldal, N-5760 / Hordaland

Seim Camping Røldal***
E134
1 Jan - 31 Dez
+47 53647371
seim@seimcamp.no
N 59°49'48'' E 6°48'38''

1 ADEJMNOPQRST	LNQX 6
2 DFGHJOPWX	ABDEFGIK 7
3 AF	ABCDEFIJNQRS 8
4 FHO	FGJPQ 9
5 L	AJPR 10
B 10A	❶ €23,70
H375 2 ha 50T(100m²) 9D	❷ €24,95

An der E134. In Røldal fahren Sie in die Straße die am dichtesten an der Shell-Tankstelle ist. Gut ausgeschildert.

Skjåk, N-2690 / Oppland

Bispen NAF***
RV15
1 Jun - 15 Sep
+47 61214130
bispen@online.no
N 61°52'52'' E 8°16'39''

1 ADEJMNOPQRST	NX 6
2 BCFOPQRWXY	ABDEFGHIK 7
3 BIMST	ABCDEFGIJNQRSUV 8
4 FIO	FJP 9
5 BL	GJNORW 10
B 10A	❶ €24,95
H400 8 ha 92T 60D	❷ €24,95

Einfahrt zum CP liegt an der Straße 15. Gut ausgeschildert in beiden Richtungen, ca. 20 km hinter Lom Richtung Grotli, in Bismo.

Røldal, N-5760 / Hordaland

Skysstasjonen Hytter og Camping
Kyrkjevegen 24
1 Jan - 31 Dez
+47 53647385
resepsjon@roldalstunet.no
N 59°49'56'' E 6°49'6''

1 ADEJMNOPQRST	6
2 COPRSWX	ABDEFGI 7
3 AM	ABEFGJNPQRSUV 8
4 EFHIOT	FGJY 9
5 CEFGIL	EHJNPRVWX 10
16A	❶ €24,95
H430 1,4 ha 40T(80-120m²) 16D	❷ €24,95

Über die Straße Nr. 11 nach Røldal. An der kleinen Brücke den CP-Schildern folgen. Erster CP auf der rechten Seite Skysstasjonen A/S.

Skjolden, N-6876 / Sogn og Fjordane

Vassbakken KRO og Camping****
RV55
1 Mai - 30 Sep
+47 57686188
info@vassbakken.com
N 61°29'9'' E 7°38'55''

1 ADEJMNOPQRST	N 6
2 CFOPSWX	ABDEFGHIK 7
3 A	ABCDEFIJMNQRSV 8
4 FIOT	FGJV 9
5 ABDHIL	AFJOR 10
B 10A	❶ €27,45
2,4 ha 50T 37D	❷ €31,15

An der RV55 gelegen, gegenüber des großen Wasserfalls kurz außerhalb vom Zentrum Skjolden Richtung Lom.

Sagstua, N-1121 / Hedmark

Songnabben Camping***
Nord-Odalsvegen
1 Mai - 15 Sep
+47 62973728
songnabben@online.no
N 60°20'51'' E 11°36'17''

1 ADEJMNOPQRST	LNQSWXYZ 6
2 DGHJOPQWXY	ABDEFGI 7
3 AEIS	ABCDEFIJNQRSV 8
4 FS	JPT 9
5 ABKL	AGKOR 10
B 10A	❶ €28,05
2 ha 35T 75D	❷ €28,05

Der CP liegt an der 24 Skarnes Richtung Hamar. Deutlich angezeigt.

Sogndal, N-6856 / Sogn og Fjordane

Kjørnes****
RV5
1 Jan - 31 Dez
+47 97544156
camping@kjornes.no
N 61°12'41'' E 7°7'16''

1 ADEJMNOPQRST	KNQSUWXYZ 6
2 EFGIKMOPRSTUWX	ABCDEFGHIK 7
3 A	ABCDEFGIJKNQRSU 8
4 FHIO	FIJ 9
5 ABL	AFGHJPRV 10
B 16A	❶ €34,90
2 ha 100T(80-120m²) 24D	❷ €37,40

Von Kaupanger die RV5, ist der CP 3 km vor Sogndal ausgeschildert. Von Sogndal Richtung Kaupanger rechts der Strecke.

Sandane, N-6823 / Sogn og Fjordane

Gloppen Cp. og Fritidssenter****
E39 / RV615
1 Jan - 31 Dez
+47 57866214
post@gloppen-camping.no
N 61°46'4'' E 6°11'47''

1 ADEJMNOPQRST	ABFGKNQSWXZ 6
2 CEFHPQRVWX	ABDEFGHIK 7
3 ABEKS	ABCDEFIKNQRSV 8
4 EI	FIJP 9
5 ABDKL	AFGHIJPRV 10
B 10A	❶ €31,15
3,2 ha 35T 95D	❷ €31,15

E39, Ausfahrt Sandane, Straße Nr. 615 Richtung Florø. 2 km vom Zentrum entfernt, gut beschildert.

Sømådalen, N-2448 / Hedmark

Sømådalen Camping
Kopparleden 4881
1 Jan - 31 Dez
+47 62459940
somadalen@hotmail.com
N 62°6'10'' E 11°39'46''

1 AJMNOPQRST	LN 6
2 BCDOPRWXY	ABDEFI 7
3 AS	ABCDEFNQRSV 8
4 F	FJ 9
5 BD	AGJR 10
W 10A	❶ €27,45
H690 2 ha 80T(100m²) 16D	❷ €27,45

An der 26 bei Sømådalen. Gut ausgeschildert. In Sømådalen rechts von der Straße Richtung Røros.

Seljord, N-3840 / Telemark

Seljord Camping****
Manheimstrondi 61
1 Jan - 31 Dez
+47 35050471
post@seljordcamping.no
N 59°29'13'' E 8°39'13''

1 ADJMNOPRST	LNQSWXYZ 6
2 DFGHOPQRUWX	ABDEFGHI 7
3 BFLS	ABCDEFJNQRS 8
4 FHIO	FJPQRTVY 9
5 ABL	AHJNPR 10
16A	❶ €36,15
H480 3 ha 180T(90m²) 81D	❷ €36,15

Die E134, Ausfahrt RV36 Richtung Seljord/Bø/Skien, nach 500m liegt der CP auf der rechten Seite.

Sømådalen, N-2448 / Hedmark

Turistsenter Johnsgård A/S
Langsjøveien 631
1/1 - 30/4, 1/6 - 31/10
+47 62459925
post@johnsgard.no
N 62°8'42'' E 11°37'0''

1 ADEJMNOPRST	LNQSUVXYZ 6
2 BDFGKPRTUWX	ABDEFGHI 7
3 ASTU	ABCDEFIJNQRSV 8
4 FIOT	FJPQ 9
5 ABL	AGHJNORVZ 10
WB 16A	❶ €27,45
H721 3,3 ha 40T(100m²) 37D	❷ €27,45

In Somådalen an der RV26 ausgeschildert. 6 km über einen unbefestigten, aber gut befahrbaren Weg.

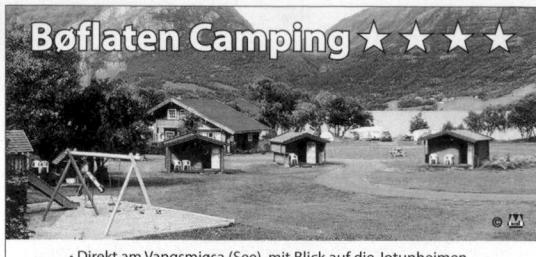

Stryn, N-6783 / Sogn og Fjordane

Mindresunde Camping***	1 ADEILNOPQRST	**L**N**Q**SWXY 6
RV15	2 DFOPRWX	ABDE**FGIJ**K 7
1 Mai - 1 Nov	3 AE**GK**S	ABCDE**FG**INQRSTUV 8
+47 41566316	4 **E**FIO	FJPQ 9
post@mindresunde.no	5 ABL	AGHKPRV 10
	B 16A	❶ €28,70
N 61°56'1'' E 6°53'11''	1 ha 40**T** 20**D**	❷ €28,70

Hauptstraße 15, 10 km östlich von Stryn (Richtung Grotli).

Stryn, N-6783 / Sogn og Fjordane

Strynsvatn Camping****	1 ADEILNOPQRS**T**	L**N**QSWXZ 6
Meland	2 CDFGHKOPRUWX	ABD**EFG**HI 7
1 Mai - 30 Sep	3 ABEFLSU	ABCDE**F**GIJNQRST 8
+47 57877543	4 FIO**T**	FIJNPQ 9
camping@strynsvatn.no	5 ABFHL	AEFGHJNPRV 10
	B 16A	❶ €29,95
N 61°55'54'' E 6°55'18''	1,6 ha 50**T**(50-100m²) 103**D**	❷ €29,95

An der Strynsvatn, von Stryn über Straße 15 zu erreichen, ca. 12 km von Stryn-Zentrum entfernt.

Tangen, N-2337 / Hedmark

Tangenodden Camping***	1 ADEJMNOPQRST	LNPQSWXYZ 6
Refling Hagensvej 54	2 ADFGHIKPQRTUWX	A**B**DE**FG**HI 7
1 Jan - 31 Dez	3 A	ABE**F**NQRV 8
+47 90198917	4 FHIO**P**	FJPQV 9
info@tangenodden.no	5 ABDEFGIKL	ABHJ**P**RV 10
	10A	❶ €33,65
N 60°36'50'' E 11°15'39''	**H**200 3 ha 75**T**(90-110m²) 116**D**	❷ €33,65

Der CP liegt am Mjøsasee, 4 km von der E6 entfernt, Ausfahrt Tangen, gut an der E6 ausgeschildert; der Straße Nr. 222 folgen.

Tolga, N-2540 / Hedmark

Kvennan Camping	1 ADEJMNOPQRS**T**	J**N**U 6
RV30	2 CGPRSWX	ABDE**FG** 7
1 Jun - 15 Okt	3 V	ABCDE**F**NQ 8
+47 48217014	4	EFJ 9
info@kvennan.com	5 B	AKR 10
	10A	❶ €24,95
N 62°22'12'' E 10°53'48''	**H**495 5 ha 70**T** 20**D**	❷ €24,95

An der 30; 7 km von Tolga und 12 km von Tynset entfernt, links und rechts der Straße.

Tretten, N-2635 / Oppland

Mageli Camping og hytter A/S****	1 ADEJMNOPRST	**ABFGL**NXZ 6
Kongevegen 2220 (E6)	2 DFGHKOPRUWX	ABDE**FG**HIK 7
1 Feb - 1 Dez	3 B**I**S	ABCDE**F**GJNQRSV 8
+47 61276322	4 IO	FJPQT 9
info@magelicamping.no	5 ABF	AGHJORV 10
	WB 16A	❶ €34,90
N 61°22'2'' E 10°17'5''	**H**200 6 ha 100**T**(90-100m²) 174**D**	❷ €34,90

Der CP liegt an der E6, gut sichtbar beschildert, 6 km nördlich von Tretten-Zentrum.

Treungen, N-3855 / Telemark

Nisser Camping	1 ADJMNOPRST	L**N**QSW**XYZ** 6
Fjone	2 DGHIJMPWX	ABDE**F**HIJ 7
1 Jan - 31 Dez	3 A**GSU**	ABCDE**F**JNQR 8
+47 35047867	4 FHI	FIJNPQT 9
bjarnereime@nisser.no	5 ABKL	A**JPR**V 10
	16A	❶ €24,95
N 59°7'9'' E 8°28'21''	**H**246 3 ha 50**T**(90m²) 62**D**	❷ €27,45

Von Kristiansand (RV41) aus, in Treungen vor der Brücke nach links. Noch 17 km am See entlang. Oder über die RV41 mit der Fähre von Nissedal nach Fjone, dort links zum CP.

Trysil, N-2420 / Hedmark

Trysilelva Camping**	1 AJMNOPRST	JNUX 6
RV26	2 COPRUWX	ABDE**F**IK 7
1 Jan - 31 Dez	3 AE**K**	ABCDEFNQR 8
+47 62451363	4 F	FQ 9
info@trysilelvacamping.no	5 A	AHJPRV 10
	W 16A	❶ €31,15
N 61°18'14'' E 12°16'29''	**H**500 4 ha 94**T**(34-100m²) 10**D**	❷ €31,15

Der CP ist an der 26 ausgeschildert und liegt 1 km hinter Trysil-Zentrum gegenüber dem Hotel.

Tunhovd, N-3540 / Buskerud

Tunhovd Familiecamping	1 AJMNOPRS**T**	J**N** 6
1 Jan - 31 Dez	2 BCGPRUWX	ABD**EFG**IK 7
+47 32744618	3 AS	ABE**F**NQR 8
tfc@ tunhovd-familiecamping.no	4 **IS**	F 9
	5 KL	JR 10
	16A	❶ €26,80
N 60°27'17'' E 8°44'41''	**H**765 4 ha 65**T**(90m²) 70**D**	❷ €26,80

Rødberg-Nesbyen den Wegweisern Tunhovd folgen. In Tunhovd CP-Schildern folgen. Von Geilo aus die 40. Bei Tunhovd die 120. CP liegt an dieser Straße.

Tynset, N-2500 / Hedmark

Tynset Rom & Camping***	1 ADEILNOPQRST	**N**UXY 6
Brügata 21	2 CGOPRWX	AB**FG**HIK 7
17 Mai - 17 Okt	3 AV	ABCDE**F**JNQRV 8
+47 62480311	4	FGJ 9
post@tynsetcamping.no	5 L	KNPR 10
	B 16A	❶ €28,70
N 62°16'45'' E 10°46'26''	**H**500 2 ha 25**T**(70-100m²) 28**D**	❷ €28,70

CP liegt in Tynset, in der Nähe der Glommabrücke (RV30).

Vang i Valdres, N-2975 / Oppland

Bøflaten Camping****	1 ADJMNOPRST	JL**N**QSWXYZ 6
Tyinvegen 5335	2 CDFKOPQRWXY	ABDE**FG**HIJK 7
1 Jan - 31 Dez	3 AEL	ABCDE**F**JNQRS 8
+47 61367420	4 AEFH	FIPQRU 9
info@boflaten.com	5 ABLM	AHJORV 10
	Anzeige auf dieser Seite WB 16A	❶ €27,45
N 61°7'50'' E 8°32'40''	**H**460 3 ha 150**T**(90m²) 29**D**	❷ €27,45

An der E16 Fagernes-Revsnes, in Vang an der E16 ausgeschildert.

Vangsnes, N-6894 / Sogn og Fjordane

Tveit Camping***	1 ADEJMNOPQRST	KNQSWXY**Z** 6
RV13	2 EFKMOPUVWX	ABD**EFG**HIK 7
15 Mai - 15 Sep	3 AS	ABCDE**F**JNQRSV 8
+47 57696600	4 IO	FJPV 9
tveitca@online.no	5 L	AGHJNPRV 10
	B 10A	❶ €24,30
N 61°8'41'' E 6°37'20''	1 ha 40**T**(60-80m²) 19**D**	❷ €26,80

An Straße 13, südlich von Vangsnes, CP gut ausgeschildert.

Vassenden, N-6847 / Sogn og Fjordane

Jølstraholmen Camping og Hytter****	1 ADEJMNOPQRST	**HN**UWXZ 6
E39 (RN1)	2 CGOPQSVWX	AB**C**DE**FG**HIK 7
1 Jan - 31 Dez	3 BDF**IJK**LS	ABCDEFGIJKNQRSTUV 8
+47 95297879	4 EHO	FJNPV 9
jolstraholmen@pluscamp.no	5 ACEHIJKL	ABEHJ**NP**RVY 10
	WB 16A	❶ €37,40
N 61°29'16'' E 6°5'5''	**H**200 2,5 ha 30**T**(100-125m²) 68**D**	❷ €37,40

CP liegt an der E39/RV5. Tankstelle gehört zum CP, 2 km von Vassenden und 18 km von Førde entfernt.

Vik, N-6891 / Sogn og Fjordane

Vik**	1 AJMNOPQRST	KNQSWXY 6
RV13	2 EFMOPWX	ABD**FG**I 7
1 Mai - 30 Sep	3 A	ABE**F**NQRV 8
+47 57695125	4 F	FJ 9
grolilje@hotmail.com	5 DFL	AJPR 10
	10A	❶ €22,45
N 61°5'19'' E 6°34'42''	1,5 ha 40**T** 8**D**	❷ €24,95

Der CP ist in Vik an der Bundesstraße 13 ausgeschildert.

Vinje, N-3890 / Telemark

Groven Camping og Hyttegrend AS***	1 ADJMNOPRST	JLN 6
Raulandvegen 41	2 BCDGOPQRTUWX	A**B**D**EFG**HI 7
15 Mai - 1 Okt	3 BLS	ABCDE**F**JNQRS 8
+47 90956484	4 FHIOQT	FJP 9
grovenc@online.no	5 ABIL	AHJPRV 10
	16A	❶ €26,20
N 59°34'21'' E 7°59'31''	**H**460 9 ha 60**T**(90m²) 20**D**	❷ €26,20

Straße 11, etwa auf halber Strecke zwischen Haukeligrend und Seljord im Ort Åmot Ausfahrt zur Straße 37, CP nach 300m.

Teilkarte Süd-Norwegen auf Seite 63

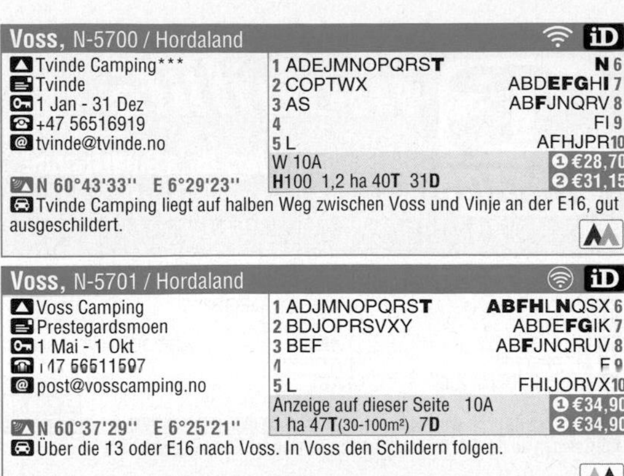

Voss, N-5700 / Hordaland

Tvinde Camping***
Tvinde
1 Jan - 31 Dez
+47 56516919
tvinde@tvinde.no
N 60°43'33'' E 6°29'23''

1 ADEJMNOPQRST	N 6
2 COPTWX	ABDEFGHI 7
3 AS	ABFJNQRV 8
4	FI 9
5 L	AFHJPR 10
W 10A	① €28,70
H100 1,2 ha 40T 31D	② €31,15

Tvinde Camping liegt auf halben Weg zwischen Voss und Vinje an der E16, gut ausgeschildert.

Voss, N-5701 / Hordaland

Voss Camping
Prestegardsmoen
1 Mai - 1 Okt
+47 56511597
post@vosscamping.no
N 60°37'29'' E 6°25'21''

1 ADJMNOPQRST	ABFHLNQSX 6
2 BDJOPRSVXY	ABDEFGIK 7
3 BEF	ABFJNQRUV 8
4	F 9
5 L	FHIJORVX 10
Anzeige auf dieser Seite 10A	① €34,90
1 ha 47T(30-100m²) 7D	② €34,90

Über die 13 oder E16 nach Voss. In Voss den Schildern folgen.

Mittel-Norwegen

Åndalsnes, N-6300 / Møre og Romsdal

Åndalsnes Camping og Motell AS*****
Gryttenveien 1
1 Mai - 30 Sep
+47 71221629
epost@andalsnes-camping.no
N 62°33'8'' E 7°42'14''

1 ADEJMNOPQRST	JNQS 6
2 CFGHIOPRWXY	ABDEFGHIJ 7
3 AJK	ABCDEFGJNQRSV 8
4 EFHIO	FGIJQVY 9
5 AEIKL	AIKNPRV 10
16A	① €29,30
6 ha 300T 67D	② €29,30

CP ist gut ausgeschildert ab der RV9 und liegt am Fluss Rauma, an der großen Brücke, 1,5 km vom Zentrum entfernt.

Åsen, N-7630 / Nord-Trøndelag

Gullberget****
E6
1 Mai - 31 Okt
+47 74056151
gullberget@hotmail.no
N 63°37'23'' E 11°4'4''

1 ADEJMNOPQRS	N 6
2 ADPQWXY	ABDEFGHIJK 7
3 AES	ABCDEFJNQRSV 8
4 IOQ	FIJP 9
5 ABL	AHJNOR 10
B 16A	① €26,20
2 ha 30T 34D	② €26,20

E6 vom Süden in den Norden ca. 2 km hinter Åsen. Gut ausgeschildert. An der Gabelung rechts ab.

Åndalsnes, N-6300 / Møre og Romsdal

Mjelva Camping og Hytter****
E136
10 Mai - 10 Sep
+47 71226450
mjelvac@eunet.no
N 62°32'41'' E 7°43'17''

1 ADEJMNOPRST	NUV 6
2 FGOPQRWXY	ABDEFGHI 7
3 ABIK	ABCDEFIJNQRSUV 8
4 HIO	FJVY 9
5 ABHL	ABFHIJPRV 10
B 10-16A	① €29,95
3,5 ha 80T 19D	② €36,15

Der CP liegt 3 km südlich von Åndalsnes an der E136/RV9. Der CP ist gut ausgeschildert.

Bosberg/Trondheim, N-7070 / Sør-Trøndelag

Flakk Camping***
Flakk
1 Mai - 1 Sep
+47 72843900
contact@flakk-camping.no
N 63°27'0'' E 10°12'10''

1 ADEJMNOPQRST	KNX 6
2 EJKOPWX	ABDEFGI 7
3 AK	ABEFQRS 8
4	F 9
5	AJOR 10
10A	① €36,15
2,3 ha 48T(100-120m²) 32D	② €42,40

CP liegt 10 km westlich von Trondheim-Mitte. Von Trondheim aus der Hauptstraße 715 Richtung Fosen folgen. Von Süden her (E6) die 707 nehmen.

Åndalsnes, N-6300 / Møre og Romsdal

Trollveggen Camping NAF***
E136
10 Mai - 20 Sep
+47 71223700
post@trollveggen.no
N 62°29'36'' E 7°45'41''

1 ADEJMNOPQRST	N 6
2 CFOPRUVWX	ABDEFGI 7
3 ABKU	ABCDEFGIJNQRSV 8
4 F	J 9
5 BL	ABGHJPRV 10
B 10A	① €29,30
4 ha 70T(100-150m²) 4D	② €31,15

An der E136, aus Richtung Dombås finden Sie den CP 10 km vor Åndalsnes auf der linken Seite.

Bud, N-6430 / Møre og Romsdal

Pluscamp Bud****
Prestegardsvegen 89
27 Apr - 1 Okt
+47 71261023
bud@pluscamp.no
N 62°54'13'' E 6°55'41''

1 ADEJMNOPQRST	KLNOPQSXYZ 6
2 DEFGHOPQRSW	ABDEFGHI 7
3 A	ABCDEFGJNQRV 8
4 FHIKO	FIJNQ 9
5 L	AFHJPRV 10
B 16A	① €29,95
200T 48D	② €29,95

Von Molde die 64/663/664 nach Bud. Von Kristiansund den Tunnel nach Bremsnes. Die 64 bis Vevang, dann die 663 bis Farstad und FV235 nach Bud.

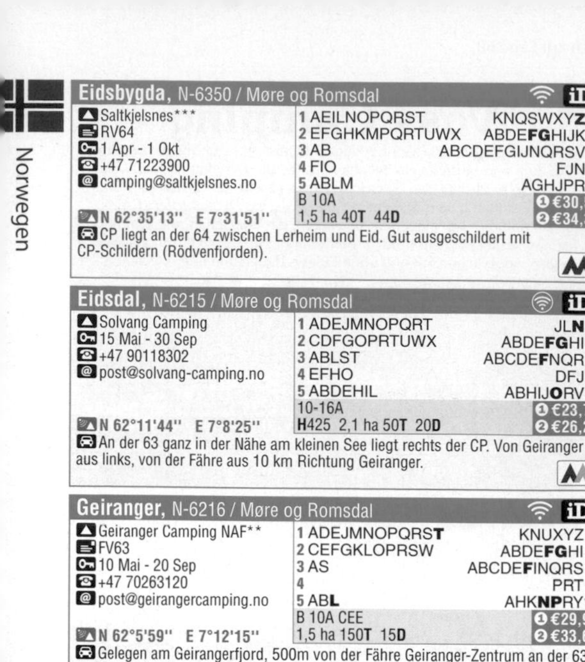

Eidsbygda, N-6350 / Møre og Romsdal

Saltkjelsnes***
RV64
1 Apr - 1 Okt
+47 71223900
camping@saltkjelsnes.no

1 AEILNOPQRST KNQSWXYZ 6
2 EFGHKMPQRTUWX ABDEFGHIJK 7
3 AB ABCDEFGIJNQRSV 8
4 FIO FJN 9
5 ABLM AGHJPR 10
B 10A ① €30,55
1,5 ha 40T 44D ② €34,30

N 62°35'13'' E 7°31'51''

CP liegt an der 64 zwischen Lerheim und Eid. Gut ausgeschildert mit CP-Schildern (Rödvenfjorden).

Eidsdal, N-6215 / Møre og Romsdal

Solvang Camping
15 Mai - 30 Sep
+47 90118302
post@solvang-camping.no

1 ADEJMNOPQRT JLN 6
2 CDFGOPRTUWX ABDEFGHI 7
3 ABLST ABCDEFNQR 8
4 EFHO DFJ 9
5 ABDEHIL ABHIJORV 10
10-16A ① €23,70
H425 2,1 ha 50T 20D ② €26,20

N 62°11'44'' E 7°8'25''

An der 63 ganz in der Nähe am kleinen See liegt rechts der CP. Von Geiranger aus links, von der Fähre aus 10 km Richtung Geiranger.

Geiranger, N-6216 / Møre og Romsdal

Geiranger Camping NAF**
FV63
10 Mai - 20 Sep
+47 70263120
post@geirangercamping.no

1 ADEJMNOPQRST KNUXYZ 6
2 CEFGKLOPRSW ABDEFGHI 7
3 AS ABCDEFINQRS 8
4 PRT 9
5 ABL AHKNPRY 10
B 10A CEE ① €29,95
1,5 ha 150T 15D ② €33,65

N 62°5'59'' E 7°12'15''

Gelegen am Geirangerfjord, 500m von der Fähre Geiranger-Zentrum an der 63.

Gjøra, N-6613 / Møre og Romsdal

Gjøra Camping***
Fjellgardsvegen 35
1 Mai - 1 Okt
+47 91737975
endre@nisja.no

1 ADJMNOPQRST JNUX 6
2 BCGPRWXY ABCDEFGHIK 7
3 EV ABCDEFNQRSV 8
4 EIO FJ 9
5 GHIL AGHJNOSTV 10
B 10A ① €23,70
H208 1,5 ha 30T 4D ② €23,70

N 62°32'32'' E 9°6'20''

CP an der RV70 deutlich angezeigt und liegt etwa 1 km von dieser Straße in Gjøra Richtung Hafsås (Fjellgardswegen).

Grong, N-7870 / Nord-Trøndelag

Langnes Camping****
1 Jun - 31 Aug
+47 47688333
langnescamping@hero.no

1 ADEJMNOPQRT JNU 6
2 ACFGHPQUWX ABDEFGHIK 7
3 AFS ABCDEFIJNQRSUV 8
4 IO 9
5 L AFHJNOPRV 10
B 16A ① €31,15
2,5 ha 46T 5D ② €31,15

N 64°27'34'' E 12°18'47''

Aus Richtung Süden ist der CP ca. 2 km vor Grong auf der E6 ausgeschildert.

Harran, N-7873 / Nord-Trøndelag

Harran Camping***
E6
1 Mai - 1 Sep
+47 74332990
harrancamping@gmail.com

1 ADEJMNOPQRST JN 6
2 ACOPQWX ABDEFGIK 7
3 AFIS ABEFJNQRS 8
4 FIO FJP 9
5 ABDH AHJNOR 10
B 16A ① €24,95
H79 6 ha 45T 19D ② €24,95

N 64°33'32'' E 12°28'58''

Auf der E6: 14 km nördlich von Grong ist der CP auf der rechten Seite bei der Statoil-Tankstelle ausgeschildert.

Malvik, N-7563 / Sør-Trøndelag

Storsand Gård Camping****
E6
15 Mai - 1 Sep
+47 73976360
post@storsandcamping.no

1 ADEILNOPQRST NQSXZ 6
2 AEGHJMOPQSTUWX ABDEFGHI 7
3 ABE ABEFGIJKNQRSTV 8
4 IO FGJP 9
5 ABL AFGHIJNORV 10
B 16A ① €39,90
9 ha 200T 105D ② €39,90

N 63°25'57'' E 10°42'28''

Von Trondheim kommend der E6 bis zur Mautstation folgen. Danach Ausfahrt Vikhammer nehmen und der alten E6 bis Malvik folgen. Der CP ist ausgeschildert.

Namsos, N-7801 / Nord-Trøndelag

Namsos Camping****
RV17
1 Jan - 31 Dez
+47 74275344
namscamp@online.no

1 ADEJMNOPQRST JLN 6
2 ACDFGHPQRSVWX ABDEFGHI 7
3 AIJ ABCDEFJNQRV 8
4 IO FJQTVY 9
5 ABL AHIJORV 10
16A ① €37,40
3,9 ha 60T(100-110m²) 41D ② €37,40

N 64°28'26'' E 11°34'39''

Der CP liegt beim Flughafen von Namsos 4 km hinterm Dorf Richtung Grong (17). Deutlich ausgeschildert.

Oppdal, N-7340 / Sør-Trøndelag

Granmo Camping***
E6 - Rute 4
1 Jan - 31 Dez
+47 99642947
grancamp@online.no

1 ADEJMNOPQRT JNUVX 6
2 COPRWX ABDEFGI 7
3 AKSV ABCDEFIJNQRSUV 8
4 AEFIKO FIJ 9
5 ABL ABGHIJPRV 10
W 16A ① €28,70
H500 3,5 ha 55T(100m²) 132D ② €28,70

N 62°32'52'' E 9°37'45''

Gelegen an der E6, 6,5 km südlich von Oppdal. Gut ausgeschildert.

Oppdal, N-7340 / Sør-Trøndelag

Magalaupe Camping
Engan
1 Jan - 31 Dez
+47 72424684
camp@magalaupe.no

1 AJMNOPQRST JNU 6
2 CFOPRSWXY ABDEFGI 7
3 ABEFJNQRSV 8
4 AEFHIOT FJU 9
5 ABEGHL ABGIJORV 10
B 16A ① €17,45
H604 2 ha 50T(100-110m²) 12D ② €17,45

N 62°29'52'' E 9°35'7''

Der CP wird von der E6 aus deutlich angezeigt. 73 km nordöstlich von Dombas und 10 km südlich von Oppdal.

Røra/Inderøy, N-7670 / Nord-Trøndelag

Koa Camping****
Røraveien 665
1 Mai - 1 Okt
+47 74154471
post@koa-camping.no

1 ADJMNOPQRST KNQSX 6
2 AEFKMPQRSUWX ABDFGHIK 7
3 AK ABCDEFJNQRV 8
4 O FGJP 9
5 L AHJNOR 10
16A ① €34,90
3 ha 50T 34D ② €34,90

N 63°50'22'' E 11°24'34''

E6 vom Süden in den Norden, ca. 3 km vor Røra. Deutlich ausgeschildert.

Røros, N-7374 / Sør-Trøndelag

Bergstaden Camping
J. Falkbergetsv. 34
1 Mai - 30 Sep
+47 72411573

1 AJMNORT 6
2 FOPRTWX ABDEFGHIK 7
3 K ABCDEFNQV 8
4 IO FI 9
5 B JR 10
10A ① €27,45
H600 1,5 ha 40T(100m²) 8D ② €27,45

N 62°34'57'' E 11°22'9''

Der CP liegt an der RV30, 1 km vom Røros-Zentrum in Richtung Trondheim. Gut ausgeschildert.

Røros, N-7374 / Sør-Trøndelag

Håneset Camping***
Oslovegen 67
1 Jan - 31 Dez
+47 72410600
FAX +47 72410601

1 AJMNOPQRST JNUX 6
2 COPRTWX ABCDEFGHIK 7
3 AGHKV ABEFJNQV 8
4 IO FGJ 9
5 HKOR 10
W 10A ① €27,45
H600 2,5 ha 50T 41D ② €27,45

N 62°34'3'' E 11°21'6''

Der CP liegt an der RV30, von Tynset 2,3 km vor Røros-Zentrum. Gut sichtbar ausgeschildert.

Steinkjer, N-7732 / Nord-Trøndelag

Føllingstua***
Haugåshalla 6
1 Mai - 1 Okt
+47 74147190
post@follingstua.no

1 DEJMNOPQRT LNXYZ 6
2 ACDFJKOPQWX ABDEFGI 7
3 AI ABEFNQR 8
4 FGPQ 9
5 BDI AJORV 10
14A ① €33,65
H83 3 ha 84T(80-100m²) 16D ② €33,65

N 64°1'20'' E 11°30'26''

Direkt an der E6, 13 km nördlich von Steinkjer. CP ist gut ausgeschildert.

Stiklestad/Verdal, N-7650 / Nord-Trøndelag

Stiklestad Camping AS
1 Mai - 31 Okt
+47 90166649
post@stiklestadcamping.no

1 ADJMNOPRT N 6
2 ACPWX ABDEFGI 7
3 A ABEFNQR 8
4 IO F 9
5 AJ 10
16A ① €29,95
29 ha 80T 17D ② €29,95

N 63°46'41'' E 11°34'45''

CP liegt an der Route 757 (Ausfahrt E6 Stiklestad) und wird am Stiklestad Nasjonale Kultursenter deutlich angezeigt.

Teilkarte Mittel-Norwegen auf Seite 73

Teilkarte Mittel-Norwegen auf Seite 73

Stordal, N-6250 / Møre og Romsdal

Stordal Camping
1 Mai - 15 Sep
+47 47906480
campingstordal@gmail.com

1 ADEJMNOPQRS**T**	JK**NXZ**	6
2 CEFGIJOPQRWX	ABDE**FG**HIK	7
3 AB	ABCDE**F**JNQRV	8
4	FINRY	9
5 KL	HIJPSTY	10
16A	❶ €26,20	
3,5 ha 24**T** 36**D**	❷ €26,20	

N 62°22'43'' E 6°59'5''

In Stordal ist der CP deutlich in beiden Richtungen an der 650 angezeigt.

Verdal, N-7650 / Nord-Trøndelag

Soria Moria Camping**
Fætten 94
15 Mai - 31 Aug
+47 90822701
rolf.vestvik@vktv.no

1 ADEJMNOPRT		6
2 ABHPQWX	AB**F**I	7
3 B**K**	ABEFJNQRV	8
4 O	F	9
5 L	AJOSTV	10
B 10A	❶ €28,70	
2 ha 30**T** 11**D**	❷ €28,70	

N 63°46'29'' E 11°27'25''

Von Süden her der E6 folgen. Kurz hinter Verdalsöra ist der CP an der E6 angezeigt. Den Schildern folgen. Der CP liegt links der Strecke.

Sunndalsøra, N-6600 / Møre og Romsdal

FURU Campingsenter
RV70
1 Mai - 15 Sep
+47 71691368
post@furu-campingsenter.no

1 ADEJMNOPRS**T**	**N**	6
2 CFGOPRUWX	ABDE**FG**	7
3 A	ABE**F**NQRV	8
4	F	9
5 L	HJPR	10
10A	❶ €27,45	
1,5 ha 80**T** 25**D**	❷ €27,45	

N 62°39'52'' E 8°37'1''

Der CP liegt an der 70, und ist gut ausgeschildert.

Vikhammer, N-7560 / Sør-Trøndelag

Vikhammer Camping***
Gamle E6
1 Jan - 31 Dez
+47 73976164
vikcampi@online.no

1 ADEJMNOPQRST	KNQS	6
2 AEFGHKMOPQRSUVWX	AB**FG**IK	7
3 A	ABEFIJNQRV	8
4 O	FGJ	9
5 L	AFHJPRV	10
B 16A	❶ €31,15	
8,4 ha 100**T**(90-100m²) 83**D**	❷ €31,15	

N 63°26'27'' E 10°38'22''

Ab Trondheim Richtung Norden E6 bis zur alten Mautstation. Hier abfahren vor Vikhammer. Am Kreisel im Zentrum (Tankstelle) ausgeschildert.

Nord-Norwegen

Alta, N-9518 / Finnmark

Alta Strand Camping & Apartment AS***
Steinfossveien 29
1 Jan - 31 Dez
+47 78434022
mail@altacamping.no
N 69°55'39'' E 23°16'15''

1 ADEJMNOPQRST	J 6
2 ACPQRWX	ABDEFGHIJ 7
3 AEILS	ABCDEFGIJNPQRSV 8
4 IOT	FIJV 9
5 ABL	AGHJPRV 10
B 16A	❶ €33,65
2,3 ha 60T 38D	❷ €41,15

Von Alta Richtung Kautokeino, Straße 93, nach ca. 4 km links (3.CP).

Alta/Øvre Alta, N-9518 / Finnmark

Alta River Camping AS**
Steinfossveien 5
1 Jan - 31 Dez
+47 94032779
post@alta-river-camping.no
N 69°55'47'' E 23°15'46''

1 ADEJMNOPQRST	6
2 ACGKPQWX	ABDEFGHIJK 7
3 A	ABCDEFJNQRV 8
4 IOT	FGIV 9
5 BL	AGHJNPRV 10
16A	❶ €33,65
1,5 ha 100T 27D	❷ €33,65

Ab Alta die 93 in Richtung Kautokeino fahren. Nach ca. 4 km. Ausgeschildert.

Alta/Øvre Alta, N-9518 / Finnmark

Camp Alta AS***
Steinfossveien 25
1 Jan - 31 Dez
+47 40077399
post@campalta.no
N 69°55'40'' E 23°16'8''

1 ADEJMNOPQRST	J 6
2 ACGKPQRW	ABDEFGHI 7
3 AE	ABCDEFJNPQRV 8
4 IO	FJ 9
5 L	HJPRV 10
B 16A	❶ €32,40
2 ha 80T 42D	❷ €36,15

Von Alta die 93 Richtung Kautokeino. Nach ca. 4 km auf der linken Seite. 2. CP.

Ballangen, N-8540 / Nordland

Ballangen Camping****
E6
1 Apr - 15 Okt
+47 76927690
post@ballangencamping.com
N 68°20'20'' E 16°51'30''

1 ADEJMNOPQRST	ABFGHKNOPQSWXYZ 6
2 CEFGHKLOPQRVWX	ABDEFGHIJ 7
3 BEFGHIMS	ABCDEFGHIJKNPQRSV 8
4 EFHIOT	FJPQTVY 9
5 ACDEFGHJL	AGHJPRV 10
B 16A	❶ €30,55
9 ha 150T(90-100m²) 54D	❷ €30,55

Von Ballangen in Richtung Narvik über die E6, nach 4 km links. Deutlich ausgeschildert.

Bardu, N-9345 / Troms

Bardu Camping & Turistsenter A/S
Idrettsveien 2
1 Jan - 31 Dez
+47 77612300
haukland@live.no
N 68°52'35'' E 18°21'45''

1 AJKNOPQRST	6
2 ABPQR	ABEFGIK 7
3 AT	ABEFJNQRUV 8
4 FH	FGJ 9
5 D	HJPRV 10
B 16A	❶ €32,90
H80 120T 35D	❷ €32,90

Bei Bardu/Setermoen wird auf der E6 der Camping angezeigt. (Bei Rema 1000).

Bjerka, N-8643 / Nordland

Bjerka Camping***
E6
20 Mai - 10 Sep
+47 75190547
post@bjerkacamping.no
N 66°9'5'' E 13°50'26''

1 ADEJMNOPQRST	JNX 6
2 ACEFGOPQRWX	ABDEFGHI 7
3 AS	ABEFJNQRV 8
4	FJQ 9
5 BCDEHL	AHJORV 10
16A	❶ €31,15
1,8 ha 50T 25D	❷ €31,15

In Bjerka an der E6 ausgeschildert. Gegenüber Tankstelle.

Bodø, N-8013 / Nordland

Bodøsjøen Camping A/S***
Båtstøveien 1
1 Jan - 31 Dez
+47 75563680
bodocamp@yahoo.no
N 67°16'11'' E 14°25'29''

1 ADEJMNOPQRST	KN 6
2 ACEKOPQW	ABDEFGHIJ 7
3 A	ABCDEFJNQRV 8
4 O	FGJ 9
5 L	AHJPR 10
B 10A	❶ €27,45
2,9 ha 120T 52D	❷ €27,45

Von Fauske nach Bodø ca. 2 km vor Bodø links. An der Ausfahrt zum Flugplatz ist der CP ausgeschildert.

Dalsgrenda, N-8617 / Nordland

Yttervik Camping AS
Sørlandsveien 874
1 Jun - 15 Sep
+47 75164565
ranjas@online.no
N 66°14'0'' E 13°53'19''

1 ADEJMNOPRT	KNXYZ 6
2 AEFMNOPQRVWX	ABDEFGHIK 7
3 AFILS	ABCDEFJNQRSUV 8
4 FOQ	FIJKNP 9
5 ABLM	AHIJPR 10
10A	❶ €31,15
3 ha 22T 26D	❷ €31,15

CP liegt in Dalselv, 16 km südlich von Mo I Rana und 17 km nördlich von Korgen. Ab der E6 den CP-Schildern 'Yttervik' folgen. Vorsichtig einfahren, CP ist schwer zugänglich für Caravans und große Reisemobile.

Fauske, N-8200 / Nordland

Fauske Camping & Motell AS***/*****
E6 Sojd for Fauske
1 Jan - 31 Dez
+47 75648401
fausm@online.no
N 67°14'23'' E 15°25'14''

1 ADEJMNOPQRST	NSX 6
2 ABEMOPQTWX	ABDEFGHI 7
3	ABCDEFJNQRV 8
4 IO	FHJV 9
5 ABEHIL	AHJNORV 10
B 16A	❶ €32,40
2,8 ha 60T 49D	❷ €32,40

Vom Süden 3,5 km vor Fauske an der rechten Seite. Gut ausgeschildert.

Fauske, N-8206 / Nordland

Lundhøgda Camping**
Lund
1 Jan - 31 Dez
+47 75643966
post@lundhogdacamping.no
N 67°14'43'' E 15°20'10''

1 ADEJMNOPQRST	KNQSXY 6
2 AEFGHKMPQSTUWX	ABDEFGHIK 7
3 AS	ABEFJNQRS 8
4 F	FGJ 9
5 L	GHJORV 10
16A	❶ €31,15
1,5 ha 60T 18D	❷ €31,15

In Fauske Richtung Bodø nach 1 km links. Dann noch 2 km. Deutlich ausgeschildert.

Gullesfjord, N-8409 / Nordland

Gullesfjord Camping***
RV85
15 Mai - 15 Sep
+47 91597550
steinar.pedersen@lofotkraft.net
N 68°31'55'' E 15°43'39''

1 ADJMNOPQRST	KLNOPXY 6
2 ACDEFGHJOPQRSWX	ABDEFGHIK 7
3 A	ABCDEFHJNQRSV 8
4 FIT	FJPTV 9
5 AEGHIL	ABGHJNOPRY 10
B 16A	❶ €24,95
2,3 ha 80T 41D	❷ €24,95

Von Lødingen der E10 folgen. Vor dem Sørdaltunnel zur E85. Dann noch etwa 250m. Ist ausgeschildert.

Halsa, N-8178 / Nordland

Furøy Camping***
Furøy 6
1 Mai - 30 Sep
+47 75750525
post@furoycamp.no
N 66°44'20'' E 13°30'11''

1 ADEJMNOPQRST	KNXYZ 6
2 AEFKMOPQRWX	ABDEFGI 7
3 ABELS	ABCDEFNQRS 8
4 A	FNP 9
5 BK	AHJPRV 10
B 10A	❶ €26,20
2,8 ha 50T(80-100m²) 20D	❷ €26,20

Am Fährübergang an der Route 17 Kystriksveien am Holandsfjord, 500m vom Forøy Fährübergang und 12 km vom Svartisengletscher.

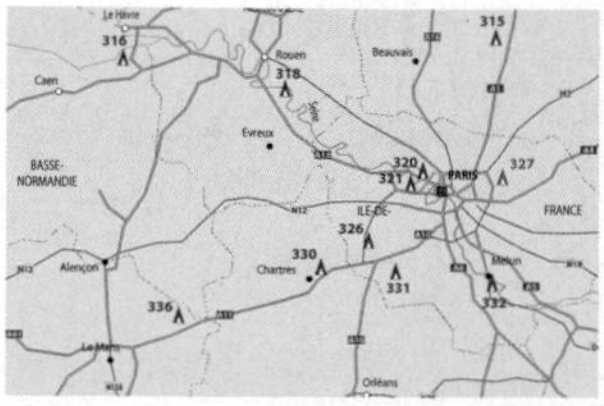

Teilkarte Nord-Norwegen auf Seite 75

Hamarøy, N-8294 / Nordland

Hamarøy Fiskecamping***
Presteid
1 Jan - 31 Dez
+47 47395395
post@hamaroyfiskecamp.no

1 ADEJMNOPQRST	KNXY**Z**	6
2 ACEFKOPRSTW	ABDEFI	7
3 A	ABCDEFJNQR	8
4 FHIO**QT**	FGIJPQRV	9
5 EGIL	ABFHJNORV	10
10A	① €24,95	
2,2 ha 35**T** 28**D**	② €24,95	

N 68°4'57'' E 15°38'34''

Bei Ulsvåg die E6 verlassen, die RV81 nehmen. Kurz hinter dem Ort Hamarøy an der Südseite der Straße angezeigt, neben dem berühmten Hamsunmuseum.

Harstad, N-9411 / Troms

Harstad Camping A/S***
Nesseveien 55
1 Jan - 31 Dez
+47 77073662
postmaster@harstad-camping.no

1 ADEJMNOPQRS**T**	KNOPQSWXYZ	6
2 EFKPQTWX	ABDE**FGH**I	7
3 A**KPU**	ABCDE**F**JNQRV	8
4	FJNPV	9
5 L	AHJ**PR**	10
B 16A	① €34,90	
5,2 ha 80**T** 13**D**	② €34,90	

N 68°46'22'' E 16°34'39''

Die E10 Tjeldsundbrü, dann die 83 bis ca. 4 km vor Harstad. Der CP wird ausgeschildert.

Hilstad/Kilboghamn, N-8754 / Nordland

Polar Camp
1 Mai - 1 Sep
+47 75097186
post@polarcamp.com

1 ADEJMNOPQRST	NSXZ	6
2 EFJMOPQRSUWX	ABDE**FGH**IK	7
3 A	ABE**F**JNQR	8
4 FO	FIJNV	9
5 AI	AHJPRV	10
B 16A	① €28,05	
15 ha 50**T** 31**D**	② €28,05	

N 66°30'34'' E 13°12'59''

Sowohl von Süden als auch von Norden her der RV17 volgen. In Kilboghamn wird der CP angezeigt.

Innhavet, N-8260 / Nordland

Notvann Camping
E6
1 Jul - 15 Aug
+47 95265645
post@notvanncamping.com

1 ADEJMNOPQRST	JKNXY	6
2 ABCEFKMOPQRWX	ABDE**FGH**I	7
3 A**G**	ABE**F**JNQRS	8
4 FHIO	FJ	9
5 BL	AJRV	10
B 10A	① €24,95	
2,4 ha 90**T** 22**D**	② €24,95	

N 67°58'43'' E 15°58'48''

Von Süden links der E6; 12 km hinter der Straße Nr. 835. In Innhavet ist der CP ausgeschildert.

Innhavet, N-8260 / Nordland

Tømmerneset***
E6
1 Jun - 31 Aug
+47 75772955
to.ca@online.no

1 ADEJMNOPQRST	JKLN	6
2 ACDEGHIOPQRSWX	ABDE**FG**IK	7
3 AE	ABCDE**F**JNQRSV	8
4 IO**T**	FGJQT	9
5 BL	AHJPRV	10
10A	① €24,95	
2 ha 70**T** 16**D**	② €24,95	

N 67°54'25'' E 15°52'28''

Aus Richtung Süden, kurz hinter der Ausfahrt Straße Nr. 835, ist der CP rechts an der E6 ausgeschildert.

Kabelvåg, N-8310 / Nordland

Ørsvågvær AS****
1 Mai - 30 Sep
+47 76078180
booking@orsvag.no

1 ADEJMNOPQRS**T**	KNOPQSWXYZ	6
2 AEFHKMPQRSTUWX	ABDE**FG**HIK	7
3 A	ABCDEFJNQRV	8
4 **E**IO	FGJKRV	9
5 BIL	AGHJNORV	10
16A	① €32,40	
2,4 ha 90**T** 55**D**	② €34,90	

N 68°12'23'' E 14°25'34''

E6 Richtung Narvik, in Skutvik mit der Fähre. Wird in der Nähe von Kabelvåg/Ørsvågvær ausgeschildert.

Kabelvåg, N-8310 / Nordland

Sandvika Fjord & Sjøhuscamping
Ørsvågveien 45
15 Apr - 30 Sep
+47 76078145
post@sandvika-camping.no

1 ADEJMNOPQRST	KNOPQSUVXYZ	6
2 AEFHIKMPQRSW	ABDE**FG**IJ	7
3 A**GH**	ABCDE**F**JNPQRSV	8
4 **E**FIO	FGIJKNPRV	9
5 ABGL	AGIJNPRV	10
B 16A	① €36,15	
12 ha 180**T** 48**D**	② €36,15	

N 68°12'15'' E 14°25'36''

Ab Svolvær der Lofoten-Straße E10 in südlicher Richtung folgen. Bei Kabelvåg ist der CP ausgeschildert.

Karasjok, N-9730 / Finnmark

Karasjok Camping A/S***
Åvjuvårgeaidnu
1 Jan - 31 Dez
+47 97072225
booking@karacamp.no

1 ADEJMNOPQRS**T**		6
2 BCFPQRVWX	ABDE**FGH**IK	7
3 A**K**	ABCDE**F**JNPQRSV	8
4 FHIO**TU**	FGJV	9
5 L	AHJ**PR**V	10
B 10A	① €26,20	
H135 4,5 ha 58**T**(90-120m²) 26**D**	② €28,70	

N 69°28'7'' E 25°29'17''

Von Karasjok die 92 Richtung Kautokeino. Nach 1 km ausgeschildert.

Kautokeino, N-9520 / Finnmark

Arctic Motell og Camping***
RV93
1 Mai - 15 Okt
+47 48950222
samicamp@me.com

1 ADJMNOPQRS**T**	JNUX	6
2 CDPQRW	AB**FIK**	7
3 A	ABE**F**JNPQRV	8
4 IO	FGIJUV	9
5 L	AJORV	10
10A	① €31,15	
H273 5 ha 51**T** 29**D**	② €33,65	

N 68°59'51'' E 23°2'12''

Von Kautokeino 40 km vor der finnischen Grenze. Über die 93 bis zum Ende des Dorfes, hier ausgeschildert.

Krokstrand, N-8630 / Nordland

Krokstrand**
Saltfjellveien 1573 E6
1 Jun - 1 Sep
+47 75166074
toverakvaag@msn.com

1 ADEJMNOPQRST	J**N**U	6
2 ABCFOPQWX	ABDE**FG**IK	7
3 A**IS**	ABE**F**JNQRSV	8
4 IO	FGI	9
5 ABDEHJL	AGHJR	10
10A	① €29,95	
H300 2,5 ha 50**T** 27**D**	② €29,95	

N 66°27'39'' E 15°5'43''

Der CP liegt direkt an der E6 in Krokstrand. Wird mit Schildern ausgeschildert.

Kunes, N-9742 / Finnmark

Kunes Camping
RV 98
1 Mai - 1 Sep
+47 95118700
kooh@dcpost.no

1 ADEJMNOPQRS**T**	L**N**PQSUWXY	6
2 FOPQRVW	**FG**	7
3 BRS	ABEFNQRV	8
4 **EF**	DNPQ	9
5 ACK	HJRVYZ	10
16A CEE	① €31,15	
5,6 ha 116**T**(150-180m²) 24**D**	② €31,15	

N 70°20'38'' E 26°30'0''

Ab Lakselv der 98 folgen. Bei Kunes wird der CP angezeigt.

Lakselv, N-9700 / Finnmark

Stabbursdalen Resort
E6
1 Jan - 31 Dez
+47 78464760
post@stabbursdalen.no

1 ADEJMNOPQRST	**N**UXY	6
2 BCEHIJOPQRSWXY	ABD**FG**IJ	7
3 **H**	ABE**F**JNQRSTV	8
4 **AE**FHIO**TU**	FIJQUVW	9
5 BFGHIL	AHJNORV	10
16A	① €31,15	
45 ha 80**T** 46**D**	② €31,15	

N 70°10'39'' E 24°54'29''

Ca. 16 km nördlich von Lakselv wird der CP angezeigt.

Langfjordbotn, N-9545 / Finnmark

Altafjord***
E6
1 Jun - 1 Sep
+47 78438000
post@altafjord-camping.no

1 DEJMNOPQRST	KNPQSWXYZ	6
2 ACEFGHOPQRSTUW	ABDE**F**HIJK	7
3 A	ABCDE**F**JNQRV	8
4 FIQ**T**	FJNPV	9
5 L	AHJNOPRV	10
16A	① €31,15	
3 ha 120**T** 68**D**	② €31,15	

N 70°1'42'' E 22°16'57''

An der E6, 20 km nördlich von Burfjord liegt Bognelv. Bei der Esso-Tankstelle ist der CP rechts ausgeschildert.

Lyngvær, N-8313 / Nordland

Lyngvær Lofoten Bobilcamping
E10
1 Mai - 15 Sep
+47 76077778
lobobil@online.no

1 ADJMNOPQRS**T**	KNOPQSWXZ	6
2 AEFKOPQRUW	ABDE**FG**I	7
3 A	ABD**F**JNQRV	8
4 FIO	GJNP	9
5 L	AGHJPRV	10
16A	① €21,20	
2,1 ha 165**T** 14**D**	② €21,20	

N 68°13'29'' E 14°13'1''

An der E10, 18 km südlich von Svolvær entfernt und 2 km hinter der Ausfahrt der Straße 816. CP ausgeschildert.

Mo i Rana, N-8626 / Nordland

Mo i Rana Camping
Hammerveien 8
17 Mai - 15 Sep
+47 96232333
mo.camping@gmail.com

1 ADEJMNOPQRST	J**N**	6
2 ACOPQVW	ABD**EFG**J	7
3	ABCDEFGIJNQRT	8
4 IO	I	9
5	ANOR	10
B 16A	① €33,65	
200**T**(108-150m²) 26**D**	② €33,65	

N 66°19'0'' E 14°10'45''

CP liegt an der E6 in Mo I Rana und ist deutlich angezeigt.

Mørsvikbotn, N-8266 / Nordland

Mørsvikbotn Camping
E6
15 Mai - 1 Sep
+47 75695118
jole-je@online.no

1 ADJMNOPRT	JKN	6
2 ACEOPQWX	ABDE**FGH**I	7
3 A	ABE**F**JNQRTV	8
4 IO	F	9
5 L	HJPRV	10
16A	① €24,95	
6 ha 40**T** 11**D**	② €24,95	

N 67°42'31'' E 15°51'23''

Der CP liegt an der E6, 80 Km nördlich von Fauske und 170 Km südlich von Narvik. Der CP ist deutlich ausgeschildert.

Teilkarte Nord-Norwegen auf Seite 75

Mosjøen, N-8657 / Nordland

Mosjøen Camping****
E6
1 Jan - 31 Dez
+47 75177900
post@mosjoencamping.no
N 65°50'4'' E 13°13'14''

1 ADEJMNOPQRST HN 6
2 ACFPQRSUVWX ABDEFGHIK 7
3 AEIPS ABCDEFIJKLNQRSV 8
4 IOPQT FGIJ 9
5 CFKL ABHJNORV 10
B 16A ❶ €31,15
7 ha 190T 61D ❷ €31,15

Aus dem Süden ist CP kurz vor Mosjøen an der E6 ausgeschildert.

Rolvsfjord, N-8370 / Nordland

Brustranda Sjøcamping****
Valbergsveien 841
1 Jan - 31 Dez
+47 90473630
randulf.tjo@gmail.com
N 68°12'14'' E 13°53'15''

1 ADJMNOPQRST KNPQSWXYZ 6
2 EFHKPRWX BDEFGIK 7
3 AG ABFGHIJNQRSV 8
4 FIO FJPV 9
5 ABFHIL AGHJORV 10
10A CEE ❶ €24,95
4 ha 60T 19D ❷ €24,95

Von Svolvær der E10 nach Süden folgen, bis links Straße 815 abzweigt. Hier ist CP beschildert. Noch 22 km Straße 815 folgen.

Moskenes, N-8392 / Nordland

Moskenes Camping A/S
RV80
15 Mai - 15 Sep
+47 99489405
info@moskenescamping.no
N 67°54'2'' E 13°3'7''

1 ADEIKNOPRST NOX 6
2 FMOPRW ABDEFGIK 7
3 ABCDEFHJNQRV 8
4 J 9
5 ABDIJ ABFGJOR 10
B 10-16A ❶ €31,15
2,7 ha 60T 3D ❷ €31,15

E10 Richtung Moskenes folgen. Die Ausfahrt auf der 80 liegt links (gegenüber der Fähre nach Bodø), enger Weg direkt an der Kirche entlang. Diesem ± 300m folgen.

Russenes, N-9713 / Finnmark

Olderfjord Hotell Russenes Camping AS**
E69
1 Apr - 31 Okt
+47 78463711
post@olderfjord.no
N 70°28'42'' E 25°3'59''

1 ADEJMNOPQRST KNOPQSUWXY 6
2 EFHKOPQRWX ABCDEFGHIK 7
3 A ABCDEFJNPQRV 8
4 FIOT FGJ 9
5 ABDEHIJL AKPRVYZ 10
B 10A ❶ €23,05
5 ha 100T 100D ❷ €23,05

Vom Süden Richtung Nordkap, etwas nördlich von Olderfjord über die E69. Der CP ist gut ausgeschildert.

Narvik, N-8517 / Nordland

NAF-Camping Narvik
Rombaksveien 75/E6
1 Mär - 30 Sep
+47 76945810
narvikcamping@narvikcamping.com
N 68°27'1'' E 17°27'53''

1 ADEILNOPQRST KNOPWX 6
2 BEFHIMPQRSUVW ABFGHIJK 7
3 A ABCDEFJNQRV 8
4 FI FJ 9
5 L ABGHIJPRV 10
16A ❶ €24,95
6 ha 70T 32D ❷ €24,95

An der E6, ca. 4 km nördlich von Narvik ist der CP angezeigt.

Saltstraumen, N-8056 / Nordland

Elvegårde AS
1 Mai - 1 Sep
+47 94800900
elvegaard.camping@gmail.com
N 67°14'6'' E 14°35'53''

1 ADJMNOPRT N 6
2 AEFKOPQW ABDEFGI 7
3 AKS ABEFJNQRSU 8
4 AFIO FJV 9
5 AHIJNPRV 10
16A ❶ €28,70
2,5 ha 50T 3D ❷ €28,70

Die 80 Fauske-Bodø, Ausfahrt Saltstraumen die 17 nehmen (Küstenweg). In Saltstraumen über die Brücke, weiter über den Fjord, 1. Straße rechts. CP ist ausgeschildert.

Rognan, N-8250 / Nordland

Rognan Fjordcamp***
Gamle E6
1 Apr - 30 Nov
+47 75690088
hanna-mo@frisurf.no
N 67°6'9'' E 15°24'37''

1 AJMNOPQRST KLNXYZ 6
2 ADEFGHKOPQRSWX ABDFGHIK 7
3 AFS ABCDEFJNQRSV 8
4 FHIO FIJKNPQV 9
5 L AHJNPR 10
B 16A ❶ €31,15
3,5 ha 100T 36D ❷ €33,65

Vom Süden in Rognan auf der E6 ausgeschildert, dann 3 km der alten E6 folgen.

Saltstraumen, N-8056 / Nordland

Pluscamp Saltstraumen Camping***
Knaplund
1 Jan - 31 Dez
+47 75587560
saltstraumen@pluscamp.no
N 67°14'7'' E 14°37'15''

1 ADEJMNOPQRST NOPUXYZ 6
2 AEFMOPQRSWX ABDEFGHIK 7
3 BEKS ABCDEFGIJKNQRTU 8
4 F FIJS 9
5 ACJL AGJNORVW 10
10A ❶ €31,15
1,7 ha 70T 34D ❷ €31,15

Von Fauske Straße 80 Richtung Bodø, bei Löding Straße 17, bei der Brücke von Saltstraumen ist CP vor der Brücke ausgeschildert.

Røkland, N-8255 / Nordland

Nordnes Camp & Bygdesenter AS
E6
1 Jan - 31 Dez
+47 75693855
post@nordnescamp.no
N 66°56'15'' E 15°18'58''

1 ADEJMNOPQRST NU 6
2 ACFOPQWX ABDEFGHIK 7
3 AS ABCDEFJNQRSV 8
4 FIOQ EFJ 9
5 ABDEGHJKL AEJNPRX 10
B 16A ❶ €31,80
2,7 ha 25T(ab 80m²) 74D ❷ €31,80

An der E6, 20 km südlich von Rognan. Wird durch CP-Schildern ausgeschildert.

Sandsletta, N-8315 / Nordland

Sandsletta Camping***
Midnattsolveien 965
1 Jan - 31 Dez
+47 76075257
sandsletta@camping-lofoten.com
N 68°20'10'' E 14°29'55''

1 ADEJMNOPQRST KNOPQSWXYZ 6
2 AEFHJOPQRSUVWX ABDEFGHI 7
3 AGH ABCDEFHJNPQRV 8
4 EFIKOTV FIJKPQRT 9
5 ABGJL AGHJORV 10
B 10A ❶ €24,95
3 ha 100T(70-180m²) 34D ❷ €24,95

Auf der E10 15 km nördlich von Svolvaer ausgeschildert. Dann noch 10 km Richtung Laukvik.

Røkland, N-8255 / Nordland

Saltdal Turistsenter AS
Storjord/Saltdal
1 Jan - 31 Dez
+47 75682450
firmapost@saltdal-turistsenter.no
N 66°48'49'' E 15°24'4''

1 ADJMNOPQRST NU 6
2 COPY BEFGI 7
3 A ABEFJNQRV 8
4 FOT FGJ 9
5 ABGHIKL AEJOR 10
B 16A ❶ €31,80
H121 20T 122D ❷ €31,80

Die E6 von Süden: kurz hinter der 77 (Richtung Junkerdal) liegt der CP rechts an der Shell-Tankstelle rechts der Strecke und ist dort angezeigt.

Sjøvegan, N-9350 / Troms

Elvelund Camping
1 Jun - 15 Sep
+47 77171888
post@elvelund-camping.no
N 68°51'57'' E 17°51'41''

1 ADEJMNOPQRST JKNPQSUWXYZ 6
2 CEFHKLOPQRWX ABDEFGHIK 7
3 BST ABCDEFJNPQRSV 8
4 EFIOT FGJMPQRV 9
5 BFGHIL AHJPRVX 10
B 16A ❶ €32,40
7 ha 80T 43D ❷ €32,40

Von Süden her der E6 bis ca. 9 km vor Setermoen folgen. Dann links ab der 851 folgen. 1 km hinter Sjøvegan ist der CP links angezeigt.

Teilkarte Nord-Norwegen auf Seite 75

Skarsvåg, N-9763 / Finnmark

Kirkeporten Camping***
Storvannsveien 2
15 Mai - 15 Sep
+47 90960648
kipo@kirkeporten.no

1 ADEJMNOPRT NOPWXYZ 6
2 ADEFMOPQSTW ABDEFGIJK 7
3 ABEFJNQRSV 8
4 FIO FGJ 9
5 ABFHIL AGJOR 10
Anzeige auf dieser Seite 16A ❶ €29,95
3,2 ha 43T 21D ❷ €29,95

N 71°6'27" E 25°48'46"

E69 Richtung Nordkap. An der Ausfahrt nach Skarsvåg ist der CP angezeigt (3. CP).

Skibotn, N-9143 / Troms

Olderelv Camping****
E6
15 Jun - 1 Sep
+47 77715444
firmapost@olderelv.no

1 ADEJMNOPQRST 6
2 FOPQRVWX ABCDEFGHIJK 7
3 BIT ABCDEFJNQRST 8
4 FIST FJ 9
5 ABDEFIL AEGHJNPR 10
Anzeige auf dieser Seite B 16A ❶ €33,65
9,4 ha 70T(120-140m²) 241D ❷ €33,65

N 69°22'48" E 20°17'44"

Etwas südlich von Skibotn, 400m hinter der Ausfahrt E8. Der CP ist auf der E6 ausgeschildert.

Skiipagurra/Tana, N-9845 / Finnmark

Tana Familiecamping AS***
E6/E75
20 Mai - 1 Okt
+47 78928630
tana@famcamp.net

1 ADEJMNOPQRST NU 6
2 CGOPQTWX ABDEFGHI 7
3 A ABEFJNQRV 8
4 FIOT FGI 9
5 L AGHJPRV 10
16A ❶ €27,45
4 ha 70T 43D ❷ €29,95

N 70°9'59" E 28°13'34"

Von Tana Bru in Richtung Kirkenes. Der E6 ca. 4 km folgen. In einer scharfen Kurve auf der linken Seite.

Skipsfjorden, N-9750 / Finnmark

NAF Nordkapp Camping****
E69/Nordkappsveien
1 Mai - 10 Sep
+47 78473377
post@nordkappcamping.no

1 ADEJMNOPQRST NOPSWXZ 6
2 CDEFGKOPRSW ABCDEFGHIJK 7
3 A ABEFJNQRSV 8
4 FT EFGJN 9
5 BGJL ABGHIJPRV 10
16A ❶ €37,40
H100 5,2 ha 98T 29D ❷ €43,65

N 71°1'37" E 25°53'22"

Durch den Nordkapptunnel fahren Sie noch ca. 8 km in Richtung Nordkap. In Skipsfjorden ist der CP ausgeschildert.

Skittenelv, N-9022 / Troms

Skittenelv Camping****
Ullstindveien 736
1 Jan - 31 Dez
+47 46858000
post@skittenelvcamping.no

1 ADEJMNOPQRST ABFGHKNPQSXYZ 6
2 EFGJKOPR ABCDFGHIK 7
3 AIST ABEFJNQRUV 8
4 FHIOST FJPY 9
5 ABDEFL AGJNPTUV 10
Anzeige auf dieser Seite 10A ❶ €31,15
1,3 ha 90T 20D ❷ €31,15

N 69°46'39" E 19°22'57"

E8 bis Tromsø. Vor der Brücke ist der CP ausgeschildert; noch 25 km.

Skoganvarre, N-9722 / Finnmark

Skoganvarre Villmark AS
E6
1 Mär - 30 Nov
+47 46853703
info@skoganvarre.com

1 ADEJMNOPQRST JLNXZ 6
2 BCDFHOPQRW ABFGHI 7
3 I ABEFJNQRTU 8
4 FIOT FIPQR 9
5 ABHL HJPRV 10
B 16A ❶ €31,15
12 ha 60T 66D ❷ €31,15

N 69°50'19" E 25°4'32"

Ab Karasjok E6 Richtung Lakselv. Nach 47 km liegt der CP Skoganvarre links der Straße; ausgeschildert.

Stave, N-8489 / Nordland

Stave Camping
17 Mai - 1 Sep
+47 92601257
info@stavecamping.no

1 BDEILNOPQRT KNPQUVWX 6
2 CDEFHIJOPQRSW ABDEFGHI 7
3 AS BCDEFJNQRV 8
4 AFTU FIRV 9
5 AFIJORV 10
16A ❶ €28,70
3,5 ha 120T 15D ❷ €34,90

N 69°12'17" E 15°51'47"

Hinter der Brücke von Andøy (bei Risøyhamn) Richtung Nordmela halten. 11 km nördlich von Nordmela ist Stave. CP ist ausgeschildert.

Storslett, N-9151 / Troms

Fosselv Camping**
Straumfjord
10 Mai - 1 Okt
+47 91636193
bk@fosselv-camping.no

1 ADEJMNOPQRST KNOPQSWXYZ 6
2 CEFJOPQRUWX ABDEFGHIJ 7
3 AS ABCDEFJNQRV 8
4 FIT FJNP 9
5 L GHIJPRV 10
Anzeige auf dieser Seite 16A ❶ €28,05
2 ha 60T 12D ❷ €28,05

N 69°50'23" E 21°12'33"

Von Süden aus ist der CP etwa 11 km hinter Nordreisa auf der E6 angezeigt.

Straumen, N-8226 / Nordland

Strømhaug Camping AS
Strømhaugveien 2
1 Jan - 31 Dez
+47 75697106
mail@stromhaug.no

1 ADEJMNOPQRST N 6
2 ACDEOPQX ABDEFGHIJ 7
3 AS ABCDEFJNQRV 8
4 IO FJ 9
5 HJORV 10
16A ❶ €33,65
1 ha 38T 18D ❷ €33,65

N 67°20'46" E 15°35'45"

An der E6 Ausfahrt Straumen und weiter den CP-Schildern folgen.

Svenningdal, N-8680 / Nordland

Svenningdal Camping
E6
1 Apr - 31 Okt
+47 99541830
post@svenningdal-camping.no

1 ADEJMNOPQRT JNUX 6
2 ACFGKOPQRTUWX ABDEFGIK 7
3 A ABCDEFJNQRV 8
4 FI FGIJK 9
5 ABL AGHKOR 10
16A ❶ €24,95
H130 6,8 ha 50T 20D ❷ €24,95

N 65°26'40" E 13°24'4"

Links an der E6 vom Süden, 9 km hinter der Ausfahrt Straße 76, ausgeschildert.

Tromsdalen, N-9020 / Troms

Tromsø Camping***
1 Jan - 31 Dez
+47 77638037
post@tromsocamping.no

1 ADEJMNOPQRT NPQ 6
2 CGKOPQRSVWX ABDEFGHIJK 7
3 AE ABCDEFJNQRU 8
4 FHIO FJ 9
5 ABGHL ABGHIJPRV 10
B 16A ❶ €37,40
1,6 ha 60T(80-100m²) 64D ❷ €37,40

N 69°38'54" E 19°0'59"

Der E8 folgen. Am Kreisel von Tromsø ist der CP angezeigt. Noch 1,5 km der E8 folgen. CP-Schild nach rechts folgen. Dann noch 600m.

Teilkarte Nord-Norwegen auf Seite 75

Schweden

Tromsø
Lavangen
Ibestad
NORWEGEN
Hamarøy
Kiruna
Moskenes
Gällivare
Bodø
Polarkreis
Meløy
NORD-SCHWEDEN
Luleå
Arvidsjaur
Piteå
Skellefteå
105
Nærøy
Vilhelmina
Robertsfors
Umeå
Lierne
Steinkjer
Örnsköldsvik
Vaasa
Stjørdal
Östersund
Seinäjo
Berg
Härnösand
Meldal
Bottnischer Meerbusen
99
MITTEL-SCHWEDEN
Uppsala
OSLO
STOCKHOLM
Karlstad
Örebro
Trøgstad
93
WEST-SCHWEDEN
Linköping
SÜD-SCHWEDEN
Göteborg
Jönköping
85
Aalborg
Halmstad
Karlskrona
Aarhus
KØBENHAVN
DÄNEMARK
Malmö
Vejle
Odense
Ostsee
CF-EU

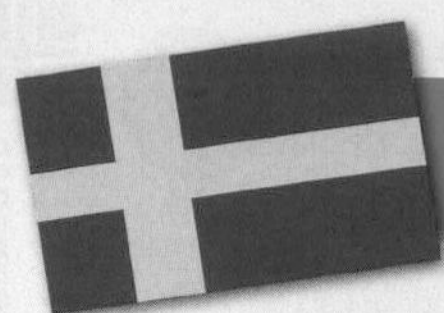

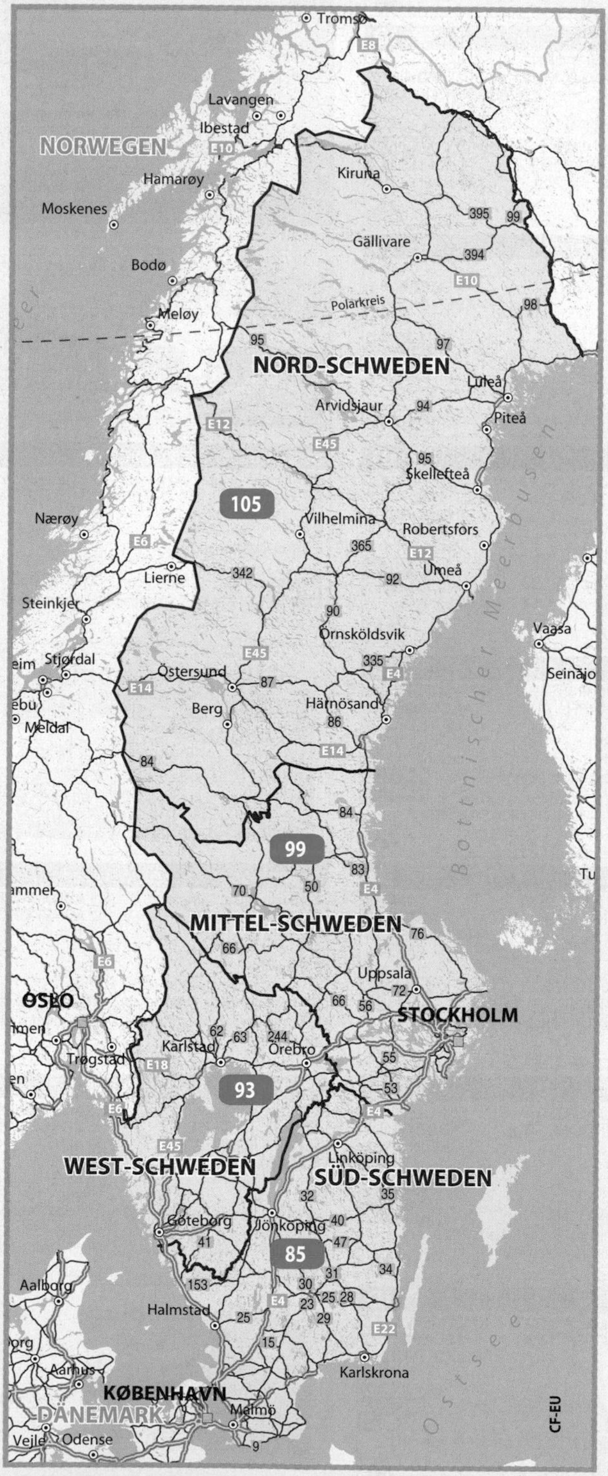

Allgemein

Schweden ist EU-Mitglied.

Zeit
In Schweden ist es genauso spät wie in Berlin.

Sprache
Schwedisch, aber auch mit Englisch kommt man gut zurecht.

Fähren
Sie können über Kopenhagen (Dänemark) nach Malmö (Südschweden) über die Sundbrücke kommen, aber auch über andere Fährverbindungen. Schnellste Fährverbindung: Rostock und Sassnitz. Mehr Information auf ▸ *www.aferry.de* ◂ und ▸ *www.directferries.de* ◂

Grenzformalitäten

Viele Formalitäten und Vereinbarungen, wie erforderliche Reisedokumente, KFZ-Papiere, Anforderungen an Ihr Fahrzeug und Ihren Aufenthalt, Krankenkosten und das Mitführen von Tieren, sind nicht nur vom Zielort abhängig, sondern auch von Ihrem Ausgangsort und Ihrer Nationalität. Auch die Dauer Ihres Aufenthaltes spielt dabei eine Rolle. Im Rahmen dieses Führers ist es leider nicht möglich, allen Lesern korrekte und aktuelle Informationen in dieser Hinsicht zu garantieren.

Wir raten Ihnen, vor Ihrer Abreise bei den entsprechenden Behörden in Erfahrung zu bringen:

- welche Reisedokumente Sie für sich selbst und Ihre Reisebegleitung brauchen
- welche Dokumente Sie für Ihr Auto brauchen
- welchen Anforderungen Ihr Fahrzeug entsprechen muss
- welche Güter Sie ein- und ausführen dürfen
- wie im Unglücks- oder Krankheitsfall die medizinische Versorgung im Urlaubsland organisiert ist und bezahlt wird
- ob Sie Ihre Haustiere mitnehmen können. Nehmen Sie rechtzeitig Kontakt zu Ihrem Tierarzt auf. Dort erhalten Sie Informationen über relevante Impfungen, entsprechende Bestätigungen und Verpflichtungen bei Ihrer Rückkehr. Es ist auch sinnvoll herauszufinden, ob an Ihrem Urlaubsziel bestimmte Bedingungen für Haustiere in der Öffentlichkeit geknüpft sind. So müssen in manchen Ländern Hunde immer einen Maulkorb tragen oder vergittert transportiert werden.

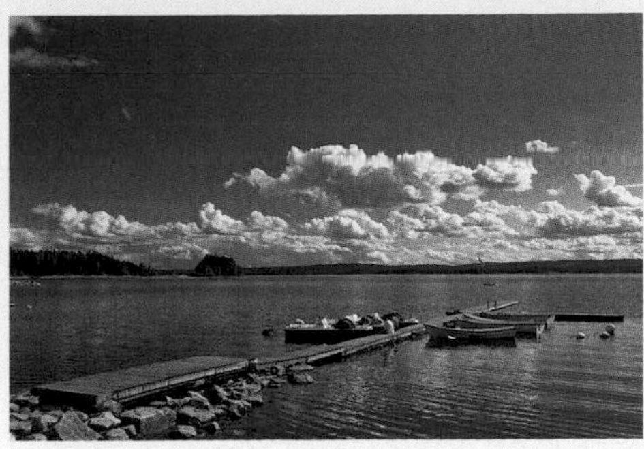

Viele allgemeine Infos finden Sie auf ▸ *www.europa.eu* ◂ aber sorgen Sie selbst dafür, die richtige Information für Ihre individuelle Situation herauszufinden.

Aktuelle Zollbestimmungen entnehmen Sie den Botschaften des jeweiligen Urlaubslandes an Ihrem Wohnort.

Währung und Geld

Die Währungseinheit in Schweden ist die

Krone (SEK). Wechselkurs (September 2014): € 1 = SEK 9,15. Auf Postämtern, Bahnhöfen und großen Geschäften kann man mit Euro bezahlen, bekommt aber das Wechselgeld in Schwedischen Kronen.

Geldautomat

Vorallem außerhalb der Städte sind Geldautomaten spärlich.

Kreditkarten

Fast überall kann man mit Kreditkarte zahlen.

Öffnungszeiten und Feiertage

Banken

Die Banken sind bis 15.00 Uhr geöffnet. Donnerstags bis 17.00 Uhr und samstags geschlossen. In den großen Städten sind Banken geöffnet bis 18.00 Uhr. Bevor einem Feiertag schließen Banken schon om 13.00 Uhr.

Geschäfte

Geschäfte sind normalerweise montags bis freitags von 9.30 bis 18.00 Uhr und samstags bis 16.00 Uhr geöffnet. Lebensmittelläden sind zwischen 8.00 und 22.00 Uhr geöffnet.
Spirituosen gibt es nur in staatlichen Geschäften der Systembolaget.
Sie sind wochentags geöffnet bis 18.00 Uhr, Samstag bis 13.00 uur.

Apotheken

Öffnungszeiten der Apotheken von Montag bis Freitag bis 18.00 Uhr und samstags bis 14.00 Uhr. In den größeren Städten sind Dienst habende Apotheken auch abends und sonntags geöffnet (24 Stunden Dienst).

Feiertage

1. Januar, 6. Januar (Dreikönige), Karfreitag, Ostern, 30 april (Walpurgisnacht), 1. Mai (Tag der Arbeit), Himmelfahrt, Pfingstsonntag, 6. Juni (Nationalfeiertag),

Mitsommernachtsfest am Freitag der dem 21. Juni am nächsten liegt, Allerheiligen, 13. Dezember (Hl. Lucia), Weihnachten und Silvester.

Während des Mitsommernachtsfestes kann es auf den Campingplätzen sehr voll und laut sein, reservieren Sie daher rechtzeitig vorher.

Kommunikation

(Mobil) Telefon

Südschweden hat eine volle Netzabdeckung. In Nordschweden an den großen Strecken, an der Küste und in Städten, aber nicht immer in unbewohnten Gebieten und den Bergen. Es gibt ein 3G-Netz für das mobile Internet.

W-Lan, Internet

In Städten findet man Internetcafés, in öffentlichen Büchereien ist das Internet gratis. W-Lan ist im Kommen.

Post

Postämter oder Agenturen gibt es in Schweden fast gar nicht mehr. Die Post wird von Lebensmittelläden, Tankstellen oder anderen Geschäften erledigt.

Straßen und Verkehr

Straßennetz

Achten Sie auf Wildwechsel, vor allem in der Morgen- und Abenddämmerung. Das Fahren in den dichten Wäldern von Mittelschweden kann wegen der Ruhe und Eintönigkeit zu Ermüdungserscheinungen führen. Bei einer Pannen rufen Sie die Motormännen: Tel. 08-6903800.

Verkehrsvorschriften

Kreisverkehr hat meist Vorfahrt. Dies ist ausgeschildert. Sind keine Schilder vorhanden, dann hat der in den Kreisverkehr Einfahrende Vorfahrt.

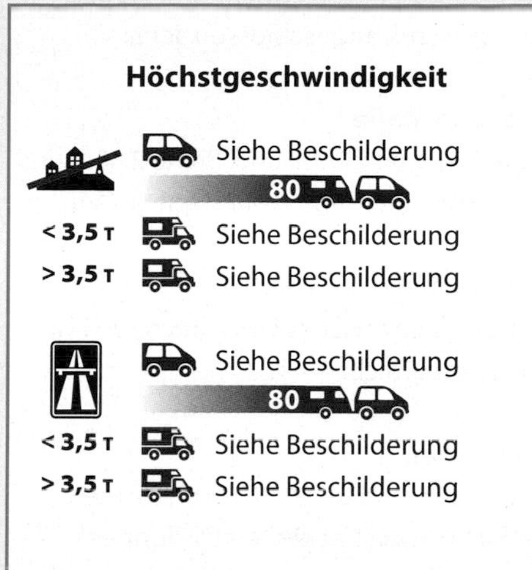

Promillehöchstgrenze: 0,2 ‰. Kinder bis 7 Jahre alt müssen in einen Kindersitz (auch für Touristen). Autos müssen auch tagsüber mit Abblendlicht fahren. Eine Freisprechanlage Ist zwar noch keine Pflicht, allerdings darf telefonieren während des Fahrens das Fahrverhalten nicht beeinflussen. Vom 1. Dezember bis 1. April gilt Winterreifenpflicht, daneben auch wenn die Witterungsumstände das erfordern.

Navigation

Warnung vor festen Blitzern durch Navi oder Mobiltelefon Apps ist erlaubt.

Wohnwagen, Reisemobil

Servicestationen für Reisemobile gibt es immer öfter. Außerdem wird das Quick-stop System in Schweden immer beliebter: für einen billigeren Preis können Sie dann abends nach 20.00 Uhr Ihren Stellplatz haben, müssen aber vor 10.00 Uhr morgens wieder weg sein. In Schweden ist es

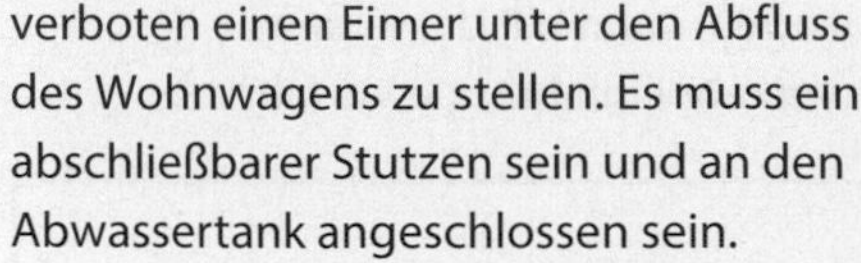

verboten einen Eimer unter den Abfluss des Wohnwagens zu stellen. Es muss ein abschließbarer Stutzen sein und an den Abwassertank angeschlossen sein.

Zulässige Maße

Keine Höhenbeschränkung, Breite 2,60m und max. Länge (PKW und Wohnwagen) 24m.

Kraftstoff

Bleifreies Benzin ist gut erhältlich. LPG ist schwer erhältlich.

Tankstellen

Tankstellen sind bis 21.00 Uhr geöffnet. Nordschweden hat ein relativ dünnes Tankstellennetz. Sie können an den meisten Tankstellen mit Kreditkarte bezahlen.

Maut

Auf der Øresundbron, die Dänemark mit Schweden verbindet, muss man Maut zahlen. Retourtickets sind nicht erhältlich. Tipp: kaufen Sie auf der Hinreise 2 Einzeltickets, das spart Zeit auf der Rückreise.

Notruf

112: nationaler Notruf für Polizei, Feuerwehr oder Krankenwagen.

Campen

In Schweden gilt das sog. Allmende Recht. Sie müssen die Zustimmung des Besitzers einholen und nach dem Prinzip des schwedischen Allmende handeln, nämlich 'nicht stören und zerstören'. Dieses Allmende Recht gilt übrigens nicht in Naturreservaten und anderen Landschaftsschutzgebieten. In Südschweden gibt es mehr als genug Campings, nach Norden hin eher weniger. Nordschweden hat vorallem kleine Plätze und die Campgelände an den Hauptstrecken sind bei Touristen sehr beliebt, daher sollte man besser vorher reservieren! Das Sanitär ist meist recht ordentlich.

Praktisch

Wenn Sie in Schweden campen, dann gibt es eine Chance, dass Sie noch eine Spezialkarte brauchen, die man an der Rezeption vorzeigen muss. Sie können sich diese Karte auf dem ersten Camping, auf dem Sie übernachten, besorgen.

- Achtung: die Möglichkeiten Propangasflaschen zu füllen, sind sehr begrenzt. Sie sollten also besser mit einem ausreichenden Vorrat auf Reise gehen. Butagas ist überhaupt nicht erhältlich.
- Am besten immer Universalstecker dabei haben.
- Leitungswasser ist unbedenklich.

Klima Göteborg	Jan.	Feb.	März	April	Mai	Juni	Juli	Aug.	Sept.	Okt.	Nov.	Dez.
Tagestemperatur	0	2	2	7	12	16	18	17	14	10	5	2
Sonnenstunden am Tag	2	3	5	7	9	10	9	8	6	4	2	1
Regentage	10	8	7	8	7	8	10	10	11	10	11	11

Klima Stockholm	Jan.	Feb.	März	April	Mai	Juni	Juli	Aug.	Sept.	Okt.	Nov.	Dez.
Tagestemperatur	-2	-2	1	6	12	17	19	18	13	8	3	1
Sonnenstunden am Tag	1	3	5	7	9	11	10	8	6	3	1	1
Regentage	10	7	6	7	7	8	9	10	9	9	10	11

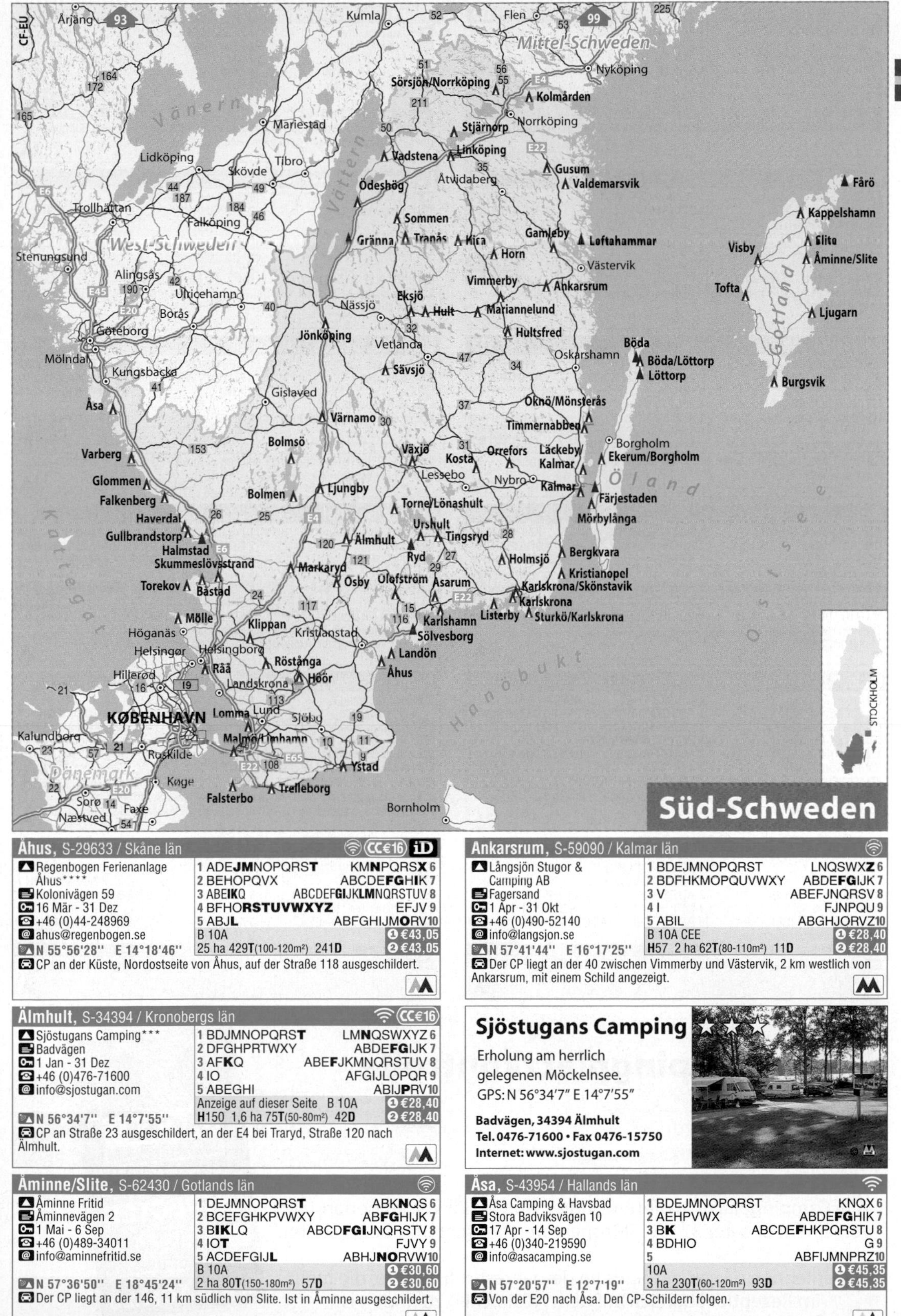

Süd-Schweden

Åhus, S-29633 / Skåne län

Regenbogen Ferienanlage Åhus****
Kolonivägen 59
16 Mär - 31 Dez
+46 (0)44-248969
ahus@regenbogen.se
N 55°56'28'' E 14°18'46''

1 ADE**JM**NOPQRS**T** KM**N**PQRS**X** 6
2 BEHOPQVX ABCDE**FG**H**I**K 7
3 ABE**IK**Q ABCDEF**GI**JK**LM**NQRSTUV 8
4 BFHO**RSTUVWXYZ** EFJV 9
5 ABJ**L** ABFGHIJM**O**RV 10
B 10A ① €43,05
25 ha 429**T**(100-120m²) 241**D** ② €43,05

CP an der Küste, Nordostseite von Åhus, auf der Straße 118 ausgeschildert.

Ankarsrum, S-59090 / Kalmar län

Långsjön Stugor & Camping AB
Fagersand
1 Apr - 31 Okt
+46 (0)490-52140
info@langsjon.se
N 57°41'44'' E 16°17'25''

1 BDEJMNOPQRST LNQSWX**Z** 6
2 BDFHKMOPQUVWXY ABDE**FG**IJK 7
3 V ABEFJNQRSV 8
4 I FJNPQU 9
5 ABIL ABGHJORVZ 10
B 10A CEE ① €28,40
H57 2 ha 62**T**(80-110m²) 11**D** ② €28,40

Der CP liegt an der 40 zwischen Vimmerby und Västervik, 2 km westlich von Ankarsrum, mit einem Schild angezeigt.

Älmhult, S-34394 / Kronobergs län

Sjöstugans Camping***
Badvägen
1 Jan - 31 Dez
+46 (0)476-71600
info@sjostugan.com
N 56°34'7'' E 14°7'55''

1 BDJMNOPQRS**T** LM**N**QSWXYZ 6
2 DFGHPRTWXY ABDE**FG**IJK 7
3 AF**K**Q ABE**F**JKMNQRSTUV 8
4 IO AFGIJLOPQR 9
5 ABEGHI ABIJ**P**RV 10
Anzeige auf dieser Seite B 10A ① €28,40
H150 1,6 ha 75**T**(50-80m²) 42**D** ② €28,40

CP an Straße 23 ausgeschildert, an der E4 bei Traryd, Straße 120 nach Älmhult.

Åminne/Slite, S-62430 / Gotlands län

Åminne Fritid
Åminnevägen 2
1 Mai - 6 Sep
+46 (0)489-34011
info@aminnefritid.se
N 57°36'50'' E 18°45'24''

1 DEJMNOPQRS**T** ABK**N**QS 6
2 BCEFGHKPVWXY AB**FG**HIJK 7
3 B**IK**LQ ABCD**FGI**JNQRSTV 8
4 IO**T** FJVY 9
5 ACDEFGIJ**L** ABHJ**NO**RVW 10
B 10A ① €30,60
2 ha 80**T**(150-180m²) 57**D** ② €30,60

Der CP liegt an der 146, 11 km südlich von Slite. Ist in Åminne ausgeschildert.

Åsa, S-43954 / Hallands län

Åsa Camping & Havsbad
Stora Badviksvägen 10
17 Apr - 14 Sep
+46 (0)340-219590
info@asacamping.se
N 57°20'57'' E 12°7'19''

1 BDEJMNOPQRST KNQX 6
2 AEHPVWX ABDE**FG**HIK 7
3 B**K** ABCDE**F**HKPQRSTU 8
4 BDHIO G 9
5 ABFIJMNPRZ 10
10A ① €45,35
3 ha 230**T**(60-120m²) 93**D** ② €45,35

Von der E20 nach Åsa. Den CP-Schildern folgen.

Asarum, S-37491 / Blekinge län

Långasjönäs Camping & Stugby
Långasjönäsvägen 49
17 Apr - 25 Okt
+46 (0)454320691
info@langasjonas.com
N 56°13'50'' E 14°51'50''

1 ADEJMNOPQRST LNPQX 6
2 ABDFGHIMOPQTVWXY ABDEFGHIK 7
3 AIK ABCDEFINQRSV 8
4 FHIOT FJPQV 9
5 ABDEL ABCGHJORVWXY 10
B 16A CEE ❶ €26,25
11 ha 86T(64-140m²) 68D ❷ €26,25

E22. Ausfahrt Karlshamn-Zentrum und von dort der CP-Beschilderung folgen.

Bolmen, S-34194 / Kronobergs län

Bolmens Camping***
Strandsjövägen 4
1 Mai - 30 Sep
+46 (0)372-23100
info@bolmen.com
N 56°49'0'' E 13°42'1''

1 BDJMNOPQRST NQSXYZ 6
2 DFJOPWX ABDEFGHIK 7
3 AM ABCDEFHJNQRS 8
4 FHT IJPQV 9
5 KL ABJRV 10
B 10A ❶ €28,40
H150 2,5 ha 40T(bis 100m²) 5D ❷ €28,40

Von der E40 Ausfahrt 80 Växsjo/Kalmar; direkt danach Richtung Bolmen. Der CP ist angezeigt. Von der 25 bei Skeen Richtung Bolmen.

Båstad, S-26991 / Skåne län

Norrvikens Camping***
Kattviksvägen 347
15 Apr - 28 Sep
+46 (0)431-369170
norrviken@caravanclub.se
N 56°27'11'' E 12°47'7''

1 BDJMNOPQRST KNPQSW 6
2 EFGKPRVWX ABDEFGHIK 7
3 ABIKLQS ABEFJNQRSV 8
4 INO 9
5 ABKL ABGHJNORVXZ 10
B 10A CEE ❶ €36,05
2 ha 145T(80-100m²) 60D ❷ €36,05

Von der E6 nach Båstad, Straße 115 durch die Stadt Richtung Kattvik, ausgeschildert.

Bolmsö, S-34195 / Kronobergs län

Bolmsö Island Camping***
Kyrkbyvägen 12
9 Mai - 1 Sep
+46 (0)372-91102
info@bolmsocamping.se
N 57°0'26'' E 13°43'12''

1 BDJMNOPQRST LNQSWXY 6
2 BDFGHPVWXY ABDEFGHIK 7
3 AGHI ABEFIJNQRSV 8
4 IO FGPQRTUV 9
5 ACEGJL ABGHIJNORV 10
10A ❶ €27,30
H155 3,5 ha 46T(ab 80m²) 25D ❷ €27,30

E4 Ausfahrt 81 Bolmsö. Den Schildern 'Bolmsö Camping' folgen. Der CP liegt an der Fähre.

Bergkvara, S-38598 / Kalmar län

Skeppeviks Camping
Skäppevik 104
15 Apr - 15 Sep
+46 (0)486-20637
info@skeppevik.com
N 56°21'42'' E 16°4'34''

1 ADEJMNOPQRST HKQSWX 6
2 ABEGHIPQVWXY ABDEFHIK 7
3 BIKQ ABCDEFJNPQRV 8
4 EFH FV 9
5 ABDL ABHIJORV 10
B 10A ❶ €25,15
2,2 ha 68T(100m²) 23D ❷ €25,15

Der CP liegt ungefähr 2,5 km südlich von Bergkvara und ist ab der E22 ausgeschildert.

Burgsvik, S-62335 / Gotlands län

Burgsviks Camping
Valarvägen 1
15 Jun - 15 Aug
+46 (0)498-497888
info@burgsvikscamping.se
N 57°1'57'' E 18°15'26''

1 DEJMNOPQRST ABFGKPQSWXZ 6
2 EGHIPVWX ABDEFGIJK 7
3 AIK ABEFJNQRSTUV 8
4 O F 9
5 BEGI ABHJORV 10
B 10A CEE ❶ €32,80
1,5 ha 67T(80-100m²) 12D ❷ €32,80

CP liegt am Hafen und Badestrand von Burgsvik (Südgotland). Ist ab der 142 innerorts angezeigt.

Böda, S-38773 / Kalmar län

Böda Hamns Camping****
Böda Hamn
24 Apr - 30 Sep
+46 (0)485-22043
info@bodahamnscamping.se
N 57°14'19'' E 17°4'12''

1 DEJMNOPQRST KNPQSWX 6
2 BEGHIPQWXY ABDEFGHIK 7
3 BEIKS ABCDEFJKNQRS 8
4 IOT FQ 9
5 ABEGJKL ABGJMR 10
B 10A ❶ €25,15
5,5 ha 310T(80-100m²) 36D ❷ €25,15

Von Öland Straße 136 Richtung Norden, Ausfahrt Böda Hamm, CP ausgeschildert.

Ekerum/Borgholm, S-38792 / Kalmar län

First Camp Ekerum*****
Ekerum
1 Apr - 15 Okt
+46 (0)485-564700
ekerum@firstcamp.se
N 56°47'37'' E 16°34'0''

1 DEJMNOPQRST ABFGKNPQSXZ 6
2 BEGHIKPQRVWXY ABCDEFGHIK 7
3 BEIJKQT ABCDEFIJKLMNQRSTUV 8
4 BCFILOPT EFJVY 9
5 ABCDEFGHJKL ABEGHIJMNPRVWZ 10
B 10A CEE ❶ €39,35
30 ha 640T(100-120m²) 264D ❷ €39,35

Von Kalmar über die Brücke nach Öland Richtung Borgholm; auf halber Strecke nach Borgholm (Golfplatz) ist der CP an der Straße Nr. 136 ausgeschildert.

Böda, S-38773 / Kalmar län

Krono Camping Böda Sand*****
Böda Sands Allén 11
30 Apr - 1 Sep
+46 (0)485-22200
info@bodasand.se
N 57°16'28'' E 17°2'53''

1 DJMNOPQRST ABFGHIKMNOPQSW 6
2 ABEGHPQRVWXY ABCDEFGHIJK 7
3 ABCDEFIJKMNQST ABCDEFGIJKNQRSTUV 8
4 BFHINOPRTVXZ EFJSTVY 9
5 ACDEFGIJKL ABEGHIJMNPRVW 10
B 16A CEE ❶ €45,90
50 ha 1204T(100-150m²) 352D ❷ €45,90

Auf Öland die 136 in Richtung Norden. CP ist an dieser Straße 5 km nördlich von Böda ausgeschildert (im Kreisverkehr rechts).

Eksjö, S-57536 / Jönköpings län

Eksjö Camping & Konferens***
Prästängvägen 5
1 Jan - 31 Dez
+46 (0)381-39500
info@eksjocamping.se
N 57°40'3'' E 14°59'22''

1 BDEJMNOPQRST LNQSXZ 6
2 DGHIPSVWX ABCDEFGHIK 7
3 AEFIKQ ABEFJKNQRSUV 8
4 ABCDFKT DFGJPQTVY 9
5 AEIL AHJPRZ 10
10A CEE ❶ €26,25
H200 4 ha 119T(100-120m²) 52D ❷ €26,25

Der CP liegt am Ostrand von Eksjö; an der Straße Nr. 40 Nässjo-Eksjö-Mariannelund ausgeschildert. An der Straße Nr. 32 Ausfahrt Eksjö-Centrum/Västervik nehmen.

Böda/Löttorp, S-38773 / Kalmar län

BödaRivièra - Kyrketorps Camping****
Landsvägen Kyrketorp 12
15 Mai - 8 Sep
+46 (0)485-22223
bokning@bodariviera.se
N 57°14'56'' E 17°3'31''

1 ADJMNOPQRST KMNPQSUWX 6
2 BEHOPQVWXY ABDEFGHIJK 7
3 ABEFHIKL ABEFJKNQRSTV 8
4 BFT ADEFIKMNQRTV 9
5 ABCEFGJL ABCFGHIJMNPRVWX 10
B 10A CEE ❶ €36,60
13 ha 500T(80-120m²) 138D ❷ €36,60

Der CP liegt an der Ostküste von Öland am Örtchen Böda und ist auf der 136 angezeigt.

Falkenberg, S-31142 / Hallands län

Skrea Camping****
Strandvägen 55
1 Apr - 30 Sep
+46 (0)346-17107
info@skreacamping.se
N 56°52'59'' E 12°30'54''

1 BDJMNOPQRS KMNPQSX 6
2 AEGHMOPVW ABDEFGHIJK 7
3 ABIKQT ABCDEFGHIJKNQRSTUV 8
4 HILO DFGJV 9
5 ACDEFIKL ABEGHIJMNPRYZ 10
B 16A CEE ❶ €42,60
4,5 ha 473T(85-160m²) 223D ❷ €42,60

Von der E6 bei Falkenberg Ausfahrt 49. Den Schildern 'Skrea' und 'Camping' folgen.

Teilkarte Süd-Schweden auf Seite 85

Falsterbo, S-23942 / Skåne län

Ljungens Camping****
Strandbadsvägen
29 Apr - 28 Sep
+46 (0)40-471132
ljungenscamping@telia.com
N 55°23'52'' E 12°51'55''

1 BDJMNOPQRS**T** KQSXY 6
2 AEHPQVWXY ABDE**FG**HIJ**K** 7
3 ABE**IK**LQ ABCDEFHJNQRSV 8
4 FHIO JPRVY 9
5 CDEFIKL ABGHIK**N**PRVWZ 10
B 10A ❶ €34,95
6 ha 406**T**(80-100m²) 216**D** ❷ €34,95

Von der E6 auf die Straße Nr. 100 Skanör-Falsterbo. Im Kreisverkehr vor dem Zentrum links, nach ca. 1 km erneut links. Gut ausgeschildert.

Färjestaden, S-38693 / Kalmar län

First Camp Eriksöre****
Semestervägen
1 Mai - 4 Okt
+46 (0)485 30160
eriksore@firstcamp.se
N 56°37'3'' E 16°26'50''

1 DEJMNOPQRS KNPQSWX 6
2 BEGHIOPQVWXY ABCDE**FG**HIJK 7
3 BEF**IK**LQST ABEFIJNQRSTU 8
4 BCILMNO EFJNTVY 9
5 ACEFGJL ABGHIJMNORVWZ 10
B 10A CEE ❶ €36,05
10 ha 400**T**(100-130m²) 217**D** ❷ €36,05

Von Kalmar über die Brücke nach Öland, Ausfahrt Färjestaden. 4 km in Richtung Mörbylånga; der CP ist ausgeschildert.

Färjestaden, S-38695 / Kalmar län

Krono Camping Saxnäs****
Södra Saxnäs
17 Apr - 4 Okt
+46 (0)485-35700
info@kcsaxnas.se
N 56°41'13'' E 16°28'58''

1 DEJMNOPQRS **ABFG**KMNPQSWX**Z** 6
2 EGHIPQRVWX ABCDE**FG**HIK 7
3 BEF**IJ**QT ABCDE**FG**IJKNQRSTUV 8
4 BFHINO**TX** EJLVY 9
5 ABCDEFIJKL ABEFGHIJ**NP**QRVYZ 10
B 10A ❶ €41,55
12 ha 590**T**(100-155m²) 176**D** ❷ €41,55

Von Kalmar über die Brücke nach Öland, Ausfahrt Saxnäs; der CP ist ausgeschildert.

Fårö, S-62467 / Gotlands län

Strandskogens Camping
5650 Sudersand
15 Jun - 31 Aug
+46 (0)498-223536
info@sudersand.se
N 57°57'21'' E 19°14'58''

1 BDEJMOPQRS **ABC**FGKPQSW 6
2 EGHOPVW ABDE**FG**HIJK 7
3 A ABE**F**JNQRST 8
4 FHIO FV 9
5 BGIJ BEGHIJRV 10
B 16A CEE ❶ €35,50
1,5 ha 54**T**(100-120m²) 31**D** ❷ €35,50

Auf Fårö, gratis Überfahrt mit der Fähre, der Hauptstraße 18 km folgen. Dann rechts ab Richtung Suderstrand Ö.

Fårö, S-62467 / Gotlands län

Sudersands Semesterby & Camping
Sudersand 5650
15 Jun - 31 Aug
+46 (0)498-223536
info@sudersand.se
N 57°57'10'' E 19°14'38''

1 BDEJMNOPQRS**T** ABFGKPQ 6
2 BEFGHOPSVWX ABCDE**FG**HIJK 7
3 BEFLQRT ABE**FGI**JKNQRSUV 8
4 HIOT FGJV 9
5 BDEFGI ABFGHIJRV 10
B 16A CEE ❶ €38,25
6 ha 325**T**(100m²) 135**D** ❷ €38,25

Von der Gratisfähre nach Fårö, der Hauptstraße 17 km folgen. Dann rechts ab Richtung Sudersand. CP ist angezeigt.

Gamleby, S-59432 / Kalmar län

KustCamp Gamleby****
Hammarsvägen 10
1 Mai - 15 Sep
+46 (0)493-10221
info@campa.se
N 57°53'6'' E 16°24'49''

1 ABDJMNOPQRST KMNQSXYZ 6
2 EGHIOPQSUVWX BCE**FG**HIK 7
3 AF**I**LQSTV BDE**FGI**JKNQRSV 8
4 ABIOT EFJNPQRTV 9
5 ABDEFJ**L** ABFGHJO**P**RVWXY 10
B 10A CEE ❶ €32,80
12 ha 158**T**(80-120m²) 37**D** ❷ €32,80

CP 1,5 km südlich von Gamleby. Ab der E22 Ausfahrt Gamleby Süd nehmen. Den CP-Schildern folgen.

Glommen, S-31198 / Hallands län

Rosendals Camping
Rosendalsvägen 22
1 Apr - 15 Sep
+46 (0)346-97300
info@rosendalscamping.se
N 56°57'28'' E 12°21'52''

1 DJMNOPQRS K 6
2 EHIOPVWX ABCDE**FG**HIJK 7
3 A**I**L**M**S ABE**F**NQRSTU 8
4 IO**T** E 9
5 ABK AHIJR 10
B 10A ❶ €31,15
4 ha 150**T**(80-100m²) 54**D** ❷ €31,15

Von der E6 Ausfahrt 52 Morup, Richtung Stränninge. Dann den Schildern Stränninge folgen. Dann Richtung Rosendals. Der CP ist gut ausgeschildert.

Gränna, S-56391 / Jönköpings län

Getingaryds Camping***
Getingaryd 4
1 Mai - 1 Okt
+46 (0)390-21015
getingaryd.camping@tele2.se
N 58°5'47'' E 14°31'59''

1 JMNOPQRST LNPQSWX 6
2 ABDFGKPTVWX ABDE**FG**HIK 7
3 B**HIK**LQT ABE**FG**IJNQRS 8
4 IO**T** DFPV 9
5 AB**L** AJ**O**RV 10
B 10A CEE ❶ €24,05
H110 5 ha 70**T**(80-100m²) 17**D** ❷ €24,05

Von der E4 aus nördlicher Richtung die Ausfahrt Ödeshög nehmen. Von Süden, Ausfahrt Gränna. Der CP liegt an der 'alten Strecke' zwischen Gränna und Ödeshög am Vätternsee.

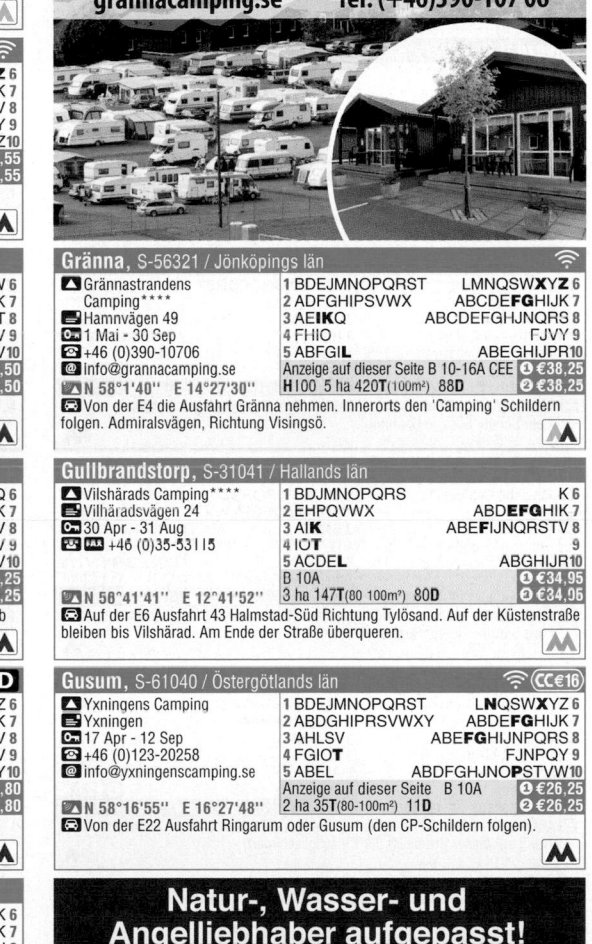

Gränna, S-56321 / Jönköpings län

Grännastrandens Camping****
Hamnvägen 49
1 Mai - 30 Sep
+46 (0)390-10706
info@grannacamping.se
N 58°1'40'' E 14°27'30''

1 BDEJMNOPQRST LMNQSW**XYZ** 6
2 ADFGHIPSVWX ABCDE**FG**HIJK 7
3 AE**I**KQ ABCDEFGHJNQRS 8
4 FHIO FJVY 9
5 ABFGI**L** ABEGHIJPR 10
Anzeige auf dieser Seite B 10-16A CEE ❶ €38,25
H100 5 ha 420**T**(100m²) 88**D** ❷ €38,25

Von der E4 die Ausfahrt Gränna nehmen. Innerorts den 'Camping' Schildern folgen. Admiralsvägen, Richtung Visingsö.

Gullbrandstorp, S-31041 / Hallands län

Vilshärads Camping****
Vilhäradsvägen 24
30 Apr - 31 Aug
+46 (0)35-53115
N 56°41'41'' E 12°41'52''

1 BDJMNOPQRS K 6
2 EHPQVWX ABD**EFG**HIK 7
3 AI**K** ABE**F**IJNQRSTV 8
4 IO**T** 9
5 ACDE**L** ABGHIJR 10
B 10A ❶ €34,95
3 ha 147**T**(80-100m²) 80**D** ❷ €34,95

Auf der E6 Ausfahrt 43 Halmstad-Süd Richtung Tylösand. Auf der Küstenstraße bleiben bis Vilshärad. Am Ende der Straße überqueren.

Gusum, S-61040 / Östergötlands län

Yxningens Camping
Yxningen
17 Apr - 12 Sep
+46 (0)123-20258
info@yxningenscamping.se
N 58°16'55'' E 16°27'48''

1 BDEJMNOPQRST L**N**QSW**X**YZ 6
2 ABDGHIPRSVWXY ABDE**FG**HIJK 7
3 AHLSV ABE**FG**HIJNPQRS 8
4 FGIO**T** FJNPQY 9
5 ABEL ABDFGHJNO**P**STVW 10
Anzeige auf dieser Seite B 10A ❶ €26,25
2 ha 35**T**(80-100m²) 11**D** ❷ €26,25

Von der E22 Ausfahrt Ringarum oder Gusum (den CP-Schildern folgen).

Schweden

Teilkarte Süd-Schweden auf Seite 85

Halmstad, S-30270 / Hallands län

First Camp Tylösand****
Kungsvägen 3
20 Apr - 23 Sep
+46 (0)35-30510
tylosand@firstcamp.se

1 BDJMNOPQRS	KQSX 6
2 EHOPRVWX	ABCDEFGHIJK 7
3 ABCDEFIJLMNQRSTUV 8	
4 AEFIJLOT	JV 9
5 ACDEGIKL	ABEGHIJLNPRV 10
B 10A CEE	❶ €51,90
9 ha 426T(80-100m²) 131D	❷ €51,90

N 56°39'37'' E 12°44'25''

E6, Ausfahrt Halmstad S (Süd). Dann Schildern Tylösand und CP folgen.

Halmstad, S-30260 / Hallands län

Hagöns Camping****
Östra Stranden
1 Mai - 31 Aug
+46 (0)35-125363
receptionen@hagonscamping.se

1 BDJMNOPQRS	KMNQSX 6
2 EGHOPRVWX	ABCDEFGHIJK 7
3 ABEIKQT	ABCDEFJKNQRSV 8
4 INO	FJ 9
5 ABDEFGL	ABFGHIJMPRVWZ 10
B 10A CEE	❶ €40,45
10,5 ha 550T(80-100m²) 190D	❷ €40,45

N 56°38'9'' E 12°54'0''

E6, Ausfahrt Halmstadt S (Süd). Dann den Schildern 'Hagöns' und CP folgen.

Haverdal, S-30571 / Hallands län

Haverdals Camping****
Haverdalsvägen 62
25 Apr - 14 Sep
+46 (0)35-52310
info@haverdalscamping.se

1 BDJMNOPQRS	KQSX 6
2 AEHOPVWX	BCDEFGHIJK 7
3 ABEIKLT	ABEFJNQRSTUV 8
4 BIO	DFIV 9
5 ABKL	ABGHIJNPRVW 10
B 16A CEE	❶ €38,25
5 ha 200T(100-140m²) 40D	❷ €38,25

N 56°43'39'' E 12°40'25''

Die E6, Ausfahrt 46 Haverdal. Richtung Haverdal halten.

Holmsjö, S-37034 / Blekinge län

Stensjö Camping
V. Stensjö
1 Mai - 1 Sep
+46 (0)455-92114
stensjocamping@gmail.com

1 ABDEJMNOPQRST	LNQXY 6
2 BDPRWXY	ABFGIK 7
3 AEFLRV	ABCDEFINQRV 8
4 BFG	FGIJPQRT 9
5 ABL	ABGJNORVW 10
10A	❶ €23,50
H105 1 ha 50T(50-100m²) 18D	❷ €23,50

N 56°22'17'' E 15°30'57''

An der 28 Karlskrona-Vetlanda. Bei Nävragöl Richtung Stensjö. Nach 3 km steht ein Schild 'Stensjö Camping'.

Höör, S-24335 / Skåne län

CC€18

Jägersbo Camping***
Sätofta
1 Jan - 31 Dez
+46 (0)413-554490
camping@jagersbo.se

1 BDJMNOPQRST	LNQSWXYZ 6
2 BDFGILOPQRVWXY	ABDEFGHIK 7
3 BIKLT	ABCDEFHIJKNQRSV 8
4 IT	EFJPQTVY 9
5 ABCGIKL	ABGHIJNPRVW 10
Anzeige auf Seite 89 B 16A CEE	❶ €30,60
H55 5 ha 150T(80-140m²) 59D	❷ €30,60

N 55°54'12'' E 13°33'54''

An Straße 23 südlich von Höör, Ausfahrt Sätofta, dann 3 km. Oder Straße 13, Ausfahrt Sätofta. CP am See von Ringsjo.

Horn, S-59042 / Östergötlands län

Hornåbergs Camping*
Hornåbergsg. 10
1 Mai - 30 Sep
+46 (0)494-30357
hornobergscamping@telia.com

1 ADEJMNOPQRST	JLNXZ 6
2 BCDGIOPWX	ABDEFGHIK 7
3 AEFIMQ	ABEFNQRS 8
4 FOT	FQ 9
5 ADEIL	GHJNRVWY 10
10A CEE	❶ €21,85
2 ha 88T(80-120m²) 23D	❷ €21,85

N 57°53'50'' E 15°50'13''

Auf der Straße Nr. 34 zwischen Vimmerby und Kisa nach Horn (Straße Nr. 135) abfahren; auf dieser Straße ist der CP ausgeschildert.

Hult, S-57592 / Jönköpings län

Movänta Camping***
Badvägen 4
1 Mai - 30 Sep
+46 (0)381-30028
info@movantacamping.se

1 BDEJMNOPQRST	LNQSXZ 6
2 BCDGHPQTVWX	ABDEFGHIK 7
3 AFHIKQ	ABCDEFGHJKNPQRSV 8
4 FHIO	FJPQR 9
5 ABEGIJL	ABHJNORVW 10
10A	❶ €26,25
H360 5 ha 88T(70-120m²) 23D	❷ €26,25

N 57°39'22'' E 15°7'19''

CP nördlich von Hult, ausgeschildert an Straße 40 Eksjö-Mariannelund.

Hultsfred, S-57736 / Kalmar län

CC€16

Hultsfreds Turism AB
Folkparksvägen 10
1 Jan - 31 Dez
+46 (0)70-2173116
info@camping-hultsfred.eu

1 ADEJMNOPQRST	LNQX 6
2 BDGHIPWXY	ABDEFGHIJK 7
3 ALV	ABEFJNQRSV 8
4 FHI	FPQRT 9
5 ABL	AFGHIJNRVW 10
16A	❶ €24,05
H92 7 ha 168T(100-150m²) 17D	❷ €24,05

N 57°29'31'' E 15°51'48''

Auf der 34 von Målilla nach Vimmerby, Ausfahrt Hultsfred. Der CP ist ausgeschildert.

Jönköping, S-55592 / Jönköpings län

Lovsjöbadens Camping***
Hyltena Sjöbo 3
15 Mai - 15 Sep
+46 (0)36-182010
info@lovsjocamping.se

1 DJMNOPQRST	LNQS 6
2 ABDFGHOPUVWX	ABDEFGHIK 7
3 A	ABEFNQRS 8
4 I	FPQ 9
5 ABL	ABHJRV 10
B 10A	❶ €27,30
H280 3 ha 86T(70-140m²) 22D	❷ €27,30

N 57°39'45'' E 14°11'3''

Auf der E4, 9,5 km südlich von Jönköping, Ausfahrt 92 Lovsjö/Torrvi nehmen. CP schon an der E4 angezeigt.

Kalmar, S-39244 / Kalmar län

Stensö Camping****
Stensövägen 100
27 Mär - 30 Sep
+46 (0)480-88803
info@stensocamping.se

1 BDJMNOPQRST	KNQSWXYZ 6
2 EGHPQRTVWXY	ABDEFGHIJK 7
3 AI	ABEFGNQRS 8
4 BFIO	FQVY 9
5 ABGL	ABGHIJNOPRV 10
10A CEE	❶ €29,50
25 ha 296T(100-120m²) 55D	❷ €29,50

N 56°38'59'' E 16°19'37''

CP am Südrand von Kalmar. Von der E22 ausgeschildert. Von Norden oder aus Öland Richtung Kalmar-S halten und den CP-Schildern folgen.

Kappelshamn, S-62455 / Gotlands län

Kappelshamns Camping
Snäckersvallen
1 Mai - 30 Sep
+46 (0)498-227270
camping@kappelshamn.se

1 BDEJMNOPQRST	6
2 GKOPW	ABIK 7
3 AEQ	ABEFNQR 8
4 IT	9
5 L	BGJRV 10
10A CEE	❶ €21,85
0,5 ha 48T(50-80m²)	❷ €21,85

N 57°50'42'' E 18°46'53''

CP liegt am Reichweg 149, 0,5 km südlich vom Hafen Kappelshamn und ist am Straßenrand ausgeschildert.

Karlshamn, S-37430 / Blekinge län

Kollevik Camping***
Kolleviksvägen
1 Apr - 28 Sep
+46 (0)454-19280
info@kollevikcamping.se

1 ADEJMNOPQRST	KNPQSXYZ 6
2 AEGHKMOPQRTVX	ABDEFGHIJK 7
3 AIM	ABCDEFGJNQRS 8
4 O	FJV 9
5 ABDEL	ABGHIJPRVWX 10
B 10A CEE	❶ €27,30
6 ha 125T(80-100m²) 79D	❷ €27,30

N 56°9'36'' E 14°53'43''

CP an der Südostseite von Karlshamn. Aus Richtung Kalmar Ausfahrt Karlshamn-Ö. und Kollevik. Auf der E22 ist der CP ausgeschildert.

Karlskrona, S-37137 / Blekinge län

Dragsö Camping & Stugby****
Dragsövägen 14
1 Apr - 10 Okt
+46 (0)455-15354
info@dragso.se

1 DEJMNOPQRS	KNQSTXYZ 6
2 ABEFGHMOPQRTVWXY	ABCDEFGHIJK 7
3 ABIKLQS	ABCDEFGIKNQRS 8
4 BFIJLOTU	DFGNPQRTV 9
5 ACDEGHJKL	ABFGHIJNPRYZ 10
B 10A CEE	❶ €37,15
6 ha 322T(80-100m²) 69D	❷ €37,15

N 56°10'23'' E 15°34'3''

E22, Ausfahrt Karlskrona ö/c, Richtung Zentrum. In der Stadt ist der CP an der Durchgangsstraße Nr. 28 ausgeschildert.

Teilkarte Süd-Schweden auf Seite 85

Karlskrona/Skönstavik, S-37191 / Blekinge län

Skönstavik Camping****	1 DJMNOPQRST	KMNQSWXZ 6
Ronnebyvägen	2 AEGHIKOPQRTVWX	ABCDEFGHIJK 7
1 Apr - 30 Sep	3 AFIKLT	ABCDEFGIJKNQRS 8
+46 (0)455-23700	4 FIO	FGPQVY 9
info@skonstavikcamping.se	5 ABEFHKL	ABGHNPRV10
	B 10A	① €35,50
N 56°12'5" E 15°36'20"	5 ha 250T(80-100m^2) 45D	② €35,50

Der CP liegt am Nord-Westrand von Karlskrona; E22, Ausfahrt Karlskrona-V, ausgeschildert.

Kisa, S-59039 / Östergötlands län

Pinnarp Camping****	1 BDEGJMNOPQRST	LNPQSUWXZ 6
Pinnarp Fritidsanläggning	2 ABDFGHIPRVWXY	ABDEFGIJK 7
18 Apr - 14 Sep	3 AFGHIKLQ	ABFJNPQRSTUV 8
+46 (0)494-43088	4 FHIO	FNPQRY 9
info@pinnarp.com	5 ABDEL	ABGHJNPRV10
	B 16A	① €28,40
N 57°59'25" E 15°31'2"	H225 4,1 ha 111T(80-150m^2) 18D	② €28,40

Straße 34 Linköping-Vimmerby, in Kisa auf Straße 134 Richtung Eksjö, CP liegt 7 km hinter Kisa und ist durch Schild 'Pinnarp' gekennzeichnet.

Klippan, S-26437 / Skåne län

Elfdalens Camping***	1 BDHKNOPQRS	6
Vedbyvägen 69	2 ABOPVWX	ABI 7
1 Jan - 31 Dez	3 ACI	ABEFHJNQRS 8
+46 (0)435-14678	4 IT	F 9
elfdalens.camping@telia.com	5 BGKL	ABGHIKW10
	B 10A	① €18,60
N 56°8'5" E 13°9'44"	90T(40-80m^2) 40D	② €18,60

Von Helsingborg die Autobahn E4. Ab der Ausfahrt Astorp der 21 bis Klippan folgen. CP ist ausgeschildert. Klippan liegt im National Naturpark.

Kolmården, S-61834 / Östergötlands län

First Camp Kolmården****	1 BDEJMNOPQRST	KNPQSWXYZ 6
1 Mai - 30 Sep	2 ABEGHIKMOPRTVWXY	ABCDEFGHIJK 7
+46 (0)11-398250	3 BFI	ABEFGIJKNQRSTUV 8
kolmarden@firstcamp.se	4 BFIKLNOT	FHJU 9
	5 ACDEFIJL	ABFGHIKNPRV10
	B 10A	① €39,35
N 58°39'37" E 16°24'2"	10 ha 448T(80-120m^2) 79D	② €39,35

E4, nördlich von Nörrköping, Ausfahrt Kolmården (Djurpark-Zoo). Schildern 'Djurpark' und später CP folgen.

Kosta, S-36052 / Kronobergs län

Kosta Bad & Camping***	1 BDEJMNOPQRST	ABFGN 6
Rydvägen 10	2 GPRVWXY	ABFGHIK 7
1 Jan - 31 Dez	3 BEQ	ABEFJNQRS 8
+46 (0)478-50517	4 FHIT	FJP 9
info@glasriketkosta.se	5 ADEL	AGHJRW10
	B 10A CEE	① €25,70
N 56°50'39" E 15°23'29"	H200 3,4 ha 88T(70-100m^2) 8D	② €25,70

CP bei Kosta an Straße 28 (zwischen Eriksmåla und Lenhovda), ausgeschildert, auch an der Straße von Lessebo nach Orrefors.

Kristianopel, S-37045 / Blekinge län

Kristianopel Resort***	1 BDEJMNOPQRST	KNQSWXZ 6
Fagelmara	2 EGHKPRVWXY	ABDEFGHIK 7
1 Apr - 30 Sep	3 AIQ	ABCDEFJNRS 8
+46 (0)455-366130	4 EFHI	FG 9
info@kristianopelresort.se	5 GJL	AGJPRV10
	B 10A CEE	① €31,15
N 56°15'21" E 16°2'37"	4,5 ha 96T(100-120m^2) 39D	② €31,15

6 km auf der E22. In Fågelmara Richtung Kristianopel. Den Schildern 'Pålsgården' folgen. Der CP ist von der E22 ausgeschildert.

Läckeby/Kalmar, S-39598 / Kalmar län

Kalmar Camping	1 DEJMNOPQRST	KNQSXYZ 6
Rafshagsudden	2 ABEFGHIPQSWXY	ABDEFGHIK 7
Rafshagen 430	3 AEFKQT	ABDEFGIJNPQRSV 8
1 Apr - 30 Sep	4 BFIOT	PQTV 9
+46 (0)480-60464	5 ABDL	BGIJNRV10
info@kalmarcamping.se	B 10A CEE	① €30,60
N 56°45'25" E 16°22'47"	5 ha 195T(50-250m^2) 45D	② €30,60

Der CP liegt 10 km nördlich von Kalmar. Ab der E22 ist der CP mit 'Rafshagen' ausgeschildert. Vorsicht: den Schildern und nicht dem Navi folgen!

Landön, S-29034 / Skåne län

Landöns Camping***	1 ADJMNOPQRST	KMNQSWXYZ 6
Landövägen 455	2 EGHKPQRX	ABDEFGHIJK 7
11 Apr - 15 Sep	3 AIS	ABEFJNQRS 8
+46 (0)44-57076	4	D 9
swimle@hotmail.com	5 ABKL	AFGHJMORVW10
	B 10A	① €29,50
N 55°58'28" E 14°24'32"	3 ha 130T(80-130m^2) 77D	② €29,50

Von Kristianstad E22: Ausfahrt Landön. Aus Ri. Sölvesborg E22: Ausf. Trolle/Ljungby/Vanneberga. CP ausgeschildert. Achtung: Ahus Ri. Landön nach Ringhaby Vanneberga folgen. Andere Straßen enden am Truppenübungsplatz.

Linköping, S-58437 / Östergötlands län

Glyttinge Camping &	1 BDEJMNOPQRST	6
Stugby****	2 ABGPVWXY	ABDEFGHIJK 7
Berggårdsvägen 6	3 BIK	ABEFGNQRSV 8
1 Jan - 31 Dez	4 FIO	FJ 9
+46 (0)13-174928	5 ABL	GHJOR10
glyttinge@nordiccamping.se	B 10-16A CEE	① €29,50
N 58°25'17" E 15°33'43"	H60 5,5 ha 109T(100m^2) 25D	② €29,50

Von der E4 Ausfahrt 111 of 112 richting Glyttinge. CP dann ausgeschildert.

Listerby, S-37294 / Blekinge län

Ronneby Havscamping****	1 BDEJMNOPQRST	ABKNQSWXZ 6
Torkövägen 52	2 EHPVWX	ABCDEFGHIJK 7
17 Apr - 6 Sep	3 ABEILT	ABCDEFGIJNQRS 8
+46 (0)457-30150	4 BFILO	FHNQRV 9
info@ronnebyhavscamping.se	5 ABGJL	ABGHIJMNPRV10
	B 10A	① €32,80
N 56°9'21" E 15°23'7"	9 ha 238T(100-150m^2) 89D	② €32,80

Bei Listerby (östlich von Ronneby), Ausfahrt Kuggeboda von der E22, zuerst Richtung Kuggeboda, dann Bökenäs, CP ausgeschildert.

Ljugarn, S-62016 / Gotlands län

Ljugarns Semesterby &	1 BDEJMNOPQRST	ABFGKMNPQSX 6
Camping	2 BEFGHKOPVWXY	ABDEFGHIK 7
Strandvägen 51	3 BCFKLQ	ABCDEFGJNQS 8
1 Jun - 31 Aug	4 FHIO	JRVY 9
+46 (0)498-493117	5 ABL	ABGHJNPSVWZ10
info@semesterby.se	B 10A CEE	① €32,80
N 57°20'26" E 18°43'4"	10 ha 180T(180-200m^2) 27D	② €32,80

CP liegt an der Ostküste von Gotland, wo sich die 143 und 144 trennen. Der CP ist im Ort Ljugarn angezeigt (Strandvägen).

Ljungby, S-34140 / Kronobergs län

Ljungby Semesterby &	1 BDJMNOPQRST	ABEFGI 6
Camping Park***	2 AGOPRTVWXY	ABDEFGHIK 7
Campingvägen 1	3 AEI	ABEFJNQRS 8
1 Mai - 30 Sep	4 IOT	FGJ 9
+46 (0)372-10350	5 AI	ABHIJRVZ10
reservation@ljungby-semesterby.se	10A CEE	① €27,30
N 56°50'34" E 13°57'7"	H150 2,5 ha 50T(60-80m^2) 22D	② €27,30

CP ist an der Ausfahrt der Stadt an der E4 und in der Stadt ausgeschildert. Ausfahrt Ljungby N folgen.

Loftahammar, S-59095 / Kalmar län

Bjursunds Camping	1 ADJMNOPQRST	KNQSWXYZ 6
Horsvik	2 BEHKMOPRSTVWXY	ABDEFGHIK 7
30 Apr - 30 Sep	3 AIKS	ABEFHJKNPQRSV 8
+46 (0)493-61296	4 FINO	FPQ 9
	5 ABL	ABFHJMRVWZ10
	10A CEE	① €26,25
N 57°55'7" E 16°35'53"	3,5 ha 135T(100-200m^2) 77D	② €26,25

E22, Abfahrt Loftahammar (Straße 213), direkt nach der Brücke auf der Südseite (ausgeschildert). Aufpassen: kein Einfahrtsstreifen.

Loftahammar, S-59095 / Kalmar län

Hallmare Havsbad***	1 ADEJMNOPQRST	KMNQSUWXYZ 6
Stora Sand	2 BEFHIMOPQRSTUWXY	ABCDEFGHIJK 7
1 Mai - 30 Sep	3 AFIKQ	ABCDEFGIJNPQRSTV 8
+46 (0)493-61362	4 FO	FNPRV 9
info@hallmarehavsbad.se	5 ABDEIL	ABHIJNORVW10
	10A	① €28,40
N 57°52'27" E 16°44'55"	12 ha 210T(100m^2) 77D	② €28,40

E22 und die 213 über Loftahammar nach Källvik. In Källvik Ausfahrt Hallmare und den CP-Schildern folgen.

Teilkarte Süd-Schweden auf Seite 85

Schweden

Loftahammar, S-59095 / Kalmar län

Tättö Havsbad Camping****	1 BDEJMNOPQRST	KNQSWX**Z** 6
Tättövägen 50	2 BEFGHIKMPQRTUVWX	ABCDE**FG**HIK 7
1 Jan - 31 Dez	3 AF**IK**Q	ABCDEFH**I**JNPQRSV 8
+46 (0)493-61330	4 BIO**T**	FNPQRTV 9
tattohavsbad@tele2.se	5 ABDEFGIJ	ABHIJ**P**RZ 10
	Anzeige auf dieser Seite 10A	① €27,30
N 57°53'24'' E 16°42'10''	10 ha 190**T**(100-120m^2) 91**D**	② €27,30

E22, Ausfahrt Richtung Loftahammar (Straße Nr. 213); der CP ist ausgeschildert (Tättö).

Lomma, S-23434 / Skåne län

Habo Ljung***	1 BD**JM**NOPQRS	KQ 6
Södra Västkustvägen 114	2 AEHOPVWXY	BDF**G**HIJK 7
1 Apr - 15 Sep	3 BE**I**Q	BFGIJNQRS 8
+46 (0)40-411210	4	9
info@habeljungcamping.se	5 ABD	BGHJMRZ 10
	B 10A	① €34,95
N 55°41'25'' E 13°3'33''	1,5 ha 120**T**(80-100m^2) 68**D**	② €34,95

Von der E6 Ausfahrt Lomma. Danach der Beschilderung folgen. Zweiter Camping links.

Löttorp, S-38773 / Kalmar län

Sandbybadets Camping****	1 DEJMNOPQRST	KNQSWX 6
Sandbysjögata 41	2 EGHPQRVWX	ABCDE**FG**HIK 7
5 Apr - 1 Okt	3 BEF**IKM**QT	ABCDE**F**IJKNQRSV 8
+46 (0)485-20322	4 FIOT	FTVY 9
info@sandbybadetscamping.se	5 ABF**L**	ABGHIJ**P**RV 10
	B 10A	① €31,15
N 57°10'26'' E 17°2'16''	6 ha 188**T**(100-120m^2) 48**D**	② €31,15

Auf Öland Straße Nr. 136 in Richtung Norden; der CP liegt 2 km hinter Högby, ausgeschildert.

Löttorp, S-38773 / Kalmar län

Sonjas Camping*****	1 DEJMNOPQRS**T**	**ABFG**KNQSX 6
John Emilsgata 43	2 EGHPVWXY	ABCDE**FG**HIJK 7
1 Mai - 4 Okt	3 AE**IKLM**QT	ABCDE**FG**IJKNQRSTU 8
+46 (0)485-23212	4 FHIORTU**X**	EFJVY 9
info@sonjascamping.se	5 ACDEFGHJ	ABEGHIJM**NP**RVWZ 10
	B 10A	① €38,25
N 57°10'42'' E 17°2'16''	10 ha 322**T**(80-150m^2) 56**D**	② €38,25

Von Öland Straße 136 Richtung Norden, 2 km hinter Högby ausgeschildert.

Malmö/Limhamn, S-21611 / Skåne län

First Camp Malmö****	1 DEJMNOPQRS**T**	KMQSX 6
Strandgatan 101	2 ACEHIOPRVWX	ABDE**FG**HIJK 7
1 Jan - 31 Dez	3 ABEF**I**Q	ABCDEFIJNQRSTU 8
+46 (0)40-155165	4 BHIO**T**	EFJV 9
malmocamping@firstcamp.se	5 ABDEGIJKL	ABFGHJNORVWXZ 10
	B 10A CEE	① €40,45
N 55°34'19'' E 12°54'23''	10 ha 295**T**(60-100m^2) 44**D**	② €40,45

E6 Ausfahrt Limhamn (weiße Schilder), westlich von Malmö. Richtung Sibbarp folgen. In Limhamn ausgeschildert. GPS gibt die Strecke zur Einfahrt falsch an. Dem Hinweis 'inchecking' an der letzten Kreuzung folgen.

Mariannelund, S-59897 / Jönköpings län

Spilhammars Camping***	1 ADEJMNOPQRST	LM**N**QXZ 6
Spilhammars Vägen 2	2 BDFGHIPQRWX	ABDE**FG**HIJK 7
1 Mai - 30 Sep	3 A**I**Q	ABCDE**FG**JKNQRSV 8
+46 (0)496-10273	4 FH	DEFJPQ 9
spilhammarscamping@hotmail.com	5 ABL	AHIJ**P**RVWX 10
	16A	① €26,80
N 57°37'4'' E 15°36'16''	H230 7,2 ha 110**T**(90-100m^2) 20**D**	② €26,80

Der CP liegt östlich von Mariannelund; an Straße Nr. 40 Eksjö-Vimmerby ausgeschildert.

Markaryd, S-28531 / Kronobergs län

Sjötorpet Camping Park***	1 BDJMNOPQRS**T**	L**N**QSX**Z** 6
Strandvägen 4	2 ADGHPTX	ABDE**FG**HIK 7
1 Apr - 31 Okt	3 A	ABEFHNQRS 8
+46 (0)433-10316	4 IO	FPQV 9
info@sjotorpetcamping.se	5 BHIJL	ABGHIJ**NP**RV 10
	B 10A CEE	① €24,05
N 56°27'52'' E 13°36'8''	H120 1,5 ha 40**T**(60-80m^2) 3**D**	② €24,05

An der E4 Ausfahrt Markaryd, CP gut ausgeschildert.

Mölle, S-26042 / Skåne län

First Camp Mölle****	1 BCDJMNOPQRS**T**	ABFGNOPQSXY 6
Kullabergsvägen 286	2 BHJKMOPQUVWXY	ABCDE**FG**HIJK 7
1 Apr - 30 Sep	3 BCE**IK**LQTU	ABEFIJNQRSV 8
+46 (0)42-347384	4 ABEFHIJLO**PTX**	FJLRSV 9
molle@firstcamp.se	5 ACDEFIK**L**	ABFGHIJM**NP**RVYZ 10
	B 10A CEE	① €41,55
N 56°16'15'' E 12°31'47''	7 ha 280**T**(80-120m^2) 53**D**	② €41,55

Ab Helsingborg erst die E4. Dann links über die 111 Richtung Höganäs. Von der E6 Straße 112 Richtung Höganäs. In Höganäs die 111 Richtung Mölle.

Mörbylånga, S-38660 / Kalmar län

Haga Park Camping & Stugor****	1 DEJMNOPQRST	KMNQRSWX 6
	2 EGHJPQVWX	ABCDE**FG**HIK 7
Campingvägen 2	3 BEF**IKM**QS	ABCDEFNQRS 8
25 Apr - 30 Sep	4 IO**T**	FGJMVY 9
+46 (0)485-36030	5 ACDEL	ABGHIJNRV 10
info@hagapark.se	B 10A	① €33,90
N 56°34'53'' E 16°24'42''	10 ha 460**T**(80-140m^2) 120**D**	② €33,90

Von Kalmar über die Brücke nach Öland, Ausfahrt Mörbylånga/ Färjestaden; 8 km in Richtung Mörbylånga; der CP ist an der Straße Nr. 136 ausgeschildert.

Ödeshög, S-59991 / Östergötlands län

Öninge Camping	1 ABDJMNOPQRST	**AB**FGNO 6
Bjugard 1	2 AFMPVW	ABCDE**FG**HIJK 7
1 Jan - 31 Dez	3 AEF**HK**QSV	ABEFGIJNQRSTUV 8
+46 (0)144-535111	4 FHIOQ	FJ 9
campa@oninge.se	5 ABEIL	ABGJM**N**RVY 10
	B 16A CEE	① €25,70
N 58°14'58'' E 14°37'35''	7 ha 156**T**(120-140m^2) 60**D**	② €25,70

CP liegt 4 km nördlich von Ödeshög. Ist ab der 50 und innerorts angezeigt.

Oknö/Mönsterås, S-38392 / Kalmar län

CC€16

Regenbogen Ferienanlage Oknö/Mönsterås****	1 ADE**JM**NOPQRST	KNQSW**XY** 6
	2 ABEGHKPQRTVWXY	ABDE**FG**HIK 7
Oknövägen 12	3 AB**IKM**Q	ABCDEFIJK**LM**NQRSV 8
1 Apr - 31 Okt	4 BFIO**RSTUVXZ**	EFJNPVY 9
+46 (0)499-44902	5 ABJ	ABGHIJ**O**RV 10
monsteras@regenbogen-camp.de	10-16A CEE	① €35,50
N 57°0'42'' E 16°30'21''	4,7 ha 155**T**(80-100m^2) 45**D**	② €35,50

CP auf der Halbinsel südostlich von Mönsterås. E22, bei Mönsterås ausgeschildert (Ausfahrt Oknö).

Olofström, S-29339 / Blekinge län

Halens Camping***	1 ADEJMNOPQRST	L**N**QXZ 6
Halenvägen 321	2 DGHIPVWXY	ABCDE**FG**HIJK 7
1 Jan - 31 Dez	3 AF**KS**	ABCDE**F**JKNQRSU 8
+46 (0)454-40230	4 BFHIO**P**T	FGPQRVY 9
info@halenscamping.se	5 ADEJL	ABGHIJM**NP**RV 10
	B 10A CEE	① €30,05
N 56°16'9'' E 14°30'36''	H120 3,8 ha 130**T**(80-120m^2) 57**D**	② €30,05

CP an Straße 121/116 bei Olofström ausgeschildert, 2 km südlich von Olofström, am See.

Orrefors, S-38040 / Kalmar län

Orrefors Camping	1 DEJMNOPQRS**T**	LM**N**X 6
Tikaskruv 304	2 BDGHIJKOPWXY	ABE**FG**HIK 7
1 Mai - 16 Sep	3 AFILQ	ABDE**F**IJNQRS 8
+46 (0)481-30414	4 FH**T**	FPQ 9
info@orrefors-camping.se	5 ABDL	AHIJ**P**RV 10
	B 10A CEE	① €24,05
N 56°50'39'' E 15°42'28''	H80 1,5 ha 80**T** 7**D**	② €24,05

An der 31 Orrefors-Måleràs zum See Orranäsasjön ausgeschildert.

Osby, S-28343 / Skåne län

Osby Camping****	1 BDJMNOPQRS**T**	LNQSWXYZ 6
Ebbarpsvägen 84	2 DFHIPUWX	ABDE**FG**HIK 7
1 Apr - 30 Sep	3 A**HI**	ABE**F**JKNQRS 8
+46 (0)479-31135	4 FIO**T**	EFPQT 9
info@oicamping.se	5 ABFL	GHJ**O**RV 10
	B 10A CEE	① €24,60
N 56°21'55'' E 14°0'2''	H90 2 ha 100**T**(100m^2) 7**D**	② €24,60

Der CP liegt auf der Südseite von Osby und ist ab er 29 Älmhult-Hässleholm ausgeschildert.

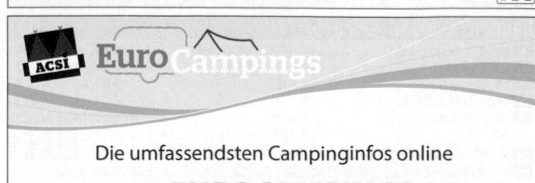

Råå, S-25270 / Skåne län

Råå Vallar Resort***
Kustgatan
1 Jan - 31 Dez
+46 (0)42-182600
raavallar@nordiccamping.se
N 56°0'11'' E 12°43'46''

1 BDJMNOPQRS	ABFGKMNOPQSWX 6
2 AEFGHOPVWXY	ABDEFGHIJK 7
3 ABEIKT	ABCDEFIJKLMNQRSV 8
4 BIMNOPTU	EFJVY 9
5 ABDGIKL	ABGHIJNORV 10
B 10A CEE	❶ €42,60
15 ha 302T(80m²) 53D	❷ €42,60

Südlich der Stadt Helsingborg, Ausfahrt Råå, ausgeschildert.

Sölvesborg, S-29436 / Skåne län

Tredenborgs Camping***
Tredenborgsvägen
11 Apr - 13 Sep
+46 (0)456-12116
info@tredenborgscamping.com
N 56°1'42'' E 14°33'52''

1 ADEJMNOPQRST	KNPQSXZ 6
2 ABEGHKOPQRX	ABCDEFGHIK 7
3 BFIKQ	ABCDEFIJKNQRS 8
4 BIO	FQVY 9
5 ABKL	ABFGHIJNPRV 10
B 10A CEE	❶ €32,25
2 ha 230T(100-200m²) 99D	❷ €32,25

E22, Ausfahrt Sölvesborg-V., bei Kreisverkehr geradeaus, Schildern folgen.

Röstånga, S-26868 / Skåne län

Röstånga Camping & Bad****
Blinkarpsvägen 3
29 Apr - 20 Sep
+46 (0)435-91064
nystrand@msn.com
N 55°59'48'' E 13°16'48''

1 DJMNOPQRST	ABFGHLN 6
2 BDFGOPSTVWX	ABCDEFGHIJK 7
3 ABEGIKMT	ABCDEFHIJNQRSTV 8
4 ABEFILO	EFJQ 9
5 ABDIJL	ABFGHIJMNPRVWZ 10
Anzeige auf dieser Seite B 10A	❶ €43,70
H80 13 ha 212T(50-120m²) 26D	❷ €43,70

Der 13 bis Röstånga folgen. Von Süden der 108 folgen. Der CP liegt an der 108. Gut ausgeschildert.

Ryd, S-36010 / Kronobergs län

Familiecamping Blidingsholm Gård
Blidingsholm
15 Jun - 15 Sep
+46 (0)477-25004
cg@blidingsholm.se
N 56°30'27'' E 14°42'48''

1 BDJMNOPQRST	JNUXZ 6
2 BCDHPQTWXY	ABDEFGIK 7
3 ABER	ABEFNQRS 8
4 FHIO	PQ 9
5 L	AGHIJLNORVW 10
16A CEE	❶ €28,40
H130 5 ha 56T(80-120m²)	❷ €28,40

Der CP liegt an der Straße 119 zwischen Ryd und Urshult und ist ausgeschildert.

Sommen, S-57361 / Jönköpings län

Sommens camping
Lugna Vägen 6
1 Jan - 31 Dez
+46 (0)140-30007
sommenscamping@hotmail.se
N 58°8'32'' E 14°58'28''

1 ADJMNOPQRST	LNQSWXYZ 6
2 BDGHIPVWX	ABDEFGIJK 7
3 AIQ	ABEFJNQRSTU 8
4 IO	FNPY 9
5 BKL	EGHJNPRV 10
B 10A CEE	❶ €27,30
H154 3 ha 107T(120m²) 56D	❷ €27,30

CP am Nordostrand des Ortes Sommen zwischen Bahngleisen und dem See Sommen, an Straße 32 ausgeschildert.

Ryd, S-36010 / Kronobergs län

Norraryds Camping**
Storgatan
1 Mai - 30 Sep
+46 (0)70-5450849
info@ursulasaventyr.com
N 56°29'13'' E 14°42'1''

1 AJMNOPQRST	LNQUVXZ 6
2 DGHOPWXY	ABDEFGHIK 7
3 RU	ABCDEFIJNQRS 8
4 ITX	AMNPQRV 9
5 L	ABGHJLPRVW 10
B 10A	❶ €30,05
H140 2 ha 50T(122m²) 4D	❷ €30,05

Ausgeschildert an Straße 119 zwischen Ryd und Urshult, in Ortschaft Norraryd, am See und an einer öffentlichen Badestelle.

Sörsjön/Norrköping, S-61600 / Östergötlands län

Sörsjöns Stugby & Camping***
Sörsjön
1 Apr - 30 Sep
+46 (0)11-61250
info@sorsjon.se
N 58°43'18'' E 16°5'8''

1 BDEJMNOPQRST	LMNSX 6
2 BDGIPQRTWXY	ABDEFGHIK 7
3 AIQU	ABCDEFINQRS 8
4 FIST	FPQ 9
5 ABGIL	HJNORVW 10
10A CEE	❶ €25,15
H100 6,7 ha 120T(80-120m²) 47D	❷ €25,15

Von der E4 nördlich von Norrköping, die 56 Richtung Katrineholm an der Ausfahrt 123 nehmen. Nach etwa 7 km Richtung Näkna/Sörsjön abbiegen. CP ist angezeigt und ist nach 6 km erreicht.

Sävsjö, S-57633 / Jönköpings län

Sävsjö Camping AB***
Hägnevägen 15
25 Apr - 1 Okt
+46 (0)382-10040
agneta.ornblom63@gmail.com
N 57°23'31'' E 14°40'50''

1 ABDEJMNOPQRST	LMNQSXZ 6
2 DGHIOPTVWX	ABDEFGHIJK 7
3 AEFI	ABEFJNQRSUV 8
4 FI	FPQ 9
5 AL	BHJNORVWY 10
B 16A	❶ €26,25
H260 2,8 ha 50T(100-120m²) 10D	❷ €26,25

Die 127 (zwischen Vrigstadt und Vetlanda) circa 1,5 km vor Sävsjö ausgeschildert. CP ist 2 km südostlich von Sävsjö.

Stjärnorp, S-59078 / Östergötlands län

Sandviks Camping***
Stjärnorp
15 Mai - 15 Sep
+46 (0)77-1199199
sandvik@caravanclub.se
N 58°32'21'' E 15°37'33''

1 BDEJMNOPQRST	LNQSWX 6
2 BDFGHOPQTUVWXY	ABDEFGHIK 7
3 AEKMQ	ABEFJNQRS 8
4 FIO	F 9
5 ABJL	ABGHIJORVW 10
B 10A CEE	❶ €27,30
4 ha 122T(100-144m²) 65D	❷ €27,30

Von der E4 westlich von Linköping, Ausfahrt 111 Richtung Motala (34). Auf der 34 die Ausfahrt Ljungsbro. Danach Richtung Berg, dann Stjärnorp. CP ist angezeigt.

Skummeslövsstrand, S-31272 / Hallands län

Skummeslövs Ekocamping****
Stora Strandvägen 35
1 Mai - 30 Sep
+46 (0)430-21030
info@ekocamping.nu
N 56°27'34'' E 12°55'59''

1 BDJMNOPQRS	MNQSWX 6
2 ABGHOPQRSVWX	ABDEFGHIJK 7
3 BIKMQ	ABFJNQRSTV 8
4 IO	EF 9
5 ABDL	AGHIJMNR 10
B 16A CEE	❶ €32,25
9 ha 350T(100-150m²) 112D	❷ €32,25

E6 Richtung Halmstad, Ausfahrt 40 Richtung Skottorp/Skummeslövsstrand. Der CP liegt rechts der Strecke.

Sturkö/Karlskrona, S-37043 / Blekinge län

Sturkö Camping****
27 Mär - 27 Sep
+46 (0)455-42482
info@sturkocamping.com
N 56°5'15'' E 15°41'54''

1 ADEJMNOPQRST	KNQSXZ 6
2 EGHIJOPTVWX	ABCDEFGHIJK 7
3 BEIQ	ABEFJNQRSV 8
4 FNO	FPQV 9
5 ACEGJKLM	ABHIJNPRVZ 10
B 10A	❶ €38,25
6 ha 195T(80-100m²) 29D	❷ €38,25

CP auf einer Halbinsel südöstlich von Karlskrona, von der E22 Ausfahrt Sturkö (CP hier ausgeschildert), weiter Richtung Sturkö (13 km).

Slite, S-62248 / Gotlands län

Slite Camping
Strandvägen
15 Mai - 15 Sep
+46 (0)498-220810
slitecamping@gmail.com
N 57°42'6'' E 18°48'5''

1 BJMNOPQRST	KPQ 6
2 EGHMOPVW	ABFGI 7
3 AIK	ABFJNQS 8
4	9
5	AIJRV 10
B 10A CEE	❶ €31,70
3,5 ha 100T(100-120m²) 5D	❷ €31,70

CP liegt an der 147, an der Nordostseite von Gotland. An der südlichsten Abfahrt nach Slite ist der CP ausgeschildert.

Timmernabben, S-38052 / Kalmar län

Timmernabben
Varsvägen 29
1 Jan - 31 Dez
+46 (0)499-23861
timmernabben-camp@telia.com
N 56°57'38'' E 16°26'55''

1 DEJMNOPQRST	KNX 6
2 BEGHKPQTUVXY	ABDEFGHIJK 7
3 AILQST	ABEFJNQRSV 8
4 BDIO	FGPQV 9
5 AL	BHIJNRVZ 10
B 10A CEE	❶ €28,40
5 ha 175T(80-100m²) 99D	❷ €28,40

An der E22 ist der CP ausgeschildert.

Sölvesborg, S-29405 / Skåne län

Norje Boke Camping****
Norjebokevägen 76
17 Apr - 20 Sep
+46 (0)456-31026
niclas@norjebokecamping.com
N 56°7'3'' E 14°41'20''

1 ADJMNOPQRST	KNQSXY 6
2 BEGHPQRVWXY	ABCDEFGHIJK 7
3 AEFHILQS	ABCDEFGJKNQRSTU 8
4 BCIJOP	JMNPQTV 9
5 ACDEFGJKL	ABGHIJNRVZ 10
B 10A CEE	❶ €29,50
20 ha 313T(120-130m²) 62D	❷ €29,50

Der CP liegt bei Norje zwischen Sölvesborg und Karlshamn; an der E22 ausgeschildert.

Tingsryd, S-36291 / Kronobergs län

Tingsryds Resort****
Mårdslyckesand
1 Jan - 31 Dez
+46 (0)477-10554
info@tingsrydresort.se
N 56°31'43'' E 14°57'41''

1 DEJMNOPQRST	LNQSWXZ 6
2 DGHOPSVWXY	ABCDEFGHIJK 7
3 BFGHIMQ	ABCDEFGKNQRSV 8
4 BINOPTUXZ	EFJPQV 9
5 AEHJKL	AEGHIJNPRXZ 10
B 16A	❶ €37,70
H130 2 ha 220T(90-130m²) 77D	❷ €37,70

Der CP liegt in Tingsryd, an der Straße Nr. 120 Tingsryd-Urshult.

Teilkarte Süd-Schweden auf Seite 85

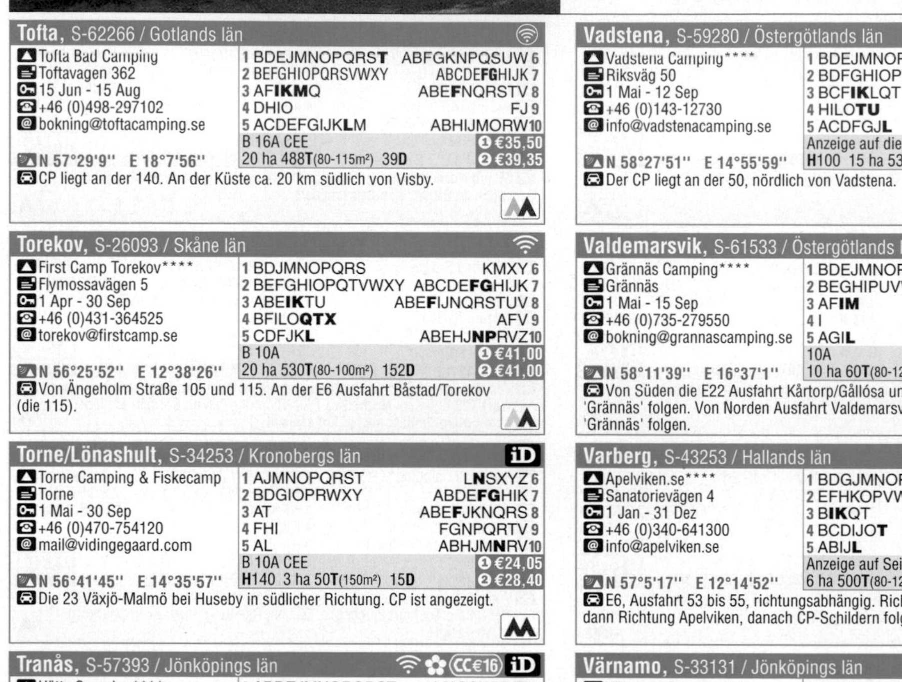

Tofta, S-62266 / Gotlands län

Tofta Bad Camping
Toftavägen 362
15 Jun - 15 Aug
+46 (0)498-297102
bokning@toftacamping.se

1 BDEJMNOPQRST ABFGKNPQSUW 6
2 BEFGHIOPQRSVWXY ABCDEFGHIJK 7
3 AFIKMQ ABEFNQRSTV 8
4 DHIO FJ 9
5 ACDEFGIJKLM ABHIJMORW 10
B 16A CEE ① €35,50
20 ha 488T(80-115m^2) 39D ② €39,35

N 57°29'9'' E 18°7'56''
CP liegt an der 140. An der Küste ca. 20 km südlich von Visby.

Torekov, S-26093 / Skåne län

First Camp Torekov****
Flymossavägen 5
1 Apr - 30 Sep
+46 (0)431-364525
torekov@firstcamp.se

1 BDJMNOPQRS KMXY 6
2 BEFGHIOPQTVWXY ABCDEFGHIJK 7
3 ABEIKTU ABEFIJNQRSTUV 8
4 BFILOQTX AFV 9
5 CDFJKL ABEHJNPRVZ 10
B 10A ① €41,00
20 ha 530T(80-100m^2) 152D ② €41,00

N 56°25'52'' E 12°38'26''
Von Ängeholm Straße 105 und 115. An der E6 Ausfahrt Båstad/Torekov (die 115).

Torne/Lönashult, S-34253 / Kronobergs län

Torne Camping & Fiskecamp
Torne
1 Mai - 30 Sep
+46 (0)470-754120
mail@vidingegaard.com

1 AJMNOPQRST LNSXYZ 6
2 BDGIOPRWXY ABDEFGHIK 7
3 AT ABEFJKNQRS 8
4 FHI FGNPQRTV 9
5 AL ABHJMNRV 10
B 10A CEE ① €24,05
H140 3 ha 50T(150m^2) 15D ② €28,40

N 56°41'45'' E 14°35'57''
Die 23 Växjö-Malmö bei Huseby in südlicher Richtung. CP ist angezeigt.

Tranås, S-57393 / Jönköpings län

Hätte Camping****
Badvägen 2
1 Jan - 31 Dez
+46 (0)140-17482
info@hattecamping.se

1 ABDEJMNOPQRST LNQSWXYZ 6
2 BCDGHIPSVWXY ABDEFGHIJK 7
3 AEIKV ABEFJNQRSV 8
4 FHIO FJOPQRUV 9
5 ABEFIJL ABDGHJNPQRVZ 10
WB 10A CEE ① €26,25
H225 4 ha 129T(80-100m^2) 50D ② €26,25

N 58°2'10'' E 15°1'44''
Der CP liegt 3 km östlich von Tranås und ist an der 131 ausgeschildert (Richtung Hätte). Auf der 32 Ausfahrt Tranås Sud, Richtung Zentrum und danach ist der CP angezeigt.

Trelleborg, S-23132 / Skåne län

Dalabadets Camping****
Dalköpinge Strandväg 2
27 Apr - 30 Sep
+46 (0)410-14905
dalabadets.camping@telia.com

1 BDJMNOPQRS KMQSWX 6
2 EFGHOPQWX ABCDEFGI 7
3 BFIKM ABEFHNQRS 8
4 FO FJ 9
5 BIJL AEGHJRV 10
B 10A ① €28,40
3 ha 294T(80m^2) 100D ② €28,40

N 55°21'51'' E 13°12'33''
CP 4 km vom Zentrum entfernt, Richtung Ystad, an der 9. Ausgeschildert.

Urshult, S-36013 / Kronobergs län

Urshult Camping***
Rävabacken
27 Apr - 15 Okt
+46 (0)477-20243
urshultcamping@telia.com

1 BDEJMNOPQRST LNQSWXYZ 6
2 BDGHIOPTWXY ABDEFGHIK 7
3 AIQ ABEFJNQRS 8
4 FHIO FNPQV 9
5 ABL ABGHIJNPRVW 10
10A ① €24,60
H150 2,5 ha 70T(100m^2) 12D ② €24,60

N 56°32'41'' E 14°48'27''
In Urshult an der 120 (zwischen Ryd und Tingsryd) ausgeschildert, 2 km in Richtung Sirkön.

Vadstena, S-59280 / Östergötlands län

Vadstena Camping****
Riksväg 50
1 Mai - 12 Sep
+46 (0)143-12730
info@vadstenacamping.se

1 BDEJMNOPQRST HLNPQSX 6
2 BDFGHIOPVWXY ABCDEFGHIJK 7
3 BCFIKLQT ABCDEFGHIJKNPQRS 8
4 HILOTU EFJPRVY 9
5 ACDFGJL BFGHIJMNOPRVXZ 10
Anzeige auf dieser Seite B 10A CEE ① €37,15
H100 15 ha 530T(100-120m^2) 138D ② €37,15

N 58°27'51'' E 14°55'59''
Der CP liegt an der 50, nördlich von Vadstena.

Valdemarsvik, S-61533 / Östergötlands län

Grännäs Camping****
Grännäs
1 Mai - 15 Sep
+46 (0)735-279550
bokning@grannascamping.se

1 BDEJMNOPQRST KNQSWXZ 6
2 BEGHIPUVWX ABDEFGHIJK 7
3 AFIM ABEFJNQRSV 8
4 I FJ 9
5 AGIL BGHIJPRVW 10
10A ① €27,30
10 ha 60T(80-120m^2) 17D ② €27,30

N 58°11'39'' E 16°37'1''
Von Süden die E22 Ausfahrt Kårtorp/Gållösa und ab hier den Schildern 'Grännäs' folgen. Von Norden Ausfahrt Valdemarsvik, dann den Schildern 'Grännäs' folgen.

Varberg, S-43253 / Hallands län

Apelviken.se****
Sanatorievägen 4
1 Jan - 31 Dez
+46 (0)340-641300
info@apelviken.se

1 BDGJMNOPQRS AFGKMNQR 6
2 EFHKOPVW ABCDEFGHIJK 7
3 BIKQT ABDFHIJNQRSTU 8
4 BCDIJOT IJTV 9
5 ABIJL ABEGHIKNOPRZ 10
Anzeige auf Seite 93 B 16A CEE ① €51,35
6 ha 500T(80-120m^2) 281D ② €51,35

N 57°5'17'' E 12°14'52''
E6, Ausfahrt 53 bis 55, richtungsabhängig. Richtung Varberg C folgen, dann Richtung Apelviken, danach CP-Schildern folgen.

Värnamo, S-33131 / Jönköpings län

Värnamo Camping***
Prostgårdsvägen
1 Mai - 14 Sep
+46 (0)370-16660
info@varnamocamping.se

1 BDJMNOPQRST LMN 6
2 BCDGIOPY ABDEFGHIJK 7
3 BEIKMQ ABEFJKNQRS 8
4 IO FPQY 9
5 ABL ABHIJORV 10
B 10A CEE ① €27,30
H160 3 ha 75T(100m^2) 24D ② €27,30

N 57°11'27'' E 14°2'45''
E4, Ausfahrt Värnamo-Nord. Dann CP-Schildern folgen. Auch an Straße 27 gut ausgeschildert.

Växjö, S-35263 / Kronobergs län

Evedal Camping****
1 Jan - 31 Dez
+46 (0)470-63034
evedals.camping@telia.com

1 DEJMNOPQRST LMNPQSXYZ 6
2 DGHPRSVX ABCDEFGHIK 7
3 BEIKMQS ABCDEFGIJKNQRS 8
4 FHIOX FJPQY 9
5 ABEGHJL ABFGHIJNPRVW 10
B 10A CEE ① €34,95
H165 3,1 ha 153T(106-200m^2) 11D ② €34,95

N 56°55'21'' E 14°49'9''
Der CP liegt nordöstlich von Växjö und ist an der Kreuzung der 23 mit der 25 gut ausgeschildert. Den Schildern 'Evedal' folgen.

ACSI Einrichtungsliste

Die Einrichtungsliste finden Sie vorne im aufklappbaren Deckel des Führers. So können Sie praktisch sehen, was ein Camping so zu bieten hat.

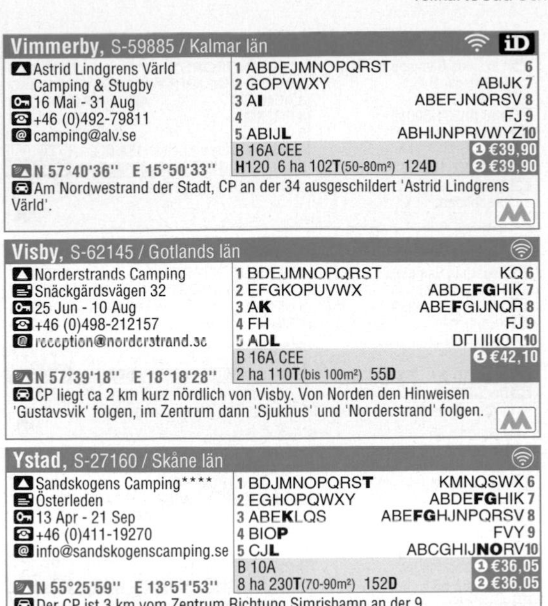

Vimmerby, S-59885 / Kalmar län

Astrid Lindgrens Värld Camping & Stugby
16 Mai - 31 Aug
+46 (0)492-79811
camping@alv.se
N 57°40'36'' E 15°50'33''

1 ABDEJMNOPQRST		6
2 GOPVWXY	ABIJK	7
3 AI	ABEFJNQRSV	8
4	FJ	9
5 ABIJL	ABHIJNPRVWYZ	10
B 16A CEE		① €39,90
H120 6 ha 102T(50-80m²) 124D		② €39,90

Am Nordwestrand der Stadt, CP an der 34 ausgeschildert 'Astrid Lindgrens Värld'.

Visby, S-62145 / Gotlands län

Norderstrands Camping
Snäckgärdsvägen 32
25 Jun - 10 Aug
+46 (0)498-212157
reception@norderstrand.se
N 57°39'18'' E 18°18'28''

1 BDEJMNOPQRST	KQ	6
2 EFGKOPUVWX	ABDEFGHIK	7
3 AK	ABEFGIJNQR	8
4 FH	FJ	9
5 ADL	DFHIKOP	10
B 16A CEE		① €42,10
2 ha 110T(bis 100m²) 55D		

CP liegt ca 2 km kurz nördlich von Visby. Von Norden den Hinweisen 'Gustavsvik' folgen, im Zentrum dann 'Sjukhus' und 'Norderstrand' folgen.

Ystad, S-27160 / Skåne län

Sandskogens Camping****
Österleden
13 Apr - 21 Sep
+46 (0)411-19270
info@sandskogenscamping.se
N 55°25'59'' E 13°51'53''

1 BDJMNOPQRST	KMNQSWX	6
2 EGHOPQWXY	ABDEFGHIK	7
3 ABEKLQS	ABEFGHJNPQRSV	8
4 BIOP	FVY	9
5 CJL	ABCGHIJNORV	10
B 10A		① €36,05
8 ha 230T(70-90m²) 152D		② €36,05

Der CP ist 3 km vom Zentrum Richtung Simrishamn an der 9. Gut ausgeschildert.

West-Schweden

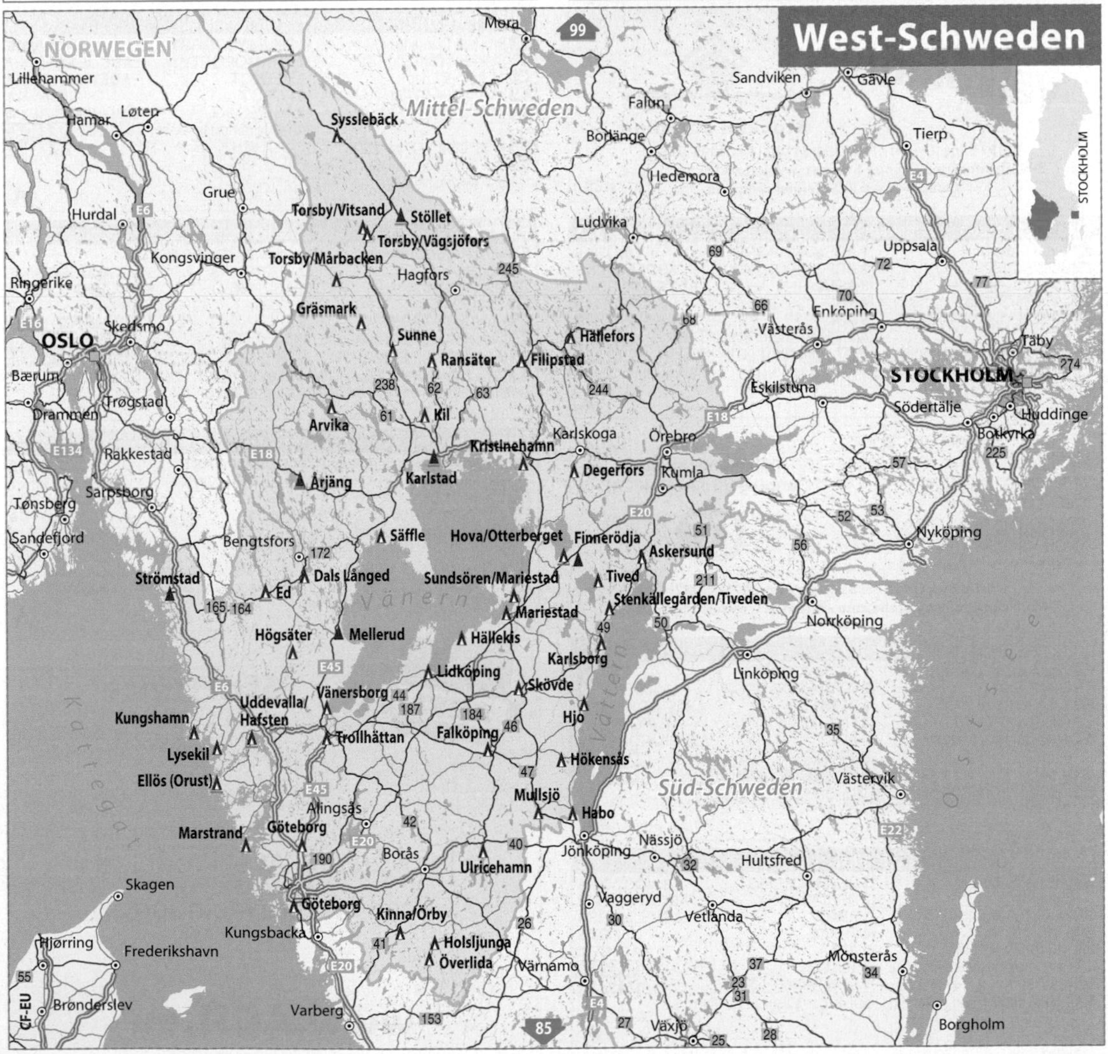

Schweden

Dals Långed, S-66010 / Västra Götalands län

Laxsjöns Camping & Friluftsgård****
1 Jan - 31 Dez
+46 (0)531-30010
office@laxsjon.se

1 DEJMNOPQRST	LNQSXZ 6
2 BDFGHIKMOPRTVWX	ABDEFGHIJK 7
3 AEIQSU	ABCDEFJNQRSV 8
4 FGHIO	FGJPQY 9
5 ABGJL	GHIJLNOSTV 10
Anzeige auf dieser Seite 16A CEE	❶ €30,60
H120 12 ha 190T(80-120m²) 46D	❷ €30,60

N 58°57'10'' E 12°15'9''

Am See Laxsjön zwischen Billingfors und Dals Långed. An der 164 ist der CP ausgeschildert.

Degerfors, S-69380 / Örebro län

Degernäs Camping***
1 Mai - 15 Sep
+46 (0)586-44999
reception@degernascamping.se

1 DEJMNOPQRST	LNQSW 6
2 ABCDFGHIPQSTVWX	ABDEFGHIK 7
3 BEIJLQ	ABEFGIJNQRSV 8
4 FIOT	FJQV 9
5 AJL	ABGHJNPRV 10
B 10A	❶ €24,05
H100 9 ha 60T(100-120m²) 54D	❷ €24,05

N 59°15'2'' E 14°27'33''

Der CP liegt an der Nordseite von Degerfors und ist innerorts an der 243 Karlskoga-Degerfors und an der 205 Askersund-Karlskoga angezeigt.

Årjäng, S-67291 / Värmlands län

Årjäng Camping och Stugor*****
Sommarvik
1 Jan - 31 Dez
+46 (0)573-12060
booking@sommarvik.se

1 DEJMNOPQRST	ABFGHLNPQSXZ 6
2 DFHPRSTUVWX	ABCDEFGHIJK 7
3 ABFIKT	ABCDEFIJKLMNQRSTUV 8
4 AFHILOPTUV	EFGJLPQRUV 9
5 ABDEGIL	ABFGHIKNOSTV 10
B 10A CEE	❶ €35,50
H125 15 ha 120T(80-120m²) 253D	❷ €35,50

N 59°22'4'' E 12°8'24''

Auf der Umgehungsstraße in Årjäng ausgeschildert.

Ed, S-66832 / Västra Götalands län

CC€16

Gröne Backe Camping & Stugor***
Södra Moränvägen 64
1 Jan - 31 Dez
+46 (0)534-10144
info@gbcamp.nu

1 DEJMNOPQRST	LNSXZ 6
2 BDGHOPQTVWXY	ABDEFGHIK 7
3 ABEI	ABCDEFJNQRSV 8
4 FHIOT	EFJPQVY 9
5 ABFGIKL	AGHIJNOPSTVW 10
B 10A CEE	❶ €30,60
H125 5 ha 100T(100-120m²) 171D	❷ €30,60

N 58°53'58'' E 11°56'6''

Westlich von Ed an der 164 ist der CP ausgeschildert.

Ellös (Orust), S-47492 / Västra Götalands län

CC€18

Stocken Camping****
Stockens Camping 101
11 Apr - 27 Sep
+46 (0)304-51100
info@stocken.nu

1 DEJMNOPQRST	KNPQUVX 6
2 EHKMOPQRTVW	ABCDEFGHIJK 7
3 BEIKQT	ABEFIJKNQRS 8
4 FIJLOT	EFJRVY 9
5 ACDEGJKL	ABGHIJORVWY 10
Anzeige auf dieser Seite 16A CEE	❶ €40,45
3 ha 166T(100-125m²) 118D	❷ €40,45

N 58°8'52'' E 11°25'17''

Von Stenungssund die 160 nach Orust. Dann an der 178 links Richtung Varekil. Ausgeschildert.

Årjäng, S-67295 / Värmlands län

CC€16 iD

Camp Grinsby
Grinsbyn 100
1 Mai - 6 Sep
+46 (0)573-42022
campgrinsby@telia.com

1 ADEJMNOPQRST	LNQSX 6
2 BDFGHIPQSTWXY	ABDEFGHIK 7
3 AEIK	ABEFIJNQRSV 8
4 FHI	FPQRU 9
5 ABL	AFGIJSTVW 10
Anzeige auf dieser Seite B 10A	❶ €24,05
H157 3 ha 105T(100-150m²) 69D	❷ €24,05

N 59°18'11'' E 12°26'42''

Direkte Ausfahrt der E18 zwischen Årjäng und Nysäter, ca. 20 km von Årjäng entfernt. CP ausgeschildert.

Falköping, S-52102 / Västra Götalands län

Mössebergs Camping & Stugby***
Scheelegatan
1 Jan - 31 Dez
+46 (0)515-17349
mossebergscamping@telia.com

1 DEJMNOPQRST	L 6
2 DGIPSVWX	ABDEFGHIK 7
3 ABEFIKLQ	ABCDEFJNQRSV 8
4 FIOT	J 9
5 ABL	FGHIJNORVW 10
WB 10A CEE	❶ €24,05
H327 2,5 ha 73T(100m²) 34D	❷ €24,05

N 58°10'32'' E 13°31'39''

Der CP liegt westlich der Stadt oben auf dem Mösseberg. Ist ab den Zufahrtstraßen in und aus der Stadt ausgeschildert.

Filipstad, S-68233 / Värmlands län

Munkebergs Camping-Stugor-Vandrarhem***
1 Jan - 31 Dez
+46 (0)590-50100
alterschwede@telia.com

1 GJMNOPQRST	LMNXYZ 6
2 DFGHPTUVWXY	ABDEFGHIJK 7
3 AK	ABEFJNQRSV 8
4 FHIOT	FGPQTV 9
5 L	AFGHIJNOPSTV 10
WB 10A CEE	❶ €20,75
2 ha 70T(80-120m²) 30D	❷ €20,75

N 59°43'14'' E 14°9'33''

Aus Karlstad kommend, stadteinwärts über die Brücke, die 1. Straße links. CP ist nach 1 km auf der linken Seite.

Arvika, S-67191 / Värmlands län

Ingestrands Camping***
Glafsfjorden
1 Jan - 31 Dez
+46 (0)570-14840
ingestrand@arvika.se

1 DEJMNOPQRST	LNXY 6
2 BDFGHKOPRSTWXY	ABCDEFGHIK 7
3 BEIKLT	ABCDEFJNQRS 8
4 FHILOT	FJPQRTUV 9
5 ABL	AEGHIJNOPSTV 10
B 10A CEE	❶ €32,25
H70 300T(100-120m²) 78D	❷ €32,25

N 59°37'21'' E 12°36'19''

An der 175; 4 km südlich von Arvika. Der CP ist ausgeschildert.

Askersund, S-69694 / Örebro län

Husabergs Uddes Camping***
Stockshammar 318
1 Mai - 16 Sep
+46 (0)583-711435
Camping@husabergsudde.se

1 DEJMNOPQRST	LNQSWXY 6
2 DFHIPTVWXY	ABDEFGHIJK 7
3 BIKQ	ABEFJNQRS 8
4 FHIOT	FPQV 9
5 ABL	GHIJOR 10
B 10A CEE	❶ €24,05
5 ha 85T(100m²) 53D	❷ €24,05

N 58°52'6'' E 14°54'36''

1,5 km südlich von Askersund, östlich der 50 ausgeschildert.

Teilkarte West-Schweden auf Seite 93

Finnerödja, S-69593 / Örebro län

Skagern Camping
1 Mai - 30 Sep
+46 (0)506-33040
camp.skagern@telia.com
N 58°55'41'' E 14°20'8''

1 DEJMNOPQRST	LNQSWX	6
2 ABDFGHKPQTVWX	ABDEFGHIK	7
3 AEFGILQS	ABEFJNQST	8
4 DFHIOT	FPV	9
5 ABEL	ABFGHJRVWX	10
B 10A CEE	❶ €26,25	
7 ha 109T(100-120m²) 76D	❷ €26,25	

5 km südwestlich von Finnerödja auf der E20 Richtung Kavlebran und CP Skatern. An der Kreuzung Richtung Skagern und CP halten (Asphaltweg).

Finnerödja, S-69594 / Örebro län

Tivedsbadets Camping & Bad
Ullsand
9 Mai - 7 Sep
+46 (0)705-293900
N 58°50'25'' E 14°27'41''

1 JMNOPQRST	LNPQSWX	6
2 BDFGHPQWXY	ABDEFGIJK	7
3 AHI	ABEFNQRS	8
4 F	F	9
5 ABDL	AHJNV	10
6-10A	❶ €24,05	
4 ha 200T(100-120m²) 8D	❷ €24,05	

Von der E20 Ausfahrt Finnerödja: 2 km Richting Tived bis Tivedsbadet.

Göteborg, S-43645 / Västra Götalands län

Lisebergs Camping Askim Strand***
Marholmsvägen 124
1 Mai - 4 Sep
+46 (0)31-840200
askim.strand@liseberg.se
N 57°37'43'' E 11°55'15''

1 DEJMNOPQRS	KNQSW	6
2 AEHKMOPVW	ABCDEFGHIK	7
3 BIKQ	ABCDEFJKLNQRS	8
4 HIOT	F	9
5 ABEL	ABGHIJMNOSTVZ	10
B 10A CEE	❶ €43,15	
4 ha 310T(80m²) 65D	❷ €43,15	

Die E6 südlich von Göteborg verlassen, Ausfahrt 66. Den Schildern nach Hamnar (Hafen) folgen. Der Campingplatz Askim ist gut ausgeschildert.

Hjo, S-54433 / Västra Götalands län

Hjo Camping
Karlsborgvägen
4 Apr - 30 Sep
+46 (0)503-31052
kontakt@hjocamping.se
N 58°18'36'' E 14°18'10''

1 DEJMNOPQRST	LNOPQSWXZ	6
2 DFGHJPVWXY	ABDEFGHIJK	7
3 BKQ	ABCDEFGIJKNQSV	8
4 IO	FV	9
5 ABKL	ABGHIJPRVWY	10
B 10A CEE	❶ €27,30	
H114 6 ha 350T(80-120m²) 45D	❷ €27,30	

Der CP liegt an der Nordseite von Hjo. Von Norden her die 195, Ausfahrt Hjo-Nord nehmen. CP ist sowohl hier als auch innerorts angezeigt.

Göteborg, S-41655 / Västra Götalands län

Lisebergsbyn Kärralund
Olbersgatan 9
1 Jan - 31 Dez
+46 (0)31-840200
lisebergsbyn@liseberg.se
N 57°52'22'' E 12°1'43''

1 DJMNOPRST	G	6
2 AOPSVWXY	ABCDEFGHIK	7
3 AI	ABEFKNQRS	8
4 T	FG	9
5 ABL	ABEFHIJRZ	10
B 10A	❶ €48,65	
170T 79D	❷ €48,65	

An de E6 Örgryte Ausfahrt 71 Liseberg. den Anweisungen Lisebergsbyn folgen. CP ist deutlich ausgeschildert.

Högsäter, S-45897 / Västra Götalands län

Ragnerudssjöns Camping & Stugby****
Jolsäter 1
1 Mai - 30 Sep
+46 (0)528-40064
boka@ragnerudssjonscamping.se
N 58°39'2'' E 12°6'10''

1 DEJMNOPQRST	LNQSXZ	6
2 BDFGHPRSUVWX	ABCDEFGHIK	7
3 ABCIK	ABDEFIJLNQRS	8
4 FHILO	FGJNPQTV	9
5 ABDEGIL	ABGHIJNOSTVX	10
Anzeige auf dieser Seite B 10A	❶ €33,90	
H110 3 ha 105T(80-120m²) 60D	❷ €33,90	

Die 172; 2 km nördlich von Högsäter ausgeschildert (ca. 3 km).

Gräsmark, S-68698 / Värmlands län

Gräsmarksgården****
Lillsjövägen
1 Apr - 31 Okt
+46 (0)565-40095
info@grasmarksgarden.com
N 59°57'1'' E 12°54'52''

1 ABDEJMNOPQRST	LNQSXY	6
2 BDFGHIOPQWXY	ABDEFGHIJK	7
3 AGHLMQ	ABCDEFGIJNQRS	8
4 AFGHIOT	FGIJNQRUV	9
5 AL	ABGHIJNOSTV	10
B 10A CEE	❶ €24,05	
4 ha 49T(120-150m²) 23D	❷ €24,05	

Von Karlstad die E45 bis Sunne, links ab Richting Gräsmark/Torsby. In Gräsmark Richting Torsby halten. Der CP ist ausgeschildert.

Hökensås, S-52291 / Västra Götalands län

Hökensås Camping & Stugby***
Håkängen 1
1 Jan - 31 Dez
+46 (0)502-23053
info@nordiccamping.se
N 58°5'53'' E 14°4'29''

1 BDJMNOPQRST	N	6
2 BPVWXY	ABDEFGHIJK	7
3 BEIMQ	ABEFJNQRS	8
4 FIOT	F	9
5 ABEGJ	AJNPRV	10
B 10A CEE	❶ €25,15	
6 ha 130T(100-120m²) 113D	❷ €25,15	

Die 195 von Jönköping nach Hjo. In Branstorp li. Ri. Tidaholm. Nach 9 km an der T-Kreuzung ist der CP ausgeschildert. Von Norden hinter Tidaholm ab der 26 die Ausf. Madängsholm Ri. Daretorp nehmen. Vor Brandstorp den CP-Schildern folgen.

Habo, S-56635 / Västra Götalands län

Habo Camping & Stugby
Domsand 28
1 Jan - 31 Dez
+46 (0)73-7140575
info@habocamping.se
N 57°52'43'' E 14°6'38''

1 ADEJMNOPQRST	LMNOPQSWXYZ	6
2 BHOPQVWXY	ABDEFGHIK	7
3 AFLSV	ABEFGIJKNQRSV	8
4 AEFHI	FNOQRVY	9
5 ABDEIKL	ABFGHIJNPRVW	10
WB 10A CEE	❶ €26,25	
7,4 ha 90T(100-120m²) 10D	❷ €26,25	

CP liegt zwischen der 195 und dem Vättern. Ist 3 km südlich von Habo ausgeschildert.

Holsljunga, S-51264 / Västra Götalands län

Holsljunga Camping**
Fridolfsvägen 1
1 Mai - 31 Aug
+46 (0)325-33453
N 57°25'4'' E 12°57'37''

1 BDJMNOPQRST	LNQSXZ	6
2 DFGHPWX	ABDEFGIK	7
3 AE	ACEFNQRS	8
4 FO	FGPQ	9
5 ABDL	AHJRV	10
B 10A CEE	❶ €21,85	
H155 2 ha 41T(80m²) 13D	❷ €21,85	

An der 154 von Falkenberg nach Borås ausgeschildert, 17 km südlich von Svenljunga.

Hällefors, S-71293 / Örebro län

Sörälgens Camping***
Sör - Älgen 200
15 Apr - 31 Okt
+46 (0)591-15150
soralgenscamping@telia.com
N 59°47'24'' E 14°34'19''

1 DEJMNOPQRST	LNQSXYZ	6
2 BDFGHIOPQSVWXY	ABDEFGHIJK	7
3 AFKLQ	ABCDEFJNQRSV	8
4 EFHT	FJPQU	9
5 ABGL	ABGHIJLNORV	10
Anzeige auf dieser Seite B 10A CEE	❶ €25,15	
H180 7,5 ha 84T(100-150m²) 11D	❷ €29,50	

Ab Hällefors die 63 in Richtung Kopparberg. Nach 2,5 km rechts ausgeschildert.

Hällekis, S-53394 / Västra Götalands län

Kinnekulle Camping & Stugby****
Strandvägen
10 Apr - 13 Sep
+46 (0)510-544102
info@kinnekullecamping.se
N 58°38'8'' E 13°25'39''

1 BDEJMNOPQRST	LNPQSWXYZ	6
2 BDFGHIKPSTUVWXY	ABCDEFGHIJK	7
3 AFIMST	ABCDEFGIJKNQRSTUV	8
4 FHIOT	DEFNPQTUVY	9
5 ABDL	ABGHIJPRVWZ	10
B 10A CEE	❶ €28,40	
280T(80-120m²) 113D	❷ €28,40	

Von der 44 östlich von Lidköping, Ausfahrt Götene und Källby. Von der E20, über Götene Ausfahrt Kinnekulla. Der CP ist ausgeschildert.

Hova/Otterberget, S-54891 / Västra Götalands län (CC€16)

Otterbergets Bad & Camping	1 DEJMNOPQRST	LNOPQSWXY 6
Otterberget	2 ABDGHPQVWXY	ABDEFGHIJK 7
15 Apr - 18 Okt	3 ABEILQV	ABCDEFGIJNQRST 8
+46 (0)506-33127	4 AFHIOT	DEFNQRU 9
info@	5 ABL	ABGHJNPRVW10
otterbergetscamping.com	Anzeige auf dieser Seite B 10A	❶ €26,25
N 58°54'33'' E 14°17'26''	H78 100T(100-120m²) 31D	❷ €26,25

An der E20 zwischen Mariestad und Laxå, 5 km nördlich von Hova. Richtung Otterberget abbiegen. CP ist hier angezeigt. Der Beschilderung folgen (3 km).

Karlsborg, S-54633 / Västra Götalands län

Karlsborg Camping	1 DEJMNOPQRST	LNOPQSWX 6
Norra Vägen 3	2 BDFGHIOPQVWX	ABDEFGHIJK 7
23 Apr - 30 Sep	3 BFIK	ABEFGJKNQRSV 8
+46 (0)505-12022	4 BFIO	FJNPQRTV 9
info@karlsborgscamping.se	5 ABL	ABEGHIJNORV10
	B 10A	❶ €28,40
N 58°32'43'' E 14°30'1''	H95 1,5 ha 200T(80-120m²) 52D	❷ €28,40

Der CP liegt an der Nordseite von Karlsborg (am Bottensjö) an der 49. Ist ausgeschildert.

Karlstad, S-65346 / Värmlands län (iD)

First Camp Karlstad	1 ADEJMNOPQRST	ALNQSWXYZ 6
Skutberget****	2 ADGHIJMOPQVWX	ABCDEFGHIJK 7
1 Jan - 31 Dez	3 BEFIKLQT	ABCDEFIJLNQRS 8
+46 (0)54-535120	4 FHILOPRST	EFJNPRUVY 9
karlstad@firstcamp.se	5 ABGIL	ABGHIJNOSTVZ10
	B 10A CEE	❶ €33,90
N 59°22'27'' E 13°23'22''	H50 46 ha 347T(100-120m²) 132D	❷ €33,90

An der E18 westlich von Karlstad ausgeschildert (Ausfahrt Skutberget/ Bomstad).

Karlstad, S-65346 / Värmlands län (CC€18)

Karlstad Swecamp	1 DJMNOPQRST	LNQRX 6
Bomstad Baden****	2 ABDGHOPQVXY	ABCDEFGHIJK 7
Bomstadsvägen 640	3 BFIKQT	ABCDEFIJKNQRST 8
1 Jan - 31 Dez	4 ILNOPTU	EFGIJQRTUV 9
+46 (0)54-535068	5 ABDEGIJL	ABFGHIJNOPSTVY10
info@bomstadbaden.se	B 10A CEE	❶ €36,05
N 59°21'44'' E 13°21'33''	H50 9 ha 160T(80-130m²) 200D	❷ €36,05

An der E18 westlich von Karlstad CP ausgeschildert (Ausfahrt Skutberget/ Bomstad).

Kil, S-66591 / Värmlands län (iD)

Frykenbadens Camping****	1 ABDEJMNOPQRST	LNQSWXZ 6
Stubberud	2 BDFGHKPTUVWXY	ABCDEFGHIK 7
1 Jan - 31 Dez	3 BCDEHIKLQT	ABCDEFGJKNQRSV 8
+46 (0)554-40940	4 BFHIOST	EFJPQUV 9
info@frykenbaden.se	5 ABDEGIKL	AFGHIJNOSTVWZ10
	B 10A CEE	❶ €31,70
N 59°32'47'' E 13°20'29''	H65 8 ha 180T(100-120m²) 104D	❷ €31,70

An der Ostseite vom Nedre Frykensee, an der 61 bei Kil ausgeschildert.

Kinna/Örby, S-51131 / Västra Götalands län

DreamCamp Hanatorp****	1 DEJMNOPQRST	LNPQSTWXYZ 6
Öresjövägen 26	2 DFHIOPQRSUVWXY	ABDEFGHIJK 7
1 Apr - 1 Okt	3 AIKQV	ABEFJNQRSTUV 8
+46 (0)320-48312	4 FH	FNPQTV 9
info@dreamcamp.se	5 AL	ABEGHIJORVW10
	B 16A CEE	❶ €26,25
N 57°28'27'' E 12°42'15''	H59 5,7 ha 182T(100-140m²) 55D	❷ €26,25

Die 41 von Varberg nach Borås. Der CP ist in Kinna/Skene ausgeschildert.

Kristinehamn, S-68152 / Värmlands län

Kristinehamn	1 DEJMNOPQRST	LNOPQSWXZ 6
Herrgårdscamping & Stugor	2 ADFGHIOPSVWX	ABCDEFGHIJK 7
Presterudsallén 2	3 BCDEFIMQT	ABDEFGIJKNQRSUV 8
15 Mai - 18 Sep	4 BFHILO	FJQRV 9
+46 (0)550-10280	5 ABL	ABFGHIJMNORVW10
kristinehamn@sommarvik.se	B 10A	❶ €34,95
N 59°18'23'' E 14°4'13''	159T(80-100m²) 47D	❷ €34,95

Der CP liegt an der Südseite von Kristinehamn, 3 km vom Zentrum und ist von den Zufahrtstraßer her ausgeschildert.

Kungshamn, S-45691 / Västra Götalands län

Johannesvik Camping &	1 DEJMNOPQRS	KMNQSXZ 6
Stugby****	2 EGIKMOPTVWX	ABCDEFGHIK 7
1 Jan - 31 Dez	3 BEHIKST	ABEFIJKNQRSV 8
+46 (0)523-32387	4 AFHIORTU	JQT 9
info@johannesvik.se	5 ABCDFGIKL	BGHIJNOSTVWXZ10
	B 10A CEE	❶ €39,90
N 58°22'1'' E 11°16'51''	25 ha 370T(80-120m²) 161D	❷ €39,90

Die 171 bis Asrim. Richtung Kungshamm. Durch Hovenäset, über die Brücke. Nach ca. 1 km Einfahrt des CP auf der rechten Seite.

Lidköping, S-53154 / Västra Götalands län

Krono Camping	1 DEJMNOPQRST	ABFGLNQSWX 6
Framnäs*****	2 BDFGHIOPQSVWXY	ABCDEFGHIJK 7
Läckögatan 22	3 ABCEFIKLQTV	ABCDEFGIJKLNQRSTUV 8
1 Jan - 31 Dez	4 BCIMOPTU	FJVY 9
+46 (0)510-26804	5 ABDEFGJKL	ABEFGHIJNPRVWYZ10
info@kronocamping.com	B 10A CEE	❶ €43,70
N 58°30'52'' E 13°8'24''	5 ha 544T(70-140m²) 130D	❷ €43,70

Der CP liegt an der Westseite von Lidköping. Ist von verschiedenen Zufahrtsstraßen aus und im Zentrum angezeigt.

Lysekil, S-45392 / Västra Götalands län

Siviks Camping***	1 DEJMNOPQRST	KMNPQX 6
Tråleberg 172	2 EFHMOPQVW	ABCDEFGHIK 7
15 Apr - 15 Sep	3 AI	ABCDEFJNQRSV 8
+46 (0)523-611528	4 AFIO	EFRV 9
info@sivikscamping.nu	5 ACDIL	ABGHIJNOST10
	B 10A CEE	❶ €39,35
N 58°17'49'' E 11°26'54''	6 ha 300T(80-120m²) 111D	❷ €39,35

CP 2 km nördlich von Lysekil und 1 km westlich der Straße 162, CP ausgeschildert.

Mariestad, S-54294 / Västra Götalands län

Ekuddens Camping****	1 DEJMNOPQRST	LNQSWX 6
Strandbadet	2 ABDFGHIKPQSTVWXY	ABCDEFGHIJK 7
1 Jan - 31 Dez	3 AFIKQ	ABCDEFGIJKNQRSV 8
+46 (0)501-10637	4 BDFIO	FV 9
ekudden@nordiccamping.se	5 ABDEGIL	ABFGHIJNPRWZ10
	B 16A CEE	❶ €33,90
N 58°42'57'' E 13°47'44''	H50 5 ha 370T(80-120m²) 79D	❷ €33,90

Die E20 bei Mariestad verlassen. Der CP liegt an der Nordseite der Stadt auf einer Landzunge. Ist ausgeschildert.

Marstrand, S-44266 / Västra Götalands län

Marstrands Familjecp & Stugor	1 DEJMNOPQRST	KQSX 6
Långedalsvägen 16	2 EHIKMPQRTVWX	ABCDEFGHIK 7
15 Apr - 30 Sep	3 AL	ABCDEFJNQRS 8
+46 (0)303-60584	4 FIO	F 9
marstrandsfamiljecamping@	5 ABKL	BGHIJNPRW10
gmail.com	10A CEE	❶ €33,35
N 57°53'39'' E 11°36'17''	85T(100-200m²) 135D	❷ €33,35

Nördlich von Kungälv (E6). Die 168 Richtung Marstrand nehmen. Am Straßenende (28 km) rechts liegt der Camping. Ausgeschildert.

Mellerud, S-46494 / Västra Götalands län

Kerstins Camping***	1 DEJMNOPQRST	6
Hålsungebyn	2 BPQRVWXY	ABDEFGHIJK 7
1 Mai - 30 Sep	3 AIK	ABEFJNQRS 8
+46 (0)530-12715	4 FIO	FJV 9
epost@kerstinscamping.se	5 BL	AGHIJOSTV10
	B 10A CEE	❶ €26,80
N 58°42'46'' E 12°25'56''	H60 2,5 ha 33T(100-125m²) 11D	❷ €26,80

An Straße 166 Mellerud Richtung Ed, ausgeschildert.

Mellerud, S-46421 / Västra Götalands län

Mellerud Swe-Camp	1 DEJMNOPQRST	ABLNQSWXZ 6
Vita Sandar****	2 DGHPVWX	ABCDEFGHIJK 7
1 Jan - 31 Dez	3 ABCEFIKMQST	ABCDEFGIJNQRSV 8
+46 (0)530-12260	4 FHIMNOPT	EFPQVY 9
mail@vitasandarscamping.se	5 ACDEGHIKL	ABFGHKNOSTW10
	Anzeige auf Seite 97 B 10A CEE	❶ €38,25
N 58°41'22'' E 12°31'1''	H60 14 ha 210T(100-120m²) 98D	❷ €38,25

Der CP liegt am Vänernsee; an der 45 bei Mellerud ausgeschildert.

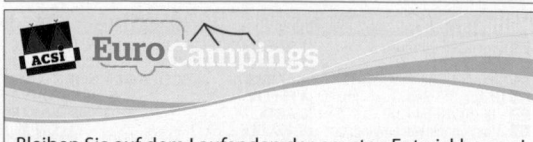

Teilkarte West-Schweden auf Seite 93

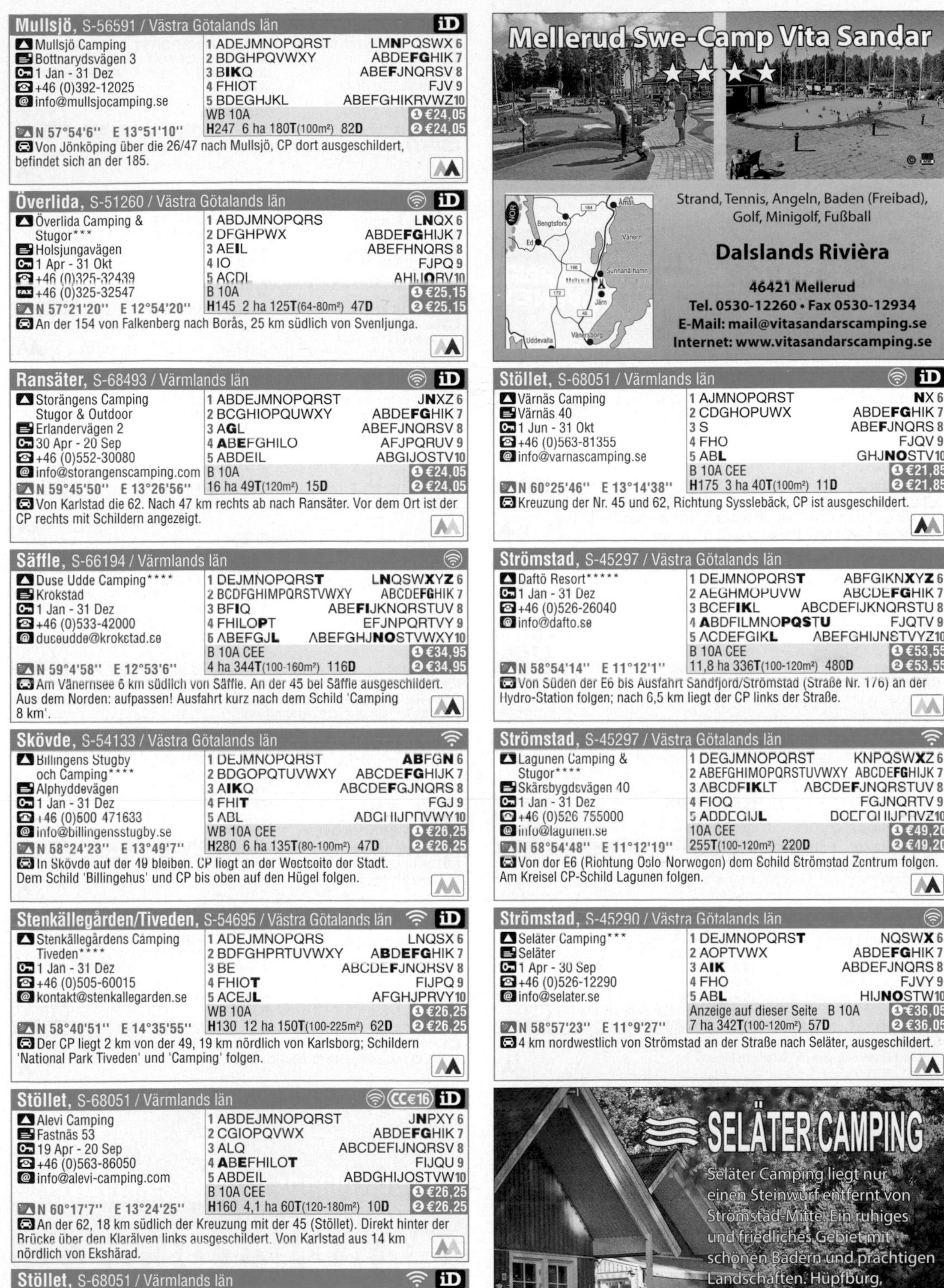

Mullsjö, S-56591 / Västra Götalands län

Mullsjö Camping
Bottnarydsvägen 3
1 Jan - 31 Dez
+46 (0)392-12025
info@mullsjocamping.se
N 57°54'6'' E 13°51'10''

1 ADEJMNOPQRST LMNPQSWX 6
2 BDGHPQVWXY ABDEFGHIK 7
3 BIKQ ABEFJNQRSV 8
4 FHIOT FJV 9
5 BDEGHJKL ABEFGHIKRVWZ 10
WB 10A ① €24,05
H247 6 ha 180T(100m²) 82D ② €24,05

Von Jönköping über die 26/47 nach Mullsjö, CP dort ausgeschildert, befindet sich an der 185.

Överlida, S-51260 / Västra Götalands län

Överlida Camping & Stugor***
Holsjungavägen
1 Apr - 31 Okt
+46 (0)325-32439
FAX +46 (0)325-32547
N 57°21'20'' E 12°54'20''

1 ABDJMNOPQRS LNQX 6
2 DFGHPWX ABDEFGHIJK 7
3 AEIL ABEFHNQRS 8
4 IO FJPQ 9
5 ACDL AHIJORV 10
B 10A ① €25,15
H145 2 ha 125T(64-80m²) 47D ② €25,15

An der 154 von Falkenberg nach Borås, 25 km südlich von Svenljunga.

Ransäter, S-68493 / Värmlands län

Storängens Camping Stugor & Outdoor
Erlandervägen 2
30 Apr - 20 Sep
+46 (0)552-30080
info@storangenscamping.com
N 59°45'50'' E 13°26'56''

1 ABDEJMNOPQRST JNXZ 6
2 BCGHIOPQUWXY ABDEFGHIK 7
3 AGL ABEFJNQRSV 8
4 ABEFGHILO AFJPQRUV 9
5 ABDEIL ABGIJOSTV 10
B 10A ① €24,05
16 ha 49T(120m²) 15D ② €24,05

Von Karlstad die 62. Nach 47 km rechts ab nach Ransäter. Vor dem Ort ist der CP rechts mit Schildern angezeigt.

Stöllet, S-68051 / Värmlands län

Värnäs Camping
Värnäs 40
1 Jun - 31 Okt
+46 (0)563-81355
info@varnascamping.se
N 60°25'46'' E 13°14'38''

1 AJMNOPQRST NX 6
2 CDGHOPUWX ABDEFGHIK 7
3 S ABEFJNQRS 8
4 FHO FJQV 9
5 ABL GHJNOSTV 10
B 10A CEE ① €21,85
H175 3 ha 40T(100m²) 11D ② €21,85

Kreuzung der Nr. 45 und 62, Richtung Sysslebäck, CP ist ausgeschildert.

Säffle, S-66194 / Värmlands län

Duse Udde Camping****
Krokstad
1 Jan - 31 Dez
+46 (0)533-42000
duseudde@krokstad.se
N 59°4'58'' E 12°53'6''

1 DEJMNOPQRST LNQSWXYZ 6
2 BCDFGHIMPQRSTVWXY ABCDEFGHIK 7
3 BFIQ ABEFIJKNQRSTUV 8
4 FHILOPT EFJNPQRTVY 9
5 ABEFGJL ABEFGHJNOSTVWXY 10
B 10A CEE ① €34,95
4 ha 344T(100-160m²) 116D ② €34,95

Am Vänernsee 6 km südlich von Säffle. An der 45 bei Säffle ausgeschildert. Aus dem Norden: aufpassen! Ausfahrt kurz nach dem Schild 'Camping 8 km'.

Strömstad, S-45297 / Västra Götalands län

Daftö Resort*****
1 Jan - 31 Dez
+46 (0)526-26040
info@dafto.se
N 58°54'14'' E 11°12'1''

1 DEJMNOPQRST ABFGIKNXYZ 6
2 AEGHMOPUVW ABCDEFGHIK 7
3 BCEFIKL ABCDEFIJKNQRSTU 8
4 ABDFILMNOPQSTU FJQTV 9
5 ACDEFGIKL ABEFGHIJNSTVYZ 10
B 10A CEE ① €53,55
11,8 ha 336T(100-120m²) 480D ② €53,55

Von Süden der E6 bis Ausfahrt Sandfjord/Strömstad (Straße Nr. 176) an der Hydro-Station folgen; nach 6,5 km liegt der CP links der Straße.

Skövde, S-54133 / Västra Götalands län

Billingens Stugby och Camping****
Alphyddevägen
1 Jan - 31 Dez
+46 (0)500 471633
info@billingensstugby.se
N 58°24'23'' E 13°49'7''

1 DEJMNOPQRST ABFGN 6
2 BDGOPQTUVWXY ABCDEFGHIJK 7
3 AIKQ ABCDEFGJNQRS 8
4 FHIT FGJ 9
5 ABL ABGHIJPRVWY 10
WB 10A CEE ① €26,25
H280 6 ha 135T(80-100m²) 47D ② €26,25

In Skövde auf der 49 bleiben. CP liegt an der Westseite der Stadt. Dem Schild 'Billingehus' und CP bis oben auf den Hügel folgen.

Strömstad, S-45297 / Västra Götalands län

Lagunen Camping & Stugor****
Skärsbygdsvägen 40
1 Jan - 31 Dez
+46 (0)526 755000
info@lagunen.se
N 58°54'48'' E 11°12'19''

1 DEGJMNOPQRST KNPQSWXZ 6
2 ABEFGHIMOPQRSTUVWXY ABCDEFGHIJK 7
3 ABCDFIKLT ABCDEFJNQRSTUV 8
4 FIOQ FGJNQRTV 9
5 ABDEGIJL BDEFGHIJPRVZ 10
10A CEE ① €49,20
255T(100-120m²) 220D ② €49,20

Von der E6 (Richtung Oslo Norwegen) dem Schild Strömstad Zentrum folgen. Am Kreisel CP-Schild Lagunen folgen.

Stenkällegården/Tiveden, S-54695 / Västra Götalands län

Stenkällegårdens Camping Tiveden****
1 Jan - 31 Dez
+46 (0)505-60015
kontakt@stenkallegarden.se
N 58°40'51'' E 14°35'55''

1 ADEJMNOPQRS LNQSX 6
2 BDFGHPRTUVWXY ABDEFGHIK 7
3 BE ABCDEFJNQRSV 8
4 FHIOT FIJPQ 9
5 ACEJL AFGHJPRVY 10
WB 10A ① €26,25
H130 12 ha 150T(100-225m²) 62D ② €26,25

Der CP liegt 2 km von der 49, 19 km nördlich von Karlsborg; Schildern 'National Park Tiveden' und 'Camping' folgen.

Strömstad, S-45290 / Västra Götalands län

Seläter Camping***
Seläter
1 Apr - 30 Sep
+46 (0)526-12290
info@selater.se
N 58°57'23'' E 11°9'27''

1 DEJMNOPQRST NQSWX 6
2 AOPTVWX ABDEFGHIK 7
3 AIK ABDEFJNQRS 8
4 FHO FJVY 9
5 ABL HIJNOSTW 10
Anzeige auf dieser Seite B 10A ① €36,05
7 ha 342T(100-120m²) 57D ② €36,05

4 km nordwestlich von Strömstad an der Straße nach Seläter, ausgeschildert.

Stöllet, S-68051 / Värmlands län

CC€16

Alevi Camping
Fastnäs 53
19 Apr - 20 Sep
+46 (0)563-86050
info@alevi-camping.com
N 60°17'7'' E 13°24'25''

1 ABDEJMNOPQRST JNPXY 6
2 CGIOPQVWX ABDEFGHIK 7
3 ALQ ABCDEFIJNQRSV 8
4 ABEFHILOT FIJQU 9
5 ABDEIL ABDGHIJOSTVW 10
B 10A CEE ① €26,25
H160 4,1 ha 60T(120-180m²) 10D ② €26,25

An der 62, 18 km südlich der Kreuzung mit der 45 (Stöllet). Direkt hinter der Brücke über den Klarälven links ausgeschildert. Von Karlstad aus 14 km nördlich von Ekshärad.

Stöllet, S-68051 / Värmlands län

Björkebo Camping***
Gravol 72
1/4 - 15/10, 15/12 - 20/1
+46 (0)563-85086
reservierung@bjoerkebo-camping.com
N 60°20'52'' E 13°20'21''

1 ADEJMNOPQRST JNXYZ 6
2 BCFGHIOPUWX ABDEFGHIJK 7
3 ACELQ ABCDEFJNQRS 8
4 AFIOT FGJQ 9
5 ABL AHJPSTV 10
WB 10A CEE ① €24,05
H155 4 ha 200T(100-250m²) 20D ② €24,05

An der 62 südöstlich der Kreuzung mit der 45 (8 km). CP zwischen Fluss Klarälven und Straße.

Teilkarte West-Schweden auf Seite 93

Sundsören/Mariestad, S-54292 / Västra Götalands län

Sundsörns Camping	1 DJMNOPQRST LNPQSX 6
Sundsörns Gård	2 DFGHPTVWX ABDEFGHIK 7
1 Jan - 31 Dez	3 BEF ABEFJNQS 8
+46 (0)501-393150	4 F F 9
info@sundsornscamping.se	5 BJL AJRV 10
	B 10A ❶ €25,15
N 58°46'55'' E 13°52'14''	4 ha 110T(80-100m²) 77D ❷ €25,15

15 km nördlich von Mariestad. Von der E20 die Ausfahrt Torsö nehmen. Von der 26 südlich von Sjötorp die Ausfahrt Torsö nehmen. Der CP liegt kurz vor der Brücke nach Torsö.

Sunne, S-68680 / Värmlands län

Sunne Swecamp Kolsnäs****	1 ADEJMNOPQRS HILN 6
Kolsnäsvägen 4	2 DGHOPTVWX ABCDFGHIK 7
1 Jan - 31 Dez	3 BEFIKMP ABEFGJKLNQRSV 8
+46 (0)565-16770	4 FILNO FJ 9
turist@sunne.se	5 ABEGIL ABHIJNOSTV 10
	WB 10A CEE ❶ €32,80
N 59°49'31'' E 13°8'32''	151T(80-120m²) 233D ❷ €32,80

Die E45, zwischen Kil und Torsby.

Sysslebäck, S-68060 / Värmlands län

Sysslebäcks Stugby & Fiskecamping***	1 ABDEJMNOPQRST EFGJNX 6
	2 CGIOPQVX ABDEFGHIK 7
Badhusvägen 2	3 AEILM ABEFJNQRS 8
1 Jan - 31 Dez	4 FIORSTUX FGJPQ 9
+46 (0)564-10514	5 ABL AGHJOSTVWZ 10
info@syssleback.se	WB 10A ❶ €24,05
N 60°42'40'' E 12°53'8''	H152 4 ha 120T(70-120m²) 42D ❷ €24,05

An der 62, südlich des Ortes Sysslebäck.

Tived, S-69597 / Örebro län

Camping Tiveden***	1 DEJMNOPQRST LNPQSXY 6
Baggekärr 2	2 BDGJLPQSVWXY ABDEFGHIK 7
30 Mär - 26 Okt	3 ADGLQ ABEFGIJNQRS 8
+46 (0)584-474083	4 FHIOT FJLMOPQRV 9
info@campingtiveden.se	5 ABDJL ABFGHIJPRV 10
	Anzeige auf dieser Seite B 10A CEE ❶ €25,15
N 58°47'54'' E 14°32'19''	H50 2,9 ha 75T(100-140m²) 16D ❷ €25,15

Über die 49. Bei Granvik dem Schild 'Tived' folgen. Von der E20 an der Ausfahrt Finnerödja den CP-Schildern folgen.

Torsby/Mårbacken, S-68591 / Värmlands län

Nya Skogsgården	1 AEJMNOPQRST JLNVXZ 6
Mårbacken	2 BCDGIOPQUWXY ABDEFGHIK 7
1 Jan - 31 Dez	3 AQV ABCDEFJNQRSV 8
+46 (0)560-52005	4 IO FGJPQRVY 9
info@nya-skogsgarden.com	5 ABL AIJORV 10
	W 10A CEE ❶ €20,75
N 60°7'55'' E 12°45'19''	H196 4 ha 48T(120-150m²) 8D ❷ €20,75

An der E16, 15 Km hinter Torsby, Richtung Norwegen in Mårbacken, ausgeschildert.

Torsby/Vägsjöfors, S-68594 / Värmlands län

Abbas Stugby och Camping	1 ABDEJMNOPQRST LNQSWXZ 6
Nötön 1	2 BDFGHIPQRWXY ABDEFGI 7
1 Jan - 31 Dez	3 AEFGHQ ABEFJKNQRSV 8
+46 (0)560-31038	4 AFHIOT FJPQU 9
info@abbasstugby.se	5 AEGIL ABGHIJNOSTV 10
	WB 10A CEE ❶ €26,25
N 60°18'19'' E 13°2'31''	H130 12 ha 100T(100-120m²) 37D ❷ €30,60

Die E45 bei Vägsjöfors Richtung Mora. CP ist ausgeschildert.

Torsby/Vitsand, S-68594 / Värmlands län

Knut's Camping	1 ADEJMNOPQRT LNXYZ 6
Vitsand 8	2 CDFGIPQTWXY ABDEFGIK 7
1 Jan - 31 Dez	3 A ABEFJNQR 8
+46 (0)560-30360	4 AEH GPQU 9
info@knutscamping.com	5 AL AHIJORV 10
	W 10A CEE ❶ €24,60
N 60°19'53'' E 13°0'42''	H130 2,2 ha 48T 2D ❷ €28,95

Die 45 Torsby/Stöllet in Vägsjöfors geradeaus Richtung Vitsand, hinter der Kirche rechts.

Trollhättan, S-46139 / Västra Götalands län

Trollhättans Camping***	1 BDEJMNOPQRST ABFG 6
Kungsportvägen 7	2 BOPRTWXY ABDEFGHIK 7
1 Mai - 31 Aug	3 AIQ ABCDEFJNQRS 8
+46 (0)520-30613	4 FHIO F 9
folketspark.trollhattan@telia.com	5 AL AGHIJSTV 10
	B 10A CEE ❶ €24,05
N 58°17'31'' E 12°17'52''	3 ha 100T(80-120m²) 12D ❷ €24,05

CP nördlich der Stadt, in der Stadt ausgeschildert.

Uddevalla/Hafsten, S-45196 / Västra Götalands län

Hafsten Swecamp Resort****	1 DEJMNOPQRST FHKNPQSWXZ 6
Hafsten 120	2 EFGHMPQTUVWX ABCDEFGHIJK 7
1 Jan - 31 Dez	3 BCDEFGHIKMQST ABCDEFJNQRSTUV 8
+46 (0)522-644117	4 EFIJLOPQRSTUVYZ FJNPQRTY 9
info@hafsten.se	5 ABCDEFGIJKL ABEFGHIKNOSTVX 10
	Anzeige auf dieser Seite B 10A CEE ❶ €48,10
N 58°18'53'' E 11°43'24''	17 ha 210T(80-100m²) 212D ❷ €48,10

Von der E6 die 161 Richtung Lysekil bis zur weg 160. Dort links Richtung Orust. Nach 2 km links, noch 4 km (Schildern folgen). CP deutlich angezeigt und liegt im Hafstensfjord (Naturgebiet).

Ulricehamn, S-52390 / Västra Götalands län

Skotteksgården Camping & Stugby****	1 DEJMNOPQRST LNPQSUVWXYZ 6
	2 DFGHOPSVWX ABCDEFGHIK 7
Marbäcksvägen	3 BFKLQU EFINQRSUV 8
1 Mai - 30 Sep	4 FHIOTU DFGIJNPQTUV 9
+46 (0)321-13184	5 ABDEJL AGHJNPRV 10
skotteksgarden@telia.com	WB 10A ❶ €28,40
N 57°46'15'' E 13°24'6''	H170 9 ha 50T(100m²) 36D ❷ €28,40

Von Ulricehamn die 157 nach Tranemo. Nach circa 2 km rechts, am Schild Richtung Skottek Gården.

Vänersborg, S-46260 / Västra Götalands län

Ursands Resort & Camping***	1 BDEJMNOPQRST ABFGHLNPQSWXYZ 6
	2 BDFGHIPQRSTVWXY ABDEFGHIJK 7
26 Apr - 16 Sep	3 ABDEFILQST ABCDEFGJNQRSTUV 8
+46 (0)521-18666	4 AFHINO FJPQTVY 9
info@ursand.se	5 ABDEGIJL ABFGHIJNRVXYZ 10
	B 10A CEE ❶ €36,60
N 58°24'50'' E 12°19'23''	25 ha 260T(80-100m²) 123D ❷ €36,60

Von Vänersborg die 45 in Richtung Karlstad. Nach ca. 3 km den Schildern folgen, der Campingplatz ist deutlich angezeigt.

Teilkarte West-Schweden auf Seite 93

Älvdalen, S-79631 / Dalarnas län

Älvdalens Fiskecenter och Camping***
Ribbholmsvägen 26
1 Jan - 31 Dez
+46 (0)251-12344
kontakt@alvdalenscamping.se
N 61°13'41'' E 14°1'48''

1 ADEJMNOPQRST — EFGHJN 6
2 CGOPWXY — ABDEFGHIJK 7
3 AIM — ABCDEFJNQR 8
4 FIORU — FJQ 9
5 BL — AGHJPRVW 10
WB 10-16A — ① €24,05
H222 5,5 ha 208T(100-120m²) 31D — ② €24,05

An der 70, in Älvdalen Schildern folgen; der CP liegt am Fluss.

Borlänge, S-78468 / Dalarnas län

Mellsta Camping***
Mellstavägen 3
1 Jan - 31 Dez
+46 (0)243-212299
info@mellstacamping.se
N 60°30'48'' E 15°23'10''

1 DEJMNOPRST — FGNSWXZ 6
2 BCFGOPQRSTVWXY — ABDEFGHIJK 7
3 BEIK — ABEFJNQRSV 8
4 FHIOT — FJ 9
5 ABDEIL — ABEGHIJNORVWX 10
WB 16A CEE — ① €29,50
H280 18 ha 140T(100m²) 32D — ② €29,50

An der 70 Borlänge-Mora, 4 km nördlich von Borlänge. Im Kreisverkehr ausgeschildert.

Älvkarleby, S-81470 / Uppsala län

Älvkarleby Fiskecamp***
Campingvägen 1
1 Jan - 31 Dez
+46 (0)26-72792
info@alvkarlebyfiskecamp.se
N 60°34'36'' E 17°27'3''

1 BDEJMNOPQRST — JNUXYZ 6
2 BCGHIOPRVWXY — ABDEFGIK 7
3 BFIK — ABCDEFGJNQRV 8
4 FHIOT — FJNQRV 9
5 ABEGJL — GHIJRV 10
B 10A — ① €27,85
20 ha 195T(80-100m²) 33D — ② €27,85

Von Süden E4 Upssala-Gävle, Ausfahrt Checkpoint. Nach den Wasserfällen links. Den Schildern folgen. Von Norden: Hauptstraße 76.

Borlänge, S-78461 / Dalarnas län

Tyllsnäs Vandrarhem & Camping
Tyllsnäs 67
1 Jun - 30 Sep
+46 (0)243-233959
info@tyllsnasudde.se
N 60°27'32'' E 15°31'28''

1 DEJMNOPRT — JNXYZ 6
2 CGHPRTVWX — ABDEFHIJK 7
3 — ABEFGJNQRSV 8
4 V — FGIPQ 9
5 BL — HIJST 10
B 10A — ① €27,30
6 ha 152T(100m²) 28D — ② €27,30

Auf der 70, 5 km südlich von Borlänge liegt der Campingplatz rechts von der Straße. Der Beschilderung folgen.

Arboga/Ekeberg, S-73293 / Västmanlands län

Herrfallet Stugby & Camping****
1 Jan - 31 Dez
+46 (0)589-40110
reception@herrfallet.se
N 59°16'54'' E 15°54'19''

1 BDEJMNOPQRST — LMNQSX 6
2 DFHIPVWX — ABCDEFGHIK 7
3 BEFIQ — ABEFGIJKNQRSV 8
4 FIOST — FGJPQTVY 9
5 ABGJL — AEGHIJORVWY 10
B 16A CEE — ① €28,40
47 ha 184T(100-120m²) 136D — ② €28,40

Von Süden Richtung Norrköping die 56 via Katrineholm, dann links ab Richtung Västermo. Herrfallet ist ausgeschildert. Dann abbiegen nach Ekeberg.

Bromma/Stockholm, S-16852 / Stockholms län

Ängby Camping***
Blackebergsvägen 25
1 Jan - 31 Dez
+46 (0)8-370420
reservation@angbycamping.se
N 59°20'14'' E 17°54'4''

1 ADEJMNOPRST — HLMNOPQSWXZ 6
2 ABDEGHIOPQRVXY — ABDEFGHIJK 7
3 AEFIKMNQV — ABDEFHJNPQRSV 8
4 AEFHIOPT — DEFGL 9
5 ACDEFGHIL — AEGHIJNPRVW 10
WB 6A — ① €34,45
6 ha 200T(ab 80m²) 151D — ② €34,45

E4/E20 Södertälje-Stockholm. Nach Essingeleden die 275 Ri. Vällingby, bis Brommaplan. Dort 1 km Ri. Drottningholm. Letzte Straße vor der Brücke rechts nach Södra, Ängby.

Bolvik/Värmdo, S-13921 / Stockholms län

Bolvik Gästcamping**
Värmdovägen
15 Mai - 30 Sep
+46 (0)705-784553
boka@bolvikscamping.se
N 59°23'4'' E 18°31'11''

1 AJMNOPRST — KNOPQSWXYZ 6
2 BEGKOPQWX — ABDEFG 7
3 AGHIKQV — ABEFHNPQRV 8
4 H — DF 9
5 — BHJPRVW 10
B 10A — ① €24,05
15 ha 120T 85D — ② €24,05

Die E4/E20 Södertalje-Stockholm Richtung Gustavsberg, dann die 274 Richtung Vaxholm folgen. CP liegt an der rechten Straßenseite.

By Kyrkby, S-77499 / Dalarnas län

Falkudden Camping och Stugby
Näsvägen 4
1 Mai - 1 Okt
+46 (0)226-70071
info@campingfalkudden.se
N 60°10'53'' E 16°28'51''

1 ABDEJMNOPQRST — LMNSWXY 6
2 CDFGHIOPRSTWX — ABFHIK 7
3 A — ABEFJNPQRV 8
4 — FNPQRV 9
5 AEL — AJORV 10
10A — ① €22,95
2,2 ha 36T(60-100m²) 15D — ② €22,95

Der CP liegt 22 km nordöstlich von Avesta. Von der 68 oder 70 den Schildern By folgen. Dann den Schildern Näs.

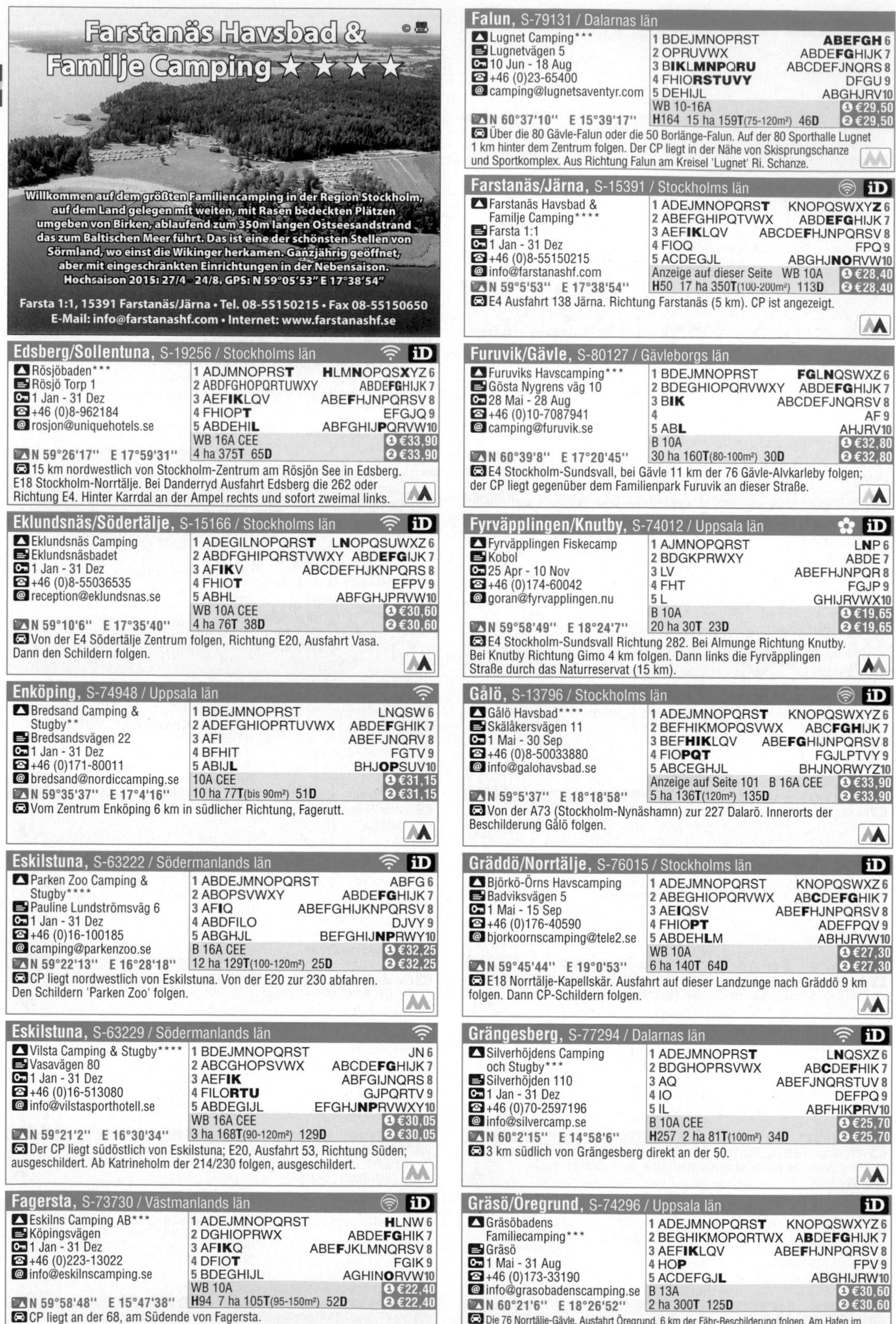

Edsberg/Sollentuna, S-19256 / Stockholms län

Rösjöbaden***
Rösjö Torp 1
1 Jan - 31 Dez
+46 (0)8-962184
rosjon@uniquehotels.se
N 59°26'17'' E 17°59'31''

1 ADJMNOPRST	HLMNOPQSXYZ	6
2 ABDFGHOPQRTUWXY	ABDEFGHIJK	7
3 AEFIKLQV	ABEFHJNPQRSV	8
4 FHIOPT	EFGJQ	9
5 ABDEHIL	ABFGHIJPQRVW	10
WB 16A CEE		❶ €33,90
4 ha 375T 65D		❷ €33,90

15 km nordwestlich von Stockholm-Zentrum am Rösjön See in Edsberg. E18 Stockholm-Norrtälje. Bei Danderryd Ausfahrt Edsberg die 262 oder Richtung E4. Hinter Karrdal an der Ampel rechts und sofort zweimal links.

Eklundsnäs/Södertälje, S-15166 / Stockholms län

Eklundsnäs Camping
Eklundsnäsbadet
1 Jan - 31 Dez
+46 (0)8-55036535
reception@eklundsnas.se
N 59°10'6'' E 17°35'40''

1 ADEGILNOPQRST	LNOPQSUWXZ	6
2 ABDFGHIPQRSTVWXY	ABDEFGIJK	7
3 AFIKV	ABCDEFHJKNPQRS	8
4 FHIOT	EFPV	9
5 ABHL	ABFGHJPRVW	10
WB 10A CEE		❶ €30,60
4 ha 76T 38D		❷ €30,60

Von der E4 Södertälje Zentrum folgen, Richtung E20, Ausfahrt Vasa. Dann den Schildern folgen.

Enköping, S-74948 / Uppsala län

Bredsand Camping & Stugby**
Bredsandsvägen 22
1 Jan - 31 Dez
+46 (0)171-80011
bredsand@nordiccamping.se
N 59°35'37'' E 17°4'16''

1 BDEJMNOPRST	LNQSW	6
2 ADEFGHIOPRTUVWX	ABDEFGHIK	7
3 AFI	ABEFJNQRV	8
4 BFHIT	FGTV	9
5 ABIJL	BHJOPSUV	10
10A CEE		❶ €31,15
10 ha 77T(bis 90m²) 51D		❷ €31,15

Vom Zentrum Enköping 6 km in südlicher Richtung, Fagerutt.

Eskilstuna, S-63222 / Södermanlands län

Parken Zoo Camping & Stugby****
Pauline Lundströmsväg 6
1 Jan - 31 Dez
+46 (0)16-100185
camping@parkenzoo.se
N 59°22'13'' E 16°28'18''

1 ABDEJMNOPQRST	ABFG	6
2 ABOPSVWXY	ABDEFGHIJK	7
3 AFIQ	ABEFGHIJKNPQRSV	8
4 ABDFILO	DJVY	9
5 ABGHJL	BEFGHIJNPRWY	10
B 16A CEE		❶ €32,25
12 ha 129T(100-120m²) 25D		❷ €32,25

CP liegt nordwestlich von Eskilstuna. Von der E20 zur 230 abfahren. Den Schildern 'Parken Zoo' folgen.

Eskilstuna, S-63229 / Södermanlands län

Vilsta Camping & Stugby****
Vasavägen 80
1 Jan - 31 Dez
+46 (0)16-513080
info@vilstasporthotell.se
N 59°21'2'' E 16°30'34''

1 BDEJMNOPQRST	JN	6
2 ABCGHOPSVWX	ABCDEFGHIJK	7
3 AEFIK	ABFGIJNQRS	8
4 FILORTU	GJPQRTV	9
5 ABDEGIJL	EFGHJNPRVWXY	10
WB 16A CEE		❶ €30,05
3 ha 168T(90-120m²) 129D		❷ €30,05

Der CP liegt südöstlich von Eskilstuna; E20, Ausfahrt 53, Richtung Süden; ausgeschildert. Ab Katrineholm der 214/230 folgen, ausgeschildert.

Fagersta, S-73730 / Västmanlands län

Eskilns Camping AB***
Köpingsvägen
1 Jan - 31 Dez
+46 (0)223-13022
info@eskilnscamping.se
N 59°58'48'' E 15°47'38''

1 ADEJMNOPQRST	HLNW	6
2 DGHIOPRWX	ABDEFGHIK	7
3 AFIKQ	ABEFJKLMNQRSV	8
4 DFIOT	FGIK	9
5 BDEGHIJL	AGHINORVW	10
WB 10A		❶ €22,40
H94 7 ha 105T(95-150m²) 52D		❷ €22,40

CP liegt an der 68, am Südende von Fagersta.

Falun, S-79131 / Dalarnas län

Lugnet Camping***
Lugnetvägen 5
10 Jun - 18 Aug
+46 (0)23-65400
camping@lugnetsaventyr.com
N 60°37'10'' E 15°39'17''

1 BDEJMNOPRST	ABEFGH	6
2 OPRUVWX	ABDEFGHIJK	7
3 BIKLMNPQRU	ABCDEFJNQRS	8
4 FHIORSTUVY	DFGU	9
5 DEHIJL	ABGHJRV	10
WB 10-16A		❶ €29,50
H164 15 ha 159T(75-120m²) 46D		❷ €29,50

Über die 80 Gävle-Falun oder die 50 Borlänge-Falun. Auf der 80 Sporthalle Lugnet 1 km hinter dem Zentrum folgen. Der CP liegt in der Nähe von Skisprungschanze und Sportkomplex. Aus Richtung Falun am Kreisel 'Lugnet' Ri. Schanze.

Farstanäs/Järna, S-15391 / Stockholms län

Farstanäs Havsbad & Familje Camping****
Farsta 1:1
1 Jan - 31 Dez
+46 (0)8-55150215
info@farstanashf.com
N 59°5'53'' E 17°38'54''

1 ADEJMNOPQRST	KNOPQSWXYZ	6
2 ABEFGHIPQTVWX	ABDEFGHIJK	7
3 AEFIKLQV	ABCDEFHJNPQRSV	8
4 FIOQ	FPQ	9
5 ACDEGJL	ABGHJNORVW	10
Anzeige auf dieser Seite WB 10A		❶ €28,40
H50 17 ha 350T(100-200m²) 113D		❷ €28,40

E4 Ausfahrt 138 Järna. Richtung Farstanäs (5 km). CP ist angezeigt.

Furuvik/Gävle, S-80127 / Gävleborgs län

Furuviks Havscamping***
Gösta Nygrens väg 10
28 Mai - 28 Aug
+46 (0)10-7087941
camping@furuvik.se
N 60°39'8'' E 17°20'45''

1 BDEJMNOPRST	FGLNQSWXZ	6
2 BDEGHIOPQRVWXY	ABDEFGHIJK	7
3 BIK	ABCDEFJNQRSV	8
4	AF	9
5 ABL	AHJRV	10
B 10A		❶ €32,80
30 ha 160T(80-100m²) 30D		❷ €32,80

E4 Stockholm-Sundsvall, bei Gävle 11 km der 76 Gävle-Alvkarleby folgen; der CP liegt gegenüber dem Familienpark Furuvik an dieser Straße.

Fyrväpplingen/Knutby, S-74012 / Uppsala län

Fyrväpplingen Fiskecamp
Kobol
25 Apr - 10 Nov
+46 (0)174-60042
goran@fyrvapplingen.nu
N 59°58'49'' E 18°24'7''

1 AJMNOPQRST	LNP	6
2 BDGKPRWXY	ABDE	7
3 LV	ABEFHJNPQR	8
4 FHT	FGJP	9
5 L	GHIJRVWX	10
B 10A		❶ €19,65
20 ha 30T 23D		❷ €19,65

E4 Stockholm-Sundsvall Richtung 282. Bei Almunge Richtung Knutby. Bei Knutby Richtung Gimo 4 km folgen. Dann links die Fyrväpplingen Straße durch das Naturreservat (15 km).

Gålö, S-13796 / Stockholms län

Gålö Havsbad****
Skälåkersvägen 11
1 Mai - 30 Sep
+46 (0)8-50033880
info@galohavsbad.se
N 59°5'37'' E 18°18'58''

1 ADEJMNOPQRST	KNOPQSWXYZ	6
2 BEFHIKMOPQSVWX	ABCFGHIJK	7
3 BEFHIKLQV	ABEFGHIJNPQRSV	8
4 FIOPQT	FGJLPTVY	9
5 ABCEGHJL	BHJNORWYZ	10
Anzeige auf Seite 101 B 16A CEE		❶ €33,90
5 ha 136T(120m²) 135D		❷ €33,90

Von der A73 (Stockholm-Nynäshamn) zur 227 Dalarö. Innerorts der Beschilderung Gålö folgen.

Gräddö/Norrtälje, S-76015 / Stockholms län

Björkö-Örns Havscamping
Badviksvägen 5
1 Mai - 15 Sep
+46 (0)176-40590
bjorkoornscamping@tele2.se
N 59°45'44'' E 19°0'53''

1 ADEJMNOPQRST	KNOPQSWXZ	6
2 ABEGHIOPQRVWX	ABCDEFGHIK	7
3 AEIQSV	ABEFHJNPQRSV	8
4 FHIOPT	ADEFPQV	9
5 ABDEHLM	ABHJRVW	10
WB 10A		❶ €27,30
6 ha 140T 64D		❷ €27,30

E18 Norrtälje-Kapellskär. Ausfahrt auf dieser Landzunge nach Gräddö 9 km folgen. Dann CP-Schildern folgen.

Grängesberg, S-77294 / Dalarnas län

Silverhöjdens Camping och Stugby***
Silverhöjden 110
1 Jan - 31 Dez
+46 (0)70-2597196
info@silvercamp.se
N 60°2'15'' E 14°58'6''

1 ADEJMNOPRST	LNQSXZ	6
2 BDGHOPRSVWX	ABCDEFHIK	7
3 AQ	ABEFJNQRSTUV	8
4 IO	DEFPQ	9
5 IL	ABFHIKPRV	10
B 10A CEE		❶ €25,70
H257 2 ha 81T(100m²) 34D		❷ €25,70

3 km südlich von Grängesberg direkt an der 50.

Gräsö/Öregrund, S-74296 / Uppsala län

Gräsöbadens Familiecamping***
Gräsö
1 Mai - 31 Aug
+46 (0)173-33190
info@grasobadenscamping.se
N 60°21'6'' E 18°26'52''

1 ADEJMNOPQRST	KNOPQSWXYZ	6
2 BEGHIKMOPQRTWX	ABDEFGHIJK	7
3 AEFIKLQV	ABEFHJNPQRSV	8
4 HOP	FPV	9
5 ACDEFGJL	ABGHIJRW	10
B 13A		❶ €30,60
2 ha 300T 125D		❷ €30,60

Die 76 Norrtälje-Gävle, Ausfahrt Öregrund, 6 km der Fähr-Beschilderung folgen. Am Hafen im Zentrum gratis mit der Fähre zur Insel Gräsö. Auf der Insel nordwärts (links). Die Straße links abbiegen, nach der 2. S-Kurve in etwa 2 km hinter der Fähre links in die Straße abbiegen.

Teilkarte Mittel-Schweden auf Seite 99

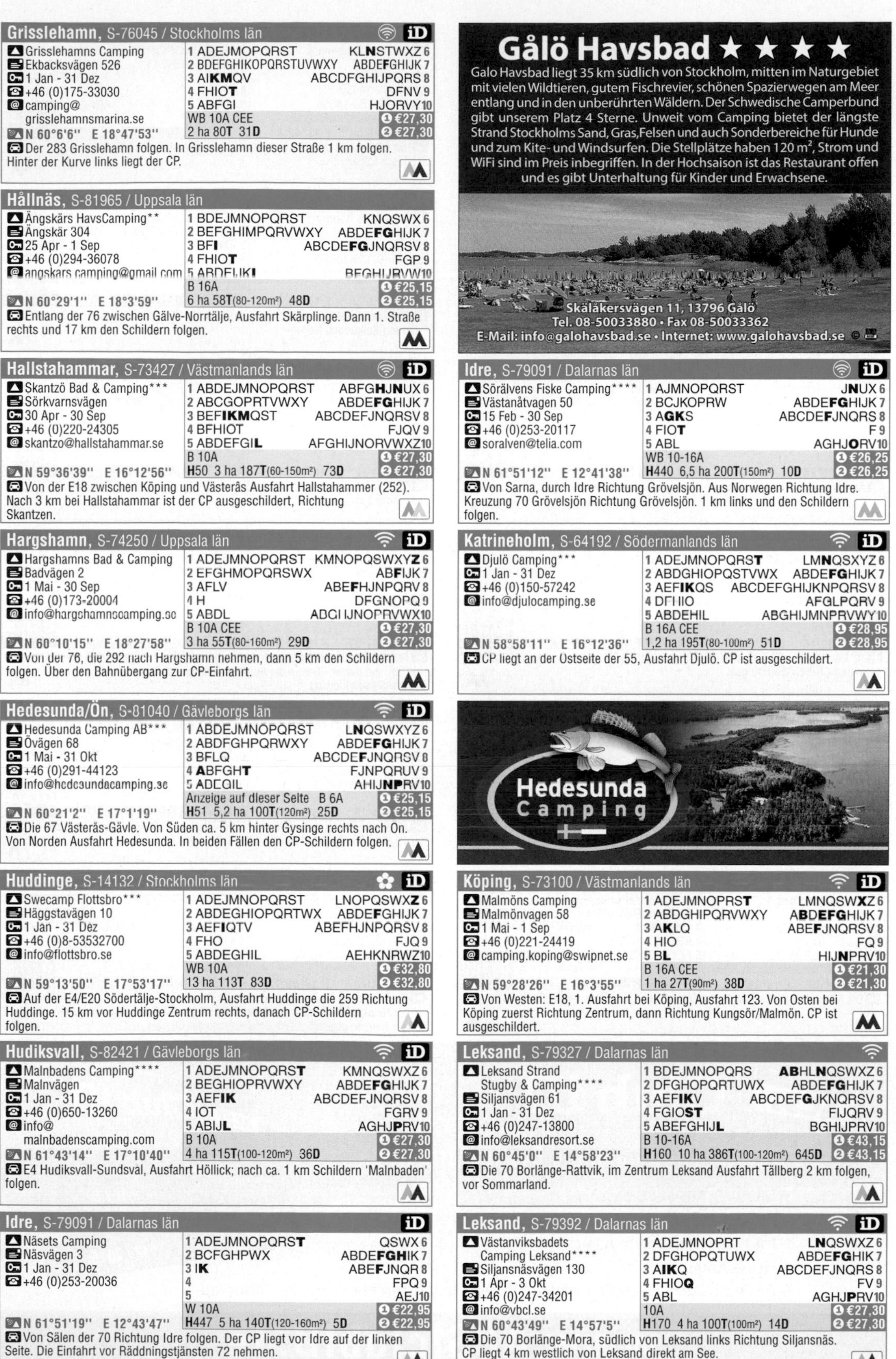

Grisslehamn, S-76045 / Stockholms län

Grisslehamns Camping
Ekbacksvägen 526
1 Jan - 31 Dez
+46 (0)175-33030
camping@grisslehamnsmarina.se
N 60°6'6'' E 18°47'53''

1 ADEJMOPQRST	KLNSTWXZ 6	
2 BDEFGHIKOPQRSTUVWXY	ABDEFGHIJK 7	
3 AIKMQV	ABCDFGHIJPQRS 8	
4 FHIOT	DFNV 9	
5 ABFGI	HJORVY 10	
WB 10A CEE		❶ €27,30
2 ha 80T 31D		❷ €27,30

Der 283 Grisslehamn folgen. In Grisslehamn dieser Straße 1 km folgen. Hinter der Kurve links liegt der CP.

Hållnäs, S-81965 / Uppsala län

Ängskärs HavsCamping**
Ängskär 304
25 Apr - 1 Sep
+46 (0)294-36078
angskars.camping@gmail.com
N 60°29'1'' E 18°3'59''

1 BDEJMNOPQRST	KNQSWX 6	
2 BEFGHIMPQRVWXY	ABDEFGHIJK 7	
3 BFI	ABCDEFGJNQRSV 8	
4 FHIOT	FGP 9	
5 ABDEFIJKL	BFGHIJRVW 10	
B 16A		❶ €25,15
6 ha 58T(80-120m²) 48D		❷ €25,15

Entlang der 76 zwischen Gälve-Norrtälje, Ausfahrt Skärplinge. Dann 1. Straße rechts und 17 km den Schildern folgen.

Hallstahammar, S-73427 / Västmanlands län

Skantzö Bad & Camping***
Sörkvarnsvägen
30 Apr - 30 Sep
+46 (0)220-24305
skantzo@hallstahammar.se
N 59°36'39'' E 16°12'56''

1 ABDEJMNOPQRST	ABFGHJNUX 6	
2 ABCGOPRTVWXY	ABDEFGHIJK 7	
3 BEFIKMQST	ABCDEFJNQRSV 8	
4 BFHIOT	FJQV 9	
5 ABDEFGIL	AFGHIJNORVWXZ 10	
B 10A		❶ €27,30
H50 3 ha 187T(60-150m²) 73D		❷ €27,30

Von der E18 zwischen Köping und Västerås Ausfahrt Hallstahammer (252). Nach 3 km bei Hallstahammar ist der CP ausgeschildert, Richtung Skantzen.

Hargshamn, S-74250 / Uppsala län

Hargshamns Bad & Camping
Badvägen 2
1 Mai - 30 Sep
+46 (0)173-20004
info@hargshamnscamping.se
N 60°10'15'' E 18°27'58''

1 ADEJMNOPQRST	KMNOPQSWXYZ 6	
2 EFGHMOPQRSWX	ABFIJK 7	
3 AFLV	ABEFHJNPQRV 8	
4 H	DFGNOPQ 9	
5 ABDL	ADGHJNOPRVWX 10	
B 10A CEE		❶ €27,30
3 ha 55T(80-160m²) 29D		❷ €27,30

Von der 76, die 292 nach Hargshamn nehmen, dann 5 km den Schildern folgen. Über den Bahnübergang zur CP-Einfahrt.

Hedesunda/Ön, S-81040 / Gävleborgs län

Hedesunda Camping AB***
Övägen 68
1 Mai - 31 Okt
+46 (0)291-44123
info@hedesundacamping.se
N 60°21'2'' E 17°1'19''

1 ABDEJMNOPQRST	LNQSWXYZ 6	
2 ABDFGHPQRWXY	ABDEFGHIJK 7	
3 BFLQ	ABCDEFJNQRSV 8	
4 ABFGHT	FJNPQRUV 9	
5 ADEGIL	AHIJNPRV 10	
Anzeige auf dieser Seite B 6A		❶ €25,15
H51 5,2 ha 100T(120m²) 25D		❷ €25,15

Die 67 Västerås-Gävle. Von Süden ca. 5 km hinter Gysinge rechts nach Ön. Von Norden Ausfahrt Hedesunda. In beiden Fällen den CP-Schildern folgen.

Huddinge, S-14132 / Stockholms län

Swecamp Flottsbro***
Häggstavägen 10
1 Jan - 31 Dez
+46 (0)8-53532700
info@flottsbro.se
N 59°13'50'' E 17°53'17''

1 ADEJMNOPQRST	LNOPQSWXZ 6	
2 ABDEGHIOPQRTWX	ABDEFGHIJK 7	
3 AEFIQTV	ABEFHJNPQRSV 8	
4 FHO	FJQ 9	
5 ABDEGHIL	AEHKNRWZ 10	
WB 10A		❶ €32,80
13 ha 113T 83D		❷ €32,80

Auf der E4/E20 Södertälje-Stockholm, Ausfahrt Huddinge die 259 Richtung Huddinge. 15 km vor Huddinge Zentrum rechts, danach CP-Schildern folgen.

Hudiksvall, S-82421 / Gävleborgs län

Malnbadens Camping****
Malnvägen
1 Jan - 31 Dez
+46 (0)650-13260
info@malnbadenscamping.com
N 61°43'14'' E 17°10'40''

1 ADEJMNOPQRST	KMNQSWXZ 6	
2 BEGHIOPRVWXY	ABDEFGHIJK 7	
3 AEFIK	ABCDEFJNQRSV 8	
4 IOT	FGRV 9	
5 ABIJL	AGHJPRV 10	
B 10A		❶ €27,30
4 ha 115T(100-120m²) 36D		❷ €27,30

E4 Hudiksvall-Sundsval, Ausfahrt Höllick; nach ca. 1 km Schildern 'Malnbaden' folgen.

Idre, S-79091 / Dalarnas län

Näsets Camping
Näsvägen 3
1 Jan - 31 Dez
+46 (0)253-20036
N 61°51'19'' E 12°43'47''

1 ADEJMNOPQRST	QSWX 6	
2 BCFGHPWX	ABDEFGHIK 7	
3 IK	ABEFJNQR 8	
4	FPQ 9	
5	AEJ 10	
W 10A		❶ €22,95
H447 5 ha 140T(120-160m²) 5D		❷ €22,95

Von Sälen der 70 Richtung Idre folgen. Der CP liegt vor Idre auf der linken Seite. Die Einfahrt vor Räddningstjänsten 72 nehmen.

Schweden

Idre, S-79091 / Dalarnas län

Sörälvens Fiske Camping****
Västanåtvägen 50
15 Feb - 30 Sep
+46 (0)253-20117
soralven@telia.com
N 61°51'12'' E 12°41'38''

1 AJMNOPQRST	JNUX 6	
2 BCJKOPRW	ABDEFGHIJK 7	
3 AGKS	ABCDEFJNQRS 8	
4 FIOT	F 9	
5 ABL	AGHJORV 10	
WB 10-16A		❶ €26,25
H440 6,5 ha 200T(150m²) 10D		❷ €26,25

Von Sarna, durch Idre Richtung Grövelsjön. Aus Norwegen Richtung Idre. Kreuzung 70 Grövelsjön Richtung Grövelsjön. 1 km links und den Schildern folgen.

Katrineholm, S-64192 / Södermanlands län

Djulö Camping***
1 Jan - 31 Dez
+46 (0)150-57242
info@djulocamping.se
N 58°58'11'' E 16°12'36''

1 ADEJMNOPQRST	LMNQSXYZ 6	
2 ABDGHIOPQSTVWX	ABDEFGHIJK 7	
3 AEFIKQS	ABCDEFGHIJKNPQRSV 8	
4 DFHIO	AFGLPQRV 9	
5 ABDEHIL	ABGHIJMNPRVWY 10	
B 16A CEE		❶ €28,95
1,2 ha 195T(80-100m²) 51D		❷ €28,95

CP liegt an der Ostseite der 55, Ausfahrt Djulö. CP ist ausgeschildert.

Köping, S-73100 / Västmanlands län

Malmöns Camping
Malmönvagen 58
1 Mai - 1 Sep
+46 (0)221-24419
camping.koping@swipnet.se
N 59°28'26'' E 16°3'55''

1 ADEJMNOPRST	LMNQSWXZ 6	
2 ABDGHIPQRVWXY	ABDEFGHIJK 7	
3 AKLQ	ABEFJNQRSV 8	
4 HIO	FQ 9	
5 BL	HIJNPRV 10	
B 16A CEE		❶ €21,30
1 ha 27T(90m²) 38D		❷ €21,30

Von Westen: E18, 1. Ausfahrt bei Köping, Ausfahrt 123. Von Osten bei Köping zuerst Richtung Zentrum, dann Richtung Kungsör/Malmön. CP ist ausgeschildert.

Leksand, S-79327 / Dalarnas län

Leksand Strand Stugby & Camping****
Siljansvägen 61
1 Jan - 31 Dez
+46 (0)247-13800
info@leksandresort.se
N 60°45'0'' E 14°58'23''

1 BDEJMNOPQRS	ABHLNQSWXZ 6	
2 DFGHOPQRTUWX	ABDEFGHIJK 7	
3 AEFIKV	ABCDEFGJKNQRSV 8	
4 FGIOST	FIJQRV 9	
5 ABEFGHIJL	BGHIJPRV 10	
B 10-16A		❶ €43,15
H160 10 ha 386T(100-120m²) 645D		❷ €43,15

Die 70 Borlänge-Rattvik, im Zentrum Leksand Ausfahrt Tällberg 2 km folgen, vor Sommarland.

Leksand, S-79392 / Dalarnas län

Västanviksbadets Camping Leksand****
Siljansnäsvägen 130
1 Apr - 3 Okt
+46 (0)247-34201
info@vbcl.se
N 60°43'49'' E 14°57'5''

1 ADEJMNOPRT	LNQSWXZ 6	
2 DFGHOPQTUWX	ABDEFGHIK 7	
3 AIKQ	ABCDEFJNQRS 8	
4 FHIOQ	FV 9	
5 ABL	AGHJPRV 10	
10A		❶ €27,30
H170 4 ha 100T(100m²) 14D		❷ €27,30

Die 70 Borlänge-Mora, südlich von Leksand links Richtung Siljansnäs. CP liegt 4 km westlich von Leksand direkt am See.

Linghed, S-79025 / Dalarnas län

Smednäset Camping	1 BDEJMNOPQRST	HLNQSWXZ 6
Smednäsvägen 30	2 DFGHIPQRSTVWX	ABDEFGIJK 7
1 Jan - 31 Dez	3 BIQ	ABEFJKNQRSV 8
+46 (0)246-22106	4 FINOT	FJPV 9
info@smednaset.se	5 KL	BHJORVZ10
	W 16A CEE	❶ €22,95
N 60°46'48'' E 15°54'21''	H150 80T(100-130m^2) 134D	❷ €22,95

Richtung Falun-Svärdsjö. In Svärdsjö hinter der Kirche rechts. Der Straße folgen und nach 3,8 km am Schild 'Caravanclub' links ab.

Malung, S-78231 / Dalarnas län

Malungs Camping & Bullsjön***	1 BDEJMNOPQRST	ABFGJLNX 6
	2 CDGHPRSWXY	ABDEFGHIJK 7
Bullsjövägen 1	3 IK	ABEFJNQRS 8
1 Jan - 31 Dez	4 EFIOT	FJQV 9
+46 (0)280-18650	5 ABL	ABFGHJNPSVZ10
campingen@malung.se	B 10A	❶ €27,30
N 60°40'59'' E 13°42'8''	H295 170T(100m^2) 41D	❷ €27,30

Der CP liegt an der 45 südlich der Stadt Malung und südlich vom Fluss; Schildern folgen.

Ljusdals Camping ★★★★
Ramsjövägen 56, 82730 Ljusdal
Internet: www.ljusdalscamping.se

Mariefred, S-64793 / Södermanlands län

Mariefreds Camping***	1 BDEJMNOPQRST	LNOPQSWXZ 6
Edsala	2 ABDGHIQRSVWXY	ABDEFGHIJK 7
25 Apr - 14 Sep	3 AIK	ABEFJNQRV 8
+46 (0)159-13530	4 IO	FGJPQV 9
mariefredscamping@yahoo.se	5 ABEL	BGHIJRV10
	10A	❶ €28,40
N 59°15'50'' E 17°15'15''	6 ha 170T(100-120m^2) 39D	❷ €28,40

E20 Strängnäs-Södertälje, Ausfahrt Mariefred auf die 223. Den CP-Schildern Richtung Kalkudden folgen.

Ljusdal, S-82730 / Gävleborgs län

Ljusdals Camping****	1 ADEJMNOPQRST	LMNQSUWX 6
Ramsjövägen 56	2 BCDFGHOPQRSWXY	ABDEFGHIK 7
1 Jan - 31 Dez	3 AFIKQV	ABCDEFJNQRS 8
+46 (0)651-12958	4 FHOT	FJPQV 9
info@ljusdalscamping.se	5 ABEL	AGHKPR10
	Anzeige auf dieser Seite WB 10-16A	❶ €26,25
N 61°50'20'' E 16°2'26''	H100 4,5 ha 75T(100-120m^2) 26D	❷ €26,25

Ab Ljusdal der 83 in Richtung Ånge 3 km folgen. Direkt an der 83.

Mora, S-79237 / Dalarnas län

Mora Park & Camping****	1 ADEJMNOPQRST	EFGHJLNUVXYZ 6
Parkvägen	2 BCDGHOPQRSWXY	ABCDEFGHIJK 7
1 Jan - 31 Dez	3 ABFIKMPQV	ABCDEFJNQRS 8
+46 (0)250-27600	4 ABFHIOTU	FGIPQRUVWY 9
rolf.hansson@moraparken.se	5 ABGHIKL	AFHIJNPRVW10
	WB 10-16A	❶ €36,05
N 61°0'37'' E 14°31'30''	H160 20 ha 500T(100-200m^2) 167D	❷ €36,05

Die 70 Rättvik-Mora oder die 45 Malung-Mora, auf beiden Strecken ausgeschildert.

Ljusne, S-82020 / Gävleborgs län

Ljusnefors Camping***	1 BDEJMNOPQRST	JKNQSXZ 6
Masugnsvägen 5	2 ABCEFGHMOPRTWXY	ABDEFGHIJK 7
1 Jan - 31 Dez	3 AS	ABEFJNQRSV 8
+46 (0)270-68710	4 FHIOTU	FGNQV 9
ljusneforscamping@gmail.com	5 ADEIL	AHJORV10
	16A CEE	❶ €26,25
N 61°12'16'' E 17°7'28''	7 ha 100T(70-100m^2) 16D	❷ €26,25

Ab der E4 Gävle-Söderhamn. 15 km unterhalb Söderhamn Ausfahrt Ljusne. Dann den CP-Schildern folgen.

Nävekvarn, S-61176 / Södermanlands län

Nävekvarns Camping	1 BDEJKNOPQRS	KUZ 6
Parkvägen	2 EGHIMOPRSVWX	ABIK 7
15 Mai - 15 Sep	3 AF	ABEFHNPQRSUV 8
+46 (0)76-7816634	4 F	R 9
info@navekvarnscamping.se	5	BHJRW10
	10A CEE	❶ €30,60
N 58°37'37'' E 16°47'51''	1 ha 49T(50-110m^2) 12D	❷ €30,60

Auf der E4 Norrköping Richtung Stockholm. Die Ausfahrt Oxelösund (die 53), auf dieser Strecke die Ausfahrt Nävekvarn. Danach der Campingbeschilderung.

Malingsbo, S-77793 / Dalarnas län

Malingsbo Camping***	1 BDEJMNOPQRST	LNQSX 6
Roadnumber 233	2 BDGHIPQRSWXY	ABCDEFGHIJK 7
30 Apr - 6 Okt	3 BQ	ABCDEFJNQRV 8
+46 (0)240-35098	4 FO	F 9
info@malingsbocamping.se	5 ACDEGIL	AHIJR10
	B 10A CEE	❶ €24,05
N 59°56'21'' E 15°25'56''	H168 10 ha 255T(80-150m^2) 90D	❷ €24,05

Von der 50 Örebro-Ludvika auf der Höhe Kopparberg die 233 Richtung Skinnskatteberg. Nach ca. 28 km in Richtung Malingsbo. Der CP liegt nach 2 km am Meer. Ausgeschildert.

Norberg, S-73891 / Västmanlands län

Norberg Camp***	1 ADEFJMNOPQRS	LNQSWXZ 6
Fraggvägen 1	2 DGHIOPQRVWX	ABDEFHIK 7
20 Apr - 30 Sep	3 AKQ	ABEFJNQRSV 8
+46 (0)223-22303	4 IT	FPQ 9
campnorberg@telia.com	5 L	HORVWZ10
	B 10A CEE	❶ €25,15
N 60°4'20'' E 15°55'9''	H141 3 ha 112T(bis 100m^2) 76D	❷ €25,15

An der 68 Fagersta-Avesta, 1 km südwestlich von Norberg am Norensee, von der 70 Sala-Borlänge bei Avesta 18 km Richtung Fagersta.

Malmköping, S-64260 / Södermanlands län

Malmköping Bad & Camping***	1 BDEJMNOPQRST	LNQX 6
	2 BDGHIOPSUVWXY	ABCDEFGHIJK 7
Förrådsgatan 15	3 AFGHIKMQV	ABCDEFGHIJKNPQRSV 8
1 Jan - 31 Dez	4 ABCDFHIOTX	FGIPQRTU 9
+46 (0)157-21070	5 ABDEGIKL	EFGHIJMNPRVWXZ10
carola@malmkopingscamping.se	B 10A CEE	❶ €31,15
N 59°8'19'' E 16°43'55''	H50 10 ha 170T(100-150m^2) 70D	❷ €31,15

Die 55 nach Malmköping. In der Ortsmitte ist der CP ausgeschildert.

Norrtälje, S-76152 / Stockholms län

Norrtälje Camping****	1 ADEJMNOPQRST	HLOPQXZ 6
Lommarvägen 42	2 ABDGHOPTWX	ABDEFGHIJK 7
1 Jan - 31 Dez	3 AEGHKQV	ABCDEFHJNPQRSV 8
+46 (0)70-3218850	4 FHIOT	FT 9
info@norrteljecamping.se	5 BL	BGHJORVW10
	WB 10A	❶ €27,30
N 59°45'47'' E 18°40'17''	5 ha 100T 33D	❷ €27,30

Am Lommaren See nordwestlich vom Stadtzentrum. Von der E18 Zentrum Norrtälje auf der 76 folgen. Im Zentrum nach der Brücke links. Auf dieser kurvigen Straße bleiben, bis man gegenüber dem Schwimmbad den CP sieht (am Ende der Straße).

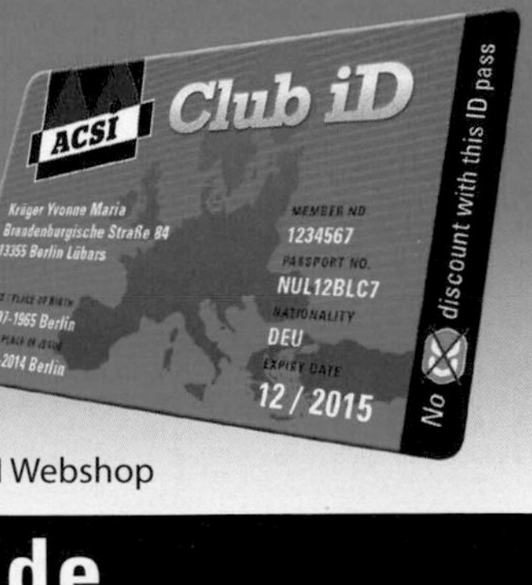

Teilkarte Mittel-Schweden auf Seite 99

Nynäshamn, S-14943 / Stockholms län
Nickstabadet Camping****
Nickstabadsvägen 17
15 Jan - 15 Dez
+46 (0)8-52012780
info@nordiccamping.se
N 58°54'26'' E 17°56'17''

1 ADEJMNOPQRST HKNOPQSWXYZ 6
2 ABEFGHIJOPQRSTUVWXY ABCDEFGHIJK 7
3 AFGIKLPTV ABCDEFGHIJKNPQRSTV 8
4 FHIOQRST EFGJPQRTV 9
5 ABDGIL BFGHIKNPRVWY 10
WB 10-16A ① €33,90
5 ha 130T(55-100m^2) 80D ② €33,90

A73 Stockholm-Nynäshamn, der CP-Beschilderung bei Lidl am Hafen folgen.

Öbolandet/Trosa, S-61931 / Södermanlands län
Trosa Havsbad & Camping***
Rövuddsvägen 42
17 Apr - 27 Sep
+46 (0)156-12494
info@trosahavsbad.se
N 58°52'22'' E 17°34'28''

1 ADEJMNOPQRST KNOPQSWXYZ 6
2 ABEFGHKPQRSUVWXY ABDEFGHIJK 7
3 AIKUV ABEFHJNPQRS 8
4 ILO FPQRTV 9
5 ACDEFI ABGHJMNPRWY 10
B 10A ① €27,30
5 ha 230T 81D ② €27,30

Ab der E4 Ausfahrt 136 und weiter Richtung Trosa folgen. In Trosa an der T-Kreuzung Richtung Gasthamn. Am Hafen, die kleine Straße auf die Insel. Diesem Weg 3 km bis zum Ende folgen. CP ist angezeigt.

Orbaden/Vallsta, S-82011 / Gävleborgs län
Orbadens Camping***
Orbadenvägen 17
1 Mai - 30 Sep
+46 (0)278-45165
orbadenscamping@hotmail.com
N 61°32'21'' E 16°22'18''

1 BDEJMNOPQRST JLNQSWXZ 6
2 CDFGHOPWX ABDEFHIK 7
3 BFKQ ABEFJNQRSV 8
4 FIO FPQRUV 9
5 ADE BHJMPRV 10
B 10A ① €29,50
H120 2,5 ha 75T(100-120m^2) 42D ② €29,50

Die 83, Richtung Orbaden, dann CP-Schildern folgen.

Öregrund, S-74071 / Uppsala län
Sunnanö Camping**
Sunnanövägen
1 Mai - 30 Sep
+46 (0)173-30064
info@sunnanocamping.com
N 60°19'23'' E 18°27'13''

1 ADEJMNOPQRST KMNOPQSXYZ 6
2 BEFGHIKMPQTUVWX ABDEFGIK 7
3 AIKMNV ABEFHJNPQRSV 8
4 FHO DFPQRTV 9
5 ADDEGHIKLM DGHJNPRV 10
B 10A CEE ① €30,60
5,2 ha 105T(80-120m^2) 75D ② €30,60

Die 76 Richtung Öregrund. Im Dorf 3. Straße rechts. Schildern 2 km lang folgen.

Orsa, S-79431 / Dalarnas län
Orsa Camping****
Timmerv.1
6 Jan - 31 Dez
+46 (0)250-46200
new_helen.arnesson@orsagronklitt.se
N 61°7'15'' E 14°35'57''

1 BDEJMNOPQRST ABFGHILNQSWXZ 6
2 DFGHPQRVWXY ABCDEFGHIJK 7
3 BEFIKLMP ABEFJKNQRST 8
4 BFIOPQT DEFGJVY 9
5 ABCGIJL AEGHIJNPRVZ 10
WB 10A ① €31,70
H170 15 ha 900T(100-120m^2) 137D ② €31,70

Am Orsa See, direkt außerhalb des Ortes. Ausgeschildert.

Östhammar, S-74231 / Uppsala län
Klackskär***
Stångörsgatan 26
1 Mai - 16 Sep
+46 (0)173-21364
info@klackskarscamping.se
N 60°15'47'' E 18°22'49''

1 ADEJMNOPQRST KNOPQSWXYZ 6
2 EFGHIOPQRTWX ABDEFGHIJK 7
3 AEIKV ABEFHJNPQRSV 8
4 HIOT FP 9
5 ABDEHJL AGHJPRW 10
B 10A ① €30,60
20 ha 200T 68D ② €30,60

Die 76 Ausfahrt Östhammar, den Schildern bis zum Hafen folgen. Geradeaus weiter fahren bis zum Ende.

Östnora/Västerhaninge, S-13791 / Stockholms län
Östnora Camping***
Östnoravägen 37
1 Jan - 31 Dez
+46 (0)8500-41000
info@ostnoracamping.nu
N 59°3'3'' E 18°3'28''

1 ADEJMNOPQRST KNPQSXYZ 6
2 ABEFGHIOPQRVWXY BFGHIJK 7
3 AEFIKQV ABEFJNPQRS 8
4 HI PQV 9
5 ABDL ABFGHJMVWXY 10
W 16A CEE ① €27,30
6 ha 130T 25D ② €27,30

Ab der Autobahn 73 Stockholm-Nynäshamn, Ausfahrt Häringe Slott. Der Straße weiter südwärts folgen. In Östnora links dem Schild zum Camping folgen.

Oxelösund, S-61351 / Södermanlands län
Jogersö Camping
Jogersövägen
1 Jan - 31 Dez
+46 (0)155-30466
info@jogerso.se
N 58°40'0'' E 17°3'25''

1 ABDEJMNOPQRST KNQSUVX 6
2 ABEGHIMPSVWXY ABDEFGHIJK 7
3 AFIKQ ABCDEFJNPQRSUV 8
4 FIOT DFQV 9
5 ABEGIJL BHIJPRVX 10
16A ① €31,70
3 ha 132T(50-120m^2) 48D ② €31,70

E4 Ausfahrt Oxelösund (weg 53). Dann die Ausfahrt Frösang/SSAB nehmen. Danach den CP-Schildern folgen.

Rättvik, S-79532 / Dalarnas län
Enåbadets Camping****
Enåbadsvägen 8
1 Jan - 31 Dez
+46 (0)248-56100
info@enan.se
N 60°53'27'' E 15°7'51''

1 DEJMNOPQRST EFJN 6
2 BCGOPQVWXY ABCDEFGHIJK 7
3 AIKPQ ABCDEFGIJKNQRSV 8
4 FHIMOPSTU FGQV 9
5 ABDL ABFGHIJPRVZ 10
WB 10A ① €31,70
32 ha 400T(ab 100m^2) 161D ② €31,70

In der Ortsmitte von Rättvik den CP-Schildern 'Rättviksparken' folgen.

Rättvik, S-79532 / Dalarnas län
Siljansbadets Camping****
Långbryggvägen 4
26 Apr - 6 Okt
+46 (0)248-56118
camp@siljansbadet.com
N 60°53'20'' E 15°6'30''

1 BDEJMNOPQRST LNQSWXZ 6
2 DFGHIOPQWXY ABCDEFGHIJK 7
3 BIKLT ABCDEFJNQRS 8
4 FIOP EFGJ 9
5 ABCDEFGIL AGHINPR 10
B 10A ① €34,95
H160 10 ha 450T(100m^2) 146D ② €34,95

Nach Zentrum Rättvik unter dem Bahnbrücke durch, 1. Straße links und danach 1. Straße rechts. Der CP liegt am See. Von Mora: kurz vor Rättvik ausgeschildert.

Riddarhyttan, S-73091 / Västmanlands län
Liens Camping***
Liensvägen 3
1 Jan - 31 Dez
+46 (0)222-13555
liens.camping@telia.com
N 59°48'33'' E 15°32'0''

1 BDEJMNOPQRST LNQSWX 6
2 BDFGHIOPRUVWXY ABDEFGHIK 7
3 BFIMQ ABCDEFGJKNQRSV 8
4 FIOT FPQ 9
5 ABDEL FGHJNORVWX 10
WB 10A CEE ① €25,15
H170 10 ha 190T(80-100m^2) 91D ② €25,15

Der CP liegt bei Riddarhyttan am Liensee und ist an der 68 Lindesberg-Fagersta ausgeschildert.

Riddersholm/Kapellskär, S-76015 / Stockholms län
Kapellskärs Camping***
Riddersholm 985
1 Mai - 29 Sep
+46 (0)176-44233
info@fritidsbyn.se
N 59°43'13'' E 19°3'2''

1 ADEJMNOPQRST NQSXYZ 6
2 ABHIPQRUWXY ABDEFGHIJK 7
3 AEIQSV ABCDEFHJNQRSV 8
4 EFHIT FGPRV 9
5 ABDL ABFGHIJPRVW 10
B 10A CEE ① €29,50
3,5 ha 120T 56D ② €29,50

Am Ende der E18, (100 km nordöstlich von Stockholm am Hafen) letzte Ausfahrt rechts. Den CP-Schildern 600m folgen.

Sälen, S-78067 / Dalarnas län
Tandådalen Camping
Tandådalen
1/6 - 31/8, 1/10 - 30/4
+46 (0)280-33053
tandadalen-camp@caravanclub.se
N 61°10'51'' E 12°59'51''

1 ADEFJMNOPRST N 6
2 BFORSTUVWX ABDEFGH 7
3 ABCDEFGJNQRS 8
4 FT 9
5 FK FGJMPRVZ 10
WB 10-16A CEE ① €19,15
H700 30 ha 79T(140m^2) ② €19,15

In Sälen der 71 Richtung Hamar/Sälenfjällen folgen. CP liegt 17 km westlich von Sälen. In Tandådalen ist CP ausgeschildert.

Sandarne, S-82022 / Gävleborgs län
Stenö Havsbad & Camping***
Stenövägen 130
1 Mai - 30 Sep
+46 (0)270-60000
stenocamping@soderhamn.se
N 61°14'54'' E 17°11'44''

1 BDEJMNOPQRST KMNQSWXZ 6
2 ABEGHIOPQRSVWXY ABDEFGHIK 7
3 ACEFIKLTU ABEFGHJKNPQRSV 8
4 BFHINOT FNQRVY 9
5 ABDGJL ABFGHJNORV 10
B 10A ① €27,85
5 ha 164T(100-120m^2) 11D ② €27,85

E4 Gävle-Söderhamn 11 km südöstlich von Söderhamn. Östliche Ausfahrt nach Sandarne, Hafenstraße.

Särna, S-79090 / Dalarnas län
Särna Camping***
Särnavägen 106
19 Mai - 30 Sep
+46 (0)253-10851
sarnacamping@gmail.com
N 61°41'33'' E 13°8'51''

1 ADEJMNOPQRST JNQSWXY 6
2 CDFGHOPTUVWX ABDEFGHIJK 7
3 AEI ABEFJNQRSV 8
4 AEFHIOT FGIQV 9
5 ABIL AGHJMORV 10
B 10A ① €25,70
H450 4 ha 115T(125m^2) 19D ② €25,70

CP liegt am See, an der 70 in Särna ausgeschildert.

Säter, S-78390 / Dalarnas län
Säters Camping***
Ljusternbadet
15 Apr - 1 Okt
+46 (0)225-50945
info@saterscamping.se
N 60°20'12'' E 15°44'25''

1 BDEJMNOPQRS LNWXZ 6
2 DFGHIPRTUVWX ABDEFGHIJK 7
3 AFK ABEFJNQRSV 8
4 FHIOT FPQTV 9
5 AEIL ABGHJMORVZ 10
B 16A CEE ① €22,95
H166 3 ha 90T(100-110m^2) 41D ② €22,95

CP ist am Ljustenmeer, 2 km vom Zentrum Säter. CP ist ausgeschildert. Von der 70 Hedemora-Borlänge und ab Smedjebacken.

Singö/Grisslehamn, S-76045 / Stockholms län

Singö Camping**
Singövägen 156
4 Apr - 30 Sep
+46 (0)175-10025
singocamping@passagen.se

1 ADEJMNOPQRST KNOQSWXZ 6
2 BEFGHIOPQRSTWXY ABDEFIJK 7
3 AV ABEFJNQRUV 8
4 FHIOT FPV 9
5 ABDEL BGJSVWY 10
10A ❶ €24,60
3 ha 56T 32D ❷ €24,60

N 60°9'5" E 18°46'45"

Der 76 von Norrtälje nach Grisslehamn folgen. In Grisslehamn zweite Ausfahrt rechts afslag rechts (erste Ausfahrt ist der Hafen). Dieser Strecke 7 km bis zum CP folgen, über drei Brücken.

Skansholmen/Mörkö, S-15393 / Stockholms län

Skansholmen Fritid AB
Skansholmen
15 Apr - 30 Sep
+46 (0)8-55155066
info@skansholmen.com

1 ADEJMNORT JKNQSWXYZ 6
2 ABCEFGHIKOPQRUWXY ABDEFGHIJK 7
3 AGIV ABCDEFHJNPQRUV 8
4 FHIO FNP 9
5 ABDEGHIJKL ABHIJNPRVWYZ 10
B 10A ❶ €21,85
5 ha 25T 1003D ❷ €21,85

N 59°2'57" E 17°41'20"

Von der E4 Ausfahrt 138. Dann den Schildern Nynäshamn bis Fährhafen folgen. Kurz vor dem Fährhafen liegt dann der CP.

Skärholmen/Stockholm, S-12731 / Stockholms län

Bredäng Camping Stockholm***
Stora Sällskapets Väg 60
13 Apr - 4 Okt
+46 (0)8-977071
bredangcamping@telia.com

1 ADEJMNOPQRST LNPQSWX 6
2 ABDGHIOPRSTVWX ABDEFGHIJK 7
3 AEFIKQV ABEFHJNPQRSUV 8
4 FHIOT FGJLV 9
5 ACDEGJL ABCFGHIJNPRVW 10
Anzeige auf dieser Seite WB 10A CEE ❶ €38,25
H50 12 ha 380T 52D ❷ €38,25

N 59°17'44" E 17°55'23"

E20/E4, Södertälje-Stockholm, bis 10 km südwestlich von Stockholm, Ausfahrt Bredäng. 3 km den CP-Schildern folgen.

Skarpnäck/Stockholm, S-12831 / Stockholms län

Flaten Camping
Flatens Skogsväg 30
1 Jan - 31 Dez
+46 (0)8-6625826
flaten@nordiccamping.se

1 ADEJMNORT LNQX 6
2 ABDEHIOWX ABDEFGIJK 7
3 IKMV ABEFHJQR 8
4 O DF 9
5 A BJNPV 10
W 16A ❶ €28,40
3 ha 105T 3D ❷ €28,40

N 59°15'10" E 18°9'48"

Skutskär, S-81421 / Uppsala län

Rullsand Bad & Camping***
Rullsandsvägen 1
1 Jan - 31 Dez
+46 (0)26-86220
info@rullsand.se

1 BDEJMNOPQRST KNQSWX 6
2 ABEGHKOPQRVWXY ABDEFGHIJK 7
3 BFIK ABEFGIJNQRSV 8
4 BDFHIO FJV 9
5 ABDEGIL AGHIJORV 10
FKK B 10A ❶ €38,25
10 ha 300T(80-100m²) 18D ❷ €38,25

N 60°38'20" E 17°28'41"

Die 76 Gävle-Östhammar, 2 km südlich von Skutskär, Richtung Långsand 4 km folgen.

Sollerön, S-79290 / Dalarnas län

Sollerö Camping***
Levsnäs
1 Jan - 31 Dez
+46 (0)250-22230
info@sollerocamping.se

1 ADEJMNOPRST LNQSWXZ 6
2 DFGHIOPQRSTUVWXY ABEFGHIJK 7
3 ACIKMQT ABDEFJNQRSV 8
4 IOT FJPQV 9
5 AFIJKLM ABFGHJPRVZ 10
WB 16A CEE ❶ €25,15
0,7 ha 100T(90-135m²) 113D ❷ €25,15

N 60°46'5" E 14°34'57"

Von Mora die 45, links ab Ausfahrt Sollerön. In Gesunda links den Schildern folgen.

Stöten/Sälen, S-78067 / Dalarnas län

Stöten Camping
Grundforsen 981
1 Jan - 31 Dez
+46 (0)280-85011
stotencamp@telia.com

1 ADEJMNOPQRST 6
2 CFPQRWX BDEFIK 7
3 I BEFJNQRSV 8
4 EFHIO DFGHQR 9
5 A AJPRV 10
WB 10A ❶ €21,85
H442 8 ha 100T(120-160m²) 59D ❷ €21,85

N 61°16'31" E 12°50'58"

Von Malung der 71/311 nach Norden folgen. Bei Fulunas links Richtung Hamar. Bei Stöten ist der CP angezeigt.

Tällberg, S-79370 / Dalarnas län

Tällbergs Camping
Sjögattu 38
26 Mai - 5 Okt
+46 (0)247-51310
info@tallbergscamping.se

1 ADEJMNOPQRS LNQSXY 6
2 ABDFGIPRWXY BEFGIK 7
3 AK BFJNQR 8
4 PQRV 9
5 AD AJRV 10
10A ❶ €28,40
2 ha 50T(100-140m²) 10D ❷ €28,40

N 60°49'39" E 14°58'41"

Von der 70 zwischen Rättvik und Leksand ist der CP ausgeschildert.

Väddö/Älmsta, S-76040 / Stockholms län

Sandvikens Camping & Havsbad**
Sandviksvägen 57
26 Apr - 7 Aug
+46 (0)176-50315
info@sandvikencamping.se

1 DEJMNOPRST KNOPQSW 6
2 BEFGHIPQTVWXY ABDEFGHIJK 7
3 AFIKQV ABEFHNPQRSV 8
4 FHIOT F 9
5 ABL ABHJRVW 10
B 10A CEE ❶ €24,05
3,5 ha 75T 25D ❷ €24,05

N 59°58'44" E 18°52'34"

Von der 76 Norrtälje-Osthammar, nach 15 km rechts die 283 Richtung Älmsta. Über die Brücke auf die Insel Väddö gleich rechts danach sofort (3m) links. Dieser kurvigen Straße 4 km bis zum CP folgen.

Våmhus, S-79296 / Dalarnas län

Våmåbadets Camping
Våmåbadetsväg 51
15 Mai - 30 Aug
+46 (0)250-45346
vamabadet@telia.com

1 ADEJMNOPQRST N 6
2 CGPVWX ABDEFGHIK 7
3 K ABEFJNQRS 8
4 F 9
5 ABEL JMRV 10
10A ❶ €22,95
H160 2 ha 70T(80-100m²) 8D ❷ €22,95

N 61°6'58" E 14°29'34"

In Mora die 70 Richtung Älvdalen nehmen. Bei Bonäs abbiegen, der Straße nach Våmhus folgen. Dann ist der Camping angezeigt.

Västerås, S-72591 / Västmanlands län

Västerås Mälarcamping***
Johannisbergsvägen
1 Jan - 31 Dez
+46 (0)21-140279
malarcamping@nordiccamping.se

1 BDEJMNOPQRST LNQS 6
2 ADGHIOPQSVWX ABCDEFGHIJK 7
3 BFIKQ ABCDEFGIJNQRSV 8
4 BFIOTU FJQV 9
5 ABDEFGIL ABEFHIJNORV 10
B 16A ❶ €31,70
6,8 ha 246T(bis 160m²) 86D ❷ €31,70

N 59°34'29" E 16°31'23"

E18 Köping-Västeras, erste Abfahrt Nr. 130 von Västeras in südliche Richtung Fullero-Tidö-Lindö, 5 km, Johannesberg am Mälarensee.

Västerås/Ängsö, S-72598 / Västmanlands län

Västerås Camping Ängsö
Ängsöväg
1 Jan - 31 Dez
+46 (0)171-441043
info@vasterascamping.se

1 ADEJMNOPQRST LNQSWXZ 6
2 BDFGHIOPRVWXY ABDEFGHIK 7
3 BFIK ABEFJNQRTV 8
4 F F 9
5 ABDEGJL GHJRV 10
B 10A ❶ €29,50
10 ha 220T(120-160m²) 92D ❷ €29,50

N 59°34'6" E 16°51'32"

An der E18 östlich von Västerås, Ausfahrt 140 ist der CP ausgeschildert. Ca. 16 km Richtung Ängsö.

Vaxholm, S-18521 / Stockholms län

Eriksö Stugby & Camping**
Eriksö
30 Apr - 30 Sep
+46 (0)8-54130101
info@eriksocamping.se

1 ADEJMNOPRST KNOPQSTUVWXYZ 6
2 BEFGHIKOPQRTVWX ABDEFGHIJK 7
3 AEFIKLQV ABEFHJNPQRSV 8
4 FHOQT ADFJPQRV 9
5 ABDEGL AHJNRVW 10
B 10A ❶ €29,50
5 ha 150T 25D ❷ €29,50

N 59°24'17" E 18°18'35"

E18 Stockholm-Norrtälje, Ausfahrt Vaxholm, Straße 274 15 km folgen, Bogenbrücke zur Insel Vaxholm, dann CP-Schildern folgen.

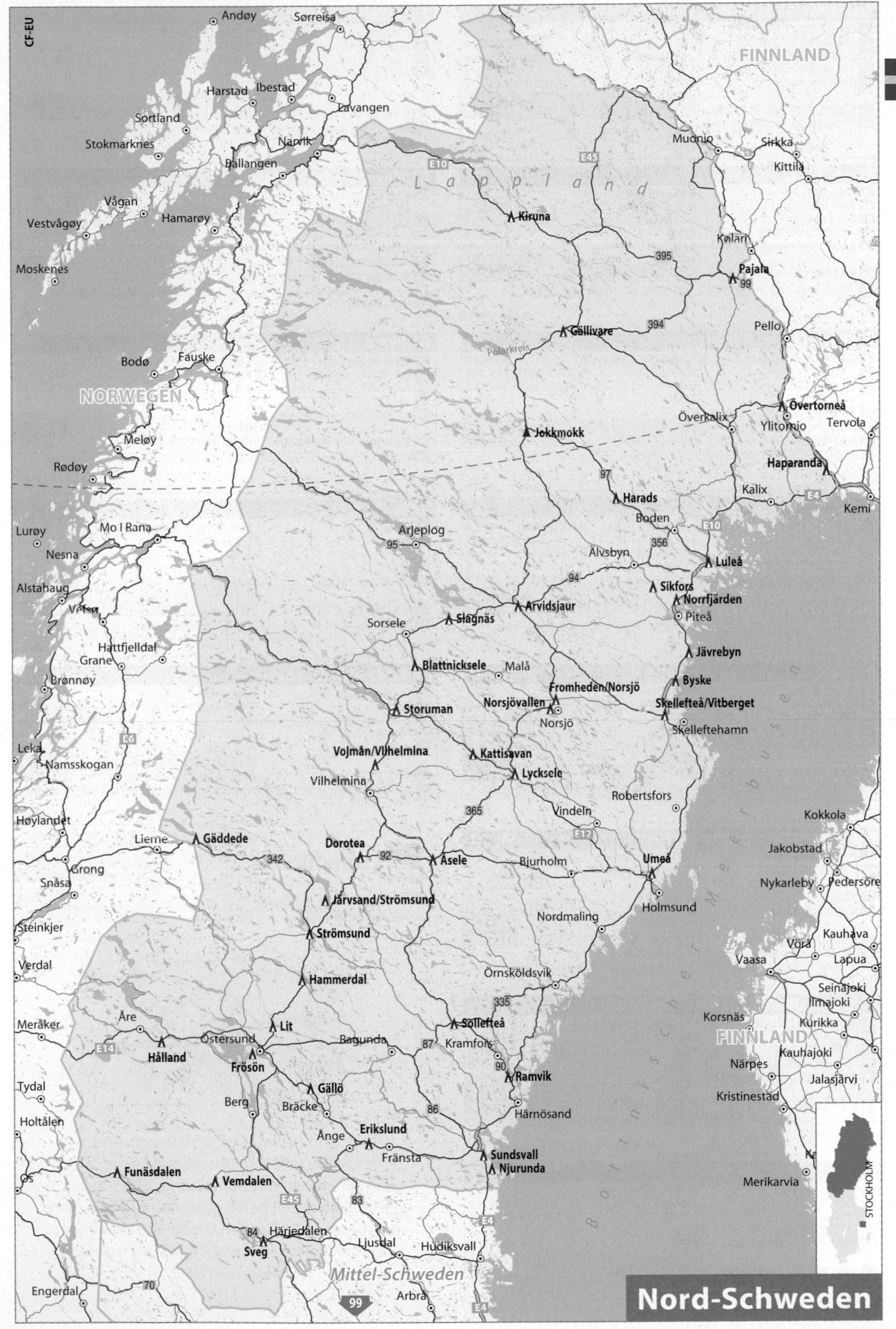
Nord-Schweden
FINNLAND
NORWEGEN
Lappland
Bottnischer Meerbusen
Kiruna
Gällivare
Jokkmokk
Harads
Luleå
Sikfors
Norrfjärden
Arvidsjaur
Slagnäs
Blattnicksele
Jävrebyn
Byske
Fromheden/Norsjö
Norsjövallen
Skellefteå/Vitberget
Storuman
Vojmån/Vilhelmina
Kattisavan
Lycksele
Gäddede
Dorotea
Åsele
Umeå
Järvsand/Strömsund
Strömsund
Hammerdal
Lit
Sollefteå
Hålland
Frösön
Gällö
Ramvik
Erikslund
Sundsvall
Njurunda
Funäsdalen
Vemdalen
Sveg
Pajala
Övertorneå
Haparanda
Mittel-Schweden
STOCKHOLM

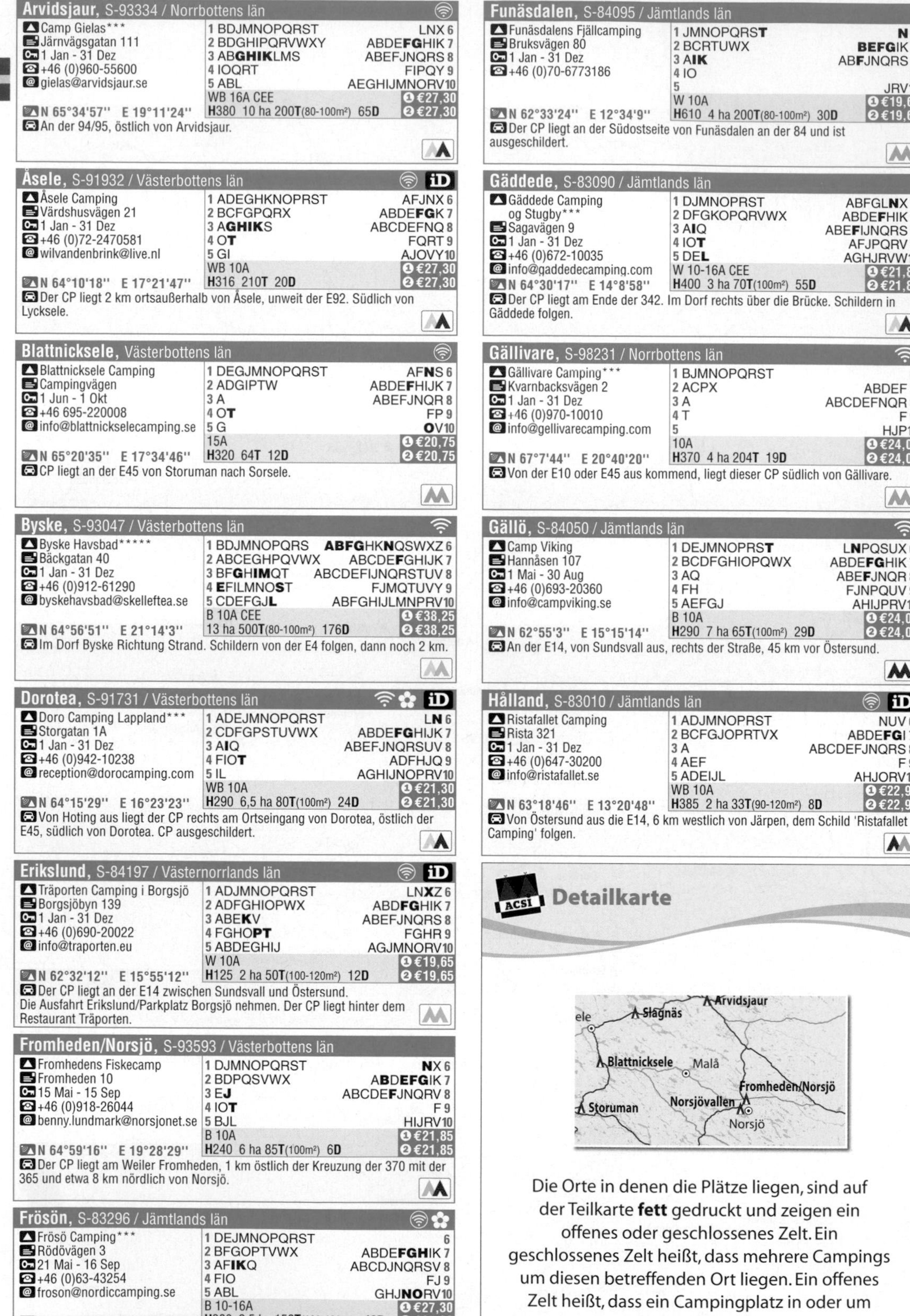

Arvidsjaur, S-93334 / Norrbottens län

Camp Gielas***	1 BDJMNOPQRST LNX 6
Järnvägsgatan 111	2 BDGHIPQRVWXY ABDEFGHIK 7
1 Jan - 31 Dez	3 ABGHIKLMS ABEFJNQRS 8
+46 (0)960-55600	4 IOQRT FIPQY 9
gielas@arvidsjaur.se	5 ABL AEGHIJMNORV 10
	WB 16A CEE ❶ €27,30
N 65°34'57'' E 19°11'24''	H380 10 ha 200T(80-100m²) 65D ❷ €27,30

An der 94/95, östlich von Arvidsjaur.

Åsele, S-91932 / Västerbottens län

Åsele Camping	1 ADEGHKNOPRST AFJNX 6
Värdshusvägen 21	2 BCFGPQRX ABDEFGK 7
1 Jan - 31 Dez	3 AGHIKS ABCDEFNQ 8
+46 (0)72-2470581	4 OT FQRT 9
wilvandenbrink@live.nl	5 GI AJOVY 10
	WB 10A ❶ €27,30
N 64°10'18'' E 17°21'47''	H316 210T 20D ❷ €27,30

Der CP liegt 2 km ortsaußerhalb von Åsele, unweit der E92. Südlich von Lycksele.

Blattnicksele, Västerbottens län

Blattnicksele Camping	1 DEGJMNOPQRST AFNS 6
Campingvägen	2 ADGIPTW ABDEFHIJK 7
1 Jun - 1 Okt	3 A ABEFJNQR 8
+46 695-220008	4 OT FP 9
info@blattnickselecamping.se	5 G OV 10
	15A ❶ €20,75
N 65°20'35'' E 17°34'46''	H320 64T 12D ❷ €20,75

CP liegt an der E45 von Storuman nach Sorsele.

Byske, S-93047 / Västerbottens län

Byske Havsbad*****	1 BDJMNOPQRS ABFGHKNQSWXZ 6
Bäckgatan 40	2 ABCEGHPQVWX ABCDEFGHIJK 7
1 Jan - 31 Dez	3 BFGHIMQT ABCDEFIJNQRSTUV 8
+46 (0)912-61290	4 EFILMNOST FJMQTUVY 9
byskehavsbad@skelleftea.se	5 CDEFGJL ABFGHIJLMNPRV 10
	B 10A CEE ❶ €38,25
N 64°56'51'' E 21°14'3''	13 ha 500T(80-100m²) 176D ❷ €38,25

Im Dorf Byske Richtung Strand. Schildern von der E4 folgen, dann noch 2 km.

Dorotea, S-91731 / Västerbottens län

Doro Camping Lappland***	1 ADEJMNOPQRST LN 6
Storgatan 1A	2 CDFGPSTUVWX ABDEFGHIJK 7
1 Jan - 31 Dez	3 AIQ ABEFJNQRSUV 8
+46 (0)942-10238	4 FIOT ADFHJQ 9
reception@dorocamping.com	5 IL AGHIJNOPRV 10
	WB 10A ❶ €21,30
N 64°15'29'' E 16°23'23''	H290 6,5 ha 80T(100m²) 24D ❷ €21,30

Von Hoting aus liegt der CP rechts am Ortseingang von Dorotea, östlich der E45, südlich von Dorotea. CP ausgeschildert.

Erikslund, S-84197 / Västernorrlands län

Träporten Camping i Borgsjö	1 ADJMNOPQRST LNXZ 6
Borgsjöbyn 139	2 ADFGHIOPWX ABDFGHIK 7
1 Jan - 31 Dez	3 ABEKV ABEFJNQRS 8
+46 (0)690-20022	4 FGHOPT FGHR 9
info@traporten.eu	5 ABDEGHIJ AGJMNORV 10
	W 10A ❶ €19,65
N 62°32'12'' E 15°55'12''	H125 2 ha 50T(100-120m²) 12D ❷ €19,65

Der CP liegt an der E14 zwischen Sundsvall und Östersund. Die Ausfahrt Erikslund/Parkplatz Borgsjö nehmen. Der CP liegt hinter dem Restaurant Träporten.

Fromheden/Norsjö, S-93593 / Västerbottens län

Fromhedens Fiskecamp	1 DJMNOPQRST NX 6
Fromheden 10	2 BDPQSVWX ABDEFGIK 7
15 Mai - 15 Sep	3 EJ ABCDEFJNQRV 8
+46 (0)918-26044	4 IOT F 9
benny.lundmark@norsjonet.se	5 BJL HIJRV 10
	B 10A ❶ €21,85
N 64°59'16'' E 19°28'29''	H240 6 ha 85T(100m²) 6D ❷ €21,85

Der CP liegt am Weiler Fromheden, 1 km östlich der Kreuzung der 370 mit der 365 und etwa 8 km nördlich von Norsjö.

Frösön, S-83296 / Jämtlands län

Frösö Camping***	1 DEJMNOPQRST 6
Rödövägen 3	2 BFGOPTVWX ABDEFGHIK 7
21 Mai - 16 Sep	3 AFIKQ ABCDJNQRSV 8
+46 (0)63-43254	4 FIO FJ 9
froson@nordiccamping.se	5 ABL GHJNORV 10
	B 10-16A ❶ €27,30
N 63°10'19'' E 14°32'25''	H380 2,5 ha 158T(100-120m²) 46D ❷ €27,30

Auf der Insel Frösön. Beschilderung zur Kirche oder Flugplatz folgen. Danach den Campingschildern.

Funäsdalen, S-84095 / Jämtlands län

Funäsdalens Fjällcamping	1 JMNOPQRST N 6
Bruksvägen 80	2 BCRTUWX BEFGIK 7
1 Jan - 31 Dez	3 AIK ABFJNQRS 8
+46 (0)70-6773186	4 IO 9
	5 JRV 10
	W 10A ❶ €19,65
N 62°33'24'' E 12°34'9''	H610 4 ha 200T(80-100m²) 30D ❷ €19,65

Der CP liegt an der Südostseite von Funäsdalen an der 84 und ist ausgeschildert.

Gäddede, S-83090 / Jämtlands län

Gäddede Camping og Stugby***	1 DJMNOPRST ABFGLNX 6
Sagavägen 9	2 DFGKOPQRVWX ABDEFHIK 7
1 Jan - 31 Dez	3 AIQ ABEFIJNQRS 8
+46 (0)672-10035	4 IOT AFJPQRV 9
info@gaddedecamping.com	5 DEL AGHJRVW 10
	W 10-16A CEE ❶ €21,85
N 64°30'17'' E 14°8'58''	H400 3 ha 70T(100m²) 55D ❷ €21,85

Der CP liegt am Ende der 342. Im Dorf rechts über die Brücke. Schildern in Gäddede folgen.

Gällivare, S-98231 / Norrbottens län

Gällivare Camping***	1 BJMNOPQRST 6
Kvarnbacksvägen 2	2 ACPX ABDEF 7
1 Jan - 31 Dez	3 A ABCDEFNQR 8
+46 (0)970-10010	4 T F 9
info@gellivarecamping.com	5 HJP 10
	10A ❶ €24,05
N 67°7'44'' E 20°40'20''	H370 4 ha 204T 19D ❷ €24,05

Von der E10 oder E45 aus kommend, liegt dieser CP südlich von Gällivare.

Gällö, S-84050 / Jämtlands län

Camp Viking	1 DEJMNOPRST LNPQSUX 6
Hannåsen 107	2 BCDFGHIOPQWX ABDEFGHIK 7
1 Mai - 30 Aug	3 AQ ABEFJNQR 8
+46 (0)693-20360	4 FH FJNPQUV 9
info@campviking.se	5 AEFGJ AHIJPRV 10
	B 10A ❶ €24,05
N 62°55'3'' E 15°15'14''	H290 7 ha 65T(100m²) 29D ❷ €24,05

An der E14, von Sundsvall aus, rechts der Straße, 45 km vor Östersund.

Hålland, S-83010 / Jämtlands län

Ristafallet Camping	1 ADJMNOPRST NUV 6
Rista 321	2 BCFGJOPRTVX ABDEFGI 7
1 Jan - 31 Dez	3 A ABCDEFJNQRS 8
+46 (0)647-30200	4 AEF F 9
info@ristafallet.se	5 ADEIJL AHJORV 10
	WB 10A ❶ €22,95
N 63°18'46'' E 13°20'48''	H385 2 ha 33T(90-120m²) 8D ❷ €22,95

Von Östersund aus die E14, 6 km westlich von Järpen, dem Schild 'Ristafallet Camping' folgen.

Detailkarte

Die Orte in denen die Plätze liegen, sind auf der Teilkarte **fett** gedruckt und zeigen ein offenes oder geschlossenes Zelt. Ein geschlossenes Zelt heißt, dass mehrere Campings um diesen betreffenden Ort liegen. Ein offenes Zelt heißt, dass ein Campingplatz in oder um diesen Ort liegt.

Teilkarte Nord-Schweden auf Seite 105

Hammerdal, S-83070 / Jämtlands län

Camp Route 45AB***
Fyrån 210
1 Jan - 31 Dez
+46 (0)644-10086
info@camproute45.com
N 63°34'30'' E 15°20'33''

1 ABDEJMNOPQRS	**NU** 6
2 CDGIPRSWX	ABDE**FG**HIJK 7
3 AV	ABE**F**JNQRS 8
4 **AFIOT**	FJNQR 9
5 AIL	AFGHJORV10
WB 10A	❶ €20,75
H310 2,5 ha 40T(100m²) 18D	❷ €20,75

Im Norden von Östersund die E45 Richtung Hammerdal (ca. 65 km). CP liegt an der Westseite von Hammerdal.

Haparanda, S-95391 / Norrbottens län

Kukkolaforsen
Kukkolaforsen 184
1 Jan - 31 Dez
+46 922-31000
info@kukkolaforsen.se
N 65°57'45'' E 24°2'20''

1 DEJMNOPQR	NU 6
2 CFPVX	ABDE**FG**HIJK 7
3 A	ABCDEFJNQR 8
4 T	F 9
5 ABI	HJPR10
WB 10A	❶ €29,50
3 ha 50T 35D	❷ €29,50

Liegt an der Grenze zwischen Finnland und Schweden, an der 99 zwischen Övertorneå und Haparanda.

Harads, S-96024 / Norrbottens län

Harads Camping
Edeforsvägen 61
1 Jan - 31 Dez
+46 (0)92-810008
haradscamping@telia.com
N 66°5'35'' E 20°56'42''

1 DEHKNOPQRST	6
2 AFOPWX	ABDEFGH 7
3	ABCDEFNOQR 8
4 **T**	F 9
5 I	HJO10
10A	❶ €20,75
H536 3 ha 60T 7D	❷ €20,75

CP liegt an der Strecke Luleå nach Jokkmokk bei der Ortschaft Harads. Straßennr. 97 in den Norden.

Järvsand/Strömsund, S-83395 / Jämtlands län

Camping i Järvsand
Järvsand 360
1 Jan - 31 Dez
+46 (0)70-2345630
info@campingjarvsand.com
N 64°1'57'' E 15°48'47''

1 DEJMNOPQRST	L**NQ**SW**XY** 6
2 DFGHKPQTW	ABDE**FG**HIJK 7
3 AE**R**	ABEFHJNQR 8
4 **E**FIKOQ**T**	ADFGJP 9
5 ABGL	AJPRVZ10
WB 16A CEE	❶ €19,65
H280 216 ha 40T(100-150m²) 13D	❷ €19,65

Von der E45, 20 km oberhalb Strömsund in Lövberga links Richtung Havnäs. Nach 8 km liegt der CP an der rechten Seite, ausgeschildert.

Jävrebyn, S-94494 / Norrbottens län

Fiske Camp
Norra Jävrebodarna 45
15 Mär - 31 Okt
+46 (0)70-3613370
tompo69@hotmail.com
N 65°5'47'' E 21°30'32''

1 ILNOPQRS	**N**X**Z** 6
2 ABCDFJKQWXY	ABDE**FH** 7
3	ABCDEFJNQ 8
4	F 9
5 I	JNPR10
	❶ €25,15
27 ha 70T 5D	❷ €25,15

E4 kurz hinter Pitea Richtung Süden ist der CP gut angezeigt.

Jokkmokk, S-96222 / Norrbottens län

Jokkmokk Camping Center****
Notudden
15 Mai - 15 Sep
+46 (0)971-12370
campingcenter@jokkmokk.com
N 66°35'40'' E 19°53'31''

1 BDJMNOPQRST	ABFGHJNQXZ 6
2 CFGKOPRWXY	ABDE**FG**HIK 7
3 B**I**	ABEFJNRS 8
4 FIO**PT**	JPQV 9
5 ABDEFGJL	AGHJ**N**RV10
B 10A	❶ €27,30
H225 7 ha 200T(80-100m²) 59D	❷ €27,30

Ab dem Kreisel in Jokkmokk in Richtung Luleå. CP kommt nach ca. 3 km auf der linken Seite der Strecke.

Jokkmokk, S-96232 / Norrbottens län

Polcirkelns Fiskecamp
Road 45
1 Jun - 20 Aug
+46 (0)971-10606
info@samelandsresor.com
N 66°33'1'' E 19°45'48''

1 BEJMNOPQRT	**N** 6
2 ABFIPQVX	AB 7
3	ABEFNQR 8
4	9
5 B	JR10
3A	❶ €15,30
H349 2 ha 42T	❷ €15,30

An der E45 10 km vor Jokkmokk von Süden her. Von Norden 10 km hinter Jokkmokk.

Jokkmokk, S-96299 / Norrbottens län

Skabram Stugby och Camping
Skabram 206
1 Jan - 31 Dez
+46 (0)971-10752
info@skabram.se
N 66°36'23'' E 19°45'44''

1 ADJMNOPQRST	L**N**QXY 6
2 BDFKPRWXY	AB**FI**K 7
3	ABEFJNQR 8
4 F**T**	FGJPQR 9
5 L	AFHIJPRV10
10A CEE	❶ €20,20
H280 25 ha 35T(80m²) 12D	❷ €20,20

Im Kreisel in Jokkmokk Richtung Karats, Straße 747. CP kommt nach 3 km rechts der Straße. Von Süden die 45. Im Kreisel links Richtung Karats. Ortschild Skabram.

Kattisavan, S-92123 / Västerbottens län

Kattisavan Camping & Stugby****
Kattisavan 34
1 Jan - 31 Dez
+46 (0)950-18060
kattisavancamp@yahoo.se
N 64°45'29'' E 18°9'59''

1 DJMNOPQRST	LNQX 6
2 ABCDFHKOPRWXY	ABDE**FG**HIK 7
3 A**HI**	ABEFJNQRS 8
4 AFIOT	FJP 9
5 ACKL	ABHIJ**NO**RV10
B 10A	❶ €26,25
H270 2,5 ha 50T(100m²) 39D	❷ €26,25

Von Lycksele an der E12 in nordwestlicher Richtung. Liegt etwa 30 km von Lycksele. CP ist ausgeschildert.

Kiruna, S-98135 / Norrbottens län

Camp Ripan***
Campingvägen 5
1 Jan - 31 Dez
+46 (0)980-63000
info@ripan.se
N 67°51'38'' E 20°14'25''

1 ABDILNOPQRS**T**	**AFGH** 6
2 RSTVWX	ABDE**FG**IJK 7
3 B**IK**	ABEFJNQR 8
4 T	JVY 9
5 ABEGIJL	AEGHIJN**P**RV10
B 10A	❶ €30,05
H550 3 ha 120T(80-100m²) 96D	❷ €30,05

'Ripan Camp' Schildern folgen, stehen rechts an der E10 (etwa 1m hoch).

Lit, S-83692 / Jämtlands län

Lits Camping***
E45
1 Mai - 30 Sep
+46 (0)642-10247
booking@litscamping.com
N 63°19'9'' E 14°51'51''

1 ADEGJMNOPQRS**T**	JL**N**UXZ 6
2 CDFGHIOPRVWXY	ABDE**F**GIJK 7
3 AEF**ILM**Q	ABEFJNQR 8
4 FHIO**T**	AFJPQRV 9
5 ABL	AGHKN**P**RV10
B 10A	❶ €24,60
H260 5,6 ha 96T(100-110m²) 33D	❷ €24,60

Der CP liegt an der E45. Von Östersund ist der CP 20 km nördlich direkt hinter der Brücke, vor dem Ort Lit, rechts von der Straße.

Luleå, S-97594 / Norrbottens län

First Camp Luleå***
Arcusvägen 110
1 Jan - 31 Dez
+46 (0)920-60300
lulea@firstcamp.se
N 65°35'45'' E 22°4'17''

1 DJMNOPQRS	**ABF**HI**JKNW**XZ 6
2 ACEFGHOPSVWXY	ABDE**FG**HIK 7
3 BE**IKM**QT	ABEFJNQRS 8
4 ILNOT	JQRVY 9
5 ACDEFGIL	ABGHIJ**NP**RV10
B 10A CEE	❶ €38,25
44 ha 500T(80-120m²) 96D	❷ €38,25

Schildern Arcus/Karlsvik/Luleå auf der Autobahn folgen. Danach ist der CP ausgeschildert.

Lycksele, S-92142 / Västerbottens län

Ansia Resort****
Sommarvägen 1
1 Jan - 31 Dez
+46 (0)950-10083
info@ansia.se
N 64°35'47'' E 18°41'58''

1 DJMNOPQRS**T**	**ABHIJN**X 6
2 BCFGHOPQVWXY	ABDE**FG**HI 7
3 **BIK**T	ABCDEFGHIJKNQRSV 8
4 IO**P**T	FGIJY 9
5 BDGHI**L**	AGHIJ**P**RV10
WB 10A	❶ €33,90
H230 17 ha 410T(100-150m²) 73D	❷ €33,90

Der CP liegt 2 km östlich von Lycksele. Von der E12 aus den CP-Schildern folgen. An der 363 im Zentrum von Lycksele. CP ausgeschildert.

Njurunda, S-86296 / Västernorrlands län

Bergafjärdens Camping***
Bergafjärden
10 Mai - 10 Sep
+46 (0)60-34598
lenny@bergafjarden.nu
N 62°16'4'' E 17°27'6''

1 BDEJMNOPQRST	KNQSWXZ 6
2 EFGHOPQRVWXY	ABDE**FG**HIJK 7
3 AEF**IK**Q	ABE**F**JNQRSV 8
4 FIO**T**	FJV 9
5 ABDEGHIJ**L**	AGHJ**P**RV10
B 10A	❶ €28,40
20 ha 230T(80-120m²) 156D	❷ €28,40

Von der E4 Hudiksvall-Sundsvall, 17 km südlich von Sundsvall, bei Njurunda 4 km ostwärts Richtung Lörudden, Björkön, Hafenstraße.

Norrfjärden, S-94591 / Norrbottens län

Borgaruddens Camping
Borgaruddsvägen
1 Jun - 31 Aug
+46 (0)788-203518
info@borgaruddenscamping.se
N 65°25'18'' E 21°29'47''

1 JMNOPQRST	K**N**X**Z** 6
2 AEFGHPWX	ABDE**FI**K 7
3 A**I**	ABCDEFNQ 8
4	FGV 9
5 B	HJOR10
B 10A	❶ €25,15
H288 10 ha 100T 20D	❷ €25,15

Auf der E4 zwischen Pitea und Luleå, 8 km landeinwärts an der Ostküste.

Norsjövallen, S-93532 / Västerbottens län

Rännuddens Camping
Backgatan 3
1 Jun - 1 Okt
+46 (0)918-10615
N 64°56'19'' E 19°22'15''

1 DEJMNOPQRT	JL**N**X**Z** 6
2 ABCDFJPXY	ABDE**FG**HIJK 7
3 A**I**	ABCDEFJNQR 8
4 **T**	F 9
5	HJPR10
	❶ €21,85
H310 6 ha 80T 25D	❷ €21,85

Die 365 zwischen Lycksele und Norsjövallen.

Teilkarte Nord-Schweden auf Seite 105

Schweden

Övertorneå, S-95732 / Norrbottens län

Holiday Village
Matarengivägen 56
1 Jun - 3 Aug
+46 (0)927-10035
info@holidayvillage.se
N 66°23'44'' E 23°38'42''

1 BDEGJMNOPQRST	6
2 ACDGHIPW	AB 7
3 AI	ABDFJQR 8
4 OT	F 9
5 BI	PR10
	❶ €27,30
60T 25D	❷ €27,30

Storuman, S-92399 / Västerbottens län

Avasund Fiske & Camp
Avasund 110
1 Jun - 1 Okt
+46 95110345
avasund@live.se
N 65°6'5'' E 17°13'4''

1 ADEJMNOPQRST	N 6
2 ABCDGPTX	ABHIK 7
3	ABCEFJMNQ 8
4 T	FPQ 9
5	ORV10
15A	❶ €21,85
H391 5 ha 48T 17D	❷ €21,85

CP liegt an der E45 von Storuman nach Sorsele.

Pajala, S-98432 / Norrbottens län

Pajala Camping
Tannavägen 65
1 Mai - 30 Sep
+46 (0)978-74180
pajalacamping@gmail.com
N 67°12'14'' E 23°24'29''

1 ADEJMNOPQRST	JNXZ 6
2 ABCGPRSWXY	ABDEFHIJK 7
3 AI	ABCDEFJNPQR 8
4 IT	FNQ 9
5 L	HJPR10
10A	❶ €22,95
H165 5 ha 125T 18D	❷ €22,95

Von der 99 runter. Etwa 24 km vor der finnischen Grenze den CP-Schildern folgen. Unter der Brücke durch, auf die 403.

Strömsund, S-83324 / Jämtlands län

Strömsunds Camping****
Näsviken
1 Jan - 31 Dez
+46 (0)670-16410
stromsunds.turistbyra@stromsund.se
N 63°50'48'' E 15°32'1''

1 BDEJMNOPRS	ABFLNSXY 6
2 DFGHPRTVW	ABDEFGHIK 7
3 AIJ	ABEFJKNQRSV 8
4 IO	FPQTUV 9
5 DEL	AGHIJPRV10
WB 10A	❶ €24,05
H290 8 ha 150T(100-120m²) 29D	❷ €24,05

An der E45 von Östersund vor der Brücke ausgeschildert.

Ramvik, S-87016 / Västernorrlands län

Snibbens Camping Stugby & Vandrarhem***
Snibben 139
5 Mai - 31 Aug
+46 (0)612-40505
info@snibbenscamping.com
N 62°47'57'' E 17°52'11''

1 ADJMNOPRS	LNQSUVWXZ 6
2 ABDFGHIPQRSTVWXY	ABDEFGHIK 7
3 AEIKLQ	ABEFJNQRV 8
4 AFIO	FGHINPQT 9
5 ABEJL	AFGHIJPRV10
B 16A CEE	❶ €23,50
H51 8,5 ha 60T(80-100m²) 56D	❷ €23,50

An der Straße 90, südlich von Ramvik. 2 km von Högaküsten Brücke (hohe Hängebrücke).

Sundsvall, S-85468 / Västernorrlands län

Fläsians Camping & Stugby***
Norrstigen 15
1 Jan - 31 Dez
+46 (0)60-554475
info@flasianscamping.se
N 62°21'31'' E 17°22'12''

1 ADEJMNOPQRST	KNQSWX 6
2 AEFGHKOPRTUVWX	ABDEFGHIK 7
3 AK	BEFGIJNQRSV 8
4 FIOT	FG 9
5 ABEL	AFGJORVY10
B 10A	❶ €27,30
8 ha 165T(80-100m²) 75D	❷ €27,30

An der E4 Hudiksvall-Sundsvall 4 km südlich von Sundsvall. Ausgeschildert.

Sikfors, S-94294 / Norrbottens län

Sikfors Konferens och Fritidsby
Kockvägen 9
1 Jan - 31 Dez
+46 (0)911-70077
info@sikforskonferens.se
N 65°31'41'' E 21°12'7''

1 BEJMNOPQRT	AN 6
2 ABDIKPX	ABDEFGHIJK 7
3 AI	ABEFNQR 8
4 T	F 9
5 ABGI	HIJPR10
6A	❶ €29,50
76T 10D	❷ €29,50

Die E4 nach Norden an der Ostküste bis Pitea. Danach die 374 nehmen, der Camping liegt etwa zwischen Pitea und Alvsbyn nach ungefähr 30 km.

Sveg, S-84232 / Jämtlands län

Svegs Camping**
Kyrkogränd 1
1 Jan - 31 Dez
+46 (0)680-13025
info@svegscamping.se
N 62°1'58'' E 14°21'52''

1 ABDEJMNOPQRST	EJNX 6
2 CHOPWX	ABDEFGHIJK 7
3 IK	ABEFJNQR 8
4 IOPSTUX	FJPQ 9
5 ACDEFGHIJL	AGHJORY10
B 10A	❶ €28,40
H350 2,5 ha 91T(90-120m²) 24D	❷ €28,40

Am Südrand von Sveg am Fluss. Von der Kreuzung 45 und 84 ausgeschildert.

Skellefteå/Vitberget, S-93170 / Västerbottens län

Skellefteå Camping****
Mossgatan
1 Jan - 31 Dez
+46 (0)910-735500
skellefteacamping@skelleftea.se
N 64°45'40'' E 20°58'28''

1 BDJMNOPQRST	ABFGH 6
2 ABGOPTVWXY	ABCDEFGHIJK 7
3 BEHIKMT	ABCDEFIJNQRS 8
4 FILOT	FGJVY 9
5 BDL	AGHIKNPRV10
WB 10A CEE	❶ €36,05
H50 5 ha 275T(100-170m²) 130D	❷ €36,05

Rechts der Autobahn vor der Stadt Skellefteå. Den Schildern 'Vitberget' folgen.

Umeå, S-90654 / Västerbottens län

First Camp Umeå*****
Nydalasjön 2
1 Jan - 31 Dez
+46 (0)90-702600
umea@firstcamp.se
N 63°50'34'' E 20°20'25''

1 BDJMNOPQRST	ABFGHLMNQUXZ 6
2 ABDGHPQRVWX	ABDEFGHIK 7
3 BEGHIMQT	ABCDEFIJKNQRSTUV 8
4 FHIMOT	FGJPQVY 9
5 ABEGIL	ABGHIKNPRV10
WB 10A	❶ €32,80
H50 10 ha 450T(80-100m²) 140D	❷ €32,80

An der E4 ist der CP ausgeschildert. Ausfahrt Umeå Nord.

Slagnäs, S-93091 / Norrbottens län

Slagnäs Camping***
Campingvägen 5
1 Jan - 31 Dez
+46 (0)960-650093
info@slagnascamping.com
N 65°35'4'' E 18°10'22''

1 AEJMNOPQRST	NXY 6
2 BCGOPRTW	ABDEFGHIJK 7
3 ABHILS	ABEFJNQR 8
4 IOT	FJOPQV 9
5 BL	ABJNRV10
10A	❶ €24,05
H440 2 ha 60T(80-100m²) 22D	❷ €24,05

Hinter der Kreuzung bei Slagnäs auf der rechten Seite. Schildern der 45 entlang folgen.

Vemdalen, S-84092 / Jämtlands län

Vemdalens Camping AB***
Landsvägen 8
1 Jan - 31 Dez
+46 (0)684-30200
info@vemdalenscamping.se
N 62°26'4'' E 13°50'19''

1 BDEJMNOPQRST	LNUXY 6
2 BCDGHIPRSTUVWXY	ABCDEFGHIJK 7
3 BM	ABEFJNQRS 8
4 FHIT	FJQUV 9
5 AGIJL	GHJPRV10
W 16A CEE	❶ €21,85
H410 4,5 ha 150T(100-120m²) 21D	❷ €21,85

Der CP liegt an der 315. 1,5 km südwestlich von Vemdalen. Ist ausgeschildert.

Sollefteå, S-88130 / Västernorrlands län

Sollefteå Camping Risön****
Risövägen
1 Jan - 31 Dez
+46 (0)620-682542
solleftea.camping@telia.com
N 63°10'20'' E 17°16'33''

1 BDJMNOPRST	ABFGHJNWXZ 6
2 CGKPQVWX	ABDEFGHIK 7
3 BEIMU	ABEFJNQR 8
4 FIOT	FJQV 9
5 BDEGJL	EGHIJNPRV10
WB 10A CEE	❶ €25,15
4,5 ha 186T(100m²) 56D	❷ €25,15

Von Sundsvall aus der E4 in nördlicher Richtung folgen. Bei Ramvik die 90 in westlicher Richtung nach Sollefteå. Ab hier den Schildern folgen.

Vojmån/Vilhelmina, S-91292 / Västerbottens län

Vojmåns Husvagns Camping
Vojmån 9
1 Mai - 30 Sep
+46 (0)940-480070
N 64°47'35'' E 16°47'51''

1 JMNOPQRST	NX 6
2 CFGPRVW	ABDEFGHI 7
3 A	ABEFJNQRS 8
4 O	P 9
5	GHJRV10
B 10A	❶ €21,85
H400 4 ha 70T(100-120m²)	❷ €21,85

25 km nördlich von Vilhelmina, an der Westseite der E45.

Teilkarte Nord-Schweden auf Seite 105

Finnland

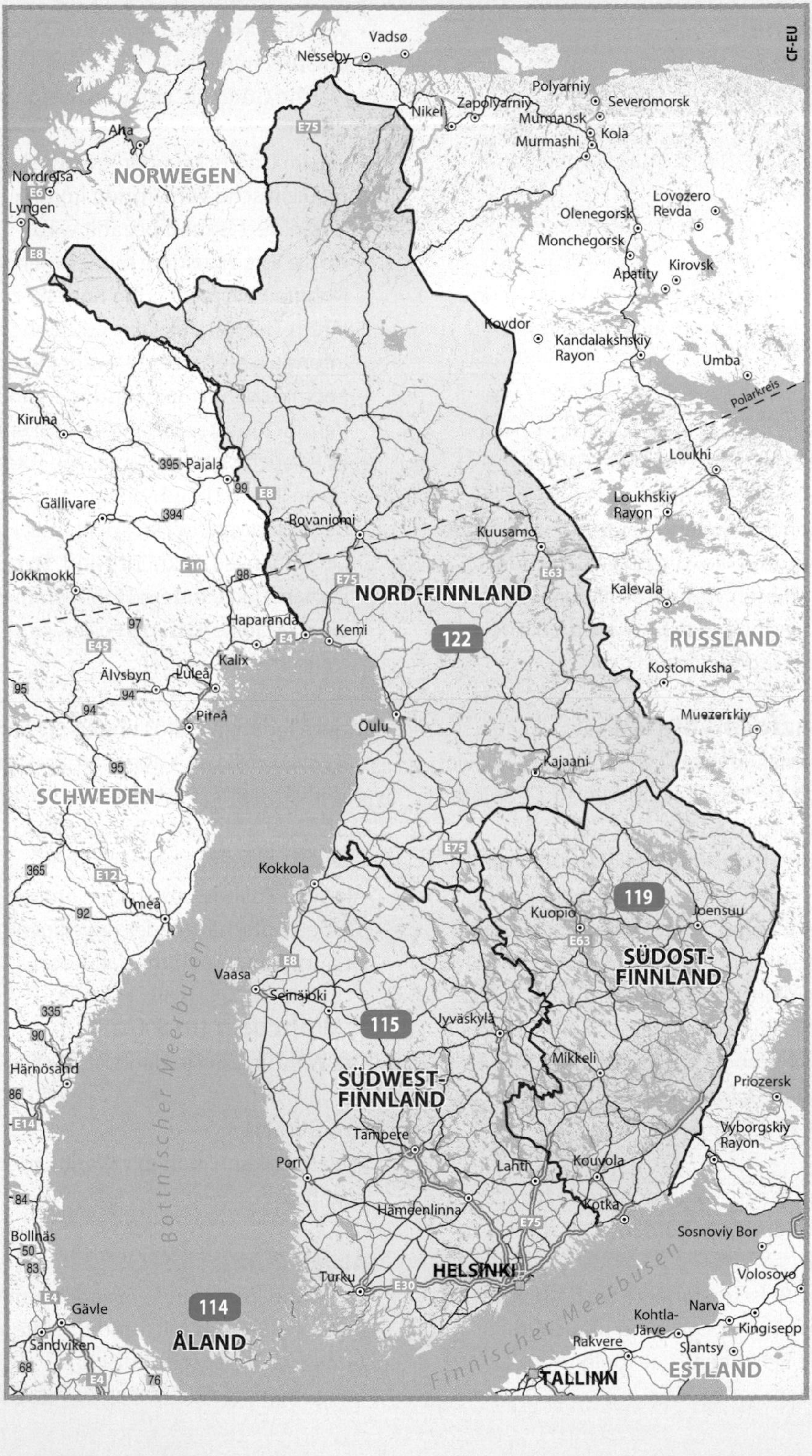

CF-EU

NORWEGEN
RUSSLAND
SCHWEDEN
ESTLAND
NORD-FINNLAND
122
SÜDOST-FINNLAND
119
SÜDWEST-FINNLAND
115
ÅLAND
114
HELSINKI
TALLINN
Polarkreis
Bottnischer Meerbusen
Finnischer Meerbusen
Vadsø
Nesseby
Nikel
Zapolyarniy
Polyarniy
Severomorsk
Murmansk
Kola
Murmashi
Alta
Nordreisa
Lyngen
Lovozero
Revda
Olenegorsk
Monchegorsk
Apatity
Kirovsk
Kovdor
Kandalakshskiy Rayon
Umba
Kiruna
Pajala
Gällivare
Rovaniemi
Kuusamo
Loukhi
Loukhskiy Rayon
Jokkmokk
Kalevala
Haparanda
Kemi
Kalix
Älvsbyn
Luleå
Piteå
Oulu
Kostomuksha
Muezerskiy
Kajaani
Kokkola
Umeå
Kuopio
Joensuu
Vaasa
Seinäjoki
Jyväskylä
Mikkeli
Härnösand
Priozersk
Tampere
Vyborgskiy Rayon
Pori
Lahti
Kouvola
Kotka
Hämeenlinna
Bollnäs
Sosnoviy Bor
Turku
Volosovo
Gävle
Narva
Kohtla-Järve
Kingisepp
Sandviken
Rakvere
Slantsy

Allgemein

Finnland ist EU-Mitglied.

Zeit

In Finnland ist es eine Stunde später als in Deutschland.

Sprache

Finnisch und Schwedisch. Mit Englisch und Deutsch kommt man auch gut zurecht.

Fähren

Größtes Fährangebot ab Lübeck, Sassnitz oder Schweden. Wer Fähren vermeiden will, kann auch über die baltischen Staaten und Russland einreisen, aber die wenigsten Reisende nehmen diesen Weg. Information über Fährverbindungen auf ▸ *www.aferry.de* ◂ oder ▸ *www.directferries.de* ◂

Grenzformalitäten

Viele Formalitäten und Vereinbarungen, wie erforderliche Reisedokumente, KFZ-Papiere, Anforderungen an Ihr Fahrzeug und Ihren Aufenthalt, Krankenkosten und das Mitführen von Tieren, sind nicht nur vom Zielort abhängig, sondern auch von Ihrem Ausgangsort und Ihrer Nationalität. Auch die Dauer Ihres Aufenthaltes spielt dabei eine Rolle. Im Rahmen dieses Führers ist es leider nicht möglich, allen Lesern korrekte und aktuelle Informationen in dieser Hinsicht zu garantieren.

Wir raten Ihnen, vor Ihrer Abreise bei den entsprechenden Behörden in Erfahrung zu bringen:

- welche Reisedokumente Sie für sich selbst und Ihre Reisebegleitung brauchen
- welche Dokumente Sie für Ihr Auto brauchen
- welchen Anforderungen Ihr Fahrzeug entsprechen muss
- welche Güter Sie ein- und ausführen dürfen
- wie im Unglücks- oder Krankheitsfall die medizinische Versorgung im Urlaubsland organisiert ist und bezahlt wird
- ob Sie Ihre Haustiere mitnehmen können. Nehmen Sie rechtzeitig Kontakt zu Ihrem Tierarzt auf. Dort erhalten Sie Informationen über relevante Impfungen, entsprechende Bestätigungen und Verpflichtungen bei Ihrer Rückkehr. Es ist auch sinnvoll herauszufinden, ob an Ihrem Urlaubsziel bestimmte Bedingungen für Haustiere in der Öffentlichkeit geknüpft sind. So müssen in manchen Ländern Hunde immer einen Maulkorb tragen oder vergittert transportiert werden.

Viele allgemeine Infos finden Sie auf ▸ *www.europa.eu* ◂ aber sorgen Sie selbst dafür, die richtige Information für Ihre individuelle Situation herauszufinden.

Aktuelle Zollbestimmungen entnehmen Sie den Botschaften des jeweiligen Urlaubslandes an Ihrem Wohnort.

Währung und Geld

Die Währung in Finnland ist der Euro.

Kreditkarten

Vielerorts kann man mit Kreditkarte bezahlen.

Åland

Die Åland Inseln sind eine autonome finnische Provinz mit Sonderrechten! Amtssprache ist schwedisch. Campingplätze auf dieser Inselgruppe sind

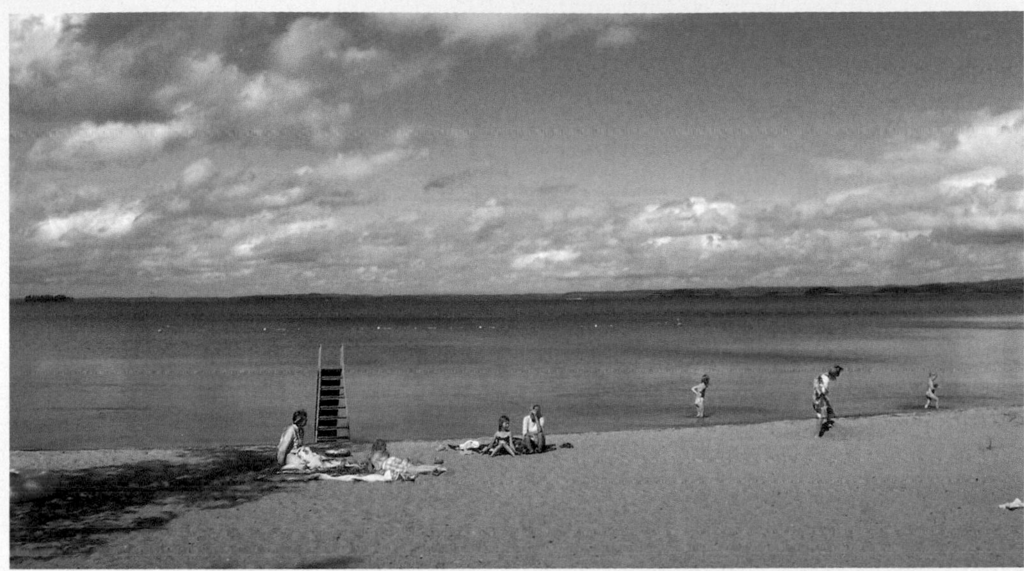

ausschließlich privat geführt und liegen alle am Meer. Strom, Warmwasserduschen und Saunen sind überall vorhanden. Die Straßen sind hier in gutem Zustand; die Verbindung zwischen den einzelnen Inseln wird durch Fährschiffe aufrecht erhalten.

Öffnungszeiten und Feiertage

Banken

Banken sind geöffnet von Montag bis Freitag bis 16.30 Uhr.

Geschäfte

Allgemein sind die Geschäfte an Werktagen bis 21.00 Uhr geöffnet, samstags und sonntags bis 18.00 Uhr. Am Mitsommerabend schließen die Geschäfte um 13.00 Uhr. Alkohol nur in den sog. ALKO Shops erhältlich.

Apotheken

Verschiedene Apotheken ('Apteekki') sind Tag und Nacht geöffnet. Falls eine Apotheke geschlossen ist, findet man einen Hinweis auf die nächstgelegene, diensthabende Apotheke.

Feiertage

Neujahr, 6. Januar (Dreikönige), Karfreitag, Ostern, 1. Mai (Tag der Arbeit), Himmelfahrt, Pfingstsonntag, 20 und 21 juni (Mitsommerfest), Allerheiligen, 6. Dezember (Unabhängigkeit), 24 Dezember (Heiligabend), Weihnachten.

Kommunikation

(Mobil)Telefon

Das Mobilnetz ist in fast ganz Finnland gut, bis auf Lappland. Es gibt ein 3 G-Netz für das mobile Internet.

W-Lan, Internet

Das Angebot von Internetcafés in Städten ist beschränkt. W-Lan beschränkt vorhanden.

Post

Montags bis freitags bis 18.00 Uhr.

Straßen und Verkehr

Straßennetz

Fahren Sie langsam. Überall können Rentiere oder Elche die Fahrbahn kreuzen. Bei einem Unfall mit einem Rentier oder Elch muss sofort die 112 benachrichtigt werden. Hilfe erhalten Sie von der finnischen Verkehrswacht Autoliitto (wenn Sie einen internationalen Schutzbrief haben) unter der Nummer: Tel. 0200-8080.

Verkehrsvorschriften

In Finnland hat innerorts der von rechts kommende Verkehr immer Vorfahrt. Außerhalb hat der Verkehr auf den Hauptstraßen immer Vorfahrt. Straßenbahnen haben immer Vorfahrt. An Bergstrecken gelten keine besondere Vorfahrtsregeln.

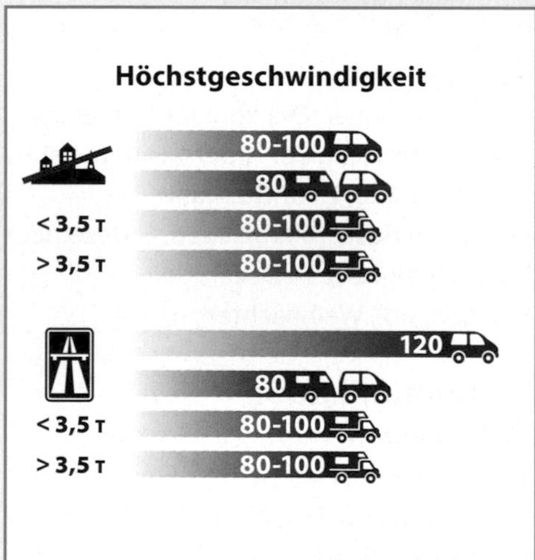

Promillegrenze: 0,5 ‰. Sie müssen auch tagsüber mit Abblendlicht fahren. Telefonieren nur mit Freisprechanlage! Für Radfahrer gilt die Helmpflicht. Im Dezember, Januar und Februar sind Winterreifen Pflicht.

Navigation

Warnung vor festen Blitzern durch Navi oder Mobiltelefon Apps ist nicht erlaubt.

Wohnwagen, Reisemobil

Reisemobile mit einem Herstellernachweis dürfen 100 km/h fahren. Muss mit einem Aufkleber gekennzeichnet sein, der an der Grenze erhältlich ist. Winterreifenpflicht für Wohnwagen mit Bremsen. Für Reisemobile über 3,5 Ton werden Winterreifen empfohlen.

Zulässige Maße

Höhe 4,20m, Breite 2,60m und maximale Länge (Auto und Caravan) 18,75m.

Kraftstoff

Benzin und Diesel sind fast überall erhältlich. LPG ist in Finnland nicht erhältlich.

Tankstellen

Tankstellen sind meist bis 21.00 Uhr geöffnet, im Wochenende oft kürzer. Beachten Sie, dass an unbemannten Tankstellen keine ausländischen Kreditkarten akzeptiert werden. Rechnen Sie damit, dass im dünn besiedelten Norden weniger Tankstellen vorhanden sind!

Maut

In Finnland besteht keine Mautpflicht.

Notruf

112: allgemeiner Notruf von Polizei, Feuerwehr und Rettungswagen.

Campen

Finnische Campings variieren in 1 bis 5 Sterne. Ein Camping mit 1 Stern hat eine Basisausstattung, 5 Sterne bedeutet

dass er mit allem ausgestattet ist. Wildes Campen ist nur mit dem Einverständnis des Eigentümers erlaubt. Viele Campingplätze liegen am Wasser. Zwischen 15. Juni und 15 August hat das Wasser eine überraschend hohe Temperatur von fast 20 Grad Celsius.

Praktisch

Wenn Sie in Norwegen, Finnland oder Dänemark campen, dann ist es sehr wahrscheinlich, dass Sie noch eine Spezialkarte brauchen, die man an der Rezeption vorzeigen muss. Sie können sich diese Karte auf dem ersten Camping, auf dem Sie übernachten, besorgen.

- Achtung: die Möglichkeit Propangasflaschen zu füllen ist sehr eingeschränkt. Sie sollten am besten mit genügend Vorrat auf die Reise gehen.
- Am besten immer Universalstecker dabei haben.

Klima Helsinki	Jan.	Feb.	März	April	Mai	Juni	Juli	Aug.	Sept.	Okt.	Nov.	Dez.
Tagestemperatur	-5	-5	-2	4	10	16	19	17	13	6	2	-2
Sonnenstunden am Tag	1	2	4	6	9	10	10	8	5	3	1	1
Regentage	10	9	7	8	7	8	10	10	9	11	11	11

Klima Rovaniemi	Jan.	Feb.	März	April	Mai	Juni	Juli	Aug.	Sept.	Okt.	Nov.	Dez.
Tagestemperatur	-11	-11	-7	-1	6	13	17	15	8	2	-3	-8
Sonnenstunden am Tag	1	2	5	7	8	10	9	6	4	3	1	0
Regentage	6	7	5	6	5	7	7	8	7	7	9	8

Finnland

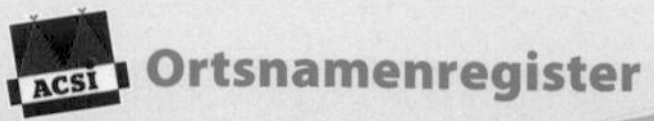

Hinten im Führer finden Sie das Ortsnamenregister.

Bomarsund/Sund, AX-22530 / Åland

Puttes Camping***
Bryggvägen 40
15 Mai - 10 Sep
+358 (0)18-44040
puttes.camping@aland.net
N 60°12'45'' E 20°14'6''

1 ADEJMNOPQRST	KNOPQSWXYZ 6
2 BEHOPRWX	**AB**D**E**FHIJK 7
3 AE**IK**QV	A**E**FHJNPQRSV 8
4 FHIO**T**	FGPV 9
5 ABDEGH**L**	ABHJRVW 10
B 10A	❶ €13,00
5,5 ha 400T 18D	❷ €16,00

Von Mariehamn die 2 (25 km) zur Insel Värdö. Vor der Bogenbrücke an der Ruine links.

Brändö, AX-22920 / Åland

Brändö Stugby Kafé o Camping
Brändö by
6 Mai - 30 Sep
+358 (0)44-9619303
karilugn@hotmail.com
N 60°25'28'' E 21°2'47''

1 ADEJMOPQRS**T**	KL**N**SWX 6
2 BDEFGHIKMOPRWX	ABIJK 7
3 AV	**E**FNQ 8
4 IO	FPV 9
5 ABI	**J**PRVW 10
10A	❶ €22,00
2,5 ha 50T 10D	❷ €22,00

Von Kumlinge nach Torsholma. Der Straße Richtung Åva folgen. Zwischen dem Zentrum und der Brücke nach Björnholmen liegt der CP links.

Degersand/Eckerö, AX-22270 / Åland

Resort Degersand***
Degersandsvägen 311
1 Jan - 31 Dez
+358 (0)18-38004
info@degersand.ax
N 60°9'24'' E 19°35'44''

1 ADEJMNOPQRST	KNOPQSWXZ 6
2 BEFGHIPQRWX	ABDE**FG**HIJK 7
3 BEF**K**QV	ABE**F**IJNQRSTV 8
4 IO**T**	DJMP 9
5 ABDEGHJKLM	BHIJNPRVWX 10
10A	❶ €23,00
6 ha 100T 8D	❷ €23,00

Straße 1, am dem 1. Kreisel 1. Ausfahrt. In Storby nach der Tankstelle Abfahrt Torp (8 km). Vor dem Fischereihafen in Torp Abfahrt rechts Degersands (3 km). Auf dieser Straße bis zum Ende bleiben.

Föglö, AX-22270 / Åland

CC Camping***
Finholmavägen
1 Jun - 21 Aug
+358 (0)18-51440
cc.camp@aland.net
N 60°3'35'' E 20°30'57''

1 AJMNOPQRS**T**	KLNOPQSWXYZ 6
2 BDEGHIJKPQRWX	ABDE**FG**HIJK 7
3 AEV	ABE**F**HJNPQRSV 8
4 FHIO**T**	FPV 9
5 L	BGHJRVWX 10
FKK B 12A	❶ €18,00
4 ha 300T 6D	❷ €18,00

Von der Hauptinsel Åland ist Föglö per Fähre ab Svino 12x am Tag nach Degerby erreichbar. Von Långnäs 4x am Tag mit den Södra Linjen nach Överö. Von Överö nach der 2. Fähre liegt der CP rechts.

Hammarland, AX-22240 / Åland

Kattnäs Camping***
Västersletsvägen 4
1 Mai - 25 Sep
+358 (0)18-37687
info@kattnas.ax
N 60°11'45'' E 19°41'34''

1 ADEJMNOPQRST	K**N**PQSWXYZ 6
2 BEFGHIMPQRWXY	A**B**DE**FG**H**IJ**K 7
3 AEF**KP**QV	ABE**F**JNQRSV 8
4 FHIO**T**	FNPQRV 9
5 ABDEL	BGHJPRVWX 10
10A	❶ €19,00
3 ha 250T 3D	❷ €19,00

Auf Insel Hammarland 2 km hinter der Brücke über den Marsund (Meer zwischen der Insel Eckerö und der Insel Hammarland) den linken Weg nach rechts (es gibt 2 davon)!

Käringsund/Eckerö, AX-22270 / Åland

Alebo Camping****
Karingsundsvägen 194
1 Mai - 30 Sep
+358 (0)18-38000
info@karingsund.ax
N 60°14'7'' E 19°32'37''

1 ADEJMNOPQRST	**AB**KMNOPQSUVWXYZ 6
2 BEHKOPQRW	ABDE**FG**HIJK 7
3 AEF**GIKMN**QV	ABCDE**F**HJNPQRSV 8
4 FHIO**PT**	FJNPQTVY 9
5 ABDEFGJL	ABGHJRVW 10
B 10A CEE	❶ €31,00
2 ha 176T 69D	❷ €31,00

Von Bergshamn Eckeröhaven im Kreisel die 2. Ausfahrt. Dieser Straße bis zum 2. CP folgen.

Käringsund/Eckerö, AX-22270 / Åland

Käringsundscamping & Café***
Käringsundsvägen 147
1 Jun - 20 Aug
+358 (0)18-38309
karingsundscamping@aland.net
N 60°14'0'' E 19°32'47''

1 ADEJMNOPQRS**T**	KNOPQSWXYZ 6
2 BEHKOPQRTWXY	ABDE**FG**HIJK 7
3 AE**IKMN**SV	ABEFHJNPQRSV 8
4 FHIO**T**	FPQRTV 9
5 ABDEGHJ**L**	GHJPRVWX 10
B 10A	❶ €25,00
5 ha 200T 95D	❷ €25,00

Von Berghamn Eckeröhaven im Kreisel die 2. Ausfahrt, Richtung Käringsund. Dieser Strecke bis zum 1. CP folgen.

Kökar (Åland), AX-22730 / Åland

Sandviks Camping**
Värvan
1 Mai - 30 Sep
+358 (0)457-3429242
info@sandvik.ax
N 59°56'15'' E 20°52'53''

1 ADEJMNOPQRST	K**N**PSWXYZ 6
2 BEFGHKMOPQRSTWX	ABDE**FG**HIJK 7
3 ABV	ABEFHJNPQRSV 8
4 FHIO**T**	AFJPRV 9
5 ABIL	ABJORVWX 10
B 10A	❶ €19,00
2 ha 50T 10D	❷ €19,00

Von der Hauptinsel Åland ist die Inselgruppe Kökar mit der Södra Linjen 3-4 x am Tag von Långnäs aus erreichbar, oder von Galtby (Finland) aus.

Mariehamn, AX-22100 / Åland

Gröna Uddens Camping***
Östernäsvägen 26
15 Mai - 31 Aug
+358 (0)18-528700
gronaudden@aland.net
N 60°5'27'' E 19°57'1''

1 ADEJMNOPQRS**T**	KMNOPQSWXYZ 6
2 BEGHOPQTWXY	ABDE**FG**IJK 7
3 AF**IT**V	ABCDEFHJNPQRSV 8
4 FHIO**T**	FGJV 9
5 ABDEGL	ABFGHJLPRV 10
B 10A	❶ €34,00
9,5 ha 580T 19D	❷ €34,00

Von Westerhaven (Viking- und Siljahaven) Mariehamn durch Skillardsgatan nach Oosterhaven. Am Ende rechts. Der CP liegt dann links der Strecke.

Överby/Eckerö, AX-22270 / Åland

Notvikens Stugor & Camping***
Södra Överbyvägen 239
15 Mai - 31 Aug
+358 (0)18-38020
info@notviken.aland.fi
N 60°11'37'' E 19°37'18''

1 ADEJMNOPQRST	KNQSWXZ 6
2 BEFGHPQRWX	ABDE**FG**HIJK 7
3 AE**IK**QV	ABE**F**HNPQRSV 8
4 I**T**	FJNP 9
5 L	ABHJPRVWX 10
B 16A	❶ €20,00
4,5 ha 150T 46D	❷ €20,00

Ab Bergbyhaven auf dem Kreisel die 1. Ausfahrt. Der Straße 1, 8 km folgen. In Överby Ausfahrt Södersjon nehmen und bis zum Ende (4 km) folgen.

Prästo/Sund, AX-22530 / Åland

Prästö Stugor & Camping***
Sundsvägen 1758
1 Mai - 15 Sep
+358 (0)18-44045
prasto.stugby@aland.net
N 60°12'25'' E 20°15'47''

1 ADEJMNOPQRS**T**	K**N**OPQSWXYZ 6
2 BEHOPX	ABDEIJK 7
3 EKLQV	ABEFNQV 8
4 FHIO**PT**	F 9
5 ABDEGHILM	HJNORVW 10
10A	❶ €15,00
2,3 ha 190T 20D	❷ €15,00

Von Mariehamn auf der 2 bleiben Richtung Insel Präsö. Etwa 30 km. Nach der Bogenbrücke liegt der CP links an dieser Straße.

Skag/Eckerö, AX-22270 / Åland

Uddens Camping***
Skagvägen
1 Mai - 30 Sep
+358 (0)18-38610
eckero.golf@aland.net
N 60°17'7'' E 19°36'0''

1 AJMNOPQRST	KNOPQSWXYZ 6
2 BEHKPWXY	ABDEFIJK 7
3 AE**IK**V	ABE**F**NQRV 8
4 FHIT	FJP 9
5 BD**L**	AHJRVWX 10
10A	❶ €10,00
10 ha 300T 51D	❷ €10,00

Von Bergshamn Eckeröhaven im Kreisel die 1. Ausfahrt. Dieser Strecke 5 km folgen. An der Nordseite dem Schildchen 'Skag 8 km' folgen bis in den Ort Krakskar und direkt am Schild rechts.

Snäcko/Kumlinge, AX-22820 / Åland

Ledholm Camping**
Snäckosvägen
1 Mai - 31 Aug
+358 (0)40-5892005
ledholm.camping@gmail.com
N 60°13'24'' E 20°43'57''

1 ADEJMNOPQRST	JKNOPQSWX 6
2 BCEGOPQRWX	ABD**F**I**K** 7
3 AV	ABEFNQRV 8
4 FH**T**	FQR 9
5 L	BHJRVWX 10
10A	❶ €24,00
1,7 ha 100T 2D	❷ €28,00

Von Åland ist diese Insel mit der Norralinie um 4:00, 11:30 und 18:15 von Hummelvik zu erreichen oder mit den Middel linjen von Långnäs um 11:00 und 16:15.

Teilkarte Åland auf Seite 114

Torp/Eckerö, AX-22270 / Åland

Söderhagen Camping
Degersandsvägen 127
26 Apr - 30 Sep
+358 (0)18-38596
s.eklund@aland.net

1 ADEGJMNOPQRS**T**	KNOPQSWX**Z** 6
2 BEFGHIPQSTWX	ABDE**F**IJK 7
3 A**K**LV	ABEFHNPQR 8
4 IO**T**	GPR 9
5 ABGIJL	BIJORVW10
B 10A CEE	❶ €25,00
10 ha 103**T** 26**D**	❷ €25,00

N 60°10'18'' E 19°35'27''

Auf der 1, von Bergshamn nach der Tankstellenausfahrt rechts 8 km folgen. Dann 2 km rechts ab den Schildern folgen.

Vårdö, AX-22550 / Åland

Sandösunds Camping***
Sandösundsvägen
1 Jan - 31 Dez
+358 (0)18-47750
info@sandocamping.aland.fi

1 AJMNOPQRST	KNOPQSWXYZ 6
2 BEFGHIKOPQRWXY	ABDE**F**HIJK 7
3 AEF**IV**	ABE**F**HNPQRSV 8
4 FHIO**T**	FHJPQRV 9
5 ABDEGHIL	HJPRVW10
WB 10A	❶ €20,00
10 ha 100**T** 43**D**	❷ €25,00

N 60°16'15'' E 20°23'17''

Von der Hauptinsel Åland der Straße 2 nach Sund folgen, dann die Fähre zur Insel Vårdö nehmen. Auf Vårdö bei der T-Kreuzung links.

Finnland

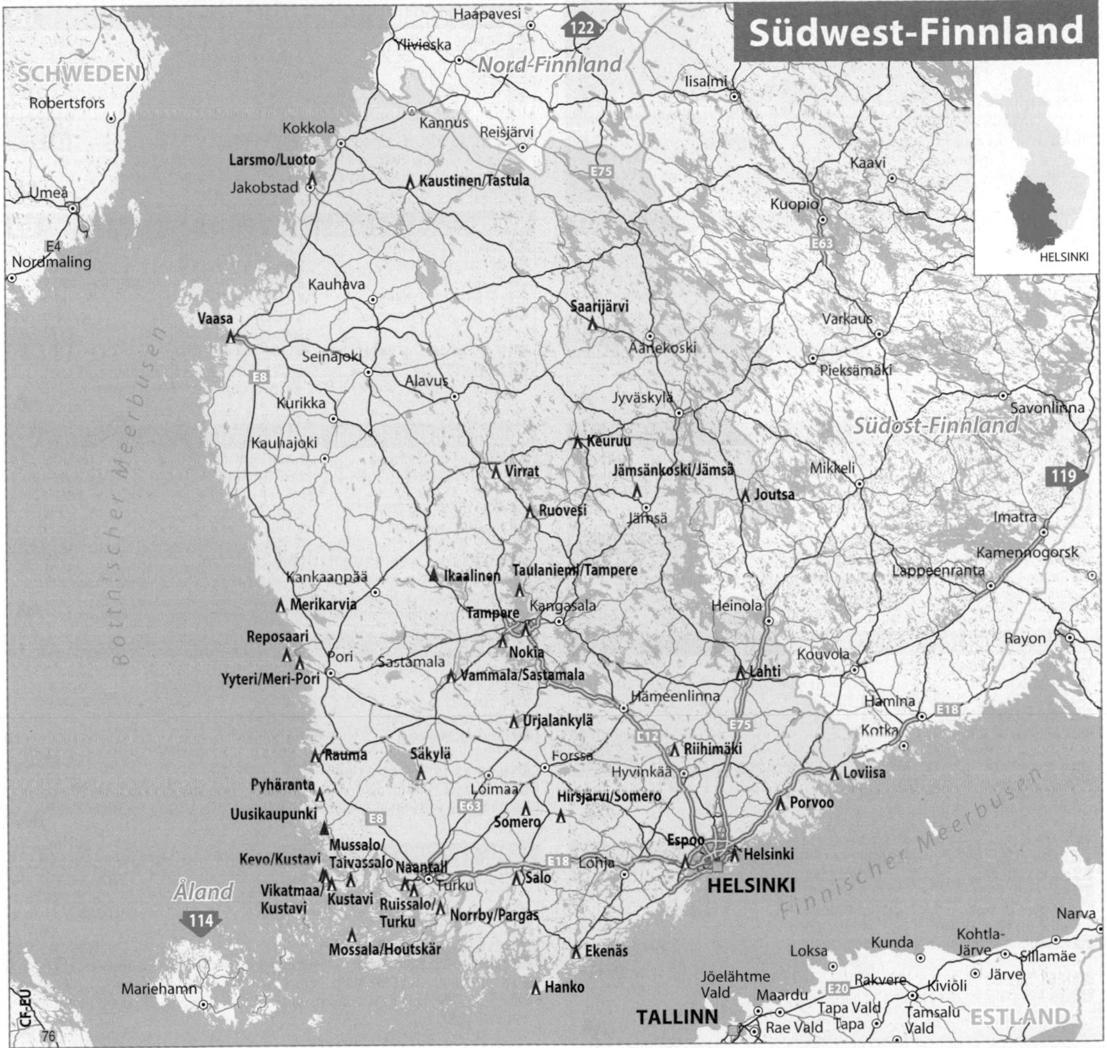

Südwest-Finnland

Ekenäs, FIN-10600 / Uusimaa

Tammisaari camping Ekenäs***
Ormnäsvägen 1
30 Apr - 30 Okt
+358 (0)19-2414434
info@ek-camping.com

1 ADEJMNOPRST	K**N**PQSWXYZ 6
2 ABEGHPRTUVWXY	ABDE**FG**IJK 7
3 AF**M**	ABEFJNQRV 8
4 FH**T**	FJPV 9
5 FGJL	GHIJNORVW10
16A CEE	❶ €27,00
3,8 ha 150**T**(80-100m²) 60**D**	❷ €31,00

N 59°57'57'' E 23°26'59''

Turku-Ekenäs bei der 53 oder aus Hanko die 25. In Tammisaari/Ekenäs den CP-Schildern folgen.

Espoo, FIN-02740 / Uusimaa

Espoo Camping Oittaa**
Kunnarlantie 31
1 Jun - 31 Aug
+358 (0)9-8632585
espoo@suncamping.fi

1 ADE**JM**NOPQRST	LM**N**OPQSX 6
2 ADGHOPRWX	ABDE**FG**HIJK 7
3 AF**I**	ABCDEFNQRSV 8
4 HO**T**	F 9
5 D	AGHIJRV10
16A CEE	❶ €32,00
8 ha 250**T**(80m²) 29**D**	❷ €36,00

N 60°14'20'' E 24°39'28''

Straße 1, Ausfahrt Ring III Helsinki. Lansëen (=west) noch 4 km den Schildern folgen. Gut ausgeschildert.

Finnland

Hanko, FIN-10960 / Uusimaa

Camping Silversand***
Lähteentie 27
1 Jan - 31 Dez
+358 (0)19-2485500
cornia@cornia.fi
N 59°51'1'' E 23°0'4''

1 ADEJMNOPQRST K**N**OPQRSVWX 6
2 ABEHJOQRTWXY ABDEFGHIJK 7
3 ACFI**K**LTUV ABDEFJNQRV 8
4 HIOQ**T** GJMPQRV 9
5 ACDK AFGHIJNOSTV 10
Anzeige auf Seite 117 10-16A CEE ①€35,80
10,5 ha 415**T**(100m²) 26**D** ②€42,80

Ab Hanko-Hafen 3 km, an der linken Seite. 24 Std. geöffnet.

Helsinki, FIN-00980 / Uusimaa

Rastila Camping Helsinki
Karavaanikatu 4
1 Jan - 31 Dez
+358 (0)9-31078517
rastilacamping@hel.fi
N 60°12'24'' E 25°7'17''

1 ADEJMNOPQRS KM**N**V 6
2 AEGHOPQRSVWXY ABDE**FG**HIJK 7
3 ABF**K**R ABEFJNQRSV 8
4 HIO**T** JV 9
5 GIL ABCGHIJPRV 10
WB 16A CEE ①€35,00
9 ha 165**T**(80-100m²) 47**D** ②€37,00

Straße 170 Richtung Porvoo, von Helsinki, Ausfahrt am Schild Vuosaari. Außerhalb von Helsinki CP-Schilder.

Hirsjärvi/Somero, FIN-31460 / Hame

Hovimäki Camping
Hovimäentie 28
1 Jun - 31 Aug
+358 (0)40-7572132
hovimaki@hotmail.com
N 60°35'34'' E 23°37'24''

1 ADEJMNOPRST HLNQSWXY**Z** 6
2 BDFGHIOPQRTXY ABDE**FGH**IJK 7
3 ABCFIL ABCDEFJNQRSV 8
4 HO**QT** FJPUV 9
5 BDEGL FGHIJORV 10
16A CEE ①€26,00
3 ha 90**T**(100m²) 36**D** ②€28,00

An der 280 Somero-Helsinki.

Ikaalinen, FIN-39580 / Turku ja Pori

Manso Camping
Kolmostie 1891
20 Mai - 31 Aug
+358 (0)3-4527222
info@ra-palvelut.fi
N 61°50'58'' E 22°55'52''

1 ADEJMNOPQRST LNSWXY 6
2 DGHIOPTWXY ABDE**F**GK 7
3 ABI**K**ST ABCDEFNQRV 8
4 FHIO**PT** JPQV 9
5 BDEGL AHIJNORV 10
16A ①€23,00
H80 2,5 ha 50**T**(80-110m²) 29**D** ②€23,00

Der Platz liegt an der E12 und ist gut ausgeschildert.

Ikaalinen, FIN-39500 / Turku ja Pori

Toivolansaari Camping***
Toivolansaarentie 1
1 Jun - 30 Aug
+358 (0)3-4586462
kylpylakaupunki@ikaalinen.fi
N 61°46'42'' E 23°2'42''

1 ADEJMNOPQRST LN 6
2 BDGHPQWXY ABDE**FG**HIJK 7
3 ABCEF**IMS** ABCDEFNQRSV 8
4 IO**T** FPQ 9
5 D AIJNRV 10
10-16A ①€29,00
H77 4 ha 180**T**(80-150m²) 67**D** ②€33,00

Von Straße 3 Schildern Ikaalinen bis zum CP am See folgen.

Jämsänkoski/Jämsä, FIN-42300 / Keski-Suomi

Kotkanpesä***
Koskenpääntie 383
1 Jan - 31 Dez
+358 (0)440-224222
autocaravan.fi@gmail.com
N 61°57'21'' E 25°9'1''

1 AJMNOPQRST L**N**QSUWXYZ 6
2 BDGHOPQRWXY AB**F**IJK 7
3 A ABCDEFNQRSV 8
4 HI**T** F 9
5 **KL** AGHIJRV 10
6-16A ①€21,00
H100 3 ha 106**T**(50-100m²) 70**D** ②€25,00

Straße E63 Tampere-Jämsä, nach Jämsänkoski, CP ausgeschildert.

Joutsa, FIN-19650 / Keski-Suomi

Tampinmylly**
Tampinmyllyntie 12
27 Mai - 11 Sep
+358 (0)40-5922517
jaana.kuusimaki@tampinmylly.inet.fi
N 61°47'45'' E 26°9'39''

1 ADEJMNOPQRST L**N**X 6
2 DHPTXY ABDEHIJK 7
3 A ABCDEFNQRV 8
4 **T** FJP 9
5 B AHIJSTV 10
10A ①€22,00
4 ha 33**T**(80-150m²) 13**D** ②€24,00

Von E4/E75 zur Straße 428, dann Straße 616, 6 km landeinwärts. CP gut ausgeschildert.

Kaustinen/Tastula, FIN-69600 / Vaasa

Tastulan Lomakylä***
Pertuntie 7
1 Jun - 31 Aug
+358 (0)6-8614118
tastula@kaustinen.fi
N 63°35'31'' E 23°43'20''

1 AEJMNOPRST LM**N**QSX 6
2 DGIOPRWX ABDE**F**HIK 7
3 AEF**I** ABEFNQRSV 8
4 FIO**T** FJPV 9
5 BDE**L** JRV 10
16A ①€20,00
H60 2 ha 50**T** 11**D** ②€22,00

Die 13 Kokkola-Saarijärvi. Vor Kausinen gut ausgeschildert, dann die 63 und den Schildern nach Tastula folgen. In Tastula ist der CP wieder gut angezeigt.

Keuruu, FIN-42700 / Keski-Suomi

Camping Nyyssänniemi***
Nyyssännientie 10
25 Mai - 1 Sep
+358 (0)40-7002308
varaukset@nyyssanniemi.fi
N 62°14'44'' E 24°42'26''

1 ADEJMNOPRST LNQSWXYZ 6
2 BDGHPTVWXY ABDE**FG**HIK 7
3 AEFL ABCDEFNQRSV 8
4 IO**PT** FPQV 9
5 BDG GHIJ**NO**RV 10
16A ①€22,00
H115 5 ha 72**T** 22**D** ②€24,00

Straße 23 Pori-Jyväskyla, bei Keuruu auf die Straße 58 Richtung Orivesi/ Tampere (1 km nach Süden), CP ist gut ausgeschildert (Nyyssänniemi).

Kevo/Kustavi, FIN-23360 / Turku ja Pori

Kustavi Lomavalkama
Valkamantie 81
1 Jan - 31 Dez
+358 (0)400-621490
info@lomavalkama.fi
N 60°35'3'' E 21°18'58''

1 ADEJMNOPQRT KLNSXYZ 6
2 BDEFGHIKPQRWX ABDE**F**HI**J**K 7
3 AV ABCDEFJMNPQR 8
4 AIO**T** FHPV 9
5 ABI CHIJNRV 10
W 10A ①€24,50
10 ha 108**T** 24**D** ②€26,50

Von der 192 Kustavi-Mitte die 1924 nach Norden (Pleikilä) nehmen. Nach 5 km auf der Insel Kevo rechts, bis zum Ende folgen. Dieser letzte Weg ist ein breiter Waldweg mit ordentlicher Steigung. Etwas mühsam bei Gegenverkehr.

Kustavi, FIN-23360 / Turku ja Pori

Kustavin Lootholma
Kuninkaantie
1 Jun - 31 Aug
+358 (0)50-5560440
info@lootholma.fi
N 60°32'17'' E 21°21'35''

1 ADEGJMNOPQRST K**N**OPQSWXYZ 6
2 BEFGHIJKMOPQSWXY ABDEFGHIJK 7
3 AFUV ABCDEFHNPQRSTUV 8
4 HIKOPT APV 9
5 ABGJLM FHIJPRV 10
B 10A ①€25,00
25 ha 100**T** 6**D** ②€29,00

In Kustavi Zentrum die südliche Straße nehmen und den Schildern 2 km folgen bis zum Ende von Kuninkaantie. Durch das große Tor und an der Rezeption melden.

Lahti, FIN-15240 / Hame

Mukkula Camping & Cottage***
Ritaniemenkatu 14
1 Jan - 31 Dez
+358 (0)41-7298359
info@mukkulacamping.fi
N 61°0'59'' E 25°38'29''

1 ADEJMNOPQRST LNQRSTWXYZ 6
2 ADFGHIJOPQTWXY ABDE**FG**IJK 7
3 AB**KM** ABCDEFJNQRV 8
4 O**T** FJP 9
5 L HJNOPRV 10
Anzeige auf dieser Seite B 16A CEE ①€27,00
H80 4 ha 160**T**(100-150m²) 34**D** ②€31,00

4,5 km außerhalb des Zentrums zum Stadtteil Makkula. CP ist auf Straße E75 ausgeschildert.

Larsmo/Luoto, FIN-68570 / Vaasa

Strandcamping
Assarskärsvägen 1
1 Jan - 31 Dez
+358 (0)6-7285151
post@strandcamping.com
N 63°43'5'' E 22°45'21''

1 ADJMNOPRST KL**N**QSWX 6
2 DEGHIOPQSWX AB**F** 7
3 AE**K** ABEFJNQRSV 8
4 **PT** FPQ 9
5 CDEFGHIJKL GHJ**N**RV 10
16A ①€29,00
3,5 ha 45**T** 46**D** ②€35,00

Die 8 Vaasa-Kokkola bis Ausfahrt 741 oder die 68 Richtung Pietarsaari. Weiter Richtung Larsmo/Luoto die 749. Rezeption direkt an der Straße und der CP ist 200m weiter.

Nur bei Angabe dieses Logos CC wird die CampingCard ACSI akzeptiert.

Siehe auch die Gebrauchsanweisung hinten in diesem Führer

Teilkarte Südwest-Finnland auf Seite 115

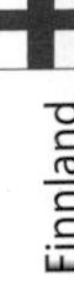

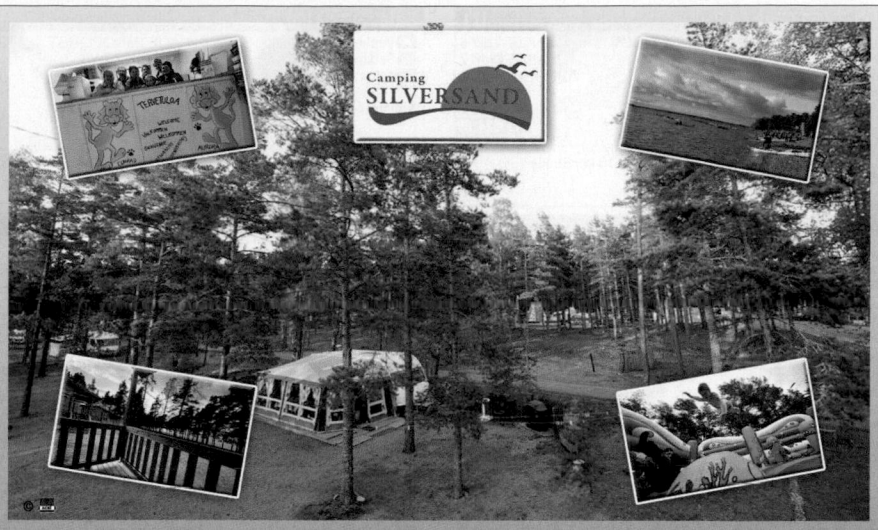

Loviisa, FIN-07920 / Uusimaa

Tamminiemi**	1 ADEJMNOPQRST	K**N**QSWXYZ 6
Kapteenintie 1	2 AEGHPRWXY	ABDE**FG**HIK 7
1 Jun - 1 Sep	3 ABF**M**	ABEFJLNQRV 8
+358 (0)400-414265	4 F**T**	GPV 9
tamminiemi@tamminiemi.net	5 KM	AHIJNPRV 10
	16A CEE	❶ €35,00
N 60°26'31'' E 26°14'10''	3,5 ha 70**T**(80-150m²) 12**D**	❷ €47,00

Straße E18 von Porvoo nach Kotka, Abfahrt Loviisa Richtung Zentrum. Im Zentrum Schildern folgen. Ca. 2 km am Strand entlang.

Naantali, FIN-21100 / Turku ja Pori

Naantali***	1 ADEJMNORT	K**N**OPQSWX 6
Kopenkatu 20	2 ABEFHKMOPQRSTUVWXY	ABDE**FG**IJK 7
30 Apr - 31 Aug	3 ABE**IK**V	ABCDEFHJNPQRSV 8
+358 (0)2 4350055	4 FHO**T**	FJ 9
camping@naantalinmatkailu.fi	5 BDEL	ABGHJRV 10
	B 16A	❶ €33,00
N 60°27'43'' E 22°1'53''	8 ha 160**T** 31**D**	❷ €37,00

Von Turku aus nach Naantali. Ausf. Zentrum/Hafen, unter der Ausf. links Richtung Hafen. (Kapelskär-Naantali). Der Camping liegt rechts vor dem Hafen.

Merikarvia, FIN-29900 / Turku ja Pori

Mericamping***	1 ADEJMNOPQRST	KNQSWXYZ 6
Palosaarentie 67	2 EHPQVWX	ABDE**FG**HIJK 7
1 Jun - 31 Aug	3 ABCF**I**	ABEFNQRSV 8
+358 (0)400-719589	4 IO**T**	FJPV 9
info@mericamping.fi	5 BDE	AIJOSTV 10
	B 10-16A CEE	❶ €27,00
N 61°50'57'' E 21°28'14''	2 ha 77**T**(80-120m²) 52**D**	❷ €31,00

Von Straße 8 Pori-Vaasa auf der Höhe von Tuorila 8 km nach Westen. Dann über die große Straße, noch 1,8 km bis zum CP, der beschildert ist.

Nokia, FIN-37120 / Hame

Viinikanniemi***	1 ADEJMNOPQRST	LNXZ 6
Viinikanniemenkatu	2 DHIJPQRTVWXY	ABDE**FGH**IJK 7
1 Jan - 31 Dez	3 ABEIL	ABCDEFJNQRSV 8
+358 (0)3-3413384	4 IO**T**	FJP 9
info@viinikanniemi.com	5 BDEFGIKL	BHIJNPRV 10
	B 16A	❶ €31,90
N 61°26'53'' E 23°29'33''	**H**450 3,5 ha 130**T**(70-120m²) 48**D**	❷ €36,90

Bei Nokia auf die Straße Nr. 12 CP-Schildern folgen.

Mossala/Houtskär, FIN-21770 / Turku ja Pori

Saariston Lomakeskus	1 BDEJMNOPQR	KNOQSWXYZ 6
1 Apr - 30 Okt	2 BEFHIJKMQRWXY	ABDE**FG** 7
+358 503477658	3 AF	ABEFHJNQR 8
info@saaristonlomakeskus.fi	4 HIOT	FJNPRV 9
	5 AJ	GIJPV 10
	B 10A	❶ €28,00
N 60°17'11'' E 21°26'19''	30 ha 230**T** 25**D**	❷ €28,00

Auf der Insel Houtskär zum Nordhafen fahren (Schiff zur Insel Inio).

Norrby/Pargas, FIN-21600 / Turku ja Pori

Pargas Solliden***	1 ADEJMNOQRT	KNOPQSWXYZ 6
Solstrand 7	2 ABEGHMPQRTUY	ABDE**F**GHIJK 7
1 Mai - 30 Sep	3 AE**K**V	ABEFHJNPQRS 8
+358 (0)40-5409884	4 HIO**T**	FJNPQRV 9
info@solliden.fi	5 ABDEGHL	HJPRVW 10
	B 6A	❶ €27,00
N 60°19'1'' E 22°18'6''	6,1 ha 130**T** 18**D**	❷ €31,00

Von Turku die 110 Richtung Kårina, dann die 180 Richtung Parainen/Pargas. Oder ab der E18 Turku-Helsinki, 15 km Richtung Parainen/Pargas die 180.

Mussalo/Taivassalo, FIN-23310 / Turku ja Pori

Mussalo***	1 ADEJMNOPQRST	KNOPQSWXYZ 6
Mussalontie 356	2 BEFGHMPQRWX	ABCDE**FG**HIJK 7
1 Jan - 31 Dez	3 AEFQSV	ABDEFHJNPQRSV 8
+358 (0)40-7649391	4 HIOT	GP 9
camping@sfcmussalo.fi	5 BL	BCGHIJNOPRVW 10
	WB 10A	❶ €20,00
N 60°32'8'' E 21°32'29''	3,9 ha 150**T** 64**D**	❷ €20,00

Wo die E18 Turku-Rauma in die 9 übergeht, der 192 nach Kustavi folgen. 4 km hinter Taivassalo links zur Halbinsel Mussalo. Diesem Weg 4 km folgen bis ans Ende.

Porvoo, FIN-06100 / Uusimaa

Kokonniemi***	1 ADEJMNOPQRST	6
Uddaksentie 17	2 APTWXY	ABDE**F**IJK 7
1 Jun - 26 Aug	3 ABF**IK**	ABEFJNQRV 8
+358 (0)19-581967	4 **T**	FV 9
porvoo@suncamping.fi	5 BD	AHIJRV 10
	10-16A	❶ €32,00
N 60°22'45'' E 25°40'0''	5 ha 80**T**(80-140m²) 10**D**	❷ €36,00

E18, Ausfahrt 60. Straße 55 Richtung Porvoo, danach Straße 170. CP-Schildern folgen.

Pyhäranta, FIN-23950 / Turku ja Pori

Campsite Pyhäranta***	1 ADEJMNOPQRST	KNQSW**X**Y 6
Suojalantie 9	2 EGHIOPRWX	ABDE**F**IJK 7
1 Mai - 30 Sep	3 AEF	ABCDEFJNQR 8
+358 (0)500-122142	4 **Q**T	FP 9
camping@pyharanta.com	5 DG	JNRV 10
	16A	❶ €24,00
N 60°57'8'' E 21°26'5''	1,5 ha 70**T**(80m²) 70**D**	❷ €28,00

Von Straße 8 Turku-Rauma, Ausfahrt nach Pyhäranta, 10 km Straße 196. Am Ende 700m Straße 1960 nach rechts.

Salo, FIN-24100 / Turku ja Pori

Vuohensaari Camping**	1 ADEJMNOPQRST	KMNQSWXYZ 6
Satamakatu 102	2 ABEGHPTWX	ABDE**F**IJK 7
1 Jun - 30 Sep	3 ABF**IK**	ABEFJNQSV 8
+358 (0)2-7312651	4	GPQ 9
info@vuohensaari.fi	5 BDL	HJORV 10
	16A	❶ €27,00
N 60°21'51'' E 23°3'57''	1 ha 120**T**(120-150m²) 19**D**	❷ €31,00

In Salo CP-Schildern folgen, unter dem Schild: Kesateatteri (Sommertheater). 4 km von der Stadt entfernt, am Meeresfjord.

Rauma, FIN-26100 / Turku ja Pori

Poroholma Camping	1 ADEJMNOPQRST	KNQSWXYZ 6
Poroholmantie 8	2 AEGHPQRSTWXY	ABDEFGHIJK 7
1 Jan - 31 Dez	3 ABI**K**	ABCDEFJNQRS 8
+358 (0)2-5335522	4 O**T**	FJTV 9
info@poroholma.fi	5 ABDGI	ABFHIJNORV 10
	16A CEE	❶ €28,00
N 61°8'3'' E 21°28'25''	7 ha 170**T**(80-100m²) 50**D**	❷ €30,00

Bei Rauma an der 8 ausgeschildert. Die 12 nach Westen, am Zentrum vorbei, dann ist der CP gut ausgeschildert.

Somero, FIN-31520 / Hame

Kökkö**	1 ADJMNOPRST	**N** 6
Turuntie 1247	2 BOPQRY	ABDE**F**HIJK 7
1 Jan - 31 Dez	3 A	ABEFJNQR 8
+358 (0)2-7481163	4 O**T**	FJ 9
kokkonlomamokit@gmail.com	5	GIJRV 10
	W 16A	❶ €20,00
N 60°39'57'' E 23°18'54''	H90 5 ha 36**T**(80-120m²) 11**D**	❷ €24,00

Auf der Straße 2810 von Somero nach Koski nach der Hälfte der Strecke rechts abbiegen. Gut ausgeschildert.

Reposaari, FIN-28900 / Turku ja Pori

Siikaranta***	1 ADEJMNOPRST	KNQSWX 6
Reposaaren maantie 1070	2 EGJKMOPRY	ABDE**F**HIJK 7
1 Jun - 19 Aug	3 AI	ABEFJNQRS 8
+358 (0)2-6384120	4 FO**T**	FJV 9
e.eerikainen@pp.nic.fi	5 BDE	AFHJRV 10
	16A CEE	❶ €25,00
N 61°37'9'' E 21°25'18''	6,5 ha 210**T**(80-120m²) 48**D**	❷ €25,00

Von Pori die 2 nach Meri-Pori, dann die 269 den Schildern 'Reposaari Siikaranta' zur Halbinsel folgen. Vom Norden 8, an der 272 abbiegen. Gut ausgeschildert.

Tampere, FIN-33900 / Hame

Tampere Camping Härmälä***	1 ADEJMNOPQRST	L**N**QSWXZ 6
Leirintäkatu 8	2 DGHKOPQTWXY	ABDE**F**GIJK 7
15 Mai - 15 Sep	3 ABCEF**IK**	ABCDEFGJNQRSV 8
+358 (0)20-7199777	4 FHIO**PT**	FPQRV 9
harmala@suomicamping.fi	5 BDEFIL	AGHIJ**N**ORV 10
	10-16A	❶ €31,00
N 61°28'19'' E 23°44'21''	8 ha 300**T**(60-120m²) 126**D**	❷ €41,00

CP liegt im Ortsteil Harmälä im Südwesten der Stadt, südlich des Pyhäjärvisees. Ab der A3 den CP-Schildern 'Harmälä' folgen.

Riihimäki, FIN-11130 / Hame

Holiday Center Lempivaara****	1 ADEJMNOPQRST	HLN 6
Karhintie 196	2 ABDGHIOPQRSTUVWXY	ABDE**FG**HIJK 7
1 Jan - 31 Dez	3 A**IM**	ABCDEFJNQRSV 8
+358 (0)19-719200	4 I**T**	FJ 9
info@lempivaara.com	5 BDEK**L**	HIJRV 10
	W 16A	❶ €25,00
N 60°45'11'' E 24°50'17''	H80 10 ha 200**T**(80-100m²) 76**D**	❷ €27,00

Gut ausgeschildert rund um Riihimäki. Befindet sich 4 km östlich der Stadt.

Taulaniemi/Tampere, FIN-34240 / Hame

Taulaniemi	1 ADEJMNOPQRST	L**N** 6
Taulaniementie 357	2 DFGHIJKMPQTUVWX	ABDE**F**HIJ 7
1 Jun - 31 Aug	3 AF	ABEFJNQRV 8
+358 (0)3-3785753	4 IO**T**	FGJP 9
info@taulaniemi.fi	5 BL	AIJOSTV 10
	16A CEE	❶ €30,50
N 61°39'20'' E 23°46'33''	3,5 ha 43**T**(100m²) 25**D**	❷ €35,50

Die 9 Tampere-Orivesi, links auf die 338 nach Teisko. Der Platz ist gut ausgeschildert.

Ruissalo/Turku, FIN-20100 / Turku ja Pori

Ruissalo Camping***	1 ADEJMNOPQRS**T**	**EFGI**KMNOPQSWXYZ 6
Ruissalo Saarontie 25	2 ABEGHKOPRSTWX	ABDE**FG**HIJK 7
1 Jan - 31 Dez	3 BEF**IK**QV	ABDEFHJNPQRSTUV 8
+358 (0)2-2625100	4 FHIO**T**	GI 9
ruissalo.camping@turku.fi	5 ABEGHIJL	AFGHIJORVWX 10
	WB 16A CEE	❶ €32,00
N 60°25'33'' E 22°5'53''	20 ha 783**T** 46**D**	❷ €36,00

Von Satama (= Hafen) den CP-Schildern Ruissalo (Halbinsel) 12 km folgen. Hinter dem Golfplatz und dem Wellnesshotel kommt eine Linkskurve. Dieser folgen und dann ist die Rezeption an der rechten Seite.

Urjalankylä, FIN-31720 / Hame

Taikayö Camping***	1 ADEJMNOPQRST	L**N**X 6
Kajaniementie 79	2 DJPQTWX	ABDE**F**HIK 7
16 Mai - 30 Sep	3 AEF	ABEFNQRSV 8
+358 (0)40-6646169	4 IOP**T**	FP 9
taikayonlomat@gmail.com	5 BDL	IJRV 10
	B 16A	❶ €26,00
N 61°4'23'' E 23°24'20''	3 ha 90**T**(80-150m²) 50**D**	❷ €26,00

E63 westlich von Urjala die 230 (CP ausgeschildert). Nach 7 km dem CP-Schild folgen. Noch 2 km über den halbwegs befestigten Weg.

Ruovesi, FIN-34600 / Hame

Haapasaari Lomakylä***	1 ADEJMNOPQRST	L**N**QSWX 6
Haapasaarentie 5	2 DGHOPTWXY	ABDE**FG**HIJK 7
1 Jan - 31 Dez	3 ABE**I**LS	ABCDEFJNQRSV 8
+358 (0)4-40800290	4 **E**FKO**T**	AFGJNPQV 9
lomakyla@haapasaari.fi	5 BDEI	ABHIJNORVW 10
	Anzeige auf Seite 119 16A	❶ €31,00
N 61°59'39'' E 24°4'11''	H90 8 ha 80**T**(80-100m²) 69**D**	❷ €35,00

Straße 66 Virrat-Orivesi. Richtung Ruovesi, CP ausgeschildert (auch aus südlicher Richtung).

Uusikaupunki, Turku ja Pori

Rairanta	1 ADEJMOPQRST	KMNOPQSWXYZ 6
Vanhakartanontie 216	2 BEFGHJOPQRVWXY	ABCDEFGHIJK 7
1 Jan - 31 Dez	3 BC**K**V	ABCDEFHJNPQRSTV 8
+358 (0)28417400	4 HINOT	PY 9
toimisto@rairanta.fi	5 B	EFGHIJNOPRVW 10
	WB 16A CEE	❶ €23,00
N 60°45'49'' E 21°24'26''	6 ha 120**T**(ab 100m²) 186**D**	❷ €23,00

Von der 192 Kustavi-Turku bei Taivassalo nach Norden die 196 nach Uusikaupunki (Nystad). Kurz vor dem Ort links und den CP-Schildern Richtung Sundholm folgen.

Saarijärvi, FIN-43100 / Keski-Suomi

Ahvenlampi****	1 ADJMNORT	LNXZ 6
Ahvenlammentie 62	2 BDGHJOQSTVXY	ABE**FG**HIK 7
26 Mai - 27 Aug	3 AE	ABCDEFJNQRSV 8
+358 (0)400-505768	4 **E**FHIKO**QT**	FJP 9
ahvenlampi@luukku.com	5 BDGL	FGJNORV 10
	16A	❶ €23,00
N 62°45'18'' E 25°9'32''	H163 15 ha 95**T**(60-120m²) 42**D**	❷ €27,00

Straße 13 Kokkola-Jyväskyla. Von Kyyjärvi CP 10 km nach Kalmari rechts ausgeschildert. Von der anderen Richtung: 8 km nach Saarijärvi links.

Uusikaupunki, FIN-23500 / Turku ja Pori

Santtioranta Camping**	1 ADEJMNOPQRST	**H**KMNOPQSUVWXYZ 6
Kalalokkikuja 14	2 BEFGHOPQRWX	ABDE**FG**HIJK 7
1 Jun - 30 Aug	3 AF**IK**LSV	ABEFHJNPQRSV 8
+358 (0)2-8423862	4 FHIO**T**	ADFNPQRSV 9
camping@uusikaupunki.fi	5 BDL	AGHJNPRVW 10
	B 10A	❶ €28,00
N 60°48'37'' E 21°23'55''	1,6 ha 104**T** 10**D**	❷ €32,00

Von der E8 Turku-Rauma, auf halbem Weg bei Laitila die 198 nach Uusikaupunki folgen. An der 2. Ampel rechts Richtung Lepäinen, nach 50m die 1. Straße links, nach 100m wieder links.

Säkylä, FIN-27800 / Turku ja Pori

Kristalliranta	1 ADEJMNOPQRST	L**N**QSWXYZ 6
Säkyläntie 275	2 BDFHJOPQSWX	ABF 7
1 Jan - 31 Dez	3 ACFQS	ABEFJNQRSV 8
+358 458013554	4 IO**T**	GJP 9
info@kristalliranta.fi	5 ABDGHIL	FGJOSTV 10
	W 16A CEE	❶ €25,00
N 60°56'39'' E 22°25'8''	6,4 ha 65**T**(100m²) 51**D**	❷ €25,00

15 km südlich von Säkyla auf der 204.

Vaasa, FIN-65170 / Vaasa

Top Camping Vaasa	1 DJMNOPRST	KNQSX 6
Niemeläntie	2 AEGHJPQTWXY	ABDE**F**GHIK 7
15 Mai - 20 Aug	3 BCEF**IK**LST	ABCDEFJNQRSV 8
+358 (0)20-7961255	4 FHIL**PT**	AFPTVY 9
info.topcampingvaasa@aspro-ocio.es	5 BDEFGL	AFGHIJORV 10
	16A	❶ €32,00
N 63°6'0'' E 21°34'35''	10 ha 610**T** 34**D**	❷ €39,50

Ab den Zufahrten nach Vaasa den Schildern 'Keskusta'(Zentrum) folgen bis Hinweis 'Wasalandia'. Dann ist der CP ausgeschildert.

Teilkarte Südwest-Finnland auf Seite 115

Vammala/Sastamala, FIN-38210 / Turku ja Pori

Tervakallio***	1 ADEJMNOPQRST	LNQWXYZ 6
Uittomiehenkatu 26	2 DGHPRWX	ABDEFIK 7
1 Mai - 30 Sep	3 AFKS	ABEFNQR 8
+358 (0)3-5142720	4 IOT	FJPV 9
info@tervakallio.com	5 BDKL	HIJNPRV 10
	B 10-16A	❶ €25,00
N 61°20'56'' E 22°55'17''	H70 2 ha 65T(70-150m²) 39D	❷ €29,00

In Vammala CP-Schildern folgen.

Vikatmaa/Kustavi, FIN-23360 / Turku ja Pori

Kustavin Lomapalvelut	1 AJMNOPQRST	KNOPQSWXYZ 6
Maanpääntie 2	2 BEGHIOPRWXY	ABFIJK 7
1 Mai - 1 Sep	3 ACEUV	ABCDEFHJNPQRSTUV 8
+358 (0)40-7536135	4 T	FJNPV 9
	5	HJRVW 10
	B 16A	❶ €20,00
N 60°34'39'' E 21°18'44''	5 ha 130T 19D	❷ €20,00

Ab Kustavi Zentrum der 1924 Pleikiläntie in nördlicher Richtung (4 km) folgen. Auf der Insel Vikatmaa sieht man den CP auf der linken Seite.

Virrat, FIN-34800 / Hame

Lakari***	1 ADEJMNOPRST	LNQSXZ 6
Lakarintie 405	2 BDGHJPQRTWXY	ABDEFGHIK 7
1 Mai - 30 Sep	3 AEIKLS	ABEFJNQRV 8
+358 (0)3-4758639	4 FIOT	FJPV 9
lakari@virtainmatkailu.fi	5 BGL	AIJNRV 10
	16A	❶ €22,00
N 62°12'35'' E 23°50'16''	H80 19 ha 130T 24D	❷ €25,00

An Straße 66 zwischen Virrat und Ruovesi, 7 km südlich von Virrat gelegen. Gut ausgeschildert.

Südost-Finnland

Ahmovaara, FIN-83950 / Pohjois-Karjala

Koli Freetime	1 ADEGJMNOPQRST	LNPQSX 6
Kopravaarantie 27	2 DFGHIPQT	ABDFHIJK 7
1 Jan - 31 Dez	3 AEFV	ABCDEFJNQRV 8
+358 (0)10-3223040	4 FHIOT	GIJOPQRUV 9
koli@kolifreetime.fi	5 BGL	ABHIJNORV 10
	W 16A	❶ €27,00
N 63°2'24'' E 29°42'43''	H94 5 ha 50T(100-200m²) 15D	❷ €31,00

Auf der 6. 'Future Freetime' folgen (unbefestigt).

Finnland

Yyteri/Meri-Pori, FIN-28840 / Turku ja Pori

Top Camping Yyteri***	1 BDEJMNOPQRST	HKLNQRSWX 6
Yyterinsantojentie 1	2 BDEHOPQSVWXY	ABDEFGIJK 7
1 Jan - 31 Dez	3 ABCDEFGIKM	ABCDEFJNQRSTV 8
+358 (0)2-6345700	4 FHIOT	FJVY 9
topcamping@yyteri.fi	5 BDGL	ACEHIJSV 10
	WB 10A	❶ €30,00
N 61°34'12'' E 21°31'38''	12 ha 180T(80-120m²) 89D	❷ €34,00

Straße Nr. 8, westlich von Pori, 17 km der Straße Nr. 2 in Richtung Mätyluoto folgen. Dann ausgeschildert.

Anttola, FIN-52100 / Mikkeli

Lakeistenranta***	1 ADEJMNOPQRST	LMNQSWXZ 6
Pitkälahdentie 215	2 ABDGHQTXY	ABDEIJ 7
14 Jun - 18 Aug	3 AF	ABEFNQRV 8
+358 (0)50-5266025	4 FHIOT	FJP 9
Lakeistenranta@gmail.com	5 BL	HIJRVW 10
	16A	❶ €28,00
N 61°36'5'' E 27°38'47''	3,5 ha 60T 23D	❷ €32,00

Straße 62 Mikkeli-Imatra, nördlich von Anttola Richtung Pitkälahti.

Hamina, FIN-49400 / Kymi

Hamina Camping***	1 ADEJMNOPQRST	KNQSWX 6
Vilniementie 375	2 BEHQRXY	ABDEFGHIK 7
1 Mai - 18 Sep	3 AF	ABEFJNQRV 8
+358 401-5113446	4 T	FJP 9
hamina.camping@gmail.com	5 BDEGIL	HIJNORV 10
	16A	❶ €26,50
N 60°31'32'' E 27°15'14''	6,8 ha 118T(60-100m²) 52D	❷ €29,50

An der 7 Hamina-Pietari, kurz hinter Hamina rechts, Richtung Vilniemi. Den CP-Schildern folgen.

Hartola, FIN-19600 / Mikkeli

Koskenniemi***	1 ADEJMNOPQRST	JNX 6
Koskenniementie 66	2 CIPWX	ABDEFGHIJK 7
1 Jan - 31 Dez	3 ACIKV	ABDEFGJNQRSV 8
+358 (0)3-7161135	4 IOT	FGJPV 9
email@koskenniemi.com	5 BDGJL	HIJNORV 10
	WB 10-16A	❶ €28,00
N 61°33'47'' E 25°59'42''	H100 5 ha 120T(80-150m²) 49D	❷ €30,00

An Straße E75, gut ausgeschildert.

Heinola, FIN-18100 / Mikkeli

Heinäsaari Camping***	1 ADEJMNOPQRST	LNSXZ 6
Heinäsaarentie 101	2 ADGHIJPRSWXY	ABDEFGHIJK 7
1 Jan - 31 Dez	3 ABFIS	ABCDEFJNQRSV 8
+358 (0)20-7199775	4 FHIOT	FJPRV 9
heinasaari@suomicamping.fi	5 BL	AGHJNORV 10
	B 16A CEE	❶ €31,00
N 61°12'45'' E 26°0'54''	4,7 ha 56T(100-150m²) 17D	❷ €41,00

E75, Ausfahrt 23, Straße 140 Richtung Keskusla und Mikkeli. Vor Esso-Tankstelle links, danach ausgeschildert.

Hillosensalmi, FIN-47916 / Kymi

Orilammen Lomakeskus***	1 ADEJMNOPQRST	LNQSWXYZ 6
Voikoskentie 138	2 BDGHIOPTWXY	ABDEHIK 7
1 Jan - 31 Dez	3 ACEFMS	ABEFNQRSUV 8
+358 (0)5-389881	4 EFMOPTZ	FGIJ 9
info@orilampi.fi	5 ABDEGJL	AHIJNORV10
	W 16A	① €25,00
N 61°12'30" E 26°46'32"	2 ha 204T 120D	② €25,00

Straße 15 Kouvola-Mikkeli bei Tuohikotti links, Straße 369 Richtung Heinola. Nach 14 km rechts, Straße 368 Richtung Mäntyharju. CP befindet sich links an der Straße am Vuohisee.

Iisalmi/Koljonvirta, FIN-74120 / Kuopio

Koljonvirta***	1 ADEILNOPRST	JLNSXZ 6
Ylemmäisentie 6	2 ACDGHOPQTWX	ABDEHI 7
1 Mai - 30 Sep	3 AFGHIK	ABEFJNQRSV 8
+358 (0)17-825252	4 AFHIOT	FGJ 9
koljonvirta@koljonvirta.fi	5 ABDEGIL	AHIJNTUVW10
	16A	① €24,00
N 63°35'42" E 27°9'33"	H118 16,5 ha 300T 58D	② €26,00

5 km nördlich von Isalmi über die E63 Iisalmi-Kajaani, Straße 88 Richtung Oulu. Erste Straße links, Richtung Joutsenjoki.

Ilomantsi, FIN-82900 / Pohjois-Karjala

Ruhkaranta Holiday Village	1 ADEJMNOPQRST	LNQSWX 6
Ruhkarannantie 21	2 BDGHPWXY	7
1 Jan - 31 Dez	3 A	ABEFINQRV 8
+358 (0)46-5926202	4 FIT	FJNPQU 9
ruhkaranta.fi@gmail.com	5 DG	JNORVW10
	10A	① €23,00
N 62°39'9" E 31°3'46"	H142 34 ha 80T(100-200m²) 40D	② €23,00

Von Joensuu der 74 folgen bis man die CP-Schilder sieht. Diesen dann folgen.

Imatra, FIN-55120 / Kymi

Vuoksen Kalastuspuisto	1 ADEJMNOPQRST	JNPQSWXYZ 6
Kotipolku 4	2 ACDGHIOPQXY	ABDEFI 7
1 Apr - 30 Okt	3 AKPQV	ABCDEFJNQRV 8
+358 (0)5-4323123	4 IOPT	FJNPQRV 9
vuoksi.kalastuspuisto@ co.inet.fi	5 ABDGIKLM	BHIJORVW10
	16A	① €24,00
N 61°11'15" E 28°46'51"	H69 1 ha 18T 5D	② €24,00

Die 6 Lappeenranta-Parikkala, Ausfahrt Vuoksi/Keskusta, an der Ampel rechts. Nach 700m links Richtung Liikuntahalli (zum Schwimmbad). Der CP ist hinter dem Schwimmbad.

Joensuu, FIN-80110 / Pohjois-Karjala

Holiday Linnunlahti	1 ADEGJMNOPQRST	LNQSWX 6
Linnunlahdentie 1	2 ADGHPRWXY	ABDEFGHIJK 7
1 Jan - 31 Dez	3 EFIKMOPU	ABDEFGJNQR 8
+358 (0)10-6665520	4 HIOT	INV 9
sales@linnunlahti.fi	5 BDGIL	IJORV10
	WB 20A	① €20,00
N 62°35'52" E 29°44'22"	H88 6 ha 140T(100-200m²) 18D	② €22,00

Die 6, dann die 74, 1. Ausfahrt links Richtung Karjalankatu. Über den Fluss Pielisjoki, nach circa 1,25 km links. Nach 400m rechts. Dann nach 200m links durchs Zentrum und den Schildern nach.

Joensuu, FIN-80110 / Pohjois-Karjala

Jokiasema	1 ADEJMOPRS	LNXZ 6
Hasanniemententie 3	2 ACDPQWX	BFGIK 7
1 Jun - 31 Aug	3 B	BDFNQRV 8
+358 (0)13-120750	4 FOPT	P 9
hasukka@saunalahti.fi	5 BDGHKL	AHJRV10
	6A	① €22,00
N 62°35'28" E 29°44'18"	H67 2 ha 30T	② €22,00

Von der Straße 6 Richtung Straße 74, 1. Ausfahrt links über den Fluss Pieusjohi. Nach ca. 1,25 km links abbiegen und im Zentrum den CP-Schildern folgen.

Juva, FIN-51900 / Mikkeli

Juva Camping****	1 ADEJMNOPQRST	LNQSWXYZ 6
Poikolanniementie 68	2 ABDGHOPQRWXY	ABDEFGHIK 7
1 Mai - 30 Sep	3 AIV	ABEFJNQRSV 8
+358 (0)15-451930	4 FIOT	AFJNPQRV 9
camping@juvacamping.com	5 BDL	AHIJNORV10
	B 16A	① €31,00
N 61°53'41" E 27°49'18"	4 ha 100T 37D	② €36,00

Straße 5 Mikkeli-Kuopio, bei Juva Ausfahrt Savolinna (Straße 14). Nach dem Knoten ca. 500m rechts, bei Hotel Juva.

Karankamäki/Mäntyharju, FIN-52720 / Mikkeli

Mäntymotelli***	1 ADEJMNOPQRST	ELNQSWXYZ 6
Motellintie 13	2 BDJOPRWX	ABDEFGHI 7
1 Jan - 31 Dez	3 ACEFILMV	ABEFJNQRV 8
+358 (0)207345911	4 FHIORT	GIJ 9
myynti@mantymotelli.fi	5 BDGHJM	AHKNORV10
	16A	① €25,00
N 61°26'8" E 26°35'54"	H80 8 ha 40T(80m²) 57D	② €25,00

Der CP liegt an der Straße 5 Heinola-Mikkeli, ungefähr auf halber Strecke. Nach dem Örtchen Kuortti CP auf der linken Seite der Straße bei der Teboil-Tankstelle.

Kesälahti, FIN-59800 / Pohjois-Karjala

Karjalan Kievari***	1 ADEJMNOPQRST	LNQSWXYZ 6
Lappeenrannantie 18	2 DGHPQRTWX	ABDEFGHIJK 7
1 Jan - 31 Dez	3 ACIM	ABCDEFJNQRSV 8
+358 (0)13-371421	4 INOPT	GHIJP 9
kievari@karjalankievari.inet.fi	5 ABDFGHJLM	AJNPRV10
	B 16A	① €20,00
N 61°53'21" E 29°47'26"	H85 2 ha 100T(80-100m²) 31D	② €20,00

Straße 6 von Lappeenranta nach Joensuu, gleich vor der Ausfahrt Kesälahti.

Kesälahti, FIN-59800 / Pohjois-Karjala

Mäntyrannan Lomakylä	1 AJMNOPQRST	LNQSWXY 6
Vääränmäentie 43	2 ABDHKMQRTWXY	ABDEFGHIJK 7
8 Jun - 5 Aug	3 AELMQ	ABCDEFJNQRV 8
+358 (0)13-374166	4 IOT	JP 9
jukka.laukkanen@ mantyranta.com	5 ABDLM	AJNPRV10
	B 16A	① €28,50
N 61°56'37" E 29°45'27"	H92 4 ha 256T 9D	② €31,50

Die 6 Kesälahti-Kitee, Ausfahrt links 2 km nach Kesälahti (die 4800). 4 km folgen. Der CP liegt dann an der linken Seite von Mäntyrannantie.

Kesälahti/Suurikylä, FIN-59800 / Pohjois-Karjala

Ruokkeen Lomakylä***	1 ADEJMNOPQRST	LNQSWXYZ 6
Ruokkeentie 58	2 DHQRXY	ABDEFGHIJK 7
1 Mai - 30 Sep	3 ABEILMSV	ABCDEFJNQRSV 8
+358 (0)13-371312	4 IOPQT	FJNPV 9
info@ruokkeenlomakyla.fi	5 BDGHIKLM	AHIJNPRV10
	16A	① €25,50
N 61°53'49" E 29°40'26"	H76 2 ha 70T(80-100m²) 63D	② €27,50

Die 6 Parikkala-Joensuu, 7 km südlich von Kesälahti Ausfahrt links nach Ruokkeen Lomakylä 5,7 km. Am Puruvesisee.

Kotka/Kymenlaakso, FIN-48310 / Kymi

Santalahti Holiday Resort*****	1 ADEJMNOPQRST	KNQSWXYZ 6
	2 ABEGHIOPRSWXY	ABDEFGHIJK 7
Santalahdentie 150	3 ABCEFIJK	ABCDEFGIJNQRSTV 8
1 Jan - 31 Dez	4 FHIOT	FIJV 9
+358 (0)5-2605055	5 BDIJKL	EFGHIJNORV10
info@santalahti.fi	B 16A CEE	① €33,00
N 60°26'16" E 26°51'52"	4,5 ha 180T 83D	② €38,00

Auf der 7 Ausfahrt 73 Karhuvuori. Weiter den CP-Schildern folgen, noch 7 km.

Kouvola, FIN-45200 / Kymi

Tykkimäki Camping****	1 ADEJMNOPQRST	ABFGHILNQS 6
Käyrälammentie 22	2 ABDGHIOPQVWXY	ABDEFGHIJK 7
1 Jan - 31 Dez	3 ABCDEFILMT	ABEFJNQRSV 8
+358 (0)5-3211226	4 HIOT	FJPQR 9
camping@tykkimaki.fi	5 BDIKLM	AFGHIJNORV10
	B 16A	① €32,00
N 60°53'14" E 26°46'21"	6,5 ha 160T 62D	② €43,00

An der Straße 15, bei der Kreuzung nach Lappeenranta und Helsinki, ausgeschildert.

Teilkarte Südost-Finnland auf Seite 119

Kuopio, FIN-70700 / Kuopio

Rauhalahti Holiday Centre*****	1 ABDEJMNORST	LNQSWXYZ 6
Rauhankatu 3	2 ADGHOPQRSWXY	ABDEFGHIK 7
29 Mai - 23 Aug	3 ABCEFGI	ABEFJNQRST 8
+358 (0)17-473000	4 HIOPT	FJKLPQRUV 9
sales@visitrauhalahti.fi	5 BDEFGHJL	AFGHIJMNORVW10
	16A CEE	❶ €35,00
N 62°51'52'' E 27°38'30''	H63 26 ha 537T 92D	❷ €47,00

E63 Varkaus-Kuopio, 6 km südlich von Kuopio in Richtung Levänen, 1 km.

Puumala/Mannilanniemi, FIN-52200 / Mikkeli

Mannilanniemi	1 ADEJMNOPQRST	LQSWXYZ 6
Mannilanniementie 169	2 DGHIPWX	ABDEFHIJK 7
1 Jun - 15 Aug	3 ABEIM	ABEFNQRV 8
+358 (0)15-4102200	4 IOT	JPQ 9
mannila.niemi@pp.inet.fi	5 BDEGJL	HJRV10
	WB 16A	❶ €17,00
N 61°40'5'' E 28°15'21''	8 ha 200T 10D	❷ €17,00

Die 434 Puumala-Juva, ca. 20 km nördlich von Puumala. 2 km Richtung Mannilanniementie folgen.

Lappeenranta, FIN-53810 / Kymi

Huhtiniemi***	1 ABDEJMNOPQRST	LNQSWXYZ 6
Kuusimäenkatu 18	2 ABDGHOPRTWXY	ABDEFGHIJK 7
19 Mai - 30 Sep	3 BI	ABEFJNQRV 8
+358 (0)5-4515555	4 IOQT	FGIPV 9
info@huhtiniemi.com	5 BDGHIJ	AHIJORV10
	B 16A	❶ €29,00
N 61°3'15'' E 28°9'9''	H66 10 ha 325T 58D	❷ €34,00

Die 6 Helsinki-Lappeenranta, vor dem Zentrum Lappeenranta links halten, Ausfahrt Flugplatz, dann nach Huhtiniemen 2 km nach Westen.

Riistavesi/Vartiala, FIN-71160 / Kuopio

Atrain***	1 ADJMNOPRT	LNOP 6
Pelonniemi 53	2 DGHOPQRWXY	ABDEFHI 7
1 Jun - 12 Aug	3 AEFQ	ABDEFNQRV 8
+358 (0)41-7415454	4 FHIOT	FJP 9
info@campingatrain.com	5 BDEFGKL	BHJRV10
	16A	❶ €24,00
N 62°56'16'' E 28°0'59''	H119 4,2 ha 100T 34D	❷ €24,00

In Kuopio E63. Nach 10 km nördlich von Kuopio Straße 9 Richtung Joensuu. Nach 18 km links Richtung Pelonniemi. Nach 800m ist der CP angezeigt.

Lieksa, FIN-81720 / Pohjois-Karjala

Timitraniemi***	1 ADEJMNOPQRST	JLNQSUWXYZ 6
Timitrantie 25	2 CDGHKMPQRSTWXY	ABDEFGHIJK 7
20 Mai - 10 Sep	3 AEFIL	ABEFNQRS 8
+358 (0)45-1237166	4 AEIOT	FPQRV 9
info@timitra.com	5 BDIL	HIJNORV10
	16A	❶ €28,00
N 63°18'22'' E 30°0'20''	H104 6 ha 73T(80m²) 45D	❷ €32,00

Von Straße 73 Eno-Lieksa 2 km südlich von Lieksa. Ausgeschildert.

Ruunaa, FIN-81700 / Pohjois-Karjala

Ruunaa Retkeilykeskus	1 ADEJMNOPRST	JLNUVXY 6
Neitikoskentie 47	2 CDQRTUY	ABDEFHIJK 7
2 Mai - 31 Okt	3 AEG	ABCDEFNQRS 8
+358 (0)13-533170	4 AEFHIOT	FJPQRV 9
neitikoski@ruunaa.fi	5 BDEGHI	ABEGHIJNORV10
	B 16A	❶ €21,00
N 63°23'27'' E 30°27'9''	H152 2 ha 85T(100-200m²) 19D	❷ €25,00

5 km südlich von Lieksa auf der 73, Ausfahrt Ruuna (Straße 522) nehmen. Nach 21 km dem Schild 'Ruunaan Retkeilyalue' rechts ab und Neitikkoskentie bis zum CP folgen.

Mikkeli, FIN-50180 / Mikkeli

Top Camping Visulahti***	1 BDEJMNOPQRST	ABFGHLNQSX 6
Visulahdenkatu 1	2 ADGHIOPWX	ABDEFGIJK 7
1 Jun - 10 Aug	3 ABFIKMT	ABCDEFJNQRSV 8
+358 (0)15-18281	4 T	FI 9
info.visulahti@ puuhagroup.com	5 BDEFGIL	AHIJORV10
	16A	❶ €31,50
N 61°42'11'' E 27°20'39''	36 ha 400T 59D	❷ €42,50

An der Straße 5 Mikkeli-Juva, 5 km nordöstlich von Mikkeli.

Saaramaa, FIN-46570 / Kymi

Saaramaa	1 ADEJMNOPQRST	LNQSWXYZ 6
Saaramaantie 947	2 BDGHIPQUXY	ABDEFHIJK 7
1 Mai - 15 Sep	3 AQ	ABEFNQRV 8
+358 (0)5-332503	4 FIOT	FPQR 9
saaramaa@camping.inet.fi	5 BKL	HIJORV10
	16A CEE	❶ €26,50
N 60°51'6'' E 27°19'33''	H70 5 ha 25T(60-80m²) 35D	❷ €29,50

CP befindet sich an Straße 26, Hamina-Taavetti. Deutlich ausgeschildert.

Nurmes, FIN-75500 / Pohjois-Karjala

Hyvärilä***	1 ADEJMNOPQRST	LNQSWXZ 6
Lomatie 12	2 DGHPRWX	ABFHIJ 7
1 Jun - 15 Sep	3 ACEFJKLRU	ABEFNQRV 8
+358 (0)40-1045960	4 AIOT	FGIPQV 9
hyvarila@nurmes.fi	5 ABDFGIJ	AHJNORV10
	B 16A CEE	❶ €24,00
N 63°31'55'' E 29°11'54''	H103 10 ha 200T(100-200m²) 49D	❷ €24,00

Straße 73 Nurmes-Lieksa, 2 km süd-östlich von Nurmes. Ausgeschildert.

Savonlinna/Vuohimäki, FIN-57600 / Mikkeli

Savonlinna Camping Vuohimäki****	1 ADEJMNOPQRST	LNQSWX 6
	2 BDGHJOPQRSTUWXY	ABDEFHIJK 7
Vuohimäentie 60	3 AFGHI	ABCDEFNQRSV 8
5 Jun - 7 Aug	4 FIOQT	GJQV 9
+358 (0)15 537353	5 BDEFIL	AHIJNORVW10
savonlinna@suncamping.fi	B 16A	❶ €31,00
N 61°51'40'' E 28°48'20''	H122 30 ha 250T 30D	❷ €36,00

Straße 14 Savonlinna-Juva. 1 km hinter dem Stadtzentrum von Savonlinna ist ein CP-Schild. Dieser Straße 2 km folgen.

Pankakoski, FIN-81750 / Pohjois-Karjala

Ruunaan Matkailu	1 ADJMNORT	LNUX 6
Siikakoskentie 47	2 BDJKPRXY	AB 7
1 Jan - 31 Dez	3 AE	ABEFJQR 8
+358 (0)13-533130	4 AEFOT	AGJPQ 9
info@ruunaanmatkailu.fi	5 BDEIL	HJTV10
	16A	❶ €12,00
N 63°23'10'' E 30°20'20''	H141 30 ha 10T(100-200m²) 18D	❷ €12,00

5 km südlich von Lieksa auf die 73 Ausfahrt Ruunaa (Straße 522) folgen. Direkt über die Brücke vor dem Kiosk rechts ab. Gegenüber dem Besucherzentrum ist die Rezeption.

Sysmä, FIN-19700 / Mikkeli

Sysmä***	1 ADEJMNOPQRST	LNSXZ 6
Huitilantie 3	2 CDGHOPWX	ABDEFGHIJK 7
1 Mai - 30 Sep	3 AFIL	ABEFNQRSV 8
+358 (0)44-9749378	4 IOQT	FGPRTV 9
info@campingsysma.fi	5 B	AHIJORV10
	16A CEE	❶ €26,00
N 61°29'50'' E 25°41'42''	2,8 ha 90T(80-100m²) 24D	❷ €28,00

Ausfahrt Sysmä von Straße E75, die 410 oder 413. Gut ausgeschildert.

Punkaharju, FIN-58450 / Mikkeli

Punkaharjun Lomakeskus****	1 ADEJMNOPQRST	ABFGHILMNQSWXYZ 6
	2 DGHOPQWXY	ABDEFGHIJK 7
Tuunaansaarentie 4	3 ABCDFIKM	ABDEFJNQRSV 8
1 Jan - 31 Dez	4 BIOTU	FGJNPQV 9
+358 (0)2-90074050	5 ABDEFGIJL	AHIKNORV10
info@punkaharjunlomakeskus.fi	W 16A	❶ €31,00
N 61°48'1'' E 29°17'27''	H80 60 ha 100T 162D	❷ €36,00

Straße Nr. 14 Punkaharju-Savonlinna. Der CP liegt 26 km östlich von Savonlinna und 8 km westlich von Punkuharju.

Taavetti/Uro, FIN-54510 / Kymi

Taavetin Lomakeskus***	1 BDEJMNOPQRST	LNQSWXZ 6
Rantsilanmäki 49	2 ABDGHKOPQTXY	ABDEFGHIK 7
1 Jun - 31 Aug	3 ABEFILM	ABEFNQRV 8
+358 (0)20-7199771	4 FHIOT	FGJPQRV 9
taavetti@suomicamping.fi	5 BDILM	HIJORV10
	16A	❶ €28,50
N 60°56'2'' E 27°38'3''	5 ha 206T(80-100m²) 58D	❷ €33,50

Liegt an der 6 zwischen Kouvola en Luumäki, hinter der Shell und Teboil Tankstelle.

Puumala, FIN-52200 / Mikkeli

Koskenselkä***	1 ADEJMNOPQRST	LNQSWXYZ 6
Koskenseläntie 98	2 ABDGHKOPQTWXY	ABDEFHIJK 7
25 Mai - 31 Aug	3 AFIV	ABEFJNQRSV 8
+358 (0)15-4681119	4 FIOPQT	FGIJKPQV 9
info@koskenselka.fi	5 BDEL	AHIJORV10
	16A CEE	❶ €27,00
N 61°32'22'' E 28°9'33''	H80 8 ha 146T 44D	❷ €29,00

An Straße 62 Mikkeli-Imatra, vor Puumala Schildern folgen.

Virolahti/Vaalimaa, FIN-49900 / Kymi

Vaalimaa Camping**	1 JMNOPRST	KMNOPQSWXZ 6
Hämeenkyläntie 153	2 ABEGHIPQRUWXY	ABDEFIK 7
1 Jun - 31 Aug	3 AFK	ABEFNQRV 8
+358 (0)44-3571451	4 T	FJPQV 9
toimisto@vaalimaacamping.fi	5 B	HJRV10
	16A	❶ €23,00
N 60°34'53'' E 27°46'10''	2,6 ha 44T 23D	❷ €25,00

Von der 7 Virolahti-Vaalimaa etwa 3 km hinter Virolahti die Ausfahrt Hämeenkylä. Nach 1,6 km ist rechts der CP.

Teilkarte Südost-Finnland auf Seite 119

Nord-Finnland

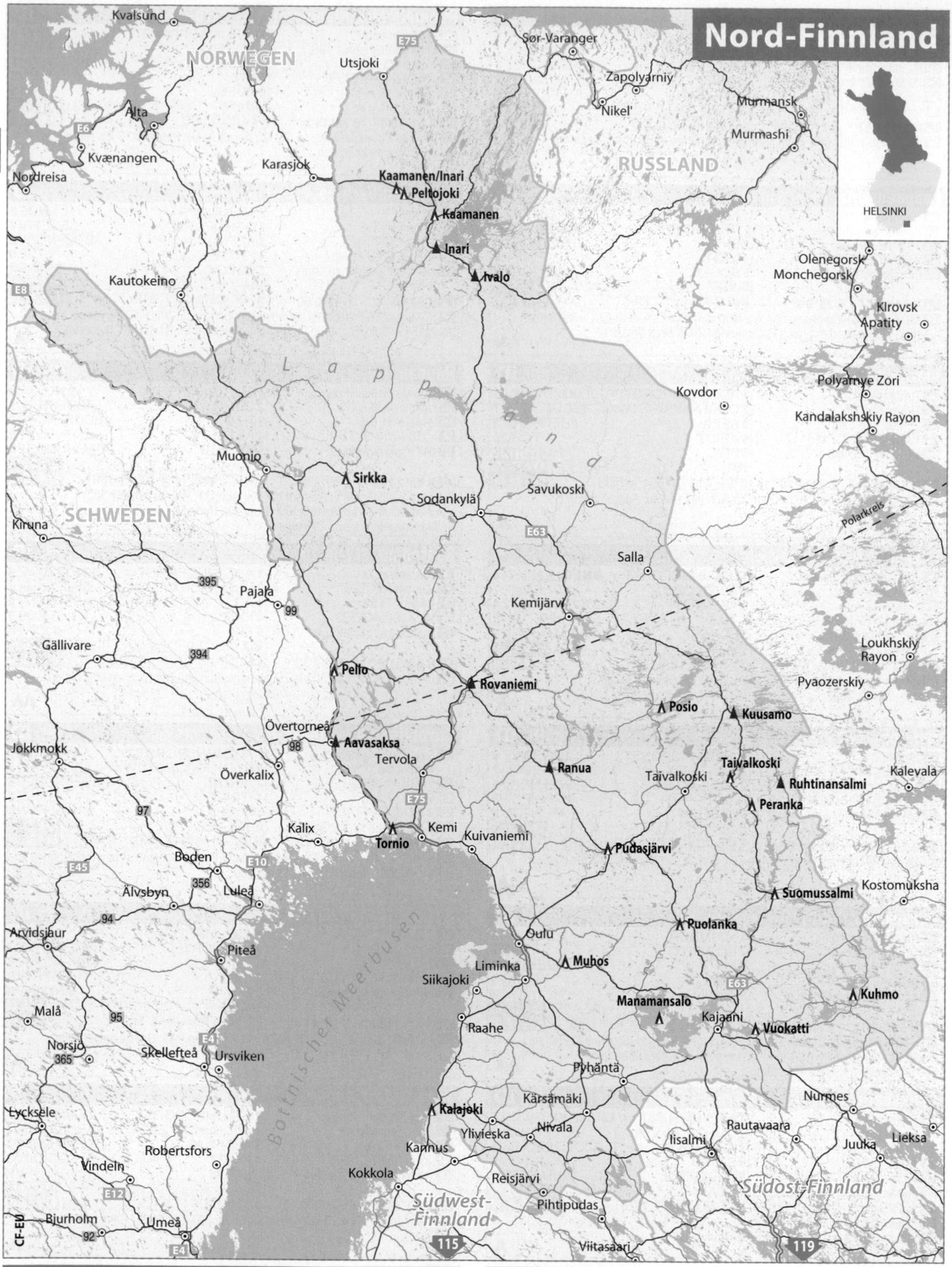

NORWEGEN
RUSSLAND
SCHWEDEN
Lappland
Bottnischer Meerbusen
Polarkreis
HELSINKI
Kvalsund
Utsjoki
Sør-Varanger
Zapolyarniy
Nikel'
Murmansk
Murmashi
Alta
Kvænangen
Nordreisa
Karasjok
Kaamanen/Inari
Peltojoki
Kaamanen
Inari
Ivalo
Kautokeino
Olenegorsk
Monchegorsk
Kirovsk
Apatity
Polyarnye Zori
Kovdor
Kandalakshskiy Rayon
Muonio
Sirkka
Sodankylä
Savukoski
Kiruna
Salla
Pajala
Kemijärvi
Gällivare
Loukhskiy Rayon
Pello
Rovaniemi
Pyaozerskiy
Posio
Kuusamo
Övertorneå
Aavasaksa
Tervola
Jokkmokk
Överkalix
Ranua
Taivalkoski
Ruhtinansalmi
Kalevala
Peranka
Kalix
Tornio
Kemi
Kuivaniemi
Pudasjärvi
Boden
Älvsbyn
Luleå
Suomussalmi
Kostomuksha
Arvidsjaur
Puolanka
Piteå
Oulu
Muhos
Liminka
Siikajoki
Manamansalo
Kuhmo
Malå
Kajaani
Vuokatti
Raahe
Norsjö
Skellefteå
Ursviken
Pyhäntä
Kärsämäki
Nurmes
Lycksele
Kalajoki
Nivala
Ylivieska
Iisalmi
Rautavaara
Lieksa
Juuka
Robertsfors
Kannus
Vindeln
Kokkola
Reisjärvi
Südost-Finnland
Südwest-Finnland
Pihtipudas
Bjurholm
Umeå
Viitasaari
115
119

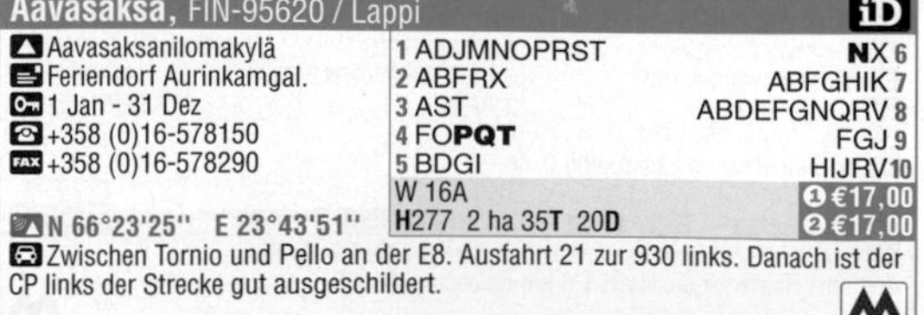

Aavasaksa, FIN-95620 / Lappi

Aavasaksanilomakylä
Feriendorf Aurinkamgal.
1 Jan - 31 Dez
+358 (0)16-578150
+358 (0)16-578290

1 ADJMNOPRST	NX 6
2 ABFRX	ABFGHIK 7
3 AST	ABDEFGNQRV 8
4 FO**PQT**	FGJ 9
5 BDGI	HIJRV 10
W 16A	❶ €17,00
H277 2 ha 35**T** 20**D**	❷ €17,00

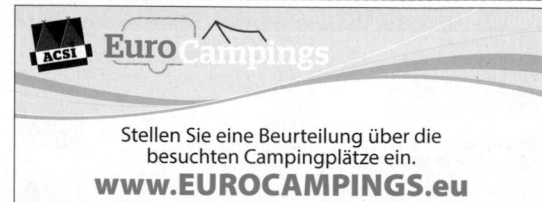

N 66°23'25'' E 23°43'51''
Zwischen Tornio und Pello an der E8. Ausfahrt 21 zur 930 links. Danach ist der CP links der Strecke gut ausgeschildert.

Aavasaksa, FIN-95620 / Lappi

Aavasuvannon Majat
Kilpisjärventie 581
1 Jun - 15 Sep
+358 (0)40-7335951
info@westribe.fi

1	ADGJMNOPRST	JUWXYZ 6
2	CGKPSW	7
3	A	ABEFNQV 8
4	AEOT	FJ 9
5	L	JORV 10
16A		❶ €26,00
H56 10 ha 64T 17D		❷ €30,00

N 66°22'22'' E 23°41'46''

Auf der Strecke von Tornio nach Pello von Süden die E8, von Norden von Pello nach Tornio die E8. CP ist deutlich ausgeschildert und liegt auf halben Wege zwischen diesen beiden Orten.

Inari, FIN-99870 / Lappi

Lomakylä Inari***
Inarintie 26
1 Jan - 31 Dez
+358 (0)16-671108
inari@visitinari.fi

1	ADJMNOPRS	LNQSXYZ 6
2	DHOPQRSVW	ABDEFGHIK 7
3		ABEFJNQR 8
4	AT	FJKQRV 9
5	D	AFGIJPR 10
16A		❶ €25,00
H110 2 ha 50T 38D		❷ €28,00

N 68°54'8'' E 27°2'14''

Straße 4 von Rovaniemi (oder von Hammerfest), gleich südlich von Inari. CP gut ausgeschildert. Befindet sich im Zentrum von Inari zwischen Straße und See.

Inari, FIN-99870 / Lappi

Uruniemi**
Uruniementie 7
1 Jun - 20 Sep
+358 (0)50-3718826
pentti.kangasniemi@uruniemi.inet.fi

1	ADEGJMNOPRST	LNXYZ 6
2	BDGHOPRX	ABDEFGIK 7
3	A	ABCEFJNQR 8
4	OT	FGJNPQRTUV 9
5	BL	AIJORV 10
10A		❶ €21,00
H136 0,5 ha 45T 16D		❷ €21,00

N 68°54'8'' E 27°4'17''

Der erste CP wenn man vom Süden Inari kommt.

Ivalo, FIN-99800 / Lappi

Lomakylä Näverniemi
Nävernlementie 17
1 Jun - 30 Sep
+358 (0)16-677601
naverniemen@lomakyla.inet.fi

1	ADJMNOPRST	JN 6
2	ACHKOPSWX	ABIK 7
3	A	ABCDEFJNQRU 8
4	T	FHJPV 9
5	I	IJPRV 10
16A		❶ €26,00
3 ha 50T 38D		❷ €30,00

N 68°38'36'' E 27°31'39''

Von Süden auf der E75 liegt die Ausfahrt ± 1,5 km vor dem Zentrum von Ivalo. CP ist auf der E75 gut angezeigt.

Ivalo, FIN-99800 / Lappi

Ukonjärvi
Ukonjärventie 141
15 Mai - 15 Sep
+358 (0)16-667501
nuttu@ukolo.fi

1	ADEJMNOPRST	LNXZ 6
2	BDKPQRVXY	ABDEFGHI 7
3		ABFJNQRTV 8
4	AOT	FGJP 9
5	DGJL	AGHIJNPTUV 10
10A		❶ €29,00
H130 10 ha 40T 25D		❷ €34,00

N 68°44'13'' E 27°28'37''

Straße 4/E75 10 km über Ivalo nach Norden. Ukonjärvi ist gut ausgeschildert.

Kaamanen, FIN-99910 / Lappi

Lomakylä Jokitörmä
Kaamasentie 2709a
1 Jun - 15 Sep
+358 (0)40-5205963
info@jokitorma.net

1	ADEJMNOPRST	JNX 6
2	COPQWX	ABI 7
3	A	ABEFJNQRV 8
4	T	FGIJP 9
5	B	HJOV 10
16A		❶ €25,00
H155 0,5 ha 40T 24D		❷ €27,00

N 69°5'29'' E 27°11'4''

26 km hinter Inari Richtung Nordkap.

Kaamanen/Inari, FIN-99910 / Lappi

Giellajohka
Karigasniementie 2920
1 Jun - 20 Sep
+358 (0)16-676921
info@giellajohka.fi

1	ADEJMNOPQRST	JNUX 6
2	ABCFJKOQRWXY	ABFGHIK 7
3	AV	ABCDMNQTV 8
4	IOT	GIJR 9
5	ABGIKLM	BJNORVW 10
W 10A CEE		❶ €24,00
H205 32T(30-100m²) 14D		❷ €26,00

N 69°17'32'' E 26°43'24''

Die 92 zum Nordkaap. 35 km hinter der Ortschaft Kaamanen. Das Örtchen heißt Kieleaoki.

Kalajoki, FIN-85100 / Oulu

Top Camping Hiekkasärkät****
Tuomipakkaintie
7 Jun - 31 Aug
+358 (0)8-4695200
camping@kalajokiresort.fi

1	ADEJMNOPRST	KMQSWX 6
2	EGHOPQRSWXY	ABDEFGHIK 7
3	BEFIKT	ABEFJNQRSV 8
4	FILOPT	FUVY 9
5	CDEFGIL	AFGHIJNORV 10
16A		❶ €31,00
22 ha 1200T 193D		❷ €40,00

N 64°13'59'' E 23°48'7''

Die 8 Kokkola-Oulu, 7 km südlich von Kalajoki. Der CP ist Teil des Vergnügungsparks Hiekkasärkät. Schildern 'Hiekkasärkät' folgen, da es mehrere CP in der Nähe gibt. Von der Tankstelle aus ist eine neue Straße angelegt.

Kuhmo, FIN-88900 / Oulu

Lentuankosken Leirintä
Lentuankoskentie 435
1 Jun - 10 Sep
+358 (0)40-7730050
lentuankoski@lentuankoski.fi

1	AJMNOPQRT	LNQSUWXYZ 6
2	DGIPWX	ABDEFIJK 7
3	A	ABCDEFNQR 8
4	T	FP 9
5	BL	HIJRV 10
16A		❶ €24,80
H180 2 ha 50T(100-200m²) 3D		❷ €26,80

N 64°11'5'' E 29°34'35''

Von Kuhmo Straße 912 nach Lentiira, nach 11 km bei Lentuankoski links. Dann noch 4 km.

Kuusamo, FIN-93999 / Oulu

Kuusamon Portti
Kajaanintie 151
1/1 - 31/10, 1/12 - 31/12
+358 (0)44-5667685
info@kuusamonportti.fi

1	ADEILNOPQRST	LNUWXYZ 6
2	ADGHPSWX	F 7
3		ABEFJNQR 8
4	AOT	GIJPQR 9
5	BDFHI	AFHIJOR 10
W 16A		❶ €20,00
H210 1,5 ha 40T 19D		❷ €25,00

N 65°49'57'' E 29°15'30''

Straße 5/E63, 15 km südlich von Kuusamo, Richtung Kajaani.

Kuusamo, FIN-93600 / Oulu

Rantatropiikki
Kylpyläntie
1 Jan - 31 Dez
+358 (0)3-06864000
hotelsales.kuusamo@holidayclub.fi

1	ADEILOPRST	EFGHILNQX 6
2	BDHOPQRSTUVXY	ABDEFGHI 7
3	EM	ABEFNQRST 8
4	EIOPRST	GIV 9
5	DFGJ	AGHIKNORV 10
W 16A		❶ €28,00
H267 10 ha 50T 224D		❷ €28,00

N 66°0'5'' E 29°10'2''

Nördlich von Kuusamo an der Straße 5. Gut ausgeschildert. Direkt vor dem Hotel (gut zu sehen).

Manamansalo, FIN-88340 / Oulu

Manamansalon Leirintäaluc***
Teeriniementie
1 Mär - 30 Nov
+358 (0)8-874138
juha.maatta@kainuunmatkailu.fi

1	ADILNOPRST	LNQSXYZ 6
2	BDHQRTY	ABDEFGHIJ 7
3	BEFIM	ABEFNQRS 8
4	FHIOT	FJPQTV 9
5	ABDFGI	AEGHIJMRV 10
B 10A		❶ €28,00
H133 12 ha 170T(80-100m²) 19D		❷ €30,00

N 64°23'22'' E 27°1'34''

Insel im Oulusee, über die Straße 22 Kontioäki-Oulu oder die Straße 879 Manua-Vaala zu erreichen und nach 47 km führt eine kleine Straße zur (kostenlosen) Fähre. CP im Norden.

Muhos, FIN-91500 / Oulu

Montta-active camping
Kieksintie 209
1 Mai - 30 Sep
+358 (0)10-3225100
activecamping@gmail.com

1	ADEJMNOPQRST	JNUVXY 6
2	ABCHJOPSTXY	ABFGIK 7
3	ACFGKS	ABEFJNQRSV 8
4	FHJOT	FPQRV 9
5	BDGL	ABHJRV 10
B 16A CEE		❶ €25,50
H50 3,5 ha 40T(bis 100m²) 15D		❷ €27,50

N 64°50'55'' E 26°0'55''

Von der 22 in Muhos aus ist der CP gut ausgeschildert; 6 km von der Hauptstraße.

Pello, FIN-95700 / Lappi

Pello
Nivanpääntie 56
1 Jun - 30 Sep
+358 (0)449474960
reception@camping-pello.fi

1	ADJMNOPQRST	NXY 6
2	CKPX	ABDEFGIK 7
3	BF	ABCDEFJNQRV 8
4	FHIOT	FNP 9
5	GIL	JNOV 10
16A		❶ €27,00
H65 3 ha 100T(100-144m²) 17D		❷ €29,00

N 66°47'3'' E 23°56'43''

Der 21 oder der E8 folgen. Im Zentrum dann den CP-Schildern nach. Der CP liegt etwa 1,5 km von der Hauptstrasse.

Peltojoki, FIN-99800 / Lappi

Muotkan Ruoktu
Karigasniementie 2281
1 Mär - 30 Sep
+358 (0)16-676900
muotkanruoktun@gmail.com

1	ADEJMNOPRST	JLN 6
2	CDOPQRWX	ABFGI 7
3		ABEFJNQR 8
4	EFT	GJPQ 9
5	BDIL	JORV 10
16A		❶ €28,00
H214 5 ha 30T 22D		❷ €28,00

N 69°15'6'' E 26°49'6''

Straße 92 zum Nordkap, 25 km hinter dem Örtchen Kaamanen. Der Ort heißt Peltojoki.

Peranka, FIN-89770 / Oulu

Camping Piispansaunat
Selkoskyläntie 19
1 Jun - 30 Aug
+358 (0)40-5916784
sinikka.komulainen@elisanet.fi

1	ABJMNOPQRT	LNS 6
2	ABDHTX	ABFHIK 7
3	A	ABEFJNQRTUV 8
4	FIOT	FGJP 9
5		HIJORV 10
16A		❶ €25,00
4 ha 50T(100-200m²) 21D		❷ €29,00

N 65°23'40'' E 29°4'11''

66 km nördlich von Suomussalmi-Zentrum. An der E63/5 Richtung Peranka, dort ab 2 km auf der 9190.

Teilkarte Nord-Finnland auf Seite 122

Finnland

Posio, FIN-97900 / Lappi

Himmerki
Himmerki 8
1 Jan - 31 Dez
+358 (0)44-0352602
info@himmerki.com
N 66°4'53'' E 28°16'57''

1 ADEJMNOPRS	LNX 6
2 BDHJRX	ABDEFIJK 7
3 A	ABEFJNQRSV 8
4 FOT	FJPQR 9
5 HI	ABHJORV 10
W 16A	1 €22,00
H242 16,5 ha 30T(60-100m²) 24D	2 €24,00

Die 81 zwischen Kuusamo und Rovaniemi. 6 km vor Posio aus Kuusamo.

Pudasjärvi, FIN-93100 / Oulu

Jyrkkäkoski Camping***
Jyrkkäkoskentie 122
10 Mai - 30 Sep
+358 (0)400-109006
info@jyrkkakoski.fi
N 65°23'56'' E 26°59'36''

1 ADEJMNOPQRST	JNXZ 6
2 BCHQRSXY	ABDEFGHIJK 7
3 AEGHIR	ABEFJNQRV 8
4 FJKOT	AFNPQVW 9
5 BDL	AHIJNOPRV 10
16A	1 €24,50
H70 8 ha 130T 21D	2 €26,50

Straße 20 von Oulu oder von Kuusamo bei Pudasjärvi ausgeschildert. Dann noch ca. 1 km der Straße 78 Nord Richtung Ranua folgen, danach CP ausgeschildert.

Puolanka, FIN-89200 / Oulu

Puolanka Camping***
Leiritie 1
15 Mai - 15 Okt
+358 (0)8-751096
reservations@puolankacamping.fi
N 64°52'1'' E 27°38'49''

1 ADJMNOPQRST	LNSXZ 6
2 DGHPRXY	ABDEIJK 7
3	ABEFJNQR 8
4 FIOT	FPQ 9
5 BGL	HIJRV 10
10A	1 €23,00
H210 4 ha 75T 12D	2 €25,00

Von Kaajani Straße 5, nach 20 km über Straße 70 und 78 nach Puolanka. Im Ort gut ausgeschildert. Oder über Straße 78 von Pudasjärvi.

Ranua, FIN-97700 / Lappi

Ranua Zoo Camping
Rovaniementie 29
1 Jan - 31 Dez
+358 (0)16-3551001
ranuan.zoo@ranua.fi
N 65°56'37'' E 26°28'1''

1 ADEJMNOPRST	6
2 AOPSVW	ABFGHIK 7
3 AG	ABEFJNQR 8
4 AFT	I 9
5	EGIJPRV 10
B 16A CEE	1 €19,00
H177 1 ha 40T(60-80m²) 20D	2 €23,00

Die 78, 3 km oberhalb Ranua Richtung Rovaniemi. Der CP liegt am Zoo, deutlich angezeigt.

Ranua, FIN-97700 / Lappi

Ranuanjärvi***
Leirintäaluentie 5
1 Jun - 31 Aug
+358 (0)40-5436011
ranuanjarven.leirinta@ranua.fi
N 65°55'13'' E 26°34'31''

1 ADEJMNOPRST	LNXZ 6
2 BDHPQRTXY	ABDEFHIK 7
3 BIS	ABEFJNQRS 8
4 OT	FPR 9
5 B	IJNORV 10
B 16A	1 €26,00
H160 4 ha 76T 21D	2 €30,00

Von Ranua Straße 941 Richtung Posio, dann Richtung 'Kirkkotie'. Nach 100m CP ausgeschildert.

Rovaniemi, FIN-96900 / Lappi

Napapiirin Saarituvat***
Kuusamantie 96
20 Mai - 9 Sep
+358 (0)163560045
reception@saarituvat.fi
N 66°31'1'' E 25°50'47''

1 ADEJMNOPRT	JNX 6
2 ACOPQRW	ABFGHIK 7
3 AK	ABEFJNQRV 8
4 OT	FJV 9
5 GL	AIJOR 10
16A	1 €29,00
H72 3,5 ha 30T(80-100m²) 32D	2 €32,50

Von Rovaniemi Richtung Kuusamo auf der Straße 81. Auf dieser Straße wird ein CP bald rechts ausgeschildert (Stadtcampingplatz). Nicht abbiegen, aber weiterfahren. Nach ca. 4 km deutlich ausgeschildert.

Rovaniemi, FIN-96200 / Lappi

Ounaskoski***
Jäämerentie 1
23 Mai - 20 Sep
+358 (0)16-345304
ounaskoski-camping@windowslive.com
N 66°29'51'' E 25°44'36''

1 ADEJMNOPRST	JNQSXY 6
2 CGHOPQRWX	ABFGHIJ 7
3 AK	ABEFJNQRS 8
4 OT	9
5 BDGL	AFGHIJNPR 10
16A	1 €35,00
H93 3 ha 140T	2 €43,00

Aus dem Norden oder Süden (Straße 78 empfehlenswert) stadteinwärts Beschilderung folgen und über Brücke. Gut ausgeschildert.

Ruhtinansalmi, FIN-89920 / Oulu

Erä-Hossa***
Hossantie 278B
15 Mai - 31 Okt
+358 (0)500-166377
era.hossa@luukku.com
N 65°26'34'' E 29°33'2''

1 ADEHKNOPRST	LNQSWXY 6
2 DHQRXY	ABDEFHIK 7
3 A	ABEFNQR 8
4 EFOT	FJPQ 9
5 B	HIJRV 10
16A	1 €21,50
H228 2,2 ha 78T 10D	2 €22,50

Von der Straße 5 Ämmänsaari-Kuusamo, bei Peranka Richtung Osten auf die Straße 9190 (gut asphaltiert). Dann Straße 843 Richtung Hossa nehmen.

Ruhtinansalmi, FIN-89920 / Oulu

Karhunkainalon Leitintäalue
Jatkonsalmentie 6
15 Feb - 31 Okt
+358 (0)205-646041
oparihossa@suomi24.fi
N 65°28'5'' E 29°31'3''

1 ADEJMNOPRST	LNXY 6
2 BDHQSVX	ABDEFGHIK 7
3 A	ABEFJNQSV 8
4 AEFIOT	FHJPQR 9
5 BIL	EHIJORV 10
B 16A	1 €25,00
H231 2 ha 49T(80-100m²) 16D	2 €27,00

Straße 5 Ämmänsaari-Kuusano nach Osten zur Straße 10. Dann die 843 Richtung Hossa. CP ist gut ausgeschildert.

Sirkka, FIN-99130 / Lappi

Levilehto Apartments***
Levintie 1625
1 Jan - 31 Dez
+358 (0)40-3120203
levilehto@levi.fi
N 67°48'25'' E 24°48'4''

1 ADEILNOPRST	6
2 OQRX	ABDEFGHIK 7
3	ABEFJNQR 8
4 T	IJ 9
5	AHJPRY 10
W 10A	1 €28,00
H280 3 ha 60T 32D	2 €28,00

Von Rovaniemi Straße 79 nach Kittilä, CP liegt 20 km nördlich von Kittilä im Wintersportort Levi.

Suomussalmi, FIN-89600 / Oulu

Kiantajärvi Camping
Juntusrannantie 24
1 Jun - 30 Sep
+358 (0)440-711209
kiantajarvi@camping.inet.fi
N 64°52'25'' E 28°59'52''

1 ADEJMNOPQRST	LNQSWX 6
2 BDGHKPQRTY	ABDEHIK 7
3 AE	ABEFNQR 8
4 T	FKP 9
5 B	IJNORV 10
16A	1 €24,00
H210 4 ha 200T(100-200m²) 16D	2 €24,00

An der Straße 912 zwischen Ämmänsaari und Suomussalmi gelegen, 3 km von Ämmänsaari entfernt. Gut ausgeschildert.

Taivalkoski, FIN-93540 / Oulu

Kylmäluoma****
Pajuluomantie 20
1 Jan - 31 Dez
+358(0)405003476
oparikylmaluo@suomi24.fi
N 65°35'4'' E 28°54'0''

1 ADEJMNOPRST	LNQSXZ 6
2 BDGHPQRSTVX	ABDEFGHIJK 7
3 AEFIM	ABEFGJNQRS 8
4 EFOT	FGJPQRU 9
5 BDHILM	AEGHIJORV 10
W 16A	1 €28,00
H254 8 ha 65T(80-100m²) 24D	2 €30,00

Die 5 Kuusamo-Ämmänsaari. CP ist ca. 50 km südlich von Kuusamo und 2 km westlich von der 5. Gut ausgeschildert. (Nicht über Taivalkoski fahren, die 5/E63 nehmen).

Tornio, FIN-95420 / Lappi

Tornio***
Matkailijantie 49
5 Mai - 30 Sep
+358 (0)16-445945
camping.tornio@co.inet.fi
N 65°49'55'' E 24°12'8''

1 ADEJMNOPQRST	JNXZ 6
2 CGHIPQWXY	ABDEFGIK 7
3 BFIMS	ABEFNQR 8
4 OT	FIPTVY 9
5	IJORV 10
B 16A	1 €26,00
5,5 ha 104T(50-200m²) 19D	2 €30,00

E8 Richtung Kemi folgen, dann der 922. Die 922 liegt an der Ostseite von Tornio an der Straße Tornio-Kemi.

Vuokatti, FIN-88610 / Oulu

Naapurivaaran Lomakeskus Ky***
Pohjavaarantie 66
1 Jan - 31 Dez
+358 (0)8-664422
naapurivaaran.lomakeskus@tahtesi.fi
N 64°10'13'' E 28°12'36''

1 BDEILNOPRT	LNQSWXYZ 6
2 DFGHOPRXY	ABDEFGHIK 7
3 BFKLS	ABEFJNPQRSTV 8
4 FHINOPQTU	FIJPQV 9
5 BCDGL	AHIJNSTV 10
10A	1 €27,00
H137 2,5 ha 80T 29D	2 €35,00

Straße 76 Sotkamo-Kajaani, in Vuokatti 4 km Straße 899N Richtung Jormua.

Teilkarte Nord-Finnland auf Seite 122

Dänemark

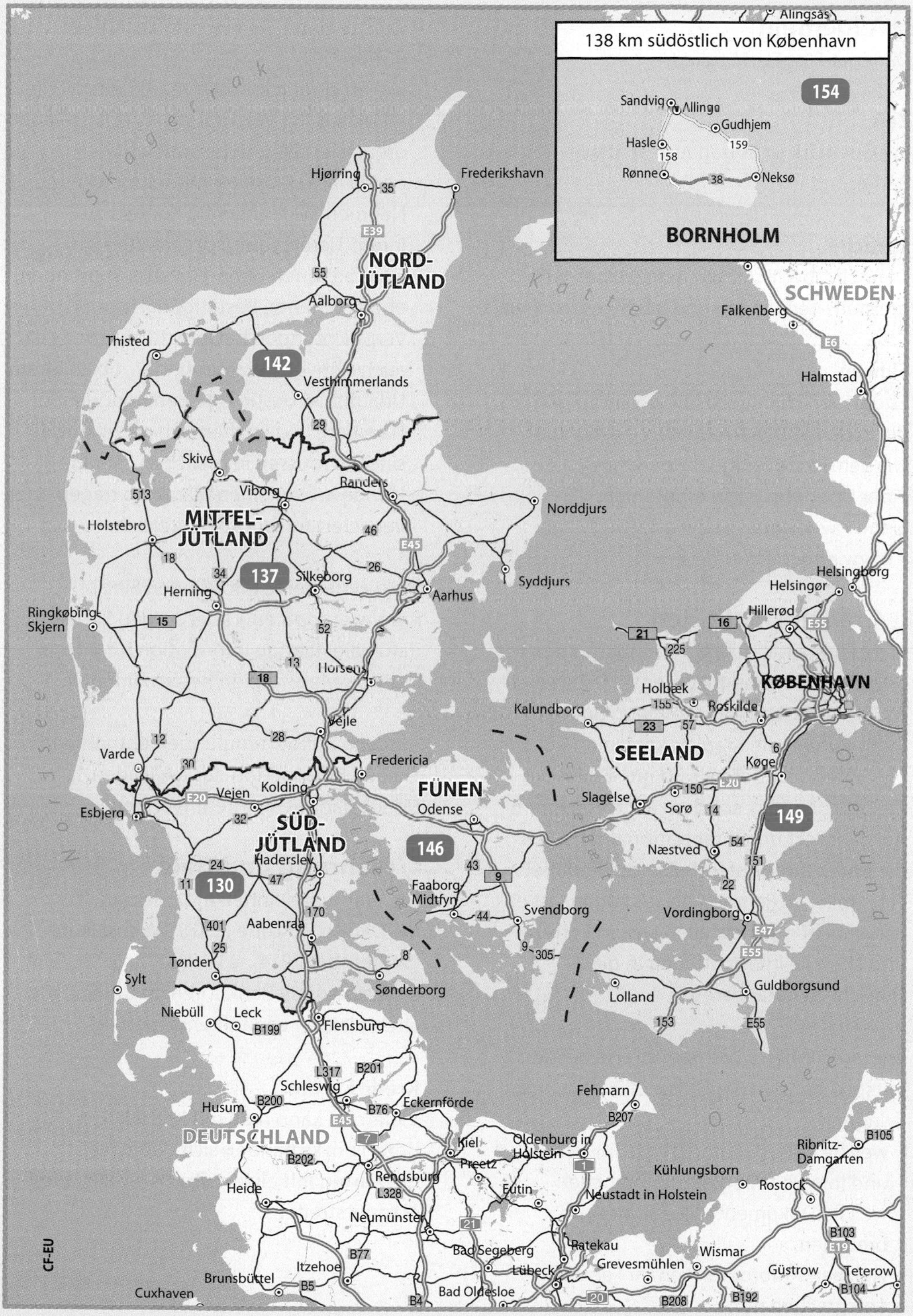

138 km südöstlich von København

154

Sandvig
Allinge
Gudhjem
Hasle
158
159
Rønne
38
Neksø

BORNHOLM

Skagerrak

Kattegat

SCHWEDEN

Alingsås
Falkenberg
E6
Halmstad
Helsingborg
Helsingør
Hillerød

Hjørring
35
Frederikshavn
E39
55
NORD-JÜTLAND
Aalborg
Thisted
142
Vesthimmerlands
29
Skive
Viborg
Randers
513
MITTEL-JÜTLAND
Holstebro
46
Norddjurs
E45
18
34
137
Silkeborg
26
Syddjurs
Herning
Aarhus
Ringkøbing-Skjern
15
52
13
Horsens
18
Vejle
28
12
Varde
30
Fredericia
Nordsee
E20
Vejen
Kolding
Esbjerg
32
SÜD-JÜTLAND
Haderslev
24
11
130
47
Aabenraa
170
401
25
Tønder
Sylt
Lille Bælt

FÜNEN
Odense
146
43
9
Faaborg-Midtfyn
44
Svendborg
8
9
305
Sønderborg
Store Bælt

21
16
225
E55
Holbæk
KØBENHAVN
155
Roskilde
Kalundborg
23
57
SEELAND
6
Køge
Slagelse
150
E20
Sorø
14
149
Øresund
54
Næstved
151
22
Vordingborg
E47
E55
Lolland
Guldborgsund
153
E55

Niebüll
Leck
B199
Flensburg
L317
B201
Schleswig
Husum
B200
B76
Eckernförde
E45
DEUTSCHLAND
7
Kiel
Oldenburg in Holstein
B202
Preetz
1
Rendsburg
Heide
L328
Eutin
Neustadt in Holstein
Neumünster
21
Bad Segeberg
Ratekau
B77
Itzehoe
Lübeck
Grevesmühlen
Brunsbüttel
B5
Cuxhaven
B4
Bad Oldesloe
20
B208
B192
Fehmarn
B207
Ostsee
Kühlungsborn
Rostock
Ribnitz-Damgarten
B105
B103
E19
Wismar
Güstrow
Teterow
B104

CF-EU

Allgemein
Dänemark ist EU-Mitglied.

Zeit
In Dänemark ist es genauso spät wie in Berlin.

Sprache
Dänisch, aber Englisch und Deutsch wird meistens verstanden und auch gesprochen.

Fähren
Es gibt verschiedene Fährverbindungen die in den Sommermonaten viel benutzt werden. Rechtzeitige Reservierung einer Überfahrt ist zu empfehlen.
Siehe ▸ *www.aferry.de* ◂ oder
▸ *www.directferries.de* ◂

Grenzformalitäten
Viele Formalitäten und Vereinbarungen, wie erforderliche Reisedokumente, KFZ-Papiere, Anforderungen an Ihr Fahrzeug und Ihren Aufenthalt, Krankenkosten und das Mitführen von Tieren, sind nicht nur vom Zielort abhängig, sondern auch von Ihrem Ausgangsort und Ihrer Nationalität. Auch die Dauer Ihres Aufenthaltes spielt dabei eine Rolle. Im Rahmen dieses Führers ist es leider nicht möglich, allen Lesern korrekte und aktuelle Informationen in dieser Hinsicht zu garantieren.

Wir raten Ihnen, vor Ihrer Abreise bei den entsprechenden Behörden in Erfahrung zu bringen:

- welche Reisedokumente Sie für sich selbst und Ihre Reisebegleitung brauchen
- welche Dokumente Sie für Ihr Auto brauchen
- welchen Anforderungen Ihr Fahrzeug entsprechen muss
- welche Güter Sie ein- und ausführen dürfen
- wie im Unglücks- oder Krankheitsfall die medizinische Versorgung im Urlaubsland organisiert ist und bezahlt wird
- ob Sie Ihre Haustiere mitnehmen können. Nehmen Sie rechtzeitig Kontakt zu Ihrem Tierarzt auf. Dort erhalten Sie Informationen über relevante Impfungen, entsprechende Bestätigungen und Verpflichtungen bei Ihrer Rückkehr. Es ist auch sinnvoll herauszufinden, ob an Ihrem Urlaubsziel bestimmte Bedingungen für Haustiere in der Öffentlichkeit geknüpft sind. So müssen in manchen Ländern Hunde immer einen Maulkorb tragen oder vergittert transportiert werden.

Viele allgemeine Infos finden Sie auf ▸ *www.europa.eu* ◂ aber sorgen Sie selbst dafür, die richtige Information für Ihre individuelle Situation herauszufinden.

Aktuelle Zollbestimmungen entnehmen Sie den Botschaften des jeweiligen Urlaubslandes an Ihrem Wohnort.

Währung und Geld
Die Währungseinheit in Dänemark ist die Dänische Krone (DKK). Wechselkurs (September 2014): € 1 = DKK 7,45. Seit Mai 2011 sind neue Banknoten im Umlauf: die alten bleiben vorläufig noch gültig.

Kreditkarten
Vielerorts kann man mit Kreditkarte bezahlen. Es handelt sich dabei meist um Karten mit einem Chip, anstelle eines Magnetstreifens.

Öffnungszeiten und Feiertage

Banken

Banken sind von montags bis freitags bis 16.00 Uhr geöffnet. Donnerstags bis 17.30 Uhr.

Geschäfte

Die meisten Geschäfte sind von montags bis donnerstags bis 18.00 Uhr geöffnet, freitags bis 20.00 Uhr. Samstags bis 14.00 Uhr. In Touristenorten sind die Geschäfte im Allgemeinen oft sonntags den ganzen Tag geöffnet.

Apotheken

Apotheken sind normalerweise montags bis donnerstags von 9.30 bis 17.30 Uhr geöffnet. Freitags sind die Apotheken länger offen. Samstags zwischen 10.00 und 13.00 Uhr.

Feiertage

Neujahr, Gründonnerstag, Karfreitag, Ostern, 1. Mai (Buß- & Bettag), Himmelfahrt, Pfingsten, 5. Juni (Tag des Grundgesetzes), 24., 25. und 26. Dezember.

Kommunikation

(Mobil)Telefon

Das Mobilnetz ist in ganz Dänemark gut. Es gibt ein 3 G-Netz für das mobile Internet.

W-Lan, Internet

W-Lan ist vielerorts in Restaurants und Bars vorhanden.

Post

Montags bis Freitag bis 17.00 Uhr.

Straßen und Verkehr

Straßennetz

Bei Unfall oder Panne kann man über Notrufsäulen mit Falck Kontakt aufnehmen: Tel. 070-102030 oder mit dem FDM 070-133040.

Verkehrsvorschriften

Fahrzeuge im Kreisverkehr haben stets Vorfahrt. Auch Radfahrer haben immer Vorfahrt. Auf Bergstraßen und anderen ansteigenden Straßen hat der bergauffahrende Verkehr Vorrang vor dem talfahrenden.

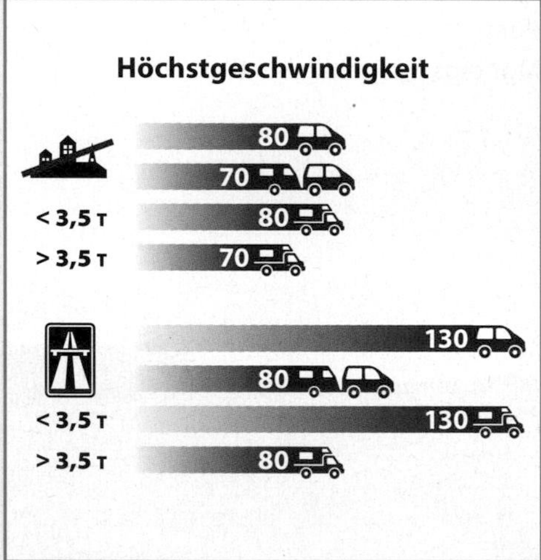

Die Promillegrenze ist 0,5 ‰. In Dänemark muss man auch tagsüber mit Abblendlicht fahren. Telefonieren nur mit Freisprechanlage. Winterreifen sind keine Pflicht.

Navigation

Warnung vor festen Blitzern durch Navi oder Mobiltelefon Apps ist erlaubt.

Wohnwagen, Reisemobil

Für Spätankommer wird der Quick-stop Service immer beliebter: Übernachten nach 20.00 Uhr abends und bis 10.00 Uhr morgens; oft außerhalb des Campgeländes. An öffentlichen Straßen, Parkplätzen oder in Strandnähe darf nicht im Reisemobil übernachtet werden.

Zulässige Maße

Höhe 4m, Breite 2,55m und Länge 18,75m.

Kraftstoff

Bleifrei und Diesel gut erhältlich. LPG ist schwer erhältlich.

Tankstellen

Tankstellen sind meist bis 23.00 Uhr geöffnet. Oft können Sie mit Kreditkarte bezahlen.

Maut

Auf den dänischen Straßen wird keine Maut erhoben. Auf der großen Beltbrücke und der Sundbrücke (Øresundbron) muss man allerdings Maut zahlen.

- Große Beltbrücke: € 33 für Auto und € 50 für Caravans und Reisemobile über 6m.
- Sundbrücke: beziehungsweise € 49 und € 98.

Vor der Sundbrücke sind keine Retourtickets erhältlich, vor der großen Beltbrücke aber doch.

Notruf

112: nationaler Notruf für Polizei, Feuerwehr und Krankenwagen.

Campen

Wildes Campen ist in Dänemark grundsätzlich nicht gestattet. Falls der Grundstücksbesitzer ausdrücklich seine Erlaubnis dazu gegeben hat, allerdings schon.

Ruhe und Privatsphäre stehen auf dänischen Campings hoch im Kurs. Die Campgelände liegen oft weiter weg von Wohngebieten als andernorts. Dänische Campingplätze sind beste Familienanlagen. Die Anzahl der Komfortplätze nimmt zu.

Praktisch

Wenn Sie in Norwegen, Finnland oder Dänemark campen, dann ist es sehr wahrscheinlich, dass Sie noch eine Spezialkarte brauchen, die man an der Rezeption vorzeigen muss. Sie können sich diese Karte auf dem ersten Camping, auf dem Sie übernachten, besorgen.

- Achtung: das Angebot Propangasflaschen zu füllen ist sehr beschränkt. Am besten mit ausreichend Gas auf die Reise gehen.
- Am besten immer Universalstecker dabei haben.
- Leitungswasser ist bedenkenlos zu trinken.

Angeln

Jeder Angler ab 18 Jahre bis einschließlich 65 Jahren braucht einen Angelschein (Gültigkeitsdauer 1 Jahr, 1 Woche oder 1 Tag). Diesen erhält man auf Postämtern, Fremdenverkehrsbüros, Hotels und Campings. Für viele Seen oder Wasserläufe, die in Pacht stehen, muss man sich auch die örtliche Genehmigung holen.

Klima København	Jan.	Feb.	März	April	Mai	Juni	Juli	Aug.	Sept.	Okt.	Nov.	Dez.
Tagestemperatur	1	1	3	8	13	17	19	19	15	10	6	3
Sonnenstunden am Tag	1	2	4	5	8	8	8	7	5	3	1	1
Regentage	11	8	8	8	7	8	9	9	10	10	10	11

Klima Esbjerg	Jan.	Feb.	März	April	Mai	Juni	Juli	Aug.	Sept.	Okt.	Nov.	Dez.
Tagestemperatur	2	2	4	8	14	17	18	18	15	12	7	4
Sonnenstunden am Tag	1	2	4	6	8	8	7	7	5	3	2	1
Regentage	13	8	11	9	9	9	11	12	13	13	16	14

Süd-Jütland

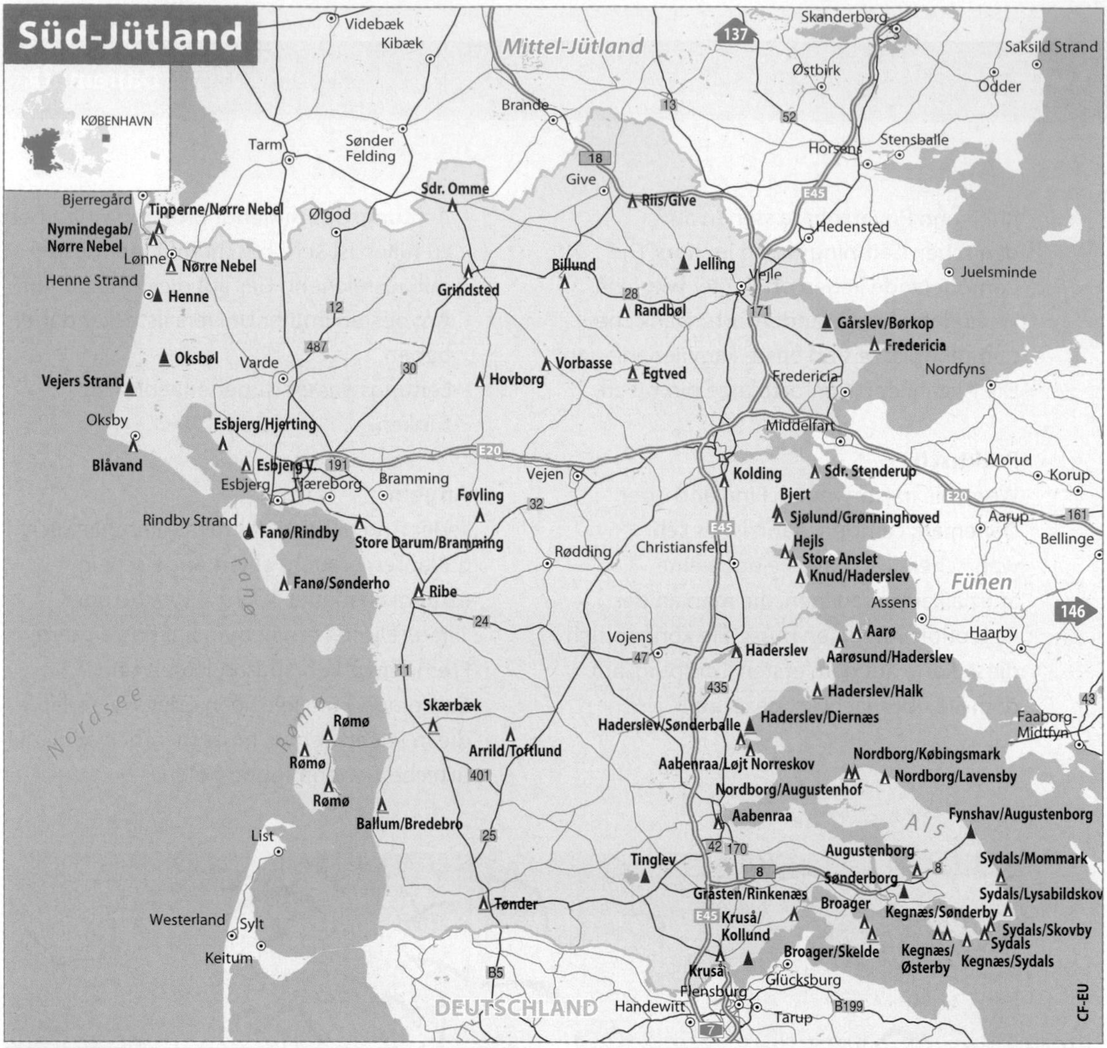

Aabenraa, DK-6200 / Sydjylland

Fjordlyst - Aabenraa City Camping***
Sønderskovvej 100
28 Mär - 20 Sep
+45 74622699
mail@fjordlyst.dk
N 55°1'30'' E 9°24'52''

1 DE**JM**NOPRST	K**N**PQSWX	6
2 ABEFOPRTUWXY	ABDE**FG**HIJK	7
3 BE**K**T	ABCDEFGIJKNQRSV	8
4 FHIO	FGJ	9
5 ABKL	ABFGHJNPRVZ	10
B 10A CEE	① €30,20	
4,8 ha 110**T**(80-120m²) 56**D**	② €40,95	

Von der E45 Ausfahrt 72. Richtung Stubbaek. 7 km lang der Beschilderung folgen.

Aarøsund/Haderslev, DK-6100 / Sydjylland

Gammelbro Camping***
Gammelbrovej 70
1 Jan - 31 Dez
+45 74584170
info@gammelbro.dk
N 55°14'59'' E 9°42'44''

1 DE**IL**NOQRT	**E**FGK**N**QSWXYZ	6
2 EHPVX	ABDE**FG**HIK	7
3 BCE**ILM**TU	ABCDE**F**IJKNQRSV	8
4 IO**QST**	FIJV	9
5 ACHK	ABFGHJN**P**RWYZ	10
B 10A	① €29,95	
32 ha 495**T**(80-100m²) 497**D**	② €41,50	

In Haderslev Richtung Aarøsund. Kurz vor Aarøsund rechts und CP-Schildern folgen.

Aabenraa/Løjt Norreskov, DK-6200 / Sydjylland

Sandskaer Strandcamping***
Sandskaervej 592
27 Mär - 20 Sep
+45 74617326
info@sandskaer.dk
N 55°7'1'' E 9°29'46''

1 CDE**JM**NOPQRST	**AFKN**OPQSUWXY**Z**	6
2 ABEFGHKPTVWX	ABD**EFG**HIJK	7
3 BCEF**J**LQST	ABCDE**FI**JKNQRSV	8
4 FHIO	FRY	9
5 ACKL	ABGHJ**NP**RVWZ	10
B 10A	① €32,50	
5,8 ha 290**T**(80-100m²) 153**D**	② €44,30	

In Aabenraa Straße 170 Richtung Haderslev nehmen, nach 8 km rechts Richtung Løjt Kirkeby. Dann der Ausschilderung folgen.

Aarø, DK-6100 / Sydjylland

Aarø Camping***
Aarø 260
1 Jan - 31 Dez
+45 74584482
aaro@aaro-camping.dk
N 55°15'35'' E 9°45'9''

1 DF**JL**NOPQRS	K**N**QS**X**	6
2 EGHPQWXY	ABDE**FG**HIJK	7
3 ABC**I**T	ABDE**FI**JKNQRS	8
4 FHI	DFNRVY	9
5 ACDFGKL	ABHJ**N**ORVW	10
10A	① €25,50	
4,2 ha 120**T** 109**D**	② €34,90	

E45, Ausfahrt Haderslev. In Haderslev Ringstraße Richtung Aarøsund. Dort mit der Fähre nach Aarø. CP ist gut ausgeschildert.

Teilkarte Süd-Jütland auf Seite 130

Arrild/Toftlund, DK-6520 / Sydjylland

Arrild-Ferieby-Camping***
Arrild Ferieby 5
1 Jan - 31 Dez
+45 20483734
info@arrildcamping.dk
N 55°9'12'' E 8°57'24''

1 DEJMNOPQRST — EFGHN 6
2 BDOPWXY — ABDEFGHIJK 7
3 BEFGIKLMQT — ABCDEFGIJKNQRSTV 8
4 FI — DF 9
5 CDEHJL — ABGHJOSTVYZ 10
B 16A CEE — ❶ €27,50
8 ha 250T(100-140m²) 132D — ❷ €38,25

Von der A7/E45 Ausfahrt 73 die 175 Richtung Rømø. Bei Toftlünd der Straße folgen; an der Ausfahrt Arrild ist der CP angezeigt.

Augustenborg, DK-6440 / Sydjylland

Hertugbyens Camping**
Ny Stavnsbøl 1
1 Jan - 31 Dez
+45 74471639
hertugbyenscamping@mail.dk
N 54°56'49'' E 9°51'15''

1 AJMNOPQRST — KNOPQSWXY 6
2 AEHKPRTWX — ABDEFGI 7
3 KT — ABCDEFGIJKNQRSV 8
4 FH — F 9
5 AL — ADGHJNPRW 10
B 16A CEE — ❶ €23,50
2,6 ha 70T(100-150m²) 39D — ❷ €31,55

Hauptstraße 8, an Sønderborg vorbei, Ausfahrt Augustenborg rechts. Im Zentrum links. Den Schildern folgen. Vor dem Krankenhaus zuerst rechts, danach links der Straße zum Strand folgen.

Ballum/Bredebro, DK-6261 / Sydjylland

Ballum Camping***
Kystvej 37
1 Jan - 31 Dez
+45 74716263
Ballum.Camping@bbsyd.dk
N 55°4'8'' E 8°39'38''

1 DJMNOPRT — SX 6
2 HKOPVWXY — BDEFGHIJK 7
3 BEFIQSTU — ABCDEFIJKNQRS 8
4 IO — DFV 9
5 ABL — ADGHIJNPRV 10
10A CEE — ❶ €29,20
5,2 ha 169T(80-100m²) 188D — ❷ €38,95

Küstenstraße Nr. 419 von Tønder nach Ballum. Kurz vor Ballum ist der CP ausgeschildert.

Billund, DK-7190 / Sydjylland

LEGOLAND Holiday Village****
Ellehammers Alle 2
27 Mär - 1 Nov
+45 75332777
info@legoland-village.dk
N 55°43'53'' E 9°8'9''

1 DEILNOPQRST — EFG 6
2 OPSVWXY — ABDEFGHIK 7
3 BIKLPQT — ABCDEFIJKNQRS 8
4 IOPQ — AFGJY 9
5 ACDEHJKL — ABFHIKNPRVZ 10
B 10-16A CEE — ❶ €38,95
14 ha 659T(80-100m²) 133D — ❷ €52,35

Von der Straße 28 Vejle-Grindsted bei Billund die Ausfahrt Legoland/Flughafen/CP nehmen. Ab hier gut ausgeschildert.

Bjert, DK-6091 / Sydjylland

Stensager Strand Camping****
Oluf Ravnsvej 16
27 Mär - 15 Sep
+45 75572231
stensager@dk-camp.dk
N 55°25'11'' E 9°35'16''

1 BDEJMNOPQRST — ABFGHIKNQSWXYZ 6
2 BEFGHPSVWX — ABDEFGHIJK 7
3 BEIT — ABEFIJKLNQRSU 8
4 BFIOQST — DFHY 9
5 ACKL — ABFGHIJNPRVWZ 10
B 13A CEE — ❶ €39,20
5,8 ha 195T(100-110m²) 143D — ❷ €53,70

Auf der E45 die Ausfahrt 65 Richtung Kolding. An der 4. Ampel rechts Richtung Sdr. Stenderup. Dann Richtung Sjølund bis zu Binderup Strand und CP-Schild. Links und folgen.

Blåvand, DK-6857 / Sydjylland

Hvidbjerg Strand/Feriepark*****
Hvidbjerg Strandvej 27
18 Mär - 25 Okt
+45 75279040
info@hvidbjerg.dk
N 55°32'46'' E 8°8'3''

1 CDJMNOPQRST — EFHIKNQSX 6
2 EHPQVWXY — ABCDEFGHIJK 7
3 BCEFGHIKLQSTU — ABCDEFGHIJKLMNQRSTU 8
4 ABCDEIKLNOPQTUVWXYZ — DFJKLUVY 9
5 ACDEFGHIJKL — ABEFGHIJNPRVYZ 10
B 10-16A CEE — ❶ €60,95
16 ha 690T(100-340m²) 121D — ❷ €77,60

Ribe-Esbjerg (11-24) dann die 463 nach Billum. Nach Westen der 431 nach Blåvand folgen. Vor dem Ort ist der CP links ausgeschildert.

Broager, DK-6310 / Sydjylland

Gammelmark Strand Camping***
Gammelmark 20
3 Apr - 18 Okt
+45 74441742
info@gammelmark.dk
N 54°53'7'' E 9°43'44''

1 DEJMNOPQRST — ABKNOPQSUWXY 6
2 AEFGHJKPQRTUVWXY — ABDEFGHIJK 7
3 BEFKLQTU — ABCDEFGIJKNQRSTUV 8
4 BFHIKOPQ — F 9
5 ABKL — ABFGHJNPRVXZ 10
B 13A CEE — ❶ €36,25
5,6 ha 289T(100-150m²) 103D — ❷ €47,00

Von der E45 Ausfahrt 73 Richtung Sonderborg. Auf der Hauptstraße 8 bis Nybol bleiben. Dann Richtung Broager zur 1. Ampel. Danach 1. Straße rechts Richtung Skelde. Nach 3,5 km in Dynt links ab. Weiter ausgeschildert.

Broager/Skelde, DK-6310 / Sydjylland

Broager Strand Camping***
Skeldebro 32
1 Feb - 30 Nov
+45 74441418
post@broagerstrandcamping.dk
N 54°52'4'' E 9°44'39''

1 DEJMNOPQRST — KNOPQSUWXY 6
2 AEFGHJPQRVWXY — ABDEFGHIJK 7
3 AKTV — ABCDEFGIJNQRSTUV 8
4 FHIOQ — FNRUVW 9
5 ABKL — ABCDFGHJNPRVXZ 10
B 13A CEE — ❶ €26,85
5,8 ha 120T(80-125m²) 45D — ❷ €37,05

Von der E45 Ausfahrt 73 Richtung Sønderborg. Der 8 bis Nybol folgen, dann Richtung Broagar bis zur 1. Ampel. Nach der Ampel 1. rechts Richtung Skelde. Nach 3,5 km in Dynt geradeaus. Weiter ausgeschildert.

Egtved, DK-6040 / Sydjylland

Egtved Camping***
Verstvej 9
1 Apr - 1 Okt
+45 75551832
post@egtvedcamping.dk
N 55°36'24'' E 9°16'44''

1 DEJMNOPQRST — N 6
2 DFGPTUVWXY — ABDEFGHIJK 7
3 BEQTV — ABCDEFIJNQRS 8
4 FIPQX — ADEFW 9
5 ABCDEIKL — ABDGHJMPRYZ 10
B 10A CEE — ❶ €24,05
H70 8 ha 240T(90-100m²) 92D — ❷ €35,30

An der Straße 417 Vejle-Ribe. Von Ribe aus liegt der CP 1 km vor Egtved. Von Vejle aus 1 km hinter Egtved.

Esbjerg V., DK-6710 / Sydjylland

EsbjergCamping.dk***
Gudenåvej 20
1 Jan - 31 Dez
+45 75158822
info@esbjergcamping.dk
N 55°30'47'' E 8°23'22''

1 DJMNOPRT — ABFGHKQSX 6
2 CEHOPVWXY — ABCDEFGHIJ 7
3 BEFILT — ABCDEFIJKLNQRS 8
4 IOU — FJ 9
5 BKL — ABFGHIJNPRVZ 10
B 10A CEE — ❶ €33,95
7 ha 240T(100m²) 66D — ❷ €47,65

Die Küstenstraße 447 Esbjerg-Hjerting nehmen. Am Ortsausgang von Saedding ist der CP ausgeschildert.

Esbjerg/Hjerting, DK-6710 / Sydjylland

Sjelborg Camping***
Sjelborg Strandvej 9
11 Apr - 20 Sep
+45 75115432
sjelcamp@mail.tele.dk
N 55°32'35'' E 8°20'20''

1 DJMNORST — KNQSWXY 6
2 DEGHOPQVWXY — ABDEFGHIJ 7
3 BEGIKLQST — ABCDEFIJKNQRS 8
4 EFHIO — J 9
5 ACKL — AFGHIJNRV 10
B 10A CEE — ❶ €25,50
10 ha 330T(100-130m²) 184D — ❷ €36,25

Von Ribe kommend, vor Esbjerg dem Ring zur E20 Ri. Kolding folgen. Nach ca. 5 km Ri. Blåvand (Oksbøl 463) fahren. Dann links Richtung Hjerting (475). Nach ca. 2 km rechts Ri. Sjelborg.

Fanø/Rindby, DK-6720 / Sydjylland

Feldberg Familie Camping***
Kirkevejen 3-5
27 Mär - 18 Okt
+45 75163680
familie@feldbergcamping.dk
N 55°25'45'' E 8°23'31''

1 JMNOPQRST — NQSX 6
2 HOPVWXY — ABDEFGHIJK 7
3 BEIKLMQST — ABCDEFIJKNQRSTU 8
4 AEHIOQT — DFIJV 9
5 AKL — ABEFGHJNPRVW 10
10-16A CEE — ❶ €28,85
7 ha 356T(80-160m²) 220D — ❷ €40,95

Von der Fähre 'Esbjerg-Fanø' 2 km Richtung Rindby Strand. Nach 200m liegt der CP rechts.

Fanø/Rindby, DK-6720 / Sydjylland

Feldberg Strand Camping***
Kirkevejen 39
1 Apr - 1 Nov
+45 75162490
N 55°25'23'' E 8°23'1''

1 JMNORT — KNQSWX 6
2 EHOPQWXY — ABDEFGHIK 7
3 BGHIKM — ABCDEFGIJKNQRS 8
4 EFHIO — DFJV 9
5 CDEFGIJL — ABGHJLPRV 10
8A — ❶ €26,70
3 ha 100T(100-120m²) 42D — ❷ €37,70

Ab Fähre 'Esbjerg-Fanø', 2 km Richtung Rindby Strand, dann noch 1 km bis zum CP.

Fanø/Rindby, DK-6720 / Sydjylland

Rindby Camping***
Kirkevejen 18
27 Mär - 4 Okt
+45 75163563
post@rindbycamping.dk
N 55°25'35'' E 8°23'29''

1 JMNOPRST — 6
2 OPQVWXY — ABDFGHIK 7
3 BET — ABCDEFGIJKNQRS 8
4 IO — DFGHI 9
5 KL — ABHJNPRV 10
13A CEE — ❶ €24,45
3,2 ha 128T(100-250m²) 66D — ❷ €33,85

Von der Fähre nach Fanø 2 km Richtung Rindby Strand. Nach 350m CP auf der linken Seite.

Fanø/Rindby, DK-6720 / Sydjylland

Rødgård Camping Fanø***
Kirkevejen 13
15 Mai - 15 Sep
+45 75163311
1@rodgaard-camping.dk
N 55°25'37'' E 8°23'28''

1 DEJMNOPRST — NQS 6
2 OPQVWXY — ABEFGHIJK 7
3 BCHIKLQSTU — ABFGIJLMNQRSTV 8
4 ABHIOQ — FGIV 9
5 AEFGHIKL — ABEFGJNPSTV 10
10A CEE — ❶ €25,35
7 ha 160T(100-180m²) 173D — ❷ €37,45

Von der Fähre Esbjerg-Fanø Richtung Rindby Strand. Nach 400m liegt der CP rechts.

Fanø/Sønderho, DK-6720 / Sydjylland

Sønderho Nycamping
Gammeltoft Vej 3
1 Apr - 15 Okt
+45 75164144
nycamping@mail.dk
N 55°21'35'' E 8°27'51''

1 JMNORT — ENX 6
2 OPQVX — ABDEFGHIJK 7
3 BEGHKST — ABCDEFIJKLNQRS 8
4 FHIOSTU — DFGI 9
5 CGKL — ABHIJLR 10
B 10A CEE — ❶ €20,95
3 ha 90T(80-100m²) 90D — ❷ €28,70

Ab Fähre 'Esbjerg-Fanø' 9 km Richting Sønderho fahren und 400m vor der Mühle links abbiegen. CP ist ausgeschildert.

Dänemark

Føvling, DK-6683 / Sydjylland

Ribehøj Camping***	1 DEJMNOPQRST	N 6
Ribevej 34	2 ACDFGPRTUVWX	ABCDEFGIJK 7
1 Apr - 15 Okt	3 AKT	ABCDEFGIJKNQRS 8
+45 75398532	4 FHIO	FG 9
info@ribehoej.dk	5 AJL	ABGHJPRVZ 10
	B 16A CEE	❶ €32,90
N 55°26'8'' E 8°54'53''	20 ha 55T(60-120m^2) 15D	❷ €50,35

Von Ribe die 32 Richtung Kolding. Nach ca. 10 km links, die 425 Richtung Grinsted. Nach 5 km liegt der CP rechts der Straße.

Fredericia, DK-7000 / Sydjylland (CC€18)

MyCamp Trelde Næs*****	1 DEILNOPQRST	ABFHIKNQS 6
Trelde Næsvej 297	2 BEHOPVX	ABDEFGHIJK 7
27 Mär - 18 Okt	3 BEGHILST	ABCDEFINQRS 8
+45 75957183	4 FIOPQSTUV	AFGJNVY 9
trelde@mycamp.dk	5 ACDEIKLM	AEGHIJPRVW 10
	B 10A CEE	❶ €35,45
N 55°37'30'' E 9°50'0''	10 ha 430T 158D	❷ €49,40

Die 28 (Vejle-Fredericia). In Vejle Richtung Egeskov abbiegen, dann Trelde und Trelde-Næs. Von Fredericia nach Trelde, dann Trelde Næs.

Fynshav/Augustenborg, DK-6440 / Sydjylland

Lillebælt Camping**	1 DEJMNOPQRST	KNOPQSWXY 6
Lillebæltvej 4	2 EFGHKOPRTUVWX	ABDEFGHIJ 7
1 Apr - 30 Sep	3 BEKL	ABCDEFNQRSV 8
+45 74474840	4 FH	DI 9
info@lillebaeltcamping.dk	5 KL	ABGHJNPRVX 10
	10A CEE	❶ €26,15
N 54°59'9'' E 9°59'25''	3 ha 145T(80-100m^2) 52D	❷ €34,25

Von der E45 Ausfahrt 73, die 8 Richtung Sønderborg bis Fynshav nehmen. In Fynshav rechts Richtung Skovby. Nach 700m links, danach ausgeschildert.

Fynshav/Augustenborg, DK-6440 / Sydjylland

Naldmose Strandcamping**	1 JMNOPQRST	KNOPQSWXY 6
Naldmose 12	2 BEFHJOPRTVWXY	ABFGHIJ 7
1 Jan - 31 Dez	3 EKLQT	ABCDEFGIJNQRSV 8
+45 74474249	4 FHIO	FIY 9
info@naldmose.dk	5 ABL	AFGHJNPRX 10
	B 13A CEE	❶ €28,20
N 54°59'42'' E 9°58'36''	4,5 ha 180T(100-120m^2) 88D	❷ €38,95

Von der E45 Ausfahrt 73 die 8 Richtung Sønderborg. Weiter bis Fynshav, dort links nach Guderup, nach 400m rechts. CP-Schilder folgen.

Gårslev/Børkop, DK-7080 / Sydjylland (CC€16)

Hagen Strand Camping***	1 DEILNOPQRST	HKNQSWXYZ 6
Hagenvej 105c	2 EFHPVWXY	ABDEFGIJK 7
28 Mär - 27 Sep	3 BEFLQST	ABDFIJKNQRS 8
+45 75959041	4 BEFHIO	DJY 9
info@hagenstrandcamping.dk	5 ABKL	ABDHIJPRVXY 10
	B 6A	❶ €31,95
N 55°39'32'' E 9°43'45''	5,2 ha 230T(bis 100m^2) 85D	❷ €44,05

Die 28 Vejle-Fredericia, Ausfahrt Børkop. Den CP-Schildern folgen auch durch den Ort Gårslev. Kurz vor dem Meer kommt die Kreuzung zu den Plätzen Mørkholt und Hagen.

Gårslev/Børkop, DK-7080 / Sydjylland (CC€16)

Mørkholt Strand Camping***	1 DEILNOPQRS	ABFKNQSWXY 6
Hagenvej 105b	2 EHPVX	BDEFGHJK 7
1 Jan - 31 Dez	3 ABEFIKLSTV	ABCDEFIJLNQRS 8
+45 75959122	4 ABFGIO	FJKRU 9
info@morkholt.dk	5 ACDEKL	ABDGHIJNPRVWYZ 10
	B 10A	❶ €37,20
N 55°39'23'' E 9°43'35''	6,5 ha 380T(90-100m^2) 127D	❷ €43,90

Straße 28 Vejle-Fredericia N. 14 km von Vejle und 10 km von Fredericia entfernt ist der CP an der Ausfahrt Gårslev ausgeschildert.

Gråsten/Rinkenæs, DK-6300 / Sydjylland

Lærkelunden Camping****	1 CDEJMNOPQRST	EFGKNOQSUVWXY 6
Nederbyvej 25	2 ADEFGHKOPRTUVWXY	ABDEFGHIJK 7
27 Mär - 18 Okt	3 BCEKLQT	ABCDEFGIJKNQRSTUV 8
+45 74650250	4 BFHIOPQRSTV	DFPQVY 9
info@laerkelunden.dk	5 ACKL	ABFGHJMNPQRVZ 10
	B 10A CEE	❶ €40,95
N 54°54'3'' E 9°34'17''	5 ha 200T(80-225m^2) 61D	❷ €57,05

Kommend von Kruså, im Zentrum von Rinkenæs rechts (der 2. CP). CP-Schildern folgen.

Grindsted, DK-7200 / Sydjylland

Aktiv-Camping***	1 JMNOPRST	N 6
Søndre Boulev. 15	2 PVWX	ABEFGHI 7
1 Apr - 1 Okt	3 BEIKLMPQST	ABCDEFIJKNQRS 8
+45 75321751	4 IO	DFGJKY 9
info@grindstedcamping.dk	5 ACDEKL	AIJPRW 10
	B 10-16A CEE	❶ €26,15
N 55°45'2'' E 8°54'59''	H60 1,7 ha 81T(80m^2) 37D	❷ €35,55

Ab Vejle Straße 28, vor Grindsted Straße 30 Richtung Esbjerg fahren. Nach 2 km CP ausgeschildert. Ab Esbjerg an Straße 30 vor Grindsted ausgeschildert.

Haderslev, DK-6100 / Sydjylland

Haderslev Campingplads***	1 DEILNOQRST	N 6
Erlevvej 34	2 ADGOPQRSVWX	ABDEFGHIK 7
27 Mär - 18 Okt	3 AEKL	ABCDEFIJKNQRS 8
+45 74521347	4 FHIOX	DGJLQV 9
haderslev@danhostel.dk	5 AL	AFGHJPRVWY 10
	B 16A CEE	❶ €25,10
N 55°14'40'' E 9°28'37''	2 ha 55T(50-80m^2) 38D	❷ €33,70

Auf der E45 Ausfahrt 68, dann die 47 Richtung Haderslev. In Haderslev an der Kreuzung zur 170 den CP-Schildern folgen.

Haderslev/Diernæs, DK-6100 / Sydjylland (CC€18)

Gåsevig Strand Camping***	1 DEJMNOPQRST	KNOPQSUVWXY 6
Gåsevig 19	2 EFGHJPQRTVWX	ABDEFGHIK 7
28 Mär - 20 Sep	3 BCEKLQTU	ABCDEFGIJKNQRSV 8
+45 74575597	4 IOT	DFR 9
info@gaasevig.dk	5 ACKL	ABFGHIJNPRWZ 10
	B 10A CEE	❶ €31,40
N 55°8'34'' E 9°30'5''	6 ha 250T(100-120m^2) 184D	❷ €43,50

In Aabenraa der 170 Richtung Kolding bis nach Genner folgen, dort rechts Richtung Sønderballe. Weiter ausgeschildert. Nur 30 km von der deutschen Grenze.

Haderslev/Diernæs, DK-6100 / Sydjylland

Vikær Strand Camping***	1 DEJMNOPQRST	KNOPQSUVWXYZ 6
Dundelum 29	2 EFGHOPQRTUVWX	ABDEFGIJK 7
1 Apr - 4 Okt	3 BCEFIKLQT	ABCDEFGHIJKNQRSTUV 8
+45 74575464	4 BFHIO	FY 9
info@vikaercamp.dk	5 ACDKL	ABEFGHJMNPRVWXYZ 10
	B 13A CEE	❶ €34,90
N 55°9'0'' E 9°29'40''	12 ha 390T(100-140m^2) 179D	❷ €47,65

In Aabenraa der Straße 170 Richtung Kolding bis nach Hoptrup folgen, dort rechts Richtung Diernaes fahren. Der Weg ist ausgeschildert.

Haderslev/Halk, DK-6100 / Sydjylland (CC€18)

Halk Strand Camping***	1 DEJMNOPQRST	KNOPQSWX 6
Brunbjerg 105	2 EFHJPQVWX	ABDEFGHIJK 7
2 Apr - 20 Sep	3 BCEILQSTU	ABCDEFIJKNQRSV 8
+45 74571187	4 IPQ	DEFIY 9
info@halkcamping.dk	5 ACKL	AFGHJNPSTVWZ 10
	B 10A CEE	❶ €28,20
N 55°11'9'' E 9°39'17''	4,5 ha 140T(80-100m^2) 108D	❷ €39,45

Straße 170 Aabenraa-Haderslev in Hoptrup Richtung Kelstrup/Aarøsund verlassen. Vor Hejsager rechts nach Halk abbiegen. Weiter ausgeschildert.

Dänemark

Teilkarte Süd-Jütland auf Seite 130

Haderslev/Sønderballe, DK-6100 / Sydjylland

Sønderballe Strand Camping***
Djernæsvej 218
3 Apr - 20 Sep
+45 74698933
info@sonderballecamping.dk
N 55°7'57'' E 9°28'34''

1 DEJMNOPRST KNOPQSWXYZ 6
2 ABEFHOPRTUVWXY ABDEFGHIJK 7
3 BEFKLST ABCDEFGIJKNQRSV 8
4 FHIO F 9
5 ABDKL ABGHJNPRVWXZ 10
B 16A CEE ① €29,55
6 ha 200T(80-100m²) 131D ② €40,25

In Aabenraa die Straße 170 Richtung Haderslev bis nach Genner nehmen, dort rechts nach Sønderballe fahren. Dann der Beschilderung folgen.

Hejls, DK-6094 / Sydjylland

Hejlsminde Strand Camping***
Gendarmvej 3
28 Mär - 13 Sep
+45 75574374
info@hejlsmindecamping.dk
N 55°22'5'' E 9°36'3''

1 DEJMNOPQRT ABFGKNQSXZ 6
2 EHOPVX BDEFGHIJK 7
3 BEIQT ABCDEFIJKNQRS 8
4 HIOQ DFV 9
5 ACKL ABHKLPHVWXY 10
10A ① €35,15
4,5 ha 75T(80-120m²) 63D ② €46,70

Von Christiansfeld aus Ri. Hejlsminde fahren. Zuerst über die Brücke und den Damm fahren, dann ist der CP links ausgeschildert. Von Kolding aus Straße 170 Ri. Haderslev und dann nach Vonsild links Ri. Hejlsminde fahren.

Henne, DK-6854 / Sydjylland

Henne Strand Camping****
Strandvejen 418
1 Jan - 31 Dez
+45 75255079
post@hennestrandcamping.dk
N 55°44'16'' E 8°11'2''

1 CDJMNOPRST EFHIKMNQX 6
2 EHOPQUVWXY ABCDEFGHIJK 7
3 BCHIKLST ABCDEFGHIJKLMNQRSTU 8
4 BDEFHILNOQRSTU ADFGL 9
5 ABEFKL ABEFGHIJNPRV 10
B 16A CEE ① €53,15
4,2 ha 262T(100-140m²) 42D ② €70,05

181 Varde-Nørre Nebel. Nach 12 km Straße 465 in Richtung Henne Strand nehmen.

Henne, DK-6854 / Sydjylland

Henneby Camping***
Hennebys Vej 20
27 Mär - 18 Okt
+45 75255163
info@hennebycamping.dk
N 55°44'2'' E 8°13'22''

1 DJMNORS NX 6
2 HOPTWXY ABDEFGHIJK 7
3 BEGHIKLQST ABCDEFIJKNQRS 8
4 IOQ DFKV 9
5 ACK AEGHIJNPRV 10
B 13A CEE ① €33,85
4 ha 150T(100-120m²) 36D ② €48,05

Über Varde die Straße Nr. 181 Richtung Nørre Nebel. Nach 12 km links auf die Straße Nr. 465 in Richtung Henne. Rechts ab zum CP.

Henne, DK-6854 / Sydjylland

Lyngboparken**
Strandfogedvej 15
15 Mai - 15 Sep
+45 75255092
info@lyngbo.dk
N 55°44'8'' E 8°12'30''

1 DEGJMNORT 6
2 GPQVWXY BDEFGK 7
3 ABCFKLQS ABEFJKNQR 8
4 FHIO F 9
5 AKL AFHJNUV 10
FKK 10A CEE ① €23,90
2 ha 50T(70-120m²) 34D ② €28,20

Die 181 Varde Richtung Nørre Nebel. An der Kreuzung der 465 Richtung Henne-Strand. Vor Henne-Strand ist der CP ausgeschildert.

Hovborg, DK-6682 / Sydjylland

Holme Å Camping***
Torpet 6
1 Jan - 31 Dez
+45 75396777
info@holmeaacamping.dk
N 55°36'35'' E 8°55'48''

1 DEJMNOPQRST ABN 6
2 ACGOPQRSVWX BDEFGHJK 7
3 BEFKLQT BDFIJKLNQRSV 8
4 FHIO FJVY 9
5 ABKL ABFHJPSTVW 10
B 10A ① €28,05
5,2 ha 125T(100-150m²) 48D ② €38,80

CP liegt an der 425 Grindsted-Ribe. Hinter Hovborg gut durch CP-Schilder angezeigt.

Jelling, DK-7300 / Sydjylland

Family Camping Jelling***
Mølvangvej 55
3 Apr - 31 Okt
+45 51689303
info@campingjelling.com
N 55°45'13'' E 9°24'12''

1 DEILNOPQRST ABFGN 6
2 GOPSTWXY ABDEFGHIJK 7
3 ABCEFIKLQSTU ABCDEFIJKNQRSTUV 8
4 BILNO FJV 9
5 ADGIKL ABFGHJPSTVWZ 10
B 13A CEE ① €30,85
6 ha 182T(30-100m²) 45D ② €44,30

Die 442 ab Vejle. In Jelling CP-Schild und Nummernschild 1 folgen.

Jelling, DK-7300 / Sydjylland

Fårup Sø Camping***
Fårupvej 58
1 Apr - 13 Sep
+45 75871344
faarupsoecamp@firma.tele.dk
N 55°44'10'' E 9°25'3''

CC€18

1 CDEILNOPQRST ABFGLNQSX 6
2 ADFGHPRSTUWXY ABDEFGHIJK 7
3 ABCEKST ABDFIJKNQRSV 8
4 BFHIOQU EFPT 9
5 ACKL ABDFGHIJNPSTVWZ 10
B 16A CEE ① €34,50
H75 9 ha 330T(90-100m²) 44D ② €46,60

E45 Ausfahrt 61. Beschilderung Billund folgen (28). Nach ca. 6 km bei Skibet Ausfahrt Jelling Fårup Sø. Der CP-Beschilderung folgen.

Kegnæs/Østerby, DK-6470 / Sydjylland

Møllers Camping**
Østerbyvej 51
6 Mär - 4 Okt
+45 74405321
mollerscamping@bbsyd.dk
N 54°51'49'' E 9°54'50''

1 ADEJMNOPQRST KNOPQSWXY 6
2 EFGHKOPQWX ABDEFGHI 7
3 AF ABCDEFJNQRV 8
4 FHIO D 9
5 ACKL ABGHJNPRYZ 10
13A CEE ① €21,60
1,6 ha 100T(100-120m²) 51D ② €30,75

Von der E45 Ausfahrt 73, danach die 8 Richtung Sønderborg, einige km hinter Sønderborg rechts die 427 Richtung Skovby. In Skovby rechts Richtung Kegnæs über den Deich und nach 6 km links Richtung Østerby.

Kegnæs/Sønderby, DK-6470 / Sydjylland

Sønderby Strand Camping***
Sønderbygade 4
27 Mär - 4 Okt
+45 74405313
info@aukschun.dk
N 54°51'56'' E 9°53'30''

1 DEJMNOPQRST KNOPQSWXY 6
2 EFHKOPRTWX ABDEFGHIJ 7
3 BELMU ABCDEFGIJNQRSV 8
4 FHIQ FIJNV 9
5 ABDEFL ABFGHJLNOR 10
B 10A CEE ① €24,70
2,6 ha 125T(100-120m²) 66D ② €34,90

Von der E45 Ausfahrt 73 Richtung Sønderborg, wenige km hinter Sønderborg rechts die 427 über Skovby über den Sønderby Deich. Links nach Østerbyvej rein, dann 1. Straße rechts, CP ausgeschildert.

Kegnæs/Sydals, DK-6470 / Sydjylland

Sønderkobbel Camping**
Piledøppel 2
1 Jan - 31 Dez
+45 74405162
pilecamping@mail.dk
N 54°51'15'' E 9°57'31''

1 JMNOPQRST KMNOPQSWXY 6
2 EFGHKPRVWX ABDEFGHIJK 7
3 BE ABCDEFGHIJKNQRSV 8
4 FHIU FY 9
5 ACDEKL ABFGHJMNPRVXZ 10
B 16A CEE ① €27,10
4,7 ha 155T(120m²) 74D ② €35,55

In Kruså Straße 8 Richtung Sønderborg. Wenige km nach Sønderborg rechts Straße 427 Richtung Skovby. In Skovby rechts Richtung Kegnæs über Deich, nach 3 km links. Dann ausgeschildert.

Knud/Haderslev, DK-6100 / Sydjylland

Sandersvig Camping og Tropeland***
Espagervej 15-17
20 Mär - 20 Sep
+45 74566225
sandersvig@dk-camp.dk
N 55°20'5'' E 9°37'55''

1 DJMNOPQRST EFQSXYZ 6
2 EHPVX ABDEFGHIJ 7
3 ABEMST ABCDEFIJKNQRS 8
4 BCDIKOPQTU FN 9
5 ACDKL ABHJNPRZ 10
B 10A CEE ① €30,85
10,8 ha 230T(100-140m²) 238D ② €42,95

Von der E45 die Ausfahrt 66 Christiansfeld. Dann im Kreisverkehr Richtung Haderslev bis zum Schild Richtung Fjelstrup. Dann über Fjelstrup nach Knud. CP-Schilder folgen.

Kolding, DK-6000 / Sydjylland

Kolding City Camp***
Vonsildvej 19
1 Jan - 31 Dez
+45 75521388
info@koldingcitycamp.dk
N 55°27'48'' E 9°28'24''

1 DEILNOPQRST 6
2 AGOPX ABCDEFGHIJK 7
3 BKLMPST ABCDEFIJKLNQRS 8
4 FGHIO FJKLV 9
5 KL ABGHIKNPRVWXY 10
B 10A ① €29,25
H60 11 ha 125T(80-100m²) 38D ② €49,15

Liegt an der 170, 3 km südlich von Kolding. Kommt man über die E45, dann die Ausfahrt 65 Kolding-Syd nehmen.

Kruså, DK-6340 / Sydjylland

Kruså Camping***
Aabenraavej 7
1 Jan - 31 Dez
+45 74671206
info@krusaacamping.dk
N 54°51'13'' E 9°24'6''

1 BDEJMNOPQRST ABFG 6
2 ABOPQTWXY ABDEFGHIJK 7
3 BIKLQSTU ABCDEFGIJKNQRSV 8
4 FHIOS FY 9
5 ACDEHL GHJLPRV 10
B 16A CEE ① €32,90
9,6 ha 420T(80-120m²) 71D ② €45,25

Von der E45 Richtung Kruså/Sønderborg (Straße 8), Ausfahrt 75. An der Kreuzung mit Straße 170 links Richtung Aabenraa. Nach 300m links.

Kruså/Kollund, DK-6340 / Sydjylland

DCU-Camping Kollund***
Fjordvejen 29a
27 Mär - 18 Okt
+45 74678515
kollund@dcu.dk
N 54°50'43'' E 9°28'2''

1 DJMNOPQRST KNOPQSU 6
2 ABEFHOPQRTUVWXY ABDEFGIJ 7
3 BEIKLQT ABCDEFGIJKNQRSV 8
4 FHIO FVY 9
5 ABJKL ABFGHJNPRXZ 10
B 10A CEE ① €32,20
3,7 ha 180T(100-120m²) 25D ② €45,65

In Kruså der Straße nach Kollund folgen. In Kollund Richtung Sønderhav. Liegt links an der Straße Kollund-Sønderhav.

Kruså/Kollund, DK-6340 / Sydjylland

Frigård Camping****
Kummelefort 14
1 Jan - 31 Dez
+45 74678830
fricamp@fricamp.dk
N 54°50'33'' E 9°27'33''

1 BCDEJMNOPQRST ABFGKNQSUXY 6
2 AEGHOPRTVWXY ABDEFGHIJK 7
3 BCEFKLQT ABCDEFGHIJKNQRSTUV 8
4 BDFHIOQSTUV DF 9
5 ABCDEFKL AFGHIJNPRVYZ 10
B 10A ① €40,25
15 ha 725T(80-120m²) 261D ② €56,40

In Kruså der Straße nach Kollund folgen. Ab Kollund Richtung Sonderhav. CP liegt ca. 800m links von der Straße Kollund-Sonderhav.

Dänemark

Teilkarte Süd-Jütland auf Seite 130

Nordborg/Augustenhof, DK-6430 / Sydjylland CC€16

Augustenhof Strand Camping***
Augustenhofvej 30
1 Jan - 31 Dez
+45 74450304
mail@augustenhof-camping.dk
N 55°4'38'' E 9°42'53''

1 DEJMNOPQRST KNOPQSWXY 6
2 EFGHKOPRVWX ABDEFGHIJK 7
3 BEIKTV ABCDEFGIJKNQRSV 8
4 FHI DEF 9
5 ACDFKL ABGHJNPRVWXZ 10
B 16A CEE ① €28,20
4 ha 272T(100-120m²) 84D ② €40,25

Auf der Straße Sønderborg-Fynshav nach links Richtung Nordborg. Dann Richtung Købingsmark und Augustenhof fahren.

Ribe, DK-6760 / Sydjylland CC€18

Ribe Camping***
Farupvej 2
1 Jan - 31 Dez
+45 75410777
info@ribecamping.dk
N 55°20'27'' E 8°46'0''

1 DEJMNOPQRST ABFGH 6
2 BPQSVWXY ABCDEFGHIJK 7
3 BEFKLQST ABCDEFGIJKLMNQRSTUV 8
4 FHIKO FHJY 9
5 ABDKL ABEFGHIJMNORVZ 10
B 16A ① €35,55
9 ha 400T(100-200m²) 83D ② €49,00

Die 11 Tønder-Ribe. Richtung Varde/Esbjerg westlich von Ribe ist CP ausgeschildert. Aus dem Norden der Stadt kommend re. ab. Von Süden her die 11 Ribe Nord halten. 1. Ampel li.

Nordborg/Købingsmark, DK-6430 / Sydjylland

Købingsmark Strand Camping**
Købingsmarksvej 53
3 Apr - 20 Okt
+45 74451870
info@koebingsmarkcamping.dk
N 55°4'44'' E 9°43'45''

1 DEJMNOPQRST KNOPQSWX 6
2 EFHPRVWX ABDFGI 7
3 KT ABCDEFJNQRV 8
4 FH FIV 9
5 ABKL ABGHJNOPSTV 10
10A CEE ① €25,50
2,4 ha 100T(100-120m²) 23D ② €34,90

Von der E45 Ausfahrt 73, dann die 8 Richtung Sønderborg bis 10 km hinter Sønderborg nehmen, links auf die 405 bis Nordborg. Danach ausgeschildert.

Riis/Give, DK-7323 / Sydjylland

Riis Feriepark****
Østerhovedvej 43
28 Mär - 26 Sep
+45 75731433
info@riisferiepark.dk
N 55°49'54'' E 9°18'2''

1 CDEJMNOPQRST ABFGH 6
2 ABGPQX ABCDEFGHIJK 7
3 ABIKLST ABCDEFGIJKNQRSTU 8
4 BIKOPRU FGJVY 9
5 ACDGKL ABFGHIJPRV 10
B 13A CEE ① €42,95
H55 10 ha 184T(90-140m²) 96D ② €57,70

An der Straße 442 im Ort Riis gut ausgeschildert. Dann noch ca. 2 km. An Straße 441 zwischen Give und Bredsten Riis, Givskud folgen.

Nordborg/Lavensby, DK-6430 / Sydjylland

Lavensby Strand Camping***
Arnbjergvej 49
27 Mär - 25 Okt
+45 74451914
mail@lavensbystrandcamping.dk
N 55°4'16'' E 9°47'44''

1 JMNOPQRST KMNOPQSWXYZ 6
2 EFHJPRTUVWX ABDFGHIJ 7
3 BEKLT ABCDEFGIJKNQRSV 8
4 FHIP F 9
5 ABKL AFGHJNPRVX 10
B 10A ① €24,85
2,4 ha 130T(80-100m²) 68D ② €32,90

Von der E45 Ausfahrt 73, dann die 8 Richtung Sønderborg bis wenige km vor Nordborg nehmen, dann rechts. CP ist ausgeschildert.

Rømø, DK-6792 / Sydjylland

Kommandørgårdens Camping & Feriepark***
Havnebyvej 201
1 Jan - 31 Dez
+45 74755122
info@kommandoergaarden.dk
N 55°5'55'' E 8°32'34''

1 CDJMNORT ABEFGHQSW 6
2 FHOPQVWXY ABDEFGHIJ 7
3 BEGHIKLST ABCDEFGIJNQRST 8
4 EFHINOQRTUVXZ FJQV 9
5 ACDEFGJK ABGHJLNPRVZ 10
B 10A ① €36,80
8 ha 500T(100m²) 235D ② €49,65

Über den Damm 175 erreicht man Rømø. Erste Kreuzung links ab. Bis zum Hotel Kommandørgården. Der CP liegt an der linken Seite der Strecke.

Nørre Nebel, DK-6830 / Sydjylland CC€18 iD

Houstrup Camping***
Houstrupvej 90
27 Mär - 18 Okt
+45 75288340
info@houstrupcamping.dk
N 55°46'28'' E 8°14'18''

1 ACDEJMNOPQRST ABFGH 6
2 HPSVWXY ABDEFGHIJK 7
3 BEIKLMQST ABCDEFIJKNQRSTV 8
4 IOPQ F 9
5 ACKL ABDFGHIJPRY 10
B 13A CEE ① €33,55
6 ha 220T(120-170m²) 112D ② €47,00

Straße 181 Nørre Nebel Richtung Nymindegab, Ausfahrt Lønne. Beschilderung folgen.

Rømø, DK-6792 / Sydjylland

Lakolk Strand Camping***
Lakolk 2
27 Mär - 18 Okt
+45 74755228
lakolk@lakolkcamping.dk
N 55°8'45'' E 8°29'36''

1 JMNOPQRST KNQSX 6
2 EHOPQVW ABDEFGHIJK 7
3 BEGHIKQT ABCDEFGIJKNQRS 8
4 AEIOPQ EF 9
5 CDEFGHIJKL ABFGHIJPR 10
B 10A CEE ① €28,60
16 ha 800T(80-100m²) 414D ② €43,60

An der Strecke Tønder-Ribe (11) bei Skaerbaek die 175 nach Rømo nehmen. Am Ende des Damms an der Ampel dann geradeaus. Der CP ist angezeigt.

Nymindegab/Nørre Nebel, DK-6830 / Sydjylland

Nymindegab Familie Camping***
Lyngtoften 12
26 Mär - 27 Sep
+45 75289183
info@nycamp.dk
N 55°49'0'' E 8°12'2''

1 CDFJMNOPQRST ABFGHINQRSXZ 6
2 BFGHOPQTUVWXY ABDEFGHIJK 7
3 BEGIKLQTV ABCDEFGIJKNQRSTU 8
4 BEFHIKNOPQTU FVY 9
5 ACDEHKL ABGHIJNPRVWYZ 10
B 16A CEE ① €36,90
11,5 ha 325T(100-150m²) 144D ② €51,70

Von Süden Richtung Varde. Der 181 folgen bis NR. Nebel, dann Richtung Nymindegab. Der CP ist angezeigt.

Rømø, DK-6792 / Sydjylland CC€16

Rømø Familiecamping***
Vestervej 13
3 Apr - 18 Okt
+45 74755154
romo@romocamping.dk
N 55°9'46'' E 8°32'51''

1 CDJMNORT N 6
2 PQVWX ABDEFGHIJ 7
3 BEFIT ABCDEFIKNQRS 8
4 FIOPQ FLY 9
5 ABKL AEGHJOR 10
10A CEE ① €30,85
10 ha 345T(100-120m²) 87D ② €43,75

Bei Skaerbaek die 175 nach Rømø folgen. Auf Rømø an der ersten Ampel rechts ab. Nach 2,5 km ist der CP angezeigt.

Oksbøl, DK-6840 / Sydjylland

Børsmose Strand Camping**
Børsmosevej 3
28 Mär - 25 Okt
+45 75277070
camping@borsmose.dk
N 55°40'15'' E 8°8'45''

1 DFJMNOPRST KNQX 6
2 EHPQTW ABDEFGHIJ 7
3 BQT ABCDEFIJKNQRS 8
4 BCDEIOQ F 9
5 ACDK AFGHIJNRV 10
Anzeige auf Seite 135 B 10A CEE ① €31,40
23 ha 450T 155D ② €44,85

Via Oksbøl (431) Beschilderung nach Børsmose folgen. CP ausgeschildert.

Sdr. Omme, DK-7260 / Sydjylland

Omme Å Camping***
Sønderbro 10
22 Mär - 10 Okt
+45 75341987
info@ommeaacamping.dk
N 55°50'19'' E 8°53'19''

1 BDEJMNOPQRST JN 6
2 CGOPQVWX ABDEFGHIK 7
3 BIKT ABDFIJKNQRS 8
4 FHIO FQV 9
5 L ABFGHIJPRVX 10
B 10A CEE ① €29,25
H80 2 ha 65T(80-100m²) 33D ② €40,00

Von der Straße 28 Tarm-Billund ist mitten im Ort Sønder Omme der CP gut ausgeschildert.

Oksbøl, DK-6840 / Sydjylland CC€16

CampWest***
Baunhøjvej 34
1 Jan - 31 Dez
+45 75271130
info@campwest.dk
N 55°38'26'' E 8°16'52''

1 GJMNOPRST N 6
2 BDFGOPQRVWXY ABDEFGHJK 7
3 BEGHKLSTV ABCDFGIJKNQRSV 8
4 ABDEFGHIKO FUV 9
5 ABDKL ABDGHJNPRVX 10
B 16A CEE ① €28,45
10 ha 145T(110-140m²) 35D ② €39,20

Über Ribe der 11 nördlich bis Varde folgen. Bei Varde die 431 Richtung Billum, dann Richtung Oksbøl. In Oksbøl den Hinweisen Henne/Vrogum und den CP-Schildern folgen.

Sdr. Stenderup, DK-6092 / Sydjylland

Gl. Ålbo Camping***
Gl. Ålbovej 30
1 Jan - 31 Dez
+45 75571116
camping@gl-aalbo.dk
N 55°28'4'' E 9°40'49''

1 DILNOQRS KNOPQSWXZ 6
2 DEFKPTX ABDEFGHIJK 7
3 B ABEFGIJKMNQRS 8
4 T FGJNR 9
5 ABKL ABFGHIJPRWZ 10
13-16A ① €30,00
2,2 ha 60T(70-80m²) 57D ② €41,80

Von der Autobahn E45 die Ausfahrt 65 Kolding S. nehmen. Dann an der 4. Ampel rechts Richtung Sdr. Stenderup fahren, den CP-Schildern folgen. Am Dorfende Richtung Gl. Ålbo.

Randbøl, DK-7183 / Sydjylland

Randbøldal Camping***
Dalen 9
1 Jan - 31 Dez
+45 75883575
info@randboldalcamping.dk
N 55°41'20'' E 9°16'8''

1 DEJMNOPQRST AHIN 6
2 BCDGHIOPQTUWXY BEFGHIJ 7
3 BELQS ABCDEFIJNQRS 8
4 IOQ FGIJKV 9
5 ACDEGJKL AIJPRZ 10
B 10A CEE ① €32,90
6,5 ha 170T(80-100m²) 87D ② €44,15

Die 28 Vejle-Gindsted bei Vandel ausgeschildert und 3 km westlich von Ny Nørup. Zunächst Randbøldal folgen, dann wieder der CP-Beschilderung.

Sjølund/Grønninghoved, DK-6093 / Sydjylland CC€18

Grønninghoved Strand Camping****
Mosvigvej 21
1 Apr - 15 Sep
+45 75574045
info@gronninghoved.dk
N 55°24'40'' E 9°35'31''

1 DEILNOPQRS ABFGHIKNQSWXY 6
2 EHPTX ABDEFGHIJK 7
3 BEILMT ABCDFIJKNQRSTUV 8
4 FHIOPQST F 9
5 ACKL ABDFGHIKPRVZ 10
B 10A CEE ① €36,40
6 ha 225T(80-120m²) 125D ② €49,25

Von der E45 die Ausfahrt 65 Kolding Süd und Richtung Kolding bis zur Straße 170 fahren. Dann Richtung Haderslev. Nach 5 km links Richtung Sjølund. Dann via Grønninghoved ausgeschildert.

Teilkarte Süd-Jütland auf Seite 130

Dänemark

Skærbæk, DK-6780 / Sydjylland

Skærbæk Familie Camping***
Ullerupvej 76
1 Jan - 31 Dez
+45 74752222
skfamcamp@gmail.com
N 55°10'4'' E 8°47'4''

1 DJMNORST N 6
2 PQVWXY ABDEFGHIJK 7
3 BEQ ABCDEFIJNQRS 8
4 AIK F 9
5 BKL ABFGHIJLNORV 10
10A CEE ① €22,80
4 ha 140T(150m^2) 81D ② €22,80

Die Straße 11 Tønder-Ribe führt durch Skærbæk. Dort ist der CP ausgeschildert.

Sønderborg, DK-6400 / Sydjylland

Madeskov Camping***
Madeskov 9
14 Mär - 18 Okt
+45 74421393
N 54°56'9'' E 9°50'44''

1 AJMNOPQRST KNOPQSWXYZ 6
2 ABEFGHJPRWX ABDEFGHIJK 7
3 EK ABCDEFGIJNQRSV 8
4 FHI F 9
5 ABL ABGHJR 10
B 10A ① €25,50
1,3 ha 80T(80-100m^2) 31D ② €34,90

Von der E45 Ausfahrt 73, Richtung Sønderborg bis 4 km hinter Sønderborg. Im Kreisel links ab. Nach ein paar 100m ist der CP ausgeschildert.

Sønderborg, DK-6400 / Sydjylland

Sønderborg Camping***
Ringgade 7
28 Mär - 20 Sep
+45 74424189
info@sonderborgcamping.dk
N 54°54'4'' E 9°47'52''

1 CJMNOPQRST KNOPQSWXZ 6
2 ABEGHOPQRTVWXY ABDEFGHIJK 7
3 BKLMNQT ABCDEFGIJKNQRSV 8
4 FHI DF 9
5 ACKL ABFGHIKLNPRVW 10
B 13A CEE ① €28,60
3,2 ha 190T(100-120m^2) 25D ② €36,65

Von der E45 Ausfahrt 73 Richtung Sønderborg. Auf der 8 bleiben bis über die Brücke, dann Richtung Sønderborg-Zentrum. CP liegt im Süden der Stadt und ist ausgeschildert.

Store Anslet, DK-6100 / Sydjylland

Anslet Strand Camping***
Strandvejen 34
18 Apr - 15 Sep
+45 74566125
anslet.camping@mail.dk
N 55°21'25'' E 9°37'1''

1 DEJLNOPQRT HKNQSWXYZ 6
2 EGHKPUX BEFG 7
3 BET ABCDEFINQRS 8
4 O FK 9
5 ABK AHIJRZ 10
10A CEE ① €24,15
3,5 ha 50T(70-90m^2) 102D ② €34,90

In Christiansfeld ab Straße 170 Richtung Hejlsminde, dann Store Anslet. CP ist ab hier ausgeschildert.

Store Darum/Bramming, DK-6740 / Sydjylland

Darum Camping***
Alsædvej 24
28 Mär - 27 Sep
+45 75179116
info@darumcamping.dk
N 55°26'3'' E 8°38'28''

1 DEFJMNOPRST N 6
2 ABCOPQWXY BFGHJK 7
3 AKQ ABCDEFIJNQR 8
4 IO F 9
5 ABDGIK AGHJO 10
10A CEE ① €27,00
4,4 ha 47T(100-140m^2) 30D ② €36,10

Von Süden her der Nr 11-24 folgen, Ausfahrt St. Darum. Den CP-Schildern folgen. Von Norden die 24.

Sydals, DK-6470 / Sydjylland

Drejby Strand Camping****
Kegnæsvej 85
4 Apr - 5 Okt
+45 74404305
info@drejby.dk
N 54°51'39'' E 9°59'59''

1 CDJMNOPQRST ABFGHKNOPQSWXY 6
2 EFHOPRSVWXY ABCDEFGHIJK 7
3 BCEFILMQTU ABCDEFGIJKLMNQRSTUV 8
4 FHIOQST FIKY 9
5 ACDEIKL ABFGHIJMNPRVWXYZ 10
B 10A CEE ① €38,95
12 ha 460T(80-150m^2) 230D ② €52,35

Von der E45 die 8 Richtung Sonderborg, einige Kilometer hinter Sonderborg die 427 in Richtung Skovby. CP nach ca. 2 km auf der linken Seite, kurz vor dem Damm nach Kegnaes.

Sydals/Lysabildskov, DK-6470 / Sydjylland

Lysabildskov Camping og Feriecenter***
Skovforten 4
1 Apr - 30 Sep
+45 74404398
lysabildskov@dk-camp.dk
N 54°53'24'' E 10°3'20''

1 DEJMNOPQRST ABFGKNOPQSWX 6
2 EKPRVWX ABDEFGHIJK 7
3 BCEFIKLMQSTU ABCDEFGIJKNQRSTU 8
4 FHIOPQTU FIY 9
5 ACDEKL ABGHJLNPRVWYZ 10
B 10A CEE ① €26,85
4,2 ha 192T(100-120m^2) 72D ② €38,95

Von der E45 Ausfahrt 73 die 8 Richtung Sønderborg. Einige km hinter Sønderborg rechts der 427 bis Skovby folgen, dann links nach Lysabildskov. Weiter ausgeschildert.

Sydals/Mommark, DK-6470 / Sydjylland

Mommark Marina Camping**
Mommarkvej 380
1 Apr - 18 Okt
+45 74407700
info@mommarkmarina.dk
N 54°55'53'' E 10°2'38''

1 DEJMNOPQRST KNOPQSWXYZ 6
2 EFGHOPTUVWX ABFGIJK 7
3 BK ABCDEFINQRV 8
4 FHIO EINV 9
5 ABDEGIKL AFGHJNORVWY 10
B 10A CEE ① €16,40
2,1 ha 99T(70-100m^2) 43D ② €33,85

Von der E45 Ausfahrt 73 Richtung Sønderberg, dann die 8. Einige Kilometer hinter Sønderberg der 427 bis Horup folgen, dann links nach Mommark. CP ist weiter angezeigt.

Sydals/Skovby, DK-6470 / Sydjylland

Skovmose Camping***
Skovmosevej 8
27 Mär - 13 Sep
+45 74404133
info@skovmose-camping.dk
N 54°52'18'' E 10°0'52''

1 CDJMNOPQRST KNOPQSWX 6
2 EFHPRVWX ABDEFGHIJ 7
3 BEFLT ABCDEFIJKNQRSV 8
4 FHIOP F 9
5 L AGHJRV 10
B 13A CEE ① €26,05
4 ha 240T(80-100m^2) 113D ② €36,80

In Kruså Straße Nr. 8 in Richtung Sønderborg nehmen. Einige km nach Sønderborg rechts der Straße Nr. 427 bis hinter Skovby folgen, dann links, ausgeschildert.

Tinglev, DK-6360 / Sydjylland

Terkelsbøl Lystfiskeri & Camping*
Terkelsbøl Bygade 50
1 Jan - 31 Dez
+45 51266604
info@prof-dog.com
N 54°57'13'' E 9°11'39''

1 JMNOPQRST N 6
2 DOPRVWX ABFGIJ 7
3 AT ABCDEFIJNQRV 8
4 FH FG 9
5 L ABGJRV 10
10A CEE ① €20,15
5 ha 50T(ab 150m^2) 52D ② €26,85

E45, Ausfahrt 75 Richtung Tinglev-Tønder (Straße 8). Dann der 8 von Tinglev Richtung Tønder folgen. Nach 1 km rechts zur 401 Richtung Løgumkloster. CP nach 3 km.

Tinglev, DK-6360 / Sydjylland

Uge Lystfiskeri og Camping***
Aabenraavej 95
1 Jan - 31 Dez
+45 74644498
uge@mail.dk
N 54°57'42'' E 9°17'36''

1 DEJMNOPQRST LN 6
2 ADGHOPQRVWX ABDEFGHIJ 7
3 BEFGHIKQST ABCDEFGIJNQRSV 8
4 FHIOT FGY 9
5 ABL ABGHJNORVYZ 10
B 16A CEE ① €24,85
7,5 ha 180T(100-120m^2) 130D ② €34,25

Auf der E45, Ausfahrt 72, nach oben links zur 42 Richtung Tinglev. Hinter Uge auf der rechten Seite (500m).

Tipperne/Nørre Nebel, DK-6830 / Sydjylland

Vesterlund Camping**
Vesterlundvej 101
27 Mär - 18 Okt
+45 71788851
vesterlundcamping@live.dk
N 55°49'37'' E 8°12'54''

1 JMNORT 6
2 BCGPQWXY BDEFGHIK 7
3 ABQV ABFGIJKNQRS 8
4 FHIU FK 9
5 AL AHIJSTZ 10
B 10A CEE ① €30,05
2 ha 50T(100-140m^2) 31D ② €42,40

Die 181 von Varde nach Nymindegab. Rechts ab bei Vesterlund. Nach circa 600m ist der CP an der linken Seite.

Tønder, DK-6270 / Sydjylland

Tønder Camping***
Sønderport 4
10 Jan - 19 Dez
+45 74928000
booking@danhostel-tonder.dk
N 54°56'4'' E 8°52'36''

1 ADJMNOPRT EFGHJN 6
2 CPVWXY ABDEFGHIK 7
3 BEFKLMOQ ABCDEFIJKNQRST 8
4 HIOQRTV FKV 9
5 AL ABDGHIJNRW 10
B 10A ① €28,20
2 ha 81T(80-130m^2) 5D ② €36,25

Von Süden her die 11. Von Osten aus die 8 Richtung Tønder. Der CP liegt am östlichen Ortsrand.

Vejers Strand, DK-6853 / Sydjylland

Stjerne Camping ApS***
Vejers Havvej 7
1 Jan - 31 Dez
+45 75277054
info@stjernecamping.dk
N 55°37'9'' E 8°8'30''

1 CDEJMNOPQRST N 6
2 DOPQVWX ABDEFGHK 7
3 ABHLQT ABCDEFGHIJKNPQRSV 8
4 EFGHIOUX F 9
5 CKL ABGHJMPRVWZ 10
B 10A CEE ① €29,80
6 ha 100T(100m^2) 164D ② €43,20

Über Oksbøl 431 Richtung Vejers. Der Campingplatz liegt direkt links im Ort.

Vejers Strand, DK-6853 / Sydjylland

Vejers Familie Camping***
Vejers Havvej 15
1 Jan - 31 Dez
+45 75277036
ftj@vejersfamiliecamping.dk
N 55°37'9'' E 8°8'11''

1 DJMNOPRT ABFGKN 6
2 EHOPWXY ABDEFGHK 7
3 BIKLT ABCDEFGIJKNQRS 8
4 BIO DFIY 9
5 ABKL ABDEHIJNPRV 10
10A CEE ① €31,55
4,2 ha 156T(80-100m^2) 83D ② €44,95

Über Oksbol die 431 Richtung Vejers. Der CP liegt am Ortseingang. Ist ausgeschildert.

Teilkarte Süd-Jütland auf Seite 130

Teilkarte Süd-Jütland auf Seite 130

Vejers Strand, DK-6853 / Sydjylland

Vejers Strand Camping***	1 FJMNOPQRST	KNQX 6
Vejers Sydstrand 3	2 EFHPQTW	ABDEFGHIJ 7
28 Mär - 15 Sep	3 ABGHKLMT	ABCDEFIJKNQRS 8
+45 75277050	4 FHIO	FY 9
info@vejersstrandcamping.dk	5 CDEKL	AFGHIJNOSTVWY 10
	B 10A CEE	❶ €32,10
N 55°37'9'' E 8°7'55''	21 ha 450T 160D	❷ €44,95

Über Oksbøl die 431 Richtung Vejers. 500m hinter der Tankstelle die erste Straße links. Der CP ist ausgeschildert (Vejers Strand).

Vorbasse, DK-6623 / Sydjylland

Vorbasse Camping-DCU***	1 DEJMNOPQRST	EFGN 6
Drivvejen 28	2 PQVX	ABDEFGHIJK 7
1 Jan - 31 Dez	3 BEFIKLMQT	ABCDEFGIJKNQRS 8
+45 75333693	4 BIO	EJY 9
vorbasse@dcu.dk	5 ACKL	ABHIJNPRZ 10
	B 16A	❶ €31,40
N 55°37'34'' E 9°4'58''	H50 3 ha 250T(70-80m²) 57D	❷ €44,85

Straße 469 Kolding-Grindsted kurz vor Vorbasse ist CP ausgeschildert. Von Grindsted aus an Vorbasse vorbei. Auch aus Richtung Billund leicht zu finden.

Mittel-Jütland

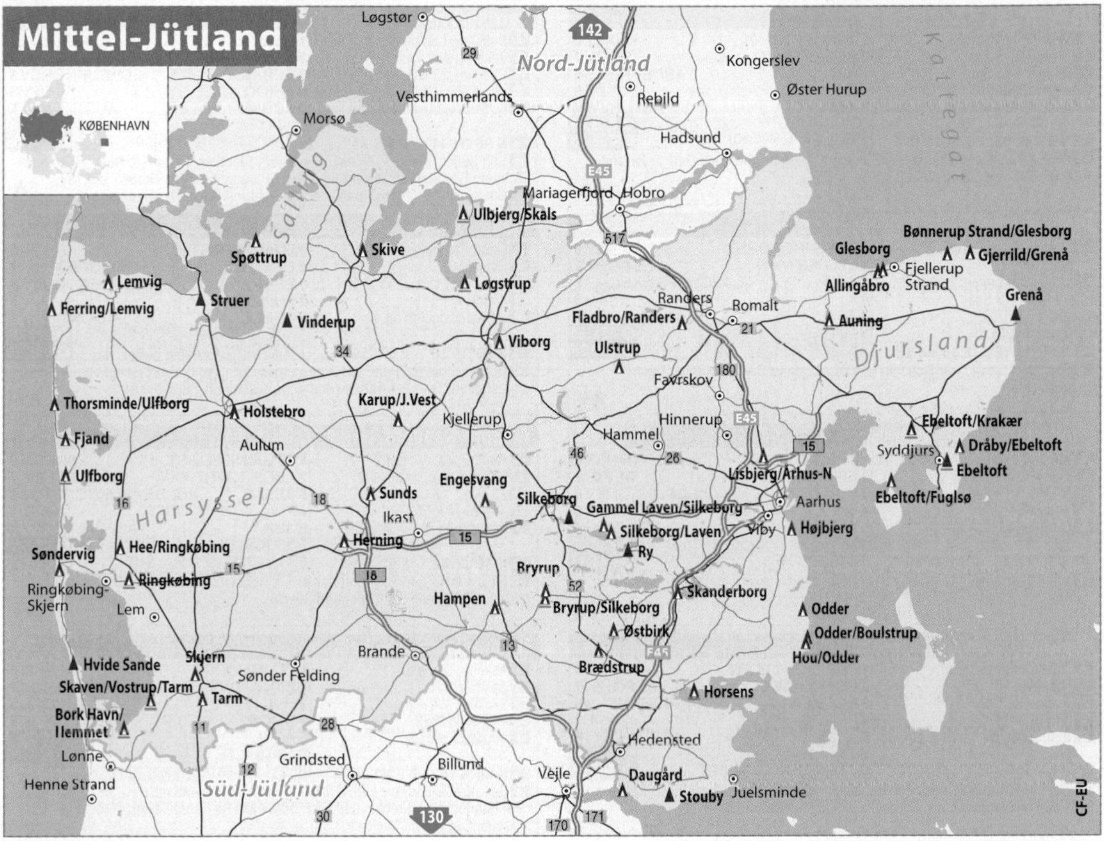

Dänemark

CF-EU

Allingåbro, DK-8961 / Midtjylland

Dalgård Camping***	1 BDEILNOQRST	KNQSWX 6
Nordkystvejen 65	2 EHOPQUVX	BEFGHI 7
28 Mär - 13 Sep	3 BEIKLQTV	DFHIJKNRSV 8
+45 86317013	4 BFHIOST	DFJ 9
info@dalgaardcamping.dk	5 ACKL	ABGHJPRVY 10
	10A	❶ €32,90
N 56°30'33'' E 10°32'45''	5 ha 125T(80-100m²) 40D	❷ €47,65

Befindet sich an Straße 547. Ca. 4 km westlich von Fjellerup. Der CP befindet sich rechts der Straße.

Bork Havn/Hemmet, DK-6893 / Midtjylland (CC€16)

Bork Havn Camping***	1 DEJMNOPRT	NQRSTWXY 6
Kirkehøjvej 9A	2 DHPSVWXY	ABDEFGHIJK 7
27 Mär - 31 Okt	3 BEIQT	ABEFIJKNQRSV 8
+45 75280037	4 FHIOT	FMRVY 9
mail@borkhavncamping.dk	5 CDEKL	ABGHIJORVXZ 10
	B 10A CEE	❶ €25,50
N 55°50'54'' E 8°17'0''	4,5 ha 115T(100-120m²) 115D	❷ €36,25

Auf der 423 Nørre Nebel-Tarn; nördlich vom Ort Nørre Bork links ab den Schildern Bork Havn folgen.

Auning, DK-8963 / Midtjylland (CC€16)

Auning Camping**	1 CDEJMNOQRST	6
Reimersvej 13	2 PQVX	BDEFGHIJ 7
27 Mär - 18 Okt	3 ABKLQSTV	BDFLNRSV 8
+45 86483397	4 BIKO	ADF 9
mail@auningcamping.dk	5 ACK	ABGHIJPRV 10
	16A	❶ €29,55
N 56°26'7'' E 10°23'3''	4 ha 125T(80-150m²) 56D	❷ €42,95

Über Straße 16 Randers-Grenaa nach Auning. Mitten in dem Dorf ist der CP ausgeschildert.

Brædstrup, DK-8740 / Midtjylland

Gudenå Camping Brædstrup***	1 DILNOPRT	ABFGN 6
	2 ACGOPQVX	ABDEFGHIJ 7
Bolundvej 4	3 BKLST	ABCDEFIJKNQRS 8
29 Apr - 27 Sep	4 IOQ	FGJQ 9
+45 75753070	5 ABDEHKL	ABGHJLPRWZ 10
info@gudenaacamping.dk	B 10-16A CEE	❶ €29,95
N 55°56'7'' E 9°39'10''	H50 2,5 ha 80T(80-100m²) 42D	❷ €41,75

Auf der E45 Ausfahrt 56 Richtung Silkeborg, die 52 nehmen. Nach 10 km CP links ausgeschildert.

Bønnerup Strand/Glesborg, DK-8585 / Midtjylland

Albertinelund Camping***	1 BCDEJMNOPQRST	ABFGKNQSWX 6
Albertinelund 3	2 BEHPQX	BEFGHIK 7
1 Jan - 31 Dez	3 BEIKLQST	BDFIJKNRSV 8
+45 86386233	4 HIOPQS	DFGJY 9
albertinelund@mail.tele.dk	5 ACEKL	ABGHIJNPRV 10
	10A	❶ €33,00
N 56°31'45'' E 10°44'40''	15 ha 150T(100-120m²) 223D	❷ €47,80

Von der A16 Randers-Grenå oder von der Straße 547 aus erreichen Sie den CP über Glesborg und Hemmed.

Bryrup, DK-8654 / Midtjylland

Velling Koller***	1 DEJMNOPRST	N 6
Velling Koller Vej 4	2 OPVW	ABCDEFGHIJK 7
1 Jan - 31 Dez	3 BEFGHQST	ABCDEFIJKNQRSV 8
+45 75756204	4 FHIO	GI 9
info@velling-koller.dk	5 ABEGIKL	ABHJRVW 10
	20A CEE	❶ €26,60
N 56°2'17'' E 9°30'44''	H123 2 ha 134T(100-120m²) 18D	❷ €35,95

Hinter Vejle der Straße Nr. 13 nach Norden bis Nørre Snede folgen. Dann rechts auf die Straße Nr. 453 abbiegen. Hinter Bryrup liegt der CP auf der linken Seite.

Teilkarte Mittel-Jütland auf Seite 137

Bryrup/Silkeborg, DK-8654 / Midtjylland
CC€18 iD

Bryrup Camping****
Hovedgaden 58
27 Mär - 20 Sep
+45 75756780
info@bryrupcamping.dk
N 56°1'21'' E 9°30'32''

1 ACDEJMNOPRST ABFGHNQ 6
2 BCDOPQUWXY ABDEFGHIJK 7
3 BEILT ABCDEFGIJKNQRSTU 8
4 FHIOPQS DFJKY 9
5 ACGKL ABGHJNPRV 10
B 13A CEE ① €37,05
H63 2,4 ha 230T(80-100m^2) 74D ② €53,15

Nach Vejle Straße 13 in nördlicher Richtung bis Silkeborg. Hier rechts Straße 453 nehmen. Nach ca. 10 km befindet sich der CP in Bryrup links.

Daugård, DK-8721 / Midtjylland

Vejle Fjord Camping
Strandvejen 21
28 Mär - 13 Sep
+45 75895254
info@vejlefjordcamping.dk
N 55°42'33'' E 9°41'46''

1 JMNOPQRT KNXYZ 6
2 BEGHPTUVX BFGI 7
3 ABI ABCEFNQRS 8
4 FH DF 9
5 ABKL AGHJRVW 10
10A ① €18,80
3 ha 92T(80-90m^2) 28D ② €26,85

Straße 23 Vejle-Juelsminde. In Daugård, Ausfahrt Richtung Daugårdstrand, auch CP-Schilder. Dann noch 3 km.

Dråby/Ebeltoft, DK-8400 / Midtjylland

Dråby Strand Camping Ebeltoft***
Dråby Strandvej 13
28 Mär - 13 Sep
+45 86341619
info@draaby.dk
N 56°13'18'' E 10°44'17''

1 BDEJMNOPQRST XY 6
2 EFGJKPWXY ABDEFGHK 7
3 AIKT ABCDEFGIJKNQRS 8
4 K FP 9
5 ABKL ABGHIJNPRVW 10
B 10A CEE ① €28,60
5 ha 180T(80-120m^2) 74D ② €39,85

Straße 21, etwas nördlich von Ebeltoft, Ausfahrt Dråby nehmen. Dann ausgeschildert.

Ebeltoft, DK-8400 / Midtjylland
CC€18

Blushøj Camping - Ebeltoft***
Elsegårdevej 55
27 Mär - 13 Sep
+45 86341238
camping@blushoj.com
N 56°10'4'' E 10°43'49''

1 JMNORT ABFGHKNQSX 6
2 EFKPQUWXY BEFGI 7
3 BIKLQT BDFIJKNQRSV 8
4 FHIO FPRV 9
5 ACKL AGHJNPR 10
10A ① €30,20
6,5 ha 270T 10D ② €44,15

Von Ebeltoft nach Elsegårde (4 km). An der Kreuzung am Weiher links zum CP.

Ebeltoft, DK-8400 / Midtjylland

DCU Camping Mols***
Dråbyvej 13
1 Jan - 31 Dez
+45 86341625
mols@dcu.dk
N 56°12'49'' E 10°41'16''

1 BDEFJMNOPQRT ABFGH 6
2 GOPQUVWXY BEFGHIK 7
3 BEFIKLQT ABCDFIJKNRSV 8
4 FHILOQ F 9
5 ACKL ABGHJNPRV 10
B 10A ① €32,20
6,5 ha 400T(70-150m^2) 67D ② €45,65

Über die Straße 21 nach Ebeltoft einfahren, gleich links Richtung Dråby, dann 2. Straße links nach Dråby. CP nach ca. 300m linkerhand.

Ebeltoft, DK-8400 / Midtjylland

Ebeltoft Strand Camping***
Ndr. Strandvej 23
1 Jan - 31 Dez
+45 86341214
info@ebeltoftstrandcamping.dk
N 56°12'36'' E 10°40'42''

1 BDFGJMNOPQRST ABFGKNQRSWXY 6
2 EFGHOPQVWXY BEFGHIK 7
3 BEFIKLPT DFIJKNQRSV 8
4 BCFHIOPQSTX FIVY 9
5 ABKL ABGHKNPRVW 10
13A CEE ① €46,60
9 ha 350T(60-100m^2) 113D ② €61,35

Auf Straße 21, 1 km nördlich von Ebeltoft, am Wasser gelegen.

Ebeltoft/Fuglsø, DK-8420 / Midtjylland

Sølystgård Camping***
Dragsmurvej 15
28 Mär - 20 Sep
+45 86351239
mail@soelystgaard.dk
N 56°10'31'' E 10°32'4''

1 ILNOPQRST KNPQSWXYZ 6
2 EFHIJPQTUWX BEFGHIK 7
3 ABEKLMSTV BDFIJKNRSV 8
4 EFHIOPQTU FJY 9
5 ACKL AGHJRV 10
6A ① €29,80
9 ha 281T(100m^2) 68D ② €43,50

Straße 21 folgen, vor Ebeltoft rechts Richtung Femmøller. Bei dem Kreisverkehr links Richtung Fuglsø und Helgenæs. CP-Schildern folgen.

Ebeltoft/Krakær, DK-8400 / Midtjylland
CC€18

Krakær Camping***
Gammel Kærvej 18
29 Mär - 18 Okt
+45 86362118
info@krakaer.dk
N 56°15'8'' E 10°36'9''

1 BDEJMNOPQRST ABFG 6
2 BPQUVWX ABDEFGHIK 7
3 BEGHIKLQTV ABCDEFIJKNQRSV 8
4 FHIO AEFGLY 9
5 ACDEIKL ABGHJNPRVY 10
Anzeige auf Seite 139 10A CEE ① €33,40
8 ha 227T(70-130m^2) 67D ② €47,40

Über Straße 15 und 21 Richtung Ebeltoft. Ca. 8 km vor Ebeltoft rechts Richtung Krakær, CP ist ausgeschildert.

Engesvang, DK-7442 / Midtjylland
iD

Bøllingsø Camping***
Kragelundvej 5
1 Apr - 30 Sep
+45 50477597
post@bollingso-camping.dk
N 56°11'13'' E 9°21'17''

1 AJMNOPRST AF 6
2 BPQVWXY ABDEFGIJK 7
3 AEIKLQT ABCDEFINQRSUV 8
4 HI FGIY 9
5 ABK AGHJNORV 10
10A CEE ① €26,85
H92 2,1 ha 109T(80-120m^2) 39D ② €36,25

Der Straße 13 in nördlicher Richtung folgen. Direkt im Norden des Ortes Engesvang ist der CP rechts ausgeschildert.

Ferring/Lemvig, DK-7620 / Midtjylland

Bovbjerg Camping***
Juelsgårdvej 13
27 Mär - 25 Okt
+45 97895120
bc@bovbjergcamping.dk
N 56°31'41'' E 8°7'31''

1 DJMNOPRST ABFGKNQX 6
2 EFHJOPRVWX ABDEFGHIJK 7
3 BEILQST CDEFIJKNQRSV 8
4 FHIOQ DFV 9
5 ACDKL ABGHJNPRV 10
B 10A CEE ① €32,50
4,6 ha 174T(80-130m^2) 49D ② €44,05

Von Süden: die 181. An der T-Kreuzung Richtung Thyborøn. Nach 200m links Richtung Bovbjerg. In Ferring/Bovbjerg CP angezeigt. Von Norden: die 181. 1800m hinter "Vandborg" (blau) rechts Richtung Bovbjerg. CP angezeigt.

Fjand, DK-6990 / Midtjylland

Fjand Camping & Grill***
Klitvej 16
1 Jan - 31 Dez
+45 97496011
info@fjandcamping.dk
N 56°19'10'' E 8°8'59''

1 DJMNOPRST ABFGN 6
2 OPQVWX ABDEFGHIJK 7
3 BEHIQT ABCDEFIJNQRS 8
4 FHIKOT FGIUVY 9
5 ABEKL AGHJNPRVW 10
B 10A ① €28,30
7,5 ha 185T(60-120m^2) 83D ② €38,25

Über die Küstenstraße 181 kommt man nach Fjand. Der CP liegt an der Straße und ist deutlich an den Fahnen und dem Restaurant zu erkennen.

Fladbro/Randers, DK-8920 / Midtjylland

Randers City Camp***
Himmelbovej/Hedevej 9
28 Mär - 17 Okt
+45 29473655
info@randerscitycamp.dk
N 56°26'59'' E 9°57'10''

1 DEJMNOPQRST ABCFGN 6
2 ABCFGOPRTWXY ABDEFGHIJK 7
3 ABEIJLT ABCDEFGIJKNQRSTUV 8
4 FHI FJY 9
5 ABK ABFGHJNPRVZ 10
B 13-16A CEE ① €31,15
6,6 ha 120T(100-300m^2) 91D ② €44,85

E45, Ausfahrt 40 Richtung Randers C nehmen. Die Straße 525 Richtung Langå fahren. CP ist nach 3 km ausgeschildert.

Gammel Laven/Silkeborg, DK-8600 / Midtjylland

Askehøj Camping***
Askhøjvej 18
27 Mär - 22 Sep
+45 86841282
info@askehoj.dk
N 56°8'10'' E 9°41'25''

1 CDJMNOPRST ABFHN 6
2 BIPQUVWX ABDEFGHIJK 7
3 BEILQT ABCDFGINQRS 8
4 BFIOP DFJK 9
5 ACKL BGHJLPR 10
B 10-13A CEE ① €31,40
H88 5 ha 268T(80-100m^2) 152D ② €42,95

Bei Skanderborg die E45 verlassen, dann auf die 445 nach Ry. In Ry vor dem Bahnübergang rechts und nach 50m links Richtung Laven. CP liegt zwischen Laven und Svejbæk.

Gjerrild/Grenå, DK-8500 / Midtjylland

DCU-Camping Gjerrild Nordstrand***
Langholmvej 26
21 Mär - 18 Okt
+45 86384200
gjerrild@dcu.dk
N 56°31'41'' E 10°48'37''

1 DEJMNOPQRST ABFGKNQSWX 6
2 BCEGHPQVX ABCDEFGHIK 7
3 BEIKLQST BDFHIJKNQRSUV 8
4 ABFHIOPQS FIJV 9
5 ACDEKL ABFGHIJLRVY 10
B 10A CEE ① €32,20
10 ha 200T(100-140m^2) 89D ② €45,65

Straße Nr. 16 Richtung Grenå-N. Dann Richtung Gjerrild, wo der CP ausgeschildert ist.

Glesborg, DK-8585 / Midtjylland
CC€16

FDM Camping Hegedal Strand***
Ravnsvej 3
27 Mär - 16 Sep
+45 86317750
c-hegedal@fdm.dk
N 56°30'44'' E 10°32'59''

1 BDEJMNOQRST N 6
2 EGHIJKOPRSTUXY ABDEFGIJK 7
3 ABELQT ABCDEFIJNRS 8
4 HIO F 9
5 ABL ABGIJMPRV 10
6A ① €34,50
2,2 ha 110T(85-120m^2) 9D ② €46,60

CP liegt an Ostseite des Hegedals. CP wird an N547 mit dem Schild 'FDM' angezeigt, 2,5 km von Fjederup Strand.

Teilkarte Mittel-Jütland auf Seite 137

Grenå, DK-8500 / Midtjylland

Fornaes Camping***
Stensmarkvej 36
28 Mär - 29 Sep
+45 86332330
info@fornaescamping.dk

1 CDEJMNORST ABFGKNQSWXYZ 6
2 EGJKPQRTUVX BEFGHIJK 7
3 ABEIKLQT DFIJKNRSV 8
4 IOPQS FKLPVY 9
5 ACKL ABGHJLNPRY 10
B 10A ❶ €32,90
9,2 ha 293T(bis 150m²) 76D ❷ €44,95

N 56°27'14'' E 10°56'28''

Über die Straßen Nr. 15 oder 16 zum Fährhaven in Grenå. Dann links, den Schildern folgen, noch 5 km.

Grenå, DK-8500 / Midtjylland

Grenå Strand Camping****
Fuglsangvej 58
27 Mär - 6 Sep
+45 86321718
info@722.dk

1 DEJMNORT ABFGHKNQSXY 6
2 BEHOPQVX BEFGHIK 7
3 BEIKLQST BDFIJKNQRSTUV 8
4 FHIOPTU DFJ 9
5 ACDEFKL ABFGHIJMNPRV 10
B 10A ❶ €41,90
22 ha 579T(140-280m²) 101D ❷ €58,00

N 56°23'22'' E 10°54'44''

In Grenå Richtung Hafen. Südlich des Hafens ist der CP ausgeschildert.

Hampen, DK-7362 / Midtjylland

Hampen Sø Camping***
Hovedgaden 31B
1 Jan - 31 Dez
+45 75775255
info@hampencamping.dk

1 DJMNOPQRST 6
2 OPQWX ABCDEFGHIJK 7
3 AELQST ABCDEFIJKNQRS 8
4 BFHIOPQ FJY 9
5 ACDEIKL ABGHJLNPRVW 10
B 10A CEE ❶ €29,25
H86 10 ha 180T(100-150m²) 84D ❷ €39,05

N 56°0'53'' E 9°21'53''

Von Vejle aus Straße 13 bis 7 km nördlich von Nørre Snede, dann links Richtung Hampen St. Dann noch 2 km bis zum CP.

Hee/Ringkøbing, DK-6950 / Midtjylland

Familiepark West***
Hovervej 56
1 Apr - 30 Sep
+45 97335411
info@familiepark.dk

1 DEJMNOPRST ABCDFGHN 6
2 CDFGHOPQVWX BEFGHK 7
3 BEFHIKQST BFGIJKQRSTV 8
4 IOPQ EFGJPQRTY 9
5 ACDEFHKL ABFGHIJNOPRVYZ 10
B 16A CEE ❶ €36,25
24 ha 250T(90-120m²) 87D ❷ €51,00

N 56°8'32'' E 8°17'46''

Von Ringkøbing die 28 nach Lemvig, 7 km nördlich von Ringkøbing. In Hee den CP-Schildern folgen.

Herning, DK-7400 / Midtjylland

Herning Park-Camping**
Ringkøbingvej 86
1 Jan - 31 Dez
+45 97120490
mail@herningparkcamping.dk

1 GILNOPRS 6
2 ABCOPWXY ABDEFGHIJ 7
3 ABEKS CDEFJNQR 8
4 FHI F 9
5 AK ABGHJRV 10
B 10A CEE ❶ €26,85
1,9 ha 75T(100-120m²) 45D ❷ €29,55

N 56°8'8'' E 8°56'24''

Der CP befindet sich direkt im Westen von Herning. Auf Straße 15 ist er ausgeschildert.

Højbjerg, DK-8270 / Midtjylland

Blommehaven Camping***
Ørneredevej 35
20 Mär - 18 Okt
+45 86270207
blommehaven@dcu.dk

1 BDEJMNOQRST KMNQSWXYZ 6
2 ABEJOPQTUVX BEFGHIJK 7
3 BEHIKLQT DFHIJLNRSTUV 8
4 FIOPQST FLV 9
5 ACKL ABEGIJPRV 10
10A ❶ €33,85
15 ha 365T(70-140m²) 22D ❷ €47,25

N 56°6'37'' E 10°13'56''

Ab Århushafen fahren Sie die Küstenstraße Richtung Süden, der CP-Beschilderung folgen. Auch von der 451 aus ist der CP ausgeschildert.

Holstebro, DK-7500 / Midtjylland

DCU Camping Mejdal***
Birkevej 25
20 Mär - 18 Okt
+45 97422068
mejdal@dcu.dk

1 DJMNOPRST ABFGNXZ 6
2 DOPQVWXY ABDEFGHIJK 7
3 ABELQST CDEFIJKNQRSUV 8
4 IOQ FQRVY 9
5 ABL ABGHJOPRVZ 10
B 10A ❶ €32,20
2 ha 110T(80-100m²) 34D ❷ €45,65

N 56°20'59'' E 8°38'40''

Ringstraße O25 bei Holstebro befahren. Richtung Mejdal. Ab dort beschildert.

Horsens, DK-8700 / Midtjylland

CC€18

Husodde Strand Camping***
Husoddevej 85
1 Jan - 31 Dez
+45 75657060
camping@husodde.dk

1 DEGJMNOPRST KNQRSW 6
2 ABEGHOPVWXY ABDEFGHIJK 7
3 BCEIKLST ABCDEFGIJKNQRSTUV 8
4 FHIO FJRVY 9
5 ACKL ABFGHIKMPRVZ 10
B 10-13A ❶ €31,95
10 ha 227T(100-140m²) 69D ❷ €44,85

N 55°51'31'' E 9°55'3''

In Horsens Richtung Odder auf der 451. Dann am Hafen entlang den CP-Schildern folgen.

Hou/Odder, DK-8300 / Midtjylland

Hou Strandcamping A/S***
Spøttrup Strandvej 35
28 Mär - 4 Okt
+45 86556162
info@houstrandcamping.dk

1 DEJMNOPQRT KNQSWX 6
2 EHPTVX ABDEFGHIJK 7
3 BCFKLT ABCDEFIJNQRS 8
4 BFIOQ FJRVY 9
5 ACKL ABGHIJNPRVWYZ 10
B 10A CEE ❶ €35,55
4,5 ha 210T(80-150m²) 64D ❷ €47,65

N 55°55'35'' E 10°15'14''

Straße 451 Horsens-Odder, in Ørting Richtung Gosmer und Hou (Hov). Ab Halling Schilder Hou folgen, dann Spottrup und CP ausgeschildert.

Hvide Sande, DK-6960 / Midtjylland

Holmsland Klit Camping***
Tingodden 141
21 Mär - 30 Sep
+45 97311309
info@holmslandklitcamping.dk

1 DJMNOPRST KNQS 6
2 EHFOPQVW ABDEFGHIJK 7
3 BLT CDEFIJNQRS 8
4 IO FJV 9
5 ABKL ABGHJNOR 10
B 8A ❶ €31,00
2,5 ha 120T(15-105m²) 35D ❷ €43,10

N 55°57'45'' E 8°8'31''

Über die Küstenstraße 181, ca. 3 km südlich von Hvide Sande links zum 'Søholmvej'. Am Ende der Straße liegt der Holmsland Klit Camping.

Hvide Sande, DK-6960 / Midtjylland

Nordsø Camping***
Tingodden 3, Årgab
21 Mär - 31 Okt
+45 96591722
info@nordsoe-camping.dk

1 DJMNOPRST EFGHKNQRSWX 6
2 EHOPQRVW ABCDFGHIJK 7
3 BEFKLQST CDEFIJKLNQRSTUV 8
4 BFHILOQTUV ADFHJMVW 9
5 ABDEHJKL ABEGHJNOPRV 10
B 10A CEE ❶ €38,50
12,5 ha 315T(40-100m²) 98D ❷ €56,50

N 55°56'58'' E 8°9'1''

Auf der Küstenstraße 181 nach Norden in Richtung Hvide Sande. Bei Haurvig ist rechts eine weiße Kirche zu sehen, 150m weiter links befindet sich der CP.

Karup/J.Vest, DK-7470 / Midtjylland

Hessellund Sø-Camping***
Hessellundvej 12
25 Mär - 1 Okt
+45 97101604
info@hessellund-camping.dk

1 DJMNOPRST ABFGHLNX 6
2 CDPQRVWXY ABCDEFGHIJK 7
3 BEFIJLQT CDEFIJKNQRSTUV 8
4 AFIOPQ FJQ 9
5 ACKL ABFGHJNOPRVZ 10
B 13A CEE ❶ €35,15
13,5 ha 208T(80-120m²) 128D ❷ €48,60

N 56°19'25'' E 9°6'53''

Der CP liegt an der 467. Ab der Kreuzung mit der 12, noch ca. 3 km Richtung Flughafen. Liegt auf der rechten Seite.

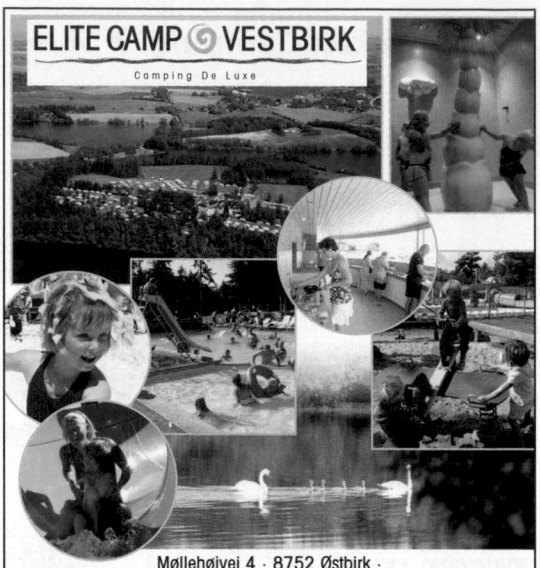

Lemvig, DK-7620 / Midtjylland

Lemvig Strand Camping****
Vinkelhagevej 6
21 Mär - 16 Sep
+45 97820042
info@lemvigcamping.dk
N 56°34'2'' E 8°17'39''

1 DJMNOPRST	EFGLMNQRSWXY 6	
2 DFHPRVWX	ABDEFGHIJK 7	
3 BEFIKLMQST	ABCDEFIJKLNQRSV 8	
4 FHIOPQSTUV	EFJVY 9	
5 ABIKL	ABFGHJNPRVZ10	
B 13A CEE		❶ €35,70
7,6 ha 250T(90-125m²) 157D		❷ €48,85

In Lemvig Richtung Zentrum und Hafen. Ab hier der Beschilderung folgen. Der CP liegt wenige km außerhalb von Lemvig.

Lisbjerg/Århus-N, DK-8200 / Midtjylland

CC€18

Aarhus Camping***
Randersvej 400
1 Jan - 31 Dez
+45 86231133
info@aarhuscamping.dk
N 56°13'36'' E 10°9'49''

1 BDEGJMNOQRST	ABFG 6	
2 ABOPQWXY	BEFGHIJ 7	
3 AIKLT	FIKNRSV 8	
4 IOQU	F 9	
5 ACDEKL	ABFGHJNPRV10	
16A CEE		❶ €27,20
6,9 ha 200T(80-150m²) 31D		❷ €40,35

E45 Ausfahrt 46 Århus N. Dann Richtung Lisbjerg und der 180 noch 2,8 km folgen bis zur CP-Einfahrt.

Løgstrup, DK-8831 / Midtjylland

CC€16

Hjarbæk Fjord Camping***
Hulager 2
1 Jan - 31 Dez
+45 22131500
info@hjarbaek.dk
N 56°32'3'' E 9°19'53''

1 CDEJMNOPQRST	AFKXY 6	
2 EFGHJOPQUVWX	ABDEFGHIK 7	
3 BCEILQSTV	ABCDEFIJNQRSV 8	
4 BFHIKOPQ	DFQY 9	
5 ACEKLM	ADFGHJPQRVZ10	
B 10-13A CEE		❶ €29,25
10 ha 150T(100-120m²) 107D		❷ €40,00

Die 26 Viborg-Skive. Ausfahrt Løgstrup/Hjarbæk. Der CP ist ausgeschildert.

Odder, DK-8300 / Midtjylland

Saksild Strand Camping***
Kystvejen 5
1 Apr - 20 Sep
+45 86558130
info@saksild.dk
N 55°58'46'' E 10°14'54''

1 DEJMNOPQRST	ABFGKMNQSW 6	
2 EHOPVWX	BCEFGHJK 7	
3 BT	ABDFIJKNQRS 8	
4 HIOQ	FJKV 9	
5 ACEJKL	ABFGHIKPRVWZ10	
B 10-13A		❶ €36,90
9 ha 125T(80-150m²) 143D		❷ €53,00

In Odder gibt es ein CP-Schild '6 km', dann nach Saksild, weiter Richtung Saksild Strand. Dann noch 1 km bis zum CP.

Odder/Boulstrup, DK-8300 / Midtjylland

Odder Strand Camping***
Toldvejen 50
1 Apr - 20 Sep
+45 86556306
info@odderstrandcamping.dk
N 55°56'4'' E 10°15'23''

1 DEJMNOPRST	KMNPQSWXYZ 6	
2 EGHKPVX	ABDEFGHIJK 7	
3 BCEKLQTU	ABCDEFIJKNQRS 8	
4 IOQ	ADFKY 9	
5 ACDEKL	ABFGHIJLNPRVYZ10	
B 10A CEE		❶ €31,30
5 ha 120T(100-110m²) 88D		❷ €45,75

Die 451 Horsens-Odder. In Ørting Richtung Gylling, etwas später Gosmer und Hou. Ab Halling Richtung Hou, danach Spøttrup. Von hier aus den CP-Schildern folgen.

Østbirk, DK-8752 / Midtjylland

CC€18

Elite Camp Vestbirk***
Møllehøjvej 4
28 Mär - 20 Sep
+45 75781292
vestbirk@vestbirk.dk
N 55°57'50'' E 9°41'59''

1 DEJMNOPQRST	ABFGHLN 6	
2 CDPVWXY	ABCDEFGIJ 7	
3 BCEHILQT	ABCDEFGIJKNQRS 8	
4 IKOPQU	ADEFJPQ 9	
5 ACDEKL	ABFGHIJPRVXZ10	
Anzeige auf dieser Seite B 10-16A		❶ €37,70
H60 15 ha 170T(90-130m²) 124D		❷ €52,75

Auf der E45 bei Vejle Ausfahrt 59, die 13 Richtung Nørre Snede. Nach ± 10 km auf die 409 Richtung Skanderborg. 1 km vor Vestbirk ist der CP angezeigt.

Ringkøbing, DK-6950 / Midtjylland

CC€18

Ringkøbing Camping***
Herningvej 105
21 Mär - 27 Sep
+45 97320420
info@ringkobingcamping.dk
N 56°5'18'' E 8°19'0''

1 DEFJMNOPQRST	N 6	
2 BPQRVWXY	ABDEFGHIJ 7	
3 ABEIKLQT	ABCDEFIJNQRSV 8	
4 FHIO	BFY 9	
5 ABKL	ABGHJMORV10	
B 10A CEE		❶ €29,80
7,5 ha 110T(36-140m²) 48D		❷ €41,05

Sie finden den CP an Straße 15, von Ringkøbing aus 4 km Richtung Herning, links der Straße.

Ry, DK-8680 / Midtjylland

Birkhede Camping***
Lyngvej 14
11 Apr - 21 Sep
+45 86891355
info@birkhede.dk
N 56°6'12'' E 9°44'41''

1 DEJMNOPQRT	ABFHLNQSXYZ 6	
2 DGHPQUVXY	ABCDEFGHIJ 7	
3 BCEFLT	ABCDFIJKNQRS 8	
4 FGHIOQ	ADFGLPQVY 9	
5 ACDEKL	ABEGHJPRVZ10	
10A CEE		❶ €35,45
10 ha 236T(80-110m²) 39D		❷ €49,15

Bei Skanderborg verlassen Sie die E45, dann Straße 445 nach Ry nehmen. Hier Richtung Laven/Silkeborg. Nach der Brücke über den See gleich rechts den Schildern folgen.

Ry, DK-8680 / Midtjylland

iD

Holmens Camping***
Klostervej 148
4 Apr - 21 Sep
+45 86891762
info@holmenscamping.dk
N 56°4'37'' E 9°45'55''

1 AILNOPQRS	EFGLNXYZ 6	
2 DHPQUVX	ABDEFGHIJK 7	
3 BEFHIKLQST	ABCDEFIJKNQRS 8	
4 FHIOPQT	DFGPQVY 9	
5 ACDGKL	ABGHJLPRV10	
B 6A CEE		❶ €31,00
9,5 ha 223T(70-130m²) 140D		❷ €39,05

Bei Skanderborg die E45 an der Ausfahrt 52 verlassen, über die Straße 445 nach Ry fahren. Nach den Eisenbahnschienen links fahren, der CP befindet sich nach 2 km auf der rechten Seite.

Silkeborg, DK-8600 / Midtjylland

Gudenåens Camping Silkeborg***
Vejlsøvej 7
1 Jan - 31 Dez
+45 86822201
mail@gudenaaenscamping.dk
N 56°9'24'' E 9°33'46''

1 DEJMNOPR	ABJNX 6	
2 CPQVX	ABDEFGHIJK 7	
3 AIKLT	ABCDEFIJNQRS 8	
4 IOTV	DEFQVY 9	
5 ACKL	ABGHIJLNPRV10	
B 13A CEE		❶ €36,90
2 ha 165T(80-100m²) 56D		❷ €50,85

Von Straße 52 Horsens-Silkeborg. Direkt südlich von Silkeborg diese Straße verlassen und Richtung Silkeborg-C fahren. Nach ca. 200m ist der CP nach rechts ausgeschildert.

Silkeborg, DK-8600 / Midtjylland

Sejs Bakker Camping***
Borgdalsvej 15-17
27 Mär - 8 Sep
+45 86846383
mail@sejs-bakker-camping.dk
N 56°8'25'' E 9°37'14''

1 DEJMNOPRST	6	
2 OPQXY	ABDEFGHIJK 7	
3 ABEIKLMQT	ABCDFINQRS 8	
4 IOPQ	DJV 9	
5 ABKL	ABGHJNPRV10	
10A		❶ €30,45
4 ha 170T(80-100m²) 77D		❷ €45,25

E45 bei Skanderborg Ausfahrt 52 Skanderborg-Vest, über die 445 nach Ry. Richtung Silkeborg bleiben. In Sejs ist der CP ausgeschildert.

ACSI Gebrauchsanweisung

Um die Möglichkeiten des Führers optimal nutzen zu können, sollten Sie die Gebrauchsanweisung auf Seite 10 gut durchlesen. Hier finden Sie wertvolle Informationen, beispielsweise die Berechnung der Übernachtungspreise.

❶ € 25,00
❷ € 35,80

Teilkarte Mittel-Jütland auf Seite 137

Silkeborg/Laven, DK-8600 / Midtjylland

Terrassen Camping****
Himmelbjergvej 9a
11 Apr - 14 Sep
+45 86841301
info@terrassen.dk
N 56°7'27'' E 9°42'38''

1 CDEJMNOPRST	ABFGHLNSUVXZ 6
2 ADFGOPUVWX	ABDEFGHIJK 7
3 BEFIKLQST	ABCDFIJKNQRSTU 8
4 EFHIOPQS	DEFJQVW 9
5 ACGKLM	ABEFGHJPRVY 10
B 13A CEE	① €40,55
7,5 ha 250T(80-100m²) 57D	② €50,45

Bei Skanderborg verlassen Sie die E45, dann Straße 445 nach Ry. Hier Richtung Silkeborg nach Laven, wo der CP ausgeschildert ist.

Stouby, DK-7140 / Midtjylland

Rosenvold Strand Camping
Rosenvoldvej 19
27 Mär - 1 Okt
+45 75691415
info@rosenvoldcamping.dk
N 55°40'36'' E 9°48'48''

1 DEJMNOPQRST	KNPQSVWXYZ 6
2 BEFGHPVWXY	ABDEFGIJK 7
3 ABEFLQSTU	ABCDEFIJNQRST 8
4 BFHIO	DF 9
5 ABKL	ABFGHJMNPRVWZ 10
B 10A CEE	① €30,20
265T(100-150m²) 142D	② €39,85

Die 23 Vejle-Juelsminde. In Stouby rechts ab dem CP-Schild folgen.

Skanderborg, DK-8660 / Midtjylland

Skanderborg Sø Camping***
Horsensvej 21
16 Apr - 21 Sep
+45 86511311
info@campingskanderborg.dk
N 56°1'16'' E 9°53'26''

1 DEJMNOPQRT	LNQSXYZ 6
2 ADGHIOPQTWXY	ABDEFGHIJK 7
3 BEIKLMQV	ABCDEFGIJNQRSUV 8
4 BEFHIKOQ	FGKLPQ 9
5 ABEKLM	ABGHIJNORVW 10
10A	① €29,40
9 ha 160T(100-200m²) 12D	② €47,00

Von Süden her, die E45 Ausfahrt 54 über Tebstrup Richtung Skanderborg. CP ist ausgeschildert.

Struer, DK-7600 / Midtjylland

Bremdal Camping***
Fjordvejen 12
1 Apr - 31 Okt
+45 97851650
vergie@mail.dk
N 56°30'10'' E 8°34'56''

1 DJMNOPRST	LNSWX 6
2 DGHPQRVWXY	ABDEFGHIJ 7
3 AEIKT	CDEFGIJNQRSV 8
4 I	DG 9
5 ACL	AGHJLV 10
B 10A CEE	① €20,80
3 ha 140T(20-120m²) 75D	② €28,85

Über die Straße 11 erreichen Sie Struer. Ab dem Zentrum ist der CP ausgeschildert.

Skaven/Vostrup/Tarm, DK-6880 / Midtjylland

CC€18

Skaven Strand Camping***
Skavenvej 32
27 Mär - 24 Okt
+45 97374069
info@skaven.dk
N 55°53'32'' E 8°21'55''

1 DJMNOPRST	ABFGLNQRSWXYZ 6
2 DGHPVWXY	ABCDEFGHIJK 7
3 BEFILQST	ABCDEFGIJKNQRS 8
4 FHIOPQT	FJVY 9
5 ACHJK	ABGHIJNPRVZ 10
B 6A CEE	① €29,25
6,5 ha 250T(100-150m²) 207D	② €40,00

Straße 11 Varde-Tarm nehmen. Bei Tarm Richtung Lønborg-Vostrup fahren. Ab Vostrup den CP-Schildern folgen.

Struer, DK-7600 / Midtjylland

Humlum Camping & Fiskerleje***
Bredalsvigvej 5, Humlum
17 Mär - 17 Sep
+45 97861304
post@humlumcamping.dk
N 56°32'49'' E 8°34'17''

1 DILNOPRST	LNQSUVWXYZ 6
2 DFGHJPQRVWX	ABDEFGHIJK 7
3 ABEIKLQT	ABCDEFGIJKNQRSTUV 8
4 AFHIOPZ	FGR 9
5 ABCKLM	ABHJLMNOPRVX 10
B 16A CEE	① €29,15
18 ha 142T(80-150m²) 126D	② €39,85

Von Struer aus die A11 Richtung Norden fahren. Einige hundert Meter nach der Ausfahrt Humlum (nicht nach Humlum hinein fahren) befindet sich der CP auf der rechten Seite.

Skive, DK-7800 / Midtjylland

Skive Fjord Camping***
Marienlyst Strand 15
1 Apr - 30 Okt
+45 97514455
info@skivefjordcamping.dk
N 56°35'52'' E 9°2'17''

1 DILNOPRST	ABFGNQSXY 6
2 FJOPRTUVWX	ABDEFGHIJK 7
3 ABCEGHIKLQT	ABCDEFIJKNQRS 8
4 HIOQ	FJRV 9
5 AB	ABGHJNOPRVZ 10
Anzeige auf dieser Seite B 10A CEE	① €32,90
4 ha 189T(100-120m²) 76D	② €38,50

Von Skive die 26 Richtung Nykøbing. Weiter die 551 Richtung Fur. Der CP ist dort angezeigt.

Skjern, DK-6900 / Midtjylland

Skjern Å Camping**
Birkvej 37
1 Apr - 18 Okt
+45 97350861
info@skjernaacamping.dk
N 55°56'0'' E 8°29'43''

1 JMNORT	JN 6
2 CGPWXY	ABDEFGIJ 7
3 BS	ABCDEFNQRS 8
4 HIO	FV 9
5 KL	ABGIJOR 10
B 10A CEE	① €21,50
0,5 ha 100T(90-120m²) 51D	② €[illegible]

Die 11 aus Varde Richtung Skjern. Vor dem Örtchen Skern links ab den CP-Schildern folgen.

Struer, DK-7600 / Midtjylland

Toftum Bjerge Camping***
Gl. Landevej 4
1 Jan - 31 Dez
+45 97861330
info@toftum-bjerge.dk
N 56°32'28'' E 8°31'50''

1 DJMNOPRST	KNQSWX 6
2 EGHKOPQRSTVXY	ABDFGHIJ 7
3 BEFKQT	CDEFIJKNQRSV 8
4 IOPQ	DFY 9
5 ABIKL	ABGHJNPRVZ 10
B 10A CEE	① €28,20
3 ha 150T(90-150m²) 110D	② €[illegible]

Sie erreichen den CP über die 11, 5 km nördlich von Struer, Ausfahrt Humlum. Kurz hinter Humlum an der 565 ist der CP auf der rechten Seite.

Søndervig, DK-6950 / Midtjylland

Søndervig Camping***
Solvej 2
27 Mär - 4 Okt
+45 97339034
post@soendervigcamping.dk
N 56°6'41'' E 8°7'0''

1 DJMNOPRST	KNQSW 6
2 EHOPRVWX	ABDEFGHIJK 7
3 BCKT	CDEFIJKLNQRSV 8
4 HIO	IJ 9
5 ACKL	ABFGHJOPRZ 10
B 10A CEE	① €32,50
3 ha 200T(80-100m²) 51D	② €43,20

An der Küstenstraße 181, ca. 600m südlich von Søndervig. CP ist gut ausgeschildert.

Sunds, DK-7451 / Midtjylland

Sunds Sø***
Søgardvej 2
31 Mär - 30 Sep
+45 97142031
ssc@sundscamping.dk
N 56°12'29'' E 9°1'25''

1 DJMNOPRST	LNQSXZ 6
2 ADGHIOPQVWXY	ABDEFGHIJK 7
3 ABEFKMST	ABCDEFIJKNQRSV 8
4 FHIOQ	DFG 9
5 AEIL	ABGHJNPRVW 10
B 10A	① €26,85
2,2 ha 100T(80-100m²) 31D	② €36,25

Von Herning aus über Straße 12 nach Sunds, wo der CP ausgeschildert ist.

Spøttrup, DK-7860 / Midtjylland

Limfjords Camping & Vandland***
Albæk Strandvej 5
1 Jan - 31 Dez
+45 97560250
camping@limfjords.dk
N 56°37'22'' E 8°43'46''

1 DJMNOPRST	EFGHMNQSWX 6
2 HOPQRVWXY	ABDEFGHIJK 7
3 BEILQT	ABCDEFIJKNQRSTUV 8
4 IOPSTUV	EJR 9
5 ACDEHL	ABEFGHJNOPRVZ 10
B 10A	① €30,75
15 ha 358T(80-140m²) 170D	② €42,70

Gute 20 km westlich von Skive, via der A26, dann Straße 189 oder 573 nach Lihme, dann ist der CP ausgeschildert.

Tarm, DK-6880 / Midtjylland

Tarm Camping***
Vardevej 79
27 Mär - 4 Okt
+45 30126635
tarm.camping@pc.dk
N 55°53'35'' E 8°30'48''

1 DJMNORT	ABF 6
2 OPQVWXY	ABDEFGHIJ 7
3 BELST	ABCDEFIJNQRS 8
4 I	FV 9
5 BKL	AGHJPRV 10
13A CEE	① €22,55
3 ha 97T(100-120m²) 58D	② €33,00

Liegt an der 11 Varde-Tarm. Kurz vor Tarm rechts ab. Den CP-Schildern folgen.

Stouby, DK-7140 / Midtjylland

Løgballe Camping***
Løgballevej 12
20 Mär - 27 Sep
+45 75691200
camping@logballe.dk
N 55°42'28'' E 9°50'39''

1 DEJMNOPQRST	ABFGN 6
2 CFGPUVWX	ABCDEFGHIJK 7
3 BEFHIKLT	ABCDEFGIJNQRS 8
4 BDEFHIOQ	FJ 9
5 ABKL	ABFGHIJPRVXZ 10
B 10A CEE	① €29,15
H60 4,5 ha 161T(100-130m²) 61D	② €42,30

Straße 23 Vejle-Juelsminde. Nach Hyrup noch 1 km. Beim CP-Schild rechts, dann noch 400m.

Thorsminde/Ulfborg, DK-6990 / Midtjylland

Thorsminde Camping***
Klitrosevej 4
21 Mär - 18 Okt
+45 20451976
mail@thorsmindecamping.dk
N 56°22'35'' E 8°7'21''

1 DEJMNOPRST	EFGHKLNQSXY 6
2 DEGHPQVW	ABCDEFGHIJK 7
3 BCEILMQST	CDEFIJNQRS 8
4 EIOQRSTV	FJK 9
5 CKL	AFGHIJNPRV 10
B 13A CEE	① €32,20
5,5 ha 163T(100-120m²) 111D	② €44,30

Über die Küstenstraße 181 nach Thorsminde. Im Dorf ist der CP ausgeschildert.

Teilkarte Mittel-Jütland auf Seite 137

Teilkarte Mittel-Jütland auf Seite 137

Ulstrup, DK-8860 / Midtjylland

Bamsebo Camping Ved Gudenåen
Hagenstrupvej 28
29 Mär - 27 Sep
+45 86463427
info@bamsebo.dk
N 56°23'14'' E 9°45'47''

1 DE**JM**NOPQRST	ABN	6
2 CFGPQVWX	ABDE**FG**HIJK	7
3 BEF**I**LQS	ABCDE**FI**JNQRSV	8
4 FIK	FJQ	9
5 ACKL	ABGHJ**P**RVW	10
10-16A CEE	① €32,75	
5 ha 110**T**(80-120m²) 58**D**	② €46,15	

E45, Ausfahrt 40 Richtung Randers C., dann Straße 525 Richtung Langå/Bjerringbro. Dieser Straße bis Ulstrup folgen. CP ist ausgeschildert.

Viborg, DK-8800 / Midtjylland

DCU Camping Viborg Sø
Vinkelvej 36b
20 Mär - 18 Okt
+45 86671311
viborg@dcu.dk
N 56°26'17'' E 9°25'19''

1 DE**JM**NOPQRST	L**N**QSXZ	6
2 BDPQVWX	ABDE**FG**HIJK	7
3 BEF**IK**LQT	ABCDEFIJNPQRSV	8
4 IO**Q**	DFTY	9
5 ACK**L**	ABFGHJ**P**RVZ	10
B 10A CEE	① €31,40	
3,2 ha 200**T**(60-120m²) 67**D**	② €44,30	

E45 Ausfahrt 40 Randers Richtung Viborg. Der 16 Ausfahrt Viborg Ø (Houlkaervej-) Randersvej folgen bis vor der Ortsmitte. Im Kreisel Richtung Bruunshåb. Der CP ist angezeigt.

Ulbjerg/Skals, DK-8832 / Midtjylland

CC€16

Camping Ulbjerg***
Skråhedevej 6
1 Jan - 31 Dez
+45 86697093
camping@ulbjerg.dk
N 56°38'42'' E 9°20'19''

1 DE**JM**NOPQRST	ABF**N**	6
2 BFIPQVWXY	ABD**FGH**I	7
3 BEFL**M**QSTV	ABCDE**FI**JNQRSV	8
4 HIKO	DFJVY	9
5 ACKL	ABDGHJN**P**RW	10
Anzeige auf dieser Seite B 10A CEE	① €27,00	
23 ha 90**T**(80-120m²) 66**D**	② €38,25	

Der CP befindet sich nördlich von Ulbjerg, an Straße 533 Viborg-Løgstør. Von der Autobahn, Ausfahrt 35 Hobro V.

Vinderup, DK-7830 / Midtjylland

DCU Camping Ejsing***
Ejsingholmvej 13, Ejsing
20 Mär - 20 Okt
+45 97446113
ejsing@dcu.dk
N 56°31'7'' E 8°44'50''

1 D**JM**NOPRST	L**N**QX	6
2 DHIPVWX	ABDE**FG**HIJK	7
3 BE**I**QT	CDEFIJKNQRS	8
4 HIO**P**	DF	9
5 ABDE**L**	ABGHJ**O**PRVZ	10
B 10A	① €31,70	
6,4 ha 210**T**(bis 132m²) 50**D**	② €43,75	

Straße 189 Holstebro-Skive. Von Vinderup ca. 3 km Richtung Skive, Ausfahrt Ejsing. Ab dort ist CP beschildert.

Ulfborg, DK-6990 / Midtjylland

CC€16

Vedersø Klit Camping***
Øhusevej 23
21 Mär - 18 Okt
+45 97495200
info@klitcamping.dk
N 56°15'34'' E 8°8'45''

1 BDE**JM**NOPQRST	ABFGHKNQ	6
2 BDEGPSWXY	AB**FGH**JK	7
3 ABE**IK**L**M**QST	ABCDEFGIJKQRSV	8
4 BCDFHIO**PQSTUVX**	FHVY	9
5 ABCDEKL	ABFGHJLMPRVXZ	10
B 13A CEE	① €32,90	
4 ha 245T 126**D**	② €43,60	

Der 181 folgen, dann weiter ausgeschildert.

Vinderup, DK-7830 / Midtjylland

Sevel Camping***
Halallé 6, Sevel
1 Jan - 31 Dez
+45 97448550
mail@sevelcamping.dk
N 56°27'29'' E 8°52'10''

1 DE**JM**NOPRT	ABFG	6
2 OPVWXY	ABDE**FG**HI	7
3 AE**KM**T	ABCDE**F**IJNQRS	8
4 EFHIO	FJV	9
5 ABEHKL	ABGHJ**NO**PRVZ	10
B 10A CEE	① €27,90	
3,1 ha 84**T**(100-120m²) 22**D**	② €39,20	

Straße 34 Herning-Skive. An der Kreuzung Sevel-Mogenstrup Richtung Sevel. Dann ausgeschildert.

Nord-Jütland

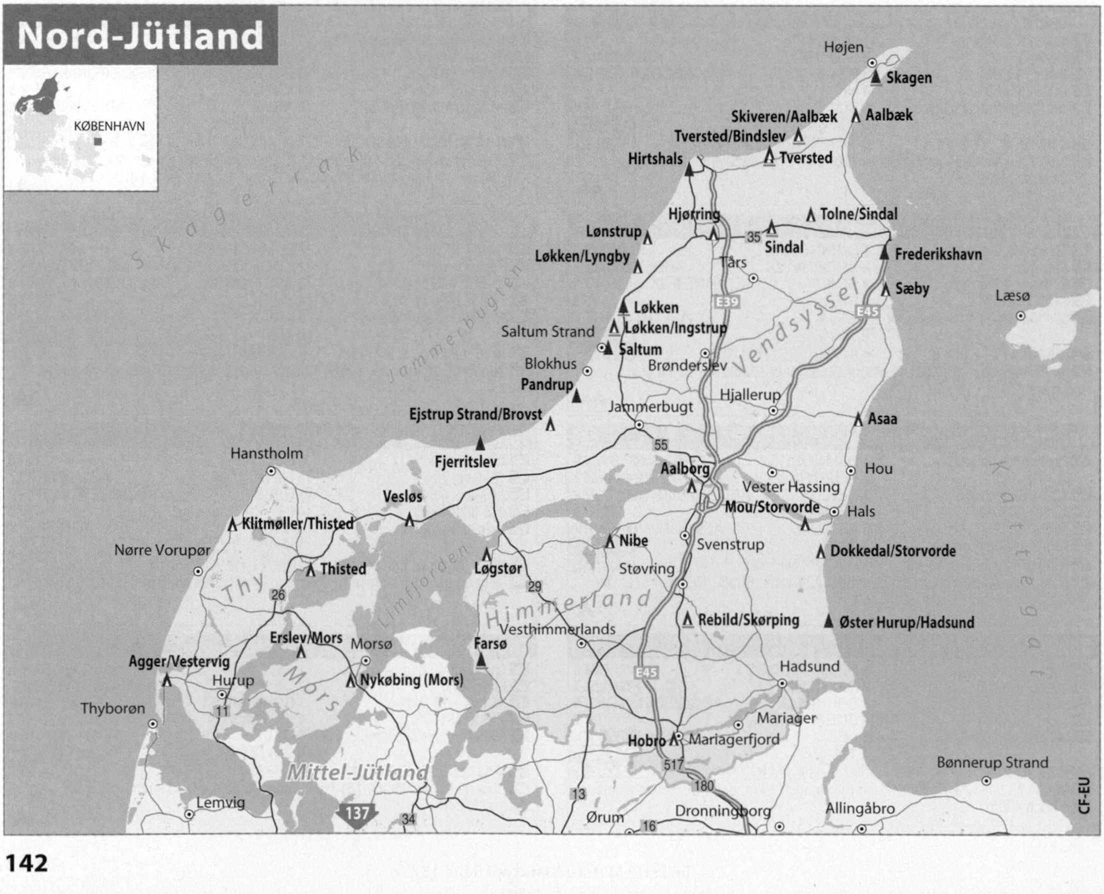

KØBENHAVN
Skagerrak
Højen
Skagen
Skiveren/Aalbæk
Aalbæk
Tversted/Bindslev
Tversted
Hirtshals
Hjørring
Tolne/Sindal
Lønstrup
Sindal
Løkken/Lyngby
Tårs
Frederikshavn
Vendsyssel
Løkken
Sæby
Læsø
Saltum Strand
Løkken/Ingstrup
Saltum
Jammerbugten
Blokhus
Brønderslev
Pandrup
Hjallerup
Jammerbugt
Ejstrup Strand/Brovst
Asaa
Fjerritslev
Hanstholm
Aalborg
Hou
Vesløs
Vester Hassing
Klitmøller/Thisted
Mou/Storvorde
Hals
Kattegat
Nibe
Svenstrup
Nørre Vorupør
Thisted
Løgstør
Dokkedal/Storvorde
Støvring
Thy
Limfjorden
Himmerland
Rebild/Skørping
Øster Hurup/Hadsund
Erslev/Mors
Morsø
Vesthimmerlands
Farsø
Agger/Vestervig
Hurup
Mors
Nykøbing (Mors)
Hadsund
Thyborøn
Mariager
Hobro
Mariagerfjord
Bønnerup Strand
Mittel-Jütland
137
Lemvig
Ørum
Dronningborg
Allingåbro
CF-EU

Aalbæk, DK-9982 / Nordjylland

Bunken Strand	1 CDE**JM**NOPQRST	KNQSX 6
Ålbekvej 288	2 BEHOPQVWXY	BE**FG**HIK 7
11 Apr - 30 Sep	3 ABEF**IK**LT	BDIJKNPQRSV 8
+45 98487180	4 EFHIOQ	ADFUV 9
info@	5 ACDEK**L**	ABGHIJPRVWZ 10
bunkenstrandcamping.dk	B 10-13A	① €33,15
N 57°38'40'' E 10°27'42''	20 ha 700**T**(80-150m^2) 167**D**	② €48,20

Die 40 Richtung Skagen, 7 km hinter Aalbæk rechts liegt der CP rechts der Strecke. Ist angezeigt.

Aalborg, DK-9000 / Nordjylland

Aalborg Familiecamping Strandparken***	1 CDE**JM**NOPQRS**T**	AK**N**QS**X** 6
Skydebanevej 20	2 AEGHIKLOPQRSVWX	ABDE**FG**HIK 7
1 Apr - 13 Sep	3 BF**IK**QT	ABCDE**FI**JKNQRSV 8
+45 [illegible]	4 FHIO	FJ 9
info@strandparken.dk	5 K**L**	[illegible] 10
	B 10A CEE	① €32,75
N 57°3'19'' E 9°53'7''	2,6 ha 130**T**(80-100m^2) 35**D**	② €46,15

E45 Ausfahrt 28. Über die 180 Ri Zentrum. 300m hinter dem Krankenhaus, Ausf. Aalborg-V. Ri Vaeddeløbsbanen. CP ist angezeigt. E45 Ausfahrt 23, 1. Ampel rechts. 6 km geradeaus bis zum Ende, links ab und an der Ampel wieder rechts.

Farsø, DK-9640 / Nordjylland

Ertebølle Strand Camping***	1 DEJMNOPRST	ABFGKX 6
Ertebøllevej 42	2 EHJPQRVWX	ABDE**FG**HIK 7
28 Apr - 5 Okt	3 BELQST	CDE**FI**JKNQRSTV 8
+45 98636375	4 FHIKO	DFJY 9
escamp@escamp.dk	5 ACK**L**	ABGHIJPRVXZ 10
	Anzeige auf dieser Seite B 10A	① €27,50
N 56°48'44'' E 9°10'54''	3,5 ha 100**T**(80-150m^2) 84**D**	② €39,35

Der CP liegt in Ertebølle und ist an der 533 angezeigt, 46 km nördlich von Viborg.

Agger/Vestervig, DK-7770 / Nordjylland

Krik Vig Camping***	1 DEF**JM**NOPRST	EJNOQRSW**X**YZ 6
Krik Strandvej 112	2 CDHOPQRVWXY	ABDE**FG**HIJK 7
28/3 - 27/9, 10/10 - 17/10	3 BE**I**LQT	CDE**F**IJK**L**NQRSV 8
+45 97941496	4 EHIO**PQS**	FJQUV 9
info@krikvigcamping.dk	5 ACDEHL	ABFGHIJLM**NP**RVX 10
	B 10A CEE	① €30,05
N 56°46'45'' E 8°15'43''	6,5 ha 312**T**(112-200m^2) 84**D**	② €42,70

Über die 11 Richtung Hurup (nicht in den Ort hineinfahren). Die 545 Richtung Vestervig-Agger. An der Kreuzung in Vestervig Kirke der Beschilderung folgen.

Fjerritslev, DK-9690 / Nordjylland

Klim Strand Camping*****	1 CD**JM**NOPRST	**E**FG**I**K**N**OPQSUVWX 6
Havvejen 167	2 EGHKPQVWXY	AB**C**DE**FG**HIJK 7
20 Mär - 26 Okt	3 BCEFG**IK**L**M**Q**R**ST**U**	ABCDEFIJK**L**NQRSTUV 8
+45 98225340	4 HILO**STUVY**	DFJRVY 9
info@klimstrand.dk	5 ACDEFGJK**L**	ABEGHIJM**P**RVWY 10
	B 10A CEE	① €39,60
N 57°8'2'' E 9°10'16''	24 ha 500**T**(100-6m^2) 77**D**	② €53,85

Straße 11/29 Richtung Fjerritslev. Rund um Fjerritslev steht 'Klim' auf den Schildern; diesen folgen. In Klim Richtung Klimstrand. CP ist ausgeschildert.

Asaa, DK-9340 / Nordjylland

Aså Camping og Hytteferie***	1 CF**JM**NOPQRST	AFX 6
Vodbindervej 13	2 DHOPQVWXY	BE**FG**HIK 7
31 Mär - 30 Sep	3 ABE**K**LTV	BD**FG**IJKNQRSV 8
+45 98851340	4 BFHIKO	FKTY 9
info@asaacamping.dk	5 ABKL	ABHJ**O**RVWXZ 10
	B 16A CEE	① €30,75
N 57°8'44'' E 10°24'10''	5 ha 160**T**(80-100m^2) 95**D**	② €42,30

E45 bei Hjallerup Ausfahrt 16 verlassen, zwischen Ålborg und Frederikshavn. Über Straße 559 nach Aså. Der CP ist ausgeschildert.

Fjerritslev, DK-9690 / Nordjylland

Svinkløv Camping***	1 DE**JM**NOPQRST	KNQSX 6
Svinkløvvej 541	2 BEFHPQTVWX	BE**FG**HJK 7
12 Apr - 19 Okt	3 ABF**HK**QST	BDFGIKNQRS 8
+45 98217180	4 BDEFHIO	FUV 9
info@svinkloevcamping.dk	5 ACK**L**	ABGHIJ**P**R 10
	B 13-16A CEE	① €26,85
N 57°8'57'' E 9°19'22''	**H**60 13,4 ha 320**T**(80-120m^2) 110**D**	② €37,60

Straße 11, bei Fjerritslev Ausfahrt Slettestrand. Nach 5 km Ausfahrt Svinkløv.

Dokkedal/Storvorde, DK-9280 / Nordjylland

Dokkedal Camping***	1 DE**JM**NOPQRST	EFGSWX 6
Kystvej 118	2 HIOPQRVWX	ABDE**FG**HIK 7
1 Jan - 11 Dez	3 BEGH**IK**LST	ABCDE**FGI**JKNQRSV 8
+45 98311171	4 FGIO**PQST**	J 9
info@dokkedalcamping.dk	5 ACDEGK**L**	ABEFGHJL**NP**RVZ 10
	B 13A CEE	① €35,55
N 56°55'57'' E 10°15'42''	5 ha 77**T**(80-110m^2) 216**D**	② €50,35

Der CP ist an der Küstenstraße 541, 3 km nördlich von Dokkedal, gelegen.

Frederikshavn, DK-9900 / Nordjylland

Nordstrand Camping A/S****	1 CDE**JM**NOPQRST	EFGK**N**QSWX 6
Apholmenvej 40	2 EGHOPQVWXY	BE**FG**HIJK 7
11 Apr - 28 Sep	3 AB**C**EF**IK**LT	BD**FG**IJKNQRSTUV 8
+45 98429350	4 ABFHIOT	FY 9
info@nordstrand-camping.dk	5 ACFKL	ABFGHIJM**NP**RVWX 10
	B 16A CEE	① €39,60
N 57°27'51'' E 10°31'40''	10 ha 400**T**(100-120m^2) 127**D**	② €56,80

Der CP befindet sich am Nordrand der Stadt und ist ab Straße 40 (Richtung Skagen) ausgeschildert.

Ejstrup Strand/Brovst, DK-9460 / Nordjylland

Tranum Klit Camping***	1 DE**JM**NOPQRST	XY 6
Sandmosevej 525	2 BFHPVWXY	BE**FG**HI 7
5 Apr - 25 Okt	3 ABE**IK**QT	BD**FG**IJKNQRS 8
+45 98235282	4 AEFHIO	FV 9
tranumklit@post.tele.dk	5 ACFKL	ABGHIJMNORVWXZ 10
	B 10A CEE	① €26,15
N 57°10'15'' E 9°27'48''	12,7 ha 230**T**(80-100m^2) 92**D**	② €35,55

Von der Straße 11, bei Brovst über Tranum nach Tranum Klit oder ab Fjerritslev über Slettestrand und Fosdalen.

Frederikshavn, DK-9900 / Nordjylland

Svalereden Camping og Hytteby***	1 CDE**JM**NOPQRST	K**N**QSWX 6
Frederikshavnsvej 112b	2 AEFHOPTVWXY	BE**FGH**IJK 7
1 Jan - 31 Dez	3 ABEF**IK**LQST	BD**FG**HIJKNPQRSV 8
+45 98461937	4 HIO**PQS**	FGY 9
info@svaleredencamping.dk	5 ABKL	ABGHIJ**NP**RVWXZ 10
N 57°21'36'' E 10°30'31''	B 16A CEE	① €37,05
	5,6 ha 240**T**(80-160m^2) 143**D**	② €52,10

Zwischen Saeby und Frederikshavn fahren Sie zwischen Ausfahrt 13 und 12 Küstenstraße 180 anstatt Straße E45. Der CP ist der letzte CP vor dem Fährhafen.

Erslev/Mors, DK-7950 / Nordjylland

Dragstrup Camping***	1 DEJMNOPRST	ABFGL**N**QSUVWX 6
Dragstrupvej 87	2 BDHKOPQVWXY	ABDE**FG**HIJ 7
1 Apr - 30 Sep	3 BCEH**I**LQST	ABCDE**F**IJNQRS 8
+45 97744249	4 FHIO**P**	DEFV 9
mail@dragstrupcamping.dk	5 ACEIK**L**	ABGHJPRV 10
	B 13A	① €31,55
N 56°49'3'' E 8°40'18''	10,7 ha 175**T**(100-120m^2) 59**D**	② €41,60

Ab der Sallingsundbrücke bei Nykøbing (Mors) Straße 26 Richtung Thisted fahren. Kreuzung Hvidberg-Ø.Jolby Richtung Hvidberg. CP ist dann ausgeschildert.

Hirtshals, DK-9850 / Nordjylland

Hirtshals Camping***	1 DE**JM**NOPQRST	K**N**QSX 6
Kystvejen 6	2 AEFHKOPQUVWXY	ABDE**FG**HI 7
25 Apr - 14 Sep	3 AB**K**T	ABD**FG**IJKNQRSV 8
+45 98942535	4 FHIO	F 9
hirtshals@dk-camp.dk	5 ABL	ABHIJRX 10
	B 10A CEE	① €29,40
N 57°35'11'' E 9°56'45''	3,4 ha 196**T**(ab 100m^2) 308**D**	② €44,95

Von Aalborg Straße 39 nach Hirtshals, dann Beschilderung folgen.

Farsø, DK-9640 / Nordjylland

CC€16

Farsø Fjord Camping***	1 DJMNOPQRST	ABFGHIK**N**QSX 6
Gl. Viborgvej 13	2 CEFHJOPQVWX	ABDE**FG**HIK 7
1 Apr - 30 Sep	3 BEF**IK**STV	ABCDE**F**IJNQRSV 8
+45 98636176	4 HIO**Q**	AFJY 9
info@farso-fjordcamping.dk	5 ACDEGK**L**	ABDFGHJ**P**RVWZ 10
	B 10A	① €30,60
N 56°45'28'' E 9°14'36''	5 ha 92**T**(80-120m^2) 78**D**	② €41,05

Der CP liegt an der 533 Viborg-Løgstør 40 km nördlich von Viborg in Stistrup. CP ist ausgeschildert.

Hirtshals, DK-9850 / Nordjylland

Tornby Strand Camping***	1 CDE**JM**NOPQRST	AB**E**FG**N**QSWX 6
Strandvejen 13	2 AHOPQVWXY	ABDE**FG**HIJK 7
1 Apr - 19 Okt	3 ABCEF**IK**LTV	ABCDE**FG**HIJKNQRS 8
+45 98977877	4 BDFHIO**P**QU	DFGJVY 9
mail@tornbystrand.dk	5 ABCFJK**L**	ABFGHIJ**P**RVWXZ 10
	B 10A CEE	① €38,10
N 57°33'18'' E 9°55'57''	9,5 ha 400**T**(80-140m^2) 154**D**	② €47,25

Auf der Straße 55 von Hjørring Richtung Hirtshals fahren. Ca. 2 km nach dem Örtchen Tornby links Richtung Tornby Strand fahren.

Teilkarte Nord-Jütland auf Seite 142

Hjørring, DK-9800 / Nordjylland

City Camping Hjørring
Idræts Alle 45
1 Apr - 28 Sep
+45 98909600
info@citycamping-hjoerring.dk
N 57°27'59" E 10°0'6"

1 DEJMNOPQRST	AFX 6
2 ABGOPQVWXY	ABEFGHIJK 7
3 BCEIKLQST	BDFGINPQRS 8
4 FIOX	FV 9
5 ABKL	AFGHIJPRVWX 10
B 10A	❶ €29,95
1,5 ha 140T(80-110m²) 43D	❷ €40,40

Von Süden her: über die E39, Ausfahrt 3 nach Hjørring. CP-Schildern folgen.

Hobro, DK-9500 / Nordjylland

Hobro City Camping Gattenborg***
Gattenborg 2
1 Jan - 31 Dez
+45 98523288
info@hobrocitycamping.dk
N 56°38'9" E 9°46'53"

1 DEJMNOPQRST	ABN 6
2 ADFOPRUVWX	ABDEFGHIK 7
3 BEKLQT	ABCDEFIJNQRSV 8
4 FHIKO	J 9
5 ACKL	AFHJPRVX 10
B 13-16A	❶ €28,05
4,5 ha 75T(80-100m²) 58D	❷ €39,85

E45, Ausfahrt 35 Hobro V. Dann Straße 579 Richtung Hobro. Nach ungefähr 3 km befindet sich der CP rechts.

Klitmøller/Thisted, DK-7700 / Nordjylland

Nystrup Camping Klitmøller***
Trøjborgvej 22
1 Mär - 31 Okt
+45 97975249
info@nystrupcampingklitmoller.dk
N 57°2'1" E 8°28'51"

1 DJMNOPQRST	KNQS 6
2 EHJOPQVWXY	ABDFGHIJK 7
3 BEFGHIKQT	ABCDEFIJKNQRSV 8
4 IOT	FUVY 9
5 ABKL	ABGHJNPRVW 10
B 13A	❶ €33,30
10 ha 230T(80-120m²) 64D	❷ €43,75

Küstenstraße 181. Von S.: hinter dem blauen Schild 'Hanstholm Kommune' nach 500m links. Dann angezeigt. Von N.: beim 3. Schild 'Klitmøller 1' rechts. Dann angezeigt.

Løgstør, DK-9670 / Nordjylland

Løgstør Camping
Skovbrynet 1
1 Jan - 31 Dez
+45 98671051
camping@logstor-camping.dk
N 56°57'46" E 9°14'52"

1 DEJMNOPQRST	K 6
2 BEGHJOPQVWXY	ABDEFGHIK 7
3 BEIKQSTV	ABCDEFIJNQRSV 8
4 IO	EFJVY 9
5 ACKL	ABGHIJPRV 10
B 10A CEE	❶ €24,30
3,5 ha 60T(80-100m²) 95D	❷ €35,85

Straße 533, südlich von Løgstør ist der CP ausgeschildert.

Løkken, DK-9480 / Nordjylland

Camping Rolighed***
Grønhøj Strandvej 35
1 Jan - 31 Dez
+45 98883036
info@camping-rolighed.dk
N 57°19'4" E 9°41'44"

1 CDEJMNOPQRST	ABFGNQSX 6
2 FGHPQTVWXY	ABDEFGHIK 7
3 ABCEKLMTV	BDFGIKNQRS 8
4 BDFHIKO	FIY 9
5 ACEIKL	ABGHIJLMPRVWXZ 10
13A CEE	❶ €31,95
2,8 ha 350T(100-250m²) 120D	❷ €44,05

Auf Hauptstraße 55, 6 km südlich von Løkken nach Grønhøjstrand. Nach 800m befindet sich der CP links.

Løkken, DK-9480 / Nordjylland

Løkken By Camping
Søndergade 69
1 Jan - 31 Dez
+45 98991767
info@loekkenbycamping.dk
N 57°21'52" E 9°42'34"

1 DEJMNOPRST	KNQSWX 6
2 EHOPWX	BEFGHIJK 7
3 ABIKTV	ABCDEFGIJKNPQRS 8
4 FHIO	FV 9
5 ABDKL	ABGHIJNOPRW 10
B 13A	❶ €34,25
4,2 ha 150T(80-100m²) 85D	❷ €46,30

Von Aalborg nach Løkken über die 55. Der CP ist ausgeschildert.

Løkken, DK-9480 / Nordjylland

Løkken Klit Camping***
Joergen Jensensvej 2
1 Jan - 31 Dez
+45 98991434
info@loekkenklit.dk
N 57°20'40" E 9°42'25"

1 ACDEJMNOPQRST	ABFHX 6
2 GHIOPQVWX	BFGHIJK 7
3 BDEFIKLQT	BCDFIJKNQRSTUV 8
4 BHILMNOPQ	DFUVY 9
5 ACDKL	ABEFGHIJMNPRVZ 10
B 16A CEE	❶ €46,60
15 ha 450T(100-150m²) 230D	❷ €63,75

CP liegt an der Hauptstraße 55, 3 km südlich von Løkken.

Løkken, DK-9480 / Nordjylland

Løkken Strandcamping***
Furreby Kirkevej 97
1 Mai - 7 Sep
+45 98991804
info@loekkencamping.dk
N 57°23'7" E 9°43'32"

1 DEJMNOPQRST	KNQSWX 6
2 AEFGHPQVWX	BEFGHIJ 7
3 ABT	BDFGINQRS 8
4 HIO	F 9
5 ABL	AGHIJPRX 10
10A	❶ €30,05
3,2 ha 200T(ab 100m²) 5D	❷ €42,95

Die Hauptstraße 55 nördlich am Kreisverkehr Løkken N, über die 3. Abfahrt rechts verlassen. Hinter dem Kreisel direkt rechts ab. Nach 900m auf dem Furreby Kirkevej liegt CP linkerhand. Camping liegt 1,5 km von Løkken.

Løkken/Ingstrup, DK-9480 / Nordjylland

Grønhøj Strand Camping***
Kettrupvej 125
27 Mär - 20 Sep
+45 98884433
info@gronhoj-strand-camping.dk
N 57°19'15" E 9°40'38"

1 CDEJMNOPQRST	QSX 6
2 BGHPQVWXY	BDEFGHIJK 7
3 BEHIKLMPQST	ABCDEFGIJKNQRSTUV 8
4 FHIKOQT	DFY 9
5 ABKL	ABFGHIJPRVXZ 10
B 13A	❶ €27,80
2,3 ha 500T(100-150m²) 264D	❷ €38,50

Auf Hauptstraße 55, 6 km südlich von Løkken nach Grønhøjstrand. Nach ca. 2 km der zweite CP links.

Løkken/Lyngby, DK-9480 / Nordjylland

Gl. Klitgård Camping & Hytteby***
Lyngbyvej 331
1 Jan - 31 Dez
+45 98996566
camping@gl-klitgaard.dk
N 57°25'13" E 9°45'40"

1 DEJMNOPRST	ABFGNQSWX 6
2 EFGHOPQTWX	ABDEFGHIJK 7
3 ABEFGHKLT	BDFGIJKNQRS 8
4 BCFHIKOQ	AEFY 9
5 ABKLM	ABFGIJNORVWXZ 10
B 13A CEE	❶ €33,85
14 ha 300T(85-220m²) 114D	❷ €48,30

Der CP liegt ca. 7 km nördlich von Løkken. Von der 55 Ausfahrt Lønstrup 8. Nach ca. 2 km links ab Lyngbyvej. CP liegt nach ca. 1 km rechts der Straße.

Lønstrup, DK-9800 / Nordjylland

Egelunds Camping og Motel***
Rubjergvej 21
27 Mär - 22 Sep
+45 98960135
info@959.dk
N 57°27'59" E 9°47'50"

1 DJMNOPQRST	ABFGNQSWXY 6
2 FGHOPWX	ABDEFGHIJK 7
3 BDEKT	ABDEFGIJKNPQRS 8
4 IO	DFGVY 9
5 ACEGJKL	ABGHIJPRX 10
B 13A	❶ €35,55
1,4 ha 70T 43D	❷ €53,00

Von der 55 aus den Hinweisen Lønstrup und Camping folgen.

Mou/Storvorde, DK-9280 / Nordjylland

Frydenstrand Camping***
Frydenstrand 58, Skellet
1 Jan - 31 Dez
+45 21448011
tina.frydenstrand@mail.dk
N 56°58'50" E 10°13'12"

1 DJMNOPQRST	KNQSWXYZ 6
2 EFGKPVWXY	ABEFGHIK 7
3 BELQT	ABCDEFGIJNQRSV 8
4 IQT	FGIY 9
5 L	AGHJNPRV 10
13A	❶ €27,80
2,6 ha 55T(80-100m²) 56D	❷ €38,50

An der Straße 595 von Aalborg zur Ostküste (Egense) ist auf der Höhe von dem Ort Skellet der CP ausgeschildert.

Dänemark

Teilkarte Nord-Jütland auf Seite 142

Nibe, DK-9240 / Nordjylland

Nibe Camping Sølyst***
Løgstørvej 2
1 Jan - 31 Dez
+45 98351062
info@nibecamping.dk
N 56°58'21" E 9°37'28"

1 CDEJMNOPQRT ABFGHKNQSWXZ 6
2 EFGHOPQVWX ABDEFGHIK 7
3 BEIKLQT ABCDEFGIJNQRSV 8
4 FHIOPQ DFGJT 9
5 ACDEHIKL ABFHJPRVWZ 10
B 13A CEE ① €31,70
2,5 ha 125T(80-100m²) 70D ② €43,50

Der CP liegt an der 187, 1 km südlich von Nibe, unmittelbar am Fjord, nur 20 km von Aalborg.

Nykøbing (Mors), DK-7900 / Nordjylland

Jesperhus Resort****
Legindvej 30
1 Apr - 29 Okt
+45 96701400
jooporhuo@jooporhuo.dk
N 56°45'52" E 8°48'58"

1 CDJMNOPRST ABEFGHN 6
2 DGOPQRTUVWXY ABDEFGHIJK 7
3 BCEHIJKLMOPSTU ABCDEFIJKNQRS 8
4 IOPQT AFJV 9
5 ACIKL ABEFGHIKNPRVWYZ 10
B 10A CEE ① €53,70
11 ha 612T(40-120m²) 232D ② €75,15

Südlich von Nykøbing auf Mors ist an der Sallingsundbrücke der CP schon ausgeschildert.

Øster Hurup/Hadsund, DK-9560 / Nordjylland

Kattegat Strand Camping*****
Dokkedalvej 100
30 Mär - 20 Sep
+45 98588032
info@922.dk
N 56°49'32" E 10°16'8"

1 CDEJMNOPQRST ABFGKNOPQSWXY 6
2 CEFHOPQVWX ABCDEFGHIJK 7
3 ABCEFGHLMST ABCDEFGIJKLMNQRSTUV 8
4 HIKLNOQRSTU DJPQY 9
5 ACDEFGIJKLM ABEFGHJMNPRVZ 10
B 10-16A CEE ① €54,25
20 ha 350T(100-140m²) 181D ② €73,00

An der Küstenstraße 541, 2 km nördlich vom Dorf Øster Hurup gelegen.

Øster Hurup/Hadsund, DK-9560 / Nordjylland

Øster Hurup Camping****
Kystvejen 70
27 Mär - 27 Sep
+45 98588051
info@osterhurup.dk
N 56°47'59" E 10°16'20"

1 DEJMNOPQRST ABFGKNXY 6
2 EHOPVWX ABDEFGHIK 7
3 BEFLT ABCDEFGIJKNQRSUV 8
4 FHIOQS DFGJ 9
5 ACKL ABGHJPRVXZ 10
B 13A CEE ① €34,25
5 ha 170T(80-100m²) 88D ② €49,00

An der Küstenstraße 541 in dem Ort Øster Hurup.

Pandrup, DK-9490 / Nordjylland

Blokhus Klit Camping***
Kystvejen 52
1 Apr - 21 Sep
+45 98249157
info@blokhusklit-camping.dk
N 57°13'14" E 9°35'5"

1 CDEJMNOPQRST ABFGX 6
2 GHPQVWXY BFGIJK 7
3 BEGHIKMT BDFGIJKNPQRS 8
4 BDFHIKOQ DFUVY 9
5 ABKL AGHIJMORVW 10
B 10A CEE ① €31,55
7,5 ha 300T(80-120m²) 79D ② €44,45

Von der 55 Richtung Rødhus oder Blokhus. Der CP liegt an der Küstenstraße zwischen Rødhus und Hune, unmittelbar an der Margeritenroute.

Pandrup, DK-9490 / Nordjylland

Rødhus Klit Camping***
Rødhusmindevej 25
27 Mär - 28 Sep
+45 98248340
rkc@rodhuscamping.dk
N 57°12'1" E 9°30'48"

1 CDEJMNOPQRST QSX 6
2 GHPQVXY BEFGHIJK 7
3 ABEFIKLMQTV BDEFGHKNPQRS 8
4 EFHIOPQ FJY 9
5 ACKL ABGHIJPRVW 10
B 10A CEE ① €31,95
8 ha 253T(100-300m²) 95D ② €45,10

Auf der Hauptstraße 55, bei Kaas 11 km nach Rødhus. Der CP befindet sich links.

Rebild/Skørping, DK-9520 / Nordjylland

Safari Camping Rebild***
Rebildvej 17
1 Jan - 31 Dez
+45 98391110
info@safari-camping.dk
N 56°49'57" E 9°50'46"

1 DEJMNOPQRST 6
2 ABOPVWX ABDEFGHIK 7
3 AEIKTV ABCDEFIJNQRSV 8
4 FHIOS F 9
5 ACKL ADFGHJLPR 10
10-16A CEE ① €27,25
H87 6 ha 235T(80-120m²) 34D ② €39,05

E45 Ausfahrt 33 über die 535 Richtung Rold zu der 180 Richtung Aalborg oder E45, Ausfahrt 31 über die 519 Richtung Skørping Richtung Hobro. Auf der 180 dann die Ausfahrt Skørping/Rebild. CP ausgeschildert.

Sæby, DK-9300 / Nordjylland

Hedebo Strand Camping***
Frederiksh.vej 108
11 Apr - 14 Sep
+45 98461449
hedebo@dk-camp.dk
N 57°21'20" E 10°30'53"

1 DEJMNOPQRT ABFGHKNQSWXY 6
2 AEHOPQSVWX BEFGHIJK 7
3 ABCEFIKLMQTU BDFGIJKNQRSV 8
4 FHIOPQ JK 9
5 ACGHIKL ABFGHIJNORVWZ 10
B 13A CEE ① €37,85
15 ha 600T(50-550m²) 297D ② €53,95

Von der E45 die Ausfahrt 13 Saeby nehmen. Das ist die Küstenstraße 180. Nach 1 km rechts abbiegen und 50m nach dem Laden sofort wieder links abbiegen.

Saltum, DK-9493 / Nordjylland

Guldager Camping***
Bondagervej 67
27 Mär - 21 Sep
+45 98881512
info@guldagercamping.dk
N 57°17'36" E 9°39'8"

1 CDEJMNOPQRT NQX 6
2 BHPQUVWXY BDEFGHIJK 7
3 BCEIKLQT BDFGHIJNPQRSV 8
4 FHIOP DFV 9
5 ABKL ABGHIJORVWZ 10
B 10A CEE ① €24,15
3,4 ha 142T(90-200m²) 61D ② €36,25

Auf der Hauptstraße 55 bei der weißen Kirche von Saltum Richtung Strand fahren. Nach 100m rechts dem Ejerstedvej bis zum CP folgen.

Saltum, DK-9493 / Nordjylland

Jambo Feriepark*****
Solvejen 60
27 Apr - 18 Okt
+45 98881666
info@jambo.dk
N 57°16'42" E 9°39'38"

1 CDEJMNOPQRST ABFGHX 6
2 BGHOPQVWXY BCEFGHIJK 7
3 BCEFIKLMNT BDFGHIJKLNPQRSTUV 8
4 BDEFHINOPTU DFVY 9
5 ACDEFGIJKL ABEFGHIJMNPRVYZ 10
B 10-16A CEE ① €54,90
14 ha 600T(100-155m²) 95D ② €74,25

Auf Hauptstraße 55, neben der Kirche in Saltum abzweigen, nach Saltumstrand. Nach ca. 1,5 km ist der CP links ausgeschildert.

Saltum, DK-9493 / Nordjylland

Saltum Strand Camping***
Saltum Strandv. 141
28 Mär - 18 Okt
+45 98881159
info@saltumstrand.dk
N 57°17'8" E 9°39'7"

1 DEJMNOPQRST ABFQSX 6
2 HOPQVWXY BEFGHIJK 7
3 ABCEFIKLMQT BDFGHIJKNPQRS 8
4 BDEFHIOQ AFUV 9
5 ACKL ABGHIJNOPRVWZ 10
B 10A ① €32,90
8,6 ha 310T(100-250m²) 138D ② €46,05

Sie verlassen Straße 55 direkt nördlich von Saltum, nach der weißen Kirche. Nach 3 km befindet sich der CP links.

Sindal, DK-9870 / Nordjylland

A35 Sindal Camping & Kanoudlejning***
Hjørringvej 125
1 Jan - 31 Dez
+45 98936530
info@sindal-camping.dk
N 57°28'2" E 10°10'43"

1 DEJMNOPQRST ABFGNSX 6
2 ABCGIOPQVWXY BEFGHIJK 7
3 BEFIKLMQST BDFGIJKNQRSUV 8
4 AEFGHIT DFQVY 9
5 ABKL ABDFGHIJMNORVX 10
B 13-16A CEE ① €29,55
4,6 ha 165T(90-150m²) 6D ② €40,25

Von Süden her über die E39 Ausfahrt 3 Richtung Sindal, die 35. Nach ± 6 km liegt der CP rechts, ± 1 km vor Sindal.

Skagen, DK-9990 / Nordjylland

Poul Eeg Camping
Bøjlevejen 21
24 Apr - 7 Sep
+45 98441470
info@pouleegcamping.dk
N 57°44'4" E 10°36'13"

1 CDEJMNOPQRST KNQSX 6
2 EHJOPQVWXY BEFGHIJK 7
3 ABKLQST BDFGIJKNQRS 8
4 DIOQR DFVY 9
5 ABDKL ABGHIJNORVW 10
B 10A ① €39,20
9,5 ha 420T(80-100m²) 131D ② €53,40

N40 Richtung Grenen, weiter den Schildern folgen.

Skagen, DK-9990 / Nordjylland

Råbjerg Mile Camping***
Kandestedvej 55
29 Mär - 30 Sep
+45 98487500
info@raabjergmilecamping.dk
N 57°39'19" E 10°27'1"

1 CDEJMNOPQRST ABEFGNQSX 6
2 HOPQRVWX ABDEFGHIJK 7
3 ABEIKLMQTV ABDEFGIJKNQRSV 8
4 BFHIOTU FVY 9
5 ABDEKL ABGHIJPRVWZ 10
B 10A CEE ① €35,30
20 ha 446T(80-150m²) 123D ② €51,40

Der CP liegt ca. 8 km nördlich von Ålbæk. Von der 40 Richtung Råbjerg Mile. Nach ca. 400m liegt der CP links.

Skagen, DK-9990 / Nordjylland

Skagen Camping***
Flagbakkevej 53-55
11 Apr - 14 Okt
+45 98443123
skagen-camping@mail.dk
N 57°43'12" E 10°32'25"

1 ADEJMNOPRST AF 6
2 BHOPQVWXY ABDEFGIJK 7
3 ABEFGIKLTV ABDFGIJKNQRSV 8
4 HIOS FV 9
5 ABKL ABFGHIJORVWX 10
Anzeige auf dieser Seite B 13A CEE ① €33,30
5,3 ha 265T(80-120m²) 60D ② €47,25

Folgen sie Straße 40 Richtung Skagen. An der Kreuzung Gl. Skagen/ Den Tilsandete Kirke rechts. Der CP ist nach der Bahnübergang links.

Dänemark

Skiveren/Aalbæk, DK-9982 / Nordjylland

Skiveren Camping****
Niels Skiverenvej 5-7
27 Mär - 30 Sep
+45 98932200
info@skiveren.dk
N 57°36'58'' E 10°16'50''

1 CDEJMNOPQRST ABFGKNQSWX 6
2 EHOPQWX BCEFGHIJK 7
3 ABCEIKLMPTV BDFGIKNQRSTUV 8
4 BDFHIOQRSTUV DFVY 9
5 ACDEHIKL ABGHIJNORVXZ 10
B 16A CEE ❶ €44,30
18,4 ha 595T(60-140m²) 132D ❷ €60,95

Von Frederikshavn die Nr. 40 nach Skagen, ca 1 km hinter Aalbæk im Kreisel links Richtung Tversted. Nach 8 km rechts ab Richtung Skiveren den CP-Schildern folgen.

Tversted, DK-9881 / Nordjylland

Aabo Camping***
Aabovej 18
20 Mär - 14 Sep
+45 98931234
info@aabo-camping.dk
N 57°35'6'' E 10°11'6''

1 CDEJMNOPQRST ABFGHNQSWX 6
2 ACHOPQVWX BCEFGHIJK 7
3 BEFIKLQSTU BDFGHIJKNPQRSTUV 8
4 BFHILNOPQ DFIV 9
5 ACDEFGHKL ABGHIJOPRVWXZ 10
B 10-13A CEE ❶ €41,60
14 ha 500T(100-120m²) 179D ❷ €56,40

Straße 597 Hirtshals-Skagen. Bei der Kreuzung Tversted/Bindslev Richtung Strand/Tversted abzweigen. Nach 450m links.

Dänemark

Thisted, DK-7700 / Nordjylland

Thisted Camping***
Iversensvej 3
1 Jan - 31 Dez
+45 97921635
mail@thisted-camping.dk
N 56°57'9'' E 8°42'47''

1 DJMNOPRST ABFGHLNQSWX 6
2 DEFGIJKMOPQRSVW ABFGHIJK 7
3 ABIKT ABCDEFGIJKNQRSV 8
4 IO BDEFGJRY 9
5 ABDEGHIKL ABGHJNPRV 10
B 16A CEE ❶ €32,10
3,2 ha 125T(80-100m²) 47D ❷ €44,95

Der CP liegt östlich von Thisted an dem Thisted Bredning und ist ausgeschildert.

Tversted/Bindslev, DK-9881 / Nordjylland

Tannisby Camping***
Tannisbugtvej 86
1 Jan - 31 Dez
+45 98931250
info@tannisbycamping.dk
N 57°35'26'' E 10°11'18''

1 BCDEJMNOPQRST KNQSX 6
2 EHOPSVWXY ABDEFGHIK 7
3 ABEKLQTV ABCDEFGHIJKNQRSV 8
4 IOT F 9
5 BKL ABFGHIJNOPRVW 10
B 13-16A CEE ❶ €33,55
3,2 ha 160T(70-100m²) 48D ❷ €47,00

Die 597 Hirthals-Aalbæk. Hinter dem Ortsschild im Kreisel rechts. Dem CP-Schild folgen.

Tolne/Sindal, DK-9870 / Nordjylland

Tolne Camping
Stenderupvej 46
1 Jan - 31 Dez
+45 98930266
tolne@camping.dk
N 57°29'12'' E 10°18'7''

1 AJMNOPQRST FN 6
2 ABFPTUVWXY BEFGHIJK 7
3 AEILQT BFGINQRS 8
4 EHIKO FJQVY 9
5 ABKL ABHIJORVZ 10
16A ❶ €20,15
H80 32,6 ha 170T(120m²) 42D ❷ €28,20

Von Frederikshavn, 14 km über Straße 35 Richtung Hjørring. Danach 3 km nach Tolne, wo der CP ausgeschildert ist.

Vesløs, DK-7742 / Nordjylland

Bygholm Camping - Thy***
Bygholmvej 27, Øsløs
1 Jan - 31 Dez
+45 26209790
bygholmthy@gmail.com
N 57°1'38'' E 9°1'10''

1 DEJMNOPRST ANQSWX 6
2 DOPQRVWXY ABDEFGHIJK 7
3 ABCEILQT CDEFIJNQRSV 8
4 FHIOQ FGJVY 9
5 ABDKL ABGHJLPRV 10
B 10A ❶ €23,20
3 ha 120T(80-100m²) 64D ❷ €28,70

Über die 11/29 finden Sie den CP in Vesløs, wenn Sie neben der DK-Tankstelle von der Straße abbiegen.

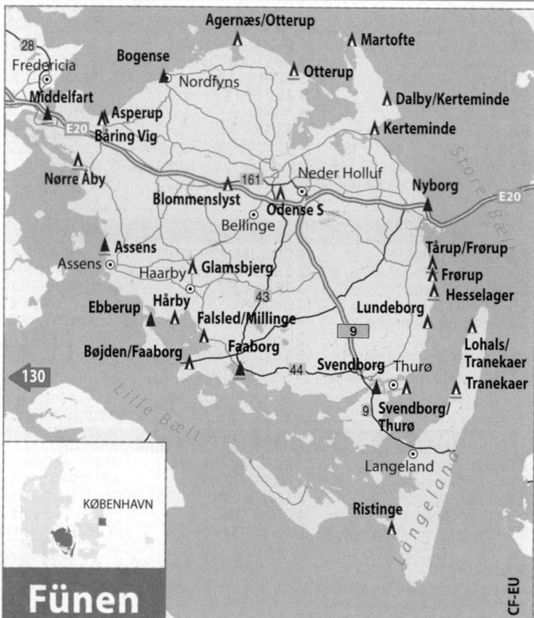

Assens, DK-5610 / Fyn

Campone Assens Strand***
Næsvej 15
5 Apr - 14 Sep
+45 63606302
info@assensstrand.dk
N 55°15'56'' E 9°53'2''

1 DEJMNOPQRST KNOQSXYZ 6
2 EGHKOPQVWXY ABDEFGHIJK 7
3 BEFIKT ABCDEFIJKNQRSV 8
4 HIOQ FVY 9
5 ABKL ABFGHIJNPRVXZ 10
10A CEE ❶ €32,90
6,3 ha 120T(100-120m²) 8D ❷ €44,95

Straße 313 Nörre-Åby-Assens. Ab Assens Schildern Hafen und Industriegebiet folgen. Bei Zuckerfabrik kleinen Schildern folgen.

Assens, DK-5610 / Fyn

Sandager Næs***
Strandgårdsvej 12, Sandager
27 Mär - 13 Sep
+45 64791156
info@sandagernaes.dk
N 55°20'2'' E 9°53'24''

1 DEJMNOPQRST ABFGHKNQSWXZ 6
2 EFGHPVWX ABCDEFGHIJK 7
3 BEFHKLT ABCDEFIJKNQRSV 8
4 BHIOPQST FIJQVY 9
5 ACDEIKL ABDGHIJMNPRVXZ 10
B 10A CEE ❶ €34,90
3,7 ha 135T(80-140m²) 55D ❷ €47,00

E20, Ausfahrt 57 Richtung Assens. Bei Sandager rechts Schildern folgen.

Agernæs/Otterup, DK-5450 / Fyn

Flyvesandet Beachcamp***
Flyvesandsvej 37
20 Mär - 20 Sep
+45 64871320
flyvesandet@dcu.dk
N 55°37'13'' E 10°18'4''

1 DJMNOPQRST KNQSWX 6
2 BEFHJPQVWXY ABDEFGHIJ 7
3 BELQT ABCDEFGIJKNQRS 8
4 ABEHIOQ 9
5 ACDKL ABGHIJNPRVZ 10
13A CEE ❶ €32,20
7 ha 310T(100-150m²) 100D ❷ €45,65

Auf Straße Bogense-Otterup Ausfahrt Flyvesande, dann den CP-Schildern folgen.

Båring Vig, DK-5466 / Fyn

Baaring Vig Feriepark
Skovlund Camping****
Kystvejen 1
1 Apr - 20 Sep
+45 64481477
mail@skovlund-camping.dk
N 55°30'23'' E 9°53'59''

1 DEJMNOPQRST ABFGHKNQSWXY 6
2 ABEFGHJPQUVWX ABDEFGHIJK 7
3 BEHIKLMQT ABCDEFGIJKNQRSTUV 8
4 IOPST FV 9
5 ACDEKL ABFGHIJNPRVX 10
B 10A CEE ❶ €38,25
H80 7,2 ha 267T(80-120m²) 107D ❷ €55,70

E20, Ausfahrt 57 Richtung Bogense. Dann Richtung Båring. In Båring geradeaus, erster CP links.

Asperup, DK-5466 / Fyn

Båringskov Camping**
Kystvejen 4
1 Jan - 31 Dez
+45 64481053
baaringskov@mail.dk
N 55°30'31'' E 9°54'14''

1 DFJMNOPQRST KNQSWXYZ 6
2 ABEFHKPVX ABDEFGIJK 7
3 AELQT ABCDEFJNQRS 8
4 IOPQ FI 9
5 ABEGHL ABHJNPRV 10
10A CEE ❶ €24,15
2,5 ha 103T(80-120m²) 64D ❷ €34,90

E20, Ausfahrt 57 Richtung Bogense nehmen. Richtung Båring folgen. In Båring geradeaus, dann erster CP rechts. Die Einfahrt ist halb befestigt.

Blommenslyst, DK-5491 / Fyn

Blommenslyst**
Middelfartvej 494
5 Jan - 20 Dez
+45 65967641
info@blommenslyst-camping.dk
N 55°23'21'' E 10°14'52''

1 CJMNOPQRST 6
2 AOPVX ABDEFGIJK 7
3 A ABEFIJNQRS 8
4 IO F 9
5 ABL ABRVZ 10
10A CEE ❶ €22,30
2 ha 60T(80-100m²) 13D ❷ €27,65

Von der E20 die Ausfahrt 53 nehmen. Der CP liegt an der Straße Nr. 161 Middelfart-Odense. Der CP ist ab Blommenslyst ausgeschildert.

Bogense, DK-5400 / Fyn

Bogense Strand Camping*****
Vestre Engvej 11
20 Mär - 19 Okt
+45 64813508
info@bogensecamp.dk
N 55°33'41'' E 10°5'7''

1 CDJMNOPRST ABEFGHKMNQSUVW 6
2 EHJOPVWX ABCDEFGHIJK 7
3 BEFHIKLMQT ABCDEFGIJKLMNQRSTUV 8
4 FHIOQRSTV DFIJRY 9
5 ACDEHKL ABEFGHIJNPRVZ 10
B 13A CEE ❶ €47,00
11 ha 425T(80-200m²) 180D ❷ €61,75

Ab Odense Richtung Hafen, dann den Schildern folgen.

Bogense, DK-5400 / Fyn

Kyst Camping Bogense***
Østre Havnevej 1
1 Apr - 30 Sep
+45 64811443
info@kystcamping.dk
N 55°34'4'' E 10°5'0''

1 DEJMNOPQRST KNQSWX 6
2 EFGKOPVWXY ABDEFGHIJK 7
3 BCKLQT ABCDEFGIJKNQRSV 8
4 BEFHILO DEFY 9
5 AKL ABGHIJNPRV 10
B 16A CEE ❶ €34,90
2,8 ha 190T(80-120m²) 40D ❷ €51,00

Aus Odense oder Middelfart, in Bogense Richtung Havn fahren, dann den CP-Schildern folgen.

Bøjden/Faaborg, DK-5600 / Fyn

Campone Bøjden Strand*****
Bøjden Landevej 12
28 Mär - 18 Okt
+45 63606360
info@bojden.dk
N 55°6'20'' E 10°6'28''

1 ACDEJMNOPQRST ABEFGHIKMNOQSUVWXYZ 6
2 EFGHOPUVWXY ABCDEFGHIJK 7
3 BCEIKLST ABCDEFIJKLMNQRSTUV 8
4 BHIJLMNOPSTUY DFIJNY 9
5 ACDEFGIJKL ABFGHIJPRVX 10
B 10A CEE ❶ €53,00
6,5 ha 308T(80-140m²) 80D ❷ €65,10

Die 323 und 329 Assens-Hårby-Faaborg. Vor Faaborg die 8 Richtung Bøjden oder die Fähre Fynshav (Süd-Jütland)-Bøjden. CP ist in Bøjden ausgeschildert.

Dalby/Kerteminde, DK-5380 / Fyn

Camp Hverringe, Bøgebjerg Strand*****
Blæsenborgvej 200
20 Mär - 30 Sep
+45 65341052
info@camphverringe.dk
N 55°30'32'' E 10°42'43''

1 CDJMNOPQRST ABFGKMNOPQSWXYZ 6
2 EFGHKPUVWX ABCDEFGHIJK 7
3 ABDEFHLQST ABCDEFGIJKLMNQRSTUV 8
4 ABDEFHIKLNOQU AEFJNSUVY 9
5 ACDEIKL ABDFGHIJMOPRVWXZ 10
B 10A CEE ❶ €48,30
15 ha 375T(100-140m²) 31D ❷ €66,60

Ab Kerteminde Richtung Fynshoved, sofort nach Kerteminde Richtung Måle, dann ausgeschildert.

Ebberup, DK-5631 / Fyn

Aa-Strand Camping***
Aa Strandvej 61
20 Apr - 20 Sep
+45 64741003
aa-strand@dk-camp.dk
N 55°13'2'' E 9°58'27''

1 JMNOPRST KNQSWXY 6
2 EFGHKPVWXY ABDEFGIJ 7
3 AKLT ABCDEFNQRS 8
4 I FI 9
5 ABKL AHJNRW 10
10A CEE ❶ €29,55
5 ha 125T(125-150m²) 56D ❷ €40,25

Straße Nr. 313 Assens-Faaborg, 2 km hinter Assens rechts ab den CP-Schildern folgen. Immer geradeaus, danach in Richtung Aa.

Ebberup, DK-5631 / Fyn

Helnæs Camping***
Strandbakken 21
1 Apr - 28 Sep
+45 64771339
info@helnaes-camping.dk
N 55°7'57'' E 10°2'11''

1 CDEJMNOPQRST KNQRSUVX 6
2 EFGHIKPUVWX ABDEFGHJK 7
3 ABILQRT ABCDEFGIJKNPQRS 8
4 IOQ DFGIVY 9
5 ABEKL ABFHJORVZ 10
B 6A CEE ❶ €28,45
3,2 ha 150T(90-130m²) 54D ❷ €39,20

Auf die Halbinsel Helnæs und dann in den Ort Helnæs. CP-Hinweis folgen.

Faaborg, DK-5600 / Fyn

CC€18

Faaborg Camping***
Odensevej 140
1 Jan - 31 Dez
+45 62617794
info@faaborgcamping.dk
N 55°6'59'' E 10°14'42''

1 BDEJMNOPQRST X 6
2 GOPTUWXY ABFGHIJK 7
3 AIKLT ABCDEFGIJKNQRSTV 8
4 EFGHIO FVY 9
5 ABKLM ABCFGHIJORVX 10
B 10A CEE ❶ €32,75
4,9 ha 112T(100-140m²) 28D ❷ €46,70

Von Bøjden über den Rundweg Faaborg Straße 43 Richtung Odense fahren. Der CP ist nach 500m ausgeschildert.

Faaborg, DK-5600 / Fyn

Nab Strand Camping***
Kildegaardsvej 8
8 Mai - 30 Aug
+45 22123132
info@nabstrandcamping.dk
N 55°3'51'' E 10°18'50''

1 DEJMNOPRS KNQSXZ 6
2 EFGHJPTVWXY ABDEFGHIJK 7
3 AKQT ABCDEFGIJKNQRS 8
4 HIO FUVY 9
5 ABKL ABFJNRVXZ 10
10A CEE ❶ €31,95
2 ha 100T(100-125m²) 27D ❷ €43,20

Die 44 Faaborg-Svendborg, nach 3,5 km Ausfahrt Nab. Danach den CP-Schildern folgen.

Faaborg, DK-5600 / Fyn

Sinebjerg Camping***
Sinebjergvej 57b
2 Apr - 13 Sep
+45 62601440
info@sinebjergcamping.dk
N 55°4'50'' E 10°11'4''

1 DEJMNOPQRST KNQSWXY 6
2 EFGHKPTUVWX ABDEFGHIJK 7
3 BCEHKQST ABCDEFIJKNQRS 8
4 IKO DEFY 9
5 ABKL ABGHIJORVWZ 10
B 6A CEE ❶ €30,20
4,5 ha 210T(100-130m²) 88D ❷ €42,30

Die 8 Faaborg-Bøjden, bei Km-Pfahl 49,7 Richtung Sinebjerg und den CP-Schildern folgen.

Falsled/Millinge, DK-5642 / Fyn

Falsled Strand Camping***
Assensvej 461
1 Apr - 30 Sep
+45 62681095
post@falsledstrandcamping.dk
N 55°8'50'' E 10°9'12''

1 ADEJMNOPRST ABKNQSVWXYZ 6
2 BDEFGHIPQUVWXY ABDEFGHIJK 7
3 ABIKLQST ABCDEFGINQRSUV 8
4 IO FRVW 9
5 AL ABGHIJORVW 10
B 10A ❶ €32,90
3,6 ha 107T(70-120m²) 53D ❷ €51,70

Auf der 329 Assens-Hårby-Faaborg in Faldsled dem CP-Schild folgen.

Frørup, DK-5871 / Fyn

Kongshøj Strandcamping***
Kongshøjvej 5
1 Jan - 31 Dez
+45 65371288
info@kongshojcamping.dk
N 55°13'18'' E 10°48'22''

1 DEJMNOPQRST KNQSWXYZ 6
2 EGHKPVWXY ABDEFGHIJK 7
3 BEFIKLQT ABCDEFGIJKNQRS 8
4 BIKOP FIY 9
5 ABKL AFGHJLNPRVWZ 10
B 10A CEE ❶ €31,30
6 ha 90T(80-150m²) 167D ❷ €43,60

Straße Nr. 163 Nyborg-Svendborg, nach ungefähr 11 km die zweite Ausfahrt nach Tårup nehmen und den CP-Schildern Kongshøj-Strand folgen.

Glamsbjerg, DK-5620 / Fyn

Hjemstavnsgårdens Camping
Klaregade 15
1 Mai - 1 Sep
+45 64723363
info@hjcmstavnscamp.dk
N 55°15'31'' E 10°8'0''

1 JMNOPQRT 6
2 OPWXY ABDEFGIK 7
3 AKSV ABCDEFGIJNQRS 8
4 FH DF 9
5 AL AGJNOR 10
10A CEE ❶ €20,15
1,1 ha 40T(100-150m²) 4D ❷ €28,20

Die 329 Glamsbjerg-Hårby. In Gummerup ist der CP angezeigt.

Hårby, DK-5683 / Fyn

Løgismosestrand Camping****
Løgismoseskov 7
20 Mär - 18 Okt
+45 64771250
info@logismosestrand.dk
N 55°10'46'' E 10°4'26''

1 CDEJMNOPRST ABFGKNQSWXYZ 6
2 EFGHPVWXY ABDEFGHIJK 7
3 BCEFILQRT ABCDEFIJKNQRSV 8
4 HIKOQY DFRV 9
5 ADIKL ABDFGHIJORVX 10
B 10A CEE ❶ €42,70
5,2 ha 221T(100-120m²) 11D ❷ €56,10

Straße Nr. 313 Faaborg-Assens, direkt hinter Hårby sind linke CP-Schilder.

Hesselager, DK-5874 / Fyn

CC€16

Bøsøre Strand Feriepark*****
Bøsørevej 16
27 Mär - 18 Okt
+45 62251145
info@bosore.dk
N 55°11'36'' E 10°48'23''

1 CDEJMNOPQRST EFGIKNQSWXYZ 6
2 EGHKOPVWXY ABCDEFGHIJK 7
3 BCEGHIKLQST ABCDEFGIJKLMNPQRSTUV 8
4 ABCDHIKLNOPQSTUY DFVY 9
5 ACDEGJKL ABEFGHIJPRVWXZ 10
B 10A CEE ❶ €38,95
23,6 ha 275T(100-150m²) 59D ❷ €56,65

E20, Ausfahrt 45 zur 163 Nyborg-Svendborg. Bei Langå Ausfahrt Vormark/Bøsøre und Bøsøre-CP folgen.

Kerteminde, DK-5300 / Fyn

Kerteminde Camping***
Hindsholmvej 80
1 Apr - 20 Sep
+45 65321970
info@kertemindecamping.dk
N 55°27'48'' E 10°40'15''

1 ADJMNOPQRST KNQSWXY 6
2 EHKOPVWX ABDEFGHIJK 7
3 ABIT ABCDEFIJKNQRSV 8
4 HIOQ FIY 9
5 ABL ABGHKNPRV 10
14A CEE ❶ €34,10
5 ha 238T(100-120m²) 80D ❷ €47,00

Der CP ist in Kerteminde am Strand (Hindsholmvej). Wird mit CP-Schildern angezeigt.

Lohals/Tranekaer, DK-5953 / Fyn

Lohals Camping***
Birkevej 11
1 Jan - 31 Dez
+45 62551460
mail@lohalscamping.dk
N 55°8'3'' E 10°54'24''

1 ACDEJMNOPQRST ABFKNOPQSWXYZ 6
2 EGHOPUVWXY ABDEFGHJK 7
3 BFGHIMQTU ABCDEFGIJKNQRSV 8
4 FHIOPQSU DFRV 9
5 ABDEHJKL ABFGHIJLNPRVWY 10
B 10A CEE ❶ €29,40
2,5 ha 120T(100-200m²) 23D ❷ €41,75

Die Straße Rudkøping-Spodsbjerg, Ausfahrt Lohals. Dann den Schildern nach.

Teilkarte Fünen auf Seite 146

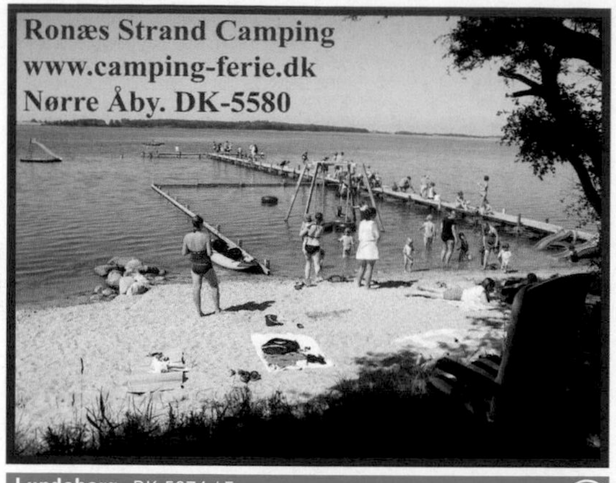

Dänemark

Lundeborg, DK-5874 / Fyn

Lundeborg Strandcamping***
Gl. Lundeborgvej 46
28 Mär - 15 Sep
+45 62251450
ferie@lundeborg.dk
N 55°8'46" E 10°46'56"

1 DEJMNOPRST KNQSWXZ 6
2 EFGHIOPVWXY ABDEFGHIJK 7
3 BEIKQT ABCDEFIKNQRSV 8
4 IKOPQ DF 9
5 ABDEGIKL ABHIJPRVX 10
6A CEE ① €32,20
2,5 ha 140T(80-120m²) 76D ② €45,35

Die 163 Nyborg-Svendborg, Ausfahrt Lundeborg. In Lundeborg an der Kreuzung links. Den CP-Schildern bis zum 2. CP folgen.

Martofte, DK-5390 / Fyn

Fynshoved Camping***
Fynshovedvej 748
1 Jan - 31 Dez
+45 65341014
info@fynshovedcamping.dk
N 55°36'26" E 10°37'24"

1 DJMNOPQRST KNOQSWXY 6
2 EHJOPQWXY ABDEFGHIJK 7
3 AEIQT ABCDEFIJNQRS 8
4 HIOQ FNPV 9
5 ABDEKL AGHJNORVZ 10
B 10A ① €31,30
11 ha 160T(100-150m²) 95D ② €43,35

In Kerteminde nach Fynshoved. CP ist 1,5 km vor dem Ende der Straße auf der rechten Seite.

Middelfart, DK-5500 / Fyn

Gals Klint Camping***
Galsklintvej 11
1 Apr - 4 Okt
+45 64412059
mail@galsklint.dk
N 55°31'1" E 9°40'55"

1 DEJMNOPQRST KNOQSWXYZ 6
2 ABEFGHIKPQVX ABDEFGIJK 7
3 BKQ ABCDFIJKNQRS 8
4 FHIO FN 9
5 ACKL ABGHIJNPRV 10
B 10A CEE ① €27,65
4,7 ha 240T(100-125m²) 14D ② €38,40

E20, Ausfahrt 59 Richtung Middelfart. Immer Middelfart halten (161). Nach der alten Brücke über den kleinen Belt, 1. Straße rechts (CP-Schild).

Middelfart, DK-5500 / Fyn

Hindsgavl**
Søbadvej 10
1 Jan - 31 Dez
+45 64415542
post@hindsgavl-camping.dk
N 55°30'45" E 9°41'55"

1 DJMNOPRST KNOPX 6
2 ABEHKPQVWXY ABDEFGJ 7
3 AKT ABCDEFIJNQRS 8
4 FHIOS F 9
5 ABKL ABFGIJR 10
6A CEE ① €24,55
3,5 ha 139T(80-100m²) 77D ② €34,50

Straße E20, Kolding-Odense, Ausfahrt 59 Richtung Middelfart (Straße 161), nach der Brücke über den Kleinen Belt erste Straße rechts (CP-Schild).

Middelfart, DK-5500 / Fyn

CC€16

Vejlby Fed****
Rigelvej 1
28 Mär - 13 Sep
+45 64402420
mail@vejlbyfed.dk
N 55°31'11" E 9°51'0"

1 DJMNOPQRST ABFGKMNQSUWXYZ 6
2 AEHQWXY ABDEFGHIK 7
3 BCEHILMQSTU ABCDEFGIJKNQRSV 8
4 BILOPQST EFKPRTVY 9
5 ACDEFHKL ABFHINPRVXZ 10
B 10A CEE ① €40,25
55,7 ha 243T(100-140m²) 93D ② €58,25

E20, Ausfahrt 58 über die 317 Bogense (2x ¾ im Kreisel). Ab Bogensevej ist der CP ausgeschildert.

Nørre Åby, DK-5580 / Fyn

CC€18

Ronæs Strand Camping***
Ronæsvej 10
21 Mär - 20 Sep
+45 64421763
campingferie@hotmail.com
N 55°26'24" E 9°49'26"

1 CDJMNOPRST KNPQSWXYZ 6
2 AEFGHKPUVX ABDEFGHIJK 7
3 ABEFKLQT ABCDEFGIJKNQRSTUV 8
4 FHIOQ DFHNTVY 9
5 ACDEKL ABFGHIJMNPRVXZ 10
Anzeige auf dieser Seite B 10A CEE ① €33,55
4 ha 125T(85-150m²) 70D ② €44,30

E20, Ausfahrt 57 in Richtung Nørre Åby, nach ca. 5 km auf der Straße 313 den CP-Schildern folgen.

Nyborg, DK-5800 / Fyn

Grønnehave Strand Camping***
Regstrupvej 83
12 Apr - 19 Okt
+45 65361550
info@gronnehave.dk
N 55°21'31" E 10°47'12"

1 CDEJMNOPQRST KNQSWXYZ 6
2 AEFGHKOPVWXY ABDEFGHIJ 7
3 BEKLQT ABCDEFGIJNQRS 8
4 IO FJY 9
5 ABKL ABGHIJPRV 10
10A CEE ① €32,75
7,5 ha 200T(100-200m²) 86D ② €45,10

E20 Odense-Nyborg, Ausfahrt 46 links, CP ist ausgeschildert.

Nyborg, DK-5800 / Fyn

Nyborg Strandcamping***
Hjejlevej 99
13 Apr - 21 Sep
+45 65310256
mail@strandcamping.dk
N 55°18'16" E 10°49'30"

1 DEJMNOPRST KNQSWXY 6
2 AEFGHPQVWXY ABDEFGHIJK 7
3 BEKLQST ABCDEFGINQRSV 8
4 IOQ J 9
5 ACDKL ABGHKPRV 10
B 10A CEE ① €34,35
3,8 ha 200T(80-100m²) 64D ② €47,25

E20 Ausfahrt 45. Ab Nyborg CP-Beschilderung folgen. Der CP liegt Nähe Brücke über den Großen Belt. Nicht Richtung Grønnehave.

Odense S, DK-5260 / Fyn

Odense City Camp***
Odensevej 102
1 Jan - 31 Dez
+45 66114702
odense@dcu.dk
N 55°22'10" E 10°23'35"

1 DEJMNOPRST ABFG 6
2 ABOPVWX ABDEFGHI 7
3 BEIKLQT ABCDEFGIJKNQRS 8
4 HIO F 9
5 L ABFGHINPRVXZ 10
B 10A CEE ① €32,20
4,5 ha 225T(100m²) 13D ② €45,65

Von der E20, Ausfahrt 50 Richtung Odense C. CP hinter der UNO-X Energi Tankstelle. Ausgeschildert.

Otterup, DK-5450 / Fyn

CC€16

Hasmark Strand Camping***
Strandvejen 205
28 Mär - 20 Sep
+45 64826206
info@hasmark.dk
N 55°33'45" E 10°27'16"

1 DJMNOPQRST ABIKNQSWX 6
2 EHPVWX ABDEFGHIJK 7
3 BCEGILQTV ABCDFIJKLMNQRSTUV 8
4 BCDFHINOPQRSTUVXYZ DFSVY 9
5 ACDEFGJKL ABEFGHIJNPRVXYZ 10
B 10A CEE ① €37,70
12 ha 500T(100-150m²) 96D ② €53,85

In Otterup an den Ampeln Richtung Hasmark; Straße bis 300m vor den Strand fahren. CP liegt rechts des Weges.

Ristinge, DK-5932 / Fyn

Ristinge Camping Aps***
Ristingevej 104
23 Mai - 31 Aug
+45 62571329
info@ristinge.dk
N 54°49'12" E 10°38'26"

1 DEJMNOPRST ABFKNQSWX 6
2 BEFHJPVWXY ABDEFGHIJK 7
3 ABEIKLMQT ABCDEFIJKNQRSV 8
4 BCDFHIOU DFI 9
5 ACDEFKL ABEFGHIJLNORVWXZ 10
B 10A CEE ① €38,40
6 ha 238T(80-120m²) 33D ② €55,70

Von Svendborg die 9 nach Rudkøbing/Spodsbjerg. An Rudkøbing vorbei Richtung Bagenkop. In Humble Ausfahrt Ristinge. Nach ca. 5 km CP angezeigt.

Svendborg, DK-5700 / Fyn

Carlsberg Camping ApS***
Sundbrovej 19, Tåsinge
1 Apr - 28 Sep
+45 62225384
mail@carlsbergcamping.dk
N 55°1'56" E 10°37'8"

1 DEJMNOPQRST ABFGHX 6
2 AFGOPRTUVWXY ABDEFGHIJK 7
3 BCEFIKLMQT ABCDEFGIJKNQRS 8
4 BIOPQ EFJVW 9
5 ABDEKL ABGHIJNOPSTVWXZ 10
B 6A CEE ① €32,90
H70 8 ha 300T(100-150m²) 161D ② €47,65

Von Svendborg aus die 9 nach Rudkøbing. Über die Brücke an der Ampel geradeaus. Nach 600m ist der CP links ausgeschildert.

Svendborg, DK-5700 / Fyn

Svendborg Sund Camping***
Vindebyørevej 52, Tåsinge
18 Mär - 27 Sep
+45 21720913
maria@svendborgsund-camping.dk
N 55°3'15" E 10°37'49"

1 ADEJMNOPQRST KNPSUVXYZ 6
2 EFGHPUVWXY ABDEFGHIJK 7
3 ABEFKLT ABCDEFGINQRSTV 8
4 FHIKOR FNRV 9
5 ABKL ABFGHIJNPRVWXYZ 10
B 10A ① €30,20
5 ha 170T(80-120m²) 22D ② €43,60

Die 9, dann über die Brücke Svendborg Sund. An der Ampel sofort zweimal links, danach den CP-Schildern folgen.

Svendborg/Thurø, DK-5700 / Fyn

Thurø Camping***
Smørmosevej 7
11 Apr - 14 Sep
+45 62205254
thuroecamping@gmail.com
N 55°2'36" E 10°42'36"

1 ADEJMNOPRT KMNOPQSUWXY 6
2 AEGHIOPVWXY ABDEFGHIJK 7
3 BCEFIKQT ABCDEFGIJLMNQRSV 8
4 EIOX DFVY 9
5 ACKL ABGHIJNPRV 10
B 13A CEE ① €34,25
6,5 ha 230T(100-120m²) 91D ② €46,30

In Svendborg Richtung Thurø fahren. Nach der Brücke Ausfahrt Grasten in der Nähe von Strand Grasten nehmen und den CP-Schildern folgen.

Teilkarte Fünen auf Seite 146

Teilkarte Fünen auf Seite 146

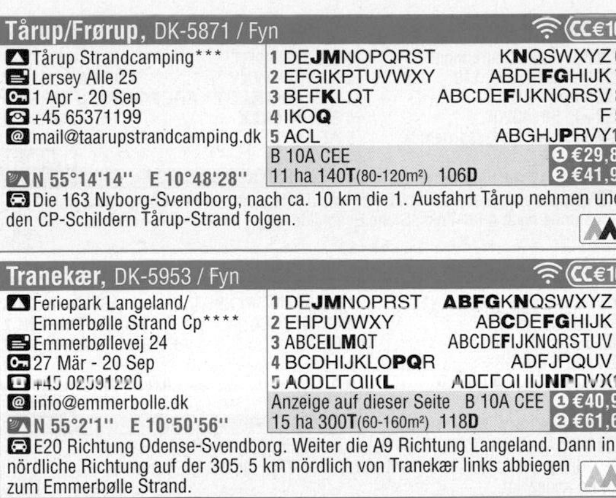

Tårup/Frørup, DK-5871 / Fyn (CC€16)

Tårup Strandcamping***
Lersey Alle 25
1 Apr - 20 Sep
+45 65371199
mail@taarupstrandcamping.dk
N 55°14'14'' E 10°48'28''

1 DEJMNOPQRST	KNQSWXYZ	6
2 EFGIKPTUVWXY	ABDEFGHIJK	7
3 BEFKLQT	ABCDEFIJKNQRSV	8
4 IKOQ	F	9
5 ACL	ABGHJPRVY	10
B 10A CEE		① €29,80
11 ha 140T(80-120m²) 106D		② €41,90

Die 163 Nyborg-Svendborg, nach ca. 10 km die 1. Ausfahrt Tårup nehmen und den CP-Schildern Tårup-Strand folgen.

Tranekær, DK-5953 / Fyn (CC€16)

Feriepark Langeland/ Emmerbølle Strand Cp****
Emmerbøllevej 24
27 Mär - 20 Sep
+45 62591220
info@emmerbolle.dk
N 55°2'1'' E 10°50'56''

1 DEJMNOPRST	ABFGKNQSWXYZ	6
2 EHPUVWXY	ABCDEFGHIJK	7
3 ABCEILMQT	ABCDEFIJKNQRSTUV	8
4 BCDHIJKLOPQR	ADFJPQUV	9
5 ABCDEFGHIKL	ABCDEFGHIJNPRVX	10
Anzeige auf dieser Seite B 10A CEE		① €40,95
15 ha 300T(60-160m²) 118D		② €61,60

E20 Richtung Odense-Svendborg. Weiter die A9 Richtung Langeland. Dann in nördliche Richtung auf der 305. 5 km nördlich von Tranekær links abbiegen zum Emmerbølle Strand.

Dänemark

Seeland

KØBENHAVN
Höganäs
Klippan
Ljungbyhed
Billesholm
Smidstrup Strand
Gribskov
Dronningmølle
Hornbæk
Rågeleje
Smidstrup
Vejby
Helsingør
Nyrup/Kvistgård
Melby
Halsnæs
Fredensborg
Nivå
SCHWEDEN
Hundested/Tømmerup
Hundested
Frederiksværk
Hundested
Hillerød
Landskrona
Eslöv
Yderby Lyng
Odsherred
Nykøbing Sj.
Jægerspris
Hillerød
Kattegat
Øresund
Høve Strand
Frederikssund
Farum
Sollerød
Nærum
Ølstykke
Gentofte
Lund
Dalby
Gladsaxe
Ballerup
KØBENHAVN
Åkarp
Hørve
Holbæk
Rødovre
Saltbæk/Kalundborg
Følleslev
Holbæk
Amager Vest
Kaldred
Malmö
Kalundborg
Veddelev
Roskilde
Indre By
Hvidovre
Hundige
Ishøj
Dragør
Jyderup
Svebølle
Greve
Mosede
Kalundborg
Vellinge
Bjerge Strand
Gørlev
Assentorp/Stenlille
Solrød Strand
Store Bælt
Reersø/Gørlev
Høng
Ortved/Ringsted
Skanör
Trelleborg
Ringsted
Køge
Bildsø/Slagelse
Kerteminde
Slagelse
Sorø
Gørslev/Ringsted
Strøby
Glumsø
Stevns
Store Spjellerup
Korsør
Rønnede
Faxe
Rødvig Stevns
Boeslunde
Næstved
Vemmetofte
Nyborg
Skælskør
Faxe
Fünen
146
Ulvshale/Stege
Keldby
Møns Klint
Vordingborg
Svendborg
Thurø
Bogø By
Møn
Langeland
Kragenæs
Askeby
Stubbekøbing
Guldborg
Falster
Horbelev
Nakskov
Sakskøbing
Guldborgsund
Nykøbing (Falster)
Albuen/Nakskov
Maribo
Ulslev/Idestrup
Idestrup
Lolland
Rødby
Sildestrup Strand
Ostsee
Dannemare
Marielyst/Væggerløse
Nysted
Fehmarn Belt
Zingst
CF-EU

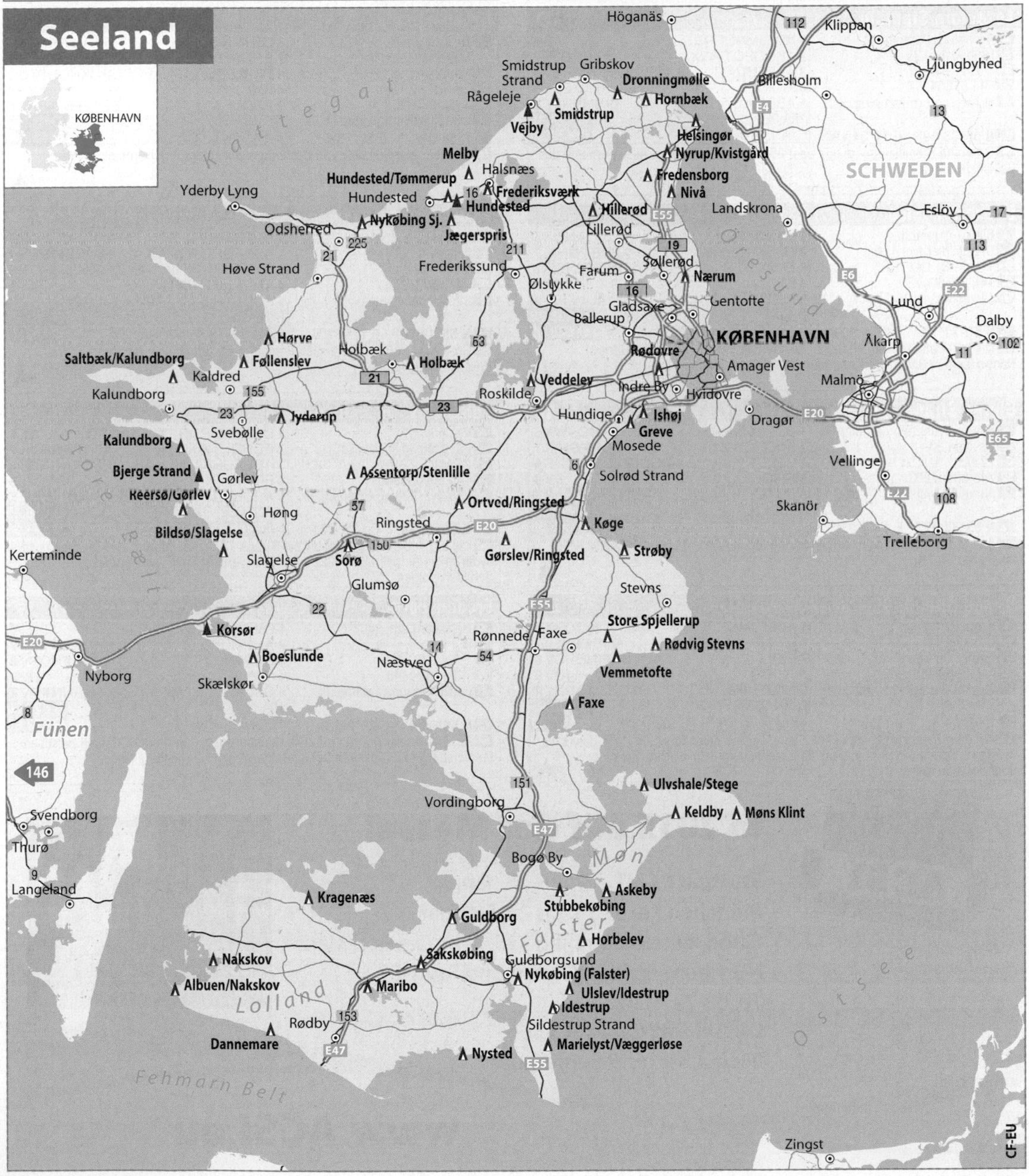

Albuen/Nakskov, DK-4900 / Sjælland

Albuen Strand Camping
Vesternæsvej 70
1 Apr - 21 Okt
+45 54948762
albuen@dw.dk
N 54°47'30'' E 10°58'55''

1 DEJMNOPRST ABFGKNQRX 6
2 EGHOPQWXY ABDEFGHIJK 7
3 ABEFHILTU ABCDEFGIJKNQRSUV 8
4 ABFHIKO FVY 9
5 ABDLM ABGHIJMPRVYZ 10
B 16A CEE ❶ €34,90
10 ha 142T(100-200m²) 51D ❷ €45,65

Ab Nakskov Richtung Vestenskov/Langø. Dann ausgeschildert.

Boeslunde, DK-4242 / Sjælland

Boeslunde Camping***
Rennebjergvej 110
1 Apr - 1 Okt
+45 58140208
info@campinggaarden.dk
N 55°17'24'' E 11°15'54''

1 DEJMNORT ABCFG 6
2 GOPQVWXY ABDEFGHIJK 7
3 BEFGHIKLST ABEFGIJKLNPQRSV 8
4 BEHINOQX EFGIJKVY 9
5 ABKL ABFGHJLOPRVW 10
10A CEE ❶ €30,20
4,5 ha 150T(100-160m²) 60D ❷ €40,95

Von Skaelskor aus via Straße 259 nach Slagelse. An Kreuzung und Schild Boeslunde nach 4 km links. Siehe Beschilderung.

Askeby, DK-4792 / Sjælland

Vestmøn*
Hårbøllevej 87
29 Apr - 4 Sep
+45 55817595
camping-vestmoen@mail.tele.dk
N 54°52'59'' E 12°9'9''

1 BJMNOPQRT KNQSX 6
2 BEFHPQWXY ABDEFGI 7
3 ABDFNQRS 8
4 H V 9
5 AB AIJR 10
10A CEE ❶ €35,55
3,6 ha 72T 8D ❷ €51,70

Straße 287 von Bogø nach Stege. Nach Bogø 1. Straße rechts Richtung Hårbølle. Beschilderung folgen.

Dannemare, DK-4983 / Sjælland

Hummingen Camping***
Pumpehusvej 1
5 Apr - 19 Okt
+45 54946161
hummingen@mail.dk
N 54°43'5'' E 11°13'36''

1 DEJMNOPQRST ABFGHNQX 6
2 GHIPVWX ABDEFGHIJK 7
3 BIQT ABEFGIJKNQRSUV 8
4 IKO F 9
5 ACKL AFGHJPRVWXYZ 10
B 10-13A ❶ €31,30
85 ha 145T(60-150m²) 45D ❷ €43,90

E47, Ausfahrt 49 Richtung Nakskov. Dann Richtung Rødbyhaven. Beschilderung folgen, von Rødbyhaven die 275. Richtung Kramnitze. CP ist angezeigt.

Assentorp/Stenlille, DK-4295 / Sjælland

Assentorp Camping***
Højbodalvej 35
1 Jan - 31 Dez
+45 57804387
ac@assentorp-camping.dk
N 55°33'29'' E 11°34'19''

1 ADEJMNOPRST AB 6
2 ABGOPQTVWXY ABFGJK 7
3 ABEFIKLQT ABCDEFJKNQRSV 8
4 FIOPX EFY 9
5 ABDEIKL BHIMPRVZ 10
10A CEE ❶ €24,15
6 ha 135T(100m²) 59D ❷ €32,90

Ortsmitte Stenlille über die 57 oder 255. Dann die Ausfahrt Assentorp und der Beschilderung folgen.

Dronningmølle, DK-3120 / Sjælland

Dronningmølle Strandcamping****
Strandkrogen 2B
20 Mär - 20 Sep
+45 49719290
camping@dronningmolle.dk
N 56°5'56'' E 12°23'48''

1 DEJMNOQRST KMNQSWX 6
2 EHOPQVWX ABDEFGHIK 7
3 BEIKLQST ABCDEFIJKNQRSTU 8
4 IOP FVY 9
5 ABDL ABEFGHIJNPRV 10
B 6-16A CEE ❶ €43,60
6,7 ha 254T 85D ❷ €58,40

Direkt an der Südseite von Dronningmølle an der 237 Hornbæk-Gilleleje.

Bildsø/Slagelse, DK-4200 / Sjælland

Bildsø Camping
Drøsselbjergvej 42A
1 Jan - 31 Dez
+45 59586412
alisrasmussen1@live.dk
N 55°27'18'' E 11°12'37''

1 JMNOPRT KNQS 6
2 BCEHKOPWXY ABDEFGHIK 7
3 ELQT ABEFJNQR 8
4 IO DF 9
5 ABDL AGHIJRV 10
B 10A ❶ €28,20
2,1 ha 75T(ab 100m²) 24D ❷ €40,00

Die E20 Halsskov-Kopenhagen, Ausfahrt 41, die 277 Richtung Gorlev. Nach 10 km in Bildsø links und den CP-Schildern folgen.

Faxe, DK-4640 / Sjælland

Feddet Camping****
Feddet 12
1 Jan - 31 Dez
+45 56725206
info@feddetcamping.dk
N 55°10'28'' E 12°6'7''

1 BCDEJMNOPQRST EFGKNQSUVWXYZ 6
2 ABEFGHOPQVWX ABCDEFGHIK 7
3 BCDEFGIKLQSTU ABCDFGIJKLNQRSTU 8
4 ABCDFHIKLMOPQRSUXZ ADFJRVY 9
5 ACDEFHJKL ABFGHIJLMPRWXYZ 10
B 10A CEE ❶ €53,00
16 ha 400T(110-150m²) 280D ❷ €62,40

Straße Nr. 209 von Faxe nach Præsto. Bei Vindbyholt in Richtung Süden, Beschilderung folgen.

Bjerge Strand, DK-4480 / Sjælland

Bjerge Sydstrand Camping***
Osvejen 30
22 Mär - 20 Okt
+45 59597803
jimmy83@jubii.dk
N 55°33'47'' E 11°9'53''

1 BDEJMNORS KNQSWX 6
2 EHOPQWXY ABDEFGHIK 7
3 BELQT ABCDEFGIJKNQRS 8
4 FHIOQ FY 9
5 ABKL ABFGHIJPRVW 10
B 13A CEE ❶ €34,25
2,4 ha 110T(80-120m²) 57D ❷ €46,30

An der Straße 22 Slagelse-Kalundborg. Bei Bjerge, zweitem CP-Schild folgen bis Bjerge Strand.

Føllenslev, DK-4591 / Sjælland

Vesterlyng***
Ravnholtvej 3, Havnsø
21 Mär - 21 Okt
+45 59200066
info@vesterlyng-camping.dk
N 55°44'35'' E 11°18'31''

1 DEJMNOPQRST ABFGHNQSWX 6
2 FGHOPTWXY ABDEFGHIJK 7
3 ABEFGHIQTU ABCDEFIJKNQRSV 8
4 FGHIO DFLVY 9
5 ABDEIKL ABGHIJOPRVWZ 10
B 10A CEE ❶ €30,85
6 ha 300T(100-120m²) 136D ❷ €41,90

Die 21, Kopenhagen-Holbæk zur Straße 23 Ri. Kalundborg, 1. Kreuzung nach Jyderup, an Ampel rechts (225). Am Kreisverkehr Snertinge geradeaus. Schildern folgen.

Bjerge Strand, DK-4480 / Sjælland

Urhøj Camping***
Urhøjvej 14
1 Apr - 30 Sep
+45 59597200
feilskov@urhoej-camping.dk
N 55°34'43'' E 11°9'19''

1 ADEFJMNOPQRST NOQSX 6
2 EFHJPQTUWXY ABDEFGHI 7
3 BEILT ABCDEFINQRSV 8
4 FHIOQ JUV 9
5 ABDEHIKL ABFGHJMOPRZ 10
B 10A CEE ❶ €26,65
11 ha 400T(100-120m²) 133D ❷ €37,40

Auf dem Parallelweg links der 22 von Slagelse-Kalundborg. In Höhe des Ortes Bjerge, 1. Schild CP 1 km folgen, dann rechts dem Schild Urhøj-camping über den Bauernhof.

Fredensborg, DK-3480 / Sjælland

Højsager Camping**
Humlebækvej 31
1 Apr - 1 Okt
+45 49194448
info@hojsagercamping.dk
N 55°58'4'' E 12°27'22''

1 DEFJMNOQRST 6
2 AHOPUWX ABDEFGHI 7
3 BEGHKQT ABEFNQRV 8
4 IOP DF 9
5 CKL ABGIJNPRV 10
10A ❶ €23,50
4,8 ha 55T 79D ❷ €32,90

Auf E47 Ausfahrt 5 Richtung Fredensborg (ca. 3 km) oder Straße 6 zwischen Fredensborg und Helsingør bei Kilometerstein 12.2 Richtung Süden.

Dänemark

Teilkarte Seeland auf Seite 149

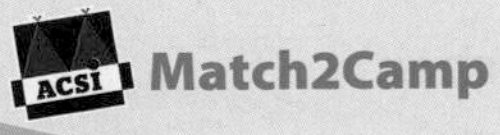

Match2Camp ist ein praktisches Mittel, mit dem Sie schnell einen Camping finden können, der Ihren Vorstellung entspricht. Schauen Sie auf Seite 26 nach ausführlicheren Informationen.

Frederiksværk, DK-3300 / Sjælland

Frederiksværk City Camping Vandrerhjem***
Strandgade 30
1 Jan - 31 Dez
+45 47770725
post@strandbo.dk
N 55°58'19'' E 12°0'52''

1 CDEFJMNOPQRST	KN	6
2 CEOPVX	ABDEFGHIK	7
3 BEKMQT	ABCDEFIJKNQRS	8
4 IO	FGLQV	9
5 ABDL	ABEFGHIJPRVW	10
6A		❶ €30,20
3,7 ha 70T 58D		❷ €40,95

CP ist in der Nähe der Jugendherberge, westlich des Rings. In Frederiksvaerk zuerst Richtung Zentrum (=Ring) bis der CP ausgeschildert ist.

Gørslev/Ringsted, DK-4100 / Sjælland

Grønnegårde Camping**
Slimmingevej 86
1 Apr - 30 Sep
+45 56879182
ggcamping@sol.dk
N 55°26'5'' E 11°58'21''

1 CDEFILNOQRST		6
2 APWXY	ABDFGHI	7
3 BEKLQT	ABCDEFNQRS	8
4 IO	F	9
5 AKL	AFHIJOR	10
16A		❶ €26,15
3,5 ha 75T 44D		❷ €34,25

E20 Fyn-Køge, Ausfahrt 34 Slimminge, Strecke nach Gørslev, bei Km-Pfahl 1,8 liegt der CP. Von der E47 kommend, nimmt man die Ausfahrt 34 Richtung Slimminge.

Greve, DK-2670 / Sjælland

Hundige Strand Familiecamping**
Hundige Strandvej 72
1 Jan - 31 Dez
+45 43903185
info@hsfc.dk
N 55°35'38'' E 12°20'33''

1 DEJMNOQRST	KNOQX	6
2 AEHOPQVWX	ABEFGHI	7
3 BEKT	ABCDEFIJNQRS	8
4 HIO	ADFV	9
5 EFJKL	ABGHIJPRVZ	10
13A CEE		❶ €35,45
5,7 ha 300T 65D		❷ €48,60

Nördlich von Greve. Die E20/E47/E55, über die Ausfahrt 27 Richtung Hundige (ca. 2,4 km). Ausgeschildert an Straße 151, nach 315m wenden.

Guldborg, DK-4862 / Sjælland

Guldborg Camping I/S***
Guldborgvej 147
1 Jan - 31 Dez
+45 54770096
info@guldborg-camping.dk
N 54°51'54'' E 11°44'11''

1 ADEJMNOPQRST	KNQSTVWXYZ	6
2 ABEGKPVWXY	ABFGIK	7
3 BEILQT	ABCDEGIJKNQRS	8
4 HI	DFV	9
5 AIKL	ABFGHIJPRV	10
B 10A CEE		❶ €31,00
3 ha 115T(80-160m²) 52D		❷ €41,75

E4, Ausfahrt Guldborg. Im Ort ist der CP ausgeschildert.

Helsingør, DK-3000 / Sjælland

Helsingør-Grønnehave Camping**
Strandalleen 2
1 Jan - 31 Dez
+45 49284950
campingpladsen@helsingor.dk
N 56°2'38'' E 12°36'14''

1 DEJMNOQRST	KNQSXYZ	6
2 AEGHOPQVWX	ABDEFGI	7
3 AKS	ABFJNQRS	8
4 H	DFV	9
5 ABDKL	AFGHIKNPRZ	10
B 16A CEE		❶ €32,90
1 ha 100T 14D		❷ €42,30

An der 237 Helsingør-Hornbaek angezeigt.

Hillerød, DK-3400 / Sjælland

Hillerød Camping***
Blytækkervej 18
28 Mär - 30 Sep
+45 48264854
info@hillerodcamping.dk
N 55°55'26'' E 12°17'44''

1 CDEFGJMNOPQRST		6
2 AGPWXY	ABDEFGHIJK	7
3 ABCEKLS	ABCDEFGJKNQRSV	8
4 EGHIOX	DFJVY	9
5 ABKLM	AFGHIJNPRVW	10
B 10A CEE		❶ €32,20
2,2 ha 110T 23D		❷ €45,65

Beschilderung Richtung Hillerød-S folgen. Dort ausgeschildert.

Holbæk, DK-4300 / Sjælland

Holbæk Fjord Camping***
Sofiesminde Allé 1
1 Jan - 31 Dez
+45 59435064
mail@holbaekfjord.dk
N 55°43'5'' E 11°45'40''

1 DJMNOPRS	CDFGKNX	6
2 AEFGOPTVWXY	ABEFGHK	7
3 BEKLT	ABDFIJNQRSV	8
4 FHIORTUX	DFUVY	9
5 ABKL	ABGJNOPRVWZ	10
B 10A CEE		❶ €35,55
5 ha 200T(80-120m²) 93D		❷ €49,00

Von Kopenhagen aus die 21, Ausfahrt 15, Kreisel Richtung Holbaek (10 km). Ortseinfahrt Holbaek rechts ab. Ausgeschildert.

Horbelev, DK-4871 / Sjælland

Falster Familiecamping***
Bregninge
1 Jan - 31 Dez
+45 54445219
camping@199.dk
N 54°48'46'' E 12°4'37''

1 DEJMNOPQRST	AF	6
2 GHOPQWXY	ABDEFGI	7
3 BEKQST	ABCDEFGIJNQRSTUV	8
4 FHI	FV	9
5 ABEL	AFGHIJMPRVWX	10
B 10A CEE		❶ €29,00
3,3 ha 112T(100-140m²) 37D		❷ €39,20

Straße 271 Nykøbing F-Stubbekøbing, Ausfahrt Horbelev. Dann ausgeschildert.

Hornbæk, DK-3100 / Sjælland

Hornbæk Camping***
Planetvej 4
1 Jan - 31 Dez
+45 49700223
hornbaek@dcu.dk
N 56°5'2'' E 12°28'20''

1 DEFJMNOQRST	QRS	6
2 GIOPTVWX	ABDEFGHIJ	7
3 ABEKLQT	ABCDFIJKNQRSV	8
4 HIO	FY	9
5 ACL	BFGHJLPRVZ	10
B 16A CEE		❶ €32,20
7,5 ha 340T 105D		❷ €45,65

In Hornbæk Richtung Saunte, Beschilderung folgen. Gut ausgeschildert.

Hørve, DK-4534 / Sjælland

DCU-Camping Sanddobberne***
Kalundborgvej 28
15 Mär - 24 Sep
+45 59653535
sanddobberne@dcu.dk
N 55°46'30'' E 11°22'50''

1 DEJMNORST	KNQSX	6
2 EHKPQTWXY	ABDEFGHIJK	7
3 AEIKLQT	ABCDEFIJNQRS	8
4 AIO	DFV	9
5 ABKL	BHIJPRVZ	10
B 6A		❶ €32,20
5,6 ha 280T(100m²) 97D		❷ €45,65

Straße 225 Starreklinte-Nykobing. Nach Ort Starreklinte das 2. CP-Schild.

Hundested, DK-3390 / Sjælland

Byaasgaard Camping***
Amtsvejen 340
1 Jan - 31 Dez
+45 47923102
info@byaasgaard.dk
N 55°57'49'' E 11°57'23''

1 CDEFGJLNOPQRST	KNPQSXYZ	6
2 BEFGIJOPTUVWX	ABDEFGHIJK	7
3 BEIKQT	ABCDFIJKNQRSV	8
4 IIIO	F	9
5 ABKL	ABFGIJNPRV	10
B 13A CEE		❶ €28,70
12 ha 290T(90-150m²) 153D		❷ €38,10

Der Beschilderung ab der 16 Frederiksværk-Hundested 6 km ab Frederiksværk oder Hundested folgen. Gut ausgeschildert. Im Sommer fährt die Fähre zwischen Sølager und Kulhuse.

Hundested, DK-3390 / Sjælland

Sølager Strand Camping***
Kulhusvej 2
1 Jan - 31 Dez
+45 47939362
mail@solagercamping.dk
N 55°56'51'' E 11°53'58''

1 DEFGJMNOPQRST	KNQSWX	6
2 EFGHKOPVX	ABDEFGHIK	7
3 BEFKLQT	ABCDEFGIJNQRSV	8
4 HO	ADFIQRV	9
5 ABDEKL	ABGHIJPRV	10
10A		❶ €32,20
4,5 ha 160T(100-120m²) 91D		❷ €42,95

An der 16 Hundested-Frederiksværk angezeigt. In Amager Huse Richtung Sølager.

Hundested/Tømmerup, DK-3390 / Sjælland

Rosenholm Camping***
Torpmaglevej 58
1 Jan - 31 Dez
+45 47923049
stch@post2.tele.dk
N 55°58'0'' E 11°54'23''

1 DEFJMNOQRS		6
2 PUVWX	ABDEFGHIK	7
3 BEIKLQST	ABCDEFHNQRS	8
4 IO	F	9
5 ACL	ABEGHJNPRV	10
10A		❶ €20,15
7,5 ha 160T(90-120m²) 152D		❷ €28,20

An der 16 Hundested-Frederiksværk angezeigt. In Amager Huse abfahren Richtung Tømmerup.

Idestrup, DK-4872 / Sjælland

Marielyst ny Camping***
Sildestrup Øv. 14a
1 Jan - 31 Dez
+45 54130243
ferie@marielystnycamping.dk
N 54°42'46'' E 11°58'46''

1 ADEJMNOPQRS	K	6
2 EGHOPQVWXY	ABDEFGHIJK	7
3 ABEGHIKLT	ABCDEFGIJKLMNQRSTU	8
4 IOPQ	F	9
5 ABEHKL	ABFGHIORVWX	10
B		❶ €32,20
6,5 ha 260T(65-150m²) 104D		❷ €44,30

E55 Nykøbing-Gedser, Ausfahrt Marielyst. Im Kreisel Marielyst Strandparken, noch etwa 3 km.

Ishøj, DK-2635 / Sjælland

FDM Tangloppen Camping***
Ishøj Havn
3 Apr - 18 Okt
+45 43540767
c-tangloppen@fdm.dk
N 55°36'25'' E 12°22'45''

1 DEFJMNOQRST	KNPQSXYZ	6
2 ADEGHOPQWX	ABDEFGI	7
3 BKT	ABCDEFINQRS	8
4 IO	F	9
5 BKL	AGHJPR	10
B 13A CEE		❶ €31,00
5 ha 170T 17D		❷ €43,10

E47/55 Ausfahrt 26, Richtung Ishøj; geradeaus bis zum Meer.

Dänemark

Teilkarte Seeland auf Seite 149

Dänemark

Jægerspris, DK-3630 / Sjælland

DCU Camping Kulhuse***
Kulhusvej 199
25 Mär - 23 Okt
+45 47530186
kulhuse@dcu.dk
N 55°55'51" E 11°54'33"

1 DFGJMNOPQRS	KNQS 6
2 EHOPUVWX	ABDEFGHIK 7
3 BEIQT	ABCDEFIJKNQRSV 8
4 AIO	F 9
5 ABEIJKL	AGHIJPRVZ10
B 6A	❶ €32,20
13,5 ha 225T(100-120m²) 122D	❷ €45,65

Die 207 Frederikssund-Jægerspris-Kulhuse folgen. Im Sommer verkehrt die Fähre zwischen Kulhuse und Sølager.

Jyderup, DK-4450 / Sjælland

Skarresø Camping***
Slagelsevej 40
30 Mär - 30 Sep
+45 59277660
info@skarresoecamping.dk
N 55°39'9" E 11°23'45"

1 BDEJMNOPQRST	N 6
2 DFPTWX	ABDEFGHIJK 7
3 AQ	ABCDEFIJNQRS 8
4 IO	F 9
5 BL	AGJPRVWZ10
B 10A	❶ €24,65
6 ha 120T(100-120m²) 45D	❷ €32,70

Die 23 Kopenhagen-Kalundborg. Ausfahrt Jyderup und dann die CP-Schildern folgen.

Kalundborg, DK-4400 / Sjælland

Ugerløse Feriecenter Motel og Camping***
Græsmarken 17
1 Apr - 30 Sep
+45 59504323
info@feriecentret.dk
N 55°37'18" E 11°7'5"

1 DEJMNOPQRST	AXY 6
2 EFGHKOPVWXY	ABDEFGI 7
3 BILQT	ABEFHIJNQRST 8
4 BIOQ	FG 9
5 ABEIL	AHJORW10
B 10A CEE	❶ €28,85
5 ha 106T(70-140m²) 54D	❷ €39,60

Straße 22 Slagelse-Kalundborg. Ab Ugerløse (7 km vor Kalundborg) den CP-Schildern folgen.

Geografisch suchen

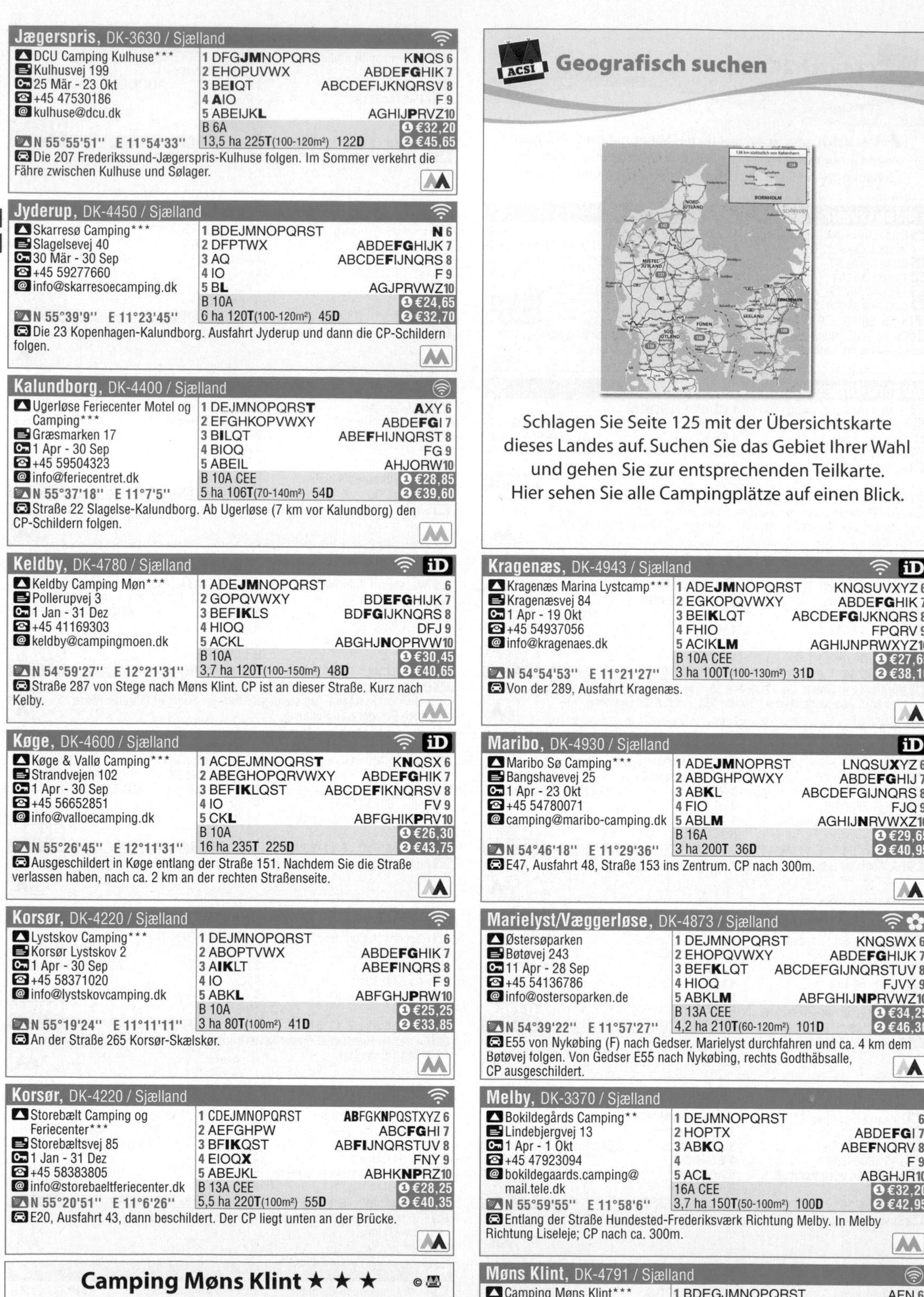

Schlagen Sie Seite 125 mit der Übersichtskarte dieses Landes auf. Suchen Sie das Gebiet Ihrer Wahl und gehen Sie zur entsprechenden Teilkarte. Hier sehen Sie alle Campingplätze auf einen Blick.

Keldby, DK-4780 / Sjælland

Keldby Camping Møn***
Pollerupvej 3
1 Jan - 31 Dez
+45 41169303
keldby@campingmoen.dk
N 54°59'27" E 12°21'31"

1 ADEJMNOPQRST	6
2 GOPQVWXY	BDEFGHIJK 7
3 BEFIKLS	BDFGIJKNQRS 8
4 HIOQ	DFJ 9
5 ACKL	ABGHJNOPRVW10
B 10A	❶ €30,45
3,7 ha 120T(100-150m²) 48D	❷ €40,65

Straße 287 von Stege nach Møns Klint. CP ist an dieser Straße. Kurz nach Kelby.

Kragenæs, DK-4943 / Sjælland

Kragenæs Marina Lystcamp***
Kragenæsvej 84
1 Apr - 19 Okt
+45 54937056
info@kragenaes.dk
N 54°54'53" E 11°21'27"

1 ADEJMNOPQRST	KNQSUVXYZ 6
2 EGKOPQVWXY	ABDEFGHIK 7
3 BEIKLQT	ABCDEFGIJKNQRS 8
4 FHIO	FPQRV 9
5 ACIKLM	AGHIJNPRWXYZ10
B 10A CEE	❶ €27,65
3 ha 100T(100-130m²) 31D	❷ €38,10

Von der 289, Ausfahrt Kragenæs.

Køge, DK-4600 / Sjælland

Køge & Vallø Camping***
Strandvejen 102
1 Apr - 30 Sep
+45 56652851
info@valloecamping.dk
N 55°26'45" E 12°11'31"

1 ACDEJMNOQRST	KNQSX 6
2 ABEGHOPQRVWXY	ABDEFGHIK 7
3 BEFIKLQST	ABCDEFIKNQRSV 8
4 IO	FV 9
5 CKL	ABFGHIKPRV10
B 10A	❶ €26,30
16 ha 235T 225D	❷ €43,75

Ausgeschildert in Køge entlang der Straße 151. Nachdem Sie die Straße verlassen haben, nach ca. 2 km an der rechten Straßenseite.

Maribo, DK-4930 / Sjælland

Maribo Sø Camping***
Bangshavevej 25
1 Apr - 23 Okt
+45 54780071
camping@maribo-camping.dk
N 54°46'18" E 11°29'36"

1 ADEJMNOPRST	LNQSUXYZ 6
2 ABDGHPQWXY	ABDEFGHIJ 7
3 ABKL	ABCDEFGIJNQRS 8
4 FIO	FJQ 9
5 ABLM	AGHIJNRVWXZ10
B 16A	❶ €29,65
3 ha 200T 36D	❷ €40,95

E47, Ausfahrt 48, Straße 153 ins Zentrum. CP nach 300m.

Korsør, DK-4220 / Sjælland

Lystskov Camping***
Korsør Lystskov 2
1 Apr - 30 Sep
+45 58371020
info@lystskovcamping.dk
N 55°19'24" E 11°11'11"

1 DEJMNOPQRST	6
2 ABOPTVWX	ABDEFGHIK 7
3 AIKLT	ABEFINQRS 8
4 IO	F 9
5 ABKL	ABFGHJPRW10
B 10A	❶ €25,25
3 ha 80T(100m²) 41D	❷ €33,85

An der Straße 265 Korsør-Skælskør.

Marielyst/Væggerløse, DK-4873 / Sjælland

Østersøparken
Bøtøvej 243
11 Apr - 28 Sep
+45 54136786
info@ostersoparken.de
N 54°39'22" E 11°57'27"

1 DEJMNOPQRST	KNQSWX 6
2 EHOPQVWXY	ABDEFGHIJK 7
3 BEFKLQT	ABCDEFGIJNQRSTUV 8
4 HIOQ	FJVY 9
5 ABKLM	ABFGHIJNPRVWZ10
B 13A CEE	❶ €34,25
4,2 ha 210T(60-120m²) 101D	❷ €46,30

E55 von Nykøbing (F) nach Gedser. Marielyst durchfahren und ca. 4 km dem Bøtøvej folgen. Von Gedser E55 nach Nykøbing, rechts Godthåbsalle, CP ausgeschildert.

Korsør, DK-4220 / Sjælland

Storebælt Camping og Feriecenter***
Storebæltsvej 85
1 Jan - 31 Dez
+45 58383805
info@storebaeltferiecenter.dk
N 55°20'51" E 11°6'26"

1 CDEJMNOPQRST	ABFGKNPQSTXYZ 6
2 AEFGHPW	ABCFGHI 7
3 BFIKQST	ABFIJNQRSTUV 8
4 EIOQX	FNY 9
5 ABEJKL	ABHKNPRZ10
B 13A CEE	❶ €28,25
5,5 ha 220T(100m²) 55D	❷ €40,35

E20, Ausfahrt 43, dann beschildert. Der CP liegt unten an der Brücke.

Melby, DK-3370 / Sjælland

Bokildegårds Camping**
Lindebjergvej 13
1 Apr - 1 Okt
+45 47923094
bokildegaards.camping@mail.tele.dk
N 55°59'55" E 11°58'6"

1 DEJMNOPQRST	6
2 HOPTX	ABDEFGI 7
3 ABKQ	ABEFNQRV 8
4	F 9
5 ACL	ABGHJR10
16A CEE	❶ €32,20
3,7 ha 150T(50-100m²) 100D	❷ €42,95

Entlang der Straße Hundested-Frederiksværk Richtung Melby. In Melby Richtung Liseleje; CP nach ca. 300m.

Møns Klint, DK-4791 / Sjælland

Camping Møns Klint***
Klintevej 544
1 Apr - 31 Okt
+45 55812025
camping@klintholm.dk
N 54°58'48" E 12°31'26"

1 BDEGJMNOPQRST	AFN 6
2 BDPQRTUVWXY	ABDEFGHIJ 7
3 BEGIKLMQT	ABCDEFGIJKNQRS 8
4 EFHIO	IJRV 9
5 ACEGHIKL	AFHIJNOR10
Anzeige auf dieser Seite B 10A	❶ €39,35
H100 13,2 ha 400T 113D	❷ €47,65

An der Straße 287 Stege-Møns Klint. Kurz vor Møns Klint, ann der Straße angezeigt.

Teilkarte Seeland auf Seite 149

Nærum, DK-2850 / Sjælland

Nærum Camping***	1 DEFJMNOPQRST	6
Langebjerg 5, Ravnebakken	2 ABCGOPWXY	ABDEFGHIJK 7
21 Mär - 19 Okt	3 BEQTV	ABCDEFIJKNQRSV 8
+45 45801957	4 HIO	EV 9
naerum@dcu.dk	5 ACKL	BFGHINPRVZ 10
	B 10A CEE	① €32,20
N 55°48'29'' E 12°31'50''	9,9 ha 277T 23D	② €45,65

E47/55 nach Westen. Ausfahrt 14, danach ausgeschildert.

Nakskov, DK-4900 / Sjælland

Nakskov Fjordcamping***	1 ADEJMNOPQRST	KNQSWXYZ 6
Hestehovedet 2	2 EGHOPQWX	ABDEFGHIJ 7
2 Apr - 2 Okt	3 BEFK	ABCDEFGJNQRS 8
+45 54951747	4 IO	F 9
nakskovfjordcamping@mail.dk	5 ABJ	ABGHIJRVYZ 10
	Anzeige auf dieser Seite B 10A CEE	① €28,20
N 54°49'59'' E 11°5'27''	4,9 ha 90T(100m²) 53D	② €38,95

Ab Zentrum: Richtung Hestehoved, CP ist ausgeschildert.

Dänemark

Nivå, DK-2990 / Sjælland

Nivå Camping**	1 CDEFJMNOPQRST	KMNQSWX 6
Sølyst Allé 14	2 ABDEHPTWX	ABDEFGHI 7
31 Mär - 30 Sep	3 BEKLQT	ABCDEFIKNQR 8
+45 49145226	4 IO	DFVY 9
nivaacamping@post8.tele.dk	5 ABKL	ABFHJNPR 10
	16A CEE	① €32,20
N 55°56'22'' E 12°30'59''	4,5 ha 183T 50D	② €42,95

Vom Süden: die E47/55, Ausfahrt 6 Richtung Nivå. Vom Norden: die 152 entlang der Küste nach Nivå Havn.

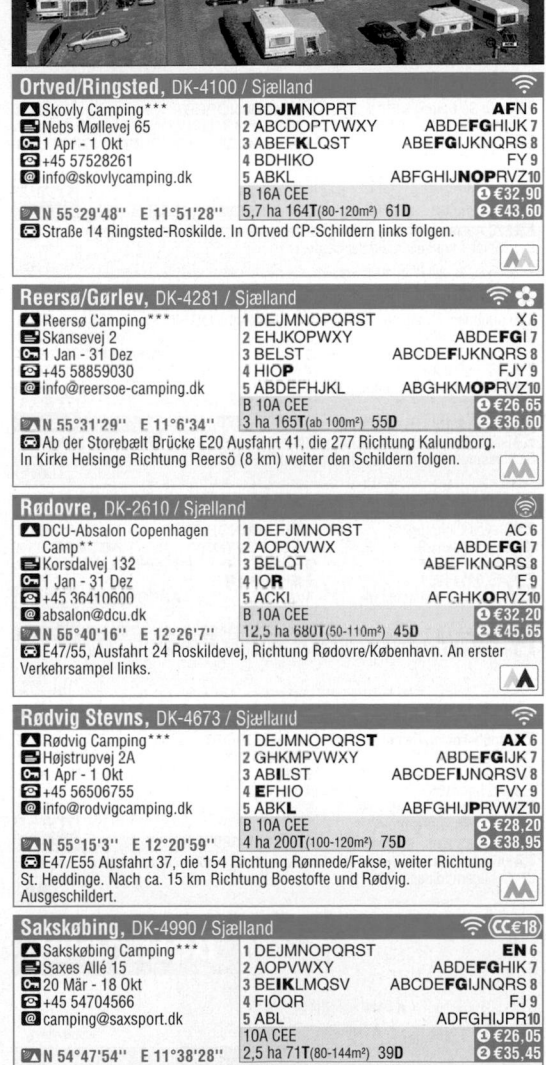

Ortved/Ringsted, DK-4100 / Sjælland

Skovly Camping***	1 BDJMNOPRT	AFN 6
Nebs Møllevej 65	2 ABCDOPTVWXY	ABDEFGHIJK 7
1 Apr - 1 Okt	3 ABEFKLQST	ABEFGIJKNQRS 8
+45 57528261	4 BDHIKO	FY 9
info@skovlycamping.dk	5 ABKL	ABFGHIJNOPRVZ 10
	B 16A CEE	① €32,90
N 55°29'48'' E 11°51'28''	5,7 ha 164T(80-120m²) 61D	② €43,60

Straße 14 Ringsted-Roskilde. In Ortved CP-Schildern links folgen.

Nykøbing (Falster), DK-4800 / Sjælland

Falster City Camping**	1 BDEJMNOPRST	EFGHINQS 6
Østre Allé 112	2 BOPWXY	ABDEFGHI 7
1 Apr - 1 Nov	3 BEJMT	ABCDEFGINQRS 8
+45 54854545	4 HIO	ADFV 9
kontakt@fc-camp.dk	5 ABHKL	AFGHIJNORV 10
	10A	① €24,15
N 54°45'44'' E 11°53'41''	3,7 ha 167T 46D	② €34,90

Ab Nykøbing fahren Sie die E55 Richtung Gedser. Beschilderung außerhalb der Stadt folgen.

Reersø/Gørlev, DK-4281 / Sjælland

Reersø Camping***	1 DEJMNOPQRST	X 6
Skansevej 2	2 EHJKOPWXY	ABDEFGI 7
1 Jan - 31 Dez	3 BELST	ABCDEFIJKNQRS 8
+45 58859030	4 HIOP	FJY 9
info@reersoe-camping.dk	5 ABDEFHJKL	ABGHKMOPRVZ 10
	B 10A CEE	① €26,65
N 55°31'29'' E 11°6'34''	3 ha 165T(ab 100m²) 55D	② €36,60

Ab der Storebælt Brücke E20 Ausfahrt 41, die 277 Richtung Kalundborg. In Kirke Helsinge Richtung Reersö (8 km) weiter den Schildern folgen.

Nykøbing Sj., DK-4500 / Sjælland

Odsherred Camping-Nordstrand***	1 BDEJMNOPRST	KNQSW 6
Nordstrandsvej 107	2 EHPQWXY	ABDEFGHIK 7
11 Apr - 19 Okt	3 BEKQT	ABCDEFIJKNQRS 8
+45 59911642	4 BCDHIO	FVY 9
info@odsherredcamping.dk	5 ACKL	ABHIJNOPRZ 10
	B 10A CEE	① €37,05
N 55°56'20'' E 11°39'48''	4,2 ha 203T(100-120m²) 97D	② €49,95

Straße 225 Nykøbing-Rørvig. Der 1. CP auf der linken Seite.

Rødovre, DK-2610 / Sjælland

DCU-Absalon Copenhagen Camp**	1 DEFJMNORST	AC 6
	2 AOPQVWX	ABDEFGI 7
Korsdalvej 132	3 BELQT	ABEFIKNQRS 8
1 Jan - 31 Dez	4 IOR	F 9
+45 36410600	5 ACKL	AFGHKORVZ 10
absalon@dcu.dk	B 10A CEE	① €32,20
N 55°40'16'' E 12°26'7''	12,5 ha 680T(50-110m²) 45D	② €45,65

E47/55, Ausfahrt 24 Roskildevej, Richtung Rødovre/København. An erster Verkehrsampel links.

Nyrup/Kvistgård, DK-3490 / Sjælland

Nyrup Camping***	1 FJMNOPRST	6
Kongevejen 383	2 ABGOPTVWX	ABFGHJK 7
1 Jan - 31 Dez	3 ABIKQT	ABEFGINQRSU 8
+45 49139103	4 FHI	F 9
info@nyrupcamping.dk	5 ABL	ABHIJPR 10
	B 10A CEE	① €25,50
N 56°0'4'' E 12°30'56''	2 ha 100T(90-100m²) 73D	② €33,55

Von Süden die E47/55 Ausfahrt 4 links ab auf die 235. Dann rechts ab auf der 229 Richtung Kvistgård ausgeschildert. Von Norden die 6, links die 229.

Rødvig Stevns, DK-4673 / Sjælland

Rødvig Camping***	1 DEJMNOPQRST	AX 6
Højstrupvej 2A	2 GHKMPVWXY	ABDEFGIJK 7
1 Apr - 1 Okt	3 ABILST	ABCDEFIJNQRSV 8
+45 56506755	4 EFHIO	FVY 9
info@rodvigcamping.dk	5 ABKL	ABFGHIJPRVWZ 10
	B 10A CEE	① €28,20
N 55°15'3'' E 12°20'59''	4 ha 200T(100-120m²) 75D	② €38,95

E47/E55 Ausfahrt 37, die 154 Richtung Rønnede/Fakse, weiter Richtung St. Heddinge. Nach ca. 15 km Richtung Boestofte und Rødvig. Ausgeschildert.

Nysted, DK-4880 / Sjælland

Nysted Strand Camping***	1 ADEJMNOPRST	KNQSUVWXZ 6
Skansenvej 38	2 EGHOPVWXY	ABDEFGHIJK 7
1 Jan - 31 Dez	3 BEFHILT	ABCDFGIJKNQRSU 8
+45 54870917	4 FHIOQ	FJMQRVY 9
info@nystedcamping.dk	5 ACDEFHJKLM	ABFGHIJNPRV 10
	B 10A CEE	① €30,60
N 54°39'15'' E 11°43'54''	2,1 ha 144T(80-120m²) 25D	② €43,60

Ab Zentrum Beschilderung folgen.

Sakskøbing, DK-4990 / Sjælland

CC€18

Sakskøbing Camping***	1 DEJMNOPQRST	EN 6
Saxes Allé 15	2 AOPVWXY	ABDEFGHIK 7
20 Mär - 18 Okt	3 BEIKLMQSV	ABCDEFGIJNQRS 8
+45 54704566	4 FIOQR	FJ 9
camping@saxsport.dk	5 ABL	ADFGHIJPR 10
	10A CEE	① €26,05
N 54°47'54'' E 11°38'28''	2,5 ha 71T(80-144m²) 39D	② €35,45

Der CP ist im Zentrum van Sakskøbing und ist ausgeschildert.

Teilkarte Seeland auf Seite 149

Dänemark

Saltbæk/Kalundborg, DK-4400 / Sjælland

Saltbæk Camping**	1 AJMNOPRST	XY 6
Saltbækvej 88	2 BGKPQRVWXY	ABDEFGI 7
1 Jan - 31 Dez	3 AELQT	ABCDEFJNQR 8
+45 59502167	4 H	F 9
lejrchef@ kalundborg-camping.dk	5 ABDKL	ABHIJPRW 10
	10A CEE	❶ €24,15
N 55°43'44'' E 11°6'45''	3,5 ha 100T(120-180m²) 60D	❷ €32,20

In Kalundborg an erstem Kreisel CP-Schilder folgen nach Saltbæk, ungefähr 5 km.

Ulslev/Idestrup, DK-4872 / Sjælland

Ulslev StrandCamping***	1 DEJMNOPQRST	KNQX 6
Strandvejen 3	2 EFHPVWXY	BEFGHIJ 7
19 Mär - 30 Okt	3 ABEFIKLQST	BDFGIJNQRS 8
+45 54148350	4 HIOQT	DFJV 9
info@ulslevstrandcamping.dk	5 ACDIKL	ABGHIJPRYZ 10
	B 10A	❶ €31,70
N 54°44'26'' E 12°1'43''	6,3 ha 285T(100m²) 93D	❷ €42,40

E55 Nykøbing-Gedser. Im Kreisverkehr Richtung Stubbekøbing. Nach ca. 1 km rechts nach Idestrup. Immer geradeaus Richtung Ulslev. Ausgeschildert.

Smidstrup, DK-3230 / Sjælland

Smidstrup Camping***	1 DEFJMNOPQRST	ABFG 6
Helsingevej 44	2 HPVX	ABDFGHIK 7
1 Jan - 31 Dez	3 BEIKLQST	ABCDEFIJKLMNQRSV 8
+45 48318448	4 IOPQSU	DFGIY 9
info@smidstrup-camping.dk	5 ACDEGHIKL	ABGHIJNORV 10
	B 10A CEE	❶ €37,05
N 56°5'55'' E 12°13'17''	6,5 ha 215T 101D	❷ €52,60

Straße 237 Gilleleje-Rågeleje, in Smidstrup abzweigen, 2 km Richtung Blistrup. Dann deutlich ausgeschildert.

Ulvshale/Stege, DK-4780 / Sjælland

Camping Ulvshale Strand**	1 DEJMNOPRST	KNQSWX 6
Ulvshalevej 236	2 EFHOPQTWX	ABDEFGI 7
1 Apr - 1 Okt	3 AFK	ABEFINQRS 8
+45 55815325	4	DMV 9
info@ulvscamp.dk	5 ACKL	ABGJPRY 10
	10A	❶ €26,00
N 55°2'17'' E 12°16'55''	2,4 ha 151T(80-120m²) 65D	❷ €36,50

Von Stege aus Richtung Ulvshale. Beschilderung folgen.

Sorø, DK-4180 / Sjælland

Sorø Sø Camping***	1 DEGJMNOPRST	LN 6
Udbyhøjvej 10	2 ADFOPQSTUVWXY	ABDEFGHIJK 7
1 Jan - 31 Dez	3 ABEHKLQT	ABCDEFIJKNQRSTUV 8
+45 57830202	4 IO	FIY 9
info@soroecamping.dk	5 ABEKL	ABFGHJOPRVZ 10
	B 13A CEE	❶ €29,95
N 55°26'48'' E 11°32'46''	6,5 ha 200T(80-140m²) 93D	❷ €40,65

E20 Ausfahrt 37 nach Sorø. Vom Zentrum die 150 Richtung Slagelse. Der CP ist 1 km außerhalb der Stadt.

Veddelev, DK-4000 / Sjælland

Roskilde Camping***	1 DEJMNOPQRST	LMNQSUVXYZ 6
Baunehøjvej 7	2 ADEFGHIKOPTVWXY	ABDEFGHIJK 7
28 Mär - 28 Sep	3 ABEIKQ	ABCDEFIJKNQRS 8
+45 46757996	4 FHIOQX	FIJQR 9
mail@roskildecamping.dk	5 ACDKL	ABFGHIJRVZ 10
	13A	❶ €32,20
N 55°40'24'' E 12°5'7''	27 ha 300T 122D	❷ €44,30

Von Roskilde Straße 6 Richtung Norden. Ab den Verkehrsampeln ausgeschildert.

Store Spjellerup, DK-4653 / Sjælland

Lægårdens Camping**	1 DEFJMNOPQRST	6
Vemmetoftevej 2a	2 GPX	ABDEFGHIJ 7
1 Jan - 31 Dez	3 ABEHLQT	ABDEFIJKNQRSV 8
+45 56710067	4 K	EFVY 9
info@laegaardenscamping.dk	5 CKL	JMNPR 10
	B 10A CEE	❶ €26,85
N 55°16'15'' E 12°13'22''	6 ha 50T 207D	❷ €36,25

E47/E55, Ausfahrt 37 Richtung Rønnede/Fakse (Straße 154), weiter Richtung St. Heddinge. Ausfahrt St. Spjellerup, Straße folgen.

Vejby, DK-3210 / Sjælland

DCU-Camping Rågeleje***	1 DEFJMNOPQRS	KNQRS 6
Hostrupvej 2	2 EJKPQVWX	ABDEFGHI 7
15 Mär - 19 Okt	3 BEIKLT	ABCDEFIKNQRS 8
+45 48715640	4 HIO	FY 9
raageleje@dcu.dk	5 ACL	ABFGHIJPRVZ 10
	B 10A	❶ €32,20
N 56°5'27'' E 12°8'57''	5,5 ha 250T 65D	❷ €45,65

An der Straße Vejby-Rågeleje, 1 km von Rågeleje entfernt, an der Ostseite der Straße.

Strøby, DK-4671 / Sjælland

CC€18

Stevns Camping***	1 DEGJMNOPQRST	ABFGKNX 6
Strandvejen 29	2 EGOPSVWXY	ABDEFGHIJ 7
1 Jan - 31 Dez	3 BEHIKLQST	ABCDFIJKLNQRSTUV 8
+45 60144154	4 EHIOPQR	FV 9
info@stevnscamping.dk	5 ABEKL	ABFGHIJMNPRVWX 10
	B 16A CEE	❶ €26,50
N 55°23'50'' E 12°17'25''	10 ha 206T 145D	❷ €37,25

In Køge die 261 Richtung Strøby. In Strøby ist der CP ausgeschildert.

Vejby, DK-3210 / Sjælland

Vejby Strand Camping***	1 DEJMNOPQRST	ABFGN 6
Rågelejevej 37	2 AGKOPTVWXY	ABDEFGHIK 7
5 Apr - 10 Sep	3 ABEFIKLMQST	ABCDEFGIJKLNQRS 8
+45 40416788	4 ILMOPSU	ADFL 9
vejby@live.dk	5 ACDEGIJKL	ABFGHIJMNPRVXZ 10
	B 10A CEE	❶ €36,50
N 56°4'26'' E 12°8'24''	9,2 ha 478T 190D	❷ €52,35

Straße 237, Vejby-Rågeleje, auf der Westseite, südlich von Vejby Strand.

Stubbekøbing, DK-4850 / Sjælland

Stubbekøbing Camping**	1 BJMNOPQRT	KNQX 6
Gl. Landevej 4	2 AEHPTWXY	ABDEFGI 7
27 Mär - 15 Sep	3 AK	ABCDFJQRU 8
+45 54441057	4 IO	F 9
stubbekobing-camping@ stubbekobing-camping.dk	5	BHJRV 10
	10A	❶ €26,15
N 54°53'27'' E 12°1'40''	1,6 ha 83T 19D	❷ €35,55

E47, Ausfahrt 43, Straße 293 Richtung Stubbekøbing. Kurz vor Stubbekøbing CP-Schildern folgen.

Vemmetofte, DK-4640 / Sjælland

Vemmetofte Strand Camping***	1 DJMNOPQRST	KNQSX 6
Ny Strandskov 1	2 BCEHPQVWXY	ABDEFGHIK 7
1 Jan - 31 Dez	3 BEFHLQT	ABCDEFGIJKNQRSUV 8
+45 56710226	4 FHIOT	FV 9
camping@vemmetofte.dk	5 ACJKL	ABFGHIJMPRVWYZ 10
	10A	❶ €29,85
N 55°14'21'' E 12°14'25''	5,8 ha 150T(100-130m²) 143D	❷ €45,60

Über die E4 zuerst Richtung Fakse, dann Fakseladeplads, dann Vemmetofte Kloster und dann Vemmetofte Strand.

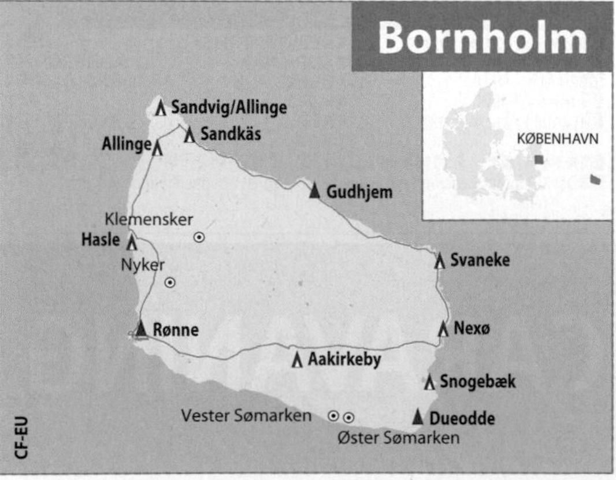

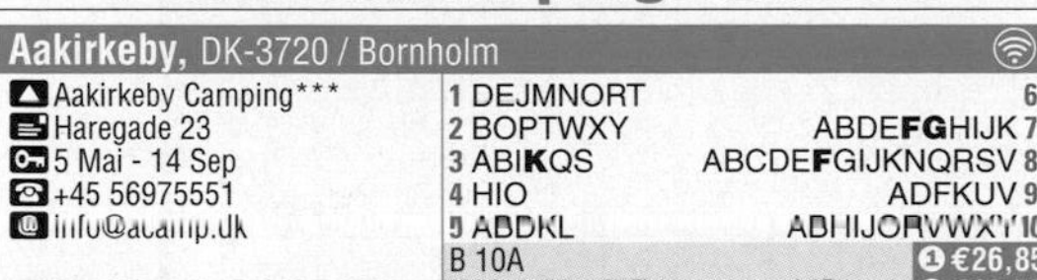

Hasle, DK-3790 / Bornholm

Hasle Familiecamping***
Fælledvej 30
1 Apr - 19 Okt
+45 56945300
info@hasle-camping.dk
N 55°10'45'' E 14°42'26''

1 DEJMNOPRST KNOQSWX 6
2 BEHKOPQRVWXY ABDEFGHIJK 7
3 ABEFGHIKLQT ABCDEFIJKNQRSUV 8
4 FHIO ADFJUVY 9
5 ABFJKL ABHIKPRV 10
B 16A ① €28,70
4,4 ha 158T(70-120m²) 78D ② €38,40

Ab Rønne die 159 Richtung Allinge bis zur Ausfahrt Muleby. Ca. 5 km über eine kleine Straße zum CP vor Hasle.

Aakirkeby, DK-3720 / Bornholm

Aakirkeby Camping***
Haregade 23
5 Mai - 14 Sep
+45 56975551
info@acamp.dk
N 55°3'44'' E 14°55'25''

1 DEJMNORT 6
2 BOPTWXY ABDEFGHIJK 7
3 ABIKQS ABCDEFGIJKNQRSV 8
4 HIO ADFKUV 9
5 ABDKL ABHIJORVWXY 10
B 10A ① €26,85
H64 1,6 ha 75T(bis 130m²) 14D ② €33,55

Der CP liegt am Südrand von Aakirkeby, über die südliche Küstenstraße zu erreichen oder die Strecke Rønne-Nexø und ist ausgeschildert.

Nexø, DK-3730 / Bornholm

Nexø camping***
Stenbrudsvej 26
29 Apr - 14 Sep
+45 56492721
nexocamp@mail.dk
N 55°4'21'' E 15°8'30''

1 DEJMNORT KLNPQSWX 6
2 DEKMOPRWX ABDEFGHIK 7
3 BKLS ABCDEFNQRS 8
4 HIOT FKV 9
5 DL AGIJOPRV 10
B 10A ① €25,65
2,5 ha 125T(60-80m²) 15D ② €34,75

Der CP liegt am Nordrand von Nexø an der Durchgangsstrecke Richtung Svaneke.

Allinge, DK-3770 / Bornholm

Lyngholt Familiecamping***
Borrelyngvej 43
1 Mai - 15 Sep
+45 56480574
info@lyngholt-camping.dk
N 55°15'21'' E 14°45'45''

1 DEJMNORST ABFGHNOPQSW 6
2 BGOPTWXY ABDEFGHIJK 7
3 BEIKLT ABCDEFIJKNQRSTUV 8
4 BCDEHIOTUX ADFJKVY 9
5 ACKL ABEFGHIJMNPRVWZ 10
B 13A CEE ① €33,15
H102 6 ha 200T(80-100m²) 78D ② €47,65

Von Rønne-Hafen Straße 159. Nach dem Schild VANG links, 2 km.

Rønne, DK-3700 / Bornholm

CC€16

Galløkken Strand Camping***
Strandvejen 4
1 Mai - 2 Sep
+45 40133344
info@gallokken.dk
N 55°5'21'' E 14°42'16''

1 DEJMNOPQRST KNPQSW 6
2 BEGHOPQRSWXY ABDEFGHIJK 7
3 ABCKLST ABCDEFGIJKNQRSTU 8
4 FHIO ADFJKVY 9
5 ABL ABEGHIJNOPRVX 10
B 13A CEE ① €27,40
2,6 ha 125T(bis 130m²) 39D ② €37,30

Vom Hafen in Rønne, rechts ab 1 km der Küstenstraße Richtung Nexø folgen. Der CP ist an der Strecke angezeigt.

Dueodde, DK-3730 / Bornholm

Bornholms Familiecamping***
Krogegårdsvejen 8
15 Mai - 15 Sep
+45 56488150
mail@bornholms-familiecamping.dk
N 55°0'14'' E 15°5'48''

1 DEJKNORST KNPQSWXY 6
2 BEGHIOPQRTVXY ABDEFGHIJK 7
3 ABFIKLST ABCDEFGIKNQRSV 8
4 FHI ADGIKUVY 9
5 ABL ABGHJNORV 10
16A CEE ① €33,55
3,2 ha 150T(40-120m²) 17D ② €45,25

An der Küstenstraße Rønne-Snogebaek nach Dueodde. Der CP ist an dieser Strecke angezeigt.

Rønne, DK-3700 / Bornholm

Rønne Nordskov Camping***
Antoinettevej 2
1 Mai - 8 Sep
+45 56952281
info@nordskoven.dk
N 55°7'6'' E 14°42'14''

1 DJMNOPRST KNOPQSWX 6
2 BEHOPQRVWXY ABDEFGHIJK 7
3 BCEIKLST ABCDEFIJNQRSTUV 8
4 FHIO DFKY 9
5 ABKL ABGHIJORV 10
B 10A CEE ① €28,85
3,8 ha 192T(80-100m²) 31D ② €38,25

Der CP liegt an der Nordseite von Rønne, 2 km in Richtung Allinge.

Dueodde, DK-3730 / Bornholm

Dueodde Familiecamping & Hostel***
Skrokkegårdsvej 17
1 Mai - 30 Sep
+45 20146849
info@dueodde.dk
N 54°59'47'' E 15°5'11''

1 BDEILNOPRST EFGHKNPQSWXY 6
2 BEGHIOPRWXY ABDEFGHIJK 7
3 ABKLT ABCDEFIJKNQRSV 8
4 FHIOT DGUVY 9
5 ACFHL ABGHIJNPRW 10
10A CEE ① €28,70
4,5 ha 120T(60-120m²) 54D ② €38,65

An der Küstenstraße Rønne-Snogebaek die Ausfahrt Dueodde. Der CP ist an der Strecke ausgeschildert.

Sandkås, DK-3770 / Bornholm

Sandkaas Familiecamping***
Poppelvej 2
13 Apr - 19 Okt
+45 56480441
camping@sandkaas-camping.dk
N 55°15'48'' E 14°48'45''

1 DEJMNOPRST KNQSWX 6
2 EHMOPQRTUVWX ABDEFGHIJK 7
3 ABIKLT ABCDEFIKNQRSV 8
4 IO ADFLVY 9
5 ABDL ABGIJNPRVW 10
10A CEE ① €27,40
3 ha 145T(70-100m²) 35D ② €37,30

Zwischen Gudhjem und Allinge ca. 3 km südlich von Allinge ist der CP an der Strecke angezeigt.

Dueodde, DK-3730 / Bornholm

Møllers Dueodde Camping***
Duegårdsvej 2
15 Mai - 20 Sep
+45 56488149
moeller@dueodde-camp.dk
N 54°59'46'' E 15°4'37''

1 CDEHKNOPRST ABFGHKNPQSWX 6
2 BEHOPQRXY ABDEFGHIJK 7
3 BEIKLMQT ABCDEFIJKNQRSV 8
4 HIOST FLUVY 9
5 ACKL ABGIJNORVWZ 10
B 10A CEE ① €29,65
4 ha 200T(60-130m²) 30D ② €41,50

An der 10. Rønne-Snogebaek ca. 3 km westlich von Snogebaek nach Dueodde einschlagen. Ein auffallend weißer Turm markiert den Weg zum CP.

Sandvig/Allinge, DK-3770 / Bornholm

Sandvig Familiecamping***
Sandlinien 5
1 Apr - 1 Nov
+45 56480447
sandvigcamping@c.dk
N 55°17'19'' E 14°46'31''

1 JMNOPRST KLNOPSWX 6
2 DEFGHKOPQRTUWX ABDEFGHIJ 7
3 BIKLT ABCDEFIJKNQRSV 8
4 EIO ADFJK 9
5 ABDFKL ABGHIJNRVWX 10
13A CEE ① €26,85
5,7 ha 240T(80-120m²) 43D ② €36,25

Der 159 von Rønne nach Allinge folgen, kurz vor Allinge den Schildern nach Sandvig und dann den CP-Schildern folgen. Oder Ausfahrt Hammarhus. An der Festung vorbei, in Sandvig links abbiegen. Der CP ist angezeigt.

Gudhjem, DK-3760 / Bornholm

Gudhjem Camping Sletten**
Melsted Langgade 45
1 Mai - 15 Sep
+45 56485071
info@gudhjemcamping.dk
N 55°12'26'' E 14°58'38''

1 DEJMNOPRST NOPQSWXY 6
2 EKOPQRTWX ABDEFGIJK 7
3 ABEKS ABCDEFINQRSV 8
4 HIO ADUV 9
5 ABFGKL ABHIJNPRV 10
16A CEE ① €30,75
5 ha 140T(80-100m²) 8D ② €40,65

Der CP liegt nach Gudhjem hin, an der Strecke Allinge-Svaneke und ist ausgeschildert.

Snogebæk, DK-3730 / Bornholm

Camping Balka Strand***
Klynevej 6
25 Apr - 12 Sep
+45 56488074
info@Balkastrand-Familiecamping.dk
N 55°1'44'' E 15°6'40''

1 DEJMNOPRT KNPQSWX 6
2 EHOPQRVWXY ABDEFGHIJK 7
3 ABEKLQT ABCDEFIJKNQRSV 8
4 BHIO DJUVY 9
5 ABKL ABFGHJOPRVX 10
B 6-10A CEE ① €31,55
3,2 ha 200T(70-100m²) 32D ② €43,60

Der CP liegt am Nordrand von Snogebaek an der Strecke Dueodde-Nexø und wird durch die Schilder 'FDM Camping' angezeigt.

Gudhjem, DK-3760 / Bornholm

Sannes Familiecamping****
Melstedvej 39
1 Apr - 18 Sep
+45 56485211
sannes@familiecamping.dk
N 55°11'44'' E 14°59'10''

1 DEJMNOPRST ABFGHKNOPQSWXYZ 6
2 EFGHKMOPQRSTUWX ABCDEFGHIJK 7
3 ABCEFIKLT ABCDEFGIJKNQRSTUV 8
4 FHIOQRSTU DJUVY 9
5 AC ABFGHIJNPRVWXZ 10
B 10A ① €48,30
2 ha 215T(80-100m²) 37D ② €56,40

Der CP liegt an der 158 zwischen Allinge und Svaneke, 2 km südlich von Gudhjem.

Svaneke, DK-3740 / Bornholm

Hullehavn Camping***
Sydskovvej 9
15 Apr - 15 Sep
+45 56496363
mail@hullehavn.dk
N 55°7'49'' E 15°9'1''

1 DEJMNOPRT KNOPQSWX 6
2 BEFHKMOPQRTWXY ABDEFGHIJK 7
3 ABEFGLMST ABCDEFIJKNQRSV 8
4 FIO ADKQY 9
5 ABKL ABGHIJNOPRVWZ 10
B 10A ① €26,70
3,3 ha 100T(50-100m²) 15D ② €36,40

Der CP liegt am Südrand von Svaneke an der Durchgangsstraße Nexø-Gudhjem und ist ausgeschildert.

Teilkarte Bornholm auf Seite 154

Niederlande

GRONINGEN 192
FRIESLAND 188
DRENTHE 195
NORD-HOLLAND 161
FLEVOLAND 180
OVERIJSSEL 182
SÜD-HOLLAND 167
UTRECHT 179
GELDERLAND 200
ZEELAND 171
NORD-BRABANT 211
LIMBURG 218

Nordsee
Wattensee
BELGIEN
DEUTSCHLAND

CF-EU

Allgemein
Die Niederlande sind EU-Mitglied.

Zeit
In den Niederlanden ist es genauso spät wie in Berlin.

Sprache
Niederländisch. Auch mit Englisch und Deutsch kommt man gut weiter.

Grenzformalitäten
Viele Formalitäten und Vereinbarungen, wie erforderliche Reisedokumente, KFZ-Papiere, Anforderungen an Ihr Fahrzeug und Ihren Aufenthalt, Krankenkosten und das Mitführen von Tieren, sind nicht nur vom Zielort abhängig, sondern auch von Ihrem Ausgangsort und Ihrer Nationalität. Auch die Dauer Ihres Aufenthaltes spielt dabei eine Rolle. Im Rahmen dieses Führers ist es leider nicht möglich, allen Lesern korrekte und aktuelle Informationen in dieser Hinsicht zu garantieren.

Wir raten Ihnen, vor Ihrer Abreise bei den entsprechenden Behörden in Erfahrung zu bringen:

- welche Reisedokumente Sie für sich selbst und Ihre Reisebegleitung brauchen
- welche Dokumente Sie für Ihr Auto brauchen
- welchen Anforderungen Ihr Fahrzeug entsprechen muss
- welche Güter Sie ein- und ausführen dürfen
- wie im Unglücks- oder Krankheitsfall die medizinische Versorgung im Urlaubsland organisiert ist und bezahlt wird
- ob Sie Ihre Haustiere mitnehmen können. Nehmen Sie rechtzeitig Kontakt zu Ihrem Tierarzt auf. Dort erhalten Sie Informationen über relevante Impfungen, entsprechende Bestätigungen und Verpflichtungen bei Ihrer Rückkehr. Es ist auch sinnvoll herauszufinden, ob an Ihrem Urlaubsziel bestimmte Bedingungen für Haustiere in der Öffentlichkeit geknüpft sind. So müssen in manchen Ländern Hunde immer einen Maulkorb tragen oder vergittert transportiert werden.

Viele allgemeine Infos finden Sie auf ▸ *www.europa.eu* ◂ aber sorgen Sie selbst dafür, die richtige Information für Ihre individuelle Situation herauszufinden.

Aktuelle Zollbestimmungen entnehmen Sie den Botschaften des jeweiligen Urlaubslandes an Ihrem Wohnort.

Währung und Geld
Währungseinheit in den Niederlanden ist der Euro.

Kreditkarten
Vielerorts kann man mit Kreditkarte bezahlen. Man kann auch an den Grenzstationen (GWK) an den Bahnhöfen wechseln, die auch abends und an Wochenenden geöffnet sind.

Öffnungszeiten und Feiertage
Banken
Banken sind geöffnet von Montag bis Freitag bis 17.00 Uhr. Bei jeder Bank können Sie 24 Std am Tag Geld ziehen und bei den meisten Supermärkten ebenfalls innerhalb der Geschäftszeiten Geld abheben.

Geschäfte
Geschäfte sind am Montag von 13.00 bis 18.00 Uhr offen. Von dienstags bis freitags bis 18.00 Uhr, samstags meist bis

17.00 Uhr. In den meisten Orten sind die Läden donnerstags oder freitags auch bis 21.00 Uhr geöffnet.
In größeren Städten wie Rotterdam, Amsterdam, Utrecht und Den Haag sind die Geschäfte sonntags von 12.00 bis 17.00 Uhr geöffnet, manchmal auch länger.

Fremdenverkehrsbüros

Die Öffnungszeiten sind von 9.00 bis 18.00 Uhr und samstags bis 17.00 Uhr. Die Büros des Fremdenverkehrsvereins VVV sind am VVV-Dreieck gut zu erkennen. Sie erhalten beim VVV ausführliche Informationen über die jeweilige Stadt, ihre Umgebung, die Sehenswürdigkeiten, die Öffnungszeiten und vieles mehr.

Apotheken

Apotheken sind von Montag bis Freitag bis 18.00 Uhr geöffnet.

Feiertage

Neujahr, Ostern, 27. April (Königstag), Himmelfahrt, Pfingsten, Weihnachten.

Kommunikation

(Mobil) Telefon

Das Mobilnetz ist gut. Es gibt ein 3 G-Netz für das mobile Internet. Telefonkarten erhält man in Supermärkten, Kaufhäusern und Telefongeschäften.

W-Lan, Internet

Viele Cafés und Restaurants bieten Ihren Gästen gratis W-Lan.

Post

Postämter sind in den Niederlanden durch Agenturen in Supermärkten und anderen Geschäften ersetzt. In der Regel sind die Agenturen offen von Montag bis Freitag bis 17.00 Uhr und Samstagmorgens. Briefmarken bekommt man in fast jedem Supermarkt.

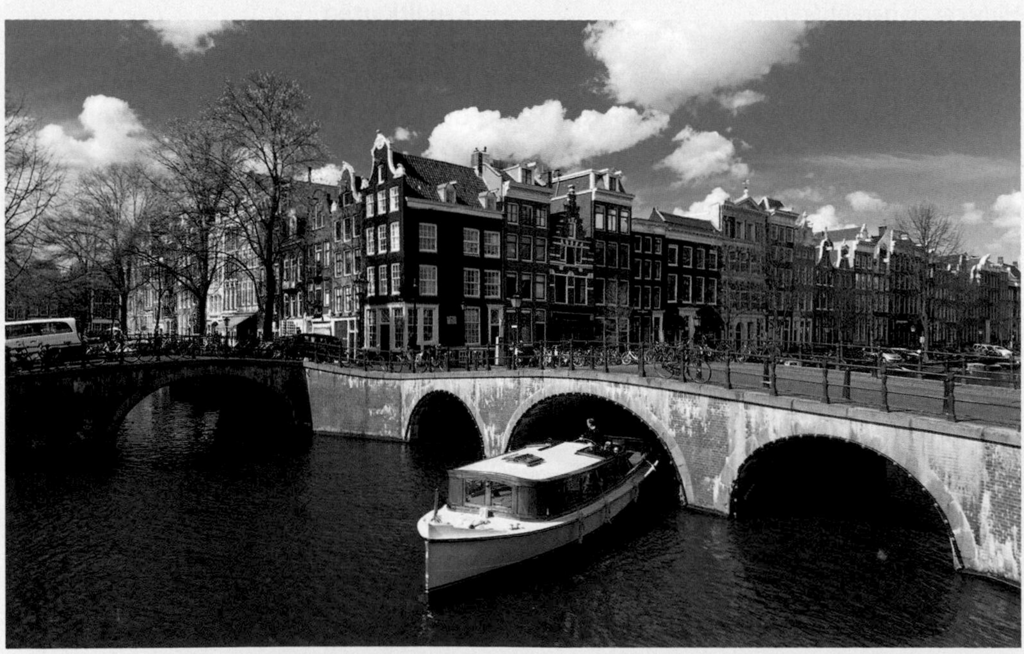

Straßen und Verkehr

Straßennetz

Am Rande vieler großer Städte gibt es so genannte 'Transferiums', von wo aus man schnell und günstig mit dem öffentlichen Verkehr in die Innenstadt kommt.
Pannenhilfe gibt es vom ANWB. Eine gute Alternative ist der Route Mobiel. Beide Clubs bieten auch Ausländern Pannenhilfe an, die einem von der AIT oder FIA anerkannten Club angehören.
Tel. 020-6515115 (Route Mobiel),
Tel. 088-2692888 (ANWB).

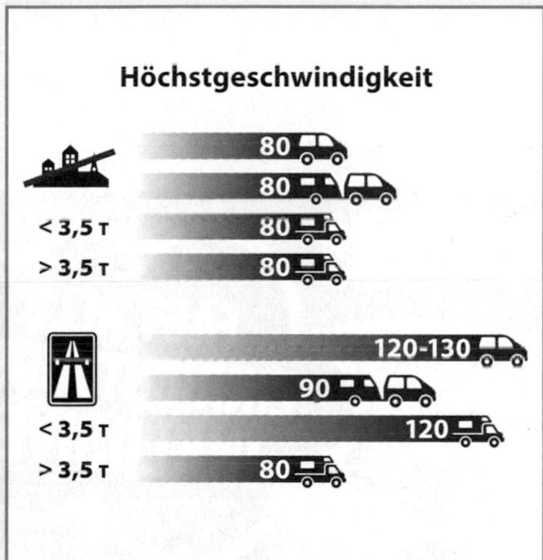

Auf immer mehr Autobahnen darf man 130 km/h fahren. Unbedingt genau die Beschilderung beachten.
Promillehöchstgrenze: 0,5 ‰. Tagsüber wird empfohlen mit Abblendlicht zu fahren. Telefonieren nur mit Freisprechanlage. Im Kreisverkehr hat das von rechts kommende Fahrzeug Vorfahrt, es sei denn es ist etwas anderes ausgeschildert. Ein rundes Schild mit rotem Rand und einem 'B' zeigt eine B-Straße an: die Maximalbreite dieser Straße beträgt 2,20m.

Navigation

Warnung vor festen Blitzern durch Navi oder Mobiltelefon Apps ist erlaubt.

Wohnwagen, Reisemobil

An öffentlichen Straßen darf im Reisemobil nicht übernachtet werden.

Zulässige Maße

Höhe 4m, Breite 2,55m, Länge 12m, inklusive Zugfahrzeug 18m.

Kraftstoff

Bleifrei, Diesel und LPG sind gut erhältlich.

Tankstellen

Die Tankstellen sind geöffnet bis 22.00 Uhr. In Großstädten und an den Autobahnen 24 Std täglich. Fast überall kann mit EC-Karte oder Kreditkarte bezahlt werden.

Maut

Auf niederländischen Straßen wird keine Maut erhoben, wohl aber im Westerscheldetunnel in Zuid-Beveland, Zeeland, und dem Kiltunnel in Dordrecht, Süd-Holland.

Notruf

112: nationaler Notruf für Polizei, Feuerwehr und Krankenwagen.

Campen

Niederländische Campings gehören zu den besten von Europa: für Kinder gibt es ein breites Animationsangebot und die Einrichtungen (wie Indoorspielplätze und Straßenfußballfelder) sind innovativ. Die Campings sind gut organisiert und sehr im Grünen. Autos sind oft außerhalb des Campgeländes geparkt, was der Platzruhe zugute kommt.

Das Campen außerhalb der anerkannten Gelände ist nur in einigen Gemeinden erlaubt. Viele holländische Campingplätze bieten so genannte Familientarife (für 4, 5 oder mehr Personen, inklusive Strom). Für zwei Personen zahlen Sie also oft denselben Betrag wie für eine ganze Familie.

Praktisch

- Zusatzkosten wie Touristenabgabe und Umweltabgabe können oft hoch ausfallen.
- Am besten immer Universalstecker dabei haben.
- Leitungswasser kann man bedenkenlos trinken.

Einstufung der Campings

ACSI hat sich entschieden bei den Campinginformationen zu den niederländischen Campings keine Sterne zu vergeben. Die Sterne, die Sie in den Anzeigen lesen, haben sich die Campings selbst gegeben und deswegen trägt ACSI für die korrekte Angabe der Sternenzahl auch keine Verantwortung.

Klima De Bilt / Utrecht	Jan.	Feb.	März	April	Mai	Juni	Juli	Aug.	Sept.	Okt.	Nov.	Dez.
Tagestemperatur	3	3	6	9	14	17	18	18	16	12	7	4
Sonnenstunden am Tag	2	3	4	6	7	7	6	6	5	3	2	1
Regentage	12	9	12	10	11	10	10	11	10	11	13	13

Nord-Holland

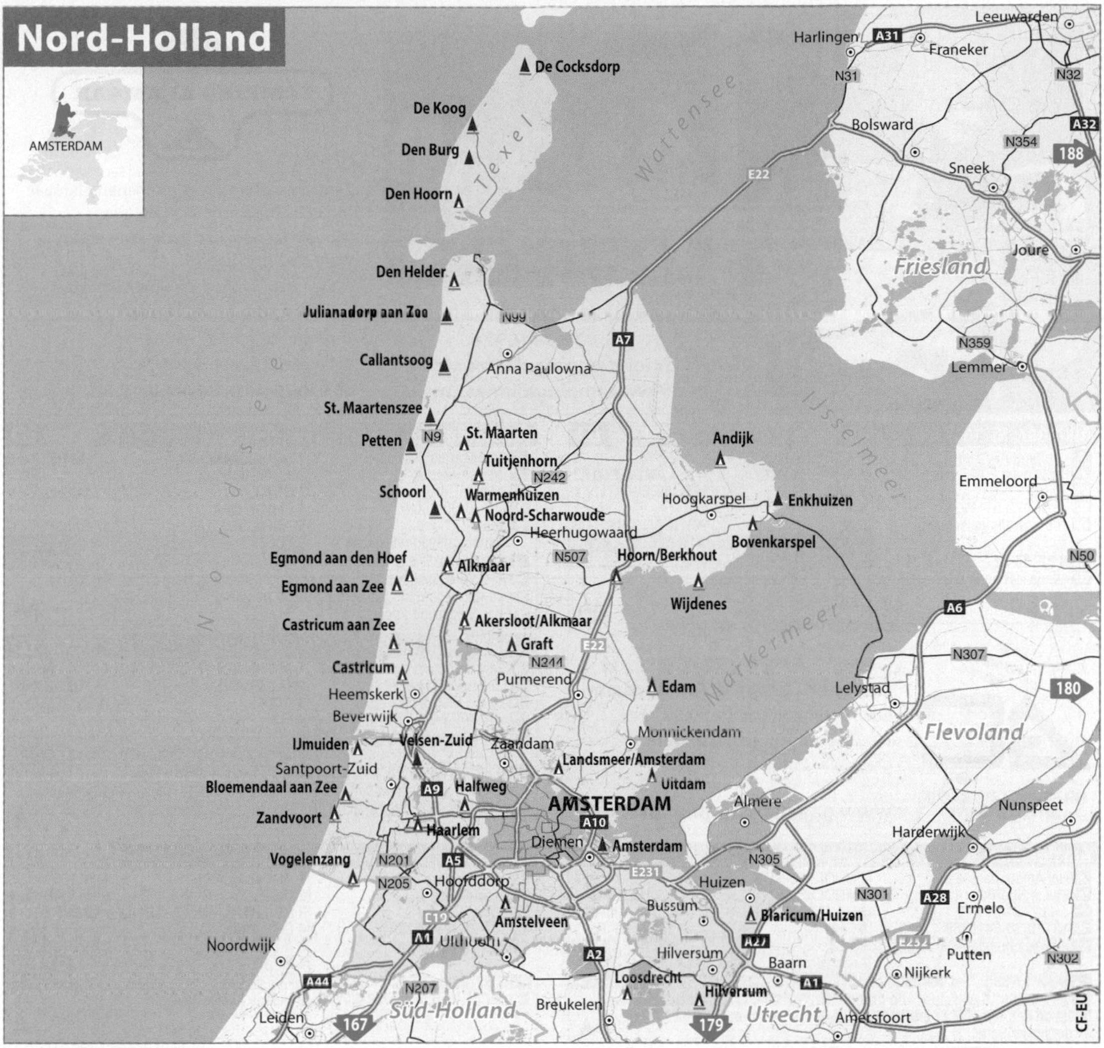

AMSTERDAM

De Cocksdorp
De Koog
Den Burg
Den Hoorn
Texel
Wattensee
Den Helder
Julianadorp aan Zee
Callantsoog
Anna Paulowna
St. Maartenszee
Petten
St. Maarten
Tuitjenhorn
Schoorl
Warmenhuizen
Noord-Scharwoude
Heerhugowaard
Egmond aan den Hoef
Egmond aan Zee
Alkmaar
Castricum aan Zee
Akersloot/Alkmaar
Graft
Castricum
Heemskerk
Beverwijk
Purmerend
IJmuiden
Velsen-Zuid
Zaandam
Santpoort-Zuid
Bloemendaal aan Zee
Halfweg
Landsmeer/Amsterdam
Uitdam
Zandvoort
Haarlem
AMSTERDAM
Diemen
Amsterdam
Vogelenzang
Hoofddorp
Amstelveen
Uithoorn
Noordwijk
Leiden
Süd-Holland
Breukelen
Loosdrecht
Hilversum
Utrecht
Amersfoort
Baarn
Bussum
Huizen
Blaricum/Huizen
Almere
Monnickendam
Edam
Markermeer
Andijk
Hoogkarspel
Enkhuizen
Bovenkarspel
Hoorn/Berkhout
Wijdenes
IJsselmeer
Nordsee
Lelystad
Flevoland
Harderwijk
Nunspeet
Ermelo
Putten
Nijkerk
Emmeloord
Lemmer
Joure
Sneek
Friesland
Bolsward
Harlingen
Franeker
Leeuwarden
188
180
167
179
CF-EU

Akersloot/Alkmaar, NL 1921 CE / N-Holland

De Boekel
Boekel 22
1 Jan - 31 Dez
+31 (0)72-5330109
info@deboekel.nl

1 AG**JM**NOPR**T** **N**QSXYZ 6
2 AFOPSVWX ABDE**FG**K 7
3 AEGH**K**LQS ABCDE**F**H**I**JNPQRSV 8
4 HIKO GJQVW 9
5 ABGL ABDFGHIJM**P**RZ 10
Anzeige auf dieser Seite B 16A CEE ① €19,00
2 ha 40**T**(125-200m²) 14**D** ② €28,50

N 52°35'10'' E 4°45'9''

A9 Amstelveen-Alkmaar, Ausfahrt 11 Richtung Akersloot. In Akersloot geradeaus fahren bis Pontveer. Von Pontveer noch 1,5 km in Richtung Alkmaar.

Teilkarte Nord-Holland auf Seite 161

Niederlande

Alkmaar, NL-1817 ML / Noord-Holland

CCE16 iD

Camping Alkmaar	1 ADEGHKNORS 6
Bergerweg 201	2 AOPQSVWXY **ABDEFGH** 7
20 Mär - 1 Okt	3 A**K**L ABCD**FG**JNPQRSTUV 8
+31 (0)72-5116924	4 H FV 9
info@campingalkmaar.nl	5 AL ABDEFGHIK**P**ST 10
	Anzeige auf dieser Seite B 6A CEE ❶ €27,00
N 52°38'32'' E 4°43'24''	2,8 ha 150**T**(80-100m²) 19**D** ❷ €35,00

Alkmaar Ring West, Ausfahrt Bergen. CP-Schildern folgen.

Amsterdam, NL-1026 CP / Noord-Holland

CCE18 iD

Camping de Badhoeve	1 ABEG**JMNORT** L**N**QSXZ 6
Uitdammerdijk 10	2 ADFGIOPWX AD 7
27 Mär - 4 Okt	3 BE**K**L A**F**NQRV 8
+31 (0)20-4904294	4 FHIO**PQ** 9
info@ campingdebadhoeve.com	5 ABDEGIJL AFGIJORWZ 10
	8A CEE ❶ €24,00
N 52°23'4'' E 5°0'47''	5 ha 100**T**(15-50m²) 89**D** ❷ €29,00

A10 Nord Ausfahrt S115. An der Ampel Richtung Durgerdam. Am Kreisel Richtung Durgerdam. Hinter Durgerdam geradeaus. CP nach 500m. Der Beschilderung folgen.

Amsterdam, NL-1108 AZ / Noord-Holland

CCE18 iD

Gaasper Camping Amsterdam	1 ADE**IL**NOPRS**T** **N**QS 6
Loosdrechtdreef 7	2 AOPSVWX A**B**DEF**G** 7
15/3 - 1/11, 27/12 - 5/1	3 A**GK**L AC**F**JNQRSTU 8
+31 (0)20-6967326	4 FH V 9
info@gaaspercamping.nl	5 ACDEFGIJ**KL** ABDFGHIJLPR 10
	Anzeige auf dieser Seite 10A CEE ❶ €28,00
N 52°18'45'' E 4°59'25''	5,5 ha 350**T**(20-100m²) 60**D** ❷ €33,50

A9 der Teil zwischen der A1 und A2. Bei Ausfahrt 1, Weesp (S113) abfahren. Dann den CP-Schildern folgen.

Amstelveen, NL-1187 NZ / Noord-Holland

CCE16 iD

Het Amsterdamse Bos	1 ABDILNOPR**T** **N** 6
Kleine Noorddijk 1	2 ABDOPSX ABDE**FGI** 7
1 Jan - 31 Dez	3 B ABCD**F**JKNRS 8
+31 (0)20-6416868	4 FH**P** EFJLV 9
info@campingamsterdam.com	5 AC**L** AFGHJLORZ 10
	Anzeige auf dieser Seite B 6A CEE ❶ €25,50
N 52°17'39'' E 4°49'23''	6,8 ha 430**T**(45-100m²) 96**D** ❷ €30,50

A9 Ausfahrt 6 Aalsmeer, von dort der N231 Richtung Aalsmeer folgen. Nach 500m an der Ampel über das Wasser Richtung Amstelveen. CP nach 2 km an der linken Seite.

Andijk, NL-1619 EH / Noord-Holland

CCE16 iD

Vakantiedorp Het Grootslag	1 ADE**IL**NOPQRST EFG**N**QSTXYZ 6
Proefpolder 4	2 DGPVX AB**FG** 7
1 Apr - 31 Okt	3 BEF**HIK**LM**P**QT ABCDEF**LM**NRSTU 8
+31 (0)228-592944	4 BHIL**PQX** JVWY 9
info@grootslag.nl	5 ACDEFGJKL ABDFGHJORZ 10
	10A CEE ❶ €31,80
N 52°45'6'' E 5°11'33''	40 ha 130**T**(80-115m²) 200**D** ❷ €34,60

Der CP liegt in der Nähe des Jachthafens Andijk-West.

Blaricum/Huizen, NL-1272 JP / N-Holland

CCE16 iD

Kampeercentrum De Woensberg	1 ADEG**JMN**OPQRST 6
Woensbergweg 5	2 BOPQVWXY AB**FG**HJK 7
1 Apr - 1 Nov	3 AEF**K**LQ ABCDFHJNPQR 8
+31 (0)800-4004044	4 BFHO BFVWY 9
woensberg@paasheuvelgroep.nl	5 DEIJL ABDFGHIJL**NP**RZ 10
	6A CEE ❶ €26,50
N 52°16'54'' E 5°14'35''	7,9 ha 85**T**(60-100m²) 90**D** ❷ €34,30

A1 Richtung Blaricum. In Blaricum CP-Schildern folgen. Auf der A27 ausgeschildert.

Amsterdam, NL-1095 KN / Noord-Holland

iD

Camping Zeeburg	1 ABDE**IL**NOPRT L 6
Zuider IJdijk 20	2 ADFGHOPQSVWX ABDE**FG**IK 7
1 Jan - 31 Dez	3 AL A**F**JNQR 8
+31 (0)20-6944430	4 HIKO**Q** FLQV 9
info@campingzeeburg.nl	5 ACGIJKL ABFGHIJPVYZ 10
	Anzeige auf dieser Seite B 10A CEE ❶ €29,00
N 52°21'56'' E 4°57'34''	3,8 ha 450**T**(15-70m²) 97**D** ❷ €37,00

A10 Ost Ausfahrt S114. An der Ampel links Richtung Zentrum/Artis. An der Ampel Zuiderzeeweg links und nach 50m rechts. Den Schildern folgen. Achtung: Straßenschwellen.

Bloemendaal aan Zee, NL-2051 EC / N-Holl.

CCE18 iD

Kennemer Duincamping de Lakens	1 ABDEHKNOPRST KLQS 6
Zeeweg 60	2 ADEHOQRTVWX ABDE**FG**H 7
27 Mär - 25 Okt	3 ABDEF**K**LQS ABCDEFGIJKNQRSV 8
+31 (0)23-5411570	4 ABD**E**FHILOT**XZ** ADJLVWY 9
delakens@kennemerduincampings.nl	5 ACFGJKL ABDFGHIJLO**P**TUYZ 10
	Anzeige auf Seite 163 B 16A CEE ❶ €49,80
N 52°24'21'' E 4°33'13''	27 ha 580**T**(80-120m²) 328**D** ❷ €53,60

A9, bei Rottepolderplein auf die A200, dann N200 Richtung Haarlem-Overveen-Bloemendaal aan Zee. Hinter Overveen der zweite CP auf der rechten Seite, nah am Meer.

Bovenkarspel, NL-1611 MC / Noord-Holland

iD

Broekerhaven	1 AEGHKNORT FL**N**QSW**X**YZ 6
Zuiderdijk 1B	2 DGOPWX ABFG 7
1 Apr - 30 Sep	3 BDELQ ABEFNRV 8
+31 (0)228-511987	4 IO F 9
camping@stedebroec.nl	5 D ABHJORZ 10
	B 10A CEE ❶ €20,90
N 52°41'11'' E 5°14'53''	6 ha 40**T**(80m²) 91**D** ❷ €30,90

N506 Hoorn-Enkhuizen, am Kreisverkehr bei Bovenkarspel Richtung Oosterleek, nach links auf den Zuiderdijk. CP-Schilder beachten.

Teilkarte Nord-Holland auf Seite 161

Niederlande

Callantsoog, NL-1759 NX / Noord-Holland

Callassande
Voorweg 5a
27 Mär - 1 Nov
+31 (0)224-581663
receptie.callassande@roompot.nl
N 52°51'23'' E 4°43'3''

1 ADE**JM**NOPQRST EFGHI**NQ** 6
2 HOPQVWX ABDE**FGH** 7
3 BE**K**L**M**T ABCDEFHJKNPQRSTUV 8
4 BCDHILNO**Q** EJVWX 9
5 ACDEGIJL ABDEGHIJ**NP**SUZ 10
B 10A CEE ❶ €35,75
12,5 ha 385**T**(60-90m²) 266**D** ❷ €44,95

N9, Ausfahrt 't Zand, weiter Richtung Groote Keeten, CP-Schilder beachten.

Callantsoog, NL-1759 JD / Noord-Holland

De Nollen
Westerweg 8
28 Mär - 31 Okt
+31 (0)224-581281
info@denollen.nl
N 52°50'29'' E 4°43'8''

1 ADE**JM**NOPQRST **NQ** 6
2 HPQVWX ABDE**FGH**K 7
3 BEF**K**LQT ABCDEFHJKNQRSTUV 8
4 BHILO**P** AEFKLVY 9
5 ACDEJKL ABDEGHIJ**NP**RYZ 10
Anzeige auf dieser Seite B 6-10A CEE ❶ €30,40
9 ha 227**T**(70-120m²) 217**D** ❷ €38,35

Von der N9 die Ausfahrt Callantsoog und den CP-Schildern De Nollen folgen.

Callantsoog, NL-1759 JD / Noord-Holland

Tempelhof
Westerweg 2
1 Jan - 31 Dez
+31 (0)224-581522
info@tempelhof.nl
N 52°50'48'' E 4°42'56''

1 ADEGI**L**NOPQRST EFGH**NQ** 6
2 HPQVWX A**BC**DE**FGH** 7
3 ABDEF**K**LMRTU ABCDE**FG**JK**LM**NQRSTU 8
4 ABCEHILO**QRT** JLVW 9
5 ACDEGJKL ABCDEGHIJ**NP**RYZ 10
Anzeige auf dieser Seite B 10-16A CEE ❶ €39,00
14 ha 210**T**(80-135m²) 258**D** ❷ €48,00

N9, Ausfahrt 't Zand, weiter Richtung Groote Keeten. CP-Schilder 'Tempelhof' beachten.

Castricum, NL-1901 NH / Noord-Holland

Kennemer Duincamping Geversduin
Beverwijkerstraatweg 205
27 Mär - 25 Okt
+31 (0)251-661095
geversduin@kennemerduincampings.nl
N 52°31'49'' E 4°38'55''

1 ABDE**JM**NOPRT 6
2 ABOPQVWXY ABDE**FG**H 7
3 ABDELQ ABCDEFGHIJKNQRSV 8
4 **ABDE**FHIKL AJLVW 9
5 ACDGIK**L** ABCDGHIJNOTUYZ 10
Anzeige auf dieser Seite B 16A CEE ❶ €46,50
23 ha 298**T**(80-100m²) 355**D** ❷ €49,00

A9, Ausfahrt 9 Heemskerk. Am Kreisel re. Ri. Heemskerk. An der Ampel geradeaus nach Baandert. Am Ende li. ab in Mozartlaan. Am Kreisel re. in Marquettelaan. Am Rijksstraatweg re. ab. Nach 1,5 km li.

Castricum aan Zee, NL-1901 NZ / N-Holl.

Kennemer Duincamping Bakkum
Zeeweg 31
27 Mär - 25 Okt
+31 (0)251-661091
bakkum@kennemerduincampings.nl
N 52°33'44'' E 4°38'0''

1 ABDEHKNOPRT 6
2 ABPQSVWXY ABDE**FG** 7
3 ABDEFLMQT ABCDEFGIJKNQRSV 8
4 BCD**E**FHIKL DJLUVWY 9
5 ACDFIKL ABCDFGHIJ**NOP**TUVYZ 10
Anzeige auf dieser Seite B 10A CEE ❶ €43,40
60 ha 337**T**(80-130m²) 1435**D** ❷ €45,90

A9 Beverwijk-Alkmaar Ausfahrt 10 Castricum. An der Ampel N203 Richtung Castricum. Bei Castricum Richtung Castricum aan Zee. Über die Bahnüberführung im Kreisel geradeaus. Der CP liegt nach 1,5 km rechts der Strecke.

De Cocksdorp (Texel), NL-1795 LN / N-Holland

De Robbenjager
Vuurtorenweg 148
1 Apr - 31 Okt
+31 (0)222-316258
N 53°10'38'' E 4°51'37''

1 AIKNOPQR**T** K**N**QST**X**Y 6
2 EHOPQWX A**B**D**EFG** 7
3 AE**K** ACDE**F**NQRSV 8
4 H E 9
5 DEIJ AGHJOSTZ 10
6A CEE ❶ €27,60
3,7 ha 123**T**(70-90m²) 47**D** ❷ €39,00

Ab der Fähre der N501 folgen. Bei Ausfahrt 10 Richtung De Cocksdorp. Bei Ausfahrt 35 geradeaus zum Leuchtturm. CP ist rechts. Achtung scharfe Kurve.

De Cocksdorp (Texel), NL-1795 LS / Noord-Holland

Landal Sluftervallei
Krimweg 102
11 Apr - 3 Nov
+31 (0)222-316214
sluftervallei@landal.nl
N 53°9'28'' E 4°50'37''

1 ADE**JM**NORT EFG**N**QST 6
2 GHPQWX ABDE**FGH**K 7
3 BE**IK**L**M**PQT ABCDEFNQRSTU 8
4 ABFHIL**PQSTUV** EJUVWY 9
5 ACDEGIJL ABEFGHJ**P**RYZ 10
B 16A CEE ❶ €51,20
36 ha 57**T**(80m²) 332**D** ❷ €62,30

Ab der Fähre der N501 folgen. Bei Ausfahrt 10 nach De Cocksdorp. Ausfahrt 35 links zu den Landal Sluftervallei (De Krimweg).

De Cocksdorp (Texel), NL-1795 JV / N-Holl.

Vakantiepark De Krim Texel
Roggeslootweg 6
1 Jan - 31 Dez
+31 (0)222-390111
info@krim.nl
N 53°9'6'' E 4°51'32''

1 ACDEG**JM**NOPQRST ABEFGH**N**QST**X**Y 6
2 GHOPQVWXY ABCDE**FG**HK 7
3 ABCEF**GHIJL**PQSTU ABCDEFGJKLMNQRSTUV 8
4 ABCEFHILNO**PQSTUV** ADEFGIJLOUVWY 9
5 ACDEFGIJK**L** ABDEFGHIJMPRYZ 10
B 10A CEE ❶ €53,70
31 ha 423**T**(80-100m²) 778**D** ❷ €56,90

Von der Fähre aus der N501 folgen. Ausfahrt 10 Richtung De Cocksdorp. Ausfahrt 33 links zur Vakantiepark De Krim.

De Koog (Texel), NL-1796 MT / Noord-Holland

De Luwe Boshoek
Kamperfoelieweg 3
15 Mär - 1 Nov
+31 (0)222-317390
N 53°5'46'' E 4°45'54''

1 JMNOPQRST **NQ** 6
2 HOPQVWX ABDE**FG** 7
3 **K** ABCDE**FG**JNQRSV 8
4 H 9
5 L AEGHJPR 10
B 16A CEE ❶ €28,00
2 ha 70**T**(80-100m²) 11**D** ❷ €38,00

Ab der Fähre der N501 folgen. Ausfahrt 10 Richtung De Koog. Ungefähr 300m hinter der Ortsgrenze De Koog 1. CP rechts.

Teilkarte Nord-Holland auf Seite 161

De Koog (Texel), NL-1796 BD / N-Holland

Texelcamping De Shelter/ Om de Noord	1 ADE**JM**NOPQRST	**NQ** 6
Boodtlaan 43	2 EHOPQVWX	ABCDE**FGH** 7
29 Mär - 25 Okt	3 ABE**K**LQ	ABCDEFGJ**LMN**QRSTU 8
+31 (0)222-390112	4 ABHI	AUVW 9
info@texelcampings.nl	5 AL	ABDEGHJ**N**PRZ10
	B 16A CEE	❶ €42,60
N 53°6'15'' E 4°46'9''	216**T**(90-120m²) 12**D**	❷ €53,80

Von der Fähre aus der N501 folgen. Am Kreisel Nr 10 Richtung De Koog. In De Koog der Hauptstraße sowie den CP-Schildern De Shelter/Om de Noord folgen.

De Koog (Texel), NL-1796 AA / Noord-Holland

Texelcamping Kogerstrand	1 BDEG**IL**NOPRT	KM**N**Q 6
Badweg 33	2 EHOPQTVWX	ABDE**FGH** 7
26 Mär - 25 Okt	3 ABE**K**LT	ACDE**FG**JNQRSV 8
+31 (0)222-390112	4 ABCFHIO**PQ**	AFLUVW 9
info@texelcampings.nl	5 ADEGIJK**L**	ABEFHIJ**NP**STYZ10
	6A CEE	❶ €31,50
N 53°6'3'' E 4°45'30''	52 ha 1020**T**(20-100m²) 234**D**	❷ €42,70

Von De Koog über die Düne fahren. CP liegt in den Dünen zwischen De Koog und der Nordsee. Ab der Fähre die N501 nehmen. Am Kreisverkehr 10 in Ri. De Koog fahren. Im Zentrum Durchgangsstr. folgen. Achten Sie auf die CP-Schilder.

Den Burg (Texel), NL-1791 PE / Noord-Holland

't Woutershok	1 AEG**JM**NOPQT	**NQ** 6
Rozendijk 38	2 BHPQVWX	A**B**DE**FG**H 7
26 Mär - 11 Okt	3 BELV	ABCDEFHJKNQRSTU 8
+31 (0)222-313080	4 FH	VW 9
info@woutershok.nl	5 **L**	ABEHJMPRZ10
	B 6-16A CEE	❶ €34,05
N 53°3'32'' E 4°45'33''	6 ha 165**T**(120-195m²)	❷ €44,25

Ab der Fähre der N501 folgen. Am Kreisel (10) Richtung De Koog. Am Kreisel 11 links ab und den CP-Schildern folgen.

Den Burg (Texel), NL-1791 NS / Noord-Holland

De Bremakker	1 AEGIKNORT	**NQ** 6
Tempelierweg 40	2 BHPQWX	**FG**H 7
27 Mär - 30 Okt	3 BEFLT	LMNQTU 8
+31 (0)222-312863	4 BCFHILO**PQ**	JVW 9
info@bremakker.nl	5 ADEGIL	ABEHJ**NP**STZ10
	10A CEE	❶ €34,70
N 53°4'20'' E 4°45'28''	7 ha 32**T**(100m²) 169**D**	❷ €45,40

Ab der Fähre der N501 folgen. Im Kreisverkehr 10 und 11 geradeaus Richtung De Koog fahren. Bei Ausfahrt 12 links abbiegen. Am Anfang des Tannenwaldes rechts abbiegen.

Den Burg (Texel), NL-1791 NP / Noord-Holland

De Koorn-aar	1 ADEG**IL**NOPQRST	**NQ** 6
Grensweg 388	2 BHPQVWX	D**FG**H 7
28 Mär - 31 Okt	3 ABELT	LMNQTU 8
+31 (0)222-312931	4 HIL	JV 9
info@koorn-aar.nl	5 ADGJL	ABEHJM**P**RZ10
	10A CEE	❶ €35,20
N 53°3'50'' E 4°45'34''	5,5 ha 80**T**(150m²) 106**D**	❷ €46,00

Ab der Fähre der N501 folgen. Am Kreisverkehr 10 in Richtung De Koog fahren. Am Kreisverkehr 11 links abbiegen und dann der ersten Straße rechts folgen.

Den Helder, NL-1783 BW / Noord-Holland

De Donkere Duinen	1 ADE**JM**NOPQRST	**N**QW 6
Jan Verfailleweg 616	2 BGHOPQVWXY	ABDE**FGH** 7
16 Apr - 4 Sep	3	ABCDEFNPRSTUV 8
+31 (0)223-614731	4	J 9
info@donkereduinen.nl	5 L	ABDEGHJ**P**R10
	Anzeige auf dieser Seite 4-16A CEE	❶ €24,00
N 52°56'12'' E 4°44'1''	5,5 ha 177**T**(100-140m²) 13**D**	❷ €33,50

Der CP liegt von Den Helder nach Callantsoog kurz außerhalb der Stadt.

Den Hoorn, NL-1797 RN / Noord-Holland

Texelcamping Loodsmansduin	1 ABDE**JM**NOPQRST	ABFGM**NQ** 6
Rommelpot 19	2 HPQVWXY	ABDE**FG**H 7
1 Jan - 31 Dez	3 ABELMT	ABCDEFGHJNPQRSTUV 8
+31 (0)222-390112	4 ABCGHILO**PQ**	JUVW 9
info@texelcampings.nl	5 ADGIJL	ABEFGHJM**NP**TUYZ10
	FKK 16A CEE	❶ €32,70
N 53°1'17'' E 4°44'28''	38 ha 373**T**(60-120m²) 260**D**	❷ €43,90

Von der Fähre auf die N501. Ausfahrt 3 nehmen. Jetzt den grünen oder weißen CP-Schildern 'Loodsmansduin' folgen.

Edam, NL-1135 PZ / Noord-Holland

Strandbad	1 ADEHKNOPRST	FLM**N**QS**X**Y**Z** 6
Zeevangszeedijk 7A	2 DFGIOPSWX	A**B**D**EFGH**IK 7
27 Mär - 30 Sep	3 ABEFKL	ABCDE**FG**HIJKNQRSV 8
+31 (0)299-371994	4 FHIO	FLV 9
info@campingstrandbad.nl	5 ADEGIJKL	ABCDFGHJPRYZ10
	Anzeige auf dieser Seite B 10A CEE	❶ €25,10
N 52°31'7'' E 5°4'26''	4,5 ha 150**T**(60-80m²) 117**D**	❷ €33,10

N247 Amsterdam-Volendam-Hoorn. Ausfahrt Edam-Noord, den CP-Schildern folgen. Navigation abschalten!

Egmond aan den Hoef, NL-1934 PR / N-Holland

De Markiess	1 ABE**IL**NOR**T**	6
Driehuizerweg 1A	2 AOPQWX	A**B**D**EFG** 7
3 Sep - 27 Sep	3 ABE**IK**L	ACE**F**NRS 8
+31 (0)72-5062274	4 HIKO	V 9
info@demarkiess.nl	5 K**L**	ABCGHIJ**P**ST10
	6A CEE	❶ €23,00
N 52°38'2'' E 4°39'37''	2,2 ha 100**T**(80-100m²) 60**D**	❷ €28,90

Alkmaar Ring West. Ausfahrt Egmond. Richtung Egmond. 500m hinter der AVIA-Tankstelle rechts ab Kromme Dijk, 200m weiter links in den Driehuizerweg einfahren. CP ist rechts der Straße.

Egmond aan Zee, NL-1931 AV / N-Holland

Kustcamping Egmond aan Zee	1 ABCDEJMNOPQRST	ABFG 6
Nollenweg 1	2 OPQUVWX	ABDE**FG**H 7
1 Jan - 31 Dez	3 BE**K**LQ**S**	ABCDEFJNQRSTU 8
+31 (0)72-5061702	4 BFHILO	IJVWXY 9
info.egmondaanzee@ roompot.nl	5 ACDEFGIJKL	ABEFGHIJO**PQ**ST10
	10A CEE	❶ €50,45
N 52°37'19'' E 4°38'17''	11 ha 73**T**(100-120m²) 153**D**	❷ €54,90

Alkmaar Ring West, Abfahrt Egmond. Durchfahren bis zur Ampel. Bei Egmond rechts ab Richtung Egmond aan Zee. An der 2. Ampel rechts. Nach 150m rechts ab, schmaler Weg, dieser führt zum CP.

Enkhuizen, NL-1601 PC / Noord-Holland

De Vest	1 A**JM**NOPR**T**	**N** 6
Noorderweg 31	2 PVWX	AB 7
1 Apr - 6 Okt	3	AEFNQRV 8
+31 (0)228-321221	4 FH	9
info@campingdevest.nl	5	ABFHJST10
	6A CEE	❶ €19,50
N 52°42'32'' E 5°17'17''	2,5 ha 48**T**(60-100m²)	❷ €28,40

Zwischen Zentrum von Enkhuizen und Enkhuizerzand CP-Schild gleich bei Einfahrt. Fällt nicht gut auf.

Legende Karten

Ein offenes Zelt bedeutet daß sich hier ein Campingplatz befindet.

Ein geschlossenes Zelt bedeutet daß hier mehrere Campingplätze zu finden sind.

Campingplätze die CampingCard ACSI akzeptieren.

70 Auf dieser Seite finden Sie das Teilgebiet.

73 Pfeile mit Seitenangaben am Kartenrand verweisen auf angrenzende Gebiete.

Die Übersichtskarte des betreffenden Landes und im welchen Teilgebiet Sie sich befinden.

Enkhuizen, NL-1601 LK / Noord-Holland

Enkhuizer Zand	1 AEJMNOPQRST	EFGHILNQSTXYZ 6
Kooizandweg 4	2 DGHPVWX	ABFGH 7
1 Apr - 30 Sep	3 AEIL	ABCDEFGNRSTUV 8
+31 (0)228-317289	4 HILOPRSUVZ	9
+31 (0)228-312211	5 ABDIKL	ABFGHIJOSTZ 10
	4A CEE	❶ €26,50
N 52°42'35'' E 5°17'42''	4,5 ha 120T(80-120m²) 200D	❷ €38,50

Vom Zentrum Enkhuizen Richtung Strand/Enkhuizerzand. Von Lelystad und Hoorn unter der Bahnüberführung durch, 2. Ampel rechts. Dann CP-Schildern folgen.

Graft, NL-1484 EN / Noord-Holland

Camping Tuinderij Welgelegen	1 AGHKNORT	NX 6
Raadhuisstraat 24A	2 PSWX	ABDFG 7
1 Apr - 1 Okt	3 BL	AEFNQRV 8
+31 (0)299-673032	4 FHK	EQR 9
mail@	5 L	AFGHIJPQTZ 10
campingtuinderijwelgelegen.nl	B 6A CEE	❶ €17,00
N 52°33'45'' E 4°49'58''	2 ha 25T(60-80m²) 82D	❷ €20,00

N244 Purmerend-Alkmaar. Ausfahrt Graft/Driehuizen. Richtung Graft. Vor dem Rathaus rechts ab, diese kleine Straße führt zum CP.

Haarlem, NL-2033 AD / Noord-Holland

De Liede	1 GJMNORT	JNQSXZ 6
Lieoever 68	2 ACP	ABDEFG 7
1 Jan - 31 Dez	3 AKL	ABCDEFJNQRV 8
+31 (0)23-5358666	4 HIOQ	FPQV 9
info@campingdeliede.nl	5 DEGIKL	ABEGHJR 10
	4A CEE	❶ €20,00
N 52°22'40'' E 4°40'34''	1,5 ha 80T(40-90m²) 33D	❷ €27,00

A9 am Rottepolderplein die A200 Richtung Haarlem nehmen. Rechts ab zur Überführung. Den CP-Schildern folgen.

Halfweg, NL-1165 NA / Noord-Holland (CC€14)

DroomPark Spaarnwoude	1 ADJMNOPRST	EFGLN 6
Zuiderweg 2	2 ABDGHPSUXY	ABDEFGH 7
27 Mär - 24 Okt	3 BEKLQT	ABCDFJKNRSV 8
+31 (0)20-4972796	4 BHILOQRST	FJV 9
spaarnwoude@	5 ABDGIKL	ABFGHJNOR 10
droomparken.nl	B 6A CEE	❶ €24,00
N 52°23'45'' E 4°45'15''	15 ha 60T(90-100m²) 138D	❷ €32,00

A9, bei Rottepolderplein auf die A200 Richtung Amsterdam. Ausfahrt Zwanenburg-Halfweg (1. Ausfahrt). Dann CP-Schildern folgen.

Hilversum, NL-1213 PZ / Noord-Holland (CC€14)

De Zonnehoek	1 ADEGJMNOPQRST	F 6
Noodweg 50	2 BPQXY	ABFGH 7
15 Mär - 31 Okt	3 AEKL	ABCDFKNRSTUV 8
+31 (0)35-5771926	4 BDFHIOQ	9
info@campingzonnehoek.com	5 DEGJKL	ABDHJNPST 10
	B 4A CEE	❶ €17,00
N 52°11'37'' E 5°9'17''	4 ha 60T(80-100m²) 60D	❷ €20,00

A27, Ausfahrt 33 Hilversum, Richtung Loosdrecht. Danach Schildern 'Vliegveld Hilversum' folgen.

Hoorn/Berkhout, NL-1647 DR / N-Holland (CC€16)

't Venhop	1 ADEGILNOPRT	NXZ 6
De Hulk 6a	2 APVWXY	ABDEFGH 7
1 Jan - 31 Dez	3 ABKLS	ABCDEFJNRTUV 8
+31 (0)229-551371	4 FHIO	FJQR 9
info@venhop.nl	5 ABEGIJKL	ABCDEFGHPST 10
	10A CEE	❶ €28,00
N 52°37'55'' E 5°0'42''	8,5 ha 80T(80-100m²) 164D	❷ €34,00

A7, Purmerend-Hoorn Ausfahrt 7, Berkhout. An der Ampel links ab CP-Schildern folgen.

Julianadorp aan Zee, NL-1787 CX / N-Holl. (CC€16)

Ardoer camping 't Noorder Sandt	1 ADEJMNOPQRST	EFGHIKNQS 6
Noorder Sandt 2	2 EGHPQVWXY	ABDEFGHI 7
28 Mär - 25 Okt	3 ABEGHKLQT	ABCDEFGJKNQRSTUV 8
+31 (0)223-641266	4 BCHILOQT	JLQVX 9
noordersandt@ardoer.com	5 ACDEFGJKL	ABEFGHJPQRZ 10
	B 10A CEE	❶ €39,00
N 52°54'22'' E 4°43'29''	11 ha 180T(100m²) 227D	❷ €50,90

N9, Ausfahrt Julianadorp. Im Ort geradeaus nach Julianadorp aan Zee. An der Küstenstraße rechts ab und CP-Schildern folgen.

Julianadorp aan Zee, NL-1787 PP / N-Holl. (CC€16)

De Zwaluw	1 AEJMNOPQRST	KNQ 6
Zanddijk 259	2 EHPQVW	ABDEFG 7
27 Mär - 11 Okt	3 BKLPT	ABCDEFGJNPQRSV 8
+31 (0)223-641492	4 HO	DL 9
campingdezwaluw@	5 ABDGJKL	ABDGHJPRZ 10
quicknet.nl	Anzeige auf dieser Seite 6-16A CEE	❶ €27,25
N 52°53'43'' E 4°43'4''	2 ha 76T(50-100m²) 70D	❷ €36,35

Von Alkmaar (N9), 1. Ausfahrt Julianadorp (Süd). Von Den Helder (N9) 2. Ausfahrt Julianadorp (Süd). Den Schildern 'Kustrecreatie' folgen. An den Dünen rechts ab. 1. CP in Julianadorp aan Zee rechts.

Landsmeer/Amsterdam, NL-1121 AL / Noord-Holland

Het Rietveen	1 AILNOPRST	LNQSXYZ 6
Noordeinde 130	2 ADFGHOPVWXY	ABDE 7
1 Jan - 31 Dez	3 K	ABCDEFNRV 8
+31 (0)20-4821468	4 H	9
info@campinghetrietveen.nl	5	ABGHIJR 10
	10A CEE	❶ €25,00
N 52°26'10'' E 4°54'44''	1,5 ha 80T(100-130m²)	❷ €31,00

A10, Ring Amsterdam, Ausfahrt S117 Landsmeer Richtung Den Ilp. Der Platz ist ± 600m links der Strecke hinter dem Geschäftszentrum von Landsmeer.

Loosdrecht, NL-1231 AZ / Noord-Holland

Recreatiecentrum Mijnden	1 ADEJMNOPRST	LNXYZ 6
Bloklaan 22A	2 CDGHOPVWX	ABDEFGH 7
4 Apr - 30 Sep	3 ABEKLQST	ABCDFGJKNPQRSTUV 8
+31 (0)294-233165	4 BFHI	FLNPQVW 9
info@mijnden.nl	5 ACDJKL	ABFGHIJNPRYZ 10
	B 10A CEE	❶ €26,00
N 52°12'9'' E 5°1'50''	25 ha 200T(80-100m²) 195D	❷ €36,00

Von Hilversum Richtung Loosdrecht-Loenen. Ab Loenen und Breukelen Richtung Loosdrecht. CP ist gut ausgeschildert.

Noord-Scharwoude, NL-1723 PX / Noord-Holland

DroomPark Molengroet	1 ADEILNOPQRST	ABLNOPQSXZ 6
Molengroet 1	2 DGHIPVX	ABDEFGH 7
28 Mär - 2 Nov	3 ABEFKLQT	ABCDEFJKNPQRSTUV 8
+31 (0)226-393444	4 BFHIKLOP	GJVY 9
molengroet@droomparken.nl	5 ADEFGIJKL	ABEFGHIJMPRYZ 10
	B 10A CEE	❶ €25,80
N 52°41'41'' E 4°46'15''	11 ha 150T(80-100m²) 84D	❷ €37,10

N245 Alkmaar-Schagen. Ausfahrt Geestmerambacht/ CP-Schild Molengroet.

Petten, NL-1755 LA / Noord-Holland (CC€16)

Corfwater	1 ADEGHKNORT	KMNOPQSWXY 6
Strandweg 3	2 EFHOPQUVW	ABDEFGH 7
27 Mär - 4 Okt	3 BL	ABCDEFGJKLNQRSV 8
+31 (0)226-381981	4 FHIO	FV 9
camping@corfwater.nl	5 ABK	ABFGHIJPTYZ 10
	B 6A CEE	❶ €30,70
N 52°46'14'' E 4°39'33''	5,5 ha 250T(80-120m²) 54D	❷ €39,90

N9 Alkmaar-Den Helder. Am Kreisverkehr in Burgervlotbrug Richtung Petten. Bis zum Kreisverkehr an den Dünen. Geradeaus den CP-Schildern folgen.

Niederlande

Teilkarte Nord-Holland auf Seite 161

Petten, NL-1755 KK / Noord-Holland

De Watersnip	1 ADEHKNOPQRST	ABFGH**N** 6
Pettemerweg 4	2 GOPQVWX	ABDE**FGH** 7
27 Mär - 4 Okt	3 ABDEFLMT	ABCDE**F**JKNQRSTUV 8
+31 (0)226-381432	4 BCDHILO**PQ**	EFJLVWY 9
info@watersnip.nl	5 ACDEFGIJK**L**	ABEGHIJ**NP**QSTXYZ 10
	Anzeige auf Seite 167 B 10A CEE	① €32,50
N 52°45'37'' E 4°39'46''	18 ha 250**T**(80-100m^2) 240**D**	② €40,50

N9 Alkmaar-Den Helder. Kreisel Burgervlotbrug Richtung Petten. CP liegt rechter Hand am Kreisel, kurz vor dem Kreisel an den Dünen.

Schoorl, NL-1871 AP / Noord-Holland

De Bregman	1 AG**IL**NORT	6
Gerbrandtslaan 18	2 PQVX	A**B**D**EFG**H 7
3 Apr - 30 Sep	3 AB**K**LT	ABCDEFGHJKNQRSTUV 8
+31 (0)72-5091959	4 H	JV 9
info@campingdebregman.nl	5 ADEGIJK**L**	ABCGHJ**P**ST 10
	Anzeige auf dieser Seite B 6-10A CEE	① €30,40
N 52°41'33'' E 4°42'33''	3,2 ha 120**T**(70-100m^2) 21**D**	② €41,80

N9 Alkmaar-Den Helder. In Schoorldam Richtung Schoorl. Von Schoorl Richtung Bergen (Duinweg). Nach 1,6 km links ab. CP-Schildern folgen.

Schoorl, NL-1871 CD / Noord-Holland

Kampeerterrein Buitenduin	1 AGHKNOR**T**	6
Molenweg 15	2 OPQVWX	A**B**D**EFG** 7
27 Mär - 1 Nov	3 AE**K**L	ACDEFJNQRTUV 8
+31 (0)72-5091820	4 EFH	E 9
buitenduin@hetnet.nl	5 L	ABCDFGJ**P**Z 10
	Anzeige auf dieser Seite 10A CEE	① €25,80
N 52°42'24'' E 4°41'49''	1,2 ha 31**T**(70-90m^2) 37**D**	② €35,60

N9 Alkmaar-Den Helder, Ausfahrt Schoorl, Richtung Schoorl. Kurz vor der Ampel am Fußgängerüberweg rechts. Vor 'Molen' rechts ab.

St. Maarten, NL-1744 KP / Noord-Holland

Camping de Wielen	1 A**JM**NOPQRT	ABFG**N** 6
Killemerweg 2	2 DGPVWXY	ABDE**FG** 7
1 Apr - 30 Sep	3 BE**K**LQS	ABCDE**F**JKNQRSTU 8
+31 (0)224-561018	4 BDFHILO**PQ**	9
info@campingdewielen.nl	5 ADEGIL	ABEHJPR 10
	10A CEE	① €24,00
N 52°46'9'' E 4°45'5''	7,5 ha 45**T**(100m^2) 85**D**	② €28,00

N245 Alkmaar-Schagen. Ausfahrt St. Maarten. Richtung St. Maarten fahren. Kurz vor St. Maarten rechts ab.

St. Maartenszee, NL-1753 KA / Noord-Holland

AanNoordzee.nl	1 EG**IL**NOPRT	**N** 6
Westerduinweg 34	2 OPQVWX	**FG**H 7
28 Mär - 19 Okt	3 ABELM	CDEFJLMNQTU 8
+31 (0)224-563109	4 FH	JVWY 9
info@aannoordzee.nl	5	ABCEHJ**P**RZ 10
	10A CEE	① €41,50
N 52°47'59'' E 4°41'40''	8 ha 180**T**(100-120m^2) 28**D**	② €44,00

N9 Alkmaar-Den Helder. In St. Maartensvlotbrug Richtung St. Maartenszee bis zum Kreisverkehr an den Dünen. Rechts ab, ca. 800m, 2. CP rechts.

St. Maartenszee, NL-1753 BA / Noord-Holland

De Lepelaar	1 ABDEG**JM**NOPRT	6
Westerduinweg 15	2 FQTVWXY	A**B**D**EFG** 7
28 Mär - 27 Sep	3 ABELQ	ABCDE**FGI**JKNQRSV 8
+31 (0)224-561351	4 BFHILO	AFJV 9
info@delepelaar.nl	5 ABDFGIKL	ABFGHIJ**NO**TUVYZ 10
	10A CEE	① €29,40
N 52°48'9'' E 4°41'48''	16 ha 270**T**(20-80m^2) 6**D**	② €37,35

N9 Alkmaar-Den Helder, Ausfahrt St. Maartenszee bis zum Kreisel an den Dünen. Dort rechts. Rezeption nach ca. 1 km links. Erst neben dem Weg parken.

St. Maartenszee, NL-1753 KD / Noord-Holland

Golfzang	1 AG**JM**NOQRT	6
Belkmerweg 79	2 OPQVWXY	A**B**D**EFG** 7
1 Apr - 1 Okt	3 AEL	ABCDE**F**JNQRSUV 8
+31 (0)224-562905	4 DHILO**PQ**	9
info@campinggolfzang.nl	5 ACDFGKL	ABEFHJ**NP**STY 10
	6A CEE	① €24,00
N 52°47'10'' E 4°41'52''	2 ha 40**T**(60-80m^2) 60**D**	② €30,00

N9 Alkmaar-Den Helder. In St. Maartensvlotbrug Ri. St. Maartenszee. Nach ± 500m links ab. CP liegt nach 300m rechts.

St. Maartenszee, NL-1753 BA / N-Holland

St. Maartenszee	1 AE**IL**NOPRST	6
Westerduinweg 30	2 OPQVWX	ABD**EFGH**IK 7
28 Mär - 4 Okt	3 ABE**I**LT	ABCDFGJK**L**NPQRSTUV 8
+31 (0)224-561401	4 BFHILO	FJV 9
sintmaartenszee@ardoer.com	5 ACEFGIJKL	ABDEFGHIJPQSTYZ 10
	B 6-10A CEE	① €33,00
N 52°47'39'' E 4°41'22''	5 ha 300**T**(60-90m^2) 20**D**	② €41,00

N9 Alkmaar-Den Helder. In St. Maartensvlotbrug Richtung St. Maartenszee. Bis zum Kreisverkehr an den Dünen. Rechts ab, erster CP rechts.

Tuitjenhorn, NL-1747 CA / Noord-Holland

Campingpark de Bongerd	1 ABDEG**JM**NOPQRT	ABFGH**N** 6
Bongerdlaan 3	2 PVWX	ABDE**FG**HK 7
1 Apr - 27 Sep	3 ABCDEI**K**LMQST	ABDFJKNQRSTU 8
+31 (0)226-391481	4 BHIKL	HJV 9
info@bongerd.nl	5 ACDIKL	BDEHIJMO**P**RYZ 10
	10A CEE	① €50,55
N 52°44'6'' E 4°46'33''	18 ha 156**T**(100-120m^2) 406**D**	② €60,55

N245 Alkmaar-Schagen, Ausfahrt Tuitjenhorn/Industriegebiet De Banne, dann den CP-Schildern folgen.

Uitdam, NL-1154 PP / Noord-Holland

Camping-Jachthaven Uitdam	1 ABDE**IL**NOPRS**T**	FL**N**QSW**X**Y**Z** 6
Zeedijk 2	2 DFGHIPSVWX	A**B**D**EFG** 7
1 Apr - 31 Okt	3 BLQ	ABCD**F**JNQRS 8
+31 (0)20-4031433	4 HIO	FJV 9
info@campinguitdam.nl	5 ACDEGJKL	ABFGHJMORY 10
	Anzeige auf dieser Seite 16A CEE	① €25,00
N 52°25'40'' E 5°4'26''	8 ha 200**T**(100m^2) 60**D**	② €31,50

N247 Amsterdam-Volendam. Ausfahrt Monnickendam Richtung Marken. Nach 5 km rechts ab Richtung Uitdam. CP liegt links hinterm Deich. GPS nicht beachten: über Monnickendam fahren. Nicht bei Broek in Waterland abbiegen.

Velsen-Zuid, NL-1981 LK / Noord-Holland

DroomPark Buitenhuizen	1 ADEG**JM**NOR	ABLN**X** 6
Buitenhuizerweg 2	2 ABCDOPWXY	AB 7
27 Mär - 24 Okt	3 ABE**J**LQT	ABCDEFJKNQRST 8
+31 (0)88-0551500	4 FHILOP**RST**	FJVY 9
buitenhuizen@droomparken.nl	5 ABDEGJKL	ABDFGHI**NO**TU 10
	B 6A CEE	① €27,00
N 52°25'54'' E 4°42'31''	20 ha 99**T**(100-120m^2) 260**D**	② €35,00

Auf der A9 Amsterdam-Alkmaar oder Alkmaar-Amsterdam, Ausfahrt IJmuiden. An der 1. Ampel rechts Richtung Amsterdam über die N202. Ausfahrt Golfplatz Spaarnwoude. CP nach 1 km rechts.

Velsen-Zuid, NL-1981 EH / Noord-Holland

Natuurkampeerterrein Schoonenberg	1 G**JM**NORT	6
Driehuizerkerkweg 15D	2 ABOPQVXY	A**B**D**E** 7
1 Apr - 31 Okt	3 A**KL**	ABCDFNR 8
+31 (0)255-523998	4	V 9
	5 **L**	ABJO**ST** 10
info@campingschoonenberg.nl	4A CEE	① €20,70
N 52°27'10'' E 4°38'24''	2,5 ha 82**T**(60-100m^2)	② €29,10

Über die A9 auf die A22, dann N202 Richtung IJmuiden folgen. CP mit kleinen Schildern angezeigt.

Vogelenzang, NL-2114 AP / Noord-Holland

Vogelenzang	1 ADEHKNOPRT	AF 6
Tweede Doodweg 17	2 BGPVWXY	ABDE**FG** 7
1 Apr - 30 Sep	3 AE**K**L	ACDEFJNRS 8
+31 (0)23-5847014	4 BHIL	V 9
camping@vogelenzang.nl	5 ACDEGIK	ABDGHIJ**P**ST 10
	B 16A CEE	① €30,60
N 52°18'55'' E 4°33'46''	22 ha 250**T**(80-120m^2) 300**D**	② €39,00

N206 Haarlem-Leiden. Beim Vogelenzang CP-Schild. Von Haarlem rechts ab, von Leiden links ab.

Teilkarte Nord-Holland auf Seite 161

Warmenhuizen, NL-1749 VW / Noord-Holland

Camping de Kolibrie
De Groet 2
14 Mär - 25 Okt
+31 (0)226-394539
info@dekolibrie.eu

1 AEG**IL**NOPR**T**		6
2 FPVW	ABF**G**H	7
3 AE**GHK**LS	ABE**F**HJNRSTUV	8
4 BHIKLO	FJV	9
5 AL	ABFGHJ**P**T	10
B 16A CEE		❶ €19,30
4 ha 100**T**(150-280m²) 15**D**		❷ €24,30

N 52°41'58'' E 4°44'46''

N245 Alkmaar-Schagen, Ausfahrt N504 Schoorl/Koedijk. Bis zum Kanal, dann rechts. 1. Straße rechts. An der 3er-Gabelung rechts (Diepsmeerweg). Der Straße bis zum CP folgen.

Wijdenes, NL-1608 EX / Noord-Holland

Het Hof
Zuideruitweg 64
27 Mär - 25 Okt
+31 (0)229-501435
info@campinghethof.nl

1 ADEG**IL**NOPQRT	ABFG**N**	6
2 OPVWXY	AB**FG**	7
3 B**K**L	ABCDFHJNRSV	8
4 HIO	E	9
5 ADEGIL	ABDGHJ**P**STY	10
Anzeige auf dieser Seite 6A CEE		❶ €22,50
2,5 ha 55**T**(80-100m²) 56**D**		❷ €30,00

N 52°37'32'' E 5°9'16''

A7, Purmerend-Hoorn, Ausfahrt 8 Hoorn. N506 Richtung Enkhuizen. Nach 10 km bei der Taverne 'Tako's wok' rechts ab Richtung Wijdenes. Den Schildern folgen.

Zandvoort, NL-2041 JA / Noord-Holland

de Branding
Boulevard Barnaart 30
27 Mär - 5 Okt
+31 (0)23-7516800
info@campingdebranding.nl

1 ADEG**J**KNOPR**T**	KMQR	6
2 EHOPQW	AB**FG**	7
3 B	AB**F**JNR	8
4 O	EFLV	9
5 ABGKL**M**	AHIKLORZ	10
Anzeige auf dieser Seite 4A CEE		❶ €39,00
3 ha 150**T** 149**D**		❷ €49,00

N 52°23'11'' E 4°32'7''

Von der A9 Rottepolderplein die A200, später der N200 Richtung Haarlem/Overveen/Bloemendaal aan Zee/Zandvoort folgen. Letzter CP vor Zandvoort an der linken Seite. (Hinter der Tankstellenausfahrt TinQ).

IJmuiden, NL-1976 BZ / Noord-Holland

De Duindoorn
Badweg 40
1 Apr - 30 Sep
+31 (0)255-510773
camping@duindoorn.nl

1 GHKNOR**T**	KMNQS	6
2 AEOPQUW	A**BFGH**	7
3 B**K**L	AB**F**NRV	8
4 FHILO	VY	9
5 CKL	ABHJL**NO**STZ	10
6A CEE		❶ €28,20
5 ha 150**T**(65m²) 150**D**		❷ €42,00

N 52°27'19'' E 4°34'24''

A9/A22 Richtung IJmuiden. Am Ende der Straße Richtung Velsen zur Fähre, Richtung IJmuiden aan Zee. CP an der Fähre beschildert.

Süd-Holland

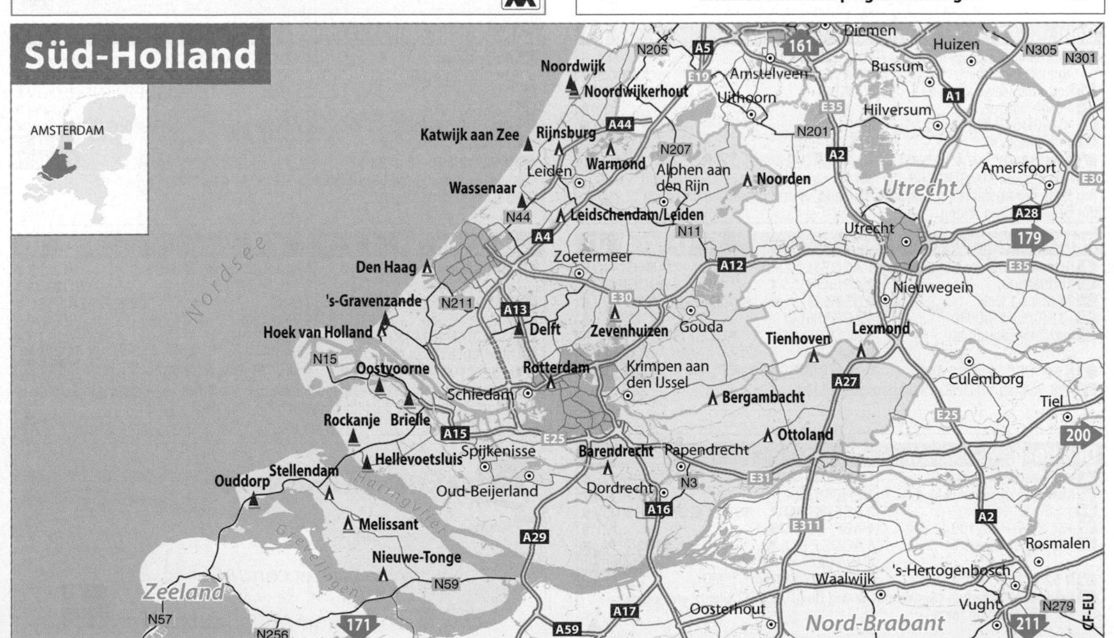

Niederlande

Barendrecht, NL-2991 SB / Zuid-Holland

Recreatiepark de Oude Maas
Achterzeedijk 1a
1 Jan - 31 Dez
+31 (0)78-6772445
info@recreatieparkdeoudemaas.nl
N 51°49'57'' E 4°33'8''

1 ADEGILNOPQRST	NXYZ 6
2 ACPVWX	ABFG 7
3 BL	ABCDEFJNQRTU 8
4 H	9
5 K	ABEFGHJPSTZ 10
B 12A CEE	❶ €22,00
12 ha 90T(100-120m²) 125D	❷ €29,00

A29, Ausfahrt Barendrecht, Schildern folgen. A15, Abfahrt Barendrecht und dann Schildern folgen.

's-Gravenzande, NL-2691 KV / Zuid-Holland

Jagtveld
Nieuwlandsedijk 41
1 Apr - 1 Okt
+31 (0)174-413479
info@jagtveld.nl
N 51°59'48'' E 4°8'1''

1 AHKNORT	KMNQS 6
2 EHOPW	ABDEFGH 7
3 BL	ABCDFJNQRSTUV 8
4 ABDEFHIP	9
5 KL	ABCHJNPRZ 10
5A CEE	❶ €24,50
3,3 ha 35T(60-120m²) 150D	❷ €34,50

Von Rotterdam A20 und N220 Richtung Hoek van Holland. Am Ende der N220 (Maasdijk) geradeaus. Auch über die N211 und Richtung Hoek zu erreichen.

Bergambacht, NL-2861 EV / Zuid-Holland

De Nes
Lekdijk West 105
1 Apr - 1 Okt
+31 (0)182-352072
campingdenes@hetnet.nl
N 51°54'49'' E 4°45'13''

1 ABEILNORT	6
2 CDGHOPVW	ABDEFGH 7
3 ABELM	AEFNRTUV 8
4 FHIK	FV 9
5 ADKL	ABEFGHIJNOR 10
10A CEE	❶ €13,00
28 ha 50T(104m²) 403D	❷ €16,40

Auf der N210 oder N207 den CP-Schildern folgen. CP ist ab Schoonhoven ausgeschildert.

's-Gravenzande, NL-2691 KR / Zuid-Holland

Vlugtenburg
't Louwtje 10
1 Jan - 31 Dez
+31 (0)174-412420
info@vlugtenburg.nl
N 52°0'7'' E 4°8'11''

1 ACDEJMNOPQRT	KM 6
2 EHOPQVX	ABFG 7
3 ABL	ABCDEFJNQRSTUV 8
4 ABFHO	EFJV 9
5 ADEFIL	ABEFGHIJMNORZ 10
16A CEE	❶ €36,00
7 ha 50T(80-150m²) 86D	❷ €46,00

Von Rotterdam die A20 und N220 Richtung Hoek van Holland. In 's-Gravenzande der Campingbeschilderung folgen. Von Den Haag Richtung Hoek van Holland über die N211, der Beschilderung folgen.

Brielle, NL-3231 AA / Zuid-Holland

Camp. Jachthaven de Meeuw
Batterijweg 1
28 Mär - 25 Okt
+31 (0)181-412777
info@demeeuw.nl
N 51°54'24'' E 4°10'31''

1 ADEJMNOPQRT	LNQSXYZ 6
2 DGHPVWX	ABDFGH 7
3 BEKL	ADEFIJNQRSTUV 8
4 BHIOP	FJV 9
5 BDEIKL	ABGHJPRZ 10
10A CEE	❶ €26,35
13 ha 165T(80-130m²) 256D	❷ €27,70

A15 Ausfahrt Europoort anhalten. Brielle folgen. In Brielle ausgeschildert.

Hellevoetsluis, NL-3221 LJ / Zuid-Holland

't Weergors
Zuiddijk 2
1 Apr - 1 Nov
+31 (0)181-312430
weergors@pn.nl
N 51°49'47'' E 4°6'57''

1 ADEJMNOPQRST	FNQSXY 6
2 HPX	ABDEFGH 7
3 BELM	ABCDEFGJKNQRSV 8
4 ILO	EFJKLVY 9
5 CDJKL	ABEFGHJNPRZ 10
6A CEE	❶ €23,70
7 ha 100T(90m²) 169D	❷ €28,95

N57, Abfahrt Hellevoetsluis. Den Schildern folgen.

Brielle, NL-3231 NC / Zuid-Holland

De Krabbeplaat
Oude Veerdam 4
28 Mär - 30 Sep
+31 (0)181-412363
info@krabbeplaat.nl
N 51°54'36'' E 4°11'5''

1 ACDEJMNOPQRT	LNQSXYZ 6
2 DGHPVX	ABCDEFGH 7
3 BEKLMT	ABCDEFNQRSV 8
4 AFHILOP	FLPQRTVWY 9
5 ACDEIKL	ABEFGHIJNPRZ 10
10A CEE	❶ €29,00
18 ha 68T(81-120m²) 362D	❷ €36,70

A16 Breda-Rotterdam, Ausfahrt Europoort. Dieser Straße folgen bis Brielle. Vor Brielle ausgeschildert (Ausfahrt Brielse Maas-Noord).

Hellevoetsluis, NL-3221 LV / Zuid-Holland

De Quack
Parkweg 2
27 Mär - 31 Dez
+31 (0)181-312646
info@dequack.nl
N 51°50'17'' E 4°5'25''

1 ADEILNORT	LNQSXY 6
2 DEHOPVWX	ABDFGH 7
3 ABCDEKLMPT	ABCDEFNQRSV 8
4 IP	FJVWY 9
5 BDIKL	ABDFGHJNPSTZ 10
10A CEE	❶ €23,10
16 ha 190T(100m²) 433D	❷ €32,05

N57, Ausfahrt Hellevoetsluis. Den Schildern folgen.

Delft, NL-2627 AS / Zuid-Holland

Delflandhoeve
Schieweg 166
30 Mär - 1 Okt
+31 (0)15-2129003
info@delflandhoeve.nl
N 51°58'27'' E 4°22'59''

1 AGILNORT	NU 6
2 ABGPWXY	ABE 7
3 K	ABEFJQRV 8
4 FH	QRV 9
5	AJOR 10
6A CEE	❶ €21,30
7,5 ha 35T(150m²)	❷ €28,60

Von der A13 Ausfahrt 10 Delft-Zuid. Weiter die 2. Ausfahrt links, unter der Brücke durch und 4,5 km dem Schieweg folgen (am Makro links vorbei).

Hoek van Holland, NL-3151 VP / Zuid-Holland

Hoek van Holland
Wierstraat 100
27 Mär - 1 Nov
+31 (0)174-382550
camping.hvh@hetnet.nl
N 51°59'22'' E 4°7'41''

1 ADEGHKNORT	NQ 6
2 HOPQVX	ABFG 7
3 BEL	ABCDEFNQRS 8
4 HI	F 9
5 ACDEJKL	ABEFGHIJRZ 10
6A CEE	❶ €31,60
5,5 ha 74T(100m²) 213D	❷ €32,10

A20 Den Haag-Rotterdam, Ausfahrt Hoek van Holland, ab hier ausgeschildert.

Delft, NL-2629 HE / Zuid-Holland

Naturistencamping Abtswoudse Hoeve
Rotterdamseweg 213-215
1 Jan - 31 Dez
+31 (0)15-2561202
info@navah.nl
N 51°58'40'' E 4°22'58''

1 AEGJMNOPRST	LN 6
2 DPW	ABFGH 7
3 AKLQ	ABEFJNQRV 8
4	Y 9
5 IK	ABFGHJPTUZ 10
FKK 10A CEE	❶ €26,10
13 ha 50T(100-120m²) 120D	❷ €26,10

A13 Ausfahrt 10 Delft-Süd, die N470 Richtung Delft Ausfahrt TU Delft. Am Ende der Ausfahrt links Midden-Delfland, Rotterdamseweg und dann der Beschilderung folgen.

Katwijk aan Zee, NL-2221 EW / Zuid-Holland

Recreatiecentrum De Noordduinen
Campingweg 1
1 Jan - 31 Dez
+31 (0)71-4025295
info@noordduinen.nl
N 52°12'37'' E 4°24'37''

1 ACDEGHKNOPQRST	ABEFGK 6
2 AEHOPRUVW	ABDEFGH 7
3 ABGL	ABCDEFJKNQRSTUV 8
4 ILO	EJVW 9
5 ACDEIJKL	ABCEGHIJNPTUZ 10
B 10A CEE	❶ €38,10
11 ha 180T(85-100m²) 181D	❷ €48,70

A44, Ausfahrt 8 (N206) Richtung Katwijk, Ausfahrt Katwijk-Noord. CP-Beschilderung folgen.

Delft, NL-2616 LJ / Zuid-Holland

Recreatiecentrum Delftse Hout
Korftlaan 5
27 Mär - 1 Nov
+31 (0)15-2130040
info@delftsehout.nl
N 52°1'5'' E 4°22'45''

1 ACDEILNORST	ABFGLNQ 6
2 ADGOPVWX	ABDEFGH 7
3 BEKLQ	ABCDFGJKNQRSTUV 8
4 ABEFHILO	BCEFJVY 9
5 ACDEGJKL	ABCEFGHIJNPQRZ 10
B 10A CEE	❶ €33,00
6 ha 170T(80-120m²) 66D	❷ €40,00

A13, Ausfahrt 9 Delft, ab hier ausgeschildert.

Katwijk aan Zee, NL-2225 JS / Zuid-Holland

Recreatiecentrum De Zuidduinen
Zuidduinseweg 1
1 Apr - 30 Sep
+31 (0)71-4014750
info@zuidduinen.nl
N 52°11'41'' E 4°23'26''

1 ACDEGHKNOPQRST	KQS 6
2 AEHPQRVW	ABDEFG 7
3 BLQ	ACDEFJKNQRSV 8
4 FHILOQ	EFVW 9
5 ACDEGIKL	ABEGHIJPTZ 10
B 4A CEE	❶ €39,10
5 ha 175T(70-90m²) 79D	❷ €46,70

Von der A44 und N206 Abfahrt Katwijk aan Zee fahren und dann den Schildern Zuid-Boulevard folgen. Anschließend den CP-Schildern folgen.

Den Haag, NL-2555 NW / Zuid-Holland

Kampeerresort Kijkduin
Machiel Vrijenhoeklaan 450
1 Jan - 31 Dez
+31 (0)70-4482100
info@kijkduinpark.nl
N 52°3'36'' E 4°12'43''

1 ACDJMNOPRST	EFGKNQS 6
2 EHOPQVX	ABDEFG 7
3 BEFIKLMRT	ABDEFGIJKLNRSTUV 8
4 ABFHIOPQSU	JVY 9
5 ACDEFGIJLM	ABEGHIKMNOQRYZ 10
B 10A CEE	❶ €45,00
29 ha 350T(80-120m²) 500D	❷ €49,00

Gelegen bei Kijkduin (Südwestecke von Den Haag). Schildern entlang der Straße nach Kijkduin folgen.

Teilkarte Süd-Holland auf Seite 167

Leidschendam/Leiden, NL-2266 BM / Zuid-Holland

Camping Vlietland | Rietpolderweg 11 | 15 Apr - 30 Sep | +31 (0)71-5612200 | info@wscvlietland.nl | N 52°7'20'' E 4°27'39''

1 ACDEGJMNORT LNQSTXYZ 6
2 ADGHIPVX ABDEFG 7
3 BLQ ABCDEFHNQRTUV 8
4 FH BFNOPQRTV 9
5 ABDEGIJKL ABFHJNR 10
6A CEE ❶ €27,60
1,2 ha 40T(50-96m²) 23D ❷ €33,00

A4 Amsterdam-Den Haag, Ausfahrt 7 Leiden/Vlietland. Schildern Vlietland c.q. zum CP folgen.

Lexmond, NL-4128 BT / Zuid-Holland

De Uiterwaard | Komlekdijk 1A | 1 Apr - 1 Okt | +31 (0)6-14682489 | info@campingdeuiterwaard.nl | N 51°58'3'' E 5°2'4''

1 AEGJMNOPQRST AJNXY 6
2 ACFGHOPQSVW ABFG 7
3 ALMT ACDEFJN 8
4 FHIOP E 9
5 EGHIL AIJNPR 10
10A CEE ❶ €15,00
2 ha 70T(80-130m²) 4D ❷ €15,00

Zentrum Lexmond, hinter der Kirche den Deich hoch. Nach 200m den Deich rechts am Campinghinweis verlassen.

Melissant, NL-3248 LH / Zuid-Holland

Elizabeth Hoeve | Noorddijk 8 | 15 Mär - 31 Okt | +31 (0)187-601548 | info@campingelizabethhoeve.nl | N 51°45'47'' E 4°4'10''

1 AJMNOPQRST NX 6
2 PVWX ABDFG 7
3 ABKLQS ABDEFNQRTUV 8
4 H 9
5 ABDGHIJPR 10
16A CEE ❶ €21,70
8 ha 18T(250m²) 80D ❷ €23,45

N215, von Hellevoetsluis oder Ouddorp beim Km-Pfahl 13,4 rechts ab, von Middelharnis bei Km-Pfahl 13,4 links ab.

Nieuwe-Tonge, NL-3244 LK / Zuid-Holland

de Grevelingen | Havenweg 1 | 20 Mär - 31 Okt | +31 (0)187-651259 | info@degrevelingen.nl | N 51°42'20'' E 4°8'10''

1 AEGJMNOPRST NQSTWXYZ 6
2 CDPVW ABFGH 7
3 BELQS ABCDEFINQRSTUV 8
4 IQ Y 9
5 DKL BFGHJNPRZ 10
10A CEE ❶ €18,80
6 ha 80T(100-125m²) 275D ❷ €24,80

N215, von Oude-Tonge Richtung Nieuwe-Tonge, ab hier ausgeschildert.

Noorden, NL-2431 AA / Zuid-Holland

Koole Kampeerhoeve | Hogedijk 6 | 27 Mär - 4 Okt | +31 (0)172-408206 | info@kampeerhoevekoole.nl | N 52°9'53'' E 4°49'8''

1 AGJMNORT N 6
2 OPX ABDE 7
3 BE ABCDEFJNRV 8
4 H FV 9
5 ABHJR 10
6A CEE ❶ €20,80
1 ha 30T(40-100m²) 11D ❷ €26,50

A2, Ausfahrt 5 Richtung Kockengen (N401). Hinter Kockengen im Kreisel rechts (N212), 1. Straße links Richtung Woerdens Verlaat/Noorden. CP in Noorden hinter der Kirche an der Straße mit eigenem Werbeschild ausgewiesen.

Noordwijk, NL-2204 AN / Zuid-Holland

De Carlton | Kraaierslaan 13 | 1 Apr - 1 Nov | +31 (0)252-372783 | campingdecarlton@gmail.com | N 52°16'17'' E 4°28'35''

1 AGJMNOPRT AB 6
2 APRVW ABFG 7
3 BGHKL ABFJNR 8
4 EFV 9
5 L ABDGHIJPR 10
B 10A CEE ❶ €26,60
2,1 ha 55T(100-150m²) 45D ❷ €39,20

A44, Ausfahrt 3 Sassenheim/Noordwijkerhout Richtung Noordwijkerhout. Am Kreisverkehr am Kongresszentrum rechts ab (Gooweg). Am nächsten Kreisverkehr links ab (Schulpweg). Hinter der Manege Bakker rechts ab.

Noordwijk, NL-2204 AS / Zuid-Holland

De Duinpan | Duindamseweg 6 | 1 Jan - 31 Dez | +31 (0)252-371726 | contact@campingdeduinpan.com | N 52°16'6'' E 4°28'11''

1 ADEGJMNOPRT 6
2 ANPRVWX ABFG 7
3 AK ABCDEFNRTUV 8
4 VW 9
5 K ABCEGHIJPRZ 10
16A CEE ❶ €28,50
3,5 ha 81T(100-140m²) ❷ €36,50

A44, Ausfahrt 3 Sassenheim/Noordwijkerhout, Ri. Noordwijkerhout. Am Kreisverkehr am Kongresszentrum rechts ab (Gooweg). Beim nächsten Kreisverkehr links ab (Schulpweg) geht über in Duindamseweg.

Noordwijk, NL-2204 AN / Zuid-Holland

De Wulp | Kraaierslaan 25 | 20 Mär - 31 Okt | +31 (0)252-372826 | camping@dewulp.nl | N 52°16'26'' E 4°28'40''

1 ADEGHKNOPQRST 6
2 APRVWX ABDEFG 7
3 AKL ABEFJNQRSTUV 8
4 IOPQ VW 9
5 ADEGIL ABCEFGHIJNOR 10
6A CEE ❶ €27,00
2,5 ha 49T(80-100m²) 100D ❷ €35,10

A44, Ausfahrt 3 Sassenheim/Noordwijkerhout, Richtung Noordwijk/ Noordwijkerhout. Im Kreisel am Kongresszentrum rechts Richtung Noordwijkerhout. Weiter den Schildern folgen.

Noordwijk, NL-2204 BC / Zuid-Holland

Le Parage | Langevelderlaan 43 | 15 Mär - 1 Okt | +31 (0)252-375671 | info@leparage.nl | N 52°16'57'' E 4°29'12''

1 ADEGJMNORT 6
2 APQVWX ABDEFGH 7
3 BEKL ABCEFJNRSV 8
4 FHIO VW 9
5 DEGIL ABGHIJPST 10
4A CEE ❶ €25,60
4 ha 45T(85-100m²) 125D ❷ €28,20

N206 Ausfahrt Langevelderslag, Richtung Langevelderslag. 2. Straße links. Am Ende rechts. CP ist ausgeschildert.

Noordwijkerhout, NL-2211 XR / Z-Holl.

Op Hoop van Zegen | Westeinde 76 | 15 Mär - 31 Okt | +31 (0)252-375491 | info@campingophoopvanzegen.nl | N 52°14'56'' E 4°27'49''

1 ADEJMNOPRT 6
2 APWX ABFGH 7
3 ABEL ACFGJKNQRSV 8
4 V 9
5 AKL ABCDFGHJPSTVZ 10
B 6A CEE ❶ €21,00
1,8 ha 120T(80-100m²) ❷ €24,50

A44, Ausfahrt Sassenheim/Noordwijkerhout, Richtung Noordwijkerhout. Am Kreisverkehr beim Kongresszentrum geradeaus. An der Gabelung links ab.

Noordwijkerhout, NL-2211 ZC / Zuid-Holland

Sollasi | Duinschooten 14 | 1 Apr - 1 Nov | +31 (0)252-376437 | info@sollasi.com | N 52°17'4'' E 4°30'19''

1 ADGJMNOPRST LNQSX 6
2 ADGHIPRVWX ABFG 7
3 BKLM ACDFNRSV 8
4 BDHIOQ VW 9
5 ACDGIL ABCGHIJMPR 10
6A CEE ❶ €30,50
20 ha 50T(60-80m²) 125D ❷ €30,50

A4, Ausfahrt Nieuw-Vennep, Richtung Lisse, Schildern Keukenhof folgen, Richtung Langevelderslag. Nach Viadukt zweite Straße links.

Oostvoorne, NL-3233 XD / Zuid-Holland

Gorshoeve | Kamplaan 4 | 1 Apr - 1 Okt | +31 (0)181-482318 | info@camping-gorshoeve.nl | N 51°55'16'' E 4°7'5''

1 AEGIKNOPRT 6
2 PVX AB 7
3 KL ABEFNQRSV 8
4 H J 9
5 JKL ABEHJPST 10
6A CEE ❶ €19,95
2,5 ha 40T(100m²) 67D ❷ €27,70

N15 Europoort-Oostvoorne. N218 Oostvoorne, Ausfahrt Kruininger Gors. Den Schildern 'Camping Gorshoeve' folgen.

Oostvoorne, NL-3233 XC / Zuid-Holland

Molecaten Park Kruininger Gors | Gorsplein 2 | 27 Mär - 30 Sep | +31 (0)181-482711 | kruiningergors@molecaten.nl | N 51°55'31'' E 4°7'55''

1 ADEGHKNOPQRT LNQSXY 6
2 DHPVW ABFG 7
3 BEKLQ ABCDEFNQRV 8
4 HIL FVY 9
5 ACDGJKL ABEFHJPR 10
6A CEE ❶ €24,10
108 ha 80T(100m²) 401D ❷ €27,45

Von Rotterdam aus Richtung Europoort/Oostvoorne. Ab hier ausgeschildert.

Ottoland, NL-2975 LA / Zuid-Holland

De Put B.V. | Bloklandsekade 3 | 1 Apr - 1 Okt | +31 (0)184-641621 | campingdeput@hetnet.nl | N 51°52'14'' E 4°51'31''

1 AILNOQR FLN 6
2 DGPWXY ABDEFG 7
3 BELQ AEFNR 8
4 IO 9
5 DK BHIJPR 10
4A CEE ❶ €14,70
9 ha 20T(80m²) 160D ❷ €19,60

A27 Süd, Ausfahrt 25 Noordeloos, N214 Richtung Dordrecht. Am Kreisel rechts Richtung Ottoland/Molenaarsgraaf und dann sofort wieder rechts.

Ouddorp, NL-3253 MG / Zuid-Holland

Camping Port Zélande | Port Zélande 2 | 27 Mär - 1 Nov | +31 (0)111-674020 | camping.portzelande@groupepvcp.com | N 51°45'22'' E 3°51'53''

1 ADEILNOPQRST ABEFGHIKLNPQRSTXYZ 6
2 DEHIQWX ABDEFGHK 7
3 AEGHILMNPQRTU ABCDEFIKNQRSV 8
4 AFHIJLMNOPQSTUVZ FLPQTUVY 9
5 ACDEFGHJL ABFGHIJMNPRZ 10
B 10A CEE ❶ €46,25
6 ha 220T(100m²) 4D ❷ €54,00

Von Zierikzee N59 Renesse - Burgh-Haamstede. Dann N57 Ouddorp-Rotterdam, Beschilderung Port Zélande/Kabbelaarsbank folgen.

Ouddorp, NL-3253 LR / Zuid-Holland

RCN Vakantiepark Toppershoedje | Strandweg 2-4 | 27 Mär - 2 Nov | +31 (0)187-682600 | toppershoedje@rcn.nl | N 51°49'24'' E 3°55'0''

1 ACDEGJMNOPQRT KN 6
2 EHOPQX BEFGH 7
3 AEL BCDFNQRS 8
4 IL EIJVY 9
5 CDEIJ ABHJNPRZ 10
B 10A CEE ❶ €45,75
13 ha 134T(100m²) 109D ❷ €56,25

Autobahn Hellegatsplein-Oude Tonge-Ouddorp. In Ouddorp ist der CP ausgeschildert.

Niederlande

Niederlande

Rijnsburg, NL-2231 NW / Zuid-Holland

Koningshof
Elsgeesterweg 8
15 Mär - 15 Nov
+31 (0)71-4026051
info@koningshofholland.nl
N 52°11'58'' E 4°27'16''

1 ACD**IL**NOPQRST	ABEFGHN 6
2 AGPRSVX	ABDE**FGH** 7
3 BE**KLM**	ABCDEFJKNQRSTUV 8
4 **A**BDHIKLO	EFVW 9
5 ACDEGJK**L**	ABEFGHIJ**NO**RZ 10
B 10A CEE	❶ €36,10
8,7 ha 200**T**(80-100m²) 138**D**	❷ €45,20

A44, Ausfahrt 7 Oegstgeest/Rijnsburg, Richtung Rijnsburg. In Rijnsburg CP-Beschilderung folgen.

Rotterdam, NL-3041 JE / Zuid-Holland

Stadscamping Rotterdam
Kanaalweg 84
1 Jan - 31 Dez
+31 (0)10-4153440
info@stadscamping-rotterdam.nl
N 51°55'53'' E 4°26'38''

1 ADE**JM**NOPQR**T**	6
2 AOPX	ABDE**FG** 7
3 L	ABCEFJNR 8
4	F 9
5 DKL	AGHK**NP**STZ 10
6A CEE	❶ €27,75
4 ha 230**T**(150m²) 20**D**	❷ €34,75

A20, Ausfahrt 13 oder 14. Der CP ist danach ausgeschildert.

Rockanje, NL-3235 LL / Zuid-Holland

Midicamping Van der Burgh
Voet- of Kraagweg 9
1 Jan - 31 Dez
+31 (0)181-404179
info@midicamping.nl
N 51°51'23'' E 4°5'36''

1 AEG**JM**NOPQRST	6
2 PWX	A**B**F**G** 7
3 BHLS	ABCDE**FG**JNPQRTUV 8
4 BHK	EVY 9
5 AKL	ABDFGHJ**P**RZ 10
10A CEE	❶ €17,50
5 ha 85**T**(150m²) 29**D**	❷ €23,50

Rotterdam-Europoort A15, Ausfahrt 12 Richtung Brielle. N57 Rockanje dort die N496, in Rockanje ausgeschildert.

Stellendam, NL-3251 / Zuid-Holland

Vlugtheuvel
Eendrachtsdijk 10
15 Mär - 1 Nov
+31 (0)187-491281
info@vlugtheuvel.nl
N 51°48'1'' E 4°1'58''

1 AE**IL**NOPQRST	6
2 PVX	AB**FG**HK 7
3 BLQ	ABCDEFNQRTUV 8
4 FH	XY 9
5 L	ABFGHJ**P**RZ 10
16A CEE	❶ €23,00
7 ha 50**T**(180-200m²) 79**D**	❷ €29,00

Von Rotterdam die N57, Ausfahrt Stellendam-Noord. Am Ende der Ausfahrt links der Straße folgen.

Rockanje, NL-3235 LA / Zuid-Holland

Molecaten Park Rondeweibos
Schapengorsedijk 19
27 Mär - 31 Okt
+31 (0)181-401944
rondeweibos@molecaten.nl
N 51°51'25'' E 4°5'4''

1 ADE**JM**NORT	ABFN 6
2 EHOPQVWX	ABDE**FGH** 7
3 BEL**M**Q	ABCDEF**L**NQRSTUV 8
4 FHINOPQ	EVY 9
5 ACDEJK	ABDEFGHIJ**P**RZ 10
10A CEE	❶ €39,85
32 ha 100**T**(80m²) 835**D**	❷ €43,20

A15/N57. Ausfahrt Rockanje. Den Schildern Rondeweibos folgen.

Tienhoven, NL-4235 VM / Zuid-Holland

De Koekoek
Lekdijk 47
15 Mär - 30 Sep
+31 (0)183-601491
info@camping-dekoekoek.nl
N 51°57'43'' E 4°56'43''

1 AE**JM**NOPQR**T**	JNSW**XY** 6
2 CHPQW	A**BFG**H 7
3 AEL**S**	ACDE**F**JNQRS 8
4 IO**PQ**	9
5 DIK	IJ**OP**RY 10
6A CEE	❶ €15,00
23 ha 140**T**(100-250m²) 350**D**	❷ €15,00

Hauptstraße Gorinchem-Schoonhoven, am Lekdijk rechts Richtung Ameide, Deich folgen, nach ca. 10 km links.

Rockanje, NL-3235 CC / Zuid-Holland

Molecaten Park Waterbos
Duinrand 11
27 Mär - 31 Okt
+31 (0)181-401900
waterbos@molecaten.nl
N 51°52'48'' E 4°3'15''

1 ADEHKNORT	ABFGN 6
2 PQVWXY	BE**FG** 7
3 BELQ	ABCDE**FJLM**NQRSV 8
4 HILOP	AEJVWY 9
5 BDI	ABDEFGHJ**P**RZ 10
B 10A CEE	❶ €32,85
7,5 ha 118**T**(100m²) 250**D**	❷ €36,20

A15, Ausfahrt Europoort nehmen, Richtung Hellevoetsluis, Ausfahrt Rockanje, danach den Schildern folgen.

Warmond, NL-2362 AH / Zuid-Holland

Spijkerboor
Boekhorsterweg 21
1 Apr - 1 Okt
+31 (0)71-5018869
info@campingspijkerboor.nl
N 52°11'28'' E 4°33'35''

1 AEG**IL**NOR**T**	**L**NQS**XYZ** 6
2 ADGNPQRVW	BE**FG** 7
3 BELQ	ABCDE**F**JNQRTUV 8
4 I	JQRV 9
5 BG	ABHIJ**P**RZ 10
10A CEE	❶ €25,50
4 ha 64**T**(80-100m²) 121**D**	❷ €32,50

A4, Ausfahrt 6 Hoogmade, Richtung Rijpwetering. Nach ca. 2 km Richtung Oud Ade (CP-Schild). Vor Oud Ade an den Wassermühlen links ab, hinter der 2. Brücke links.

Teilkarte Süd-Holland auf Seite 167

Wassenaar, NL-2244 BH / Zuid-Holland

Duinhorst	1 DEHKNOPRS**T**	ABF 6
Buurtweg 135	2 AGPQWXY	A**B**D**EFGH** 7
1 Apr - 30 Sep	3 BE**KLM**Q	ABCDE**FG**JKNQRSTUV 8
+31 (0)70-3242270	4 ABHIO**P**	FV 9
info@duinhorst.nl	5 ABDEGIJKL	ABEGHIJ**NOP**RZ 10
	B 6-10A CEE	❶ €25,80
N 52°6'39'' E 4°20'36''	11 ha 180**T**(50-96m²) 212**D**	❷ €34,40

Ortsgrenze Den Haag-Wassenaar. Nur über die N440 (Landscheidingsweg) aus Richtung Den Haag, Ausfahrt Duindigt/Duinhorst folgen. Camping mit ANWB-Schildern angezeigt.

Wassenaar, NL-2242 JP / Zuid-Holland

Vakantie- en attractiepark Duinrell	1 CDEG**JM**NORT	AB**EFGHI** 6
Duinrell 1	2 ABGOPQWXY	ABDE**FGH** 7
1 Jan - 31 Dez	3 BE**IKLMPQRSU**	ABCDEFKNQRSTUV 8
+31 (0)70-5155255	4 BCDFHILNO**PQ**	BGJLVXY 9
info@duinrell.nl	5 ACDEFGHIJK**M**	ABEGHIKL**NP**RYZ 10
	Anzeige auf Seite 170 B 6A	❶ €38,50
N 52°8'45'' E 4°23'15''	20 ha 750**T**(60-100m²) 439**D**	❷ €58,30

Schildern 'Duinrell' (Vergnügungspark u/o CP) folgen. Beschildert ab der N44/ A44 Den Haag-Leiden.

Wassenaar, NL-2241 BN / Zuid-Holland

Maaldrift	1 AG**JM**NOPRT	6
Maaldrift 9	2 APVWX	A**BFG** 7
1 Apr - 1 Okt	3 A**K**	ABCDE**F**NQRSTUV 8
+31 (0)70-5113688	4 HIK**P**	9
campingmaaldrift@ hotmail.com	5 DGL	ABCEHJR 10
	B 6A CEE	❶ €20,05
N 52°9'10'' E 4°26'2''	3 ha 80**T**(50-96m²) 60**D**	❷ €27,70

Im Norden von Wassenaar (übergang A44/N44) an der Ampel abfahren (von Den Haag links, von Amsterdam rechts). Anschließend den CP-Schildern folgen. Die Straße läuft parallel zur A44.

Zevenhuizen, NL-2761 ED / Zuid-Holland

Recreatiepark De Koornmolen	1 ADEG**JM**NOPQRS**T**	EL**N**QS**X**Z 6
Tweemanspolder 6A	2 ACDGPSWXY	ABDE**FGH** 7
1 Apr - 1 Okt	3 BF**IK**LQ	ABCDFJ**L**SV 8
+31 (0)180-631654	4 BCFHIKLO**R**	FJVY 9
info@koornmolen.nl	5 ADEIJKL	ABFHIJ**P**QRZ 10
	B 6A CEE	❶ €26,30
N 52°0'32'' E 4°33'54''	6 ha 76**T**(90-140m²) 197**D**	❷ €36,10

A12 Ausfahrt 9 Zevenhuizen-Waddinxveen auf der A20 Ausfahrt 17 Nieuwerkerk a/d IJssel-Zevenhuizen. Dann Richtung Zevenhuizen. An der Feuerwehr links ab Tweemans Polder. Nach ca 1 km rechts liegt die Einfahrt von De Koornmolen.

Niederlande

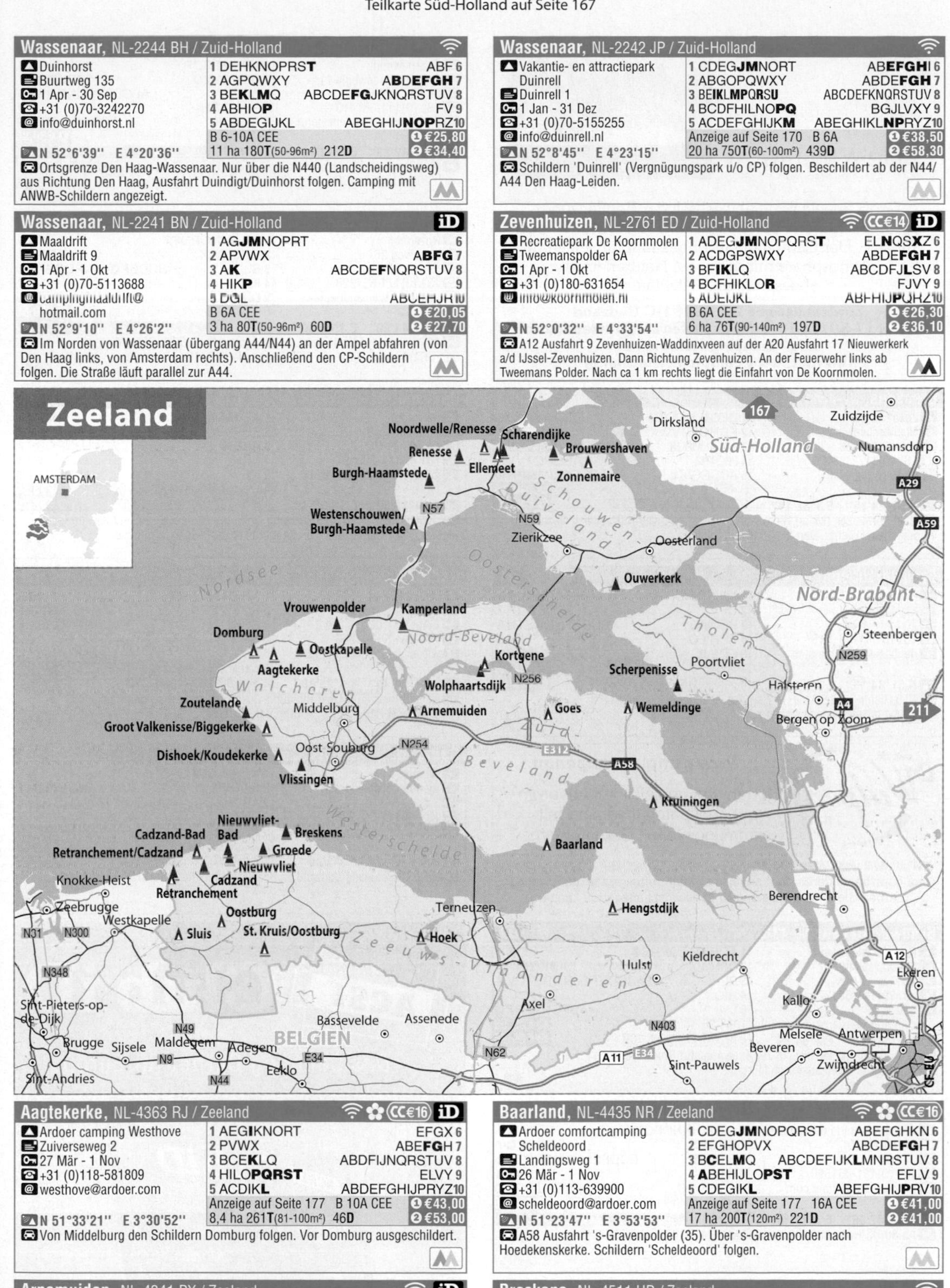

Aagtekerke, NL-4363 RJ / Zeeland

Ardoer camping Westhove	1 AEG**I**KNORT	EFGX 6
Zuiverseweg 2	2 PVWX	ABE**FG**H 7
27 Mär - 1 Nov	3 BCE**K**LQ	ABDFIJNQRSTUV 8
+31 (0)118-581809	4 HILO**PQRST**	ELVY 9
westhove@ardoer.com	5 ACDIK**L**	ABDEFGHIJPRYZ 10
	Anzeige auf Seite 177 B 10A CEE	❶ €43,00
N 51°33'21'' E 3°30'52''	8,4 ha 261**T**(81-100m²) 46**D**	❷ €53,00

Von Middelburg den Schildern Domburg folgen. Vor Domburg ausgeschildert.

Baarland, NL-4435 NR / Zeeland

Ardoer comfortcamping Scheldeoord	1 CDEG**JM**NOPQRST	ABEFGHKN 6
Landingsweg 1	2 EFGHOPVX	ABCDE**FG**H 7
26 Mär - 1 Nov	3 B**C**EL**M**Q	ABCDEFIJK**L**MNRSTUV 8
+31 (0)113-639900	4 **A**BEHIJLO**PST**	EFLV 9
scheldeoord@ardoer.com	5 CDEGIK**L**	ABEFGHIJ**P**RV 10
	Anzeige auf Seite 177 16A CEE	❶ €41,00
N 51°23'47'' E 3°53'53''	17 ha 200**T**(120m²) 221**D**	❷ €41,00

A58 Ausfahrt 's-Gravenpolder (35). Über 's-Gravenpolder nach Hoedekenskerke. Schildern 'Scheldeoord' folgen.

Arnemuiden, NL-4341 PX / Zeeland

De Witte Raaf	1 ACDE**JM**NOPQRS**T**	LNQSW**X**YZ 6
Muidenweg 3	2 ADGHPX	ABDE**FGH** 7
1 Apr - 31 Okt	3 BE**I**L**M**QRT	ABCDEFG**L**NQRSTUV 8
+31 (0)118-601212	4 HI**PS**	AJLV 9
info@dewitteraaf.nl	5 ACDEGIKL	ABEHJ**P**RY 10
	10A CEE	❶ €35,20
N 51°30'37'' E 3°42'33''	18 ha 275**T**(80-135m²) 537**D**	❷ €45,90

Via A58, Ausfahrt Arnemuiden. Ab Arnemuiden 5 km der Beschilderung folgen. CP liegt am Veersemeer.

Breskens, NL-4511 HR / Zeeland

DroomPark Schoneveld	1 DEG**IL**NOPQRST	EFGKNQS 6
Schoneveld 1	2 EHOPVX	ABDE**FG** 7
1 Jan - 31 Dez	3 ABE**ILMPQT**	ABCD**F**JKNRSTUV 8
+31 (0)117-383220	4 HIO**PQST**	JV 9
info@droomparkschoneveld.nl	5 CDGJK	ABEFGHIJ**P**R 10
	B 6A CEE	❶ €35,40
N 51°24'5'' E 3°32'7''	14 ha 85**T**(120m²) 150**D**	❷ €47,80

Nach dem Westerscheldetunnel N61 bis Schoondijke, dann N58 bis Breskens. An der zweiten Ausfahrt Breskens rechts und den Schildern folgen.

Niederlande

Breskens, NL-4511 RG / Zeeland

Zeebad	1 DEGILNOQRT	EFGHKMNQ 6
Nieuwesluisweg 1	2 EGHOPUVWX	ABDEFG 7
1 Jan - 31 Dez	3 ABEKLMNQR	ABCDEFIJLNQRSTUV 8
+31 (0)117-388000	4 HIOPQ	AEIJPQTVY 9
info@roompot.nl	5 ACDEGIKL	ABEGHIJMNPR10
	B 4-6A CEE	❶ €40,00
N 51°24'15'' E 3°32'14''	20 ha 260T(80-90m²) 330D	❷ €41,20

Über Terneuzen (Maut) Richtung Breskens. 2. Ausfahrt Breskens. Nach dem Viadukt gleich rechts. Den CP-Schildern folgen.

Brouwershaven, NL-4318 TV / Zeeland

Den Osse	1 ADEGJMNOPQRST	ABFGNOQRSXYZ 6
Blankersweg 4	2 OPVX	ABDEFGH 7
20 Mär - 1 Nov	3 BELMQ	ABCDEFNQRSTU 8
+31 (0)111-691513	4 BCHILO	EF 9
denosse@zeelandnet.nl	5 CDEJL	ABEFGHIJPRZ10
	16A CEE	❶ €34,00
N 51°44'18'' E 3°53'21''	8,5 ha 80T(80-120m²) 169D	❷ €50,20

N59 Richtung Zierikzee. In Zierikzee Richtung Brouwershaven. In Brouwershaven ausgeschildert.

Brouwershaven, NL-4318 TM / Zeeland

Noorder Nieuwland	1 ADEJMNOPRST	OX 6
Schouwsedijk 1	2 DPVWX	ABFGHIK 7
15 Mär - 1 Nov	3 BL	ABCDEFGJNQRSTUV 8
+31 (0)111-691223	4 HIQ	9
info@campingnoordernieuwland.nl	5 L	ABFGHJPRZ10
	10A CEE	❶ €20,50
N 51°43'48'' E 3°54'29''	2 ha 90T(90-120m²) 18D	❷ €29,70

N59 Richtung Zierikzee, in Zierikzee Ausfahrt Brouwershaven. Vom Brouwershaven ausgeschildert.

Burgh-Haamstede, NL-4328 GR / Zeeland

Ardoer camping Ginsterveld	1 ACDEHKNOPQRT	EFGNX 6
Maireweg 10	2 OPQVX	ABCDFG 7
27 Mär - 1 Nov	3 BELMT	BCDEFIJKLNQRSTU 8
+31 (0)111-651590	4 HIL	VY 9
ginsterveld@ardoer.com	5 CDEFIJKL	ABEGHIJPRZ10
	Anzeige auf Seite 177 B 16A CEE	❶ €38,00
N 51°42'59'' E 3°43'46''	14 ha 310T(80-100m²) 300D	❷ €49,00

Ab Burgh-Haamstede ausgeschildert. Der R107 folgen.

Burgh-Haamstede, NL-4328 GR / Zeeland

De Duinhoeve B.V.	1 ADEGJMNOPQRST	NX 6
Maireweg 7	2 OPQVX	ABFGH 7
26 Mär - 1 Nov	3 AEILM	ABCDEFGKLNQRSV 8
+31 (0)111-651562	4 HILOTU	ELVX 9
info@deduinhoeve.nl	5 CDEJKL	ABFGHIJLNORZ10
	B 10A CEE	❶ €29,45
N 51°43'7'' E 3°43'44''	47,5 ha 820T(100-110m²) 709D	❷ €31,60

A29 Dinteloord-Rotterdam. In Hellegatsplein Richtung Zierikzee. Dann Richtung Renesse/Haamstede. Route 107 folgen.

Burgh-Haamstede, NL-4328 GV / Zeeland

Groenewoud	1 AHKNOPQRT	ABFGLNX 6
Groenewoudswegje 11	2 DGPQVWX	ABDEFGH 7
28 Mär - 25 Okt	3 BELT	ABCDEFGJNQRSU 8
+31 (0)111-651410	4 FHILOPR	VY 9
info@campinggroenewoud.nl	5 ADEIJK	ABDEGHJPRZ10
	10A CEE	❶ €30,95
N 51°42'29'' E 3°43'18''	17 ha 62T(100-125m²) 140D	❷ €38,15

Von Burgh-Haamstede Richtung Leuchtturm. Ab Ampeln vierte Straße links, nach 200m liegt der CP links.

Burgh-Haamstede, NL-4328 PD / Zeeland

Rozenhof	1 AEJMNOPQRT	X 6
Hogeweg 26	2 OPQVWX	ABFGH 7
1 Apr - 25 Okt	3 BL	ABCDEFGJKNPQRSTU 8
+31 (0)111-651328	4 ILO	E 9
rozenhof@zeelandnet.nl	5 DIKL	ABGHIJPSTZ10
	B 10A CEE	❶ €30,65
N 51°41'20'' E 3°43'40''	3,5 ha 47T(80-130m²) 114D	❷ €32,80

A29 Dinteloord-Rotterdam. In Hellegatsplein Richtung Zierikzee. Dann Richtung Haamstede. N57 folgen, dann R110.

Cadzand, NL-4506 HR / Zeeland

De Hoogte	1 AEJMNOPT	KNQ 6
Strijdersdijk 9	2 EHPVWX	ABDEFGH 7
1 Apr - 31 Okt	3 ABEKLQT	AEFHJNPQRV 8
+31 (0)117-391497	4 BCHL	EJ 9
info@dehoogtecadzand.nl	5 KL	ABHIJPST10
	Anzeige auf Seite 173 6A CEE	❶ €23,15
N 51°22'58'' E 3°25'54''	4,5 ha 120T(80-100m²) 122D	❷ €32,25

Über Terneuzen (Maut) Richtung Oostburg. An der Mühle in Cadzand rechts Richtung Cadzand-Bad. 2. Straße rechts und CP-Schildern folgen.

Cadzand, NL-4506 HC / Zeeland

De Wielewaal	1 ADEILNOPRT	N 6
Zuidzandseweg 20	2 HPVWXY	ABFG 7
1 Apr - 31 Okt	3 BEKL	AEFNQRSV 8
+31 (0)117-391216	4 AH	J 9
wielewaal@zeelandnet.nl	5 AL	ABGHJPSTZ10
	Anzeige auf dieser Seite 10A CEE	❶ €18,20
N 51°21'40'' E 3°25'30''	4,5 ha 90T(100-120m²) 31D	❷ €25,50

Über Terneuzen (Maut) Richtung Oostburg, dann Richtung Cadzand. Hinter Kreisel R104 ist nach 500m der CP rechts.

Cadzand, NL-4506 HK / Zeeland

Wulpen	1 AEGILNOPQRT	N 6
Vierhonderdpolderdijk 1	2 HOPVWX	ABDEFGH 7
3 Apr - 15 Okt	3 ABEKLQ	ABCDEFHJNQRSTUV 8
+31 (0)117-391226	4 BHIL	9
info@campingwulpen.nl	5 ABKL	ABFGHJPST10
	Anzeige auf dieser Seite 6-10A CEE	❶ €22,75
N 51°22'12'' E 3°25'0''	4,7 ha 91T(100-130m²) 112D	❷ €32,35

Nach Ortseingang Cadzand an der Mühle rechts. Dann erste Straße rechts.

Teilkarte Zeeland auf Seite 171

Niederlande

Cadzand-Bad, NL-4506 HT / Zeeland

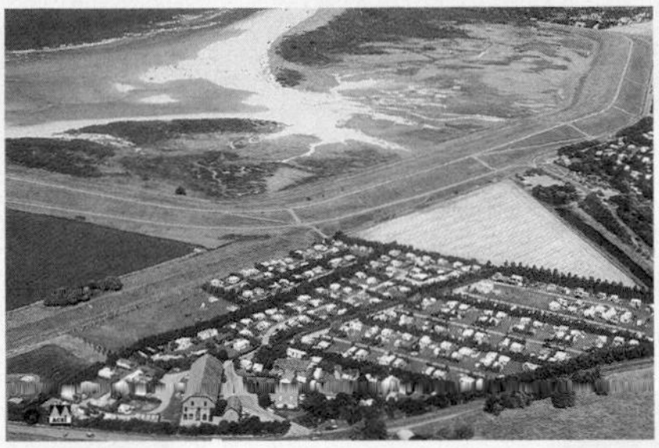

Molecaten Park Hoogduin	1 ADE**JM**NOPQRT	K**N**QS 6
Zwartepolderweg 1	2 EHPVWX	ABDE**FG**H 7
1 Jan - 31 Dez	3 ABCEF**K**LQT	ABCDE**FG**JNPQRSTUV 8
+31 (0)117-391235	4 BCHIL	JUVWY 9
hoogduin@molecaten.nl	5 ACDGJK	ABCDEFGHJ**P**QRYZ 10
	B 10A CEE	❶ €40,05
N 51°23'4'' E 3°24'50''	10 ha 215T(50-105m²) 215D	❷ €44,35

Via Terneuzen (Zoll) Richtung Oostburg via Schoondijke. Am zweiten Kreisel rechts Richtung Cadzand. An der Mühle in Cadzand rechts Richtung Cadzand-Bad. Siehe CP-Schildern.

Goes, NL-4463 AB / Zeeland

Sportpunt Zeeland	1 ADILNOPRT	**EFG**H**I** 6
Zwembadweg 3	2 AGPVWXY	AB**FG** 7
1 Apr - 1 Okt	3 A**C**EI**KMO**QU	ABCDJNQRV 8
+31 (0)113-233388	4 K**SUV**Y**Z**	L 9
info@sportpuntzeeland.nl	5 DEGI	ABFHIJNORZ 10
	6A CEE	❶ €20,00
N 51°30'36'' E 3°53'49''	1 ha 70T(50-70m²)	❷ €30,00

A58 Ausfahrt Goes. An der Ampel rechts ab. Dann Richtung Hafen fahren. (Freizeitgebiet 'De Hollandse Hoeve'/Sportpunt Zeeland.)

Dishoek/Koudekerke, NL-4371 NT / Zeeland

Dishoek	1 ACDEG**JM**NOPQT	KMN 6
Dishoek 2	2 AEHPQVWX	ABDE**FG**H 7
27 Mär - 1 Nov	3 ABEL	ABCDEFJNQRSTU 8
+31 (0)118-551348	4 BIO**PQ**	V 9
info@roompot.nl	5 CDEFGIKL	ABEHIJ**P**RY 10
	B 6-10A CEE	❶ €43,20
N 51°28'8'' E 3°31'25''	4,6 ha 270T(bis 80m²) 15D	❷ €43,20

A58 bis Vlissingen, Ausfahrt Dishoek abfahren. Schildern folgen.

Groede, NL-4503 BL / Zeeland

De Ploeg	1 FG**JM**NOPQRST	6
Voorstraat 47	2 OPVWX	ABDE**FG**H 7
1 Apr - 1 Okt	3 ALQS	ABEFNRS 8
+31 (0)6-53169612	4	9
campingdeploeg@hetnet.nl	5 DL	ABFGHJRWX 10
	4A CEE	❶ €20,00
N 51°22'55'' E 3°30'43''	3,5 ha 50T(80-100m²) 100D	❷ €30,00

Durch Westerscheldetunnel Richtung Breskens. Vor Breskens Richtung Groede. CP befindet sich am Ortseingang.

Domburg, NL-4357 RD / Zeeland

Hof Domburg	1 ACDEGJMNOPQT	ABEHMN 6
Schelpweg 7	2 AEOPQVX	BE**FG**H 7
1 Jan - 31 Dez	3 ABCE**IJLMNOP**	ABCDF**L**NQRSTUV 8
+31 (0)118-588200	4 HIL**P**R**STVXYZ**	AEJLVXY 9
info@roompot.nl	5 CDEIJK**L**	ABEHIJ**NP**RZ 10
	B 6-16A CEE	❶ €49,00
N 51°33'33'' E 3°29'12''	20 ha 473T(80m²) 450D	❷ €52,60

A58 Bergen op Zoom-Vlissingen, Ausfahrt Middelburg. Schildern Richtung Domburg folgen. In Domburg ausgeschildert.

Groede, NL-4503 GC / Zeeland

Dusarduyn	1 EG**IL**NOPQRST	6
Provinciale weg 3	2 OPVWX	A**BFG**HK 7
1 Apr - 31 Okt	3 A**K**LQ	AE**F**NRUV 8
+31 (0)117-371435	4	9
rdusarduijn@kpnplanet.nl	5 AI	BFGHJ**NP**R 10
	6A CEE	❶ €22,30
N 51°22'57'' E 3°30'56''	1,2 ha 45T(80-100m²) 20D	❷ €28,60

Über Terneuzen (Maut) Richtung Breskens. Vor Breskens Richtung Groede. Achten Sie auf Km-Pfahl 2,3.

Ellemeet, NL-4323 LC / Zeeland

Klaverweide	1 ADEG**JM**NOPQRST	X 6
Kuijerdamseweg 56	2 OPW	ABDE**FG** 7
15 Mär - 25 Okt	3 BELT	ABE**F**KNQRSTU 8
+31 (0)111-671859	4 HIL**P**	VWY 9
info@klaverweide.com	5 ACDI	ABEFGHJNPR 10
	10A CEE	❶ €37,15
N 51°43'55'' E 3°49'13''	4 ha 76T(100-120m²) 41D	❷ €39,30

CP liegt an der N57 Brouwersdam-Serooskerke, Ausfahrt Ellemeet.

Groede, NL-4503 PA / Zeeland

Strandcamping Groede	1 AE**JM**NOPQRST	KMNQS 6
Zeeweg 1	2 EHPVWX	ABDE**FG**H 7
26 Mär - 2 Nov	3 ABEF**K**LQRST	ABCDEFGHJKNPQRSTUV 8
+31 (0)117-371384	4 **A**BCDFHILNO**P**	EJLV 9
receptie@ strandcampinggroede.nl	5 ACDEGIJK	ABCDEFGHIJMNPQRYZ 10
	Anzeige auf dieser Seite B 4-16A CEE	❶ €34,00
N 51°23'48'' E 3°29'21''	28 ha 706T(80-200m²) 368D	❷ €42,00

Vor Groede Richtung Strand. CP-Schildern folgen.

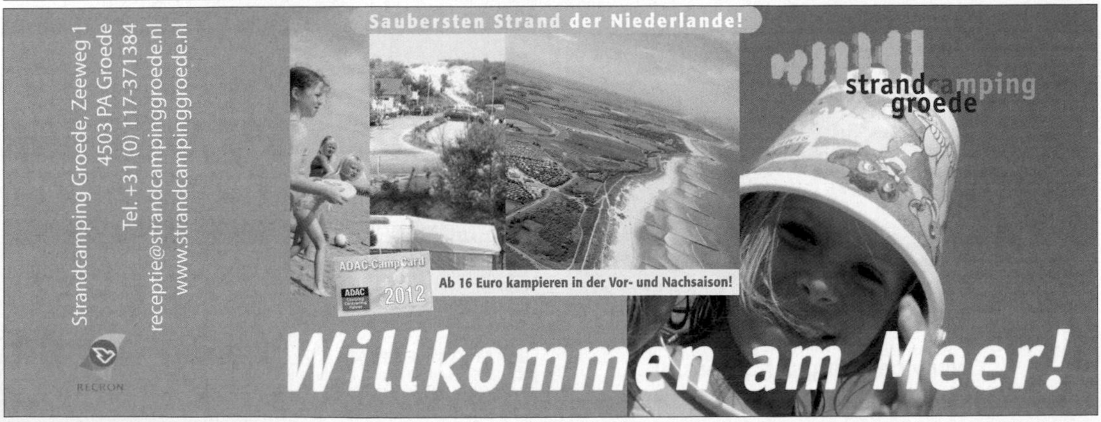

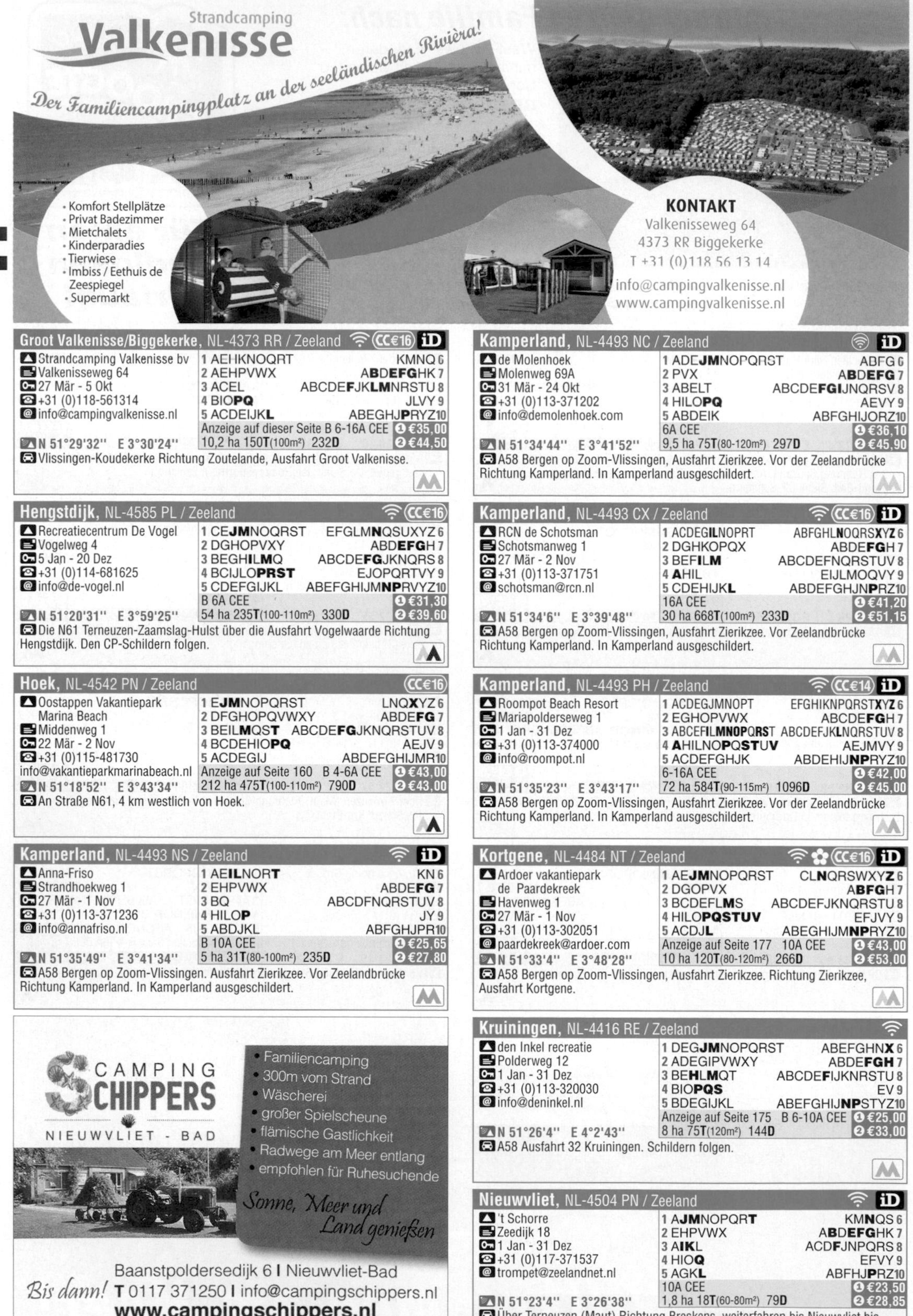

Groot Valkenisse/Biggekerke, NL-4373 RR / Zeeland

Strandcamping Valkenisse bv
Valkenisseweg 64
27 Mär - 5 Okt
+31 (0)118-561314
info@campingvalkenisse.nl

1 AEHKNOQRT KMNQ 6
2 AEHPVWX A**BDEFG**HK 7
3 ACEL ABCDE**F**JK**LM**NRSTU 8
4 BIO**PQ** JLVY 9
5 ACDEIJK**L** ABEGHJ**P**RYZ 10
Anzeige auf dieser Seite B 6-16A CEE ❶ €35,00
10,2 ha 150**T**(100m²) 232**D** ❷ €44,50

N 51°29'32" E 3°30'24"
Vlissingen-Koudekerke Richtung Zoutelande, Ausfahrt Groot Valkenisse.

Kamperland, NL-4493 NC / Zeeland

de Molenhoek
Molenweg 69A
31 Mär - 24 Okt
+31 (0)113-371202
info@demolenhoek.com

1 ADE**JM**NOPQRST ABFG 6
2 PVX A**BDEFG** 7
3 ABELT ABCDE**FGI**JNQRSV 8
4 HILO**PQ** AEVY 9
5 ABDEIK ABFGHIJORZ 10
6A CEE ❶ €36,10
9,5 ha 75**T**(80-120m²) 297**D** ❷ €45,90

N 51°34'44" E 3°41'52"
A58 Bergen op Zoom-Vlissingen, Ausfahrt Zierikzee. Vor der Zeelandbrücke Richtung Kamperland. In Kamperland ausgeschildert.

Hengstdijk, NL-4585 PL / Zeeland

Recreatiecentrum De Vogel
Vogelweg 4
5 Jan - 20 Dez
+31 (0)114-681625
info@de-vogel.nl

1 CE**JM**NOQRST EFGLM**N**QSUXYZ 6
2 DGHOPVXY ABD**EFG**H 7
3 BEGH**ILM**Q ABCDE**FG**JKNQRS 8
4 BCIJLO**PRST** EJOPQRTVY 9
5 CDEFGIJKL ABEFGHIJM**NP**RVYZ 10
B 6A CEE ❶ €31,30
54 ha 235**T**(100-110m²) 330**D** ❷ €39,60

N 51°20'31" E 3°59'25"
Die N61 Terneuzen-Zaamslag-Hulst über die Ausfahrt Vogelwaarde Richtung Hengstdijk. Den CP-Schildern folgen.

Kamperland, NL-4493 CX / Zeeland

RCN de Schotsman
Schotsmanweg 1
27 Mär - 2 Nov
+31 (0)113-371751
schotsman@rcn.nl

1 ACDEG**IL**NOPRT ABFGHL**N**OQRS**XYZ** 6
2 DGHKOPQX ABDE**FG**H 7
3 BEF**ILM** ABCDEFNQRSTUV 8
4 **A**HIL EIJLMOQVY 9
5 CDEHIJK**L** ABDEFGHJN**P**RZ 10
16A CEE ❶ €41,20
30 ha 668**T**(100m²) 233**D** ❷ €51,15

N 51°34'6" E 3°39'48"
A58 Bergen op Zoom-Vlissingen, Ausfahrt Zierikzee. Vor Zeelandbrücke Richtung Kamperland. In Kamperland ausgeschildert.

Hoek, NL-4542 PN / Zeeland

Oostappen Vakantiepark Marina Beach
Middenweg 1
22 Mär - 2 Nov
+31 (0)115-481730
info@vakantieparkmarinabeach.nl

1 E**JM**NOPQRST LNQ**X**YZ 6
2 DFGHOPQVWXY ABDE**FG** 7
3 BEIL**M**Q**ST** ABCDE**FG**JKNQRSTUV 8
4 BCDEHIO**PQ** AEJV 9
5 ACDEGIJ ABDEFGHIJMR 10
Anzeige auf Seite 160 B 4-6A CEE ❶ €43,00
212 ha 475**T**(100-110m²) 790**D** ❷ €43,00

N 51°18'52" E 3°43'34"
An Straße N61, 4 km westlich von Hoek.

Kamperland, NL-4493 PH / Zeeland

Roompot Beach Resort
Mariapolderseweg 1
1 Jan - 31 Dez
+31 (0)113-374000
info@roompot.nl

1 ACDEGJMNOPT EFGHIKNPQRST**XYZ** 6
2 EGHOPVWX ABCDE**FG**H 7
3 ABCEF**ILMNOP**Q**R**ST ABCDEFJK**L**NQRSTUV 8
4 **A**HILNO**PQSTU**V AEJMVY 9
5 ACDEFGHJK ABDEHIJ**NP**RYZ 10
6-16A CEE ❶ €42,00
72 ha 584**T**(90-115m²) 1096**D** ❷ €45,00

N 51°35'23" E 3°43'17"
A58 Bergen op Zoom-Vlissingen, Ausfahrt Zierikzee. Vor der Zeelandbrücke Richtung Kamperland. In Kamperland ausgeschildert.

Kamperland, NL-4493 NS / Zeeland

Anna-Friso
Strandhoekweg 1
27 Mär - 1 Nov
+31 (0)113-371236
info@annafriso.nl

1 AE**IL**NOR**T** KN 6
2 EHPVWX ABDE**FG** 7
3 BQ ABCDFNQRSTUV 8
4 HILO**P** JY 9
5 ABDJKL ABFGHJPR 10
B 10A CEE ❶ €25,65
5 ha 31**T**(80-100m²) 235**D** ❷ €27,80

N 51°35'49" E 3°41'34"
A58 Bergen op Zoom-Vlissingen. Ausfahrt Zierikzee. Vor Zeelandbrücke Richtung Kamperland. In Kamperland ausgeschildert.

Kortgene, NL-4484 NT / Zeeland

Ardoer vakantiepark de Paardekreek
Havenweg 1
27 Mär - 1 Nov
+31 (0)113-302051
paardekreek@ardoer.com

1 AE**JM**NOPQRST CL**N**QRSWXY**Z** 6
2 DGOPVX A**BFG**H 7
3 BCDEFL**MS** ABCDEFJKNQRSTU 8
4 HILO**PQSTUV** EFJVY 9
5 ACDJ**L** ABEGHIJM**NP**RYZ 10
Anzeige auf Seite 177 10A CEE ❶ €43,00
10 ha 120**T**(80-120m²) 266**D** ❷ €53,00

N 51°33'4" E 3°48'28"
A58 Bergen op Zoom-Vlissingen, Ausfahrt Zierikzee. Richtung Zierikzee, Ausfahrt Kortgene.

Kruiningen, NL-4416 RE / Zeeland

den Inkel recreatie
Polderweg 12
1 Jan - 31 Dez
+31 (0)113-320030
info@deninkel.nl

1 DEG**JM**NOPQRST ABEFGHN**X** 6
2 ADEGIPVWXY ABDE**FGH** 7
3 BE**HLM**QT ABCDE**F**IJKNRSTU 8
4 BIO**PQS** EV 9
5 BDEGIJKL ABEFGHIJ**NP**STYZ 10
Anzeige auf Seite 175 B 6-10A CEE ❶ €25,00
8 ha 75**T**(120m²) 144**D** ❷ €33,00

N 51°26'4" E 4°2'43"
A58 Ausfahrt 32 Kruiningen. Schildern folgen.

Nieuwvliet, NL-4504 PN / Zeeland

't Schorre
Zeedijk 18
1 Jan - 31 Dez
+31 (0)117-371537
trompet@zeelandnet.nl

1 A**JM**NOPQR**T** KM**N**QS 6
2 EHPVWX AB**DEFG**HK 7
3 A**IK**L ACD**F**JNPQRS 8
4 HIO**Q** EFVY 9
5 AGK**L** ABFHJ**P**RZ 10
10A CEE ❶ €23,50
1,8 ha 18**T**(60-80m²) 79**D** ❷ €28,85

N 51°23'4" E 3°26'38"
Über Terneuzen (Maut) Richtung Breskens, weiterfahren bis Nieuwvliet bis zum Kreisel 103. Dort rechts ab.

Teilkarte Zeeland auf Seite 171

Nieuwvliet, NL-4504 AA / Zeeland

CC€14 iD

Ardoer camping International
St. Bavodijk 2D
27 Mär - 1 Nov
+31 (0)117-371233
international@ardoer.com
N 51°22'28'' E 3°28'10''

1 ADEJMNOPQRST FN 6
2 HOPVWX ABDEFGHK 7
3 ABCDEKLMQST ABCDEFJLNQRSTUV 8
4 BHILO EFJLV 9
5 ABDEKL ABDEFGHIJPQSTYZ 10
Anzeige auf Seite 177 6A CEE ❶ €38,00
8 ha 112T(80-140m²) 158D ❷ €47,50

Über Terneuzen (Maut) Richtung Breskens. Vor Breskens Richtung Groede und nach Nieuwvliet fahren. Im Kreisel R102 rechts abbiegen. CP kommt nach 700m.

Oostkapelle, NL-4356 RE / Zeeland

CC€16 iD

Ardoer camping De Pekelinge
Landmetersweg 1
27 Mär - 1 Nov
+31 (0)118-582820
pekelinge@ardoer.com
N 51°33'25'' E 3°33'3''

1 ADEGJKNOPQRST EFGH 6
2 AGPVX ABDEFGH 7
3 BCEKLMT ABCDFIJKLNQRSTUV 8
4 HIKLOP AELV 9
5 CDIKL ABEFGHIJNPRYZ 10
Anzeige auf Seite 177 B 10A CEE ❶ €48,00
10 ha 323T(80-120m²) 233D ❷ €57,00

A58 Bergen op Zoom-Vlissingen, Ausfahrt Middelburg. Schildern folgen, Domburg/Oostkapelle. In Oostkapelle ausgeschildert.

Nieuwvliet, NL-4504 SH / Zeeland

iD

Vogelenzang
Mosseldijk 8
27 Mär - 1 Nov
+31 (0)117-371296
vogelenzang@holiday.nl
N 51°22'43'' E 3°27'53''

1 AEJMNOPQRST FN 6
2 HPVWX ABDEFGH 7
3 BEKLST ABCDEFJKNPQRTUV 8
4 HI J 9
5 AKL ABEHJPST 10
Anzeige auf dieser Seite 6A CEE ❶ €22,50
4,3 ha 26T(80-100m²) 178D ❷ €32,50

Von Terneuzen (Maut) Richtung Breskens. Vor Breskens Richtung Groede und dann nach Nieuwvliet. Im Kreisverkehr R102 rechts. Der CP ist ausgeschildert.

Nieuwvliet-Bad, NL-4504 PT / Zeeland

CC€14 iD

Schippers
Baanstpoldersedijk 6
27 Mär - 1 Nov
+31 (0)117-371250
info@campingschippers.nl
N 51°23'23'' E 3°27'23''

1 AEGILNOPRT KMNQS 6
2 EHPVWX ABFGH 7
3 ACEGHKLS ABCDEFNQRSV 8
4 H L 9
5 L ABCDFHJOST 10
Anzeige auf Seite 174 6A CEE ❶ €27,00
4 ha 50T(80m²) 125D ❷ €35,00

Über Terneuzen (Maut) Richtung Breskens. Vor Breskens über Groede nach Nieuwvliet. Im Kreisverkehr R102 Richtung Nieuwvliet-Bad. Siehe CP-Schilder.

Oostkapelle, NL-4356 RJ / Zeeland

CC€16 iD

Ardoer campingpark Ons Buiten
Aagtekerkseweg 2A
27 Mär - 1 Nov
+31 (0)118-581813
onsbuiten@ardoer.com
N 51°33'47'' E 3°32'47''

1 ACEGHKNOPQRT ABCEFGX 6
2 OPVX ABCDEFGHIJ 7
3 BCEIKLQ ABCDEFGIJKLNQRSTUV 8
4 HILOTUV EFJLVY 9
5 ACDEIJL ABEFGHIJNPRZ 10
Anzeige auf Seite 177 B 8A CEE ❶ €44,00
7,6 ha 310T(110-150m²) 89D ❷ €55,50

A58 Bergen op Zoom-Vlissingen, Ausfahrt Middelburg. Schildern folgen, Domburg/Oostkapelle. In Oostkapelle ausgeschildert.

Nieuwvliet-Bad, NL-4504 PS / Zeeland

CC€16 iD

Zonneweelde
Baanstpoldersedijk 1
1 Jan - 31 Dez
+31 (0)117-371910
info@campingzonneweelde.nl
N 51°22'56'' E 3°27'28''

1 AEGJMNOPQRST AFN 6
2 HPVWX ABDEFGH 7
3 ABDEFKLQT ABCDEFGJKNPQRSTUV 8
4 BCHILOPQ CFJVY 9
5 ACDEGIK ABDFGHJPRYZ 10
Anzeige auf dieser Seite 10A CEE ❶ €35,80
7,5 ha 85T(80-130m²) 258D ❷ €48,10

Über Terneuzen (Maut) Richtung Breskens. Vor Breskens über Groede nach Nieuwvliet. Im Kreisverkehr R102 rechts, dann ausgeschildert.

Oostkapelle, NL-4356 AM / Zeeland

iD

In de Bongerd
Brouwerijstraat 13
1 Apr - 1 Nov
+31 (0)118-581510
info@campingindebongerd.nl
N 51°33'52'' E 3°33'21''

1 AEGILNOPQRT EFGX 6
2 OPXY ABCDEFGHI 7
3 BEKL BDFIJKLNQRSUV 8
4 HILO EFJLVY 9
5 BDIKL ABEFGHJNPRZ 10
B 16A CEE ❶ €44,50
11,8 ha 315T(80-120m²) 132D ❷ €54,00

A58 Bergen op Zoom-Vlissingen, Ausfahrt Middelburg. Schildern folgen, Domburg/Oostkapelle. In Oostkapelle ausgeschildert.

Noordwelle/Renesse, NL-4326 LJ / Zeeland

CC€18 iD

Ardoer strandpark De Zeeuwse Kust
Helleweg 8
1 Jan - 31 Dez
+31 (0)111-468282
zeeuwsekust@ardoer.com
N 51°44'16'' E 3°48'8''

1 ACEJMNOPQRST EFGKMNX 6
2 EHPVW ABDEFGIK 7
3 BCELM ABCDEFIJKLNQRSTU 8
4 HIOTU AEVY 9
5 ABDEGJL ABEFGHJMPRZ 10
Anzeige auf Seite 177 B 16A CEE ❶ €48,00
13,4 ha 168T(115-150m²) 354D ❷ €60,00

A29 Dinteloord-Rotterdam. Vom Hellegatsplein Richtung Zierikzee, dann Richtung Renesse, Ellemeet, Scharendijke R101/Helleweg.

Oostburg, NL-4501 NE / Zeeland

Boerderijcamping de Paardenwei
Brugsevaart 12
1 Apr - 31 Okt
+31 (0)117-455497
info@trekpaardenwereld.nl
N 51°19'31'' E 3°27'1''

1 BEGILNOPQRST 6
2 PWX ABF 7
3 AGHK ABCDEFGJNQRSTV 8
4 AHI A 9
5 A ABHJNOR 10
B 10-16A CEE ❶ €20,30
0,8 ha 62T(100-120m²) 5D ❷ €27,60

N253 (Rundweg Oostbrug) Kreisel zur N674, rechts ab Veerhoekdijk. CP liegt am Straßenende.

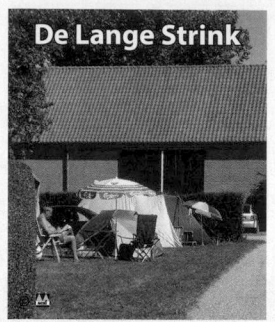

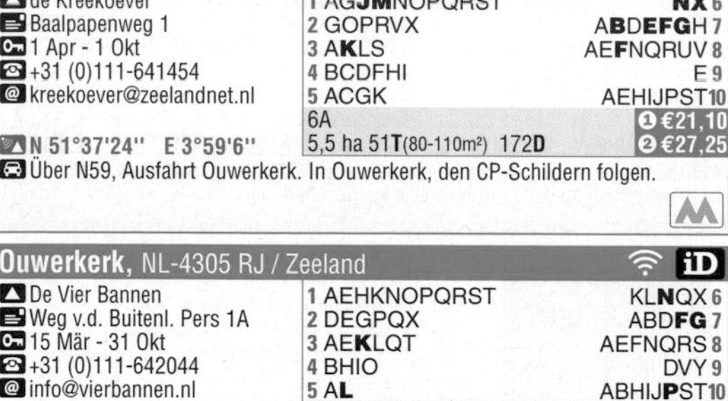

Ouwerkerk, NL-4305 RE / Zeeland

de Kreekoever	1 AGJMNOPQRST	NX 6
Baalpapenweg 1	2 GOPRVX	ABDEFGH 7
1 Apr - 1 Okt	3 AKLS	AEFNQRUV 8
+31 (0)111-641454	4 BCDFHI	E 9
kreekoever@zeelandnet.nl	5 ACGK	AEHIJPST 10
	6A	① €21,10
N 51°37'24'' E 3°59'6''	5,5 ha 51T(80-110m^2) 172D	② €27,25

Über N59, Ausfahrt Ouwerkerk. In Ouwerkerk, den CP-Schildern folgen.

Ouwerkerk, NL-4305 RJ / Zeeland

De Vier Bannen	1 AEHKNOPQRST	KLNQX 6
Weg v.d. Buitenl. Pers 1A	2 DEGPQX	ABDFG 7
15 Mär - 31 Okt	3 AEKLQT	AEFNQRS 8
+31 (0)111-642044	4 BHIO	DVY 9
info@vierbannen.nl	5 AL	ABHIJPST 10
	B 16A CEE	① €23,00
N 51°37'5'' E 3°59'29''	6 ha 150T(120-170m^2) 3D	② €38,00

Via N59, Ausfahrt Ouwerkerk. Dann ausgeschildert.

Renesse, NL-4325 CP / Zeeland

Ardoer camping De Wijde Blick	1 ACDEGIKNOPQRST	EFGX 6
Lagezoom 23	2 OPQX	ABDEFGHK 7
1 Jan - 31 Dez	3 BEGHLQV	ABCDEFKLNQRSTUV 8
+31 (0)111-468888	4 HILOP	EFGJLVY 9
wijdeblick@ardoer.com	5 ACDEIKL	ABDEFGHIJNPRZ 10
	Anzeige auf Seite 177 B 10A CEE	① €47,00
N 51°43'7'' E 3°46'5''	8 ha 218T(90-120m^2) 142D	② €57,00

Vor Renesse der R106 folgen. Ab hier ist der CP ausgeschildert.

Renesse, NL-4325 DD / Zeeland

De Brem	1 ACEGHKNOPQRST	ABFNX 6
Hoogenboomlaan 11A	2 OPQVX	ABDEFGH 7
1 Jan - 31 Dez	3 BELQT	AFJKNQRSTU 8
+31 (0)111-462626	4 ILP	EJ 9
info@campingdebrem.nl	5 EIKL	ABEFGHIJPRZ 10
	16A CEE	Preise auf
N 51°43'34'' E 3°45'3''	12 ha 116T(60-100m^2) 328D	Anfrage

A29 Dinteloord-Rotterdam. In Hellegatsplein Richtung Zierikzee. Dann Richtung Renesse R104. In Renesse-West ausgeschildert.

Renesse, NL-4325 CS / Zeeland

de Oase	1 ADEHKNOPQRST	6
Roelandsweg 8	2 OPQVX	ABDEFGH 7
22 Mär - 3 Nov	3 BEGHL	ABCDEFIJKNQRSTUV 8
+31 (0)111-461358	4 HIL	EVWY 9
info@campingdeoase.nl	5 CEJL	ABEFGHIJPRZ 10
	10A CEE	① €32,50
N 51°43'43'' E 3°46'19''	15,5 ha 207T(130m^2) 245D	② €42,50

In Renesse Richtung Transferium, Route 105 folgen.

Renesse, NL-4325 EP / Zeeland

Duinhoeve	1 ACIKNOPQRST	CDNX 6
Scholderlaan 8	2 EOPQVWX	ABFGH 7
17 Mär - 1 Nov	3 BEGHL	ABCDFJKNQRSTUV 8
+31 (0)111-461309	4 HIL	EV 9
info@campingduinhoeve.nl	5 CDEIJKL	ABDEGHJNPR 10
	B 16A CEE	① €35,00
N 51°44'21'' E 3°46'39''	4,5 ha 200T(90-120m^2) 34D	② €45,10

A29 Dinteloord-Rotterdam, von Hellegatsplein Richtung Zierikzee. Danach Richtung Renesse. Route 101 und 102 folgen, danach ist der CP ausgeschildert.

Renesse, NL-4325 LD / Zeeland

International	1 ACEILNORT	NQSXY 6
Scharendijkseweg 8	2 EOPQX	ABDEFGH 7
1 Mär - 1 Nov	3 BL	ABCDEFJKNQRSTU 8
+31 (0)111-461391	4 HILOP	JV 9
info@ camping-international.net	5 ACGKL	ABEFGHIJPRZ 10
	B 16A CEE	① €32,00
N 51°44'20'' E 3°47'19''	3,1 ha 320T(80-100m^2) 102D	② €40,00

A29 Dinteloord-Rotterdam, in Hellegatsplein Richtung Zierikzee. Dann Richtung Renesse. An 1. Kreisverkehr Route 101 folgen.

Renesse, NL-4325 DL / Zeeland

Julianahoeve	1 ACDEHKNOPQRST	EFGHN 6
Hoogenboomlaan 42	2 EHPQVX	ABDEFGH 7
20 Mär - 1 Nov	3 BCEFGHLM	ABCDEFJKLNQRSTUV 8
+31 (0)111-461414	4 ILNQUV	EJ 9
info@julianahoeve.nl	5 ACDEGIJKL	ABEFGHIKNPRZ 10
	Anzeige auf Seite 177 B 16A CEE	① €47,00
N 51°43'50'' E 3°45'19''	39 ha 209T(85-110m^2) 1367D	② €58,00

A29 Dinteloord-Rotterdam. In Hellegatsplein Richtung Zierikzee. Dann Richtung Renesse. Renesse-West, R104.

Renesse, NL-4325 DJ / Zeeland

Vakantiepark Schouwen	1 ADEHKNORT	NX 6
Hoogenboomlaan 28	2 NOQVXY	ABDEFGH 7
21 Mär - 26 Okt	3 BEGHLT	ABCDEFNRSTU 8
+31 (0)111-461231	4 ILNPQ	JV 9
info@ vakantieparkschouwen.nl	5 CDIKL	ABEHIJPSTZ 10
	B 10A CEE	① €35,60
N 51°43'43'' E 3°45'48''	9 ha 80T(80-100m^2) 310D	② €37,70

A29 Dinteloord-Rotterdam. Bei Hellegatsplein Richtung Zierikzee. Dann Renesse. Renesse-West, R104.

Retranchement, NL-4525 ND / Zeeland

De Wachtsluis	1 AEGILNOPQRT	KMNQRST 6
Wachtsluis 1	2 EHOPQVWX	ABDEFGH 7
1 Apr - 1 Nov	3 ABKLS	ABCDFJKLNQRSTUV 8
+31 (0)117-391225	4 H	9
info@wachtsluis.nl	5 KL	ABHJPR 10
	Anzeige auf dieser Seite B 16A CEE	① €25,30
N 51°21'41'' E 3°22'48''	3 ha 90T(100-180m^2)	② €36,60

Über Terneuzen (Maut) bis Schoondijke. Richtung Oostburg, dann Richtung Cadzand. Weiter Richtung Retranchement. Dort rechts ab den CP-Schildern folgen.

Retranchement/Cadzand, NL-4525 LX / Zeeland

Ardoer camping De Zwinhoeve	1 ADEJMNOPQRST	KNQRST 6
Duinweg 1	2 EHPVWX	ABDEFGH 7
27 Mär - 1 Nov	3 ABKLQ	ABCDEFJLNQRSTUV 8
+31 (0)117-392120	4 BCHLTU	J 9
zwinhoeve@ardoer.com	5 ABDEGJL	ABCDEFGHJPQRZ 10
	Anzeige auf Seite 177 B 10A CEE	① €34,00
N 51°21'57'' E 3°22'26''	9 ha 117T(80-125m^2) 183D	② €44,00

Via Cadzand bis Cadzand-Bad fahren. Folgen Sie den Schildern 'Het Zwin'. Via Antwerpen bis Sluis, dort Richtung Retranchement fahren.

Retranchement/Cadzand, NL-4525 LW / Zeeland

Cassandria-Bad	1 AGILNOPQRST	N 6
Strengweg 4	2 HPVWX	ABDEFGH 7
27 Mär - 31 Okt	3 ABEFKLS	ACDEFGJNQRSTU 8
+31 (0)117-392300	4 BCDHILOP	EJV 9
info@cassandriabad.nl	5 ADEGKL	ABDEHJPR 10
	Anzeige auf Seite 177 10A CEE	① €35,80
N 51°21'57'' E 3°23'11''	5,5 ha 110T(80-100m^2) 111D	② €38,10

Über Terneuzen (Maut) bis Schoondijke, danach Ri. Oostburg nach Cadzand Ri. Retranchement. Dort rechts den Schildern nach. Oder N49 Antwerpen-Knokke, Ausf. Sluis. Nach 1 km li.. Durch den Ort, dann li. ab den Schildern folgen.

Teilkarte Zeeland auf Seite 171

Niederlande

Retranchement/Cadzand, NL-4525 LW / Zeeland

De Lange Strink	1 AGJMNOPQRT	N 6
Strengweg 3	2 HPVWXY	ABFGH 7
27 Mär - 1 Dez	3 BKLS	ABCDEFJNQRSTUV 8
+31 (0)117-391345	4 H	E 9
info@campingdelangestrink.nl	5 L	ABHIJPST 10
	Anzeige auf Seite 176 4-6A CEE	❶ €28,00
N 51°22'5'' E 3°23'14''	4 ha 60T(80-100m²) 153D	❷ €33,00

Über Sluis Richtung Breskens. Im Kreisverkehr R104 nach Cadzand. Vor Cadzand-Bad links zum 'Lange Strinkweg'. Über Oostburg Richtung Cadzand wie beschildert.

Scharendijke, NL-4326 LK / Zeeland

Resort Land & Zee	1 ADEGJMNOPQRST	6
Rampweg 28	2 EPVX	ABFGK 7
13 Feb - 31 Dez	3 ALS	ABCDEFGJKNQRSTUV 8
+31 (0)111-671785	4	EVW 9
info@landenzee.nl	5 BJL	ABEFGHJPR 10
	16A CEE	❶ €44,65
N 51°44'17'' E 3°49'3''	7 ha 65T(110-200m²) 5D	❷ €56,30

N59 Zierikzee-Renesse, Rotterdam Ouddorp folgen, Ausfahrt Ellemeet, Scharendijke, am Ausfahrtende links, am Ende der Straße rechts, Ende links.

Retranchement/Cadzand, NL-4525 LW / Zeeland

Den Molinshoeve	1 AEJMNOPQRST	MNQR 6
Strengweg 2	2 FHOPVWX	ABDEFGH 7
3 Apr - 25 Okt	3 BKLQS	ACDEFJLNRSTUV 8
+31 (0)117-391674	4 HI	9
info@molinshoeve.nl	5 L	ABDFGHJPR 10
	Anzeige auf dieser Seite 10A CEE	❶ €26,00
N 51°21'42'' E 3°23'1''	5,2 ha 39T(160-190m²) 51D	❷ €36,00

Über Terneuzen (Maut) bis Schoondijke. Dann Ri. Cadzand. Weiter Ri. Retranchement, dort re. Dann den Hinweisen folgen. Oder N49 Antwerpen-Knokke, Ausf. Sluis. Nach 1 km li Ri. Retranchement. Durch den Ort, dann li ab den Schildern folgen.

Scharendijke, NL-4322 NB / Zeeland

De Vliedberg	1 ADEGILNOPQRST	6
Elkerzeeseweg 42	2 OPX	ABFG 7
1 Mär - 1 Dez	3 BL	ABCDEFGJKNPQRSTU 8
+31 (0)111-671293	4 BIO	V 9
camping@devliedberg.nl	5 ABKL	ABEFGHJPSTZ 10
	10A CEE	❶ €34,00
N 51°43'50'' E 3°50'31''	5,5 ha 84T(120m²) 38D	❷ €43,00

N59 Zierikzee - Burgh-Haamstede, Ausfahrt Scharendijke. In Scharendijke ausgeschildert.

Scherpenisse, NL-4694 PJ / Zeeland

Gorishoek	1 AEGJMNOPQRST	ABFKNXY 6
Gorishoeksedijk 25	2 EGHPX	ABFG 7
15 Mär - 15 Okt	3 BELS	ABFNQR 8
+31 (0)166-662457	4 BFHINOQ	AE 9
info@campinggorishoek.nl	5 ADJK	ABFHIJOPST 10
	6A CEE	❶ €17,50
N 51°32'6'' E 4°4'49''	5,5 ha 39T(80-100m²) 182D	❷ €25,50

N286 Ausfahrt St. Maartensdijk, Richtung Schelde. Schildern folgen.

Scharendijke, NL-4322 NM / Zeeland

Duin en Strand	1 AEGJMNOPQRST	XY 6
Kuyerdamseweg 39	2 OPWX	ABFG 7
1 Mär - 15 Nov	3 EL	ABCDEFJNQRTUV 8
+31 (0)111-671216	4 HIMNOQ	AL 9
info@duinenstrand.nl	5 ACDKL	ABDFGHJLOST 10
	B 10A CEE	❶ €30,30
N 51°44'6'' E 3°49'40''	8 ha 300T(60-100m²) 125D	❷ €32,80

N59 Zierikzee-Renesse, Rotterdam-Ouddorp folgen. Ausfahrt Ellemeet-Scharendijke, unten an der Ausfahrt links.

Scherpenisse, NL-4694 PH / Zeeland

Vakantiepark De Pluimpot	1 ADEILNOPQRST	KNQSXY 6
Geertruidaweg 3	2 EHPVWX	ABDEFGH 7
30 Mär - 31 Okt	3 ABEILQ	ABCDEFIJKLNQRSTV 8
+31 (0)166-662727	4 BCDFHIPQ	FJVWY 9
info@pluimpot.nl	5 ADEGIK	ABEGHIJPSTYZ 10
	B 6A CEE	❶ €28,00
N 51°32'0'' E 4°4'28''	16 ha 100T(90-100m²) 277D	❷ €37,00

In Poortvliet im 2. Kreisverkehr links abbiegen. Vor dem 2. Kreisverkehr steht ein CP-Schild.

Niederlande

Sluis, NL-4524 LA / Zeeland

De Meidoorn	1 AJLNOPQRST	N 6
Hoogstraat 68	2 OPVXY	ABDEFGH 7
1 Apr - 1 Nov	3 BELMQ	ACDEFJNRS 8
+31 (0)117-461662	4 HIOPQ	F 9
info@campingdemeidoorn.eu	5 DEGKL	ABFGHIJPR10
	Anzeige auf dieser Seite B 6A CEE	❶ €24,60
N 51°18'45'' E 3°23'33''	5,5 ha 130T(80-120m²) 100D	❷ €34,20

In Sluis ausgeschildert. Campingeinfahrt über Zuiddijk, deshalb Nr. 51 ins Navi eingeben.

St. Kruis/Oostburg, NL-4528 KG / Zeeland

CC€16

Bonte Hoeve	1 AILNOPQRST	NUX 6
Eiland 4	2 OPVXY	ABDEFGH 7
1 Apr - 1 Nov	3 BCEFKLQST	ABCDFNQRSTUV 8
+31 (0)117-452270	4 BHIO	EF 9
info@bontehoeve.nl	5 ABDGKL	ABDEFHIJPR10
	10A CEE	❶ €31,55
N 51°18'5'' E 3°30'36''	9 ha 51T(100-130m²) 245D	❷ €33,85

CP liegt an der Straße Oostburg-St. Margriete (B).

Vlissingen, NL-4384 NP / Zeeland

De Lange Pacht	1 AGJMNOPQRST	6
Boksweg 1	2 AOPVWX	ABDEFGH 7
1 Apr - 31 Okt	3 L	ABCDEFGHIJNQRSTUV 8
+31 (0)118-460447	4 I	9
delangepacht@zeelandnet.nl	5 L	BFJPR10
	B 10A CEE	❶ €25,00
N 51°28'6'' E 3°33'17''	1,2 ha 88T(120-150m²)	❷ €36,50

A58 bis Vlissingen folgen, dann Richtung Koudekerke. Direkt nach dem Ortseingang links zum CP.

Vlissingen, NL-4382 CL / Zeeland

De Nolle	1 DEGJMNOPRST	KNQ 6
B.v.Woelderenlaan 1	2 AEHPQRSVWX	ABFGH 7
1 Apr - 1 Nov	3 AILM	ABEFJNRSTUV 8
+31 (0)118-414371	4 F	EJ 9
info@camping-denolle.nl	5 ABKL	ABFHKPR10
	6A CEE	❶ €30,50
N 51°27'6'' E 3°33'25''	1,3 ha 50T(70-80m²) 104D	❷ €42,10

A58 Vlissingen. Schildern 'boulevard' folgen.

Vrouwenpolder, NL-4354 NN / Zeeland

CC€12

De Zandput	1 ACDEJMNOPRT	NQ 6
Vroondijk 9	2 EHPVWX	ABFGH 7
27 Mär - 1 Nov	3 BEL	ABCDFJNQRSTUV 8
+31 (0)118-597210	4 HILOP	AEJVY 9
info.zandput@roompot.nl	5 ACDJL	ABEFGHIJPRY10
	4-10A CEE	❶ €39,60
N 51°35'11'' E 3°36'19''	12 ha 246T(70-110m²) 281D	❷ €43,25

A58 Bergen op Zoom-Vlissingen, Ausfahrt Middelburg, Oostkapelle-Vrouwenpolder. Im Ort ausgeschildert.

Vrouwenpolder, NL-4354 KC / Zeeland

Elzenoord	1 AGJKNOPQRT	X 6
Koningin Emmaweg 2a	2 OPW	ABDEFGIK 7
1 Mär - 15 Nov	3 ACHLST	ABCDEFJLNPRSTU 8
+31 (0)6-20265326	4 HIKOQ	GJY 9
info@elzenoord.nl	5 L	ABEFGHJP10
	B 10A CEE	❶ €36,20
N 51°34'42'' E 3°36'52''	2 ha 60T(140-215m²) 21D	❷ €38,40

A58 Bergen op Zoom - Vlissingen, Ausfahrt 38, dann die N57 bis Vrouwenpolder. In Vrouwenpolder ausgeschildert.

Vrouwenpolder, NL-4354 KD / Zeeland

Oranjezon	1 ACDEGJMNOPQRST	AFN 6
Koningin Emmaweg 16A	2 PQVX	ABDEFG 7
27 Mär - 1 Nov	3 BEL	ABCDEFGJLNQRSTUV 8
+31 (0)118-591549	4 HILOPST	AEFLVY 9
info@oranjezon.nl	5 ACDEIK	ABEFGHIJNPRYZ10
	B 10A CEE	❶ €43,70
N 51°35'3'' E 3°35'4''	5,3 ha 400T(80-100m²) 140D	❷ €45,90

A58 Bergen op Zoom-Vlissingen, Ausfahrt Middelburg. Dann Straße Oostkapelle-Vrouwenpolder. Im Ort ausgeschildert.

Wemeldinge, NL-4424 NC / Zeeland

Linda	1 AEJMNOPQRST	KNOPQSX 6
Oostelijke Kanaalweg 4	2 AEGHIOPVX	ABDEFGH 7
1 Apr - 1 Nov	3 BCEKLQ	ABCDEFJKNQRSTUV 8
+31 (0)113-621259	4 BFHI	EFJLVY 9
info@campinglinda.nl	5 ABDEGIKLM	ABEFGHIJPR10
	10A CEE	❶ €23,00
N 51°30'58'' E 4°0'27''	10 ha 52T(120m²) 263D	❷ €28,00

A58 Bergen op Zoom, Ausfahrt 33 Yerseke, Richtung Wemeldinge. Nach Brücke über Kanal erste Straße rechts, am Ende der Straße ausgeschildert.

Westenschouwen/Burgh-Haamstede, NL-4328 RM / Zeeland

Ardoer Camping Duinoord	1 AEGJLNOPQRST	FGN 6
Steenweg 16	2 EOPQVW	ABDEFGH 7
1 Jan - 31 Dez	3 ALQT	ABCDEFIJKNQRSTUV 8
+31 (0)111-658888	4 HIL	EJV 9
duinoord@ardoer.com	5 ACDFJKL	ABEFGHIJPSTZ10
	6A CEE	❶ €42,00
N 51°40'19'' E 3°42'23''	4 ha 140T(110m²) 104D	❷ €52,00

N57 Zierikzee-Neeltje Jans. Ausfahrt Westenschouwen, weiterfahren bis zum Kreisverkehr, dort 3/4-Kehre. CP liegt an der linken Seite. Der R112 folgen.

Wolphaartsdijk, NL-4471 NB / Zeeland

't Veerse Meer	1 AGILNOPQRST	LNX 6
Veerweg 71	2 ADPVWXY	ABDEFGH 7
1 Apr - 1 Nov	3 ABEKLST	ABCDEFJKLNQRSTUV 8
+31 (0)113-581423	4 BFHIOP	EFLVWY 9
info@campingveersemeer.nl	5 AGKL	ABEFGHIJNPST10
	10A CEE	❶ €22,00
N 51°32'40'' E 3°48'45''	6 ha 50T(100-140m²) 179D	❷ €25,00

A58 Bergen op Zoom-Vlissingen, Ausfahrt Zierikzee. Dann 2. Ausfahrt Wolphaartsdijk. CP ist ausgeschildert.

Wolphaartsdijk, NL-4471 NM / Zeeland

De Heerlijkheid van Wolphaartsdijk	1 AEJMNOPQRST	LNQWXYZ 6
	2 ADGIPVXY	BFG 7
Muidenweg 10	3 AEKLS	ABCDEFJKNQRSTU 8
15 Mär - 31 Okt	4 FHI	D 9
+31 (0)113-581584	5 KL	ABGIJPST10
info@heerlijkheidwolphaartsdijk.nl	10A CEE	❶ €19,00
N 51°32'31'' E 3°46'50''	6 ha 75T(150-300m²) 31D	❷ €25,00

A58 Bergen op Zoom-Vlissingen, die Ausfahrt Zierikzee nehmen. Dann die zweite Ausfahrt Wolphaartsdijk. In Wolphaartsdijk ist der CP angezeigt.

Wolphaartsdijk, NL-4471 NC / Zeeland

De Veerhoeve	1 ADEILNOPQRST	LNQSTWXYZ 6
Veerweg 48	2 DGHIOPVWX	ABDFGH 7
28 Mär - 25 Okt	3 BEFGHIKLMST	ABCDEFJNQRSTU 8
+31 (0)113-581155	4 BCDFHIOPQ	JLOSVY 9
info@deveerhoeve.nl	5 ACDEGIKLM	ABEFGHIJNPRYZ10
	B 10A CEE	❶ €31,00
N 51°32'47'' E 3°48'49''	9 ha 160T(100-120m²) 263D	❷ €31,00

A58 Bergen op Zoom-Vlissingen, Ausfahrt Zierikzee. Danach Ausfahrt Wolphaartsdijk. In Wophaartsdijk ausgeschildert.

Zonnemaire, NL-4316 PL / Zeeland

Landschapscamping De Zonnehoeve	1 AJMNOPQRT	6
	2 PVX	ABFG 7
Rietdijk 10	3 AS	ACDEFJNQRTU 8
29 Mär - 30 Okt	4 H	EV 9
+31 (0)111-691270	5	ABHJST10
info@dezonnehoeve.nl	16A CEE	❶ €23,00
N 51°43'37'' E 3°56'50''	5 ha 49T(200-300m²) 16D	❷ €33,00

Ab dem Kreuz Hellegatsplein (A59) Richtung Zierikzee (N59). Vom Kreisel Zierikzee Richtung Brouwershaven, dann Zonnemaire.

Zoutelande, NL-4374 NB / Zeeland

Ardoer vakantiepark de Meerpaal	1 ACEGHKNOPRT	KNQ 6
	2 AEHPQVWX	ABDEFGH 7
Werendijkseweg 14	3 BEKLT	ABCDEFIJLNQRSUV 8
22 Mär - 2 Nov	4 FHILSTUVYZ	J 9
+31 (0)118-561300	5 ABDIKL	ABEHIJPRZ10
meerpaal@ardoer.com	16A CEE	❶ €55,00
N 51°29'44'' E 3°30'2''	9 ha 72T(150m²) 80D	❷ €65,00

A58 bis Vlissingen Richtung Zoutelande. Den Schildern folgen.

Zoutelande, NL-4374 ND / Zeeland

Janse	1 AEHKNOPQRST	KNX 6
Westkapelseweg 59	2 AEHOPQVW	ABFGHK 7
27 Mär - 1 Nov	3 BEKLQS	ABCDEFGJKNPQRSUV 8
+31 (0)118-561359	4 H	EJ 9
info@campingjanse.nl	5 ACKL	ABEFGHJLPRZ10
	6A CEE	❶ €31,70
N 51°30'37'' E 3°27'59''	2,5 ha 138T(95m²) 10D	❷ €36,90

A58 Vlissingen-Koudekerke-Zoutelande. In Zoutelande Richtung Westkapelle, ca. 2 km außerhalb Zoutelande.

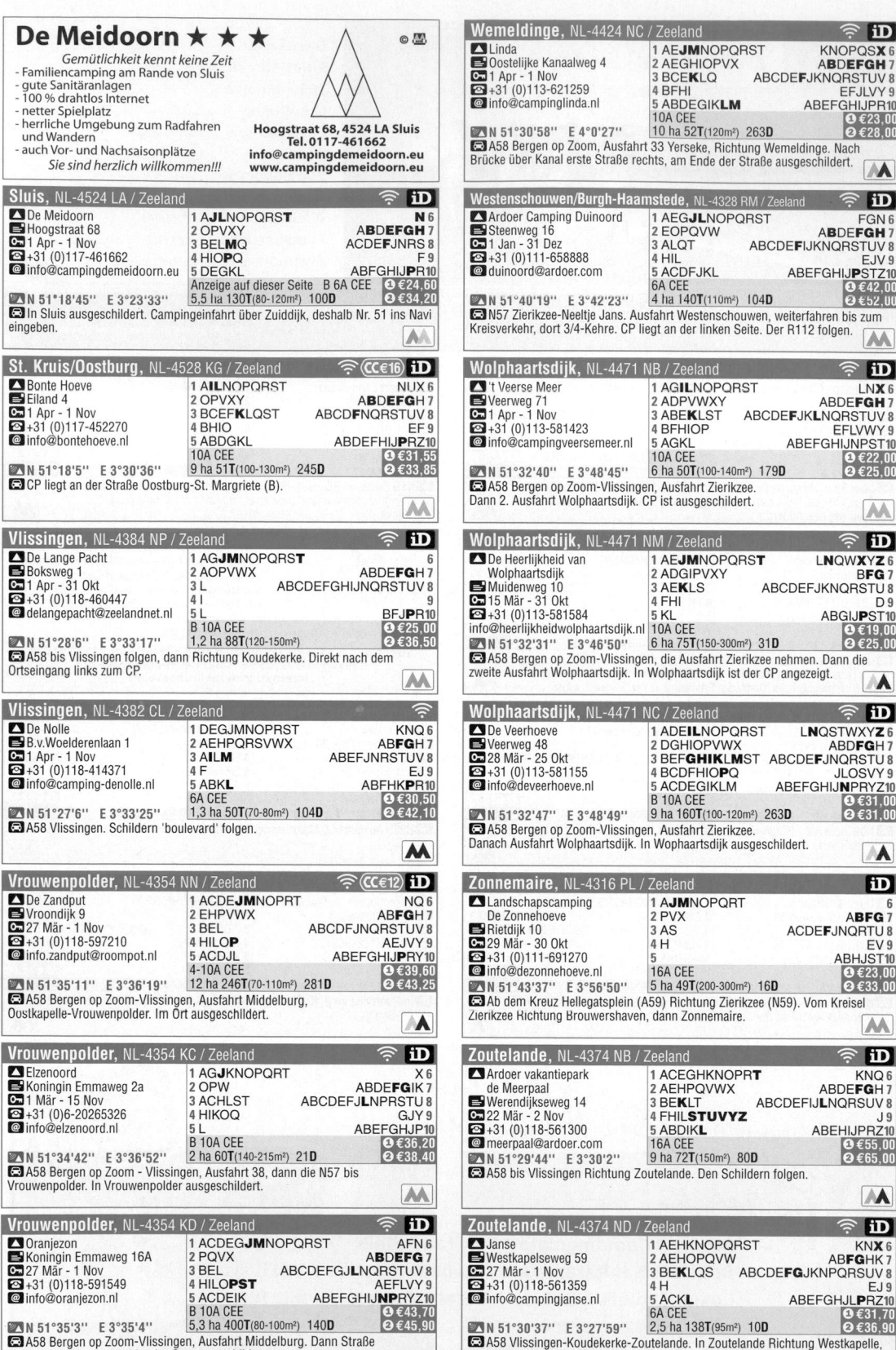

Teilkarte Zeeland auf Seite 171

Zoutelande, NL-4374 NG / Zeeland

Weltevreden
Melsesweg 1
14 Mär - 1 Nov
+31 (0)118-561321
info@campingweltevreden.nl

1 AEGHKNOPRT	KN 6
2 EHOPQVXY	ABCDEFGH 7
3 ABEKLQ	ABCDEFGJKLNQRSTU 8
4 BLRX	JY 9
5 C	ABFGHJPR 10
10A CEE	① €37,00
2,5 ha 90T(80-90m²) 52D	② €37,00

N 51°30'32'' E 3°28'2''
A58 Vlissingen-Zoutelande. In Zoutelande Richtung Westkapelle, ca. 2 km nach Zoutelande 1. CP links.

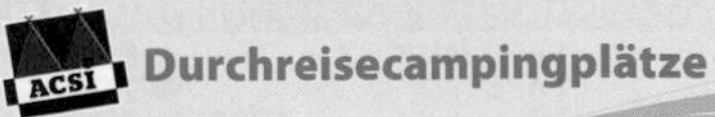

In diesem Führer finden Sie eine handliche Karte mit Campingplätzen an den wichtigen Durchgangsstrecken zu Ihrem Ferienziel.

Doorn, NL-3941 MN / Utrecht

Vakantiepark Bonte Vlucht
Leersumsestraatweg 23
28 Mär - 31 Okt
+31 (0)343-473232
info@bontevlucht.nl

1 ACDEHKNOPQRST	ABFG 6
2 BGOQRTWXY	ABDEFGHK 7
3 ABEKLMQS	ABCDEFGJKNPQRSTUV 8
4 BCDFHINOPQ	IUVW 9
5 ABDEGIJKL	AEFGHIJNOR 10
4-10A CEE	① €28,90
17 ha 100T(80-120m²) 185D	② €31,40

N 52°1'40'' E 5°23'7''
Der CP liegt an der N225 zwischen Doorn und Leersum. Aus Richtung Doorn links und von Leersum aus rechts. Gut ausgeschildert.

Leersum, NL-3956 KD / Utrecht

Molecaten Park
Landgoed Ginkelduin
Scherpenzeelseweg 53
27 Mär - 31 Okt
+31 (0)343-489999
info@landgoedginkelduin.nl

1 ADEGHKNOPQRST	ABEFG 6
2 ABGPQVWXY	ABDEFGHK 7
3 ABCEFGHIKLMPQRSTV	ABCDEFGHIJKLNPQRSTUV 8
4 ABCDEFGHIMNOPQTUV	AGIJUVY 9
5 ACDEFGIJKL	ABDEFGHIJPQRYZ 10
B 10A CEE	① €33,85
H50 95 ha 220T(80-110m²) 246D	② €37,20

N 52°1'46'' E 5°27'31''
N225, bei der Kirche im Zentrum von Leersum ist der CP ausgeschildert.

Baarn, NL-3744 BC / Utrecht

Allurepark De Zeven Linden
Zevenlindenweg 4
27 Mär - 25 Okt
+31 (0)35-6668330
allurepark@dezevenlinden.nl

1 AEGJMNOPRST	6
2 ABOPVWXY	ABDEFGH 7
3 AEKLQ	ABCDEFGHIJKNPQRSTUV 8
4 BFHI	FVW 9
5 ABCDK	ABCFGHJMNPSTWXYZ 10
B 6-10A CEE	① €26,20
11,5 ha 278T(110m²) 5D	② €32,50

N 52°11'48'' E 5°14'49''
An der N415 Hilversum-Baarn ist der CP ab ca. 2 km von Baarn gut ausgeschildert.

Lopikerkapel, NL-3412 KT / Utrecht

Klein Scheveningen
Lekdijk Oost 16
1 Apr - 1 Okt
+31 (0)30-6883360
kleinscheveningen@hetnet.nl

1 ADEGILNORT	JNSWXYZ 6
2 ACGHPQW	ABFGHK 7
3 BEL	ABEFN 8
4 FHILOP	9
5 DEGIL	ABFHIJOR 10
16A CEE	① €20,00
5 ha 110T(120-150m²) 60D	② €24,00

N 51°59'18'' E 5°3'2''
Autobahn A2, Ausfahrt Nieuwegein-Zuid. Ende Ausfahrt Richtung Lopikerkapel. Deich folgen. Nach ca. 6 km links.

Bilthoven, NL-3722 GZ / Utrecht

Bos Park Bilthoven
Burg.van de Borchlaan 7
28 Mär - 24 Okt
+31 (0)30-2286777
info@bosparkbilthoven.nl

1 AEJMNOPQRT	ABFG 6
2 BGOPQVWXY	ABDEFGH 7
3 BEGHIJLMQST	ABCDEFGHIJKNPRSTUV 8
4 BDFHIOQ	DFJ 9
5 ADIJKL	ACDEFGHIJLNPTUZ 10
16A CEE	① €29,10
20 ha 250T(bis 175m²) 493D	② €36,10

N 52°7'52'' E 5°13'14''
An der Straße Den Dolder-Bilthoven ist der CP gut ausgeschildert.

Maarn, NL-3951 KD / Utrecht

Allurepark Laag-Kanje
Laan van Laagkanje 1
28 Mär - 27 Sep
+31 (0)343-441348
allurepark@laagkanje.nl

1 AEGJMNOPRST	LMN 6
2 BDGHOPRVWXY	ABEFGH 7
3 ABEFGHKLMQT	ABCDEFGHIJKNPQRSTUV 8
4 BCDFGHIKO	FJV 9
5 ACDEGJKL	ABDEFGHIJNPRZ 10
B 4-10A CEE	① €26,20
30 ha 241T(100m²) 355D	② €31,40

N 52°4'39'' E 5°22'46''
An der N227 Amersfoort-Doorn sowohl in Maarn als auch an Kreuzung 'Quatre Bras' gut ausgeschildert.

Bunnik, NL-3981 HG / Utrecht

Buitengoed De Boomgaard
Parallelweg 9
27 Mär - 1 Nov
+31 (0)30-6563896
info@buitengoeddeboomgaard.nl

1 AEGJMNOPQRST	A 6
2 AOPRWXY	ABDEFGJ 7
3 ADEGHKLMQRST	ABCDEFGHJNPRSV 8
4 BFHIO	ADVY 9
5 AKL	ABDFGHIJLNPSTWY 10
6-10A CEE	① €17,50
11 ha 200T(150m²) 65D	② €28,50

N 52°3'35'' E 5°11'56''
A12 Ausfahrt 19 Bunnik/Odijk/Wijk bij Duurstede. Nach der Ausfahrt sofort rechts in die Parallelweg.

Renswoude, NL-3927 CB / Utrecht

Allurepark De Lucht
Barneveldsestraat 49
28 Mär - 29 Sep
+31 (0)342-412877
allurepark@delucht.com

1 AEGJMNOPQRST	ABCDFG 6
2 APWXY	ABFGH 7
3 ABEGHKLMQRTV	ABCDEFGHINPQRSUV 8
4 BCDFGHIKOPQR	EVWXY 9
5 ABDEGIL	ABCEFGHIJMNPRYZ 10
B 6A CEE	① €25,00
20 ha 90T(100m²) 295D	② €25,00

N 52°6'13'' E 5°32'29''
A1, Ausf. Ede nehmen, Ri. Scherpenzeel (A30). Weiter Ri. Renswoude. Von der A12, Ausf. Maarsbergen, Ri. Woudenberg/Renswoude. In Renswoude den Schildern folgen.

Doorn, NL-3941 ZK / Utrecht

RCN Het Grote Bos
Hydeparklaan 24
1 Jan - 31 Dez
+31 (0)343-513644
hetgrotebos@rcn.nl

1 ADEGJMNOPQRT	ABFGH 6
2 ABGOPQRVWXY	ABDEFGH 7
3 BEGHIKLMPQRV	ABCDEFGHIJKNPQRSTUV 8
4 BCDEFGHINOQ	EJUVWY 9
5 ACDEGIJKL	ABCEFGHIJMNPRYZ 10
B 10A CEE	① €34,65
80 ha 350T(75-150m²) 466D	② €43,80

N 52°3'22'' E 5°18'49''
A12 (Arnheim-Utrecht u.u.), Ausfahrt Driebergen. Dann ab Ort Beschilderung folgen. CP liegt in Dreieck Doorn-Driebergen-Maarn.

Renswoude, NL-3927 CJ / Utrecht

Camping de Grebbelinie
Ubbeschoterweg 12
21 Mär - 17 Okt
+31 (0)318-591073
info@campingdegrebbelinie.nl

1 AEJMNOPRT	6
2 AFGPWX	ABFG 7
3 ABQ	ABCDEFGIJKNPQRSTU 8
4 FGHIK	AIVW 9
5 AL	ABDEHJPQSTZ 10
10A CEE	① €21,50
4,5 ha 100T(105-140m²) 6D	② €29,00

N 52°5'5'' E 5°33'4''
Von der A30 Ausf. Scherpenzeel. Am Kreisel geradeaus Ri. Renswoude (CP-Schildern folgen). Von der A12 Ausf. 23 Renswoude/Veenendaal. Der Beschilderung Ri. Renswoude folgen. Danach den CP-schildern folgen.

Doorn, NL-3941 XR / Utrecht

Recr.Centr. De Maarnse Berg
Maarnse Bergweg 1
27 Mär - 25 Okt
+31 (0)343-441284
info@maarnseberg.nl

1 AEHKNOPQRST	F 6
2 ABPVWXY	ABDEFGH 7
3 ABEIKLPQ	ABCDFGHJNPRTUV 8
4 BFHIO	IJ 9
5 ADEGIJKL	ADHJNOR 10
B 6A CEE	① €19,50
H55 20 ha 75T(100-225m²) 204D	② €24,50

N 52°3'48'' E 5°21'6''
A12 ab Utrecht, an Ausfahrt Maarn/Doorn CP-Schild, unten zweimal rechts. A12 ab Arnheim, Ausfahrt Maarsbergen. Durch Maarn-Zentrum. An N227 ausgeschildert.

Soest, NL-3768 HM / Utrecht

Duynparc Soest
Birkstraat 132
1 Jan - 31 Dez
+31 (0)33-4619118
info@duynparcsoest.nl

1 ACEGJMNOPQRT	A 6
2 ABOPVWXY	ABDEFGH 7
3 BEFGHIKLMQ	ABCDEFGHIJNQRSTUV 8
4 FHIOQ	FJVW 9
5 ADEGJL	ABEFGHIJNPQTUZ 10
B 10A CEE	① €25,00
5 ha 32T(80-100m²) 50D	② €32,00

N 52°9'36'' E 5°20'8''
An N221 zwischen Amersfoort und Soest ist der CP gut ausgeschildert. Der Eingang ist direkt an dieser Straße.

Niederlande

Woerden, NL-3443 AP / Utrecht

CC€16 iD

Batenstein	1 ADG**JM**NOR**T**	**EFGHIN** 6
van Helvoortlaan 36	2 APSVWX	A**B**DE**FG**HIJ 7
27 Mär - 1 Nov	3 BL	ABCDE**F**KNQRSUV 8
+31 (0)348-421320	4 FH**RST**	DFV 9
campingbatenstein@planet.nl	5 K**L**	ABDFGHJ**NO**ST10
	6A CEE	❶ €21,50
N 52°5'34'' E 4°53'6''	1,6 ha 40**T**(60-100m²) 73**D**	❷ €27,50

A2 Ausfahrt 5 Richtung Kockengen, danach Richtung Woerden (N212). In Woerden ist der CP ausgeschildert. Oder A12, Ausfahrt 14, danach den Schildern folgen.

Woudenberg, NL-3931 MK / Utrecht

CC€14 iD

't Boerenerf	1 AE**JM**NOPRS**T**	LM**N** 6
De Heygraeff 15	2 ADHOPRVWXY	A**BDEFG**HJK 7
27 Mär - 26 Sep	3 ABEH**K**LQST	ABCDE**F**JKNPQRSTUV 8
+31 (0)33-2861424	4 BFHIK	DEUVWY 9
info@campingboerenerf.nl	5 KL	ABDFHIJ**NP**RZ10
	6A CEE	❶ €17,50
N 52°4'51'' E 5°23'12''	4,5 ha 50**T**(80-100m²) 99**D**	❷ €22,50

A28, Ausfahrt 5, Maarn/Amersfoort Zuid; A12, Ausfahrt Maarn/Doorn Richtung Amersfoort. N224 Richtung Woudenberg; 1. rechts, Henschotermeer. Nach 50m links und sofort rechts.

Woudenberg, NL-3931 ML / Utrecht

CC€16 iD

Vakantiepark De Heigraaf	1 AEHKNOPRS**T**	LM**N** 6
De Heygraeff 9	2 ADHIOPVWXY	A**BDEFGH** 7
27 Mär - 31 Okt	3 ABCEF**GHK**LQSTU	ABCDE**FG**HIJK**L**NPQRSTUV 8
+31 (0)33-2865066	4 BCDFHIK**Q**	ADEV 9
info@heigraaf.nl	5 ACDJK**L**	ABDEFGHIJ**P**RYZ10
	B 4-16A CEE	❶ €20,00
N 52°4'47'' E 5°22'54''	16 ha 250**T**(100-250m²) 325**D**	❷ €26,60

Über die A12 oder A28, Ausfahrt Maarn, von dort ausgeschildert.

Zeist, NL-3707 HW / Utrecht

CC€18 iD

Allurepark De Krakeling	1 AEJMNOPQRST	L 6
Woudenbergseweg 17	2 ABDOPQVWXY	AB**D**E**FG**H 7
27 Mär - 27 Sep	3 BE**K**LQ	ABCDE**FGI**JNQRS 8
+31 (0)30-6915374	4 BCD**E**FHIKO	Y 9
allurepark@dekrakeling.nl	5 ACDEGIJK**L**	ABDEFGHJNPRYZ10
	B 6-10A CEE	❶ €26,20
N 52°5'35'' E 5°16'58''	22 ha 347**T**(120m²) 215**D**	❷ €29,50

A28 Utrecht-Amersfoort, Ausfahrt Zeist-Oost, A28 ab Amersfoort, Ausfahrt Zeist. Von Zeist via Woudenbergseweg gut zu finden.

Biddinghuizen, NL-8256 RD / Flevoland

CC€12 iD

Aqua Centrum Bremerbergse Hoek	1 ACEG**IL**NOPQRS**T**	L**N**QRST**XYZ** 6
Bremerbergdijk 35	2 DGHIPQVWX	A**BFG** 7
15 Apr - 25 Okt	3 BF**KLM**ST	ABE**F**HJNQRSTU 8
+31 (0)321-331635	4 BDHILOQ	DFUVY 9
info@aquacentrum.nl	5 ACDEGJKL**M**	ABDHJ**NP**RVYZ10
	Anzeige auf dieser Seite B 6A CEE	❶ €24,40
N 52°24'55'' E 5°44'44''	6 ha 80**T**(100-120m²) 176**D**	❷ €33,30

Von Süden die A28 Ausfahrt 13 Richtung Lelystad. Den Schildern Walibi World folgen. Von Norden die A28 Ausfahrt 16 Elburg/Dronten. Danach den Schildern Walibi World folgen.

Almere, NL-1324 ZZ / Flevoland

CC€16 iD

Waterhout	1 AE**JM**NOPQRT	LNOPQRSTW**XYZ** 6
Archerpad 6	2 ADGHIOPRVWXY	ABDE**FGH**IJK 7
3 Apr - 18 Okt	3 BDEF**GHKLMP**QST	ABCDEFGHIJKNPRSTUV 8
+31 (0)36-5470632	4 BCDEFHIKNO**RSTUVXYZ**	ADFMNOPQTV 9
info@waterhout.nl	5 ABDEGIKL	ABDFGHIJ**NO**ST10
	10A CEE	❶ €25,00
N 52°21'25'' E 5°13'30''	4 ha 160**T**(100m²) 48**D**	❷ €31,00

Ab Lelystad A6 Ausfahrt 4 Almere-Haven. Dann Beschilderung Weerwater folgen. Ab Amsterdam A6 Ausfahrt 4. An der Ampel Richtung Weerwater.

Biddinghuizen, NL-8256 RZ / Flevoland

CC€16 iD

Molecaten Park Flevostrand	1 ADEG**JM**NOPQRST	AB**E**FGHILM**N**PQRSTW**XY**Z 6
Strandweg 1	2 ADFGHOPQVWX	AB**FG** 7
27 Mär - 31 Okt	3 ABCEF**IKLM**TV	ABCDFGJKNQRSTUV 8
+31 (0)320-288480	4 BDFHIKLNO**PQ**	CEJMNOPQTVWY 9
flevostrand@molecaten.nl	5 ACDEGIKL	ABCDEGHIJ**P**QRZ10
	10A CEE	❶ €31,75
N 52°23'7'' E 5°37'45''	25 ha 330**T**(80-120m²) 393**D**	❷ €32,75

A28 Ausfahrt 13 Richtung Lelystad. Schildern Walibi folgen. Der CP liegt zwischen der N306 und dem Veluwesee. Ist angezeigt.

Bant, NL-8314 RA / Flevoland

iD

Vakantiepark Eigen Wijze	1 ADEG**JM**NOPQRS**T**	N 6
Schoterpad 1	2 ADHPQVWX	AB**FG** 7
1 Mär - 31 Okt	3 BDE**K**LMQ	AEFNQRTUV 8
+31 (0)527-261899	4 BCHIK	JVY 9
info@groepen.com	5 ABL	AHJ**P**RVY10
	16A CEE	❶ €19,00
N 52°47'17'' E 5°46'23''	2 ha 60**T**(100-150m²) 23**D**	❷ €36,00

A6 Emmeloord-Joure, Ausfahrt 16 Bant. Dann Richtung Luttelgeest, 1. Straße links. Nach etwa 2 km liegt der CP an der linken Seite.

Biddinghuizen, NL-8256 RJ / Flevoland

CC€16 iD

Oostappen Vakantiepark Rivièra Beach	1 ADEG**JM**NOPQRST	EFGHLM**N**QRS**XY**Z 6
Spijkweg 15	2 DGHOPVWX	ABDE**FG**H 7
22 Mär - 2 Nov	3 ABCEF**KLPQ**RST	ABCDEFGHJK**L**NPQRSTUV 8
+31 (0)321-331344	4 BDFHILMNO**PQ**STV	EJLNQTUVY 9
info@vakantieparkrivierabeach.nl	5 ACDEHIJKL**M**	ABDEFGHIK**NP**QRZ10
	Anzeige auf Seite 160 B 10A CEE	❶ €42,80
N 52°26'49'' E 5°47'30''	45 ha 559**T**(100m²) 741**D**	❷ €44,60

Von Süden: A28 Ausfahrt 13 Richtung Lelystad, den Schildern Walibi World folgen, an Walibi vorbei. Von Norden: A28 Ausfahrt 16 Richtung Lelystad, dann den Schildern Walibi World folgen. CP liegt an der N306.

Niederlande

Dronten, NL-8251 ST / Flevoland

't Wisentbos
De West 1
1 Apr - 30 Sep
+31 (0)321-316606
info@wisentbos.nl

1 ADEJMNOPQRST	JNX	6
2 BCGOPWX	ABDEFGH	7
3 BKLV	ABCDEFHJNPQRSV	8
4 BHIOQ	E	9
5 EL	ABDFGHJPRWYZ	10
10A CEE		① €20,10
9 ha 40T(80-110m²) 293D		② €30,10

N 52°31'16'' E 5°41'31''

Von der N309 Lelystad-Dronten am Kreisel links ab. Nach ± 500m liegt der CP auf der linken Seite.

Dronten, NL-8251 PX / Flevoland

De Ruimte
Stobbenweg 23
1 Apr - 30 Sep
+31 (0)321-316442
info@campingderuimte.nl

1 AGJMNOPQRST	FG	6
2 BPVWXY	ABDEFGH	7
3 AEKLSV	ABCDEFHIJNPQRSTUV	8
4 BFHIJLO	AFV	9
5 ABDEFGIKL	ABHJOR	10
B 10A CEE		① €23,00
6 ha 97T(80-120m²) 31D		② €32,50

N 52°29'48'' E 5°50'15''

A28 Ausfahrt 16, Elburg vorbei nach Dronten. Über die Brücke vom Veluwesee an der Ampel Richtung Kampen. CP ist angezeigt.

Emmeloord, NL-8302 AC / Flevoland

Het Bosbad
Banterweg 4
1 Apr - 1 Nov
+31 (0)527-616100
info@campinghetbosbad.nl

1 AJMNOPQRT	A	6
2 ABPSVWXY	ABFG	7
3 BKQ	ABCEFHNQRV	8
4 BDFHILO	EFJY	9
5 DFGIL	ABFGHJPR	10
B 6A CEE		① €21,60
2 ha 32T(100-120m²) 50D		② €30,60

N 52°43'8'' E 5°45'17''

An der A6, Ausfahrt 15 Emmeloord-Noord ist der CP ausgeschildert. Liegt an der Nordseite neben dem Schwimmbad.

Kraggenburg, NL-8317 RD / Flevoland

De Voorst
Leemringweg 33
1 Apr - 30 Sep
+31 (0)527-252524
devoorst@vdbrecreatie.nl

1 AEJMNOPQRST	AFHJNXYZ	6
2 ABCFGOPQRVWXY	ABDEFG	7
3 ABEIKLMQ	ABCDEFKNQRSV	8
4 ABCDEFHIOPQ	EY	9
5 DEFGIJKL	ABHJNPR	10
4A CEE		① €24,50
13 ha 180T(100-200m²) 62D		② €32,50

N 52°40'32'' E 5°53'32''

A6 bis Lelystad-Nagele-Ens. Dann ausgeschildert.

Lelystad, NL-8245 AB / Flevoland

't Oppertje
Uilenweg 11
28 Mär - 4 Okt
+31 (0)320-253693
info@oppertje.nl

1 AGJMNOPQRST	LMNQRSTXYZ	6
2 DGHIPQVWXY	ABDEFGH	7
3 AKLS	ABCDEFGHIJKNPQRSTUV	8
4 FH	FJMOQTV	9
5 AL	ABCDFGHIJNPSTV	10
B 6-10A CEE		① €22,00
3 ha 70T(120-150m²) 20D		② €28,00

N 52°29'9'' E 5°25'1''

Von der A6 Ausfahrt 10, Larserdreef Richtung Lelystad. Durch 4. Kreisel geradeaus, hinter dem 5. Kreisel links in den 'Buizerdweg'. CP ist angezeigt.

Urk, NL-8321 NC / Flevoland

Vakantiepark 't Urkerbos
Vormtweg 9
1 Apr - 1 Nov
+31 (0)527-687775
info@heturkerbos.nl

1 AEJMNOPQRST	AF	6
2 BGPQVWX	ABFGH	7
3 BEGHLTV	ABCDEFGJNPQRSTUV	8
4 BCDFHIKLO	ABEJVWY	9
5 ADEGIKL	ABEFGHJPRWY	10
10A CEE		① €24,50
14 ha 190T(120-150m²) 67D		② €31,80

N 52°40'45'' E 5°36'35''

A6 Ausfahrt 13 nach Urk. Der Straße durch Urk geradeaus folgen, am 3. Kreisel links ab (ist angezeigt). Nach 1,5 km CP rechts.

Zeewolde, NL-3896 LS / Flevoland

Camping het Groene Bos
Groenewoudse Weg 98
1 Apr - 18 Okt
+31 (0)36-5236366
info@hetgroenebos.nl

1 ADEJMNOPQRT		6
2 BPQVWX	ABDEFGH	7
3 BKLQS	ABCDFHJNPQRSTUV	8
4 HIKO	FVWY	9
5 AGL	ABHJPRZ	10
B 10A CEE		① €21,85
4 ha 50T(85-225m²) 32D		② €29,80

N 52°20'24'' E 5°30'20''

A28, Ausfahrt 9 Richtung Zeewolde, CP liegt westlich von Zeewolde und wird angezeigt.

Zeewolde, NL-3896 LT / Flevoland

Dasselaar
Dasselaarweg
1 Apr - 31 Okt
+31 (0)36-5229904
a.hofstra@staatsbosbeheer.nl

1 AEGJMNORT		6
2 BFGPQVWXY	AB	7
3 BKL	ABEFNRV	8
4 EFGH		9
5	FJR	10
B 4A CEE		① €20,50
5 ha 50T(150-200m²)		② €30,50

N 52°18'12'' E 5°31'32''

A28 Ausfahrt 9 Richtung Zeewolde. Hinter der Brücke am Kreisel rechts, 2. Straße rechts (Dasselaarweg), in der Kurve rechts ab.

Zeewolde, NL-3896 LS / Flevoland

De Parel
Groenewoudseweg 71
1 Apr - 31 Okt
+31 (0)36-5227862
info@campingdeparel.nl

1 AEJMNOPQRT	JMNQSXYZ	6
2 BCGHIPQVWXY	ABEFGH	7
3 AEFHKLQS	ABDEFGJNRSV	8
4 BFHIKLNOPQ	DFTY	9
5 ADEGIL	ABHJLNPR	10
6A CEE		① €21,65
4 ha 60T(80-130m²) 68D		② €33,10

N 52°19'57'' E 5°29'34''

A28 Ausfahrt 9 Richtung Zeewolde. Der CP liegt westlich von Zeewolde und ist ausgeschildert.

Zeewolde, NL-3896 LB / Flevoland

Erkemederstrand
Erkemederweg 79
27 Mär - 25 Okt
+31 (0)36-5228421
info@erkemederstrand.nl

1 AEGJMNOPQRST	LMNQSWXYZ	6
2 ABDFGHIPQVWX	ABFGHJ	7
3 ABEFIKLSTV	ABCDEFGJNQRSTUV	8
4 BCDHIKLNOP	FLMOQRTV	9
5 ACDEGJKL	ABEFGHIJLMNPRYZ	10
Anzeige auf dieser Seite 16A CEE		① €30,00
35 ha 151T(120-180m²) 215D		② €39,50

N 52°16'12'' E 5°29'19''

A28, Ausfahrt 9 Richtung Zeewolde. Über die Brücke erste rechts, danach links (Erkemederweg). CP ist ausgeschildert.

Zeewolde, NL-3896 LA / Flevoland

Naturistenpark Flevo-Natuur
Wielseweg 3
28 Mär - 25 Okt
+31 (0)36-5228880
info@flevonatuur.nl

1 ADEGJMNOPQRST	AEFGN	6
2 ABDGHPRVWXY	ABDEFGH	7
3 ABEFKLQ	ABCDEFGHJKNPQRSTUV	8
4 BCDFGHIKLNOPQTX	JLQVY	9
5 ACDEGJKL	ABCEFGHJNOQRYZ	10
FKK B 4-10A CEE		① €35,95
35 ha 249T(100-130m²) 477D		② €35,95

N 52°16'16'' E 5°26'5''

Ab A28 Ausfahrt 9 Richtung Almere. Der CP ist ausgeschildert direkt an der Brücke vorbei.

Zeewolde, NL-3896 LT / Flevoland

RCN Zeewolde
Dasselaarweg 1
27 Mär - 2 Nov
+31 (0)36-5221246
zeewolde@rcn.nl

1 ACDEGJMNOPQRST	EFGLMNQRSXYZ	6
2 DFGHIPQVWX	ABDEFGHK	7
3 ABEKLM	ABCDFJKNQRSTUV	8
4 BCDFGHILNO	BEIJUVWY	9
5 ACDEGJKL	ABEFGHJNPRYZ	10
B 10A CEE		① €36,50
43 ha 350T(100-120m²) 314D		② €46,50

N 52°18'42'' E 5°32'37''

A28 Ausfahrt 9 Richtung Zeewolde. Der CP liegt im Süden, 1 km draußen von Zeewolde und ist ausgeschildert.

Teilkarte Flevoland auf Seite 180

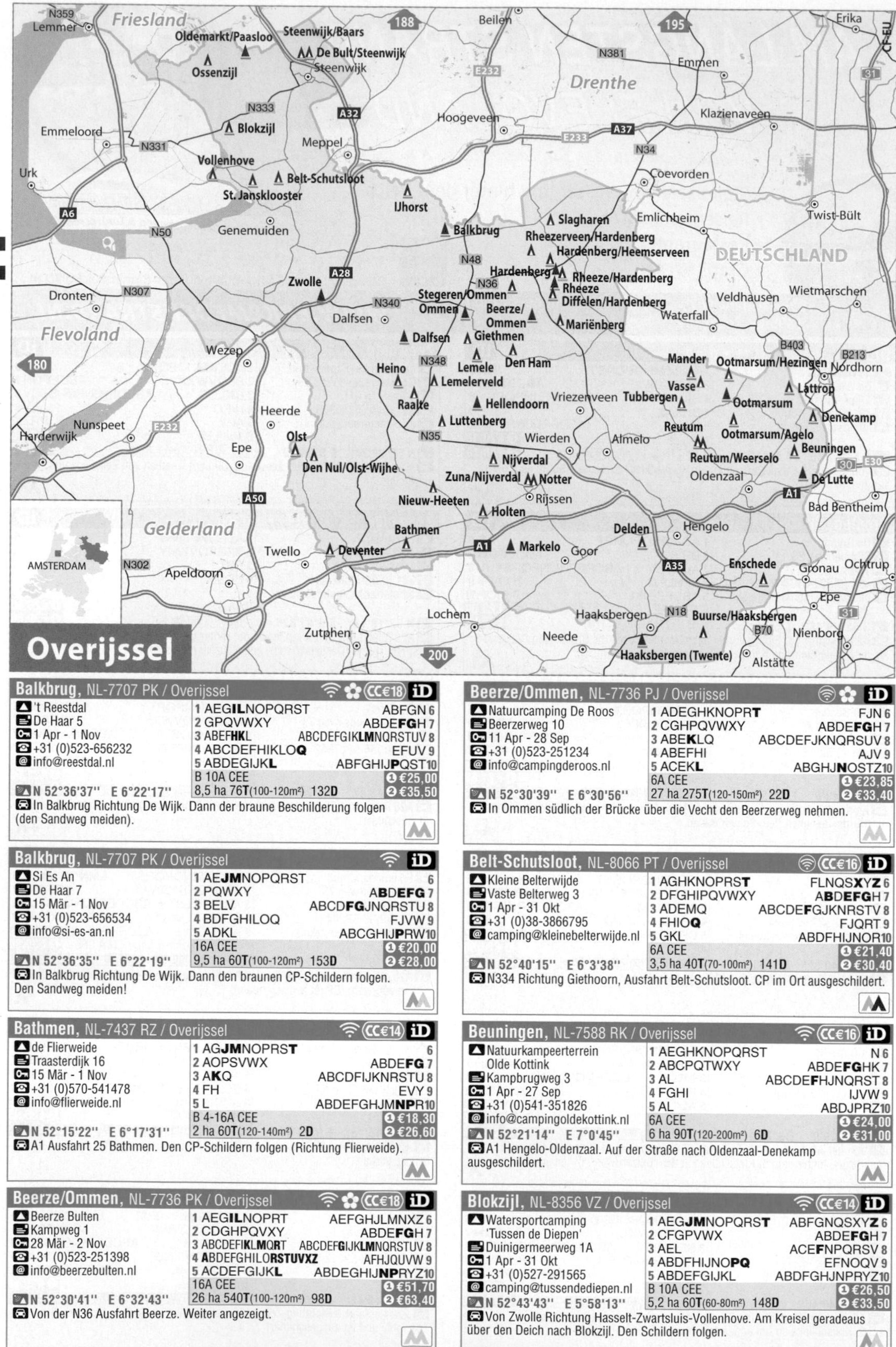

Balkbrug, NL-7707 PK / Overijssel

't Reestdal
De Haar 5
1 Apr - 1 Nov
+31 (0)523-656232
info@reestdal.nl

1 AEGILNOPQRST	ABFGN 6	
2 GPQVWXY	ABDEFGH 7	
3 ABEFHKL	ABCDEFGIKLMNQRSTUV 8	
4 ABCDEFHIKLOQ	EFUV 9	
5 ABDEGIJKL	ABFGHIJPQST 10	
B 10A CEE		❶ €25,00
8,5 ha 76T(100-120m²) 132D		❷ €35,50

N 52°36'37'' E 6°22'17''

In Balkbrug Richtung De Wijk. Dann der braune Beschilderung folgen (den Sandweg meiden).

Balkbrug, NL-7707 PK / Overijssel

Si Es An
De Haar 7
15 Mär - 1 Nov
+31 (0)523-656534
info@si-es-an.nl

1 AEJMNOPQRST	6	
2 PQWXY	ABDEFG 7	
3 BELV	ABCDFGJNQRSTU 8	
4 BDFGHILOQ	FJVW 9	
5 ADKL	ABCGHIJPRW 10	
16A CEE		❶ €20,00
9,5 ha 60T(100-120m²) 153D		❷ €28,00

N 52°36'35'' E 6°22'19''

In Balkbrug Richtung De Wijk. Dann den braunen CP-Schildern folgen. Den Sandweg meiden!

Bathmen, NL-7437 RZ / Overijssel

de Flierweide
Traasterdijk 16
15 Mär - 1 Nov
+31 (0)570-541478
info@flierweide.nl

1 AGJMNOPRST	6	
2 AOPSVWX	ABDEFG 7	
3 AKQ	ABCDFIJKNRSTU 8	
4 FH	EVY 9	
5 L	ABDEFGHJMNPR 10	
B 4-16A CEE		❶ €18,30
2 ha 60T(120-140m²) 2D		❷ €26,60

N 52°15'22'' E 6°17'31''

A1 Ausfahrt 25 Bathmen. Den CP-Schildern folgen (Richtung Flierweide).

Beerze/Ommen, NL-7736 PK / Overijssel

Beerze Bulten
Kampweg 1
28 Mär - 2 Nov
+31 (0)523-251398
info@beerzebulten.nl

1 AEGILNOPRT	AEFGHJLMNXZ 6	
2 CDGHPQVXY	ABDEFGH 7	
3 ABCDEFIKLMQRT	ABCDEFGIJKLMNQRSTUV 8	
4 ABDEFGHILORSTUVXZ	AFHJQUVW 9	
5 ACDEFGIJKL	ABDEGHIJNPRYZ 10	
16A CEE		❶ €51,70
26 ha 540T(100-120m²) 98D		❷ €63,40

N 52°30'41'' E 6°32'43''

Von der N36 Ausfahrt Beerze. Weiter angezeigt.

Beerze/Ommen, NL-7736 PJ / Overijssel

Natuurcamping De Roos
Beerzerweg 10
11 Apr - 28 Sep
+31 (0)523-251234
info@campingderoos.nl

1 ADEGHKNOPRT	FJN 6	
2 CGHPQVWXY	ABDEFGH 7	
3 ABEKLQ	ABCDEFJKNQRSUV 8	
4 ABEFHI	AJV 9	
5 ACEKL	ABGHJNOSTZ 10	
6A CEE		❶ €23,85
27 ha 275T(120-150m²) 22D		❷ €33,40

N 52°30'39'' E 6°30'56''

In Ommen südlich der Brücke über die Vecht den Beerzerweg nehmen.

Belt-Schutsloot, NL-8066 PT / Overijssel

Kleine Belterwijde
Vaste Belterweg 3
1 Apr - 31 Okt
+31 (0)38-3866795
camping@kleinebelterwijde.nl

1 AGHKNOPRST	FLNQSXYZ 6	
2 DFGHIPQVWXY	ABDEFGH 7	
3 ADEMQ	ABCDEFGJKNRSTV 8	
4 FHIOQ	FJQRT 9	
5 GKL	ABDFHIJNOR 10	
6A CEE		❶ €21,40
3,5 ha 40T(70-100m²) 141D		❷ €30,40

N 52°40'15'' E 6°3'38''

N334 Richtung Giethoorn, Ausfahrt Belt-Schutsloot. CP im Ort ausgeschildert.

Beuningen, NL-7588 RK / Overijssel

Natuurkampeerterrein
Olde Kottink
Kampbrugweg 3
1 Apr - 27 Sep
+31 (0)541-351826
info@campingoldekottink.nl

1 AEGHKNOPQRST	N 6	
2 ABCPQTWXY	ABDEFGHK 7	
3 AL	ABCDEFHJNQRST 8	
4 FGHI	IJVW 9	
5 AL	ABDJPRZ 10	
6A CEE		❶ €24,00
6 ha 90T(120-200m²) 6D		❷ €31,00

N 52°21'14'' E 7°0'45''

A1 Hengelo-Oldenzaal. Auf der Straße nach Oldenzaal-Denekamp ausgeschildert.

Blokzijl, NL-8356 VZ / Overijssel

Watersportcamping
'Tussen de Diepen'
Duinigermeerweg 1A
1 Apr - 31 Okt
+31 (0)527-291565
camping@tussendediepen.nl

1 AEGJMNOPQRST	ABFGNQSXYZ 6	
2 CFGPVWX	ABDEFGH 7	
3 AEL	ACEFNPQRSV 8	
4 ABDFHIJNOPQ	EFNOQV 9	
5 ABDEFGIJKL	ABDFGHJNPRYZ 10	
B 10A CEE		❶ €26,50
5,2 ha 60T(60-80m²) 148D		❷ €33,50

N 52°43'43'' E 5°58'13''

Von Zwolle Richtung Hasselt-Zwartsluis-Vollenhove. Am Kreisel geradeaus über den Deich nach Blokzijl. Den Schildern folgen.

Buurse/Haaksbergen, NL-7481 PT / Overijssel

Landgoed 't Hazenbos	1 AG**JM**NOPRT **N** 6
Oude Buurserdijk 1	2 ABPQVWXY ABDE**FG** 7
15 Mär - 31 Okt	3 AE**K**LM ABCDE**F**JNPQRSV 8
+31 (0)53-5696338	4 FH 9
info@hazenbos.nl	5 **KL** ABFJ**NO**ST 10
	6A CEE ❶ €16,30
N 52°9'11'' E 6°50'15''	6 ha 50**T**(100-120m²) 20**D** ❷ €22,00

A35 Ausfahrt Enschede-Zuid Richtung Buurse oder von Haaksbergen-Zentrum Richtung Buurse. Aus beiden Richtungen beschildert.

Dalfsen, NL-7722 KG / Overijssel

Starnbosch	1 AEG**JM**NOPQRST CDFG 6
Sterrebosweg 4	2 BGPVWXY A**BDEFG**H 7
1 Jan - 31 Dez	3 ABEL ABCDE**FG**HIJNPQRSTUV 8
+31 (0)529-431571	4 BCHIO ADFJV 9
info@starnbosch.nl	5 ABCDEGIJK**L** ABDFGHIJO**P**TVZ 10
	B 10A CEE ❶ €28,10
N 52°28'31'' E 6°15'47''	8 ha 248**T**(100-140m²) 17**D** ❷ €36,60

A28 Zwolle-Meppel-Hoogeveen, Ausfahrt 21 die N340 Richtung Dalfsen. Dann den Schildern folgen.

Ihr perfekter Campingurlaub
Wir akzeptieren die ACSI und ADAC Rabattkarte
LeadingCampings
ADAC
anwb
BEST 2014
De Papillon
Camping & Bungalowpark
Kanaalweg 30, 7591 NH Denekamp/NL
0031 (0)541 - 351670 www.depapillon.nl

Dalfsen, NL-7722 HV / Overijssel

Vechtdalcamping Het Tolhuis	1 AEGHKNOPQRT ABFG**N** 6
Het Lageveld 8	2 GPRVWXY A**BDEFGH** 7
28 Mär - 30 Sep	3 ABEF**I**LMSTV ABCDE**FG**JKNQRSTUV 8
+31 (0)529-458383	4 BDEFGHILO EV 9
info@tolhuis.com	5 ABDEFGIJK ABDEFGHIJ**P**TUY 10
	10A CEE ❶ €32,45
N 52°30'7'' E 6°19'18''	5 ha 54**T**(120-150m²) 76**D** ❷ €41,15

A28, Ausfahrt 21, N340 Richtung Dalfsen. In Dalfsen Richtung Vilsteren. Dann CP ausgeschildert.

Den Nul/Olst-Wijhe, NL-8121 RZ / Overijssel

Het Klaverblad	1 AEG**IL**NOPR**T** N 6
Holstweg 44A	2 OPVWX A**BDEFG** 7
1 Apr - 31 Okt	3 AQ DE**FG**HJNQRSUV 8
+31 (0)570-561373	4 HIO 9
het.klaverblad@planet.nl	5 AGIJL ABFHIJPR 10
	16A CEE ❶ €15,50
N 52°21'28'' E 6°7'19''	2,1 ha 57**T**(110-140m²) 1**D** ❷ €22,40

N337 (Zwolle-Deventer), zwischen Wijhe und Olst liegt Den Nul. Von Wijhe aus links ab in Den Nul. Den CP-Schildern folgen.

De Bult/Steenwijk, NL-8346 KB / Overijssel

Residence De Eese	1 ABEG**JM**NOPQRST ABFG 6
Bultweg 25	2 ABGPQVWXY A**BFGH** 7
1 Jan - 31 Dez	3 ABEL**M**QST ABCD**F**GHJKNPQRSTV 8
+31 (0)521-513736	4 ABCDFHIKLNOQZ EFJVW 9
info@residencedeeese.nl	5 ADEFGIJK ABDEFGHIJ**P**R 10
	B 10A CEE ❶ €26,75
N 52°48'52'' E 6°7'12''	12,5 ha 83**T**(80-100m²) 67**D** ❷ €33,75

A32, Ausfahrt 6: Steenwijk/Vledder und dann den Schildern folgen.

Denekamp, NL-7591 NH / Overijssel

De Papillon	1 ACEG**JM**NOPQRST CDFGLMNO 6
Kanaalweg 30	2 ADGHIPQVWXY A**BEFG**HK 7
28 Mär - 27 Sep	3 BDEF**K**LMQT ABCD**FG**IJKNPQRSTUV 8
+31 (0)541-351670	4 ABDEFHILO ABJV 9
info@depapillon.nl	5 ACDEGIJKL ABEGHJMO**P**STWX 10
	Anzeige auf dieser Seite B 4-16A CEE ❶ €29,50
N 52°23'32'' E 7°2'55''	16 ha 265**T**(125-160m²) 132**D** ❷ €40,50

An der N342 Denekamp-Nordhorn ist der CP gut ausgeschildert.

De Lutte, NL-7587 LA / Overijssel

De Kunne	1 A**IL**NOPRS**T** JN 6
Zandhuizerweg 21	2 ACFPQSVWXY A**BDEFG**H 7
15 Apr - 4 Okt	3 Q ABCDE**F**JNPRV 8
+31 (0)541-551243	4 FH 9
dekunne@hetnet.nl	5 L ABEHJPR 10
	6A CEE ❶ €17,90
N 52°19'23'' E 7°1'30''	1,5 ha 35**T**(120-150m²) ❷ €26,50

Ab der A1 Ausfahrt 34 De Lutte, Ausfahrtende Richtung Gildehaus den Schildern 'Zandhuizerweg', dann den CP-Schildern 'natuurkampeerplaats de Kunne' folgen.

Deventer, NL-7419 AD / Overijssel

Stadscamping Deventer	1 A**JM**NORS**T** J**N** 6
Worp 12	2 ACGHPWXY AB**FG** 7
1 Apr - 31 Okt	3 **K** ABE**FG**JNV 8
+31 (0)570-613601	4 FH A 9
deventer@stadscamping.eu	5 AFHIK**P**R 10
	16A CEE ❶ €20,00
N 52°15'2'' E 6°8'57''	2,5 ha 70**T**(100-120m²) 6**D** ❷ €29,00

A1 Apeldoorn-Hengelo, Ausfahrt 23 Richtung Deventer-Zentrum. Über Brücke Richtung Twello N344, nach Brücke rechts. CP liegt hinter dem Hotel.

De Lutte, NL-7587 LH / Overijssel

Landgoedcamping Het Meuleman	1 ACEG**JM**NOPQRST LN 6
Lutterzandweg 16	2 ABDHPQTXY ABDE**FG** 7
1 Apr - 30 Sep	3 AF**IK**LQRV ABCDFGIJKNQRSV 8
+31 (0)541-551289	4 BCDFGH FJUV 9
info@camping-meuleman.nl	5 AEJKL ABDHJNORZ 10
	Anzeige auf dieser Seite B 6A ❶ €30,00
N 52°20'1'' E 7°1'46''	7 ha 111**T**(100-300m²) 6**D** ❷ €40,00

A1 Hengelo-Oldenzaal, Ausfahrt De Lutte. Nach De Lutte Richtung Beuningen, CP-Schildern folgen.

Diffelen/Hardenberg, NL-7795 DA / Overijssel

de Vechtvallei	1 ACE**JM**NOPR**T** CDFN 6
Rheezerweg 76	2 AGOPQVWXY A**BDEFG** 7
1 Apr - 31 Okt	3 BELSV ABD**F**JKNQRS 8
+31 (0)523-251800	4 BDGHILO**PQ** EFJVW 9
info@devechtvallei.nl	5 ADEGIKL ABDGHJ**NP**RZ 10
	B 16A CEE ❶ €21,60
N 52°32'8'' E 6°34'10''	7,6 ha 50**T**(100-120m²) 148**D** ❷ €27,30

Hardenberg-Rheeze. Rheeze durch. Nach ca. 2 km links von der Straße.

Delden, NL-7491 DZ / Overijssel

Park Camping Mooi Delden	1 ACEG**IL**NOPRST ABFGHN 6
De Mors 6	2 AGPQVWXY A**BDEFG**K 7
1 Apr - 1 Okt	3 AE**IJK**LMQ ABCDE**FG**JKNQRSTUV 8
+31 (0)74-3761922	4 FHIKO**Q** FV 9
info@mooidelden.nl	5 BDGIL ABDHJNPRZ 10
	B 10A CEE ❶ €25,65
N 52°15'16'' E 6°43'37''	3 ha 45**T**(100-130m²) 61**D** ❷ €32,25

In Stadt und Umgebung Delden ist der CP gut ausgeschildert.

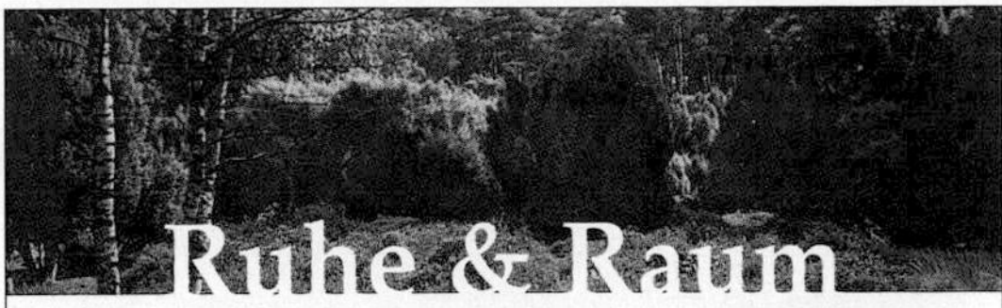

In der Twente, im wunderschönen Naturgebiet 'Het Lutterzand'. Naturbadeteich, viele Möglichkeiten für Wander- und Radtouren, herausragende Sanitäranlagen.

Het Meuleman

Lutterzandweg 16, 7587 LH De Lutte
☎ 0541-551289 • E-Mail: info@camping-meuleman.nl
Internet: www.camping-meuleman.nl

Den Ham, NL-7683 SC / Overijssel

De Blekkenhorst	1 AE**JM**NOPRST ABFGN 6
Nienenhoek 8	2 PQVWXY ABDE**FG**H 7
1 Apr - 1 Nov	3 ABE**GHIK**LQST LMNRUV 8
+31 (0)546-671559	4 **A**B**E**FHIKLO**Q** EJY 9
info@de-blekkenhorst.nl	5 ADGIL ABEHIJPRZ 10
	10A CEE ❶ €31,00
N 52°28'27'' E 6°29'41''	7,3 ha 100**T**(120-150m²) 25**D** ❷ €39,00

Von Ommen Richtung Den Ham. Vor Den Ham den kleinen Schildern folgen.

Teilkarte Overijssel auf Seite 182

Enschede, NL-7534 PA / Overijssel (CC€18) iD

Euregio-Cp 'De Twentse Es'
Keppelerdijk 200
1 Jan - 31 Dez
+31 (0)53-4611372
info@twentse-es.nl
N 52°12'37'' E 6°57'5''

1 ADEFJMNOPQRST	ABFGN 6
2 ADGPQVWXY	ABDEFGH 7
3 AEL	ABCDEFGJNQRSTUV 8
4 BCDFHILOQ	EFJLV 9
5 ACDEFGIJKL	ABDEHIKLPRZ10
10A CEE	❶ €27,25
10 ha 80T(100-130m²) 235D	❷ €27,25

A35 Richtung Enschede, Ausfahrt Glanerbrug. Richtung Glanerbrug halten. Ausgeschildert.

Hardenberg/Heemserveen, NL-7796 HT / Overijssel (CC€16) iD

Ardoer vakantiepark 't Rheezerwold
Larixweg 7
1 Apr - 25 Okt
+31 (0)523-264595
rheezerwold@ardoer.com
N 52°34'28'' E 6°33'56''

1 ADEJLNOPRT	ABEFGN 6
2 ABGPQVWX	ABDEFGK 7
3 ABELMQT	ABCDEFIJNQRSTUV 8
4 BDFHILOQST	EFJUVY 9
5 ABDGIKL	ABDEGHJNPSTYZ10
B 6-10A CEE	❶ €28,10
9 ha 81T(100-150m²) 64D	❷ €36,20

Sekundärstraße Hardenberg-Ommen folgen. 2 km nach Hardenberg rechts, erhärtete Straße folgen 1. Straße rechts. CP ist ausgeschildert.

Giethmen, NL-8147 RB / Overijssel iD

Bergzicht
Dalmsholterweg 4
1 Jan - 31 Dez
+31 (0)529-451208
info@bergzicht.nl
N 52°29'15'' E 6°24'41''

1 AEGILNOPQRST	ABFGNXZ 6
2 GPQWXY	ABDEFGH 7
3 ABEKL	ABCDEFJKNQRSV 8
4 ABCEFHIKLOQ	BEQRVWY 9
5 ACDGIKL	ABHIJMNPSTVZ10
B 4A CEE	❶ €29,75
15 ha 70T(100m²) 269D	❷ €38,50

Ab Ommen Richtung Hellendoorn. Im Kreisel erste Ausfahrt: N347. Nach 0,6 km rechts: Lemelerweg. Nach 0,4 km rechts: Dalmsholterweg.

Heino, NL-8141 PX / Overijssel (CC€16) iD

Camping Heino
Schoolbosweg 10
27 Mär - 30 Sep
+31 (0)572-391564
info@campingheino.nl
N 52°26'21'' E 6°16'48''

1 ACDEGJMNOPQRST	EFGHLM 6
2 ADGHOPQRVWXY	ABDFGHK 7
3 ABCEFGHLMQRSTU	ABCDFGHIJKNPQRSTUV 8
4 ABCDEFHIKLNOQ	EFJLUVY 9
5 ABDEGIJKL	ABEFGHIJMOPQRXYZ10
10A CEE	❶ €32,00
13 ha 197T(100-120m²) 162D	❷ €42,00

Autobahn Amersfoort-Zwolle-Meppel, Ausfahrt 20 Zwolle-Noord, N35 in Richtung Raalte. Ab Almelo N35 in Richtung Zwolle, Ausfahrt Heino-Noord, ab Deventer in Richtung Raalte-Zwolle.

Haaksbergen (Twente), NL-7481 VP / Overijssel (CC€14) iD

Camping & Bungalowpark 't Stien'n Boer
Scholtenhagenweg 42
27 Mär - 30 Sep
+31 (0)53-5722610
info@stien-nboer.nl
N 52°8'24'' E 6°43'28''

1 ACEGJMNOPRST	ABEFGHIN 6
2 ABGPQVWXY	ABDEFGH 7
3 ABCEGIJLMQT	ABCDEFGIJKNQRSTUV 8
4 ABCDEFHIKLOQ	ABEFIJVY 9
5 ABCDEGHIJKL	ABEFGHIJMNPSTYZ10
B 6-10A CEE	❶ €29,50
10,5 ha 130T(80-100m²) 152D	❷ €38,00

Südlich von Haaksbergen Richtung Eibergen N18. Ausgeschildert.

Hellendoorn, NL-7447 PR / Overijssel (CC€14) iD

Natuurcamping Eelerberg
Ossenkampweg 4
1 Apr - 4 Okt
+31 (0)548-681223
camping@camping-eelerberg.nl
N 52°25'12'' E 6°25'12''

1 AEGHKNOPRT	AFN 6
2 PQVWXY	ABDEFG 7
3 ABLQ	ACFIJNQRSTUV 8
4 BFHI	FJV 9
5 ABDIKL	ABEHIJOT10
B 6A CEE	❶ €24,70
5,5 ha 76T(81-150m²) 6D	❷ €32,50

An der N347 Ommen-Hellendoorn ist der CP deutlich ausgeschildert.

Haaksbergen (Twente), NL-7481 VP / Overijssel (CC€16) iD

Camping Scholtenhagen B.V.
Scholtenhagenweg 30
1 Jan - 31 Dez
+31 (0)53-5722384
campingscholtenhagen@planet.nl
N 52°8'53'' E 6°43'23''

1 AEILNOQRST	CHIN 6
2 APQVWX	ABDEFGH 7
3 ABEKLQS	ABCEFGINPQRSTUV 8
4 BDHILOQ	JV 9
5 BDEGIKL	AFGHJMNPRZ10
B 6A CEE	❶ €26,05
9,3 ha 120T(100-110m²) 197D	❷ €35,45

Südlich von Haaksbergen N18 Richtung Eibergen. Ausgeschildert.

Hellendoorn, NL-7447 PK / Overijssel iD

Vakantiepark Hellendoorn
Sanatoriumlaan 6
22 Mär - 30 Okt
+31 (0)548-681616
info@vakantieparkhellendoorn.nl
N 52°24'23'' E 6°26'3''

1 ADEILNOPQRST	EFGL 6
2 BDHPQWXY	ABDEFGH 7
3 ABEIKLMQV	ABCDFJNQRS 8
4 BFGHIOQST	JUVWY 9
5 ABDEFGIJKL	ABEHIJNOST10
6A CEE	❶ €25,00
4,5 ha 45T(100m²) 92D	❷ €35,00

Der CP ist deutlich an der N347 Ommen-Hellendoorn ausgeschildert.

Hardenberg, NL-7771 TD / Overijssel iD

De Kleine Belties
Rheezerweg 79
1 Jan - 31 Dez
+31 (0)523-261303
info@kleinebelties.nl
N 52°33'47'' E 6°35'32''

1 ACDEJMNOPRT	ABEFGHLN 6
2 BDGHOPQVWX	ABFGHJ 7
3 BCELQT	ABCDEFJKLNQRS 8
4 BDFHILOQU	EJVY 9
5 ACDEFJKL	ABHIJNPRYZ10
B 6-10A CEE	❶ €32,15
16 ha 100T(80-120m²) 400D	❷ €40,35

Hauptstraße Ommen-Hardenberg. An der Ampel in Hardenberg rechts ab. Den Schildern Rheeze folgen. Der CP liegt auf der rechten Seite, 2 km außerhalb von Hardenberg.

Holten, NL-7451 HL / Overijssel (CC€16) iD

Ardoer camping De Holterberg
Reebokkenweg 8
1 Jan - 31 Dez
+31 (0)548-361524
holterberg@ardoer.com
N 52°17'31'' E 6°26'6''

1 AJMNOPRST	ABFG 6
2 ABGPVWXY	ABDEFGHI 7
3 ABCELQT	ABCDEFGJKNQRSTUV 8
4 BIOP	AEFUVWY 9
5 ABDEGJKL	ABHJPRZ10
B 6A CEE	❶ €26,25
6,5 ha 120T(80-100m²) 129D	❷ €39,75

A1 Deventer-Hengelo, Ausfahrt 27 Richtung Holten. Vor Holten Richtung Rijssen, N350. CP vor dem Kreisverkehr ausgeschildert.

Hardenberg, NL-7797 RD / Overijssel iD

De Klimberg
Ommerweg 27
1 Apr - 31 Okt
+31 (0)523-261955
camping@deklimberg.nl
N 52°33'42'' E 6°33'34''

1 AJMNOPRT	ABFGN 6
2 BDGHPQVWX	ABDEFGH 7
3 BEKLT	ABCDEFIJLNQRSTUV 8
4 BDIOPQ	EUVY 9
5 ACDEIKL	ABEHIJPRZ10
10A CEE	❶ €28,95
10 ha 315T(144m²) 190D	❷ €35,20

An der Bundesstraße Ommen-Hardenberg, an der linken Seite entlang der Sekundärstraße.

Lattrop, NL-7635 NJ / Overijssel (CC€14) iD

De Bergvennen
Bergvennenweg 35
1 Apr - 30 Sep
+31 (0)541-229306
info@campingdebergvennen.nl
N 52°25'32'' E 7°0'19''

1 AEGJMNOPQRST	LMN 6
2 BDGHPQVWXY	ABDEFGHK 7
3 AEFLQST	ABCDEFHJNPRSV 8
4 BCDFHILNOPQ	F 9
5 ADEGIKL	ABDHKOSTZ10
4-10A CEE	❶ €19,80
15 ha 150T(100-200m²) 108D	❷ €25,60

An der Straße Denekamp-Nordhorn ist der CP beschildert.

Campingplatzkontrolle

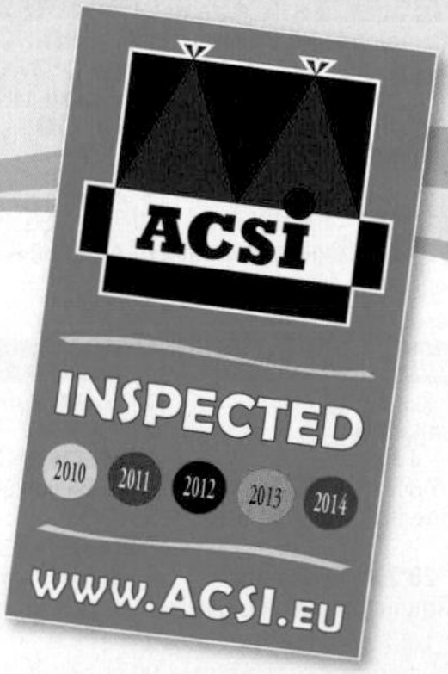

Alle Campingplätze in diesem Führer wurden im vergangenen Jahr von einem unserer 327 ACSI-Inspektoren besucht und begutachtet.

Sie erkennen diese Campings an der Jahresprüfplakette, die meist im Rezeptionsbereich auf dem ACSI-Schild zu finden ist.

Teilkarte Overijssel auf Seite 182

Lemele, NL-8148 PC / Overijssel

de Lemeler Esch Natuurcamping
Lemelerweg 16
1 Apr - 24 Okt
+31 (0)572-331241
info@lemeleresch.nl
N 52°28'3'' E 6°25'39''

1 ACEHKNOPRST ABFG 6
2 GPQVWXY ABDEFGHK 7
3 ABEKLQV ABDFIJKLNQRSTUV 8
4 ABEFGHIOT AFJVW 9
5 ABDEIKL ABDEFGHIJNPSTWY 10
B 10A CEE ❶ €32,45
12 ha 208T(100-150m²) 22D ❷ €44,05

Nach Ommen in Richtung Hellendoorn fahren. Ausfahrt Lemele und dann direkt rechts auf die Sekundärstraße fahren. CP ist nach 200m links.

Markelo, NL-7475 AT / Overijssel

De Poppe Recreatiepark
Holterweg 23
4 Apr - 27 Sep
+31 (0)547-361206
info@depoppe.nl
N 52°15'34'' E 6°27'33''

1 ADILNOPRT ABFGL 6
2 ADGHOPVX ABDEFG 7
3 BELT ABCDEFJNQRSV 8
4 BIJP E 9
5 ABDGIJKL ABHIJPR 10
6A CEE ❶ €29,50
14 ha 80T(110m²) 250D ❷ €41,50

A1 Deventer-Hengelo, Ausfahrt 27 Richtung Markelo, an Kreisverkehr sofort rechts.

Lemelerveld, NL-8151 PP / Overijssel

Charmecamping Heidepark
Verbindingsweg 2a
28 Mär - 30 Sep
+31 (0)572-371525
info@campingheidepark.nl
N 52°26'26'' E 6°20'51''

1 ADEGJMNOPRST ABFGLMN 6
2 ADGHOPQWXY ABDEFGHJ 7
3 ABCEKLMQV ABCDEFGHJKNPQRSTUV 8
4 BCDFHIKLO EFJVY 9
5 ABDEGIKL ABDEGHIJPSTZ 10
10A CEE ❶ €30,70
5,5 ha 100T(100-200m²) 90D ❷ €37,60

A28 Amersfoort-Zwolle, Ausfahrt 18 Zwolle-Zuid, dann N35 Richtung Almelo/Heino. In der Nähe von Raalte Richtung Ommen. Ausfahrt Lemelerveld. CP an der Straße Hoogeveen-Raalte gelegen. Ausfahrt Lemelerveld.

Nieuw-Heeten, NL-8112 AE / Overijssel

Vakantiepark Sallandshoeve
Holterweg 85
1 Apr - 1 Okt
+31 (0)572-321342
info@sallandshoeve.nl
N 52°19'15'' E 6°20'35''

1 ADEILNORT EFGN 6
2 APVWX ABFGH 7
3 AEILPQT AEFJNQRSTU 8
4 BFHIOPQST JVWY 9
5 ABDEFGIJL ABEFHIJPTU 10
10A CEE ❶ €31,15
3 ha 81T(100-150m²) 138D ❷ €33,55

A1 Ausfahrt Holten, N332 Richtung Raalte. Nach 7 km rechts (ausgeschildert).

Luttenberg, NL-8105 SZ / Overijssel

Vakantiepark De Luttenberg
Heuvelweg 9
28 Mär - 1 Okt
+31 (0)572-301405
receptie@luttenberg.nl
N 52°23'41'' E 6°21'42''

1 ADEILNOPQRST ACDFHN 6
2 PQVWXY ABDEFGHK 7
3 ABEHILMQTV ABCDEFGIJKLNPQRSTUV 8
4 ABCFHILNOTUV AFJVWY 9
5 ABDEIJKL ABEFGHIJPRYZ 10
B 10A CEE ❶ €34,00
8,6 ha 190T(80-200m²) 47D ❷ €44,00

Via Deventer: A1, Ausfahrt Deventer Richtung Raalte N348. An Raalte vorbei, an der T-Kreuzung die N348 Richtung Ommen nehmen. Den Schildern folgen bei Ausfahrt Luttenberg.

Nijverdal, NL-7441 DK / Overijssel

Ardoer camping De Noetselerberg
Holterweg 116
28 Mär - 26 Okt
+31 (0)548-612665
noetselerberg@ardoer.com
N 52°21'0'' E 6°27'21''

1 ADEGILNOPRT AEFGH 6
2 PQVWXY ABDEFGHK 7
3 ABCEKLQST ABCDEFGIJKNQRSTUV 8
4 BDFHILO BEFJLUVWY 9
5 ABCDEFGJKL ABCDEGHIJNPSTYZ 10
B 10A CEE ❶ €37,00
12 ha 210T(90-110m²) 67D ❷ €45,00

In Nijverdal Straße Richtung Rijssen folgen. Route zum CP ist an dieser Straße gut ausgeschildert.

Mander, NL-7663 TD / Overijssel

Dal van de Mosbeek
Uelserweg 153
27 Mär - 31 Okt
+31 (0)541-680644
receptie@dalvandemosbeek.nl
N 52°26'40'' E 6°49'25''

1 AEGILNOPRST 6
2 PQVWX ABDEFGH 7
3 AEGHLQST ABCDEFGHIJKNPQRSTUV 8
4 FHKO Y 9
5 AL ABDEGHJPR 10
B 16A CEE ❶ €21,40
6 ha 132T(160-180m²) ❷ €27,40

A1 Ausfahrt Almelo. Nach Tubbergen. Dann Ri. Uelsen. Am Uelserweg 153 'Erve Nejhoes'(Mosbeektal).

Notter, NL-7467 PD / Overijssel

De Grimberghoeve
Klokkendijk 14
1 Apr - 1 Nov
+31 (0)548-513292
info@grimberghoeve.nl
N 52°19'38'' E 6°31'44''

1 AEJMNOPRST 6
2 ABCHIPQSVWXY ABDEFGHK 7
3 AHKLQRST ACDEFIJNQRSTUV 8
4 FHIK IJQVY 9
5 DIL BHJPSTZ 10
B 6A CEE ❶ €19,50
3 ha 65T(125-200m²) 7D ❷ €26,00

Von der A1 Ausfahrt 28 Rijssen. Auf der N350 links ab Richtung Rijssen. Am Kreisel sofort rechts, dann links ab, Klokkendijk (Notter).

Mariënberg, NL-7692 PC / Overijssel

de Pallegarste
Pallegarsteweg 4
1 Mär - 31 Okt
+31 (0)523-251417
info@depallegarste.nl
N 52°30'24'' E 6°34'57''

1 AEJMNOPRST ABFGLN 6
2 ADGHOPQVWX ABDEFGH 7
3 ABCELMQT ABEFJKNQRSTU 8
4 ABCDIKLOQ EUVW 9
5 ACDEIKL ABEGHJPSTZ 10
B 16A CEE ❶ €26,00
14 ha 75T(120m²) 291D ❷ €34,00

In Mariënberg mit Dorfskirche an linken Seite und Gracht rechts, Richtung Sibculo. CP ist gut ausgeschildert.

Oldemarkt/Paasloo, NL-8378 JB / Overijssel

De Eikenhof
Paasloërweg 12
1 Apr - 31 Okt
+31 (0)561-451430
info@eikenhof.nl
N 52°48'57'' E 5°59'48''

1 ACDEJMNOPQRST ABFGX 6
2 AGOPQVWXY ABFGHJ 7
3 BCELV ABCDEFGJKNQRSTUV 8
4 BCDFHIKLNOP AEFHJLUVWY 9
5 ADEGIJKL ABDEFGHJNPRYZ 10
B 10A CEE ❶ €25,00
11 ha 90T(90-110m²) 172D ❷ €35,00

N351 Emmeloord-Wolvega. In Kuinre Richtung Oldemarkt. Oder A32 Steenwijk-Wolvega, Ausfahrt 7, und Richtung Oldemarkt Beschilderung folgen.

Markelo, NL-7475 SJ / Overijssel

De Borkeld
Winterkamperweg 30
1 Apr - 1 Okt
+31 (0)547-363893
FAX +31 (0)547-363691
N 52°15'37'' E 6°29'3''

1 AGILNOPRST AF 6
2 AGPRVX ABDEFG 7
3 BE ABCDEFIJKNRSTUV 8
4 BHIOP 9
5 DGKL ABFGHIJPR 10
B 6A CEE ❶ €22,15
8,2 ha 94T(100-110m²) 120D ❷ €32,65

A1 Deventer-Hengelo, Ausfahrt 27 Richtung Markelo, an Kreisverkehr ist der CP links ausgeschildert.

Oldemarkt/Paasloo, NL-8378 JB / Overijssel

Krolsbergen
Paasloërweg 16
1 Apr - 1 Okt
+31 (0)561-451471
info@campingkrolsbergen.nl
N 52°48'58'' E 6°0'24''

1 ACEGJMNOPQRST ABFGNX 6
2 ABGPRVWXY ABDEFGH 7
3 ABELQTV ABCDEFGHIJKNPQRSV 8
4 BCDFHINP EJLUVY 9
5 ADEGIJKL ABHJPSTVYZ 10
6A CEE ❶ €23,00
6,5 ha 44T(90-110m²) 142D ❷ €33,00

N32 Richtung Wolvega. An Witte Paarden links Richtung Oldemarkt. CP ist an dieser Straße ausgeschildert.

Markelo, NL-7475 ST / Overijssel

De Bovenberg
Bovenbergweg 14
28 Mär - 25 Okt
+31 (0)547-361781
info@debovenberg.nl
N 52°15'56'' E 6°31'13''

1 AEGJMNOPRST L 6
2 ADGHPRVWX ABDEFGH 7
3 ABELMQT ABCDEFGNQRSTU 8
4 BFHIOQ EFV 9
5 ABDL AFGHIJPST 10
B 10A CEE ❶ €22,35
4,5 ha 67T(100-200m²) 28D ❷ €29,55

Ab Kreuz Schüttorf A1/E30 Hengelo Richtung Almelo. Am Kreuz Azelo weiter auf der A1 Richtung Apeldoorn, Ausf. 27 Markelo. In Markelo Ri. Rijssen, ca. 3 km außerhalb Markelo ist der CP vor dem Kreisel links ausgeschildert.

Olst, NL-8121 SK / Overijssel

't Haasje
Fortmonderweg 17
1 Apr - 31 Okt
+31 (0)570-561226
info@kampeeridee.eu
N 52°21'47'' E 6°5'14''

1 ADEJMNOPQRST ABFGJNWXY 6
2 CFGHPQRVWXY ABDEFGH 7
3 BEL ABCDFIJNRSV 8
4 FHIOQ LVY 9
5 ABDEGIJKL ABGHIJPQSTVYZ 10
B 4A CEE ❶ €25,00
15 ha 100T(80-120m²) 285D ❷ €34,00

Straße Zwolle-Deventer (N337), östlich von der IJssel. CP liegt nördlich von Olst. Ausfahrt bei Den Nul.

Markelo, NL-7475 PR / Overijssel

De Kattenberg
Hogedijk 8
29 Mär - 1 Okt
+31 (0)547-361367
katberg@xs4all.nl
N 52°13'29'' E 6°28'35''

1 AILNOPRS ABFG 6
2 ABGPRVXY ABDEFGH 7
3 ABELQ ABCDEFJNQRSV 8
4 BDIOP E 9
5 BDGIKL ABHIJPR 10
4-6A CEE ❶ €25,00
12 ha 120T(100-150m²) 162D ❷ €31,50

A1 Deventer-Hengelo, Ausfahrt 27 Richtung Markelo. CP ist ausgeschildert.

Ommen, NL-7731 BC / Overijssel

de Koeksebelt
Zwolseweg 13
1 Apr - 30 Sep
+31 (0)529-451378
info@koeksebelt.nl
N 52°30'59'' E 6°24'51''

1 AEJMNOPRST ABFGHJLNXZ 6
2 CDGHPQVWXY ABDEFGHIJ 7
3 ABEGHKLMQST ABCDEFGIJKNQRSTUV 8
4 ABDFHILOQ AEHJPQUV 9
5 ABDEFGIKL ABEGHJMPR 10
10A CEE ❶ €37,70
12 ha 250T(100-150m²) 60D ❷ €48,20

Von der N34 über die Brücke in Ommen in südliche Richtung des Vecht. Direkt hinter der Brücke rechts am Hotel 'de Zon' vorbei Richtung Vilsteren. CP nach ca. 500m rechts.

Ommen, NL-7731 PB / Overijssel

Recreatiecentrum Besthmenerberg
Besthemerberg 1
28 Mär - 25 Okt
+31 (0)529-451362
info@besthmenerberg.nl
N 52°30'30'' E 6°26'37''

1 ACEJMNOPRST ABEFG 6
2 BGPQXY ABDEFGH 7
3 ABEFKLV ABCDEFGHIJKNQRSTUV 8
4 BCDEFHIKLNOPQTU AJUVWY 9
5 ACDEGIJKL ABDEHIJOPQRZ 10
B 10A CEE ① €27,20
25 ha 414T(100m²) 126D ② €37,20

An der R103 Ommen-Beerze gelegen. Am CP-Schild über den Bahnübergang.

Ommen, NL-7731 RC / Overijssel

Resort de Arendshorst
Arendshorsterweg 3a
27 Mär - 31 Okt
+31 (0)529-453248
info@resort-de-arendshorst.nl
N 52°31'10'' E 6°21'52''

1 ACEJMNOPRST FJNXZ 6
2 ABCGHPQVWXY ABDEFGHIJ 7
3 BEGIKLQT ABEFNQRSTUV 8
4 AEFHIKLOQ JPQVWY 9
5 ABDEFGJKL ABDFHIJOTX 10
10A CEE ① €22,50
12 ha 125T(150-250m²) 110D ② €32,00

CP ist entlang der Straße Ommen-Zwolle N340 ausgeschildert.

Ootmarsum, NL-7638 PP / Overijssel

Bij de Bronnen
Wittebergweg 16-18
1 Jan - 31 Dez
+31 (0)541-291570
info@campingbijdebronnen.nl
N 52°25'30'' E 6°53'23''

1 AILNOPQRT 6
2 BPQWXY ABDEFGH 7
3 BEMQ ABCDEFHJKNPRSTUV 8
4 BCDFHIOQ JVY 9
5 DEGIKL ABDFGHJNPSTZ 10
B 6A CEE ① €17,70
8 ha 43T(70-120m²) 144D ② €24,40

In Ootmarsum wird der CP gut ausgeschildert. (Mit der Navigation in Nutter.)

Ootmarsum, NL-7631 CJ / Overijssel

De Kuiperberg
Tichelwerk 4
28 Mär - 1 Nov
+31 (0)541-291624
info@kuiperberg.nl
N 52°24'29'' E 6°53'4''

1 AJMNOPQRST 6
2 OPQSTVWXY ABFG 7
3 Q ABCDEFGJNQRSTUV 8
4 FHIO EJ 9
5 ADGIL ABDFGHJOPST 10
B 4-16A CEE ① €21,50
H60 4 ha 80T(70-100m²) 13D ② €27,50

In Ootmarsum den grünen Schildern 'De Kuiperweg' folgen.

Ootmarsum, NL-7637 PM / Overijssel

De Witte Berg
Wittebergweg 9
1 Apr - 25 Okt
+31 (0)541-291605
info@dewitteberg.nl
N 52°25'25'' E 6°53'35''

1 AEJMNOPRST LN 6
2 BDGHIPQSVWXY ABDEFGH 7
3 ABEHILMQTV CDEFGIJKLMNPQRSTUV 8
4 BDFHIKO EFGIJVWX 9
5 ADEGIKL ABDFGHJPTUZ 10
B 10A CEE ① €24,20
6,5 ha 136T(100-140m²) 50D ② €32,20

In Ootmarsum ist der CP gut ausgeschildert.

Ootmarsum/Agelo, NL-7636 PL / Overijssel

De Haer
Rossummerstraat 22
1 Apr - 1 Nov
+31 (0)541-291847
info@dehaer.nl
N 52°23'25'' E 6°54'6''

1 AEJMNOPQRST A 6
2 ABOPQSVWXY ABDEFGH 7
3 ABEILQT ABCDEFJKNPQRSTU 8
4 BCDFHIOQ VW 9
5 ADGKL ABDFGHJPR 10
B 6A CEE ① €21,20
5,5 ha 130T(100-140m²) 60D ② €27,40

Der Platz liegt an der Straße von Ootmarsum nach Oldenzaal und ist gut ausgeschildert.

Ootmarsum/Hezingen, NL-7662 PH / Overijssel

Hoeve Springendal
Brunninkhuisweg 3
1 Jan - 31 Dez
+31 (0)541-291530
info@hoevespringendal.nl
N 52°26'30'' E 6°53'38''

1 AEGJMNOPQRST N 6
2 BCPQSVWXY ABFGH 7
3 AQ ABCDEFGIJNQRSTUV 8
4 EFHIKO IJVW 9
5 AL ABCDEHJPRZ 10
B 10A CEE ① €25,50
3 ha 58T(120-200m²) 13D ② €27,00

In Ootmarsum ist der CP gut ausgeschildert.

Ossenzijl, NL-8376 EM / Overijssel

De Kluft
Hoogeweg 26
1 Apr - 31 Okt
+31 (0)561-477370
info@dekluft.nl
N 52°48'28'' E 5°55'54''

1 ACDEGILNOPQRST JLNUVXYZ 6
2 CDFGHPSVWXY ABDEFGH 7
3 ABELQ ABCDEFIJKNQRSV 8
4 ABCDEFHIO FGJNQRVW 9
5 ABDEFGIJKL ABFGHJNPRZ 10
B 6A CEE ① €25,75
14,5 ha 180T(100m²) 115D ② €33,55

N32 Richtung Oldemarkt. Vorbei an Oldemarkt, vor Ossenzijl ist der CP ausgeschildert.

Raalte, NL-8102 SV / Overijssel

Krieghuusbelten
Krieghuisweg 19
1 Apr - 30 Sep
+31 (0)572-371575
info@krieghuusbelten.nl
N 52°25'37'' E 6°18'36''

1 ACEHKNOPQRST CDFGHLNQ 6
2 DGPQVWXY ABDEFGH 7
3 ABCEGHILMQST ABCDEFGHJNQRSTU 8
4 BDFHILOQ AEV 9
5 ABCDEJKL ABEGHIJPRZ 10
B 10A CEE ① €32,50
26 ha 200T(100-120m²) 219D ② €41,70

An Kreuzung N35 Zwolle-Almelo und N348 Richtung Deventer in nördliche Richtung. Beschilderung folgen. Von Ommen an Restaurant 'De Lantaren' rechts.

Reutum, NL-7667 RR / Overijssel

De Weuste
Oldenzaalseweg 163
3 Apr - 25 Sep
+31 (0)541-662159
info@deweuste.nl
N 52°21'59'' E 6°50'2''

1 ACEJMNOPQRST ABFGN 6
2 BCOPQVWXY ABCDEFGH 7
3 ABEGHLPQS ABCDEFGIJKNPQRSTUV 8
4 BCDFGHIKLOPQZ EJY 9
5 ADGL ABDEGHJNPSTZ 10
B 10A CEE ① €28,75
9,5 ha 74T(100-165m²) 93D ② €36,75

CP liegt an der N343 Oldenzaal-Tubbergen. Gut ausgeschildert. Kommt man von der A1, nimmt man die Ausfahrt 31 Weerselo.

Reutum/Weerselo, NL-7667 RS / Overijssel

De Molenhof
Kleijsenweg 7
2 Apr - 27 Sep
+31 (0)541-661165
info@demolenhof.nl
N 52°21'57'' E 6°50'37''

1 ADEGJMNOPQRST ABCFGHIN 6
2 AGOPQVWXY ABDEFGHK 7
3 ABCDEFILQTV ABCDEFGIJKNQRSTUV 8
4 BFHIO AFJLVY 9
5 ACDEFGHKL ABEGHJNPRVYZ 10
B 10A CEE ① €40,90
16 ha 500T(100-130m²) 42D ② €52,30

In Weerselo ist der CP ausgeschildert. Er liegt an der Straße von Weerselo nach Tubbergen.

Rheeze, NL-7794 RA / Overijssel

't Veld
Grote Beltenweg 15
3 Apr - 3 Okt
+31 (0)523-262286
info@campingtveld.nl
N 52°32'48'' E 6°34'19''

1 AEGJMNOPRT CDFGN 6
2 ADHIPVWX ABDEFGHK 7
3 ACELQT BDEFJLMNQRSTUV 8
4 BCDHIL ADEJKV 9
5 ABDEIKL ABDEGHIJPRYZ 10
B 6-10A CEE ① €27,50
8 ha 108T(80-100m²) 150D ② €34,90

Bundesstraße Ommen-Hardenberg, an Tankstelle rechts. Hardenberg-Rheeze folgen. Ca. 1 km nach Hardenberg rechts. Ausgeschildert.

Rheeze, NL-7794 RA / Overijssel

Familiecamping De Belten
Grote Beltenweg 11
1 Apr - 26 Okt
+31 (0)523-262264
info@debelten.nl
N 52°33'0'' E 6°34'35''

1 ADEILNOPRT ABEFGILN 6
2 ABDGHPQVWXY BEFGH 7
3 ABCDEKLMQT ABCDEFGJKNQRSTV 8
4 BDEFHILNOP AEVY 9
5 ACDEGIKL ABGHIJOYZ 10
4-6A CEE ① €36,00
10 ha 270T(100-120m²) 185D ② €46,00

Bundesstraße Ommen-Hardenberg. Ausfahrt Hardenberg. CP ist ausgeschildert.

Teilkarte Overijssel auf Seite 182

Rheeze, NL-7794 RA / Overijssel

Sprookjescamp. De Vechtstreek
Grote Beltenweg 17
11/4 - 12/9, 17/10 - 31/10
+31 (0)523-261369
info@sprookjescamping.nl
N 52°32'46'' E 6°34'14''

1 ACEJMNOPRST ABEFGHLN 6
2 ADGHPQVWX ABCDEFGHK 7
3 ABDELTV ABCDEFGIJKNQRSTUV 8
4 ABDFGHILOSTU ADEFJVY 9
5 ACDEFIJKL ABGHIJPRYZ 10
6-10A CEE ❶ €46,60
14 ha 266T(100m²) 168D ❷ €57,20

Bundesstraße Ommen-Hardenberg. In Hardenberg an Shell-Tankstelle rechts. Ab Rheeze ausgeschildert.

Rheeze/Hardenberg, NL-7794 RA / Overijssel

CC€16

Kampeerdorp de Zandstuve
Grote Beltenweg 3
2 Apr - 21 Sep
+31 (0)523-262027
info@zandstuve.nl
N 52°33'30'' E 6°35'16''

1 ACEILNOPQRST ABEFGHI 6
2 ABGPQVWXY ABCDEFGHK 7
3 ABCEFKLQ ABCDEFGIJKNQRSTUV 8
4 ABEFHIJLOQU ABCDFJUVWY 9
5 ACDEFGIJKL ABEFGHIJPRYZ 10
B 6A CEE ❶ €46,55
10 ha 375T(100-125m²) 64D ❷ €56,55

Bundesstraße Ommen-Hardenberg, an der Ampel in Hardenberg rechts. Beschilderung Rheeze folgen. Ca. 2 km ortsaußerhalb von Hardenberg rechts.

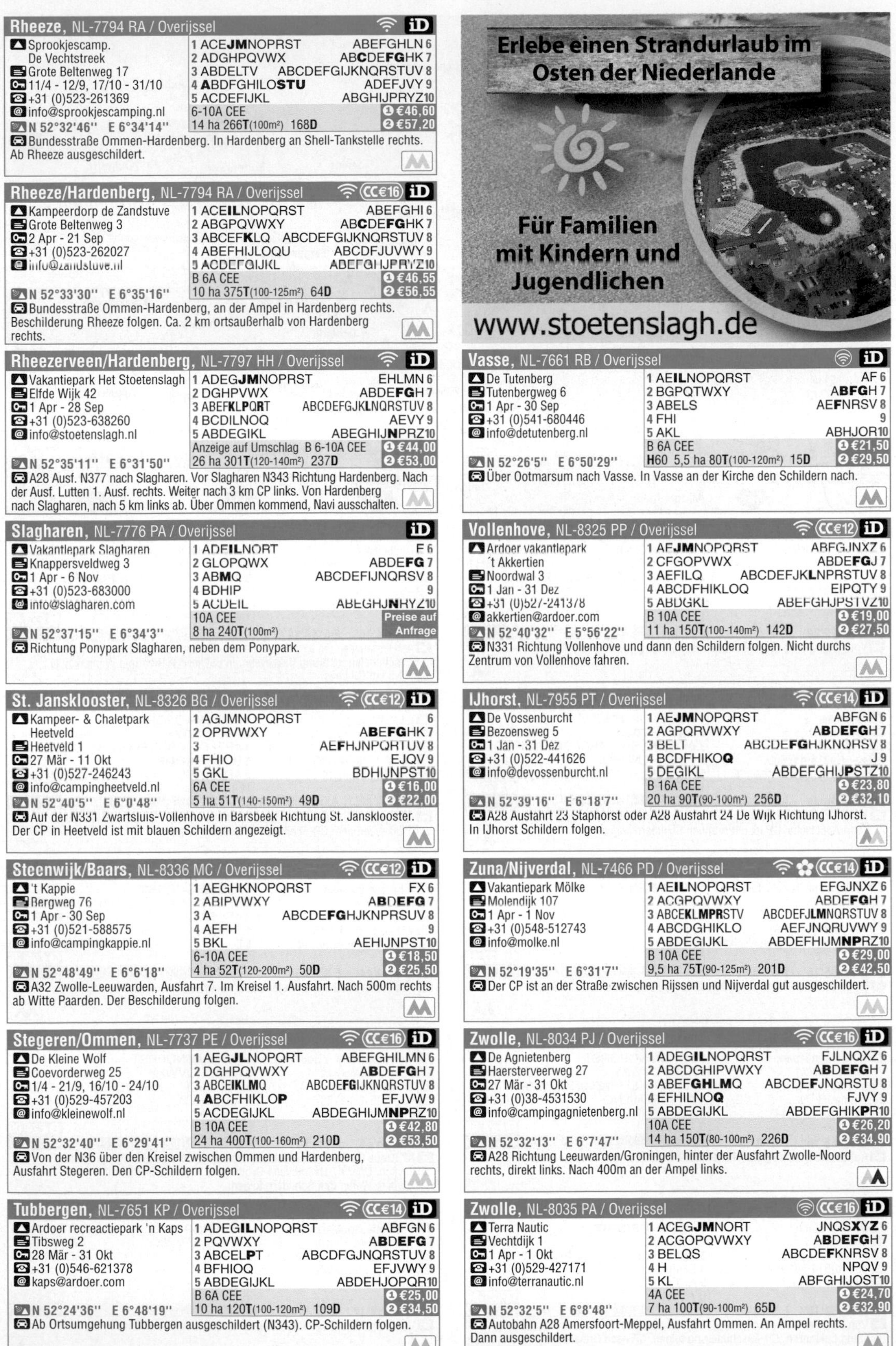

Rheezerveen/Hardenberg, NL-7797 HH / Overijssel

Vakantiepark Het Stoetenslagh
Elfde Wijk 42
1 Apr - 28 Sep
+31 (0)523-638260
info@stoetenslagh.nl
N 52°35'11'' E 6°31'50''

1 ADEGJMNOPRST EHLMN 6
2 DGHPVWX ABDEFGH 7
3 ABEFKLPQRT ABCDEFGJKLNQRSTUV 8
4 BCDILNOQ AEVY 9
5 ABDEGIKL ABEGHIJNPRZ 10
Anzeige auf Umschlag B 6-10A CEE ❶ €44,00
26 ha 301T(120-140m²) 237D ❷ €53,00

A28 Ausf. N377 nach Slagharen. Vor Slagharen N343 Richtung Hardenberg. Nach der Ausf. Lutten 1. Ausf. rechts. Weiter nach 3 km CP links. Von Hardenberg nach Slagharen, nach 5 km links ab. Über Ommen kommend, Navi ausschalten.

Vasse, NL-7661 RB / Overijssel

De Tutenberg
Tutenbergweg 6
1 Apr - 30 Sep
+31 (0)541-680446
info@detutenberg.nl
N 52°26'5'' E 6°50'29''

1 AEILNOPQRST AF 6
2 BGPQTWXY ABFGH 7
3 ABELS AEFNRSV 8
4 FHI 9
5 AKL ABHJOR 10
B 6A CEE ❶ €21,50
H60 5,5 ha 80T(100-120m²) 15D ❷ €29,50

Über Ootmarsum nach Vasse. In Vasse an der Kirche den Schildern nach.

Slagharen, NL-7776 PA / Overijssel

Vakantiepark Slagharen
Knappersveldweg 3
1 Apr - 6 Nov
+31 (0)523-683000
info@slagharen.com
N 52°37'15'' E 6°34'3''

1 ADEILNORT F 6
2 GLOPQWX ABDEFG 7
3 ABMQ ABCDEFIJNQRSV 8
4 BDHIP 9
5 ACDEIL ABEGHJNHYZ 10
10A CEE Preise auf
8 ha 240T(100m²) Anfrage

Richtung Ponypark Slagharen, neben dem Ponypark.

Vollenhove, NL-8325 PP / Overijssel

CC€12

Ardoer vakantiepark 't Akkertien
Noordwal 3
1 Jan - 31 Dez
+31 (0)527-241378
akkertien@ardoer.com
N 52°40'32'' E 5°56'22''

1 AEJMNOPQRST ABFGJNXZ 6
2 CFGOPVWX ABDEFGJ 7
3 AEFILQ ABCDEFJKLNPRSTUV 8
4 ABCDFHIKLOQ EIPQTY 9
5 ABDGKL ABEFGHJPSTVZ 10
B 10A CEE ❶ €19,00
11 ha 150T(100-140m²) 142D ❷ €27,50

N331 Richtung Vollenhove und dann den Schildern folgen. Nicht durchs Zentrum von Vollenhove fahren.

St. Jansklooster, NL-8326 BG / Overijssel

CC€12

Kampeer- & Chaletpark Heetveld
Heetveld 1
27 Mär - 11 Okt
+31 (0)527-246243
info@campingheetveld.nl
N 52°40'5'' E 6°0'48''

1 AGJMNOPQRST 6
2 OPRVWXY ABEFGHK 7
3 AEFHJNPQRTUV 8
4 FHIO EJQV 9
5 GKL BDHIJNPST 10
6A CEE ❶ €16,00
5 ha 51T(140-150m²) 49D ❷ €22,00

Auf der N331 Zwartsluis-Vollenhove in Barsbeek Richtung St. Jansklooster. Der CP in Heetveld ist mit blauen Schildern angezeigt.

IJhorst, NL-7955 PT / Overijssel

CC€14

De Vossenburcht
Bezoensweg 5
1 Jan - 31 Dez
+31 (0)522-441626
info@devossenburcht.nl
N 52°39'16'' E 6°18'7''

1 AEJMNOPQRST ABFGN 6
2 AGPQRVWXY ABDEFGH 7
3 BELT ABCDEFGHJKNQRSV 8
4 BCDFHIKOQ J 9
5 DEGIKL ABDEFGHIJPSTZ 10
B 16A CEE ❶ €23,80
20 ha 90T(90-100m²) 256D ❷ €32,10

A28 Ausfahrt 23 Staphorst oder A28 Ausfahrt 24 De Wijk Richtung IJhorst. In IJhorst Schildern folgen.

Steenwijk/Baars, NL-8336 MC / Overijssel

CC€12

't Kappie
Bergweg 76
1 Apr - 30 Sep
+31 (0)521-588575
info@campingkappie.nl
N 52°48'49'' E 6°6'18''

1 AEGHKNOPQRST FX 6
2 ABIPVWXY ABDEFG 7
3 A ABCDEFGHJKNPRSUV 8
4 AEFH 9
5 BKL AEHIJNPST 10
6-10A CEE ❶ €18,50
4 ha 52T(120-200m²) 50D ❷ €25,50

A32 Zwolle-Leeuwarden, Ausfahrt 7. Im Kreisel 1. Ausfahrt. Nach 500m rechts ab Witte Paarden. Der Beschilderung folgen.

Zuna/Nijverdal, NL-7466 PD / Overijssel

CC€14

Vakantiepark Mölke
Molendijk 107
1 Apr - 1 Nov
+31 (0)548-512743
info@molke.nl
N 52°19'35'' E 6°31'7''

1 AEILNOPQRST EFGJNXZ 6
2 ACGPQVWXY ABDEFGH 7
3 ABCEKLMPRSTV ABCDEFJLMNQRSTUV 8
4 ABCDGHIKLO AEFJNQRUVWY 9
5 ABDEGIJKL ABDEFHIJMNPRZ 10
B 10A CEE ❶ €29,00
9,5 ha 75T(90-125m²) 201D ❷ €42,50

Der CP ist an der Straße zwischen Rijssen und Nijverdal gut ausgeschildert.

Stegeren/Ommen, NL-7737 PE / Overijssel

CC€16

De Kleine Wolf
Coevorderweg 25
1/4 - 21/9, 16/10 - 24/10
+31 (0)529-457203
info@kleinewolf.nl
N 52°32'40'' E 6°29'41''

1 AEGJLNOPQRT ABEFGHILMN 6
2 DGHPQVWXY ABDEFGH 7
3 ABCEIKLMQ ABCDEFGIJKNQRSTUV 8
4 ABCFHIKLOP EFJVW 9
5 ACDEGIJKL ABDEGHIJMNPRZ 10
B 10A CEE ❶ €42,80
24 ha 400T(100-160m²) 210D ❷ €53,50

Von der N36 über den Kreisel zwischen Ommen und Hardenberg, Ausfahrt Stegeren. Den CP-Schildern folgen.

Zwolle, NL-8034 PJ / Overijssel

CC€16

De Agnietenberg
Haersterveerweg 27
27 Mär - 31 Okt
+31 (0)38-4531530
info@campingagnietenberg.nl
N 52°32'13'' E 6°7'47''

1 ADEGILNOPQRST FJLNQXZ 6
2 ABCDGHIPVWXY ABDEFGH 7
3 ABEFGHLMQ ABCDEFJNQRSTU 8
4 EFHILNOQ FJVY 9
5 ABDEGIJKL ABDEFGHIKPR 10
10A CEE ❶ €26,20
14 ha 150T(80-100m²) 226D ❷ €34,90

A28 Richtung Leeuwarden/Groningen, hinter der Ausfahrt Zwolle-Noord rechts, direkt links. Nach 400m an der Ampel links.

Tubbergen, NL-7651 KP / Overijssel

CC€14

Ardoer recreactiepark 'n Kaps
Tibsweg 2
28 Mär - 31 Okt
+31 (0)546-621378
kaps@ardoer.com
N 52°24'36'' E 6°48'19''

1 ADEGILNOPQRST ABFGN 6
2 PQVWXY ABDEFG 7
3 ABCELPT ABCDFGJNQRSTUV 8
4 BFHIOQ EFJVWY 9
5 ABDEGIJKL ABDEHJOPQR 10
B 6A CEE ❶ €25,00
10 ha 120T(100-120m²) 109D ❷ €34,50

Ab Ortsumgehung Tubbergen ausgeschildert (N343). CP-Schildern folgen.

Zwolle, NL-8035 PA / Overijssel

CC€16

Terra Nautic
Vechtdijk 1
1 Apr - 1 Okt
+31 (0)529-427171
info@terranautic.nl
N 52°32'5'' E 6°8'48''

1 ACEGJMNORT JNQSXYZ 6
2 ACGOPQVWXY ABDEFGH 7
3 BELQS ABCDEFKNRSV 8
4 H NPQV 9
5 KL ABFGHIJOST 10
4A CEE ❶ €24,70
7 ha 100T(90-100m²) 65D ❷ €32,90

Autobahn A28 Amersfoort-Meppel, Ausfahrt Ommen. An Ampel rechts. Dann ausgeschildert.

Teilkarte Overijssel auf Seite 182

Friesland

Anjum, NL-9133 DT / Friesland (CC€14)

Landal Esonstad
Oostmahorn 29B
27 Mär - 2 Nov
+31 (0)519-329555
esonstad@landal.nl

1 DEJMNOPRST	EFGLNQSXYZ 6
2 DFGHIOSV	ABDEFGH 7
3 ABCEKLMQRT	ABCDEFJKQRSTUV 8
4 AEFGHILSTUVZ	IJMOPRTUVWY 9
5 ACDFGIJL	ABFGHIJORZ10
16A CEE	❶ €32,00
5 ha 129T(100-120m²) 221D	❷ €39,00

N 53°22'30'' E 6°9'32''

Von Leeuwarden die N355 Dokkum Richtung Lauwersoog die N361.

Appelscha, NL-8426 EP / Friesland (CC€14) iD

Alkenhaer
Alkenhaer 1
1 Apr - 31 Okt
+31 (0)516-432600
info@campingalkenhaer.nl

1 ADEILNOPQRST	FN 6
2 AGOPRVWXY	ABDEFGH 7
3 AEGHKLS	ABCDEFHJKNPQRSV 8
4 BDEFHILNOPQ	EJVY 9
5 ADEGIKL	ABDFGHJNOSTY10
10A CEE	❶ €22,00
11 ha 100T(80-120m²) 156D	❷ €27,00

N 52°56'45'' E 6°21'44''

N381 Drachten-Appelscha, Ausfahrt Appelscha. N371 Meppel-Assen, Ausfahrt Appelscha. CP ist mit braunen Schildern angezeigt.

Appelscha, NL-8426 SM / Friesland iD

Boscamping Appelscha
Oude Willem 3
1 Apr - 1 Okt
+31 (0)516-431391
info@boscampingappelscha.nl

1 AEGJMNOPRST	6
2 BPQWXY	ABFGJ 7
3 BEIKLQTV	ABCDEFHNQRSV 8
4 FH	FUVW 9
5 ADIJL	ABHIJNPST10
6A CEE	❶ €22,50
5 ha 53T(100-120m²) 13D	❷ €28,50

N 52°55'16'' E 6°20'42''

N381 Drachten-Appelscha. Der CP ist in Höhe Appelscha angezeigt.

Appelscha, NL-8426 GK / Friesland (CC€14) iD

RCN Vakantiepark De Roggeberg
De Roggeberg 1
1 Jan - 31 Dez
+31 (0)516-431441
roggeberg@rcn.nl

1 ADGJMNOPQRST	ABFH 6
2 ABGPQVWXY	ABDEFGH 7
3 ABEFIKLMQU	ABCDEFGIJKLMNQRSTUV 8
4 ABCDEFHILNO	EJUVWY 9
5 ACDEGIJKL	ABEGHIJMNPRYZ10
B 10A CEE	❶ €24,00
69 ha 375T(100-120m²) 501D	❷ €28,00

N 52°56'18'' E 6°20'30''

Auf der N31 nach Appelscha fahren. Von dort an gut ausgeschildert.

Bakhuizen, NL-8574 VC / Friesland (CC€16) iD

De Wite Burch
Wite Burch 7
15 Mär - 31 Okt
+31 (0)514-581382
info@witeburch.nl

1 AEJMNOPQRST	X 6
2 PQVWXY	ABFGH 7
3 ABCEHKL	ABCDEFHJKNQRSTUV 8
4 BHIKO	EFJUVW 9
5 ACDGIKL	ABDHJPST10
B 10A CEE	❶ €21,50
10 ha 60T(80-100m²) 253D	❷ €27,50

N 52°52'18'' E 5°28'8''

Von Lemmer N359 Richtung Koudum. Ausfahrt Rijs links. An Kreuzung Richtung Bakhuizen, CP-Beschilderung folgen. CP nach Ortsausgang, Nordseite.

Bakkeveen, NL-9243 KA / Friesland (CC€14) iD

De Ikeleane
Duerswâldmerwei 19
29 Mär - 30 Sep
+31 (0)516-541283
info@ikeleane.nl

1 AEGILNOPRST	6
2 FOPQVWX	ABDEFGH 7
3 ABCELQT	ABCDEFGINPQRSTUV 8
4 BDFHIKLO	JVY 9
5 ADEFGIKL	ABDEFGHJPTU10
10A CEE	❶ €23,00
9 ha 79T(90-100m²) 128D	❷ €30,15

N 53°4'16'' E 6°14'34''

Ab Heerenveen die A7 nach Drachten. Ausfahrt 31 Richtung Frieschepalen. In Frieschepalen Richtung Bakkeveen. In Bakkeveen Richtung Wijnjewoude nach 1,5 km CP links.

Bakkeveen, NL-9243 JZ / Friesland iD

De Wâldsang
Foarwurkerwei 2
28 Mär - 30 Sep
+31 (0)516-541255
info@waldsang.nl

1 AEGJMNOPQRT	N 6
2 ABOPQVWX	ABDEFGHK 7
3 ABELQ	ABCDEFGHIJLMNQRSTUV 8
4 BCDFHIKOQR	AEFQRV 9
5 ADEFGIKL	ABEGHIJNOR10
16A CEE	❶ €24,00
13 ha 142T(100-120m²) 176D	❷ €30,80

N 53°5'8'' E 6°15'0''

A7 Ausfahrt 31 (Frieschepalen). In Frieschepalen Richtung Bakkeveen. Vor Bakkeveen dem CP-Schild 'De Wâldsang' folgen.

Bakkeveen, NL-9243 SE / Friesland iD

It Kroese Beamke
Nije Drintsewei 6
1 Apr - 15 Okt
+31 (0)516-541245
info@kroesebeamke.nl

1 AEJMNOPQRST	N 6
2 BFOPSVWXY	ABDEF 7
3 ABEGHLQS	AEFQRTV 8
4 FHIKOQ	D 9
5 L	ABFHJNOTUV10
6A CEE	❶ €15,00
5 ha 65T(100-200m²) 35D	❷ €21,00

N 53°4'44'' E 6°16'55''

Assen zur N372 Norg/Haulerwijk/Waskemeer/Bakkeveen. Den Schildern folgen.

Bakkeveen, NL-9243 KA / Friesland (CC€16) iD

Molecaten Park 't Hout
Duerswâldmerwei 11
27 Mär - 30 Sep
+31 (0)516-541287
thout@molecaten.nl

1 ACEGJMNOPRST	ABFGH 6
2 ABGOPQVWXY	ABDEFGH 7
3 ABCDELT	ABCDEFGJKNQRSTUV 8
4 ABFHIKLO	AEJVY 9
5 ADEFIKL	ABDEFGHIJNOR10
B 10A CEE	❶ €24,00
21,4 ha 235T(100-120m²) 258D	❷ €33,50

N 53°4'44'' E 6°15'11''

A7 Kreuz Oosterwolde, Richtung Oosterwolde. Ausfahrt Wijnjewoude/ Bakkeveen. Oder A7 Heerenveen-Groningen, Ausfahrt 31 Richtung Bakkeveen. Weiter den Schildern folgen.

Balk, NL-8561 HA / Friesland iD

Recreatiepark Marswâl
Tsjamkedijk 6
1 Apr - 1 Nov
+31 (0)514-602089
info@marswal.nl

1 AEILNOPQRST	LMNQSTWXYZ 6
2 ACDGHIPVWXY	ABDEFGH 7
3 AB	ABDEFNRS 8
4 BC	JNO 9
5 ADIL	ABFGHJOPR10
4-16A CEE	❶ €23,75
3,5 ha 72T(80m²) 52D	❷ €30,25

N 52°54'17'' E 5°35'48''

Von Lemmer auf der N359 durchs Zentrum von Balk. Der CP liegt am Ende der Stadt.

Teilkarte Friesland auf Seite 188

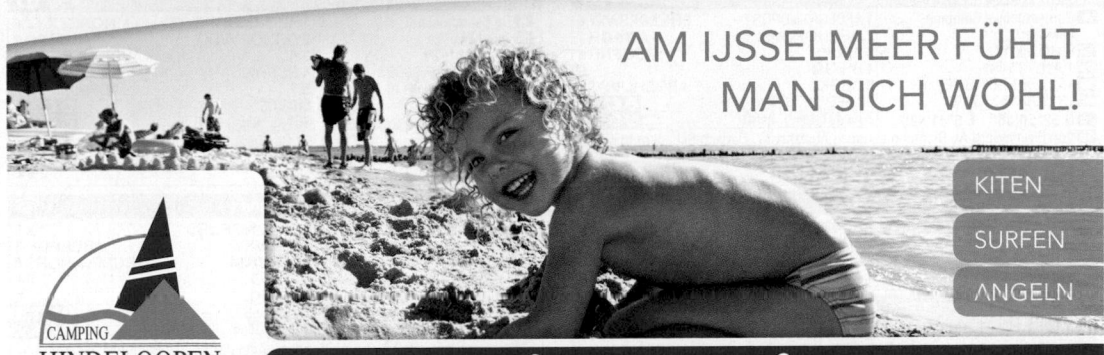

Niederlande

De Veenhoop, NL-9215 VV / Friesland

De Veenhoop
Eyzengapaed 5
1 Apr - 1 Okt
+31 (0)512-462289
info@de-veenhoop.nl
N 53°5'52'' E 5°56'52''

1 ABEJMNOPQRST LNQSTXYZ 6
2 DPWX ABDEFGH 7
3 AEKLQ ABCDEFJNRV 8
4 FH DJNOQV 9
5 ABIJLM ABFHJPRV 10
6A CEE ① €24,00
3 ha 75T(100-140m²) 23D ② €32,00

A7 Richtung Drachten. Ausfahrt 28 Richtung Nybeets. Dann Schildern 'De Veenhoop' folgen.

Dokkum, NL-9101 XA / Friesland

Harddraverspark
Harddraversdijk 1a
1 Apr - 31 Okt
+31 (0)519-294445
info@campingdokkum.nl
N 53°19'36'' E 6°0'17''

1 ABEJMNOPRST NXZ 6
2 COPQRSVWXY ABDEFG 7
3 ABMQS ABCDEFNPQRTUV 8
4 FH D 9
5 KL ABDFGHIJOPRZ 10
16A CEE ① €19,25
2,5 ha 80T(100-120m²) 7D ② €24,25

Von Leeuwarden Richtung Dokkum-Oost, Beschilderung folgen. Ab Drachten Richtung Dokkum-Oost. Umgehung folgen (Lauwersseewei). Von Groningen-Zoutkamp die N361 Richtung Dokkum. Ausgeschildert.

Eernewoude, NL-9264 TK / Friesland

Simmerwille
Smidspaed 2
1 Apr - 1 Okt
+31 (0)511-539390
info@simmerwille.nl
N 53°7'46'' E 5°55'56''

1 EGILNOPQRST LNQSXYZ 6
2 DGPVWX ABDEFG 7
3 AELQ ABCDEFNQRS 8
4 BCFHI EGNOPQV 9
5 ALM ABHIJPR 10
6-10A CEE ① €21,00
3 ha 50T(80-100m²) 49D ② €25,00

A7, Kreuz Oosterwolde Richtung Leeuwarden. Bei der Ausfahrt Garijp Richtung Eernewoude/Earnewald. Dann weiter ausgeschildert.

Franeker, NL-8801 PG / Friesland

Recreatiepark Bloemketerp bv
Burg. J. Dijkstraweg 3
1 Jan - 31 Dez
+31 (0)517-395099
info@bloemketerp.nl
N 53°11'22'' E 5°33'9''

1 ADEJMNOPQRST EFHIN 6
2 ACGOPSVWX ABDEFG 7
3 ABCEMOP ABCDEFJNRSTUV 8
4 ABEFHIORSTZ HIJPQV 9
5 CDEJL ABDEFGHJPRZ 10
B 6A CEE ① €24,50
5 ha 85T(100m²) 33D ② €30,00

A31, Ausfahrt Franeker, Richtung Franeker. Ausgeschildert.

Harlingen, NL-8862 PK / Friesland

De Zeehoeve
Westerzeedijk 45
1 Apr - 31 Okt
+31 (0)517-413465
info@zeehoeve.nl
N 53°9'44'' E 5°25'1''

1 ADEJMNOPQRST KNQSXYZ 6
2 AEGHPWX ABDEFGI 7
3 ABELT ABCDEFGIJNQRSTUV 8
4 BCDHIO FGJQTV 9
5 DEGJKL ABFGHJNPR 10
16A CEE ① €24,00
10 ha 125T 144D ② €32,00

Auf der N31 Zürich-Harlingen Ausfahrt Kimswerd. Am Kreisel 3. Ausfahrt und der CP-Beschilderung folgen. Der Camping liegt nach etwa 1 km rechts der Straße.

Hindeloopen, NL-8713 JA / Friesland

Hindeloopen
Westerdijk 9
28 Mär - 31 Okt
+31 (0)514-521452
info@campinghindeloopen.nl
N 52°56'6'' E 5°24'15''

1 ACDEHIKNOPQRST LNQRSWXYZ 6
2 ADEGHPSVX ABDEFG 7
3 ABELMT ABCDEFIJKNQRSUV 8
4 BIKLOPQ FJMNVY 9
5 ABDGIK ABDFGHIJPRZ 10
Anzeige auf dieser Seite B 6-16A CEE ① €26,50
16 ha 135T(100m²) 506D ② €32,50

Von Lemmer N359 Richtung Bolsward. Ausfahrt Hindeloopen. CP-Schildern folgen.

Koudum, NL-8723 CG / Friesland

Vakantiepark de Kuilart
De Kuilart 1
1 Jan - 31 Dez
+31 (0)514-522221
info@kuilart.nl
N 52°54'11'' E 5°27'58''

1 ACDEGJMNOPQRST EFGHLMNQRSTWXYZ 6
2 DGHIOPSVX ABDEFGH 7
3 ABEKLMP ABCDEFGHIJKLMNQRSTUV 8
4 ABCIMNOPQSTV EIJMNOPQVWY 9
5 ACDEGIJKL ABDEFGHIKMNPQRWZ 10
Anzeige auf dieser Seite B 6-16A CEE ① €29,00
30 ha 360T(80-100m²) 286D ② €40,40

Vor der N359 am Kreisel/Überführung Galamadammen der Beschilderung Kuilart folgen.

Leeuwarden, NL-8926 XE / Friesland

De Kleine Wielen
De Groene Ster 14
1 Apr - 30 Sep
+31 (0)511-431660
info@dekleinewielen.nl
N 53°12'59'' E 5°53'18''

1 ABDEJMNOPQRS LNQSXYZ 6
2 ADGHOPQVX ABDEFGH 7
3 ABEIJLQ ABCDEFJNQRSV 8
4 BCDHIOPQ EF 9
5 ABCDGIJKL ABDGHIJPST 10
B 4A CEE ① €22,75
15 ha 180T(80-120m²) 145D ② €32,25

An der N355 zwischen Hardegarijp und Leeuwarden. Ausgeschildert.

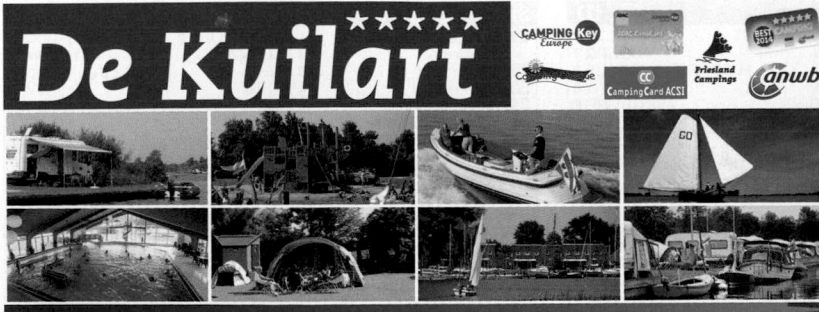

Teilkarte Friesland auf Seite 188

Lemmer, NL-8531 PB / Friesland

Gemeentelijke Camping Lemmer
Plattedijk 13
1 Apr - 31 Okt
+31 (0)514-561330
+31 (0)514-565430
N 52°50'46'' E 5°41'42''

1 ABDEGHKNOPQRT	EFHLNQRSWXY 6
2 DEGHOPQWX	ABFGH 7
3 ABLP	ABEFNR 8
4 BHIOQ	9
5 DEGKL	ABFGHIJPST 10
6A CEE	❶ €22,80
2 ha 40T(80m²) 250D	❷ €29,30

Von Emmeloord A6 Richtung Lemmer, Ausfahrt 17. Danach Schildern folgen.

Makkum, NL-8754 HC / Friesland

Recr. Centr. De Holle Poarte
De Holle Poarte 2
1 Jan - 31 Dez
+31 (0)515-231344
info@hollepoarte.nl
N 53°3'11'' E 5°23'1''

1 ADJMNOQRST	ALNQRSTXYZ 6
2 ADEGHPQSVX	ABDEFGH 7
3 ABEFILPQT	ABCDEFGIJKNRS 8
4 ABCIKLPQ	EJMVWY 9
5 ACDEFGHIJKL	ABFGHIKPRWXYZ 10
Anzeige auf Seite 191 B 6A CEE	❶ €26,20
40 ha 170T(80-100m²) 780D	❷ €31,00

A7 Sneek-Afsluitdijk, Ausfahrt Makkum. Vor Stadt CP-Beschilderung folgen. Dieser CP liegt am IJsselmeer.

Molkwerum/Molkwar, NL-8722 HE / Friesland

't Séleantsje
't Séleantsje 2
28 Mär - 31 Okt
+31 (0)514-681395
info@camping-seleantsje.nl
N 52°54'13'' E 5°23'45''

1 ADEILNOPQRST	LNQSXYZ 6
2 ADEGHIOPVWX	ABDEFGH 7
3 ABEGHLV	ABEFNRSTUV 8
4 BCDHINOPQ	EPQVWY 9
5 ADEGIKL	ABFGHJPRZ 10
Anzeige auf dieser Seite B 6-10A CEE	❶ €20,40
4 ha 105T(80-115m²) 115D	❷ €27,40

Von Lemmer auf der N359 Richtung Balk und Koudum. In Koudum Richtung Molkwar. Weiter den Schildern folgen.

Noordwolde, NL-8391 VE / Friesland

De Meenthe
Jokweg 2
1 Apr - 30 Sep
+31 (0)561-432627
info@camping-demeenthe.nl
N 52°54'2'' E 6°7'32''

1 GJMNORST	6
2 PQWX	ABFG 7
3 AEL	ABCFNQRS 8
4 FHIO	9
5 M	HJP 10
4A CEE	❶ €19,30
2,5 ha 40T(100m²)	❷ €28,30

A32 Ausfahrt Wolvega Richtung Oosterwolde, Ausfahrt Noordwolde. Vor Noordwolde Schildern folgen.

Noordwolde, NL-8391 KB / Friesland

Recreatiecentrum de Hanestede
Elsweg 11
1 Apr - 1 Okt
+31 (0)561-431901
info@hanestede.nl
N 52°52'58'' E 6°8'16''

1 EJMNOPQRST	ABFL 6
2 DGHOPQVX	ABDEFGHK 7
3 ABELMQT	ABCDEFJKNQRSTUV 8
4 BFHIKOQ	9
5 DGKL	ABGHIJPR 10
B 6A CEE	❶ €18,10
10 ha 60T(100m²) 164D	❷ €22,30

A32 Richtung Heerenveen, Ausfahrt 6 Richtung Noordwolde, danach den Schildern folgen.

Noordwolde, NL-8391 MB / Friesland

Rotandorp
Vallaatweg 4
15 Mär - 31 Okt
+31 (0)561-431227
info@campingrotandorp.nl
N 52°53'2'' E 6°9'58''

1 AEJMNOPQRST	N 6
2 PWXY	ABDEFG 7
3 BEQT	ABCDEFGIJKNQRSUV 8
4 BDFH	EVW 9
5 ADGKLM	ABEGHIJPR 10
6A CEE	❶ €16,75
3,5 ha 75T(100m²) 24D	❷ €22,05

A32 Ausfahrt Steenwijk Richtung Frederiksoord, dann Richtung Noordwolde. In Noordwolde-Zuid den CP-Schildern folgen.

Offingawier, NL-8626 GG / Friesland

RCN De Potten
De Potten 2-38
27 Mär - 2 Nov
+31 (0)515-415205
potten@rcn.nl
N 53°1'47'' E 5°43'28''

1 DEGILNOPQRST	LNQSTWXYZ 6
2 DGHPVWX	ABDEFGH 7
3 ABEILMQS	ABCDEFIJKNQRSV 8
4 BCHINOQ	JOPQTVWY 9
5 ABDEFGIJKL	ABDFHIJNPRYZ 10
10A CEE	❶ €36,85
300T(100m²) 132D	❷ €45,15

A7 Richtung Sneek, dann der N7 folgen. Richtung Sneekermeer. CP-Schildern folgen.

Oudega, NL-8614 JD / Friesland

De Bearshoeke
Tsjerkewei 2a
1 Apr - 31 Okt
+31 (0)515-469805
info@bearshoeke.nl
N 52°59'30'' E 5°32'40''

1 AEGJMNOPQRT	LMNQRSTXYZ 6
2 DGHOPVWXY	ABDEFG 7
3 AL	ABCDEFJNRSV 8
4 BCFHIO	FJMNOPQRVY 9
5	ABFHJMPRZ 10
B 6A CEE	❶ €22,00
45T(ab 100m²) 43D	❷ €31,00

Von der A6 Ausfahrt 18. Der N354 Richtung Sneek folgen. In Hommerts links Richtung Osingahuizen, der Straße nach Oudega folgen. CP-Beschilderung folgen.

Oudemirdum, NL-8567 JT / Friesland

Boskampeerterrein 'De Waps'
Fonteinwei 14
1 Jan - 31 Dez
+31 (0)514-571437
info@dewaps.nl
N 52°51'16'' E 5°31'55''

1 DEJMNOPQRS	X 6
2 BPQVXY	ABDEFGH 7
3 AEFJKM	ABCDFGJNQRS 8
4 BFHIO	F 9
5 ADGKL	ABHJPR 10
B 10A CEE	❶ €28,50
6 ha 140T(60-150m²) 55D	❷ €36,90

Von Lemmer N359 Richtung Koudum. Ausfahrt Sondel Richtung Oudemirdum. Im Dorf weiter ausgeschildert.

Oudemirdum, NL-8567 HJ / Friesland

De Bosrand
Oude Balksterweg 2
1 Apr - 31 Okt
+31 (0)514-571319
info@campingdebosrand.com
N 52°51'33'' E 5°30'45''

1 ILNOPQRT	6
2 ABOPQVXY	ABDEFGH 7
3 AKLS	ABCDFLNQRSTUV 8
4 BIO	JY 9
5 L	ABEHJPST 10
16A CEE	❶ €22,20
4 ha 54T 152D	❷ €28,40

Von Lemmer auf der N359 Richtung Koudum. Ausfahrt Sondel Richtung Oudemirdum. Um das Dorf Richtung Rijs. CP ist ausgeschildert.

Oudemirdum, NL-8567 HB / Friesland

De Wigwam
Sminkewei 7
1 Apr - 31 Okt
+31 (0)514-571223
camping@dewigwam.nl
N 52°51'37'' E 5°32'42''

1 ACDEJMNOPQRT	F 6
2 ABPRVWX	ABDEFGH 7
3 ABEKLT	ACEFGHNRSTU 8
4 BCDEIKO	EQRUVW 9
5 ADGKL	ABDGHJPRZ 10
16A CEE	❶ €21,60
4,5 ha 70T(80-100m²) 112D	❷ €28,80

A50, Ausfahrt Lemmer N359 Richtung Balk/Koudum. Ausfahrt Oudemirdum.

Rijs, NL-8572 WG / Friesland

Rijsterbos
Marderleane 4
1 Apr - 1 Nov
+31 (0)514-581211
info@rijsterbos.nl
N 52°51'44'' E 5°29'58''

1 JMNOPQRST	ABX 6
2 ABGOPQX	ABCDEFGHK 7
3 BEIKLS	ABCDEFGJNRST 8
4 BCIKOQ	EQVWY 9
5 ABDEFGIJKL	ABEGHJNPR 10
6A CEE	❶ €23,50
5 ha 50T(100m²) 124D	❷ €35,00

N359 Lemmer Richtung Koudum, Ausfahrt Rijs. An der T-Kreuzung in Rijs links. CP nach 100m auf der rechten Straßenseite.

Roodhuis, NL-8736 JB / Friesland

De Finne
Sànleansterdyk 6
14 Mär - 18 Okt
+31 (0)515-331219
info@campingdefinne.nl
N 53°4'35'' E 5°37'58''

1 ACJMNOPQRST	JNSXYZ 6
2 CPQSVWX	ABDEFGH 7
3 AELS	ABCDEFNRSV 8
4 IO	DNQVY 9
5	ABFGHJOR 10
B 6A CEE	❶ €19,50
65T(bis 140m²) 2D	❷ €27,50

Von der Umgehung Sneek Richtung Leeuwarden. Kreisel Richtung Scharnegoutum. Rechts ab, Richtung Wommels/Oosterend, Richtung Roodhuis. Den CP-Schildern folgen.

Sloten, NL-8556 XC / Friesland

Watersport en Recr.camp. De Jerden
Lytse Jerden 1
15 Mär - 1 Nov
+31 (0)514-531389
info@campingdejerden.nl
N 52°53'58'' E 5°38'32''

1 AJMNOPQRST	LMNQSWXZ 6
2 ACDPVWXY	ABDEFG 7
3 ABEK	ABEFGJNQRSV 8
4 BDHIQ	NPQUVW 9
5 AKL	ABDFGHJPR 10
B 10-16A CEE	❶ €24,00
3,5 ha 65T(120-150m²) 65D	❷ €24,00

A6, Ausfahrt Oosterzee. Die N354 Richtung Sneek. Bei Spannenburg Richtung Sloten. Bei Sloten der Beschilderung folgen.

Sneek, NL-8605 CP / Friesland

Camping de Domp
Jachthaven de Domp 4
1 Jan - 31 Dez
+31 (0)515-755640
camping@dedomp.nl
N 53°2'8'' E 5°40'38''

1 AEGILNOPQRST	CDFGHNSTXYZ 6
2 GIQRWX	ABDFGH 7
3 A	ABCDEFHJKNQRSTUV 8
4 H	F 9
5 IJKL	ABFGHJPRYZ 10
B 6-16A	❶ €23,20
1 ha 67T(80-100m²) 5D	❷ €29,70

Die A7 bis Sneek. Danach der N7 Richtung Sneeker See folgen. Cp-Schildern folgen.

Teilkarte Friesland auf Seite 188

Niederlande

St. Nicolaasga, NL-8521 NE / Friesland

Camping Blaauw
Langwarderdijk 4
28 Mär - 31 Okt
+31 (0)513-431361
info@campingblaauw.nl

1 EGJMNOPQRT LNXZ 6
2 DGHPQWX ABDEFG 7
3 ABEKLST ABEFNRSTUV 8
4 BFHIN FJNRVY 9
5 ADGIJ ABDGHIJORZ 10
10A CEE ❶ €22,40
6 ha 150T(80m²) 177D ❷ €30,80

N 52°56'18'' E 5°45'0''

A6 Richtung St. Nicolaasga, durch dieses Dorf Richtung Joure. Ausfahrt Richtung Langweer. CP liegt auf der rechten Seite.

Stavoren, NL-8715 ET / Friesland

Súdermeer
Middelweg 15
1 Apr - 1 Nov
+31 (0)514-684686
info@skipsmaritiem.nl

1 ADEILNOPQRT EFGLMNQRSTWXYZ 6
2 DGHIOPQVWX ABDEFGH 7
3 AE AFNRSV 8
4 BHIOQS DNORVW 9
5 ACDEGIJKL ABFGHJPR 10
B 10A CEE ❶ €20,00
6 ha 60T(bis 70m²) 101D ❷ €26,00

N 52°52'42'' E 5°22'25''

Von Lemmer N359 in Richtung Koudum. Vor Koudum Richtung Stavoren. Vor der Stadt ist der CP ausgeschildert.

Suameer/Sumar, NL-9262 ND / Friesland

Vakantiepark Bergumermeer
Solcamastraat 30
1 Apr - 31 Okt
+31 (0)511-461385
info@bergumermeer.nl

1 ACDEGJMNOPQRST EFGHILMNQSTXYZ 6
2 ACDFGHIPQSVWXY ABDEFGH 7
3 ABCDEFILMT ABCDEFGHJKNPQRSTUV 8
4 BCDFHIKLNOP AEFJNOPQRVY 9
5 ACDEFGHIJKL ABEFGHJOPRYZ 10
B 10A CEE ❶ €31,50
28 ha 265T(90-120m²) 257D ❷ €44,50

N 53°11'29'' E 6°1'27''

A7, Richtung Drachten nach Burgum N356. Bei Sumar Beschilderung folgen oder von der N31 Leeuwarden-Drachten Ausfahrt Nijega N356 Richtung Burgum.

Terherne, NL-8493 LX / Friesland

Strandcamping
Jongebuorren 5
1 Apr - 1 Nov
+31 (0)566-689351
info@strandcamping.nl

1 DEGJMNOPQRST LMNQSWXYZ 6
2 ADGHPQVWX ABDEFG 7
3 ABEL BDFJNRS 8
4 HI 9
5 GM ABHIJPST 10
10A CEE ❶ €23,75
4 ha 225T(80m²) 130D ❷ €30,75

N 53°2'28'' E 5°46'9''

N32 Heerenveen-Leeuwarden, Ausfahrt Akkrum, Richtung Irnsum, Ausfahrt Terhorne. Hinter der Brücke im Dorf rechts Richtung Sneekermeer, Schildern folgen.

Terschelling/Formerum, NL-8894 KJ / Friesland

Hekkeland
Molkenbosweg 16
1 Apr - 30 Okt
+31 (0)562-448606
camping@hekkeland.nl

1 BCFGILNORT 6
2 BGOPQ ABDEFGH 7
3 AEHIR AEFJRST 8
4 EH EUVY 9
5 ABEJN 10
B 4A CEE ❶ €18,00
1,5 ha 15T 66D ❷ €24,00

N 53°23'32'' E 5°18'22''

Vom Schiff Richtung Midsland und Formerum. Danach bei Formerum links ab den Schildern folgen.

Terschelling/Formerum, NL-8894 KB / Friesland

Mast
Formerum 33
28 Apr - 1 Nov
+31 (0)562-448882
info@campingmast.nl

1 EGJKNOPRT 6
2 GIWXY ABFGH 7
3 ABIL ABCDEFGIJKNQRSTUV 8
4 BCDHIO AEILUVY 9
5 BDFIJKL BFHJNPR 10
6A CEE ❶ €30,00
2,5 ha 58T(25-125m²) 28D ❷ €42,00

N 53°23'25'' E 5°18'22''

Von der Fähre der Hauptstraße Richtung Oosterend folgen. Wenn man durch Landerum gekommen ist, direkt die 2. Straße links, dann die 1. rechts.

Terschelling/Formerum, NL-8894 KS / Friesland

Nieuw Formerum
Duinweg Formerum 13
1 Apr - 1 Nov
+31 (0)562-448977
info@nieuwformerum.nl

1 GHKNOPRT N 6
2 HOPQX ABDEFGH 7
3 ABELS ABCDEFGIJKNQRS 8
4 BEFHI L 9
5 ADKL ABHJNORZ 10
B 4A CEE ❶ €26,80
7 ha 253T ❷ €41,60

N 53°23'38'' E 5°18'3''

1. Ausfahrt Formerum, links halten. Nach 200m liegt der CP links der Strecke.

Terschelling/Hee, NL-8882 HE / Friesland

Camping De Kooi
Heesterkooiweg 20
16 Apr - 15 Sep
+31 (0)562-442743
mail@campingdekooi.nl

1 AEGILNOPRT LN 6
2 DFGHPQWXY ABDEFGH 7
3 ABE ABCDEFGKNRS 8
4 ABFHI ALVW 9
5 IM ABHIJLOPRZ 10
10A CEE ❶ €26,70
9 ha 250T(bis 120m²) 20D ❷ €44,90

N 53°22'57'' E 5°15'20''

Ausgeschildert an der Straße von West-Terschelling nach Midsland, bei Hee.

Terschelling/Midsland, NL-8891 GG / Friesland

Jongerencamping Terpstra
Midslanderhoofdweg 27
1 Apr - 30 Okt
+31 (0)562-449091

1 HKNT 6
2 GHOPX ABDE 7
3 E ABEF 8
4 HIO A 9
5 DGIL BHIKL 10
❶ €22,50
1,7 ha 200T(80m²) 90D

N 53°23'13'' E 5°17'40''

Vom Schiff in West Terschelling Richtung Midsland, 100m hinter dem Ort links der Straße.

Terschelling/Oosterend, NL-8897 HB / Friesland

't Wantij
Duinweg Oosterend 24
1 Jan - 31 Dez
+31 (0)562-448522
info@wantij-terschelling.nl

1 AGJMRT KN 6
2 FGHOPQVX ABDEFGJ 7
3 AE ACEFNRS 8
4 IO IJLV 9
5 BHIJPR 10
6A CEE ❶ €17,75
0,5 ha 35T 7D ❷ €25,25

N 53°24'19'' E 5°22'53''

Von der Fähre West-Terschelling Richtung Midsland, dann Richtung Oosterend. Der CP liegt in der Ortsmitte an den den Dünen.

Ureterp, NL-9247 WK / Friesland

Het Koningsdiep
De Mersken 2
29 Mär - 2 Nov
+31 (0)6-48446604
info@campinghetkoningsdiep.nl

1 BJMNOPQRST N 6
2 ABCPQSWX ABFGH 7
3 AGLS ABCDEFIJLMNPQRSTUV 8
4 FHIOS DQV 9
5 AGILM AFGHIJOST 10
B 10A CEE ❶ €15,00
1,4 ha 50T(100-200m²) 2D ❷ €22,00

N 53°4'17'' E 6°8'12''

A7 Heerenveen Ausfahrt Beetsterzwaag/Olterterp. Nach 3 km rechts De Merskens, nach 1500m kommt der CP.

Vlieland, NL-8899 BX / Friesland

Kampeerterrein Stortemelk
Kampweg 1
1 Apr - 30 Sep
+31 (0)562-451225
info@stortemelk.nl

1 ADEGHKNT EFHKQ 6
2 EHOPQTW ABDEFG 7
3 ABELQ ABCDEFGIJKNRS 8
4 ABDINOQ AI 9
5 ACDEFGIKL ABHIJLNPTZ 10
6A CEE ❶ €25,40
27 ha 1000T 76D ❷ €35,30

N 53°18'15'' E 5°4'47''

Via Fähre nach Harlingen, auf Insel Vlieland CP-Beschilderung folgen.

Niederlande

Westergeest, NL-9295 KD / Friesland

Oan'e Swemmer
Prellewei 2
1 Apr - 1 Okt
+31 (0)511-442179
info@campingoaneswemmer.nl
N 53°17'41'' E 6°5'21''

1 AILNOPQRT	FHJNXZ 6	
2 COPQVX	ABDEFGH 7	
3 ABELS	ABCDEFNRSTV 8	
4 FHIKNOQ	EJQ 9	
5 DEGIKL	ABHIJST 10	
4A CEE		❶ €15,00
5,2 ha 50T(100-120m²) 105D		❷ €17,00

N355 Richtung Kollum, Ausfahrt Oudwoude/Westergeest. CP liegt am Ende des Dorfes, rechts am Kanal. Aus Groningen über die N355.

Witmarsum, NL-8748 DT / Friesland

Mounewetter
Mouneplein 1
1 Apr - 12 Okt
+31 (0)517-531967
info@rcmounewetter.nl
N 53°5'58'' E 5°28'14''

1 ADILNOPQRST	ABFHINXZ 6	
2 ACGOPRVWX	ABDEFG 7	
3 ABEJLMQ	ABCDFGIJKNQRSTUV 8	
4 BCHIO	CENPQV 9	
5 DGKL	ABDEFGHJNPR 10	
B 10A CEE		❶ €26,00
4,5 ha 33T(100m²) 152D		❷ €37,00

A7 Richtung Witmarsum. Im Dorf den Schildern durchs Wohnviertel folgen.

Workum, NL-8711 GX / Friesland

It Soal
Suderséleane 29
27 Mär - 3 Nov
+31 (0)515-541443
camping@itsoal.com
N 52°58'8'' E 5°24'52''

1 ADEGJMNOPQRST	LMNQRSWXYZ 6	
2 ADEFGHIPQVWXY	ABDEFGH 7	
3 ABDEFLM	ABCDFGJNQRSTUV 8	
4 BCDINOPQ	JLMVW 9	
5 ACDEGIJKL	ABDEFGHIJMNPRZ 10	
Anzeige auf dieser Seite B 6-10A CEE		❶ €30,00
20 ha 235T(60-100m²) 406D		❷ €38,70

A6 bei Lemmer N359 Richtung Balk/Bolsward, Ausfahrt Workum, hier den Schildern folgen.

Weidum, NL-9024 BE / Friesland

Weidumerhout
Dekemawei 9
1 Feb - 31 Okt
+31 (0)58-2519888
welkom@weidumerhout.nl
N 53°8'57'' E 5°45'42''

1 ADEGILNOPRT	JNXYZ 6	
2 CFPVWX	ABCDEFGH 7	
3 AQ	ABCDEFJNQRST 8	
4 FHIOSTU	GKLPQRV 9	
5 AIKL	ABDFGHIJNPRZ 10	
10A CEE		❶ €21,25
3,6 ha 48T(150-350m²) 15D		❷ €32,75

Von Heerenveen Richtung Leeuwarden über die A32. Ausfahrt Weidum/Wytgaard. Danach den CP-Schildern folgen.

Woudsend, NL-8551 NW / Friesland

Aquacamping De Rakken
Lynbaen 10
1 Jan - 31 Dez
+31 (0)514-591525
info@derakken.nl
N 52°56'46'' E 5°37'40''

1 AGILNOPQRST	LNQSWXYZ 6	
2 ACDGOPVWXY	ABDEFGH 7	
3 BEFKLMQ	ABCDEFJNRSV 8	
4 BDEHK	FJNOVW 9	
5 L	ABDFGHIJMNPRXYZ 10	
B 6A CEE		❶ €27,00
4 ha 40T(80m²) 150D		❷ €34,00

A50 Lemmer-Joure, Ausfahrt Oosterzee, Richtung Sneek. Ausfahrt N354 Richtung Woudsend. Der CP liegt im Zentrum des Dorfes und ist ausgeschildert.

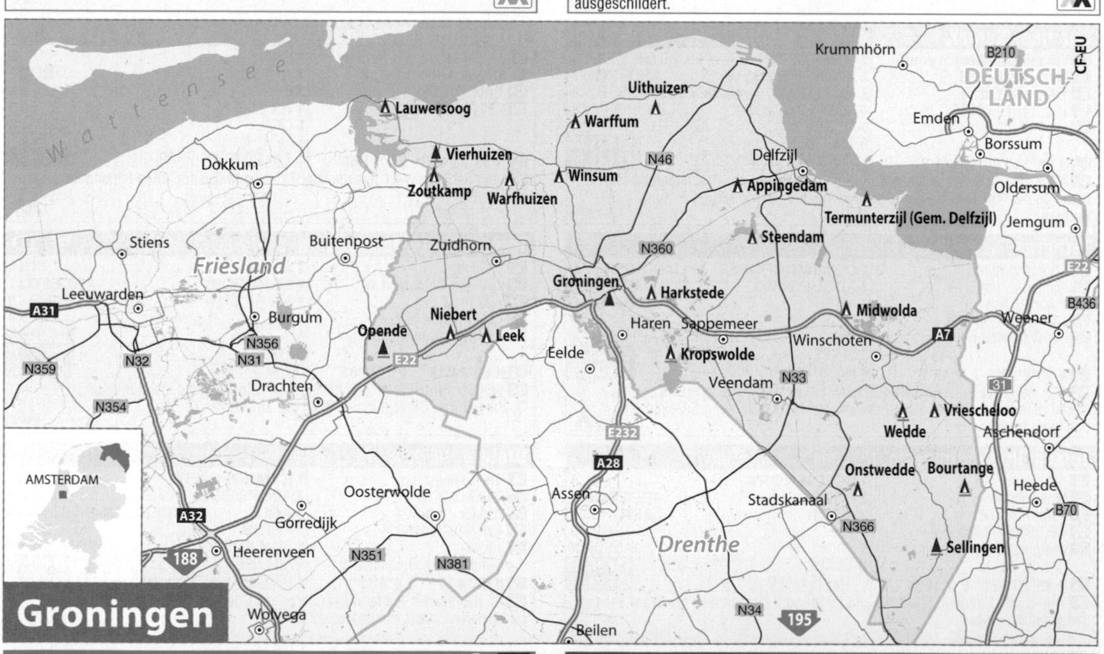

Appingedam, NL-9901 TA / Groningen

Ekenstein
Alberdaweg 58
27 Mär - 26 Okt
+31 (0)596-624467
info@campingekenstein.nl
N 53°19'6'' E 6°48'42''

1 AEGJMNOPRT	JN 6	
2 ACPRVWX	ABDEFG 7	
3 IK	ABCDFNQRV 8	
4 H	FQV 9	
5 AEIL	BFIJOR 10	
6A CEE		❶ €17,50
3,5 ha 55T(100-150m²) 10D		❷ €23,90

N360 Groningen-Delfzijl, Ausfahrt Ekenstein (Schildern folgen). Der CP liegt an der alten Straße am Damsterdiep.

Niederlande

Bourtange, NL-9545 VJ / Groningen — CC€16 iD

't Plathuis
Bourtangerkanaal Noord 1
1 Apr - 20 Dez
+31 (0)599-354383
info@plathuis.nl
N 53°0'34'' E 7°11'5''

1 ACEJMNOPQRST LNXZ 6
2 ACDGHOPVWXY ABDEFGH 7
3 AEKLV ABCDEFIJNQRSTUV 8
4 FHIO EFVWY 9
5 ADGIKL ABDEFHIJNPR 10
B 10A CEE ① €23,00
4 ha 100T(100-150m²) 39D ② €30,00

Zwolle-Hoogeveen-Emmen-Ter Apel-Sellingen-Jipsinghuizen, Ausfahrt Bourtange. Weiter den Schildern folgen.

Groningen, NL-9723 EN / Groningen — iD

Natuurbad en Camping Engelbert
Engelberterweg 54
1 Apr - 1 Okt
+31 (0)50-5416259
campingengelbert@hetnet.nl
N 53°12'25'' E 6°38'55''

1 AEHKNOPQRST LM 6
2 ADGHIOPQW ABDEFG 7
3 AKL ABCDEFNQRV 8
4 IO F 9
5 DGL ABHIJORZ 10
6A CEE ① €19,70
13 ha 25T(50m²) 43D ② €26,30

Umgehung Groningen Richtung Delfzijl und Bedum. Weiter Ausfahrt Richtung Delfzijl. Nach ca. 4 km an der Ampel Ausfahrt Engelbert und den Schildern folgen.

Groningen, NL-9727 KH / Groningen — iD

Stadspark
Campinglaan 6
15 Mär - 15 Okt
+31 (0)50-5251624
info@campingstadspark.nl
N 53°12'5'' E 6°32'10''

1 AGJMNOPQRST N 6
2 AIOPQVWXY ABDEFGK 7
3 AEKLQ ABCDEFGKNRSV 8
4 FV 9
5 ABDEGIKL ABFGHIJLPR 10
B 6A CEE ① €23,80
8,7 ha 149T(50-100m²) 23D ② €28,20

A7 Heerenveen-Groningen, Ausfahrt 36a (Ring-West) den Stadtpark Schildern folgen.

Harkstede, NL-9617 AD / Groningen — iD

Het Grunopark
Hoofdweg 163
1 Apr - 1 Nov
+31 (0)50-5411706
info@grunopark.nl
N 53°12'43'' E 6°39'45''

1 AEJMNORT LMN 6
2 ADGPVWX ABDEFG 7
3 AEKLM ABEFJNRTUV 8
4 HI A 9
5 DEGI AFGHJRZ 10
6A CEE ① €20,00
45 ha 150T(100-150m²) 143D ② €23,00

Umfahrung Groningen-Bedum (Ausfahrt Drieband). Nach dem Kreisel 1. rechts, am Straßenende rechts. (Schild zeigt den Grunopark an).

Kropswolde, NL-9606 PR / Groningen — CC€16 iD

Meerwijck
Strandweg 2
3 Apr - 4 Okt
+31 (0)598-323659
info@meerwijck.nl
N 53°8'59'' E 6°41'35''

1 ADEJMNOPQRST EFGLMNQSXYZ 6
2 ABDGHPQVWX ABDEFGH 7
3 ABEFKLMT ABCDEFGJNPQRSTUV 8
4 BDFHIKOQS ACEFJQRVY 9
5 ACDEGIJKL ABDEFGHIJPSTXZ 10
B 6A CEE ① €29,00
23 ha 200T(100-120m²) 301D ② €39,00

Groningen-Winschoten Autostraße Groningen-Nieuweschans, Ausfahrt Foxhol. Nach den Bahngleisen in Kropswolde Schildern folgen. Von Assen-Groningen Ausfahrt Zuidlaren, Richtung Hoogezand.

Lauwersoog, NL-9976 VS / Groningen — CC€16 iD

Camping recreatiecentrum Lauwersoog
Strandweg 5
1 Jan - 31 Dez
+31 (0)519-349133
info@lauwersoog.nl
N 53°24'7'' E 6°12'56''

1 ACDEGJMNOPQRST KLMNQRSTWXYZ 6
2 BDEGHIOPQRSVWXY ABDEFGHIK 7
3 ABCDEFGHIKLMQRST ABCDEFGIJKNPQRSTUV 8
4 ABDEFGHIJKLOPQ EFJLMNOPQRTUVWY 9
5 ACDEFGIJKLM ABEFGHIJMNOPSTVWYZ 10
Anzeige auf dieser Seite B 10A CEE ① €28,50
25 ha 262T(120-200m²) 240D ② €38,00

Der CP liegt an der Strecke N361 Groningen-Dokkum in der Nähe des Nationalparks Lauwersmeer (Fähre nach Schiermonnikoog).

Midwolda, NL-9681 AH / Groningen — CC€16 iD

De Bouwte
Hoofdweg 20A
6 Jan - 20 Dez
+31 (0)597-591706
info@campingdebouwte.nl
N 53°11'24'' E 6°59'26''

1 ADEJMNOPQRST HLN 6
2 ADGHOPQVWXY ABDEFGH 7
3 AEFLS ABCDFGJNQRTUV 8
4 BDHIOTXZ EFJ 9
5 ADEGIKL ABDEGHJPRY 10
Anzeige auf dieser Seite 10A CEE ① €18,90
14,5 ha 100T(100-120m²) 125D ② €24,80

Über die A7 Groningen-Nieuweschans oder N33 Assen-Delfzijl und weiter die A7 Richtung Winschoten. Ausfahrt 45 Scheemda-Midwolda, Richtung Midwolda. CP-Schildern folgen.

Teilkarte Groningen auf Seite 192

Niebert, NL-9365 PN / Groningen

De Akkerhoeve
Roordaweg 3A
1 Apr - 15 Sep
+31 (0)594-549042
de.akkerhoeve@gmail.com
N 53°10'30'' E 6°19'17''

1 AEILNOPRT	ALMN	6
2 ADGHIOPVWXY	ABDEFG	7
3 AL	AEFNRTUV	8
4 BCDFHINOQ		9
5 DGL	ABHJOPRZ	10
16A CEE		❶ €22,50
7 ha 23T(100m²) 134D		❷ €30,30

A7, Ausfahrt 33 Niebert/Boerakker, Richtung Boerakker. CP-Schildern folgen.

Onstwedde, NL-9591 TD / Groningen

Christelijk Recreatiepark De Sikkenberg
Sikkenbergweg 7
25 Apr - 24 Okt
+31 (0)599-661144
info@sikkenberg.nl
N 53°0'40'' E 7°0'13''

1 AEGJMNOPQRST	AFN	6
2 PVWXY	ABDEFGHJ	7
3 ADEKLQR	ABDFIJKNQRSTUV	8
4 BCDEGHIKLQ	AEFJ	9
5 ABDEGIKL	ABFHIKRY	10
B 6A CEE		❶ €22,25
9 ha 119T(100-140m²) 61D		❷ €30,75

N366 Ausfahrt Stadskanaal, in Stadskanaal Richtung Onstwedde. CP ist ausgeschildert (Gemeinde Ter Maars).

Opende, NL-9865 XE / Groningen

De Watermolen
Openderweg 26
1 Apr - 30 Sep
+31 (0)594-659144
info@campingdewatermolen.nl
N 53°9'52'' E 6°13'22''

1 AEGJMNOPRST	LNX	6
2 ABDFGHIPQSVWXY	ABDEFG	7
3 ABL	ABDEFGJNQRSTUV	8
4 BFHILO	AFJVW	9
5 ABGIKL	ABDFGHJNOR	10
16A CEE		❶ €25,30
12,5 ha 70T(100-125m²) 44D		❷ €33,10

A7 Ausfahrt 32 Marum/Kornhorn Richtung Kornhorn. In Noordwijk an der Kirche links. Nach ca. 2 km rechts in den Openderweg abbiegen.

Sellingen, NL-9551 VT / Groningen

De Bronzen Eik
Zevenmeersveenweg 1
1 Jan - 31 Dez
+31 (0)599-322006
receptie@debronzeneik.nl
N 52°57'16'' E 7°8'17''

1 ADEJMNOPQRST	N	6
2 BCPVWX	ABDEFGH	7
3 AEKSV	ABCDEFJKNQRSTUV	8
4 FGH	EFJQRUVWY	9
5 EGIJKL	ABDFGHJPSTY	10
6A CEE		❶ €24,50
4 ha 65T(100-130m²) 6D		❷ €34,50

In Sellingen ist der CP deutlich ausgeschildert. Auf der Strecke Ter Apel-Sellingen kurz hinter dem Ort links ab. Von Vlagtwedde aus vor dem Ort rechts ab.

Sellingen, NL-9551 VE / Groningen

Vakantiepark de Barkhoorn
Beetserweg 6
1 Apr - 31 Okt
+31 (0)599-322510
info@barkhoorn.nl
N 52°56'47'' E 7°7'52''

1 ACEGJMNOPQRST	ABFHLN	6
2 BCDGHOPVWXY	ABDEFGH	7
3 AEFIKLMQTV	ABCDFIJLNQRSTUV	8
4 ABDEFHIKLOQX	AEFJQRVWY	9
5 ACDEGIJKL	ABDEFGHIKPRYZ	10
B 10A CEE		❶ €25,50
15,5 ha 150T(100-120m²) 93D		❷ €34,50

Von der A31 Ausfahrt Haren Richtung Ter Apel-Sellingen. Von Süden Zwolle-Hoogeveen-Emmen-Ter Apel-Sellingen. Kurz vor Sellingen links ab. CP ist ausgeschildert.

Steendam, NL-9629 PA / Groningen

Recreatiecentrum de Otter
Roegeweg 9
1 Apr - 15 Okt
+31 (0)598-431543
deotter@hetnet.nl
N 53°15'58'' E 6°50'4''

1 AEGJMNOPQRST	LMNQRSTXYZ	6
2 DGHPVWX	ABDEFG	7
3 AEFJLQT	ABCDFINPQRSTUV	8
4 BDHIKOQ	EFJMNOPQRVY	9
5 ADEGIJKL	ABFHIJPR	10
B 6A CEE		❶ €20,50
10 ha 48T(100m²) 136D		❷ €28,10

Assen-Veendam-Delfzijl; N33. Von Drachten-Groningen-Hoogezand; A7. Von Nieuweschans N7 bis zur Ausfahrt Appingedam, N33 bis Siddeburen, Ausfahrt Steendam.

Termunterzijl (Gem. Delfzijl), NL-9948 PP / Gron.

Zeestrand Eems-Dollard
Schepperbuurt 4A
28 Mär - 2 Nov
+31 (0)596-601443
info@campingzeestrand.nl
N 53°18'6'' E 7°1'48''

1 ABCDEFJMNOPQRST	KLMNSXYZ	6
2 CDEGHILOPSVWXY	ABDFG	7
3 ABEFL	ABEFNQRV	8
4 BCDFHILO	EJ	9
5 ADEGIKL	ABFGHIJLNPRYZ	10
10A CEE		❶ €22,50
6,5 ha 85T(100-120m²) 107D		❷ €31,95

A7 Groningen-Oldenburg bis Ausfahrt 45. Ab Nieuwwolda den Schildern 'Zeestrand Eems-Dollard' folgen.

Uithuizen, NL-9981 JR / Groningen

Maarlandhoeve
Havenweg 54
1 Apr - 1 Okt
+31 (0)595-433473
campingmaarlandhoeve@hetnet.nl
N 53°23'55'' E 6°40'31''

1 AGILNOPRST	NXZ	6
2 ACOPWX	B	7
3	BDFRV	8
4 FH	FQR	9
5	ABHJRV	10
10A CEE		❶ €13,75
4 ha 25T(100-200m²) 1D		❷ €17,70

N363 vor Uithuizen-Zentrum rechts ab zur N999 Richtung Doodstil. Am Kreisel rechts am Boterdiep.

Vierhuizen, NL-9975 VR / Groningen

Lauwerszee
Hoofdstraat 49
1 Apr - 31 Okt
+31 (0)595-401657
info@camping-lauwerszee.nl
N 53°21'36'' E 6°17'42''

1 AEILNOPQRT		6
2 OPRVWXY	ABDEFGH	7
3 AB	ABCDEFJKNRST	8
4 FH	VWY	9
5 AJKL	ABDFGHIJNOPTW	10
6A CEE		❶ €20,25
4 ha 110T(120-225m²) 12D		❷ €24,25

Über die N361 Groningen-Dokkum hinter der Ausfahrt Ulrum Richtung N388. Ab Vierhuizen den CP-Schildern folgen.

Vierhuizen, NL-9975 VZ / Groningen

Robersum
Panserweg 5
1 Apr - 1 Okt
+31 (0)595-402613
info@robersum.nl
N 53°20'58'' E 6°18'25''

1 AGJMNORT		6
2 AOPRVWXY	ABDEF	7
3 ABLQ	AEFNQRV	8
4 FH	FV	9
5	ABFJOST	10
6A CEE		❶ €20,10
2 ha 40T(150-200m²) 3D		❷ €25,10

Von Groningen die N361 Richtung Lauwersoog, Ausfahrt Ulrum N388. Ausgeschildert.

Vriescheloo, NL-9699 PA / Groningen

Buitengewoon Groenhoff
Dorpsstraat 31
3 Apr - 1 Nov
+31 (0)597-532550
info@buitengewoongroenhoff.nl
N 53°5'16'' E 7°8'13''

1 AEJMNOPQRST	N	6
2 ABDOPVWXY	ABDFGH	7
3 GK	ABDFIJNQRTU	8
4 FHIO	FQRV	9
5 AIL	ABEFGHJOPRV	10
16A CEE		❶ €20,00
5 ha 43T(100-150m²) 15D		❷ €26,00

In Vriescheloo Richtung Bellingwolde. In der Dorfstraße Höhe Hausnummer 31 ist der CP angezeigt.

Warffum, NL-9989 TA / Groningen

De Breede
Breede 4/5
1 Apr - 1 Okt
+31 (0)595-424642
debreede@kpnmail.nl
N 53°23'8'' E 6°32'23''

1 AEJMNOPQRST	ABFG	6
2 BGPVWXY	ABEFGHK	7
3 ABELMS	ABCDEFGINPQRSTUV	8
4 BFHIJO	DVY	9
5 ADL	ABHJOPRZ	10
6A CEE		❶ €22,75
1,5 ha 37T(100-120m²) 9D		❷ €29,75

Zu erreichen über die N361, Groningen-Winsum-Lauwersoog. Hinter Winsum Ausfahrt Baflo/Warffum, N363. Der CP liegt ca. 2 km westlich von Warffum.

Warfhuizen, NL-9963 TC / Groningen

Roodehaan
Roodehaansterweg 9
1 Apr - 1 Okt
+31 (0)595-571598
info@roodehaan.com
N 53°19'43'' E 6°25'32''

1 AEILNOPQRST	JNXYZ	6
2 CPSWXY	ABFG	7
3 ABL	ABEFGNQRTUV	8
4 FHI	EFVW	9
5 ADEGIJKL	ABFHJOPST	10
6A CEE		❶ €17,50
2,1 ha 50T(120m²) 43D		❷ €25,00

Von Groningen die N355 Richtung Leeuwarden Ausfahrt Zuidhorn. Der CP liegt am Reitdiep.

Wedde, NL-9698 XV / Groningen

Wedderbergen
Molenweg 2
27 Mär - 5 Okt
+31 (0)597-561673
info@wedderbergen.nl
N 53°5'10'' E 7°4'58''

1 ADEJMNOPQRST	CDFGHJLNXYZ	6
2 ABCDGHOPVWXY	ABCDEFGH	7
3 ABEFKLMT	ABCDEFGIJKNQRSTUV	8
4 BCDEFGHIKLNOPQ	EFJLVWY	9
5 ACDEGIKL	ABDEGHIKOPQRYZ	10
B 10A CEE		❶ €29,50
30 ha 233T(120-150m²) 288D		❷ €29,50

Zwolle-Emmen, dann weiter Ter Apel-Winschoten. Ausfahrt Wedde, Richtung Wedderbergen halten und den Schildern nach.

Winsum, NL-9951 CG / Groningen

Marenland
Winsumerdiep 6
1 Apr - 1 Nov
+31 (0)595-442750
info@marenland.nl
N 53°19'53'' E 6°30'38''

1 ADEGJMNOPQRST	ABJNXYZ	6
2 COPSWXY	ABDEFGJ	7
3 ALMQR	ABCDEFKNQRSUV	8
4 FHIT	DFGHQRTV	9
5 IKL	ABFIJORX	10
10A CEE		❶ €21,50
2,1 ha 45T(80-100m²) 12D		❷ €30,50

N361, in Winsum den CP-Schildern folgen.

Zoutkamp, NL-9885 TC / Groningen

De Rousant
Nittersweg 8
1 Jan - 31 Dez
+31 (0)595-402033
info@rousant.nl
N 53°20'2'' E 6°17'50''

1 AJMNOQRST	JLNQSXYZ	6
2 CDGOPXY	ABDEFGJ	7
3 L	ABEFJNQRT	8
4 HI	FJT	9
5 L	AFHJOSTVZ	10
6A CEE		❶ €16,50
8 ha 103T(ab 120m²) 3D		❷ €21,50

Von der N361 Richtung Zoutkamp. Der CP liegt am Schleusenkomplex am Binnenhafen von Zoutkamp.

Teilkarte Groningen auf Seite 192

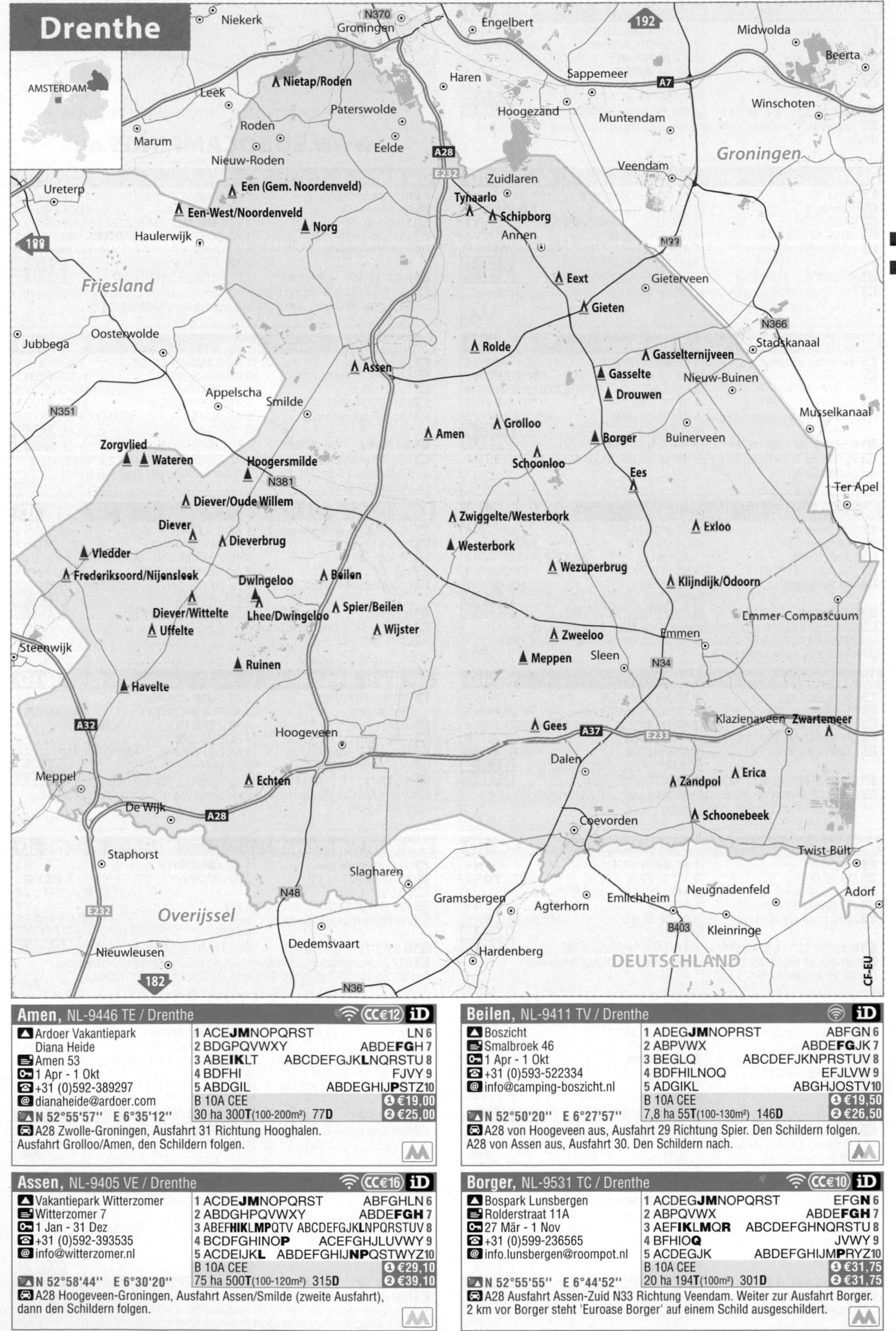

Amen, NL-9446 TE / Drenthe

CC€12 iD

Ardoer Vakantiepark
Diana Heide
Amen 53
1 Apr - 1 Okt
+31 (0)592-389297
dianaheide@ardoer.com
N 52°55'57'' E 6°35'12''

1 ACE**JM**NOPQRST LN 6
2 BDGPQVWXY ABDE**FG**H 7
3 ABE**IK**LT ABCDEFGJK**L**NQRSTU 8
4 BDFHI FJVY 9
5 ABDGIL ABDEGHIJ**P**STZ 10
B 10A CEE ① €19,00
30 ha 300**T**(100-200m²) 77**D** ② €25,00

A28 Zwolle-Groningen, Ausfahrt 31 Richtung Hooghalen. Ausfahrt Grolloo/Amen, den Schildern folgen.

Beilen, NL-9411 TV / Drenthe

iD

Boszicht
Smalbroek 46
1 Apr - 1 Okt
+31 (0)593-522334
info@camping-boszicht.nl
N 52°50'20'' E 6°27'57''

1 ADEG**JM**NOPRST ABFGN 6
2 ABPVWX ABDE**FG**JK 7
3 BEGLQ ABCDEFJKNPRSTUV 8
4 BDFHILNOQ EFJLVW 9
5 ADGIKL ABGHJOSTV 10
B 10A CEE ① €19,50
7,8 ha 55**T**(100-130m²) 146**D** ② €26,50

A28 von Hoogeveen aus, Ausfahrt 29 Richtung Spier. Den Schildern folgen. A28 von Assen aus, Ausfahrt 30. Den Schildern nach.

Assen, NL-9405 VE / Drenthe

CC€16 iD

Vakantiepark Witterzomer
Witterzomer 7
1 Jan - 31 Dez
+31 (0)592-393535
info@witterzomer.nl
N 52°58'44'' E 6°30'20''

1 ACDE**JM**NOPQRST ABFGHLN 6
2 ABDGHPQVWXY ABDE**FGH** 7
3 ABEF**HIK**L**MP**QTV ABCDEFGJK**L**NPQRSTUV 8
4 BCDFGHINO**P** ACEFGHJLUVWY 9
5 ACDEIJK**L** ABDEFGHIJ**NP**QSTWYZ 10
B 10A CEE ① €29,10
75 ha 500**T**(100-120m²) 315**D** ② €39,10

A28 Hoogeveen-Groningen, Ausfahrt Assen/Smilde (zweite Ausfahrt), dann den Schildern folgen.

Borger, NL-9531 TC / Drenthe

CC€10 iD

Bospark Lunsbergen
Rolderstraat 11A
27 Mär - 1 Nov
+31 (0)599-236565
info.lunsbergen@roompot.nl
N 52°55'55'' E 6°44'52''

1 ACDEG**JM**NOPQRST EFG**N** 6
2 ABPQVWX ABDE**FGH** 7
3 AEF**IK**L**M**Q**R** ABCDEFGHNQRSTU 8
4 BFHIO**Q** JVWY 9
5 ACDEGJK ABDEFGHIJM**P**RYZ 10
B 10A CEE ① €31,75
20 ha 194**T**(100m²) 301**D** ② €31,75

A28 Ausfahrt Assen-Zuid N33 Richtung Veendam. Weiter zur Ausfahrt Borger. 2 km vor Borger steht 'Euroase Borger' auf einem Schild ausgeschildert.

Borger, NL-9531 TK / Drenthe

Camping Hunzedal
De Drift 3
27 Mär - 1 Nov
+31 (0)599-234698
info@hunzedal.nl
N 52°55'22'' E 6°48'14''

1 ACDEGJMNOPQRST ABEFGILN 6
2 ADGHOPQVWXY ABDEFGH 7
3 ABEIKLMPQRST ABCDEFIJKNQRSTUV 8
4 BFHIOPQST AJUVY 9
5 ACDEGIJKL ABEGHIJMPRZ 10
B 6-16A CEE ❶ €49,00
30 ha 350T(100m²) 246D ❷ €49,00

Von der N34 Groningen-Emmen Richtung Borger/Stadskanaal den Schildern folgen.

Diever, NL-7981 LW / Drenthe

Diever
Haarweg 2
1 Apr - 1 Okt
+31 (0)521-591644
info@campingdiever.nl
N 52°52'0'' E 6°19'13''

1 AEGJMNOPQRST 6
2 BOQVX ABDEFGH 7
3 ABELQTV ABCDEFGHJLMNPQRSTUV 8
4 ABEFHIKLOQ FJVY 9
5 ABFKL ABDGHIJNPST 10
10A CEE ❶ €24,50
8,5 ha 150T(80-100m²) 115D ❷ €32,00

Von Diever in Richtung Zorgvlied fahren. Nach 1 km ist der CP ausgeschildert.

Diever/Oude Willem, NL-8439 SN / Drenthe

Hoeve aan den Weg
Bosweg 12
27 Mär - 11 Okt
+31 (0)521-387269
camping@hoeveaandenweg.nl
N 52°53'25'' E 6°18'48''

1 AEJMNOPQRST ABFG 6
2 GPVXY ABCDEFGH 7
3 ABELST ABCDEFGHJNPQRSV 8
4 BCDFHIKLO AEVW 9
5 ABDEFGIJKL ABDHIJNPRY 10
B 10A CEE ❶ €22,00
9 ha 110T(100-200m²) 166D ❷ €30,00

Von Diever in Richtung Zorgvlied fahren. Im Dorf Oude Willem liegt der CP auf der rechten Seite.

Diever/Wittelte, NL-7986 PL / Drenthe

Wittelterbrug
Wittelterweg 31
1 Apr - 31 Okt
+31 (0)521-598288
info@wittelterbrug.nl
N 52°49'30'' E 6°19'6''

1 AEJMNOPRT EFGJN 6
2 CGOPQVX ABDEFGH 7
3 ABEKLQ ABCDEFJNQRSTUV 8
4 BCDHILNOQ EFQVWY 9
5 ABDEGIKL ABHPRY 10
10A CEE ❶ €28,75
4,6 ha 90T(80-115m²) 103D ❷ €38,25

Am Drentse Hoofdvaart Dieverbrug-Wittelte. Nach 3 km CP angezeigt. Von Meppel A32, Ausfahrt Havelte, dann an der Wasserstraße entlang hinter Uffelte ist der CP ausgeschildert.

Dieverbrug, NL-7981 LA / Drenthe

Landgoed 't Wildryck
Groningerweg 13
1 Jan - 31 Dez
+31 (0)521-591207
info@wildryck.nl
N 52°51'48'' E 6°21'12''

1 AEJMNOPRST EFGN 6
2 ABGOPQVWXY ABDEFGH 7
3 ABEFKLMQT ABCDEFIJLMNQRSTUV 8
4 ABEFHIOQ FJVWY 9
5 ABDEGIKL ABEHJNOR 10
10A CEE ❶ €31,00
15 ha 60T(100m²) 222D ❷ €39,00

Dieser CP liegt deutlich ausgeschildert entlang der Hauptstraße N371 an der Westseite zwischen Dieverbrug und Hoogersmilde.

Drouwen, NL-9533 PE / Drenthe

Alinghoek
Alinghoek 16
1 Apr - 30 Sep
+31 (0)599-564271
info@alinghoek.nl
N 52°57'23'' E 6°47'51''

1 AEJMNOPQRT ABFN 6
2 ABPQVWX ABDEFGH 7
3 AIKLPQT ABCDEFGJNPQRSTUV 8
4 FHIOQ VW 9
5 ABDEGIJKL ABDEFGHIJPR 10
B 6-10A CEE ❶ €20,00
2,5 ha 60T(100-120m²) 22D ❷ €27,00

Gelegen an der Straße Gasselte-Borger, Ausfahrt (links) Drouwen. Der CP ist ausgeschildert.

Drouwen, NL-9533 PC / Drenthe

Het Drouwenerzand
Gasselterstraat 7
3 Apr - 1 Nov
+31 (0)599-564201
info@drouwenerzand.nl
N 52°57'23'' E 6°47'12''

1 AEGILNOPRT 6
2 ABPQVW ABDEFG 7
3 AEHKLPR CDEFLM 8
4 FHIP J 9
5 ADGIJL ABEHKR 10
16A CEE ❶ €39,35
2 ha 39T(104m²) 195D ❷ €53,45

Von Assen/Groningen/Veendam: über Kreisverkehr bei Gieten über die N34 Richtung Emmen, Abfahrt Gasselte. Von Emmen/Borger: N34, Abfahrt Drouwen.

Dwingeloo, NL-7991 PM / Drenthe

Meistershof
Lheebroek 33
1 Apr - 30 Sep
+31 (0)521-597278
info@meistershof.nl
N 52°50'43'' E 6°25'40''

1 ADEFGJMNOPQRST N 6
2 AFGIPQVWX ABDEFGHIJ 7
3 ABCDEIKLQV ABCDEFGHIJKLMNPQRSTUV 8
4 ABDEFHIKOQ EFLQV 9
5 ABDKL ABDEFGHIJMNPRV 10
B 10A CEE ❶ €26,15
6 ha 120T(100-160m²) 41D ❷ €35,15

Von Dieverbrug Richtung Dwingeloo. Vor Dwingeloo an der Gabelung ist der CP ausgeschildert.

Dwingeloo, NL-7991 PB / Drenthe

RCN De Noordster
Noordster 105
1 Jan - 31 Dez
+31 (0)521-597238
noordster@rcn.nl
N 52°48'48'' E 6°22'42''

1 AEGJMNOPQRST ABFGH 6
2 ABPQWX ABDEFGHJ 7
3 ABEIKLMQ ABCDEFGHJNPQRSV 8
4 ABCDEFGHIKLNOPQXZ EGJVWY 9
5 ABDEGIJL ABEFGJNPRYZ 10
B 10A CEE ❶ €28,00
42 ha 220T(90-100m²) 223D ❷ €34,00

Von Dieverbrug Richtung Dwingeloo-Zentrum. Durch Dwingeloo durch bis am 5-Sprung am Waldrand. Den Schildern entlang dem Waldweg folgen.

Dwingeloo, NL-7991 SE / Drenthe

Torentjeshoek
Leeuweriksveldweg 1
1 Jan - 31 Dez
+31 (0)521-591706
info@torentjeshoek.nl
N 52°49'9'' E 6°21'39''

1 AEGJMNOPQRST ABFGHN 6
2 ABGPQVWXY ABDEFGH 7
3 ABEGHKLQUV ABCDEFGKNPQRSTUV 8
4 ABDEFHIKOQX ACEFJUVY 9
5 ABDGKL ABDEFGHJNPRYZ 10
B 10A CEE ❶ €29,00
10 ha 140T(100-140m²) 130D ❷ €34,00

Von Dieverbrug Richtung Dwingeloo. Durch Dwingeloo bis zur Kreuzung mit dem Waldrand. Folgen Sie den CP-Schildern entlang der Waldallee rechts ab, vorbei Planetron.

Echten, NL-7932 PX / Drenthe

Vakantiepark Westerbergen BV
Oshaarseweg 24
29 Mär - 31 Okt
+31 (0)528-251224
info@westerbergen.nl
N 52°42'1'' E 6°22'40''

1 ADEGJMNOPQRST ABEFGN 6
2 ABGOPQWXY ABDEFGH 7
3 ABCDEFILMQRST ABCDEFGIJKNQRSTUV 8
4 ABDEFGHILNOP EFJUVWY 9
5 ACDEFGIJKL ABDEFGHIJNPRYZ 10
B 6-16A CEE ❶ €21,00
55 ha 334T(110m²) 192D ❷ €23,00

A28, Ausfahrt Zuidwolde/Echten. Richtung Echten und den Schildern zum CP folgen.

Een (Gem. Noordenveld), NL-9342 TC / Drenthe

Recreatie Centrum 'Ronostrand'
Amerika 16
1 Apr - 30 Sep
+31 (0)592-656206
info@ronostrand.nl
N 53°6'1'' E 6°22'19''

1 AEGJMNOPRST L 6
2 ADFGHIPQVWXY ABDEFGH 7
3 ABEFGHKLQ ACDEFGIJKNPRSTUV 8
4 BDFHILOQ EFV 9
5 ACDEFGHIKL ABDEGHIJOPTUYZ 10
B 10A CEE ❶ €26,50
35 ha 190T(80-120m²) 190D ❷ €36,50

Roden Richtung Norg. Hinter dem Friedhof und den Sportplätzen rechts ab. Ausgeschildert.

Een-West/Noordenveld, NL-9343 TB / Drenthe

De Drie Provinciën
Bakkeveenseweg 15
28 Mär - 1 Okt
+31 (0)516-541201
info@dedrieprovincien.nl
N 53°5'19'' E 6°18'41''

1 AEJMNOPRT N 6
2 AFOPQVWX BEFG 7
3 ABCDEFJNQRTUV 8
4 FH V 9
5 IJL ABDFHJNOR 10
6A CEE ❶ €22,50
6 ha 139T(110-130m²) ❷ €33,50

A32 Richtung Wolvega, Ausfahrt Wolvega N351 Richtung Oosterwolde. Danach Haulerwijk/Een-West. Schildern 'De Drie Provinciën' folgen.

Ees, NL-9536 TA / Drenthe

De Zeven Heuveltjes
Odoornerstraat 25
1 Apr - 15 Okt
+31 (0)591-549256
info@dezevenheuveltjes.nl
N 52°53'39'' E 6°49'5''

1 AEJMNOPQRT ABFG 6
2 ABOPQVXY ABDEFGH 7
3 ABEKLQT ABCDEFGIJKNPQRSTU 8
4 FH VY 9
5 AKL ABDEFHIJPSTZ 10
B 6A CEE ❶ €22,50
6 ha 135T(80-100m²) 130D ❷ €29,50

N34 Groningen-Emmen, Ausfahrt Exloo. Über den Sekundärweg zurück Richtung Groningen nach Ees (ca. 500m).

Eext, NL-9463 TA / Drenthe

De Hondsrug
Annerweg 3
1 Apr - 30 Sep
+31 (0)592-271292
info@hondsrug.nl
N 53°2'10'' E 6°44'21''

1 ADEILNOPQRST ABEFGN 6
2 AGOPQVWX ABCDEFGH 7
3 ABEFKLMTV ABCDEFIJKLNPQRSTUV 8
4 BFGHIOV AEJVWY 9
5 ACDGIKL ABDEGHIJMPSTZ 10
B 10A CEE ❶ €29,10
23 ha 250T(75-150m²) 269D ❷ €38,20

N34 Groningen-Emmen Ausfahrt Anloo/Annen, Eext links ab in Richtung Annen, später rechts ab. Der CP ist ausgeschildert. N34 Emmen-Groningen, Ausfahrt Anloo/Annen, rechts ab in Richtung Annen. Schildern folgen.

Teilkarte Drenthe auf Seite 195

Erica, NL-7887 TC / Drenthe

Naturistencamping Panta Rhei
Noordersloot 3
1 Apr - 1 Okt
+31 (0)591-301261
info@campingpantarhei.nl
N 52°41'53'' E 6°55'33''

1 AGJMNOPQRST AB 6
2 AOPWX ABFGH 7
3 AKLQS ABCDEFJNPQRSV 8
4 FHTU V 9
5 KLM ABFGHIJPSTVZ10
FKK 6A CEE ❶ €24,00
1,5 ha 60T(100-150m²) ❷ €35,50

A28 Hoogeveen-Emmen. Dann die A37 Ri. Emmen. Ausf. 5 Erica/Schoonebeek/ Emmen-Zuid. Rechts ab, dann 1. Straße rechts. Erste links. 3430m am Wasser entlang. An der Ampel re über die Brücke. Nach ca. 1 km li. Der CP liegt links.

Exloo, NL-7875 TA / Drenthe

CC€14

Camping Exloo
Valtherweg 37
1 Jan - 31 Dez
+31 (0)591-549147
info@campingexloo.nl
N 52°51'56'' E 6°53'17''

1 GJMNOPQRST 6
2 APWXY ABCDEF 7
3 KQV ABCDEFJNRTV 8
4 FHIO J 9
5 L ABDGHIJPR10
B 6A CEE ❶ €18,90
3 ha 40T(100-120m²) 1D ❷ €30,90

N34 Richtung Groningen, Ausfahrt Exloo. Am Ortsende rechts Richtung Valthe. Nach 2 km CP an der linken Seite.

Frederiksoord/Nijensleek, NL-8383 EG / Drenthe

CC€16

De Moesberg
Hoofdweg 14
28 Mär - 31 Okt
+31 (0)521-381563
info@moesberg.nl
N 52°50'30'' E 6°10'35''

1 AEJMNOPQRST ABFGX 6
2 AOPQSX ABDEFGH 7
3 BCEFKLQSV ABCDEFHJKLNPQRTUV 8
4 BCFHILOQ EVY 9
5 DGIKL ABDEFGHJPRZ10
10A CEE ❶ €23,00
8 ha 100T(100-150m²) 56D ❷ €31,00

Via A32 Meppel-Steenwijk, Ausfahrt 6 Frederiksoord/Vledder. Nach 6 km an der linken Straßenseite.

Gasselte, NL-9462 RA / Drenthe

De Berken
Borgerweg 23
1 Apr - 30 Sep
+31 (0)599-564255
info@campingdeberken.nl
N 52°57'51'' E 6°47'22''

1 AEJMNOPQRST 6
2 ABOPQVX ABDEFGH 7
3 ABCKLQ ABDEFGHJKLNPQRSTU 8
4 BFHIKO EFVW 9
5 ABDIJKL ABEFHIJPRZ10
16A CEE ❶ €25,90
5,5 ha 114T(60-100m²) 39D ❷ €35,80

N34 Groningen-Emmen, Ausfahrt Gasselte. Der CP liegt an der alten Straße Gasselte-Borger, ca. 800m hinter dem Dorf.

Gasselte, NL-9462 TB / Drenthe

CC€16

De Lente van Drenthe
Houtvester Jansenweg 2
3 Apr - 3 Okt
+31 (0)599-564333
info@delentevandrenthe.nl
N 52°58'35'' E 6°45'23''

1 AEJMNOPQRST ABFLN 6
2 ABDHPQVWXY ABDEFGH 7
3 ABEFKLMQR ABCDEFGIJKNQRSTUV 8
4 BFHIO ACIJUVW 9
5 ABDEGIJKL ABDEFGHIJPSTZ10
B 6A CEE ❶ €22,50
15 ha 140T(100m²) 278D ❷ €30,40

Von der N34 Groningen-Emmen bei Ausfahrt Gasselte rechts in den Staatswald. Den Schildern 'Kremmer' folgen.

Gasselte, NL-9462 TT / Drenthe

CC€14

Het Horstmannsbos
Hoogte der Heide 8
1 Apr - 31 Okt
+31 (0)599-564270
info@horstmannsbos.nl
N 52°58'15'' E 6°48'26''

1 AEGJMNOPQRST F 6
2 ABOPQVWXY ABDEFGH 7
3 ABEFKLMQS ABCDEFIJNPQRSV 8
4 BCFHIO FVWY 9
5 ADEGKL ABDEHJPRZ10
10A CEE ❶ €23,50
6,5 ha 100T(100-130m²) 72D ❷ €31,50

Von der N34 Groningen-Emmen den Schildern an der Ausfahrt Gasselte folgen.

Gasselternijveen, NL-9514 BW / Drenthe

CC€10

Hunzepark
Hunzepark 4
27 Mär - 1 Nov
+31 (0)599-512479
info@hunzepark.nl
N 52°58'58'' E 6°50'7''

1 AEGILNOPRT ABN 6
2 ADGOPTWXY ABDEFG 7
3 FKLMQRU ABCDEFNQRV 8
4 BCHO AEJQRV 9
5 ABDEGIKL ABEHIKORZ10
B 10A CEE ❶ €24,40
7 ha 71T(100-120m²) 69D ❷ €27,75

N34 Emmen-Groningen. Ausfahrt Gasselte auf der N378 bis Gasselternijveen. Den CP-Schildern folgen.

Gees, NL-7863 TA / Drenthe

CC€12

Vakantiecentrum De Wolfskuylen
Holtweg 9
1 Jan - 31 Dez
+31 (0)524-581575
info@wolfskuylen.nl
N 52°44'0'' E 6°42'2''

1 AJKNOPQRST ABFGHJN 6
2 ACGIPQVWXY ABFGHJK 7
3 ABELMV ABCDEFGIJNRSV 8
4 BCDFHIOQ AEFJKQVY 9
5 DGKL ABDHJPR10
B 6A CEE ❶ €24,20
8 ha 100T(60-200m²) 101D ❷ €33,40

A37 Hoogeveen-Emmen, Ausfahrt 3 Richtung Oosterhesselen. Am Kreisel Richtung Gees. In Gees den CP-Schildern folgen. Achtung: breitere Brücke 2 km weiter für Wohnwagen einfacher.

Gieten, NL-9461 AP / Drenthe

CC€16

Zwanemeer
Voorste Land 1
1 Apr - 1 Okt
+31 (0)592-261317
info@zwanemeer.nl
N 53°0'56'' E 6°46'0''

1 AEGJMNOPQRT ABFGHN 6
2 ABGHOPQVWXY ABDEFG 7
3 ADEFKLQTV ABCDEFGIJKNPQRSTUV 8
4 ABEFGHIK EQVW 9
5 AKL ABDEHIJPSTZ10
6-10A CEE ❶ €25,00
6 ha 140T(80-120m²) 36D ❷ €34,00

Über die N33 Assen-Gieten, durch den Ort den Schildern folgen.

Grolloo, NL-9444 XE / Drenthe

Landgoed de Berenkuil
De Pol 15
28 Mär - 14 Sep
+31 (0)592-501242
info@berenkuil.nl
N 52°56'19'' E 6°39'56''

1 AEGJMNOPQRT ABFGLN 6
2 ABDGHOPQTVXY ABDEFGHK 7
3 ABEL ABCDEFGJKNQRSTU 8
4 BEFHI ABFJVW 9
5 ACDEIJKL ABCGHIJNOSTYZ10
B 10A CEE ❶ €30,00
50 ha 420T(80-125m²) 107D ❷ €42,00

Rolde-Grollo, im Zentrum den CP-Schildern folgen.

Havelte, NL-7971 RL / Drenthe

De Klaverkampen
Slagdijk 2
1 Apr - 31 Okt
+31 (0)521-341415
info@klaverkampen.nl
N 52°45'46'' E 6°13'49''

1 AEJMNOPRT LMN 6
2 DGHPQVWX ABDEFGH 7
3 BEKLST ABCDFINRS 8
4 FIO 9
5 DEKL ABHJPR10
6A CEE ❶ €20,00
7 ha 40T(100m²) 120D ❷ €26,00

Ausfahrt Havelte hinter der Brücke links, nach ca. 150m links Richtung CP.

Havelte, NL-7971 CT / Drenthe

CC€16

Jelly's Hoeve
Raadhuislaan 2
1 Apr - 30 Sep
+31 (0)521-342808
info@jellyshoeve.nl
N 52°46'7'' E 6°14'57''

1 AEILNORT 6
2 ABOPQVWXY ABDFG 7
3 BDFJNQRUV 8
4 I 9
5 AL ABJPR10
10A CEE ❶ €21,00
2 ha 40T(bis 130m²) 3D

A32 Ausf. 4. Weiter die N371 Ri. Havelte/Diever. Nach ca. 4 km über die Brücke und der N371 weiter folgen Richtung Uffelte/Diever/Assen. Nach ca. 1 km an der Brücke (60 km Zone) li. die N371 verlassen, re. halten und die 1. Straße re.

Hoogersmilde, NL-9423 TC / Drenthe

De Horrebieter
J. Brugginkweg 2
1 Apr - 1 Okt
+31 (0)592-459217
info@horrebieter.nl
N 52°54'39'' E 6°23'8''

1 AEGJMNOPQRST AFL 6
2 ADGHPQWXY ABDEFGH 7
3 BCEGHLMQ ABCDEFIJKNRSTUV 8
4 FHILOP VY 9
5 ABDEGIJKL BEHJNOST10
6A CEE ❶ €19,75
11 ha 150T(100m²) 150D ❷ €25,55

An der Drentse Hauptstraße (Westseite) in der Nähe von Hoogersmilde ist dieser CP deutlich ausgeschildert.

Hoogersmilde, NL-9423 TA / Drenthe

CC€16

De Reeënwissel
Bosweg 23
27 Mär - 27 Sep
+31 (0)592-459356
info@reeenwissel.nl
N 52°54'14'' E 6°22'50''

1 AEJMRS AF 6
2 S ADEFGH 7
3 ABCDEFGJKNQRSTUV 8
4 BCDEFHIKOPQ ADUVW 9
5 AIKL ABDEHIJMNPQSTZ10
B 10A CEE ❶ €25,00
15 ha 80T(90-110m²) 147D ❷ €29,00

Entlang der Drentser Hauptstraße (Westseite) von Dieverbrug Richtung Hoogersmilde fahren. Entlang dieser Strecke wird der CP ausgeschildert.

Klijndijk/Odoorn, NL-7871 PE / Drenthe

CC€16

De Fruithof
Melkweg 2
1 Apr - 28 Sep
+31 (0)591-512427
info@fruithof.nl
N 52°49'44'' E 6°51'27''

1 AEJMNOPQRT CDFGHL 6
2 ADGHIOPVWX ABDEFGH 7
3 ABEIKLMQT ABCDEFGJNQRSTUV 8
4 BCDFHILOPQ JVWY 9
5 ACDEGIJKL ABDEGHIKPRZ10
B 6A CEE ❶ €31,50
17 ha 250T(100m²) 218D ❷ €41,30

N34 Emmen-Groningen Ausfahrt Klijndijk, weiter den Schildern folgen (im Kreisverkehr).

Lhee/Dwingeloo, NL-7991 PD / Drenthe

De Olde Bârgen
Oude Hoogeveensedijk 1
1 Jan - 31 Dez
+31 (0)521-597261
info@oldebargen.nl
N 52°49'18'' E 6°23'36''

1 AEJMNOPRST 6
2 AFPQX ABDEFG 7
3 AGHV ABCDFIJNPQRSV 8
4 AEFH FV 9
5 L ABJPRV10
6A CEE ❶ €20,25
1,8 ha 62T(100-120m²) 15D ❷ €27,75

Über Dieverbrug Richtung Dwingeloo-Zentrum. Durch Dwingeloo bis am 5-Gabelung am Waldrand. Bei Schildern entlang dem Waldrand links ab. Von der A28, Abfahrt 29 Richtung Dwingeloo. In Lhee CP-Schildern folgen.

Teilkarte Drenthe auf Seite 195

Meppen, NL-7855 TA / Drenthe

De Bronzen Emmer
Mepperstraat 41
28 Mär - 31 Okt
+31 (0)591-371543
info@bronzenemmer.nl

1 AEGILNOPQRST EF 6
2 ABGPQVWXY ABDEFGHK 7
3 ABEFGHKLMQS ABCDEFJKNQRSTUV 8
4 BCDFHIKLOQST EJV 9
5 ABDEGIKLM ABDEGHJPQRZ 10
B 10A CEE ❶ €33,60
20 ha 230T(100-140m²) 53D ❷ €43,20

N 52°46'44'' E 6°41'11''

A37 Hoogeveen-Emmen, Ausfahrt Oosterhesselen (N854) Richtung Meppen. In Meppen ist der CP in Richtung Meppen/Mantinge ausgeschildert.

Meppen, NL-7855 PV / Drenthe

Erfgoed de Boemerang
Nijmaten 2
1 Apr - 1 Nov
+31 (0)591-372118
info@erfgoeddeboemerang.nl

1 AGJMNOPQRST 6
2 ADPQSVWXY ABFG 7
3 K ABCDEFHJNPQRTUV 8
4 FHIK IVW 9
5 L ABDEFHJPR 10
10A CEE ❶ €19,20
1,7 ha 39T(100-200m²) 2D ❷ €30,30

N 52°46'49'' E 6°41'30''

A37 Hoogeveen-Emmen. Ausfahrt Oosterhesselen (N854) Richtung Meppen. Dann Richtung Mantinge. Ausgeschildert.

Nietap/Roden, NL-9312 TC / Drenthe

Cnossen Leekstermeer
Meerweg 13
1 Apr - 1 Nov
+31 (0)594-512073
info@cnossenleekstermeer.nl

1 ADEJMNOPQRST LNQRSTXYZ 6
2 ADFGPQVWXY ABDEFGH 7
3 ABEL ABDEFGIJKNQRSTUV 8
4 ACEFHIO AJMNOPQR 9
5 ABDEJKL ABEFGHIJMOR 10
16A CEE ❶ €30,40
16 ha 115T(120-150m²) 43D ❷ €41,10

N 53°10'33'' E 6°25'25''

A7 Drachten-Groningen, Ausfahrt Leek. A28 Zwolle-Groningen bei Assen Ausfahrt Smilde, dann über Norg/Roden/Leek. Der CP liegt zwischen Leek und Roden.

Norg, NL-9331 AC / Drenthe

Boscamping Langeloërduinen
Kerkpad 12
1 Apr - 30 Sep
+31 (0)592-612770
info@boscamping.nl

1 AGJMNOPRST 6
2 BOPQWXY ABDEFGH 7
3 ABELV ABCDEFGHJNPQRSTUV 8
4 FH F 9
5 KL ABEHJOPR 10
10A CEE ❶ €24,90
7,5 ha 130T(100-120m²) 38D ❷ €36,50

N 53°4'21'' E 6°27'25''

Von Straße N371 Richtung Norg, im Zentrum Beschilderung folgen.

Norg, NL-9331 VA / Drenthe

De Norgerberg
Langeloërweg 63
27 Mär - 1 Nov
+31 (0)592-612281
info@norgerberg.nl

1 AEILNOPRT EI 6
2 ABOPRSVWXY ABCDEFGHK 7
3 ABEKLMV ABCDEFGIJKNPQRSTUV 8
4 ABDFGHILOQTU AEFJVY 9
5 ABDEGIJKL ABDEFGHIJNOPRZ 10
Anzeige auf Seite 199 B 10A CEE ❶ €27,55
10 ha 150T(100-150m²) 118D ❷ €38,35

N 53°4'40'' E 6°26'55''

Der CP liegt an der N373, 2 km nördlich von Norg an der Straße Norg-Roden.

Rolde, NL-9451 AK / Drenthe

De Weyert
Balloërstraat 2
1 Apr - 25 Okt
+31 (0)592-241520
info@deweyert.nl

1 AEJMNOPQRST 6
2 AOPQVWX ABDEFG 7
3 ABCEKLQTV ABCDEFJKNPQRSTU 8
4 BDFHIKQ EFJVW 9
5 AGKL ADEGHIJNPTZ 10
4-6A CEE ❶ €24,20
7 ha 80T(100-120m²) 64D ❷ €27,80

N 52°59'27'' E 6°38'31''

Auf der N33 Assen-Gieten bis Ausfahrt Rolde. Anschließend Richtung Zentrum, durchs Zentrum Richtung Ballo, nach rechts den Schildern folgen.

Ruinen, NL-7963 RB / Drenthe

De Wiltzangh
Witteveen 2
27 Mär - 2 Nov
+31 (0)522-471227
info@dewiltzangh-ruinen.nl

1 AEGJMNOPRST ABFG 6
2 BPQVXY ABDEFGHK 7
3 BEILQV BDFJKNQRSV 8
4 BFHIKO JVW 9
5 ACDIJKL ABDEFGHJPRY 10
B 6A CEE ❶ €32,50
13 ha 86T(80-145m²) 60D ❷ €34,50

N 52°47'0'' E 6°21'59''

Von Ruinen Richtung Ansen/Havelte. 1. Straße rechts fahren, nach 1 km links ab. Der CP wird ausgeschildert.

Ruinen, NL-7963 PX / Drenthe

Landclub Ruinen
Oude Benderseweg 11
3 Apr - 28 Sep
+31 (0)522-471770
info@landclubruinen.nl

1 ACDEGJMNOPQRT EFG 6
2 ABGOPQVWXY ABDEFGH 7
3 ABCFHIKLQT ABCDEFGIJKNQRSTUV 8
4 ABDEFHIKLO BCEJVY 9
5 ABDEFIKL ABEFGHIJNOR 10
Anzeige auf Seite 199 B 6-10A CEE ❶ €25,70
25 ha 207T(110-150m²) 37D ❷ €35,90

N 52°46'31'' E 6°22'14''

Ruinen Richtung Pesse. Nach 600m 4. Straße links ab. Der CP ist ausgeschildert.

Schipborg, NL-9469 PL / Drenthe

De Vledders
Zeegserweg 2a
3 Apr - 25 Okt
+31 (0)50-4091489
info@devledders.nl

1 AEJMNOPRST LNQ 6
2 ABDGHPQVWXY ABDEFGHJK 7
3 ABEFGHKLV BDFGIJKNPQRSV 8
4 ABFHIO ADEFQVY 9
5 ABCDEJKL ABDGIJPST 10
B 6A CEE ❶ €25,65
13 ha 220T(80-100m²) 92D ❷ €34,35

N 53°4'46'' E 6°39'56''

Von der A28 Zwolle-Groningen und der N34 Groningen-Emmen, Ausfahrt Zuidlaren. Kurz davor rechts ab Richtung Schipborg. CP-Schildern folgen.

Schoonebeek, NL-7761 PJ / Drenthe

Camping Emmen
Bultweg 7
1 Jan - 31 Dez
+31 (0)524-532194
info@campingemmen.nl

1 AEGJMNOPQRST LN 6
2 ADOPVWXY ABFGK 7
3 AIKLQSTV ABCDEFIJKNQRSV 8
4 BCDFGHIKO AFJVWY 9
5 ABDEGIKL ABDFGHIKOQRVYZ 10
16A CEE ❶ €19,50
4,6 ha 50T(120m²) 68D ❷ €19,50

N 52°40'11'' E 6°52'43''

A37 Ausfahrt Schoonebeek, rechts ab der Beschilderung zum CP folgen.

Schoonloo, NL-9443 TN / Drenthe

De Warme Bossen
Warmenbossenweg 7
1 Apr - 31 Okt
+31 (0)592-501511
info@warmebossen.nl

1 AEJMNOPQRST N 6
2 ABPQVWX ABDEFG 7
3 ACEFKLQT AFLNQRSV 8
4 FHIO CFGV 9
5 ABDEGIKL ABFGHIJORV 10
6A CEE ❶ €17,50
3,6 ha 30T(80-100m²) 42D ❷ €21,50

N 52°55'8'' E 6°42'35''

Westerbork-Borger, Kreuzung Schoonloo geradeaus. Assen-Rolde-Schoonloo fahren.

Spier/Beilen, NL-9417 TD / Drenthe

Sonnevanck
Wijsterseweg 9
1 Jan - 31 Dez
+31 (0)593-562214
info@vakantiecentrum-sonnevanck.nl

1 ACEJLNOPRST ABFG 6
2 ABGOPQVWX ABDEFGH 7
3 AEIKLMQT ABCDEFGINQRSTV 8
4 IOQ EJV 9
5 DEIKL ABEHJNPR 10
B 6A CEE ❶ €24,30
13 ha 85T(80-120m²) 174D ❷ €32,00

N 52°49'2'' E 6°28'43''

A28 Assen-Hoogeveen. Ausfahrt Spier/Wijster, am Ende Ausfahrt rechts ab über die Überführung (Schildern folgen). Hinter Spier ca. 1 km auf der linken Seite.

Tynaarlo, NL-9482 TV / Drenthe

't Veenmeer
Zuidlaarderweg 37
16 Mär - 16 Okt
+31 (0)592-543625
camping@veenmeer.nl

1 AEILNOPRST LNP 6
2 ADGHPQVX ABDEFGH 7
3 AEKL AEFNRS 8
4 I JSTY 9
5 DIKL ABEHIJMPRZ 10
B 4A CEE ❶ €23,60
35 ha 100T(120m²) 270D ❷ €33,00

N 53°5'2'' E 6°38'23''

N34 Assen-Groningen-Emmen, Ausfahrt Tynaarlo. Ist mit Schildern ausgezeichnet. Von der A28 Zwolle-Groningen, Ausfahrt Zuidlaren/Vries.

Uffelte, NL-7975 PZ / Drenthe

De Blauwe Haan
Weg achter de es 11
27 Mär - 25 Okt
+31 (0)521-351269
info@blauwehaan.nl

1 AEGJMNOPRST F 6
2 BPQVWX ABDEFGHK 7
3 ABCEHKLQSU ABCDEFGIJNQRSUV 8
4 BFHIOQ ABFJUVWY 9
5 ABDFGKL ABFGHJOPRY 10
B 10A CEE ❶ €27,00
5,5 ha 100T(120m²) 96D ❷ €36,50

N 52°48'12'' E 6°16'22''

Der CP liegt ca. 2 km nördlich von Uffelte. Über die N371 Meppel-Assen links ab der Beschilderung folgen.

Vledder, NL-8381 AB / Drenthe

De Adelhof
Vledderweg 19
1 Apr - 31 Okt
+31 (0)521-381440
info@adelhof.nl

1 AEILNOPQRST ABFGHN 6
2 AOPQWXY ABDEFGH 7
3 ABEIKLMQ ABCDFJNRSV 8
4 BCDFHILOPQ JKVY 9
5 ABDEGHIJKL ABHIJNPST 10
4A CEE ❶ €26,00
15 ha 100T(90-100m²) 192D ❷ €30,00

N 52°51'5'' E 6°11'57''

Ab Vledder Richtung Frederiksoord. CP ist ausgeschildert.

Vledder, NL-8381 XM / Drenthe

Padjelanta
Middenweg 12
1 Apr - 1 Nov
+31 (0)521-382121
kuipers_veenstra@hotmail.com

1 ADEJMNOPQRST 6
2 BPQVWXY FG 7
3 AEKLQ AFNRTUV 8
4 BCFHI E 9
5 EIJKL ABHIJNPSTZ 10
B 6A CEE ❶ €18,00
12 ha 40T(80-100m²) 323D ❷ €23,50

N 52°51'43'' E 6°11'42''

Im Zentrum von Vledder Richtung Vledderveen abfahren. An der Kreuzung wird der CP mit Wegweisern ausgeschildert. Der CP liegt auf der linken Seite.

Teilkarte Drenthe auf Seite 195

Wateren, NL-8438 SB / Drenthe

De Blauwe Lantaarn
Wateren 5
1 Apr - 1 Okt
+31 (0)521-387258
info@deblauwelantaarn.nl

1 A**JM**NOPQRS**T**	AF	6
2 BFGPQVXY	A**B**D**FG**	7
3 ABELT	ABCDE**F**JNRSTV	8
4 ABCDEFHIN**Q**	EJV	9
5 ADGKL	ABHIJNPSTVZ	10
16A CEE	❶ €21,50	
6 ha 40**T**(80-120m²) 125**D**	❷ €30,00	

N 52°54'57'' E 6°16'0''
Der Straße Diever-Zorgvlied folgen, CP links von der Straße ausgeschildert.

Wezuperbrug, NL-7853 TA / Drenthe

CC€16

Molecaten Park Kuierpad
Oranjekanaal NZ 10
27 Mär - 31 Okt
+31 (0)591-381415
kuierpad@molecaten.nl

1 ACE**JM**NOPQRT	ABEFGHLM**N**	6
2 ADGHPQVWX	ABDE**FGH**	7
3 ABEF**IK**LQ**R**ST**U**V	ABCDEFGIJKNQRSTUV	8
4 BFGHIMNO**PQV**	BEJQVY	9
5 ACDEGIJKL	ABDEGHIJ**P**STY	10
B 10A CEE	❶ €42,40	
53,5 ha 620**T**(95-200m²) 319**D**	❷ €46,80	

N 52°50'26'' E 6°43'28''
N31 Beilen-Emmen, Ausfahrt Westerbork. Über Orvelte Richtung Schoonoord.

Wateren, NL-8438 SC / Drenthe

CC€14

Molecaten Park Het Landschap
Schurerslaan 4
27 Mär - 31 Okt
+31 (0)521-387244
hetlandschap@molecaten.nl

1 ADE**JM**NOPRS**T**	EFGLN	6
2 DGHPQWXY	ABDE**FG**H	7
3 ABE**GHI**LQT	ABCDEFNQRSTUV	8
4 ABCDEFHILNO	AEJUVWY	9
5 ACDEGIK**L**	ABEHIJ**NP**RZ	10
6-10A CEE	❶ €27,00	
16 ha 270**T**(80-100m²) 194**D**	❷ €29,00	

N 52°55'19'' E 6°16'4''
Von Diever Richtung Zorgvlied. Der CP liegt kurz vor Zorgvlied auf der rechten Seite.

Wijster, NL-9418 TL / Drenthe

De Otterberg
Drijberseweg 36a
1 Apr - 1 Okt
+31 (0)593-562362
info@otterberg.nl

1 AE**JM**NOPRS**T**	ABFGLN	6
2 ADGHOPQVWXY	A**BDEFGH**	7
3 ABE**GHIK**L**M**	ABCDEFIJKNRSV	8
4 BDFHILOP**Q**U	EVY	9
5 ADEFGKL	ABHIJ**N**OR	10
B 6A CEE	❶ €26,00	
17 ha 150**T**(100m²) 195**D**	❷ €33,50	

N 52°48'5'' E 6°31'28''
Assen-Hoogeveen, Ausfahrt Wijster/Spier. Richtung Spier/Wijster, hinter den Bahngleisen 1. Straße rechts Richtung Drijber. Nach ca. 2 km liegt auf der rechten Seite der CP.

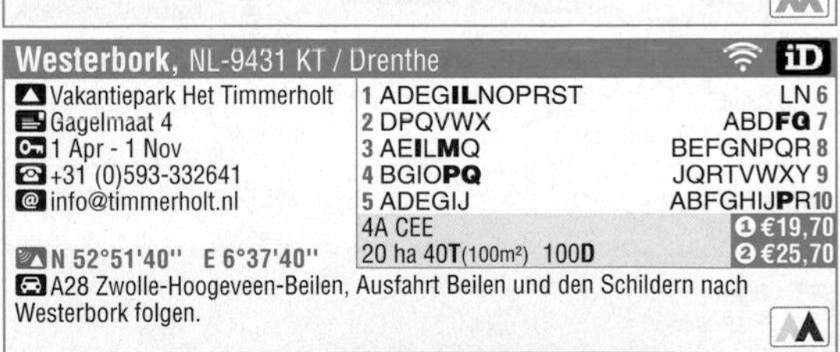

Westerbork, NL-9431 GA / Drenthe

Landgoed Börkerheide
Beilerstraat 13a
1 Apr - 1 Okt
+31 (0)593-331546
info@landgoedborkerheide.nl

1 AG**JM**NOPRST	ABFGH	6
2 ABGOPQVWXY	ABDE**FGH**	7
3 A**K**LT	ABCDEFJKNQRSTUV	8
4 FH		9
5	ABFGHIJ**P**ST	10
6A CEE	❶ €27,30	
6,5 ha 118**T**(80-100m²)	❷ €36,30	

N 52°51'7'' E 6°35'28''
A28 Zwolle-Hoogeveen-Groningen, Ausfahrt 30 Beilen und den Schildern Westerbork folgen. Der CP ist ausgeschildert.

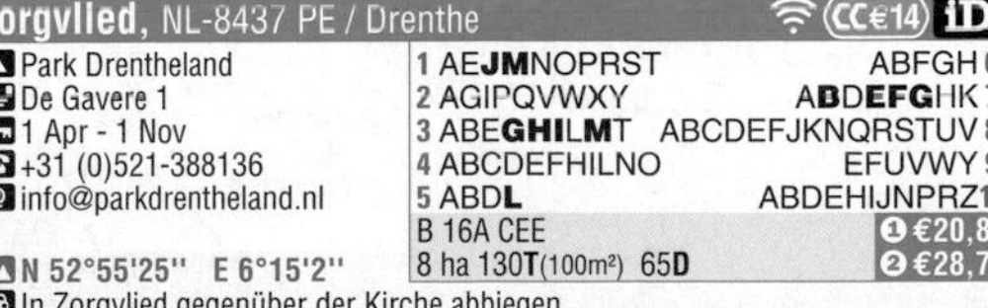

Zandpol, NL-7764 AJ / Drenthe

Recreatiecentrum Zandpol
Stieltjeskanaal 14
27 Mär - 16 Okt
+31 (0)591-553002
info@zandpol.nl

1 AE**JM**NOPQRST	ABFGLNXYZ	6
2 ADGHPVWXY	ABDE**FG**H**J**	7
3 ABE**IK**LMQSTV	ABCDEFJKNQRSTUV	8
4 **A**BDEFGHIKLO**Q**	FHPVY	9
5 ABDEGIKL	ABFGHIJO**P**RWXY	10
B 10A CEE	❶ €25,95	
9 ha 174**T**(100-120m²) 96**D**	❷ €36,65	

N 52°41'35'' E 6°51'16''
Von der A37 Ausfahrt 5 Richtung Schoonebeek folgen. 2. Kreisel Richtung Zandpol. CP ausgeschildert.

Westerbork, NL-9431 KT / Drenthe

Vakantiepark Het Timmerholt
Gagelmaat 4
1 Apr - 1 Nov
+31 (0)593-332641
info@timmerholt.nl

1 ADEG**IL**NOPRST	LN	6
2 DPQVWX	ABD**FQ**	7
3 AE**I**L**MQ**	BEFGNPQR	8
4 BGIO**PQ**	JQRTVWXY	9
5 ADEGIJ	ABFGHIJ**P**R	10
4A CEE	❶ €19,70	
20 ha 40**T**(100m²) 100**D**	❷ €25,70	

N 52°51'40'' E 6°37'40''
A28 Zwolle-Hoogeveen-Beilen, Ausfahrt Beilen und den Schildern nach Westerbork folgen.

Zorgvlied, NL-8437 PE / Drenthe

CC€14

Park Drentheland
De Gavere 1
1 Apr - 1 Nov
+31 (0)521-388136
info@parkdrentheland.nl

1 AE**JM**NOPRST	ABFGH	6
2 AGIPQVWXY	A**BDEFG**HK	7
3 ABE**GHI**L**M**T	ABCDEFJKNQRSTUV	8
4 ABCDEFHILNO	EFUVWY	9
5 ABD**L**	ABDEHIJNPRZ	10
B 16A CEE	❶ €20,85	
8 ha 130**T**(100m²) 65**D**	❷ €28,75	

N 52°55'25'' E 6°15'2''
In Zorgvlied gegenüber der Kirche abbiegen.

Teilkarte Drenthe auf Seite 195

Zorgvlied, NL-8437 PC / Drenthe

Zonnekamp	1 AE**JM**NOPRST N 6
De Ruyter de Wildtlaan 7	2 BPVWX A**BFG**H 7
1 Jan - 31 Dez	3 ABELQ ABCDEFGJNRTUV 8
+31 (0)521-387257	4 BCDFHIKOPQ E 9
info@zonnekamp.nl	5 BDEGIJKL BHIJ**NP**RZ 10
	6A ❶ €20,00
N 52°54'54'' E 6°14'39''	7 ha 44**T**(90-110m²) 151**D** ❷ €25,00

In Zorgvlied den Schildern folgen.

Zweeloo, NL-7851 AA / Drenthe

De Knieplanden	1 AEG**JM**NOPQRS**T** ABHN 6
Hoofdstraat 2	2 AGOPQVWXY AB**FG**H 7
1 Apr - 1 Okt	3 AE**IK**LQS ABCDEFGIJKNQRSV 8
+31 (0)591-371599	4 FHIOQ F 9
info@campingknieplanden.nl	5 DEGL ADHKOR 10
	B 4-6A CEE ❶ €22,00
N 52°47'41'' E 6°43'27''	2,5 ha 64**T**(90-110m²) 10**D** ❷ €30,90

A37 Hoogeveen-Emmen, Ausfahrt Oosterhesselen (N854). In Zweeloo ist der CP ausgeschildert.

Zwartemeer, NL-7894 EA / Drenthe

Zwartemeer	1 ADE**JM**NOPQRST LMNO 6
Verlengde van Echtenskanaal NZ 2	2 ADGHOPWX AB 7
	3 ABEFJL**MR** ABEFJNQRSV 8
1 Apr - 31 Okt	4 **E**FHIO**PQ** FUV 9
+31 (0)591-314654	5 ADEGIJL ABFGHIJORVW 10
info@sportlandgoed.nl	10A CEE ❶ €21,60
N 52°43'25'' E 7°1'30''	1,3 ha 80**T** 35**D** ❷ €31,20

Von der A37, Ausfahrt 7 Zwartemeer. Nach 450m rechts abfahren. Den Schildern 'Recreatiepark Sportlandgoed' folgen.

Zwiggelte/Westerbork, NL-9433 TJ / Drenthe

Midden Drenthe	1 AE**JM**NOPRT **N** 6
Elperweg 5	2 APQVWX ABDE**FG**H 7
1 Apr - 28 Okt	3 AE**K**LQS ABCDE**FG**H**I**NQRSTUV 8
+31 (0)593-370022	4 FHIO EFV 9
info@ campingmiddendrenthe.nl	5 AKL ABEHJPST 10
	B 16A CEE ❶ €23,05
N 52°52'36'' E 6°36'44''	3,2 ha 85**T**(130m²) 28**D** ❷ €26,10

A28 Ausfahrt 31 Richtung Westerbork. In Westerbork Ausfahrt Elp. Am Oranjekanaal links ab und den Schildern folgen.

Niederlande

Gelderland

Aalten, NL-7121 LJ / Gelderland

't Walfort	1 AE**JM**NOPQRST **FN** 6
Walfortlaan 4	2 BCPVWX A**B**DE**FG** 7
28 Mär - 31 Okt	3 ABELSV ABCDE**FG**IJNPQRSU 8
+31 (0)543-451407	4 H EF 9
info@campingwalfort.nl	5 AL ABH**P**RV 10
	B 6-10A CEE ❶ €17,05
N 51°56'4'' E 6°36'20''	5,5 ha 40**T**(80-100m²) 164**D** ❷ €21,55

A18 Richtung Varsseveld-Aalten-Winterswijk. Vor Bredevoort den Schildern nach.

Aalten, NL-7121 LZ / Gelderland

Lansbulten	1 AE**JM**NOPQRST ABFJ**N** 6
Eskesweg 1	2 BCGPQWXY A**BFG** 7
1 Apr - 2 Okt	3 BELST ABCDE**F**JKNRSTUV 8
+31 (0)543-472588	4 BH EFY 9
info@lansbulten.nl	5 AL ABDFHJN**P**RVZ 10
	6A CEE ❶ €22,00
N 51°55'34'' E 6°36'15''	7,5 ha 44**T**(120m²) 159**D** ❷ €27,00

N318 Varsseveld-Winterswijk. Bei Bredevoort den braun-weißen Schildern folgen.

Aalten, NL-7122 PC / Gelderland

Goorzicht	1 ADE**JM**NOPQRS**T** **AB**F 6
Boterdijk 3	2 ABPQWXY AB**DEFG** 7
1 Apr - 30 Sep	3 ABELQS ABCDE**F**JKNSTV 8
+31 (0)543-461339	4 BDFHINO**Q** EFJVY 9
camping.goorzicht@planet.nl	5 ADGL ABCFHJPR 10
	6A CEE ❶ €19,85
N 51°56'40'' E 6°32'37''	6,5 ha 39**T**(80-100m²) 215**D** ❷ €24,25

A3 Oberhausen-Arnheim, Ausfahrt 5 Hamminkeln Richtung Bocholt. In Bocholt Zentrum links Richtung Bo-Holtwick, weiter BO-Hemden, NL-Heurne, Aalten. In Aalten weiter den ANWB Schildern folgen.

Aerdt, NL-6913 AB / Gelderland

De Aerdtse Wacht	1 A**JM**NOPQRST EFG 6
Heuvelakkersestraat 18	2 AGPWX A**BDEFG** 7
1 Jan - 31 Dez	3 AFLQT ABE**F**NR 8
+31 (0)316-247331	4 BDEFHQ EGJVY 9
info@deaerdtsewacht.nl	5 ACDGKL BHJ**NP**RZ 10
	6-10A CEE ❶ €17,90
N 51°53'10'' E 6°5'17''	4 ha 35**T**(80-130m²) 136**D** ❷ €24,30

A12 Ausfahrt 29 Richtung Lobith bis Ausfahrt Aerdt. In Aerdt den Schildern folgen.

Aerdt, NL-6913 KH / Gelderland

De Rijnstrangen V.O.F.
Beuningsestraat 4
1 Mär - 1 Nov
+31 (0)316-371941
info@derijnstrangen.nl
N 51°53'47'' E 6°4'13''

1 AGHKNORST 6
2 AGPVWXY ABDEFH 7
3 ABEFGINPQ 8
4 FHI GV 9
5 KL ABCDFJPSTZ 10
B 6A CEE ❶ €21,00
0,6 ha 30T(ab 100m²) 3D ❷ €26,50

A12 Ausfahrt 29 Richtung Lobith bis zur Ausfahrt Aerdt. Rechts ab, den Deich hoch. 1,5 km weiter bis zur Kirche. Nach 100m links runter.

Alverna/Wijchen, NL-6603 KT / Gelderland

Recreatie Centrum Alverna
Heumenseweg 226
1 Apr - 1 Nov
+31 (0)24-6414511
info@recreatiecentrumalverna.nl
N 51°47'41'' E 5°46'4''

1 ABEJMNOPQRST ABFG 6
2 GPQX ABDFGH 7
3 BGHKLPQ ABCDEFNRS 8
4 BFHIO EL 9
5 ABCDK ABHJMORZ 10
6A ❶ €23,10
8,5 ha 40T(80-100m²) 260D ❷ €28,70

A73, Venlo-Nijmegen Ausfahrt 1A Beuningen/Wijchen. Richtung Wijchen bis zum Schild Grave. Weiter Grave folgen bis Ausfahrt Heumen, dann ausgeschildert.

Apeldoorn, NL-7345 AP / Gelderland

De Parelhoeve
Zwolseweg 540
1 Apr - 31 Okt
+31 (0)55-3121332
camping@deparelhoeve.nl
N 52°15'32'' E 5°57'12''

1 AEJMNOPRST N 6
2 ABOPVX ABDEFG 7
3 ALS ACEFJNRTV 8
4 FH JVW 9
5 KL ABFHIJPRZ 10
Anzeige auf Seite 202 6A CEE ❶ €17,50
2,5 ha 50T(100m²) 51D ❷ €25,30

A50 Zwolle-Arnhem, Ausfahrt 25 Apeldoorn-Nord Richtung Paleis Het Loo. Dann Richtung Vaassen. Nach 3 km ist rechts der CP.

Appeltern, NL-6629 KS / Gelderland

Camp. Park Het Groene Eiland
Lutenkampstraat 2
1/1 - 15/1, 28/2 - 31/12
+31 (0)487-562130
info@hetgroeneeiland.nl
N 51°50'7'' E 5°33'9''

1 ADEGILNOPRST LMNOPQSWXYZ 6
2 CDGHPVX ABDEFGHI 7
3 BEL ABCDEFGHIJKNRSTUV 8
4 BCDFHINOQT EQRV 9
5 ACDGIKL ABEGHIJMNPRYZ 10
B 6A CEE ❶ €28,50
16 ha 111T(80-100m²) 279D ❷ €31,50

A50 Ausfahrt Druten/'Gouden Ham', dann Richtung Appeltern, in Appeltern ausgeschildert.

Appeltern, NL-6629 KS / Gelderland

De Maasterp
Lutenkampstraat 1
1 Apr - 1 Nov
+31 (0)487-562221
info@demaasterp.nl
N 51°50'11'' E 5°33'19''

1 ADEJMNOPQRST LNQSXYZ 6
2 ACDGIPVWX ABDEFGH 7
3 BELMQST ABCDEFHNRSTV 8
4 BFHILMNOPQ DNOPQRTV 9
5 ABDEGIKLM ABFHIJMNOPQRZ 10
B 10A CEE ❶ €27,50
14 ha 160T(90-100m²) 249D ❷ €30,50

N322 Zaltbommel-Nijmegen oder über A73, den CP-Schildern folgen.

Arnhem, NL-6816 TC / Gelderland

DroomPark Hooge Veluwe
Koningsweg 14
27 Mär - 24 Okt
+31 (0)88-0551500
hoogeveluwe@droomparken.nl
N 52°1'52'' E 5°52'0''

1 ADEGJMNORT ABEFG 6
2 ABGOPQVWXY ABDEFGHK 7
3 ABEGHLQT ABCDEFGIJKNQRSTUV 8
4 BDFHILOPQST JVWY 9
5 ABDEGIJKL ABDEGHIJNPR 10
16A CEE ❶ €29,00
18 ha 180T(100-300m²) 160D ❷ €39,00

A12 und A50, CP-Schildern und Nationalpark Hoge Veluwe folgen.

Arnhem, NL-6816 RW / Gelderland

Oostappen Vakantiepark Arnhem
Kemperbergerweg 771
22 Mär - 2 Nov
+31 (0)26-4431600
info@vakantieparkarnhem.nl
N 52°1'27'' E 5°51'36''

1 ADEJMNOPQRST CFG 6
2 ABGPQWXY ABDEFGH 7
3 ABEGHIKLMQT ABCDEFJKNQRSTU 8
4 ABDFHILOQTUV AEVY 9
5 ACDEGIJK ABEFGHINPQTUZ 10
Anzeige auf Seite 160 10A CEE ❶ €40,10
36 ha 450T(80-150m²) 374D ❷ €41,20

A12 (aus beiden Richtungen) und A50 aus dem Süden, Ausfahrt Arnhem-Nord, dann den Schildern folgen. Von Apeldoorn A50 Ausfahrt Schaarsbergen.

Arnhem, NL-6816 PB / Gelderland

Warnsborn
Bakenbergseweg 257
1 Apr - 1 Nov
+31 (0)26-4423469
info@campingwarnsborn.nl
N 52°0'28'' E 5°52'17''

1 ADEILNOPRT 6
2 ABOPQVX ABDEFGHI 7
3 ABDKL ABCDEFGIJNQRSV 8
4 EFGH AEFUVWY 9
5 ABKL ABGHIJNPRZ 10
6A CEE ❶ €21,50
3,5 ha 90T(100-140m²) 31D ❷ €28,40

A12 (beide Richtungen) und A50 aus dem Süden, Ausfahrt Arnhem-Nord, dann den Schildern folgen. Von Apeldoorn A50 Ausfahrt Schaarsbergen, Burgers Zoo folgen.

Barchem, NL-7244 NA / Gelderland

De Heksenlaak B.V.
Zwiepseweg 32
1 Apr - 31 Okt
+31 (0)573-441306
heksenlaak@planet.nl
N 52°8'20'' E 6°26'50''

1 AEILNOPRST AF 6
2 CPQVWXY ABCDEFG 7
3 BEGHKLQT ABCDEFGIJKNRSV 8
4 BDFGHINOPQ EF 9
5 DEGIKL ABHJOSTYZ 10
B 6-10A CEE ❶ €19,00
7,5 ha 120T(100-110m²) 149D ❷ €28,00

Von Lochem nach Barchem Richtung Zwiep 1,5 km. Ausgeschildert.

Barchem, NL-7244 RC / Gelderland

Reusterman
Looweg 3
1 Apr - 30 Sep
+31 (0)573-441385
info@reusterman.nl
N 52°7'38'' E 6°26'9''

1 AEJMNORT A 6
2 BGPQVWXY ABDEFGH 7
3 ABEKL ABEFGINPRV 8
4 HIO E 9
5 DGKL ABHJOST 10
6A CEE ❶ €18,55
6 ha 100T(100m²) 93D ❷ €27,65

Von Barchem Richtung Lochem, 0,5 km, ausgeschildert.

Beek (gem. Bergh), NL-7037 CN / Gelderland

Vakantiepark De Byvanck BV
Melkweg 2
1 Jan - 31 Dez
+31 (0)316-531413
info@byvanck.nl
N 51°53'59'' E 6°10'44''

1 ADEJMNOPRST E 6
2 APQWXY ABFG 7
3 KL BCDEFJMNQRSV 8
4 HIOT EJ 9
5 L ABEHJPRY 10
6A CEE ❶ €20,90
7,2 ha 30T(80-120m²) 92D ❷ €28,70

A3 Oberhausen-Arnhem, vor NL-Grenze Ausfahrt 2 Beek/Elten. Rechts Richtung Beek Gem. Bergh. Hinter der NL-Grenze 1. Straße links.

Beekbergen, NL-7361 TM / Gelderland

Het Lierderholt
Spoekweg 49
1 Jan - 31 Dez
+31 (0)55-5061458
info@lierderholt.nl
N 52°7'59'' E 5°56'44''

1 ACDEGJMNOPRST ABFI 6
2 ABGPQVWXY ABDEFGH 7
3 ABEFHILMQT ABCDEFGIJKNQRSTU 8
4 ABDEFGHILNOPQ GJUVW 9
5 ABDEGJKL ABDEFGHIJNPQRYZ 10
10A CEE ❶ €29,25
25 ha 200T(100-150m²) 237D ❷ €40,65

A50 von Arnhem, Ausfahrt 22 Beekbergen oder A50 von Zwolle, Ausfahrt 22 Hoenderloo. Dann Schildern folgen.

Beekbergen, NL-7361 TG / Gelderland

Vak.centrum De Hertenhorst
Kaapbergweg 45
1 Apr - 26 Okt
+31 (0)55-5061343
info@hertenhorst.nl
N 52°8'6'' E 5°57'51''

1 ACDEJMNOPRT ABFGH 6
2 ABPQTVWXY ABFGH 7
3 ABEFHILMQT ABCDEFJNQRSTU 8
4 BDFGHILOPQ EJUVY 9
5 ABDGIKL ABDEFGHIJNPRZ 10
10A CEE ❶ €27,15
22 ha 55T(80-100m²) 373D ❷ €35,00

A50 Ausfahrt 22, am Ende der Ausfahrt rechts dann die 1. Straße rechts. Weiter die 2. Straße links.

Beesd, NL-4153 XC / Gelderland

Betuwestrand
A. Kraalweg 40
28 Mär - 27 Sep
+31 (0)345-681503
info@betuwestrand.nl
N 51°53'56'' E 5°11'18''

1 ABEHKNORT LMNW 6
2 ADGHPVWX ABDEFGH 7
3 BEFLMQTV ABCDEFGIJNQRSTUV 8
4 FHILOPQ EFV 9
5 ACDEGJKL ABDFGHIJNPRZ 10
Anzeige auf dieser Seite B 10A CEE ❶ €28,00
27 ha 187T(80-100m²) 363D ❷ €37,20

A2 Den Bosch-Utrecht, Ausfahrt 14 Beesd, dann ausgeschildert.

Teilkarte Gelderland auf Seite 200

Beltrum, NL-7156 NB / Gelderland

CC€12 iD

Erve 't Byvanck
Bruggertweg 5
1 Apr - 1 Nov
+31 (0)545-261552
info@erve-byvanck.nl
N 52°5'41'' E 6°33'40''

1 AGJMNOPRST N 6
2 CGOPWXY ABDEFGJK 7
3 ALS ABCDEFJNPQRSTUV 8
4 HIKO VWY 9
5 L AFGHJOR 10
B 10A CEE ❶ €18,30
1,7 ha 40T(100-150m²) 6D ❷ €24,30

Von der N315 Ruurlo-Neede, Richtung Haarlo/Eibergen. Nach 1,2 km rechts Richtung Groenlo. Am 4. Straßenschild rechts (=Bruggertweg).

Berg en Dal, NL-6571 CH / Gelderland

CC€16 iD

Nederrijkswald
Zevenheuvelenweg 47
15 Mär - 31 Okt
+31 (0)24-6841782
info@nederrijkswald.nl
N 51°48'8'' E 5°55'25''

1 AEGJMNOPQRT 6
2 BGOPQVWXY ABDEFGH 7
3 AEJKQSV ABCDEFGHJMNPQRSTV 8
4 EFGHIKO VW 9
5 KL ABCDFHIJPSTXYZ 10
B 6A CEE ❶ €19,60
1,5 ha 52T(80-130m²) ❷ €28,60

A73 Ausfahrt 3 Malden. N271 Richtung Groesbeek. Am Kreisel Richtung Berg en Dal; An der T-Kreuzung links, 2. Straße rechts die N841 (an der Tankstelle). Nach 750m links.

Braamt, NL-7047 AP / Gelderland

CC€12 iD

Recreatie Te Boomsgoed
Langestraat 24
1 Jan - 31 Dez
+31 (0)314-651890
info@teboomsgoed.nl
N 51°55'31'' E 6°15'42''

1 AEGJMNOPQRST 6
2 ABDGOPQVXY ABDEFG 7
3 ABEFGHILV ABCDFHJNQRSTV 8
4 BDFHIO EF 9
5 ADFKL ABCFGHIJORVZ 10
10-16A CEE ❶ €17,00
6 ha 35T(100m²) 55D ❷ €24,20

A18 Ausfahrt 3 Doetinchem/Zelhem/Zeddam. Hinter der Ausfahrt links, 2. Kreisel links Richtung Braamt. CP nach 250m.

Doesburg, NL-6984 AG / Gelderland

CC€14 iD

Camping & Jachthaven Het Zwarte Schaar
Eekstraat 19
1 Jan - 31 Dez
+31 (0)313-473128
info@zwarteschaar.nl
N 52°2'10'' E 6°9'43''

1 AEJMNOPQRST CDFHIJNQSWXYZ 6
2 ACFGHIQRVWX ABDEFGH 7
3 ACEFLP ABCDFJKLNQRSTUV 8
4 BDFHIOPQ EFPQTUVWY 9
5 DGIJKL ABCDFGHIJPSTZ 10
Anzeige auf dieser Seite 10A CEE ❶ €23,90
17 ha 77T(90-120m²) 265D ❷ €27,90

Von der A348 rechts Richtung Doetinchem (N317). Nach 3,9 km dritte Ausfahrt am Kreisel, dann den CP-Schildern folgen.

Doesburg, NL-6984 AG / Gelderland

CC€14 iD

IJsselstrand
Eekstraat 18
1 Jan - 31 Dez
+31 (0)313-472797
info@ijsselstrand.nl
N 52°1'44'' E 6°9'43''

1 ADEJMNOPQRST CDFGHIJNQSXYZ 6
2 ACGHPSWXY ABDEFG 7
3 ABCEGHLMP ABCDFJKLMNQRSTUV 8
4 ABDFGHILNOPQU EFQTUVWY 9
5 ACDGIJKL ABDEFGHIJPRZ 10
Anzeige auf dieser Seite 10A CEE ❶ €24,25
50 ha 200T(80-120m²) 612D ❷ €31,95

Von Arnhem aus auf der A348 rechts Ri. Doetinchem (N317). Nach 3,9 km dritte Ausfahrt im Kreisel (CP-Schild). Nach 1,2 km dritte Ausfahrt im Kreisel. Nach 1,4 km links.

Doetinchem, NL-7004 HD / Gelderland

CC€14 iD

De Wrange
Rekhemseweg 144
28 Mär - 1 Nov
+31 (0)314-324852
info@dewrange.nl
N 51°56'47'' E 6°20'1''

1 ACEGJMNOPQRST ABFG 6
2 ABGPQVWXY ABDEFG 7
3 BEIKLQV ABCDEFJNQRSV 8
4 BDGHILOPQ AJUV 9
5 ACDEGIJKL ABDHJMPQRZ 10
6A CEE ❶ €20,75
10 ha 75T(90-110m²) 206D ❷ €26,75

Von der A18, Ausfahrt 4 Doetinchem-Oost. An der Hauptstraße links ab. Durchfahren bis zur nächsten Ampel, dort rechts und den Schildern folgen (teils durch Wohnviertel).

Doornenburg, NL-6686 MC / Gelderland

CC€18 iD

De Waay
Rijndijk 67a
1 Apr - 1 Okt
+31 (0)481-421256
info@de-waay.nl
N 51°54'16'' E 5°59'8''

1 ADEJMNOPQRST ABCFGHLMN 6
2 ADGHPWX ABCDEFGHIJ 7
3 ABCEFKLMQRST ABCDEFGIJKNQRSUV 8
4 BDHIMNOPQT FVY 9
5 ABDEGIJKL ABEGHIJMPRZ 10
B 6A CEE ❶ €33,00
19 ha 110T(100-120m²) 339D ❷ €44,00

Von der A15 Ausfahrt Bemmel/Gendt. In Gendt links, ab dort den Schildern folgen.

Eck en Wiel, NL-4024 BN / Gelderland

iD

De Schans
Schans 3
1 Apr - 1 Okt
+31 (0)344-691530
info@campingdeschans.nl
N 51°58'57'' E 5°27'15''

1 AEGILNORT AFJNQSWXYZ 6
2 CGHPW ABDEFGH 7
3 AEL ABCDEFNRST 8
4 IOP 9
5 DIK BHIJMORZ 10
10-16A CEE ❶ €20,50
0,8 ha 12T(100-150m²) 30D ❷ €26,00

A15 Ausfahrt 33 bei Tiel, von Eck en Wiel CP ausgeschildert. Oder A2 Ausfahrt Culemborg, N320 Richtung Kesteren, Ausfahrt Eck en Wiel, Schildern folgen.

Eck en Wiel, NL-4024 BM / Gelderland

iD

Verkrema
Rijnbandijk 10a
1 Apr - 1 Okt
+31 (0)344-691655
info@verkrema.nl
N 51°58'56'' E 5°27'3''

1 AEGILNORT AFJNQSWXYZ 6
2 CGHPX ABDEFGH 7
3 AEL ACDEFNRSTU 8
4 IOP 9
5 DGIK BHIJORZ 10
10-16A CEE ❶ €20,50
6,5 ha 40T(100-150m²) 120D ❷ €26,00

A15 Ausfahrt 33 bei Tiel, von Eck en Wiel CP ausgeschildert. Oder A2 Ausfahrt Culemborg, N230 Richtung Kesteren, Ausfahrt Eck en Wiel. Siehe CP-Schilder.

Ede, NL-6718 SM / Gelderland

CC€16 iD

Bos- en Heidecamping Zuid-Ginkel
Verlengde Arnhemseweg 97
27 Mär - 25 Okt
+31 (0)318-611740
info@zuidginkel.nl
N 52°2'18'' E 5°44'8''

1 AEGJMNOPQRST 6
2 ABPQVWXY ABDEFGH 7
3 ABKL ABCDEFIJNPQRSTU 8
4 FH EVWY 9
5 ABKL ADEHJPRWZ 10
6A CEE ❶ €22,75
4,7 ha 75T(100-130m²) 100D ❷ €28,75

A12, Ausfahrt 25 Ede-Oost, dem Schild folgen.

Ede, NL-6718 TH / Gelderland

Recreatiepark 't Gelloo
Barteweg 15
29 Mär - 31 Okt
+31 (0)88-5002472
info@gelloo.nl
N 52°4'28'' E 5°40'4''

1 DEJMNOPRT ABEF 6
2 ABGPQWXY ABDEFGH 7
3 ABCEFLMQ ABCDEFJKNQRSUV 8
4 BDFHILOPQ FJVY 9
5 ADEGIKL ABEFGHJPRZ 10
10A CEE ❶ €34,50
15 ha 135T(100m²) 296D ❷ €37,00

Von der A1/A30 Ausfahrt 2, dann N224 Richtung Otterlo/Apeldoorn mit Schildern angezeigt. Oder von der A12, dann A30 Ausfahrt 2, dann N224 Otterlo/Apeldoorn, dann mit Schildern angezeigt.

Eerbeek, NL-6961 LD / Gelderland

CC€14

Landal Coldenhove
Boshoffweg 6
13 Mär - 6 Nov
+31 (0)313-659101
coldenhove@landal.nl
N 52°5'31'' E 6°2'5''

1 DEJMNORT EFG 6
2 ABGPQTVX ABDEFGHK 7
3 ABCEFIKLPQRTU ABCDEFIJKNQRSTV 8
4 BDEFHILNOPQZ AJUVWY 9
5 ACDEGIJK ABDEHIJNPRYZ 10
6A CEE ❶ €37,70
20 ha 180T(100-120m²) 369D ❷ €50,30

A50 Ausfahrt Loenen/Eerbeek Richtung Loenen/Eerbeek. Hinter dem Kreisel Richtung Dieren. Den Schildern Coldenhove folgen.

Teilkarte Gelderland auf Seite 200

camping
★★★★★ de Wildhoeve
Camping Cheque
ADAC
BEST 2014
The Green Key
Hanendorperweg 102
8166 JJ Emst-Gortel (Gld.)
T 0578 - 661324
F 0578 - 662393
E info@wildhoeve.nl
I www.wildhoeve.nl

Niederlande

Eerbeek, NL-6961 LK / Gelderland

Robertsoord
Doonweg 4
3 Apr - 31 Okt
+31 (0)313-651346
info@campingrobertsoord.com
N 52°6'5'' E 6°4'50''

1 AEILNOPRT	6
2 ABOPQWXY	ABDEFGH 7
3 ABELT	ABCDEFGJNQRSTV 8
4 ABDFHIO	JVY 9
5 ADL	ABEGHIJOPTU 10
10A CEE	❶ €22,70
2,5 ha 25T(80-100m²) 52D	❷ €22,70

Richtung Eerbeek, dann den Schildern folgen.

Elburg, NL-8081 PA / Gelderland

Veluwe Strandbad
Flevoweg 5
1 Jan - 31 Dez
+31 (0)525-681480
info@monda.nl
N 52°27'21'' E 5°49'15''

1 AEHKNOPQRST	EFGLNQRSTXYZ 6
2 ADGHPQWX	ABDEFGH 7
3 ABEFKLMQST	ABEFHIJNQRSTU 8
4 BHILNOPQ	JLMOQUVY 9
5 ABCDEGIJKL	ABEGHIKNPST 10
B 6A CEE	❶ €26,10
18 ha 90T(80-110m²) 360D	❷ €35,20

A28 Amersfoort-Zwolle, Ausfahrt 't Harde, dann Richtung Elburg/Dronten, ausgeschildert.

Eibergen, NL-7152 DJ / Gelderland

De Goede Hoop
Vredenseweg 12
1 Mär - 31 Okt
+31 (0)544-461601
overkamp@degoedehoop.nl
N 52°3'13'' E 6°40'27''

1 ADEILNOPQRST	AN 6
2 DPWX	ABDEFGH 7
3 AQST	ABCDEFGJNTUV 8
4 DNOPQ	E 9
5 GIKLM	BFGHIJNOR 10
6A	❶ €18,50
3,5 ha 35T(100-150m²) 83D	❷ €25,50

Von Oberhausen kommend, die Ausfahrt Doetinchem nehmen. Am Autobahnende der Beschilderung Enschede folgen. Wenn Sie Groenlo auf den ANWB-Schildern sehen, ist der Camping De Goede Hoop deutlich angezeigt.

Emst, NL-8166 JA / Gelderland

De Veluwse Wagen
Oranjeweg 67
1 Apr - 31 Okt
+31 (0)578-661628
info@veluwse-wagen.nl
N 52°19'21'' E 5°57'29''

1 AGILNOPRT	6
2 ACPSVX	ABFGH 7
3 A	ABCDEFJNQR 8
4 FH	G 9
5 ADEGIKL	ABFHJNPR 10
6A CEE	❶ €23,05
2 ha 60T(100-120m²) 26D	❷ €28,70

A50 Apeldoorn-Zwolle, Ausfahrt Epe, Richtung Emst, dann Schildern folgen, A28 Amersfoort-Zwolle, Ausfahrt Epe, Richtung Emst, dann Schildern folgen.

Eibergen, NL-7152 DB / Gelderland

Het Eibernest
Kerkdijk 1
1 Jan - 31 Dez
+31 (0)545-471268
recreatie@eibernest.nl
N 52°4'18'' E 6°38'25''

1 ACDEJMNOPRST	ABFG 6
2 AGOPVWXY	ABDEFG 7
3 ABEGHIKLQ	ABDFJKNRSTUV 8
4 BDFHINOQ	JQVWY 9
5 ADEGIJKL	ABDFGHIKMNORYZ 10
10A CEE	❶ €22,45
17 ha 100T(100m²) 385D	❷ €32,85

Der Camping liegt unweit der Provinzstraße von Eibergen nach Groenlo.

Emst, NL-8166 JJ / Gelderland

De Wildhoeve
Hanendorperweg 102
1 Apr - 30 Sep
+31 (0)578-661324
info@wildhoeve.nl
N 52°18'50'' E 5°55'36''

1 ADEGHKNOPQRT	ABEFGHI 6
2 ABPVWXY	ABCDEFGH 7
3 ABDELMQ	ABCDEFIJKNQRSTUV 8
4 ABEFIO	AEVWY 9
5 ACDJKL	ABEFGHIJPQRZ 10
Anzeige auf dieser Seite B 6-10A CEE	❶ €37,50
12 ha 310T(80-120m²) 28D	❷ €48,95

A50 Arnhem-Zwolle, Ausfahrt 26 Vaassen, Richtung Emst. Den Schildern folgen.

Elburg, NL-8081 LB / Gelderland

Natuurcamping Landgoed Old Putten
Zuiderzeestraatweg (oost) 65
3 Apr - 23 Sep
+31 (0)525-681938
info@oldputten.nl
N 52°26'31'' E 5°50'40''

1 AEFGJMNORT	FNX 6
2 ACGOPRWXY	ABF 7
3 AGHM	ABCDFKNQRSV 8
4 BDEFHI	DFV 9
5 AL	ABHIJPST 10
Anzeige auf dieser Seite 4A CEE	❶ €25,95
5 ha 70T(100-120m²) 18D	❷ €30,95

A28 Ausfahrt 16 't Harde. N309 Richtung Elburg. Direkt gegenüber der Ausfahrt Elburg-Vesting am Kreisel N309 Einfahrt links.

Emst, NL-8166 GT / Gelderland

De Zandhegge
Langeweg 14
28 Mär - 1 Okt
+31 (0)578-613936
info@zandhegge.nl
N 52°19'49'' E 5°57'42''

1 AEJMNOPRST	ABFG 6
2 ABPVWXY	ABDEFGHK 7
3 ABCELMQ	ABCDEFJKNQRSTUV 8
4 BFGHIKLO	DUVWY 9
5 ABDEKL	ABDEHIJOPRZ 10
16A CEE	❶ €26,80
5,9 ha 65T(80-120m²) 146D	❷ €36,10

Ab Kreuz Schüttorf A1/E30 Richtung Hengelo/Apeldoorn. Dann zur A50 Apeldoorn-Zwolle, Ausfahrt 27 Epe. An der Ampel links, Richtung Emst, 1. Straße rechts. CP ist vor der Ampel schon ausgeschildert.

Natuurcamping Landgoed Old Putten
Ruhe, Raum, Atmosphäre
und gleich an der
Festungsstadt Elburg
www.oldputten.nl
0031-525-681938

Teilkarte Gelderland auf Seite 200

Enspijk, NL-4157 PB / Gelderland

Ardoer vrijetijdspark de Rotonde
Panweg 1
29 Mär - 28 Sep
+31 (0)345-651315
rotonde@ardoer.com
N 51°52'42'' E 5°12'50''

1 AEGILNORT	FHLMN 6
2 ADGHPX	ABDEFGH 7
3 BDELMQT	ABDEFGIJKNPQRST 8
4 BCDHIOPQ	9
5 ACDGK	ABEFGHIJMPRYZ 10
6-10A CEE	① €26,50
32 ha 150T(100m²) 390D	② €34,50

A2 Den Bosch-Utrecht, Ausfahrt Geldermalsen, am Ende Ausfahrt rechts, dann wieder rechts.

Epe, NL-8162 PP / Gelderland

De Koekamp
Tongerenseweg 126
1 Apr - 31 Okt
+31 (0)578-614117
info@dekoekamp.nl
N 52°21'2'' E 5°57'42''

1 AJMNOPQRST	6
2 APQWXY	ABDEFGH 7
3 ABKLQ	ABEFHJKNQRSV 8
4 FHK	J 9
5 DGKL	ABFHIJPR 10
16A CEE	① €21,90
8 ha 95T(100-120m²) 138D	② €24,30

A28 Ausfahrt 15 - N795 nach 7,6 km N309 - A50 Ausfahrt 27 N309 nach 4 km Kreisel rechts ab, nach 175m links ab.

Epe, NL-8162 PT / Gelderland

De Vossenberg
Centrumweg 17
1 Apr - 31 Okt
+31 (0)578-613800
info@campingvossenberg.nl
N 52°20'28'' E 5°56'17''

1 AEGJMNOPQRST	ABFG 6
2 ABPQRVWXY	ABDEFGH 7
3 ABEIKLQ	ABCDEFHIJNQRST 8
4 BCFHINO	E 9
5 ADEGIJKL	ABCEHJPSTZ 10
10A CEE	① €31,80
6 ha 50T(80-100m²) 112D	② €33,60

A50 Zwolle-Apeldoorn, Ausfahrt 27 Richtung Nunspeet bis Ausfahrt Wissel. A28 Amersfoort-Zwolle, Ausfahrt 15 Richtung Epe (N309) bis Ausfahrt Wissel. Den Schildern folgen.

Epe, NL-8162 NR / Gelderland

RCN de Jagerstee
Officiersweg 86
1 Jan - 31 Dez
+31 (0)578-613330
jagerstee@rcn.nl
N 52°21'51'' E 5°57'32''

1 ABCDEGJMNOPRT	ABFG 6
2 ABGPQVWXY	ABDEFG 7
3 ABEFIKL	ABCDFGJNQRSV 8
4 ABCEFHILNOPQ	EJVWY 9
5 ABDEGIJL	ABEHIJPSTYZ 10
B 10A CEE	① €27,30
33 ha 350T(100m²) 280D	② €35,10

A50 Apeldoorn-Zwolle, Ausfahrt 27, der N309 Richtung Nunspeet folgen, hinter dem Kreisel den ANWB CP-Schildern 'Jagerstee' folgen.

Erichem, NL-4117 GL / Gelderland

Recreatiepark De Vergarde
Erichemseweg 84
1 Apr - 1 Okt
+31 (0)344-572017
info@devergarde.nl
N 51°53'56'' E 5°21'38''

1 ADEILNOPRST	ABFGHN 6
2 ADGOPVWX	ABCDEFGHK 7
3 BCEFGHIKLQT	ABCDFGIJKNQRSTUV 8
4 BCFHILOPQ	FPVY 9
5 ABDEFGIKL	ABEFGHIJMNPRZ 10
B 16A CEE	① €35,00
22 ha 280T(100-140m²) 126D	② €45,00

A15, Ausfahrt Buren. Ausfahrt 32, dann CP ausgeschildert.

Ermelo, NL-3852 AM / Gelderland

Ardoer camping De Haeghehorst
Fazantlaan 4
1 Jan - 31 Dez
+31 (0)341-553185
haeghehorst@ardoer.com
N 52°18'47'' E 5°37'48''

1 AEHKNOPQRST	ABEFGHI 6
2 ABGOPQVWXY	ABDEFGHK 7
3 ABDEGHKLMQSTV	ABCDEFGHJKNPQRSTU 8
4 BDEFGHILNOPQSTUV	AEJVY 9
5 ADEGJKL	ABEGHJPQR 10
10A CEE	① €34,00
7 ha 245T(75-120m²) 56D	② €44,00

A28 Ausfahrt 12 Richtung Ermelo, CP-Schildern folgen. Der CP liegt an der Nordseite von Ermelo.

Ermelo, NL-3852 MC / Gelderland

De Kriemelberg
Drieërweg 104
27 Mär - 31 Okt
+31 (0)341-552142
info@kriemelberg.nl
N 52°17'12'' E 5°38'48''

1 AEGILNOPQRST	6
2 ABHOPQVWXY	ABFGH 7
3 ABDELSV	ABCDEFGHJKLNPQRSTUV 8
4 BDEFHIL	FJVY 9
5 ABDGKL	ABEFGJPRZ 10
B 10A CEE	① €22,95
7 ha 80T(80-140m²) 119D	② €27,35

A28 Ausfahrt 12 Ermelo, Richtung Ermelo. Im 5. Kreisel links Richtung Drie. Weiter ausgeschildert.

Ermelo, NL-3852 ZD / Gelderland

In de Rimboe
Schoolweg 125
28 Mär - 30 Okt
+31 (0)341-552753
info@inderimboe.nl
N 52°17'29'' E 5°38'59''

1 ACEJMNOPQRST	ABFG 6
2 ABOPQVWXY	ABDFG 7
3 BELQV	ABCDEFHJNPQRSTUV 8
4 BDFHILO	JVW 9
5 ADEGIJKL	ABDEHJPTU 10
6A CEE	① €29,90
10,1 ha 40T(80-110m²) 226D	② €41,30

A28 Ausfahrt 12 Richtung Ermelo. Im 5. Kreisel links. Richtung Drie (Südseite von Ermelo). Weiter ausgeschildert.

Ermelo, NL-3852 MA / Gelderland

Recreatiecentrum De Paalberg
Drieërweg 125
1 Jan - 31 Dez
+31 (0)341-552373
info@paalberg.nl
N 52°17'16'' E 5°39'25''

1 AEGJLNOPRST	ABEFGHI 6
2 ABGOPQVWXY	ABCDEFGH 7
3 ABDEFILMQTV	ABCDEFGHJNQRSTUV 8
4 BDFGHILNOQSTUV	JVW 9
5 ACDEGJKL	ABCDEGHJPSTZ 10
B 10A CEE	① €32,30
30 ha 184T(100-120m²) 327D	② €46,30

A28 Ausfahrt 12 Richtung Ermelo. Im 6. Kreisel (Südseite von Ermelo) links, Richtung Drie. CP weiter ausgeschildert.

Ermelo/Speuld, NL-3852NH / Gelderland

De Bosrand
Garderenseweg 281
1 Jan - 31 Dez
+31 (0)577-407328
info@campingdebosrand.info
N 52°15'31'' E 5°42'35''

1 AGJMNOPQR	6
2 APWX	ABFG 7
3 BKV	ABCDEFJNPT 8
4 FGH	JUVWY 9
5 KL	ABCHJPST 10
6A CEE	① €16,90
30T(100m²) 74D	② €21,80

A1 Ausfahrt 17 (Stroe) Richtung Garderen. In Garderen der Beschilderung folgen.

Ewijk, NL-6644 KX / Gelderland

Vakantiepark De Groene Heuvels
Groene Heuvels 3
1 Apr - 1 Okt
+31 (0)487-539500
info@groeneheuvels.com
N 51°51'10'' E 5°41'20''

1 DEILNOPRST	EFGLNO 6
2 ADGHPVX	ABDEFGH 7
3 BEFIKLMPQT	ABEFNQRSTV 8
4 BGHIKOPQS	JVY 9
5 ACDEFGJ	ABEHJMOR 10
B 6A CEE	① €42,50
1 ha 65T(80-110m²) 200D	② €45,00

A73, Ausfahrt 1, Beuningen Richtung Wijchen, erste Straße rechts (Schild), nach ca. 2 km Eingang links an der Straße, CP nördlich von Wijchen.

Garderen, NL-3886 MC / Gelderland

'De Peerdse Barg'
Oud Milligenseweg 39
1 Apr - 31 Okt
+31 (0)6-20283494
camping@peerdsebarg.nl
N 52°13'40'' E 5°43'7''

1 AILNOPQRT	6
2 APQVWX	ABFGH 7
3 K	ABCDEFHJNPQRTU 8
4 H	9
5 L	BHJPR 10
6A CEE	① €19,30
1,3 ha 30T(70-100m²) 40D	② €25,20

A1 Ausfahrt 17 Stroe/Garderen. Im 2. Kreisel Richtung Apeldoorn nach 1400m links (Oud Milligenseweg). Der CP liegt am Ortsrand.

Garderen (Veluwe), NL-3886 PG / Gld.

Ardoer camping De Hertshoorn
Putterweg 68-70
27 Mär - 1 Nov
+31 (0)577-461529
hertshoorn@ardoer.com
N 52°14'12'' E 5°41'21''

1 ADEGHKNOPQRST	ABEFG 6
2 ABGOPQVWXY	ABDEFGHK 7
3 ABCDEKLMQTV	ABCDEFGHJKNPQRSTU 8
4 BCDFHIKLO	AEFUVW 9
5 ACDEJKL	ABCEFGHJNPQRYZ 10
B 10A CEE	① €35,80
10 ha 340T(80-150m²) 24D	② €47,50

A1 Ausfahrt 17. Durch Garderen Richtung Putten. Der CP liegt direkt hinter Garderen an der rechten Seite.

Gendt, NL-6691 MB / Gelderland

Waalstrand
Waaldijk 23a
1 Apr - 30 Sep
+31 (0)481-421604
info@waalstrand.nl
N 51°52'33'' E 5°59'20''

1 AEILNOPQRST	ANXYZ 6
2 ACFHPQUVW	ABDEFGH 7
3 ABLQSV	ABCDEFGHNQRSTUV 8
4 HI	EJV 9
5 AGIKL	ABEGHIJPRZ 10
6A CEE	① €28,00
4 ha 90T(100m²) 60D	② €40,00

A15 Ausfahrt Bemmel/Gendt. In Gendt den CP-Schildern folgen.

Gorssel, NL-7213 AX / Gelderland

Jong Amelte
Kwekerijweg 4
1 Jan - 31 Dez
+31 (0)575-491371
mjansen@jongamelte.nl
N 52°11'57'' E 6°12'59''

1 AEJMNOPRST	6
2 ABPX	ABDEFGH 7
3 BELQ	ACEFJNQRTUV 8
4 FHIZ	J 9
5 DEGI	ABHIJR 10
6-10A CEE	① €18,50
4,1 ha 35T(100-120m²) 105D	② €25,50

A1 Ausfahrt 23 Richtung N348. Ab Gorssel ist der CP ausgeschildert.

Groenlo, NL-7141 DH / Gelderland

Marveld Recreatie B.V.
Elshofweg 6
1 Jan - 31 Dez
+31 (0)544-466000
info@marveld.nl
N 52°2'10'' E 6°37'58''

1 ACDEGILNORST	ABEFGHIN 6
2 CGOPQWX	ABDEFGH 7
3 ABDEGHIKLMOPQRTU	ABCDEFGIJKLNOPQRSTUV 8
4 ABDFHILMOPQSTUV	EJLUVY 9
5 ACDFGIJKL	ABEFGHIJNOSTYZ 10
16A CEE	① €27,50
37 ha 287T(100-110m²) 568D	② €37,95

Über die N18 Enschede-Doetinchem oder N319 Zutphen-Winterswijk. Ab hier nicht mehr dem Navi folgen. Deutlich angezeigt.

Teilkarte Gelderland auf Seite 200

Groesbeek, NL-6561 KR / Gelderland
CC€14 iD

De Oude Molen
Wylerbaan 2a
30 Mär - 31 Okt
+31 (0)24-3971715
camping@oudemolen.nl
N 51°47'4'' E 5°56'6''

1 AE**JM**NORT	ABFGH	6
2 AOPQTVWX	ABCDE**FG**HIK	7
3 ABE**K**LQS	ABCDEFGIJKNQRSTU	8
4 BHIKOPT	EVW	9
5 ABDEGIKL	ABDGHIJNPRZ	10
B 4-16A CEE	① €31,65	
H70 6,5 ha 150T(80-120m²) 142D	② €40,45	

Auf A73 Ausfahrt Groesbeek. In Groesbeek durchs Zentrum den Schildern folgen. CP liegt rechts. An der A50 oder A15 Ausfahrt Kleve. Weiter Richtung Kleve. Nach der Grenze rechts und danach zweite Straße rechts.

Haarlo, NL-7273 PD / Gelderland
iD

Veldzicht
Veldweg 1
1 Jan - 31 Dez
+31 (0)545-261290
info@campingveldzicht.nl
N 52°6'38'' E 6°35'25''

1 A**IL**NOPQRS**T**	N	6
2 PQSWXY	A**B**D**EFG**	7
3 ABEQS	ABEFJNPRV	8
4 FHIO**Q**	F	9
5 A**L**	AFGHIJNOQT	10
B 6A CEE	① €14,00	
3,5 ha 80T(100-120m²) 2D	② €24,00	

Von Borculo über die N822 nach Eibergen. Hinter Haarlo ist der CP ausgeschildert.

Hall, NL-6964 AM / Gelderland
CC€12 iD

Nivon Het Hallse Hull
Hallseweg 10
1 Apr - 31 Okt
+31 (0)313-651350
hethallsehull@gmail.com
N 52°6'17'' E 6°5'20''

1 ABEGILNORT		6
2 ABCP	ABDE**FG**	7
3 AF**K**LS	ABCDEFJKNQRSV	8
4 BFGH	VY	9
5 L	ABHJPST	10
6A CEE	① €23,65	
9 ha 122T(100-160m²)	② €36,55	

Der CP liegt an der Durchgangstraße Apeldoorn-Dieren am Kanal. An der Hallse Brücke dem CP-Schild folgen.

Harfsen, NL-7217 PG / Gelderland
CC€14 iD

Camping De Waterjuffer
Jufferdijk 4
27 Mär - 25 Okt
+31 (0)573-431359
info@campingdewaterjuffer.nl
N 52°12'34'' E 6°17'13''

1 ACE**JM**NOPRS**T**	L	6
2 ADGHOPVWX	AB**FG**H	7
3 ABELQ	ABCDFJNQRSTUV	8
4 HK	EVW	9
5 DIK	ABDFGHIJ**NP**R	10
10-16A CEE	① €18,00	
11,9 ha 63T(120-150m²) 64D	② €24,00	

A1 Ausfahrt 23, N348 Richtung Zutphen. In Epse N339 Richtung Laren-Lochem, CP vor Harfsen beschildert.

Harskamp, NL-6732 DC / Gelderland
iD

De Harscamp
Edeseweg 190 + Laarweg 29
1 Jan - 31 Dez
+31 (0)318-456202
info@deharscamp.nl
N 52°7'39'' E 5°44'49''

1 AEG**IL**NOPQR**T**	AF	6
2 AGOPQVX	A**B**D**EFG**H	7
3 ABELQST	ABCDE**F**JKNQRST	8
4 BDHILNO**PQ**		9
5 DEGIJKL	ABEHIJOR	10
6A CEE	① €18,00	
5,5 ha 60T(100m²) 160D	② €24,00	

A1, Ausfahrt Stroe/Garderen Richtung Harskamp, dann CP-Schildern folgen. A50, Ausfahrt Veenendaal, Richtung Ede, dann Richtung Harskamp.

Harskamp, NL-6732 EH / Gelderland

De Midden-Veluwe
Palmenhuizenweg 1
1 Apr - 1 Okt
+31 (0)318-456491
info@demiddenveluwe.nl
N 52°8'14'' E 5°45'33''

1 E**IL**NOPRT	AFHLM	6
2 ABDGHOPQVWXY	A**BFG**H	7
3 ABCELM	ABCDE**F**JKNRSTV	8
4 ABFHILO**PQ**	EY	9
5 ACDEGIJKL	ABEHIJMPRZ	10
10A CEE	① €30,50	
35 ha 120T(100m²) 508D	② €35,50	

A1, Ausfahrt Stroe/Garderen Richtung Harskamp, dann den Schildern folgen.

Hattem, NL-8051 PW / Gelderland
CC€16 iD

Molecaten Park De Leemkule
Leemkuilen 6
27 Mär - 31 Okt
+31 (0)38-4441945
deleemkule@molecaten.nl
N 52°27'22'' E 6°2'11''

1 ADEGHKNOPQRST	ABEFG	6
2 ABGPQRVWXY	ABDE**FG**H	7
3 ABE**KLM**ST	ABCDEFJNQRSTUV	8
4 BEFHIKOQ**STU**V	DFJUVWY	9
5 ACDEGIJKL	ABDEHIJ**NP**RY	10
10A CEE	① €32,45	
24 ha 150T(100m²) 146D	② €36,90	

A28 Ausfahrt 17 Wezep, am Kreisel geradeaus und an der 1. Kreuzung Richtung Heerde. Nach 3,5 km über die Bahnlinie, bis zur Ausfahrt Hattem Wapenveld. Links abbiegen. Nach etwa 3 km Einfahrt zum Park auf der linken Seite.

Hattem, NL-8051 PM / Gelderland
CC€14 iD

Molecaten Park Landgoed Molecaten
Koeweg 1
27 Mär - 30 Sep
+31 (0)38-4447044
landgoedmolecaten@molecaten.nl
N 52°27'59'' E 6°3'26''

1 AEG**IL**NOPQRS**T**		6
2 ABOPVWXY	A**B**D**EFG**	7
3 A**K**L	ABCDE**FG**JNPRTV	8
4 BEGHO	JV	9
5 ADIKL	ABHIJ**P**R	10
10A CEE	① €25,95	
10 ha 41T(100m²) 61D	② €30,40	

A50 Ausfahrt Hattem. Über den Hessenweg und Gelderse Dijk. Am Ende rechts ab. Im Nieuweweg rechts ab in die Stationstraat. Dann links in die Stadslaan. Weiter rechts ab zur Eliselaan und links ab in den Koeweg.

Heerde, NL-8181 PC / Gelderland
iD

De Klippen
De Klippenweg 4
1 Apr - 31 Okt
+31 (0)578-696690
Fax +31 (0)578-560258
N 52°22'40'' E 6°0'22''

1 AGHKNOPRT		6
2 APQWX	ABDE**FG**H	7
3 AL	ABCDE**F**HJNRTU	8
4		9
5	BHIJPST	10
10A CEE	① €13,00	
4 ha 20T(80m²) 70D	② €20,00	

A50 Apeldoorn-Zwolle, Ausfahrt 28, den CP-Schildern folgen.

Heerde, NL-8181 PK / Gelderland
CC€14 iD

De Mussenkamp
Mussenkampseweg 28A
1 Apr - 31 Okt
+31 (0)578-693956
campingdemussenkamp@planet.nl
N 52°22'38'' E 6°0'43''

1 AE**JM**NOPQRST		6
2 APQVWX	ABDE**FG**H**IJ**K	7
3 BELQ	ABCDE**FG**HJKNPQRSTUV	8
4 FH		9
5 L	ABCDHIJ**P**ST	10
10A CEE	① €20,50	
5 ha 130T(100-120m²) 46D	② €27,50	

A50 Apeldoorn-Zwolle, Ausfahrt 28 Richtung Heerde, dann den CP-Schildern folgen.

Heerde, NL-8181 LP / Gelderland
CC€14 iD

De Zandkuil
Veldweg 25
29 Mär - 31 Okt
+31 (0)578-691952
info@dezandkuil.nl
N 52°24'38'' E 6°2'37''

1 AE**IL**NOPQRST	ABFG	6
2 ABPQVWXY	A**B**D**EFG**H	7
3 ABE**K**LQ	ABCDE**F**GIJNQRS	8
4 BCFHI**P**	V	9
5 ABDEIJK**L**	ABCDEHIJ**P**TUZ	10
10A CEE	① €23,00	
11,5 ha 160T(90-100m²) 160D	② €31,00	

A50 Apeldoorn-Zwolle, Ausfahrt 29 Heerde. Am Kreisel links Richtung Wapenveld. Nächster Kreisel links in den Veldweg. Dann Schildern folgen.

Heerde, NL-8181 LL / Gelderland
CC€16 iD

Molecaten Park De Koerberg
Koerbergseweg 4/1
27 Mär - 31 Okt
+31 (0)578-699810
dekoerberg@molecaten.nl
N 52°24'34'' E 6°3'5''

1 ACDE**IL**NOPQRT	ABFG	6
2 ABPQTWXY	ABDE**FG**H	7
3 ABE**K**L**MP**	ABCDE**FG**H**I**JKNQRSTU	8
4 BFHIO**PQ**	ABFJVY	9
5 ABDEIJKL	ABDEHIJ**P**R	10
B 10A CEE	① €28,25	
22 ha 113T(ab 100m²) 232D	② €32,25	

A50 Apeldoorn-Zwolle, Ausfahrt 29 Heerde/Wapenveld. Richtung Heerde. Am Kreisel 2. Ausfahrt (Molenweg), nächster Kreisel 3. Abfahrt (Veldweg). Veldweg-Ende links in den Koerbergseweg, dann direkt rechts

Hengelo (Gld.), NL-7255 MJ / Gelderland
CC€14 iD

Kom-Es-An
Handwijzersdijk 4
1 Apr - 31 Okt
+31 (0)575-467242
informatie@kom-es-an.nl
N 52°3'35'' E 6°21'19''

1 AE**JM**NOPRST	AFN	6
2 BPQWXY	A**B**D**EFGH**	7
3 ABE**K**LQ	ABCDE**FG**IJKNQRS	8
4 BDFHILNO**PQ**	EFVY	9
5 ABDEGIKL	ABDFGHJ**NO**RZ	10
B 10A CEE	① €20,90	
10,5 ha 90T(100-110m²) 142D	② €29,30	

Von Hengelo (Gelderland) in Richtung Ruurlo fahren (2 km). CP ausgeschildert.

Heteren, NL-6666 LA / Gelderland
CC€14 iD

Camping Overbetuwe
Uilenburgsestraat 3
1 Jan - 31 Dez
+31 (0)26-4742233
info@campingoverbetuwe.nl
N 51°56'55'' E 5°46'21''

1 ABG**JM**NOPRS**T**	N	6
2 AGOPQX	AB**FG**	7
3 ABE**G**KLQ	ABCDE**F**JNRS	8
4 FHIKOQ	FGJ	9
5 BGL	ABDFHIJOR	10
10A CEE	① €20,00	
4,2 ha 39T(100-200m²) 40D	② €24,00	

A50, Ausfahrt 18 Heteren, dann den CP-Schildern folgen.

Heumen/Nijmegen, NL-6582 BR / Gelderland
iD

Recreatiecentrum Heumens Bos B.V.
Vosseneindseweg 46
1 Jan - 31 Dez
+31 (0)24-3581481
info@heumensbos.nl
N 51°46'12'' E 5°49'11''

1 ACDEG**IL**NOPQRST	ABFG**N**	6
2 ABGPQVX	ABDE**FGH**	7
3 ABE**GHKLM**QV	ABCDE**F**HIJNQRSTUV	8
4 BCDEHIKNO**P**	ADEFJUVY	9
5 ACDEGIJKLM	ABEFGHIJN**P**RYZ	10
B 6A CEE	① €29,00	
17 ha 165T(85-120m²) 352D	② €37,00	

A73 Köln-Venlo-Nijmegen. Ausfahrt 3 Heumen, danach den Schildern folgen.

Hierden, NL-3849 NJ / Gelderland
iD

De Peperkamp
Duinweg 6
1 Apr - 24 Okt
+31 (0)341-453232
info@depeperkamp.nl
N 52°21'2'' E 5°41'6''

1 AE**JM**NOPQRST		6
2 APSWXY	AB**FG**	7
3 AE**K**L	ABFHJNPRT	8
4 H	E	9
5 L	AGJ**NP**R	10
B 6A CEE	① €23,20	
25T(bis 100m²) 61D	② €31,40	

Auf der A28 Ausfahrt 13 Richtung Lelystad. In Harderwijk Richtung Hierden und weiter der Beschilderung folgen.

Teilkarte Gelderland auf Seite 200

Niederlande

Hoenderloo, NL-7351 TM / Gelderland

Ben's dream
de Woeste Hoogte
Krimweg 160/170
1 Jan - 31 Dez
+31 (0)55-3781600
info@dewoestehoogte.nl
N 52°7'15'' E 5°55'52''

1 EILNOPQRT ABF 6
2 ABQTVWXY ABFG 7
3 ABLQ ABCDEFJKNQRSTUV 8
4 BFHIOQ JUVW 9
5 DGKL ABEHIJNORZ 10
6A CEE ❶ €26,00
7,5 ha 40T(80-120m²) 202D ❷ €28,00

A1 Ausfahrt Apeldoorn/Hoenderloo. CP-Schildern folgen. Von der A50 Ausfahrt Hoenderloo. In Hoenderloo CP-Schildern folgen.

Hoenderloo, NL-7351 TN / Gelderland

De Pampel
Woeste Hoefweg 35
1 Jan - 31 Dez
+31 (0)55-3781760
info@pampel.nl
N 52°7'10'' E 5°54'19''

1 ADEHKNORST ABCFG 6
2 ABGOPQTVWXY ABCDEFGHK 7
3 ABCEGHLMQT ABCDEFGIJKLMNPQRSTUV 8
4 ABFGHILO BCJUVWY 9
5 ACDEFJKL ABDEFGHIJNPRZ 10
16A CEE ❶ €28,50
14,5 ha 253T(100-200m²) 14D ❷ €41,50

A1, Ausfahrt 19 Apeldoorn/Hoenderloo, in Hoenderloo Richtung Loenen fahren. Oder A50 Arnhem-Apeldoorn, Ausfahrt 22 Hoenderloo, den Schildern Hoenderloo folgen.

Hoenderloo, NL-7351 TM / Gelderland

Recreatiepark 't Veluws Hof
Krimweg 152-154
1 Mär - 26 Okt
+31 (0)55-3781777
info@veluwshof.nl
N 52°7'21'' E 5°55'17''

1 AEILNORT ABFGHI 6
2 ABGPQVWXY ABFGH 7
3 ABEFILMPQT ABCDEFGIJNPQRSTU 8
4 ABDEFHILOPQ EJUVWY 9
5 ACDEGJKL ABDEHIJPRYZ 10
6A CEE ❶ €28,00
32 ha 70T(100-130m²) 616D ❷ €34,00

A1 Ausfahrt 19 Apeldoorn-Hoenderloo, in Hoenderloo Richtung Campings folgen oder die A50 Arnhem-Hoenderloo, Ausfahrt 22 Hoenderloo, den Schildern Hoenderloo folgen.

Hoenderloo, NL-7351 BP / Gelderland

Veluwe camping 't Schinkel
Miggelenbergweg 60
1 Jan - 31 Dez
+31 (0)55-3781367
info@hetschinkel.nl
N 52°7'42'' E 5°54'15''

1 AEGJMNORST ABFGI 6
2 AGPQTVWX ABDEFGHK 7
3 BCELQ ABCDEFGIJKNQRSTUV 8
4 BFHIL HJUVW 9
5 ABDEIJKL ABDEFGHIJPQR 10
10A CEE ❶ €29,50
7,5 ha 200T(80-100m²) 7D ❷ €40,50

Von Arnhem/Apeldoorn/Ede in Richtung Hoenderloo fahren. Danach dem Schild Beekbergen/Loenen Richtung Beekbergen folgen. CP-Schilder beachten.

Hulshorst, NL-8077 RB / Gelderland

DroomPark Bad Hoophuizen B.V.
Varelseweg 211
27 Mär - 26 Okt
+31 (0)341-451353
badhoophuizen@
droomparken.nl
N 52°22'58'' E 5°42'30''

1 ADEGJMNOPQRST EFGLMNQRSTXYZ 6
2 ADFGHIPQVWX ABFGH 7
3 ABCEFKLM ACDFJNQRSTUV 8
4 BDHILOPTUV EJMNQRTVWY 9
5 ABDEGIJKL ABCEFGHJLPRYZ 10
B 16A CEE ❶ €38,00
30 ha 370T(90-125m²) 347D ❷ €49,00

A28, Ausfahrt 13, Richtung Lelystad (N302). Richtung Hierden-Hulshorst. Bei Hulshorst den Schildern folgen.

Hummelo, NL-6999 DT / Gelderland

Camping De Graafschap
Loenhorsterweg 7C
1 Jan - 31 Dez
+31 (0)314-343752
info@
camping-degraafschap.nl
N 51°59'31'' E 6°16'47''

1 AEJMNOPRT 6
2 APQRVWXY ABDEFGH 7
3 AEKLQ ABCDEFJLNPQRSTUV 8
4 FHIOQ DEFVW 9
5 ABDIKL ABDEFGHIJMNOSTXZ 10
Anzeige auf Seite 207 6A CEE ❶ €28,00
4 ha 65T(120-150m²) 75D ❷ €31,35

A3 Oberhausen-Arnheim, Ausfahrt 30 Beek, Richtung A18 Doetinchem, Ausfahrt 2 Richtung Zutphen. In Hummelo CP-Schildern folgen. Ab Doetinchem: der Ausfahrt 9 folgen 'De Kruisberg' oder 'H. Slingeland', dann den Schildern nach.

Hummelo, NL-6999 DW / Gelderland

Camping Jena
Rozegaarderweg 7
3 Apr - 31 Okt
+31 (0)314-381457
info@camping-jena.nl
N 51°59'35'' E 6°15'23''

1 AEJLNOPRST 6
2 ABGPQVWXY ABDEFGH 7
3 AEKL AEFGHINPQRSV 8
4 GIO AFVW 9
5 ABDKL ABDFGIJNPSTVZ 10
Anzeige auf Seite 207 B 6-10A CEE ❶ €22,30
6 ha 168T(100-150m²) 86D ❷ €30,50

A3 Oberhausen-Arnheim, Ausf. 30 Beek, Ri. A18 Doetinchem, Ausf. 2 Wehl, Ri. Zutphen. Hinter Hummelo am Kreisel geradeaus den Schildern folgen. Doetinchem, Ausf. 4 (N317) Ri. Doesburg. Hinter Langerak am Kreisel re. den Schildern folgen.

Ingen, NL-4031 KM / Gelderland

Camping Van Sijll
Rijnstraat 72
1 Apr - 30 Sep
+31 (0)344-601485
campingvansijll@gmail.com
N 51°58'16'' E 5°29'34''

1 ACILNOQRST 6
2 PVWX AB 7
3 AKLQS AEFNRUV 8
4 FHIKOQ FI 9
5 K ABFHJST 10
4A CEE ❶ €18,50
1,5 ha 120T(150m²) 72D ❷ €22,50

Von der A15 Ausfahrt Ochten/Rhenen. Dann die N320 Richtung Ingen. Von der A2 Ausfahrt Culemborg. Dann die N320 Richtung Kesteren. In Ingen den Schildern Richtung Fähre folgen.

Kesteren, NL-4041 AW / Gelderland

Camping "Betuwe"
Hogedijkseweg 40
1 Jan - 31 Dez
+31 (0)488-481477
info@campingbetuwe.nl
N 51°56'15'' E 5°32'46''

1 ADEJMNOPRST LN 6
2 ADGHIPVWX ABDEFG 7
3 BELQT ABCDEFJLNRV 8
4 BFHILMNOPQ EFJV 9
5 ADEFGJKL ABHIJRZ 10
10A CEE ❶ €27,50
30 ha 60T(90-110m²) 470D ❷ €37,50

A15 Ausfahrt 35 Ochten/Kesteren. N320 Richtung Culemborg. Den Schildern zum CP folgen. A12 Ausfahrt Veenendaal/Rhenen. Über die Rheinbrücke Ausfahrt Kesteren. Unten an der Straße rechts ab, dann 1. links.

Kootwijk, NL-3775 KB / Gelderland

Harskamperdennen
H. van 't Hoffweg 25
27 Mär - 24 Okt
+31 (0)318-456272
info@harskamperdennen.nl
N 52°9'1'' E 5°44'28''

1 ADEFGILNORT 6
2 ABOPQWXY ABDFGHJ 7
3 ABDELQT ABCDFIJKNQRSUV 8
4 BFGHIO AFVWY 9
5 ABKL ABFGHIJORZ 10
6A CEE ❶ €26,45
16 ha 302T(100-200m²) 10D ❷ €35,70

A1, Ausfahrt 17 Richtung Harskamp, dann den Schildern folgen.

Kotten/Winterswijk, NL-7107 AG / Gelderland

Renskers
Aalbrinkstegge 5
1 Jan - 31 Dez
+31 (0)543-563293
info@camping-renskers.nl
N 51°56'54'' E 6°46'31''

1 AJMNOPQRT F 6
2 BPQVWX ABDEFG 7
3 ABEKLS ABCDEFJNPRSTU 8
4 H 9
5 L ABHJPR 10
10A CEE ❶ €17,10
4,5 ha 35T(90-120m²) 125D ❷ €25,20

A18 Doetinchem. Richtung Varsseveld und N318 Winterswijk. Vor Richtung Borken (Dld) folgen: Schildern folgen. Beinahe an der Grenze. Links liegt der CP.

Kring van Dorth (gem. Lochem), NL-7216 PB / Gld.

de Vlinderhoeve
Bathmenseweg 7
1 Apr - 31 Okt
+31 (0)573-431354
info@vlinderhoeve.nl
N 52°13'7'' E 6°15'48''

1 ADEGILNOPRST ABFG 6
2 AGPVX ABDEFGH 7
3 ABEILM ABCDFGIJKNQRSV 8
4 BHIO EV 9
5 ABDEGIKL ABDEFGHIJNPRYZ 10
6A CEE ❶ €25,20
12,5 ha 200T(100-120m²) 119D ❷ €35,30

A1, Ausfahrt 23 Deventer/Zutphen, Richtung Zutphen N348, ab Epse ausgeschildert.

Laag-Soeren, NL-6957 DP / Gelderland

Ardoer Vakantiedorp
De Jutberg
Jutberg 78
1 Jan - 31 Dez
+31 (0)313-619220
jutberg@ardoer.com
N 52°4'5'' E 6°4'48''

1 ACDEJMNOPRT CFGH 6
2 ABGPQTVWXY ABDEFG 7
3 ABELQST ABCDEFGIJNQRSTUV 8
4 ABEFGHILOPQ AEFUVWXY 9
5 ABDEGIJKL ABDEGHIJNPQRZ 10
6A CEE ❶ €34,15
18 ha 153T(80-120m²) 191D ❷ €42,50

A1 Ausfahrt Apeldoorn-Süd Richtung Dieren, den Schildern folgen. Ab der A12 Richtung Zutphen-Dieren, Laag-Soeren und dann den Schildern folgen.

Laag-Soeren, NL-6957 DE / Gelderland

Boszicht
Priesnitzlaan 4
27 Mär - 1 Nov
+31 (0)313-420435
info@campingboszicht.nl
N 52°4'4'' E 6°5'4''

1 AEGJMNOPQRST 6
2 AOPQWX ABCDEF 7
3 ABH ABCEFNQRT 8
4 FHIO DEFI 9
5 KL ABDHJPR 10
4A CEE ❶ €22,30
2 ha 80T(100m²) 12D ❷ €32,50

Richtung Dieren/Laag Soeren, Schildern folgen.

Lieren/Beekbergen, NL-7364 CB / Gelderland

Ardoer comfortcamping
De Bosgraaf
Kanaal Zuid 444
27 Mär - 25 Okt
+31 (0)55-5051359
bosgraaf@ardoer.com
N 52°8'39'' E 6°2'9''

1 AEHKNOPRT ABFGHN 6
2 ABPQWXY ABFGH 7
3 ABDEKLMQ ABCDEFGIJLMNQRSTV 8
4 BDFHILNOQT FJVW 9
5 ACDGIKL ABEHIJPQRZ 10
6A CEE ❶ €30,00
22 ha 237T(100-144m²) 339D ❷ €40,00

A1 Ausfahrt 20 'Apeldoorn-Zuid'/Beekbergen nach der Ausfahrt links ab den Schildern folgen. Oder A50 Ausfahrt 23 Loenen Richtung Loenen links ab Klarenbeek. Schildern folgen.

Lochem, NL-7241 PV / Gelderland

Erve Harkink
Zwiepseweg 138
1 Apr - 31 Okt
+31 (0)573-251775
info@erveharkink.nl
N 52°9'5'' E 6°25'59''

1 AILNOPRST NU 6
2 ABCOPQVWX ABDEFG 7
3 BELQS ABCDEFKNPQRS 8
4 FGHIKO 9
5 L ABHIJNOSTZ 10
B 6A CEE ❶ €16,00
3 ha 100T(100-110m²) 40D ❷ €25,50

Vom Zentrum Lochem Richtung Barchem N312. Nach 600m links und am Ende der Strecke nach rechts. Nach 900m liegt der CP rechts der Strecke.

Teilkarte Gelderland auf Seite 200

Niederlande

Loenen (Veluwe), NL-7371 BX / Gelderland

De Marshoeve
Reuweg 51
1 Apr - 1 Okt
+31 (0)55-5051610
info@marshoeve.nl
N 52°6'46'' E 6°1'29''

1 EJMNOPRT ABFG 6
2 AOPQVWX ABDEFG 7
3 ABELQS ABCDEFGIJKNQRST 8
4 BFHIQ 9
5 DEGIKL ABGHIJMPRZ 10
6A CEE ① €22,00
8 ha 170T(100-120m²) 150D ② €26,00

A50, Ausfahrt Loenen/Eerbeek, Richtung Loenen, den Schildern folgen.

Maurik, NL-4021 GG / Gelderland

Vakantiepark Eiland van Maurik
Eiland van Maurik 7
1 Apr - 1 Okt
+31 (0)344-691502
receptie@eilandvanmaurik.nl
N 51°58'34'' E 5°25'49''

1 AEILNORT JMNQSWXYZ 6
2 CGHPVWX ABDEFGH 7
3 BCDEGHILMRTU ABCDEFJNRSTUV 8
4 BDFHINOPQ AEFNOQRTVY 9
5 ACDEFGIKL BEGHIJNPRYZ 10
10A CEE ① €34,00
14 ha 250T(110-120m²) 250D ② €43,00

A15, Ausfahrt 33 Tiel/Maurik, über A2, Ausfahrt 13 Culemborg/Kesteren N230, den CP-Schildern folgen.

Lunteren, NL-6741 KG / Gelderland

De Rimboe
Boslaan 129
1 Mär - 25 Okt
+31 (0)318-482371
info@campingderimboe.com
N 52°5'31'' E 5°39'47''

1 ADEILNOPQRST 6
2 ABPQTVWXY ABDEFGH 7
3 ABELQ ABCDEFIJNPQRSTUV 8
4 EFHIO V 9
5 KL ABDGHIJPRZ 10
6A CEE ① €18,65
10,5 ha 140T(80-120m²) 160D ② €26,35

Richtung Lunteren, auf der Dorfstraße gegenüber dem Fahrradladen Boslaan einfahren.

Neede, NL-7161 MA / Gelderland

't Klumpke
Diepenheimseweg 38
1 Apr - 31 Okt
+31 (0)545-291780
info@klumpke.nl
N 52°9'55'' E 6°35'54''

1 ACEGJMNOPRST ABFGN 6
2 BCOPQVWXY ABDEFGH 7
3 ADKLQ ABCDEFGIJKNQRSV 8
4 BDFHILNOQ AEFJVW 9
5 ABCDEGHIKL ABDHJNPSTY 10
6A CEE ① €20,50
10 ha 220T(80-120m²) 36D ② €29,00

An der Straße Neede-Diepenheim. Bei Hengevelde ist der CP beschildert.

Maasbommel, NL-6627 KT / Gelderland

Het Molenstrand
Bovendijk 6A
1 Apr - 31 Okt
+31 (0)487-542336
info@molenstrand.nl
N 51°50'20'' E 5°32'51''

1 BGILNOPRT LMNQSTXYZ 6
2 DFGIJPQVWX ABFG 7
3 AGHLQ ABCDEFJNRTU 8
4 H ENOQVWY 9
5 DEGJKL ABEHJORYZ 10
10A CEE ① €28,00
3 ha 40T(60m²) 106D ② €31,00

Auf der N329 Ausfahrt 'Het Groene Eiland' nehmen. Der CP ist danach deutlich angezeigt. Wohnwagen und Reisemobile der Beschilderung und nicht dem Navi folgen.

Neede, NL-7161 PG / Gelderland

d'n Eversman
Bliksteeg 1
1 Apr - 1 Okt
+31 (0)545-291906
info@camping-eversman.nl
N 52°8'27'' E 6°34'34''

1 AGILNOPRT ABFG 6
2 GPQVWXY ABDEFGH 7
3 ABEKL AFJNQRSTUV 8
4 ABCFHIKO FV 9
5 ADGKL ABEHJNPST 10
6-10A CEE ① €20,00
3,8 ha 92T(80-120m²) 11D ② €28,50

An der Straße Ruurlo-Borculo-Neede, 1,5 km westlich von Neede, ausgeschildert.

Maurik, NL-4021 GH / Gelderland

Camp. Jachthaven de Loswal
Rijnbandijk 36
1 Apr - 1 Okt
+31 (0)344-692892
info@loswal.com
N 51°57'47'' E 5°24'25''

1 AEGILNORT JQSWXYZ 6
2 ACDGHPQRWX ABDEFG 7
3 BEFKLQT ABCDEFJNQRS 8
4 IO F 9
5 DEIKL ABHIJORZ 10
B 6A CEE ① €23,50
5,5 ha 50T(100m²) 132D ② €29,50

A15 Gorinchem-Nijmegen, Ausfahrt Tiel/Maurik, Richtung Maurik folgen. In Maurik ausgeschildert. A2 Ausfahrt 13 Culemborg/Kesteren N320. Den CP-Schildern folgen.

Neede, NL-7161 LW / Gelderland

Den Blanken
Diepenheimseweg 44
28 Mär - 31 Okt
+31 (0)547-351353
info@campingdenblanken.nl
N 52°10'49'' E 6°35'13''

1 ABCEFJMNOPRT ABFGJN 6
2 CGPVWXY ABDEFGH 7
3 ABCEKLMQT ABCDEFGIJKNPQRSTUV 8
4 BDFHILO AEFV 9
5 ABDEIKL ABDFGHJNPSTYZ 10
B 6A CEE ① €28,50
7,2 ha 165T(100-150m²) 70D ② €39,50

Auf der Strecke Diepenheim-Neede. Der CP wird ausgeschildert.

Teilkarte Gelderland auf Seite 200

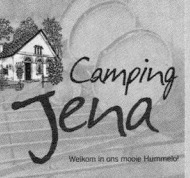

Nieuw-Milligen, NL-3888 NR / Gelderland

Landal Rabbit Hill
Grevenhout 21
1 Jan - 31 Dez
+31 (0)577-456431
rabbithill@landal.nl
N 52°13'6'' E 5°47'7''

1 ADEHKNOPQRST	ABEFGI 6
2 ABGOPQVXY	ABDE**FG**HK 7
3 ABCE**IKLMPS**TV	ABCDEFJKNQRSTUV 8
4 BDEFGHIKLO**PQSTUV**	EJUVWY 9
5 ACDEHJKL	ABDEGHJ**NP**RYZ 10
16A CEE	❶ €37,80
6 ha 140T(100-120m²) 310D	❷ €48,55

A1 Ausfahrt 18 Richtung Harderwijk. Kurz vor der N344 rechts ab. CP gut ausgeschildert.

Nunspeet, NL-8071 PB / Gelderland

de Tol
Elspeterweg 61
1 Apr - 31 Okt
+31 (0)341-252413
info@camping-detol.nl
N 52°21'24'' E 5°47'19''

1 AEGHKNOPQRST	ABFGL 6
2 ABDGHOPQVWXY	A**BFG**H 7
3 ABDEF**IK**LQSTV	ABCDEF**G**KNQRSV 8
4 BDEFHILNO**PQ**	FUVW 9
5 ADEGIJKL	ABEHJ**P**TYZ 10
B 10A CEE	❶ €27,70
12,5 ha 165T(80-150m²) 132D	❷ €36,30

A28, Ausfahrt 14 Nunspeet/Elspeet, Richtung Elspeet. CP ausgeschildert.

Nunspeet, NL-8072 DC / Gelderland

De Vossenberg
Groenelaantje 25
1 Apr - 1 Nov
+31 (0)341-252458
info@campingdevossenberg.nl
N 52°22'23'' E 5°47'56''

1 AEHKNOPQRST	6
2 ABOPRTWXY	ABDE**FG**H 7
3 AEL**M**SV	AEFIJNPQRST 8
4 ABCDFHIT	JUV 9
5 ADGL	BEHIJNPTU 10
6A CEE	❶ €22,00
3,6 ha 25T(bis 100m²) 48D	❷ €30,20

A28 Ausfahrt 14 Richtung Nunspeet. Am Kreisel der Beschilderung folgen.

Nunspeet, NL-8071 SH / Gelderland

Molecaten Park
De Hooghe Bijsschel
Randmeerweg 8
27 Mär - 30 Sep
+31 (0)341-252406
info@hooghebijsschel.nl
N 52°23'31'' E 5°44'6''

1 ADEG**IL**NOPQRST	ABFGLM**N**QRST**XYZ** 6
2 ADGHIPQVWX	AB**FG** 7
3 ABF**KLM**	ABCDE**FG**HNQRSTU 8
4 BCDHILO**PQ**	ABEJMOPQRTV 9
5 ABDEGIKL	ABDEFHJ**P**QRY 10
B 6A CEE	❶ €28,50
9,6 ha 113T(80-150m²) 286D	❷ €32,10

A28 Ausfahrt 14 Richtung Nunspeet. Hinter den Schienen Richtung Hulshorst. Am 3. Kreisel Richtung Veluwemeer.

Nunspeet, NL-8072 PK / Gelderland

Recreatiecentrum
De Witte Wieven
Wiltsangh 41
1 Apr - 1 Nov
+31 (0)341-252642
info@wittewieven.nl
N 52°22'50'' E 5°49'1''

1 AEG**JM**NOPQRS**T**	AF 6
2 ABPWX	AB**FG** 7
3 BF**GH**KL	ABE**F**JNQRSV 8
4 BCDHIOQ	FJUVWXY 9
5 ABDEGIKL	ABHJPST 10
6A CEE	❶ €22,35
40T(100m²) 216D	❷ €30,65

Auf der A28 Ausfahrt 15 Richtung Nunspeet, 1. Straße hinter dem Bahnübergang.

Olburgen, NL-7225 ND / Gelderland

Dorado Beach
Pipeluurseweg 8
1 Apr - 31 Okt
+31 (0)575-451529
info@doradobeach.nl
N 52°2'19'' E 6°7'58''

1 BE**JM**NOPQRS**T**	ABJWX**YZ** 6
2 CGHIPQWX	AB**FG** 7
3 AE**I**L	ABCDEFJNQRV 8
4 GHIL	BFJQRVX 9
5 ABDGIK**L**	ABHIJPRZ 10
16A CEE	❶ €25,00
21 ha 56T(100-150m²) 128D	❷ €34,50

A1 Ausfahrt Zutphen/Voorst. Richtung Zutphen. Dann Richtung Doetinchem bis zum Kreisel, wo es links ab Richtung Steenderen geht. Dann den CP-Schildern folgen.

Oosterbeek, NL-6861 AG / Gelderland

AanVeluwe.nl
Sportlaan 1
29 Mär - 13 Okt
+31 (0)224-563109
info@aanveluwe.nl
N 51°59'37'' E 5°49'19''

1 AG**IL**NOPRS**T**	6
2 ABOPQVXY	AB**FGH** 7
3 A	CDEFJLMNQTU 8
4 FH	V 9
5 L	ABEHJPR 10
16A CEE	❶ €28,00
8 ha 114T(100-120m²)	❷ €30,50

In Oosterbeek im Kreisverkehr Ausfahrt Valkenburglaan. Dann nach 300m links gegenüber dem Reitstall in die Sportlaan.

Oosterhout, NL-6678 MC / Gelderland

De Grote Altena
Waaldijk 39
5 Apr - 5 Okt
+31 (0)481-481200
campingdegrotealtena@planet.nl
N 51°52'32'' E 5°48'27''

1 ABE**JM**NOPR**T**	JNW**X** 6
2 ACFHPUX	A**BEFG**H 7
3 BELQS	ABCDE**F**JNQRST 8
4	EP 9
5 ABDJKL	ABEFHJ**NP**STV 10
B 6A CEE	❶ €23,40
4,5 ha 65T(108-126m²) 73D	❷ €33,50

Über die A15 Ausfahrt Oosterhout im Dorf den Schildern folgen. CP liegt am Waaldijk.

Otterlo, NL-6731 BV / Gelderland

Ardoer camping
De Wije Werelt
Arnhemseweg 100-102
27 Mär - 31 Okt
+31 (0)318-591201
wijewerelt@ardoer.com
N 52°5'12'' E 5°46'10''

1 ADE**IL**NOPRST	ABFG 6
2 ABGOPQVWXY	ABDE**FG**HK 7
3 ABCDELQT	ABCDEFGJKNQRSTU 8
4 ABEFGHIKLO**P**	AEFJVWY 9
5 ACDEGIJKL	ABDEGHIJ**NP**RXYZ 10
10A CEE	❶ €34,00
12 ha 170T(100-130m²) 155D	❷ €44,00

A12, Ausfahrt 23 oder 25. A1, Ausfahrt 17 oder 19, an allen Ausfahrten findet man das Schild Park Hoge Veluwe. In Otterlo Schildern folgen.

Otterlo, NL-6731 SN / Gelderland

Beek en Hei
Heideweg 4
1 Jan - 31 Dez
+31 (0)318-591483
info@beekenhei.nl
N 52°5'31'' E 5°46'14''

1 ADEG**JM**NOPR**T**	6
2 ABOPQVWXY	ABDE**FGH**K 7
3 AB**GL**	ABCDE**F**IJNQRSTU 8
4 ABFHIO	FVW 9
5 AL	ABDFGHIJ**P**TUZ 10
6A CEE	❶ €22,80
5 ha 120T(60-100m²) 8D	❷ €31,40

A12, Ausfahrt 23 Arnhem-Oosterbeek Richtung Arnhem, dann Richtung Otterlo und den CP-Schildern folgen.

Otterlo, NL-6731 CK / Gelderland

DroomPark De Zanding
Vijverlaan 1
28 Mär - 24 Okt
+31 (0)88-0551500
zanding@droomparken.nl
N 52°5'34'' E 5°46'38''

1 DE**JM**NOPQRST	EFGLN 6
2 ABDGHOPQVWXY	ABDE**FGH**I 7
3 ABDEFLMQR	ABCDEFIJKNQRSTUV 8
4 **A**BFHILO**PQ**	EJQV 9
5 ABCDEGIJK	ABCEGHIJ**P**RYZ 10
10A CEE	❶ €28,10
40 ha 400T(60-120m²) 285D	❷ €42,20

A1, Ausfahrt 17 Stroe-Otterlo, Schildern folgen. A12, Ausfahrt 25 Oosterbeek-Arnhem, Schildern Otterlo folgen.

Putten, NL-3881 NE / Gelderland

De Rusthoeve
Garderenseweg 168
1 Apr - 1 Nov
+31 (0)577-461246
info@rusthoeve.nl
N 52°14'12'' E 5°40'29''

1 AG**IL**NOPQRST	6
2 ABOPQVWX	A**BFG**H 7
3 BD**K**LQ	CDEFHJ**L**NPQRSTU 8
4 BD**E**FHIKLO	JV 9
5 L	ABCEHJPRZ 10
6A CEE	❶ €22,90
5,5 ha 23T(70-130m²) 218D	❷ €32,30

A1 Ausfahrt 17 durch Garderen Richtung Putten. Von Putten: Richtung Garderen, 5 km außerhalb von Putten. CP liegt an der Südseite der Straße.

Putten, NL-3882 RN / Gelderland

Strandparc Nulde
Strandboulevard 27
1 Apr - 1 Okt
+31 (0)341-361304
strandparcnulde@vdbrecreatie.nl
N 52°16'17'' E 5°32'14''

1 ADEG**JM**NOPQRST	L**N**QS**XYZ** 6
2 ADFGHIPQVWX	ABDE**FG**H 7
3 BDEF**KLM**TV	ABCDE**FG**JKNQRSTUV 8
4 BDFHILO**PQZ**	MNQTVXY 9
5 ABDEGIL	ABCDEH**P**RZ 10
B 10A CEE	❶ €32,75
8 ha 70T(90-110m²) 148D	❷ €32,85

A28 Ausfahrt 10 Strand Nulde. Der CP liegt am Wasser und ist an der Ausfahrt angezeigt.

Rekken, NL-7157 BV / Gelderland

Den Borg
Oldenkotseweg 8
1 Apr - 1 Okt
+31 (0)545-431400
info@denborg.nl
N 52°5'56'' E 6°44'17''

1 ACG**IL**NOPQRST	ABFGH 6
2 OPQVXY	A**BDEFG** 7
3 ABCDEH**IK**LQT	ABCD**F**LNPRSV 8
4 BDFHILO**Q**	E 9
5 BDEGIKL	ABHJ**N**OR 10
B 10A CEE	❶ €18,00
8,5 ha 35T(80-100m²) 171D	❷ €29,00

In Eibergen Straße nach Rekken-Oldenkotte wählen. Ab Rekken ist der CP ausgeschildert. An der Bushaltestelle Den Borg weisen kleine Schilder zum CP.

Ruurlo, NL-7261 RG / Gelderland

De Meibeek
Bekkenwal 2
1 Apr - 31 Okt
+31 (0)573-491236
info@campingdemeibeek.nl
N 52°4'6'' E 6°30'9''

1 ACEG**IL**NOPQRST	ABF**N**UV 6
2 CGPQVWXY	A**B**D**EFGH**K 7
3 BDEF**GHK**L**QR**	ABCDE**F**JKLNPQRSTUV 8
4 ABDEFGHIKLOQ**T**	FJQRUVY 9
5 ABDEGHIJKL	ABDFGHJ**N**OSTVZ 10
B 4-16A CEE	❶ €20,00
7,5 ha 80T(120-150m²) 75D	❷ €29,00

N319 Ruurlo-Groenlo. Nach 3 km von Ruurlo aus ausgeschildert.

Ruurlo, NL-7261 MR / Gelderland

Tamaring
Wildpad 3
1 Apr - 31 Okt
+31 (0)573-451486
info@camping-tamaring.nl
N 52°6'10'' E 6°26'29''

1 AE**JM**NOPRST	F 6
2 BPQVXY	A**B**D**EFG**HIK 7
3 AB**K**LQ	ABCDE**FG**JKNPQRSTUV 8
4 FGHI	EFUVWY 9
5 ABIKL	ABDEFGHJL**O**R 10
B 10A CEE	❶ €21,95
3,5 ha 110T(100-150m²) 9D	❷ €30,35

Von der A1, Ausfahrt 26. Und aus Norden: N332 Richtung Lochem-Barchem-Ruurlo. Schilder kurz vor dem CP.

Teilkarte Gelderland auf Seite 200

Stokkum, NL-7039 CV / Gelderland — CC€16 iD

Brockhausen	1 AEILNOPQRT 6
Eltenseweg 20	2 ABPQVWXY ABDEFGH 7
27 Mär - 31 Okt	3 BKQV ABCDEFGJKNPQRSV 8
+31 (0)314-661212	4 BEFH FJUVW 9
info@brockhausen.nl	5 L ABCFGHIJNOPT10
	B 4-6A CEE ① €25,30
N 51°52'40'' E 6°12'39''	4 ha 78T(100-140m²) 40D ② €34,80

Ab Oberhausen Ausfahrt Emmerich/'s-Heerenberg. B220 Ri Doetinchem, am 1. Kreisel links und im 2. Kreisel den CP-Schildern folgen. Von der A12 Arnhem Ausfahrt 30 Beek/Babberich/'s-Heerenberg Ri Beek. In Beek den Schildern folgen.

Stokkum, NL-7039 CW / Gelderland — CC€14 iD

De Slangenbult	1 AEJMNOPQRST 6
St. Isidorusstraat 12	2 ABGOPQTWX ABDEFG 7
1 Jan - 31 Dez	3 ABEKLQSV ABCDEFJNPRSV 8
+31 (0)314-662798	4 FHK UVW 9
info@deslangenbult.nl	5 AL ADEHJPR10
	10-16A CEE ① €20,00
N 51°52'43'' E 6°12'53''	10 ha 60T(100-140m²) 120D ② €29,00

A12 Ausfahrt 30 Beek, Ri. Beek halten. 1. Kreisel in Beek rechts ab, direkt danach 1. Straße links, dieser 3 km folgen. In Stokkum 1. Straße rechts (die lange Hecke). CP-Schildern folgen.

Stroe, NL-3776 PV / Gelderland — CC€14 iD

Jacobus Hoeve	1 ACEGJMNOPQRST 6
Tolnegenweg 53	2 APQRSVWX ABFGH 7
1 Feb - 30 Nov	3 ABKLMQS ABCDEFJNPQRSTU 8
+31 (0)342-441319	4 BEFHKLOPQ JV 9
info@jacobus-hoeve.nl	5 ADGIKL ABCDEFHJPRY10
	16A CEE ① €19,75
N 52°11'38'' E 5°40'42''	5 ha 55T(100-150m²) 115D ② €26,50

A1 Ausfahrt 17 Richtung Stroe. Am 1. Kreisel links, vorm Bahnübergang rechts. CP nach 800m links der Straße.

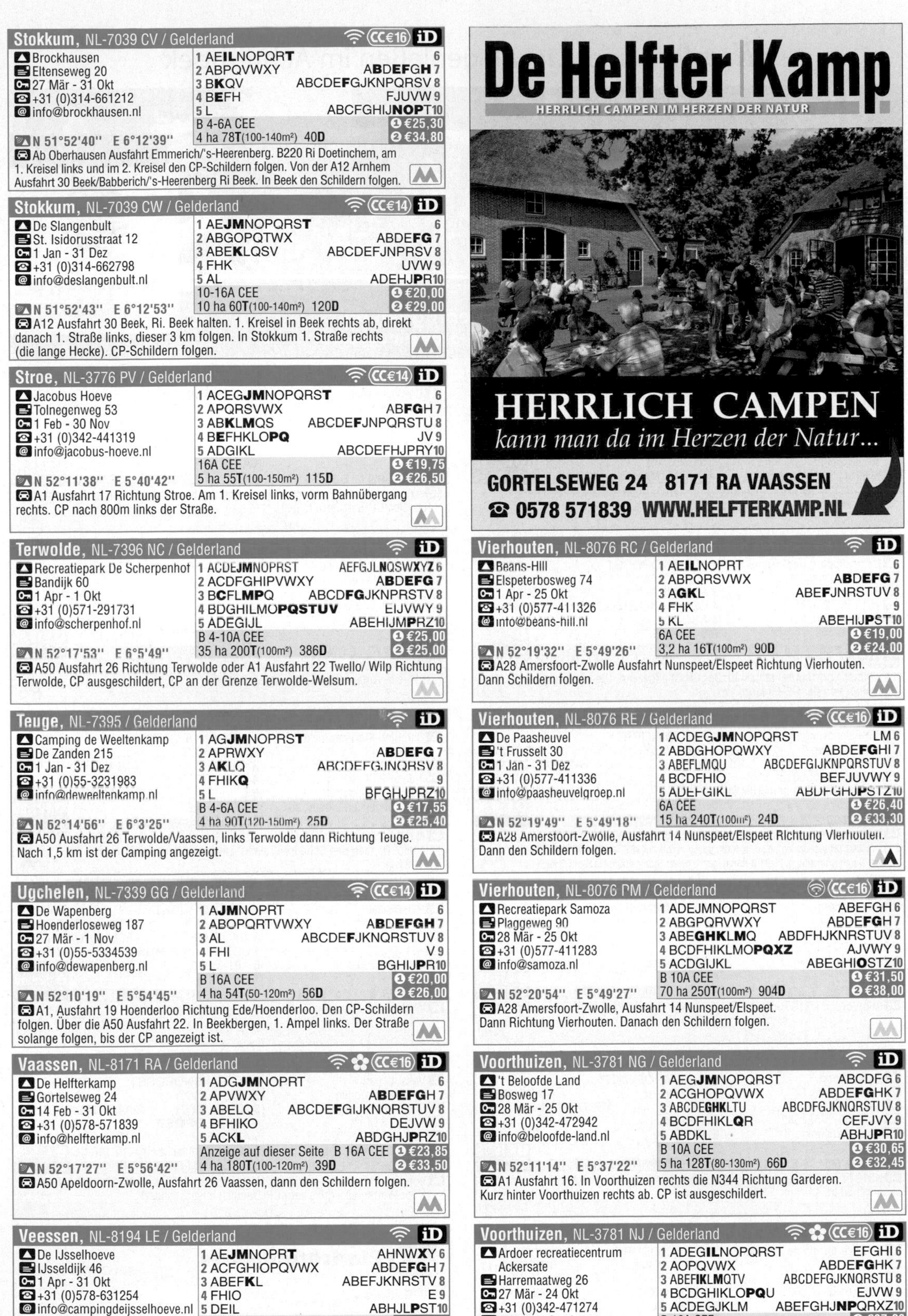

De Helfter Kamp
HERRLICH CAMPEN IM HERZEN DER NATUR
HERRLICH CAMPEN
kann man da im Herzen der Natur...
GORTELSEWEG 24 8171 RA VAASSEN
0578 571839 WWW.HELFTERKAMP.NL

Terwolde, NL-7396 NC / Gelderland — iD

Recreatiepark De Scherpenhof	1 ACDEJMNOPRST AEFGJLNQSWXYZ 6
Bandijk 60	2 ACDFGHIPVWXY ABDEFG 7
1 Apr - 1 Okt	3 BCFLMPQ ABCDFGJKNPRSTV 8
+31 (0)571-291731	4 BDGHILMOPQSTUV EIJVWY 9
info@scherpenhof.nl	5 ADEGIJL ABEHIJMPRZ10
	B 4-10A CEE ① €25,00
N 52°17'53'' E 6°5'49''	35 ha 200T(100m²) 386D ② €25,00

A50 Ausfahrt 26 Richtung Terwolde oder A1 Ausfahrt 22 Twello/ Wilp Richtung Terwolde, CP ausgeschildert, CP an der Grenze Terwolde-Welsum.

Teuge, NL-7395 / Gelderland — iD

Camping de Weeltenkamp	1 AGJMNOPRST 6
De Zanden 215	2 APRWXY ABDEFG 7
1 Jan - 31 Dez	3 AKLQ ABCDEFGJNQRSV 8
+31 (0)55-3231983	4 FHIKQ 9
info@deweeltenkamp.nl	5 L BFGHJPRZ10
	B 4-6A CEE ① €17,55
N 52°14'56'' E 6°3'25''	4 ha 90T(120-150m²) 25D ② €25,40

A50 Ausfahrt 26 Terwolde/Vaassen, links Terwolde dann Richtung Teuge. Nach 1,5 km ist der Camping angezeigt.

Ugchelen, NL-7339 GG / Gelderland — CC€14 iD

De Wapenberg	1 AJMNOPRT 6
Hoenderloseweg 187	2 ABOPQRTVWXY ABDEFGH 7
27 Mär - 1 Nov	3 AL ABCDEFJKNQRSTUV 8
+31 (0)55-5334539	4 FHI V 9
info@dewapenberg.nl	5 L BGHIJPR10
	B 16A CEE ① €20,00
N 52°10'19'' E 5°54'45''	4 ha 54T(50-120m²) 56D ② €26,00

A1, Ausfahrt 19 Hoenderloo Richtung Ede/Hoenderloo. Den CP-Schildern folgen. Über die A50 Ausfahrt 22. In Beekbergen, 1. Ampel links. Der Straße solange folgen, bis der CP angezeigt ist.

Vaassen, NL-8171 RA / Gelderland — CC€16 iD

De Helfterkamp	1 ADGJMNOPRT 6
Gortelseweg 24	2 APVWXY ABDEFGH 7
14 Feb - 31 Okt	3 ABELQ ABCDEFGIJKNQRSTUV 8
+31 (0)578-571839	4 BFHIKO DEJVW 9
info@helfterkamp.nl	5 ACKL ABDGHJPRZ10
	Anzeige auf dieser Seite B 16A CEE ① €23,85
N 52°17'27'' E 5°56'42''	4 ha 180T(100-120m²) 39D ② €33,50

A50 Apeldoorn-Zwolle, Ausfahrt 26 Vaassen, dann den Schildern folgen.

Veessen, NL-8194 LE / Gelderland — iD

De IJsselhoeve	1 AEJMNOPRT AHNWXY 6
IJsseldijk 46	2 ACFGHIOPQVWX ABDEFGH 7
1 Apr - 31 Okt	3 ABEFKL ABEFJKNRSTV 8
+31 (0)578-631254	4 FHIO E 9
info@campingdeijsselhoeve.nl	5 DEIL ABHJLPST10
	4-10A CEE ① €22,00
N 52°22'32'' E 6°5'45''	7,5 ha 100T(90-120m²) 102D ② €31,00

A50 Ausfahrt 28 über Heerde nach Veessen. Durch Veessen auf der rechten Seite beim IJsseldijk.

Vierhouten, NL-8076 RC / Gelderland — iD

Beans-Hill	1 AEILNOPRT 6
Elspeterbosweg 74	2 ABPQRSVWX ABDEFG 7
1 Apr - 25 Okt	3 AGKL ABEFJNRSTUV 8
+31 (0)577-411326	4 FHK 9
info@beans-hill.nl	5 KL ABEHIJPST10
	6A CEE ① €19,00
N 52°19'32'' E 5°49'26''	3,2 ha 16T(100m²) 90D ② €24,00

A28 Amersfoort-Zwolle Ausfahrt Nunspeet/Elspeet Richtung Vierhouten. Dann Schildern folgen.

Vierhouten, NL-8076 RE / Gelderland — CC€16 iD

De Paasheuvel	1 ACDEGJMNOPQRST LM 6
't Frusselt 30	2 ABDGHOPQWXY ABDEFGHI 7
1 Jan - 31 Dez	3 ABEFLMQU ABCDEFGIJKNPQRSTUV 8
+31 (0)577-411336	4 BCDFHIO BEFJUVWY 9
info@paasheuvelgroep.nl	5 ADEFGIKL ABDFGHJPSTZ10
	6A CEE ① €26,40
N 52°19'49'' E 5°49'18''	15 ha 240T(100m²) 24D ② €33,30

A28 Amersfoort-Zwolle, Ausfahrt 14 Nunspeet/Elspeet Richtung Vierhouten. Dann den Schildern folgen.

Vierhouten, NL-8076 PM / Gelderland — CC€16 iD

Recreatiepark Samoza	1 ADEJMNOPQRST ABEFGH 6
Plaggeweg 90	2 ABGPQRVWXY ABDEFGH 7
28 Mär - 25 Okt	3 ABEGHKLMQ ABDFHJKNRSTUV 8
+31 (0)577-411283	4 BCDFHIKLMOPQXZ AJVWY 9
info@samoza.nl	5 ACDGIJKL ABEGHIOSTZ10
	B 10A CEE ① €31,50
N 52°20'54'' E 5°49'27''	70 ha 250T(100m²) 904D ② €38,00

A28 Amersfoort-Zwolle, Ausfahrt 14 Nunspeet/Elspeet. Dann Richtung Vierhouten. Danach den Schildern folgen.

Voorthuizen, NL-3781 NG / Gelderland — iD

't Beloofde Land	1 AEGJMNOPQRST ABCDFG 6
Bosweg 17	2 ACGHOPQVWX ABDEFGHK 7
28 Mär - 25 Okt	3 ABCDEGHKLTU ABCDFGJKNQRSTUV 8
+31 (0)342-472942	4 BCDFHIKLQR CEFJVY 9
info@beloofde-land.nl	5 ABDKL ABHJPR10
	B 10A CEE ① €30,65
N 52°11'14'' E 5°37'22''	5 ha 128T(80-130m²) 66D ② €32,45

A1 Ausfahrt 16. In Voorthuizen rechts die N344 Richtung Garderen. Kurz hinter Voorthuizen rechts ab. CP ist ausgeschildert.

Voorthuizen, NL-3781 NJ / Gelderland — CC€16 iD

Ardoer recreatiecentrum Ackersate	1 ADEGILNOPQRST EFGHI 6
	2 AOPQVWX ABDEFGHK 7
Harremaatweg 26	3 ABEFIKLMQTV ABCDEFGJKNQRSTU 8
27 Mär - 24 Okt	4 BCDGHIKLOPQU EJVW 9
+31 (0)342-471274	5 ACDEGJKLM ABEFGHJNPQRXZ10
ackersate@ardoer.com	B 10A CEE ① €37,00
N 52°11'11'' E 5°37'30''	15 ha 130T(100-120m²) 284D ② €47,00

A1 Ausfahrt 16. In Voorthuizen die N344 rechts ab Richtung Garderen. Kurz hinter Voorthuizen rechts ab. Ist angezeigt.

Niederlande

Teilkarte Gelderland auf Seite 200

Voorthuizen, NL-3781 NW / Gelderland

De Zanderij — 1 AEG**JM**NOPRST — ABFG 6
Hoge Boeschoterweg 96 — 2 ABGPQVWXY — **ABDEFG**H 7
27 Mär - 27 Okt — 3 AB**C**EF**HK**L**M**QT — ABCDEFGJKNQRSTU 8
+31 (0)342-471343 — 4 BCDFHILNO**PQTX** — EV 9
info@zanderij.nl — 5 ACDEGJKL — ABEHJ**NP**TUZ10
B 6A CEE — ① €31,50
N 52°12'9'' E 5°39'20'' — 12 ha 115**T**(100-120m²) 239**D** — ② €39,30

A1 Ausfahrt 16, N303 Richtung Voorthuizen. Am Kreisel N344 Richtung Garderen. Nach rund 3 km links ab. CP ist angezeigt.

Voorthuizen, NL-3781 NJ / Gelderland

CC€16

Recreatiepark De Boshoek — 1 AEGILNOPQRST — AB**EFG** 6
Harremaatweg 34 — 2 AGOPQVW — ABDE**FGH** 7
21 Mär - 31 Okt — 3 ABE**GHIK**LMPQRT — ABCDFGJK**L**NQRSTU 8
+31 (0)342-471297 — 4 BCDGHIKLN**PQST**V**Z** — ACFHJVWY 9
info@deboshoek.nl — 5 ABCDEGJKL**M** — ABDEFHJ**P**RVZ10
B 6-10A CEE — ① €35,00
N 52°11'16'' E 5°37'52'' — 4,5 ha 117**T**(110-120m²) 60**D** — ② €45,00

A1 Ausfahrt 16 Richtung Voorthuizen, am Kreisel die N344 Richtung Garderen. Kurz hinter Voorthuizen rechts ab. Der CP ist angezeigt. Die Rezeption ist gegenüber von der CP-Einfahrt!

Vorden, NL-7251 KT / Gelderland

CC€16

't Meulenbrugge — 1 AEG**JM**NOPRT — 6
Mosselseweg 4 — 2 CPQSWXY — **ABDEFG** 7
15 Mär - 31 Okt — 3 Q — ABCD**F**JQRTUV 8
+31 (0)575-556612 — 4 — V 9
info@meulenbrugge-vorden.nl — 5 L — ABDHJNO**PR**10
6-16A CEE — ① €19,00
N 52°6'28'' E 6°21'16'' — 4 ha 107**T**(100-350m²)

Von Zutphen N319 Ri. Vorden, durch Vorden, über den Kreisel Ri. Ruurlo. Nach 2,5 km in der S-Kurve links (Mosselseweg), diesem 400m folgen, rechts zum CP. Von der N319 Ruurlo Ri. Vorden. Durch Kranenburg, in der S-Kurve rechts, dieser Straße 400m bis zum CP folgen.

Vorden, NL-7251 JL / Gelderland

De Goldberg — 1 ACEG**JM**NOPQRS**T** — A**N** 6
Larenseweg 1 — 2 PQVWXY — A**B**DE**FG** 7
1 Apr - 25 Okt — 3 B**GHK** — ABCDE**F**IJKNRSUV 8
+31 (0)575-551679 — 4 FHIO — EFV 9
info@degoldberg.nl — 5 ABDEGIK**L** — ABFGHJN**O**STX10
4A CEE — ① €17,60
N 52°7'4'' E 6°19'26'' — 4,5 ha 45**T**(100-120m²) 85**D** — ② €25,60

Aus Vorden N319 Richtung Ruurlo, hinter Bahnschranken links ausgeschildert.

Vorden, NL-7251 KA / Gelderland

CC€16

De Reehorst — 1 ABE**JM**NOPQRS**T** — A 6
Enzerinckweg 12 — 2 BVWXY — ABE**FGH** 7
1 Apr - 31 Okt — 3 ABLQT — ABCDEFIJMNRSTUV 8
+31 (0)575-551582 — 4 BFHIO**Q** — VW 9
info@dereehorst.nl — 5 ADEGIJK — DEHJOR10
6A — ① €19,75
N 52°6'58'' E 6°20'12'' — 7,5 ha 49**T**(100-140m²) 176**D** — ② €24,25

N319 in der Richting Ruurlo. Hinter den Bahnschranken nach 400m links, ausgeschildert.

Vuren, NL-4214 KL / Gelderland

Kampeerterrein de Lievelinge — 1 AEG**IL**NOPRST — L**N** 6
Haarweg 6 — 2 ABDGHIPWXY — ABDE**FG**H 7
1 Apr - 1 Okt — 3 ALQ — ABEFNRS 8
+31 (0)183-630631 — 4 ABFHIKNO**T** — ABDFJV 9
info@lievelinge.nl — 5 ABCEIJKL — ABHJNOST10
B 16A CEE — ① €25,60
N 51°50'44'' E 5°2'23'' — 10 ha 188**T**(80-100m²) 82**D** — ② €38,10

Von der A15, Ausfahrt 28. Den Schildern Lingebos folgen.

Wageningen, NL-6705 DM / Gelderland

De Wielerbaan — 1 ACDE**JM**NOPRT — EFG 6
Zoomweg 7/9 — 2 ABGPQVXY — ABDE**FG** 7
1 Jan - 31 Dez — 3 BE**K**LQ — ABDEFJNRSTUV 8
+31 (0)317-413964 — 4 BCDFHINO**PQ** — VY 9
info@wielerbaan.nl — 5 ABDEGIKL — ABHIJ**N**PR10
6A CEE — ① €27,00
N 51°59'9'' E 5°41'20'' — 4,5 ha 85**T**(100m²) 77**D** — ② €31,00

A12 Ausfahrt 24 Richtung Wageningen. Im Kreisel 3/4 Richtung Wageningen-Hoog. Den CP-Schildern folgen.

Warnsveld, NL-7231 PT / Gelderland

Camping Warnsveld — 1 AE**IL**NOPQRS**T** — F 6
Warkenseweg 7 — 2 PQWXY — A**BFG**H 7
1 Apr - 31 Okt — 3 EF**KL** — AE**F**NRSV 8
+31 (0)575-431338 — 4 BDHIO**P** — E 9
leunk000@wxs.nl — 5 DGKL — ABHJNPST10
B 6A CEE — ① €19,60
N 52°8'2'' E 6°17'20'' — 4,5 ha 50**T**(75-80m²) 93**D** — ② €27,80

Zutphen-Lochem (N346) fahren. Der CP ist ausgeschildert. Oder die N319 Warnsveld-Vorden. Ebenfalls ausgeschildert.

Winterswijk, NL-7103 EA / Gelderland

CC€14

Camping Klompenmakerij ten Hagen — 1 ADE**IL**NOPQRS**T** — L**N**QS 6
Waliënsestraat 139A — 2 DPQVWXY — A**B**DE**FG** 7
1 Jan - 31 Dez — 3 ABE**KL**V — ABE**F**JNPQRSTUV 8
+31 (0)543-531503 — 4 BDFHI — 9
info@hagencampklomp.nl — 5 **L** — ABDFGHIJ**P**RZ10
B 10-16A CEE — ① €21,80
N 51°59'28'' E 6°43'9'' — 2 ha 46**T**(100-150m²) 36**D** — ② €28,90

N319 Groenlo-Winterswijk. Kreisel am Groenloseweg Ri. Erholungsgebiet 't Hilgelo. Danach den Schildern folgen. Liegt ca. 1 km nördlich von Winterswijk.

Winterswijk, NL-7115 AG / Gelderland

Het Winkel — 1 AE**IL**NOPQRST — ABFGH 6
De Slingeweg 20 — 2 BGPQVWX — ABDEFGH 7
1 Jan - 31 Dez — 3 ABCE**KLMP**TV — ABCDEFGJ**L**NPQRSTV 8
+31 (0)543-513025 — 4 BCDFGHIKLO**PQST** — CJUVW 9
info@hetwinkel.nl — 5 ABDEGIJL — ABCFHJ**PR**10
10-16A CEE — ① €29,60
N 51°57'8'' E 6°44'13'' — 20 ha 300**T**(90-200m²) 308**D** — ② €36,10

Winterswijk Richtung Borken. CP ausgeschildert.

Winterswijk, NL-7109 AH / Gelderland

CC€16

Vakantiepark De Twee Bruggen — 1 ACDE**JM**NOPQRST — AB**E**FGHL**N** 6
Meenkmolenweg 13 — 2 CDGPQWXY — ABDE**FG**H 7
1 Jan - 31 Dez — 3 ABEF**IKLMP**QT — ABCDEFJ**LM**NQRSTUV 8
+31 (0)543-565366 — 4 BFHIKLO**PQST** — AEJQVWY 9
info@detweebruggen.nl — 5 ABCDGIJL — ABCEFGHJ**NP**RYZ10
Anzeige auf dieser Seite 10-16A CEE — ① €35,60
N 51°56'58'' E 6°38'47'' — 30 ha 350**T**(80-100m²) 346**D** — ② €44,20

Von der A18 (Doetinchem) zur N18 Varsseveld; über die N318 nach Aalten. Kurz vor Winterswijk links zum CP. Deutlich ausgeschildert.

Die Einrichtungsliste finden Sie vorne im aufklappbaren Deckel des Führers. So können Sie praktisch sehen, was ein Camping so zu bieten hat.

Teilkarte Gelderland auf Seite 200

Winterswijk, NL-7102 EK / Gelderland (CC€16) iD

Vreehorst
Vreehorstweg 43
1 Jan - 31 Dez
+31 (0)543-514805
info@vreehorst.nl
N 51°56'56'' E 6°41'30''

1 ADE**JMN**OPQRST	AFG**N** 6
2 GPQVWY	ABDE**FGH** 7
3 BELMT	ABCDEFIJKL**M**NQRSTUV 8
4 BFHIO**T**	CHJVWY 9
5 ABDGIL	ABCDEFGHJ**NOP**RXYZ 10
Anzeige auf dieser Seite 10A CEE	❶ €30,10
10 ha 170**T**(90-150m²) 113**D**	❷ €38,10

An der Straße zwischen Aalten und Winterswijk ca. 2 km von Winterswijk den Schildern folgen.

Zennewijnen, NL-4062 PP / Gelderland (CC€16) iD

Campingpark Zennewijnen
Hermoesestraat 13
15 Mär - 31 Okt
+31 (0)344-651498
info@campingzennewijnen.nl
N 51°51'17'' E 5°24'26''

1 AE**IL**NOPRT	AF**N** 6
2 ACGHPQVX	A**B**DE**FGH** 7
3 BE**K**LQ	ABDE**F**IJNPQRSTUV 8
4 AFHIO	FGV 9
5 ABDEGIKL	ABDFGHIJ**NP**TY 10
B 10A CEE	❶ €22,50
5 ha 46**T**(100-120m²) 123**D**	❷ €29,00

A15 von Rotterdam, Ausfahrt 31. Von Nijmegen, Ausfahrt 32. Ab der Ausfahrt ausgeschildert.

Winterswijk/Henxel, NL-7113 AA / Gelderl. (CC€16) iD

Het Wieskamp
Kobstederweg 13
13 Mär - 1 Nov
+31 (0)543-514612
info@wieskamp.nl
N 51°59'12'' E 6°44'35''

1 AF**JM**NOPQRST	ABFG 6
2 IQWX	AB**FG** 7
3 ABC**KLP**	ABEFLNQRTUV 8
4 **A**BCDFHIJK	EJV 9
5 ADEGJ	ABCDEFGHJPRZ 10
Anzeige auf dieser Seite 16A CEE	❶ €32,60
11 ha 37**T**(140-150m²) 240**D**	❷ €41,60

Groenlo Richtung Vreden. An dieser Straße dem Hinweis zum CP folgen.

Geselliger, mittelgroßer Camping mit vielen Einrichtungen in Winterswijk. Alle großen Stellplätze sind mit Privatsanitär ausgestattet. Viele Möglichkeiten von wandern bis Rad fahren vom Platz aus. Überdachtes Spielen für die Kinder.

Kobstederweg 13, 7113 AA Winterswijk/Henxel
Tel. 0543-514612 • Fax 0543-530260
E-Mail: info@wieskamp.nl • Internet: www.wieskamp.nl

Winterswijk/Woold, NL-7108 AX / Gelderland (CC€12) iD

De Harmienehoeve
Brandenweg 2
1 Jan - 31 Dez
+31 (0)543-564393
info@campingdeharmienehoeve.nl
N 51°54'30'' E 6°43'31''

1 AEJMNOPQRST	AF 6
2 BPRWXY	ABDE**FGH** 7
3 B**J**LMST	ABEFJNQRTUV 8
4 BFHIO	F 9
5 ABDEGL	AHIL**P**QRWZ 10
16A CEE	❶ €20,60
14 ha 50**T**(100-180m²) 304**D**	❷ €28,20

N318 Aalten Richtung Winterswijk. Kreisel N319 Richtung A31 (Süd-Umfahrung). Nach 1,5 km im Kreisel Richtung Woold. Nach 700m Kreuzung, den blau-weißen Schildern Harmienehoeve folgen. Noch 7,5 km.

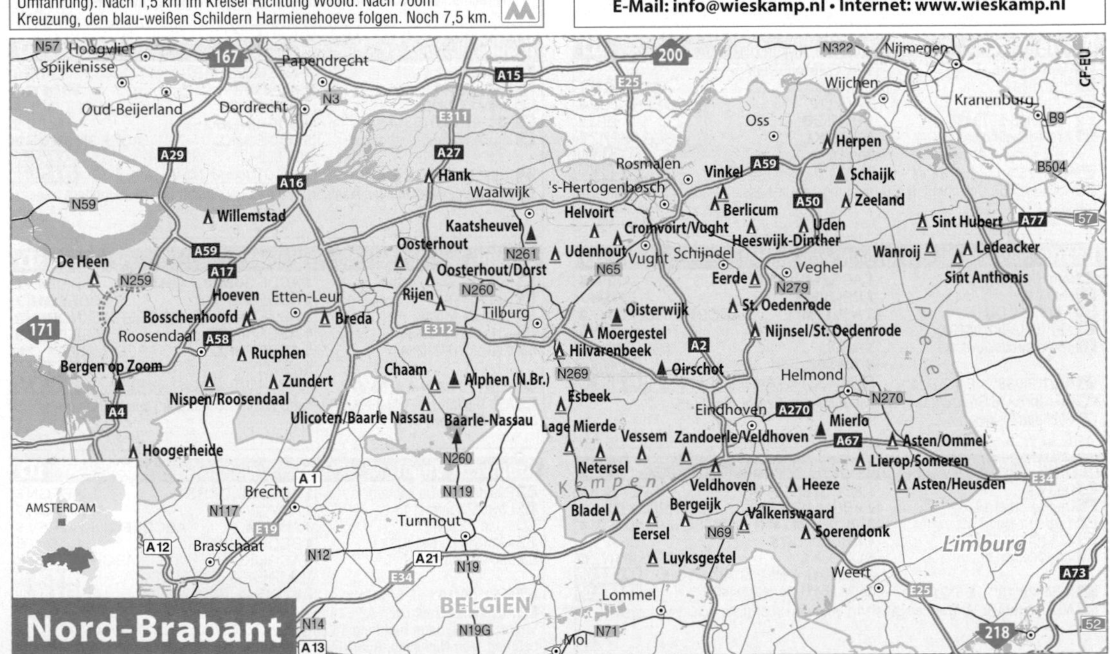

Niederlande

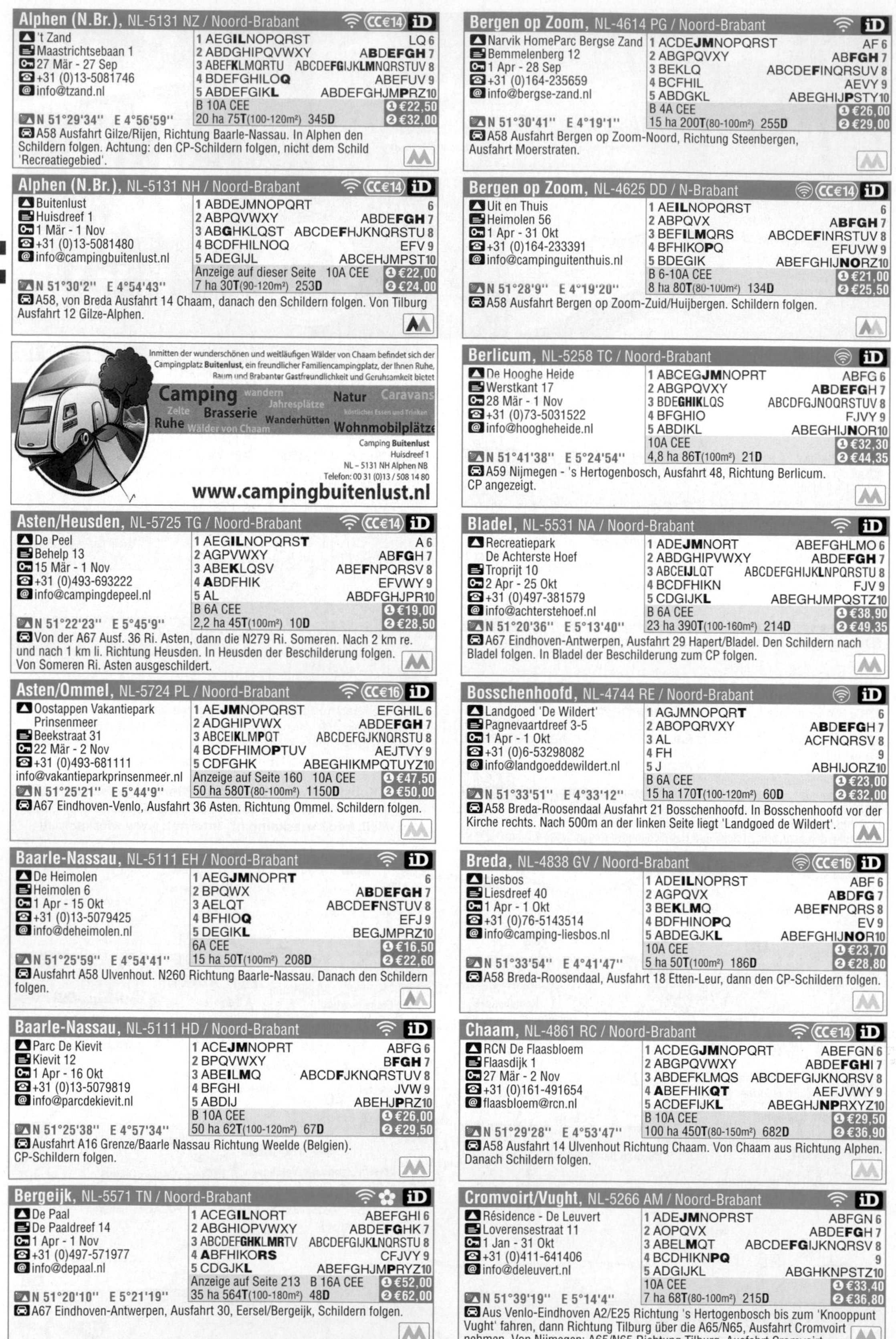

Alphen (N.Br.), NL-5131 NZ / Noord-Brabant (CC€14) iD

't Zand
Maastrichtsebaan 1
27 Mär - 27 Sep
+31 (0)13-5081746
info@tzand.nl
N 51°29'34'' E 4°56'59''

1 AEGILNOPQRST LQ 6
2 ABDGHIPQVWXY ABDEFGH 7
3 ABEFKLMQRTU ABCDEFGIJKLMNQRSTUV 8
4 BDEFGHILOQ ABEFUV 9
5 ABDEFGIKL ABDEFGHJMPRZ 10
B 10A CEE ① €22,50
20 ha 75T(100-120m²) 345D ② €32,00

A58 Ausfahrt Gilze/Rijen, Richtung Baarle-Nassau. In Alphen den Schildern folgen. Achtung: den CP-Schildern folgen, nicht dem Schild 'Recreatiegebied'.

Alphen (N.Br.), NL-5131 NH / Noord-Brabant (CC€14) iD

Buitenlust
Huisdreef 1
1 Mär - 1 Nov
+31 (0)13-5081480
info@campingbuitenlust.nl
N 51°30'2'' E 4°54'43''

1 ABDEJMNOPQRT 6
2 ABPQVWXY ABDEFGH 7
3 ABGHKLQST ABCDEFHJKNQRSTU 8
4 BCDFHILNOQ EFV 9
5 ADEGIJL ABCEHJMPST 10
Anzeige auf dieser Seite 10A CEE ① €22,00
7 ha 30T(90-120m²) 253D ② €24,00

A58, von Breda Ausfahrt 14 Chaam, danach den Schildern folgen. Von Tilburg Ausfahrt 12 Gilze-Alphen.

Inmitten der wunderschönen und weitläufigen Wälder von Chaam befindet sich der Campingplatz Buitenlust, ein freundlicher Familiencampingplatz, der Ihnen Ruhe, Raum und Brabanter Gastfreundlichkeit und Geruhsamkeit bietet

Camping wandern Jahresplätze Natur Caravans Zelte Brasserie köstliches Essen und Trinken Ruhe Wanderhütten Wälder von Chaam Wohnmobilplätze

Camping Buitenlust
Huisdreef 1
NL – 5131 NH Alphen NB
Telefon: 00 31 (0)13 / 508 14 80
www.campingbuitenlust.nl

Asten/Heusden, NL-5725 TG / Noord-Brabant (CC€14) iD

De Peel
Behelp 13
15 Mär - 1 Nov
+31 (0)493-693222
info@campingdepeel.nl
N 51°22'23'' E 5°45'9''

1 AEGILNOPQRST A 6
2 AGPVWXY ABFGH 7
3 ABEKLQSV ABEFNPQRSV 8
4 ABDFHIK EFVWY 9
5 AL ABDFGHJPR 10
B 6A CEE ① €19,00
2,2 ha 45T(100m²) 10D ② €28,50

Von der A67 Ausf. 36 Ri. Asten, dann die N279 Ri. Someren. Nach 2 km re. und nach 1 km li. Richtung Heusden. In Heusden der Beschilderung folgen. Von Someren Ri. Asten ausgeschildert.

Asten/Ommel, NL-5724 PL / Noord-Brabant (CC€16) iD

Oostappen Vakantiepark Prinsenmeer
Beekstraat 31
22 Mär - 2 Nov
+31 (0)493-681111
info@vakantieparkprinsenmeer.nl
N 51°25'21'' E 5°44'9''

1 AEJMNOPQRST EFGHIL 6
2 ADGHIPVWX ABDEFGH 7
3 ABCEIKLMPQT ABCDEFGJKNQRSTU 8
4 BCDFHIMOPTUV AEJTVY 9
5 CDFGHK ABEGHIKMPQTUYZ 10
Anzeige auf Seite 160 10A CEE ① €47,50
50 ha 580T(80-100m²) 1150D ② €50,00

A67 Eindhoven-Venlo, Ausfahrt 36 Asten. Richtung Ommel. Schildern folgen.

Baarle-Nassau, NL-5111 EH / Noord-Brabant iD

De Heimolen
Heimolen 6
1 Apr - 15 Okt
+31 (0)13-5079425
info@deheimolen.nl
N 51°25'59'' E 4°54'41''

1 AEGJMNOPRT 6
2 BPQWX ABDEFGH 7
3 AELQT ABCDEFNSTUV 8
4 BFHIOQ EFJ 9
5 DEGIKL BEGJMPRZ 10
6A CEE ① €16,50
15 ha 50T(100m²) 208D ② €22,60

Ausfahrt A58 Ulvenhout. N260 Richtung Baarle-Nassau. Danach den Schildern folgen.

Baarle-Nassau, NL-5111 HD / Noord-Brabant iD

Parc De Kievit
Kievit 12
1 Apr - 16 Okt
+31 (0)13-5079819
info@parcdekievit.nl
N 51°25'38'' E 4°57'34''

1 ACEJMNOPRT ABFG 6
2 BPQVWXY BFGH 7
3 ABEILMQ ABCDFJKNQRSTUV 8
4 BFGHI JVW 9
5 ABDIJ ABEHJPRZ 10
B 10A CEE ① €26,00
50 ha 62T(100-120m²) 67D ② €29,50

Ausfahrt A16 Grenze/Baarle Nassau Richtung Weelde (Belgien). CP-Schildern folgen.

Bergeijk, NL-5571 TN / Noord-Brabant iD

De Paal
De Paaldreef 14
1 Apr - 1 Nov
+31 (0)497-571977
info@depaal.nl
N 51°20'10'' E 5°21'19''

1 ACEGILNORT ABEFGHI 6
2 ABGHIOPVWXY ABDEFGHK 7
3 ABCDEFGHKLMRTV ABCDEFGIJKLNQRSTU 8
4 ABFHIKORS CFJVY 9
5 CDGJKL ABEFGHJMPRYZ 10
Anzeige auf Seite 213 B 16A CEE ① €52,00
35 ha 564T(100-180m²) 48D ② €62,00

A67 Eindhoven-Antwerpen, Ausfahrt 30, Eersel/Bergeijk, Schildern folgen.

Bergen op Zoom, NL-4614 PG / Noord-Brabant iD

Narvik HomeParc Bergse Zand
Bemmelenberg 12
1 Apr - 28 Sep
+31 (0)164-235659
info@bergse-zand.nl
N 51°30'41'' E 4°19'1''

1 ACDEJMNOPQRST AF 6
2 ABGPQVXY ABFGH 7
3 BEKLQ ABCDEFINQRSUV 8
4 BCFHIL AEVY 9
5 ABDGKL ABEGHIJPSTY 10
B 4A CEE ① €26,00
15 ha 200T(80-100m²) 255D ② €29,00

A58 Ausfahrt Bergen op Zoom-Noord, Richtung Steenbergen, Ausfahrt Moerstraten.

Bergen op Zoom, NL-4625 DD / N-Brabant (CC€14) iD

Uit en Thuis
Heimolen 56
1 Apr - 31 Okt
+31 (0)164-233391
info@campinguitenthuis.nl
N 51°28'9'' E 4°19'20''

1 AEILNOPQRST 6
2 ABPQVX ABFGH 7
3 BEFILMQRS ABCDEFINRSTUV 8
4 BFHIKOPQ EFUVW 9
5 BDEGIK ABEFGHIJNORZ 10
B 6-10A CEE ① €21,00
8 ha 80T(80-100m²) 134D ② €25,50

A58 Ausfahrt Bergen op Zoom-Zuid/Huijbergen. Schildern folgen.

Berlicum, NL-5258 TC / Noord-Brabant iD

De Hooghe Heide
Werstkant 17
28 Mär - 1 Nov
+31 (0)73-5031522
info@hoogheheide.nl
N 51°41'38'' E 5°24'54''

1 ABCEGJMNOPRT ABFG 6
2 ABGPQVXY ABDEFGH 7
3 BDEGHIKLQS ABCDFGJNOQRSTUV 8
4 BFGHIO FJVY 9
5 ABDIKL ABEGHIJNOR 10
10A CEE ① €32,30
4,8 ha 86T(100m²) 21D ② €44,35

A59 Nijmegen - 's Hertogenbosch, Ausfahrt 48, Richtung Berlicum. CP angezeigt.

Bladel, NL-5531 NA / Noord-Brabant iD

Recreatiepark De Achterste Hoef
Troprijt 10
2 Apr - 25 Okt
+31 (0)497-381579
info@achterstehoef.nl
N 51°20'36'' E 5°13'40''

1 ADEJMNORT ABEFGHLMO 6
2 ABDGHIPVWXY ABDEFGH 7
3 ABCEIJLQT ABCDEFGHIJKLNPQRSTU 8
4 BCDFHIKN FJV 9
5 CDGIJKL ABEGHJMPQSTZ 10
B 6A CEE ① €38,90
23 ha 390T(100-160m²) 214D ② €49,35

A67 Eindhoven-Antwerpen, Ausfahrt 29 Hapert/Bladel. Den Schildern nach Bladel folgen. In Bladel der Beschilderung zum CP folgen.

Bosschenhoofd, NL-4744 RE / Noord-Brabant iD

Landgoed 'De Wildert'
Pagnevaartdreef 3-5
1 Apr - 1 Okt
+31 (0)6-53298082
info@landgoeddewildert.nl
N 51°33'51'' E 4°33'12''

1 AGJMNOPQRT 6
2 ABOPQRVXY ABDEFGH 7
3 AL ACFNQRSV 8
4 FH 9
5 J ABHIJORZ 10
B 6A CEE ① €23,00
15 ha 170T(100-120m²) 60D ② €32,00

A58 Breda-Roosendaal Ausfahrt 21 Bosschenhoofd. In Bosschenhoofd vor der Kirche rechts. Nach 500m an der linken Seite liegt 'Landgoed de Wildert'.

Breda, NL-4838 GV / Noord-Brabant (CC€16) iD

Liesbos
Liesdreef 40
1 Apr - 1 Okt
+31 (0)76-5143514
info@camping-liesbos.nl
N 51°33'54'' E 4°41'47''

1 ADEILNOPRST ABF 6
2 AGPQVX ABDFG 7
3 BEKLMQ ABEFNPQRS 8
4 BDFHINOPQ EV 9
5 ABDEGJKL ABEFGHIJNOR 10
10A CEE ① €23,70
5 ha 50T(100m²) 186D ② €28,80

A58 Breda-Roosendaal, Ausfahrt 18 Etten-Leur, dann den CP-Schildern folgen.

Chaam, NL-4861 RC / Noord-Brabant (CC€14) iD

RCN De Flaasbloem
Flaasdijk 1
27 Mär - 2 Nov
+31 (0)161-491654
flaasbloem@rcn.nl
N 51°29'28'' E 4°53'47''

1 ACDEGJMNOPQRT ABEFGN 6
2 ABGPQVWXY ABDEFGHI 7
3 ABDEFKLMQS ABCDEFGIJKNQRSV 8
4 ABEFHIKQT AEFJVWY 9
5 ACDEFIJKL ABEGHJNPRXYZ 10
B 10A CEE ① €29,50
100 ha 450T(80-150m²) 682D ② €36,90

A58 Ausfahrt 14 Ulvenhout Richtung Chaam. Von Chaam aus Richtung Alphen. Danach Schildern folgen.

Cromvoirt/Vught, NL-5266 AM / Noord-Brabant iD

Résidence - De Leuvert
Loverensestraat 11
1 Jan - 31 Okt
+31 (0)411-641406
info@deleuvert.nl
N 51°39'19'' E 5°14'4''

1 ADEJMNOPRST ABFGN 6
2 AOPQVX ABDEFGH 7
3 ABELMQT ABCDEFGIJKNQRSV 8
4 BCDHIKNPQ 9
5 ADGIJKL ABGHKNPSTZ 10
10A CEE ① €33,40
7 ha 68T(80-100m²) 215D ② €36,80

Aus Venlo-Eindhoven A2/E25 Richtung 's Hertogenbosch bis zum 'Knooppunt Vught' fahren, dann Richtung Tilburg über die A65/N65, Ausfahrt Cromvoirt nehmen. Von Nijmegen: A65/N65 Richtung Tilburg, Ausfahrt Cromvoirt.

Teilkarte Nord-Brabant auf Seite 211

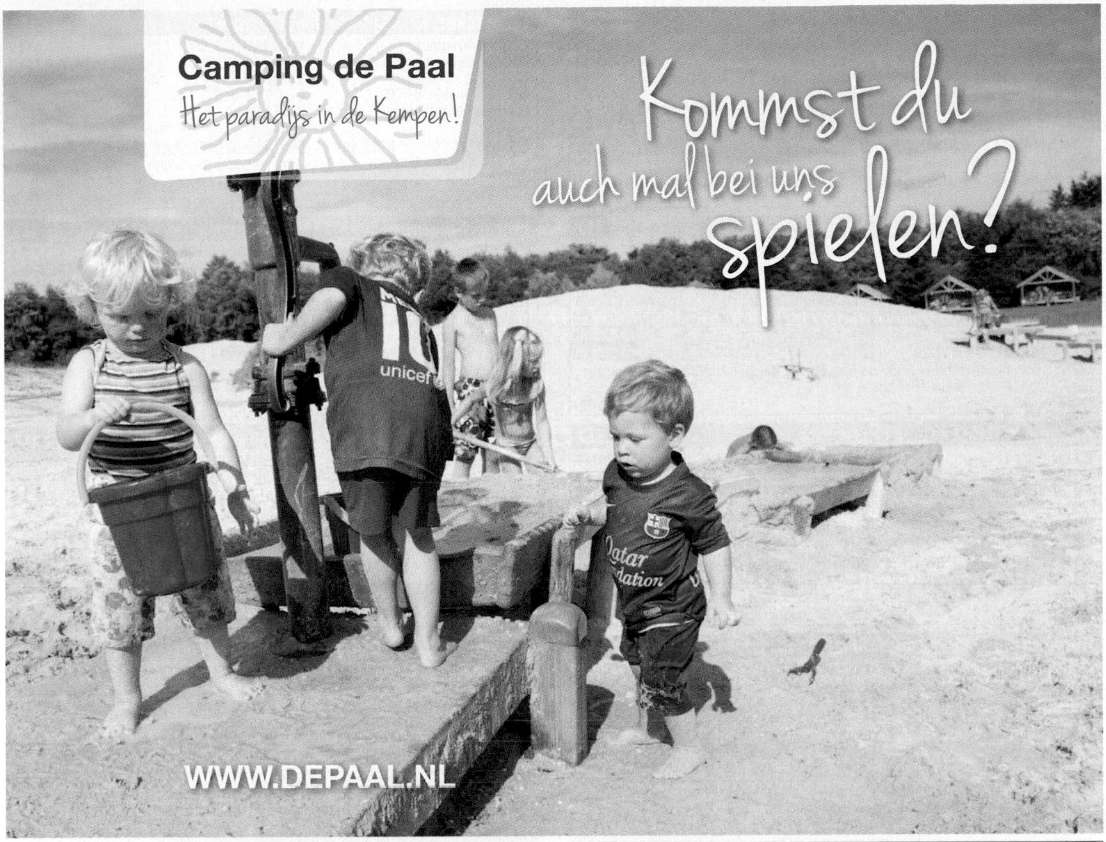

De Heen, NL-4655 AH / Noord-Brabant

De Uitwijk
Dorpsweg 136
27 Mär - 27 Sep
+31 (0)167-560000
info@de-uitwijk.nl
N 51°36'37'' E 4°16'22''

1 ADEG**JM**NOPQRS**T** JNQSW**X**Y**Z** 6
2 COPVX ABDE**FG**H 7
3 ABE**IK**LQ ABCDEFIJKNQRSTUV 8
4 BFHIKO EFPQVY 9
5 AEGJKL ABEFGHIJ**NO**ST 10
B 10A CEE ① €26,30
2,5 ha 59**T**(100-150m²) 48**D** ② €34,30

N257 Steenbergen-Zierikzee, Ausfahrt De Heen, am Ende der Dorfstraße rechts ab. Der CP wird ausgeschildert.

Hank, NL-4273 LA / Noord-Brabant

De Kurenpolder Recreatie
Kurenpolderweg 31
1 Apr - 31 Okt
+31 (0)162-402787
info@kurenpolder.nl
N 51°43'38'' E 4°53'11''

1 AEG**JM**NOPRT EFGHILMNOPQS 6
2 ACDGHIOPQVWX A**B**D**EFG**H 7
3 ABEF**JLMRS**T**U**V ABCDE**FG**IJKNRSTUV 8
4 ABCDFGHILNO**PQTUV** JTVY 9
5 ACDEGIJKL ADEHIJM**P**RZ 10
B 16A CEE ① €35,00
5 ha 104**T**(120-150m²) 630**D** ② €41,00

A27, Ausfahrt 21 Hank/Dussen. Danach Schildern folgen.

Eerde, NL-5466 PZ / Noord-Brabant

Het Goeie Leven
Vlagheide 8b
28 Mär - 16 Okt
+31 (0)413-310171
info@hetgoeieleven.nl
N 51°36'24'' E 5°29'13''

1 AEG**JM**NOR**T** AB**N** 6
2 AGHOPWX ABDE**F** 7
3 ABEF**K**LQ**R**SV ABFGJKNQRSTU 8
4 **ABE**FHI BCVWY 9
5 ADEGJKL ABDHJPRY 10
16A CEE ① €26,50
3 ha 52**T**(120-200m²) 4**D** ② €35,50

A50 Ausfahrt 10 Veghel-Eerde. Richtung Eerde halten und der Beschilderung folgen.

Heeswijk-Dinther, NL-5473 TA / Noord-Brabant

De Meerdonk
Zandkant 6A
28 Mär - 25 Okt
+31 (0)413-209229
info@meerdonk.nl
N 51°40'1'' E 5°28'53''

1 AEG**JM**NOPQRST AF**N** 6
2 ACGPVWXY ABDE**FG**H 7
3 ABL ABCDFGNQRST 8
4 BCDEHIKN**QT** 9
5 ABDGL ABHJ**NP**RY 10
B 6A CEE ① €33,00
6 ha 57**T**(100-120m²) 50**D** ② €39,00

Von A2 Ausfahrt 21 Veghel/Helmond N279, Ausfahrt Heeswijk-Dinther. Von A50 Ausfahrt 11 Heeswijk-Dinther. Schildern folgen.

Eersel, NL-5521 RD / Noord-Brabant

Recreatiepark TerSpegelt
Postelseweg 88
27 Mär - 9 Nov
+31 (0)497-512016
info@terspegelt.nl
N 51°20'16'' E 5°17'37''

1 ADEGHKNOPRST EFGHLNPQSXYZ 6
2 ADGHIPVWXY ABDE**FGH** 7
3 ABCDEF**IKLM**QTUV ABCDEFGJK**L**NQRSTUV 8
4 BCDFHIKMN**PQ**U BCEJLTVY 9
5 CDEGIJK**L** ABDEFGHIKO**P**QRYZ 10
Anzeige auf Seite 215 B 16A CEE ① €44,75
65 ha 482**T**(80-130m²) 479**D** ② €50,60

Über A67 Eindhoven-Antwerpen, Ausfahrt 30 Eersel, Schildern folgen.

Heeze, NL-5591 TA / Noord-Brabant

Heezerenbosch Recreatiepark
Heezerenbosch 6
1 Jan - 31 Dez
+31 (0)40-2263811
info@heezerenbosch.nl
N 51°22'27'' E 5°33'7''

1 AE**JM**NOPQRST ABFGHLN 6
2 ADGHIPVWX ABDE**FG** 7
3 BE**IK**LMQ ABCDFGJNRSTUV 8
4 BCDFHIKNO**P** 9
5 ABDGJKL ABHJR 10
6A CEE ① €31,50
30 ha 70**T**(100-130m²) 747**D** ② €33,00

A67 Ausfahrt 34 Geldrop/Heeze Richtung Heeze. Erster Kreisverkehr rechts, dann Schildern folgen.

Esbeek, NL-5085 NN / Noord-Brabant

De Spaendershorst
Spaaneindsestraat 12
1 Apr - 31 Okt
+31 (0)13-5169361
N 51°28'0'' E 5°7'37''

1 ABEG**JM**NOPQRT ABFG 6
2 GOPQVWXY ABDE**FGH** 7
3 ABEKL ABCDE**F**JNQRSTU 8
4 BCDFHIN**PQ** 9
5 ADGKL ABCHJ**P**RZ 10
10A CEE ① €23,00
11 ha 90**T**(80-130m²) 270**D** ② €31,00

A58 Ausfahrt 10 zur N269 Richtung Reusel. Hinter Hilvarenbeek bei Esbeek der Campingbeschilderung folgen.

Helvoirt, NL-5268 LW / Noord-Brabant

Distelloo
Margrietweg 1
1 Apr - 31 Okt
+31 (0)411-641600
njansen@distelloo.nl
N 51°39'39'' E 5°11'31''

1 EGHKNOPQR**T** AF 6
2 ABGPQVXY ABDE**FG** 7
3 ABELMST ABCDE**F**NPQRSUV 8
4 FHIOQ FJV 9
5 ABGKL AEJPRYZ 10
6A CEE ① €16,80
11 ha 49**T**(80-85m²) 186**D** ② €26,80

A59 Ausfahrt 41 Drunen. Zentrum folgen. Am Kreisel geradeaus Richtung Giersbergen. Nach 3 km links in den Margrietweg. Nach 2,5 km Camping links.

Teilkarte Nord-Brabant auf Seite 211

Herpen, NL-5373 KL / Noord-Brabant

Vakantiepark Herperduin
Schaijkseweg 12
1 Apr - 1 Nov
+31 (0)486-411383
info@herperduin.nl

1 ABCDEGILNOPQRST	CDFG 6
2 AGOPQX	ABDEFGH 7
3 ABEIKLM	ABCDEFIJKNPQRS 8
4 BCDFHI	JVWY 9
5 ACDEGIJKL	ABEHIJNOQRVY 10
B 6A CEE	① €27,00
9 ha 200T(100-120m²) 102D	② €38,50

N 51°45'44'' E 5°37'17''

A59, von Den Bosch Ausfahrt Schaijk, in Schaijk Richtung Herpen. Von Nijmegen A50 Ausfahrt Ravenstein, dann über Herpen Richtung Schaijk.

Hilvarenbeek, NL-5081 NJ / Noord-Brabant

Vakantiepark Beekse Bergen
Beekse Bergen 1
27 Mär - 1 Nov
+31 (0)13-5491100
info@beeksebergen.nl

1 ADEILNOPQRT	EFGHLMNXZ 6
2 ACDGHPQVWXY	ABDEFG 7
3 ABEFIKLST	ABCDEFJKNQRSTUV 8
4 BCEFHILOPQ	ACEFJTV 9
5 ACDEFGIJKL	ABCDEGHIJMNORYZ 10
B 6-10A CEE	① €22,40
75 ha 200T(100m²) 498D	② €39,80

N 51°31'42'' E 5°7'29''

N65 Den Bosch-Tilburg, A65 Ausfahrt Beekse Bergen. A58 Breda-Eindhoven. Der Beschilderung 'Beekse Bergen' volgen.

Hoeven, NL-4741 SG / Noord-Brabant

Molecaten Park
Bosbad Hoeven
Oude Antwerpsepostbaan 81b
27 Mär - 31 Okt
+31 (0)165-502570
info@bosbadhoeven.nl

1 ACDEHKNOPQRST	ABEFHILMN 6
2 ABDGOPQVWXY	ABDEFGH 7
3 ABCDILMQT	ABCDEFGJNQRSTU 8
4 BCDFHILNOQ	AEPTV 9
5 ABDGJKL	ABEGHIJNOTZ 10
B 10A CEE	① €37,90
56 ha 220T(110-160m²) 528D	② €43,80

N 51°34'11'' E 4°33'42''

A58 Roosendaal-Breda, Ausfahrt 20 St. Willebrord (Achtung: Navi kann abweichen) Richtung Hoeven. Schildern folgen.

Hoogerheide, NL-4631 RX / Noord-Brabant

Recr.centrum Familyland
Groene Papegaai 19
1 Apr - 31 Okt
+31 (0)164-613155
recreatie@familyland.nl

1 DEJMNOQRT	EFG 6
2 APQVX	ABFG 7
3 BEIJMPS	ABEFNR 8
4 FIOP	FJUVY 9
5 DEGIJK	ABHIJPRZ 10
4A	① €22,90
25 ha 55T(80-100m²) 128D	② €32,80

N 51°24'57'' E 4°20'45''

A58 Ausfahrt 30 Hoogerheide. Richtung Industriepark De Kooy fahren.

Kaatsheuvel, NL-5171 RC / Noord-Brabant

Oostappen Vakantiepark
Droomgaard
Van Haestrechtstraat 24
22 Mär - 2 Nov
+31 (0)416-272794
receptie@vakantieparkdroomgaard.nl

1 ABEJMNORT	ABEFGHI 6
2 AGPQVWXY	ABDEFGH 7
3 ABEIKLMT	ABCDEFJKLMNQRSTUV 8
4 BCDFHKLOPQSTUY	AEVY 9
5 ACDEGIJKL	ABEHIKOSTYZ 10
Anzeige auf Seite 160 B 10A CEE	① €42,15
28 ha 362T(80-120m²) 425D	② €44,30

N 51°39'40'' E 5°3'45''

A59 Waalwijk-Tilburg, Ausfahrt Kaatsheuvel, Schildern zum CP folgen.

Kaatsheuvel, NL-5171 RL / Noord-Brabant

Recreatiepark Brasserie
Het Genieten
Roestelbergseweg 3
1 Apr - 31 Okt
+31 (0)416-561575
info@hetgenieten.nl

1 ADEJMNOPRT	6
2 ABPQVWXY	ABDEFGH 7
3 ABCDEIKLQR	ABCDEFJKNQRSTU 8
4 BCDFGHIKLO	JUV 9
5 ADEGJKL	ABEGHJPRYZ 10
B 10A CEE	① €27,15
12,5 ha 105T(100m²) 219D	② €34,80

N 51°39'27'' E 5°5'15''

A59 Ausfahrt Waalwijk N261 Richtung Loonse- und Drunense Duinen. Den CP-Schildern folgen.

Kaatsheuvel, NL-5171 RN / Noord-Brabant

Vakantiepark Duinlust
Duinlaan 1
1 Apr - 31 Okt
+31 (0)416-272775
info@camping-duinlust.nl

1 ADEGJMNOPQRT	AF 6
2 ABPQVWXY	ABFG 7
3 BDEGHKLQT	ABCDEFJKNQRSTV 8
4 BCFHINO	JVY 9
5 ADEGJKL	ABGHKPSTZ 10
6A CEE	① €34,70
7,5 ha 80T(100-120m²) 200D	② €37,40

N 51°39'29'' E 5°4'6''

A59 Ausfahrt Waalwijk N261. 'Loonse en Drunense Duinen'. Schildern zum CP folgen.

Lage Mierde, NL-5094 EG / Noord-Brabant

De Hertenwei
Wellenseind 7-9
1 Jan - 31 Dez
+31 (0)13-5091295
receptie@hertenwei.nl

1 ACDEJMNOPQRST	ABEFG 6
2 BGOPQVWXY	ABDEFGH 7
3 ABEKLMQT	CDEFJNQRSTUV 8
4 BDEFHILMOPQTU	EIJV 9
5 ACDEGIJKL	ABDEGHIJNOSTZ 10
B 6A CEE	① €27,10
20 ha 350T(100-150m²) 139D	② €36,20

N 51°25'14'' E 5°8'32''

A58 Breda-Tilburg Ausfahrt 10 Richtung Hilvarenbeek/Reusel. A67 Eindhoven-Antwerpen, Ausfahrt 32 Richtung Hoge Mierde, dann N269 Richtung Hilvarenbeek. Anfahrt über die N269, sonst steht man vor einem Schlagbaum. CP liegt nördlich von Lage Mierde.

Ledeacker, NL-5846 AJ / Noord-Brabant

De Breyenburg
Mgr. Bekkerstr. 56A
16 Feb - 31 Dez
+31 (0)485-381575
breyenburg@hetnet.nl

1 ACJMNOPRST	AN 6
2 AGOPVWXY	ABFG 7
3 ABGHL	AEFJNRSTV 8
4 BCDFGIKNO	9
5 DEGL	ABCHIJOR 10
10A CEE	① €22,05
H50 6 ha 35T(80-110m²) 110D	② €29,35

N 51°38'22'' E 5°52'49''

A73 Ausfahrt St. Anthonis/Ledeacker. In Ledeacker rechts ab und den CP-Schildern folgen.

Lierop/Someren, NL-5715 RE / N-Brabant

De Somerense Vennen
Philipsbosweg 7
28 Mär - 25 Okt
+31 (0)492-331216
info@somerensevennen.nl

1 ADEJMNOPRST	CDFG 6
2 ABPVWXY	ABFG 7
3 ABCEGHIKLQ	ABCDEFJKNQRSTUV 8
4 BDFHIP	J 9
5 ADEGIJL	ABDEHJPRY 10
B 16A CEE	① €31,50
10 ha 120T(120-150m²) 66D	② €42,50

N 51°24'0'' E 5°40'35''

A67 Eindhoven-Venlo, Ausfahrt 35 Someren. In Someren Richtung Lierop. Dann der CP-Beschilderung folgen.

Luyksgestel, NL-5575 XP / Noord-Brabant

Vakantiecentrum
De Zwarte Bergen
Zwartebergendreef 1
28 Mär - 27 Sep
+31 (0)497-541373
info@zwartebergen.nl

1 AEGJMNOPQRST	ABFG 6
2 ABGPVWXY	ABDEFGH 7
3 ABEFIKLMQV	ABCDEFGJKNQRST 8
4 BCDFHIQ	JVY 9
5 CDGIJKL	ABDEGHJPSTYZ 10
B 6A	① €29,00
25,5 ha 227T(100-120m²) 365D	② €40,00

N 51°17'29'' E 5°17'42''

A67 Ausfahrt Eersel. Im Kreisel Ausfahrt Bergeijk. Den Schildern folgen.

Mierlo, NL-5731 XN / Noord-Brabant

Boscamping 't Wolfsven
Patrijslaan 4
27 Mär - 1 Nov
+31 (0)492-661661
receptie.wolfsven@roompot.nl

1 ACDEILNOPQRST	EFGLMN 6
2 ABDGHIOPVWXY	ABFG 7
3 BCEIKLMQS	ABCDFGJNQRSTU 8
4 BDFHIOPQU	EJTVWXY 9
5 CDEGIJK	ABDEFGHJMOPRYZ 10
B 6A CEE	① €36,50
67 ha 130T(100-120m²) 596D	② €40,00

N 51°26'20'' E 5°35'25''

A2 Richtung Eindhoven, dann A67 Richtung Venlo, Ausfahrt 34 Geldrop, Richtung Geldrop, dann in Richtung Mierlo. Dem Schild Wolfsven folgen.

Mierlo, NL-5731 PK / Noord-Brabant

De Sprink
Kasteelweg 21
27 Mär - 1 Nov
+31 (0)492-661503
info@campingdesprink.nl

1 AGILNOPRT	6
2 AOPVWX	ABDEF 7
3 AEKQSV	ABEFHJNPQRTUV 8
4 FHIO	DV 9
5 DGL	ABDFGHJPST 10
6-10A CEE	① €19,00
2 ha 63T(100-120m²) 2D	② €30,00

N 51°25'57'' E 5°37'2''

A67 Ausfahrt Geldrop/Mierlo der Beschilderung Mierlo folgen. In der Ortseinfahrt Mierlo rechts halten. Nach ca 1,4 km rechts, nach 200m wieder rechts in den Kasteelweg.

Moergestel, NL-5066 XH / Noord-Brabant

De Bosfazant
Molenstraat 2
1 Apr - 29 Okt
+31 (0)13-5131613
info@campingdebosfazant.nl

1 BHKNORT	6
2 ACOPQVX	ABDEFGH 7
3 BEKLQ	ABCDEFJKNQRSV 8
4 AHIOQ	JL 9
5 GL	ABEHJPST 10
6A CEE	① €19,50
4 ha 50T(100-120m²) 103D	② €24,90

N 51°33'4'' E 5°10'44''

N65 Den Bosch-Tilburg, Ausfahrt Oisterwijk-Moergestel. Aus Breda A58 Tilburg-Eindhoven Ausfahrt Moergestel, nach dem 3. Kreisel rechts, dann die 3. Straße links.

Netersel, NL-5534 AP / Noord-Brabant

De Couwenberg
De Ruttestraat 9A
1 Jan - 31 Dez
+31 (0)497-682233
info@decouwenberg.nl

1 AEJMNOPQRST	ABFGN 6
2 AGPVWXY	ABDEFG 7
3 BIKLV	ABCDFJKNQRSTV 8
4 BDFHIOPQ	9
5 ADGIKL	ABDHJPSTY 10
6A CEE	① €23,00
8 ha 100T(80-100m²) 190D	② €30,00

N 51°24'47'' E 5°11'59''

A58 Ausfahrt 10 Hilvarenbeek Richtung Reusel. In Lage Mierde Richtung Netersel fahren. Oder A67 Richtung Antwerpen, Ausfahrt 29 Hapert/Bladel Richtung Bladel-Netersel, Ausfahrt Netersel. Schildern folgen.

Nijnsel/St. Oedenrode, NL-5492 TL / N-Br.

Landschapscamping
De Graspol
Bakkerpad 17
1 Mär - 1 Okt
+31 (0)413-474133
info@campingdegraspol.nl

1 AEJMNOR	N 6
2 ACPVWX	ABFGHK 7
3 K	ABCDEFHJNQRSTU 8
4 EFHIOR	V 9
5 AKL	ADEFGHJPTUV 10
16A CEE	① €24,80
2,5 ha 55T(100-200m²) 5D	② €37,60

N 51°32'52'' E 5°29'12''

A50 Ausfahrt St. Oedenrode/Nijnsel, Richtung Nijnsel. Danach den kleinen grünen Schildern folgen.

Teilkarte Nord-Brabant auf Seite 211

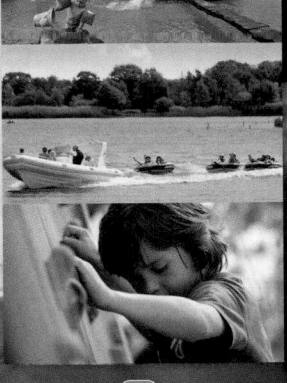

Nispen/Roosendaal, NL-4709 PB / N-Br. (CC€14) iD

Zonneland
Turfvaartsestraat 4-6
1 Mär - 5 Okt
+31 (0)165-365429
info@zonneland.nl
N 51°29'40'' E 4°29'6''

1 ADEHKNOPQRST	ABN 6
2 ABPQVXY	A**BFGH** 7
3 BEL	AC**F**KNRTUV 8
4 BHIOR	9
5 BL	AEFGHIJL**NO**RZ 10
10A CEE	❶ €21,00
15 ha 54**T**(100-130m²) 239**D**	❷ €27,00

A58, Ausfahrt 24 Nispen, N262 folgen bis Schilder.

Oirschot, NL 5688 MB / Noord-Brabant (CC€18) iD

de Bocht
Oude Grintweg 69A
1 Jan - 31 Dez
+31 (0)499-550855
info@campingdebocht.nl
N 51°31'1'' E 5°18'28''

1 AE**IL**NORT	AF 6
2 APVWXY	ABDE**FGH** 7
3 AB**GKLP**	ABCDE**FG**JNQRSTUV 8
4 BFHIO	EJVY 9
5 DEGIKL	ABDEFGHJ**P**RYZ 10
10A CEE	❶ €26,20
1,8 ha 25**T**(100m²) 38**D**	❷ €37,90

A58 Ausfahrt 8 Oirschot Richtung Oirschot. Am 4. Kreisel rechts. Nach 8 km links. Oder A2 Ausfahrt 26 Richtung Boxtel, über den Kreisel, links Richtung Oirschot. Nach 8 km rechts der Strecke.

Oirschot, NL-5688 GP / Noord-Brabant (CC€18) iD

Vakantiepark Latour
Bloemendaal 7
27 Mär - 27 Sep
+31 (0)499-575625
latour@kempenrecreatie.nl
N 51°29'47'' E 5°19'12''

1 AE**JM**NORST	ABEFGH**N** 6
2 ABGPVWXY	ABDE**FG** 7
3 ABE**K**L**M**QS	ABCDEFGHJKNQRSTUV 8
4 BDFHIKO**RST**UV	FJ 9
5 DGIJKL	ADEHJ**P**UZ 10
B 10A CEE	❶ €29,70
7,3 ha 68**T**(100-120m²) 82**D**	❷ €40,40

A58 Ausfahrt Oirschot. CP-Schild Latour folgen. Navi nicht benutzen.

Oisterwijk, NL-5062 TE / Noord-Brabant (CC€16) iD

Ardoer streekpark Klein Oisterwijk
Oirschotsebaan 8A
1 Jan - 31 Dez
+31 (0)13-5282059
kleinoisterwijk@ardoer.com
N 51°33'13'' E 5°13'32''

1 AE**IL**NOPRT	ABFGL**N** 6
2 ABDGHIPQVWXY	ABDE**FGH** 7
3 ABCDEF**IK**LQRTUV	ABCDEFGIJNQRSTUV 8
4 **A**BCD**E**FGHIKLNO**PQ**	EFJVW 9
5 ACDEGIJKL	ABDEHJM**P**STYZ 10
B 10A CEE	❶ €28,00
13 ha 150**T**(100m²) 267**D**	❷ €36,00

A58 Ausf. Oirschot Ri. Oisterwijk. A58 Eindhoven-Tilburg und N65 Den Bosch-Tilburg, Ausf. Oirschot Ri. Oisterwijk. Den Schildern der Freizeiteinrichtungen folgen. Oirschotsebaan folgen. Per Navigation: von der N65 die Ausfahrt Oisterwijk nehmen.

Oisterwijk, NL-5062 TP / Noord-Brabant (CC€16) iD

Ardoer vakantiepark De Reebok
Duinenweg 4
1 Jan - 31 Dez
+31 (0)13-5282309
reebok@ardoer.com
N 51°34'24'' E 5°13'56''

1 ABDE**IL**NOPQRT	6
2 ABPQX	ABDE**FG**H 7
3 BE**KL**PQT	ABCDFIJNQRSTUV 8
4 BFGHIK	EFHJV 9
5 ADDEJKL	ABDEFHJO**PQ**STYZ 10
16A CEE	❶ €25,00
8 ha 90**T**(80-100m²) 244**D**	❷ €35,00

In Oisterwijk Schildern andere Erholungsmöglichkeiten folgen. Danach auf Straßennamen 'Duinenweg' achten.

Oisterwijk, NL-5062 TM / Noord-Brabant (CC€14) iD

Natuurkampeerterrein Morgenrood
Scheibaan 15
1 Jan - 31 Dez
+31 (0)13-5215935
info@nivonmorgenrood.nl
N 51°34'5'' E 5°14'7''

1 AEG**JM**NOPRT	6
2 ABGPQWXY	AB**FG** 7
3 ABE**K**LQ	ABCDEFJNQRV 8
4 FH	GJV 9
5 L	ADFJNPRVZ 10
B 6A CEE	❶ €23,85
3 ha 75**T**(100-150m²) 46**D**	❷ €36,95

In Oisterwijk der Beschilderung zu den Freizeitanlagen folgen. Bis zur Scheibaan folgen. An dieser Straße liegt Morgenrood, bei Nr.15.

Oosterhout, NL-4904 SG / Noord-Brabant (CC€14)

De Katjeskelder
Katjeskelder 1
27 Mär - 1 Nov
+31 (0)162-453539
receptie.katjeskelder@roompot.nl
N 51°37'44'' E 4°49'57''

1 CDEG**IL**NOT	ABEFGHP 6
2 ABPQVX	ABDE**FG** 7
3 BE**IKLPS**	ABCDEFIJKNQRSTV 8
4 BDFGHILO**PQX**	AJLVWXY 9
5 ACDEFGHIJKL	ABDEHIKNO**P**STYZ 10
4A CEE	❶ €36,00
28 ha 102**T**(80m²) 369**D**	❷ €38,00

A27 Ausfahrt 17 Oosterhout-Zuid. Schildern 'Katjeskelder' folgen.

Oosterhout/Dorst, NL-4849 PX / Noord-Brabant

't Haasje Recreatiepark
Vijf Eikenweg 45
31 Mär - 30 Okt
+31 (0)161-411626
info@haasjeoosterhout.nl
N 51°36'40'' E 4°53'17''

1 BEG**JM**NORT	ABFGN 6
2 ABPQVWX	A**BFG** 7
3 B**C**E**KLMS**	ABCDE**F**NRTUV 8
4 BDFHILNO**PQRSTXZ**	EJUV 9
5 ACDEGIJKL	ABEFHKORYZ 10
10A CEE	❶ €26,50
26 ha 36**T**(100-120m²) 573**D**	❷ €33,95

A27 Ausfahrt Oosterhout-Zuid Richtung Rijen. Danach CP-Schildern folgen.

Teilkarte Nord-Brabant auf Seite 211

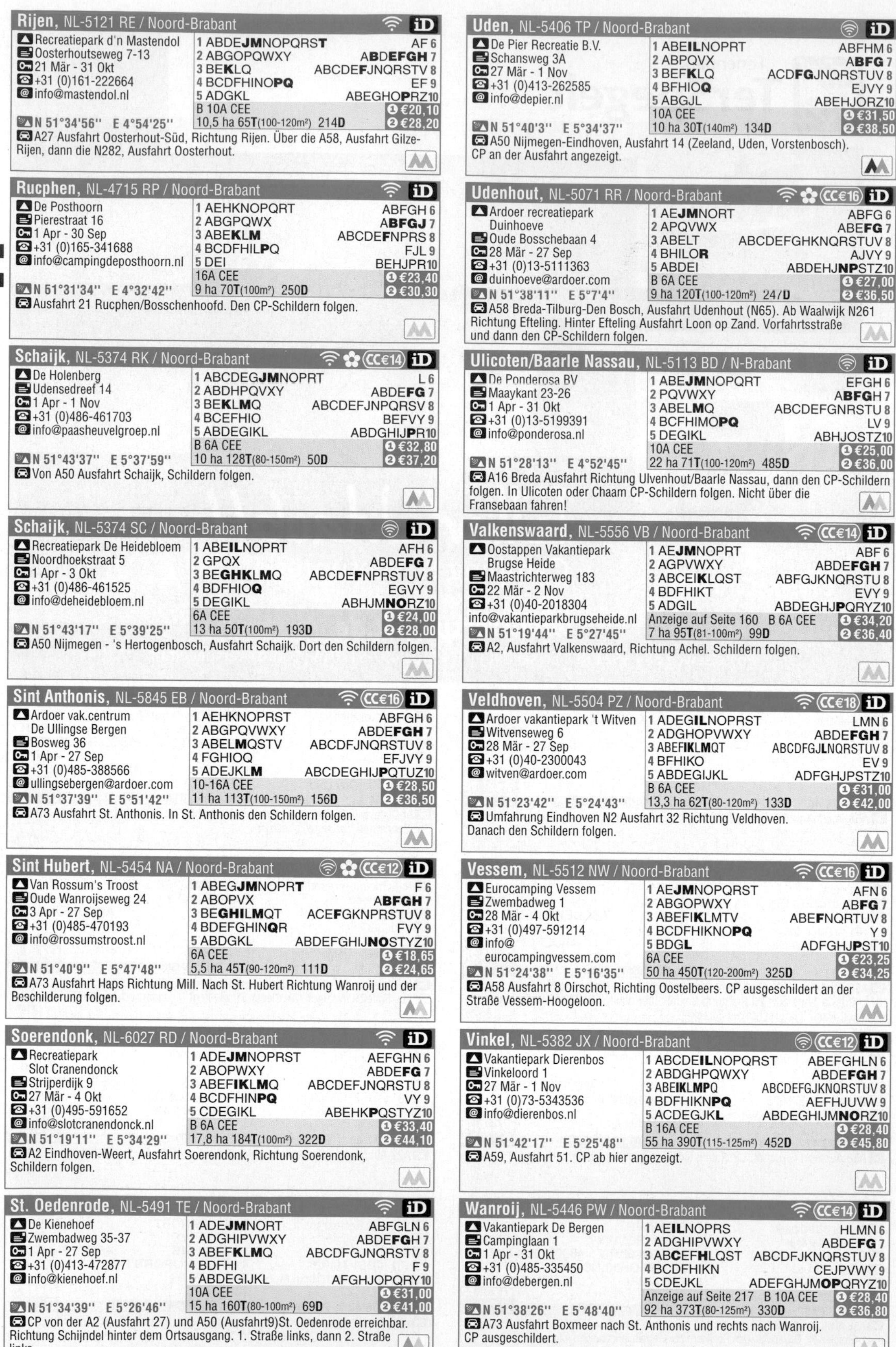

Niederlande

Rijen, NL-5121 RE / Noord-Brabant

Recreatiepark d'n Mastendol
Oosterhoutseweg 7-13
21 Mär - 31 Okt
+31 (0)161-222664
info@mastendol.nl
N 51°34'56'' E 4°54'25''

1 ABDE**JM**NOPQRS**T** AF 6
2 ABGOPQWXY AB**D**E**FGH** 7
3 BE**K**LQ ABCDE**F**JNQRSTV 8
4 BCDFHINO**PQ** EF 9
5 ADGKL ABEGHO**P**RZ10
B 10A CEE ❶ €20,10
10,5 ha 65T(100-120m²) 214D ❷ €28,20

A27 Ausfahrt Oosterhout-Süd, Richtung Rijen. Über die A58, Ausfahrt Gilze-Rijen, dann die N282, Ausfahrt Oosterhout.

Uden, NL-5406 TP / Noord-Brabant

De Pier Recreatie B.V.
Schansweg 3A
27 Mär - 1 Nov
+31 (0)413-262585
info@depier.nl
N 51°40'3'' E 5°34'37''

1 ABE**IL**NOPRT ABFHM 6
2 ABPQVX A**BFG** 7
3 BEF**K**LQ ACD**FG**JNQRSTUV 8
4 BFHIO**Q** EJVY 9
5 ABGJL ABEHJORZ10
10A CEE ❶ €31,50
10 ha 30T(140m²) 134D ❷ €38,50

A50 Nijmegen-Eindhoven, Ausfahrt 14 (Zeeland, Uden, Vorstenbosch). CP an der Ausfahrt angezeigt.

Rucphen, NL-4715 RP / Noord-Brabant

De Posthoorn
Pierestraat 16
1 Apr - 30 Sep
+31 (0)165-341688
info@campingdeposthoorn.nl
N 51°31'34'' E 4°32'42''

1 AEHKNOPQRT ABFGH 6
2 ABGPQWX A**BFGJ** 7
3 ABE**KLM** ABCDE**F**NPRS 8
4 BCDFHIL**PQ** FJL 9
5 DEI BEHJPR10
16A CEE ❶ €23,40
9 ha 70T(100m²) 250D ❷ €30,30

Ausfahrt 21 Rucphen/Bosschenhoofd. Den CP-Schildern folgen.

Udenhout, NL-5071 RR / Noord-Brabant

Ardoer recreatiepark Duinhoeve
Oude Bosschebaan 4
28 Mär - 27 Sep
+31 (0)13-5111363
duinhoeve@ardoer.com
N 51°38'11'' E 5°7'4''

1 AE**JM**NORT ABFG 6
2 APQVWX ABE**FG** 7
3 ABELT ABCDEFGHKNQRSTUV 8
4 BHILO**R** AJVY 9
5 ABDEI ABDEHJ**NP**STZ10
B 6A CEE ❶ €27,00
9 ha 120T(100-120m²) 24D ❷ €36,50

A58 Breda-Tilburg-Den Bosch, Ausfahrt Udenhout (N65). Ab Waalwijk N261 Richtung Efteling. Hinter Efteling Ausfahrt Loon op Zand. Vorfahrtsstraße und dann den CP-Schildern folgen.

Schaijk, NL-5374 RK / Noord-Brabant

De Holenberg
Udensedreef 14
1 Apr - 1 Nov
+31 (0)486-461703
info@paasheuvelgroep.nl
N 51°43'37'' E 5°37'59''

1 ABCDEG**JM**NOPRT L 6
2 ABDHPQVXY ABDE**FG** 7
3 BE**KLM**Q ABCDEFJNPQRSV 8
4 BCEFHIO BEFVY 9
5 ABDEGIKL ABDGHIJ**P**R10
B 6A CEE ❶ €32,80
10 ha 128T(80-150m²) 50D ❷ €37,20

Von A50 Ausfahrt Schaijk, Schildern folgen.

Ulicoten/Baarle Nassau, NL-5113 BD / N-Brabant

De Ponderosa BV
Maaykant 23-26
1 Apr - 31 Okt
+31 (0)13-5199391
info@ponderosa.nl
N 51°28'13'' E 4°52'45''

1 ABE**JM**NOPQRT EFGH 6
2 PQVWXY A**BFGH** 7
3 ABEL**M**Q ABCDEFGNRSTU 8
4 BCFHIMO**PQ** LV 9
5 DEGIKL ABHJOSTZ10
10A CEE ❶ €25,00
22 ha 71T(100-120m²) 485D ❷ €36,00

A16 Breda Ausfahrt Richtung Ulvenhout/Baarle Nassau, dann den CP-Schildern folgen. In Ulicoten oder Chaam CP-Schildern folgen. Nicht über die Fransebaan fahren!

Schaijk, NL-5374 SC / Noord-Brabant

Recreatiepark De Heidebloem
Noordhoekstraat 5
1 Apr - 3 Okt
+31 (0)486-461525
info@deheidebloem.nl
N 51°43'17'' E 5°39'25''

1 ABE**IL**NOPRT AFH 6
2 GPQX ABDE**FG** 7
3 BE**GHKLM**Q ABCDE**F**NPRSTUV 8
4 BDFHIO**Q** EGVY 9
5 DEGIKL ABHJM**NO**RZ10
6A CEE ❶ €24,00
13 ha 50T(100m²) 193D ❷ €28,00

A50 Nijmegen - 's Hertogenbosch, Ausfahrt Schaijk. Dort den Schildern folgen.

Valkenswaard, NL-5556 VB / Noord-Brabant

Oostappen Vakantiepark Brugse Heide
Maastrichterweg 183
22 Mär - 2 Nov
+31 (0)40-2018304
info@vakantieparkbrugseheide.nl
N 51°19'44'' E 5°27'45''

1 AE**JM**NOPRT ABF 6
2 AGPVWXY ABDE**FGH** 7
3 ABCEI**K**LQST ABFGJKNQRSTU 8
4 BDFHIKT EVY 9
5 ADGIL ABDEGHJ**P**QRYZ10
Anzeige auf Seite 160 B 6A CEE ❶ €34,20
7 ha 95T(81-100m²) 99D ❷ €36,40

A2, Ausfahrt Valkenswaard, Richtung Achel. Schildern folgen.

Sint Anthonis, NL-5845 EB / Noord-Brabant

Ardoer vak.centrum De Ullingse Bergen
Bosweg 36
1 Apr - 27 Sep
+31 (0)485-388566
ullingsebergen@ardoer.com
N 51°37'39'' E 5°51'42''

1 AEHKNOPRST ABFGH 6
2 ABGPQVWXY ABDE**FGH** 7
3 ABEL**M**QSTV ABCDFJNQRSTUV 8
4 FGHIOQ EFJVY 9
5 ADEJKL**M** ABCDEGHIJ**P**QTUZ10
10-16A CEE ❶ €28,50
11 ha 113T(100-150m²) 156D ❷ €36,50

A73 Ausfahrt St. Anthonis. In St. Anthonis den Schildern folgen.

Veldhoven, NL-5504 PZ / Noord-Brabant

Ardoer vakantiepark 't Witven
Witvenseweg 6
28 Mär - 27 Sep
+31 (0)40-2300043
witven@ardoer.com
N 51°23'42'' E 5°24'43''

1 ADEG**IL**NOPRST LMN 6
2 ADGHOPVWXY ABDE**FGH** 7
3 ABEF**IKLM**QT ABCDFG**J**LNQRSTUV 8
4 BFHIKO EV 9
5 ABDEGIJKL ADFGHJPSTZ10
B 6A CEE ❶ €31,00
13,3 ha 62T(80-120m²) 133D ❷ €42,00

Umfahrung Eindhoven N2 Ausfahrt 32 Richtung Veldhoven. Danach den Schildern folgen.

Sint Hubert, NL-5454 NA / Noord-Brabant

Van Rossum's Troost
Oude Wanroijseweg 24
3 Apr - 27 Sep
+31 (0)485-470193
info@rossumstroost.nl
N 51°40'9'' E 5°47'48''

1 ABEG**JM**NOPR**T** F 6
2 ABOPVX A**BFGH** 7
3 BE**GHIL**MQT ACE**F**GKNPRSTUV 8
4 BDEFGHIN**Q**R FVY 9
5 ABDGKL ABDEFGHIJ**NO**STYZ10
6A CEE ❶ €18,65
5,5 ha 45T(90-120m²) 111D ❷ €24,65

A73 Ausfahrt Haps Richtung Mill. Nach St. Hubert Richtung Wanroij und der Beschilderung folgen.

Vessem, NL-5512 NW / Noord-Brabant

Eurocamping Vessem
Zwembadweg 1
28 Mär - 4 Okt
+31 (0)497-591214
info@eurocampingvessem.com
N 51°24'38'' E 5°16'35''

1 AE**JM**NOPQRST AFN 6
2 ABGOPWXY AB**FG** 7
3 ABEFI**KL**MTV ABE**F**NQRTUV 8
4 BCDFHIKNO**PQ** Y 9
5 BDG**L** ADFGHJPST10
6A CEE ❶ €23,25
50 ha 450T(120-200m²) 325D ❷ €34,25

A58 Ausfahrt 8 Oirschot, Richting Oostelbeers. CP ausgeschildert an der Straße Vessem-Hoogeloon.

Soerendonk, NL-6027 RD / Noord-Brabant

Recreatiepark Slot Cranendonck
Strijperdijk 9
27 Mär - 4 Okt
+31 (0)495-591652
info@slotcranendonck.nl
N 51°19'11'' E 5°34'29''

1 ADE**JM**NOPRST AEFGHN 6
2 ABOPWXY ABDE**FG** 7
3 ABEF**IKLM**Q ABCDEFJNQRSTU 8
4 BCDFHIN**PQ** VY 9
5 CDEGIKL ABEHK**P**QSTYZ10
B 6A CEE ❶ €33,40
17,8 ha 184T(100m²) 322D ❷ €44,10

A2 Eindhoven-Weert, Ausfahrt Soerendonk, Richtung Soerendonk, Schildern folgen.

Vinkel, NL-5382 JX / Noord-Brabant

Vakantiepark Dierenbos
Vinkeloord 1
27 Mär - 1 Nov
+31 (0)73-5343536
info@dierenbos.nl
N 51°42'17'' E 5°25'48''

1 ABCDE**IL**NOPQRST ABEFGHLN 6
2 ABDGHPQWXY ABDE**FGH** 7
3 ABE**IKLM**PQ ABCDEFGJKNQRSTUV 8
4 BDFHIKN**PQ** AEFHJUVW 9
5 ACDEGJK**L** ABDEGHIJM**NO**RZ10
B 16A CEE ❶ €28,40
55 ha 390T(115-125m²) 452D ❷ €45,80

A59, Ausfahrt 51. CP ab hier angezeigt.

St. Oedenrode, NL-5491 TE / Noord-Brabant

De Kienehoef
Zwembadweg 35-37
1 Apr - 27 Sep
+31 (0)413-472877
info@kienehoef.nl
N 51°34'39'' E 5°26'46''

1 ADE**JM**NORT ABFGLN 6
2 ADGHIPVWXY ABDE**FGH** 7
3 ABEF**KLM**Q ABCDFGJNQRSTV 8
4 BDFHI F 9
5 ABDEGIJKL AFGHJOPQRY10
10A CEE ❶ €31,00
15 ha 160T(80-100m²) 69D ❷ €41,00

CP von der A2 (Ausfahrt 27) und A50 (Ausfahrt9)St. Oedenrode erreichbar. Richtung Schijndel hinter dem Ortsausgang. 1. Straße links, dann 2. Straße links.

Wanroij, NL-5446 PW / Noord-Brabant

Vakantiepark De Bergen
Campinglaan 1
1 Apr - 31 Okt
+31 (0)485-335450
info@debergen.nl
N 51°38'26'' E 5°48'40''

1 AE**IL**NOPRS HLMN 6
2 ABDHIPVWXY ABDE**FG** 7
3 AB**C**EF**H**LQST ABCDFJKNQRSTUV 8
4 BCDFHIKN CEJPVWY 9
5 CDEJKL ADEFGHJM**OP**QRYZ10
Anzeige auf Seite 217 B 10A CEE ❶ €28,40
92 ha 373T(80-125m²) 330D ❷ €36,80

A73 Ausfahrt Boxmeer nach St. Anthonis und rechts nach Wanroij. CP ausgeschildert.

Teilkarte Nord-Brabant auf Seite 211

Ferienpark de Bergen

Willemstad, NL-4797 SC / Noord-Brabant

Bovensluis
Oostdijk 22
1 Jan - 31 Dez
+31 (0)168-472568
camping@bovensluis.nl

1 AEG**JM**NOPQRST	AF**NX**	6
2 ACPVX	ADE**FG**H	7
3 BE**KLM**	ABCDEFNQRSTU	8
4 HILN**PQ**	EFJNQTV	9
5 DJKL	ABGHIJ**PR**	10
10A CEE		❶ €21,25
16 ha 55**T**(100-140m²) 434**D**		❷ €29,80

N 51°40'52'' E 4°28'53''

A29 Dinteloord-Rotterdam, Ausfahrt Willemstad. Am Ortsausgang von Willemstad links ab. Ausgeschildert.

Zeeland, NL-5411 RS / Noord-Brabant

Vakantiepark De Heische Tip
Straatsven 4
1 Apr - 1 Okt
+31 (0)486-451458
info@heischetip.nl

1 ABE**JM**NORT	L	6
2 BDGHPQVX	A**B**D**EFG**	7
3 BE**GHIKLM**Q	ABCDE**F**IJKNPQRSTU	8
4 BCDFHILNO**P**	AEFUVWY	9
5 ADEGIJK	ABEHIK**NP**QSTYZ	10
6A CEE		❶ €37,50
18 ha 80**T**(80-90m²) 353**D**		❷ €39,70

N 51°41'42'' E 5°39'19''

A50 Ausfahrt Ravenstein, dann Richtung Uden, bei Zeeland ausgeschildert.

Zandoerle/Veldhoven, NL-5506 LA / N-Br. (CC€16)

Vakantiepark Molenvelden
Banstraat 25
27 Mär - 27 Sep
+31 (0)40-2052384
molenvelden@kempenrecreatie.nl

1 AE**JM**NOPRST	ABFG**N**	6
2 APVWXY	A**BFGH**	7
3 ABDE**IK**L	ABCDEFGHJKNQRSTU	8
4 BDFHIKO**PQ**	J	9
5 DGIJKL	ADEGHJO**P**RZ	10
10A CEE		❶ €30,00
14 ha 66**T**(80-100m²) 169**D**		❷ €42,00

N 51°24'30'' E 5°21'27''

N2 Umfahrung Eindhoven, Ausfahrt 31 Richtung Veldhoven. Den Schildern folgen.

Zundert, NL-4882 KB / Noord-Brabant

Internationaal Priem B.V.
Rucphenseweg 51
1 Apr - 31 Okt
+31 (0)76-5972632
info@internationaalpriem.nl

1 ADE**JM**NOPQR**T**	AF	6
2 APQX	A**B**D**EFG**	7
3 BELQ	AE**F**NR	8
4 BIO**PQ**	FV	9
5 DGKL	ABHIJ**P**RZ	10
4A		❶ €21,50
9 ha 50**T**(80-100m²) 252**D**		❷ €31,00

N 51°29'41'' E 4°36'9''

Von Breda Schildern Antwerpen, Mastbos, Rijsbergen, Zundert folgen. Im Zentrum von Zundert rechts Richtung Rucphen, nach 5 km CP.

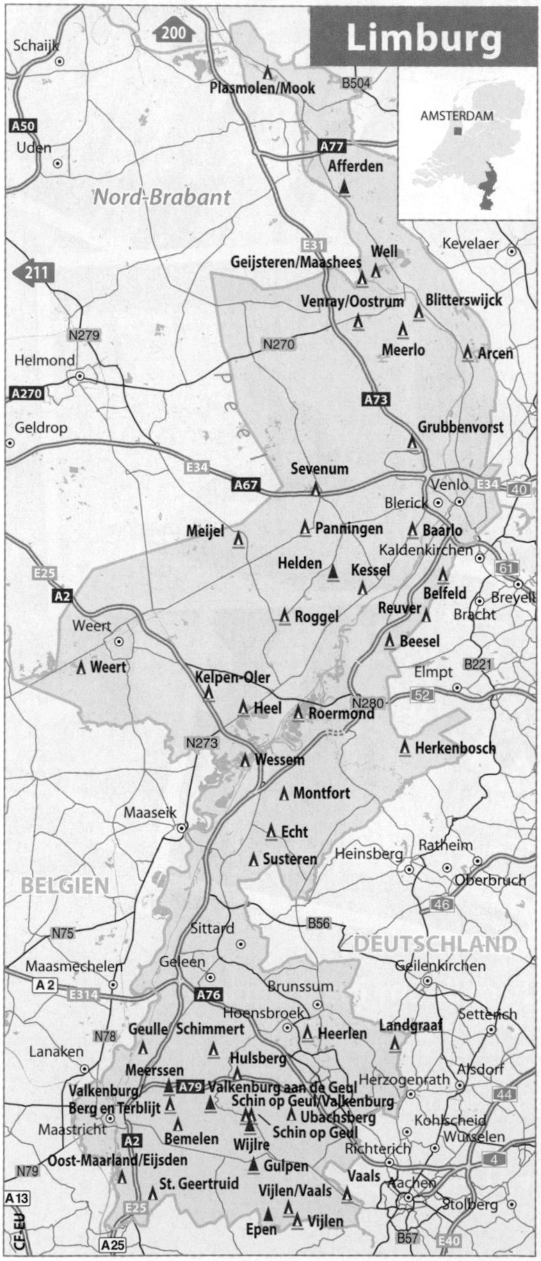

Limburg

Afferden, NL-5851 AG / Limburg (CC€16)

Klein Canada
Dorpsstraat 1
1 Jan - 31 Dez
+31 (0)485-531223
info@kleincanada.nl

1 AEG**IL**NOPRST	AEFHN	6
2 AGOPQSWX	A**BCEFG**H	7
3 ABEF**JK**LMQT	ABCDEFGIJK**LM**NQRSTUV	8
4 BDEHIKO**PQT**	AEJVW	9
5 ACDEGIJKLM	ABCDEFGHIKM**NO**ST	10
B 6-10A CEE		❶ €29,00
12 ha 135**T**(100-120m²) 151**D**		❷ €39,50

N 51°38'20'' E 6°0'15''

Von Nijmegen A73 Ausfahrt zur A77 (Köln), dann die N271 vor Afferden links. Von Venlo aus hinter Afferden rechts ab.

Afferden, NL-5851 EK / Limburg (CC€14)

Roland
Rimpelt 33
1 Jan - 31 Dez
+31 (0)485-531431
info@campingroland.nl

1 AEG**IL**NOPQRST	ABFGHN	6
2 AGPVX	BE**FG**H	7
3 BE**IK**LQRT	ABCDE**F**IJNQRSTUV	8
4 BDFHINO**PQ**	ACFJUV	9
5 ABCDEGJKL	ABCEFGHIJM**P**RZ	10
6A CEE		❶ €27,30
H50 11 ha 84**T**(80-120m²) 318**D**		❷ €35,60

N 51°38'4'' E 6°2'3''

A73 Nijmegen-Venlo, am Kreuz Rijkevoort über die A77 bis Ausfahrt 2 auf die N271 Nieuw-Bergen - Afferden, nach ca. 5 km Richtung Venlo, den Schildern folgen.

Arcen, NL-5944 EX / Limburg (CC€12)

Klein Vink
Klein Vink 4
1 Jan - 31 Dez
+31 (0)77-4732525
info@roompot.nl

1 ACDEILNOPQRST	EFGLN	6
2 ADGHIPQVWXY	ABDE**FG**H	7
3 ABCEF**IMQS**	ABCDEFJNQRSTUV	8
4 BFHLO**PQW**	JNQTVWY	9
5 ACDIJL	ABDEFGHIJM**P**RYZ	10
B 10A CEE		❶ €38,00
17 ha 310**T**(80-90m²) 615**D**		❷ €40,00

N 51°29'46'' E 6°11'4''

N271 Nijmegen-Venlo. Gut ausgeschildert.

Baarlo, NL-5991 NV / Limburg (CC€16)

Oostappen Vakantiepark De Berckt
Napoleonsbaan Noord 4
22 Mär - 2 Nov
+31 (0)77-4777222
info@vakantieparkdeberckt.nl

1 AE**JM**NOPQRST	EFGHI	6
2 ABGOPQWXY	ABDE**FG**H	7
3 ABEILQT	ABCDEFGJKNQRSTUV	8
4 BDFHIKLNO**PQS**TUV	EVY	9
5 ACDEGIJ	ABDEGHIJ**O**RYZ	10
Anzeige auf Seite 160 10A CEE		❶ €42,00
40 ha 281**T**(80-120m²) 665**D**		❷ €44,00

N 51°20'46'' E 6°6'20''

A73 Ausfahrt Baarlo (N273). Auf der N273 (Napoleonsbaan) liegt der CP auf der Westseite der Strecke, zwischen Blerick und Baarlo.

Beesel, NL-5954 PB / Limburg (CC€16)

Petrushoeve
Heidenheimseweg 3
1 Mär - 31 Okt
+31 (0)77-4741984
info@campingpetrushoeve.nl

1 AEGHKNOPRST		6
2 ABPQVWXY	ABDE**FG**K	7
3 AE**K**LQ**R**SV	ABCDEFJNQRSV	8
4 **ABD**EFGHIK	GIUVW	9
5 AFL	ADHIJN**P**R	10
Anzeige auf Seite 219 6-10A CEE		❶ €21,50
6 ha 107**T**(120-140m²) 5**D**		❷ €30,50

N 51°15'8'' E 6°4'22''

Von der A73 Ausfahrt 18 Reuver/Beesel. Danach den Schildern Petrushoeve Recreatie folgen.

Belfeld, NL-5951 NS / Limburg (CC€16)

DroomPark Maasduinen
Maalbekerweg 25
27 Mär - 24 Okt
+31 (0)77-4751326
maasduinen@droomparken.nl

1 ADE**JM**NOPQRST	EFGL	6
2 BDGHPQVWX	ABDE**FG**	7
3 ABELT	ABCDE**F**JKNQRSTUV	8
4 BFHILR**S**	EFJVY	9
5 ADGIJK	ADHIJ**P**R	10
B 6-10A CEE		❶ €31,00
20 ha 104**T**(100-140m²) 154**D**		❷ €44,00

N 51°18'27'' E 6°8'47''

Auf der A73 Richtung Roermond Ausfahrt 17 Belfeld. Ab der Ausfahrt den Schildern folgen.

Niederlande

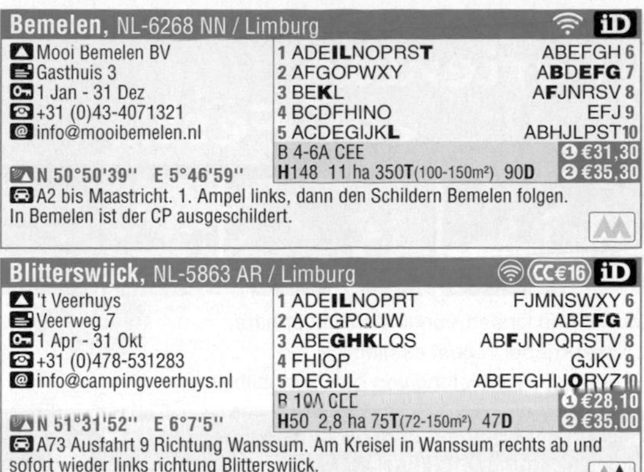

Bemelen, NL-6268 NN / Limburg

Mooi Bemelen BV
Gasthuis 3
1 Jan - 31 Dez
+31 (0)43-4071321
info@mooibemelen.nl

1 ADE**IL**NOPRS**T**	ABEFGH	6
2 AFGOPWXY	A**B**DE**FG**	7
3 BE**K**L	A**F**JNRSV	8
4 BCDFHINO	EFJ	9
5 ACDEGIJK**L**	ABHJLPST	10
B 4-6A CEE	① €31,30	
H148 11 ha 350**T**(100-150m²) 90**D**	② €35,30	

N 50°50'39'' E 5°46'59''

A2 bis Maastricht. 1. Ampel links, dann den Schildern Bemelen folgen. In Bemelen ist der CP ausgeschildert.

Blitterswijck, NL-5863 AR / Limburg

't Veerhuys
Veerweg 7
1 Apr - 31 Okt
+31 (0)478-531283
info@campingveerhuys.nl

1 ADE**IL**NOPRT	FJMNSWXY	6
2 ACFGPQUW	ABE**FG**	7
3 ABE**GHK**LQS	AB**F**JNPQRSTV	8
4 FHIOP	GJKV	9
5 DEGIJL	ABEFGHIJ**O**RYZ	10
B 10A CEE	① €28,10	
H50 2,8 ha 75**T**(72-150m²) 47**D**	② €35,00	

N 51°31'52'' E 6°7'5''

A73 Ausfahrt 9 Richtung Wanssum. Am Kreisel in Wanssum rechts ab und sofort wieder links richtung Blitterswijck.

Niederlande

Echt, NL-6102 RD / Limburg

Marisheem
Brugweg 89
1 Mär - 31 Okt
+31 (0)475-481458
info@marisheem.nl

1 AE**JM**NOPRT	AFH	6
2 AGOPVWXY	ABDE**FG**	7
3 ABFLQ	ABCDEFGJNQRSV	8
4 FHNO		9
5 DGK**L**	ABDEGHI**NP**R	10
10A CEE	① €32,40	
12 ha 95**T**(80-100m²) 200**D**	② €34,90	

N 51°5'33'' E 5°54'40''

A2 Richtung Maastricht, Ausfahrt 45 Echt. Schildern Camping Marisheem folgen.

Geulle, NL-6243 CR / Limburg

de Boskant
Brommelen 60
1 Apr - 25 Okt
+31 (0)43-3641237
alicer@xs4all.nl

1 A**JM**NOPRS**T**	F	6
2 ABOPWXY	ABDE**FG**H	7
3 A**K**	AEFNRV	8
4 FH**PQ**		9
5 AEGI**L**	ABHJOST	10
6A CEE	① €19,00	
6 ha 150**T** 30**D**	② €29,00	

N 50°54'38'' E 5°44'13''

A2 Eindhoven-Maastricht, Ausfahrt Bunde/Meerssen rechts ab, den CP-Schildern folgen.

Epen, NL-6285 AD / Limburg

Kampeerterrein Oosterberg
Oosterberg 2
15 Mär - 1 Nov
+31 (0)43-4551377
info@camping-oosterberg.nl

1 AEJMNOR**T**		6
2 AFGOPRWXY	A**BDEFG**H	7
3 A**GHK**LQ	ABCDE**F**GJKNRS	8
4 FHIKO	UV	9
5 AL	ABJOR	10
B 6A CEE	① €20,55	
H220 6 ha 200**T**	② €25,55	

N 50°46'19'' E 5°53'46''

Kreuzung Kerensheide A79 Richtung Aachenen Ausfahrt Simpelveld/Vaals Richtung Maastricht. Ausfahrt Mechelen/Epen. Hier ist der CP durch braune Schilder angezeigt.

Epen, NL-6285 ND / Limburg

Landschapscamping Alleleijn
Terzieterweg 17
15 Mär - 31 Okt
+31 (0)43-4551553
reserveren@campingalleleijn.nl

1 A**JM**NOPR**T**		6
2 CFGPTUVWX	ABDE**FG**H	7
3 A**K**	ABCDEFGHIJNPQRSV	8
4 FHIO	W	9
5 L	ABHJPR	10
D 4-10A CEE	① €20,20	
75**T**(100-140m²)	② €26,70	

N 50°45'24'' E 5°54'27''

In Epen geradeaus und sofort hinter Epen dem Schild 'Terziet/Sippenaeken' folgen. Geradeaus, auch an dem Schild 'doodlopende weg'. Noch 1 km der Straße folgen. CP liegt links.

Grubbenvorst, NL-5971 ND / Limburg

Californië
Horsterweg 23
15 Mär - 15 Okt
+31 (0)77-3662049
info@limburgsecamping.nl

1 AEGJMNOPQRST		6
2 APQSWXY	ABDE**FG**	7
3 A	ABCDEFJNQRTU	8
4 FFHIO	EFV	9
5 L	ADFGHKOR	10
Anzeige auf dieser Seite 10A CEE	① €19,60	
2 ha 80**T**(100-200m²) 12**D**	② €25,80	

N 51°25'13'' E 6°6'24''

Ab der A73 die Ausfahrt Grubbenvorst. Weiter Grubbenvorst bleiben, danach den Schildern folgen. Der CP ist gut angezeigt.

Geijsteren/Maashees, NL-5823 CB / Limburg

Natuurkampeerterrein Landgoed Geijsteren
Op den Berg 5a
28 Mär - 1 Nov
+31 (0)478-532601
info@campinglandgoedgeijsteren.nl

1 AEGILNOPR**T**	JNS	6
2 ABCFGIKPQRVXY	ABDE**FG**	7
3 AJ**K**V	ABCDFGJNPQRS	8
4 EFGH	FJQ	9
5 ABL	ABDHJPST	10
B 6A CEE	① €21,10	
3 ha 75**T**(80-100m²) 6**D**	② €29,20	

N 51°33'36'' E 6°2'30''

A73 Ausfahrt 8 Venray-Noord Richtung Maashees. Nach 4 km Ausfahrt Geijsteren. Nach 800m am Ortsschild links ab.

Gulpen, NL-6271 NP / Limburg

Gulperberg Panorama
Berghem 1
27 Mär - 5 Nov
+31 (0)43-4502330
info@gulperberg.nl

1 ACE**JM**NOPR**T**	AF	6
2 AFGPUVWX	BDE**FG**HK	7
3 BE**GHK**LQRT	ABCDEFIJNQRSTUV	8
4 **A**BEFGHILO**P**	AEFJUV	9
5 ABCDEFGJKL	ABEFGHIJ**P**RZ	10
Anzeige auf dieser Seite 10A CEE	① €30,70	
H120 7,9 ha 285**T**(100-120m²) 58**D**	② €43,10	

N 50°48'25'' E 5°53'39''

A4 Aachen - Maastricht, Ausf. Bocholtz zur N281 Ri. Gulpen. An der letzen Ampel in Gulpen li. Den Schildern folgen. Mit GPS: Postleitzahl eingeben, dann Landsraderweg bis zur T-Kreuzung folgen, li. ab. CP nach 200m re.

Teilkarte Limburg auf Seite 218

Niederlande

Gulpen, NL-6271 PP / Limburg
CC€14 iD

Osebos
Euverem 1 (post: Osebos 1)
28 Mär - 1 Nov
+31 (0)43-4501611
info@osebos.nl
N 50°48'27'' E 5°52'15''

1 ADE**JM**NOPRT AF 6
2 FGPRUVWX ABDE**FGH** 7
3 ABE**K**LS ABCDFGJKNQRSTUV 8
4 BFHIO 9
5 ACDEGIJKL ABEGHIJPST 10
10A CEE ① €29,00
H132 7 ha 210**T**(100-120m²) 30**D** ② €33,00

N278 Maastricht-Vaals. Vor Gulpen Richtung Euverem/Beutenaken, erste Straße rechts.

Herkenbosch, NL-6075 NA / Limburg
CC€16 iD

Oostappen Vakantiepark Elfenmeer
Meinweg 1
22 Mär - 2 Nov
+31 (0)475-531689
info@vakantieparkelfenmeer.nl
N 51°9'43'' E 6°5'30''

1 AE**JM**NOQRST ABFGHLN 6
2 ABDGHOPQVWXY ABDE**FGH** 7
3 ABEF**GHIKLMP**QST ABCDFGIJKNQRSTUV 8
4 FHIKLMNO**P**Q AEFJTVY 9
5 ACGIJKL ABEGHIJ**NO**RYZ 10
Anzeige auf Seite 160 10A CEE ① €30,75
37 ha 334**T**(100m²) 579**D** ② €33,15

A2 nach Roermond. Den Schildern Roermond-Oost und Melick folgen. Ausfahrt Herkenbosch und den CP-Schildern folgen.

Heel, NL-6097 NL / Limburg
CC€12 iD

Narvik HomeParc Heelderpeel B.V.
De Peel 13
28 Mär - 24 Okt
+31 (0)475-452211
info@heelderpeel.nl
N 51°11'49'' E 5°52'31''

1 ADEG**IL**NOPQRST ABHL 6
2 ADGHPQVX ABDE**FGH** 7
3 BEILMQT ABCDEFJNQRSV 8
4 BFHILO**PQ** EJVY 9
5 ADEGIJ ABDEHIJM**O**RY 10
10A CEE ① €27,50
55 ha 136**T**(100m²) 250**D** ② €30,00

Von Eindhoven A2 Ausfahrt 41. Auf der N273 Richtung Venlo fahren. Nach ca. 3 km ist der CP links ausgeschildert.

Hulsberg, NL-6336 AV / Limburg
iD

't Hemelke
Klimmenerweg 10
1 Apr - 1 Okt
+31 (0)45-4051386
info@hemelke.nl
N 50°53'16'' E 5°51'46''

1 AE**JM**NOR**T** AFH 6
2 AGOPTUVWXY ABDE**FGH** 7
3 ABE**IK**LQS ABCDEFKNRSV 8
4 BCDFGHIKO**PQ** 9
5 ABDGIKL AEHIJM**NO**ST 10
6A CEE ① €26,15
7 ha 350**T**(110-120m²) ② €38,05

Von A2 Ausfahrt A76 Richtung Heerlen, Ausfahrt Nuth, dort Richtung Hulsberg, CP in Hulsberg ausgeschildert.

Heerlen, NL-6413 TC / Limburg
CC€14 iD

Hitjesvijver
Willem Barentszweg 101
1 Jan - 31 Dez
+31 (0)45-5211353
info@hitjesvijver.nl
N 50°55'16'' E 5°57'26''

1 ACEG**IL**NOPQRS**T** ABFG 6
2 AGOPWXY A**B**DE**FG** 7
3 ABE**K**LQ ABCDE**F**JNQRS 8
4 FHI**PQ** EFJ 9
5 GK**L** ABDFGHIJPST 10
6A CEE ① €19,30
H83 4,5 ha 66**T** 94**D** ② €29,60

Von Eindhoven folgt man den Schildern A76 nach Heerlen; hinter Nuth re. der N281 folgen Ri. Heerlen; Ausf. Heerlen-Nord nehmen; am Ende der Ausfahrt li., am Kreisel bei McDonalds li., dann 1. Kreisel re., den Willem Barentszweg. Nach 800m CP li.

Kelpen-Oler, NL-6037 NR / Limburg
CC€14 iD

Geelenhoof
Grathemerweg 16
1 Mär - 4 Nov
+31 (0)495-651858
info@geelenhoof.nl
N 51°12'35'' E 5°49'47''

1 ACEG**IL**NOQRS**T** **N** 6
2 AOPQVXY ABDE**FG** 7
3 ABC**IK**LQ**R**SUV ABCDFNRSTUV 8
4 AHIQ AFIY 9
5 BGL ABDEFGHIJN**O**STZ 10
6A CEE ① €22,00
H120 2,3 ha 60**T**(120-150m²) 37**D** ② €29,50

Von Eindhoven: A2 Ausfahrt 40 Kelpen/Oler. Auf der N280 Ausfahrt Kelpen/Oler und der Durchgangsstraße folgen. Von Maastricht: A2 Ausfahrt 41 Richtung Grathem. Ab der N273 den CP-Schildern folgen.

Helden, NL-5987 NC / Limburg
iD

't Vossenveld
Roggelseweg 131
15 Mär - 15 Okt
+31 (0)77-3072386
info@vossenveld.nl
N 51°17'57'' E 5°58'1''

1 A**JM**NOPQRS**T** 6
2 ABOPVX A**B**DE**FG**H 7
3 ALQS ABCDE**F**JNRTUV 8
4 FHIO**Q** 9
5 ABHIJOPRVZ 10
6A CEE ① €13,50
3,5 ha 60**T**(100-160m²) 40**D** ② €20,40

Von der A73 Ausfahrt 14 Helden/Maasbree. An der N275 von Helden nach Roggel N275 einige Km hinter der Ortschaft Helden links.

Kessel, NL-5995 RP / Limburg
iD

Oda Hoeve
Heldenseweg 10
1 Apr - 1 Nov
+31 (0)77-4621358
info@odahoeve.nl
N 51°17'54'' E 6°2'14''

1 AEG**JM**NOPRS**T** 6
2 AFPVWX BE**FG**H 7
3 **K**QS BDFIJNPQRTU 8
4 **A**FHIOQ 9
5 L BHIJPRVZ 10
6A CEE ① €15,25
2,5 ha 75**T**(180-200m²) ② €22,25

Über den Napoleonsweg N273 nach Kessel. An der Ampel am McDonald's abfahren Richtung Helden. Nach 800m ist der CP auf der rechten Seite.

Helden, NL-5988 NH / Limburg
CC€14 iD

Ardoer camping De Heldense Bossen
De Heldense Bossen 6
28 Mär - 1 Nov
+31 (0)77-3072476
heldensebossen@ardoer.com
N 51°19'5'' E 6°1'25''

1 AE**JM**NOPQRST ABEFGHI 6
2 ABGPVWXY ABDE**FG**H 7
3 BDEF**K**LQST ABCDEFGJKNQRSTUV 8
4 **A**BCDFHIKLO**PQ** AEJV 9
5 ACDEGJKL ABEGHJ**P**RYZ 10
B 10A CEE ① €32,75
30 ha 399**T**(80-120m²) 398**D** ② €46,25

N277, Midden Peelweg, Ausfahrt Helden fahren. Von Helden Richtung Kessel. Nach 1 km links ab. Nach ca. 1 km kommt der CP.

Landgraaf, NL-6374 LE / Limburg
CC€16 iD

De Watertoren
Kerkveldweg 1
1 Apr - 31 Okt
+31 (0)45-5321747
info@campingdewatertoren.nl
N 50°54'38'' E 6°4'23''

1 ADE**JM**NOPRST ABFG 6
2 BPRWXY ABDE**FGH** 7
3 ABEF**K**LQSTV ABCDE**FGI**JKNQRSV 8
4 BEFHIO**Q** EJUV 9
5 ABDEGKL ABDEFGHJORY 10
B 10A CEE ① €26,90
H150 5,3 ha 120**T**(100-150m²) 29**D** ② €33,85

A2 Ausf. 47 Born/Brunssum. Brunssum folgen. Von Maastricht/Heerlen: Ausf. Kerkrade-West (Beitel) oder Beschilderung Park Gravenrode folgen. Dann Hofstr.-Einsteinstr.-Dr.Calsstr.-Torenstr. Links ab im Kreisel Europaweg Zuid. Mit dem Navi: Maastrichterweg eingeben.

Helden, NL-5988 NE / Limburg
iD

Hanssenhof
Kesselseweg 32-32a
1 Apr - 30 Sep
+31 (0)77-3072177
camping@hanssenhof.nl
N 51°18'52'' E 6°0'13''

1 AG**JM**NOPRS**T** 6
2 APWX ABDE**F** 7
3 A**J**K**Q** ABEFJNQRTU 8
4 FHIOQ EG 9
5 G ABHIJ**P**RV 10
6A CEE ① €14,50
3,5 ha 40**T**(100m²) 5**D** ② €22,50

Von der N277, Midden Peelweg, Ausfahrt Helden. Von Helden aus Richtung Kessel. Der CP ist nach 1 km rechts.

Meerlo, NL-5864 CZ / Limburg
CC€16 iD

't Karrewiel
Peschweg 8
1 Apr - 31 Okt
+31 (0)478-698062
info@karrewiel.eu
N 51°30'58'' E 6°5'46''

1 AE**IL**NOPQRST AFH**N** 6
2 AGPQVWXY A**B**DE**FG** 7
3 ABEFL**M** ABCDE**F**NQRTUV 8
4 BCDFHIKNO**P** EV 9
5 ABDEGIL ABDHIJN**O**RWXYZ 10
6A CEE ① €26,70
18,5 ha 35**T**(bis 120m²) 443**D** ② €30,90

A73 Nimwegen-Venlo, Ausfahrt 10 Horst-Nord. Richtung Tienray. In Tienray den Schildern folgen.

Teilkarte Limburg auf Seite 218

Meerssen, NL-6231 RV / Limburg

't Geuldal	1 AE**JM**NOPRST	6
Gemeentebroek 13	2 ABCPVWXY	A**B**D**EFG** 7
1 Apr - 1 Nov	3 BC**K**LQS	AB**FG**JOQSV 8
+31 (0)43-6040437	4 BDFHIKO**Q**	9
info@camping-geuldal.nl	5 ADK**L**	ABFHIJOST 10
	B 4-6A CEE	① €19,50
N 50°52'21'' E 5°46'17''	H56 4 ha 95**T**(100-150m²) 80**D**	② €27,50

A2 von N. Ausf. 51. Kreisel 1 li, Kreisel 2 re und Kreisel 3 li. Bis zum Bahnhof. Über die Bahnlinie li. Vor der Linkskurve re. Von S. A79 Ri. Heerlen Ausf. 2. Dann Meerssen, Kreisel li: hinter der Bahnlinie li. Strecke folgen. Dort CP-Schild. Reisemobile, höher als 2.8m, siehe Webseite.

Meerssen, NL-6231 KT / Limburg — CC€16

Camping Meerssen	1 AG**JM**NOPRS**T**	6
Houthemerweg 95	2 APWXY	ABDE**FG** 7
1 Apr - 30 Sep	3 LQ	ABCDEFJNRV 8
+31 (0)43-3654743	4 FH	EV 9
info@campingmeerssen.nl	5 L	ABDFH**P**STV 10
	6A CEE	① €25,60
N 50°52'43'' E 5°46'16''	H63 0,7 ha 40**T**(90-100m²) 2**D**	② €32,20

Von Luik A79 Richtung Heerlen. Ausfahrt 2 Meerssen. Links, dann wieder links, nach 600m rechts. Ab Eindhoven A2 Ausfahrt 51 Meerssen. Richtung Valkenburg A79 erste Ausfahrt Meerssen nehmen. Links, dann wieder links, nach 600m rechts.

Meijel, NL-5768 PK / Limburg — CC€14

Kampeerbos De Simonshoek	1 ACEILNOPQRS**T**	ABCFG 6
Steenoven 10	2 ABGPQVWX	A**B**D**EFGH** 7
1 Jan - 31 Dez	3 AELQS	ABCDE**F**JNQRSV 8
+31 (0)77-4661797	4 BDFHILO	FVY 9
info@simonshoek.nl	5 ADGI**L**	AEGHIJ**N**ORZ 10
	B 6A CEE	① €24,00
N 51°20'23'' E 5°52'16''	8,5 ha 75**T**(120-130m²) 124**D**	② €35,50

A67 Eindhoven-Venlo, Ausfahrt Asten/Meijel Richtung Meijel. Nach ca. 12 km rechts ab. CP liegt dann nach 700m auf der rechten Seite.

Montfort, NL-6065 CH / Limburg

Reigershorst	1 ADEG**IL**NOPQRST	AF 6
Huysbongerdweg 55	2 AGPWX	AB**FG**H 7
1 Apr - 1 Okt	3 ALQ	ABCDEFNRSV 8
+31 (0)475-541292	4 HIO**PS**	F 9
reigershorst.camping@planet.nl	5 ADEGIJKL	ABGHJSTZ 10
	10A CEE	① €18,40
N 51°7'30'' E 5°55'45''	12 ha 26**T**(120-140m²) 242**D**	② €27,50

A2 Ausfahrt 44 Montfort, die N271 Richtung Roermond, den Schildern Montfort folgen, danach den CP-Schildern.

Oost-Maarland/Fijsden, NL-6245 LC / Limburg

De Oosterdriessen	1 AE**IL**NOPRT	L**N**QS 6
Oostweg 1A	2 ADGHIOPVWXY	ABDE**FG**HK 7
24 Apr - 21 Sep	3 ALQ	ABCDE**F**NQRS 8
+31 (0)43-4093215	4 FHI	BUV 9
info@oosterdriessen.nl	5 ABGKL	ABFGJOST 10
	B 6A CEE	① €24,50
N 50°48'0'' E 5°42'24''	H52 8 ha 230**T**(90-100m²) 4**D**	② €30,50

A2 Maastricht-Luik, Ausfahrt Eijsden/Oost-Maarland, Ausfahrt 57 oder 56, dann braunen Schildern folgen. A2 Luik-Maastricht, Ausfahrt 5, links ab und Schildern folgen.

Panningen, NL-5981 NX / Limburg — CC€14

Beringerzand	1 AE**IL**NORST	ABEFGHN 6
Heide 5	2 AGPQVWXY	ABDE**FG**H 7
27 Mär - 8 Nov	3 ABCDEFI**K**L**M**QST	ABCDFGIJKNQRSTU 8
+31 (0)77-3072095	4 **A**BDFGHILNO**PQ**	AELVZ 9
info@beringerzand.nl	5 ACDEGIK**L**	ABEFGHIJ**NP**QRZ 10
	Anzeige auf Seite 221, 220 B 10A CEE	① €35,75
N 51°20'56'' E 5°57'40''	20 ha 370**T**(80-100m²) 141**D**	② €47,75

A67 Ausfahrt 38, Richtung Koningslust. Dann Schildern 'Beringerzand' zum CP folgen.

Plasmolen/Mook, NL-6586 AE / Limburg — CC€16

Camping Eldorado	1 AE**JM**NOPRST	LMNS**X** 6
Witteweg 18	2 ACDFGPQWXY	7
1 Apr - 31 Okt	3 ABDLQT	8
+31 (0)24-6962366	4 BD**E**FHI	9
info@eldorado-mook.nl	5 ACDGIJKL	10
	Anzeige auf dieser Seite	① €25,00
N 51°44'8'' E 5°55'1''	6 ha 30**T**(100m²) 240**D**	② €30,00

A73 Ausfahrt 3 Malden. Richtung Malden folgen. An der Ampel rechts ab Richtung Mook. Nach ca. 7 km rechts in den Witteweg und der CP-Beschilderung folgen.

Reuver, NL-5953 HP / Limburg

Natuurplezier
Keulseweg 200
1 Apr - 31 Okt
+31 (0)77-4745485
info@natuurplezier.nl

1 AGJMNOPRST	6
2 BPQVWX	ABDEFGH 7
3 AL	ABDEFNQRSTUV 8
4 FHIO	EIJV 9
5 L	ABHJPR 10
Anzeige auf dieser Seite 6A CEE	❶ €19,90
1,5 ha 37T(120-135m²) 6D	❷ €29,70

N 51°16'28'' E 6°7'23''

Von Norden A73 Ausfahrt 17. Von Süden A73 Ausfahrt 18. Weiter auf der N271 Venlo-Roermond in Reuver die Ausfahrt nehmen, wo der CP ausgeschildert ist.

Roggel, NL-6088 NT / Limburg

Recreatiepark De Leistert
Heldensedijk 5
27 Mär - 9 Nov
+31 (0)475-493030
info@leistert.nl

1 ADEJMNOPQRST	ABEFGHIMN 6
2 GHPQVWXY	ABDEFGH 7
3 ABCEFGHIKLMOPQS	ABCDEFIJKNQRSTUV 8
4 ABCDFHILNOPQRSTUV	EFJVWY 9
5 ACDEFGIJKL	ABDEGHKPRYZ 10
Anzeige auf dieser Seite B 10A CEE	❶ €46,50
50 ha 750T(90-120m²) 623D	❷ €49,00

N 51°16'27'' E 5°55'55''

Der CP liegt an der Strecke Helden-Roggel, ca. 1 km vor Roggel.

Roermond, NL-6041 TR / Limburg

Resort Marina Oolderhuuske
Oolderhuuske 1
1 Apr - 31 Okt
+31 (0)475-588686
info@oolderhuuske.nl

1 ADEJLNOPRST	EFGLMNPQSTWXYZ 6
2 ACDGHIPVWX	ABDEFGH 7
3 ABDEFLMQST	ABCDEFIJNQRSTUV 8
4 BHLRSTV	EJNOPQRSVY 9
5 ABDGIJ	ABDFGHIJMPRVZ 10
6-16A CEE	❶ €35,50
5,5 ha 60T(80-200m²) 214D	❷ €37,00

N 51°11'32'' E 5°56'58''

Auf der A68 Ausfahrt Hatenboer/de Weerd nehmen. Dann direkt links ab und den braunen Schildern folgen mit Marina Oolderhuuske.

Schimmert, NL-6333 BR / Limburg

Mareveld
Mareweg 23
1 Jan - 31 Dez
+31 (0)45-4041269
info@mareveld.nl

1 AEGJMNOPQRST	AB 6
2 AFOPWX	ABFGH 7
3 BESV	ABCDEFJLNQRSV 8
4 BFGHKOP	FJ 9
5 AGJL	ABDHJMPST 10
6A CEE	❶ €21,00
H123 3,5 ha 43T(80m²) 83D	❷ €31,50

N 50°54'26'' E 5°49'54''

A76, Ausfahrt Spaubeek, rechts Richtung Schimmert. In Schimmert die 2. Straße links. Der CP ist ausgeschildert.

Teilkarte Limburg auf Seite 218

Schin op Geul, NL-6305 EA / Limburg

CC€14 iD

Schoonbron
Valkenburgerweg 128
1 Mär - 1 Nov
+31 (0)43-4591209
info@schoonbron.nl

1 AEJMNOPQRST ABFG 6
2 ACGOPRVWXY ABDEFGH 7
3 ABEFKLQ ABCDEFIJKNRSV 8
4 ABCDFHILNOP EFJLU 9
5 ACDEFGIJKLM ABDHIKMNOR 10
B 4A CEE ❶ €30,80
H81 12 ha 465T 476D ❷ €40,60

N 50°51'0'' E 5°52'50''

Gelegen an der Strecke Valkenburg-Wijlre. Von der N278 bei Partij Richtung Wijlre/Valkenburg.

Susteren, NL-6114 RT / Limburg

iD

Landgoed Hommelheide
Hommelweg 2
15 Apr - 1 Nov
+31 (0)46-4492900
info@europarcs-susteren.nl

1 AEJMNOQRST EFHLN 6
2 ABDGHOPQWY ABDEFG 7
3 ABEIJLMQT ABCDEFIJNQRSTUV 8
4 HINPQRSTVZ IVWY 9
5 ACDEFGIJKL ABEFGHIJMORYZ 10
B 10A CEE ❶ €31,70
42 ha 90T(100m²) 270D ❷ €34,40

N 51°4'12'' E 5°53'13''

A2 Austahrt 46 Susteren. Braunen Schildern Hommelheide folgen.

Schin op Geul/Valkenburg, NL-6305 PM / Limb.

CC€14 iD

Vinkenhof
Engwegen 2a
1/1 - 4/1, 1/3 - 31/12
+31 (0)43-4591389
info@campingvinkenhof.nl

1 ADEJMNOPQRST AB 6
2 ACOPRVWXY ABDEFGH 7
3 AEGHKLQU ABCDEFJNPQRSTUV 8
4 BDFHIO D 9
5 ADEFGIJL ABDFGHIJPR 10
6-10A CEE ❶ €29,30
H79 2,5 ha 111T(80-100m²) 36D ❷ €39,10

N 50°51'0'' E 5°52'23''

Von A76 Ausfahrt Nuth, über Hulsberg nach Valkenburg, dort Richtung Schin op Geul.

Ubachsberg, NL-6367 HE / Limburg

iD

Colmont
Colmont 2
28 Mär - 27 Sep
+31 (0)45-5620057
info@colmont.nl

1 AEJMNOPRT ABFG 6
2 AFOPRUVWXY ABDEFGH 7
3 ABEKL ABCDEFJKNQRSV 8
4 BCDFGHILOPQ EU 9
5 ADEGIKL ABFGHIJPR 10
10A CEE ❶ €25,15
H180 4 ha 160T(80-120m²) 45D ❷ €30,30

N 50°51'8'' E 5°56'3''

A79 Kreuz Voerendaal Richtung Kunrade. Dort Richtung Ubachsberg. Im Zentrum Ubachsberg ausgeschildert.

Sevenum, NL-5975 MZ / Limburg

iD

De Schatberg
Middenpeelweg 5
1 Jan - 31 Dez
+31 (0)77-4677777
info@schatberg.nl

1 ADEJMNOPQRST ABEFGHILMNPQ 6
2 ABDGHIPVWXY ABDEFG 7
3 BCDEFJKLOPQRS ABCDEFGIJLNQRSTUV 8
4 ABCDFHILMNOPQU EJVWY 9
5 ACDEFGIJK ABEGHIJMPTUYZ 10
Anzeige auf dieser Seite B 10-16A CEE ❶ €40,65
86 ha 500T(100-150m²) 695D ❷ €52,15

N 51°22'58'' E 5°58'34''

Von A67 Eindhoven-Venlo, Ausfahrt 38 Helden, Schildern folgen. CP an der N277, Midden Peelweg.

Vaals, NL-6291 NM / Limburg

CC€14 iD

Natuurkampeerterrein Hoeve De Gastmolen
Lemierserberg 23
1 Apr - 31 Okt
+31 (0)43-3065755
info@gastmolen.nl

1 ACEGJMNOPRT 6
2 ACFOPRTUVWXY ABDEFGH 7
3 ACEGHIKLMNOPQ ABCDEFGJNQRSTUV 8
4 AFHI 9
5 AKL ABDJNPR 10
6A CEE ❶ €25,50
H160 6 ha 100T(100-140m²) ❷ €35,50

N 50°46'54'' E 6°0'25''

A76 Kreuz Bochholtz Richtung N281. Bei Nijswiller N278 Richtung Vaals. Kurz vor Vaals ist der CP ausgeschildert. Achtung: die GPS-Werte führen nicht zur Haupteinfahrt des Campings, sondern zur nächsten Kreuzung Richtung Camping.

St. Geertruid, NL-6265 NC / Limburg

iD

De Bosrand
Moerslag 4
1 Apr - 1 Nov
+31 (0)43-4091544
info@campingdebosrand.nl

1 AEHKNOPRST 6
2 ABPTUVWXY ABDEFGH 7
3 ABEKLV ABCDEFJNQR 8
4 FHIO J 9
5 ABDEGIJKL ABFHJPST 10
6A CEE ❶ €23,00
H80 3,5 ha 120T(80-100m²) 38D ❷ €26,80

N 50°47'8'' E 5°44'54''

A2 Ausfahrt 57 Oost-Maarland Richtung St. Geertruid, CP-Schildern folgen. Aus Richtung Süden Ausfahrt 58, CP-Schildern folgen.

Valkenburg aan de Geul, NL-6301 WP / Limb.

CC€16 iD

De Bron BV
Stoepertweg 5
1 Apr - 20 Dez
+31 (0)45-4059292
info@camping-debron.nl

1 AEJMNOPRST AF 6
2 AGPVWXY ABDEFGH 7
3 BEKLQSTV ABCDFJKNRS 8
4 BCDFHILOPQ EFLUVY 9
5 ABDEGIJKL ABDEFGHIJPSTZ 10
B 4-6A CEE ❶ €28,80
H137 8 ha 365T(100-120m²) 46D ❷ €40,10

N 50°52'50'' E 5°50'0''

A2 von Norden: A76 Richtung Heerlen, Ausfahrt Nuth, am End der Ausfahrt links Richtung Valkenburg. Hinter Hulsberg den CP-Schildern folgen. Von Süden: A79 Richtung Heerlen, Ausfahrt 4 und CP-Schildern folgen

Teilkarte Limburg auf Seite 218

Valkenburg aan de Geul, NL-6325 AD / Limb.

CCE16 iD

De Cauberg	1 ADEILNOPRT	6
Rijksweg 171	2 AFOPSTUWXY	ABFGH 7
14/3 - 31/10, 13/11 - 2/1	3 AK	ABDFJNQRSTV 8
+31 (0)43-6012344	4 EFHIO	DI 9
info@campingdecauberg.nl	5 ABDEGIL	ABDEFGHJPST10
	10A CEE	❶ €32,30
N 50°51'24" E 5°49'8"	H131 1 ha 72T(50-130m²) 3D	❷ €41,70

A2 Ausfahrt Berg und Terblijt/Cauberg. Nach 5 km ist der CP ausgeschildert, links der Straße.

Valkenburg aan de Geul, NL-6301 AN / Limburg

iD

De Linde	1 AJMNOPRST	AF 6
Klein Linde 2	2 AGOPWXY	ABDEFGH 7
1 Apr - 31 Okt	3 BEKQ	ABCDEFNQR 8
+31 (0)43-6012866	4 FHIOP	9
info@campingdelinde.nl	5 ADEGIKL	AFGJNSTZ10
	4A CEE	❶ €26,30
N 50°50'39" E 5°49'41"	H154 3,5 ha 170T(80-100m²)	❷ €38,10

A2, bei Maastricht Richtung Berg en Terblijt. Hinter Berg en Terblijt bei Vilt rechts Richtung Sibbe. Im Zentrum ist der CP ausgeschildert.

Valkenburg/Berg en Terblijt, NL-6325 PE / Limb.

CCE16 iD

Oriëntal	1 ADEJMNOPRT	CDFG 6
Rijksweg 6	2 AGOPSVWX	ABDEFGH 7
2 Apr - 1 Nov	3 ABEFKLQT	ABCDEFGIJKNQRSTUV 8
+31 (0)43-6040075	4 ABDEFHILOP	E 9
info@campingoriental.nl	5 ACDGIK	ABDEFGHIJMPSTZ10
	Anzeige auf dieser Seite B 6-10A CEE	❶ €31,70
N 50°51'36" E 5°46'21"	H160 5,5 ha 280T(100m²) 45D	❷ €41,40

Ab der A2 bei Maastricht Richtung Berg und Terblijt. CP liegt nach 3 km an der rechten Straßenseite, kurz vor dem Kreisel.

Venray/Oostrum, NL-5807 EK / Limburg

CCE16 iD

Parc De Witte Vennen	1 ACEGJLNOPQRST	HLMNQX 6
Sparrendreef 12	2 ADGHIOPWXY	ABDEFGH 7
11 Apr - 26 Sep	3 ABEFILMQV	ABDFJKNQRSTUV 8
+31 (0)478-511322	4 ABEFHIKOQTV	JTVY 9
info@wittevennen.nl	5 BDGL	ABCEFGHIJNPRW10
	B 6A CEE	❶ €26,80
N 51°31'25" E 6°2'8"	17 ha 130T(120-150m²) 44D	❷ €38,10

A73 Ausfahrt 9 Venray/Oostrum, N270 Richtung Oostrum. Beim 1. Kreisverkehr geradeaus, beim 2. Kreisverkehr rechts, dann gleich links.

Vijlen, NL-6294 NE / Limburg

CCE16 iD

Cottesserhoeve	1 ACEJMNOPRT	ABFG 6
Cottessen 6	2 CFGPRSUVWXY	ABDEFGH 7
20 Mär - 1 Okt	3 BEKLQ	ABCDEFJNQRSTV 8
+31 (0)43-4551352	4 BFHILOQ	EI 9
info@cottesserhoeve.nl	5 ACDIKL	ABDEFGHJPSTZ10
	6-10A CEE	❶ €30,50
N 50°45'34" E 5°56'26"	H155 5,5 ha 180T(90-100m²) 116D	❷ €37,20

Vom A76 Kreuz Bochholz Richtung N281. In Nijswiller N278 Richtung Vaals. Ausfahrt Vijlen. In Vijlen Richtung Epen. Danach ausgeschildert.

Vijlen/Vaals, NL-6294 NB / Limburg

CCE16 iD

Rozenhof	1 ADEJMNOPQRST	ABFG 6
Camerig 12	2 FGPRUWXY	ABDEFGH 7
1 Jan - 31 Dez	3 BEKL	ABCDEFJNQRSTU 8
+31 (0)43-4551611	4 BEFGHIOQ	EJV 9
info@campingrozenhof.nl	5 ACDEGIJKL	ABEGHKOQR10
	B 10A CEE	❶ €27,00
N 50°46'12" E 5°55'45"	H164 2 ha 69T(bis 110m²) 34D	❷ €35,00

A4 Ausfahrt 2 Aachen-Laurensberg, L260 Vaalserquartier/Vaals. An der T-Kreuzung rechts zur B1 Richtung Grenze NL/Vaals. Am Ortsausgang Vaals Richtung Raren, weiter Vijlen Camerig. Weiter ausgeschildert.

Weert, NL-6006 SW / Limburg

iD

Resort De IJzeren Man	1 AEILNOPQRT	ABFG 6
Herenvennenweg 60	2 ABPQWXY	ABDEFG 7
1 Apr - 1 Nov	3 ABEL	BDEFNRSV 8
+31 (0)495-533202	4 BFHIO	F 9
info@resortdeijzerenman.nl	5 ABDGIJKL	ABEHJSTZ10
	6A CEE	❶ €24,20
N 51°13'58" E 5°39'17"	11,2 ha 55T(60-100m²) 97D	❷ €34,40

A2 bis Ausfahrt Weert, beim ersten Kreisverkehr rechts. Schildern folgen.

Well, NL-5855 EG / Limburg

iD

Leukermeer	1 ADEGILNOPQRST	ABEFGLNQSWXYZ 6
De Kamp 5	2 BDFGHOPQRVWXY	BDEFGH 7
27 Mär - 26 Okt	3 BDEFGHIKLMQST	ABCDFGIJKNQRSTUV 8
+31 (0)478-502444	4 ABCDFHILMOPQRSTUX	JNQRTUVWXY 9
vakantie@leukermeer.nl	5 ACDEGIJKL	ABCEGHIJNOPRWYZ10
	B 10A CEE	❶ €37,40
N 51°34'3" E 6°3'37"	H50 14 ha 264T(100m²) 167D	❷ €39,60

Von Venlo in Höhe von Well dem Schild 't Leukermeer folgen. Von Nijmegen über Bergen und Aijen dem Schild 't Leukermeer folgen. Oder A73 Ausfahrt 9 via N270 Richtung Wanssum.

Wessem, NL-6019 AA / Limburg

iD

Comfortparc Euroresorts Wessem	1 ADEILNOPQRST	LNQSXYZ 6
Waage Naak 38	2 ADGIPRVWX	BFGH 7
1 Apr - 1 Okt	3 ABL	BDFJNQRTUV 8
+31 (0)475-561221	4 IORTUZ	NV 9
info@comfortparc.com	5 AJK	ABGHIJMPSTV10
	16A CEE	❶ €23,00
N 51°9'13" E 5°52'38"	4 ha 20T(100m²) 60D	❷ €31,50

A2, Ausfahrt 41 Thorn/Wessem. Schild 'Comfortparc Wessem' folgen. Oder Ausfahrt 42 Wessem. In Wessem dem Schild 'Comfortparc Wessem' folgen. Oder A73, Ausfahrt Maasbracht, A2 Ausfahrt 41 Thorn/Wessem.

Wijlre, NL-6321 PK / Limburg

CCE14 iD

De Gele Anemoon	1 ABEGILNORT	F 6
Haasstad 4	2 CPWXY	ABDEFGK 7
28 Mär - 3 Okt	3 AL	ABEFJKNPQRS 8
+31 (0)43-4591607	4 FHIO	9
degeleanemoon@nivon.nl	5 KL	BDFHIJOR10
	B 6A CEE	❶ €23,65
N 50°50'26" E 5°52'46"	H80 1,1 ha 58T(90-100m²) 10D	❷ €33,85

A2 bis Maastricht, dann Richtung Vaals. In Gulpen Richtung Wijlre. In Wijlre ausgeschildert.

Wijlre, NL-6321 PK / Limburg

CCE16 iD

De Gronselenput	1 ACDEGJMNORT	6
Haasstad 3	2 CPSVWX	ABDEFG 7
1 Apr - 1 Nov	3 ABDEKLV	ABCDEFJNQRSTU 8
+31 (0)43-4591645	4 BFHIO	A 9
gronselenput@paasheuvelgroep.nl	5 ABFGKL	ABDFHIJPRVX10
	10A CEE	❶ €27,10
N 50°50'31" E 5°52'38"	H80 2 ha 60T(60-120m²) 3D	❷ €32,50

A2 bis Maastricht, dann Richtung Vaals. In Gulpen Richtung Wijlre, dort ausgeschildert.

Campingplatzkontrolle

Alle Campingplätze in diesem Führer wurden im vergangenen Jahr von einem unserer 327 ACSI-Inspektoren besucht und begutachtet.

Sie erkennen diese Campings an der Jahresprüfplakette, die meist im Rezeptionsbereich auf dem ACSI-Schild zu finden ist.

Teilkarte Limburg auf Seite 218

Belgien

DEUTSCHLAND
NIEDERLANDE
FLANDERN
WALLONIEN
LUXEMBURG
LUXEMBOURG
FRANKREICH
BRUSSEL
Nordsee
230
238
CF-EU
Antwerpen
Gent
Brugge
Oostende
Leuven
Mechelen
Hasselt
Genk
Liège
Namur
Charleroi
Mons
La Louvière
Tournai
Ieper
Roeselare
Turnhout
Mol
Lommel
Geel
Sint-Niklaas
Maastricht
Aachen
Arlon
Givet
Sedan
Lille
Roubaix
Tourcoing
Dunkerque
Valenciennes
Cambrai
Saint-Quentin
Laon
Rethel
Charleville-Mézières
Trier
Bitburg
Wittlich
Köln
Düsseldorf
Mönchengladbach
Eindhoven
Helmond
Bergen op Zoom

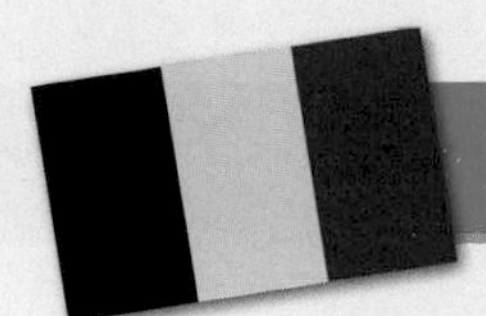

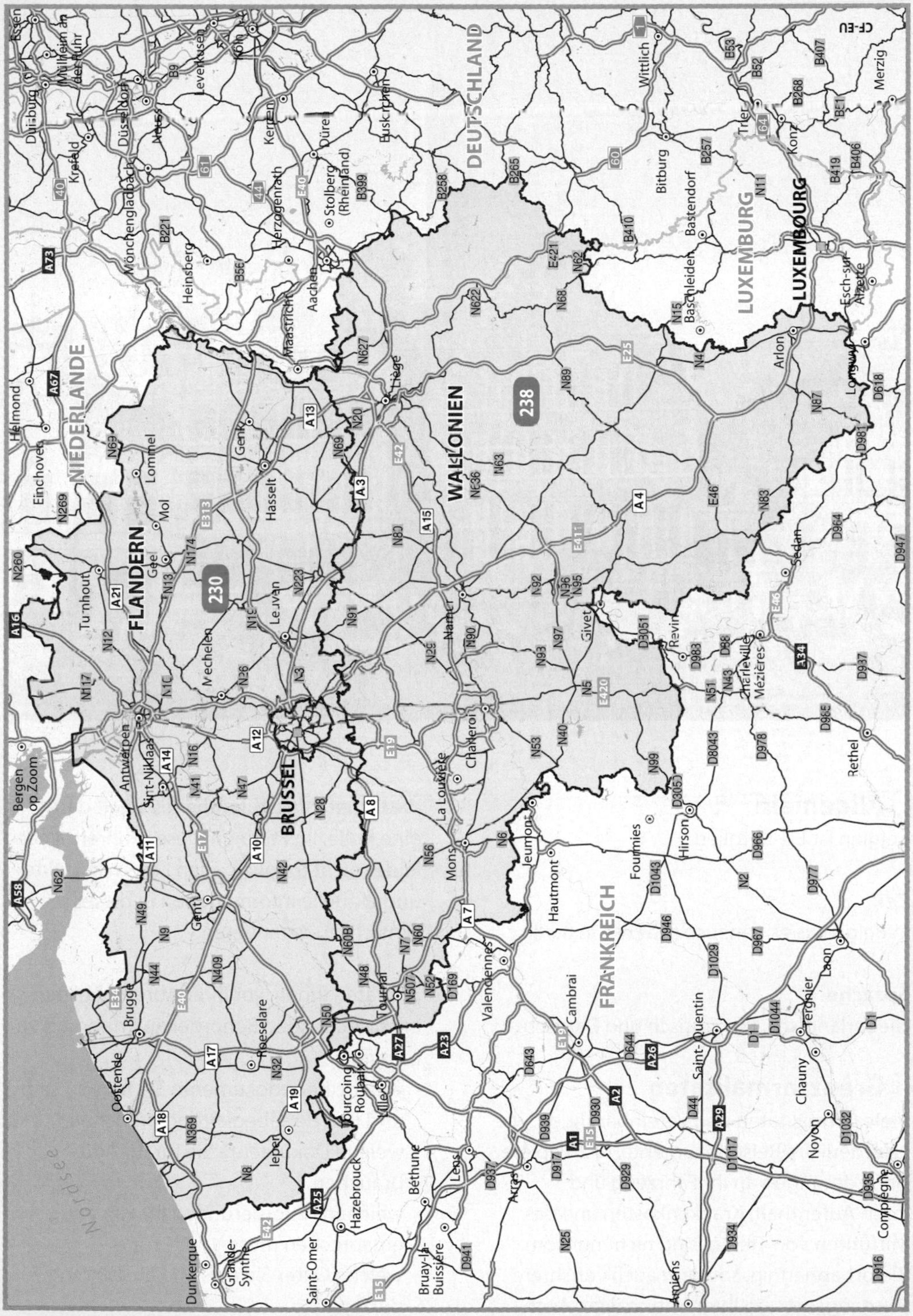

ⓘ Allgemein

Belgien ist EU-Mitglied.

Zeit

In Belgien is es genauso spät wie in Berlin.

Sprache

Niederländisch, Französisch und Deutsch.

Grenzformalitäten

Viele Formalitäten und Vereinbarungen, wie erforderliche Reisedokumente, KFZ-Papiere, Anforderungen an Ihr Fahrzeug und Ihren Aufenthalt, Krankenkosten und das Mitführen von Tieren, sind nicht nur vom Zielort abhängig, sondern auch von Ihrem Ausgangsort und Ihrer Nationalität. Auch die Dauer Ihres Aufenthaltes spielt dabei eine Rolle. Im Rahmen dieses Führers ist es leider nicht möglich, allen Lesern korrekte und aktuelle Informationen in dieser Hinsicht zu garantieren.

Wir raten Ihnen, vor Ihrer Abreise bei den entsprechenden Behörden in Erfahrung zu bringen:

- welche Reisedokumente Sie für sich selbst und Ihre Reisebegleitung brauchen
- welche Dokumente Sie für Ihr Auto brauchen
- welchen Anforderungen Ihr Fahrzeug entsprechen muss
- welche Güter Sie ein- und ausführen dürfen

- wie im Unglücks- oder Krankheitsfall die medizinische Versorgung im Urlaubsland organisiert ist und bezahlt wird
- ob Sie Ihre Haustiere mitnehmen können. Nehmen Sie rechtzeitig Kontakt zu Ihrem Tierarzt auf. Dort erhalten Sie Informationen über relevante Impfungen, entsprechende Bestätigungen und Verpflichtungen bei Ihrer Rückkehr. Es ist auch sinnvoll herauszufinden, ob an Ihrem Urlaubsziel bestimmte Bedingungen für Haustiere in der Öffentlichkeit geknüpft sind. So müssen in manchen Ländern Hunde immer einen Maulkorb tragen oder vergittert transportiert werden.

Viele allgemeine Infos finden Sie auf ▸ *www.europa.eu* ◂ aber sorgen Sie selbst dafür, die richtige Information für Ihre individuelle Situation herauszufinden.

Aktuelle Zollbestimmungen entnehmen Sie den Botschaften des jeweiligen Urlaubslandes an Ihrem Wohnort.

Währung und Geld

Die Währungseinheit in Belgien ist der Euro.

Kreditkarten

Vielerorts kann man mit Kreditkarte bezahlen.

Öffnungszeiten und Feiertage

Banken

Banken sind bis 16.00 Uhr, mit einer Pause zwischen 12.00 und 14.00 Uhr, geöffnet.

Geschäfte

Diese sind im Allgemeinen von Montag bis Samstag bis 18.00 Uhr geöffnet, freitags bis 21:00 Uhr.

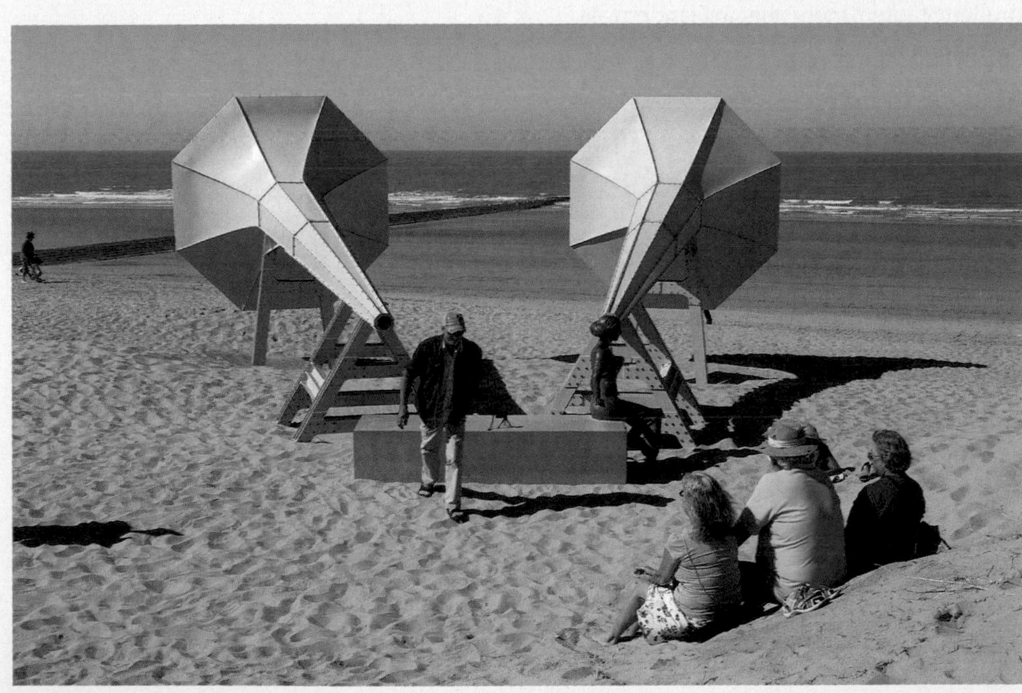

Apotheken
Die meisten Apotheken sind montags bis freitags bis 18.00/19.00 Uhr geöffnet. Einige sind auch samstags geöffnet.

Feiertage
1. Januar, Ostern, 1. Mai (Tag der Arbeit), Himmelfahrt, Pfingsten, 11. Juli (Fest der Flämischen Gemeinschaft), 21. Juli (Nationalfeiertag), 15. August (Mariä Himmelfahrt), 27. September (Fest der Wallonischen Gemeinschaft), Allerheiligen, 11. November (Waffenstillstand), 1. Weihnachtsfeiertag.

Kommunikation

(Mobil)Telefon
Das Mobilfunknetz ist in ganz Belgien gut. Es gibt ein 3 G-Netz für das mobile Internet.

W-Lan, Internet
Internetcafés gibt es hauptsächlich in den großen Städten, mehr aber in Flandern als in Wallonien.

Post
Geöffnet von Montag bis Freitag bis 17.00 Uhr. Samstags bis 12.00 Uhr. Agenturen in Supermärkten und anderen Geschäften ersetzen vielerorts kleinere Postämter.

Straßen und Verkehr

Straßennetz
Die Nebenstraßen in Wallonien können von schlechterer Qualität sein.
Für die Hilfe durch die Straßenwacht (ADAC-Partnerclub) müssen Sie im Besitz eines Auslandsschutzbriefs sein. Bei einer Panne auf dem Autobahn können Sie die Notrufsäulen benutzen. Verlangen Sie nach Touring: Tel. 070-3447777 (Festnetz).

Verkehrsvorschriften
Alle Fahrzeuge von rechts, also auch langsame Fahrzeuge, haben Vorfahrt.
Wer im Kreisel fährt hat Vorfahrt.
Straßenbahnen haben immer Vorfahrt.

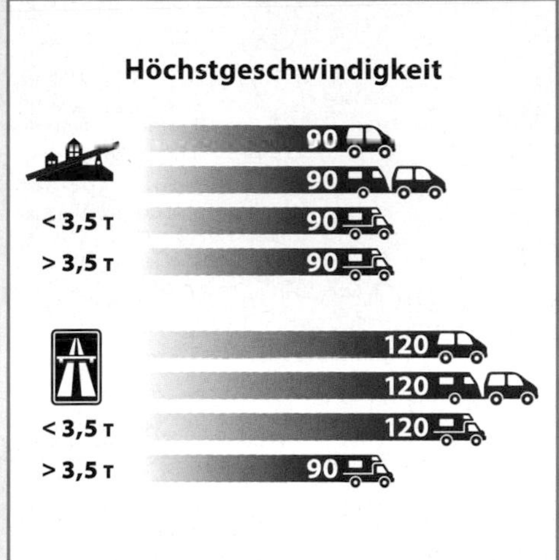

Die Promillegrenze ist 0,5‰. Telefonieren nur mit Freisprechanlage. Tagsüber mit Abblendlicht fahren ist kein Pflicht. Bei Gelb über die Ampel ist immer eine Übertretung. Es ist nicht erlaubt den Motor warmlaufen zu lassen. Keine Winterreifenpflicht.

Navigation
Warnung vor festen Blitzern durch Navi oder Mobiltelefon Apps ist erlaubt.

Wohnwagen, Reisemobil
Wenn Sie mit dem Caravan in Belgien verreisen, rechnen Sie damit, dass der Straßenbelag oft beschädigt sein kann. Bei einem Reisemobil über 7,5 Ton Gewicht, dürfen Sie auf Autobahnen oder Schnellstraßen nicht überholen. An der Straße dürfen Sie in ihrem Wohnwagen oder Reisemobil übernachten, allerdings nicht campen.

Zulässige Maße
Höhe 4m, Breite 2,55m, max. Länge 12m.

Kraftstoff
Bleifrei, Diesel und LPG gut erhältlich.

Tankstellen
Tankstellen an den Autobahnen sind oft Tag und Nacht offen. Für andere Tankstellen gelten durchgehend die Öffnungszeiten von Montag bis Samstag bis 20.00 Uhr, sonntags bis 19.00 Uhr.

Maut
Belgien hat keine Mautstrecken. Sie müssen allerdings im Liefkenshoektunnel bei Antwerpen bezahlen.

Notruf
112: nationaler Notruf für Polizei, Feuerwehr und Krankenwagen.

Campen

Wenn Sie in der Hochsaison an der belgischen Küste campen wollen, sollten Sie lieber rechtzeitig reservieren. Belgische Campings sind meist kinderfreundlich: vielerorts sind Animation und Einrichtungen wie Spielplätze und Sportplätze vorhanden.

Praktisch
- Am besten immer Universalstecker dabei haben.
- Leitungswasser können Sie bedenkenlos trinken.

Klima Brussel	Jan.	Feb.	März	April	Mai	Juni	Juli	Aug.	Sept.	Okt.	Nov.	Dez.
Tagestemperatur	2	5	8	11	15	18	19	19	17	13	7	4
Sonnenstunden am Tag	2	3	4	5	7	7	6	6	5	4	2	1
Regentage	14	11	10	11	10	10	11	10	11	11	11	13

Flandern

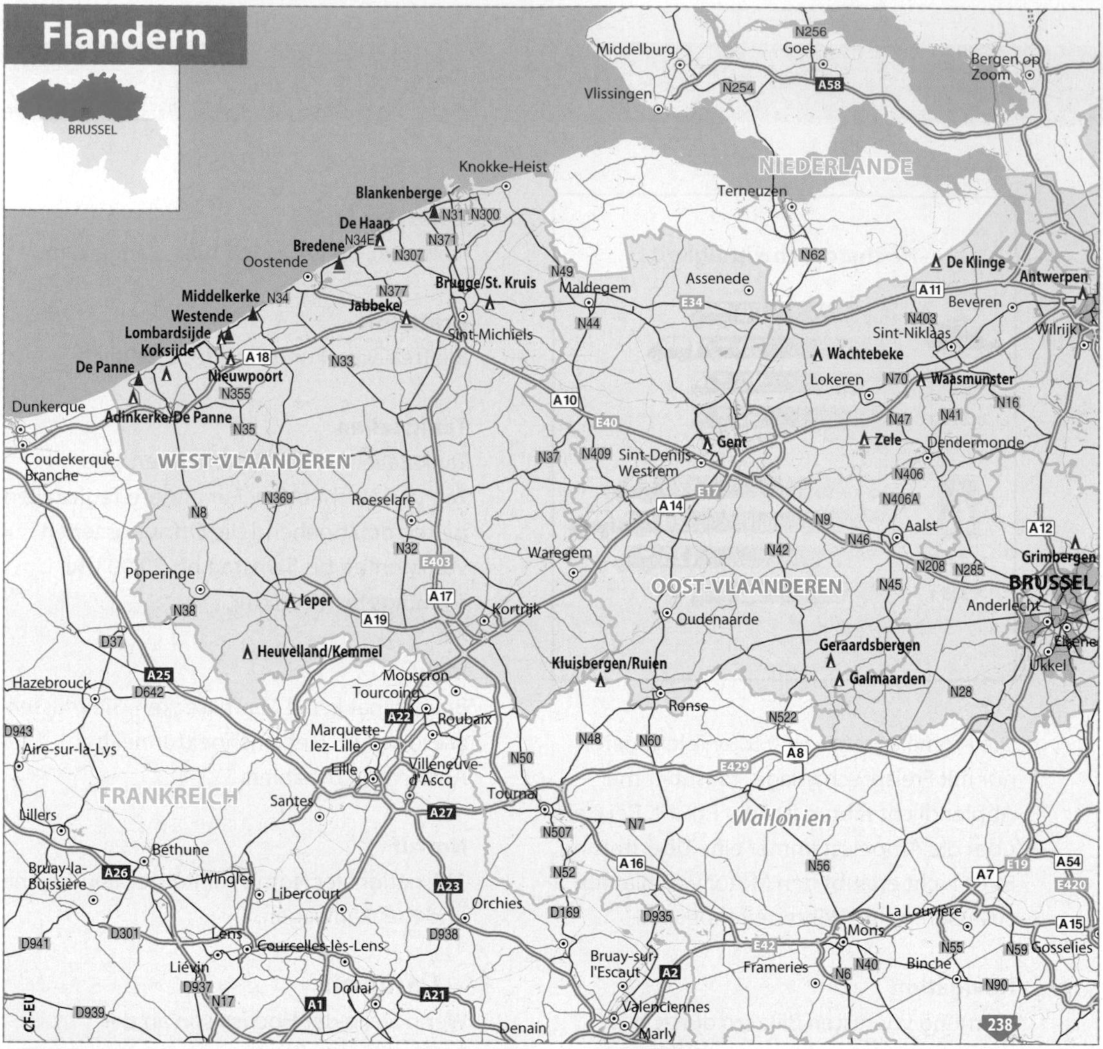

Adinkerke/De Panne, B-8660 / West-Vlaanderen

iD

Ter Hoeve**
Duinhoekstraat 101
1 Jan - 31 Dez
+32 (0)58-412376
camping.terhoeve@skynet.be

1 AHKNOPQRS**T**	**N**	6
2 AOPVWXY	A**B**D**EFG**H	7
3 BE**GHKP**Q	ABCDEFJKNRSV	8
4 FH		9
5 ACK**M**	ABFGHIJL**NO**STX	10
4A CEE	❶ €14,00	
4 ha 150**T**(80-100m²) 200**D**	❷ €18,00	

N 51°4'58'' E 2°35'28''

Der CP liegt in der Nähe von dem gut ausgeschilderten 'Plopsaland'. Von der A18 Ausfahrt Plopsaland/Adinkerke aus Richtung Adinkerke kommend, ist die Duinehoekstraat am Plopsaland vorbei auf der linken Seite.

Antwerpen, B-2050 / Antwerpen

Stedelijk Kampeerterrein De Molen**
Jachthavenweg z/n
1 Jan - 31 Dez
+32 (0)3-2198179
info@camping-de-molen.be

1 BDEJMNOR**T**	**ABFG**M	6
2 ACFGHIOPQVWXY	ABDE	7
3 BEF**I**L	ABEFJNPRV	8
4 FH	F	9
5	ABFHIJORV	10
10A CEE	❶ €27,00	
1,2 ha 113**T**(100-120m²) 21**D**	❷ €27,00	

N 51°14'0'' E 4°23'33''

Aus NL: Ring Antwerpen, Abfahrt Antwerpen linkes Ufer, rechts bis zum Ende links. Am Yachthafen vorbei CP rechts. Aus Gent: Abfahrt Antwerpen linkes Ufer, rechts, 2. Ampel links, bis Ende rechts. 2. Straße rechts, CP ist links.

Averbode, B-3271 / Vlaams Brabant

iD

De Vijvers**
Abdijstraat 5
29 Mär - 18 Okt
+32 (0)13-772435
camping@devijvers.be

1 A**JM**NOPRST		6
2 ABPQVWXY	ABDE**FG**H	7
3 **I**LQ	ABEFJNRV	8
4 DFHIQ	F	9
5 GIJ	AEGHIJLOTU	10
6A CEE	❶ €20,00	
13 ha 80**T**(100m²) 202**D**	❷ €28,00	

N 51°1'36'' E 4°59'38''

A2 Ausfahrt 24 Bekkevoort. N2 Diest-Averbode (Abtei) folgen. Dem CP-Schild 'De Vijvers' bis zum Judocus Pauwelslaan folgen. Dann um den CP herumfahren bis zur Einfahrt in der Abdijstraat.

Teilkarte Flandern auf Seite 230 und 231

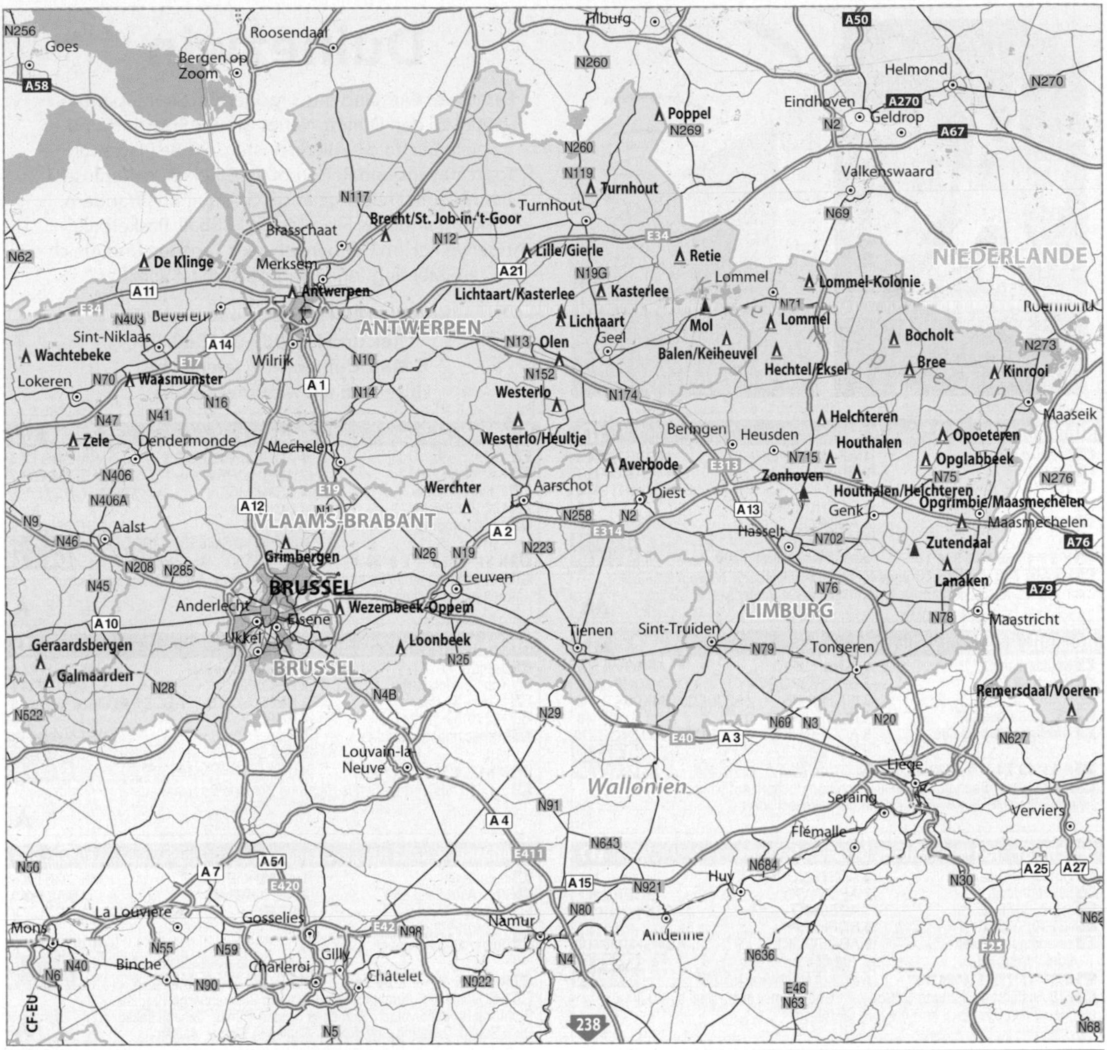

Balen/Keiheuvel, B-2490 / Antwerpen

GT Keiheuvel
17 Ex Lichtvlln 2
1 Jan - 31 Dez
+32 (0)14-811509
josgeboers@telenet.be

1 AGHKNOPQRST	ABFGX 6
2 HPQRVW	ABDE**FG** 7
3 BEF**GHIK**L**MNO**Q	ABEFGJNRS 8
4 BIKNO**PQR**	EJ 9
5 DGKL	ABHIJOR 10
B 10A CEE	① €15,50
20 ha 140**T**(50-120m²) 280**D**	② €21,00

N 51°10'38'' E 5°13'4''

Fahren Sie in Balen-Zentrum Richtung Flughafen 'Keiheuvel'. Gut ausgeschildert. Ab hier Beschilderung 'G.T. Camping' folgen.

Blankenberge, B-8370 / West-Vlaanderen

CC€18

Bonanza 1***
Zeebruggelaan 137
27 Mär - 27 Sep
+32 (0)50-416658
info@bonanza1.be

1 AEF**JM**NOPRST	**X** 6
2 PRX	A**B**D**EFG** 7
3 BLQ	ACDE**F**JNRST 8
4 FHIO**Q**	V 9
5 ADEFJKL	ABEFGHJ**P**R 10
Anzeige auf dieser Seite B 10A CEE	① €31,00
5 ha 65**T**(80-100m²) 175**D**	② €39,00

N 51°18'41'' E 3°9'12''

E40 Richtung Oostende, Ausfahrt Brugge/Zeebrugge, Richtung Blankenberge. In Blankenberge an der zweiten Ampel rechts. Der CP ist ausgeschildert.

Teilkarte Flandern auf Seite 230 und 231

Duinezwin

Familiärer Camping mit 3 modernen Sanitärbauten. 300m zu den Dünen. Neues großes Spieldorf und Spielplatz für die Allerkleinsten. Große Plätze für Tourcaravans und Reisemobile. Direkter kostenloser Eintritt zum Freizeitgelände 'Grasduinen': Wandern, Mountainbiken, Fit-o-Meter, Fußball, Basketball. Angelweiher. Im Gehbereich zum Zentrum und gleich am Meeting- und Eventcenter Staf Versluys.

Kon. Astridlaan 55B, 8450 Bredene
Tel. und Fax 059-321368
E-Mail: duinezwin@telenet.be
Internet: www.duinezwin.be

Belgien

Blankenberge, B-8370 / West-Vlaanderen

Bonanza II	1 AFJMNOPQRST	NQRSTWX 6
Polderlaan 74	2 HPW	ABDFG 7
15 Feb - 15 Nov	3 BQS	ABEFJNQRTUV 8
+32 (0)50-429859	4 BDFHLNOPQ	9
info@bonanza2.be	5 ABDEGI	ABFGHJPR 10
	10A CEE	❶ €30,00
N 51°18'50'' E 3°9'10''	5 ha 20T(80-100m²) 310D	❷ €38,00

Von der E40, Ausfahrtt Brügge Richtung Blankenberge bis zum Bahnhof. Dann rechts. Nach 2 km am Delhaize rechts in die Polderlaan. 2. CP links.

Bredene, B-8450 / West-Vlaanderen

17 Duinzicht	1 ADEFJMNOPQRT	KMQRSTX 6
Rozenlaan 23	2 AEGHOPSWX	ABDEFGH 7
1 Jan - 31 Dez	3 BEKLMQT	ABCDFGIJNRSTUV 8
+32 (0)59-323871	4 BCDFHK	EL 9
info@campingduinzicht.be	5 DEGIKL	ABDEFGHJPR 10
	Anzeige auf Seite 233 10A CEE	❶ €25,00
N 51°14'55'' E 2°58'1''	10 ha 92T(80-120m²) 149D	❷ €25,00

E40 Autobahnende Richtung Bredene/De Haan. Am Driftweg dem Schild 'Campingzone' folgen, danach dem Schild 'Camping 17'.

Bocholt, B-3950 / Limburg

Goolderheide****	1 AJMNOPRT	ABFGHILN 6
Bosstraat 1	2 BDGHOPQSVXY	ABDEFGH 7
3 Apr - 30 Sep	3 BDEFGILMQ	ABCDEFIJKLMNQRSTUV 8
+32 (0)89-469640	4 BCDFHIKNO	AEFV 9
info@goolderheide.be	5 ACDEGHKL	ABDEGHIJMNORZ 10
	B 16A CEE	❶ €33,00
N 51°10'24'' E 5°32'21''	45 ha 350T(100-150m²) 598D	❷ €43,00

Route Weert-Bocholt. In Kaulille Richtung Bocholt. Auf halber Strecke zwischen Kaulille und Bocholt (3 km) gut ausgeschildert.

Bredene, B-8450 / West-Vlaanderen

Astrid***	1 ABFILNOPQRT	KMNQRSTX 6
Kon. Astridlaan 1	2 EHOPW	ABDEFG 7
1 Jan - 31 Dez	3 BEKLMQTU	ABCDEFGJKNRSTUV 8
+32 (0)59-321247	4 FHI	EL 9
info@camping-astrid.be	5 KL	ABEFGHJPR 10
	B 16A CEE	❶ €25,50
N 51°14'59'' E 2°58'6''	4,5 ha 131T(80-120m²) 151D	❷ €29,50

Via E40 Ausfahrt Oostende Richtung Bredene/De Haan, Ausfahrt 'Astridzone'.

Brecht/St. Job-in-'t-Goor, B-2960 / Antwerpen

Floreal Het Veen***	1 ADEILNOPRT	N 6
Eekhoornlaan 1	2 APQVWXY	ABDEFGH 7
1 Jan - 31 Dez	3 ABELMQ	ABCDFHJNRV 8
+32 (0)3-6361327	4 BDFHIOP	BEFV 9
camping.hetveen@ florealgroup.be	5 ABDEGIJKL	ABFGHJMPR 10
	B 10A CEE	❶ €23,05
N 51°18'7'' E 4°34'13''	7,5 ha 75T(100-150m²) 307D	❷ €28,25

E19 Ausfahrt 4 Richtung St. Job-in-'t-Goor. Hinter dem Kanal sofort links ab und derselben Spur (± 3 km) bis zum CP folgen.

Bredene, B-8450 / West-Vlaanderen

Duinezwin	1 AJMNOPQRST	KMNQRSTX 6
Kon. Astridlaan 55B	2 AEHOPRWX	ABDEFG 7
15 Mär - 15 Nov	3 BEKQ	ABCDEFGJKNRSTUV 8
+32 (0)59-321368	4 FH	9
duinezwin@telenet.be	5	ABEFGHJPR 10
	Anzeige auf dieser Seite 16A CEE	❶ €25,70
N 51°15'4'' E 2°58'26''	6,5 ha 60T(90m²) 300D	❷ €31,10

E40 Oostende. Autobahnende Richtung Blankenberge-Bredene, Richtung Bredene volgen. Abbiegen Breden-Dünen, danach links. Dem Schild 'Campingzone' folgen. Abbiegen Bistrot 'Alaska'.

Bredene, B-8450 / West-Vlaanderen

't Minnepark***	1 ADEILNOPQRST	MX 6
Zandstraat 105	2 HPW	ABDEFGH 7
1 Jan - 31 Dez	3 BEKLMQ	ABEFJNQRSTUV 8
+32 (0)59-322458	4 HQ	9
info@minnepark.be	5 L	ABEFGHJPR 10
	16A	❶ €28,00
N 51°14'37'' E 2°58'48''	6 ha 80T(100-125m²) 200D	❷ €32,00

Ausfahrt Jabbeke Richtung De Haan/Bredene, dann Bredene-Mitte. Hinterm Wasserturm am Kreisel dem (gelben Pfeil) 'Zone Zandstraat' folgen.

Bredene, B-8450 / West-Vlaanderen

Polderzicht	1 AFJMNOPQRT	6
Zandstraat 95-97	2 PRW	ABDEFG 7
1 Apr - 31 Okt	3 AKQ	ABEFNRV 8
+32 (0)59-331418	4 H	9
angelineversluys@hotmail.com	5 KL	ABHJOR 10
	Anzeige auf Seite 233 10A	❶ €22,00
N 51°14'25'' E 2°58'32''	2,5 ha 20T(80m²) 110D	❷ €22,00

Autobahn nach Oostende, Ausfahrt 6 Jabbeke nach Bredene-Dorp. Ab hier ausgeschildert mit 'zone Zandstraat'.

Durchreisecampingplätze

In diesem Führer finden Sie eine handliche Karte mit Campingplätzen an den wichtigen Durchgangsstrecken zu Ihrem Ferienziel. Durch die Farbe des jeweiligen Zeltchens können Sie erkennen, ob dieser Platz ganzjährig geöffnet ist oder nicht. Darüber hinaus gibt es für jeden Platz auch noch eine kurze redaktionelle Beschreibung, inklusive Routenbeschreibung und Öffnungszeiten.

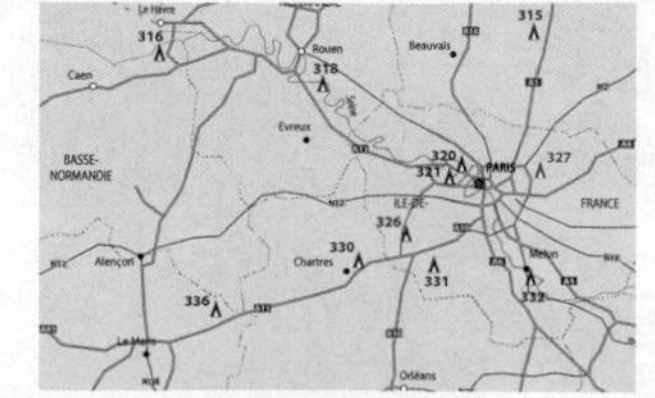

Teilkarte Flandern auf Seite 230 und 231

Belgien

Bredene, B-8450 / West-Vlaanderen

CC€18 iD

Veld en Duin***	1 ABFJMNOPQRT	NQRSTX 6
Koningin Astridlaan 87	2 AEHOPSW	ABDEFG 7
1 Jan - 31 Dez	3 BKQT	ACEFJNRTV 8
+32 (0)59-322479	4 FGHT	IJ 9
info@veldenduin.be	5 L	ABEFHJPR 10
	Anzeige auf dieser Seite 10A CEE	❶ €24,00
N 51°15'8'' E 2°58'41''	5 ha 20T(80-100m²) 361D	❷ €32,00

E40 Richtung Bredene-Blankenberge, Küstenstraße bis nach Bredene hinein folgen. Am Ortschild 'Bredene' dann 'Campingzone Astrid' folgen. Am Imbiss Alaska abbiegen und bis zum Ende der Straße durchfahren.

Bredene, B-8450 / West-Vlaanderen

iD

Warande***	1 ABDEFJMNOPQRT	KMQRX 6
Kon. Astridlaan 17	2 AEHOPSW	ABFG 7
1 Mär - 15 Nov	3 BKLQ	CDFJNRSTUV 8
+32 (0)59-321042	4 FH	9
info@campingwarandebvba.be	5 KL	ABEFGHJPR 10
	16A	❶ €22,00
N 51°14'59'' E 2°58'14''	5 ha 90T(90-100m²) 200D	❷ €26,00

E40 Autobahnende Richtung Bredene/Blankenberge, Ausfahrt Bredene. Dann den Schildern 'Campingzone Astridlaan' folgen.

Bree, B-3960 / Limburg

CC€12 iD

Recreatieoord Kempenheuvel	1 AEILNOPRST	ABFGN 6
Heuvelstraat 8	2 GOPQSVWXY	ABDEFGH 7
1 Mär - 15 Nov	3 BELMQ	ABCDFJNRSUV 8
+32 (0)89-462135	4 BDHIOQ	9
de.kempenheuvel@telenet.be	5 ADEGJKL	ABDFGHIJMPST 10
	B 6A CEE	❶ €23,50
N 51°8'14'' E 5°34'7''	H59 7,5 ha 80T(80-140m²) 154D	❷ €30,50

Route Eindhoven-Hasselt. In Hechtel via Peer nach Bree. CP liegt 1 km vor Bree und ist an der N73 ausgeschildert.

Brugge/St. Kruis, B-8310 / West-Vlaanderen

iD

BVBA Camping Memling	1 ADEIKNOPRT	X 6
Veltemweg 109	2 ABDOPSVWXY	ABDEFG 7
1 Jan - 31 Dez	3	ABCDEFJNRV 8
+32 (0)50-355845	4 FHIO	E 9
info@brugescamping.be	5 L	ABFGHJNPR 10
	10A CEE	❶ €27,00
N 51°12'26'' E 3°15'47''	1,3 ha 100T(80m²) 3D	❷ €35,00

Von Brügge aus den Maaltsesteenweg N9 Richtung Maldegem nehmen. Hinter der 2. Ampel rechts und direkt links.

De Haan, B-8421 / West-Vlaanderen

CC€18 iD

Strooiendorp	1 AJMNOPQRT	QRSTUX 6
Wenduinesteenweg 125	2 BHOPSWX	ABDEFG 7
1 Jan - 31 Dez	3 BCIKLQ	ABCDEFJNRTUV 8
+32 (0)59-234218	4 BDFHIO	J 9
info@strooiendorp.be	5 DGL	AEFGHJMNOST 10
	10A CEE	❶ €30,00
N 51°16'39'' E 3°3'0''	3,5 ha 28T(80-100m²) 107D	❷ €30,00

Auf der E40 Ausfahrt Jabbeke Richtung De Haan, geradeaus. Nach etwa 10 km an der T-Kreuzung links. Der CP liegt nach 200m links von der Straße.

De Klinge, B-9170 / Oost-Vlaanderen

CC€16 iD

Fort Bedmar**	1 AJMNOPRST	ABFGN 6
Fort Bedmarstr. 42	2 OPQVWXY	ABDEFG 7
1 Jan - 31 Dez	3 BELQS	ABEFJNPRV 8
+32 (0)3-7705647	4 FHIPQ	EF 9
fort.bedmar@skynet.be	5 ADGKL	ABGHJLOPSTW 10
	10A CEE	❶ €22,50
N 51°16'1'' E 4°6'41''	9 ha 50T(100-110m²) 288D	❷ €22,50

Von der E34-Ausfahrt 11 oder Sint-Niklaas: N403 Richtung Hulst. Von Zeeuws-Vlaanderen: N290 Richtung Sint-Niklaas. Immer bis zum Kreisel De Klinge. Von der Ortsmitte aus angezeigt.

De Panne, B-8660 / West-Vlaanderen

iD

Greenpark**	1 AJMNOPQRT	6
Veurnestraat 177	2 AOPQWXY	BE 7
27 Mär - 13 Sep	3 BEFKQ	AFNRV 8
+32 (0)58-420106	4 FHIOQ	9
camping.greenpark@telenet.be	5 DGK	ABGHLPST 10
	6A CEE	❶ €20,80
N 51°5'44'' E 2°35'58''	4 ha 150T(80m²) 30D	❷ €24,30

In De Panne Richtung Veurne fahren. In der 'Veurnestraat' finden Sie den CP an der linken Seite.

De Panne, B-8660 / West-Vlaanderen

iD

Zeepark**	1 AJMNOPQRST	KNQ 6
Nieuwpoortlaan 149/2	2 AEHOQVW	BDEFGH 7
28 Mär - 14 Sep	3 BIKLMQ	ABFKNRS 8
+32 (0)58-420138	4 BFHNO	D 9
	5 ABEGJKL	AFGHJOST 10
	6A CEE	❶ €25,00
N 51°6'23'' E 2°36'5''	10 ha 202T(64m²) 546D	❷ €31,00

Den CP finden Sie am Koninklijke Weg (Küstenstraße) entlang rechts, wenn Sie in Koksijde die N34 Richtung De Panne nehmen.

Teilkarte Flandern auf Seite 230 und 231

Galmaarden, B-1570 / Vlaams Brabant

Raspaljebos**
Heirbaan 131
1 Jan - 31 Dez
+32 (0)54-588527
camping.raspaljebos@skynet.be
N 50°46'9'' E 3°56'23''

1 ABJMNOPRST 6
2 FOPVWXY ABDE 7
3 ALQS ABEFJNPQRV 8
4 EFHIO 9
5 GKL ABHIJSTV 10
10A CEE ❶ €13,50
1,5 ha 15T(100-110m²) 100D ❷ €13,50

B55 Ninove-Edingen in Denderwindeke verlassen. Richtung Geraardsbergen via Waarbeke. Der CP liegt oben auf dem 'Bosberg' (Ronde van Vlaanderen).

Heuvelland/Kemmel, B-8956 / West-Vlaanderen

Ypra***
Pingelaarstraat 2
1 Mär - 30 Nov
+32 (0)57-444631
camping.ypra@skynet.be
N 50°47'5'' E 2°49'10''

1 ADILNOPQRST N 6
2 AFPTVWX ABDEFG 7
3 BEKLMQT ABCDEFGIJKNRSTUV 8
4 FHIOQ FV 9
5 ABDGKL ABFGHIJOST 10
B 6A CEE ❶ €22,00
H140 5,5 ha 70T(100-140m²) 224D ❷ €25,80

Im Dorf Kemmel ist der CP gut ausgeschildert.

Gent, B-9000 / Oost-Vlaanderen

Blaarmeersen****
Zuiderlaan 12
1 Mär - 3 Nov
+32 (0)9-2668160
camping.blaarmeersen@gent.be
N 51°2'46'' E 3°40'52''

1 BDEJMNORT HLMNOQSXY 6
2 DGHOPRVWXY ABDEFGH 7
3 BEFIKLMOQUV ABCDEFHIJKNPQRSV 8
4 FH FLV 9
5 ACDEGIJKL ABFGHIJLMNOPSTVZ 10
B 10A CEE ❶ €30,90
6 ha 337T(100m²) 38D ❷ €38,50

E40 Brussel-Oostende, Richtung Oostende. Ausfahrt 14 Gent Expo. Richtung 'Expo' bis über die Brücke; dann unmittelbar rechts ab. Bis ans Wasser. R4 folgen bis Abfahrt 'Blaarmeersen'.

Houthalen, B-3530 / Limburg

De Binnenvaart
Binnenvaartstraat 49
1 Jan - 31 Dez
+32 (0)11-526720
debinnenvaart@limburgcampings.be
N 51°1'55'' E 5°24'58''

1 AJMNOPRST LMNOQRSTXY 6
2 ABDFGHPQVWXY ABDEFGH 7
3 BEFKLMQ ABCDEFGIJNRSTUV 8
4 BDHINOQ MOPS 9
5 ADGJL ABDEFGHIJLPSTV 10
B 16A CEE ❶ €26,00
6 ha 200T(100-150m²) 230D ❷ €34,00

Eindhoven-Hasselt bis Houthalen. Li. Ri. 'Park Midden-Limburg'. Im 2. Kreisverkehr am Möbelhaus links CP-Schildern folgen. A2 Maastricht-Antwerpen, vor Houthalen abfahren, 'Park Midden-Limburg' (30), gut ausgeschildert.

Geraardsbergen, B-9500 / Oost-Vlaanderen

De Gavers****
Onkerzelestraat 280
1 Jan - 31 Dez
+32 (0)54-416324
gavers@oost-vlaanderen.be
N 50°47'27'' E 3°55'23''

1 BDEGJMNORT ABEFGHILMNQSXYZ 6
2 DGHOPVX ABDEFG 7
3 BDEFILMQRSU ABCDEFJNRS 8
4 BCFHILOTU FGJMOPQRTUVWY 9
5 ABDGHIL ABFHIJLMNOSTZ 10
B 10A ❶ €27,00
10 ha 63T(100-110m²) 405D ❷ €27,00

Von Geraardsbergen aus Richtung Onkerzele. Ausschilderung 'De Gavers'.

Houthalen/Helchteren, B-3530 / Limburg

Oostappen Vakantiepark Hengelhoef
Tulpenstraat 141
1 Jan - 31 Dez
+32 (0)89-382500
info@vakantieparkhengelhoef.be
N 51°0'52'' E 5°28'0''

1 ADEJMNOPRST ABEFGHIN 6
2 ABDFGHIOPQVXY ABDEFGH 7
3 BCEFIKLMQST ABCDEFJNQRSTU 8
4 BDFHILNOPQSTUV EIJVY 9
5 ACDEFGJ ABEGHIJORWZ 10
Anzeige auf Seite 160 B 10A CEE ❶ €45,45
15 ha 360T(80-120m²) 356D ❷ €47,55

Aus Eindhoven in Houthalen auf der Straße weiter bis zur E314. Über die Brücke die E314 Richtung Aachen nehmen. Nach ungefähr 5 km Ausfahrt 30 'Park Midden Limburg' nehmen. Den Schildern 'Hengelhoef' und 'CP' nach.

Grimbergen, B-1850 / Vlaams Brabant

Camping Grimbergen***
Veldkantstraat 64
1 Apr - 25 Okt
+32 (0)479-760378
camping-grimbergen@webs.com
N 50°56'5'' E 4°22'58''

1 AFJMNORST ABFGN 6
2 AGOPSVWX ABDEFG 7
3 ABCDEFJKNPQRS 8
4 9
5 AJL AFGHJOT 10
B 10A CEE ❶ €24,00
1,5 ha 90T(100m²) ❷ €27,00

A12 Antwerpen-Brussel, Ausfahrt Meise/Grimbergen Richtung Grimbergen und Beschilderung folgen. Gute öffentliche Verkehrsverbindungen nach Brüssel.

Ieper, B-8900 / West-Vlaanderen

Jeugdstadion**
Bolwerkstraat 1
1 Mär - 12 Nov
+32 (0)57-217282
info@jeugdstadion.be
N 50°50'49'' E 2°53'54''

1 ADEJMNOPQRST EFGN 6
2 AOPRSVWX ABDE 7
3 BKOQ ABFJNQRTUV 8
4 H FV 9
5 L ABCFGHJOST 10
10A CEE ❶ €15,00
2 ha 92T(80-100m²) 6D ❷ €20,00

Von Calais Richtung Poperinge. Ring zur N38 Richtung Ieper. Zentrum folgen bis zum Ring (Bahnhof). Dann Richtung Zonnebeke. Am Kreisel mit dem Kran links.

Hechtel/Eksel, B-3941 / Limburg

Vakantiecentrum De Lage Kempen*****
Kiefhoekstraat 19
3 Apr - 1 Nov
+32 (0)11-402243
info@lagekempen.be
N 51°9'40'' E 5°18'53''

1 ADEILNOQRT ABFGHIX 6
2 GPVX ABDEFGH 7
3 BFILQTV ABCDFIJNRSV 8
4 BCDFGHILO JVY 9
5 ABDGIKL ABDFGHIJNOPRZ 10
B 6A CEE ❶ €24,00
3,5 ha 70T(100-140m²) 38D ❷ €34,00

Straße 715 Eindhoven-Hasselt, 12 km nach dem Grenzübergang rechts Richtung Kerkhoven, 4 km folgen. Links in den Wäldern, ist gut ausgeschildert.

Jabbeke, B-8490 / West-Vlaanderen

Klein Strand
Varsenareweg 29
1 Jan - 31 Dez
+32 (0)50-811440
info@kleinstrand.be
N 51°11'4'' E 3°6'18''

1 ADEJMNOPQRST FHLMNW 6
2 ADHOPVWX ABDEFGH 7
3 BDEFLMQST ABCDEFIJKNQRSUV 8
4 BCDFHILNOPQ AEFLVWY 9
5 ABDEIJKL ABEFGHPRZ 10
Anzeige auf Seite 235 10A CEE ❶ €39,00
28 ha 92T(100m²) 678D ❷ €39,00

E40 Brussel-Oostende Ausfahrt 6, in Jabbeke-Zentrum ist der Platz ausgeschildert.

Helchteren, B-3530 / Limburg

Molenheide
Molenheidestraat 7
1/1 - 23/11, 5/12 - 31/12
+32 (0)11-521044
info@molenheide.be
N 51°4'55'' E 5°24'2''

1 ADEILNOPQRST EFGHIN 6
2 ABGPVY ABDE 7
3 BCEFIKPT ABCDEFIJKNRSV 8
4 BCEFHIJKLOPQU EJUVY 9
5 ABDEFGIJ ABEFGHIJMNORYZ 10
B 10A ❶ €65,00
5 ha 35T(100m²) 422D ❷ €65,00

Straße 715 Hasselt-Hechtel. 2 km nach Helchteren-Zentrum ist der CP auf der rechten Seite ausgeschildert.

Kasterlee, B-2460 / Antwerpen

Houtum
Houtum 39
1 Jan - 31 Dez
+32 (0)14-859216
info@campinghoutum.be
N 51°14'0'' E 4°58'40''

1 ACDEJMNOPRST 6
2 ACOPQVWX ABDEFGK 7
3 ABCEILQS ABCDEFGIJNQRSTUV 8
4 EFHKQ EF 9
5 BDEGIL AGHJOR 10
B 10A CEE ❶ €25,00
9 ha 70T(100-130m²) 110D ❷ €25,00

E34, Ausfahrt 24 Kasterlee. 0,5 km nach dem Ortskern ist der CP bei der Windmühle ausgeschildert. Oder E313 Ausfahrt 23 Kasterlee/Turnhout. Der N19 Folgen (nicht N19-g). 1 km vor dem Ortskern rechts.

Teilkarte Flandern auf Seite 230 und 231

Kinrooi, B-3640 / Limburg

Batven Bvba
Batvendijk 1
1 Jan - 31 Dez
+32 (0)89-701925
info@batven.be
N 51°7'59'' E 5°43'36''

1 ABJMNOPQRT LN 6
2 ADGIPX ABDE 7
3 AQ ABEFJNRV 8
4 HINOQ 9
5 DEGKL AHJPST 10
6A CEE ① €21,00
4,5 ha 35T(80-100m²) 80D ② €21,00

Von Venlo Richtung Maastricht bis Kessenich, Richtung Kinrooi und dann nach Neeroeteren den Schildern folgen.

Kluisbergen/Ruien, B-9690 / Oost-Vlaanderen

Panorama**
Boskouter 24
1 Feb - 30 Nov
+32 (0)55-388668
info@campingpanorama.be
N 50°45'45'' E 3°29'13''

1 AFJMNORT 6
2 FOPTUWX ABDEFG 7
3 BQ ABEFNQRV 8
4 FHIO F 9
5 ABDGKL BHJOR 10
10A ① €14,00
H150 2 ha 20T(80-120m²) 74D ② €19,00

E17 Ausfahrt De Pinte Richtung Oudenaarde. N60 Richtung Kluisbergen, dann dem Schild 'Kluisbos' folgen.

Koksijde, B-8670 / West-Vlaanderen

Blekkerdal**
Jachtwakersstraat 8a
1 Mär - 30 Okt
+32 (0)58-511974
campingblekkerdal@skynet.be
N 51°6'39'' E 2°39'8''

1 AGJMNORT 6
2 AOPQVWXY ABDEFG 7
3 BGHKL BDFNRSTU 8
4 FH V 9
5 FL ABCEHIJOST 10
10A CEE ① €30,00
4 ha 15T(ab 80m²) 63D ② €30,00

A18 Ausfahrt Oostduinkerke/Koksijde. Richtung Oostduinkerke. An der T-Kreuzung Richtung Koksijde. Nach ca. 2 km ist der CP in Koksijde-Dorf gut angezeigt.

Lommel, B-3920 / Limburg

Oostappen Vakantiepark Blauwe Meer*****
Kattenbos 169
22 Mär - 2 Nov
+32 (0)11-544523
info@vakantieparkblauwemeer.be
N 51°11'39'' E 5°18'13''

1 ADEJMNOPQRST ABFGHN 6
2 BDGHOPQVXY ABDEFGH 7
3 BEILQT ABCDEFJNQRSUV 8
4 BCDFHIKLMNOQ AEITVY 9
5 ACDEGJK ABEGHIKMNOPRWYZ 10
Anzeige auf Seite 160 B 10A CEE ① €38,00
27 ha 240T(80-100m²) 783D ② €40,00

Auf der Straße von Leopoldsburg nach Lommel, Straße 746, nahe am deutschen Friedhof rechts von der Straße.

Lanaken, B-3620 / Limburg

Jocomo Park****
Maastrichterweg 1a
1 Apr - 31 Okt
+32 (0)89-722884
info@jocomo.be
N 50°54'23'' E 5°38'8''

1 AILNOPQRST ABFGN 6
2 ABDGOPQVW ABDEFGH 7
3 BELMQT ABCDFJLNQRSTUV 8
4 ABCDEFINOPQR EFJ 9
5 ABDGIKL AEFGHJLPST 10
4-10A CEE ① €21,00
31 ha 84T(100m²) 213D ② €27,00

A2 Eindhoven-Maastricht. Auf der Höhe Geleen auf die A2 (B) in Ri. Antwerpen wechseln. Hinter der Grenze die 1. Ausfahrt nach Lanaken nehmen. Dann in Ri. Genk, kurz vor der Brücke re. Auf der N77 500m hinter der Tankstelle re.

Lommel-Kolonie, B-3920 / Limburg

Oostappen Vakantiepark Parelstrand
Luikersteenweg 313A
22 Mär - 2 Nov
+32 (0)11-649349
info@vakantieparkparelstrand.be
N 51°14'36'' E 5°22'43''

1 ADEJMNOPRST AFHN 6
2 DGHIPVX ABDEFG 7
3 BEILMQT ABCDEFJKNQRSUV 8
4 BDFHILOP AFHIVY 9
5 ACDEGIL ABEGHIJNOQRYZ 10
Anzeige auf Seite 160 B 10A CEE ① €36,00
40 ha 130T(100m²) 650D ② €38,00

Straße 715 Hasselt-Eindhoven, im Gebiet Lommel 2,5 km von der niederländische Grenze entfernt, 100m hinter dem Kempischen Kanal nach links.

Lichtaart, B-2460 / Antwerpen

Korte Heide***
Olensteenweg 40
1 Mar - 31 Okt
+32 (0)14-553294
camping.korteheide@skynet.be
N 51°12'3'' E 4°54'1''

1 ABILNOPRT LMN 6
2 BCDGHOPQVWXY ABDE 7
3 BFQ ABEFNRS 8
4 BDFHIO 9
5 DGJL ABFHJOST 10
B 4A CEE ① €19,00
14 ha 25T(ab 80m²) 297D ② €25,00

E313 Ausfahrt 20 Herentals-West, dann Richtung Bobbejaanland fahren. Einfahrt gegenüber Bobbejaanland.

Loonbeek, B-3040 / Vlaams Brabant

Bergendal*
Biezenstraat 81
1 Mär - 15 Nov
+32 (0)475-594303
info@camping-bergendal.be
N 50°48'40'' E 4°36'0''

1 AJMNORST 6
2 ABGOPRSVWXY ABDE 7
3 EQ ABCDEFNR 8
4 FH 9
5 L AFGHIJST 10
6A CEE ① €20,00
H83 9 ha 30T(80-90m²) 97D ② €20,00

Via E411 Ausfahrt 3, RN253 Richtung Leuven bis Loonbeek, ab hier den CP-Schildern folgen.

Lichtaart/Kasterlee, B-2460 / Antwerpen

Floreal Kempen***
Herentalsesteenweg 64
1 Jan - 31 Dez
+32 (0)14-556120
kempen@florealgroup.be
N 51°12'35'' E 4°54'8''

1 ADEILNOPRT NU 6
2 BGOPQWXY ABDEFGH 7
3 BEGHLMQ ABCDEFJNRSV 8
4 BCDEFHILO AEFUV 9
5 ABDEGIJKL ABFGHIJMPR 10
B 16A CEE ① €23,05
7 ha 40T(100m²) 193D ② €28,25

Von Kasterlee die N123 Richtung Bobbejaanland folgen, vorbei an Lichtaart ca. 2 km Richtung Herentals, auf der rechten Seite.

Middelkerke, B-8430 / West-Vlaanderen

Mijn Plezier*
Duinenweg 489
15 Mär - 30 Sep
+32 (0)59-303020
camping@mijnplezier.be
N 51°10'31'' E 2°47'32''

1 AJMNOR K 6
2 AEOPRVWX ABDFGH 7
3 BEGHKLMQT ACFJNRSV 8
4 DFHINOPQ V 9
5 ADEGIK ABHIJPST 10
6A CEE ① €23,00
3 ha 12T(ab 80m²) 200D ② €31,00

Auf dem Koninklijke Weg von Middelkerke Richtung Nieuwpoort. Am Wasserturm (Middelkerke) links, erste Straße re. N318 Oostende-Nieuwpoort im Ortsteil Krokodil (3 km hinter Zentrum Middelkerke) rechts ab Richtung Wasserturm, dann die 1. links.

Lille/Gierle, B-2275 / Antwerpen

De Lilse Bergen****
Strandweg 6
1 Jan - 31 Dez
+32 (0)14-557901
info@lilsebergen.be
N 51°16'57'' E 4°50'14''

1 ADEGILNOPQRST HLMQ 6
2 ABDGHPQVWXY ABDEFG 7
3 BDEFIJLMQSU ABCDEFGIJKNQRS 8
4 BDFHN ACEFRTVY 9
5 ABDEGIKL ABFGHIJLMNPR 10
B 10A CEE ① €27,50
60 ha 252T(100m²) 262D ② €27,50

E34 Antwerpen-Eindhoven, Ausfahrt 22 Gierle/Beerse. Der Beschilderung folgen. Der CP liegt ± 2 km von der Autobahn.

Middelkerke, B-8430 / West-Vlaanderen

Zeester***
Sluisvaartstraat 50
6 Apr - 10 Nov
+32 (0)59-302014
info@zeester.be
N 51°11'29'' E 2°49'50''

1 ABILNOPQRST K 6
2 AEOPVWX ABDEFG 7
3 BKLQ ABCDFGJNRV 8
4 FHO E 9
5 ADEGK ABEHIJPR 10
10A ① €24,00
4 ha 120T(100m²) 315D ② €28,00

Der CP liegt kurz vor dem Zentrum von Middelkerke an der Straße N318 Oostende-Middelkerke auf der rechten Seite.

Lombardsijde, B-8434 / West-Vlaanderen

De Lombarde***
Elisabethlaan 4
1 Jan - 31 Dez
+32 (0)58-236839
info@delombarde.be
N 51°9'23'' E 2°45'13''

1 AEFGILNOPQRT KN 6
2 ADEHOPVWXY BEFG 7
3 BKLMQ BDFGJKNRSV 8
4 BCDEFHINOQR FJL 9
5 ACDGKL ABFGHIJLNPRXY 10
B 16A ① €34,80
9,5 ha 177T(ab 100m²) 236D ② €34,80

E40 Brussel Richtung Calais Ausfahrt Nieuwpoort Richtung Oostende. 2 km hinter dem Denkmal Albert I. Auf der rechten Seite.

Mol, B-2400 / Antwerpen

Oostappen Vakantiepark Zilverstrand
Kiezelweg 17
22 Mär - 2 Nov
+32 (0)14-810098
info@vakantieparkzilverstrand.be
N 51°12'34'' E 5°10'20''

1 ADEILNOPRST FGHILN 6
2 BDGHPQWXY ABDEFGH 7
3 ACIKLQS ABCDEFGIJKNQRSTUV 8
4 BDHILNOPQSTUV AEJTVY 9
5 ABDEGJ ABEHIJNOQTUZ 10
Anzeige auf Seite 160 B 10A CEE ① €45,25
26 ha 180T(120m²) 578D ② €47,75

Autobahn Mol-Lommel, nach der zweiten Brücke sofort links. Der Beschilderung folgen ('Molse meren'). CP liegt an der N712 zwischen Mol und Lommel.

Belgien

Mol, B-2400 / Antwerpen

Provinciaal Recreatiedomein Zilvermeer****
Zilvermeerlaan 2
1/1 - 16/11, 17/12 - 31/12
+32 (0)14-829500
info@zilvermeer.provant.be
N 51°13'10'' E 5°10'52''

1 BDEG**JM**NOPQRST HLMNOQRST 6
2 BDGHOQVXY ABDE**FG** 7
3 BDEF**IKLM**QS**U** ABCDEFJKNQRSV 8
4 ABCEFHILN**Q**R FJMPSTVWY 9
5 ACDEGHIJKL ABFGHIJLMNPRVWZ 10
B 16A CEE ❶ €25,00
150 ha 282**T**(98-184m²) 801**D** ❷ €25,00

E34 Antwerpen-Eindhoven, Ausfahrt 26 Retie/Arendonk und der Beschilderung 'Molse meren' folgen, oder E313 Hasselt/Antwerpen Ausfahrt 23 Geel-West und dann über die N19, R14, N71, N712, N136 zum CP.

Poppel, B-2382 / Antwerpen

Verblijfspark Tulderheyde
Tulderheyde 25
1 Jan - 31 Dez
+32 (0)14-655612
info@tulderheyde.be
N 51°26'53'' E 5°5'26''

1 ADEG**IL**NOPQRST LMN 6
2 BDGHQVX ABDE**FG**H 7
3 ABEF**IK**LMQ ABEFNRV 8
4 BCDFHIKNO**P**Q EFJV 9
5 ABDEGL ABFGHIJPQRY 10
16A CEE ❶ €22,00
25 ha 29**T**(100m²) 428**D** ❷ €22,00

Straße Tilburg-Turnhout bis Poppel-Zentrum folgen. Ab Rathaus Poppel Beschilderung folgen.

Nieuwpoort, B-8620 / West-Vlaanderen

Kompas Camping Nieuwpoort****
Brugsesteenweg 49
27 Mär - 11 Nov
+32 (0)58-236037
nieuwpoort@kompascamping.be
N 51°7'48'' E 2°46'20''

1 ADE**JM**NOPQRST ABFGH**N**QRST**XYZ** 6
2 ADPVWXY BE**FG**H 7
3 BCEF**KLM**QT BDFGIJKNQRSTUV 8
4 ABCDFHIKNO AEFQVY 9
5 ACDEGJKL ABCDFGHIJMPSTY 10
B 10A CEE ❶ €41,80
23 ha 932**T**(100-150m²) 113**D** ❷ €43,70

E40 Ausfahrt 3 Richtung Diksmuide. Diksmuide/Nieuwpoort. Am Kreisel Richtung Westende. Geradeaus zur T-Kreuzung. Dort rechts. Der CP liegt direkt auf der linke Seite.

Remersdaal/Voeren, B-3791 / Limburg

Camping Natuurlijk Limburg BVBA
Roodbos 3
1 Jan - 31 Dez
+32 (0)4-3810176
info@campingnatuurlijklimburg.be
N 50°43'46'' E 5°51'53''

1 ABG**JM**NOPQRST AF 6
2 OPRTXY A**B**DE**FG**K 7
3 BELQV ABCDE**FG**JNQRV 8
4 EFHIO**Q** FIJUVW 9
5 ADGIKL ABDFGHJ**P**ST 10
6A CEE ❶ €26,00
H300 6 ha 70**T**(80-100m²) 60**D** ❷ €32,00

A2/E25 in Maastricht Richtung Aken/Vaals verlassen. Kurz nach Margraten rechts fahren, Richtung De Planck. Über B-Grenze (ca. 5 km) Richtung Aubel.

Olen, B-2250 / Antwerpen

Den Boskant***
Boskant 1
1 Jan - 31 Dez
+32 (0)14-212281
camping@denboskant.eu
N 51°9'11'' E 4°53'52''

1 A**JM**NORT 6
2 ABOPQVWY A**B**D**E** 7
3 BEQSU ABCDE**F**IJNQRTU 8
4 FHNO**Q** 9
5 GIKL ABFGHIJ**O**R 10
B 10A CEE ❶ €10,65
2,5 ha 21**T**(ab 80m²) 70**D** ❷ €14,65

E313 Antwerpen-Hasselt, Ausfahrt 23 Geel-West Richtung Geel. Über den Albertkanal Richtung Herentals (N13). Nach 3,6 km Richtung Oevel-Olen Zentrum. CP liegt etwa 300m rechts von der Straße.

Retie, B-2470 / Antwerpen

Berkenstrand****
Brand 78
1 Apr - 30 Sep
+32 (0)14-379041
info@berkenstrand.be
N 51°16'32'' E 5°7'44''

1 ADEG**JM**NOPQRT LM**N** 6
2 ACDGHPQVWXY A**B**D**EFG**H 7
3 BEFQ ABE**F**JNRSTU 8
4 BDEFHIKNO**Q** 9
5 ACDEGIJL ABDFGHIJMPTU 10
B 10A CEE ❶ €18,00
10 ha 33**T**(120-150m²) 208**D** ❷ €18,00

E34 Ausfahrt 26 Richtung Retie, nach der Kirche Richtung Postel folgen. Der CP ist ausgeschildert. (GPS = Postelsebaan 3).

Opglabbeek, B-3660 / Limburg

Recreatieoord Wilhelm Tell****
Hoeverweg 87
1 Jan - 31 Dez
+32 (0)89-810013
wilhelmtell@limburgcampings.be
N 51°1'42'' E 5°35'52''

1 AB**JM**NOPRST ABEFGHI 6
2 AGPVWX A**B**D**EFGH** 7
3 BC**KL**Q**R**S ABCD**F**JNQRSV 8
4 BDEFHILO**Q**U EIV 9
5 ABDEFGJ**L** ABEGHIJPR 10
B 6-10A ❶ €32,00
4 ha 75**T**(80-100m²) 89**D** ❷ €40,00

E314 Aachen-Bruxelles; Ausfahrt 32. A2 Richtung As folgen und weiter nach Opglabbeek. CP ist rechts vor dem Zentrum ausgeschildert.

Turnhout, B-2300 / Antwerpen

Baalse Hei***
Roodhuisstraat 10
15 Jan - 15 Dez
+32 (0)14-448470
info@baalsehei.be
N 51°21'27'' E 4°57'32''

1 ADEG**JM**NOPQRST L**N**XZ 6
2 ACDGHPQWXY A**B**D**EFGH** 7
3 ABEFLMQ ABCD**F**JNQRTUV 8
4 BFHIO AEFTV 9
5 ABDEGIJKL ABEFGHJ**N**PR 10
B 16A CEE ❶ €26,00
30 ha 74**T**(55-250m²) 343**D** ❷ €26,00

Von Holland aus: A67 Venlo/Eindhoven/Antwerpen (A21 in Belgien) folgen. Ausfahrt 25 Turnhout-Oost, Oud Turnhout auf den Stadtring R13, rechts nach Norden zur N119 Richtung Baarle-Nassau. Rechts ab (Dombergheide).

Opgrimbie/Maasmechelen, B-3630 / Limb.

Recreatieoord Kikmolen
Kikmolenstraat 3
1 Apr - 31 Okt
+32 (0)89-770900
info@kikmolen.be
N 50°57'14'' E 5°39'45''

1 ABFHKNOPQRS**T** HLM**N** 6
2 ABDGIPRVWX A**B**DE**FGH** 7
3 BE**M**Q ABD**F**HIJNPRSV 8
4 ABEFHINOP EJVY 9
5 ACDEGIJ AFGI**P**ST 10
6A CEE ❶ €18,50
20 ha 150**T**(80-100m²) 505**D** ❷ €25,50

A2-E314 Ausfahrt 33 Richtung Lanaken. Am Kreisverkehr geradeaus, nach 1 km rechts abbiegen Richtung Zutendaal. Dann Beschilderung folgen.

Waasmunster, B-9250 / Oost-Vlaanderen

Gerstekot-VKT V.Z.W.*
Vinkenlaan 30
1 Jan - 31 Dez
+32 (0)3-7723424
mlyssens@gmail.com
N 51°7'36'' E 4°5'8''

1 ADE**JM**NOPRST 6
2 ABPQVWXY A**B**D**EFGH** 7
3 BELQ ABCDE**F**JNPQRSV 8
4 FHIO**Q** VW 9
5 GKL ABFGHINOPR 10
10A CEE ❶ €18,50
2 ha 17**T**(80-100m²) 87**D** ❷ €21,50

E17 Ausfahrt Waasmunster, Richtung Waasmunster. Erste Straße links. Direkt links zurück (Vinkenlaan) und der Straße bis zum CP folgen.

Opoeteren, B-3680 / Limburg

Zavelbos***
Kattebeekstraat 1
1 Jan - 31 Dez
+32 (0)89-758146
zavelbos@limburgcampings.be
N 51°3'29'' E 5°37'45''

1 A**JM**NOPRST N 6
2 BOPRVWY A**B**D**EFGH** 7
3 B**K**LQ ABCD**FI**JKNQRSTU 8
4 BDFHINO**UY** IV 9
5 ADEGJ**L** ABDEFGHJPR 10
B 6-10A CEE ❶ €30,00
6 ha 50**T**(100-120m²) 121**D** ❷ €38,00

A2 Eindhoven-Maastricht, Ausfahrt Maaseik. Via Neeroeteren nach Opoeteren. CP liegt rechts von der Straße Opoeteren-Opglabbeek.

Wachtebeke, B-9185 / Oost-Vlaanderen

Provinciaal Domein Puyenbroeck****
Puyenbrug 1a
1 Apr - 30 Sep
+32 (0)9-3424231
camping.puyenbroeck@oost-vlaanderen.be
N 51°9'15'' E 3°53'21''

1 BEGHKNOPRST ABEFGHIN 6
2 GOPSVWXY ABDE**FG** 7
3 BDEF**IJLM**Q**U** ABCDEFGHJKNPRSV 8
4 BDFHIKR FPTV 9
5 ADEGHJL ABGHIJORZ 10
B 16A CEE ❶ €27,00
8 ha 93**T**(140m²) 210**D** ❷ €27,00

Straße N49 oder E34 verlassen bei Wachtebeke, Beschilderung 'Puyenbroeck' folgen.

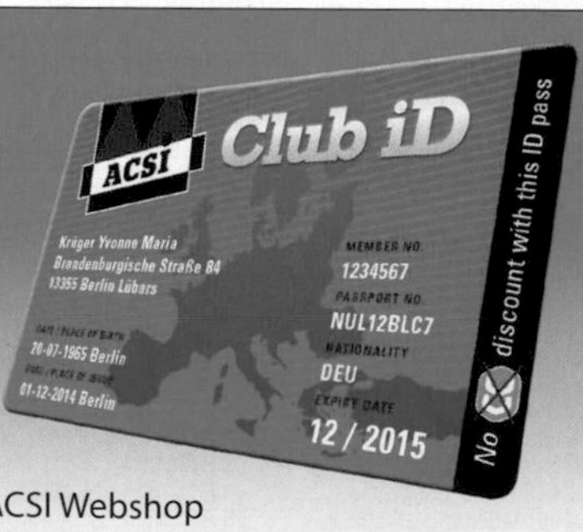

Teilkarte Flandern auf Seite 230 und 231

Werchter, B-3118 / Vlaams Brabant

De Klokkeberg***	1 AILNOPRS**T**	N 6
Grotestraat 120	2 DPQRWXY	AB**FG** 7
20 Mär - 20 Okt	3 AEL**MQ**	ABFJNPRV 8
+32 (0)16532561	4 BDFHINO**PQ**	EJ 9
kampeerverblijfpark klokkeberg@hotmail.com	5 GI	AHIKST 10
	16A	❶ €23,00
N 50°58'42'' E 4°43'28''	30T(bis 80m^2) 175**D**	❷ €31,00

E314 Ausfahrt 21. Hinter Rotselaar-Werchter den CP-Schildern 'De Klokkeberg' folgen.

Westende, B-8434 / West-Vlaanderen

K.A.C.B. Camping***	1 ADE**IL**NOPQRST	K 6
Bassevillestraat 81	2 AEOPRVWX	BE**FG** 7
1 Jan - 31 Dez	3 BEF**J**LMQ	BDFJK**L**NRSV 8
+32 (0)58-237343	4 BCDFHINO**PQ**	9
info@kacbcamping.be	5 DEGJL	ABFGHIJ**NO**ST 10
	16A	❶ €25,00
N 51°9'15'' E 2°45'34''	6,5 ha 54T(80-120m^2) 291**D**	❷ €27,00

Von Nieuwpoort auf der 318 Richtung Westende-Middelkerke. CP ab Westende-Mitte links angezeigt.

Westende, B-8434 / West-Vlaanderen

Kompas Camping Westende****	1 ADE**JM**NOPQRST	K 6
Bassevillestraat 141	2 AEGOPVWX	BDE**FG** 7
27 Mär - 11 Nov	3 BCDE**K**LQT	BDFGIJKNQRSTV 8
+32 (0)58-223025	4 BDFHIO	FIJVY 9
westende@kompascamping.be	5 ACDEGJKL	ABDFGHIJ**P**RX 10
	B 10A CEE	❶ €41,80
N 51°9'27'' E 2°45'40''	12 ha 226T(100-150m^2) 198**D**	❷ €43,70

E40 Ausfahrt 4 Richtung Middelkerke. Nach ± 2 km über den Kanal Richtung Middelkerke. An der Kirche links Richtung Westende. An der Kirche von Westende vorbei die 4. Straße rechts (Hovenierstraat) bis zum Ende durchfahren.

Westende, B-8434 / West-Vlaanderen

Poldervallei**	1 A**IL**NOPQRST	K 6
Westendelaan 178	2 AEOPVW	ABDE**FGH** 7
1 Apr - 28 Nov	3 BE**IK**LQT	ACD**F**JKNRSV 8
+32 (0)59-301771	4 BFHIKOR	EJ 9
info@campingpoldervallei.be	5 ABDEGL	ABFGHIJ**PST** 10
	6A	❶ €27,00
N 51°10'0'' E 2°46'57''	7 ha 100T(80-100m^2) 334**D**	❷ €31,00

Der CP liegt ungefähr auf halber Strecke an 318 von Middelkerke (Mitte) und Westende-Mitte.

Westende, B-8434 / West-Vlaanderen

Westende	1 A**IL**NOPRST	AB 6
Westendelaan 341	2 AOPQVWX	A**B**DE**FG** 7
1 Mär - 15 Nov	3 B**K**Q	ABCDEFKNRSTUV 8
+32 (0)58-233254	4 BCDFHINOQ	EVW 9
info@campingwestende.be	5 ACEGIJK**L**	ABDEFGHIJL**OS**T 10
	B 10A CEE	❶ €36,50
N 51°9'26'' E 2°45'56''	5 ha 25T(80-100m^2) 342**D**	❷ €36,50

E40 Ausfahrt 4 Richtung Middelkerke, dort der N318 folgen. Kurz hinter der Kirche von Westende-Mitte Richtung Nieuwpoort. Nach 150m liegt der CP an der linken Seite.

Westerlo, B-2260 / Antwerpen

Heiken-Westerlo VZW**	1 AJMNOPRST	6
Stropersweg 2	2 ABOPQWX	ABDE 7
1 Jul - 31 Aug	3 ABELQ	ABCDEFJNPQR 8
+32 (0)14-549487	4 EFHIQ	9
info@campingheiken.be	5 GL	ABHIJOPRV 10
	10A	❶ €15,00
N 51°5'56'' E 4°53'35''	1 ha 6T(100-120m^2) 34**D**	❷ €15,00

E313 Ausfahrt 22 - Olen. Richtung Olen/Herselt, Abtei Tongerlo folgen und in der Geneindestraat nach 1 km rechts in den Jagersweg, dann 2. Straße links.

Westerlo/Heultje, B-2260 / Antwerpen

Hof van Eeden***	1 ADE**JM**NOPRST	AFLMN 6
Kempische Ardennen 8	2 ABDGHIOPQVWXY	ABDE**FGH** 7
1 Jan - 31 Dez	3 BELQ	ABE**F**JNPRTUV 8
+32 (0)16-698372	4 BCDFHINO**Q**	EFV 9
info@hofvaneeden.be	5 DEGIJKL	ABEFGHIJPR 10
	B 10A	❶ €17,50
N 51°4'44'' E 4°49'16''	12 ha 72T(100-130m^2) 318**D**	❷ €23,50

E313 Herentals-Oost, Olen, Ausfahrt 22, folgen Sie N152 bis Zoerle/Parwijs, rechts Richtung Heultje, ab hier CP ausgeschildert.

Wezembeek-Oppem, B-1970 / Vlaams Brabant

Camping Caravaning Club Brussels**	1 AF**JM**NOPRS**T**	6
Warandeberg 52	2 ABCOPRSUWX	ABDEK 7
1 Apr - 30 Sep	3 ABELQ	ABCDEFHJNPRV 8
+32 (0)2-7821009	4 HIOP**Q**	9
camping.wezembeek@hotmail.com	5 BGL	ABFGHIKLNO**P**STV 10
	B 6A CEE	❶ €21,50
N 50°51'25'' E 4°29'6''	H60 2 ha 35T(25-90m^2) 48**D**	❷ €28,50

Ring RO Ausfahrt 2 Wezembeek-Oppem. Richtung Wezembeek-Oppem nach 500m den CP-Schildern folgen.

Zele, B-9240 / Oost-Vlaanderen

Groenpark***	1 AJMNOPRS**T**	6
Gentsesteenweg 337	2 ABDOPQVWXY	ABDE**FG** 7
28 Mär - 1 Nov	3 ALQ	ABCDEFIJNRTU 8
+32 (0)9-3679071	4 FHIQ	EF 9
groenpark@scarlet.be	5 AGL	ABDFGHIJ**NO**RV 10
	16A CEE	❶ €25,00
N 51°3'10'' E 3°58'48''	5 ha 70T(105-160m^2) 23**D**	❷ €31,00

A14 Gent-Antwerpen, Ausf. 12, links N47. Am 3. Kreisel der 1. Ausf. N445. Am 1. und 2. Kreisel abfahren. Nach 2 km CP links. Oder: A10 Brüssel-Gent, 1. Ausf. hinter Ausf. 19 Aalst (Umgehung) Ri. R14/N41 Dendermonde. Li zur N47 Ri. Zele/Lokeren. Nach 500m re CP.

Zonhoven, B-3520 / Limburg

Heidestrand N.V.***	1 ADE**JM**NOPQRT	AFHL**NX** 6
Zwanenstraat 105	2 ADGHPVX	ABDE**FG** 7
3 Apr - 1 Okt	3 BEFLQ	ABEFNRUV 8
+32 (0)11-813437	4 BCDFHILNOPQ	EUV 9
recreatieoord@heidestrand.be	5 CDGIKL	ABFHIK**O**RZ 10
	10A	❶ €28,00
N 50°59'12'' E 5°18'48''	75 ha 88T(80-100m^2) 630**D**	❷ €31,90

In Zonhoven die 72 Richtung Beringen. Nach 2 km links in die 'Wijvestraat', kurz hinter dem Bahnübergang. Nach 2,5 km auf der rechten Seite.

Zonhoven, B-3520 / Limburg

Holsteenbron	1 A**JM**NOPRT	N 6
Hengelhoefseweg 9	2 APQVXY	ABDE**FG** 7
1 Apr - 8 Nov	3 AF**K**LQS	ABE**F**JNQRV 8
+32 (0)11-817140	4 BDEFHIO	EV 9
camping.holsteenbron@telenet.be	5 ADGIL	ABGHIJPSTVZ 10
	B 6A	❶ €24,00
N 50°59'42'' E 5°24'59''	4 ha 57T(80-100m^2) 33**D**	❷ €24,00

A2/E314 Ausfahrt 29 Richtung Hasselt, nach 800m an der Ampel links und dann Beschilderung folgen. Oder die Strecke Eindhoven-Hasselt N74, über die Brücke der E314. Nach 800m links, an der Ampel links und der Beschilderung folgen.

Zutendaal, B-3690 / Limburg

't Soete Dal**	1 ADEF**JM**NOPRS**T**	**AF** 6
Molenblookstraat 64	2 ABPQVWXY	A**B**DE**FG** 7
23 Mär - 30 Sep	3 BE**K**LQ	ABCDE**F**JNRSUV 8
+32 (0)89-611811	4 BDEFHILNO**PQ**	E 9
info@soetedal.be	5 ADEGI	ABFGHIJOR 10
	B 10A CEE	❶ €23,00
N 50°55'34'' E 5°33'8''	10 ha 30T(100m^2) 424**D**	❷ €33,00

E314, Ausfahrt 32 Richtung Munsterbilzen bis Zutendaal. Kreisverkehr durchqueren. CP liegt nach 2 km auf der rechten Seite.

Zutendaal, B-3690 / Limburg

Narvik HomeParc Mooi Zutendaal	1 ADE**IL**NOPQRST	AEFG 6
Gijzenveldstraat 75	2 ABGPRVWXY	ABDE**FG** 7
1 Jul - 31 Aug	3 BCELQ**R**T	ABCDEFKNQRSTUV 8
+32 (0)89-730600	4 BDFHILNO	JUVWY 9
info@mooi-zutendaal.be	5 ACDEFJ	ABEGHIJN**P**RWY 10
	B 10A CEE	❶ €43,00
N 50°55'0'' E 5°35'49''	34 ha 123T(80-100m^2) 186**D**	❷ €46,50

Der A2 bis Kreuz 'Kerensheide' bei Stein folgen. Ri. Antwerpen fahren. Ausfahrt Maasmechelen/Lanaken, dann Ri. Lanaken. Im Kreisel bei Rekem rechts und nach 6 km an der T-Kreuzung erst rechts und dann links. Noch 1 km bis zum CP.

Belgien

Wallonien

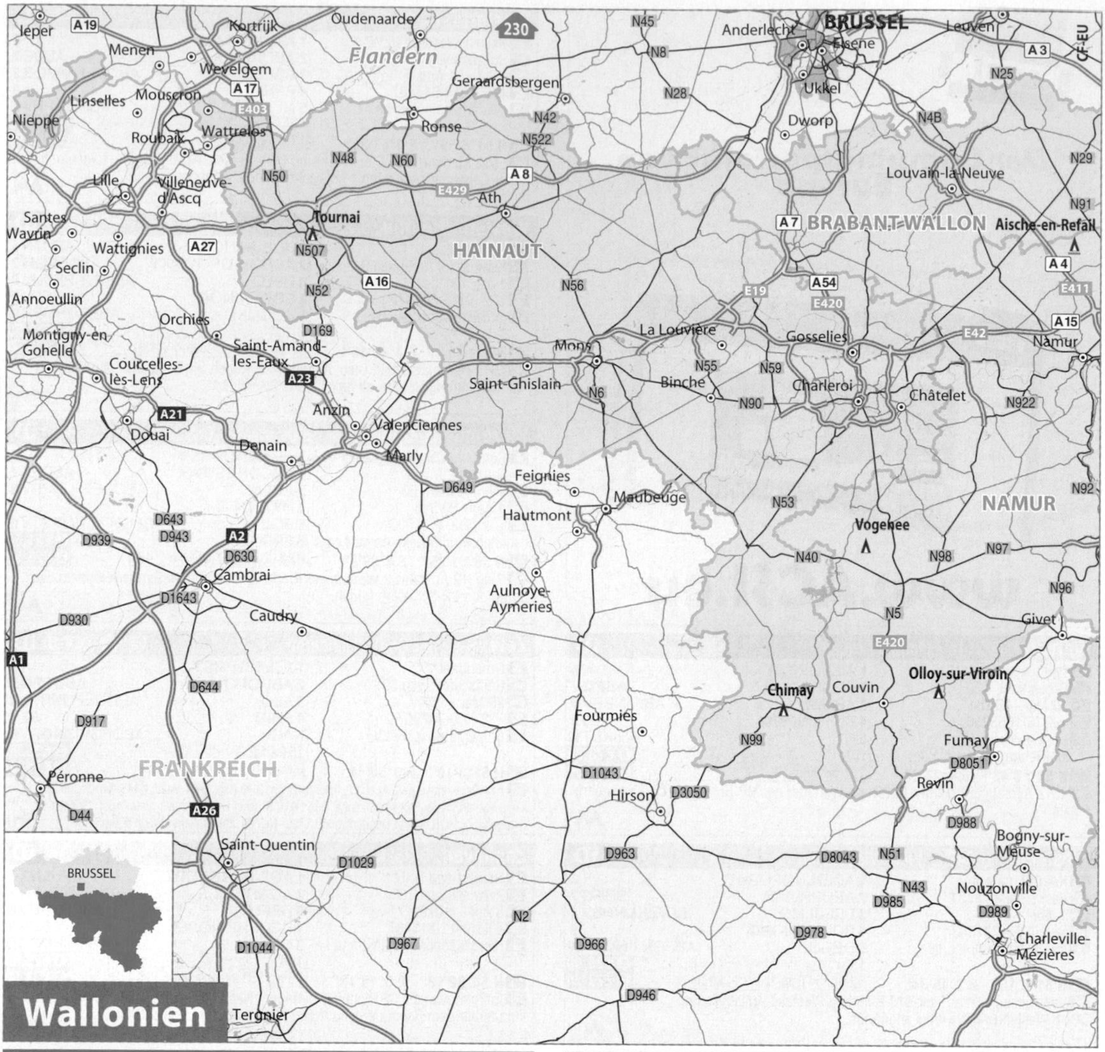

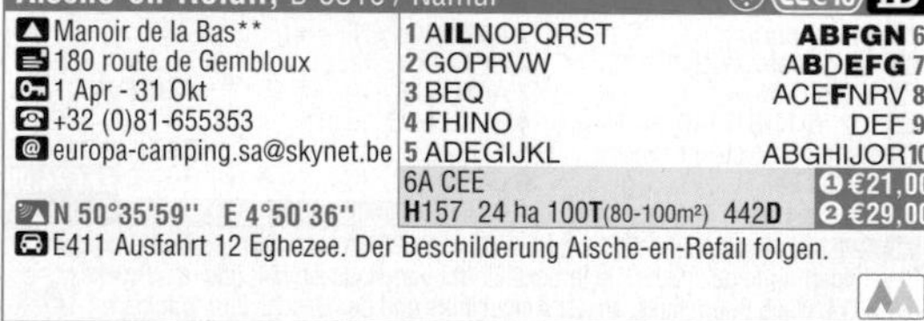

Aische-en-Refail, B-5310 / Namur

Manoir de la Bas**	1 AILNOPQRST	ABFGN 6
180 route de Gembloux	2 GOPRVW	ABDEFG 7
1 Apr - 31 Okt	3 BEQ	ACEFNRV 8
+32 (0)81-655353	4 FHINO	DEF 9
europa-camping.sa@skynet.be	5 ADEGIJKL	ABGHIJOR 10
	6A CEE	❶ €21,00
N 50°35'59'' E 4°50'36''	H157 24 ha 100T(80-100m²) 442D	❷ €29,00

E411 Ausfahrt 12 Eghezee. Der Beschilderung Aische-en-Refail folgen.

Amberloup/Ste Ode, B-6680 / Luxembourg

Tonny***	1 AGJMNOPRT	JN 6
1 rue des Rainettes	2 CGOPRVWXY	ABDEFGH 7
1 Apr - 12 Nov	3 BELQV	ABCDEFJNRSV 8
+32 (0)61-688285	4 FHIO	EJ 9
camping.tonny@skynet.be	5 ADEGIKL	ABFHJPST 10
	6A	❶ €26,00
N 50°1'35'' E 5°30'47''	H386 3,5 ha 80T(80-120m²) 10D	❷ €31,00

Ab der N4 Ausfahrt Amberloup/Libramont folgen. Der CP liegt rechter Hand der Straße, 3 km entfernt von der N4, kurz hinter Amberloup und im Weiler Tonny.

Amel/Deidenberg, B-4770 / Liège

Camping Oos Heem BVBA***	1 AJMNOPQRST	AF 6
Schwarzenvenn 6	2 ACFGPUVWX	ABDFGH 7
1 Jan - 31 Dez	3 BEHLQRV	ABFJLNRSV 8
+32 (0)80-349741	4 BCDEFHIKLO	AEUVW 9
info@campingoosheem.be	5 ABDEGIKL	ABFHIJOR 10
	W 16A CEE	❶ €24,00
N 50°20'54'' E 6°7'12''	H432 3,5 ha 40T(ab 100m²) 126D	❷ €33,00

A60 Trier/Bitburg-St. Vith/Liége, Ausfahrt 13. Nach Born fahren (2 km) und dann Richtung Montenau. Der CP liegt etwa 2 km von Born. Oder E42 St. Vith-Verviers, Ausfahrt 13a. Weiter wie hiervor.

Detailkarte

Die Orte in denen die Plätze liegen, sind auf der Teilkarte **fett** gedruckt und zeigen ein offenes oder geschlossenes Zelt. Ein geschlossenes Zelt heißt, dass mehrere Campings um diesen betreffenden Ort liegen. Ein offenes Zelt heißt, dass ein Campingplatz in oder um diesen Ort liegt.

Teilkarte Wallonien auf Seite 238 und 239

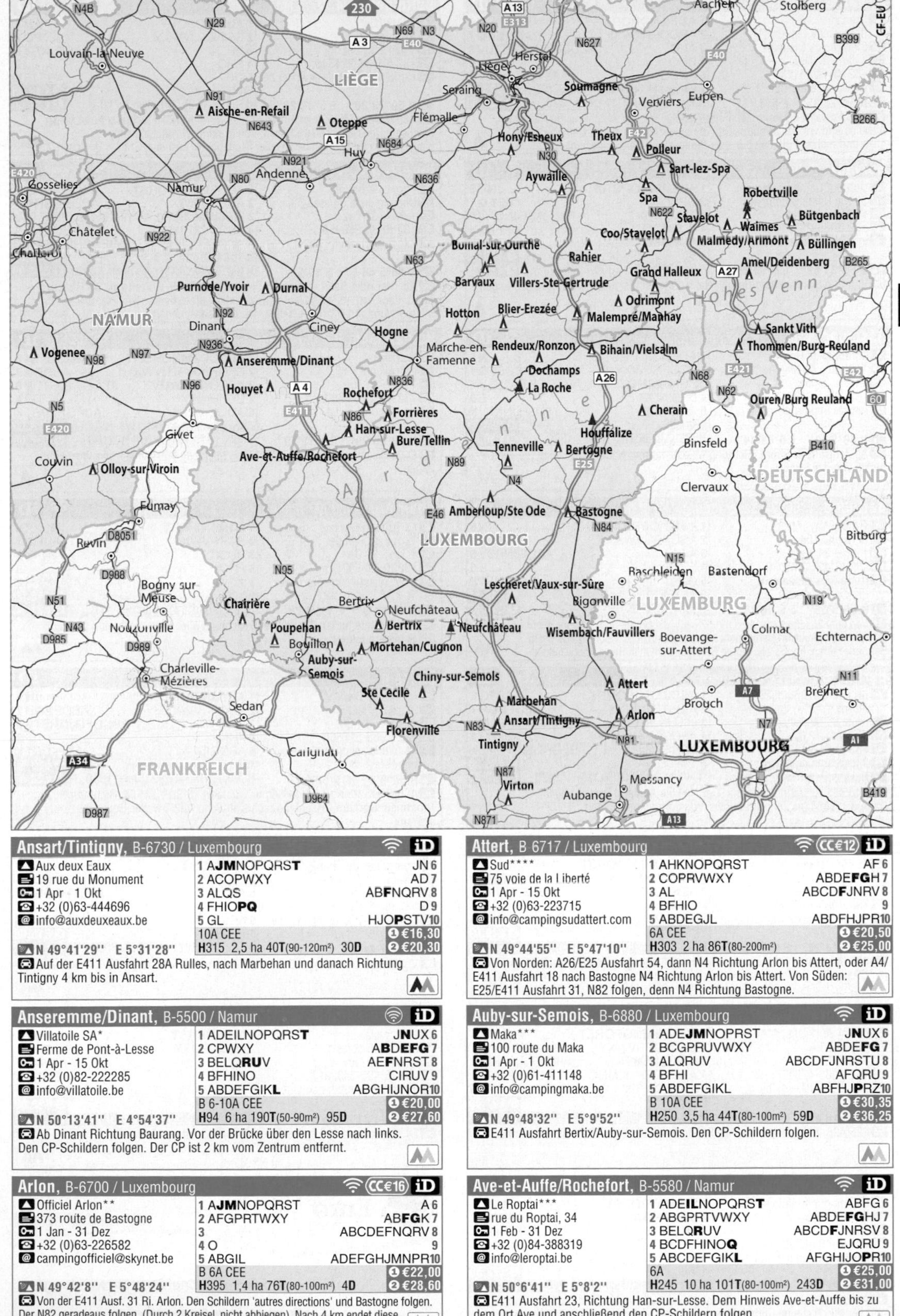

Ansart/Tintigny, B-6730 / Luxembourg

Aux deux Eaux
19 rue du Monument
1 Apr - 1 Okt
+32 (0)63-444696
info@auxdeuxeaux.be

1 A**JM**NOPQRS**T**	JN	6
2 ACOPWXY	AD	7
3 ALQS	AB**F**NQRV	8
4 FHIO**PQ**	D	9
5 GL	HJO**P**STV	10
10A CEE	① €16,30	
H315 2,5 ha 40**T**(90-120m²) 30**D**	② €20,30	

N 49°41'29'' E 5°31'28''

Auf der E411 Ausfahrt 28A Rulles, nach Marbehan und danach Richtung Tintigny 4 km bis in Ansart.

Attert, B 6717 / Luxembourg

CC€12

Sud****
75 voie de la Liberté
1 Apr - 15 Okt
+32 (0)63-223715
info@campingsudattert.com

1 AHKNOPQRST	AF	6
2 COPRVWXY	ABDE**FG**H	7
3 AL	ABCD**F**JNRV	8
4 BFHIO		9
5 ABDEGJL	ABDFHJPR	10
6A CEE	① €20,50	
H303 2 ha 86**T**(80-200m²)	② €25,00	

N 49°44'55'' E 5°47'10''

Von Norden: A26/E25 Ausfahrt 54, dann N4 Richtung Arlon bis Attert, oder A4/E411 Ausfahrt 18 nach Bastogne N4 Richtung Arlon bis Attert. Von Süden: E25/E411 Ausfahrt 31, N82 folgen, denn N4 Richtung Bastogne.

Anseremme/Dinant, B-5500 / Namur

Villatoile SA*
Ferme de Pont-à-Lesse
1 Apr - 15 Okt
+32 (0)82-222285
info@villatoile.be

1 ADEILNOPQRS**T**	J**N**UX	6
2 CPWXY	A**B**D**EFG**	7
3 BELQ**RU**V	AE**F**NRST	8
4 BFHINO	CIRUV	9
5 ABDEFGIK**L**	ABGHIJNOR	10
B 6-10A CEE	① €20,00	
H94 6 ha 190**T**(50-90m²) 95**D**	② €27,60	

N 50°13'41'' E 4°54'37''

Ab Dinant Richtung Baurang. Vor der Brücke über den Lesse nach links. Den CP-Schildern folgen. Der CP ist 2 km vom Zentrum entfernt.

Auby-sur-Semois, B-6880 / Luxembourg

Maka***
100 route du Maka
1 Apr - 1 Okt
+32 (0)61-411148
info@campingmaka.be

1 ADE**JM**NOPRST	J**N**UX	6
2 BCGPRUVWXY	ABDE**FG**	7
3 ALQRUV	ABCDFJNRSTU	8
4 BFHI	AFQRU	9
5 ABDEFGIKL	ABFHJ**P**RZ	10
B 10A CEE	① €30,35	
H250 3,5 ha 44**T**(80-100m²) 59**D**	② €36,25	

N 49°48'32'' E 5°9'52''

E411 Ausfahrt Bertix/Auby-sur-Semois. Den CP-Schildern folgen.

Arlon, B-6700 / Luxembourg

CC€16

Officiel Arlon**
373 route de Bastogne
1 Jan - 31 Dez
+32 (0)63-226582
campingofficiel@skynet.be

1 A**JM**NOPQRST	A	6
2 AFGPRTWXY	AB**FG**K	7
3	ABCDEFNQRV	8
4 O		9
5 ABGIL	ADEFGHJMNPR	10
B 6A CEE	① €22,00	
H395 1,4 ha 76**T**(80-100m²) 4**D**	② €28,60	

N 49°42'8'' E 5°48'24''

Von der E411 Ausf. 31 Ri. Arlon. Den Schildern 'autres directions' und Bastogne folgen. Der N82 geradeaus folgen. (Durch 2 Kreisel, nicht abbiegen). Nach 4 km endet diese Straße in einer Kurve nach li auf die N4. CP liegt hinter der Kurve nach 200m re.

Ave-et-Auffe/Rochefort, B-5580 / Namur

Le Roptai***
rue du Roptai, 34
1 Feb - 31 Dez
+32 (0)84-388319
info@leroptai.be

1 ADE**IL**NOPQRS**T**	ABFG	6
2 ABGPRTVWXY	ABDE**FG**HJ	7
3 BELQ**R**UV	ABCD**F**JNRSV	8
4 BCDFHINO**Q**	EJQRU	9
5 ABCDEFGIK**L**	AFGHIJO**P**R	10
6A	① €25,00	
H245 10 ha 101**T**(80-100m²) 243**D**	② €31,00	

N 50°6'41'' E 5°8'2''

E411 Ausfahrt 23, Richtung Han-sur-Lesse. Dem Hinweis Ave-et-Auffe bis zu dem Ort Ave und anschließend den CP-Schildern folgen.

Teilkarte Wallonien auf Seite 238 und 239

Aywaille, B-4920 / Liège

Domaine Château de Dieupart*
37 route de Dieupart
1 Jan - 31 Dez
+32 (0)4-2631238
jeroen@dieupart.be
N 50°28'35'' E 5°41'21''

1 ADEILNOPQRT N 6
2 ABCOPRVWXY ABDEFG 7
3 ALQ ACDEFJKNQRSTUV 8
4 FHO I 9
5 ACDGIL ABEFGHJLOST 10
Anzeige auf Seite 241 B 10A CEE ❶ €24,00
H350 5 ha 100T(80-120m²) 52D ❷ €31,00

E25 Ausfahrt 46 Remouchamps/Aywaille. An der Ampel rechts Richtung Aywaille und vor der Kirche rechts abbiegen. Am Parkplatz Delhaise direkt links und rechts, Einfädelspur zum Schloss nehmen. Angezeigt.

Barvaux, B-6940 / Luxembourg

Outdoor Camping Barvaux
50 rue Haute Commène
15 Mär - 30 Okt
+32 (0)86-212466
info@campingardennen.nl
N 50°21'52'' E 5°30'20''

1 ADEJMNOPQRST JNU 6
2 CPWXY ABFG 7
3 BFLQRUV ABFJNQRV 8
4 BDFHOQ BEFRU 9
5 ADEGKL ABHIJPRV 10
10A ❶ €19,75
5 ha 110T(100m²) 66D ❷ €24,75

Von Barvaux Richtung Bomal. Nach 1 km rechts ab der Beschilderung folgen

Bastogne, B-6600 / Luxembourg

Camping de Renval***
148 route de Marche
1 Feb - 31 Dez
+32 (0)61-212985
info@campingrenval.be
N 50°0'11'' E 5°41'44''

1 ADEILNOPRST N 6
2 ACGPRVWXY ABDEFG 7
3 BEFILMNOQ ABCDEFJNQRSV 8
4 BFHINOP E 9
5 ADEFGIL FGHJNPRV 10
10A CEE ❶ €24,00
H505 7 ha 60T(80-100m²) 135D ❷ €30,00

Ab Zentrum Bastogne Richtung Marche fahren. Nach 1 km finden Sie den CP rechts von der Straße.

Bertogne, B-6687 / Luxembourg

Tro Do Way***
Bertogne 154
1 Jan - 31 Dez
+32 (0)495-240244
trodoway@gmail.com
N 50°5'56'' E 5°40'25''

1 AJMNOPRT N 6
2 ABCPRUVWXY ABFG 7
3 AL ABEFJNRSV 8
4 FHIO E 9
5 GJKL ABFHJST 10
B 6A CEE ❶ €18,50
H400 7,8 ha 30T(80-130m²) 25D ❷ €23,50

Von der E25 kommend, Ausfahrt 52 nach Mabompré und Bertogne nehmen. Von der N4 kommend, Ausfahrt Herbaimont nehmen. Dann in Ri. Houffalize bis nach Bertogne fahren. Im Kreisverkehr in Bertogne 2,5 km in Ri. La Roche fahren.

Bertrix, B-6880 / Luxembourg

Ardennen Camping Bertrix****
route de Mortehan
27 Mär - 12 Nov
+32 (0)61-412281
info@campingbertrix.be
N 49°50'18'' E 5°15'8''

1 ACDJLNOPQRST ABFG 6
2 ABPRTUVWXY ABDEFGH 7
3 BCELMQRTUV ABCDEFIJKNQRSTUV 8
4 ABCDEFHILOPT AEFRU 9
5 ABDEFGJKL ABFGHIJNORVYZ 10
B 10A CEE ❶ €35,00
H440 16 ha 256T(80-120m²) 242D ❷ €46,00

A4/E411 Ausfahrt 25 Bertrix. Der N89 bis Ausfahrt Bertrix folgen. Dann der N884 ins Zentrum folgen. Von dort ausgeschildert.

Bihain/Vielsalm, B-6690 / Luxembourg

Aux Massotais**
Petites Tailles 20
1 Jan - 31 Dez
+32 (0)80-418560
camping@auxmassotais.com
N 50°14'24'' E 5°45'14''

1 ADEGJMNOPQRST A 6
2 ABPVWXY ABFGHK 7
3 AEHLQV ABEFJNQRV 8
4 FHIKO G 9
5 ADEGJKL ABFHJNPRV 10
W 16A CEE ❶ €19,00
H641 2,7 ha 40T(70-90m²) 73D ❷ €19,00

E25, Ausfahrt 50 Baraque de Fraiture - Richtung Houffalize. Nach 1,2 km liegt der CP links.

Blier-Erezée, B-6997 / Luxembourg

Le Val de l'Aisne****
rue du T.T.A.
1 Jan - 31 Dez
+32 (0)86-470067
info@levaldelaisne.be
N 50°16'45'' E 5°32'52''

1 ACDEJMNOPQRST NUVX 6
2 ACDFGPRVWXY ABCDEFGHIJK 7
3 BEFKLMNQRSTV ABCDEFJNQRSTV 8
4 ABCDEFHIJLMNO ACEJLRUVY 9
5 ADEFGJKLM ABDEFGHIJLPRV 10
W 16A ❶ €21,00
H276 25 ha 110T(100-140m²) 331D ❷ €27,00

E25/A26, Ausfahrt 49 Manhay Richtung Erezée. Den CP-Schildern folgen.

Bomal-sur-Ourthe, B-6941 / Luxembourg

Camping International**
2 rue Pré-Cawiaï
1 Mär - 15 Nov
+32 (0)498-629079
info@campinginternational.be
N 50°22'30'' E 5°31'10''

1 AJMNOPQRST JNUX 6
2 BCOPRWX ABFGK 7
3 AKLQRTV ACFJNQR 8
4 BFHIO ADJRU 9
5 DEGIKLM ABDJNPST 10
10A ❶ €22,50
H230 2,5 ha 40T(80-150m²) 24D ❷ €27,50

Auf der E25 Liège-Bastogne-Luxembourg Ausfahrt 46. Dann Richtung Aywaille. Dort der N86 Richtung Durbuy folgen bis Bomal. In Bomal die N806 Richtung Tohogne. Nach ± 300m kurz hinter der Brücke die kleine Straße links runter.

Büllingen, B-4760 / Liège

La Hêtraie*
Rotheck 14
1 Jan - 31 Dez
+32 (0)494-224545
camping.la.hetraie@skynet.be
N 50°23'28'' E 6°14'29''

1 AJMNOPQRT AN 6
2 BGPSTUVWXY ADFG 7
3 BEQ AEFJNRV 8
4 FHO J 9
5 DG ABFJR 10
6A ❶ €13,00
H607 3 ha 20T(80-100m²) 71D ❷ €17,00

A60 Bitburg-Liége, Ausfahrt 14 St. Vith Nord die N670 Richtung Amel, weiter Büllingen. Den CP-Schildern folgen. Von Norden: A1 Autobahnende Blankenheim zur B51 Dahlem, weiter Kronenburg, Losheim, Grenze, Büllingen.

Bure/Tellin, B-6927 / Luxembourg

Parc La Clusure****
Chemin de la Clusure 30
1 Jan - 31 Dez
+32 (0)84-360050
info@parclaclusure.be
N 50°5'46'' E 5°17'9''

1 ACDEILNOPQRST ABFGJNU 6
2 ABCGPRWXY ABDEFGHK 7
3 BEFGHLMQRUV ABCDEFJKNPQRSTU 8
4 ABCDEFHILNO AEJLRUVWY 9
5 ACDEFGIJKL ABEFGHIKNPRY 10
B 16A CEE ❶ €40,00
H190 15 ha 314T(100-120m²) 161D ❷ €54,00

Ab Trier oder Saarbrücken via Luxembourg/Esch-s-Alzette die A6 Richtung Arlon, dann am Abzweig Neufchateau links halten Richtung A4 Namur/Brüssel. Ausfahrt 23a Bure/Tellin. Weiter ausgeschildert.

Bütgenbach, B-4750 / Liège

Worriken*
Worriken 9
1 Jan - 31 Dez
+32 (0)80-446961
info@worriken.be
N 50°25'29'' E 6°13'19''

1 ABCDFJMNOPQRT ELMNQRSTX 6
2 DFGHIKPRTUVWX ABDFG 7
3 AEFLMOQRUV ABCDFJNRTUV 8
4 BDFHIOT TW 9
5 ADIJL ABFGHJPST 10
Anzeige auf Seite 241 WB 10A CEE ❶ €29,00
H569 16 ha 45T(80-100m²) 210D ❷ €32,00

E40/A3 Ausfahrt 38 Eupen, Richtung Malmedy, Ausschilderung Worriken folgen.

Chairière, B-5550 / Namur

Le Trou du Cheval*
17 rue du Rivage
1 Jan - 31 Dez
+32 (0)61-502151
trou.cheval@belgacom.net
N 49°51'0'' E 4°56'32''

1 AJMNOPRST JNUXZ 6
2 BCPRVWX ABFG 7
3 BLQS AFJNRV 8
4 FHO 9
5 AGKL ABIJNPR 10
6A CEE ❶ €18,50
H199 5,5 ha 14T(80-100m²) 41D ❷ €21,50

Ab Chairiere fahren Sie die N945 Richtung Alle. 100m nach dem Ort den CP-Schildern folgen.

Cherain, B-6673 / Luxembourg

Moulin de Bistain*
32 rue de Rettigny
17 Mär - 14 Okt
+32 (0)80-517665
moulindebistain@maredresorts.be
N 50°9'2'' E 5°52'6''

1 ADEJMNORT JN 6
2 ABCPUVWXY ABDEFGH 7
3 BQU ABCDFGJNRSTV 8
4 FHIO AF 9
5 ABDGIL ABFJOST 10
10A ❶ €23,50
H360 7,5 ha 44T(80-100m²) 103D ❷ €28,50

A60 Trier/Bitburg/St. Vith/Namur, Ausfahrt 15 St. Vith Süd, Richtung N62 Thommen. Dort am Ortsanfang rechts ab Beho N827, weiter Gouvy und Cherain.

Chimay, B-6460 / Hainaut

Communal de Chimay**
1 allée des Princes
1 Apr - 31 Okt
+32 (0)60-511257
camping@ville-de-chimay.be
N 50°2'44'' E 4°18'35''

1 AILNORST 6
2 OPVX ABDE 7
3 AB ABEFHNRSV 8
4 H 9
5 AEG FHIJR 10
16A CEE ❶ €15,00
H235 3 ha 50T(100-120m²) 70D ❷ €20,00

Von Beaumont kommend, kurz vor Zentrum Chimay rechts.

Chiny-sur-Semois, B-6810 / Luxembourg

Le Canada
Pont St. Nicolas 1
1 Feb - 30 Nov
+32 (0)495-543231
info@campinglecanada.be
N 49°44'21'' E 5°21'3''

1 AILNOPRST JNUX 6
2 BCGOPUXY ABDEFG 7
3 BILQ ABFJNV 8
4 FH AEQRT 9
5 DGKL ABFIJPR 10
6A CEE ❶ €22,00
H308 1,5 ha 30T(ab 80m²) 41D ❷ €24,00

E411, Ausfahrt 28 Léglise/Chiny. Den CP-Schildern folgen.

Teilkarte Wallonien auf Seite 238 und 239

Belgien

Coo/Stavelot, B-4970 / Liège

La Cascade	1 AC**JL**NOPR**T**	JNU 6
5 chemin des Faravennes	2 CGIOPVWXY	ABD**FG** 7
1 Apr - 31 Okt	3 AQRV	A**F**NQR 8
+32 (0)474-558583	4 FHQ	ERUW 9
info@camping-coo.be	5 ABGKL	ABJOR 10
	6A CEE	❶ €25,50
N 50°23'30'' E 5°52'44''	H205 1,5 ha 49T(100-120m²) 1D	❷ €32,50

A60/E42 Wittlich-Liege, Ausfahrt Malmedy Richtung Stavelot auf der N68. In Coo den CP-Hinweisen folgen.

Forrières, B-6953 / Luxembourg

Relaxi**	1 A**JM**NOPQRST	FJ**N** 6
116 rue de Jemelle	2 CGPRWXY	AB**FG** 7
1 Apr - 1 Okt	3 BELQ	ABE**F**JNRSTUV 8
+32 (0)84-223302	4 FHIO**PQ**	UVW 9
info@campingrelaxi.be	5 ABDEGKL	ABHIJ**P**RV 10
	6A CEE	❶ €22,30
N 50°8'45'' E 5°16'32''	H192 3 ha 67T(50-100m²)	❷ €28,30

E411, Ausfahrt 22 Rochefort Richtung Jemelle. Unter Tunnel durch, rechts Richtung Forrières, ca. 1,5 km vom Bahnhof von Jemelle entfernt.

Dochamps, B-6960 / Luxembourg

Petite Suisse****	1 ACDE**JL**NOPQRS**T**	ABFG 6
Al Bounire 27	2 ABFGOPRSUVWXY	ABDE**FG**H**K** 7
1 Jan - 31 Dez	3 BEL**MQR**V	ABCDFJNQRSV 8
+32 (0)84-444030	4 BCDFHILO	AEJQRU 9
info@petitesuisse.be	5 ACDGJKL	ABEFGHIJN**P**RYZ 10
	W 10A CEE	❶ €35,50
N 50°13'53'' E 5°37'54''	H500 7 ha 200T(80-125m²) 209D	❷ €50,00

A26/E25 Luxembourg-Liége Ausfahrt 50 Baraque Fraiture Ausfahrt 50, zur N89 Richtung La Roche. In Samree rechts Richtung Dochamps via D841. CP liegt an der Ortseinfahrt von Dochamps. Ausgeschildert.

Grand-Halleux, B-6698 / Luxembourg

Les Neufs Pres***	1 ADE**JM**NOPQRT	AB**F**N 6
8 av. de la Resistance	2 CGOPWXY	ABDE**FG** 7
1 Apr - 30 Sep	3 BE**ILM**Q	ABE**F**JNR 8
+32 (0)80-216882	4 BDFHIO**Q**	9
info@vielsalm-campings.be	5 GL**M**	BFHIJ**P**RV 10
	10A CEE	❶ €19,50
N 50°19'50'' E 5°54'5''	H299 5 ha 151T(80-100m²) 60D	❷ €26,50

Der CP befindet sich an der N68 Vielsalm-Trois Ponts, 1 km vom Zentrum entfernt.

Durnal, B-5530 / Namur

De Durnal 'Le Pommier Rustique'***	1 ACDE**JM**NOPQRST	6
	2 AFOPRUVWXY	ABDE**FG**HJK 7
rue de Spontin	3 BEF**H**LPQSV	ABCDFIJKNRSV 8
1 Mär - 31 Dez	4 BDEFHILNO**TU**	ADEUVWY 9
+32 (0)83-699963	5 ADEGIKL	ABEFGHIJLN**P**RV 10
info@camping-durnal.net	B 10A CEE	❶ €22,00
N 50°20'8'' E 4°59'46''	H227 4,4 ha 46T(80-100m²) 95D	❷ €27,00

E411, Ausfahrt 19. Dann den CP-Schildern folgen.

Han-sur-Lesse, B-5580 / Namur

La Lesse	1 AJMNOPQRS**T**	**N** 6
rue du Grand Hy	2 ACOPRWXY	ABDE**FG**H 7
1 Apr - 15 Nov	3 A**IM**Q	ABCDFJNQRSTU 8
+32 (0)84-377290	4 FH	FUV 9
han.tourisme@skynet.be	5 **L**	ABHIJRV 10
	6A CEE	❶ €21,40
N 50°7'24'' E 5°11'10''	H147 1 ha 60T 54D	❷ €28,40

A4/E411 Ausfahrt 23 Richtung Han-sur-Lesse. Innerorts ist der CP angezeigt.

Florenville, B-6820 / Luxembourg

La Rosière***	1 ADE**IL**NOPQRS**T**	AB**N**XY 6
rue de la Rosière 6	2 CGOPWX	AB**DEFG** 7
1 Apr - 31 Okt	3 BEL**M**QS	ABCDE**F**JNRSV 8
+32 (0)61-311937	4 BFILO**PQ**	EQR 9
larosiere@scarlet.be	5 ABDFGKL**M**	ABFGHJOR 10
	10A CEE	❶ €18,50
N 49°42'6'' E 5°18'56''	H350 10 ha 140T(80-130m²) 211D	❷ €21,50

Im Zentrum von Florenville, Schildern CP folgen (500m vom Zentrum entfernt), oder via N85 Neufchâteau-Florenville, nach der Brücke Schildern CP folgen.

Hogne, B-5377 / Namur

Le Relais***	1 ACILNOPQRST	LN 6
16 rue de Serinchamps	2 DGOPRTVWXY	ABDE**FG**H 7
1/1 - 2/1, 1/3 - 31/12	3 AE**GH**LQTV	ABCDFJNRSTU 8
+32 (0)475-423049	4 BEFHIN	HJRUV 9
info@campinglerelais.com	5 ADGJKL	BFGHJ**NP**RV 10
	W 10A	❶ €20,50
N 50°14'57'' E 5°16'47''	H222 12 ha 93T(120-150m²) 41D	❷ €23,50

200m von der N4 entfernt finden Sie den CP, Ausfahrt Hogne. Dann CP-Schildern folgen.

Teilkarte Wallonien auf Seite 238 und 239

Hony/Esneux, B-4130 / Liège

Les Murets**
75 chemin d'Enonck
3 Apr - 12 Okt
+32 (0)479-345925
camping.lesmurets@gmail.com
N 50°32'22'' E 5°34'11''

1 AJMNOPRT	JN 6
2 ACPVXY	ABDE 7
3 BKLQ	ACEFNQRSV 8
4 FHO	U 9
5 GL	ABFJNOSTW 10
4A CEE	❶ €25,70
H180 1,6 ha 80T(80-240m²) 5D	❷ €34,70

Folgen Sie die E25. In Tilff Ausfahrt 41 Richtung Esneux. Diese Straße in Méry nach Hony folgen, dann Schilder 'Campings' folgen.

Hotton, B-6990 / Luxembourg

Eau-zone
rue des Fonzays 10
1 Mär - 30 Nov
+32 (0)84-477715
campingeauzone@hotmail.be
N 50°16'15'' E 5°26'18''

1 AJMNOPQRST	JN 6
2 CPRWX	AB 7
3 STV	ABCDEFNTUV 8
4 FHO	E 9
5 AGJL	AEHJPR 10
16A	❶ €20,00
H178 2 ha 49T 2D	❷ €26,00

E411 Ausfahrt 18 nach Marche. Dann die N86 nach Hotton. Oder E25 Ausfahrt 49. Rechts bis Pont d'Erezée. Am Kreisel Richtung Hotton. In Hotton über die Brücke links Richtung Melreux. Links ab, dem Fluss folgen.

Houffalize, B-6660 / Luxembourg

Chasse et Pêche SA
63 rue de la Roche
1 Jan - 31 Dez
+32 (0)61-288314
info@cpbuitensport.com
N 50°8'17'' E 5°45'42''

1 AGJMNORT	JNUV 6
2 ABCGJPWXY	BE 7
3 RU	BFJNRV 8
4 FHI	BFQRUV 9
5 ADEGJKL	ABFGHJOST 10
10A CEE	❶ €21,50
58T(50-75m²) 17D	❷ €31,50

Über die E25 kommt man an der Ausfahrt 51 nach Houffalize. Im Zentrum von Houffalize rechts Richtung La Roche und nach 3km (hinter der hohen Überführung) sieht man schon links den Campingplatz.

Houffalize, B-6660 / Luxembourg

Du Viaduc***
53 rue de la Roche
1 Jan - 31 Dez
+32 (0)61-289067
campingviaduc@skynet.be
N 50°7'50'' E 5°46'44''

1 ADEJMNOPQRST	JN 6
2 ACGPRTUVWXY	ABDEFG 7
3 BQ	ABFNRSV 8
4 BDFHIO	9
5 BDEGL	ABHJLNPR 10
16A CEE	❶ €22,40
H380 4 ha 50T(80-100m²) 103D	❷ €22,40

E25, Ausfahrt 5. 2,5 km bis Houffalize-Mitte, dann Richtung La Roche, CP 1 km vom Zentrum.

Houffalize, B-6663 / Luxembourg

Moulin de Rensiwez*
M. de Rensiwez 1
1 Jan - 31 Dez
+32 (0)61-289027
info@lescabanesderensiwez.be
N 50°8'15'' E 5°43'16''

1 ADEJMNOPRST	JN 6
2 ABCGPRTUWXY	ABDE 7
3 Q	AEFJNR 8
4 FH	J 9
5 ABL	JLOR 10
10A CEE	❶ €25,00
H319 8 ha 100T(80-120m²) 11D	❷ €25,00

A26, Ausfahrt 51 Houffalize Richtung La Roche, 7 km von der Ortsmitte. Links ab, ausgeschildert.

Houyet, B-5560 / Namur

De la Lesse***
1 rue du Camping
1 Apr - 1 Okt
+32 (0)82-666100
lafamiliale@coolweb.be
N 50°11'27'' E 5°0'23''

1 ADILNOPQRST	AFJNUX 6
2 CGOPRWXY	ABDEFGH 7
3 BGLMQ	ABEFJNRSV 8
4 FHIOPQ	DRU 9
5 DEGIJKL	BEHKNPR 10
16A	❶ €19,50
H115 7,5 ha 200T(80-100m²) 86D	❷ €27,50

Der CP ist in Houyet in der Nähe vom Bahnhof, am linken Ufer der Lesse. Ab E411 Ausfahrt 22.

La Roche, B-6980 / Luxembourg

Benelux**
24 rue de Harzé
28 Mär - 30 Sep
+32 (0)84-411559
info@campingbenelux.be
N 50°11'28'' E 5°34'24''

1 AJMNOPQRST	JNUX 6
2 CFGOPWXY	ABFG 7
3 BEFLQ	ACFNR 8
4 BDEFHILNOQ	9
5 ACDJKL	ABDHJPST 10
4A	❶ €16,50
H230 7 ha 280T(100m²) 90D	❷ €22,50

Ab Ortsmitte Richtung Marche hinter der Brücke über die Ourthe nach rechts. Den CP-Schildern folgen. Der Platz liegt 500m vom Zentrum entfernt.

La Roche, B-6980 / Luxembourg

Camping Lohan***
20a route de Houffalize
1 Apr - 1 Nov
+32 (0)84-411545
info@campinglohan.be
N 50°10'51'' E 5°36'23''

1 AHKNOPQRST	JNUX 6
2 CPRWXY	ABDEFGH 7
3 BQ	ABCDEFJNRSV 8
4 FHO	I 9
5 ACDEGKL	ABFHJPR 10
B 6A	❶ €19,00
H231 5 ha 66T(60-100m²) 139D	❷ €24,00

Ab Zentrum Richtung Houffalize fahren, rechts an der Ourthe gelegen (3 km vom Zentrum entfernt).

La Roche, B-6980 / Luxembourg

De l'Ourthe**
10 rue des Echavées
15 Mär - 10 Okt
+32 (0)84-411459
info@campingdelourthe.be
N 50°11'19'' E 5°34'13''

1 AJMNORT	JNU 6
2 BCPRWXY	ABDFGH 7
3 AL	ACEFNPR 8
4 BEFH	E 9
5 ABGL	ABHJPR 10
10A	❶ €12,00
H229 2 ha 60T(50-100m²) 91D	❷ €16,00

Ab Zentrum Richtung Marche fahren, nach Brücke über Ourthe nach rechts, den CP-Schildern folgen (1 km vom Zentrum entfernt).

La Roche, B-6980 / Luxembourg

Floreal La Roche****
18 route de Houffalize
1 Jan - 31 Dez
+32 (0)84-219467
camping.laroche@florealgroup.be
N 50°10'37'' E 5°35'58''

1 ADEJMNOPRST	ABFGJNUX 6
2 CFGOPRVW	ABDEFGHK 7
3 BEILMPQR	ABCDEFJNRST 8
4 ABCDEFHILNOPQTU	AEGI 9
5 ACDEJKL	ABHIKLMPR 10
B 16A CEE	❶ €22,90
H285 13 ha 200T(100m²) 560D	❷ €28,10

Ab Zentrum von La Roche in Richtung Houffalize fahren, 2 km.

La Roche, B-6980 / Luxembourg

Le Grillon**
8 rue des Echavées
28 Mär - 30 Sep
+32 (0)477-358056
info@campingbenelux.be
N 50°11'28'' E 5°34'24''

1 AJMNOPQRST	JNUX 6
2 BCFGPWXY	ABFG 7
3 AEFLQ	AFNR 8
4 BDEFHLN	9
5 ACGKL	ABHIJPR 10
10A	❶ €16,50
H230 3,5 ha 99T(150m²) 58D	❷ €22,50

Ab Zentrum Richtung Marche, nach Brücke über Ourthe nach rechts und den CP-Schildern folgen (1 km vom Zentrum entfernt).

Lescheret/Vaux-sur-Sûre, B-6642 / Luxembourg

Aux Sources de Lescheret**
Lescheret 2
1 Apr - 1 Nov
+32 (0)479-581960
info@campingasdl.be
N 49°52'37'' E 5°33'43''

1 AJMNOPRT	LN 6
2 ADGOPRTWXY	ABFG 7
3 ALQRS	CDFJNV 8
4 EFGHIKOQ	ADEW 9
5 ABGIL	ABFJNQSTVZ 10
B 4-6A	❶ €18,00
H450 2,4 ha 40T(100-150m²) 12D	❷ €22,00

E25 Ausfahrt 56 oder A4/E411 Ausfahrt 27. Richtung Vaux-sur-Sûre, danach Richtung Juseret/Lescheret. Den CP Schildern folgen.

Malempré/Manhay, B-6960 / Luxembourg

Domaine Moulin de Malempré****
Moulin de Malempré 1
1 Mär - 11 Nov
+32 (0)476-303849
info@camping-malempre.be
N 50°17'39'' E 5°43'16''

1 ADEJMNOPQRST	ABFG 6
2 ABCGPRTUVWXY	ABDEFGH 7
3 BELQTU	ABCDEFIJNQRSTU 8
4 BCDFHIOQ	EFJU 9
5 ACGIL	ABDFGHIJNOR 10
B 10A CEE	❶ €30,00
H276 12 ha 90T(100-200m²) 124D	❷ €30,00

E25, Ausfahrt 49 Manhay. Dann N822 Richtung Lierneux folgen (500m). Erste Ausfahrt nach Malempré. Den CP-Schildern ab E25 4 km folgen.

Malmedy/Arimont, B-4960 / Liège

Familial
19 rue des Bruyères
1 Jan - 31 Dez
+32 (0)80-330862
info@campingfamilial.be
N 50°25'13'' E 6°4'15''

1 AJMNOPQRT	A 6
2 AFPRTUWX	ABFG 7
3 ALQR	ABCDEFJNRSV 8
4 BDFHIQ	EJU 9
5 ABDEFGIKL	ABFHJPR 10
6A CEE	❶ €19,50
H485 2,2 ha 60T(80-100m²) 70D	❷ €24,50

A60 Bitburg-Liége, weiter auf A27/E42 Ausf. 11 Malmedy. Dann li. ab Ri. Waimes. 900m hinter dem Carrefour zweite li. Ri. Arimont. Von St. Vith aus den Kreisel in Malmedy ganz nehmen und zurück am Carrefour vorbei, damit man gut die Ausfahrt nach Arimont nehmen kann.

Teilkarte Wallonien auf Seite 238 und 239

Marbehan, B-6724 / Luxembourg

Camping Alaska	1 AJMNOPQRST	N 6
15 rue des Prés	2 ABCOPWXY	AB 7
1 Apr - 31 Okt	3 AMQ	ABFNR 8
+32 (0)495-543231	4 FI	E 9
info@campingalaska.be	5 GKL	JOST 10
	3A CEE	① €17,00
N 49°43'29'' E 5°31'47''	H280 5,5 ha 50T(100-150m²) 101D	② €19,00

E411 aus Richtung Luxemburg. Ausfahrt Rulles. Von Süden Ausfahrt 29 Habay-la-Neuve. Über die N897 nach Marbehan. An der Sporthalle ausgeschildert.

Mortehan/Cugnon, B-6880 / Luxembourg

Les Ochay*	1 AJMNOPQRST	JNUX 6
37-39 rue de Lingle	2 CKOPRWXY	ABDEFGH 7
1 Apr - 27 Sep	3 LSV	ABCDFNRV 8
+32 (0)61-414061	4 FH	RUWY 9
info@campinglesochay.be	5 ABL	ADHIJOR 10
	10A	① €23,00
N 49°48'13'' E 5°12'50''	H259 1 ha 49T(80-100m²)	② €29,00

Ab Bertrix Richtung Cugnon. Nach der Brücke 1. CP rechts.

Neufchâteau, B-6840 / Luxembourg

CC€12

Spineuse Neufchâteau***	1 ACDEJMNOPQRST	AFN 6
Malome 7	2 ACDGPVWXY	ABDEFGH 7
1 Jan - 31 Dez	3 BLMQS	ABCDEFJNQRSV 8
+32 (0)61-277320	4 EFHIKO	E 9
info@camping-spineuse.be	5 ADEGJKL	ABDFGHJMPR 10
	W 16A CEE	① €21,00
N 49°49'58'' E 5°25'3''	H376 6,5 ha 75T(100-120m²) 14D	② €30,00

E25/E411 von Brüssel aus Ausfahrt 26, von Luik Ausfahrt 27, von Luxemburg Ausfahrt 28 Richtung Neufchâteau. Vom Zentrum aus die N85 Richtung Florenville. CP liegt 2 km weiter (3. CP links).

Neufchâteau, B-6840 / Luxembourg

Val d'Emeraude**	1 AJMNOPQRST	6
Malome 1-3	2 ACFOPRUVWXY	ABDEFG 7
1 Mär - 31 Okt	3 AS	ABEFJNR 8
+32 (0)61-511952	4 FIO	G 9
valdemeraude@skynet.be	5 ADEGIL	AFHKORV 10
	10A CEE	① €20,00
N 49°50'6'' E 5°24'59''	H380 8 ha 47T(130-250m²) 8D	② €28,00

Von den Ausfahrten 26, 27 oder 28 (schon in Fahrtrichtung) auf der E25 und/oder E411 ins Zentrum von Neufchâteau fahren. Dort der N85 Richtung Florenville folgen. CP liegt 2 km weiter. Zweiter Platz links.

Odrimont, B-4990 / Liège

Floreal Gossaimont**	1 ADEILNOPQRT	6
Gossaimont 1	2 BFPRTWXY	ABDFGH 7
1 Jan - 31 Dez	3 AEFLQ	ABCDEFJNPRSV 8
+32 (0)80-319822	4 BDFHIOPQ	ABE 9
camping.gossaimont@ florealgroup.be	5 ABFGKL	AHIJNPR 10
	WB 16A	① €23,05
N 50°18'44'' E 5°49'2''	H430 16 ha 147T(120-250m²) 149D	② €28,25

A60 Wittlich-Malmedy, Ausfahrt St. Vith Süd (Belgien), N62 Richtung Thommen. Dort rechts N827 nach Beho. Hinter Beho rechts nach Bovigny N68. In Vielsalm-Salm-Chateau links N89 Richtung Lierneux-Odrimont. Dort ausgeschildert.

Olloy-sur-Viroin, B-5670 / Namur

Try des Baudets***	1 AEJMNOPRST	F 6
1 Try des Baudets	2 BFGOPRTVWXY	ABDEFGH 7
1 Apr - 30 Sep	3 ABDFLQ	ABCDEFJNRSTUV 8
+32 (0)60-390108	4 BDFHIOQ	EU 9
info@trydesbaudets.be	5 ADGIKL	ABCEHIJLPRV 10
	16A	① €37,30
N 50°4'8'' E 4°35'47''	H207 120T(80-120m²) 309D	② €37,30

Von Couvin N99 Richtung Givet fahren (Nimes). Im Ort, nach den alten Bahngleisen, rechts hoch fahren.

Oteppe, B-4210 / Liège

CC€14

L'Hirondelle Holiday Resort	1 ADEILNOPRST	ACDFHN 6
76a rue de la Burdinale	2 BGOPRTUVWXY	ABDEFGH 7
1 Apr - 31 Okt	3 BEILMQTV	ABCDFKNRSV 8
+32 (0)85-711131	4 BCDEFHILNOP	EGJ 9
info@lhirondelle.be	5 ACDEGHIJKL	ABEGHIKLNPRZ 10
	10A	① €21,00
N 50°34'56'' E 5°7'34''	H124 45 ha 300T(80-120m²) 565D	② €29,00

Die N80 St. Truiden-Namur. In Burdinne links abbiegen, dem Wegweiser nach Oteppe folgen. Gut ausgeschildert.

Ouren/Burg Reuland, B-4790 / Liège

International**	1 ADEGJMNOPQRST	JN 6
Ouren 14	2 BCGPRVWXY	ABDEFGH 7
1 Apr - 26 Okt	3 BEKLQ	ABCDFJNRSV 8
+32 (0)80-329291	4 FHIOQ	BF 9
info@camping-international.be	5 ABDEGJKL	ABFHJNOR 10
	10A CEE	① €23,50
N 50°8'31'' E 6°8'30''	H334 5,8 ha 120T(100-120m²) 52D	② €28,50

St. Vith-Süd Ausfahrt 15 (Luxemburg). Dann die N62 Richtung Luxemburg. In Oudler links die N693 nach Ouren, nach 14 km Camping International.

Polleur, B-4910 / Liège

CC€12

Polleur	1 ACDEGJMNOPQRT	ABFHJN 6
90 route du Congrès	2 ACGPVWX	ABDEFGH 7
1 Apr - 31 Okt	3 BEFLQR	ABCDEFNQRSTU 8
+32 (0)87-541033	4 BCDEGILMO	AEFY 9
info@campingpolleur.be	5 ACDEFGIKL	ABEFGHIJMPRYZ 10
	10A	① €28,10
N 50°31'54'' E 5°51'46''	H275 3,7 ha 102T(80-100m²) 93D	② €38,50

A27 Ausfahrt 8 Spa-Polleur. Den Schildern CP Polleur folgen. In Polleur Route du Congrès Richtung Theux. CP ist angezeigt.

Poupehan, B-6830 / Luxembourg

CC€16

Ile de Faigneul***	1 ADJMNOPRST	JNUX 6
54 rue de la Chérizelle	2 BCGPRVWXY	ABDEFGH 7
1 Apr - 30 Sep	3 BELQV	ABCDFIJNRSV 8
+32 (0)61-466894	4 BDFHIOPQ	AB 9
iledefaigneul@belgacom.net	5 ABDEGL	ABHIPR 10
	B 6A CEE	① €29,00
N 49°48'59'' E 5°0'57''	H209 3 ha 130T(100m²) 4D	② €34,50

Im Zentrum von Poupehan den CP-Schildern folgen.

Purnode/Yvoir, B-5530 / Namur

du Bocq	1 ADEILNOPQRST	JN 6
2 av. de la Vallée	2 ACGPRVWXY	ABDEFG 7
1 Apr - 30 Sep	3 BEFLMQV	ACEFINRV 8
+32 (0)82-612269	4 FHIOP	ERU 9
campingdubocq@skynet.be	5 ADEGIKL	ABFGHIJOPR 10
	6A CEE	① €19,50
N 50°19'10'' E 4°56'41''	H172 3 ha 26T(50-100m²) 72D	② €25,50

E411 Ausfahrt 19, dann Beschilderung 'Brasserie du Bocq' und Yvoir folgen. Ab Brasserie den CP-Schildern folgen.

Rahier, B-4987 / Liège

Les Salins***	1 AJMNOPQRST	JN 6
La Lienne 49	2 ABCGJRWXY	ABDEFGH 7
1 Mär - 31 Dez	3 BELQSTV	AEFJN 8
+32 (0)80-785807	4 BDFNQ	DE 9
info@campinglessalins.eu	5 ABDEGJKL	AEFHIJPR 10
	16A	① €22,00
N 50°23'47'' E 5°45'1''	H230 4 ha 110T 84D	② €20,00

Von der E25 Luik, Ausfahrt 48 Richtung Stoumont. Weiter der Beschilderung folgen. Liegt an der 645 von Targnon nach Chevron.

Rendeux/Ronzon, B-6987 / Luxembourg

Floreal Festival****	1 ADEJMNOPQRST	JN 6
89 route de La Roche	2 CKPVWX	ABFGH 7
1 Jan - 31 Dez	3 BEQ	ABCDEFJKNRS 8
+32 (0)84-477371	4 BDFHINOQ	9
camping.festival@ florealgroup.be	5 ABDEGJKL	ABHIJPR 10
	10A CEE	① €22,90
N 50°13'39'' E 5°31'40''	11 ha 80T(80-120m²) 250D	② €28,40

Ronzon, Gemeindeteil von Rendeux liegt an der N833 auf halben Weg zwischen La Roche und Hotton. Erreichbar über die A26/E25 Ausfahrt 50 Baraque de Fraiture, oder die N4 Richtung Hotton und Richtung La Roche.

Robertville, B-4950 / Liège

La Plage**	1 BJMNOPQRT	ABLMNSXZ 6
33 route des Bains	2 DFGHIOPRTUWX	ABDEFGIJK 7
1 Jan - 31 Dez	3	AEFJNPRV 8
+32 (0)80-446658	4 BCDEFHI	DIKU 9
info@campinglaplage.be	5 ABDGKLM	ABHIJSTV 10
	W 2A CEE	① €20,75
N 50°27'0'' E 6°7'3''	H650 1,9 ha 60T(80-100m²) 34D	② €28,25

A27/E42 Ausfahrt 11 Richtung Malmedy. In Malmedy Straße nach Robertville folgen. Ab Robertville ausgeschildert.

Rochefort, B-5580 / Namur

CC€16

Les Roches****	1 ADEJMNOPQRST	ABFG 6
26 rue du Hableau	2 GOQRTWX	ABDEFGHK 7
1 Apr - 4 Nov	3 ABILMQV	ABCDFGIJNQRSTU 8
+32 (0)84-211900	4 BCDFHILNOPQ	9
campingrochefort@ lesroches.be	5 ADEGIL	BDFGHIJNPRV 10
	B 16A CEE	① €25,00
N 50°9'34'' E 5°13'35''	74T(50-80m²) 140D	② €31,00

Von der E411 Ausfahrt Rochefort. Kurz vor dem Ort ist der CP ausgeschildert.

Sankt Vith, B-4780 / Liège

Wiesenbach	1 AJMNOPQRST	ABFG 6
Wiesenbachstr. 58c	2 ACPRVW	AB 7
1 Jan - 31 Dez	3 BEQS	ABEFJNRTU 8
+32 (0)80-226137	4 FH	9
ernst.paulis@hotmail.com	5 AJ	ABFHJPR 10
	WB 10A CEE	① €15,00
N 50°16'1'' E 6°8'21''	H525 1,5 ha 23T(100-120m²) 42D	② €21,00

E42, Ausfahrt St. Vith-Sud Richtung St. Vith Zentrum. Am Kreisverkehr Richtung Steinebruck. CP befindet sich nach 1,5 km links von der Straße.

Belgien

Teilkarte Wallonien auf Seite 238 und 239

Sart-lez-Spa, B-4845 / Liège

Spa d'Or****	1 ACDE**JL**NOPQR**T** ABFGN 6
Stockay 17	2 ACGOPRTVWX ABDE**FG**HIK 7
3 Apr - 28 Sep	3 ABE**K**LQ ABCDEFJKNQRSUV 8
+32 (0)87-474400	4 ACEFILNO**P** AEGLU 9
info@campingspador.be	5 ACDEGIJK**L** ABHIJ**NP**RY 10
	B 10A CEE ① €28,80
N 50°30'29'' E 5°55'11''	H352 6,5 ha 250**T**(80-100m²) 91**D** ② €40,20

Von Süden A27/E42 Ausfahrt 10 Francorchamps, CP-Schildern folgen. Von Norden: Ausfahrt 8, Spa d'Or Camping folgen. Vom Luxemburg aus E25 Ausfahrt Remouchamps Richtung Spa/Francorchamps. Kurz hinter Spa links der Beschilderung nach.

Tintigny, B-6730 / Luxembourg

De Chênefleur***	1 ACDE**JM**NOPQR**T** ABFGJ**NU** 6
Norulle 16	2 ACGOPVWXY ABDE**FGH** 7
1 Apr - 1 Okt	3 BF**GH**LQ**RV** ABCDEFJKNQRSTV 8
+32 (0)63-444078	4 **A**BCDEFGHILO AEFJU 9
info@chenefleur.be	5 ABDEGJK**L** ABDFHIJ**NP**ST 10
	B 6A CEE ① €34,50
N 49°41'6'' E 5°31'14''	H326 7,2 ha 194**T**(100-125m²) 31**D** ② €48,00

E411, Ausfahrt 29 Richtung Etalle. In Etalle Richtung Florenville (N83) folgen. Im Ort Tintigny den CP-Schildern folgen. Gut ausgeschildert.

Soumagne, B-4630 / Liège

Dom. Prov. de Wegimont*	1 ABEJMNOQRST ABFHIM**N** 6
76 chaussée de Wegimont	2 ADGIOPRTVX ABDE 7
1 Feb - 23 Dez	3 ABE**ILMQ** ABEFJNQRSV 8
+32 (0)4-2372402	4 FINOP 9
camping.wegimont@ provincedeliege.be	5 DG ABCEFHIKVZ 10
	B 16A CEE ① €13,60
N 50°36'40'' E 5°44'16''	H215 2,2 ha 34**T**(50-100m²) 106**D** ② €17,60

Die A3/E40 Aachen-Liege, Ausfahrt 37 Richtung Soumagne verlassen. Nach 1 km an der Ampel links Richtung Bas-Soumagne. Von der A27/A60 aus Wittlich bis Kreuz Battice Richtung Liege. Den Schildern Wegimont folgen.

Tournai, B-7500 / Hainaut

Camping de l'Orient****	1 ABILNORS**T** **ABE**FG**H**MN 6
Jean-Baptiste Moens 8	2 ADGIOPVX ABDE**FG** 7
1 Jan - 31 Dez	3 AB ABCDEFJNPQRSTUV 8
+32 (0)69-222635	4 FH T 9
campingorient@tournai.be	5 ABDIL BFHIJLRZ 10
	16A CEE ① €15,30
N 50°36'0'' E 3°24'49''	2 ha 53**T**(100-140m²) ② €17,85

CP-Schildern entlang N7 Mons-Tournai folgen. CP 2 km von Tournai entfernt. Nahe Ausfahrt E42, von der E42 kommend, an den 1. Ampeln links.

Spa, B-4900 / Liège

Parc des Sources	1 AEF**JM**NOPQR**T** AFM 6
rue de la Sauvenière 141	2 AGPTVWXY ABDE**FG** 7
1 Apr - 31 Okt	3 B**K**LS AB**F**JNQRS 8
+32 (0)87-772311	4 **A**FHO U 9
info@campingspa.be	5 ADEGI**L** ABDFGHJOST 10
	6A CEE ① €24,00
N 50°29'7'' E 5°53'1''	H350 2,5 ha 93**T**(80-100m²) 49**D** ② €30,00

Der CP liegt 1,5 km nach Spa rechts der N62 Richtung Francorchamps/ Malmédy. Ausgeschildert.

Villers-Ste-Gertrude, B-6941 / Luxembourg

Grand Bru	1 ADE**JM**NOR**T** N 6
Grand Bru 2	2 BCRTWXY ABFGH 7
1 Jan - 31 Dez	3 AQST ABEFJNQRV 8
+32 (0)86-499151	4 BF**Q** AEGU 9
info@grandbru.be	5 ADFGIKL BHJPR 10
	10A CEE ① €20,25
N 50°21'48'' E 5°35'54''	H269 9 ha 150**T**(80-100m²) 122**D** ② €30,25

E25 Ausfahrt 48bis und nach 500m erneut rechts. CP-Beschilderung 'Grand Bru' folgen.

Stavelot, B-4970 / Liège

l'Eau Rouge**	1 A**JM**NOPQRS**T** AB**N** 6
Cheneux 25	2 ACPRWXY ABDE**FGH** 7
15 Mär - 1 Nov	3 BELQ**R** ABCD**F**IJKNRSV 8
+32 (0)80-863075	4 BCFHIO EJ 9
info@eaurouge.nl	5 ADGL ABGHJ**O**ST 10
	B 10A ① €22,50
N 50°24'43'' E 5°57'3''	H277 4 ha 100**T**(100-120m²) 39**D** ② €27,50

A27/E42 Ausf. 11, im Kreisel Ri. Stavelot (Navi abschalten!), nach ± 5 km an T-Kreuzung re. Dann 1. Straße re, kleiner Weg nach unten. Bei geschlossener Rennstrecke von Francorchamps ist der CP dennoch gut erreichbar.

Virton, B-6760 / Luxembourg

Floreal Colline de Rabais****	1 DE**IL**NOPQR**T** AF**N** 6
Clos des Horlès 1	2 FGOPUWX ABDE**FG** 7
1 Jan - 31 Dez	3 BLQS ABCDFJNQRSV 8
+32 (0)63-422177	4 BFNO**Q** ABCEFJ 9
info@collinederabais.be	5 ABL ABEHJORW 10
	B 16A CEE ① €23,05
N 49°34'44'' E 5°32'55''	H250 8 ha 232**T**(100-140m²) 107**D** ② €28,25

Ab Zentrum Richtung Ethe (Arlon) auf ± 3 km. Camping liegt im Vallée de Rabais auf der Höhe.

Ste Cecile, B-6820 / Luxembourg

De la Semois	1 ADG**IL**NOR**T** JNUX 6
25 rue de Chassepierre	2 BCGIPTXY ABDE**FG** 7
1 Apr - 30 Sep	3 AE**GH**LQRSTUV ABCDEFIJNRSV 8
+32 (0)61-312187	4 FHIO AEFQRY 9
campingdelasemois@ skynet.be	5 ABDEGIKL ABFHJOR 10
	10A CEE ① €28,00
N 49°43'19'' E 5°15'17''	H279 5,5 ha 108**T**(80-120m²) 21**D** ② €33,00

N83 Bouillon - Florenville. Ausfahrt Ste Cecile. Im Ort den CP Schildern folgen.

Vogenée, B-5650 / Namur

Le Cheslé***	1 AE**JM**NOPRS**T** 6
1 rue d'Yves Vogenée	2 GPVWXY A**BDEFG**H 7
15 Feb - 15 Dez	3 AB**KQ** ACDE**F**NQRTV 8
+32 (0)71-612632	4 FHO E 9
info.camping.chesle@ gmail.com	5 ABDEGILM ABHIJRVW 10
	16A CEE ① €23,60
N 50°14'24'' E 4°27'34''	H230 6 ha 78**T**(100m²) 42**D** ② €28,60

Die N5 Charleroi-Philippeville, Ausfahrt Yves Gomezee. Nach Bahnübergang rechts Richtung Vogenee (4 km).

Tenneville, B-6970 / Luxembourg

Pont de Berguème***	1 ADE**JM**NOPRT J**N**U 6
Berguème 9	2 CGPVWXY ABDE**FG**H 7
1 Jan - 31 Dez	3 BE**G**LQV ABCDEFJNRSV 8
+32 (0)84-455443	4 AEFHIO FR 9
info@pontbergueme.be	5 ACGK**L** ABDGHJOR 10
	W 6A CEE ① €18,25
N 50°4'33'' E 5°33'19''	H347 3 ha 100**T**(80-100m²) 65**D** ② €24,25

Via N4, Ausfahrt Berguème. Dann Schildern Berguème und CP-Schildern folgen.

Waimes, B-4950 / Liège

Anderegg**	1 A**JM**NOPRT 6
Bruyères 4	2 CFOPTVWXY ABDE**FGH** 7
1 Jan - 31 Dez	3 ABEL BCDE**FG**JKNQRS 8
+32 (0)80-679393	4 FHO 9
info@campinganderegg.be	5 ABGKL ABFHJ**PR** 10
	W 6A CEE ① €20,50
N 50°26'21'' E 6°7'3''	H595 1,5 ha 40**T**(80-110m²) 45**D** ② €25,50

In Waimes Richtung Bütgenbach am Kreisel links, den Schildern folgen.

Theux, B-4910 / Liège

RSI Camping Theux*	1 BJMNOPR**T** AF 6
7 rue du Panorama	2 AFPRVXY ABDE**FG** 7
1 Apr - 30 Sep	3 ALQ ABE**F**JNOR 8
+32 (0)87-542627	4 I 9
camping@sitheux.be	5 G ABHJ**O**STV 10
	6A CEE ① €22,95
N 50°32'17'' E 5°48'23''	H300 2,5 ha 22**T**(80-100m²) 65**D** ② €27,55

A27 Ausfahrt Theux. Der CP liegt an der N62 Spa-Vervier, kurz hinter Theux Richtung Louveigné. Der CP ist ausgeschildert.

Wisembach/Fauvillers, B-6637 / Luxembourg

Beau Rivage***	1 A**JM**NOPQRST **N** 6
27 chemin de l'Ardoisière	2 CGPRVXY A**BFG** 7
1 Mär - 15 Nov	3 AQ ABCDE**F**JNQRSV 8
+32 (0)63-600357	4 FHIO**Q** 9
info@campingbeaurivage.be	5 ADGKL AHJOR 10
	16A CEE ① €17,95
N 49°50'49'' E 5°42'10''	H368 5 ha 40**T**(80-100m²) 85**D** ② €24,65

Ab Martelange N4 Bastogne-Arlon Richtung Neufchâteau fahren. 4 km vom Zentrum Martelange entfernt befindet sich der CP in Wisembach mit einem Schild angezeigt.

Thommen/Burg-Reuland, B-4791 / Liège

Hohenbusch*****	1 ADE**JM**NOPQRST AB 6
Grüfflingen 44A	2 AFOPUVWX BE**FGH** 7
1 Apr - 1 Nov	3 BLQ BD**FGI**J**L**NPQRSTUV 8
+32 (0)80-227523	4 FHIKO**PQU** EIUW 9
info@hohenbusch.be	5 ADEIL ABCDEHIJ**M**PST 10
	B 5A CEE ① €29,00
N 50°14'30'' E 6°5'35''	H550 5 ha 71**T**(100-175m²) 113**D** ② €37,00

E42 Ausfahrt 15. N62 Richtung Luxemburg/Burg Reuland. Nach 3 km an der rechten Seite.

Belgien

Luxemburg

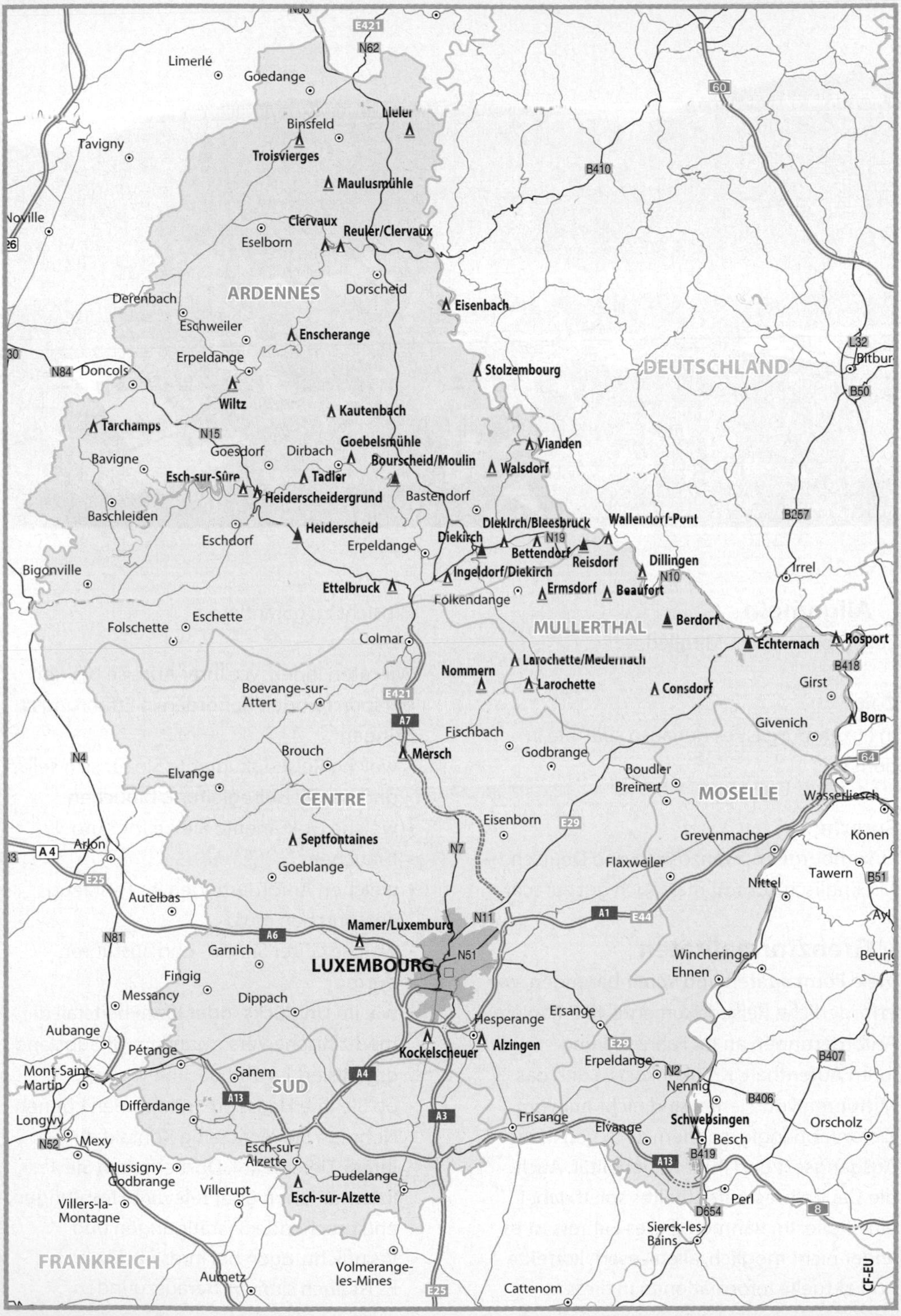

E421
N62
Limerlé
Goedange
Lieler
Binsfeld
Troisvierges
Tavigny
B410
Maulusmühle
Noville
Clervaux
Reuler/Clervaux
Eselborn
ARDENNES
Dorscheid
Derenbach
Eisenbach
Eschweiler
Enscherange
Erpeldange
L32
Bitburg
N84
Doncols
Stolzembourg
DEUTSCHLAND
Wiltz
B50
Kautenbach
Tarchamps
N15
Goebelsmühle
Vianden
Goesdorf
Dirbach
Bavigne
Bourscheid/Moulin
Walsdorf
Esch-sur-Sûre
Tadler
Heiderscheidergrund
Baschleiden
Bastendorf
B257
Heiderscheid
Diekirch/Bleesbruck
Wallendorf-Pont
Eschdorf
Diekirch
N19
Erpeldange
Bettendorf
Reisdorf
Dillingen
Bigonville
Ingeldorf/Diekirch
N10
Irrel
Ettelbruck
Ermsdorf
Beaufort
Folkendange
Eschette
Folschette
MULLERTHAL
Berdorf
Colmar
Echternach
Rosport
Larochette/Medernach
Nommern
Larochette
B418
Consdorf
Boevange-sur-Attert
E421
Girst
A7
Givenich
Fischbach
Born
Brouch
Mersch
Godbrange
N4
Boudler
Elvange
Breinert
CENTRE
MOSELLE
Wasserliesch
Eisenborn
E29
Septfontaines
Grevenmacher
Könen
Arlon
N7
A4
Flaxweiler
E25
Goeblange
Tawern
Nittel
B51
Autelbas
N11
A1
E44
Mamer/Luxemburg
N81
A6
Garnich
N51
Wincheringen
LUXEMBOURG
Ehnen
Fingig
Messancy
Dippach
Ersange
Aubange
Hesperange
Alzingen
Pétange
Kockelscheuer
E29
Erpeldange
B407
Mont-Saint-Martin
Sanem
N2
SUD
A4
Nennig
A13
B406
Differdange
Longwy
A3
Frisange
Elvange
Schwebsingen
Orscholz
N52
Mexy
Besch
Esch-sur-Alzette
A13
B419
Hussigny-Godbrange
Dudelange
Villerupt
Esch-sur-Alzette
Perl
Villers-la-Montagne
D654
8
Sierck-les-Bains
FRANKREICH
Volmerange-les-Mines
Aumetz
E25
Cattenom
CF-EU

Allgemein

Luxemburg ist EU-Mitglied.

Zeit

In Luxemburg ist es genauso spät wie in Berlin.

Sprache

Luxemburgisch, Französisch und Deutsch. Mit Englisch kommt man auch gut zurecht.

Grenzformalitäten

Viele Formalitäten und Vereinbarungen, wie erforderliche Reisedokumente, KFZ-Papiere, Anforderungen an Ihr Fahrzeug und Ihren Aufenthalt, Krankenkosten und das Mitführen von Tieren, sind nicht nur vom Zielort abhängig, sondern auch von Ihrem Ausgangsort und Ihrer Nationalität. Auch die Dauer Ihres Aufenthaltes spielt dabei eine Rolle. Im Rahmen dieses Führers ist es leider nicht möglich, allen Lesern korrekte und aktuelle Informationen in dieser Hinsicht zu garantieren.

Wir raten Ihnen, vor Ihrer Abreise bei den entsprechenden Behörden in Erfahrung zu bringen:

- welche Reisedokumente Sie für sich selbst und Ihre Reisebegleitung brauchen
- welche Dokumente Sie für Ihr Auto brauchen
- welchen Anforderungen Ihr Fahrzeug entsprechen muss
- welche Güter Sie ein- und ausführen dürfen
- wie im Unglücks- oder Krankheitsfall die medizinische Versorgung im Urlaubsland organisiert ist und bezahlt wird
- ob Sie Ihre Haustiere mitnehmen können. Nehmen Sie rechtzeitig Kontakt zu Ihrem Tierarzt auf. Dort erhalten Sie Informationen über relevante Impfungen, entsprechende Bestätigungen und Verpflichtungen bei Ihrer Rückkehr. Es ist auch sinnvoll herauszufinden,

ob an Ihrem Urlaubsziel bestimmte Bedingungen für Haustiere in der Öffentlichkeit geknüpft sind. So müssen in manchen Ländern Hunde immer einen Maulkorb tragen oder vergittert transportiert werden.

Viele allgemeine Infos finden Sie auf ▸ *www.europa.eu* ◂ aber sorgen Sie selbst dafür, die richtige Information für Ihre individuelle Situation herauszufinden.

Aktuelle Zollbestimmungen entnehmen Sie den Botschaften des jeweiligen Urlaubslandes an Ihrem Wohnort.

Währung und Geld

Währungseinheit in Luxemburg ist der Euro.

Kreditkarten

Man kann fast überall mit Kreditkarte bezahlen.

Öffnungszeiten und Feiertage

Banken

Banken sind von montags bis freitags von 9.00 bis 12.00 Uhr und von 14.00 bis 16.30 Uhr geöffnet.

Geschäfte

Im Allgemeinen sind die Geschäfte von Montag bis Samstag von 9.00 bis 12.00 Uhr sowie von 14.00 bis 18.00 Uhr geöffnet.

Feiertage

1. Januar, Ostern, 1. Mai (Tag der Arbeit), Christi Himmelfahrt, Pfingsten, 23. Juni (Nationalfeiertag), 15. August (Mariä Himmelfahrt), 1. November (Allerheiligen), Weihnachten.

Kommunikation

(Mobil) Telefon

Das Mobilfunknetz ist in ganz Luxemburg gut. Es gibt ein 3 G-Netz für das mobile Internet. Von jeder Telefonzelle mit einem gelben Aufkleber kann man ins Ausland anrufen.

W-Lan, Internet

Es gibt ein Internetcafé: in Luxemburg-Stadt. W-Lan eingeschränkt vorhanden.

Post

Geöffnet montags bis freitags von 8.00 bis 12.00 Uhr und von 14.00 bis 17.00 Uhr.

Straßen und Verkehr

Straßennetz

Der Luxemburger Automobilclub ACL unterhält den Hilfsdienst 'Service Routier', der Tag und Nacht im Einsatz ist: Tel. 26000, E-Mail: acl@acl.lu.

Verkehrsvorschriften

Verkehr von rechts hat Vorfahrt. Straßenbahnen haben immer Vorfahrt. Busse und Schulbusse haben Vorfahrt sobald sie die Haltestelle verlassen.

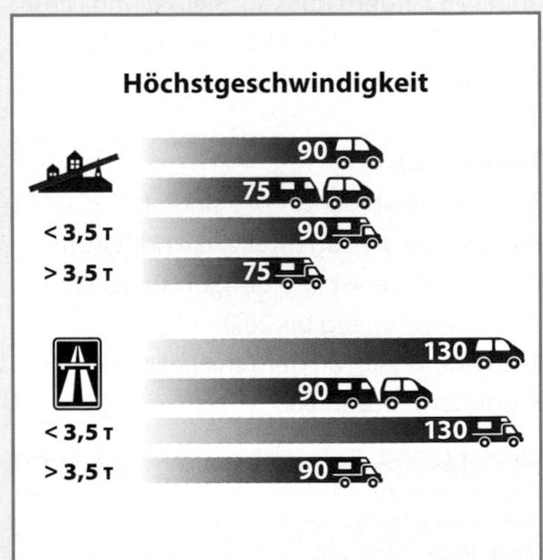

Promillehöchstgrenze: 0,8 ‰. Sie müssen in Tunneln mit Abblendlicht fahren. Telefonieren nur mit Freisprechanlage. In Einbahnstraßen dürfen Sie auch rechts überholen. Bei winterlichen Straßenverhältnissen Winterbereifung Pflicht.

Navigation
Warnung vor festen Blitzern durch Navi oder Mobiltelefon Apps ist erlaubt. Sie dürfen Ihre Navi nur an der linken Unterseite vorne anbringen, nicht in der Mitte.

Zulässige Maße
Höhe 4m, Breite 2,50m und Länge 12m.

Wohnwagen, Reisemobil
Wenn Sie mit einem Wohnwagen, der länger als 7m ist, hinter einem anderen Wohnwagen herfahren, müssen Sie einen Sicherheitsabstand von 50m halten. Entsorgungsstationen für Reisemobile gibt es ausreichend in Luxemburg.

Kraftstoff
Kraftstoff ist in Luxemburg im Vergleich zu anderen ländern günstig. Bleifrei und Diesel sind gut erhältlich. LPG ist sehr beschränkt erhältlich.

Tankstellen
Tankstellen an der Grenze sind oft 24 Stunden am Tag offen, weil Kraftstoff dort günstiger ist. Die übrigen Tankstellen sind durchgehend bis 20.00 Uhr offen. Meist kann man an der Tankstelle mit Kreditkarte bezahlen.

Maut
In Luxemburg wird auf den Straßen keine Maut erhoben.

Notruf
- 112: nationaler Notruf für Feuerwehr und Krankenwagen
- 113: Polizei

Campen
Die Sanitäreinrichtungen in Luxemburg sind von überdurchschnittlicher Qualität. Mehr als die Hälfte der Campingplätze sind mittels Sterne klassifiziert: aufsteigend von 1 bis zu 5 Sternen. Diese Klassifizierung gilt ausschließlich für Plätze, die freiwillig daran teilnehmen. Es gibt auch Campings, die ihre 'alte' Klassifizierung in Kategorien stehen haben. Achtung: Es gibt Plätze mit hohem Standard, die verzichtet haben, in irgendein Klassifizierungssystem aufgenommen zu werden.

Übernachten an öffentlichen Straßen im Auto, Caravan oder Reisemobil und wildes Campen ist verboten. Camping am Bauernhof ist erlaubt - mit Zustimmung des Landwirts - solange nicht mehr als drei Zelte mit jeweils zwei Erwachsenen auf dem Gelände aufgestellt werden.

Praktisch
- Am besten immer Universalstecker dabei haben.
- Das Trinkwasser hat gute Qualität.

Klima Luxembourg	Jan.	Feb.	März	April	Mai	Juni	Juli	Aug.	Sept.	Okt.	Nov.	Dez.
Tagestemperatur	1	2	6	10	15	17	19	18	15	10	5	2
Sonnenstunden am Tag	2	3	5	6	7	7	7	7	5	3	2	1
Regentage	13	10	9	9	10	9	10	10	10	11	12	12

Alzingen, L-5815 / Centre

(CC€14) iD

Bon Accueil Kat. I	1 AF**IL**NOPQRST		6
2 rue du Camping	2 AOPSVWXY	ABDE**FG**	7
1 Apr - 15 Okt	3 BEFQV	ABEFJNQRSV	8
+352 367069	4 HIO		9
syndicat.dinitiative@internet.lu	5 ACDGL	AFGHIPTUZ	10
	Anzeige auf dieser Seite B 16A		❶ €16,00
N 49°34'9'' E 6°9'36''	H280 2,5 ha 70T(100-120m²)		❷ €20,00

A3/E25 Richtung Luxemburg-Stadt. Ausfahrt 1 Hesperange/Howald. Am Kreisel 1. rechts Richtung Hesperange. An der 3. Ampel den CP- Schildern folgen. CP ist rechts vor der Kirche.

Beaufort, L-6310 / Mullerthal

(CC€16) iD

Camping Plage Beaufort Kat.I	1 ADE**JM**NOPQRS**T**	ABFGH	6
Grand Rue 87	2 GOPQTUVWXY	ABDE**FG**	7
1 Jan - 31 Dez	3 ABEL**M**QV	ABCDEFJNRSV	8
+352 836099300	4 BDEFHI	EFUVW	9
camplage@pt.lu	5 DIL	ABDHJNORVZ	10
	B 10A CEE		❶ €22,50
N 49°50'22'' E 6°17'17''	H360 4 ha 190T(90-120m²) 114D		❷ €33,50

N10 Diekirch-Echternach bis Reisdorf. Rechts ab Richtung Beaufort. In Beaufort auf der rechten Seite.

Berdorf, L-6551 / Mullerthal

(CC€16) iD

Bon Repos Kat.I/****	1 AHKNOPQRST		6
39 rue de Consdorf	2 OPTUVWXY	ABDE**FG**	7
1 Apr - 8 Nov	3 AELV	ABCDEFIJNPQRST	8
+352 790631	4 BEFHIO		9
irma@bonrepos.lu	5 ABKL	AHJORV	10
	16A CEE		❶ €20,80
N 49°49'8'' E 6°20'49''	H370 1 ha 50T(100m²)		❷ €24,80

N19/N10 Diekirch-Echternach bis Grundhof. Hier rechts ab Richtung Berdorf. Im Zentrum Richtung Consdorf. Zweiter CP links.

Berdorf, L-6552 / Mullerthal

(CC€16) iD

Martbusch Kat.I/***	1 ADE**JM**NOPQRST		6
3 Bäim Maartbësch	2 BPQVWXY	ABDE**FG**H	7
1 Jan - 31 Dez	3 BEFILQUV	ABCDEFJNQRSTV	8
+352 790545	4 BCDEFHIO	FUVW	9
camping.martbusch@pt.lu	5 ADEFKL	ABFGHIJ**NP**R	10
	B 16A CEE		❶ €19,00
N 49°49'34'' E 6°20'37''	H370 3 ha 104T(80-100m²) 67D		❷ €24,20

N17/N19/N10 Diekirch-Echternach bis Grundhof. Hier Richtung Berdorf. In Berdorf zweite Straße links ab. Dann Schildern folgen.

Bettendorf, L-9353 / Ardennes

iD

Um Wirt Kat.I	1 A**JM**NOPQRS**T**	JNX	6
rue de la Gare 12	2 CGPQVWXY	ABFGH	7
28 Mär - 11 Okt	3 BEL**M**QV	ABCDEFHNRSV	8
+352 808386	4 BCDFGHIO**PQ**		9
info@campingumwirt.lu	5 DGKL	AHJOR	10
	B 10A CEE		❶ €20,00
N 49°52'22'' E 6°13'16''	H190 2,5 ha 93T(100m²) 60D		❷ €25,00

N17/N19 Diekirch/Echternach bis Bettendorf. Dann Schildern folgen.

Born, L-6660 / Mullerthal

Officiel	1 BDE**JM**NOPQRST	JMN	6
Campingswee 9	2 COPQVWXY	ABDE**FG**H	7
1 Apr - 15 Okt	3 AELQV	ABCDFGIJNQRS	8
+352 730144	4 BFHIO	EGUVW	9
syndicat@gmx.lu	5 ADEGIJKL	ABGHJOR	10
	B 10A CEE		❶ €21,00
N 49°45'39'' E 6°31'1''	H140 3 ha 128T(100-160m²) 55D		❷ €27,00

N10 Echternach-Born-Wasserbillig bis Born. An der Kirche den CP-Schildern folgen.

Bourscheid/Moulin, L-9164 / Ardennes

iD

Du Moulin****	1 ADE**JM**NOPQRST	JN	6
Buurschtermillen	2 CFGOPVW	ABDE**FG**	7
1 Mai - 27 Sep	3 AELQS	ABCDEFIJNRSV	8
+352 990331	4 BDEFHIO	F	9
moulin@camp.lu	5 ACDGJK**L**	ABGHIJ**P**R	10
	16A CEE		❶ €20,00
N 49°54'46'' E 6°5'7''	H226 1,6 ha 125T(100m²) 23D		❷ €25,00

Bourscheid-Moulin liegt entlang der N27 nähe Michelau am Ufer der Sûre. CP du Moulin einfahren bei der Brücke über die Straße gegenüber des Restaurants.

Bourscheid/Moulin, L-9164 / Ardennes

(CC€16) iD

Um Gritt****	1 ADE**JM**NOPQRST	JN	6
Buurschtermillen 10	2 CFGOPVW	ABCD**FG**	7
1 Apr - 31 Okt	3 AELQSV	ABCDEFJKNRSV	8
+352 990449	4 BEFHIO	BFJU	9
umgritt@castlegarden.lu	5 ADEFGIJKL**M**	ABGHJL**P**STV	10
	10A CEE		❶ €22,50
N 49°54'37'' E 6°5'14''	H226 2 ha 83T(100m²) 48D		❷ €27,50

Der Campingplatz liegt neben der N27 bei Michelau, am Ufer der Sûre. Die Einfahrt zum Campingplatz ist an der Brücke neben dem Restaurant.

Clervaux, L-9714 / Ardennes

iD

Clervaux Kat.I	1 ABDE**JM**NOPQRS**T**	ABN	6
Klatzewe 33	2 CPVX	ABDE**FG**H	7
1 Jan - 31 Dez	3 BCE**KLM**Q	ABE**F**JNQR	8
+352 920042	4 **A**BDFHIO	EFUW	9
info@camping-clervaux.lu	5 ABKL	ABEFHIJRV	10
	WB 10A CEE		❶ €26,30
N 50°3'18'' E 6°1'26''	H450 1,5 ha 123T(100-120m²) 3D		❷ €32,30

CP 200m von Clervaux Stadtzentrum entfernt. Richtung Luxemburg, rechts, den CP-Schildern im Zentrum folgen.

Consdorf, L-6211 / Mullerthal

iD

La Pinède Burgkapp Kat.I/***	1 ADE**JM**NOPQRST		6
35 rue Burgkapp	2 BOPTUVWXY	ABDE**FG**H	7
15 Mär - 15 Nov	3 BE**IL**MQV	ABEFJNQRSV	8
+352 790271	4 BEFHI	EIVW	9
info@campconsdorf.lu	5 ADEGKL	ABGHJPR	10
	B 10A CEE		❶ €19,80
N 49°46'51'' E 6°19'54''	H320 3 ha 117T(100-140m²) 47D		❷ €25,40

Die N14 Diekirch-Larochette. In Larochette links ab Richtung Christnach/ Consdorf. In Consdorf den Schildern folgen.

Diekirch, L-9234 / Ardennes

(CC€16) iD

De la Sûre***	1 ADE**IL**NOPQRST	**N**X	6
route de Gilsdorf	2 COPQVWXY	ABDE**FG**	7
27 Mär - 18 Okt	3 BLQV	AB**F**JNQRSTV	8
+352 809425	4 BCDEHIOQ	UV	9
tourisme@diekirch.lu	5 ADGL	ABDEGHJLNORX	10
	B 10A CEE		❶ €21,50
N 49°51'57'' E 6°9'54''	H203 5 ha 202T(100m²) 40D		❷ €26,00

In Diekirch Richtung Larochette. Hinter der Brücke über die Sûre links ab Richtung Gilsdorf. Nach 100m, erster CP.

Diekirch, L-9234 / Ardennes

(CC€14) iD

Op der Sauer Kat.I	1 ADE**JM**NOPQRST	J**N**UX	6
route de Gilsdorf	2 CGOPQVWXY	AF	7
1 Mär - 31 Okt	3 BEF**IL**QV	ABE**F**JNRTUV	8
+352 808590	4 DFHIO**PQT**	EJ	9
info@campsauer.lu	5 AGIJL	ABDHJL**NP**R	10
	Anzeige auf dieser Seite B 10A CEE		❶ €21,00
N 49°51'55'' E 6°10'12''	H184 5 ha 270T(100m²) 81D		❷ €26,00

In Diekirch Richtung Larochette, nach der Brücke über die Sûre links Richtung Gilsdorf, zweiter CP. Einfahrt am Kreisel.

Diekirch/Bleesbruck, L-9359 / Ardennes

iD

Bleesbrück Kat.I/****	1 ADE**JM**NOPQR**T**	**N**	6
Bleesbrück 1	2 COPVWXY	ABDE**FGH**	7
1 Apr - 15 Okt	3 BELQV	ABCDE**F**JNQRSV	8
+352 803134	4 BEFHIO	EFIJUVW	9
info@camping-bleesbruck.lu	5 ABDEGIL	AFGHKLMOST	10
	FKK B 10A CEE		❶ €22,30
N 49°52'22'' E 6°11'21''	H197 4,5 ha 144T(100m²) 49D		❷ €27,70

In Diekirch Richtung Vianden. Nach 2 km Kreisverkehr an der Q8-Tankstelle. Einfahrt zum CP in der Nähe der Tankstelle.

Karte Luxemburg auf Seite 245

Dillingen, L-6350 / Mullerthal

Wies-Neu Kat.I
12 rue de la Sûre
1 Apr - 15 Nov
+352 836110
info@camping-wies-neu.lu

1 AJMNOPQRST JNX 6
2 COPUVWXY ABDEFGH 7
3 ABLQSV ABCDEFJNRS 8
4 BEFHIKO QRUV 9
5 ABDKL AHJOR 10
6A CEE ① €20,10
H174 4,8 ha 190T(100-120m²) 80D ② €26,10

N 49°51'8'' E 6°19'18''

N19/N10 Diekirch-Echternach bis Dillingen. In Dillingen an der Kreuzung links, dann rechts halten.

Echternach, L-6412 / Mullerthal

Alferweiher***
Alferweiher 1
24 Apr - 13 Sep
+352 720271
campingalferweiher@pt.lu

1 AJMNOPQRST 6
2 OPVWX ABDEFGH 7
3 BELV ACDEFJKNRSV 8
4 BFIO 9
5 ABGL AHJOR 10
10A ① €24,00
H171 4 ha 110T(100-120m²) ② €37,00

N 49°47'49'' E 6°25'52''

B418 Wasserbillig nach Echternach, bis zur Aral Tankstelle. Hinter der Aral rechts, dann den CP Schildern folgen.

Echternach, L-6430 / Mullerthal

Officiel
17 route de Diekirch
1 Apr - 1 Nov
+352 720272
info@camping-echternach.lu

1 AEJMNOPQRST ABFG 6
2 GOPRUWXY ABFG 7
3 BEFLMQV ABEFNRV 8
4 BEFHIO DEFV 9
5 AL BCFGHIKLORV 10
10A ① €19,80
H180 4 ha 298T(80-120m²) 82D ② €26,00

N 49°49'1'' E 6°24'38''

Der N10-N19 Diekirch-Echternach folgen. Vor Echternach liegt der Campingplatz auf der rechten Seite.

Eisenbach, L-9838 / Ardennes

TopCamp
Kohnenhof Kat. I/****
1, Kounenhaff
1 Apr - 1 Nov
+352 929464
kohnenhof@pt.lu

1 ADEJMNOPQRST JNUX 6
2 CGOPTUVWXY ABDEFG 7
3 BEFGKLQSTV ABCDFHIJKLNQRSTUV 8
4 BCDEFGHILO AEFIUW 9
5 ABDEGIJKL ABDFGHJNOPRZ 10
B 16A CEE ① €31,90
H250 6 ha 100T(100-120m²) 30D ② €43,90

N 50°0'59'' E 6°8'12''

N7 bei Hosingen Ausfahrt Rodershausen oder Eisenbach. Im Tal den Schildern CP 'Kohnenhof' folgen.

Enscherange, L-9747 / Ardennes

Val d'Or Kat.1/****
Um Gaertchen 2
1 Apr - 1 Nov
+352 920691
valdor@pt.lu

1 ABGILNOT J 6
2 CGPWXY ABDEFG 7
3 ABEKLQ ABCDEFJNRS 8
4 EFGHI EFJUV 9
5 ADGKL ABHIJOST 10
6A CEE ① €23,00
H300 4 ha 75T(60-100m²) 50D ② €29,00

N 50°0'1'' E 5°59'27''

E25 Ausfahrt 15 St. Vith, Richtung Luxemburg, Ausfahrt Marnach/ Munshausen/Drauffelt/Enscherange. Der Platz liegt auf der linken Seite.

Ermsdorf, L-9366 / Mullerthal

Neumuhle Kat.I/****
27 Reisduerferstroos
15 Mär - 29 Okt
+352 879391
info@camping-neumuhle.lu

1 AJMNOPQRT A 6
2 COPUVWXY ABDEFGH 7
3 BEFLQV ABCFJNQRSV 8
4 BDEFGHIOQ EFJU 9
5 ABDGIJK ABGHJPST 10
6A CEE ① €20,50
H239 3 ha 105T(80-100m²) 21D ② €29,00

N 49°50'21'' E 6°13'31''

N14 Diekirch-Larochette bis Medernach. Hier links ab Richtung Ermsdorf. In Ermsdorf ca. 1 km in Richtung Reisdorf bis Hostellerie und CP Neumühle.

Esch-sur-Alzette, L-4001 / Sud

Gaalgebierg Kat.I
BP 20 (rue du Stade)
1 Jan - 31 Dez
+352 541069
gaalcamp@pt.lu

1 ADEJMNOPQRST 6
2 ABGOPRUVWXY ABDEFGH 7
3 BEFLQ ABCDFJNQRSV 8
4 BEFIO D 9
5 ADEGIKL ABEFGHIJPQRW 10
B 16A CEE ① €17,25
H400 2,5 ha 110T(100m²) 48D ② €20,75

N 49°29'5'' E 5°59'10''

A4 Luxemburg - Esch-sur-Alzette. Vor dem Stadtzentrum Richtung Kayl folgen, auf dem Weg ausgeschildert, und dann den CP-Schildern folgen.

Esch-sur-Sûre, L-9650 / Ardennes

Im Aal***
1 Am Aal
13 Feb - 20 Dez
+352 839514
info@camping-im-aal.lu

1 AJMNOPQRST JNU 6
2 CGOPVWXY ABFGH 7
3 BELV ABEFJNQRSV 8
4 EFGINO BEFU 9
5 ABGL ABDHIJLOR 10
B 10A CEE ① €22,25
H450 2,5 ha 150T(100m²) 55D ② €29,25

N 49°54'24'' E 5°56'34''

N15 Ettelbrück – Bastogne, Ausfahrt links Esch-sur-Sûre. Durch den Tunnel. CP 150m weiter am Fluss.

Ettelbruck, L-9022 / Ardennes

Ettelbruck****
88 chemin du Camping
14 Apr - 1 Nov
+352 812185
ellen.ringelberg@gmx.de

1 AJMNOPQRST 6
2 AFOPUVWXY ABCDEFG 7
3 BLQSV ABCDEFGJNQRSV 8
4 ABCDEFGHILO AW 9
5 ADEGIL ABDFGJPQRZ 10
B 16A CEE ① €29,40
H500 3 ha 101T(80-120m²) 11D ② €35,90

N 49°50'46'' E 6°4'56''

In Ettelbrück Stadtzentrum die N15 nach Wiltz und Bastogne. Nach 300m links den CP-Schildern folgen. Aus Richtung Wiltz vor dem Zentrum rechts.

Goebelsmühle, L-9153 / Ardennes

du Nord Kat.1
1 route de Dirbach
25 Apr - 15 Sep
+352 990413
campingdunord@pt.lu

1 ADEILNOPQRST JN 6
2 CGOPVWX ABDFG 7
3 BELQV AFJNRSV 8
4 BDEFHIKO EJUVW 9
5 ABGKL ABHIJLPSTV 10
6A ① €18,00
H230 2 ha 70T(100-150m²) 34D ② €22,00

N 49°55'32'' E 6°2'44''

Goebelsmühle liegt an der N27 am Ufer der Sûre. Ein CP-Schild an diesem Ort weisst den Weg nach unten.

Heiderscheid, L-9156 / Ardennes

de Reenert
4 Fuussekaul
1 Jan - 31 Dez
+352 2688881
info@fuussekaul.lu

1 ADEJMNOPQRST E 6
2 GOPRVX ABDEFGK 7
3 BGIQSUV ABCDEFJNQR 8
4 ABDEFGILMNORSTUVXZ EU 9
5 ACDEFGIJKL ABHIJOST 10
FKK 6A CEE ① €25,00
H510 2 ha 86T(85-100m²) 7D ② €29,00

N 49°52'41'' E 5°59'43''

N15 Bastogne-Diekirch. Südlich von Heiderscheid ist der CP auf der linken Seite wenn man von Belgien kommt, gegenüber CP Fuussekaul.

Heiderscheid, L-9156 / Ardennes

Fuussekaul*****
4 Fuussekaul
1 Jan - 31 Dez
+352 268888
info@fuussekaul.lu

1 ADEJMNOPRST ABFG 6
2 BGOPRUVWXY ABCDEFGHJK 7
3 BCEFGILQRSUV ABCDEFIJKLNQRSTUV 8
4 ABCDEFGILMNORSTUVXZ AEIU 9
5 ACDEFGIJKL ABDEFGHJLNPRZ 10
16A CEE ① €32,00
H510 18 ha 222T(bis 120m²) 257D ② €38,00

N 49°52'39'' E 5°59'34''

N15 Bastogne-Diekirch fahren. Südlich von Heiderscheid liegt der CP auf der rechten Seite, wenn man von Belgien kommt. Weiter ausgeschildert.

Heiderscheidergrund, L-9659 / Ardennes

Bissen****
11 Millewee
1 Apr - 4 Okt
+352 839004
info@camping-bissen.lu

1 ADEILNOPRST JN 6
2 CGOPVWX ABDEFG 7
3 BCLQS ABCDEFIJKNQRSV 8
4 BEFGILO EFU 9
5 ABDEFGIJKL ABFGHIJPR 10
B 10A CEE ① €26,00
H420 2,8 ha 70T(60-120m²) 94D ② €34,00

N 49°54'19'' E 5°57'23''

Liegt an der Kreuzung der N15 (Bastogne-Ettelbrück) mit der N27. CP liegt an der N15 an der Sûre (Sauer). An der Brücke und Hotel Bissen durch braunes Schild angezeigt.

Ingeldorf/Diekirch, L-9161 / Ardennes

Gritt Kat.I/***
2 rue Gritt
1 Apr - 31 Okt
+352 802018
apeeters@pt.lu

1 ADEJMNOPQRST N 6
2 COPVWXY ABDEFG 7
3 BLV ABCDEFGHJKNQRSV 8
4 BFHO 9
5 DEGIL ABDHJOST 10
B 6A CEE ① €23,40
H237 3,5 ha 150T(100-150m²) 20D ② €28,40

N 49°51'2'' E 6°8'4''

N7 Ettelbrück-Diekirch. Nach ca. 2 km rechts ab Richtung Ingeldorf. Dann Schildern folgen.

Kautenbach, L-9663 / Ardennes

Kautenbach***
An der Weierbaach
20 Jan - 20 Dez
+352 950303
info@campingkautenbach.lu

1 ADEJMNOPQRST JN 6
2 CGIOPRVWXY ABDEFG 7
3 BLSTV ABCDEFJNQRSV 8
4 BDEFILOQ BEF 9
5 ACDEGIJKL ABFGHJNORU 10
B 10A CEE ① €25,35
H420 4,5 ha 180T(50-120m²) 78D ② €33,75

N 49°57'13'' E 6°1'39''

Kautenbach liegt entlang der N25 Wiltz-Vianden 11 km von Wiltz. In Kautenbach über die Brücke in den Ort fahren, CP-Schildern folgen.

ACSI Ortsnamenregister

Hinten im Führer finden Sie das Ortsnamenregister.

Luxemburg

Kockelscheuer, L-1899 / Sud

Kockelscheuer Kat.I/****
22 route de Bettembourg
28 Mär - 31 Okt
+352 471815
caravani@pt.lu
N 49°34'20'' E 6°6'31''

1 ACFJMNOPQRST 6
2 AOPUVWX ABDEFGH 7
3 BELMOPQV ABCDFJNQRV 8
4 FHIP 9
5 ACDFJKL ABGHJLNPRVW 10
16A CEE ❶ €17,00
H300 2 ha 220T(100m²) ❷ €21,50

E25 Arlon-Luxemburg. Richtung Esch-sur-Alzette fahren. Ausfahrt Leudelange/ Kockelscheuer. Dann links ab den Schildern 'Kockelscheuer' folgen.

Mersch, L-7572 / Centre

Camping Krounebierg*****
rue Quatre Vents
1 Apr - 31 Okt
+352 329756
contact@ campingkrounebierg.lu
N 49°44'37'' E 6°5'23''

1 ADEJMNOPQRST EFHI 6
2 AGOPRUVWXY ABDEFGH 7
3 BELQST ABCDEFJNQRSV 8
4 BCDEFHILORSTUVX E 9
5 ACDEGJKL ABDFGHJMORVZ 10
B 10A CEE ❶ €35,00
H250 3 ha 140T(60-200m²) 27D ❷ €41,40

Von N: A7 Ausfahrt Kopstal, Ri. Mersch. CP-Schildern folgen. Von der N7 in Mersch den Schildern Stadtzentrum folgen. Von S: A6 Ri. Bruxelles, dann Ausfahrt 3 Bridel/Kopstal. Ri. Mersch, dann den CP-Schildern folgen.

Larochette, L-7633 / Mullerthal

Birkelt Kat.I/*****
1 Um Birkelt
27 Mär - 1 Nov
+352 879040
info@camping-birkelt.lu
N 49°47'5'' E 6°12'40''

1 ADEJMNOPQRST ABCD 6
2 BGOPVWXY ABDEFGHK 7
3 BEFGIKLMQSV ABCDEFGIJKNQRSTUV 8
4 BCDFILNOPQ EL 9
5 ACDEGIJKL ABDEFGHJPSTXZ 10
B 16A CEE ❶ €37,70
H360 12 ha 250T(100-200m²) 56D ❷ €47,90

N14 Diekirch-Larochette. Im Zentrum von Larochette rechts ab. Danach den CP-Schildern folgen.

Nommern, L-7465 / Centre

TopCamp Europacamping Nommerlayen Kat.I/*****
rue Nommerlayen
1 Mär - 1 Nov
+352 878078
info@nommerlayen-ec.lu
N 49°47'6'' E 6°9'54''

1 ACDEJMNOPQRST ACDEFG 6
2 AFPUVWXY ABCDEFGH 7
3 ABDEFKLPQSTV ABCDEFHIJKLNPQRSTUV 8
4 BCDEFGHILMOPQTUV AEJUV 9
5 ACDEGIJKL ABFGHIJNPQSTXZ 10
Anzeige auf dieser Seite B 16A CEE ❶ €48,75
H298 15 ha 396T(70-150m²) 34D ❷ €64,25

Der N7 bis Ettelbrück/Schieren, dann Ausfahrt 7, Cruchten/Colmarberg. Am Ende Ausfahrt nach Shell-Tankstelle links Ri. Cruchten/Nommern. In Cruchten links ab, dann den Schildern folgen.

Larochette/Medernach, L-7633 / Mullerthal

Auf Kengert Kat.I/*****
Kengert
1 Mär - 8 Nov
+352 837186
info@kengert.lu
N 49°48'0'' E 6°11'53''

1 ABDEILNOPQRT ABFG 6
2 BPQTVWXY ABDEFGH 7
3 BCELV ABCDFGJKNQRSV 8
4 FGHIO AFJL 9
5 ACDEGIJKL ABFGHJNPR 10
B 16A CEE ❶ €33,00
H375 2 ha 180T(100-120m²) 17D ❷ €47,00

A7 Luxembourg (Stadt)- Ettelbrück, Ausf. 5 Mersch-Nord scharf re, N7 Mersch-Zentrum. Li Berschbach, Angelsberg(Echternach). Kurz vor Larochette scharf li. Siehe Laangerterkopp. Auch N10 Bollendorf-Dillingen, Beaufort, Haller, Medernach. CP-Schildern folgen.

Reisdorf, L-9390 / Mullerthal

De la Rivière
21, route de la Sûre
1 Feb - 30 Nov
+352 836398
campingreisdorf@pt.lu
N 49°52'6'' E 6°15'54''

1 AJMNOPQRST NX 6
2 COPVWXY ABFG 7
3 AQV ABEFHJNQR 8
4 FHIO DF 9
5 DGJKL ABGHJNPR 10
6-10A CEE ❶ €18,25
H184 1,5 ha 69T(100-220m²) 12D ❷ €23,95

N10 Diekirch-Echternach. In Reisdorf der erste CP hinter der Brücke.

Lieler, L-9972 / Ardennes

Trois Frontières Kat.I****
Hauptstrooss 12
1 Jan - 31 Dez
+352 998608
camp.lieler@vo.lu
N 50°7'26'' E 6°6'18''

1 ABCDEJMNOPQRST CDFG 6
2 FGOPQWXY ABDEFGH 7
3 BEKLQS ABCDFGHIJKNQRSTUV 8
4 BCDEFIOQ EFUV 9
5 ADEGIJKL ABDGHIJNPRZ 10
WB 6-10A CEE ❶ €29,00
H508 2 ha 120T(100-120m²) 17D ❷ €38,00

N7 Weiswampach-Diekirch, ungefähr 3 km hinter Weiswampach nach links abbiegen Richtung Lieler. Der CP ist ausgeschildert.

Reisdorf, L-9390 / Mullerthal

De la Sûre Kat.I
23 route de la Sûre
30 Mär - 31 Okt
+352 836509
reisdorfcamp@gmail.com
N 49°52'11'' E 6°16'3''

1 AJMNOPQRST NX 6
2 COPVWXY ABEFGH 7
3 BLQV ABCDEFGHJNQRSV 8
4 BDFHIOQ EQRUV 9
5 ABDEGIJ ABFGHJPR 10
10A CEE ❶ €22,00
H182 2,9 ha 80T(100-150m²) 10D ❷ €27,00

N10 Diekirch-Echternach, in Reisdorf zweiter CP nach der Brücke.

Mamer/Luxemburg, L-8251 / Centre

Camping Mamer Kat.I
4 route de Mersch
1 Apr - 15 Okt
+352 312349
campingmamer@gmail.com
N 49°37'45'' E 6°2'48''

1 AJMNOPQRST 6
2 ABCGPQWXY AB 7
3 A ABCDEFJNRV 8
4 FHO H 9
5 AEGI ABDFHOST 10
B 6-16A CEE ❶ €18,50
H284 1,5 ha 60T(80m²) 1D ❷ €22,50

A6/E25 Richtung Frankreich, Ausfahrt 2. Weiter Mamer, am 3. Kreisel links (nicht in den Tunnel!). Auf das Schild achten. A6/E25 Richtung Niederlande, Ausfahrt 4. Weiter Strassen/Capellen, am 2. Kreisel rechts. Auf das Schild achten.

Reuler/Clervaux, L-9768 / Ardennes

Reilerweier Kat.I
Maison 86
1 Apr - 1 Nov
+352 920160
info@reilerweier.lu
N 50°3'15'' E 6°2'19''

1 ABDEJMNOPQRST N 6
2 CPUVX ABDEFG 7
3 ABKLQR ABDFNRS 8
4 ABCDEFIO J 9
5 KL ABHIJMRV 10
B 6A ❶ €21,00
H450 2 ha 30T(100-120m²) 122D ❷ €27,00

N7 (E421) bei Hosingen, die Straße nach Clervaux nehmen. 3 km von Clervaux beim Örtchen Reuler liegt der CP an dieser Straße. Von Clervaux Richtung Marnach, am Ortsschild Reuler 200m rechts der Straße.

Maulusmühle, L-9974 / Ardennes

Woltzdal Kat.I/***
Maison 12
4 Apr - 31 Okt
+352 998938
info@woltzdal-camping.lu
N 50°5'31'' E 6°1'40''

1 ABDEJMNOPRT J 6
2 BCOPRSVXY ABDEFGH 7
3 BEKLQ ABDFGIJKNRSTV 8
4 FGHI AEFIJU 9
5 ACDEGIKL ABDFHIJNPST 10
B 4A CEE ❶ €24,10
H370 2 ha 84T(70-140m²) 17D ❷ €31,30

Die Strecke Clervaux-Weiswampach (CR355). 6 km nördlich von Clervaux liegt Maulusmühle. Der CP liegt an dieser Straße im Tal, in Bahnhofsnähe.

Rosport, L-6580 / Mullerthal

Du Barrage Rosport Kat.I
route d'Echternach
15 Mär - 31 Okt
+352 730160
campingrosport@pt.lu
N 49°48'33'' E 6°30'12''

1 ADEJMNOPRT ABNWXZ 6
2 CGOPQVWX ABDFG 7
3 BEFQV ABCDEFGJKNRS 8
4 BFHI V 9
5 ABHKPRZ 10
B 16A CEE ❶ €20,50
H150 4,2 ha 128T(100m²) 60D ❷ €26,50

N10 Echternach-Wasserbillig bis Rosport. Dann Schildern folgen.

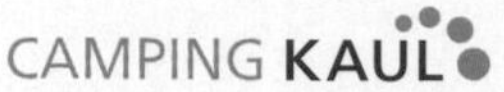

CAMPING KAUL
BASE RÉGIONALE DE LOISIRS EN PLEIN AIR WILTZ

Ideales Freizeitcenter mit sämtlichem Komfort. Beheiztes Schwimmbad mit großer Wasserrutschbahn, separates Kinderbecken, Beachvolleybal und Spielplatz. Vermietung von Pods und Chalets. Kleine Mahlzeiten und Snacks erhältlich. Wanderwege, Mountainbiketouren, Tennis. Kinderanimation in der Hochsaison.

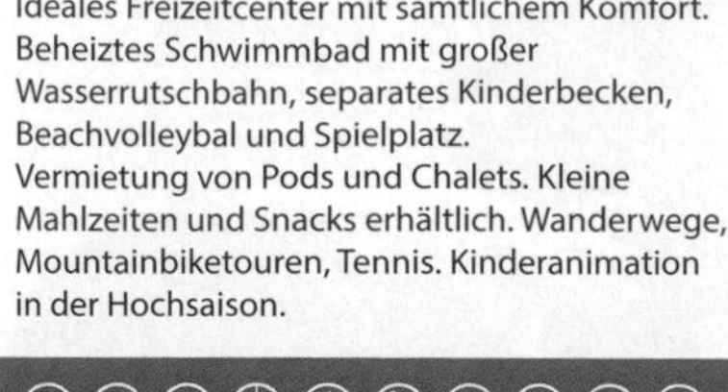

46B, rue Joseph Simon
L-9550 Wiltz

Tel.: (+352) 95 03 59
Fax: (+352) 95 77 70

E-Mail: campkaul@pt.lu
www.kaul.lu

Luxemburg

Schwebsingen, L-5447 / Moselle

Du Port
N10
1 Apr - 31 Okt
+352 23664460
info@camping-port.lu
N 49°30'38'' E 6°21'47''

1 ADEJMNOPQRST	NXYZ	6
2 ACDGPVWXY	ABDEFG	7
3 BELMQV	ABCDEFGIJNQRSTUV	8
4 FHORTUX	EUVW	9
5 ABEGIJL	ABFGHJOR	10
B 10A	❶ €14,00	
H150 160T(100m²) 113D	❷ €18,00	

N10 Echternach-Wasserbillig-Remich-Schwebsingen. Der CP liegt auf der linken Seite beim Jachthafen.

Vianden, L-9422 / Ardennes

Op dem Déich Kat.I
2 rue Neugarten
1 Apr - 12 Okt
+352 834375
ellen.ringelberg@gmx.de
N 49°55'55'' E 6°12'56''

1 AJMNOPQRST	N	6
2 COPVWXY	ABDEFG	7
3 BLSV	ABCDEFJNQRS	8
4 ABDFGHI	A	9
5 A	AEFGHJPQR	10
B 16A CEE	❶ €24,60	
H210 4 ha 200T(100m²) 14D	❷ €33,00	

N17 Diekirch-Vianden. In Fouhren rechts ab, N17B bis Vianden. Hinter der Brücke 1. Straße links, Rue Moenchkelterhous. Schildern folgen.

Septfontaines, L-8363 / Centre

Simmerschmelz Kat.I
CR 104
1 Jan - 31 Dez
+352 307072
info@campingsimmer.lu
N 49°41'34'' E 5°59'8''

1 ADEJMNOPQRST	A	6
2 ABGOPQVWX	ABFGH	7
3 ALSV	ABFJNQRV	8
4 BCDFILOQ	EFG	9
5 ABDEGIKL	ABHIJNPST	10
6A CEE	❶ €25,50	
H350 5 ha 80T(80-120m²) 92D	❷ €32,50	

Von Belgien E25 Ri. Luxemburg, Ausfahrt 1 Ri. Steinfort. Kreisverkehr geradeaus Ri. Septfontaines. Nach 300m rechts Ri. Goeblange. Am Ende rechts und gleich links Simmerschmelz folgen. Nach 3 km CP (rechten Seite).

Wallendorf-Pont, L-9392 / Mullerthal

Du Rivage Kat.I
Echternacherstroos 7
17 Apr - 1 Okt
+352 836516
voogt@pt.lu
N 49°52'25'' E 6°17'25''

1 ABILNOPQRT	JNU	6
2 COPVWX	ABFG	7
3 ALMV	ABEFJNRSV	8
4 FGHIORSTV	AQRUV	9
5 ABDGL	ABHJLPR	10
6A CEE	❶ €24,00	
H180 1,5 ha 50T(100m²) 13D	❷ €31,00	

N10 Diekirch-Echternach. Am Ende des Dorfes Wallendorf-Pont liegt der CP.

Stolzembourg, L-9464 / Ardennes

Du Barrage Kat.I
1 Jan - 1 Nov
+352 834537
scr@pt.lu
N 49°58'37'' E 6°9'57''

1 AJMNOPQRST	N	6
2 CGOPVWXY	ABDEFGH	7
3 BQSV	ACEFHJNRS	8
4 FINO	DI	9
5 ABDGIL	ABHJLPRV	10
B 16A CEE	❶ €22,00	
H230 3 ha 100T(90-120m²) 82D	❷ €28,00	

Von Vianden N10 Richtung Stolzembourg, 1 km hinterm Dorf an der rechten Seite.

Walsdorf, L-9465 / Ardennes

CC€16

Beter-uit Vakantiepark Walsdorf****
Tandlerbaach
24 Apr - 3 Okt
+352 834464
info@beter-uit.nl
N 49°55'2'' E 6°10'43''

1 ABJMNOPQRT		6
2 BCGPQUVWXY	ABDEFGH	7
3 AEFLS	ABCDEFHJKNRSV	8
4 BCDFHIO	AEIJ	9
5 ABCDGIJL	ABFHJPST	10
B 4A CEE	❶ €32,50	
H264 6 ha 131T(100-160m²) 32D	❷ €43,50	

N17 Diekirch-Vianden. Hinter Tandel links ab. CP-Schildern folgen.

Tadler, L-9181 / Ardennes

Toodlermillen****
Toodlermillen 1
15 Apr - 1 Okt
+352 839189
keisera@gms.lu
N 49°54'50'' E 6°0'3''

1 ADEGJMNOPQRST	J	6
2 CGIPVWX	ABDEFGH	7
3 AGHLSV	ABDFJKNQRSV	8
4 BFHIO	U	9
5 ABCDEGIKL	ABFHIJLNPQSTW	10
B 6A CEE	❶ €27,00	
H250 3 ha 90T(80-120m²) 30D	❷ €34,60	

N15 Bastogne-Ettelbrück, in Heiderscheidergrund die N27 am Fluss entlang. Nach 5 km kommt die Ortschaft Tadler. Der CP liegt zwischen der Straße und Fluss an der Brücke.

Wiltz, L-9550 / Ardennes

CC€16

Kaul Kat.I
46B rue Joseph Simon
1 Apr - 31 Okt
+352 950359
campkaul@pt.lu
N 49°58'14'' E 5°56'3''

1 ADEJMNOPQRST	ABFGH	6
2 GPRVWX	ABDEFG	7
3 BEFLMQ	ABCDEFGIJLNQRS	8
4 BCDEFHIO	BFJ	9
5 DEGIL	ABHJNPR	10
Anzeige auf dieser Seite B 6-10A CEE	❶ €25,00	
H480 6 ha 95T(100m²) 37D	❷ €35,00	

Der CP liegt 300m vom Zentrum von Unterstadt von Wiltz entfernt, entlang der Straße Troisvierges-Clervaux stehen CP-Schilder.

Tarchamps, L-9689 / Ardennes

Um Bierg Kat.I/***
Um Bierg 32
15 Mär - 30 Sep
+352 993217
info@umbierg.lu
N 49°56'47'' E 5°48'4''

1 AJMNOPRT	A	6
2 GOPUVWX	ABDEFG	7
3 ABELS	ABEFJKNRS	8
4 BDFIOPQ	J	9
5 ADEIJKL	ABHIJNOR	10
6A CEE	❶ €20,00	
H500 1,8 ha 95T(70-120m²) 12D	❷ €26,00	

A4/E25 Luxembourg (Stadt) Richtung Bastogne (Belgien), Ausfahrt 54. In Bastogne Richtung Diekirch/Wiltz (N84 in Belgien, N15 in Luxemburg), durch Doncols (1 km hinter der Grenze). Den CP-Schildern 5,5 km folgen.

Troisvierges, L-9912 / Ardennes

CC€14

Walensbongert Kat.I
rue de Binsfeld
1 Apr - 30 Sep
+352 997141
wbongert@pt.lu
N 50°7'7'' E 6°0'5''

1 ABCDEGJMNOPRT	ABEFH	6
2 CGOPUVXY	BEFG	7
3 BKLMOQ	ABFJNQRSV	8
4 ABDEFHIOQ		9
5 ADEKL	ABDHJOR	10
B 6-10A	❶ €19,50	
H467 5 ha 150T(80-120m²) 10D	❷ €24,70	

Der Campingplatz liegt ca. 300m von Zentrum der Stadt Troisvierges, an der Straße nach Binsfeld. In Troisvierges den Camping-Schildern folgen.

Karte Luxemburg auf Seite 245

Deutschland

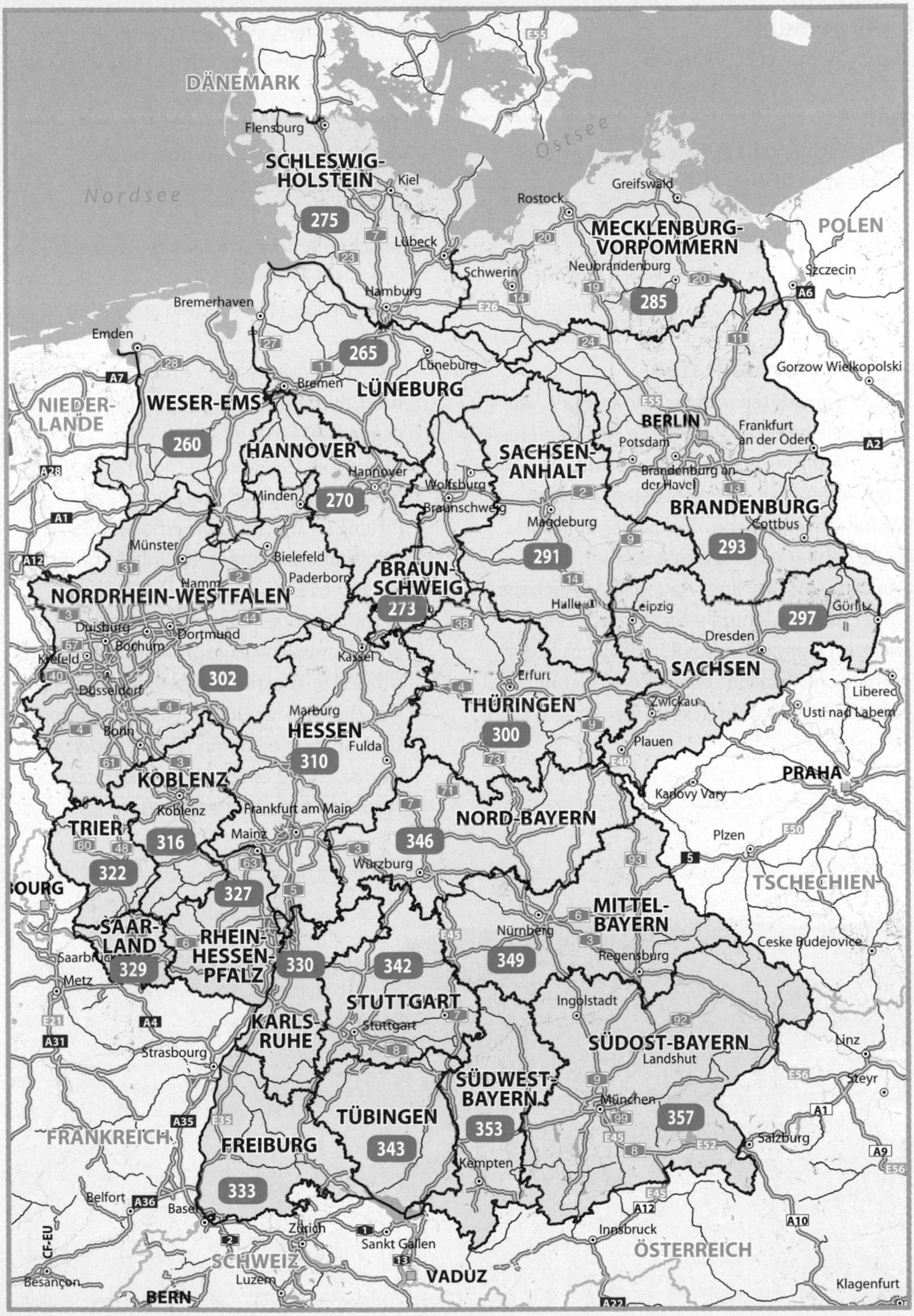

SCHLESWIG-HOLSTEIN 275
MECKLENBURG-VORPOMMERN 285
WESER-EMS 260
LÜNEBURG 265
HANNOVER 270
BRAUNSCHWEIG 273
SACHSEN-ANHALT 291
BRANDENBURG 293
NORDRHEIN-WESTFALEN 302
SACHSEN 297
HESSEN 310
THÜRINGEN 300
KOBLENZ 316
TRIER 322
NORD-BAYERN 346
327
SAARLAND 329
RHEINHESSEN-PFALZ 330
342
MITTEL-BAYERN 349
STUTTGART
KARLSRUHE
SÜDOST-BAYERN 357
SÜDWEST-BAYERN 353
TÜBINGEN 343
FREIBURG 333

Allgemein
Deutschland ist EU-Mitglied.

Zeit
In Deutschland ist es genauso spät wie in Amsterdam, Paris und Rom.

Sprache
Deutsch, aber auch mit Englisch kommt man gut durch.

Grenzformalitäten
Viele Formalitäten und Vereinbarungen, wie erforderliche Reisedokumente, KFZ-Papiere, Anforderungen an Ihr Fahrzeug und Ihren Aufenthalt, Krankenkosten und das Mitführen von Tieren, sind nicht nur vom Zielort abhängig, sondern auch von Ihrem Ausgangsort und Ihrer Nationalität. Auch die Dauer Ihres Aufenthaltes spielt dabei eine Rolle. Im Rahmen dieses Führers ist es leider nicht möglich, allen Lesern korrekte und aktuelle Informationen in dieser Hinsicht zu garantieren.

Wir raten Ihnen, vor Ihrer Abreise bei den entsprechenden Behörden in Erfahrung zu bringen:

- welche Reisedokumente Sie für sich selbst und Ihre Reisebegleitung brauchen
- welche Dokumente Sie für Ihr Auto brauchen
- welchen Anforderungen Ihr Fahrzeug entsprechen muss
- welche Güter Sie ein- und ausführen dürfen
- wie im Unglücks- oder Krankheitsfall die medizinische Versorgung im Urlaubsland organisiert ist und bezahlt wird
- ob Sie Ihre Haustiere mitnehmen können. Nehmen Sie rechtzeitig Kontakt zu Ihrem Tierarzt auf. Dort erhalten Sie Informationen über relevante Impfungen, entsprechende Bestätigungen und Verpflichtungen bei Ihrer Rückkehr. Es ist auch sinnvoll herauszufinden, ob an Ihrem Urlaubsziel bestimmte Bedingungen für Haustiere in der Öffentlichkeit geknüpft sind. So müssen in manchen Ländern Hunde immer einen Maulkorb tragen oder vergittert transportiert werden.

Viele allgemeine Infos finden Sie auf ▸ *www.europa.eu* ◂ aber sorgen Sie selbst dafür, die richtige Information für Ihre individuelle Situation herauszufinden.

Aktuelle Zollbestimmungen entnehmen Sie den Botschaften des jeweiligen Urlaubslandes an Ihrem Wohnort.

Währung und Geld

Währungseinheit ist der Euro.

Kreditkarten

Fast überall kann man mit Kreditkarte bezahlen

Öffnungszeiten und Feiertage

Banken

Es gibt keine allgemeinen Öffnungszeiten für Banken. Die meisten schließen um 18.00 Uhr.

Geschäfte

Die Öffnungszeiten sind von Montag bis Freitag von 9.30 bis 20.00 Uhr. Am Samstag sind in größeren Städten die Geschäfte bis 18.00 Uhr geöffnet.

Apotheken, Ärzte

Die Sprechzeiten sind im Allgemeinen zwischen 9.00 bis 12.00 Uhr und von 15.00 bis 18.00 Uhr, außer mittwochs.

Apotheken sind von montags bis freitags bis 18.00 Uhr geöffnet, samstags bis 12.00 Uhr.

Feiertage

Gesamte Bundesrepublik:
Neujahrstag, Karfreitag, Ostern, 1. Mai (Tag der Arbeit), Himmelfahrt, Pfingsten, 3. Oktober (Tag der deutschen Einheit) sowie Weihnachten.

Einzelne Bundesländer:
- 6. Januar: Heilige Drei Könige in Bayern, Baden-Württemberg und Sachsen-Anhalt.
- 16. Februar: Rosenmontag in Nordrhein-Westfalen, Rheinland-Pfalz, Baden - Württemberg und Bayern.
- 4. Juni: Fronleichnam in Baden-Württemberg, Bayern, Hessen, Nordrhein-Westfalen, Rheinland-Pfalz und Saarland.
- 15. August: Mariä Himmelfahrt im Saarland und den katholischen Teilen Bayerns.
- 31. Oktober: Reformationstag in Brandenburg, Mecklenburg-Vorpommern, Sachsen, Sachsen-Anhalt und Thüringen.
- Allerheiligen: Baden-Württemberg, Bayern, Nordrhein-Westfalen, Rheinland-Pfalz, Saarland und Sachsen.

Kommunikation

(Mobil)Telefon

Das Mobilfunknetz ist in ganz Deutschland gut. Für das mobile Internet gibt es ein 3G-Netz. Von jeder Telefonzelle kann man ins Ausland anrufen.

W-Lan, Internet

Vielerorts W-Lan verfügbar. Internetcafés gibt es in großer Zahl, aber besonders in den großen Städten.

Post

Im Allgemeinen geöffnet von Montag bis Freitag bis 18.00 Uhr, am Samstag bis 12.00 Uhr.

Straßen und Verkehr

Straßennetz

Auf den Autobahnen kann man über die Notrufsäulen die Hilfe der Straßenwacht anfordern. Ansonsten ist der Hilfsdienst kostenpflichtig ADAC, Tel. 01802-222222 oder ACE, Tel. 01802-343536.

Verkehrsvorschriften

Rechts hat Vorfahrt außer im Kreisverkehr. Der im Kreisverkehr Fahrende hat Vorfahrt. Auf schmalen Bergstraßen gilt die Regel, dass das Fahrzeug, das am leichtesten ausweichen kann, Vorfahrt gewährt. In Deutschland und der Schweiz ist die Betätigung des Blinkers beim Einfahren in den Kreisverkehr verboten, bei der Ausfahrt Pflicht.

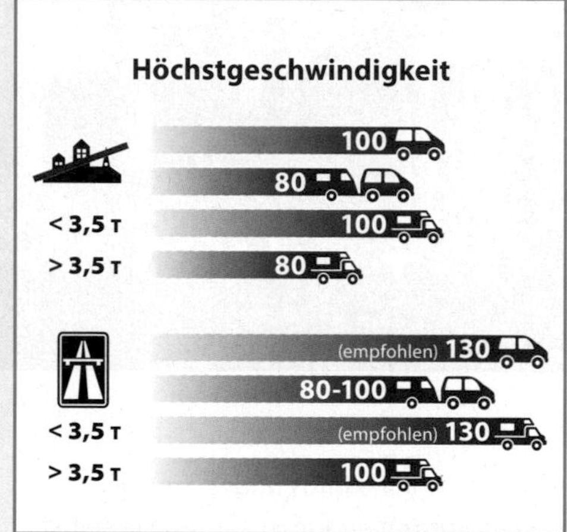

Promillegrenze ist 0,5‰. Fahren mit Abblendlicht ist keine Pflicht, gilt aber im Tunnel. Telefonieren nur mit Freisprechanlage. Fahrzeuge dürfen nicht an den Autobahnen repariert werden. Hier muss immer der Abschleppdienst gerufen werden. Bei Staus auf den Autobahnen müssen Sie so weit rechts oder links fahren, dass in der Mitte eine Gasse für Hilfsfahrzeuge frei wird.
Alle Fahrzeuge müssen in Deutschland (auch von Touristen) bei winterlichen Straßenverhältnissen über eine Winterausrüstung verfügen, d.h. Winterreifen und

ausreichend Forstschutzmittel in der Scheibenwaschanlage.

Navigation

Warnung vor festen Blitzern durch Navi oder Mobiltelefon Apps ist nicht erlaubt.

Wohnwagen, Reisemobil

Achtung! In Deutschland muss man eine grüne Versicherungskarte für Fahrzeug und eine für Wohnwagen haben, wenn dieser schwerer als 750 kg ist. Umweltplakette auch beim Reisemobil erforderlich. Näheres siehe 'Umweltplakette'. Ein Überholverbot für LKW gilt auch für Reisemobile über 3500 kg.

Tempo 100-Befreiung

Wohnwagengespanne dürfen Tempo 100 fahren, wenn das Zugfahrzeug über ABS verfügt und dessen zulässige Gesamtmasse nicht mehr als 3,5 Tonnen beträgt. Caravans konnen mit der '100'-Plakette beim TÜV nachgerüstet werden.

Zulässige Maße

Höhe 4m, Breite 2,55m und Gespannlänge 18,75m.

Umweltplakette

In immer mehr deutschen Städten gilt die Umweltplakette. Kosten: € 17,95. Die Umweltplakette ist rot, gelb oder grün, abhängig der Umweltauflage. Dies gilt auch für ausländische Fahrzeuge. Die betreffenden Städte weisen mit den Schildern 'Umweltzone' darauf hin. Man darf diese Zonen nur mit dieser

Plakette befahren. Verstöße werden mit einem Bußgeld von € 40 geahndet. Ältere Dieselfahrzeuge und Autos ohne KAT kommen nicht mehr in die Städte rein. Sie erhalten die Plakette beim TÜV Deutschland, DEKRA. Österreicher erhalten die Plakette beim ÖAMTC, Schweizer beim TouringClub Schweiz TCS. Siehe ▸ *www.umwelt-plakette.de* ◂

Kraftstoff

Bleifrei und Diesel gut erhältlich. LPG immer besser. Achtung: seit 2011 wird E10 angeboten. Bitte prüfen Sie VOR dem Tanken, ob Ihr Wagen E10 verträgt. Tankstellenbetreiber haften nicht für Schäden. Hier finden Sie dazu eine Liste: ▸ *www.dat.de/e10liste/* ◂ Im Zweifel kein E10 tanken!

Tankstellen

Tankstellen sind durchgehend zwischen 8.00 und 20.00 Uhr geöffnet. An den Autobahnen meist Tag und Nacht geöffnet.

Maut

Die Straßen in Deutschland sind für PKW mautfrei.

Notruf

112: nationaler Notruf für Polizei, Feuerwehr und Krankenwagen.

Campen

Die deutschen Campings gehören zu den besseren in Europa. Sie spezialisieren sich zunehmend auf Zielgruppen, wie Familien mit Kindern, Wanderer, Radfahrer oder Wellness. Die Zahl der Komfortplätze und Reisemobilplätze mit Serviceanlagen nimmt weiter zu. Fast alle Campings haben eine Mittagspause (meist von 13.00 bis 15.00 Uhr), die konsequent gehandhabt wird.

Praktisch

- Die Fremdenverkehrsbüros sind geöffnet zwischen 10.00 und 16.00 Uhr.
- Am besten immer Universalstecker dabei haben.
- Leitungswasser ist bedenkenlos zu trinken.

Angeln

Angelschein erforderlich mit Passfoto. Außerdem braucht man für bestimmte Gewässer eine Erlaubnis. Beim örtlichen Fremdenverkehrsverein erhält man diese Erlaubnis und weitergehende Informationen.

Klima Frankfurt am Main	Jan.	Feb.	März	April	Mai	Juni	Juli	Aug.	Sept.	Okt.	Nov.	Dez.
Tagestemperatur	2	3	7	11	15	18	20	20	16	11	7	3
Sonnenstunden am Tag	2	2	4	5	6	7	6	5	5	4	2	2
Regentage	11	9	8	9	9	9	9	9	9	9	10	11

Klima Berlin	Jan.	Feb.	März	April	Mai	Juni	Juli	Aug.	Sept.	Okt.	Nov.	Dez.
Tagestemperatur	0	1	5	10	15	19	20	20	16	10	5	2
Sonnenstunden am Tag	2	3	5	6	8	8	8	7	7	4	2	1
Regentage	10	9	7	9	8	9	10	9	8	9	9	9

Klima München	Jan.	Feb.	März	April	Mai	Juni	Juli	Aug.	Sept.	Okt.	Nov.	Dez.
Tagestemperatur	0	1	5	9	14	17	19	19	16	10	4	1
Sonnenstunden am Tag	2	3	5	6	7	7	8	7	6	4	2	2
Regentage	11	10	9	10	12	14	13	12	10	9	9	10

Deutschland

Weser-Ems

Apen/Nordloh, D-26689 / Niedersachsen

Nordloh	1 AEF**JM**NOPRST	LN 6
Schanzenweg 4	2 ADGHPQVWX	ABDE**FG**IJ 7
1 Jan - 31 Dez	3 BE**GHI**LS	ABCDEFJNQRSTU 8
+49 (0)4499-2625	4 HIO**PQ**	EV 9
u.delger@gmx.de	5 ABDEGIKL	ABFGHIJPRVX 10
	B 16A CEE	❶ €14,50
N 53°10'50'' E 7°46'26''	12 ha 80**T**(100m²) 166**D**	❷ €18,50

Autobahn A28 Groningen-Leer-Oldenburg. Ausfahrt 4 Apen/Remels. In Apen Richtung Barssel/Nordloh. Dann ausgeschildert.

Bad Bentheim, D-48455 / Niedersachsen

Am Berg	1 A**JM**NOPQRST	6
Suddendorferstraße 37	2 OPWXY	ABE**FG**I 7
2 Mär - 23 Dez	3 A**K**	ABCDEFHJNR 8
+49 (0)5922-990461	4 FHQ	9
info@campingplatzamberg.de	5 IL	ABHJ**P**ST 10
	Anzeige auf dieser Seite 16A CEE	❶ €19,90
N 52°17'52'' E 7°11'30''	3 ha 81**T**(100-120m²) 50**D**	❷ €26,10

A30/A31 Kreuz Schüttorf, Ausfahrt Schüttorf Süd. Richtung Bad Bentheim. Der B403 folgen. Der Campingplatz ist ausgeschildert.

Aschenbeck/Dötlingen, D-27801 / Niedersachsen

Aschenbeck	1 ADEF**JM**NOPQRST	L**N** 6
Zum Sande 20	2 ADGHPRWXY	ABE**FG** 7
1 Jan - 31 Dez	3 AEF**GHIK**L	BD**F**JNQRSV 8
+49 (0)4433-333	4	9
aschenbeck-camping@web.de	5 ABDEJK	AHJLR 10
	B 16A CEE	❶ €17,00
N 52°56'2'' E 8°24'13''	8 ha 65**T**(100m²) 200**D**	❷ €21,00

A1 Osnabrück-Bremen Ausfahrt Wildeshausen/Nord. Dann Richtung Wildeshausen. An der Ampel Richtung Dötlingen. Nach Aschenstedt den Schildern folgen.

Bad Rothenfelde, D-49214 / Niedersachsen

Campotel*****	1 ADF**JM**NOPQRS**T**	M**N** 6
Heidland 65	2 AGHIJOPSVWXY	ABDE**FGH**IJ 7
1 Jan - 31 Dez	3 BEFGH**IKLMOQRS**TV	ABCDFG**I**JKNQRSTUV 8
+49 (0)5424-210600	4 **A**BD**E**FGHIKLNO**PQRSTUVWZ**	EVY 9
info@campotel.de	5 ABDEGIJKLM	ABEFGHIJLM**NO**RXZ 10
	Anzeige auf Seite 261 B 16A CEE	❶ €28,60
N 52°5'53'' E 8°10'22''	**H**103 13 ha 255**T**(75-180m²) 257**D**	❷ €35,20

Autobahnkreuz Osnabrück-Süd (Lotte) A33 Richtung Bielefeld/Bad Rothenfelde. CP ist dort ausgeschildert. Dann Ausfahrt 13 Richtung Bad Rothenfelde. Im Kreisel geradeaus, danach ausgeschildert.

Berne, D-27804 / Niedersachsen

Juliusplate****
Juliusplate 4
15 Apr - 30 Sep
+49 (0)4406-1666
camping@juliusplate.de

1 AFJMNOPRST JLNSXY 6
2 CDGHPRSVWXY BFG 7
3 ABK ABCDEFKNPQRT 8
4 FH DQVW 9
5 ACJKL ABFJLRW 10
10A CEE ❶ €18,40
3,6 ha 100T(80-90m²) 74D ❷ €23,40

N 53°11'48'' E 8°30'41''

A28 Bremen-Oldenburg, Ausfahrt 19 Ganderkesee-West, Richtung B212 Nordenham bis Berne. Ortausgang rechts B74 Richtung Fähre. Weiter den CP-Schildern nach.

Detern, D-26847 / Niedersachsen

Jümmesee
Zum See 2
1 Jan - 31 Dez
+49 (0)4957-1808
info@detern.de

1 AFGHKNOPRST LMNOXZ 6
2 ACDGHIPQVWXY ABDEFGIJ 7
3 BEFPQ ABCDFJKNPRSV 8
4 AFH QRV 9
5 BDEGJK ABFGHJPRVZ 10
Anzeige auf dieser Seite 16A CEE ❶ €17,50
11 ha 35T(70m²) 185D ❷ €23,50

N 53°12'33'' E 7°38'33''

A7 Richtung Oldenburg, Ausfahrt Filsum, Ausfahrt 3. Dann B72 Ausfahrt Stickhausen. Voor der Brücke rechtsab. Der CP ist ausgeschildert.

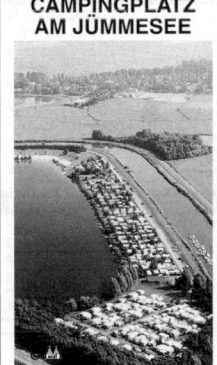

Borkum, D-26757 / Niedersachsen

Aggen
Ostland 1
15 Mär - 31 Okt
+49 (0)4922-2215
aggen-borkum@t-online.de

1 GILNOPQRS 6
2 HOPVWX ABDFG 7
3 AELQ ABEFJQRSV 8
4 FHIO I 9
5 AK ABHJOR 10
16A CEE ❶ €20,30
2 ha 10T(80-100m²) 32D ❷ €29,30

N 53°36'13'' E 6°43'30''

Fähre Eemshaven (NL) nach Borkum 55 Min. Auch über Emden möglich. Auf der Insel selbst nur eingeschränkter Autoverkehr möglich! CP liegt an der Ostseite der Insel.

Borkum, D-26757 / Niedersachsen

Insel-Camping-Borkum
Hindenburgstraße 114
14 Mär - 31 Okt
+49 (0)4922-1088
info@ insel-camping-borkum.de

1 ABDEGJMNOPQRST KMQRSTX 6
2 EGHOPRSVWXY BCEFGHIJ 7
3 ABCDEFGHILQSTU BCDEFGHIJKLMNPQRSTUV 8
4 ABCEFGHIJLOQRSTYZ DKV 9
5 ABCDEGHIJKL ABFGHIJLMNOPRV 10
B 16A CEE ❶ €32,40
7,2 ha 220T(80-120m²) 130D ❷ €41,60

N 53°35'20'' E 6°39'28''

Emden/Eemshaven, der Hindenburgstraße folgen.

Bramsche/Kalkriese, D-49565 / Niedersachsen

Waldwinkel
Zum Dreschhaus 4
1 Jan - 31 Dez
+49 (0)5468-938235
kontakt@ campingplatz-waldwinkel.de

1 AFJMNOPQRS L 6
2 ADGPRTW BFG 7
3 L BFJQRSV 8
4 F ADF 9
5 ABDEKL AGHJNOST 10
Anzeige auf dieser Seite 16A CEE ❶ €19,00
H100 3,5 ha 70T(80-120m²) 173D ❷ €24,00

N 52°23'45'' E 8°6'6''

A1 Ausfahrt Bramsche B218 Richtung Minden. Nach 4,2 km rechts ab. Ist ausgeschildert.

Eckwarderhörne, D-26969 / Niedersachsen

Knaus Campingpark Eckwarderhörne****
Zum Leuchtfeuer 116
1 Jan - 31 Dez
+49 (0)4736-1300
eckwarderhoern@knauscamp.de

1 AEFJMNOPRST KMNQRSWXYZ 6
2 EHILPQSVWX ABDEFGHIJ 7
3 BEGHLQS ABCDEFJKNQRSTU 8
4 AEFGHILOQ DV 9
5 ABDEJKL ABFGHJNPRV 10
Anzeige auf Seite 259 B 16A CEE ❶ €34,20
6 ha 25T(80-130m²) 147D ❷ €41,20

N 53°31'17'' E 8°14'6''

A29 Richtung Wilhelmshaven. Ausfahrt 8 Varel. Abfahrt Schweiburg (B437) Richtung Nordenham/Butjadingen/Eckwarden Richtung Burhave. Der CP ist ausgeschildert.

Burhave, D-26969 / Niedersachsen

Knaus Camp.park Fedderwardersiel/Nordsee
Lagunenweg
12 Apr - 15 Okt
+49 (0)4733-1683
burhave@knauscamp.de

1 ADEJMNOPRST KMNQSWXYZ 6
2 EFGILPVW AFG 7
3 ABEQ ABEFJNQRTV 8
4 FH D 9
5 K ABFGHJMOR 10
16A CEE ❶ €33,30
1 ha 76T(80-100m²) 34D ❷ €39,30

N 53°35'33'' E 8°21'40''

Durch Burhave Richtung Tossens. Abfahrt Fedderwardersiel. Auf dem Deich links ab. CP ist angezeigt mit der Beschilderung 'Knaus Campingpark'. Anmeldung über den Knaus-Camping in Butjadingen/Burhave.

Butjadingen/Burhave, D-26969 / Nieders.

Knaus Campingpark Burhave / Nordsee****
An der Nordseelagune
15 Apr - 15 Okt
+49 (0)4733-1683
burhave@knauscamp.de

1 ADEFJMNOPRST KLMNQSXYZ 6
2 DEGHILOPQRSVW ABDEFGHI 7
3 BEFGHIQ ABDEFJKNQRSTUV 8
4 BEGHIO DVW 9
5 ADEJKL ABFGHJMOR 10
Anzeige auf Seite 259 B 16A CEE ❶ €33,10
2,5 ha 100T(90m²) 258D ❷ €40,10

N 53°35'1'' E 8°22'12''

A29 Oldenburg-Wilhelmshaven. Ausf. Varel. B437 Schweiburg Ri Nordenham/ Butjadingen. Oder: A27 Bremen-Bremerhaven, Ausf. 11 Stotel, B437 durch den Wesertunnel nach Nordenham/Butjadingen. CP angezeigt.

Deutschland

Hatten/Kirchhatten, D-26209 / Niedersachsen

Hatten	1 AEF**JM**NOPQRST ABFGH 6
Kreyenweg 8	2 AGOPQVWXY ABDE**FG**HIJ 7
1 Jan - 31 Dez	3 BEF**IKLM**QST**U** ABCDEFJKNPQRSTUV 8
+49 (0)4482-677	4 BCFHIOQ ADJ 9
info@fzz-hatten.de	5 ADEJKL ABEHIJLM**P**RVX 10
	B 16A CEE ① €23,50
N 53°1'34'' E 8°20'7''	4 ha 87**T**(85-110m^2) 232**D** ② €32,50

A28 Oldenburg-Bremen, Ausfahrt Hatten-Kirchhatten. In Kirchhatten Richtung Sandkrug. Dann ausgeschildert.

Jade, D-26349 / Niedersachsen

Camping an der Jade	1 AF**JM**NOPQRS**T** JNX 6
Bollenhagenerstr. 42	2 ACGPWX AB**FG**HI 7
1 Apr - 15 Okt	3 AELQS ABDE**F**JNQRSV 8
+49 (0)4454-978624	4 HIO DQRV 9
sibijade@t-online.de	5 ABDEGJKL ABHJPR 10
	Anzeige auf dieser Seite B 16A CEE ① €17,00
N 53°20'23'' E 8°14'30''	3 ha 25**T**(120m^2) 102**D** ② €22,00

A29 Oldenburg-Wilhelmshaven, Ausfahrt 10 Jaderberg. Der CP ist ausgeschildert.

Elisabethfehn, D-26676 / Niedersachsen

Campingplatz Elisabethfehn	1 AF**JM**NOPRS**T** AF**N**X 6
Waldstraße 2	2 ABCGPQRVWX ABDE**FG** 7
15 Mär - 31 Okt	3 BEL ABCDE**FG**IJNQRSV 8
+49 (0)4499-1202	4 HIO DV 9
info@ elisabethfehn-camping.de	5 ABDKL ABHJLMRV 10
	Anzeige auf dieser Seite B 16A CEE ① €14,00
N 53°10'5'' E 7°40'45''	20T(100m^2) 162**D** ② €19,00

B72 Cloppenburg-Aurich, Ausfahrt Strücklingen. Zwei Mal links abbiegen, dann ausgeschildert.

Deutschland

Emden/Wybelsum, D-26723 / Niedersachsen

Campingplatz Knock e.V.	1 ADEF**JM**NOPRST KL**N**QSXYZ 6
Am Mahlbusen 1	2 DEGPQVWXY AB**FG** 7
1 Apr - 30 Sep	3 ABEL ABCDEFJNPRST 8
+49 (0)4927-567	4 HIO**PQ** F 9
info@campingplatz-knock.de	5 ABDEGKL AFGHIJLMRW 10
	B 16A CEE ① €23,00
N 53°20'49'' E 7°2'16''	6,5 ha 50**T**(100m^2) 101**D** ② €29,00

Autobahn Leer-Emden (A31). Bei VW-Betriebsfahrzeuge geradeaus Ri. Rysum, Ausfahrt Rysumer Nacken. CP ausgeschildert. Deich folgen bis zu den Schleusen.

Krummhörn/Upleward, D-26736 / Nieders.

Am Deich	1 AEF**JM**NOPRS**T** KNQSXY 6
Erbsenbindereistr. 3	2 EPSVWX AB**C**DE**FG**IJ 7
1 Apr - 31 Okt	3 ABFLQS ABCDEF**G**IJK**LM**NQRSTUV 8
+49 (0)4923-525	4 BEHIL**TVX** EV 9
info@camping-am-deich.de	5 ABEGIKL ABFGHJN**PQ**R 10
	B 16A CEE ① €29,30
N 53°25'15'' E 7°0'53''	7 ha 218**T**(80-100m^2) 117**D** ② €35,30

A31 Leer-Emden. Bei VW-Betriebsfahrzeuge geradeaus Richtung Rysum-Loquard-Campen-Upleward. CP ist ausgeschildert.

Ganderkesee/Steinkimmen, D-27777 / Nieders. (CC€16)

Camping & Ferienpark Falkensteinsee	1 A**JM**NOPQRST LM**N** 6
Am Falkensteinsee 1	2 ABDGHIPVWXY BE**FGIJ** 7
1 Jan - 31 Dez	3 ABE**IK**LQ ABCD**FGI**JK**L**NQRSTUV 8
+49 (0)4222-9470077	4 FHIO**Q** FJ 9
info@falkensteinsee.de	5 ABDEJK AFGHJM**O**RVW 10
	B 16A CEE ① €20,60
N 53°2'55'' E 8°28'3''	24 ha 80**T**(100-150m^2) 206**D** ② €24,60

Autobahn Groningen-Leer-Oldenburg. Richtung Bremen, Ausfahrt 18 Hude Richtung Falkenburg. Der CP ist ausgeschildert.

Lathen, D-49762 / Niedersachsen

Lathener Marsch	1 ADEF**JM**NOPRST LM**N**X 6
Marschstraße 4	2 ACDGHIPQVWXY BE**FG**H 7
1 Jan - 31 Dez	3 A**I** BDFJKNQRSTUV 8
+49 (0)5933-934510	4 HI EG 9
hotel-lathen@t-online.de	5 ABDEGJKL ABEFGHJLR 10
	B 16A CEE ① €17,10
N 52°51'31'' E 7°18'15''	8 ha 90**T**(80-120m^2) 140**D** ② €22,70

Die B70 Richtung Leer, Ausfahrt Lathen. CP ist ausgeschildert.

Harlesiel/Wittmund, D-26409 / Niedersachsen

Campingplatz Harlesiel	1 AEFHKNOPRST ABKM**N**QRST**X**Y 6
Am Strand	2 EGHIOPQVW ABDE**FG**IJ 7
11 Apr - 15 Sep	3 BEFIL**MS** ABEFGIJKNPQRSV 8
+49 (0)4464-949398	4 AHI**PQ** D 9
info@ campingplatz-harlesiel.de	5 GKL ABGHIK**NP**TUZ 10
	B 16A CEE ① €25,30
N 53°42'30'' E 7°48'27''	11 ha 470**T**(80-120m^2) 390**D** ② €32,80

A29 Richtung Wilhelmshaven. A9 Richtung Jever, auf der B210 bis nach Jever. Dann rechts ab die L808 Richtung Carolinensiel. Auf der Bahnhofstraße rechts zum Strand, 2. Brücke links. Den orangen Schildern folgen!

Leer/Bingum, D-26789 / Niedersachsen

Ems-Marina Bingum	1 ADEF**JM**NOPRST L**N**QS**XYZ** 6
Marinastraße 14-16	2 ACDGHOPRVWX ABE**FG**H 7
1 Apr - 31 Okt	3 BEILT ABCDE**FJLM**NQRSTV 8
+49 (0)491-64447	4 FHL**Q** DEVY 9
info-camping-bingum@ t-online.de	5 ADEIK ABEFGHJLM**N**RV 10
	B 16A CEE ① €22,50
N 53°13'29'' E 7°25'7''	6,5 ha 200**T**(100m^2) 205**D** ② €28,50

B75 Groningen-Leer, kurz vor Emsbrücke links Beschilderung folgen.

Teilkarte Weser-Ems auf Seite 260

Melle/Gesmold, D-49326 / Niedersachsen

Grönegau Park Ludwigsee****
Nemdener Str. 12
1 Jan - 31 Dez
+49 (0)5402-2132
info@ludwigsee.de
N 52°13'29'' E 8°15'58''

1 AEJMNOPQRST	LNX	6
2 ADGHIPSVWX	ABDEFGI	7
3 BEFHKL	BDFIJKNQRSTUV	8
4 ABEFHILOP	JVY	9
5 ABDEGIKL	ABFGHIJLMNTUV	10
B 16A CEE		❶ €24,00
H67 25 ha 80T(70-100m²) 503D		❷ €30,00

A30 Osnabrück-Hannover. Ausfahrt 22 Gesmold. Dann Richtung Westerhausen. CP ist ausgeschildert.

Norden/Norddeich, D-26506 / Niedersachsen

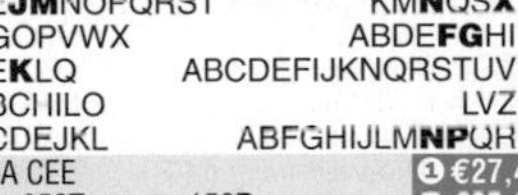

Nordsee Camp Norddeich**
Deichstraße 21
21 Mär - 25 Okt
+49 (0)4931-8073
info@nordsee-camp.de
N 53°36'17'' E 7°8'22''

1 AEJMNOPQRST	KMNQSX	6
2 EGOPVWX	ABDEFGHI	7
3 BEKLQ	ABCDEFIJKNQRSTUV	8
4 ABCHILO	LVZ	9
5 ACDEJKL	ABFGHIJLMNPQR	10
B 16A CEE		❶ €27,45
22 ha 650T(100m²) 150D		❷ €35,65

A31 Groningen-Leer, Ausfahrt 1 Emden, Ausfahrt 3 Norden (B210). Weiter B72 Richtung Norddeich. Den CP-Schildern folgen.

Ostercappeln/Schwagstorf, D-49179 / Nieders.

Freizeitpark Kronensee
Zum Kronensee 9
1 Jan - 31 Dez
+49 (0)5473-2282
info@kronensee.de
N 52°22'18'' E 8°13'46''

1 ADFJMNOPQRST	LNOQS	6
2 CDGHIPQRVWX	ABFGHI	7
3 ABEFIL	ABDFJNQRSV	8
4 FHO	DTVY	9
5 ABDIK	ABGHJRZ	10
B 16A CEE		❶ €20,50
30 ha 90T(70-100m²) 172D		❷ €25,50

A1 Osnabrück-Bremen. Ausfahrt 68 Bramsche, Richtung Bramsche B218 Richtung Minden. Nach ca. 15 km Richtung Schwagstorf-Ostercappeln. CP nach ca. 10 km. Siehe Beschilderung zum Mittelland Kanal.

Ostrhauderfehn/Idafehn, D-26842 / Niedersachsen

Campingpark und Freizeitanlage 'Idasee'
Idafehn Nord 77B
1 Jan - 31 Dez
+49 (0)4952-994297
info@campingidasee.de
N 53°9'15'' E 7°38'34''

1 AFJMNOPRST	LMNW	6
2 DGHOPQVWX	ABDEFGHI	7
3 ABEKLS	ABCDEFGIJLNQRSTU	8
4 HT	EV	9
5 AGJK	ABFGHJLMNPR	10
B 16A CEE		❶ €21,60
7,4 ha 90T(100m²) 151D		❷ €27,40

Groningen-Leer, B70 Richtung Lingen folgen. In Folmhusen links auf die B438 Richtung Ostrhauderfehn, danach B72 links. Schildern folgen.

Papenburg, D-26871 / Niedersachsen

Poggenpoel Camping
Am Poggenpoel
1 Jan - 31 Dez
+49 (0)4961-974026
campingpcp@aol.com
N 53°3'53'' E 7°25'38''

1 AFJMNOPRST	LNX	6
2 ABDGHPRVWXY	ABDEFGHIJ	7
3 BEIKL	ABCDEFJKNQRSTU	8
4 BFHIO	EFIY	9
5 ABDEJKL	AFHJLPRVX	10
B 16A CEE		❶ €27,50
5 ha 70T(75-120m²) 63D		❷ €36,50

Autobahn Groningen-Leer A31 Ri. Meppen, Ausfahrt Papenburg. In Papenburg ist der CP ausgeschildert.

Rieste, D-49597 / Niedersachsen

Alfsee Ferien- und Erholungspark*****
Am Campingpark 10
1 Jan - 31 Dez
+49 (0)5464-92120
info@alfsee.com
N 52°29'7'' E 7°59'23''

1 ACDEFILNOPQRST	LMNOPQRSTUVW	6
2 ADGHIPRSVWXY	BCDEFGHIJ	7
3 ABCEFGHIKLMRSUV	ABCDFJKLNQRSTUV	8
4 ABCDEFHILNOPQS	DFGHIJQUVWY	9
5 ACDEFGIJKL	ABFGHIJLMNOPRV	10
Anzeige auf dieser Seite B 16A CEE		❶ €32,90
16 ha 350T(110m²) 459D		❷ €39,40

A1 Osnabrück-Bremen, Ausfahrt Neuenkirchen/Vörden, Richtung Rieste. Dann Schildern folgen.

Schortens, D-26419 / Niedersachsen

Friesland Camping
Am Schwimmbad 2
1 Mär - 31 Okt
+49 (0)4461-758727
info@friesland-camping.de
N 53°33'3'' E 7°56'15''

1 AJMNOPRST	LM	6
2 ADGHOPQVWXY	ABDEFGIJ	7
3 BEFKLQ	ABCDEFJNQRSTU	8
4 I	DV	9
5 DEIKL	ABFGHJMR	10
B 16A CEE		❶ €26,20
2 ha 80T(100-120m²) 16D		❷ €31,20

A29 Oldenburg-Wilhelmshaven, Ausfahrt Wilhelmshavener Kreuz B210 Richtung Wittmung/Jver/Schortens. In Schortens CP angezeigt.

Schüttorf, D-48465 / Niedersachsen

Quendorfer See
Weiße Riete 3
27 Mär - 31 Okt
+49 (0)5923-902939
info@camping-schuettorf.de
N 52°20'19'' E 7°13'36''

1 ADFJMNOPQRST	LMQ	6
2 ADGHOPSVWX	BEFG	7
3 AEL	BDFHJKNQRSTU	8
4 FH	D	9
5 ABKL	AFGHJSTW	10
B 16A CEE		❶ €24,50
1,5 ha 41T(100-120m²) 17D		❷ €30,50

A1/A30 Ausfahrt 4 Schüttorf-Nord oder A31 Ausfahrt 28 Schüttorf-Ost Richtung Stadtzentrum. Den CP-Schildern folgen.

Südbrookmerland, D-26624 / Niedersachsen

Grosses Meer
Campingstr. 1
1 Apr - 5 Nov
+49 (0)4942-626
campingplatz@grossesmeer.de
N 53°26'33'' E 7°18'32''

1 AFJMNOPRST	LNQRSXY	6
2 DGPVWX	ABFG	7
3 BIL	ABCDEFJNQRV	8
4 FH	QRTVW	9
5 ABKL	ABGHJR	10
10A CEE		❶ €23,50
3,2 ha 60T(90m²) 90D		❷ €33,50

Folgen Sie die Route Groningen-Leer (B70), Ausfahrt 1 Emden, Ausfahrt 3 Norden (B210). Dann Beschilderung folgen.

Surwold, D-26903 / Niedersachsen

Im Freizeitpark Surwold
Waldstraße 26
1 Jan - 31 Dez
+49 (0)2202-84016
info@camping-surwold.de
N 52°58'7'' E 7°31'5''

1 AJMNOPQRS		6
2 PQW	ABFGI	7
3	BDFJNQRTU	8
4	V	9
5 AK	AFGJST	10
16A CEE		❶ €28,00
H80 2,5 ha 100T(95-120m²)		❷ €34,00

A31 Ausfahrt 17 Richtung Dörpen/Oldenburg (B401) ca. 15 km, in Surwold rechts. Den Hinweisen Erholungsgebiet Surwold folgen.

Timmel, D-26629 / Niedersachsen

Timmeler Meer
Zur Mühle 13
25 Mär - 31 Okt
+49 (0)4945-91970
info@campingplatz-timmel.de
N 53°21'45'' E 7°30'48''

1 AEFJMNOPRST	LMNQXYZ	6
2 ADGHOPSVWXY	ABDEFGHI	7
3 AEFGHILQ	ABCDEFJKNQRSV	8
4 AFHPQT	DFQRTVY	9
5 DKL	ABFGHIJLMNPRV	10
B 16A CEE		❶ €19,00
7 ha 76T(100m²) 101D		❷ €23,00

A31 Groningen-Leer. Richtung Emden bis nach Neermoors. Dort den L14 nehmen. Gerade vor Timmel liegt der CP.

Tossens, D-26969 / Niedersachsen

Knaus Campingpark Tossens****
Zum Friesenstrand
15 Apr - 15 Okt
+49 (0)4736-219
tossens@knauscamp.de
N 53°34'44'' E 8°14'37''

1 AEFJMNOPRST	EFGIKMNQSWXYZ	6
2 EGHILOPQSVW	ABDEFGHI	7
3 BEFLQS	ABCDEFJKNQRSTU	8
4 BEGHIJLOQ	DVW	9
5 ABDEGJKL	ABFGHJLMNPRVW	10
Anzeige auf Seite 259 B 16A CEE		❶ €33,10
6 ha 130T(80-100m²) 176D		❷ €40,10

A27 Bremen-Cuxhaven, Ausfahrt 11 Stotel, B437 Richtung Nordenham. In Nordenham-Abbehausen links Richtung Stollham L 860. Links Eckwarden, weiter Eckwarderhörne. CP-Schilder.

Teilkarte Weser-Ems auf Seite 260

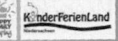

Campingplatz „Hümmlinger Land" Werlte/ Emsl.

Komfortabler Campingplatz, ruhige Lage. Alle Plätze mit Strom, Wasser- und Abwasseranschluss, Stellplatzgröße ca. 100 qm, kostenloses WLAN auf dem Platz. Hervorragende Sanitärausstattung laut ADAC und DCC.

Ideal zum Wandern und Radfahren.

Ermäßigungen bei längerem Aufenthalt und in der Nebensaison.

Informationen:
Gemeinde Werlte, Marktstraße 1, 49757 Werlte, Tel.: 05 951/ 2010 u. 5353, Fax 05951-20153, info@werlte.de, www.campingplatz-huemmlingerland.de

Weener/Ems, D-26826 / Niedersachsen — iD

Weener	1 AEFG**JM**NOPRS**T**	**ABFG**H**NXYZ** 6
Am Erhohlungsgebiet 4	2 ACGPRVWXY	ABE**FG**HIJ 7
1 Apr - 31 Okt	3 ABE**ILM**Q	ABDE**F**JKNQRSTUV 8
+49 (0)4951-955226	4 FHIO**P**	DF 9
weener@t-online.de	5 DEKL	ABFGHJLRVW 10
	B 16A CEE	❶ €18,70
N 53°9'54'' E 7°21'57''	3 ha 50**T**(80-100m²) 126**D**	❷ €22,70

A31 Leer - Oberhausen, Ausfahrt Weener, in Weener rechts und Schildern 'Erholungsgebiet' folgen.

★★★★ Comfort-CAMPING

Sehr ruhig zwischen der Stadt Papenburg und der Stadt Leer an der Ems, direkt an der Deutschen Fehnroute an einem natürlichen See, mit Strand, Liegewiesen, Spielgeräte, Riesenrutsche. Ein Eldorado für Angler und Surfer. 350 Stellplätze, Zeltwiese, komfortabele Sanitäranlagen, Sauna, Solarium, Kiosk, Fitnessraum, Freizeithalle mit TV und Tischtennisplatte. Animation in den Oster- und Sommerferien von Deutschland. Historischer Dorfplatz mit einem Museumbauernhaus und Restaurant sowie einer Discgolfanlage.

Informationen und Buchungen:
Wohnungsbau-u Entwicklungs GmbH
Deichstraße 7A
26810 Westoverledingen/Ihrhove
Tel. +49/4955-920040 • Fax 920041
Internet: www.ostfriesland-camping.de
E-Mail: Freizeitpark@Westoverledingen.de

Werlte, D-49757 / Niedersachsen — CC€14 iD

Hümmlingerland/Werlte	1 AEF**JM**NOPRST	6
Rastdorferstraße 80	2 PVWX	BE**FG** 7
1 Apr - 31 Okt	3 BEL	BDFJNQRS 8
+49 (0)5951-5353	4 IO	9
info@werlte.de	5 AK	ABEGHJPR 10
	Anzeige auf dieser Seite B 16A CEE	❶ €17,20
N 52°52'12'' E 7°41'17''	1,8 ha 40**T**(100-110m²) 45**D**	❷ €20,20

B213 Meppen-Cloppenburg. Dann Ausfahrt Lastrup, dann Richtung Werlte. Hinter Werlte Richtung Rastdorf. CP ist ausgeschildert.

Westerstede, D-26655 / Niedersachsen — iD

Westerstede	1 AEF**JM**NOPQRST	6
Süderstraße 2A	2 PQXY	ABE**FG** 7
1 Jan - 31 Dez	3 A**K**	ABEFJNQRV 8
+49 (0)4488-78234	4 FHI	VW 9
camping@westerstede.de	5 DEIL	ABFGHJL**NP**RV 10
	Anzeige auf dieser Seite B 16A CEE	❶ €18,00
N 53°15'1'' E 7°56'4''	45**T**(90m²) 5**D**	❷ €18,00

Groningen-Leer, dann der B75 folgen bis in Westerstede. Oder A28 Ausfahrt 6 Westerstede Ost. Dann Richtung Bad Zwischenahn und Beschilderung folgen.

Stadt Westerstede

CAMPING WESTERSTEDE

Kleiner, ruhiger Etappenplatz, für Leute, die Richtung Skandinavien reisen. Unsere Freizeit-Angebote: Ponyreiten, Tennis spielen, wandern und schwimmen. Ein Besuch des Vogelparks und der **Rhododendronkulturen** ist lohnend.

Süderstraße 2A, 26655 Westerstede
Tel. und Fax 04488-78234 • Internet: www.westerstede.de/camping

Westoverledingen/Ihrhove, D-26810 / Nieders. — iD

Comfort-Camping Freizeitpark Am Emsdeich****	1 AEFGHKNOPQRST	LM**NQ** 6
Deichstraße 7A	2 DGHIOPQRSVWX	ABDE**FGH**IJ 7
1 Apr - 31 Okt	3 BEFLQ	ABCD**F**JKNQRSTU 8
+49 (0)4955-920040	4 BCFHILNOR**ST**	DEFVW 9
Freizeitpark@Westoverledingen.de	5 ADEJKL	ABFGHIJ**NP**RV 10
	Anzeige auf dieser Seite B 16A CEE	❶ €22,30
N 53°10'24'' E 7°25'13''	10 ha 350**T**(100m²) 153**D**	❷ €28,30

Autobahn Groningen-Leer A7. Dann Richtung Papenburg (B70). Ausfahrt Ihrhove. CP ist ausgeschildert.

Wiesmoor, D-26639 / Niedersachsen — CC€16 iD

Cp. & Bungalowpark Ottermeer*****	1 AE**JM**NOPQRST	HLMNQSXY 6
Am Ottermeer 52	2 DGHIPQVWXY	ABDE**FG** 7
1 Jan - 31 Dez	3 BEF**KL**	ABCDEFIJK**L**NQRSTU 8
+49 (0)4944-949893	4 BCDFHIO**PQS**	DJPTVW 9
camping@wiesmoor.de	5 ABDEKL	ABFGHIJLM**P**RV 10
	B 16A CEE	❶ €27,30
N 53°24'56'' E 7°42'38''	80 ha 180**T**(90-120m²) 86**D**	❷ €27,30

Ausfahrt 2 Leer-Ost, Richtung Aurich (B436/B72). Ausfahrt vor Bagband Richtung B436 Wiesmoor. In Wiesmoor ist CP ausgeschildert.

Wilsum, D-49849 / Niedersachsen — iD

Wilsumer Berge Resort GmbH	1 ACEG**JM**NOPRST	HLMN 6
Zum Feriengebiet 1	2 BDGHIOPQTUVWXY	BDE**FGH** 7
1 Jan - 31 Dez	3 ABEF**JLM**QRTU	ABCDEFIJKNRSTUV 8
+49 (0)5945-995580	4 BCDFHILNO**Q**	EV 9
info@wilsumerberge.de	5 ACDEIK	ABEGHIJL**N**PRZ 10
	B 6-16A CEE	❶ €23,00
N 52°30'46'' E 6°51'49''	H68 90 ha 650**T**(100-150m²) 383**D**	❷ €28,00

An der B403 Coevorden-Nordhorn, zwischen Wilsum und Uelsen. Links den Schildern folgen.

Teilkarte Weser-Ems auf Seite 260

Wittmund, D-26409 / Niedersachsen

Isums
Isums 47
1 Jan - 31 Dez
+49 (0)4462-922833
info@campingplatz-isums.de
N 53°33'45'' E 7°47'7''

1 AFILNOPQRST	ABFHQSX	6
2 ADGOPRSVWX	ABDEFG	7
3 BEFLM	ABCDFJNPQRTU	8
4 FH		9
5 AK	ABFGHKLMT	10
B 16A CEE		❶ €17,90
24 ha 30T 78D		❷ €23,50

A28 Leer-Oldenburg. Ausf. Leer-Ost, dann B436/B72 Aurich. Kurz vor Bagband Ri. Wiesmoor(B436). Dort an der Ampel Ri. Friedeburg, später Wittmund. Von der A29 Oldenburg-Wilhelmshaven, Ausf. Jever B210, dann Wittmund. Freizeitcentrum Isums.

Zetel/Astederfeld, D-26340 / Niedersachsen

Campingplatz am Königssee
Tarbarger Landstr. 30
1 Jan - 31 Dez
+49 (0)4452-1706
info@campingplatz-am-koenigssee.de
N 53°21'19'' E 7°55'46''

1 AEFGJMNOPRST	LNX	6
2 DGHIPQW	ABDEFGIK	7
3 ABEFKL	ABFJNRT	8
4 HI	F	9
5 AKL	ABFHJLMNPRW	10
16A CEE		❶ €20,90
2,5 ha 40T(100-150m²) 61D		❷ €25,30

A28 Ausfahrt 6 Westerstede, L815 Richtung Zetel. Nach 14 km links nach Astederfeld. Camping ist angezeigt.

Ahlden, D-29693 / Niedersachsen

Naturcamping Ahlden
Worthweg 5
1 Jan - 31 Dez
+49 (0)5164-802695
urlaub@campingplatz-ahlden.de
N 52°45'44'' E 9°33'8''

1 AFJMNOPQRST	JNX	6
2 ACFGHOPVWXY	ABFG	7
3 AFL	ABCDEFJNQRST	8
4 H	DPQV	9
5 AIKL	ABHJLR	10
B 16A CEE		❶ €22,00
1,6 ha 75T(ab 100m²) 38D		❷ €28,00

A27 Ausfahrt 28 Richtung Hodenhagen. In Hodenhagen Richtung Rethem. Nach 2,5 km in Ahlden den CP-Schildern folgen.

Bergen/Dumme, D-29468 / Niedersachsen

Campingpark Fuhrenkamp****
Am Fuhrenkamp 1
1 Jan - 31 Dez
+49 (0)5845-348
post@campingplatz-fuhrenkamp.de
N 52°53'12'' E 10°58'34''

1 ACDEFILNOPRST	AFMNX	6
2 DGHOPWXY	ABDEFGHIJ	7
3 BGHI	ABCDEFJKNQRTU	8
4 HIOPQT	ADEFJV	9
5 ABDEJKL	ABEGHIJLNPR	10
B 16A CEE		❶ €18,00
3,4 ha 90T(ab 50m²) 60D		❷ €22,00

A39 Hamburg-Lüneburg. Dann Richtung Uelzen und B71 Richtung Salzwedel.

Bad Bederkesa, D-27624 / Niedersachsen

Regenbogen Ferienanlage Bad Bederkesa**
Ankeloherstraße 14
1 Jan - 31 Dez
+49 (0)4745-6487
badbederkesa@regenbogen.ag
N 53°37'15'' E 8°50'57''

1 ADEFJMNOPQRST	NXZ	6
2 ACPVWXY	ABDEFGHI	7
3 ABEFKLQ	ABCDEFGIJKNQRSTUV	8
4 BDFHIOW	KTV	9
5 AEGIJKL	ABFGHIJLMORVW	10
B 16A CEE		❶ €35,00
12 ha 100T(80-120m²) 350D		❷ €35,00

A27 Bremerhaven-Cuxhaven, Ausfahrt Debstedt. L120 Richtung Bederkesa. In Bederkesa Abfahrt am weißen Schild 'Ferienpark'.

Bispingen/Behringen, D-29646 / Nieders.

Brunautal****
Seestr. 17
1 Mär - 8 Nov
+49 (0)5194-4188022
info@campingplatz-brunautal.de
N 53°6'31'' E 9°57'56''

1 ADEJMNOPQRST	LNQXZ	6
2 ACDOPQWXY	ABDEFGI	7
3 AGH	ABCDEFJNQRSV	8
4 FHIO	EFT	9
5 ABDKL	ABFGJLPR	10
6-16A CEE		❶ €22,50
H70 2,8 ha 74T(85-175m²) 17D		❷ €29,50

A7 Hannover-Hamburg, Ausfahrt 43 Behringen. Nach 900m sehen Sie schon den Camping.

Bad Fallingbostel, D-29683 / Niedersachsen

Böhmeschlucht
Vierde 22
1 Jan - 31 Dez
+49 (0)5162-5604
campingplatz-boehmeschlucht@t-online.de
N 52°52'46'' E 9°43'21''

1 AFJMNOPQRST	JNX	6
2 ABCPUVWXY	ABDEFGHI	7
3 BKL	ABCDEFJNQRSTUV	8
4 FHIOQ	FQRV	9
5 AJKL	ABFGHJNRVW	10
B 16A		❶ €22,50
H50 7 ha 70T 119D		❷ €26,10

A7 Richtung Hamburg, Ausfahrt Fallingbostel. In Fallingbostel Richtung Soltau. Nach ca. 1,5 km CP-Schild folgen.

Bleckede, D-21354 / Niedersachsen

KNAUS Campingpark Elbtalaue****
Am Waldbad 23
1 Jan - 31 Dez
+49 (0)5854-311
elbtalaue@knauscamp.de
N 53°15'34'' E 10°48'20''

1 ADEFHKNOPQRST	ABFGHNX	6
2 BCGOPVWXY	BEFGHIJK	7
3 BEFLMNQ	BDFHJKNQRSV	8
4 BDFHINOT	FV	9
5 ABDEKL	ABDFGHJORV	10
Anzeige auf Seite 259 B 16A CEE		❶ €28,30
6,5 ha 152T(80-100m²) 203D		❷ €31,50

A7 Hannover-Hamburg, Ausfahrt Soltau-Ost Richtung Lüneburg/Dahlenburg, links bis Bleckede, dann Hitzacker.

Deutschland

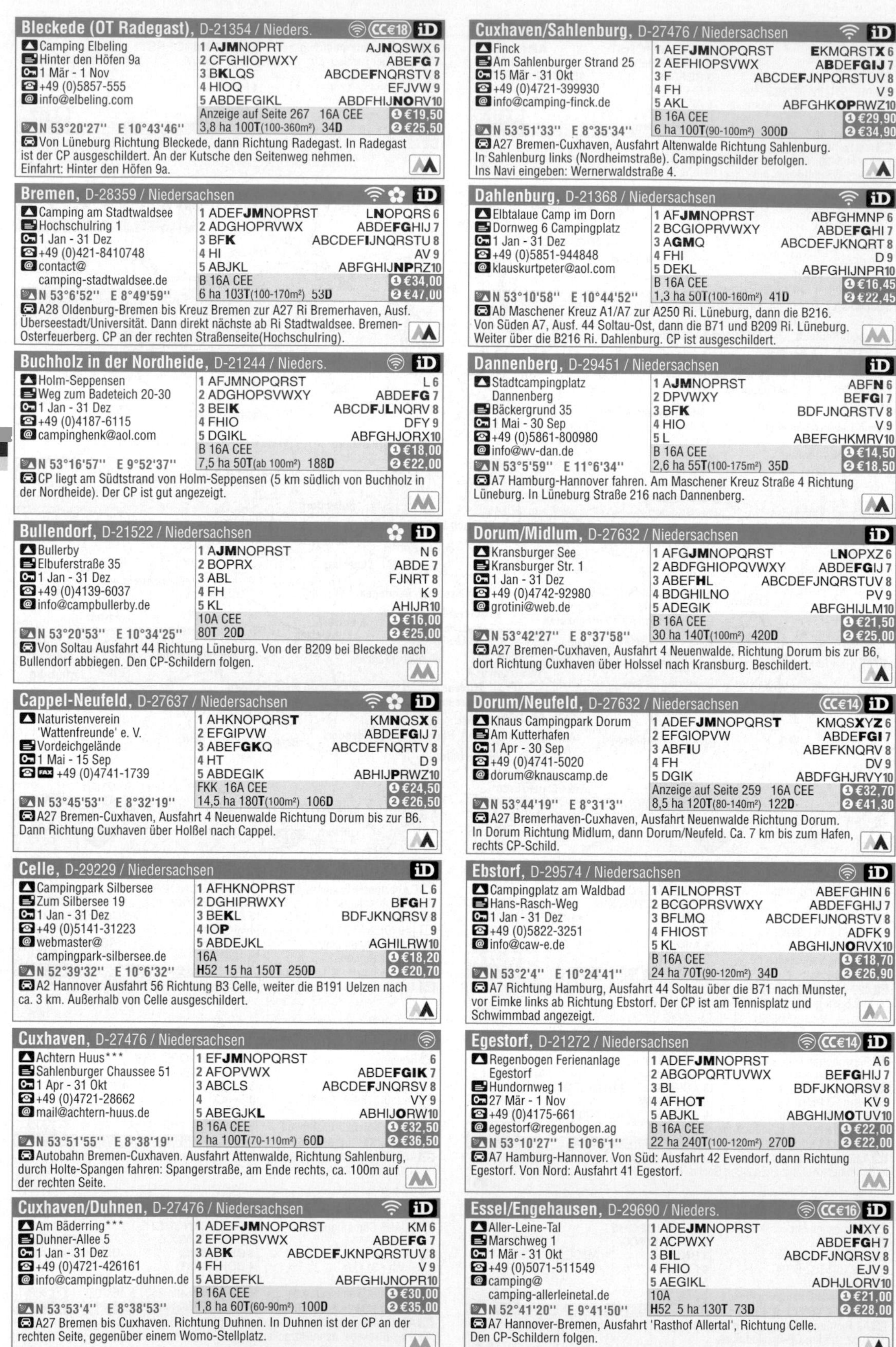

Bleckede (OT Radegast), D-21354 / Nieders. (CC€18) iD

Camping Elbeling
Hinter den Höfen 9a
1 Mär - 1 Nov
+49 (0)5857-555
info@elbeling.com
N 53°20'27'' E 10°43'46''

1 AJMNOPRT — AJNQSWX 6
2 CFGHIOPWXY — ABEFG 7
3 BKLQS — ABCDEFNQRSTV 8
4 HIOQ — EFJVW 9
5 ABDEFGIKL — ABDFHIJNORV10
Anzeige auf Seite 267 16A CEE — ❶ €19,50
3,8 ha 100T(100-360m²) 34D — ❷ €25,50

Von Lüneburg Richtung Bleckede, dann Richtung Radegast. In Radegast ist der CP ausgeschildert. An der Kutsche den Seitenweg nehmen. Einfahrt: Hinter den Höfen 9a.

Cuxhaven/Sahlenburg, D-27476 / Niedersachsen iD

Finck
Am Sahlenburger Strand 25
15 Mär - 31 Okt
+49 (0)4721-399930
info@camping-finck.de
N 53°51'33'' E 8°35'34''

1 AEFJMNOPQRST — EKMQRSTX 6
2 AEFHIOPSVWX — ABDEFGIJ 7
3 F — ABCDEFJNPQRSTUV 8
4 FH — V 9
5 AKL — ABFGHKOPRWZ10
B 16A CEE — ❶ €29,90
6 ha 100T(90-100m²) 300D — ❷ €34,90

A27 Bremen-Cuxhaven, Ausfahrt Altenwalde Richtung Sahlenburg. In Sahlenburg links (Nordheimstraße). Campingschilder befolgen. Ins Navi eingeben: Wernerwaldstraße 4.

Bremen, D-28359 / Niedersachsen iD

Camping am Stadtwaldsee
Hochschulring 1
1 Jan - 31 Dez
+49 (0)421-8410748
contact@camping-stadtwaldsee.de
N 53°6'52'' E 8°49'59''

1 ADEFJMNOPRST — LNOPQRS 6
2 ADGHOPRVWX — ABDEFGHIJ 7
3 BFK — ABCDEFIJNQRSTU 8
4 HI — AV 9
5 ABJKL — ABFGHIJNPRZ10
B 16A CEE — ❶ €34,00
6 ha 103T(100-170m²) 53D — ❷ €47,00

A28 Oldenburg-Bremen bis Kreuz Bremen zur A27 Ri Bremerhaven, Ausf. Überseestadt/Universität. Dann direkt nächste ab Ri Stadtwaldsee. Bremen-Osterfeuerberg. CP an der rechten Straßenseite(Hochschulring).

Dahlenburg, D-21368 / Niedersachsen iD

Elbtalaue Camp im Dorn
Dornweg 6 Campingplatz
1 Jan - 31 Dez
+49 (0)5851-944848
klauskurtpeter@aol.com
N 53°10'58'' E 10°44'52''

1 AFJMNOPRST — ABFGHMNP 6
2 BCGIOPRVWXY — ABDEFGHI 7
3 AGMQ — ABCDEFJKNQRT 8
4 FHI — D 9
5 DEKL — ABFGHIJNPR10
B 16A CEE — ❶ €16,45
1,3 ha 50T(100-160m²) 41D — ❷ €22,45

Ab Maschener Kreuz A1/A7 zur A250 Ri. Lüneburg, dann die B216. Von Süden A7, Ausf. 44 Soltau-Ost, dann die B71 und B209 Ri. Lüneburg. Weiter über die B216 Ri. Dahlenburg. CP ist ausgeschildert.

Buchholz in der Nordheide, D-21244 / Nieders. iD

Holm-Seppensen
Weg zum Badeteich 20-30
1 Jan - 31 Dez
+49 (0)4187-6115
campinghenk@aol.com
N 53°16'57'' E 9°52'37''

1 AFJMNOPQRST — L 6
2 ADGHOPSVWXY — ABDEFG 7
3 BEIK — ABCDFJLNQRV 8
4 FHIO — DFY 9
5 DGIKL — ABFGHJORX10
B 16A CEE — ❶ €18,00
7,5 ha 50T(ab 100m²) 188D — ❷ €22,00

CP liegt am Südtstrand von Holm-Seppensen (5 km südlich von Buchholz in der Nordheide). Der CP ist gut angezeigt.

Dannenberg, D-29451 / Niedersachsen iD

Stadtcampingplatz Dannenberg
Bäckergrund 35
1 Mai - 30 Sep
+49 (0)5861-800980
info@wv-dan.de
N 53°5'59'' E 11°6'34''

1 AJMNOPRST — ABFN 6
2 DPVWXY — BEFGI 7
3 BFK — BDFJNQRSTV 8
4 HIO — V 9
5 L — ABEFGHKMRV10
B 16A CEE — ❶ €14,50
2,6 ha 55T(100-175m²) 35D — ❷ €18,50

A7 Hamburg-Hannover fahren. Am Maschener Kreuz Straße 4 Richtung Lüneburg. In Lüneburg Straße 216 nach Dannenberg.

Bullendorf, D-21522 / Niedersachsen iD

Bullerby
Elbuferstraße 35
1 Jan - 31 Dez
+49 (0)4139-6037
info@campbullerby.de
N 53°20'53'' E 10°34'25''

1 AJMNOPRST — N 6
2 BOPRX — ABDE 7
3 ABL — FJNRT 8
4 FH — K 9
5 KL — AHIJR10
10A CEE — ❶ €16,00
80T 20D — ❷ €25,00

Von Soltau Ausfahrt 44 Richtung Lüneburg. Von der B209 bei Bleckede nach Bullendorf abbiegen. Den CP-Schildern folgen.

Dorum/Midlum, D-27632 / Niedersachsen iD

Kransburger See
Kransburger Str. 1
1 Jan - 31 Dez
+49 (0)4742-92980
grotini@web.de
N 53°42'27'' E 8°37'58''

1 AFGJMNOPQRST — LNOPXZ 6
2 ABDFGHIOPQVWXY — ABDEFGIJ 7
3 ABEFHL — ABCDEFJNQRSTUV 8
4 BDGHILNO — PV 9
5 ADEGIK — ABFGHIJLM10
B 16A CEE — ❶ €21,50
30 ha 140T(100m²) 420D — ❷ €25,00

A27 Bremen-Cuxhaven, Ausfahrt 4 Neuenwalde. Richtung Dorum bis zur B6, dort Richtung Cuxhaven über Holssel nach Kransburg. Beschildert.

Cappel-Neufeld, D-27637 / Niedersachsen iD

Naturistenverein 'Wattenfreunde' e. V.
Vordeichgelände
1 Mai - 15 Sep
FAX +49 (0)4741-1739
N 53°45'53'' E 8°32'19''

1 AHKNOPQRST — KMNQSX 6
2 EFGIPVW — ABDEFGIJ 7
3 ABEFGKQ — ABCDEFNQRTV 8
4 HT — D 9
5 ABDEGIK — ABHIJPRWZ10
FKK 16A CEE — ❶ €24,50
14,5 ha 180T(100m²) 106D — ❷ €26,50

A27 Bremen-Cuxhaven, Ausfahrt 4 Neuenwalde Richtung Dorum bis zur B6. Dann Richtung Cuxhaven über Holßel nach Cappel.

Dorum/Neufeld, D-27632 / Niedersachsen (CC€14) iD

Knaus Campingpark Dorum
Am Kutterhafen
1 Apr - 30 Sep
+49 (0)4741-5020
dorum@knauscamp.de
N 53°44'19'' E 8°31'3''

1 ADEFJMNOPQRST — KMQSXYZ 6
2 EFGIOPVW — ABDEFGI 7
3 ABFIU — ABEFKNQRV 8
4 FH — DV 9
5 DGIK — ABDFGHJRVY10
Anzeige auf Seite 259 16A CEE — ❶ €32,70
8,5 ha 120T(80-140m²) 122D — ❷ €41,30

A27 Bremerhaven-Cuxhaven, Ausfahrt Neuenwalde Richtung Dorum. In Dorum Richtung Midlum, dann Dorum/Neufeld. Ca. 7 km bis zum Hafen, rechts CP-Schild.

Celle, D-29229 / Niedersachsen iD

Campingpark Silbersee
Zum Silbersee 19
1 Jan - 31 Dez
+49 (0)5141-31223
webmaster@campingpark-silbersee.de
N 52°39'32'' E 10°6'32''

1 AFHKNOPRST — L 6
2 DGHIPRWXY — BFGH 7
3 BEKL — BDFJKNQRSV 8
4 IOP — 9
5 ABDEJKL — AGHILRW10
16A — ❶ €18,20
H52 15 ha 150T 250D — ❷ €20,70

A2 Hannover Ausfahrt 56 Richtung B3 Celle, weiter die B191 Uelzen nach ca. 3 km. Außerhalb von Celle ausgeschildert.

Ebstorf, D-29574 / Niedersachsen iD

Campingplatz am Waldbad
Hans-Rasch-Weg
1 Jan - 31 Dez
+49 (0)5822-3251
info@caw-e.de
N 53°2'4'' E 10°24'41''

1 AFILNOPRST — ABEFGHIN 6
2 BCGOPRSVWXY — ABDEFGHIJ 7
3 BFLMQ — ABCDEFIJNQRSTV 8
4 FHIOST — ADFK 9
5 KL — ABGHIJNORVX10
B 16A CEE — ❶ €18,70
24 ha 70T(90-120m²) 34D — ❷ €26,90

A7 Richtung Hamburg, Ausfahrt 44 Soltau über die B71 nach Munster, vor Eimke links ab Richtung Ebstorf. Der CP ist am Tennisplatz und Schwimmbad angezeigt.

Cuxhaven, D-27476 / Niedersachsen

Achtern Huus***
Sahlenburger Chaussee 51
1 Apr - 31 Okt
+49 (0)4721-28662
mail@achtern-huus.de
N 53°51'55'' E 8°38'19''

1 EFJMNOPQRST — 6
2 AFOPVWX — ABDEFGIK 7
3 ABCLS — ABCDEFJNQRSV 8
4 — VY 9
5 ABEGJKL — ABHIJORW10
B 16A CEE — ❶ €32,50
2 ha 100T(70-110m²) 60D — ❷ €36,50

Autobahn Bremen-Cuxhaven. Ausfahrt Attenwalde, Richtung Sahlenburg, durch Holte-Spangen fahren: Spangerstraße, am Ende rechts, ca. 100m auf der rechten Seite.

Egestorf, D-21272 / Niedersachsen (CC€14) iD

Regenbogen Ferienanlage Egestorf
Hundornweg 1
27 Mär - 1 Nov
+49 (0)4175-661
egestorf@regenbogen.ag
N 53°10'27'' E 10°6'1''

1 ADEFJMNOPRST — A 6
2 ABGOPQRTUVWX — BEFGHIJ 7
3 BL — BDFJKNQRSV 8
4 AFHOT — KV 9
5 ABJKL — ABGHIJMOTUV10
B 16A CEE — ❶ €22,00
22 ha 240T(100-120m²) 270D — ❷ €22,00

A7 Hamburg-Hannover. Von Süd: Ausfahrt 42 Evendorf, dann Richtung Egestorf. Von Nord: Ausfahrt 41 Egestorf.

Cuxhaven/Duhnen, D-27476 / Niedersachsen iD

Am Bäderring***
Duhner-Allee 5
1 Jan - 31 Dez
+49 (0)4721-426161
info@campingplatz-duhnen.de
N 53°53'4'' E 8°38'53''

1 ADEFJMNOPQRST — KM 6
2 EFOPRSVWX — ABDEFG 7
3 ABK — ABCDEFJKNPQRSTUV 8
4 FH — V 9
5 ABDEFKL — ABFGHIJNOPR10
B 16A CEE — ❶ €30,00
1,8 ha 60T(60-90m²) 100D — ❷ €35,00

A27 Bremen bis Cuxhaven. Richtung Duhnen. In Duhnen ist der CP an der rechten Seite, gegenüber einem Womo-Stellplatz.

Essel/Engehausen, D-29690 / Nieders. (CC€16) iD

Aller-Leine-Tal
Marschweg 1
1 Mär - 31 Okt
+49 (0)5071-511549
camping@camping-allerleinetal.de
N 52°41'20'' E 9°41'50''

1 ADEJMNOPRST — JNXY 6
2 ACPWXY — ABDEFGH 7
3 BIL — ABCDFJNQRSV 8
4 FHIO — EJV 9
5 AEGIKL — ADHJLORV10
10A — ❶ €21,00
H52 5 ha 130T 73D — ❷ €28,00

A7 Hannover-Bremen, Ausfahrt 'Rasthof Allertal', Richtung Celle. Den CP-Schildern folgen.

Deutschland

Teilkarte Lüneburg auf Seite 265

Frankenfeld, D-27336 / Niedersachsen

Camping Rittergut Frankenfeld	1 AFJMNOPQRST	JNUWXYZ 6
Dorfstraße 1	2 CFGPRWXY	ABFG 7
1 Jan - 31 Dez	3 AKL	ABCDEFJNQRV 8
+49 (0)5165-3933	4 H	D 9
j-h-f-campingplaetze@web.de	5 AKL	ABCGHJNRW 10
	16A CEE	❶ €16,30
N 52°46'13'' E 9°25'38''	2 ha 40T 102D	❷ €24,30

Von der B209 Soltau-Nienburg in Rethem Richtung Schwarmstedt/Frankenfeld abbiegen. In Frankenfeld ausgeschildert.

Camping Elbeling

Prächtiger, gepflegter und komfortabler Campingplatz. Gleich an der Elbe mit großen Plätzen. Unser Camping liegt am Rande des prächtigen von der Unesco anerkannten Biosphärenreservats.

Einmalige Umgebung für Naturliebhaber, Vogelkundler und Angler! Vorallem viele Wander- und Radangebote. Mit einem kleinen Spielplatz, Schwimmbad und Tischtennisplatte. Auch gut geeignet für Familien mit (kleinen) Kindern. Der Campingplatz hat niederländische Inhaber und wurde 2012 großteils renoviert.

Hinter den Höfen 9a, 21354 Bleckede (OT Radegast)
Tel. 05857-555 • E-Mail: info@elbeling.com
Internet: www.elbeling.com

Garlstorf, D-21376 / Niedersachsen

CC€14

Freizeit-Camp-Nordheide e.V.	1 AFJMNOPRST	FN 6
Egestorfer Landstraße 50	2 ABPRWXY	BDEFGHIJ 7
1 Jan - 31 Dez	3 ABEL	ABCDEFJKNQRUV 8
+49 (0)4172-7556	4 FHIO	D 9
camping-garlstorf@t-online.de	5 KL	AGHJNPRV 10
	B 16A	❶ €16,60
N 53°13'30'' E 10°5'16''	H72 6 ha 250T(80-140m²) 152D	❷ €20,60

A7 Ausfahrt 40 Garlstorf, dann Hansteder-Landstraße Richtung Garlstorf. CP Richtung Egerstorf angezeigt.

Gartow, D-29471 / Niedersachsen

Campingpark Gartow	1 AEFJMNOPRST	EHINX 6
Am Helk 3	2 OPVWXY	ABDEFGHIJ 7
1 Jan - 31 Dez	3 BDEFILMNR	ABCDEFGJNQRSTU 8
+49 (0)5846-979060	4 ABEHIST	DKY 9
campingpark@gartow.de	5 ABDEIKL	ABEGHJLMNRVX 10
	B 10A CEE	❶ €20,20
N 53°1'35'' E 11°26'33''	14 ha 150T(100-120m²) 154D	❷ €25,20

A7 Hannover-Hamburg. In Soltau Straße 209 nach Lüneburg. Ab Lüneburg Straße 216 bis Dannenberg. Dann Ri. Gusborn-Gartow.

Hemmoor, D-21745 / Niedersachsen

Tauchbasis Kreidesee	1 AJMNOPQRST	LNOP 6
Cuxhavener Str. 1	2 DGPRWX	ABFGI 7
1 Jan - 31 Dez	3 ABF	ABCDEFJNQRSUV 8
+49 (0)4771-7921	4 R	DIJSTVY 9
subcon@t-online.de	5 ABCDEKL	AGHJMNRVW 10
	B 16A CEE	❶ €15,50
N 53°42'3'' E 9°7'38''	8 ha 74T(50-100m²) 75D	❷ €21,50

A1 Hamburg - Bremen, Ausfahrt 49 Bockel. B71 Zeven Richtung Bremervörde. Dort Richtung Cuxhaven/Wischhafen. B7/B74 bis Hemmoor. Am Ortsausgang nach ± 200m links ab.

Gartow/Laasche, D-29471 / Niedersachsen

Laascher See	1 AJMNOPRST	JLNOPQSXYZ 6
OT Laasche 13	2 CDGOPRSVWXY	BEFG 7
1 Jan - 31 Dez	3 BGILQ	BDFJNQRT 8
+49 (0)5846-980093	4 EFHIO	DV 9
pewsdorf@	5 ABGKL	ABFHIJOR 10
campingplatz-laascher-see.de	B 6A CEE	❶ €16,90
N 53°2'24'' E 11°24'57''	3 ha 120T(70-150m²) 69D	❷ €20,70

A7, Ausf. 44 Soltau-Ost, dann die B71 Ri. Munster weiter Uelzen. Dann B493 Ri.Lüchow. In Lüchow die K2 Ri. Gorleben. Dort rechts L256 Ri. Gatow. Von Osten: Ab Wittenberge B195. Direkt hinter Dörmitz über die Elbe. Ri. Gorleben. CP ist ausgeschildert.

Hermannsburg/Oldendorf, D-29320 / Niedersachsen

Am Örtzetal - Oldendorf	1 AFILNOPRST	JLNUXZ 6
Dicksbarg 46	2 BCDGPQWXY	BDFGH 7
1 Jan - 31 Dez	3 BE	ABEFJNRV 8
+49 (0)5052-3072-1555	4 I	JQV 9
	5 DIL	AHJMR 10
	16A CEE	❶ €15,50
N 52°48'9'' E 10°6'8''	6 ha 100T 81D	❷ €19,50

In Celle die B191 Richtung Uelzen. In Eschede links nach Oldendorf, oder ab Bergen nach Beckedorf und rechts nach Oldendorf abbiegen.

Gnarrenburg, D-27442 / Niedersachsen

Am Eichholz	1 AJMNOPQRST	AFH 6
Hermann-Lamprecht-Str. 69	2 PWX	ABDEFI 7
1 Apr - 15 Okt	3 AK	ABEFNQRV 8
+49 (0)4763-1056	4 FHI	9
butt.camping@t-online.de	5 K	AJR 10
	10-16A	❶ €18,50
N 53°23'31'' E 9°0'35''	4 ha 50T(120m²) 30D	❷ €23,50

In Gnarrenburg der Beschilderung Schwimmbad folgen. CP liegt neben dem Gemeindeschwimmbad.

Hösseringen/Suderburg, D-29556 / Nieders.

CC€16

Am Hardausee*****	1 AEFJMNOPQRST	LN 6
Am Campingplatz 1	2 DGHOPVWXY	BEFGI 7
1 Mär - 31 Okt	3 ABL	BDFJKNQRSTUV 8
+49 (0)5826-7676	4 AEFGH	ETV 9
info@camping-hardausee.de	5 ABDEIKL	ABDEFGHIJ NPRV 10
	B 16A CEE	❶ €22,00
N 52°52'11'' E 10°25'22''	H80 10 ha 100T(90-100m²) 353D	❷ €28,00

Die B191 Celle-Uelzen, Ausfahrt Suderburg. In Suderburg rechts Richtung Hösseringen/Räber zum Hardausee.

Guderhandviertel, D-21720 / Niedersachsen

Nesshof	1 AEFJMNOPQRST	N 6
Nessstr. 32	2 ACOPWXY	ABFG 7
1 Jan - 31 Dez	3	ABEFJNQRV 8
+49 (0)4142-810395	4 H	D 9
camping@nesshof.de	5 ABDGKL	ABFHIJLMNORW 10
	16A CEE	❶ €17,50
N 53°32'34'' E 9°36'43''	2,5 ha 90T(100-160m²) 33D	❷ €22,50

A26 Ausfahrt Dollern, danach Richtung Altes Land/Steinkirchen. Nach 3 km auf der L125 in Guderhandviertel rechts in der Neßstraße ist CP angezeigt.

Krautsand, D-21706 / Niedersachsen

Campingplatz Krautsand	1 AEJMNOPQRST	JMNQSWXYZ 6
Elbinsel Krautsand 58	2 CFHOPRSVWX	ABFGIJ 7
1 Apr - 31 Okt	3 L	ABCDEFJNPQRSTV 8
+49 (0)4143-1494	4 HI	9
info@	5 AGKL	ABCFHIJMNORVWX 10
campingplatz-krautsand.de	16A CEE	❶ €25,00
N 53°45'4'' E 9°23'10''	3 ha 50T(90-110m²) 90D	❷ €31,00

A26 und B73 Ri. Cuxhaven. Hinter Agathenburg re. Beschilderung Elbfähre Wischhafen-Glückstadt folgen. Dann L111 Ri. Drochtersen. Ortsmitte re. nach Krautsand. Direkt in Krautsand CP re. Der Beschilderung und nicht dem Navi folgen.

Hechthausen/Klint, D-21755 / Niedersachsen

Ferienpark Geesthof***	1 ADEFJMNOPQRST	ABEFGINOXYZ 6
Am Ferienpark 1	2 BCGHPVWXY	ABEFGIJ 7
1 Jan - 31 Dez	3 ABEFGHLRV	ABCDEFGJNRS 8
+49 (0)4774-512	4 BFGHOTUVX	EGJNRVWY 9
info@geesthof.de	5 ABDEJKL	ABFGHIJMNORVX 10
	16A CEE	❶ €22,50
N 53°37'33'' E 9°12'10''	5,5 ha 80T(100-150m²) 99D	❷ €30,50

Cuxhaven-Stade. Durchfahren bis Hechthausen. Dann der Campingbeschilderung folgen.

Langwedel/Hagen-Grinden, D-27299 / Niedersachsen

Campingplatz Drosselhof	1 AEFJMNOPQRST	FJNXZ 6
Ziegeleiweg 35	2 ACFGOPSVWXY	ABDFGI 7
1 Jan - 31 Dez	3 BEGHLR	ABCDEFJNQRT 8
+49 (0)4235-758	4 EFHIN	ADNQVW 9
drosselhof1@aol.com	5 ABEGJKL	ABFHJLRVWX 10
	10A CEE	❶ €20,20
N 52°58'28'' E 9°6'24''	H71 5 ha 80T(150m²) 168D	❷ €30,20

Von der L158 Achim-Langwedel-Verden in Etelsen Richtung Hagen-Grinden. CP ist dort angezeigt.

Heidenau, D-21258 / Niedersachsen

CC€16

Ferienzentrum Heidenau****	1 AEFHKNOPQRST	ABFGN 6
Zum Ferienzentrum	2 ABDGPWXY	ABDEFGI 7
1 Jan - 31 Dez	3 ABEFHILMNQT	ABCDEFJNQRSTUV 8
+49 (0)4182-4272	4 BCFGHIOQTXY	EVY 9
info@	5 ABEGJL	ADGHJLORV 10
ferienzentrum-heidenau.de	B 16A CEE	❶ €24,50
N 53°18'31'' E 9°37'14''	70 ha 87T 637D	❷ €30,50

Autobahn A1 Bremen-Hamburg, Ausfahrt 46 Richtung Heidenau. In Heidenau den Schildern folgen.

Lauenbrück, D-27389 / Niedersachsen

Campingplatz Alte Löweninsel	1 AJMNOPQRST	ABNXZ 6
Schmiedeberg 1	2 CPWXY	ABFH 7
1 Apr - 30 Sep	3 AL	ABEFJNQRTV 8
+49 (0)4267-8238	4 FHIO	PQR 9
hanscord@bothmer.com	5 L	AHJLOR 10
	B 16A	❶ €22,50
N 53°12'9'' E 9°32'51''	1,5 ha 46T 4D	❷ €26,50

B75 Rosenburg-Hamburg, Ausfahrt Lauenbrück. Den CP-Schildern folgen.

Deutschland

Teilkarte Lüneburg auf Seite 265

Lüneburg, D-21335 / Niedersachsen

Rote Schleuse	1 ADF**JM**NOPRS**T**	JL**N**XYZ 6
Rote Schleuse 4	2 ACDGHIJOPQRWXY	ABDE**FG**IJ 7
1 Jan - 31 Dez	3 BE**GHK**L	BD**F**JNQRSV 8
+49 (0)4131-791500	4 FHIO**Z**	EGQV 9
camproteschleuse@aol.com	5 EFJKL	ABGHIJORV 10
	B 16A CEE	❶ €24,50
N 53°12'35'' E 10°24'40''	2 ha 90**T** 31**D**	❷ €32,40

An der B4, der Salzstraße Richtung Uelzen-Braunschweig am südlichen Ende des Ostrings (Richtung Zentrum). Ausgeschildert.

Müden/Örtze (Gem. Faßberg), D-29328 / Nieders. CC€14

Sonnenberg	1 AF**JM**NOPRST	6
Sonnenberg 3	2 BPUWXY	ABDE**FG** 7
1 Apr - 31 Okt	3 ABEV	ABCDEFJNRV 8
+49 (0)5053-987174	4 FHIO	ADFIW 9
info@campingsonnenberg.com	5 AIKL	ADGHIJNORVZ 10
	16A	❶ €21,50
N 52°53'16'' E 10°5'58''	5 ha 100**T**(150-350m²) 57**D**	❷ €26,50

A7 Hannover-Hamburg, Ausfahrt Soltau-Ost, dann die B71 nach Munster. Hinter Munster Ausfahrt Celle. In Müden den CP-Schildern folgen.

Munster/Kreutzen, D-29633 / Niedersachsen

Zum Örtzewinkel****	1 ADF**JM**NOPRST	J**N** 6
Kreutzen 22	2 COPVX	BE**FG**I 7
1 Jan - 31 Dez	3 BE**GHK**L	BDFJNQRSTUV 8
+49 (0)5055-5549	4 EFGHIO	ADFVWY 9
info@oertzewinkel.de	5 ABEJKL	ABEGHKL**NO**RV 10
	B 16A CEE	❶ €22,50
N 52°55'7'' E 10°7'40''	H65 8 ha 72**T**(100-120m²) 117**D**	❷ €27,60

A7/E45 Hannover-Hamburg. Ausfahrt Soltau Ost. Via B71 an Munster vorbei, dann Richtung Celle und der Beschilderung folgen.

Nordholz, D-27637 / Niedersachsen

Camp.- und Wochenendplatz Beckmann GmbH	1 AJMNOPQRST	AF 6
Wanhödenerstraße 28	2 ABGPVWXY	AB**FG**HIJ 7
1 Jan - 31 Dez	3 ABDLS	ABEFIJNRTV 8
+49 (0)4741-8588	4 HI	9
nordholz-camping@t-online.de	5 ABDEL	ABHJ**OP**RVW 10
	16A CEE	❶ €18,00
N 53°45'11'' E 8°38'22''	190**T**(80-160m²) 130**D**	❷ €24,00

A27 Ausfahrt Nordholz, nach etwa 1800m liegt der CP an der linken Seite.

Oberohe/Faßberg, D-29328 / Niedersachsen

Heidesee	1 ADE**IL**NOPRST	AFHL**N**OX 6
Oberohe 25	2 DGHPQUWXY	BE**FG** 7
1 Jan - 31 Dez	3 BCEF**KLP**S	BDFJ**LM**NQRSV 8
+49 (0)5827-970546	4 BCDFHKLO**PQT**	IJUVWY 9
info@campingheidesee.com	5 CDEJKL	ABGHIKL**NP**RV 10
	FKK B 16A CEE	❶ €21,00
N 52°52'34'' E 10°13'35''	19,5 ha 467**T** 235**D**	❷ €27,00

A7 Hannover-Hamburg, Ausfahrt 44 Soltau-Ost, über die B71 nach Munster, Ausfahrt Müden/Faßberg, Richtung Unterlüß.

Otterndorf/Müggendorf, D-21762 / Niedersachsen

See Achtern Diek	1 EF**JM**NOPQRS**T**	KLM**N**QRUVXZ 6
Am Campingplatz 3	2 DEFGIPVWX	ABDE**FG**HIJK 7
1 Apr - 31 Okt	3 ABCEFI**LSU**	ABCDEFJKNOPQRSTUV 8
+49 (0)4751-2933	4 BHIO**PQ**	LMQTUVWY 9
campingplatz.otterndorf@ewetel.net	5 ABDEIL	ABGHIJM**N**RVZ 10
	B 16A CEE	❶ €27,00
N 53°49'31'' E 8°52'34''	17 ha 200**T**(70-240m²) 350**D**	❷ €32,60

B73 Stade-Cuxhaven. Ausfahrt Otterndorf. CP ist gut ausgeschildert. Folgen Sie die Beschilderung 'Ferienanlagen/Müggendorf'.

Oyten, D-28876 / Niedersachsen CC€16

Knaus Campingpark Oyten	1 ADEF**JM**NOPQRST	L**N**SX 6
Oyter See 1	2 ADGHIOPVWXY	ABDE**FG** 7
27 Mär - 2 Nov	3 AB**IK**L	ABCDEFJKNQRSV 8
+49 (0)4207-2878	4 HK	9
oyten@knauscamp.de	5 DKL	ABDHJPRV 10
	Anzeige auf Seite 259 16A CEE	❶ €27,00
N 53°2'47'' E 9°0'24''	3 ha 45**T**(100m²) 170**D**	❷ €34,00

A1 Bremen-Hamburg, Ausfahrt 52 Richtung Oyten. Am Lidl links ab, durch Oyten, dann Richtung Oyter See und den CP Schildern folgen.

Radenbeck/Thomasburg, D-21401 / Nieders.

Heidehof Radenbeck	1 AF**JM**NOPR**T**	L 6
Am Mausethal 6	2 CDGIOPVWXY	B**FG** 7
1 Mär - 8 Nov	3 B	BDFJNQRSTV 8
+49 (0)5859-970830	4	9
info@schoener-campen.de	5 ABEIKL	ABHJOR 10
	16A CEE	❶ €18,50
N 53°13'16'' E 10°37'28''	1,2 ha 52**T** 30**D**	❷ €23,50

Von Lüneburg B216 nach Dannenberg, Ausfahrt Radebeck, Ortsteil Thomasburg den CP Schildern folgen.

Schneverdingen/Heber, D-29640 / Niedersachsen

Camping-Park Lüneburger Heide****	1 EF**JM**NOPQRST	LM 6
Badeweg 3	2 ACDGHOPRSVWX	AB**C**DE**FG**IK 7
15/3 - 8/11, 20/12 - 11/1	3 ABEF**GH**LQS	ABCDEFIJKNQRSTUV 8
+49 (0)5199-275	4 **A**B**E**FHKO**XZ**	DFJKLVYZ 9
info@camping-LH.de	5 ABEGJKL	ABFGHJM**P**RVX 10
	B 16A CEE	❶ €29,00
N 53°4'15'' E 9°51'55''	H80 6,2 ha 130**T**(100-170m²) 92**D**	❷ €39,00

A7 Hannover-Hamburg, Ausfahrt Bispingen Richtung Behringen (2 km). Dann Richtung Schneverdingen bis Heber, gut ausgeschildert.

Soltau, D-29614 / Niedersachsen

Röders' Park-Premium Camping	1 ADEF**IL**NOPQRST	6
Ebsmoor 8	2 ACPVWXY	ABDE**FG**HI 7
1 Jan - 31 Dez	3 B**K**L	ABCDEFGHJ**L**NPQRSTUV 8
+49 (0)5191-2141	4 FH	VZ 9
info@roeders-park.de	5 ABEJKL	ABCFGHJNPR 10
	B 6-16A CEE	❶ €32,00
N 53°0'2'' E 9°50'15''	H50 2,5 ha 90**T**(80-120m²) 20**D**	❷ €40,00

Ab Soltau über die B3 Ri. Hamburg. Von Norden die Ausfahrt Bispingen nehmen. In Behringen Ri. Soltau. Von Süden die Ausfahrt Soltau-Ost oder Süd. Auf der B3 Ri. Soltau. Der CP liegt am Rande von Soltau.

Soltau/Harber, D-29614 / Niedersachsen

Camp am Mühlenbach	1 ADEF**JM**NOPQRST	L**N** 6
Wietzendorferstr. 2	2 ACDGHIOPWXY	ABDE**FGIJ** 7
1 Jan - 31 Dez	3 ABEF**KL**	ABCDEFJKNQRSTV 8
+49 (0)5191-14912	4 FH	JV 9
info@camping-muehlenbach.de	5 ABKL	ABGHJLMRW 10
	B 16A CEE	❶ €18,20
N 52°59'12'' E 9°54'37''	H59 10 ha 140**T**(100-120m²) 243**D**	❷ €24,20

A7 Hannover-Hamburg, Ausfahrt 44 Soltau-Ost. Über die B71 in Richtung Soltau, dann links in Richtung Wietzendorf.

Soltau/Wolterdingen, D-29614 / Niedersachsen

Campingplatz Auf dem Simpel****	1 ADEF**JM**NOPQRS**T**	ABF 6
Am Wildpark	2 ABGPQRSVWX	ABDE**FGI** 7
1 Jan - 31 Dez	3 BEF**KL**	ABCDE**F**JNQRSTUV 8
+49 (0)5191-3651	4 FHIO**Q**	EFGJVWY 9
info@auf-dem-simpel.de	5 ACEGJKL	ABEFGHJ**L**PRX 10
	B 10A CEE	❶ €27,20
N 53°1'32'' E 9°51'35''	H78 9 ha 110**T**(85-150m²) 127**D**	❷ €35,20

A7 Hamburg-Hannover, Ausfahrt Soltau-Ost. Den Schildern folgen Heide-Park. Am Heide-Park vorbei, nach 800m links. CP liegt zwischen Heidepark und der B3.

Sottrum/Everinghausen, D-27367 / Nieders. CC€16

Camping-Paradies "Grüner Jäger"	1 ADEJMNOPQRST	AF**N** 6
Everinghauser Dorfstraße 17	2 ACGPVWX	AB**FGIK** 7
1 Jan - 31 Dez	3 BL	ABCDE**F**IJNQRST 8
+49 (0)4205-319113	4 HK**T**	9
info@camping-paradies.de	5 ABEGJKL	AGHK**P**RV 10
	Anzeige auf dieser Seite B 16A CEE	❶ €24,50
N 53°5'0'' E 9°10'37''	H70 2,8 ha 50**T**(60-120m²) 49**D**	❷ €33,50

A1 Bremen-Hamburg, Ausfahrt 50 Stuckenborstel, Richtung Rotenburg, nach 300m bei den Ampeln rechts abbiegen nach Everinghausen und nach Everinghausen fahren. Nach 4 km der 1. CP links.

Nur bei Angabe dieses Logos CC wird die CampingCard ACSI akzeptiert.

Siehe auch die Gebrauchsanweisung hinten in diesem Führer

Teilkarte Lüneburg auf Seite 265

Sottrum/Everinghausen, D-27367 / Niedersachsen

Eikhöfe
Everinghauser Dorfstraße 18
1 Jan - 31 Dez
+49 (0)4205-430
N 53°4'59'' E 9°10'33''

1 AJMNOPQRST	**N** 6
2 ACPWX	AB 7
3	ABCDEFJNQRV 8
4 HI	9
5 AGKL	AHKLR 10
6-16A	❶ €18,80
3 ha 50**T** 100**D**	❷ €23,10

A1 Bremen-Hamburg, Ausfahrt 50 Sottrum. Richtung Rotenburg. Nach 300m an der Ampel rechts Richtung Everinghausen. Nach 4 km ist es der 2. CP rechts.

Stove/Hamburg, D-21423 / Nieders.

Campingplatz Stover Strand International*****
Stover Strand 10
1 Jan - 31 Dez
+49 (0)4177-430
info@stover-strand.de
N 53°25'29'' E 10°17'44''

1 ADE**IL**NOPQRS**T**	JNQSW**XY** 6
2 ACDGHIOPSVX	BE**FG**HIJK 7
3 BEF**IL**PQV	BDFIJKNQRSTUV 8
4 **A**BCD**E**FHIO	ADEFJKLNQVWYZ 9
5 ACDEJK**LM**	ABDFGHIJLM**N**ORVX 10
Anzeige auf dieser Seite B 16A CEE	❶ €22,00
30 ha 130**T** 392**D**	❷ €24,00

A7 Hannover-Hamburg, Ausf. 1 Maschener Kreuz Richtung Winsen/Lüneburg. A39, dann Ausf. B404 Richtung Geesthacht. Ausfahrt in Rönne Ri Stove. Die Straße Stover Strand bis zum Ende durchfahren. 3. Cp am Zugangsweg.

Sottrum/Hassendorf, D-27367 / Niedersachsen

Campingpark Stürberg
zum Steingrund
1 Apr - 31 Okt
+49 (0)4264-9124
Campingpark-Stuerberg@gmx.de
N 53°7'13'' E 9°16'40''

1 AF**JM**NOPQRST	L 6
2 ADGHOPVWXY	ABDE**FG** 7
3 ADE**K**L	ABCDE**F**JNQRSV 8
4 HI	V 9
5 ABKL	AGHJPRVW 10
B 16A CEE	❶ €19,50
2 ha 40**T**(100-120m²) 30**D**	❷ €25,50

A1 Bremen-Hamburg, Ausfahrt 50 Stuckenborstel, die B75 Richtung Rotenburg. Hinter dem Ortsschild Hassendorf, erster CP links.

Tarmstedt, D-27412 / Niedersachsen

Wochenendpark Rethbergsee
Wörpeweg 51
1 Jan - 31 Dez
+49 (0)4283-422
camping-rethbergsee@t-online.de
N 53°12'56'' E 9°5'33''

1 AF**JM**NOPQRST	**LN** 6
2 DGHPVWXY	ABDE**FGH** 7
3 BDEFS	ABCDEFJKNPQRSTUV 8
4 FHIJKO**PQRTV**	JPTV 9
5 ABDK**L**	ABGHJNR 10
16A CEE	❶ €20,00
15 ha 30**T**(120m²) 272**D**	❷ €29,00

Von Zeven aus nach Tarmstedt. Am Ortseingang von Tarmstedt südwärts. Dann noch 1 km bis zum CP.

Spaden, D-27619 / Niedersachsen

Campingplatz Spadener See****
Seeweg 2
1 Jan - 31 Dez
+49 (0)471-3083645
+49 (0)471-802045
N 53°34'30'' E 8°38'48''

1 AF**JM**NOPQRST	**L**NQR 6
2 ADGHIOPVWXY	ABDE**FG**HI 7
3 ABFL	ABCDEFJKNQRTUV 8
4 FHI	M 9
5 ABDEGHIJK	AGHIJLMRVW 10
16A CEE	❶ €21,00
1,6 ha 100**T**(120-180m²) 210**D**	❷ €26,00

A27 Bremerhaven-Cuxhaven, Ausfahrt B-Überseehäfen/Spaden, danach folgen Sie den CP-Schildern.

Uelzen, D-29525 / Niedersachsen

Uhlenköper-Camp
Festplatzweg 11
1 Jan - 31 Dez
+49 (0)581-73044
info@uhlenkoeper-camp.de
N 53°0'0'' E 10°30'56''

1 ADEF**JM**NOPQRST	AUV 6
2 GOPRVWXY	BE**FG**I 7
3 BEL**MN**QRSV	BDFIJKNQRSTU 8
4 ABFHIK	AEKLQRVWY 9
5 ACDEKL	ABEFGHJLM**NO**RV 10
B 16A CEE	❶ €24,80
H57 3,2 ha 85**T**(90-120m²) 32**D**	❷ €31,80

Die B4 Uelzen-Lüneburg Richtung Kirchweyhe.

Stove/Hamburg, D-21423 / Niedersachsen

Camping-Land an der Elbe
Stover Strand 7
1 Apr - 31 Okt
+49 (0)4176-327
info@camping-land-online.de
N 53°25'45'' E 10°18'9''

1 AF**JM**NOPQR**T**	JMNQSWXY 6
2 ACFGHIOPRSWXY	ABDEFGHIJ 7
3 AFILS	ABCD**F**GJKNPQRSTUV 8
4 FHI	QRV 9
5 ABK**LM**	ABGHIJM**P**RY 10
B 16A CEE	❶ €23,00
72**T** 120**D**	❷ €32,00

Von der A7 zur A250, in Handorf zur B404 hinter der Elbebrücke in Ronne. Von der B404 Richtung Stove.

Wietzendorf, D-29649 / Niedersachsen

Südsee-Camp*****
Südsee-Camp 1
1 Jan - 31 Dez
+49 (0)5196-980116
info@suedsee-camp.de
N 52°55'53'' E 9°57'56''

1 ADE**JM**NOPQRST	**EFG**HILM 6
2 ABDGHPSVWXY	ABDE**FGHIJ** 7
3 BEF**GHIKLMRS**V	ABCDE**F**IJKLNQRSTUV 8
4 **A**BCDEFHINO**PRSTX**	DEJQUVWY 9
5 ACDEIJK**LM**	ABEFGHIJLM**NO**RVXY 10
Anzeige auf dieser Seite B 4-10A CEE	❶ €35,70
H50 80 ha 508**T**(80-135m²) 639**D**	❷ €43,10

A7 Hamburg-Hannover, Ausfahrt 45 Soltau Süd, dann die B3 Richtung Bergen. Ab Abfahrt Bockel den Schildern 'Südsee Camp' folgen.

Deutschland

Wingst/Land Hadeln, D-21789 / Nieders. (CC€18) iD

Knaus Campingpark Wingst****	1 ADEFJMNOPQRST	AEFGHIN 6
Schwimmbadallee 13	2 BDGHLOPTUVWXY	ABDEFGHI 7
27 Mär - 2 Nov	3 ABEFILV	ABCDEFJNQRSTV 8
+49 (0)4778-7604	4 BFGHIKLO	9
wingst@knauscamp.de	5 ABEGIJKL	ABDFGHJOPRVX10
	Anzeige auf Seite 259 B 16A CEE	❶ €32,40
N 53°45'9'' E 9°5'0''	9 ha 259T(100m²) 70D	❷ €37,70

B73 Cuxhaven-Stade, Ausfahrt Wingst, Schwimmbad.

Winsen (Aller), D-29308 / Niedersachsen (CC€16) iD

Campingplatz Winsen (Aller)	1 AEFJMNOPQRST	JNXYZ 6
Auf der Hude 1	2 CFGHOPWXY	ABDEFG 7
1 Jan - 31 Dez	3 BEKL	ABCDEFJNQRSV 8
+49 (0)5143-93199	4 FHO	QR 9
info@campingplatz-winsen.de	5 ABEIKL	ABFGHJLPRV10
	16A	❶ €24,50
N 52°40'36'' E 9°54'5''	12 ha 150T 80D	❷ €32,50

A7 Hannover-Bremen, Ausfahrt Allertal (Tankstelle) Richtung Celle. In Winsen wird der CP angezeigt (rechts ab). CP liegt im Zentrum von Winsen.

Winsen (Aller), D-29308 / Niedersachsen (CC€14) iD

Campingpark Hüttensee	1 ADEFJMNOPQRST	LMNQSXYZ 6
Hüttenseepark 1	2 DHPW	ABFG 7
1 Jan - 31 Dez	3 BEFIKL	ABCDEFJKNQRSV 8
+49 (0)5056-941880	4 FHO	ADETY 9
info@campingpark-huettensee.de	5 ABEJKL	ABGHIJLMPR10
	B 16A CEE	❶ €26,00
N 52°43'11'' E 9°49'30''	18 ha 100T 359D	❷ €26,00

A7 Hamburg-Hannover, Ausfahrt 49 (Westenholz) Richtung Winsen. CP ist bei Meißendorf, 7 km vor Winsen. In Meißendorf der Beschilderung 'Hüttenseepark' folgen.

Wremen, D-27638 / Niedersachsen iD

Wremer Tief	1 AEFJMNOPQRST	FGHKMNQSXYZ 6
Am Kutterhafen	2 EFGIPSW	ABDEFG 7
15 Apr - 15 Sep	3 ABEFMQ	ABEFJNQRV 8
+49 (0)4705-810556	4 AEH	9
info@camping-wremer-tief.de	5 ABDEKL	ABFGHJR10
	6-16A CEE	❶ €25,90
N 53°38'46'' E 8°29'41''	15 ha 250T(100m²) 130D	❷ €35,90

A27 Bremerhaven-Cuxhaven, Ausfahrt Wremen/Bad Bederkesa. Dann Ri. Wremen, wo der CP ausgeschildert ist (Kutterhafen). In Wremen sind 2 Campingplätze. Achtung: Wremer Tief auf den Deich hoch!

Winsen (Aller), D-29308 / Niedersachsen iD

Campingpark Südheide	1 ADEFJMNOPQRST	AJNUXZ 6
Im stillen Winkel 20	2 CGHPVWXY	ABDEFGI 7
1 Apr - 31 Okt	3 BEGHKL	ABCDEFJKLNQRSTUV 8
+49 (0)5143-6661803	4 BCDEFHITV	AJQRV 9
info@campingpark-suedheide.de	5 ABKL	ABFGHJNPRV10
	16A CEE	❶ €24,50
N 52°40'19'' E 9°56'10''	9 ha 120T(100-160m²) 39D	❷ €30,50

A7 Hamburg-Hannover, Ausfahrt Raststätte/Allertal Richtung Celle, dann nach Winsen und in Winsen ausgeschildert. Der CP liegt knapp außerhalb von Winsen Richtung Celle.

Zeven, D-27404 / Niedersachsen iD

Campingplatz Sonnenkamp*****	1 DEFJMNOPQRT	AFN 6
Sonnenkamp 10	2 BOPSWXY	ABDEFGH 7
1 Jan - 31 Dez	3 AEFLMNOP	ABCDEFJKNQRTV 8
+49 (0)4281-951345	4 FHORSTUV	DEFV 9
info@campingplatz-zeven.de	5 ABDEFL	AEFGHJPRV10
	B 16A CEE	❶ €23,30
N 53°18'14'' E 9°17'51''	7,5 ha 80T(ab 100m²) 129D	❷ €28,90

A1 Bremen-Hamburg Ausfahrt 49 Bockel die B71 bis Zeven. Innerorts CP ausgeschildert.

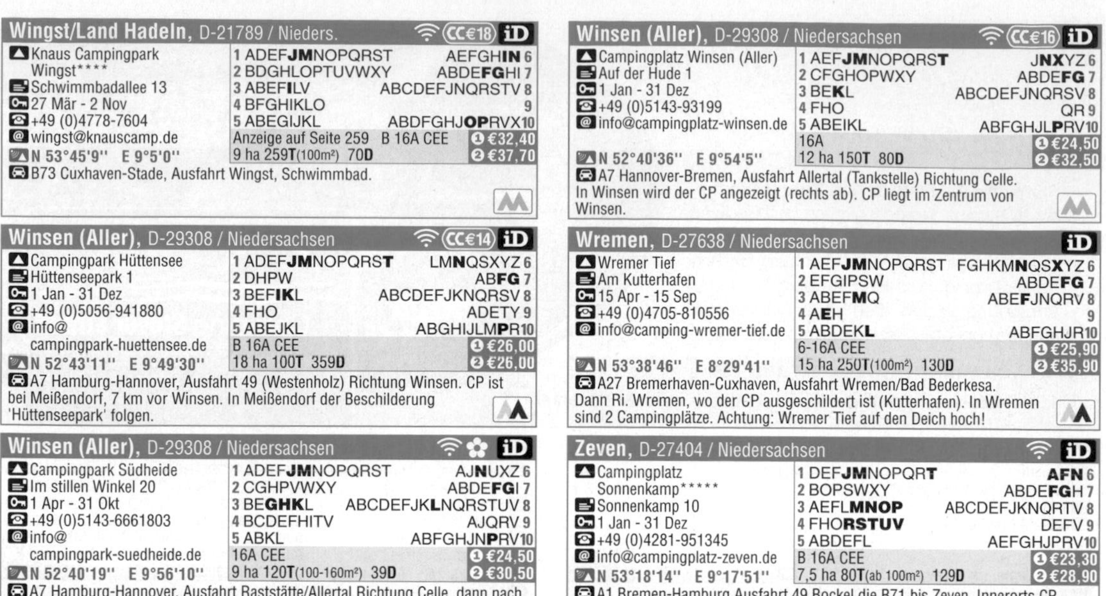

Deutschland

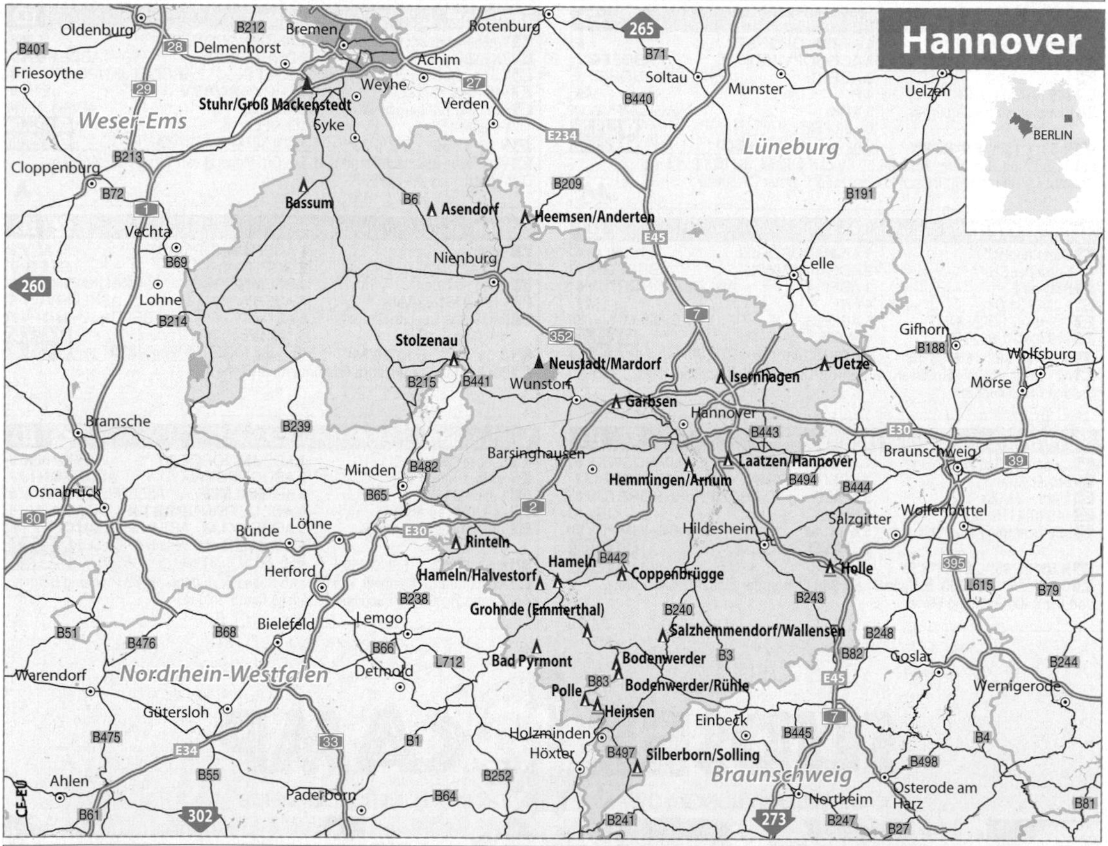

Asendorf, D-27330 / Niedersachsen

Kellerberg
Am Kellerberg 1
1 Jan - 31 Dez
+49 (0)4253-450
info@campingplatz-kellerberg.de
N 52°46'42'' E 9°2'20''

1 AFJMNOPQRST	LN 6
2 CDGHPSWX	ABFG 7
3 BEFL	ABCDEFJNQRTUV 8
4 FIO	9
5 AEGIK	AFGHJMNORW 10
B 16A CEE	❶ €17,00
4,5 ha 40T(70-100m²) 70D	❷ €23,00

B6 von Bremen nach Hannover bis Asendorf, dort Richtung Hoya. Den CP-Schildern folgen.

Bad Pyrmont, D-31812 / Niedersachsen

Campingpark Schellental
Am Schellenhof 1-3
1 Jan - 31 Dez
+49 (0)5281-8772
camping@schellental.de
N 51°59'45'' E 9°16'36''

1 AJMNOPQRST	6
2 CFPRUVWXY	ABDEFGH 7
3 ABKL	ABCDEFIJKNQRSUV 8
4 FHIO	K 9
5 ABEJKL	AFGHJLOPST 10
B 6A CEE	❶ €22,00
H120 6 ha 90T(60-110m²) 40D	❷ €26,00

In Bad Pyrmont Richtung Bahnhof, die 1. Straße links (in der Kurve), dann den Schildern folgen. Aus Richtung Hameln den CP-Schildern folgen.

Bassum, D-27211 / Niedersachsen

Camping & Freizeitplatz Groß-Ringmar
Groß-Ringmar 15
3 Apr - 15 Okt
+49 (0)4241-5292
post@camping-ringmar.de
N 52°49'57'' E 8°40'6''

1 ADFJMNOPQRT	ABFN 6
2 GHOPQWX	ABDEFGH 7
3 AEFLT	BDEFGJKNQRS 8
4 BCHIO	E 9
5 IK	AHJOR 10
2-16A CEE	❶ €23,20
H52 10 ha 80T(80m²) 206D	❷ €29,90

A1 Münster-Bremen, Ausfahrt Brinkum, dann B51 nach Twistringen. Abbiegen Richtung Groß-Ringmar, ausgeschildert.

Bodenwerder, D-37619 / Niedersachsen

An der Himmelspforte
Ziegeleiweg 1
1 Jan - 31 Dez
+49 (0)5533-4938
himmelspforte01@yahoo.de
N 51°57'33'' E 9°30'18''

1 JMNOPQRST	JNWXYZ 6
2 CFGPWXY	ABDEFH 7
3 ABEGHLMRU	ABCDEFJKNQRSV 8
4 FHI	GIQ 9
5 ABEIKL	AFGHIJRX 10
B 16A CEE	❶ €16,50
H80 10 ha 150T(100m²) 253D	❷ €23,50

An der B83 zwischen Hameln und Holzminden liegt Bodenwerder. In Bodenwerder über die Weserbrücke und dann rechts. CP nach 800m.

Bodenwerder/Rühle, D-37619 / Niedersachsen

Rühler Schweiz
Grosses Tal 1
1 Mär - 31 Okt
+49 (0)5533-2486
brader-ruehler-schweiz@t-online.de
N 51°56'35'' E 9°30'36''

1 AFJMNOPRST	ABNXYZ 6
2 CFGOPUW	ABDEFG 7
3 BEF	ABCDEFJNQRSV 8
4 FH	DQV 9
5 ABDEIKL	AEGHIJR 10
B 16A CEE	❶ €21,50
H80 7,8 ha 100T(100m²) 262D	❷ €26,50

An der B83 zwischen Hameln und Holzminden liegt Bodenwerder. In Bodenwerder über die Weserbrücke noch etwa 4 km geradeaus Richtung Rühle.

Coppenbrügge, D-31863 / Niedersachsen

Rattenfängerplatz am Ith***
Felsenkeller 9a
1 Jan - 31 Dez
+49 (0)5156-780234
ccweserbergland@t-online.de
N 52°6'55'' E 9°32'5''

1 AJMNOPQRST	AEF 6
2 OPSTUW	ABDEFGI 7
3 AEKL	ABCDEFJNQR 8
4 FI	FW 9
5	AFGHIJR 10
B 10A CEE	❶ €15,00
H160 1,7 ha 40T(60-100m²) 46D	❷ €19,00

Liegt an der B1 in Coppenbrügge neben dem Hallenbad, 15 km östlich von Hameln. Von Hamels aus ist der CP angezeigt. Rechts über die Brücke, Coppenbrücke. its ausgeschildert.

Garbsen, D-30823 / Niedersachsen

Blauer See***
Am Blauen See 119
1 Jan - 31 Dez
+49 (0)5137-89960
info@camping-blauer-see.de
N 52°25'14'' E 9°32'47''

1 DEFJMNOPRST	HLMNWX 6
2 ADFGHPSVWX	ABDEFG 7
3 BEFIKL	ABCDEFGIJLNQRSTUV 8
4 BIO	FGJPQTY 9
5 ABDEIKL	AGHLRX 10
B 16A CEE	❶ €28,60
H150 6 ha 120T(65-80m²) 208D	❷ €28,90

A2 Dortmund-Hannover, Ausfahrt 41 Garbsen. Ab Dortmund Beschilderung folgen. Ab Hannover unter A2 durchfahren, dann ausgeschildert.

Grohnde (Emmerthal), D-31860 / Niedersachsen

Land-Gut-Hotel Grohnder Fährhaus
Grohnder Fähre 1
1 Apr - 31 Okt
+49 (0)5155-380
info@grohnder-faehrhaus.de
N 52°1'7'' E 9°25'32''

1 ADEFJMNOPQRT	JNXYZ 6
2 CFGIOPSVWXY	ABDEFG 7
3 ABE	ABCDEFJNQRST 8
4 FH	GQVW 9
5 ABDEIJKL	ABFGHIJRVX 10
16A CEE	❶ €17,50
2 ha 40T(100-120m²) 70D	❷ €21,50

Der CP liegt an der B83 Hameln-Bodenwerder. In Grohnde Richtung Osten halten, durch den Hafen und mit der Fähre über die Weser zum CP. Montags verkehrt die Fähre nicht. Über Latferde umfahren.

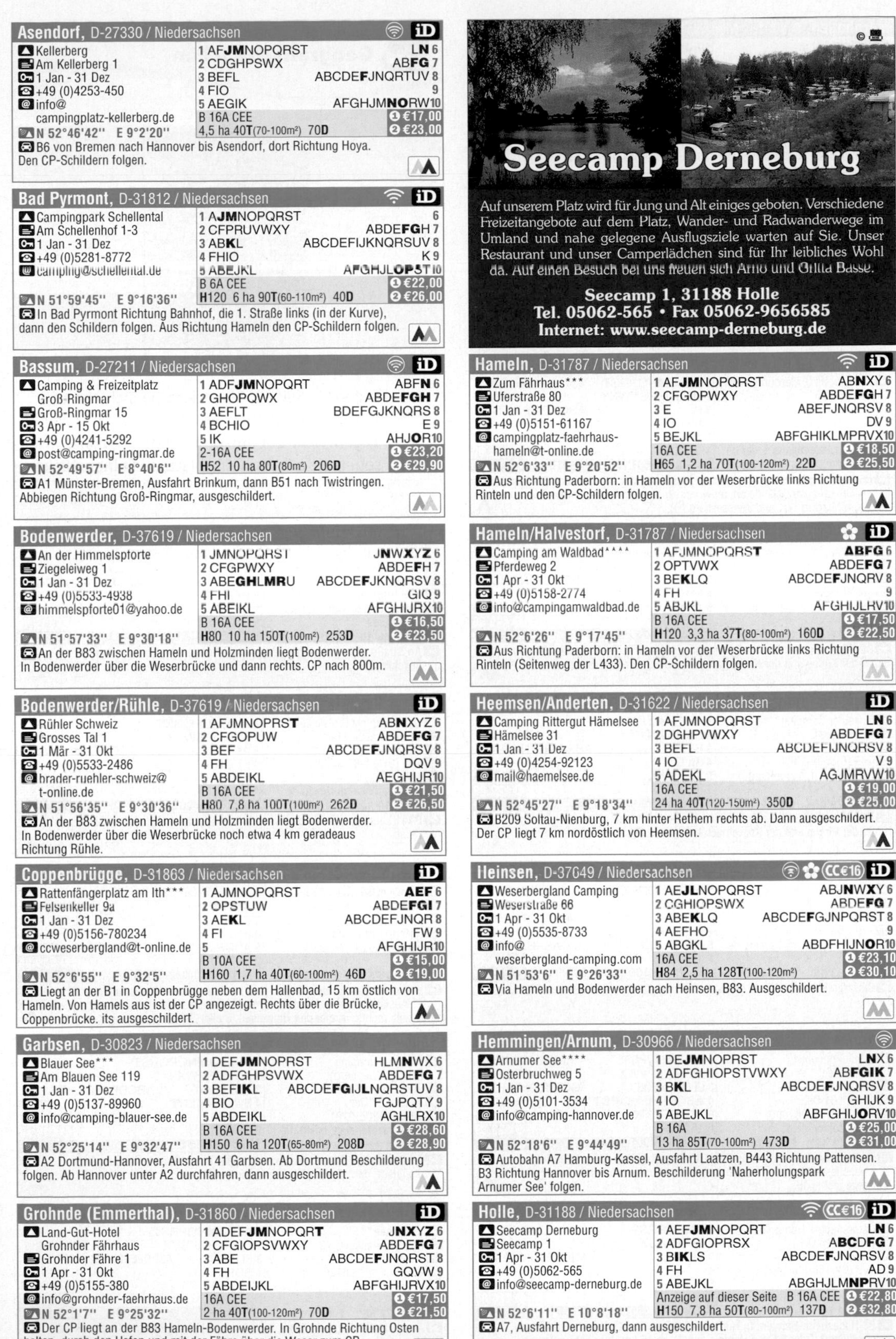

Hameln, D-31787 / Niedersachsen

Zum Fährhaus***
Uferstraße 80
1 Jan - 31 Dez
+49 (0)5151-61167
campingplatz-faehrhaus-hameln@t-online.de
N 52°6'33'' E 9°20'52''

1 AFJMNOPQRST	ABNXY 6
2 CFGOPWXY	ABDEFGH 7
3 E	ABEFJNQRSV 8
4 IO	DV 9
5 BEJKL	ABFGHIKLMPRVX 10
16A CEE	❶ €18,50
H65 1,2 ha 70T(100-120m²) 22D	❷ €25,50

Aus Richtung Paderborn: in Hameln vor der Weserbrücke links Richtung Rinteln und den CP-Schildern folgen.

Hameln/Halvestorf, D-31787 / Niedersachsen

Camping am Waldbad****
Pferdeweg 2
1 Apr - 31 Okt
+49 (0)5158-2774
info@campingamwaldbad.de
N 52°6'26'' E 9°17'45''

1 AFJMNOPQRST	ABFG 6
2 OPTVWX	ABDEFG 7
3 BEKLQ	ABCDEFJNQRV 8
4 FH	9
5 ABJKL	AFGHIJLRV 10
B 16A CEE	❶ €17,50
H120 3,3 ha 37T(80-100m²) 160D	❷ €22,50

Aus Richtung Paderborn: in Hameln vor der Weserbrücke links Richtung Rinteln (Seitenweg der L433). Den CP-Schildern folgen.

Heemsen/Anderten, D-31622 / Niedersachsen

Camping Rittergut Hämelsee
Hämelsee 31
1 Jan - 31 Dez
+49 (0)4254-92123
mail@haemelsee.de
N 52°45'27'' E 9°18'34''

1 AFJMNOPQRST	LN 6
2 DGHPVWXY	ABDEFG 7
3 BEFL	ABCDEFIJNQRSV 8
4 IO	V 9
5 ADEKL	AGJMRVW 10
16A CEE	❶ €19,00
24 ha 40T(120-150m²) 350D	❷ €25,00

B209 Soltau-Nienburg, 7 km hinter Rethem rechts ab. Dann ausgeschildert. Der CP liegt 7 km nordöstlich von Heemsen.

Heinsen, D-37649 / Niedersachsen

Weserbergland Camping
Weserstraße 66
1 Apr - 31 Okt
+49 (0)5535-8733
info@weserbergland-camping.com
N 51°53'6'' E 9°26'33''

1 AEJLNOPQRST	ABJNWXY 6
2 CGHIOPSWX	ABDEFG 7
3 ABEKLQ	ABCDEFGJNPQRST 8
4 AEFHO	9
5 ABGKL	ABDFHIJNOR 10
16A CEE	❶ €23,10
H84 2,5 ha 128T(100-120m²)	❷ €30,10

Via Hameln und Bodenwerder nach Heinsen, B83. Ausgeschildert.

Hemmingen/Arnum, D-30966 / Niedersachsen

Arnumer See****
Osterbruchweg 5
1 Jan - 31 Dez
+49 (0)5101-3534
info@camping-hannover.de
N 52°18'6'' E 9°44'49''

1 DEJMNOPRST	LNX 6
2 ADFGHIOPSTVWXY	ABFGIK 7
3 BKL	ABCDEFJNQRSV 8
4 IO	GHIJK 9
5 ABEJKL	ABFGHIJORV 10
B 16A	❶ €25,00
13 ha 85T(70-100m²) 473D	❷ €31,00

Autobahn A7 Hamburg-Kassel, Ausfahrt Laatzen, B443 Richtung Pattensen. B3 Richtung Hannover bis Arnum. Beschilderung 'Naherholungspark Arnumer See' folgen.

Holle, D-31188 / Niedersachsen

Seecamp Derneburg
Seecamp 1
1 Apr - 31 Okt
+49 (0)5062-565
info@seecamp-derneburg.de
N 52°6'11'' E 10°8'18''

1 AEFJMNOPQRT	LN 6
2 ADFGIOPRSX	ABCDFG 7
3 BIKLS	ABCDEFJNQRSV 8
4 FH	AD 9
5 ABEJKL	ABGHJLMNPRV 10
Anzeige auf dieser Seite B 16A CEE	❶ €22,80
H150 7,8 ha 50T(80-100m²) 137D	❷ €32,80

A7, Ausfahrt Derneburg, dann ausgeschildert.

Deutschland

Teilkarte Hannover auf Seite 270

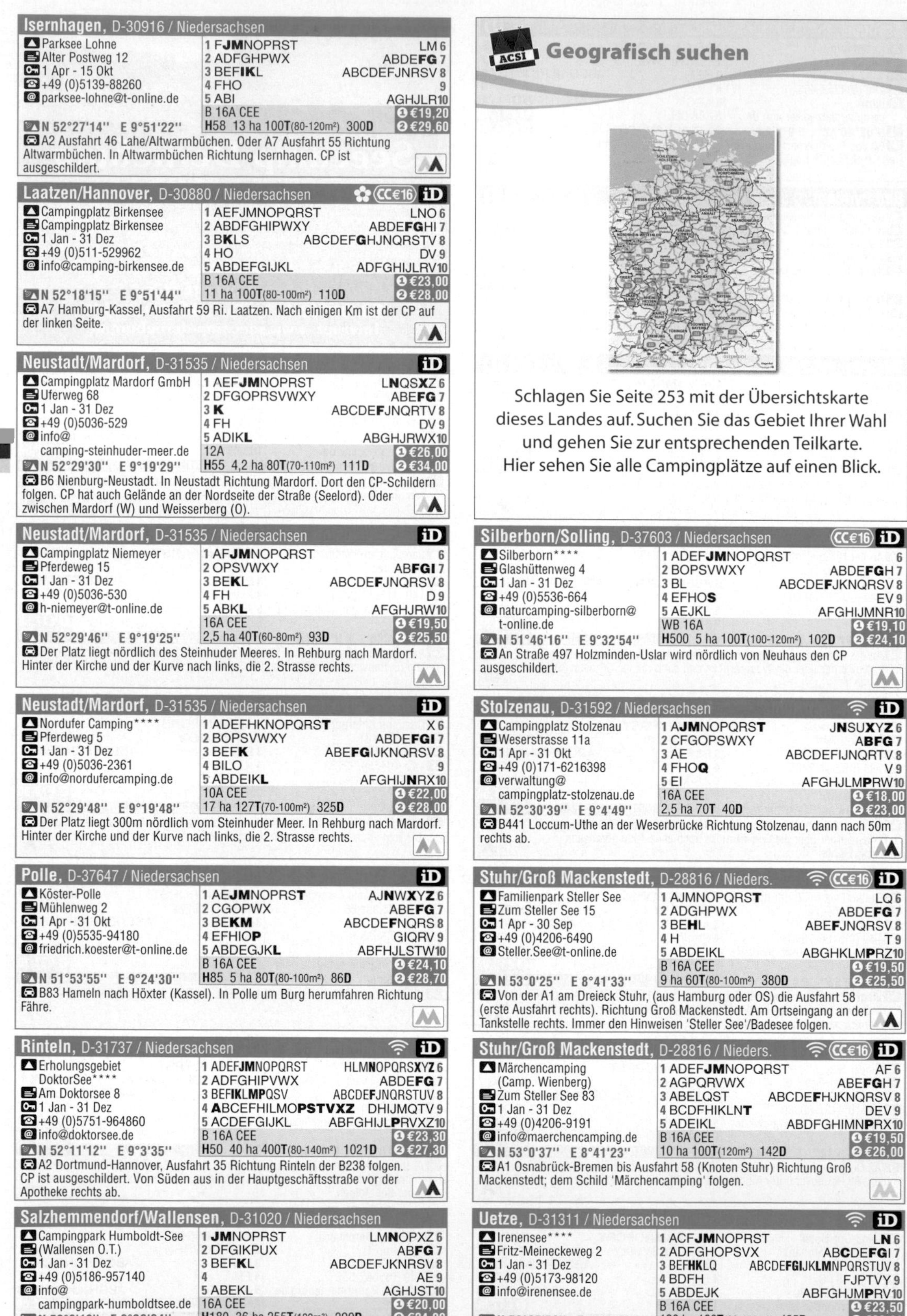

Isernhagen, D-30916 / Niedersachsen

Parksee Lohne
Alter Postweg 12
1 Apr - 15 Okt
+49 (0)5139-88260
parksee-lohne@t-online.de
N 52°27'14'' E 9°51'22''

1 F**JM**NOPRST	LM 6
2 ADFGHPWX	ABDE**FG** 7
3 BEF**IK**L	ABCDEFJNRSV 8
4 FHO	9
5 ABI	AGHJLR 10
B 16A CEE	❶ €19,20
H58 13 ha 100**T**(80-120m²) 300**D**	❷ €29,60

A2 Ausfahrt 46 Lahe/Altwarmbüchen. Oder A7 Ausfahrt 55 Richtung Altwarmbüchen. In Altwarmbüchen Richtung Isernhagen. CP ist ausgeschildert.

Laatzen/Hannover, D-30880 / Niedersachsen

Campingplatz Birkensee
Campingplatz Birkensee
1 Jan - 31 Dez
+49 (0)511-529962
info@camping-birkensee.de
N 52°18'15'' E 9°51'44''

1 AEFJMNOPQRST	LNO 6
2 ABDFGHIPWXY	ABDE**FG**HI 7
3 B**K**LS	ABCDEF**G**HJNQRSTV 8
4 HO	DV 9
5 ABDEFGIJKL	ADFGHIJLRV 10
B 16A CEE	❶ €23,00
11 ha 100**T**(80-100m²) 110**D**	❷ €28,00

A7 Hamburg-Kassel, Ausfahrt 59 Ri. Laatzen. Nach einigen Km ist der CP auf der linken Seite.

Neustadt/Mardorf, D-31535 / Niedersachsen

Campingplatz Mardorf GmbH
Uferweg 68
1 Jan - 31 Dez
+49 (0)5036-529
info@camping-steinhuder-meer.de
N 52°29'30'' E 9°19'29''

1 AEF**JM**NOPRST	L**N**QS**X**Z 6
2 DFGOPRSVWXY	ABE**FG** 7
3 **K**	ABCDE**F**JNQRTV 8
4 FH	DV 9
5 ADIK**L**	ABGHJRWX 10
12A	❶ €26,00
H55 4,2 ha 80**T**(70-110m²) 111**D**	❷ €34,00

B6 Nienburg-Neustadt. In Neustadt Richtung Mardorf. Dort den CP-Schildern folgen. CP hat auch Gelände an der Nordseite der Straße (Seelord). Oder zwischen Mardorf (W) und Weisserberg (O).

Neustadt/Mardorf, D-31535 / Niedersachsen

Campingplatz Niemeyer
Pferdeweg 15
1 Jan - 31 Dez
+49 (0)5036-530
h-niemeyer@t-online.de
N 52°29'46'' E 9°19'25''

1 AF**JM**NOPQRST	6
2 OPSVWXY	AB**FGI** 7
3 BE**K**L	ABCDE**F**JNQRSV 8
4 FH	D 9
5 ABK**L**	AFGHJRW 10
16A CEE	❶ €19,50
2,5 ha 40**T**(60-80m²) 93**D**	❷ €25,50

Der Platz liegt nördlich des Steinhuder Meeres. In Rehburg nach Mardorf. Hinter der Kirche und der Kurve nach links, die 2. Strasse rechts.

Neustadt/Mardorf, D-31535 / Niedersachsen

Nordufer Camping****
Pferdeweg 5
1 Jan - 31 Dez
+49 (0)5036-2361
info@nordufercamping.de
N 52°29'48'' E 9°19'48''

1 ADEFHKNOPQRS**T**	X 6
2 BOPSVWXY	ABDE**FGI** 7
3 BEF**K**	ABE**FG**IJKNQRSV 8
4 BILO	9
5 ABDEIK**L**	AFGHIJ**N**RX 10
10A CEE	❶ €22,00
17 ha 127**T**(70-100m²) 325**D**	❷ €28,00

Der Platz liegt 300m nördlich vom Steinhuder Meer. In Rehburg nach Mardorf. Hinter der Kirche und der Kurve nach links, die 2. Strasse rechts.

Polle, D-37647 / Niedersachsen

Köster-Polle
Mühlenweg 2
1 Apr - 31 Okt
+49 (0)5535-94180
friedrich.koester@t-online.de
N 51°53'55'' E 9°24'30''

1 AE**JM**NOPRS**T**	AJ**N**W**XYZ** 6
2 CGOPWX	ABE**FG** 7
3 BE**KM**	ABCDE**F**NQRS 8
4 EFHIO**P**	GIQRV 9
5 ABDEGJK**L**	ABFHJLSTW 10
B 16A CEE	❶ €24,10
H85 5 ha 80**T**(80-100m²) 86**D**	❷ €28,70

B83 Hameln nach Höxter (Kassel). In Polle um Burg herumfahren Richtung Fähre.

Rinteln, D-31737 / Niedersachsen

Erholungsgebiet DoktorSee****
Am Doktorsee 8
1 Jan - 31 Dez
+49 (0)5751-964860
info@doktorsee.de
N 52°11'12'' E 9°3'35''

1 ADEF**JM**NOPQRST	HLM**N**OPQRS**XYZ** 6
2 ADFGHIPVWX	ABDE**FG** 7
3 BEF**IKLMP**QSV	ABCDE**F**JNQRSTUV 8
4 **A**BCEFHILMO**PSTVXZ**	DHIJMQTV 9
5 ACDEFGIJKL	ABFGHIJL**P**RVXZ 10
B 16A CEE	❶ €23,30
H50 40 ha 400**T**(80-140m²) 1021**D**	❷ €27,30

A2 Dortmund-Hannover, Ausfahrt 35 Richtung Rinteln der B238 folgen. CP ist ausgeschildert. Von Süden aus in der Hauptgeschäftsstraße vor der Apotheke rechts ab.

Salzhemmendorf/Wallensen, D-31020 / Niedersachsen

Campingpark Humboldt-See (Wallensen O.T.)
1 Jan - 31 Dez
+49 (0)5186-957140
info@campingpark-humboldtsee.de
N 52°0'12'' E 9°38'34''

1 **JM**NOPRST	LM**N**OPXZ 6
2 DFGIKPUX	AB**FG** 7
3 BEF**K**L	ABCDEFJKNRSV 8
4	AE 9
5 ABEKL	AGHJST 10
16A CEE	❶ €20,00
H180 36 ha 255**T**(100m²) 290**D**	❷ €24,00

B1 Hildesheim-Hameln. In Hemmendorf Richtung Eschershausen, dann ausgeschildert. Oder B1 von Hameln aus. Nach 15 km Coppenbrügge und dann Hemmendorf. CP liegt zwischen Wallensen und Fölziehausen

Geografisch suchen

Schlagen Sie Seite 253 mit der Übersichtskarte dieses Landes auf. Suchen Sie das Gebiet Ihrer Wahl und gehen Sie zur entsprechenden Teilkarte. Hier sehen Sie alle Campingplätze auf einen Blick.

Silberborn/Solling, D-37603 / Niedersachsen

Silberborn****
Glashüttenweg 4
1 Jan - 31 Dez
+49 (0)5536-664
naturcamping-silberborn@t-online.de
N 51°46'16'' E 9°32'54''

1 ADEF**JM**NOPQRST	6
2 BOPSVWXY	ABDE**FG**H 7
3 BL	ABCDE**F**JKNQRSV 8
4 EFHO**S**	EV 9
5 AEJKL	AFGHIJMNR 10
WB 16A	❶ €19,10
H500 5 ha 100**T**(100-120m²) 102**D**	❷ €24,10

An Straße 497 Holzminden-Uslar wird nördlich von Neuhaus den CP ausgeschildert.

Stolzenau, D-31592 / Niedersachsen

Campingplatz Stolzenau
Weserstrasse 11a
1 Apr - 31 Okt
+49 (0)171-6216398
verwaltung@campingplatz-stolzenau.de
N 52°30'39'' E 9°4'49''

1 A**JM**NOPQRS**T**	J**N**SU**XYZ** 6
2 CFGOPSWXY	A**BFG** 7
3 AE	ABCDEFIJNQRTV 8
4 FHO**Q**	V 9
5 EI	AFGHJLM**P**RW 10
16A CEE	❶ €18,00
2,5 ha 70**T** 40**D**	❷ €23,00

B441 Loccum-Uthe an der Weserbrücke Richtung Stolzenau, dann nach 50m rechts ab.

Stuhr/Groß Mackenstedt, D-28816 / Nieders.

Familienpark Steller See
Zum Steller See 15
1 Apr - 30 Sep
+49 (0)4206-6490
Steller.See@t-online.de
N 53°0'25'' E 8°41'33''

1 AJMNOPQRS**T**	LQ 6
2 ADGHPWX	ABDE**FG** 7
3 BE**H**L	ABE**F**JNQRSV 8
4 H	T 9
5 ABDEIKL	ABGHKLM**P**RZ 10
B 16A CEE	❶ €19,50
9 ha 60**T**(80-100m²) 380**D**	❷ €25,50

Von der A1 am Dreieck Stuhr, (aus Hamburg oder OS) die Ausfahrt 58 (erste Ausfahrt rechts). Richtung Groß Mackenstedt. Am Ortseingang an der Tankstelle rechts. Immer den Hinweisen 'Steller See'/Badesee folgen.

Stuhr/Groß Mackenstedt, D-28816 / Nieders.

Märchencamping (Camp. Wienberg)
Zum Steller See 83
1 Jan - 31 Dez
+49 (0)4206-9191
info@maerchencamping.de
N 53°0'37'' E 8°41'23''

1 ADEF**JM**NOPQRST	AF 6
2 AGPQRVWX	ABE**FG**H 7
3 ABELQST	ABCDE**F**HJKNQRSV 8
4 BCDFHIKLN**T**	DEV 9
5 ADEIKL	ABDFGHIMN**P**RX 10
B 16A CEE	❶ €19,50
10 ha 100**T**(120m²) 142**D**	❷ €26,00

A1 Osnabrück-Bremen bis Ausfahrt 58 (Knoten Stuhr) Richtung Groß Mackenstedt; dem Schild 'Märchencamping' folgen.

Uetze, D-31311 / Niedersachsen

Irenensee****
Fritz-Meineckeweg 2
1 Jan - 31 Dez
+49 (0)5173-98120
info@irenensee.de
N 52°27'56'' E 10°9'36''

1 ACF**JM**NOPRST	L**N** 6
2 ADFGHOPSVX	AB**C**DE**FG**I 7
3 BEF**HK**LQ	ABCDE**FG**IJK**LM**NPQRSTUV 8
4 BDFH	FJPTVY 9
5 ABDEJK	ABFGHJM**P**RV 10
B 16A CEE	❶ €23,50
120 ha 180**T**(80-125m²) 425**D**	❷ €36,30

Autobahn A2 Richtung Celle, Ausfahrt 49 Richtung Burgdorf, dann B188 Richtung Gifhorn/Uetze.

Teilkarte Hannover auf Seite 270

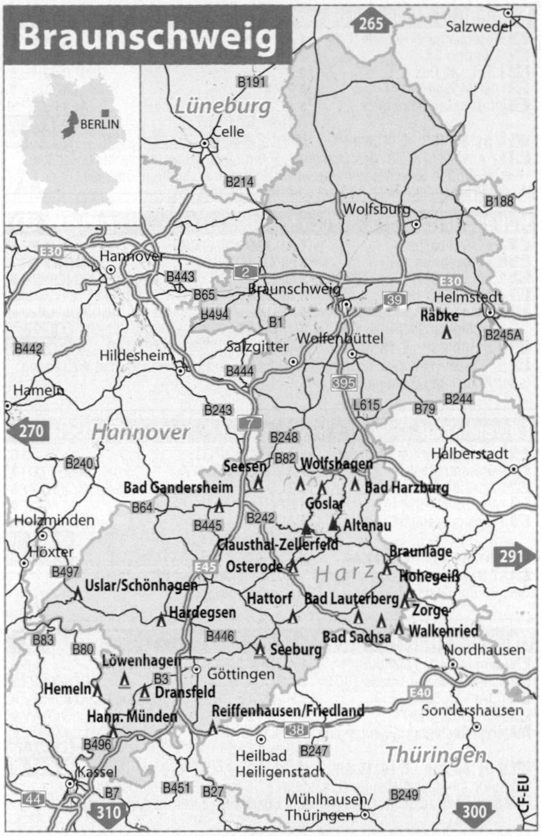

Braunschweig

Bad Gandersheim, D-37581 / Niedersachsen

DCC-Kur Campingpark	1 ADEF**JM**NOPRT	6
1 Jan - 31 Dez	2 ACPRVX	ABDE**FG**HI 7
+49 (0)5382-1595	3 BE**GHI**L	ABCDE**F**JKNPQRSV 8
info@ camping-bad-gandersheim.de	4 EFH**S**	9
	5 AEJK	AFGHRVX10
	B 10A CEE	❶ €22,70
N 51°52'2" E 10°3'0"	H100 9 ha 250**T**(100m²) 100**D**	❷ €28,10

A7 Hannover-Kassel, Ausfahrt Seesen. Ausgeschildert.

Bad Harzburg, D-38667 / Niedersachsen

Freizeit Oase Harz Camp****	1 **JM**NOPQRS**T**	F 6
Kreisstraße 66	2 ACOPRTUWXY	ABDE**FGI** 7
1 Jan - 31 Dez	3 B**K**LST	ABCDE**F**JKNQRSV 8
+49 (0)5322-81215	4 FH**STUV**	DKY 9
harz-camp@t-online.de	5 ACEJ**K**L	A**F**GHIJ**PR**10
	WB 16A CEE	❶ €26,50
N 51°53'31" E 10°30'41"	H350 6,5 ha 200**T**(80-100m²) 158**D**	❷ €33,50

A7, Ausfahrt Rhüden und via B82 nach Goslar. In Goslar fahren Sie via der B6 Richtung Oker/Altenau.

Bad Lauterberg, D-37431 / Niedersachsen

Campingpark Wiesenbeker Teich*****	1 AEG**JM**NOPQR**T**	AFLM**N**OPQ 6
	2 BDFGHLPRSUVX	ABDE**FG**HIJK 7
Wiesenbek 75	3 BEF**K**LQRS	ABCDEFJKNPQRSTUV 8
1 Jan - 31 Dez	4 ABEFHIO**Q**	DFGMPTUV 9
+49 (0)5524-2510	5 ABDEGHJKL	ABFGHJLM**P**RVX10
info@bl2510.de	W 16A CEE	❶ €39,70
N 51°37'3" E 10°29'23"	H477 7 ha 70**T**(80-100m²) 42**D**	❷ €51,70

A7, Ausfahrt Seesen, Richtung Braunlage. In Bad Lauterberg ausgeschildert. Oder A7 aus Kassel, Ausfahrt Göttingen-Nord, Richtung Braunlage.

Bad Sachsa, D-37441 / Niedersachsen

Campingpark Im Borntal****	1 AC**JM**NOPRST	6
Im Borntal 1-8	2 BCPRSTUVXY	ABDE**FGH** 7
1 Jan - 31 Dez	3 AES	ABCDEFIJKNQRSTUV 8
+49 (0)5523-944721	4 FH	9
info@imborntal.de	5 AKLM	ABGHJNPRV10
	Anzeige auf dieser Seite WB 16A CEE	❶ €22,80
N 51°36'21" E 10°33'59"	H330 6 ha 80**T**(80-100m²) 20**D**	❷ €28,80

A7, Ausfahrt 67 Göttingen oder Seesen, B243 Richtung Herzberg/Bad Sachsa und dann ausgeschildert.

Altenau, D-38707 / Niedersachsen

Okertalsperre	1 A**JM**NOPRT	L**NX** 6
Kornhardtweg 2	2 DGJOQRSVX	ABDE**FG**HI**JK** 7
1 Jan - 31 Dez	3 BEL	ABCDEFJNQRSTUV 8
+49 (0)5328-702	4 FHI	Q 9
info@ camping-okertalsperre.de	5 ABIKL	ABFGHJORV10
	W 16A CEE	❶ €24,50
N 51°49'1" E 10°26'19"	H450 3 ha 80**T**(60-90m²) 45**D**	❷ €34,60

A7 Richtung Goslar. In Goslar Richtung Bad Harzburg/Oker/Altenau. Via B498 Richtung Altenau (Osterode) finden Sie den CP.

Braunlage, D-38700 / Niedersachsen

Braunlage***	1 A**JM**NOPQRST	N 6
Am Campingplatz 1	2 CFGOPRUX	ABDE**FGIK** 7
1 Jan - 31 Dez	3 AE**GHK**L	ABCDEFGHJKNQRS 8
+49 (0)5520-9996931	4 BDFH	9
info@camping-braunlage.de	5 ABEIKL	ABFGHJLMRX10
	WB 16A CEE	❶ €24,50
N 51°42'47" E 10°35'52"	H600 5,2 ha 200**T**(80-100m²) 50**D**	❷ €34,70

A7, Ausfahrt Göttingen. Via B27 Richtung Braunlage.

Altenau, D-38707 / Niedersachsen

Polstertal	1 A**JM**NOPRST	**CN** 6
Polstertal 1	2 BCGIOPRSUVX	ABDE**FG** 7
1 Jan - 31 Dez	3 ALS	ABCDE**F**JNQRSV 8
+49 (0)5323-5582	4 FGHI	FJ 9
info@ campingplatz-polstertal.de	5 ABDKL	ABHJMOR10
	W 10A CEE	❶ €22,50
N 51°47'58" E 10°25'0"	H520 1,8 ha 70**T**(60-90m²) 30**D**	❷ €29,50

A7, Ausfahrt 67 Seesen. B242 Bad Grund, Clausthal und Zellerfeld Richtung Altenau.

Clausthal-Zellerfeld, D-38678 / Niedersachsen

Campingplatz Waldweben***	1 AEF**JM**NOPRST	**LN** 6
Spiegelthalerstraße 31	2 BDFGKPRTVX	AB**FGI** 7
1 Jan - 31 Dez	3 BL	ABCDE**F**JNQRV 8
+49 (0)5323-81712	4 FHI	J 9
waldweben@t-online.de	5 ABDEIKL	AFGHJLMOR10
	W 16A CEE	❶ €19,00
N 51°49'22" E 10°19'14"	H600 4,5 ha 120**T**(100-120m²) 123**D**	❷ €28,00

Autobahn A7, Ausfahrt Seesen. Nach Bad Grund und Clausthal-Zellerfeld. Ausgeschildert.

Deutschland

Wandern, Mountainbiking, Angeln, Wintersport
Restaurant, Mini-Markt, Hallenbad, Spielplatz
www.prahljust.de
am See
Camping Prahljust
An den langen Brüchen 4
38678 Clausthal-Z.
Tel. (0 53 23) 13 00
Fax (0 53 23) 7 83 93
camping@prahljust.de

Clausthal-Zellerfeld, D-38678 / Nieders. CC€16 iD

Prahljust****
An den Langen Brüchen 4
1 Jan - 31 Dez
+49 (0)5323-1300
camping@prahljust.de
N 51°47'5'' E 10°21'1''

1 ADE**JM**NOPRST	EL**N**QS 6
2 BDGJPRSTX	ABCDE**FG**IJK 7
3 BL	ABCDEFJNQRSV 8
4 AFHI**ST**	G 9
5 ACDEJKL	AFGHJLMPRV 10
Anzeige auf dieser Seite WB 16A CEE	❶ €22,85
H600 13 ha 600**T**(80-110m²) 207**D**	❷ €31,85

Autobahn A7, Ausfahrt 67 Seesen. Nach Bad Grund und Clausthal - Zellerfeld. Dann B242 Richtung Braunlage.

Dransfeld, D-37127 / Niedersachsen CC€18 iD

Am Hohen Hagen*****
Zum Hohen Hagen 12
1/1 - 31/10, 1/12 - 31/12
+49 (0)5502-2147
camping.lesser@t-online.de
N 51°29'29'' E 9°45'41''

1 ADEF**JM**NOPRS**T**	**ABFGHI** 6
2 AFGPRSTUVX	ABCDE**FG**H**IJK** 7
3 BEF**GHI**L**MN**	ABCDEFJKNQRSTUV 8
4 ABEFHIJLO**PSTUXYZ**	DFUV 9
5 ABDEIJKL	ABFGHIJLORV 10
B 16A CEE	❶ €24,00
H357 10 ha 180**T**(80-120m²) 176**D**	❷ €32,00

A7 Kassel-Hannover, Ausfahrt 73 Göttingen, dann die B3 Richtung Hannoversch Münden, 6 km bis Dransfeld, dann ist der CP ausgeschildert.

Goslar, D-38644 / Niedersachsen iD

Sennhütte
Clausthalerstraße 28
1 Jan - 31 Dez
+49 (0)5321-22498
sennhuette@campingplatz-goslar.de
N 51°53'21'' E 10°23'57''

1 ADE**JM**NOPR**T**	6
2 BCOPRX	ABDE**FGI** 7
3 A**KL**	ABE**F**JKNQR 8
4 FH	G 9
5 ABDEJK**L**	AGHK**O**R 10
W 16A CEE	❶ €20,00
H350 2 ha 150**T**(60-90m²) 10**D**	❷ €24,00

A7, Ausfahrt Rhüden. B82 nach Goslar und B241 Richtung Clausthal-Zellerfeld.

Hann. Münden, D-34346 / Niedersachsen iD

Hannoversch Münden
Tanzwerder 1
30 Mär - 15 Okt
+49 (0)5541-12257
info@busch-freizeit.de
N 51°25'0'' E 9°38'50''

1 AE**JM**NOPQRST	J**N**XYZ 6
2 ACGOPVWX	A**B**D**FG**H**I** 7
3 AB**IK**LQS	ABCDE**F**JNQRSV 8
4 EFHIOS	KQRV 9
5 AKL	ABFGHIKLMN**PR** 10
16A CEE	❶ €23,50
H127 2,5 ha 100**T**(80-120m²) 10**D**	❷ €30,50

A44 Dortmund-Kassel, dann A7 Kassel-Hannover, Ausfahrt 75 und 76 Richtung Hannoversch Münden-Zentrum. Dort CP gut ausgeschildert. Einfahrt über die Schleuse.

Hardegsen, D-37181 / Niedersachsen iD

Ferienpark Solling
Auf dem Gladeberg 1
1 Jan - 31 Dez
+49 (0)5505-2272
info@ferienpark-solling.de
N 51°38'25'' E 9°49'55''

1 AF**JM**NOPQRST	6
2 ABPRSTUVWX	ABDE**FGH** 7
3 AES	ABCDE**F**IJK**L**NQRSV 8
4 FHI**T**	ADI 9
5 **KL**	AEFGHIJLRV 10
B 10-16A CEE	❶ €17,00
H300 2,4 ha 60**T**(80-100m²) 46**D**	❷ €22,00

A7 Hamburg-Hannover, Ausfahrt 71 Nörten-Hardenberg, dann die B241 Richtung Uslar. An der B241 bei Hardegsen ist der CP ausgeschildert.

Hattorf, D-37197 / Niedersachsen iD

Oderbrücke***
B27
1 Jan - 31 Dez
+49 (0)5521-4359
info@campingimharz.de
N 51°37'41'' E 10°16'15''

1 AF**JM**NOPRST	J**N** 6
2 CPRVX	ABDE**FG** 7
3 B**IK**	ABEFJNQRV 8
4 **ABCDEFGH**	J 9
5 ABDEJKL	ABFGHKLMOR 10
16A CEE	❶ €14,40
H190 2,5 ha 40**T**(100m²) 57**D**	❷ €19,40

An der B27 zwischen Göttingen und Braunlage. 6 km nach Gieboldshausen und 5 km vor Herzberg.

Hemeln, D-34346 / Niedersachsen iD

Wesercamping Hemeln****
Unterdorf 34
1 Jan - 31 Dez
+49 (0)5544-1414
info@wesercamping.de
N 51°30'15'' E 9°36'11''

1 AEF**JM**NOPQRST	J**NX**Y 6
2 CFOPVWXY	ABDE**FG**HI 7
3 B	BD**F**JNQRS 8
4 FH**T**	DEGIJV 9
5 ACEHKL	AGHIJPR 10
B 16A CEE	❶ €20,50
H116 2,4 ha 70**T**(70-150m²) 57**D**	❷ €26,50

A7 Ausfahrt 73, B3 nach Dransfeld, 500m hinter Dransfeld rechts beschildert. Über die B80 in Gieselwerder/Oberweser an der Aral abfahren, über die Weser Brücke, dann noch 17 km südwärts über die L561.

Hohegeiß (Harz), D-38700 / Niedersachsen CC€16 iD

Am Bärenbache****
Bärenbachweg 10
1 Jan - 31 Dez
+49 (0)5583-1306
info@campingplatz-hohegeiss.de
N 51°39'25'' E 10°40'4''

1 AF**JM**NOPQRST	ABF 6
2 BFGPRSUVX	A**B**D**EFGI** 7
3 BFL	ABCDEFJKNQRSV 8
4 AEFGH	D 9
5 AEJKL	ABGHJM**O**RV 10
W 10A CEE	❶ €22,50
H600 3 ha 150**T**(80-100m²) 48**D**	❷ €30,50

A7 Kassel-Hannover, Ausfahrt 72 Göttingen und via Herzberg und Walkenried (oder Braunlage) Richtung Hohegeiß.

Löwenhagen, D-37127 / Niedersachsen CC€14 iD

Campingplatz Am Niemetal
Mühlenstraße 4
1 Apr - 31 Okt
+49 (0)5502-998461
info@am-niemetal.com
N 51°31'11'' E 9°41'44''

1 AB**JM**NOPRT	J 6
2 ABCOPRVWXY	ABE**FGH** 7
3 BLS	ABEFGHIJNQRTUV 8
4 BFGHIKLO	ADF 9
5 ABEGIKL	ABDHIJPR 10
16A CEE	❶ €24,50
H230 2,5 ha 70**T**(100-125m²) 7**D**	❷ €27,50

A7 Hannover-Kassel, Ausfahrt 73 Ri. Dransfeld, dann Ri. Imbsen. Dort Ri. Bursfelde, Löwenhagen. CP ist ausgeschildert.

Osterode (Harz), D-37520 / Niedersachsen CC€16 iD

Campingplatz Eulenburg***
Scheerenberger Straße 100
1 Jan - 31 Dez
+49 (0)5522-6611
ferien@eulenburg-camping.de
N 51°43'38'' E 10°16'59''

1 A**JM**NOPRST	AF 6
2 ABCGOPVX	ABDE**FGH** 7
3 BL**PQS**	ABCDE**F**IJKNQRSV 8
4 FHIO**Q**	DGVW 9
5 ABDEIJKL	ABFGHJLM**PR**V 10
WB 16A CEE	❶ €21,00
H265 4,1 ha 80**T**(80-200m²) 87**D**	❷ €27,00

Autobahn Kassel-Hannover, Ausfahrt 67 Seesen. Richtung Osterode (Sösestausee). Ausfahrt Osterode-Süd. Sösestausee Beschilderung folgen.

Räbke, D-38375 / Niedersachsen iD

Erholungspark Nord-Elm****
Elmhochstraße
1 Jan - 31 Dez
+49 (0)5355-8352
camping-nord-elm@t-online.de
N 52°11'35'' E 10°51'42''

1 AEF**JM**NOPR**T**	ABFG 6
2 GPRWX	ABDE**FGJ** 7
3 A**I**L**P**	ABEFJNQRSV 8
4 EF	9
5 ADEI	ABGHJRVW 10
B 16A CEE	❶ €18,00
H155 5,3 ha 65**T**(80-100m²) 250**D**	❷ €25,00

A2 Ausfahrt Königslutter, dann Richtung Helmstedt (B1) und nach Lelm/Räbke abbiegen.

Reiffenhausen/Friedland, D-37133 / Niedersachsen iD

Camping Club Reiffenhausen e.V.
Tahlstraße 27
1 Jan - 31 Dez
+49 (0)5504-7098
info@camping-reiffenhausen.de
N 51°24'37'' E 9°58'44''

1 A**JM**NOR	6
2 CPRTVWX	ABDEFGHK 7
3 B	ABCDEFJNQR 8
4 FHI	9
5 GK	AHJ**NR** 10
10A CEE	❶ €14,50
70**T**(100m²) 30**D**	❷ €18,50

A7 Kassel-Hannover Ausfahrt 74. A38 Ausfahrt Friedland Richtung Reiffenhausen, dann den CP-Schildern folgen.

Seeburg, D-37136 / Niedersachsen CC€14 iD

Comfort-CP Seeburger See
Seestraße 20
1/1 - 6/1, 1/3 - 31/12
+49 (0)5507-1319
info@campingseeburgersee.com
N 51°33'49'' E 10°9'13''

1 AE**JM**NOPRST	**FLN** 6
2 DGHILPSVX	ABDE**FGHIJ** 7
3 BEF**HIKLMNP**QV	CDEFGJK**L**NQRSV 8
4 BDFGHIKO	AEF 9
5 ABDEGJKL	ABDFGHJMOPR 10
B 16A CEE	❶ €24,50
H150 3 ha 70**T**(50-140m²) 41**D**	❷ €27,50

A7, Ausfahrt 72 Göttingen-Nord und via B27/B446 Richtung Duderstadt.

Seesen, D-38723 / Niedersachsen CC€16 iD

Brillteich***
Am Brillteich 3-5
15 Mär - 15 Nov
+49 (0)5381-2839
info@campingplatz-seesen.de
N 51°54'23'' E 10°11'8''

1 A**JM**NOPRST	**N** 6
2 APRVX	ABDE**FG** 7
3 BEFL**MNR**S	ABE**F**JNQRS 8
4 F	DGIV 9
5 AJK	AFGHJM**PR**V 10
16A CEE	❶ €19,50
H200 2,2 ha 55**T**(80-100m²) 38**D**	❷ €24,50

A7 Kassel-Hannover Ausfahrt 67 Seesen. Dann noch 6 km der Beschilderung folgen (Richtung Salzgitter). Direkt hinter Seesen, 1. CP links.

Teilkarte Braunschweig auf Seite 273

Teilkarte Braunschweig auf Seite 273

Uslar/Schönhagen, D-37170 / Niedersachsen

Campingplatz am Freizeitsee	1 **JMN**OPQRST	AFL 6
In der Loh 1	2 BCDFGHIPSWXY	ABDE**FGJ** 7
1 Jan - 31 Dez	3 BEFLQ	ABE**F**JKNRSV 8
+49 (0)5571-9194611	4 FHIN	E 9
info@ camping-schoenhagen.de	5 ABDEGJKL	ABEFGHJL**NO**R 10
	16A	❶ €14,00
N 51°42'21'' E 9°33'26''	H300 5,7 ha 100**T**(80m²) 125**D**	❷ €18,00

Der Platz liegt an der B83 Holzminden-Uslar, 7 km nordwestlich von Uslar.

Wolfshagen (Harz), D-38685 / Niedersachsen

CP Am Krähenberg****	1 ADEF**JMN**OPRT	**AB**FG 6
Am Mauerkamp	2 BPRTVX	ABDE**FG**I 7
1 Jan - 31 Dez	3 AL	ABCDEFJNQRSV 8
+49 (0)5326-969281	4 FHIO	AD 9
post@campingplatz-wolfshagen.de	5 ABEJKL	AFGHJM**P**RV 10
	WB 16A CEE	❶ €19,45
N 51°54'4'' E 10°19'38''	H300 6,4 ha 80**T**(70-100m²) 353**D**	❷ €24,85

A7 Hannover-Kassel Ausfahrt 66 Rhüden, dann Richtung Goslar via B82, durch Langelsheim fahren und weiter Richtung Süden. Dann noch 4 km.

Walkenried, D-37445 / Niedersachsen

Knaus Campingpark Walkenried****	1 ADEF**JMN**OPQRST	E**N** 6
Ellricherstraße 7	2 DPRSTVY	ABDE**FG**HIJ 7
1 Jan - 31 Dez	3 BEFIL	ABCDEFJKNQRSV 8
+49 (0)5525-770	4 BDEFHIO**TX**	DEVWY 9
walkenried@knauscamp.de	5 ABEJKL	AB**F**GHJL**P**RV 10
	Anzeige auf Seite 259 WB 16A CEE	❶ €26,20
N 51°35'21'' E 10°37'28''	H300 5,5 ha 96**T**(70-100m²) 60**D**	❷ €32,90

Autobahn A7, Ausfahrt 67 Seesen. Via Herzberg und Bad Sachsa nach Walkenried.

Zorge, D-37449 / Niedersachsen

Im Waldwinkel****	1 A**JM**NOPRST	**ABFG** 6
Kunzental	2 BCGPRUVX	ABDE**FG**HI 7
1 Jan - 31 Dez	3 A**I**L	ABCDEFJNQRS 8
+49 (0)5586-1048	4 FHIO	9
campingzorge@aol.com	5 ABIKL	ABEFGHJM**P**RV 10
	WB 16A CEE	❶ €19,40
N 51°38'30'' E 10°39'0''	H350 1,2 ha 60**T**(100m²) 20**D**	❷ €24,25

Kassel-Hannover, Ausfahrt 72 Göttingen-Nord. Dann B27 und B243 bis Ausfahrt Walkenried und Zorge. Im Ort ausgeschildert.

Schleswig-Holstein

Altenteil (Fehmarn), D-23769 / Schlesw.-H. CC€14 iD

Belt-Camping-Fehmarn****
Altenteil 24
1 Apr - 4 Okt
+49 (0)4372-391
info@belt-camping-fehmarn.de
N 54°31'43'' E 11°5'40''

1 AEFJMNOPQRST	KMNOPQSWXY 6
2 EFIJKPSVWX	ABDEFGHI 7
3 ABEFIL	ABCDEFJKLNQRST 8
4 BHIO	D 9
5 ABEFKL	ABDFGHIJPSTW 10
B 16A CEE	① €27,60
9 ha 160T(70-100m²) 106D	② €31,20

A1 Ausfahrt Puttgarden Richtung Gammendorf. Von hier über Dänschendorf nach Altenteil. Camping dann ausgeschildert.

Ascheberg am Großen Plöner See, D-24326 / Schlesw.-H. iD

Musbergwiese
Strandhalle
1 Apr - 31 Okt
+49 (0)4526-445
info@camping-ascheberg.de
N 54°8'46'' E 10°20'27''

1 AFILNOQRT	LMNQSXYZ 6
2 DFGHIOPVWX	BEFGIJ 7
3 A	ABCDEFJKNQRST 8
4 FH	DPQT 9
5 ABDEJKL	ABFGHIJR 10
B 16A CEE	① €22,00
3 ha 60T(80-100m²) 62D	② €26,00

A7 Hamburg-Flensburg, Ausfahrt Neumünster. B430 halten Richtung Plön. In Ascheberg ist der CP angezeigt.

Augstfelde/Plön, D-24306 / Schlesw.-H. CC€16 iD

Augstfelde-Vierer See****
Augstfelde 1
1 Apr - 26 Okt
+49 (0)4522-8128
info@augstfelde.de
N 54°7'43'' E 10°27'18''

1 AFJMNOPQRST	LMNQSXY 6
2 DGHIPSTVWX	ABDEFGHIK 7
3 BEFIKLQV	ABCDEFIJKNQRSTU 8
4 BDJKLNQRSTX	DILPQVY 9
5 CDEGJKL	ABEFGHIJLMNORVWX 10
B 16A CEE	① €25,60
2,6 ha 200T(90-110m²) 312D	② €29,60

A1 nach Eutin, dann Richtung Plön über die B76. Nach der Ausfahrt Bösdorf gut ausgeschildert.

Bad Bramstedt, D-24576 / Schleswig-Holstein iD

Roland
Kieler Straße 52
1 Apr - 31 Okt
+49 (0)4192-6723
info@campingplatz-roland.de
N 53°55'42'' E 9°53'23''

1 AJMNOPRST	6
2 APRX	ABDEF 7
3 AK	ABDEFNQR 8
4	G 9
5 AL	AHIKR 10
B 16A CEE	① €23,00
30T(50-90m²) 1D	② €29,00

A7 Hamburg-Flensburg, Ausfahrt Bad Bramstedt. Der B206 bis zur 3. Ampel folgen. Dann weiter den CP-Schildern folgen.

Bad Malente, D-23714 / Schleswig-Holstein iD

An der Schwentine
Wiesenweg 14
4 Apr - 5 Okt
+49 (0)4523-4327
info@camping-bad-malente.de
N 54°9'53'' E 10°33'52''

1 AFJMNOPQRST	JNXZ 6
2 CGOPRVX	ABDEFGI 7
3 BL	ABCDEFIJKNQRSTUV 8
4 FHIO	9
5 BKL	ABGHIJOR 10
10A CEE	① €23,00
53T(80-100m²) 15D	② €27,00

In Malente-Zentrum Straße Richtung Eutin fahren. Nach ein paar hundert Metern links. Ausgeschildert.

Barkelsby/Eckernförde, D-24360 / Schleswig-Holstein iD

Hemmelmark
28 Mär - 1 Okt
+49 (0)4351-81149
info@ostsee-camping-hemmelmark.de
N 54°28'37'' E 9°52'40''

1 AFJMNOPQRST	KNOPQRSTWXY 6
2 EHKPVWX	ABDEFGIJ 7
3 BEKL	ABCDEFJKNRSV 8
4 FHI	D 9
5 ABDEGIKL	ABFGIJMRW 10
B 16A CEE	① €24,20
4,6 ha 40T(90-120m²) 369D	② €28,20

A7 Hamburg-Flensburg Ausfahrt Eckernförde. Durch das Zentrum am Nordufer Hafen, um die Marinekaserne herum und weiter CP Hemmelmark folgen. Letzte 2 km Schotterweg.

Basedow, D-21483 / Schleswig-Holstein CC€14 iD

Lanzer See
Am Lanzer See 1
27 Mär - 4 Okt
+49 (0)4153-599171
info@camping-lanzer-see.de
N 53°24'36'' E 10°35'50''

1 AJMNOPQRST	HLNXZ 6
2 CDFGIPRSVWXY	ABDEFGI 7
3 EL	ABCDEFJNQRSTUV 8
4 H	DEPQRV 9
5 ABDJK	ABFGHJNR 10
Anzeige auf dieser Seite 16A CEE	① €19,50
5 ha 200T(50-150m²) 162D	② €24,50

Von Hamburg A24 Ausfahrt Hornbek Ri. Lauenburg. Ab Basedow ausgeschildert. Von Lüneburg kommend auf die B5 nach rechts Ri. Boizenburg abbiegen. Nach 1 km links nach Lanze abbiegen, dann 5 km bis zum CP.

Behrensdorf, D-24321 / Schleswig-Holstein iD

Ferien- und Campinganlage Schuldt
Neuland 3
1 Apr - 30 Sep
+49 (0)4381-416545
info@schuldt-behrensdorf.de
N 54°21'17'' E 10°36'33''

1 ADGJMNOPQRST	KOQSWX 6
2 CEHIJOPWX	ABDEFG 7
3 ABEGHIKLV	ABCDEFIJKNQRSV 8
4 BKOPQ	DIKTY 9
5 CDEGJKL	ABFGHJMNRW 10
B 16A CEE	① €28,00
8 ha 55T(60-110m²) 324D	② €34,00

Über die A1 Hamburg-Puttgarden bei Oldenburg die B202 nehmen bis Lütjenburg-Ost, dann weiter Behrensdorf.

Bliesdorf, D-23730 / Schleswig-Holstein CC€16 iD

Walkyrien*****
Strandweg
27 Mär - 18 Okt
+49 (0)4562-6787
info@camping-walkyrien.de
N 54°7'23'' E 10°55'17''

1 ADFJMNOPQRST	KNQSWXY 6
2 AEGHPRTVW	ABDEFGI 7
3 BEFHKL	ABCDEFHIJKLMNQRSTUV 8
4 BIKOPTXZ	DJV 9
5 CDEGIJKL	ABFGHIJORWX 10
B 16A CEE	① €25,50
6 ha 30T(80-100m²) 380D	② €32,50

E47/E22 Hamburg-Puttgarden, Ausfahrt Neustadt Nord, Richtung Grömitz. Nach 5 km in Bliesdorf rechts abbiegen. Ausgeschildert.

Bliesdorf Strand, D-23730 / Schleswig-Holstein iD

Kagelbusch
27 Mär - 4 Okt
+49 (0)4562-7122
info@ostseecamping.de
N 54°7'25'' E 10°55'31''

1 AEFJKNOPQRST	KNOPQSWXY 6
2 AEGHPRTUVWX	ABDEFGHIK 7
3 BEFKLMNQV	ABCDEFGHIJKLMNQRSTUV 8
4 BDFHILOQRTXZ	E 9
5 ACDEGIJKL	ABFGHIJPRWX 10
B 16A CEE	① €28,30
16 ha 70T(85-120m²) 596D	② €33,30

E47/E22 Hamburg-Puttgarden, Ausfahrt Neustadt Nord, Richtung Grömitz. Nach 5 km in Bliesdorf rechts abbiegen.

Bockholmwik, D-24960 / Schleswig-Holstein iD

Förde Camping Bockholmwik**
Bockholmwik 19
1 Apr - 31 Okt
+49 (0)4631-2088
info@foerde-camping.de
N 54°49'42'' E 9°36'32''

1 ABEFJMNOPQRST	HKNOPQSTWXYZ 6
2 EFGHJKPTUVWX	ABDEFGHIJ 7
3 BCEHKL	ABCDEFJNQRSTV 8
4 FHIQ	DIJKTV 9
5 ABDEGIJKL	ABFGHJPSTVWX 10
B 12A CEE	① €20,00
7,5 ha 50T(70-100m²) 170D	② €25,00

Die B199 Flensburg-Kappeln, Ausfahrt Ringsberg durchfahren bis Rüde, 1. Straße rechts den CP-Schildern nach.

Borgdorf/Seedorf, D-24589 / Schleswig-Holstein iD

See-Camping BUM****
Hauptstraße
1 Jan - 31 Dez
+49 (0)4392-84840
info@seecampingbum.de
N 54°10'57'' E 9°53'3''

1 ACDFJMNOPQRST	LNQSXY 6
2 ABDFGHKOPQRTVWX	ABDEFGHIJ 7
3 ABFLQ	ABCDEFJKNPQRST 8
4 BFHI	DFGPT 9
5 ABDEJKL	ABFGHIKPRV 10
B 16A CEE	① €21,00
17 ha 120T(80-120m²) 131D	② €26,20

Von Süden: A7 Hamburg-Flensburg, Ausfahrt 11 Bordesholm. Richtung Dätgen. CP weiter angegeben. Von Norden: A7 Ausfahrt 10 Warder. Richtung Borgdorf/Nortorf. CP weiter angezeigt.

Buchholz, D-23911 / Schleswig-Holstein iD

Naturcamping Buchholz
Am Campingplatz 1
1 Apr - 30 Sep
+49 (0)4541-4255
office@naturcampingbuchholz.de
N 53°44'12'' E 10°44'16''

1 AFJMNOPQRST	LNQSXYZ 6
2 ADGPQRTUVX	ABDEFG 7
3 AEF	ABCDEFJNQRTUV 8
4 H	DPQRW 9
5 ABEGJKL	ABFGHIJLOPR 10
10A CEE	① €22,00
2,4 ha 91T(75-100m²) 43D	② €27,00

Bei Hamburg die A1 verlassen. Jetzt A24 Richtung Berlin. Die A24 an der Ausfahrt Groß Sarau verlassen, dann 6 km der B207 Richtung Ratzeburg bis zum Ortsschild Bucholz folgen. Danach der CP-Beschilderung folgen.

Busdorf/Haddeby b. Schleswig, D-24866 / Schlesw.-H. iD

Wikinger CP Haithabu
Haddebyer Chaussee 15
22 Mär - 31 Okt
+49 (0)4621-32450
info@campingplatz-haithabu.de
N 54°30'3'' E 9°34'15''

1 ABFILNOQRT	JNQSXYZ 6
2 ACGIOPQX	BEFGI 7
3 ABLS	ABCDEFJNQR 8
4 FHO	E 9
5 ABDEIJKL	ABGHIKLPRV 10
6A CEE	① €20,00
4,8 ha 100T(80-100m²) 44D	② €24,00

A7 Hamburg-Flensburg, Ausfahrt 6 Schleswig/Jagel, dann Richtung Schleswig, nach 3 km die B76 Richtung Kiel/Eckernförde. CP nach 1 km links an der Schlei.

Deutschland

Teilkarte Schleswig-Holstein auf Seite 275

Büsum, D-25761 / Schleswig-Holstein

Camping Nordsee***
Dithmarscher Straße 41
1 Mär - 31 Okt
+49 (0)4834-2515
camping-nordsee.buesum@t-online.de
N 54°8'20'' E 8°50'37''

1 ADEF**JM**NOPQRST **E**FGHIKM**N**PQRST**XZ** 6
2 EFGHILOPQSVWX ABDE**FG**HI 7
3 ABEF**IK**LQSV ABCDEFJKNQRSTUV 8
4 ABCD**E**FHIKNO DV 9
5 ABDEFGIKL ABFGHIJMNORVX10
B 10-16A ❶ €28,00
4,1 ha 170**T**(80-120m²) 99**D** ❷ €34,00

A23 Hamburg-Heide. In Heide die B203 Richtung Büsum. CP am Ortseingang von Büsum angezeigt. Richtung Strand halten.

Delve, D-25788 / Schleswig-Holstein

Eidertal Camping GmbH
Eiderstraße 20
1 Jan - 31 Dez
+49 (0)4803-1058
campingplatz@delve.de
N 54°18'20'' E 9°15'30''

1 AF**JM**NOPRS**T** AFJ**NX**YZ 6
2 CFGOPRSWXY ABDE**FG**IJ 7
3 B**K**L ABCDE**FI**JNQRTUV 8
4 FHI ANQ 9
5 ABEGJKLM ABHIJL**NO**RVWX10
16A CEE ❶ €19,00
3 ha 45**T**(80-130m²) 113**D** ❷ €24,00

A23 Ausfahrt Heide-W. In Heide Richtung Tellingstedt, Richtung Friedrichstadt. Ausfahrt Delve.

Büsum, D-25761 / Schleswig-Holstein

Campingplatz Zur Perle
Dithmarscher Straße 43
1 Apr - 31 Okt
+49 (0)4834-60137
info@campingplatz-zur-perle.de
N 54°8'24'' E 8°50'33''

1 EF**JM**NOPQRST KM**N**QR 6
2 EFGILPRSVWX ABDE**FG**HI 7
3 ABEF**IK**L ABCDEFHJKNQRSTUV 8
4 BDFH IV 9
5 ABDEFGJKL ABFGHIJ**NOP**RW10
B 16A CEE ❶ €26,20
6 ha 203**T**(100-140m²) 52**D** ❷ €31,60

A23 Hamburg-Heide. Die B203 Heide-Büsum. In Büsum ist CP ausgeschildert. Richtung Strand fahren.

Dersau (Holstein), D-24326 / Schleswig-Holstein

Seeblick
Dorfstraße 59
1 Apr - 25 Okt
+49 (0)4526-1211
info@camping-dersau.de
N 54°7'9'' E 10°20'13''

1 AFHKNOPQRS LMQSXYZ 6
2 DFGHOPRVW ABDE**FG** 7
3 A**K**L ABCDE**F**JKNQRS 8
4 FH 9
5 ACDEKL AGHIJ**P**10
10A CEE ❶ €18,00
3,2 ha 50**T**(100-110m²) 185**D** ❷ €22,00

A7 Hamburg-Flensburg, Ausfahrt 16, zur B430 Richtung Plön. 10 km hinter Bornhöved rechts Richtung Dersau. CP-Schildern folgen.

Dahme, D-23747 / Schleswig-Holstein

Eurocamping Zedano*****
Anhalter Platz 100
1 Jan - 31 Dez
+49 (0)4364-366
info@zedano.de
N 54°14'6'' E 11°4'54''

1 ADE**J**LNOPQRST KMNOPQRSW**X**YZ 6
2 CEGHOPVWXY ABDE**FG**IJ 7
3 ABFLQ ABCDE**FG**JK**LM**NQRSTU 8
4 **A**BCFHNOQS CDEJLMPVWYZ 9
5 ABDEFJKL ABDEFGHIJ**NP**STW10
Anzeige auf dieser Seite B 16A CEE ❶ €34,30
16,5 ha 220**T**(90-110m²) 319**D** ❷ €41,30

CP liegt an der Nordseite von Dahme an der Küste.

Eutin, D-23701 / Schleswig-Holstein

Naturpark-Camping Prinzenholz*****
Prinzenholzweg 20
2 Apr - 22 Okt
+49 (0)4521-5281
info@nc-prinzenholz.de
N 54°9'36'' E 10°36'7''

1 ADF**JM**NOPQRST LM**N**OQS**X**YZ 6
2 ADGHPRTUVWXY ABDE**FG**HI**JK** 7
3 BEF**K**LV ABCDEFIJKNQRSTUV 8
4 ABDEFGHIO**ST** DKPQV 9
5 ABCDKL ABEFGHIJM**NO**RVX10
B 16A CEE ❶ €28,50
5,8 ha 100**T**(60-160m²) 42**D** ❷ €34,50

E22/A1, Ausfahrt Eutin. Landstraße bis Malente ca. 500m. Nach Eutin ist CP ausgeschildert.

Dahme, D-23747 / Schleswig-Holstein

Stieglitz****
Reinhold-Reshöft-Damm
27/3 - 25/10, 18/12 - 10/1
+49 (0)4364-1435
info@camping-stieglitz.de
N 54°14'33'' E 11°4'49''

1 ADE**J**LNOPQRS**T** KMNOPQRSW**X**YZ 6
2 CEGHPVWXY ABDE**FG**HI 7
3 BFLRS ABCDE**F**JKNQRSTUV 8
4 ABHIKO DEMVW 9
5 ACDEJKL ABCDFGHIJ**NP**STVX10
Anzeige auf dieser Seite B 16A CEE ❶ €31,30
14 ha 200**T**(90-160m²) 317**D** ❷ €37,30

CP liegt an der Nordseite von Dahme (letzter CP).

Fehmarnsund (Fehmarn), D-23769 / Schlesw.-H.

Camping Miramar*****
Fehmarnsund 70
1 Jan - 31 Dez
+49 (0)4371-3220
campingmiramar@t-online.de
N 54°24'16'' E 11°8'25''

1 ADEF**J**LNOPQRST KMNOPQSW**X**Y 6
2 AEFHIOPVWXY ABDE**FG**HI 7
3 BEF**HIK**L**MN** ABCDEFGJKNQRSTU 8
4 BCDHINO**QST** DNV 9
5 ACDEJKL ABDFGHIJLM**P**STX10
B 16A CEE ❶ €34,10
13 ha 212**T**(80-135m²) 340**D** ❷ €42,10

E47 in nördlicher Richtung Ausfahrt Landkirchen. Aus südlicher Richtung Ausfahrt Avendorf. Dann ab Avendorf ausgeschildert.

Deutschland

Teilkarte Schleswig-Holstein auf Seite 275

Flügge (Fehmarn), D-23769 / Schlesw.-H.

CC€14 iD

Flüggerteich****
Flüggerteich 1
1 Apr - 4 Okt
+49 (0)4372-349
info@flueggerteich.de
N 54°27'11'' E 11°0'44''

1 AEFJMNOPRST KMNOPQSXY 6
2 EPVWXY ABDEFGI 7
3 ABL ABCDEFIJKQRSTV 8
4 BEFHI DE 9
5 KL ABGHIJMPRV 10
B 16A CEE ❶ €29,10
2 ha 61T(bis 120m²) 47D ❷ €36,10

E47, Ausfahrt Landkirchen. Über Petersdorf nach Flügge. Hier ist der Camping angezeigt.

Flügger Strand (Fehmarn), D-23769 / Schlesw.-H.

iD

Flügger Strand****
Flügger Strand 1
27 Mär - 11 Okt
+49 (0)4372-714
camping@fluegger-strand.de
N 54°27'5'' E 11°0'31''

1 AEFJLNOPQRST KMNOPQSWXY 6
2 EFHIKPQVWXY ABCDEFGHIK 7
3 ABEFILT ABCDEFJKLNPQRSTUV 8
4 BCDHOPQTX DEJV 9
5 ACEJKL ABFGHIJLNPRVW 10
B 16A CEE ❶ €28,10
15 ha 240T(70-140m²) 284D ❷ €34,10

B207/E47 Abfahrt Landkirchen. Über Petersdorf nach Flügge. Dort ist der CP ausgeschildert.

Friedrichstadt, D-25840 / Schleswig-Holstein

iD

Eider- und Treene Campingplatz
Tönningerstraße 1a
1 Jan - 31 Dez
+49 (0)4881-400
info@treenecamp.de
N 54°22'22'' E 9°5'26''

1 AFJMNOPQRST JNXY 6
2 CFGOPRSWXY ABDEFGIJ 7
3 AB ABEFJNQRSV 8
4 FHI DFNPQRT 9
5 ADEGIKL ABFHJMNOPRVWZ 10
16A CEE ❶ €20,00
95T(70-90m²) 20D ❷ €27,00

Über die A23 Hamburg/Heide/Husum, dann von der B5 Richtung Husum. Über die A7 Hamburg/Flensburg und ab Rendsburg die B202 Richtung Husum.

Gammendorf (Fehmarn), D-23769 / Schlesw.-H.

CC€16 iD

Am Niobe****
1 Apr - 15 Okt
+49 (0)4371-3286
info@camping-am-niobe.de
N 54°31'19'' E 11°9'9''

1 AEFJMNOPQRST KMNOPQSWXY 6
2 AEHIJKPVWX ABDEFGHI 7
3 ABEFHLS ABCDEFIJNQRSTUV 8
4 BFHIKLO DEVY 9
5 ABDJKL ABFGHIJNPSTVX 10
B 16A CEE ❶ €27,70
7,5 ha 134T(80-120m²) 171D ❷ €33,70

E47 bis kurz vor dem Fährhafen, dort links nach Puttgarden. Am Ortsende rechts bis Gammendorf. Hier rechts der Beschilderung folgen.

Glücksburg, D-24960 / Schleswig-Holstein

CC€16 iD

Ostseecamp Glücksburg-Holnis****
An der Promenade 1
28 Mär - 11 Okt
+49 (0)4631-622071
info@ostseecamp-holnis.de
N 54°51'26'' E 9°35'29''

1 ABDEFILNOPQRST KMNQRSX 6
2 EGHOPQWX ABDEFGIJK 7
3 ABEFGHIKLS ABCDEFJKNQRSTUV 8
4 AEFHIO DTVY 9
5 BDEIL ABFGHJLMNOR 10
B 16A CEE ❶ €28,65
6 ha 125T(40-90m²) 113D ❷ €35,45

Von Glücksburg Richtung Holnis fahren. CP ist gut ausgeschildert.

Goltoft, D-24864 / Schleswig-Holstein

iD

Naturcamping Hellör
Hellör 1
29 Mär - 3 Okt
+49 (0)4622-533
Klaus.Uck@t-online.de
N 54°32'11'' E 9°44'1''

1 ABFILNOPRT JMNQSWXZ 6
2 CGIPUWXY ABDEFG 7
3 BKL ABDEFJNQRSV 8
4 FHIOT 9
5 ABFKL ABHJSTVW 10
6A CEE ❶ €21,80
1,4 ha 55T 55D ❷ €26,80

A7 Hamburg-Flensburg. B201 Richtung Kappeln, Ausfahrt Schaalby/Füsing, dann Richtung Brodersby, Goltoft. Dann den CP-Schildern folgen.

Gremersdorf, D-23758 / Schleswig-Holstein

iD

Blank-Eck GmbH
Neuteschendorf 8
14 Mär - 12 Okt
+49 (0)4361-80562
blank-eck@t-online.de
N 54°20'45'' E 10°53'49''

1 ADFJMNOPQRST KMNOPQSWXY 6
2 AEGHKPRVW ABDEFGIJK 7
3 BEKLT ABCDEFJLMNQRSTUV 8
4 IKRSTX DEX 9
5 CDEGJK ABGHIJLORV 10
B 16A CEE ❶ €19,90
6 ha 86T(100-140m²) 294D ❷ €25,90

A1 Hamburg-Lübeck-Puttgarden, Ausfahrt bei Oldenburg Nord. Richtung Altgalendorf. Wegweiser Johannistal/Neuteschendorf. Dann gut ausgeschildert.

Grömitz, D-23743 / Schleswig-Holstein

iD

Ahoi Camping Resort
Mittelweg 129
1 Apr - 15 Okt
+49 (0)4562-8586
moin@ahoi-camping.de
N 54°9'38'' E 10°59'32''

1 ADFGJMNOPQRST KQSWX 6
2 AEGHKOPS ABDEFG 7
3 ABKL ABCDEFIJKNQRSV 8
4 BLPT D 9
5 ABDEGIKL ABFGHIJOR 10
B 10A CEE ❶ €34,00
8 ha 70T(80-120m²) 368D ❷ €48,00

E47/E22 Hamburg-Puttgarden bei Ausfahrt Neustadt verlassen. Die 501 nach Grömitz. In Grömitz-Zentrum Mittelweg nehmen.

Grömitz, D-23743 / Schleswig-Holstein

iD

Camaro
Mittelweg 111
1 Jan - 31 Dez
+49 (0)4562-8845
info@ferienpark-camaro.de
N 54°9'32'' E 10°59'17''

1 AFJMNOPRS EKNQSWXYZ 6
2 AEHKPRVWX ABDEFGI 7
3 ABGHL ABCDEFLNQRSTUV 8
4 AIOPSTU E 9
5 BDKL ABGHIJRV 10
B 16A CEE ❶ €25,00
5 ha 80T(60-80m²) 261D ❷ €31,00

E47/E22 Hamburg-Puttgarden, Ausfahrt Neustadt Nord. Straße bis Grömitz. In Grömitz-Zentrum Mittelstraße fahren. Ausgeschildert.

Grömitz, D-23743 / Schleswig-Holstein

iD

Porta del Sol
Mittelweg 143
1 Apr - 31 Okt
+49 (0)4562-222888
info@porta-del-sol.de
N 54°9'48'' E 10°59'59''

1 ADFJMNOPQRST KNQSWXY 6
2 AEHPRVX ABDEFG 7
3 AEKUV ABCDEFIJKNQRSTUV 8
4 FHIJL D 9
5 BDEIKL ABGHIJNOR 10
16A CEE ❶ €39,60
10 ha 80T(80-120m²) 484D ❷ €52,20

E47/E22 Hamburg-Puttgarden, Ausfahrt Neustadt Nord. Straße bis Grömitz. In Grömitz-Zentrum Mittelstraße fahren. CP ausgeschildert.

Großenbrode, D-23775 / Schleswig-Holstein

CC€14 iD

Strandparadies Großenbrode****
Südstrand 3
1 Apr - 31 Okt
+49 (0)4367-8697
camping@strandparadies-grossenbrode.de
N 54°21'37'' E 11°5'15''

1 AEFILNOPQRST KMNOPQRSTW 6
2 AEHOPSVW ABDEFGH 7
3 BLQ ABCDEFGJKNQRSTU 8
4 FHI 9
5 KL ABCDFGHIJMNPSTW 10
B 16A ❶ €25,60
8 ha 90T(80-95m²) 340D ❷ €31,60

A1 Hamburg-Lübeck bis Oldenburg. Dann auf die E47 bis Großenbrode. Der CP ist gut beschildert.

Großensee, D-22946 / Schleswig-Holstein

iD

ABC am Großensee/Hamburg
Trittauer Straße 11
1 Apr - 15 Okt
+49 (0)4154-60642
info@campingplatz-abc.de
N 53°36'42'' E 10°20'38''

1 ADFJMNOPQRS LM 6
2 ABDGIOPTWX ABDEFG 7
3 BEFK ABCDEFNQRV 8
4 FHI FV 9
5 ABHIJPR 10
16A CEE ❶ €25,50
H60 2,5 ha 40T(80-100m²) 33D ❷ €31,50

A1/E52 Hamburg-Lübeck, Ausfahrt Stapelfeld/Trittau. Richtung Trittau nach Großensee. A24 Ausfahrt 6. Schwarzenbek B404 Trittau-Nord. Großensee.

Habernis/Steinberg, D-24972 / Schleswig-Holstein

iD

Habernis
Habernis 7
1 Apr - 31 Okt
+49 (0)4632-7616
camping-habernis@web.de
N 54°47'41'' E 9°46'33''

1 AFILNOPQRST KNOPQSWXYZ 6
2 EFHJKPWX ABFGHI 7
3 BGHILS ABCDEFGILNQRV 8
4 FH D 9
5 ABDKLM AHIJOR 10
16A CEE ❶ €18,00
1,4 ha 30T(60-100m²) 71D ❷ €24,00

Die B199 Flensburg-Kappeln, Ausfahrt Neukirchen. Vor Neukirchen Ausfahrt Habernis. CP gut ausgeschildert.

Hamburg/Schnelsen, D-22457 / Schleswig-Holstein

KNAUS Campingpark Hamburg
Wunderbrunnen 2
1 Jan - 31 Dez
+49 (0)40-5594225
hamburg@knauscamp.de
N 53°39'1'' E 9°55'44''

1 DFJMNOPQRST 6
2 APRSVWX ABEFGI 7
3 AL BDFJNQRSV 8
4 I E 9
5 ABL ABFGHOR 10
B 16A CEE ❶ €34,10
3 ha 115T(80-120m²) 8D ❷ €41,10

A7 Hamburg-Flensburg, Ausfahrt Schnelsen-Nord. Den CP-Schildern/Ikea folgen. CP kommt hinter Ikea.

Gebrauchsanweisung

ACSI

Um die Möglichkeiten des Führers optimal nutzen zu können, sollten Sie die Gebrauchsanweisung auf Seite 10 gut durchlesen. Hier finden Sie wertvolle Informationen, beispielsweise die Berechnung der Übernachtungspreise.

❶ € 25,00
❷ € 35,80

Deutschland

Teilkarte Schleswig-Holstein auf Seite 275

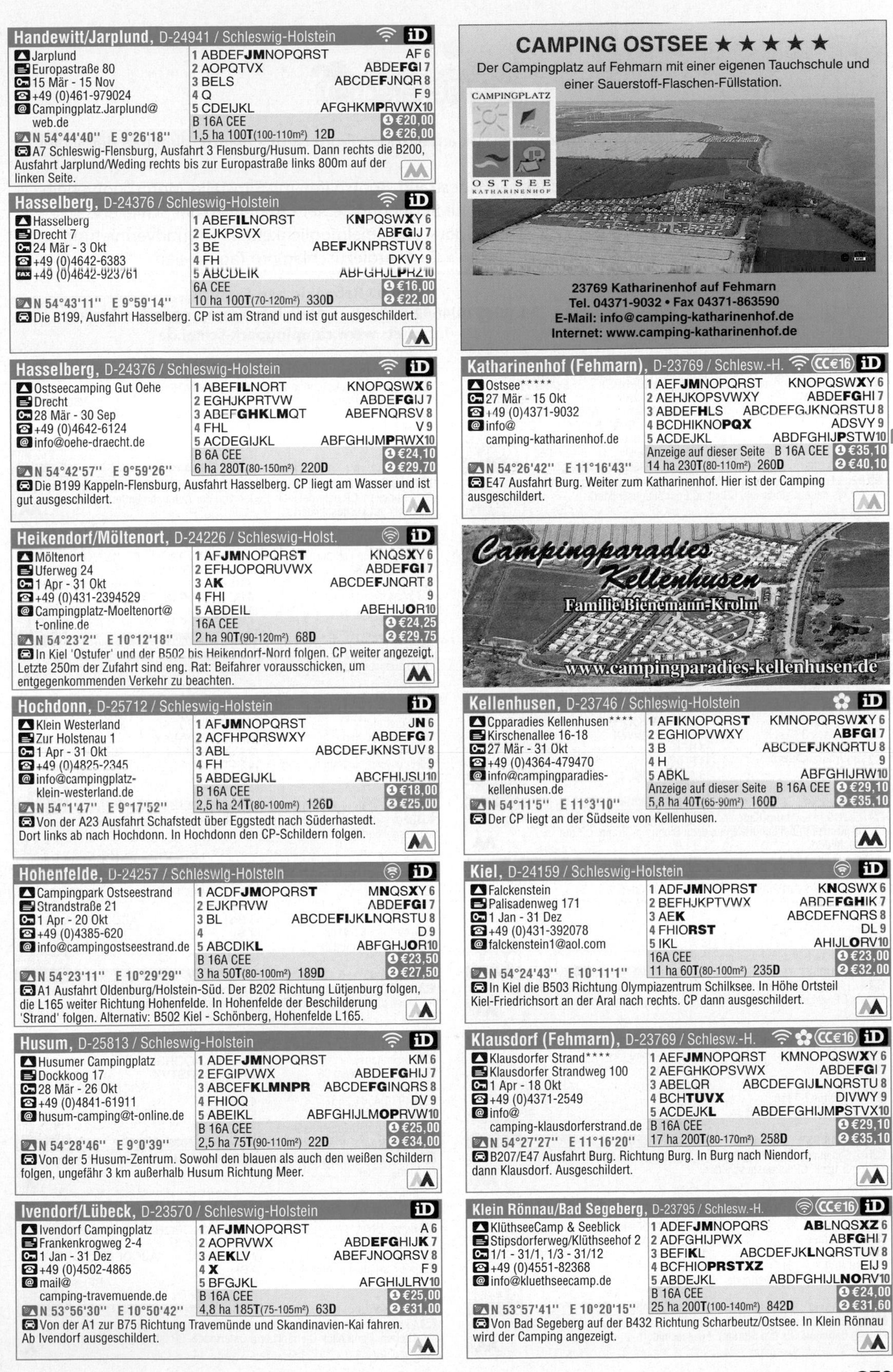

Handewitt/Jarplund, D-24941 / Schleswig-Holstein

Jarplund
Europastraße 80
15 Mär - 15 Nov
+49 (0)461-979024
Campingplatz.Jarplund@web.de
N 54°44'40'' E 9°26'18''

1 ABDEF**JM**NOPQRST	AF	6
2 AOPQTVX	ABDE**FG**I	7
3 BELS	ABCDE**F**JNQR	8
4 Q	F	9
5 CDEIJKL	AFGHKM**P**RVWX	10
B 16A CEE		① €20,00
1,5 ha 100**T**(100-110m²) 12**D**		② €26,00

A7 Schleswig-Flensburg, Ausfahrt 3 Flensburg/Husum. Dann rechts die B200, Ausfahrt Jarplund/Weding rechts bis zur Europastraße links 800m auf der linken Seite.

Hasselberg, D-24376 / Schleswig-Holstein

Hasselberg
Drecht 7
24 Mär - 3 Okt
+49 (0)4642-6383
FAX +49 (0)4642-923761
N 54°43'11'' E 9°59'14''

1 ABEF**IL**NORST	K**N**PQSW**X**Y	6
2 EJKPSVX	AB**FG**IJ	7
3 BE	ABE**F**JKNPRSTUV	8
4 FH	DKVY	9
5 ABCDEIK	ABFGHJL**P**RZ	10
6A CEE		① €16,00
10 ha 100**T**(70-120m²) 330**D**		② €22,00

Die B199, Ausfahrt Hasselberg. CP ist am Strand und ist gut ausgeschildert.

Hasselberg, D-24376 / Schleswig-Holstein

Ostseecamping Gut Oehe
Drecht
28 Mär - 30 Sep
+49 (0)4642-6124
info@oehe-draecht.de
N 54°42'57'' E 9°59'26''

1 ABEF**IL**NORT	KNOPQSW**X**	6
2 EGHJKPRTVW	ABDE**FG**IJ	7
3 ABEF**GHKLM**QT	ABEFNQRSV	8
4 FHL	V	9
5 ACDEGIJKL	ABFGHIJM**P**RWX	10
B 6A CEE		① €24,10
6 ha 280**T**(80-150m²) 220**D**		② €29,70

Die B199 Kappeln-Flensburg, Ausfahrt Hasselberg. CP liegt am Wasser und ist gut ausgeschildert.

Heikendorf/Möltenort, D-24226 / Schleswig-Holst.

Möltenort
Uferweg 24
1 Apr - 31 Okt
+49 (0)431-2394529
Campingplatz-Moeltenort@t-online.de
N 54°23'2'' E 10°12'18''

1 AF**JM**NOPQRS**T**	KNQS**X**Y	6
2 EFHJOPQRUVWX	ABDE**FGI**	7
3 A**K**	ABCDE**F**JNQRT	8
4 FHI		9
5 ABDEIL	ABEHIJ**O**R	10
16A CEE		① €24,25
2 ha 90**T**(90-120m²) 68**D**		② €29,75

In Kiel 'Ostufer' und der B502 bis Heikendorf-Nord folgen. CP weiter angezeigt. Letzte 250m der Zufahrt sind eng. Rat: Beifahrer vorausschicken, um entgegenkommenden Verkehr zu beachten.

Hochdonn, D-25712 / Schleswig-Holstein

Klein Westerland
Zur Holstenau 1
1 Apr - 31 Okt
+49 (0)4825-2345
info@campingplatz-klein-westerland.de
N 54°1'47'' E 9°17'52''

1 AF**JM**NOPQRST	**J**N	6
2 ACFHPQRSWXY	ABDE**FG**	7
3 ABL	ABCDEFJKNSTUV	8
4 FH		9
5 ABDEGIJKL	ABCFHIJSU	10
B 16A CEE		① €18,00
2,5 ha 21**T**(80-100m²) 126**D**		② €25,00

Von der A23 Ausfahrt Schafstedt über Eggstedt nach Süderhastedt. Dort links ab nach Hochdonn. In Hochdonn den CP-Schildern folgen.

Hohenfelde, D-24257 / Schleswig-Holstein

Campingpark Ostseestrand
Strandstraße 21
1 Apr - 20 Okt
+49 (0)4385-620
info@campingostseestrand.de
N 54°23'11'' E 10°29'29''

1 ACDF**JM**OPQRS**T**	MNQS**X**Y	6
2 EJKPRVW	ABDE**FGI**	7
3 BL	ABCDE**FI**JK**L**NQRSTU	8
4	D	9
5 ABCDIK**L**	ABFGHJ**O**R	10
B 16A CEE		① €23,50
3 ha 50**T**(80-100m²) 189**D**		② €27,50

A1 Ausfahrt Oldenburg/Holstein-Süd. Der B202 Richtung Lütjenburg folgen, die L165 weiter Richtung Hohenfelde. In Hohenfelde der Beschilderung 'Strand' folgen. Alternativ: B502 Kiel - Schönberg, Hohenfelde L165.

Husum, D-25813 / Schleswig-Holstein

Husumer Campingplatz
Dockkoog 17
28 Mär - 26 Okt
+49 (0)4841-61911
husum-camping@t-online.de
N 54°28'46'' E 9°0'39''

1 ADEF**JM**NOPQRST	KM	6
2 EFGIPVWX	ABDE**FG**HIJ	7
3 ABCEF**KLMNPR**	ABCDE**FG**INQRS	8
4 FHIOQ	DV	9
5 ABEIKL	ABFGHIJLM**OP**RVW	10
B 16A CEE		① €25,00
2,5 ha 75**T**(90-110m²) 22**D**		② €34,00

Von der 5 Husum-Zentrum. Sowohl den blauen als auch den weißen Schildern folgen, ungefähr 3 km außerhalb Husum Richtung Meer.

Ivendorf/Lübeck, D-23570 / Schleswig-Holstein

Ivendorf Campingplatz
Frankenkrogweg 2-4
1 Jan - 31 Dez
+49 (0)4502-4865
mail@camping-travemuende.de
N 53°56'30'' E 10°50'42''

1 AF**JM**NOPQRST	A	6
2 AOPRVWX	ABD**EFG**HIJ**K**	7
3 AE**K**LV	ABEFJNOQRSV	8
4 **X**	F	9
5 BFGJKL	AFGHIJLRV	10
B 16A CEE		① €25,00
4,8 ha 185**T**(75-105m²) 63**D**		② €31,00

Von der A1 zur B75 Richtung Travemünde und Skandinavien-Kai fahren. Ab Ivendorf ausgeschildert.

Katharinenhof (Fehmarn), D-23769 / Schlesw.-H.

Ostsee*****
27 Mär - 15 Okt
+49 (0)4371-9032
info@camping-katharinenhof.de
N 54°26'42'' E 11°16'43''

1 AEF**JM**NOPQRST	KNOPQSW**X**Y	6
2 AEHJKOPSVWXY	ABDE**FG**HI	7
3 ABDEF**H**LS	ABCDEFGJKNQRSTU	8
4 BCDHIKNO**PQX**	ADSVY	9
5 ACDEJKL	ABDFGHIJ**P**STW	10
Anzeige auf dieser Seite B 16A CEE		① €35,10
14 ha 230**T**(80-110m²) 260**D**		② €40,10

E47 Ausfahrt Burg. Weiter zum Katharinenhof. Hier ist der Camping ausgeschildert.

Kellenhusen, D-23746 / Schleswig-Holstein

Cpparadies Kellenhusen****
Kirschenallee 16-18
27 Mär - 31 Okt
+49 (0)4364-479470
info@campingparadies-kellenhusen.de
N 54°11'5'' E 11°3'10''

1 AF**I**KNOPQRS**T**	KMNOPQRSW**X**Y	6
2 EGHIOPVWXY	AB**FGI**	7
3 B	ABCDE**F**JKNQRTU	8
4 H		9
5 ABKL	ABFGHIJRW	10
Anzeige auf dieser Seite B 16A CEE		① €29,10
5,8 ha 40**T**(65-90m²) 160**D**		② €35,10

Der CP liegt an der Südseite von Kellenhusen.

Kiel, D-24159 / Schleswig-Holstein

Falckenstein
Palisadenweg 171
1 Jan - 31 Dez
+49 (0)431-392078
falckenstein1@aol.com
N 54°24'43'' E 10°11'1''

1 ADF**JM**NOPRS**T**	K**N**QSWX	6
2 BEFHJKPTVWX	ABDF**FGH**IK	7
3 AE**K**	ABCDEFNQRS	8
4 FHIO**RST**	DL	9
5 IKL	AHIJL**O**RV	10
16A CEE		① €23,00
11 ha 60**T**(80-100m²) 235**D**		② €32,00

In Kiel die B503 Richtung Olympiazentrum Schilksee. In Höhe Ortsteil Kiel-Friedrichsort an der Aral nach rechts. CP dann ausgeschildert.

Klausdorf (Fehmarn), D-23769 / Schlesw.-H.

Klausdorfer Strand****
Klausdorfer Strandweg 100
1 Apr - 18 Okt
+49 (0)4371-2549
info@camping-klausdorferstrand.de
N 54°27'27'' E 11°16'20''

1 AEF**JM**NOPQRST	KMNOPQSW**X**Y	6
2 AEFGHKOPSVWX	ABDE**FGI**	7
3 ABELQR	ABCDEFGIJ**L**NQRSTU	8
4 BCH**TUVX**	DIVWY	9
5 ACDEJK**L**	ABDEFGHIJM**P**STVX	10
B 16A CEE		① €29,10
17 ha 200**T**(80-170m²) 258**D**		② €35,10

B207/E47 Ausfahrt Burg. Richtung Burg. In Burg nach Niendorf, dann Klausdorf. Ausgeschildert.

Klein Rönnau/Bad Segeberg, D-23795 / Schlesw.-H.

KlüthseeCamp & Seeblick
Stipsdorferweg/Klüthseehof 2
1/1 - 31/1, 1/3 - 31/12
+49 (0)4551-82368
info@kluethseecamp.de
N 53°57'41'' E 10°20'15''

1 ADEF**JM**NOPQRS	**AB**LNQS**XZ**	6
2 ADFGHIJPWX	AB**FG**HI	7
3 BEFI**KL**	ABCDEFJK**L**NQRSTUV	8
4 BCFHIO**PRSTXZ**	EIJ	9
5 ABDEJKL	ABDFGHIJL**NO**RV	10
B 16A CEE		① €24,00
25 ha 200**T**(100-140m²) 842**D**		② €31,60

Von Bad Segeberg auf der B432 Richtung Scharbeutz/Ostsee. In Klein Rönnau wird der Camping angezeigt.

Deutschland

Teilkarte Schleswig-Holstein auf Seite 275

Deutschland

Kleinwaabs, D-24369 / Schleswig-Holstein

CCE16 iD

Ostsee-Campingplatz Heide
Strandweg 31
29 Mär - 31 Okt
+49 (0)4352-2530
info@waabs.de

1 ABDEFILNOPQRST	EKMNOPQRSWXY	6
2 EGJPSVWXY	BDEFGHIJ	7
3 ABEFGHILMS	ABCDEFGIJKLNQRSTUV	8
4 AEFIJLMOPQRSTVY	DELMTVY	9
5 ACDEFGJKL	ABEFGHIJMNPSTVYZ	10
Anzeige auf Seite 281 B 16A CEE		❶ €35,50
22 ha 280T(95-160m²) 596D		❷ €45,50

N 54°31'52'' E 10°0'3''

B203 Eckernförde-Kappeln, Ausfahrt Loose. An der Kreuzung Richtung Waabs. Weiter bis nach Kleinwaabs. CP ist dort gut ausgeschildert.

Kollmar, D-25377 / Schleswig-Holstein

iD

Elbdeich Camping Kollmar
Kleine Kirchreihe 22
1 Apr - 31 Okt
+49 (0)4128-300
info@elbdeich-camping.de

1 AFJMNOPRST	JNQSXY	6
2 CFHPRSVWX	ABFG	7
3 AB	ABCDEFGIJNPQSTUV	8
4 FH	D	9
5 K	ABFGHIJLR	10
B 16A CEE		❶ €17,00
1,2 ha 27T(80-120m²) 51D		❷ €22,00

N 53°43'27'' E 9°30'9''

Die 23 Hamburg-Itzehoe, Ausfahrt 14 Elmshorn/Glückstadt, die 431, Ausfahrt Kollmar. Den CP-Schildern folgen.

Langballig, D-24977 / Schleswig-Holstein

iD

Langballigau**
Strandweg 3
11 Apr - 31 Okt
+49 (0)4636-308
service@campingplatz-langballigau.de

1 ABFJMNOQRST	KMNPQSWXY	6
2 DEGHOPVWX	ABDEFGHI	7
3 BFK	ABCDFNQR	8
4 FHIO	DVY	9
5 ABDEGIJKL	ABFGHJPR	10
B 10A CEE		❶ €17,50
4 ha 50T(80-120m²) 106D		❷ €22,50

N 54°49'19'' E 9°39'32''

Die B199 Flensburg-Kappeln, Ausfahrt Langballig. Richtung Langballigholz bis zur Kreuzung bei Langballigau, dann Richtung Strand. CP gut ausgeschildert.

Langwedel, D-24631 / Schleswig-Holstein

iD

Caravanpark Am Brahmsee
Mühlenstrasse 30a
1 Jan - 31 Dez
+49 (0)4329-1567
info@caravanpark-am-brahmsee.de

1 AJMNOPQRST	LN	6
2 ACDGHPSVWX	ABDEFGI	7
3	ABEFJNQRT	8
4	E	9
5 A	ABFGHJPRV	10
16A CEE		❶ €15,00
1,5 ha 15T(100-150m²) 12D		❷ €18,00

N 54°12'53'' E 9°55'1''

A7 Hamburg-Flensburg Ausfahrt Warder, Richtung Tierpark 'Arche Warder' folgen. CP weiter angezeigt. Achtung: 2 CP's gegenüber voneinander.

Leck, D-25917 / Schleswig-Holstein

iD

Karlsmark
Karlsmark 1
1 Jan - 31 Dez
+49 (0)4662-1850
camping-leck@versanet.de

1 ABFILNOPQRT		6
2 OPVWX	BEFGI	7
3 ABEK	ABCDFJKNQRV	8
4 FHI	J	9
5 GKL	ABGHIJR	10
B 16A CEE		❶ €19,00
1,1 ha 50T 12D		❷ €27,50

N 54°45'33'' E 8°59'30''

A7 Schleswig-Flensburg, Ausfahrt 2 Harrislee, die 199 Richtung Niebüll, 1 km vor Leck. CP ist ausgeschildert.

Lindaunis/Boren, D-24392 / Schleswig-Holstein

iD

Lindaunis
Schleistraße 1
28 Mär - 15 Okt
+49 (0)4641-7317
camping-lindaunis@gmx.de

1 AEFILNOQR	KLNQSTWXYZ	6
2 DEGPUVWXY	ABCFGI	7
3 ABKLS	ABDFIJNQRST	8
4 HIO	OPQV	9
5 ABEIJKL	ABGHIJNPR	10
B 16A CEE		❶ €23,00
4 ha 40T(90-120m²) 170D		❷ €29,00

N 54°35'12'' E 9°48'59''

Die B201 Schleswig-Kappeln, Abfahrt Lindaunis. Durch Lindau, CP liegt an der kleinen Bahnlinie (2x pro Stunde). Ausgeschildert.

Lübeck/Schönböcken, D-23556 / Schleswig-Holst.

iD

Cp.platz Lübeck-Schönböcken
Steinrader Damm 12
1 Jan - 31 Dez
+49 (0)451-893090
info@camping-luebeck.de

1 ADEJMNOPQRST		6
2 AOPTW	ABDFGHIK	7
3 BKLV	ABCDEFJKNQRV	8
4 IO		9
5 BKL	AGHIKOR	10
6A CEE		❶ €21,00
1,6 ha 70T(70-120m²)		❷ €25,00

N 53°52'10'' E 10°37'51''

Über E4/A1 Richtung Lübeck-Hamburg, Ausfahrt Lübeck/Moisling Richtung Schönböcken. CP befindet sich 1,5 km von der Autobahn entfernt, Ausfahrt gut ausgeschildert.

Meeschendorf (Fehmarn), D-23769 / Schlesw.-H.

iD

Insel-Camp Fehmarn*****
1 Apr - 4 Okt
+49 (0)4371-50300
info@inselcamp.de

1 AEFJMNOPQRST	KMNOPQSWXY	6
2 AEFHOPSVWX	ABCDEFG	7
3 BEFKL	ABCDEFJKLNQRSTU	8
4 BCDHILOPQRTVX	V	9
5 ACDJK	ABEGHIJNPSTX	10
B 16A CEE		❶ €43,60
8,2 ha 300T(90-200m²) 80D		❷ €53,60

N 54°24'57'' E 11°14'41''

A1/E47, Ausfahrt Burg. In Burg wird in Meschendorf gut angezeigt. Dann ausgeschildert.

Meeschendorf (Fehmarn), D-23769 / Schlesw.-H.

CCE16 iD

Südstrand****
1 Apr - 30 Sep
+49 (0)4371-2189
info@camping-suedstrand.de

1 AEFJMNOPQRST	KMNOPQRSTWXYZ	6
2 AEHOPSVWXY	ABDEFG	7
3 ABDEFKLQRSU	ABCDEFJKNQRSTU	8
4 BCDHNT	DMOVY	9
5 ACEGJKL	ABFGHIJPRVW	10
B 10A CEE		❶ €35,60
14 ha 200T(80-120m²) 258D		❷ €39,60

N 54°24'50'' E 11°15'0''

B207 Ausfahrt Burg. Dort Richtung Meeschendorf. Camping dann ausgeschildert.

Neustadt in Holstein, D-23730 / Schleswig-Holstein

Am Strande
Sandbergerweg 94
1 Apr - 30 Sep
+49 (0)4561-4188
info@amstrande.de

1 BDFJMNOPQRST	KNQSWXYZ	6
2 AEHOPRTVX	ABDEFGHI	7
3 BKLV	ABCDEFJKLNRSV	8
4 S	DKLVW	9
5 CEIKL	ABFGHIJST	10
B 10A CEE		❶ €21,00
4,5 ha 180T(75-90m²) 218D		❷ €27,00

N 54°5'35'' E 10°49'33''

E47/E22 Hamburg-Puttgarden, Ausfahrt Neustadt Süd Richtung Neustadt. In Neustadt-Zentrum Straße Richtung Pelzerhaken fahren. Ausgeschildert.

Neustadt in Holstein, D-23730 / Schleswig-Holstein

iD

Lotsenhaus
Sandberger Weg 96
1 Apr - 31 Okt
+49 (0)4561-2557
camping@campingplatz-lotsenhaus.de

1 ADFHKNOQRST	KNQSWXYZ	6
2 AEHJOPRSTVX	ABDEFGHIK	7
3 BEKLV	ABCDEFJKNRSTUV	8
4 IOPQ	V	9
5 BDEIJKL	ABFHJNPR	10
35A CEE		❶ €22,00
5,1 ha 80T(80-120m²) 240D		❷ €28,00

N 54°5'34'' E 10°49'38''

A1 Hamburg-Lübeck, Ausfahrt Neustadt Süd. Nach ca. 5 Minuten rechts ab Richtung 'Klinikum'. 2. CP rechts.

Ostermade, D-23779 / Schleswig-Holstein

iD

Hohes Ufer****
1 Apr - 4 Okt
+49 (0)4365-496
info@urlaub-mit-herz.de

1 AEFJMNOPQRST	KMNOPQSWXY	6
2 AEHOPVWX	ABDEFGHIJ	7
3 BEFGHIL	ABCDEFJKNQRSTUV	8
4 BH		9
5 ACEGIKL	ABFIJMPSTW	10
B 16A CEE		❶ €31,50
12 ha 70T(100-120m²) 540D		❷ €39,50

N 54°19'28'' E 11°4'13''

4 km nach dem Ende der Autobahn A1 Hamburg-Puttgarden rechts Richtung Neukirchen. Dann nach Ölendorf und Ostermade. CP ist ausgeschildert.

Teilkarte Schleswig-Holstein auf Seite 275

ADAC Super-Platz 2012
Ostsee Camping
Familie Heide
Strandweg 31
24369 Kleinwaabs
Tel: 0049 4352 2530 oder 2579
• direkt an der Ostsee, aber ohne Strandtaxe
• 1,5 km Küste mit eigenem Badestrand
• beheiztes Hallenbad mit Wellnessbereich
• organisierte Animation mit super Spielplätzen
• viele Sportangebote, Tauchschule
Neue Ferienhäuser
www.ferienhaus-waabs.de
www.waabs.de

Padenstedt, D-24634 / Schleswig-Holstein

Forellensee
Humboldredder 5
1 Jan - 31 Dez
+49 (0)4321-82697
info@familien-campingplatz.de
N 54°2'47" E 9°55'24"

1 AFILNOPQRST	LMN	6
2 ADGHPQRVW	ABDEFGHIJ	7
3 ABCEFGHLST	ABCDEFJKNQRSTUV	8
4 AFHI	FI	9
5 DKL	AFGHIMPRWX	10
B 16A CEE		❶ €24,50
20 ha 70T(80-100m²) 217D		❷ €28,50

A7 Hamburg-Flensburg, Ausfahrt 14 Richtung Wasbek. Dann ist CP ausgeschildert.

Plön, D-24306 / Schleswig-Holstein

Naturcamping Spitzenort
Ascheberger Straße 76
1 Apr - 25 Okt
+49 (0)4522-2769
info@spitzenort.de
N 54°8'54" E 10°23'52"

1 DEFJMNOPQRS	ABLMNQSXYZ	6
2 DFKOPRVWX	ABDEFGIJ	7
3 BCEFIL	ABCDEFGIJKNQRSTUV	8
4 AFHILQRSX	DKOQRTVY	9
5 ABDEIJKL	ABEFGHIJLMNPRV	10
B 10A CEE		❶ €30,00
4,5 ha 205T(80-110m²) 28D		❷ €36,00

A7 Hamburg-Flensburg, Ausfahrt Großenaspe. Weiter die B430 Richtung Plön. CP ist in Plön ausgeschildert.

Plön/Bösdorf, D-24306 / Schleswig-Holstein

Gut Ruhleben
Missionsweg 2
1 Apr - 15 Okt
+49 (0)4522-8347
campingplatz@camp-ruhleben.de
N 54°8'40" E 10°27'0"

1 AFJMNOPQRS	LMNQSXYZ	6
2 BDFGHIPRVWX	BEFGIJ	7
3 AEFK	ABCDFJNQRS	8
4 AFHI	D	9
5 ACDEIKL	ABFGHIJLMNPRV	10
B 12A CEE		❶ €21,60
12 ha 150T(100-140m²) 226D		❷ €25,20

A7 Hamburg - Flensburg, Ausfahrt Großenaspe. Weiter die B430 nach Plön. In Plön Richtung Eutin halten. Kurz hinter Plön CP angezeigt.

Pommerby, D-24395 / Schleswig-Holstein

Ostseesonne Camping
Gammeldamm 6
1 Apr - 31 Okt
+49 (0)4643-2223
post@camping-ostseesonne.de
N 54°45'48" E 9°58'15"

1 AFJMNOPQRST	KNSWXYZ	6
2 EFGHIJPRW	ABDEFG	7
3 ABEFL	ABCDEFJNRSTV	8
4 F	D	9
5 ABDEHIKL	AFGIJORW	10
B 12A CEE		❶ €20,50
75T 101D		❷ €25,50

Bigg Kappeln Flensburg, Ausfahrt Pommerby, danach Ausfahrt Nieby, danach Ausfahrt Gammeldam. Nach der Haarnadelkurve die Straße komplett durchfahren.

Pommerby, D-24395 / Schleswig-Holstein

Seehof**
Gammeldamm 5
1 Apr - 31 Okt
+49 (0)4643-693
anfrage@camping-seehof.de
N 54°45'55" E 9°58'4"

1 AEFILNORS	KNQSWXY	6
2 EHJKPQVX	ABDFG	7
3 EL	ABCDEFJKNQRS	8
4 F	GIK	9
5 ABK	ABFGJPR	10
B 10A CEE		❶ €20,50
4 ha 50T(100m²) 109D		❷ €27,80

Die B199 Kappeln-Flensburg, Ausfahrt Pommerby. Dann Ausfahrt Nieby, dann ist CP gut ausgeschildert.

Preetz, D-24211 / Schleswig-Holstein

Naturcamping Kirchsee
Kahlbrook 25a
1 Apr - 31 Okt
+49 (0)4342-309549
info@kanucenter-preetz-ploen.de
N 54°13'40" E 10°17'13"

1 AEJMNOQRT	JLNXZ	6
2 CDOPVX	ABEFGHI	7
3 AF	ABCDEFIKNQ	8
4 FH	ADFPQRTVWY	9
5 AEJKL	ABFHIJPRV	10
B 16A CEE		❶ €25,50
1 ha 48T(90-130m²) 10D		❷ €31,50

In Preetz die B76 Richtung Plön, nach 1 km an der Fiat Werkstatt rechts ab. CP dann ausgeschildert.

Puttgarden (Fehmarn), D-23769 / Schleswig-Holst.

Puttgarden
Strandweg
1 Apr - 3 Okt
+49 (0)171-2851288
FAX +49 (0)4371-864702
N 54°30'10" E 11°12'59"

1 ADEFILNOPRT	KNOPQSXY	6
2 AEJOPWX	ABDEFG	7
3 AL	ABCDEFNQRV	8
4 H		9
5 AEJKL	AGHJPR	10
Anzeige auf dieser Seite B 16A		❶ €24,00
1,8 ha 90T(80-110m²) 60D		❷ €30,00

A1/E47 Hamburg-Puttgarden-Dänemark. Kurz vor dem Fährhafen links Richtung Puttgarden. Nach ca. 400m rechts zum Camping.

Rabenkirchen-Faulück, D-24407 / Schlesw.-H.

Campingpark Schlei-Karschau
Karschau 56
1 Jan - 31 Dez
+49 (0)4642-920820
info@campingpark-schlei.de
N 54°37'11" E 9°53'2"

1 ABDEFILNOQRST	KLNQSXYZ	6
2 DEGHPQTVWX	ABDEFGIJ	7
3 BEKL	BCDEFIJKNQRSTV	8
4 IOY	DPQRVY	9
5 ABDEJKL	ABDFGHIJLMPRVW	10
Anzeige auf Seite 280 B 10A CEE		❶ €29,00
4,8 ha 90T(100m²) 125D		❷ €29,00

A7 Hamburg-Flensburg, Ausfahrt Schleswig/Schuby Richtung Kappeln (die B201). Ausfahrt Faulück/Arnis, dann Richtung Karschau.

Rosenfelde/Grube, D-23749 / Schlesw.-H.

Rosenfelder Strand
Ostsee Camping****
Rosenfelder Strand 1
27 Mär - 18 Okt
+49 (0)4365-979722
info@rosenfelder-strand.de
N 54°15'54" E 11°4'39"

1 AEFIKNOPQRST	KMNOPQRSWXY	6
2 EFGHIOPSVWX	ABDEFGHIJK	7
3 ABDEFILRSTUV	ABCDEFHJKLMNPQRSTUV	8
4 BCDHIJKLNOTX	DVWY	9
5 ACDEGJKL	ABDFGHIJLMNPSTXZ	10
Anzeige auf dieser Seite B 16A CEE		❶ €31,10
24 ha 350T(100-140m²) 492D		❷ €36,90

Die B501 zwischen Grube und Fargemiel. Richtung Rosenfelde.

Rosenfelder Strand
OSTSEE CAMPING
... direkt am Meer
... eigener Badestrand
... familienfreundliche Preise
... ideale Infrastruktur
Rosenfelder Strand Ostsee Camping
D-23749 Rosenfelde/Grube • Tel. 0049/4365/979722
info@rosenfelder-strand.de
www.rosenfelder-strand.de

Deutschland

Deutschland

Schobüll, D-25875 / Schleswig-Holstein

Seeblick
Nordseestraße 39
20 Mär - 18 Okt
+49 (0)4841-3321
info@camping-seeblick.de
N 54°30'35" E 9°0'11"

1 ADEFILNOPQRST KMQ 6
2 EFHIJPRVWX ABDEFGHIJ 7
3 ABKL ABCDEFGJKNQRSV 8
4 HIOQ D 9
5 ADEKL ABGHIJMPR 10
Anzeige auf dieser Seite 10A CEE ❶ €22,00
3,4 ha 140T(80-85m²) 61D ❷ €30,00

Von Süden: A7 durch den Elbtunnel, A23 Richtung Itzehoe-Husum bis Ausfahrt Heide. Richtung Husum. Dann den Schildern bis Schobüll folgen. Weiter den CP-Schildern nach.

Schönberg (Ostseebad), D-24217 / Schlesw.-H.

California Ferienpark GmbH****
Große Heide 26
1 Apr - 30 Sep
+49 (0)4344-9591
info@camping-california.de
N 54°25'42" E 10°21'50"

1 AFJKNOPQRST KNQRSWX 6
2 EGHPVWX ABDEFGIJ 7
3 BEGHILP ABCDEFJKNQRSTU 8
4 BFHIOQ DEMNOT 9
5 ACDEJK ABDEGHIJPR 10
B 10A CEE ❶ €28,70
8 ha 165T(80-120m²) 320D ❷ €35,30

In Kiel 'Ostufer' halten und weiter die B502 Richtung Schönberg. Am 1. Kreisel in Schönberg Richtung Kalifornien. CP weiter angezeigt.

Schönbergerstrand, D-24217 / Schleswig-Holstein

Hasselkrug
Korshagener Redder 60
1 Apr - 30 Sep
+49 (0)4344-3911
N 54°25'8" E 10°24'1"

1 AFHKNOPT KNQSX 6
2 EHOPW ABDEFG 7
3 BEF ABCDEFNQR 8
4 FH 9
5 AKL AHIKO 10
B 10A CEE ❶ €25,90
6 ha 40T(80-100m²) 180D ❷ €31,90

In Kiel 'Ostufer' halten und die B502 weiter Richtung Schönberg. In Schönberg dann Richtung Schönberger Strand.

Schubystrand/Dörphof, D-24398 / Schleswig-Holst.

Damp Ostseecamping
Schubystrand
29 Mär - 12 Okt
+49 (0)4644-96010
camping@damp-ostseecamping.de
N 54°35'53" E 10°1'27"

1 AEFJMNOPQRS KQSTWXYZ 6
2 DEHPVWX ABDEFGHI 7
3 ABEFILQT ABCDEFKNQRSTUV 8
4 IQRT DEJMNOQ 9
5 ACDEGIKL ABCFGHIKMPRV 10
B 16A CEE ❶ €22,00
22 ha 253T(81-180m²) 657D ❷ €27,60

B203 Eckenförde-Kappeln. Ausfahrt Schuby, dann Richtung Schubystrand. CP ist gut ausgeschildert.

Schwedeneck, D-24229 / Schleswig-Holstein

Grönwohld-Camping
Kronshörn
1 Apr - 31 Okt
+49 (0)4308-189972
info@groenwohld-camping.de
N 54°28'29" E 10°1'44"

1 AFJMNOPQRST KMNOQRSTWXY 6
2 EFGHKPRVW ABDEFGJ 7
3 ABELT ABCDEFIJKLNQRSV 8
4 AEFHIT MOPV 9
5 ACDEGJKL ABGHIJLMPRV 10
B 16A CEE ❶ €19,60
16 ha 120T(80-110m²) 500D ❷ €24,60

Von Kiel der B76 und weiter der B503 Richtung Eckernförde. 500m hinter Krusendorf rechts. CP ist weiter ausgeschildert.

Seekamp (Ostholstein), D-23779 / Schleswig-Holst.

Camping-Platz Seekamp
Seekamp
1 Apr - 11 Okt
+49 (0)4365-456
info@camping-seekamp.de
N 54°20'36" E 11°3'44"

1 AFILNOPQRST KNOPQSWXYZ 6
2 AEGHIOPWX ABDEFGHIJ 7
3 BEL ABCDEFGIJKLNRSV 8
4 H DV 9
5 EKL ABFGHIJMPSTW 10
B 16A CEE ❶ €20,00
23 ha 150T(100-150m²) 464D ❷ €24,00

E47 (A1), Ausfahrt 8 Richtung Neukirchen. Danach nach Sütel. Ausgeschildert.

Sehlendorf, D-24327 / Schleswig-Holstein

Schöning
Wewerin 1
1 Apr - 26 Okt
+49 (0)4382-920504
info@ostseecamping-schoening.de
N 54°18'4" E 10°41'30"

1 ADFGJMNOPQRS KNOPQRSTW 6
2 EHPRTVW ABDEFGIK 7
3 BEKLV ABCDEFIJKNQRSV 8
4 FH IVY 9
5 CDEKL ABFGHIJPR 10
B 16A CEE ❶ €20,50
5,5 ha 40T(60-80m²) 281D ❷ €26,50

A7 Ausfahrt Kiel, Richtung Oldenburg. In Kaköhl Richtung Hohe Wacht. In Sehlendorf Richtung Strand.

St. Peter-Ording, D-25826 / Schleswig-Holstein

Biehl
Utholmer Str. 1
1 Apr - 31 Okt
+49 (0)4863-96010
campingplatz-biehl.klugmann@t-online.de
N 54°20'10" E 8°36'15"

1 AEJMNOPQRT KMNQRSTVX 6
2 EFHOPRSVW ABDEFGIJ 7
3 ABFK ABCDEFJNQRS 8
4 AFH 9
5 ABCDEHKL ABFGHJNOPQST 10
B 16A CEE ❶ €30,00
3,5 ha 120T(80m²) 60D ❷ €36,00

Heide-Tönning, die B202, danach Richtung St. Peter-Ording, Ausfahrt Ording (Nord): am Ende der Straße (Utholmerstr.) rechts.

St. Peter-Ording, D-25826 / Schleswig-Holstein

Olsdorf*****
Bövergeest 56
1 Jan - 31 Dez
+49 (0)4863-476317
campingpark.olsdorf@t-online.de
N 54°18'24" E 8°38'54"

1 EFJMNOPQRST 6
2 GOPSVX ABCDEFGI 7
3 ABEKL ABCDEFGIJNQRTUV 8
4 T 9
5 ACDEIJKL ABFGHIJPR 10
B 16A CEE ❶ €23,50
1,5 ha 63T(50-100m²) 8D ❷ €29,50

A23 dann die N5 Richtung Husum. Hinter Tönning links ab. Auf der B202 bei St. Peter-Ording is der ist der CP angezeigt.

St. Peter-Ording, D-25826 / Schleswig-Holstein

Sass
Grudeweg 1
1/1 - 1/11, 15/12 - 31/12
+49 (0)4863-8171
campingsass@t-online.de
N 54°19'56" E 8°37'10"

1 AEFJMNOPQRST MNPQRX 6
2 FHOPSVWX ABDEFGHI 7
3 ABEFKLMN ABEFJNQRSTV 8
4 AFHIO I 9
5 ABDEGKL ABFGHIJLMNOPRVX 10
16A CEE ❶ €22,50
6,2 ha 110T(60-100m²) 34D ❷ €28,50

A23 Hamburg-Heide. Hinter Heide Richtung St. Peter-Ording. Auf der B202, 5 km nach Tating vor St. Peter ist der CP auf der rechten Seite.

St. Peter-Ording/Böhl, D-25826 / Schleswig-Holstein

Rönkendorf**
Böhler Landstr. 171
1 Apr - 15 Okt
+49 (0)4863-5195
camping@roenkendorf.de
N 54°17'9" E 8°39'40"

1 EFGJMNOPQRST KMNQRST 6
2 EFGHIOPVWX ABDEFGHIJ 7
3 AKL ABCDEFJNQR 8
4 DIV 9
5 BKL ABGHIJNOPRX 10
6-16A CEE ❶ €32,00
2 ha 75T(70-80m²) 93D ❷ €38,00

Die B5 Heide-Tönning. Dann die B202 St. Peter-Ording, Ausfahrt St. Peter-Ording (OT Böhl). Dann gut ausgeschildert.

St. Peter-Ording/Böhl, D-25826 / Schleswig-Holst.

Rosen-Camp Kniese**
Böhler Landstr. 185
1 Apr - 15 Okt
+49 (0)4863-3676
rosencamp-kniese@t-online.de
N 54°17'3" E 8°39'48"

1 ADEFJMNOPQRST MN 6
2 HIOPRSVWX ABDEFGHI 7
3 ABK ABCDEFJKNQRS 8
4 9
5 BKL ABGHIJOPRW 10
16A CEE ❶ €25,40
1,5 ha 70T(65-100m²) 70D ❷ €30,40

Die B5 Heide-Tönning, dann die B202 nach St. Peter-Ording, Ausfahrt St. Peter/Ording (Ortsteil Böhl). CP gut ausgeschildert.

Teilkarte Schleswig-Holstein auf Seite 275

St. Peter-Ording/Böhl, D-25826 / Schlesw.-H.

Silbermöwe	1 AEJMNOPRT 6
Böhler Landstr. 179	2 FGOPSVWX ABDEFGHI 7
15 Mär - 31 Okt	3 ABK ABCDEFJKNQRSUV 8
+49 (0)4863-5556	4 IOS DIV 9
camping@silbermoewe.de	5 BKL ABFGHJLNPR 10
	10A CEE ① €32,50
N 54°17'6'' E 8°39'42''	1 ha 51T(60-80m²) 26D ② €40,50

B5 Heide-Tönning, dann die B202 St. Peter Ording, Abfahrt St. Peter Ording. (OT Böhl). Dann gut ausgeschildert.

Stein/Laboe, D-24235 / Schleswig-Holstein

Campingplatz Neustein	1 AFHKNOPQRST KNQSWX 6
An der K30 (Zur Steilküste)	2 EFGHKMOPRVW ABDEFG 7
1 Apr - 30 Sep	3 BL ABCDEFKNQRS 8
+49 (0)4343-8122	4 9
info@camping-neustein.de	5 ADEIL AGHIJPR 10
	B 16A CEE ① €25,50
N 54°24'54'' E 10°14'39''	3,5 ha 49T(60-100m²) 100D ② €30,50

In Kiel 'Ostufer' folgen und weiter die B502 bis Ausfahrt Laboe. Danach Richtung Stein halten. CP dann ausgeschildert.

Stein/Laboe, D-24235 / Schleswig-Holstein

Fördeblick****	1 AEFHKNOPQRST KNQSX 6
Ellernbrook 2	2 EFGHJMOPRVW ABDEFG 7
1 Apr - 20 Okt	3 ABEFKL ABCDEFJLNQRSTUV 8
+49 (0)4343-7795	4 BFHPST D 9
info@camping-foerdeblick.de	5 ACDEFHJKL ABGHIJPST 10
	B 10A CEE ① €28,60
N 54°24'51'' E 10°14'54''	7 ha 115T(70-100m²) 296D ② €34,60

In Kiel 'Ostufer' und der B502 Richtung Schönberg. Danach Richtung Stein halten. CP weiter angezeigt.

Stein/Laboe, D-24235 / Schleswig-Holstein

Ostsee-Camp Kliff	1 AFHKNOPQRST KNQSWX 6
Ellernbrook 6	2 EFGHKMOPRVWX ABDEFG 7
22 Mär - 22 Sep	3 BEKL ABCDEFIJKLNQRSTU 8
+49 (0)4343-6222	4 FH Y 9
info@ostsee-camp.de	5 AKL ABGHIJLOR 10
	B 16A CEE ① €27,50
N 54°24'53'' E 10°15'8''	7,5 ha 80T(80-100m²) 220D ② €32,50

In Kiel den Schildern 'Ostufer' folgen. Weiter die B502 bis Ausfahrt Laboe. Dann Richtung Stein halten. CP dann ausgeschildert.

Strukkamphuk (Fehmarn), D-23769 / Schlesw.-H.

Strukkamphuk-Fehmarn*****	1 ADEFJMNOPQRST KMNOPQRSWXY 6
28 Mär - 31 Okt	2 AEHIJOPSVWX ABDEFGHI 7
+49 (0)4371-2194	3 ABEFKLS ABCDEFIJKNQRSTUV 8
camping@strukkamphuk.de	4 BCDHINQSTXZ DMVY 9
	5 ACEJKLM ABDFGHIJMNPSTVX 10
	Anzeige auf dieser Seite B 10A CEE ① €36,00
N 54°24'42'' E 11°5'54''	20 ha 338T(90-160m²) 325D ② €44,80

B207/E47 von Norden kommend Richtung Landkirchen. Aus südlicher Richtung, Ausfahrt Avendorf. Ab Avendorf Beschilderung.

Süsel, D-23701 / Schleswig-Holstein

Süsel	1 ADFHKNOPQRST LNW 6
Lehmkamp 6	2 ADGIPRSVW ABFGI 7
1 Apr - 31 Okt	3 AFL ABEFJNQRTUV 8
+49 (0)170-3575007	4 I 9
campingsuesel@gmail.com	5 BDEG AGHJLRV 10
	16A CEE ① €19,00
N 54°4'23'' E 10°41'17''	3,5 ha 42T(110-150m²) ② €26,00

A1 Hamburg-Puttgarden, Ausfahrt Eutin. CP ist am Wasserskiplatz ausgeschildert, Zufahrt über den Seitenweg links davon.

Sütel, D-23779 / Schleswig-Holstein

Camping Sütel****	1 ADFILNOPRST KMNOPQRSTWXYZ 6
1 Apr - 11 Okt	2 AEGHIOPVWX ABDEFGH 7
+49 (0)4365-451	3 ABEILU ABCDEFJKNQRSTUV 8
info@campingplatz-suetel.de	4 BCHIO DEVY 9
	5 ACDEGJKL ABGHIJLMPSTVW 10
	B 16A CEE ① €20,70
N 54°20'9'' E 11°4'18''	40 ha 140T(90-240m²) 840D ② €28,50

A1 Hamburg-Puttgarden, Ausfahrt 8 Jahnshof Richtung Neukirchen über Löhrsdorf, dann gut ausgeschildert.

Tating, D-25881 / Schleswig-Holstein

Ferienpark Martendorf	1 AEFJMNOPQRST N 6
Martendorf 4	2 FGOPSVWX ABDEFGHI 7
1 Jan - 31 Dez	3 ABCEKL ABCDEFGJKNQRSTUV 8
+49 (0)4862-2019851	4 FHIQ V 9
ferienpark.martendorf@ t-online.de	5 ABDEGIKL ABCFGHKNOPR 10
	B 16A CEE ① €24,50
N 54°19'25'' E 8°41'46''	7 ha 74T(120-130m²) 25D ② €30,50

A23 bis Heide, dann weiter auf der B5. Bei Tönning links ab zur B202. Nach dem Ortsaugang Tating liegt der CP direkt rechts.

Tellingstedt, D-25782 / Schleswig-Holstein

Tellingstedt*	1 AFJMNOPRST ABFGHN 6
Teichstr. 8A	2 CFGOPWXY ABDEF 7
1 Mai - 15 Sep	3 KLMP ABCDEFJNQT 8
+49 (0)4838-657	4 9
+49 (0)4838-786969	5 DGJLM AHJRV 10
	16A CEE ① €13,00
N 54°13'5'' E 9°16'41''	1,1 ha 42T(75m²) ② €16,00

Die B203 Heide-Rendsburg, Ausfahrt Tellingstedt. Dann gut ausgeschildert.

Tönning, D-25832 / Schleswig-Holstein

Comfort-Camp Eider GmbH	1 ADEFGJMNOPQRST ABFGHIJMNQSUVWXY 6
Am Freizeitpark 1a	2 CFGIOPRSVWXY ABDEFGIJK 7
1 Jan - 31 Dez	3 ABCEFIKLMNSTU ABCDEFGIJKLMNPQRSTUV 8
+49 (0)4861-617148	4 ABEFHILOQRXZ DFGILZ 9
info@ campingplatz-toenning.de	5 ABDEFJKL ABFGHIJLMNOPQRVWX 10
	B 16A CEE ① €27,00
N 54°18'40'' E 8°56'14''	6,5 ha 250T(80-130m²) 68D ② €35,00

A23 Hamburg - Heide mündet in die B5 Ri. Husum. In Tönning am Kreisel die Friedrichstädter Chaussee, Yurian-Ovensstraße, Festungstraße, Danckwerthstraße, Herzog-Phillip-Allee zur L241. Diese bis zum CP durchfahren.

Tönning, D-25832 / Schleswig-Holstein

Lilienhof**	1 AJMNOPQRST 6
Katinger Landstr. 5	2 FGPVWXY ABDFGIJ 7
1 Jan - 31 Dez	3 ABL ABCDEFGIJNQRV 8
+49 (0)4861-439	4 GI 9
info@camping-lilienhof.de	5 AKL ABFGHIJLMRV 10
	16A CEE ① €24,50
N 54°18'42'' E 8°54'12''	2 ha 70T(100m²) 22D ② €30,50

Von Hamburg die A23 zur Ausfahrt B5. Richtungsschildern Tönning folgen. In Tönning den CP-Schildern folgen.

Waabs, D-24369 / Schleswig-Holstein

Campingplatz Hökholz	1 ABFJMNOPRST KNOQSWXY 6
Ritenrade 4	2 EJOPRSVWX ABDEFGHIJ 7
1 Apr - 30 Sep	3 BKLS ABCDEFJNQRSV 8
+49 (0)4352-9117031	4 FHI DV 9
info@ camping-eckernfoerde.de	5 ABDEKL ABGHIJLRW 10
	B 16A CEE ① €16,50
N 54°32'28'' E 10°0'30''	5,4 ha 40T(90m²) 175D ② €22,00

Von Waabs 'Gut Hökholz' und/oder den CP-Schildern folgen.

Waabs, D-24369 / Schleswig-Holstein

Ostsee-CP Gut Ludwigsburg	1 ABDEFILNOPQRST KMNOQSWXY 6
Ludwigsburg 4	2 CDEGHJPQRVWX ABDEFGH 7
28 Mär - 1 Okt	3 BEFGHL ABCDEFIJKNQRST 8
+49 (0)4358-370	4 AFHIJLO DIPV 9
info@ostseecamping- ludwigsburg.de	5 CDEGK ABFGHIJMNPRW 10
	B 16A CEE ① €22,00
N 54°30'13'' E 9°57'27''	10 ha 250T(90-120m²) 363D ② €26,00

B203 Eckernförde-Kappeln, Ausfahrt Loose, dann Richtung Waabs. CP ist nach 1 km rechts am Wasser (Ludwigsburg-Strand).

Waabs, D-24369 / Schleswig-Holstein

Ostsee-Freizeitpark Booknis	1 AEFILNORT KMNQSWXY 6
Booknis	2 EHKPTVWX ABDEFG 7
1 Apr - 10 Okt	3 BEFILMQ ABCDEFJKLNQRSTU 8
+49 (0)4352-2311	4 BIO DI 9
ahlefeldt-dehn@t-online.de	5 ACEFIJK ABHIJPRV 10
	16A CEE ① €21,00
N 54°33'48'' E 10°1'7''	25 ha 120T(100-150m²) 726D ② €29,00

B203 Eckernförde-Kappeln. Ausfahrt Damp/Thunby. Kreuzung geradeaus, Richtung Waabs. Links Richtung Waabshof. CP ist ausgeschildert.

Deutschland

Teilkarte Schleswig-Holstein auf Seite 275

Deutschland

Wahlstorf, D-24211 / Schleswig-Holstein

Campingplatz Lanker See
Gläserkoppel 3
1 Apr - 31 Okt
+49 (0)4342-81513
camp@lankersee.de

1 AF**JM**NOPQRS**T**	LM**NSX**	6
2 DFGHPTUVWX	A**B**DE**FG**	7
3 BEF**GHK**L	ABCDE**F**JNQRS	8
4 FH	DFLPQV	9
5 ADJL	ABGHIJLM**O**RV	10
6A CEE		❶ €22,00
6 ha 150**T**(90-160m²) 177**D**		❷ €28,00

N 54°12'40'' E 10°19'3''

In Preetz die B76 Richtung Plön. Weiter Richtung Wielen. CP weiter ausgeschildert. Letzte 700m unbefestigte Strecke.

Wenkendorf (Fehmarn), D-23769 / Schleswig-Holstein

Am Deich
Wenkendorf 100
1 Apr - 4 Okt
+49 (0)4372-777
fehmarnurlaub@t-online.de

1 AF**JM**NOPQRST	KMNOPQSWXY	6
2 AEIJKPVXY	ABDE**FGI**	7
3 AF	ABCDE**F**GJNQRSV	8
4 HIO	V	9
5 AEIKL	ABGHIJR	10
B 16A CEE		❶ €29,60
1 ha 37**T**(70-120m²) 13**D**		❷ €35,60

N 54°31'37'' E 11°6'57''

A1/E47 Ausfahrt Landkirchen Richtung Gammendorf. Dann nach Wenkendorf. CP dann ausgeschildert.

Wallnau (Fehmarn), D-23769 / Schlesw.-H.

Strandcamping Wallnau****
Wallnau 1
27 Mär - 1 Nov
+49 (0)4372-456
wallnau@strandcamping.de

1 AEF**JM**NOPQRST	KMNOPQRSUVW	6
2 AEHJPVWXY	ABDE**FG**	7
3 BEF**GH**LR**S**	ABCDEFJNQRSTUV	8
4 BCD**E**HN**QRTXY**	DEMRSVY	9
5 ACDEGJK**L**	ABDGHIJO**P**STW	10
B 16A CEE		❶ €34,60
22 ha 370**T**(90-130m²) 437**D**		❷ €42,60

N 54°29'15'' E 11°1'7''

Insel Fehmarn, A1/E47 hinter der Fehmarnsundbrücke rechts halten Richtung Landkirchen, Petersdorf und Bojendorf. Den Schildern folgen.

Wenningstedt (Sylt), D-25996 / Schleswig-Holstein

Campingplatz Wenningstedt
Osetal 3
30/3 - 31/10, 20/12 - 5/1
+49 (0)4651-944004
camp@wenningstedt.de

1 AEF**IL**NOPQRS	KM**N**	6
2 EHOPVW	ABE**FG**IJ	7
3 B	ABCDEFGIJNQRSTU	8
4 IO	L	9
5 ABDKL	ABGHIK**OP**R	10
B 16A CEE		❶ €32,10
3 ha 232**T**(75-100m²)		❷ €41,10

N 54°56'33'' E 8°19'37''

Vom Bahnhof aus ist der CP ausgeschildert. Navi am Autozug in Niebüll abschalten und Beschilderung 'Sylt Shuttle' Autozug folgen. Achtung in Sylt wieder Navi einschalten.

Weißenhäuser Strand/Wangels, D-23758 / Schlesw.-H.

Campingplatz Triangel
Seestrasse 1a
28 Mär - 20 Okt
+49 (0)4361-507890
info@campingplatz-triangel.de

1 ADF**JM**NOPQRST	KMNQRSTWXY	6
2 AEGHOPRVW	ABDE**FGHIJ**K	7
3 AB**IKLMNP**QS	ABCDE**F**IJKNQRSTU	8
4 O	DMTV	9
5 ACDEGK**L**	ABCGHIJM**O**R	10
B 16A CEE		❶ €31,00
12 ha 130**T**(90m²) 625**D**		❷ €43,00

N 54°18'37'' E 10°48'12''

A1/E47 Hamburg-Puttgarden, Ausfahrt Oldenburg in Holstein. Dann die B202 von Oldenburg Richtung Kiel, Ausfahrt Weißenhäuser Strand.

Westensee/Wrohe, D-24259 / Schleswig-Holstein

Naturcp Wrohe am Westensee
Seeweg 22
1 Apr - 31 Okt
+49 (0)4305-9913018
buggi@naturcampingplatz-westensee.de

1 A**JM**NOPRT	LNSXZ	6
2 ABDFHOPWX	ABDEF	7
3 ABCDE**F**JNQRT		8
4 FHI	DPQ	9
5 AJK	AHJ**O**RV	10
10A		❶ €19,00
35**T**(80-120m²) 47**D**		❷ €24,00

N 54°16'10'' E 9°57'49''

A7 Hamburg-Flensburg Ausfahrt Warder, zunächst über die L48 Richtung Westensee. Danach die L255 nach Wrohe. In Wrohe ist der CP angezeigt.

Wendtorf/Laboe, D-24235 / Schleswig-Holstein

Camping Oase Bonanza
Schleusenweg 25
1 Apr - 30 Sep
+49 (0)4343-9688
camping@camping-oase-bonanza.de

1 AFILNOPQRS**T**	K**N**	6
2 EHOPSVWX	ABDE**FG**	7
3 BFL	ABCD**F**IKNQRSV	8
4 HO**PST**	DK	9
5 ACJKL	ABFGHIJLOR	10
B 10A		❶ €24,50
10 ha 70**T**(80-100m²) 262**D**		❷ €30,50

N 54°25'36'' E 10°17'45''

In Kiel 'Ostufer' halten. Weiter der B502 bis Ausfahrt Wendtorf/Marina. Danach ist CP angezeigt.

Teilkarte Schleswig-Holstein auf Seite 275

Westerdeichstrich, D-25761 / Schleswig-Holstein

Camping 'In Lee'*****
Stinteck 37
1 Apr - 20 Okt
+49 (0)4834-8197
camping-in-lee@t-online.de
N 54°9'30'' E 8°50'0''

1 AEFJMNOPQRST	MNQR 6
2 FIOPSWX	ABCDEFGHIJ 7
3 ABEFGIKLMT	ABCDEFJKNQRSTUV 8
4 BCFH	DV 9
5 ABCDEIJKL	ABFGHIJLMNOPRWX 10
B 16A CEE	❶ €25,00
5 ha 190T(80-120m²) 141D	❷ €31,00

B203 Heide-West Richtung Büsum, Ausfahrt Westerdeichstrich. An der Mühle vorbei. Nach 1,5 km Richtung Stinteck. Badestrand-Schilder.

Wisch/Heidkate, D-24217 / Schleswig-Holstein

Heidkoppel
Mittelweg 114
1 Apr - 30 Sep
+49 (0)4344-9098
info@camping-heidkoppel.de
N 54°25'59'' E 10°20'23''

1 ADEFHKNOPQRST	KNQSX 6
2 EHIPVW	ABEFG 7
3 AE	ABCDEFJKNQRS 8
4 BCDFH	9
5 ACDL	ABEGHIJPRZ 10
B 16A CEE	❶ €24,50
14 ha 70T(90-120m²) 630D	❷ €28,50

Von Kiel Richtung Ostufer B502 nach Schönberg. Hinter Barsbek an der alten Mühle links Richtung Heidkate. Den Schildern folgen.

Westerholz, D-24977 / Schleswig-Holstein

Fördeblick Westerholz e.V.***
Kummle 1
1 Apr - 30 Sep
+49 (0)4636-8385
info@
campingplatz-westerholz.de
N 54°49'10'' E 9°40'0''

1 ABEFILNOQRT	KMNQSWXY 6
2 EGJKPX	ABDEFGHIK 7
3 BEL	ABCDEFKNQRSV 8
4 FHIO	9
5 ADIKL	ABFGHJPRW 10
B 12A CEE	❶ €19,00
3,5 ha 40T(50-100m²) 118D	❷ €24,00

Die B199 Flensburg-Kappeln bis Langballig. Durch Langballig am Hafen von Langballig vorbei. Nach ca. 800m Einfahrt CP (siehe Beschilderung).

Wittenborn, D-23829 / Schleswig-Holstein

Seecamping Weißer Brunnen
Seestraße 12
1 Apr - 19 Okt
+49 (0)4554-1413
info@naturcamping-
weisserbrunnen.de
N 53°55'15'' E 10°14'5''

1 ADFJMNOPRS	LNQSXZ 6
2 BDFGHIPRTUWX	ABDEFGHIJ 7
3 BEFL	ABCDEFKLNQRS 8
4 OY	DE 9
5 ABDEIKL	AFGIJLOR 10
B 6A CEE	❶ €24,50
6,5 ha 60T(80-100m²) 305D	❷ €31,50

A7 Hamburg-Flensburg, Ausfahrt Bad Bramstedt/Bad Segeberg. B206 Richtung Bad Segeberg. In Wittenborn ist der CP ausgeschildert.

Westerland (Sylt), D-25980 / Schleswig-Holstein

Dünen-Campingplatz
Westerland
Rantumer Straße
23 Mär - 31 Okt
+49 (0)4651-836160
info@duenen-camping.de
N 54°53'38'' E 8°17'50''

1 AEFILNOQRT	KMNQ 6
2 EHOPUW	ABDEFGHJ 7
3 BEGHIK	EFJQSTUV 8
4 O	DV 9
5 ABDEFGJKL	ABFGHIKPRX 10
16A CEE	❶ €31,45
75 ha 200T(50-100m²) 140D	❷ €41,05

Autozug Niebüll-Westerland (Sylt). Vom Bahnhof aus ist der CP ausgeschildert und können Sie Ihr Navi verwenden.

Wulfen (Fehmarn), D-23769 / Schlesw.-H.

CC€16

Wulfener Hals*****
Wulfener Hals Weg 100
1 Jan - 31 Dez
+49 (0)4371-86280
info@wulfenerhals.de
N 54°24'22'' E 11°10'38''

1 ADEJMNOPQRST	ABKMNOPQRSTUWXYZ 6
2 AEFGHOPSVWXY	ABCDEFGHIJK 7
3 ABEFGHIJKLQRS	ABCDEFIJKLMNQRSTU 8
4 ABCDEFHIJLMORSTUXZ	DEIJMOQSVWY 9
5 ACDEGHIJKL	ABCDEFGHIJLMNPQRWXZ 10
Anzeige auf Seite 284 B 16A CEE	❶ €51,10
34 ha 408T(80-260m²) 506D	❷ €61,50

E47 in nördlicher Richtung Ausfahrt Landkirchen. Aus südlicher Richtung Ausfahrt Avendorf. Dann ab Avendorf ausgeschildert.

Mecklenburg-Vorpommern

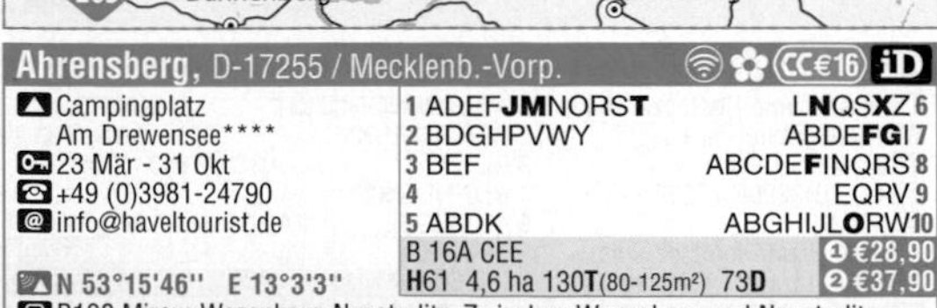

Ahrensberg, D-17255 / Mecklenb.-Vorp.

CC€16

Campingplatz
Am Drewensee****
23 Mär - 31 Okt
+49 (0)3981-24790
info@haveltourist.de
N 53°15'46'' E 13°3'3''

1 ADEFJMNORST	LNQSXZ 6
2 BDGHPVWY	ABDEFGI 7
3 BEF	ABCDEFINQRS 8
4	EQRV 9
5 ABDK	ABGHIJLORW 10
B 16A CEE	❶ €28,90
H61 4,6 ha 130T(80-125m²) 73D	❷ €37,90

B198 Mirow-Wesenberg-Neustrelitz. Zwischen Wesenberg und Neustrelitz Ausfahrt Ahrensberg. In Ahrensberg direkt links ab und links halten.

Alt-Schwerin, D-17214 / Mecklenburg-Vorp.

CC€18

Camping am See
An den Schaftannen 1
1 Apr - 31 Okt
+49 (0)39932-42073
info@camping-alt-schwerin.de
N 53°31'23'' E 12°19'7''

1 ACDEFJMNOPQRST	LNOQSWXYZ 6
2 ADFGHPVWX	BFGI 7
3 BEKL	ABCDEFIJKNQRSTUV 8
4 BEFHILNO	F 9
5 ABGIKL	ABDGHKOR 10
10A CEE	❶ €28,00
3,6 ha 134T(80-120m²) 50D	❷ €28,00

Den CP finden Sie an der B192 zwischen Alt-Schwerin und Karow.

Deutschland

Altenkirchen, D-18556 / Mecklenb.-Vorp. CC€16 iD

Drewoldke****
Zittkower Weg 27
1 Apr - 31 Okt
+49 (0)38391-12965
info@camping-auf-ruegen.de
N 54°38'4'' E 13°22'25''

1 ADEFJMNOPQRST KNOQSX 6
2 BEFHJKPQWXY ABDEFGHI 7
3 ABL ABCDEFGHIJKLMNQRSV 8
4 AFHQ ADHJKPV 9
5 ABDEGIJKL ABEFGHIJLNPTU 10
B 16A CEE ① €28,90
9 ha 340T(80m²) 86D ② €35,90

B96 Stralsund-Bergen Richtung Sassnitz, dann Altenkirchen. CP ist ausgeschildert.

Altenkirchen, D-18556 / Mecklenburg-Vorp. CC€16 iD

Knaus Camping-und Ferienhauspark Rügen
Zittkower Weg 30
1 Jan - 31 Dez
+49 (0)38391-434648
ruegen@knauscamp.de
N 54°38'11'' E 13°22'31''

1 ADEFJMNOPQRST KNOPQSW 6
2 EFJPWX ABDEFGI 7
3 B ABEFIJNQRTUV 8
4 FHTU DEJ 9
5 ADJKL ABFGHJNORWX 10
Anzeige auf Seite 259 16A ① €27,30
3,7 ha 108T(80m²) 48D ② €34,30

Aus Richtung Sagard die B96 nach Altenkirchen, an Juliusruh vorbei. Nach ca. 300m rechts rein, dann kommt nach ca. 1,2 km der CP hinter dem Waldcamping.

Blankenförde/Kakeldütt, D-17252 / Mecklenb.-Vorp. iD

Zum Hexenwäldchen
1 Apr - 31 Okt
+49 (0)39829-20215
kontakt@hexenwaeldchen.de
N 53°20'51'' E 12°55'23''

1 AGHKNOQRST LNXZ 6
2 BDGHOPQWXY ABCDFGI 7
3 AEHL AEFN 8
4 EFHKLT QRV 9
5 ABKL ABIJNORV 10
10A ① €20,40
H69 3 ha 70T(80-100m²) 30D ② €26,20

Über die B198 Richtung Mirow. Vor Zitow Richtung Roggentin. CP ist gut ausgeschildert.

Boltenhagen, D-23946 / Mecklenburg-Vorp. iD

Regenbogen Ferienanlage Boltenhagen
Ostseeallee 54
1 Jan - 31 Dez
+49 (0)38825-42222
boltenhagen@regenbogen-camp.de
N 53°58'51'' E 11°12'59''

1 ADEFJMNOPQRST KNOPX 6
2 EHOPVWX ABEFG 7
3 BEFGHILM ABCDEFIJLMNQRS 8
4 ABEJLRSTUVZ DJSVYZ 9
5 CDEGIKL ABFGHIJOPR 10
B 16A CEE ① €33,00
12 ha 280T(60-140m²) 247D ② €37,00

A20 Ausfahrt 6 Grevesmühlen, dann den CP-Schildern folgen.

Börgerende, D-18211 / Mecklenburg-Vorp. iD

Ferien-Camp Börgerende*****
Deichstraße 16
1 Apr - 30 Okt
+49 (0)38203-81126
info@ostseeferiencamp.de
N 54°9'10'' E 11°53'57''

1 ACDEFJMNOPQRST KNQSX 6
2 EGHJOPRSVX ABDEFGHI 7
3 BEFGHIKL ABCDEFJKNQRSTUV 8
4 ABHILOSTUV JVW 9
5 ABEFGIKL ABEFGHIJNPRV 10
B 12A CEE ① €32,00
7 ha 250T(80-140m²) 71D ② €38,00

A20 Ausfahrt 13. Von Bad Doberan Richtung Warnemünde. Dann Ausfahrt Börgerende den Schildern folgen.

Born, D-18375 / Mecklenburg-Vorpommern CC€14

Regenbogen Ferienanlage Born
Nordstraße 86
28 Mär - 2 Nov
+49 (0)38234-244
born@regenbogen.ag
N 54°23'2'' E 12°30'16''

1 DEFJMNOPRST LMNQRSX 6
2 BDGIPWXY ABDEFG 7
3 BL ABCDEFIJLNQRSV 8
4 BO DJMQV 9
5 ABKL ABGHIJOR 10
B 16A CEE ① €35,60
10 ha 470T 111D ② €39,60

Von Rostock via B105 Richtung Ribnitz, links Halbinsel Darß/Prerow. Vor Born ausgeschildert.

Carwitz, D-17258 / Mecklenburg-Vorpommern iD

Campingplatz am Carwitzer See
Carwitzer Straße 80
1 Apr - 15 Okt
+49 (0)39831-21160
info@campingplatz-carwitz.de
N 53°18'5'' E 13°26'25''

1 AFHKNORST LNPQSXZ 6
2 DGIPQTVXY ABDEFG 7
3 AEL ABDEFJNQR 8
4 DEFPQ 9
5 ABKL ABHJOV 10
4A CEE ① €24,50
H98 3,4 ha 100T 21D ② €32,50

A11 Berlin-Szczecin (Stettin), Ausfahrt 6 Gramzow, B198 nach Prenzlau. Dort via Feldberg Richtung Carwitz. Beschildert.

Dierhagen-Strand, D-18347 / Mecklenburg-Vorp. iD

OstseeCamp Dierhagen GbR
Ernst-Moritz-Arndt Str. 1
15 Mär - 31 Okt
+49 (0)38226-80778
Info@OstseeCamp-Dierhagen.de
N 54°17'29'' E 12°20'37''

1 ADEFJMNOPQRST KNQRS 6
2 BEGOPRSVWXY ABDEFGI 7
3 BL ABCDEFJNQRSV 8
4 FH DUVW 9
5 ABEKL ABFGHJLPR 10
B 16A CEE ① €33,80
6 ha 300T(80-120m²) 75D ② €39,80

Von der B105 in Altheide Richtung Prerow, Ahrenshoop, dann an der Ampel links Richtung Dierhagen-Strand.

Dobbertin, D-19399 / Mecklenburg-Vorp. CC€14 iD

Campingplatz am Dobbertiner See
Am Zeltplatz 1
1 Apr - 31 Okt
+49 (0)174-7378937
dobbertincamping@aol.com
N 53°37'9'' E 12°3'54''

1 AJMNOPQRST LNQSUVXYZ 6
2 BDGIOPTWXY ABFG 7
3 BLV ABCDEFJNQRSTV 8
4 FHI DFJPQRTV 9
5 AL ADEGHJORV 10
B 16A CEE ① €21,00
4 ha 90T(100m²) 31D ② €28,00

A19 Ausfahrt Malchow/ A24 Ausfahrt Parchim/ A20 Ausfahrt Bützow, dann Richtung Dobbertin. Den CP-Schildern folgen.

Dranske, D-18556 / Mecklenburg-Vorpommern iD

Caravancamp Ostseeblick
Seestr. 39a
1 Apr - 31 Okt
+49 (0)38391-8196
caravancamp.ostseeblick@t-online.de
N 54°37'44'' E 13°13'23''

1 AEJMOPQRT KNOPQSXYZ 6
2 EJKOPSVWX ABDEFG 7
3 ABCDEFJKNQRV 8
4 FH V 9
5 BK ABGHJORX 10
B 16A CEE ① €22,50
1 ha 70T(bis 100m²) 10D ② €26,50

B96 über Bergen Richtung Dranske. In Dranske ist der CP ausgeschildert.

Dranske, D-18556 / Mecklenburg-Vorp. CC€14 iD

Regenbogen Ferienanlage Nonnevitz
Nonnevitz 13
28 Mär - 2 Nov
+49 (0)38391-89032
nonnevitz@regenbogen-camp.de
N 54°40'1'' E 13°17'47''

1 ADEFGJMNOPQRT KNQRX 6
2 BEFHOPQVWXY BFGI 7
3 ABFKL ABCDEFGJKNQRSV 8
4 BEFHLOT DKV 9
5 ACDEFIKL ABFGHIJRV 10
B 16A CEE ① €39,70
20 ha 550T 241D ② €39,70

Insel Rügen via Bergen B96 Richtung Dranske, in Kuhle rechts Richtung Gramtitz, dann Richtung Nonnevitz. CP ausgeschildert.

Drosedow, D-17255 / Mecklenburg-Vorpommern iD

FKK-Camping Am Rätzsee
1 Apr - 31 Okt
+49 (0)3981-24790
info@haveltourist.de
N 53°15'7'' E 12°54'32''

1 ADEFHKNOQRST LNQSXZ 6
2 DGHNPQVWXY ABDEFGHIJ 7
3 AEFL ABCDEFJNQRS 8
4 IPQ 9
5 ABKL ABHIJRW 10
FKK 16A CEE ① €24,80
H69 5 ha 45T(90-120m²) 56D ② €32,80

An der 3er Gabelung in Wesenberg (198) gegenüber dem Supermarkt Richtung Drosedow. Das ist der Drosedowerweg. In Drosedow direkt rechts ab in einen Sandweg.

Feldberg, D-17258 / Mecklenburg-Vorpommern iD

Am Bauernhof
Hof Eichholz 1-8
1 Jan - 31 Dez
+49 (0)39831-21084
scholverberg@feldberg.de
N 53°20'42'' E 13°27'24''

1 AFILNOQRST LNOPQSX 6
2 DGHIJPSTUWX ABEFG 7
3 BFL BDFIJNQRTUV 8
4 AEFHK GJPQRV 9
5 ABDKL AGIJMNRVWX 10
B 16A CEE ① €25,00
H87 5 ha 65T(20-100m²) 40D ② €32,00

B198 Neustrelitz-Woldegk in Möllenbeek Richtung Feldberg. Weiterfahren Richtung Prenzlau. 1 km außerhalb der Stadt ist der CP (ist ausgeschildert).

Flessenow, D-19067 / Mecklenburg-Vorp. CC€16 iD

Seecamping Flessenow****
Am Schweriner See 1A
27 Mär - 11 Okt
+49 (0)3866-81491
info@seecamping.de
N 53°45'7'' E 11°29'47''

1 ADEJMNOPQRST LNQRSXYZ 6
2 ADGIOPQVWXY ABDEFGH 7
3 BFGLQ ABCDEFIJNQRSTUV 8
4 EFHIO FMPQV 9
5 ABCDGKL ABDGHIJOR 10
Anzeige auf Seite 287 B 10A CEE ① €28,00
H100 8 ha 170T(80-110m²) 103D ② €32,00

Von Norden: A14 Ausfahrt Jesendorf Richtung Schwerin. Von Süden: A14 Ausfahrt Schwerin-Nord Richtung Cambs-Güstrow. An der Ampel nach Retgendorf-Flessenow.

Göhren, D-18586 / Mecklenburg-Vorpommern iD

Regenbogen Ferienanlage Göhren
Am Kleinbahnhof
1/1 - 4/11, 16/12 - 31/12
+49 (0)38308-90120
goehren@regenbogen.ag
N 54°20'47'' E 13°44'7''

1 ADEFJMNOPQRS KNQS 6
2 BEHOPQSVWXY ABFGH 7
3 ABCEFLQ ABCDEFGIJKLMNQRSTV 8
4 BCDFHLMNOXZ DEJUVW 9
5 ABCDEGIJK ABEFGHIJNOR 10
B 16A CEE ① €38,90
10 ha 480T(60-100m²) 52D ② €44,90

B96 Stralsund-Bergen, an Ampel vor Bergen rechts, Beschilderung folgen.

Graal-Müritz, D-18181 / Mecklenburg-Vorpommern iD

Ostseecamp Rostocker Heide
Wiedortschneise 1
27 Mär - 1 Nov
+49 (0)38206-77580
info@ostseecamp-ferienpark.de
N 54°14'40'' E 12°12'44''

1 ABEJMNOPQRST KNPQRX 6
2 BEHPQRSXY ABDEFG 7
3 BDFIL ABCDEFIJKNQRSV 8
4 BDFHLOST LM 9
5 ABDEGJL ABEFGHIJLNORWX 10
B 16A CEE ① €32,00
27 ha 500T(80-120m²) 400D ② €39,00

Von der B105-E22 bei Rövershagen Richtung Graal-Müritz abbiegen. Ab Torfbrücke ausgeschildert.

Teilkarte Mecklenburg-Vorpommern auf Seite 285

Grambin/Ueckermünde, D-17375 / Mecklenburg-Vorp. iD

Ostsee-Camp.park Oderhaff	1 ADEFG**JM**NOPQRST	6
Dorfstraße 66a	2 BEHIOPQRWXY	BDFG 7
1 Apr - 15 Okt	3 BFL	ABFHJNQRSU 8
+49 (0)39774-20420	4	9
info@ campingpark-oderhaff.de	5 KL	ABFGHIJT 10
	16A CEE	① €20,20
N 53°45'39'' E 14°0'38''	6,2 ha 60**T** 95**D**	② €26,20

Von der A20 oder A11 nach Ueckermünde, Richtung Anklam. In Grambin den CP-Schildern folgen.

Gramkow, D-23968 / Mecklenburg-Vorp. CC€16 iD

Campingplatz 'Liebeslaube'	1 AE**IL**NOPQRST	KNPQRSTX 6
Wohlenberger Wiek 1	2 EFHOPRVWXY	AB**FIJ** 7
11 Apr - 19 Okt	3 BF**KL**	ABEFJNQR 8
+49 (0)38428-60219	4 BFH	FIKMOQRTUVW 9
info@ campingplatz-liebeslaube.de	5 ABDEGI**KL**	ABGHIJM**OR** 10
	Anzeige auf dieser Seite 16A CEE	① €24,70
N 53°55'50'' E 11°17'17''	9 ha 80**T**(70-150m²) 437**D**	② €30,10

A20 Ausfahrt 8 Wismar Mitte Richtung Wismar. Am Kreisel die B106 Richtung Lübeck. In Gägelow Ausfahrt L1 Richtung Boltenhagen. 6 km weiter bis zur Ostsee. CP liegt am Strand vom Wohlenberger Wiek.

Groß Quassow/Userin, D-17237 / Mecklenb.-Vorp. CC€16 iD

Camping- und Ferienpark Havelberge*****	1 ADEF**JM**NORST	L**NQS**XY**Z** 6
	2 DGHIPQTUVWY	ABDE**FG**HIJ 7
An den Havelbergen 1	3 ABEF**G**LR**S**	ABCDEFJKNQRSTUV 8
1 Jan - 31 Dez	4 **ABE**HILO**TX**	ADEJPQRV 9
+49 (0)3981-24790	5 ABDEGJK	ABFGIJLM**NO**RVX 10
info@haveltourist.de	B 16A CEE	① €31,90
N 53°18'32'' E 13°0'8''	H54 24 ha 330**T**(90-287m²) 162**D**	② €41,50

Über die B198 von Mirow oder Neustrelitz bis Wesenberg. Dort über Klein Quassow weiter bis Groß Quassow fahren. Von dort Zufahrt zum See. Ab Wesenberg ausgeschildert.

Juliusruh, D-18556 / Mecklenburg-Vorpommern iD

Freizeitcamp Am Wasser	1 AF**JM**NOPQRST	KN**X** 6
Wittower Straße 1-2	2 BEHOPQWXY	ABDE**FGH** 7
1 Apr - 31 Okt	3 BFL	ABCDE**F**JNQRSTV 8
+49 (0)38391-43928	4 HO	DEJV 9
info@ freizeitcampamwasser.de	5 ABCDKL	ABGHIJL**OR** 10
	B 16A CEE	① €29,10
N 54°36'37'' E 13°22'46''	10 ha 360**T**(bis 90m²) 147**D**	② €36,10

Von Stralsund immer auf der B96 bleiben bis an Bergen/Lietzow vorbei. Bei Sagard links halten Richtung Altenkirchen. Vor Juliusruh liegt der CP links der Straße. Ist ausgeschildert.

Karlshagen, D-17449 / Mecklenburg-Vorp. CC€18 iD

Dünencamp Karlshagen*****	1 AEFG**JM**NOPQRST	K**N**QRST 6
Zeltplatzstraße 11	2 BEHOPQUWXY	ABDE**FG**HIJ 7
1 Jan - 31 Dez	3 ABF**I**L	ABCDE**FGI**JKNQRSV 8
+49 (0)38371-20291	4 **A**BEFHIO	V 9
camping@karlshagen.de	5 ABDEIKL	ABDEFGHIJL**O**RV 10
	B 16A CEE	① €32,10
N 54°7'4'' E 13°50'42''	5 ha 265**T**(80-90m²) 75**D**	② €41,70

B111 Wolgast-Ahlbeck. In Bannemin links nach Karlshagen abbiegen. CP ist ausgeschildert.

Klein Pankow, D-19376 / Mecklenb.-Vorp. CC€16 iD

Camping am Blanksee	1 A**JM**NOPQRS**T**	L**N** 6
Am Blanksee 1	2 BDEFGHIPQSWXY	ABE**FG** 7
1 Apr - 31 Okt	3 BEFLV	ABCDE**F**NQRSV 8
+49 (0)38724-22590	4 HI	ADJPTV 9
info@campingamblanksee.de	5 ABCDEGI**KL**	ABFHJ**OP**RV 10
	16A CEE	① €24,00
N 53°23'13'' E 12°1'14''	12 ha 80**T**(100-150m²) 19**D**	② €30,00

A24 Hamburg-Berlin. Ausfahrt 16 Suckow. Suckow-Siggelkow-Groß Pankow Richtung Klein Pankow. Dann den CP-Schildern folgen.

Klockow, D-17219 / Mecklenburg-Vorpommern iD

Zur hohlen Eiche	1 AF**JM**NOPQRS**T**	6
Dorfstraße 1F	2 BOPRTWX	ABDE**F** 7
1/1 - 31/10, 1/12 - 31/12	3 BLS	ABCDEFGJNQRV 8
+49 (0)39921-36900	4 FHO	DIJV 9
runge@kleinernaturzeltplatz.de	5 AGIKL	AFGHJ**O**RVW 10
	16A CEE	① €20,50
N 53°28'32'' E 12°52'20''	1,2 ha 40**T**(100-120m²) 17**D**	② €23,50

A19 Berlin-Rostock, Ausfahrt 17 Waren. Ab dort über die B192 Ri. Neubrandenburg. Zwischen Schoen und Möllenhagen Ri. Gross-Dratow/ Klein-Dratow folgen. Weiter Richtung Klockow. CP ist weiter ausgeschildert.

Koserow, D-17459 / Mecklenburg-Vorpommern iD

Am Sandfeld	1 AF**JM**NOPQRS**T**	**N** 6
Am Sandfeld 5	2 HOPQTWXY	ABDE**FG** 7
1 Apr - 30 Sep	3 ABLV	ABCDEFJ**L**NRS 8
+49 (0)38375-20759	4 FHIO	V 9
camping@amsandfeld.de	5 ABKL	ABEFGHIJPR 10
	B 16A CEE	① €28,00
N 54°2'48'' E 14°0'40''	4 ha 150**T** 25**D**	② €35,00

B111 Wolgast-Swinoujscie, 2. Ausfahrt Koserow, ab hier ist der CP ausgeschildert.

Krakow am See, D-18292 / Mecklenburg-Vorp. iD

CP "Am Krakower See"****	1 ACDEFJ**M**NOPQRST	L**N**OQS**XYZ** 6
Windfang 1	2 ABDGHIJOPTVWX	A**BDEFGHI** 7
1 Jan - 31 Dez	3 BEF**KL**U	ABCDE**F**JKNQRSTUV 8
+49 (0)38457-50774	4 BFHILO	GIJKLPQV 9
info@campingplatz-krakower-see.de	5 ABDEGHIJKL	ABFGHJ**N**RX 10
	B 16A CEE	① €24,50
N 53°40'13'' E 12°16'27''	H52 5,7 ha 130**T**(100-120m²) 116**D**	② €30,50

B103, in Krakow am See die Straße nach Teterow nehmen. Nach 500m ist der CP ausgeschildert.

Kühlungsborn, D-18225 / Mecklenburg-Vorp. iD

Campingpark Kühlungsborn GmbH*****	1 ACDE**JM**NOPQRS**T**	KM**N**OPQRSTW**XY** 6
	2 EHOPQRVWXY	BDE**FG**HIJ 7
Waldstraße 1b	3 ABEF**K**LQRU	ABCDEF**IJK**L**M**NQRSTUV 8
20 Mär - 1 Nov	4 **A**BDFHILNOPQ**Z**	JMOPSTUVWYZ 9
+49 (0)38293-7195	5 ACDEFGJKL	ABEFGHIJL**NO**R 10
info@topcamping.de	B 16A CEE	① €36,00
N 54°9'5'' E 11°43'11''	12 ha 550**T**(60-168m²) 108**D**	② €46,00

A20 Wismar-Rostock, Ausfahrt Kröpelin, weiter Kühlungsborn, dann Kühlungsborn-West. CP befindet sich an der Waldstraße, ist ausgeschildert.

Deutschland

Teilkarte Mecklenburg-Vorpommern auf Seite 285

Lärz, D-17248 / Mecklenburg-Vorpommern

Am Müritzarm	1 AF**JM**NOQST **NQS** 6
Gaarzer Mühle 1	2 DOPWX **F** 7
1 Apr - 31 Okt	3 AB**FI**NQRV 8
+49 (0)1577-3371707	4 H 9
info@camping-mueritzarm.de	5 AI A**PR** 10
	16A CEE ❶ €18,50
N 53°19'10'' E 12°41'53''	H64 1,5 ha 50**T**(80-100m²) ❷ €25,50

A 19 Berlin-Rostock: Abf. Röbel (B198 Ri. Neustrelitz) durch Vipperow, hinter der Brücke über den Müritzarm rechts ab. Aus Ri. Neustrelitz: Wesenberg (B 198), Mirow, Vietzen, vor Vipperow und vor der Brücke über den Müritzarm links ab.

Lassan, D-17440 / Mecklenburg-Vorpommern

Naturcamping Lassan	1 ACF**JM**NOPQRST L**N**QS**X**Y 6
Garthof 5-8	2 CDFGHIJOPWXY AB**FG**IJ 7
1 Jan - 31 Dez	3 AB ABCDE**FGI**JNQRTUV 8
+49 (0)38374-559951	4 DPTV 9
info@campingplatz-lassan.de	5 ADEIKL ABFGHIJLNORW 10
	6A CEE ❶ €19,00
N 53°56'51'' E 13°51'23''	15 ha 80**T**(60-120m²) 17**D** ❷ €26,00

Von Süd: A11 Berlin-Prenzlau Ri. A20 bis Ausf. B199 Anklam. In Anklam die B110 nach Usedom. In Murchin geradeaus nach Lassan. Von Nord: A7/A1 Ri. A20 bis Ausf. B110 Ansklam oder Ausfahrt B199 Anklam. In Anklam Ri. Usedom. In Murchin geradeaus nach Lassan.

Lietzow (Rügen), D-18528 / Mecklenburg-Vorp.

Störtebeker-Camp	1 AE**IL**NOPQRS**T** QS 6
Waldstraße 59a	2 BDHOPVWX AB**FG** 7
29 Mär - 15 Okt	3 A**K** ABDFJNQRTUV 8
+49 (0)38302-2166	4 EFH EGV 9
info@lietzow.net	5 ABEGJKL ABHIJR 10
	16A CEE ❶ €33,50
N 54°29'3'' E 13°30'39''	1,5 ha 50**T**(80-140m²) 28**D** ❷ €36,50

Lietzow ist an der B96, zwischen Bergen und Sassnitz. Von Bergen aus Kommende in Lietzow an 2. Ampel rechts abbiegen, am Ende der Straße (ca. 200m) nach links.

Lohme/Nipmerow, D-18551 / Mecklenb.-Vorp.

Krüger Naturcamp	1 AFJMNOPQRST 6
Jasmunder Straße 5	2 BCFKMOPQRSWXY ABDE**FG**IK 7
17 Apr - 26 Okt	3 ABEI**K**L ABCDE**FG**JNQRV 8
+49 (0)38302-9244	4 FHI ADV 9
info@ruegen-naturcamping.de	5 ABEGIJKL ABDEGHIJRV 10
	16A ❶ €28,50
N 54°34'10'' E 13°36'36''	H108 4 ha 125**T** 14**D** ❷ €36,50

B96 Bergen-Altenkirchen, nach Bobbin rechts Richtung Sassnitz. CP ist ausgeschildert.

Loissin, D-17509 / Mecklenburg-Vorpommern

Loissin	1 AEF**JM**NOPQRS**T** K**N**QRSW**X** 6
Am Strandweg 1	2 EHPQVWX ABDFGHIJ 7
1 Apr - 31 Okt	3 ABEFL**PV** ABCDE**F**IJK**LM**NQRSTUV 8
+49 (0)38352-243	4 **ABHITX** GIV 9
info@campingplatz-loissin.de	5 ACDEIKL ABGHIJL**NOP**RV 10
	B 16A CEE ❶ €21,00
N 54°7'35'' E 13°31'13''	12 ha 320**T** 124**D** ❷ €26,00

CP an der Strecke von Greifswald nach Wolgast L26. Umgehung Greifswald, Abzweig Lubmin/Brünzow. In Kemnitz Richtung Loissin.

Lütow, D-17440 / Mecklenburg-Vorp.

Natur Camping Usedom	1 AE**JM**NOPQRST K**N**QRSTUVX 6
Zeltplatzstraße 20	2 BEHPUVWXY ABE**FG**H**IJ** 7
1 Apr - 31 Okt	3 ABEFL ABCDEFKNQRSTU 8
+49 (0)38377-40581	4 BCEHIO**Q** EJMOPQRUVW 9
info@ natur-camping-usedom.de	5 ACDEGJKL ABDGHIJLOR 10
	B 16A CEE ❶ €23,50
N 54°0'41'' E 13°51'29''	18 ha 450**T**(30-250m²) 109**D** ❷ €31,10

B111 von Wolgast nach Ahlbeck. Vor Zinnowitz rechts ab. CP ist ausgeschildert.

Malchow, D-17213 / Mecklenburg-Vorpommern

Naturcamping Malchow*****	1 ADEF**JM**NOPQRST L**N**OPQRSW**XYZ** 6
Zum Plauer See 1	2 ABDGHPQSVWXY AB**C**DE**FG**I 7
1 Jan - 31 Dez	3 BEF**KL** ABCDE**F**JKNQRSTV 8
+49 (0)39932-49907	4 **ABE**FHILNO DPV 9
malchow@campingtour-mv.de	5 ABDEGJKL ABFGHJ**O**RVWX 10
	B 10A CEE ❶ €24,00
N 53°29'33'' E 12°22'27''	7 ha 105**T**(100-150m²) 106**D** ❷ €29,80

Autobahn A19 Berlin-Rostock, Ausfahrt 16 Richtung Malchow, einige km westlich von Malchow B192 Richtung Schwerin. Nach 300m ausgeschildert.

Malliß, D-19294 / Mecklenburg-Vorpommern

Am Wiesengrund	1 AEF**JM**NOPRST J**NXYZ** 6
Am Kanal 4	2 CGHPRWXY BE**FG**HI 7
1 Jan - 30 Nov	3 BDEF**HL** ABDFJNQRSV 8
+49 (0)38750-21060	4 EFHIO**T** ADFIPQRTVWZ 9
sielaff-camping@t-online.de	5 ABDEIKL ABFGHIJLM**NO**PRVX 10
	16A CEE ❶ €18,20
N 53°11'45'' E 11°20'26''	2 ha 60**T**(100-120m²) 48**D** ❷ €22,20

B191 Uelzen-Ludwigslust, dann in Malliß ausgeschildert.

Markgrafenheide/Rostock, D-18146 / Mecklenb.-Vorp.

Camp. & Ferienpark Markgrafenheide	1 AEF**JM**NOPQRST **AE**KMNQRSTX 6
Budentannenweg 2	2 BEHOPQVWXY B**CEFG**H 7
1 Jan - 31 Dez	3 BF**G**IL**MOSU** BFJNQRSTV 8
+49 (0)381-6611510	4 BCDFILNO**PQRTUVXZ** IJPTV 9
info@baltic-freizeit.de	5 ACDEFGHJKL ABDFGHJM**NO**RXY 10
	B 15A CEE ❶ €36,50
N 54°11'39'' E 12°9'20''	28 ha 1114**T**(100-140m²) 399**D** ❷ €46,50

Die B105 Rostock-Stralsund, Ausfahrt Rövershagen-Hinrichshagen-Markgrafenheide.

Middelhagen (Rügen), D-18586 / Mecklenb.-Vorp.

DAT Stranddörp	1 ADEF**JM**NOPQRST K**N**QSX 6
Lobbe 32a	2 EHOPVX ABDEFGIJ 7
1 Apr - 30 Sep	3 BF**I**LV ABCDEFHJNQRS 8
+49 (0)38308-2314	4 B DEVW 9
lobbe@campingruegen.de	5 ABDHKL ABHIJL**NO**RV 10
	B 16A CEE ❶ €34,50
N 54°18'58'' E 13°43'10''	8 ha 240**T**(20-220m²) 77**D** ❷ €40,50

CP befindet sich an der Straße von Ostseebad Baabe nach Thiessow. Deutlich ausgeschildert.

Middelhagen (Rügen), D-18586 / Mecklenburg-Vorp.

Natur Campingplatz Alt Reddevitz	1 AJMNOPRS**T** 6
Alt Reddevitz 2	2 O B**FG** 7
1 Apr - 21 Okt	3 **G** BFNR 8
+49 (0)38308-66960	4 I J 9
camping@rügen-urlaub.de	5 ABE AGHJR 10
	16A ❶ €33,50
N 54°20'10'' E 13°40'56''	5 ha 133**T** 9**D** ❷ €40,50

Auf Rügen der E22 Richtung Bergen folgen. Vor Bergen auf die 196 Richtung Göhren-Baabe. Hinter Baabe geradeaus nach Middelhagen, danach 1. Straße rechts. Den CP-Schildern folgen.

Neu-Göhren, D-19294 / Mecklenburg-Vorpommern

Bootsanleger & Camping Neu-Göhren	1 A**JM**NOPRST J**NXYZ** 6
Neustraße 9	2 CGIOPQRSWXY AD**EFG** 7
1 Jan - 31 Dez	3 ABES ABCDE**F**NQRV 8
+49 (0)16224-41657	4 HIO DEQV 9
bootsanleger-camping@t-online.de	5 AEI ABFGHIJ**NR** 10
	16A CEE ❶ € 8,00
N 53°11'30'' E 11°22'32''	H172 3 ha 30**T**(100-120m²) 43**D** ❷ €12,00

Die B191 von Dannenberg nach Ludwigslust. In Malk/Göhren Richtung Alt-Kaliss 3 km. CP ist ausgeschildert. Zur Navigation: als Adresse 'Ausbau 3' eingeben.

Niendorf/Wohlenberger Wiek, D-23968 / Mecklenb.-Vorp.

Campingplatz Niendorf GmbH	1 AF**IL**NOPQRS**T** K**N**PQSX 6
Strandstraße 21	2 EGHIOPUVX BDE**FG**I 7
1 Apr - 15 Okt	3 BE**K**LQ BD**F**KNRS 8
+49 (0)38428-60222	4 FH**T** DEFIKV 9
info@camping-meckpom.de	5 ABDIK ABFGHIK**PR** 10
	16A CEE ❶ €21,00
N 53°55'46'' E 11°16'12''	4 ha 105**T**(70-80m²) 148**D** ❷ €26,00

A20, Ausfahrt 6 Grevesmühlen, nach Grevesmühlen bis zur T-Kreuzung (Grüner Weg) links Richtung B105 Boltenhagen. Am Ploggensee rechts über die L02 zum Wohlenbergerwiek bei Niendorf.

Ostseebad Prerow, D-18375 / Mecklenburg-Vorp.

Meißner's Sonnen-Camp	1 AEG**JM**NOPRT KQ 6
Villenstrasse 3	2 BEFHQWXY BE**FG** 7
1 Apr - 31 Okt	3 BFL ABEFJNQRSV 8
+49 (0)38233-60198	4 DJV 9
sonnencamp@prerow.de	5 AL ABFGHIJ**NO**R 10
	16A CEE ❶ €28,00
N 54°27'10'' E 12°33'29''	76**T**(9-29m²) 39**D** ❷ €32,00

Von Rostock die B105 bis Altheide, dann Richtung Wustrow nach Prerow. In Prerow den Schildern folgen. Einfahrt Restaurant-Hotel Waldschlößchen.

Ostseebad Rerik, D-18230 / Mecklenb.-Vorp.

Campingpark 'Ostseebad Rerik'*****	1 ADE**JM**NOPQRST K**N**QR**X**Y 6
Straße am Zeltplatz 8	2 EGHKOPRSVWXY ABDE**FGH**IJ**K** 7
1 Jan - 31 Dez	3 ABEF**HL** ABCD**FGI**JK**L**NPQRSTUV 8
+49 (0)38296-75720	4 BCDFHINO DJKMV 9
info@campingpark-rerik.de	5 ABDEGJKL ABDEFGHIJNORV 10
	B 16A CEE ❶ €28,00
N 54°6'47'' E 11°37'51''	5,2 ha 240**T**(80-100m²) 43**D** ❷ €34,00

A20 Ausfahrt 12 Kröpelin (L11). A20 Autobahnkreuz/Wismar 105 bis Neubukow. Dann Richtung Rerik. In Rerik den CP-Schildern folgen.

Ostseebad Zinnowitz, D-17454 / Mecklenb.-Vorp.

Familien-Campingplatz Pommernland GmbH*****	1 ADEF**JM**NOPQRST **EF**KNOQRSWXZ 6
Dr. Wachsmannstr. 40	2 BEHPQRTXY ABDE**FGH**I 7
1/1 - 5/1, 1/3 - 31/12	3 ABFIL ABCDE**FGI**JKLNQRSTUV 8
+49 (0)38377-40348	4 ABCEFILNO DEFJLV 9
camping-pommernland@m-vp.de	5 ABCDEGJKL ABDEFGHIJ**NO**R 10
	B 6A CEE ❶ €33,50
N 54°4'56'' E 13°53'57''	7,5 ha 360**T** 122**D** ❷ €40,50

Die B111 Wolgast-Ahlbeck, in Zinnowitz an Ampel links, am ersten Kreisverkehr nach rechts, bei Apotheke links, dann bis zum Ende der Straße.

Teilkarte Mecklenburg-Vorpommern auf Seite 285

Ostseeheilbad Zingst, D-18374 / Mecklenb.-Vorp.

Wellness Camp Düne 6	1 AEF**JM**NOPQRST	**EKN**QSTW 6
Inselweg 9	2 EHOPRSVWX	ABDE**FG**I 7
1 Jan - 31 Dez	3 ABEFHILMNORS	ABCDEFIJ**LM**NQRSTUV 8
+49 (0)38232-17617	4 BCDFHLNO**RSTVXZ**	DIKMPQRSUV 9
info@wellness-camp.de	5 ABDEGJKL	ABEGHIJNORW 10
	B 16A CEE	❶ €46,10
N 54°26'12'' E 12°42'22''	10 ha 402**T**(bis 120m²) 49**D**	❷ €54,10

B105 Ribnitz-Damgarten-Stralsund. In Löbnitz Richtung Barth, dann Zingst. In Zingst bei Kreisverkehr rechts. CP ab Lierna beschildert.

Prora, D-18609 / Mecklenburg-Vorpommern

Camping-Meier Prora	1 ADEF**JM**NOPQRS**T**	M 6
Proraer Chaussee 30	2 BEHOPVWX	ABDE**FG** 7
1 Apr - 31 Okt	3 A**J**L	ABCDE**F**IJKNQRSV 8
+49 (0)38393-2085	4 HO	DV 9
camping-meier-prora@ t-online.de	5 AGJ	ABGHIJR 10
	B 6A CEE	❶ €30,00
N 54°25'25'' E 13°34'39''	3,5 ha 135**T**(80-100m²) 4**D**	❷ €38,00

B96 Stralsund-Bergen, in Bergen die B196 bis Karow, dann Prora. An der Ampel rechts Richtung Bins, ist ausgeschildert.

Pepelow, D-18233 / Mecklenburg-Vorpommern

Ostseecamping Am Salzhaff	1 ADE**JM**NOPQRS**T**	K**N**PQRSW**X** 6
Seeweg 1	2 EFHIPWX	A**BFG**I 7
1 Jan - 31 Dez	3 ABF	ABCDE**F**JNQRTV 8
+49 (0)38294-78686	4 BHLN	V 9
pepelow@campingtour-mv.de	5 ACDEIKL	ABFGHJNOSTX 10
	B 16A CEE	❶ €21,20
N 54°2'17'' E 11°35'3''	10 ha 123**T**(80-120m²) 198**D**	❷ €26,70

A20 bis Wismar, dann die B105 Richtung Rostock, in Neubukow links (Schliemannstraße), dann 5 km nach Pepelow.

Pruchten, D-18356 / Mecklenburg-Vorp. CC€16

Naturcamp Pruchten****	1 AEF**JM**NOPRS**T**	K**N**QRSX 6
Am Campingplatz 2	2 BEGJOPVWXY	BE**FG**HI 7
1 Apr - 31 Okt	3 ABEF**GH**LRST	BD**FG**IJNQRSTV 8
+49 (0)38231-2045	4 BDH	EGJKLUVW 9
info@naturcamp.de	5 ACEGJKL	ABDFGHIJLM**NP**RVW 10
	Anzeige auf dieser Seite B 16A	❶ €22,30
N 54°22'46'' E 12°39'43''	5 ha 280**T**(80-100m²) 107**D**	❷ €28,30

B105 Ribnitz-Darmgarten Richtung Stralsund. In Löbnitz Richtung Barth, dann Pruchten. Der CP ist gut ausgeschildert.

Plau am See/Plötzenhöhe, D-19395 / Mecklenb.-Vorp. CC€16

Campingpark Zuruf	1 ADEF**JM**NOPQRS**T**	**L**NOPQSW**XYZ** 6
Seestraße 38D	2 DGHIPSVWXY	ABDE**FG**HI 7
1 Jan - 31 Dez	3 BFLS	ABCDE**FG**IJK**LM**NQRSTV 8
+49 (0)38735-45878	4 BCHILO**Q**	DFIJNPQRTVY 9
campingpark-zuruf@ t-online.de	5 ABDEFKI	ABDFGHIJL**N**RX 10
	B 16A CEE	❶ €26,40
N 53°26'17'' E 12°17'13''	H50 8 ha 140**T**(70-100m²) 141**D**	❷ €33,00

A24/E26 Hamburg-Berlin, Ausfahrt Meyenburg. Dann die B103 nach Plau rechts zur Plötzenhöhe. CP (am See) ist ausgeschildert.

Raben Steinfeld, D-19065 / Mecklenburg-Vorp.

Süduferperle	1 AF**JM**NOPRS**T**	**L**NOPQS**X**YZ 6
Forststraße 19	2 ADFKPRVX	ABDE**FG**IJ 7
1 Jan - 31 Dez	3 A**GHIK**L	ABCDEFJNQRST 8
+49 (0)3860-312	4 O**T**	DOPQSV 9
sueduferperle@gmx.de	5 ADIJKL	ABEGHIJ**N**OR 10
	B 16A CEE	❶ €27,50
N 53°36'13'' E 11°29'53''	2 ha 60**T**(80-100m²) 29**D**	❷ €34,50

Von Putwerin aus über 321 nach Parchim. An der Kreuzung mit der A14 links Richtung Rabensteinfeld. Dann ausgeschildert.

Prerow, D-18375 / Mecklenburg-Vorpommern

Regenbogen Ferienanlage Prerow	1 ADEG**JL**NOPRS**T**	K**N**OPQRSTUVXY 6
	2 BEFHOPQSVWXY	ABDE**FG**I 7
1 Jan - 31 Dez	3 BEF**I**L	ABCDEFJK**L**NRSV 8
+49 (0)38233-331	4 ABDEFH**J**LNO**TY**	ADMOQRSV 9
prerow@regenbogen-camp.de	5 ABCDEFGJK	ABFGHIJ**NO**R 10
	FKK B 16A CEE	❶ €50,00
N 54°27'16'' E 12°32'51''	35 ha 1250**T**(12-150m²) 435**D**	❷ €51,50

In Prerow zur Ortsmitte, dort ist der CP gut ausgeschildert.

Rappin (Rügen), D-18528 / Mecklenburg-Vorp.

Banzelvitzer Berge GmbH	1 AEF**JM**NOPRST	K**N**QRSUVW**XZ** 6
OT Groß Banzelvitz	2 BEFGHIJPQTUVWXY	ABDE**FG**HIJ 7
25 Mär - 3 Nov	3 ABCF**GL**RST	ABCDE**FG**IJLNQRSTUV 8
+49 (0)3838-31248	4 AEFIK	ADEFJKLNPQTVWY 9
info@banzelvitz.de	5 ABCDEGIJKL	ABGHIJLMN**O**PRV 10
	B 16A CEE	❶ €33,50
N 54°31'1'' E 13°24'38''	8 ha 200**T**(60-120m²) 77**D**	❷ €36,50

Stralsund B96, Rügendamm bis Bergen. An der Ampel links Richtung Gingst/Schaprode. Nach ca. 5 km rechts Richtung Rappin/Groß Banzelvitz, dann den Schildern folgen.

Priepert, D-17255 / Mecklenburg-Vorpommern

Havelperle	1 AG**JM**NOPQRS**T**	LNOPQSWXZ 6
An der Havel 33	2 DOPWX	ABDE**FG** 7
1 Apr - 31 Okt	3	ABCDE**F**JNQRV 8
+49 (0)39828-26504	4 I	GJQV 9
havelperle-priepert@freenet.de	5 ABDK	ABGRV 10
	B 16A CEE	❶ €15,00
N 53°12'58'' E 13°2'0''	H55 2,5 ha 130**T** 24**D**	❷ €21,60

A19, Ausfahrt 18 Röbel-Müritz zur B198 Richtung Wesenberg. Ab Wesenberg Richtung Strasen und Priepert. In Priepert CP gut ausgeschildert.

Rerik/Meschendorf, D-18230 / Mecklenburg-Vorp.

Ostseecamp Seeblick	1 ADEF**JM**NOPQRT	KM**N**OPQSW**X** 6
Meschendorfer Weg 3b	2 EFGHKPRVWX	BDE**F**GHIJ 7
1 Jan - 31 Dez	3 BEFLR	ABCDE**FIJ**KNQRSTUV 8
+49 (0)38296-7110	4 ABEFHILMO**TZ**	EIJQRSUV 9
info@ostseecamp.de	5 ACDEJKL	ABGHIJLMNOR 10
	B 16A CEE	❶ €28,50
N 54°7'40'' E 11°38'44''	9 ha 400**T**(80-130m²) 84**D**	❷ €37,90

A20 Ausfahrt 9, Kreuz Wismar, dann die B105 Richtung Neubukow. Danach links Richtung Rerik. Rerik-Meschendorf, dort der zweite CP.

Priepert (Radensee), D-17255 / Mecklenb.-Vorp.

Am Ziernsee****	1 ADEF**JM**NOQS**T**	L**N**QS**X** 6
1 Apr - 31 Okt	2 BDGNPQVWXY	ABDE**FG** 7
+49 (0)3981-24790	3 AL	ABCDE**F**JNQR 8
info@haveltourist.de	4 O	Q 9
	5 ACK	ABIJ**O**RVW 10
	16A CEE	❶ €24,80
N 53°12'32'' E 13°4'23''	H65 6,8 ha 60**T**(100-135m²) 91**D**	❷ €32,80

Von Wesenberg über die E251 via Wüstrow und Strasen durch Priepert der Straße nach bis Radensee, dort links ab in den Waldweg, der gut erreichbar ist (1,5 km) bis zum CP. Der Platz ist gut ausgeschildert.

Schaprode, D-18569 / Mecklenburg-Vorpommern

Am Schaproder Bodden	1 A**JM**NORT	K**N**QRSXY 6
Lange Straße 24	2 EFGHIOPQVWX	ABDE**FG** 7
20 Mär - 31 Okt	3 ABEL	ABCDE**F**JNQR 8
+49 (0)38309-1234	4 K	DEI 9
camping.schaprode@ t-online.de	5 ABDEIJK	ABFGHIJR 10
	10A CEE	❶ €22,00
N 54°30'58'' E 13°9'56''	1,5 ha 130**T** 28**D**	❷ €29,00

B96 Stralsund-Bergen, an der Ampel Gingst/Schaprode nach links abbiegen, dann den Schildern folgen.

Deutschland

Teilkarte Mecklenburg-Vorpommern auf Seite 285

Schillersdorf, D-17252 / Mecklenburg-Vorp.

Am Leppinsee
C20
1 Apr - 3 Okt
+49 (0)3981-24790
haveltourist@t-online.de
N 53°20'50'' E 12°49'33''

1 ADFJMNOQRST LNOSXZ 6
2 BDGHIPQTX ABEFGHI 7
3 AEFL ABCDEFJKNQRS 8
4 FH QR 9
5 AK AIJORW 10
10A ① €23,30
H106 4 ha 45T(100-130m²) 55D ② €26,70

Via B198 nach Mirow, dann via Granzow über Qualzow nach Schillersdorf. CP ist gut ausgeschildert.

Schwaan, D-18258 / Mecklenburg-Vorp.

Campingplatz Schwaan
Sandgarten 17
1 Mär - 31 Okt
+49 (0)3844-813716
info@campingplatz-schwaan.de
N 53°55'25'' E 12°6'24''

1 ADEFJMNOPQRST JNXZ 6
2 ABCGHIOPQVWXY ABDEFGIJ 7
3 ABEFL ABCDEFJKNQRTU 8
4 HI DEJPQRY 9
5 ABDEKL ABDFGHJLOR 10
B 16A CEE ① €20,50
13 ha 150T(80-120m²) 130D ② €26,50

A20 Ausfahrt 13 Schwaan. Im Zentrum Richtung Laage/Güstrow. A19 Ausfahrt 11. Richtung Schwaan.

Seehof/Schwerin, D-19069 / Mecklenburg-Vorpommern

Campingplatz Seehof GmbH
Am Zeltplatz 1
1 Jan - 31 Dez
+49 (0)385-512540
info@ferienparkseehof.de
N 53°41'48'' E 11°26'13''

1 BDEJMNOPRST LNQSTWXYZ 6
2 ABDGHOPQSUVWXY BEFGHIJ 7
3 BCEFL BDEFGIJLNOQRSTUV 8
4 ABCDEFHILO AEFKOPQTUVXZ 9
5 ACEGJKL ABFGHIJMR 10
B 16A CEE ① €31,00
18 ha 237T(60-100m²) 160D ② €35,60

B106 Richtung Osten, Schwerin-Wismar.

Sommersdorf, D-17111 / Mecklenburg-Vorp.

Campingpark Sommersdorf
Am Kummerower See
1 Jan - 31 Dez
+49 (0)39952-2973
sommersdorf@campingtour-mv.de
N 53°47'55'' E 12°52'33''

1 ADEFJMNOPQRST LNOPQSUXY 6
2 DGHIPVWX BFGHI 7
3 ABE ABCDFJKNQRSTUV 8
4 FH EPV 9
5 ABKL ABFGHIJMOSTVX 10
16A CEE ① €22,50
2,5 ha 82T(80-100m²) 44D ② €28,20

Aus Richtung Berlin über die A19 Ausfahrt Teterow, dann B104 Ri. Malchin, links ab Ri. Sommersdorf. In Sommersdorf geradeaus Richtung See oder B194 Demmin folgen, Ausfahrt Wolkwitz nach Sommersdorf Ri. See.

Sternberg, D-19406 / Mecklenburg-Vorp.

Sternberger Seenland
Maikamp 11
1 Apr - 31 Okt
+49 (0)3847-2534
info@camping-sternberg.de
N 53°42'48'' E 11°48'46''

1 AJMNOPQRST LNX 6
2 DFGHOPQRUVWXY BEFGHIJK 7
3 BFLR BDFJNQRS 8
4 ABEFHIO AFJKMPQRTV 9
5 ABDJKL ABFGHIJNOPRV 10
B 16A CEE ① €24,00
7,5 ha 120T(80-100m²) 42D ② €28,00

Die 192 Wismar-Malchow. Bei Sternberg CP-Schildern folgen.

Strasen/Pelzkuhl, D-17255 / Mecklenburg-Vorp.

Naturcamping am Grossen Pälitzsee
1 Apr - 31 Okt
+49 (0)3981-24790
info@haveltourist.de
N 53°11'2'' E 12°58'35''

1 ADEFJMNOQRST LNQSXZ 6
2 DGHNPQX ABDEFGIJ 7
3 ABEFL ABCDEFKNR 8
4 QRV 9
5 ABK ABIJR 10
16A CEE ① €24,80
H78 5,6 ha 50T(90-100m²) 50D ② €32,80

Von Wesenberg via Wüstrow nach Strasen. CP ist gut ausgeschildert.

Stubbenfelde(Seebad Kölpinsee), D-17459 / Mecklenb.-Vorp.

Stubbenfelde
Waldstraße 12
1 Apr - 31 Okt
+49 (0)38375-20606
info@stubbenfelde.de
N 54°1'51'' E 14°2'14''

1 EJMNOPRT KNQRSX 6
2 BEHOPQRTUVWXY BEFGHIJ 7
3 BLP BDFIJKLNQRSTUV 8
4 BDFHIOQRSTX GIJLMVW 9
5 ACDEGJKL ABEGHIJNPR 10
B 10A CEE ① €30,50
5 ha 270T(60-120m²) 44D ② €37,50

Ab Greifswald die B111 Richtung Wolgast und weiter Richtung Ahlbeck, 1 km hinter der Abfahrt Kölpinsee links. Es wird empfohlen nach den GPS-Koordinaten zu fahren.

Timmendorf/Insel Poel, D-23999 / Mecklenburg-Vorp.

Leuchtturm
Lotsenstieg 25
1 Apr - 31 Okt
+49 (0)38425-20224
l.pierstorf@t-online.de
N 53°59'37'' E 11°22'46''

1 ADFJMNOPQRST KNQSWX 6
2 EHMOPQVX ABDEFGHIJ 7
3 BGHIL ABCDFJNQRS 8
4 IO EIJK 9
5 ABDEIKL ABGHIJR 10
B 10A CEE ① €23,00
9 ha 400T(70-100m²) 205D ② €27,00

Aus Wismar-Zentrum Richtung Rostock und dann sofort ausgeschildert Richtung Insel Poel, dort den CP-Schildern folgen.

Trassenheide, D-17449 / Mecklenburg-Vorp.

Ostseeblick****
Zeltplatzstraße 20
28 Mär - 2 Nov
+49 (0)38371-20949
campingplatz@trassenheide.de
N 54°5'25'' E 13°53'8''

1 ADEJMNOPQRST KNQS 6
2 BCEHPQUVXY ABDEFGHIJ 7
3 ABFLQ ABCDEFJNQRSTV 8
4 BFH KV 9
5 ABDEGI ABFGHIJLNRX 10
B 16A CEE ① €29,10
4,1 ha 250T(65-100m²) 70D ② €34,60

B111 Wolgast-Ahlbeck. In Bannemin links ab, Trassenheide. CP ist gut ausgeschildert.

Ückeritz, D-17459 / Mecklenburg-Vorpommern

Naturcamping Hafen Stagnieß
Stagnieß Hafenstrasse
1 Apr - 31 Okt
+49 (0)38375-20423
info@camping-surfen-usedom.de
N 54°0'2'' E 14°2'56''

1 AJMNOPQRST QSXY 6
2 DFPQRWXY ABFG 7
3 ABEFJKNQRS 8
4 V 9
5 ADKL AHJRW 10
16A CEE ① €20,50
200T 60D ② €26,50

Von Berlin die A12 bis Prenzlau, dann A20 bis Pasewalk, anschließend die B109 bis Anklam. Danach über Usedom bis Stagnieß. Von Hamburg A1 bis Lübeck, dann die A20 bis Gützow, Usedom bis Stagnieß.

Ummanz, D-18569 / Mecklenburg-Vorpommern

Ostseecamp. Suhrendorf GmbH****
Suhrendorf 4
1/1 - 9/1, 20/2 - 31/12
+49 (0)38305-82234
ostseecamp.suhrendorf@t-online.de
N 54°27'51'' E 13°8'19''

1 AEJMNOPRST KNQRSVXY 6
2 EGHIOPQVWXY ABDEFGHI 7
3 ABCEFGHILR ABCDEFIJKNQRSTUV 8
4 ABEFIOX DEMQRV 9
5 BCDEGHIJKL ABEHIJLNOPR 10
B 16A CEE ① €23,80
9 ha 250T(100-150m²) 142D ② €30,20

Von Stralsund die B96 Richtung Rügen/Bergen, in Samtens links nach Gingst. In Gingst links Richtung Insel Ummans, in Waase über die Brücke links ausgeschildert.

Waren (Müritz), D-17192 / Mecklenb.-Vorp.

Campingpark Kamerun
Zur Stillen Bucht 3
1 Jan - 31 Dez
+49 (0)3991-122406
waren@campingtour-mv.de
N 53°30'42'' E 12°39'2''

1 ADEFJMNOPQRST LNQRSTWXYZ 6
2 DGOPQRVWX ABDEFG 7
3 AEL ABCDFJNQRSTUV 8
4 FHX DIKMOPQV 9
5 ACDEGIJKL ABFGIJLORW 10
10A CEE ① €30,25
H71 8 ha 300T(100m²) 88D ② €36,75

A19/E55 Rostock-Berlin Ausfahrt Malchow. Links über die B192 nach Waren. CP befindet sich ca. 2 km vor Waren auf der rechten Seite.

Waren (Müritz), D-17192 / Mecklenb.-Vorp.

CampingPlatz Ecktannen
Fontanestraße 66
1 Jan - 31 Dez
+49 (0)3991-668513
info@camping-ecktannen.de
N 53°29'58'' E 12°39'48''

1 ADEFJMNOPQRST LNQSX 6
2 DGIPQTX ABDEFG 7
3 ABEFILV ABCDFJKNQRS 8
4 BFGH FIMOPQRV 9
5 ABDIK ABFGHIJMNOR 10
B 16A CEE ① €25,00
H62 17 ha 400T 56D ② €31,00

A19 Ausfahrt Waren, B192 bis Waren, nach 6 km im Ort zum OT Ecktannen abbiegen und der Beschilderung folgen.

Wesenberg, D-17255 / Mecklenb.-Vorp.

Am Weissen See****
1 Apr - 3 Okt
+49 (0)3981-24790
info@haveltourist.de
N 53°17'2'' E 12°56'54''

1 ADFJMNOQRST LN 6
2 DGHQTUVWX ABDEFG 7
3 AL ABCDEFNQR 8
4 FH DJV 9
5 ABDEGIK AHIJLOR 10
B 16A ① €24,80
3,5 ha 100T(90-112m²) 55D ② €32,80

Ab Wesenberg-Mitte ist der CP gut ausgeschildert. Der C63 folgen.

Wooster Teerofen, D-19399 / Mecklenburg-Vorp.

Camping Oase Waldsee
Köhlerweg 9
1 Apr - 31 Okt
+49 (0)174-9370469
info@campingoase-waldsee.de
N 53°35'19'' E 12°12'56''

1 AEFGJMNOPQRST LNOQSXZ 6
2 BDGHPQXY ABDEFG 7
3 BCEFL ABCDEFNQRTV 8
4 FHI IJPUV 9
5 ADEIKL ABGHJRVW 10
16A CEE ① €21,50
H55 7 ha 60T(80-110m²) 84D ② €27,50

B192 Goldberg-Karow, Ausfahrt Wooster Teerofen. Dann ausgeschildert.

Zempin, D-17459 / Mecklenburg-Vorpommern

Camping Am Dünengelände
Campingweg 1
1 Jan - 31 Dez
+49 (0)38377-41363
camping.zempin@freenet.de
N 54°4'20'' E 13°56'21''

1 AEGILNOPQRST KQS 6
2 BEHPQVWXY ABDFG 7
3 BLV ABCDEFKNPQRS 8
4 BCFMO EJO 9
5 ABDEGJL ABEFGHIJLOR 10
16A CEE ① €36,50
6 ha 350T 165D ② €43,70

Von Greifswald via Wolgast B111 Richtung Zempin. CP ist gut ausgeschildert.

Teilkarte Mecklenburg-Vorpommern auf Seite 285

Zierow/Wismar, D-23968 / Mecklenb.-Vorp.

CC€18 iD

Ostseecp-Ferienpark Zierow KG****
Strandstraße 19C
1 Jan - 31 Dez
+49 (0)38428-63820
ostseecampingzierow@t-online.de
N 53°56'2'' E 11°22'24''

1 ADFILNOPRST	EKNPQRSTXY	6
2 AEGHOPQRVX	ABDEFGHJ	7
3 ABCEFGHIKLPQR	ABCDEFGIJKLNPQRSTUV	8
4 BDKLOPTY	EJLMOPVY	9
5 ACDEGJKL	ABDEFGHIJLMNPR	10
B 16A CEE		① €27,60
15 ha 284T(90-110m²) 164D		② €33,20

A20 Ausfahrt 8 Wismar-Mitte, dann links, Kreisel 3. Ausfahrt B106 Lübeck-Grevesmühlen. Ausfahrt Zierow. Den CP-Schildern folgen.

Zislow, D-17209 / Mecklenburg-Vorpommern

iD

Wald- u. Seeblick Camp
Waldchaussee 1
1 Jan - 31 Dez
+49 (0)39924-2002
reception@wald-und-seeblick-camp.de
N 53°26'32'' E 12°18'50''

1 ADEFJMNOPQRST	LNOQSWXYZ	6
2 BDGIPQRVWXY	ABDEFGH	7
3 BEL	ABCDEFNQRSTUV	8
4 FH	DEJPTV	9
5 ABDIK	ABEGHJNOR	10
B 16A CEE		① €21,90
H65 11 ha 220T(80m²) 193D		② €26,90

A19 (B192), Ausfahrt Waren-Petersdorf Richtung Adamshoffnung-Zislow. Dann ausgeschildert.

Zingst-West, D-18374 / Mecklenburg-Vorp.

iD

Am Freesenbruch
Am Bahndamm 1
1 Jan - 31 Dez
+49 (0)38232-15786
info@camping-zingst.de
N 54°26'26'' E 12°39'37''

1 ADEFILNOPRST	KQSX	6
2 EHOPQRVWX	ABDEFG	7
3 BL	ABCDEFLNQRSTUV	8
4 ABEORSTXY	KV	9
5 ACDEGJKL	ABEFGHIJOR	10
B 16A CEE		① €34,30
5 ha 283T(75-120m²) 50D		② €45,30

B105 Rostock - Stralsund. In Löbnitz links Richtung Barth/Pruchten, dann Richtung Zingst.

Zwenzow, D-17237 / Mecklenburg-Vorpommern

iD

FKK-Camping Am Useriner See****
1 Apr - 31 Okt
+49 (0)3981-24790
info@haveltourist.de
N 53°19'49'' E 12°57'19''

1 ADFILNOQRST	LNQSXZ	6
2 BDGHPQTVX	ABDEFG	7
3 ABE	ABCDEFJKNQRV	8
4 FH	DPQRV	9
5 ACK	ABIJOR	10
FKK B 10A CEE		① €28,90
H50 8 ha 120T(80-162m²) 84D		② €37,90

Über die B198 in Mirow auf der L25 Richtung Userin abbiegen, dann über Granzow, Roggentin nach Zwenzow.

Zislow, D-17209 / Mecklenburg-Vorpommern

iD

Naturcamping Zwei Seen
Waldchaussee 2
1 Jan - 31 Dez
+49 (0)39924-2550
info@zwei-seen-naturcamping.de
N 53°26'43'' E 12°18'40''

1 AEFJMNOPQRST	LNOPQSXYZ	6
2 ABDGHIPQTUVWXY	ABDEFGH	7
3 ABEFL	ABCDEFJNQRSTV	8
4 FHNO	ADJPQT	9
5 ABDEJK	ABGHJMPST	10
B 10A CEE		① €21,90
H75 14 ha 300T(90-120m²) 196D		② €26,90

A19, Ausfahrt Waren/Petersdorf Richtung Adamshoffnung/Zislow. Dann ausgeschildert.

Zwenzow, D-17237 / Mecklenburg-Vorp.

CC€16 iD

Zwenzower Ufer****
Am Großen Labussee (C56)
23 Mär - 31 Okt
+49 (0)3981-24790
info@haveltourist.de
N 53°19'8'' E 12°56'42''

1 ADEFJMNOQRST	LNQSXZ	6
2 DGIOPQVWX	ABDEFG	7
3 AF	ABDEFJKNQRS	8
4 FHT	DPQRV	9
5 CDEK	ABGHIJORW	10
B 16A CEE		① €28,90
H63 5 ha 65T(80-132m²) 29D		② €37,90

B96 von Berlin via Neustrelitz Richtung Userin und Useriner Mühle nach Zwenzow.

Sachsen-Anhalt

Deutschland

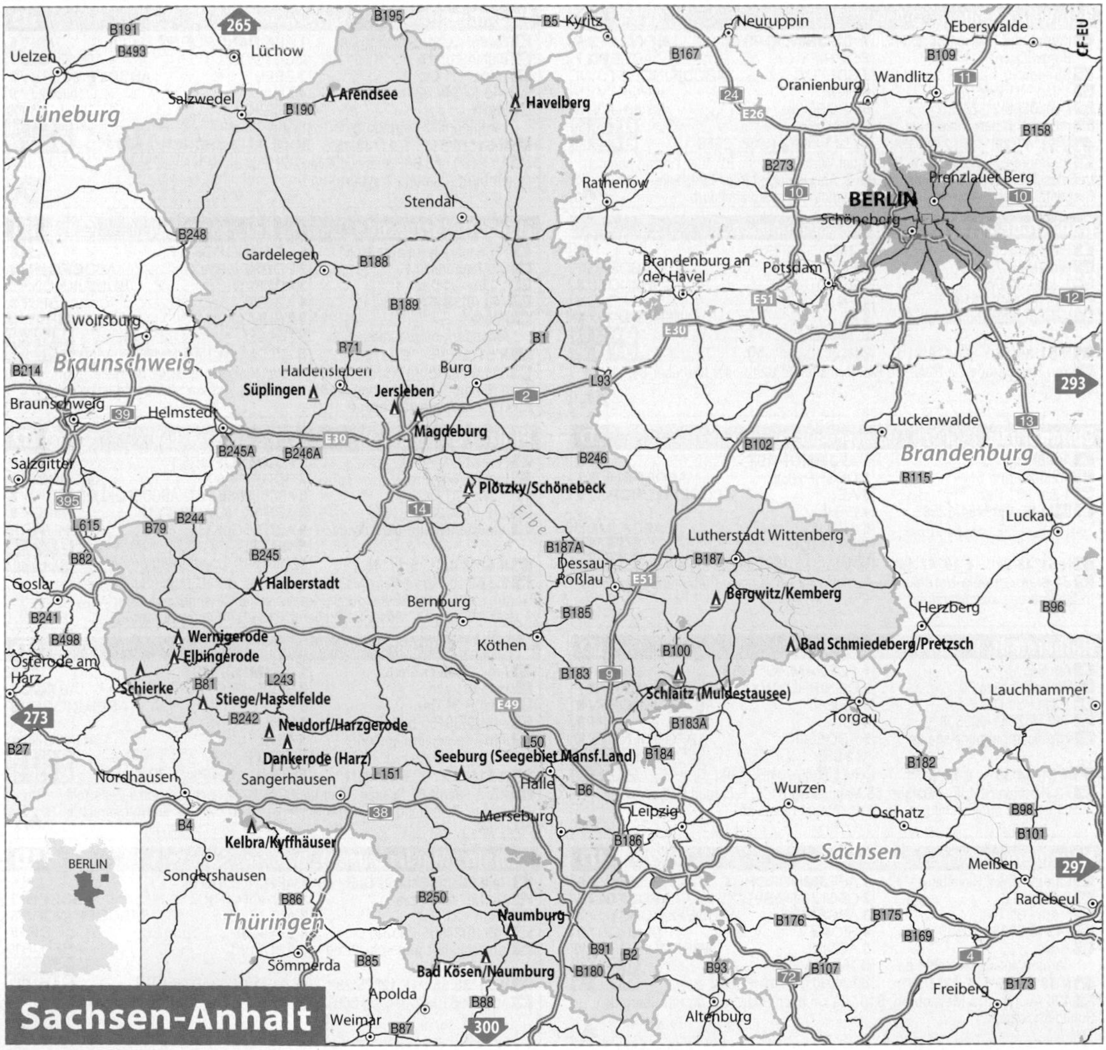

Arendsee, D-39619 / Sachsen-Anhalt

Im kleinen Elsebuch
Lüchower Straße 6a
1 Jan - 31 Dez
+49 (0)39384-27363
camping.arendsee@t-online.de
N 52°52'39'' E 11°27'45''

1 AFJMNOPRST	NOPQS 6
2 GHIPRWX	ABDEFG 7
3 ABFIL	ABCDEFGJNQRT 8
4 IOS	DEVY 9
5 ABDEGIKL	ABFGHJNPRV 10
16A CEE	1 €18,00
0,7 ha 80T 20D	2 €22,00

Von Salzwedel die B190 Richtung Arendsee nehmen. Weiter Richtung Lüchow/Kurgebiet. Dann den CP-Schildern folgen.

Jersleben, D-39326 / Sachsen-Anhalt

Jersleber See***
Strandweg 1
12 Apr - 13 Okt
+49 (0)39203-5654190
info@camping-ok.de
N 52°14'16'' E 11°35'2''

1 AFJMNOPQRS	LNOQ 6
2 ADGHIPQWX	ABFGH 7
3 BEFI	ABCDEFJNQRSV 8
4 K	W 9
5 ADEGK	AHIJLMR 10
B 16A CEE	1 €21,70
20 ha 120T(40-100m²) 250D	2 €29,90

A2 Hannover-Berlin, Ausfahrt 70 Magdeburg-Zentrum, B189 Stendal. CP-Schild Jersleber See im Ort Jersleben. A2 Ausfahrt Jersleben. CP wird ausgeschildert.

Bad Kösen/Naumburg, D-06628 / Sachsen-Anhalt

An der Rudelsburg
Zum Campingplatz 1
30 Mär - 1 Nov
+49 (0)34463-28705
campkoesen@aol.com
N 51°7'22'' E 11°43'3''

1 AEFJMNOPQRST	NXZ 6
2 CPWXY	ABDEFGHIJ 7
3 ABLM	ABCDEFJNQRSTUV 8
4 FHIO	EFQR 9
5 ABDIKL	AGHIJLNRV 10
B 16A CEE	1 €24,40
H100 3,5 ha 100T(80-120m²) 27D	2 €30,20

An der B87 Naumburg-Weimar. In Bad Kösen gut ausgeschildert. Navis haben Probleme. Am besten die Kukulauerstraße 14 eingeben, danach den CP-Schildern folgen.

Kelbra/Kyffhäuser, D-06537 / Sachsen-Anhalt

Seecamping Kelbra
Lange Straße 150
1 Jan - 31 Dez
+49 (0)34651-45290
info@seecampingkelbra.de
N 51°25'33'' E 11°0'11''

1 ADEJMNOPQRST	LMNQSTXYZ 6
2 ADGHKOPRSWX	ABDEFG 7
3 AEFL	ABCDEFIJNQRSTUV 8
4 FHIO	FJPTU 9
5 ABDEJK	AFGHJLNORVX 10
B 16A CEE	1 €18,50
H157 8 ha 150T(70-120m²) 220D	2 €24,50

In Kelbra die B85, den Schildern Stausee folgen. Von der A38 Ausfahrt Berga/Kelbra noch ± 5 km zum CP.

Bad Schmiedeberg/Pretzsch, D-06905 / Sachsen-A.

Campingpark am Großen Lausiger Teich****
Lausiger-Teich-Straße 1
1 Jan - 31 Dez
+49 (0)34926-57475
camping@lausiger-teiche.de
N 51°41'10'' E 12°48'3''

1 AEFHKNOPQRST	LNP 6
2 BDGIPQWXY	BDEFGH 7
3 BEFL	BEFJKNQRSV 8
4 FH	ADJLW 9
5 ABDEGJK	ABFGHJLMNQRVW 10
16A CEE	1 €18,00
H100 4,5 ha 90T(20-120m²) 99D	2 €24,00

A2 Hannover-Berlin, Ausf. 76 Ri. Ziesar. In Ziesar B107 in südlicher Ri. nach Coswig folgen. In Coswig B187 Ri. Wittenberg. In Wittenberg B2 bis hinter Eutzch, B182 nach Pretzsch. In Pretzsch rechts ab Ri. Bad Schmiedeberg. CP-Schildern folgen.

Magdeburg, D-39126 / Sachsen-Anhalt

Barleber See****
Wiedersdorfer Straße 30
15 Apr - 1 Okt
+49 (0)391-503244
campingplatz@cvbs.de
N 52°13'9'' E 11°39'33''

1 ADEFGHKNOPQRST	LNQS 6
2 ADGHIPRWX	ABDEFGH 7
3 ABEFL	ABCDEFJNQRS 8
4 P	DKPTV 9
5 ABDEGIKL	AEFGHIKR 10
B 10A CEE	1 €24,00
15,9 ha 200T(50-100m²) 626D	2 €30,00

A2 Hannover-Berlin, Ausfahrt 71 Rothensee Richtung Barleber See, über die Sackgasse (Schild) nach 1 km CP.

Bergwitz/Kemberg, D-06901 / Sachsen-A.

Camp. und Wassersportpark Bergwitzsee****
Strandweg 1
1 Jan - 31 Dez
+49 (0)34921-28228
reception@bergwitzsee.de
N 51°47'28'' E 12°34'15''

1 ADFJMNOQRST	LNOQSXYZ 6
2 DGHIPY	ABDEFG 7
3 BDEFLV	ABCDFJNQRSTUV 8
4 FHX	JLPQRTVY 9
5 ABDEGJK	ABGHIJOR 10
B 16A CEE	1 €23,80
11 ha 100T(70-150m²) 265D	2 €29,20

A9 Berlin-Leipzig, Ausf. 8. B187 über Wittenberg, die B2 über Leipzig nehmen. In Eutzsch B100 Ri. Gr-Hainichen, die 2. Abzweigung hinter Tankstelle-Bergwitz. CP ab der Kreuzung (5 Abzweigungen) ausgeschildert.

Naumburg, D-06618 / Sachsen-Anhalt

Campingplatz Blütengrund
Blütengrund 6
1 Jan - 31 Dez
+49 (0)3445-261144
info@campingplatz-naumburg.de
N 51°10'31'' E 11°48'15''

1 AEFJMNOPQRST	NXY 6
2 CGPWXY	ABDEFGIJ 7
3 BEFL	ABCDEFJNQRSV 8
4 FH	DJNQRUV 9
5 ABEIKL	ABGHJLMRV 10
B 16A CEE	1 €21,50
H100 14 ha 250T(100m²) 85D	2 €27,20

Ab B180 und B87 ausgeschildert. CP liegt an dem Fluss Saale (Naumburg Richtung Freyburg).

Dankerode (Harz), D-06493 / Sachsen-Anhalt

Panoramablick
Hinterdorf 79
1 Jan - 31 Dez
+49 (0)39484-2140
ludwig-dankerode@web.de
N 51°35'15'' E 11°8'31''

1 JMNOPQRST	6
2 FOPTVW	ABDEFG 7
3 AEFQ	JLMNQTU 8
4 FH	DEJ 9
5 KL	ABFHJMNRVX 10
B 16A CEE	1 €23,00
2 ha 36T(120m²) 8D	2 €23,00

Von Harzgerode die B242, ab Klostermansfeld B242 oder B80 über Berga und Stolberg.

Neudorf/Harzgerode, D-06493 / Sachsen-Anhalt

Ferienpark Birnbaumteich***
Birnbaumteich 1
1 Jan - 31 Dez
+49 (0)39484-6243
info@ferienpark-birnbaumteich.de
N 51°36'30'' E 11°5'5''

1 AFJMNOPQRST	LN 6
2 BDGHPQRWX	ABDEFGHIJ 7
3 ABEFLS	BDEFJKNQRS 8
4 IOPRT	DFJT 9
5 ABDEGIKL	AGHJNRVW 10
B 16A CEE	1 €23,40
H500 11,5 ha 150T(50-100m²) 249D	2 €29,40

B81 Magdeburg-Nordhausen, Ausfahrt Hasselfelde B242 Ri. Halle. 1 km nach Harzgerode abzweigen Ri. Stolberg. Nach 4,3 km rechts und links an Bushaltestelle ausgeschildert.

Elbingerode, D-38875 / Sachsen-Anhalt

Am Brocken****
Schützenring 6
1 Jan - 31 Dez
+49 (0)39454-42589
N 51°46'32'' E 10°47'44''

1 AFJMNOPRST	LN 6
2 DFGHPRVX	ABDEFGHIJK 7
3 AE	ABCDEFGIJNQRSV 8
4 EFHI	9
5 ABDJKL	AFGHJMR 10
WB 16A CEE	1 €24,60
H550 23 ha 160T(60-100m²) 30D	2 €33,60

B4 Braunschweig-Nordhausen. Ausfahrt B27 Braunlage Richtung Blankenberg. In Elbingerode ausgeschildert.

Plötzky/Schönebeck, D-39217 / Sachsen-Anhalt

Ferienpark Plötzky
Kleiner Waldsee 1
1 Jan - 31 Dez
+49 (0)39200-50155
info@ferienpark-ploetzky.de
N 52°3'46'' E 11°48'1''

1 ADJMNOPQRST	LNO 6
2 BDGHPVWX	ABDEFGIK 7
3 ABCDEFGHILPRT	ABCDEFIJKLMNQRSTUV 8
4 AEHIKLNOPQRSTU	DJPUV 9
5 ABDEFGJKL	AFHIJNR 10
B 16A CEE	1 €23,00
12 ha 170T(100m²) 185D	2 €31,00

Via A2 zur A14 (Kreuz Magdeburg), Ausfahrt 7 Richtung Schönebeck/Gommern. Auf der B246a durch Plötzky ist der CP angezeigt. Oder A2 Ausfahrt Möser Ri. Möser B1/Biederitz B184/B246A, Gommern/Plözky.

Halberstadt, D-38820 / Sachsen-Anhalt

Am See****
Warmholzberg 70
1 Jan - 31 Dez
+49 (0)3941-609308
info@camping-am-see.de
N 51°54'33'' E 11°5'7''

1 ACFGJMNOQRST	LMNOP 6
2 DGHIPRUVWXY	BFGHI 7
3 AEIL	ABDEFJKNQRSV 8
4 IO	PT 9
5 ABDEGIKL	ABFGHIJLNRVX 10
16A CEE	1 €21,50
3 ha 65T(60-100m²) 64D	2 €31,50

A2 Hannover-Berlin, Ausfahrt 68 Magdeburg B105, Richtung Halberstadt B81. In Halberstadt ausgeschildert. An der 1. Ampel rechts ab.

Schierke, D-38879 / Sachsen-Anhalt

Am Schierker Stern
Hagenstraße
1 Jan - 31 Dez
+49 (0)39455-58817
info@harz-camping.com
N 51°45'27'' E 10°41'1''

1 AEJMNOPRST	6
2 BFORSTVX	ABFGIJ 7
3	ABEFJNQRSV 8
4 FHIO	F 9
5 ABKL	AGHJORV 10
W 6A CEE	1 €23,80
H628 8 ha 62T(70m²) 2D	2 €30,50

A7, Ausfahrt 67 Seesen. Über die B248/B242 nach Clausthal-Zellerfeld weiter Braunlage, B27 Elend und weiter Schierke, dann Drei Annen Hohne rechts die L354.

Havelberg, D-39539 / Sachsen-Anhalt

Campinginsel Havelberg*****
Spülinsel 6
1 Apr - 31 Okt
+49 (0)39387-20655
info@Campinginsel-Havelberg.de
N 52°49'36'' E 12°4'14''

1 AEFJMNOPQRST	JNXYZ 6
2 CFGHIOPQSVWXY	ABDEFGIJ 7
3 ABCEFILQ	ABCDEFKNQRSTUV 8
4 HIOPT	DLNPQRT 9
5 ABDEKL	ABDFGHJLORVX 10
B 16A CEE	1 €24,00
2,7 ha 80T(80-120m²) 22D	2 €29,00

A24 Ausfahrt 18 Meyenburg, B107 50 km nach Havelberg. In Havelberg den Schildern folgen.

Schlaitz (Muldestausee), D-06774 / Sachsen-A.

Heide-Camp Schlaitz GbR
Am Muldestausee
1 Jan - 31 Dez
+49 (0)34955-20571
info@heide-camp-schlaitz.de
N 51°38'55'' E 12°25'23''

1 AFILNOQRST	LN 6
2 DGHOPQRX	ABDEFGI 7
3 AL	ABCDEFJNQRS 8
4 EFHIOR	DFJ 9
5 ABDEJKL	ABFHJR 10
B 16A	1 €23,00
12 ha 130T(110-170m²) 97D	2 €31,00

Auf der B100 zwischen Bitterfeld und Gossa ist der CP ausgeschildert.

Teilkarte Sachsen-Anhalt auf Seite 291

Teilkarte Sachsen-Anhalt auf Seite 291

Seeburg (Seegebiet Mansf.Land), D-06317 / Sachsen-A.

Camping Seeburg
Nordstrand
1 Jan - 31 Dez
+49 (0)34774-28281
info@campingplatz-seeburg.de
N 51°29'44'' E 11°41'39''

1 ADEF**JM**NOPQRST	LM**N**QS**X**Z	6
2 DFGHKPTWXY	AB**FG**	7
3 ALV	ABCDE**F**JKNQRSV	8
4 FH	Y	9
5 K	ABHJORVW	10
B 16A CEE		① €19,60
60**T**(70-100m²) 200**D**		② €23,60

Seeburg liegt an der B80 von Halle nach Lutherstadt/Eisleben. In Seeburg der Beschilderung zum CP folgen.

Süplingen, D-39343 / Sachsen-Anhalt

Campingplatz Süplinger Steinbruch***
An der Alten Schmiede
1 Apr - 15 Okt
+49 (0)39053-94664
info@camping-sueplingen.de
N 52°16'48'' E 11°19'21''

1 AFG**JM**NOPQRT	LMN	6
2 BDGHIPQVWXY	ABDE**FGH**	7
3 ABFL	ABE**F**JNQRS	8
4 EFKR	DFUV	9
5 ABDEGJKL	AFGHJRV	10
16A CEE		① €21,50
3 ha 50**T**(80-100m²) 55**D**		② €29,50

A2 Ausfahrt Uhrsleben/Eilsleben. B245 Richtung Haldensleben am Kreisel in Haldensleben links nach Süplingen, dann CP-Schildern folgen.

Stiege/Hasselfelde, D-38899 / Sachsen-Anhalt

Camping & Gästehaus Domäne***
a/d Hauptstraße B242
1 Jan - 31 Dez
+49 (0)39459-70333
info@domaene-stiege.de
N 51°40'49'' E 10°52'39''

1 A**JM**NOPRT		6
2 OPRTY	AB**FG**H**IJ**	7
3	ABE**F**JNQRSV	8
4 FHIKO	GI	9
5 AB	AFGHJLMNV	10
W 16A CEE		① €21,70
H550 4 ha 60**T**(70-120m²) 34**D**		② €26,70

B81 Magdeburg-Nordhausen. In Hasselfelde B242 Richtung Halle. Nach 1,5 km ausgeschildert. Von Mansfeld-Harzgerode-Allrode die B242. CP-Schild Hasselfelde folgen.

Wernigerode, D-38855 / Sachsen-Anhalt

Alte Waldmühle
Mühlental 122
1 Mai - 31 Okt
+49 (0)3943-266399
info@altewaldmuehle.de
N 51°48'55'' E 10°48'52''

1 A**JM**NOPR**T**		6
2 ABCFGOPRSX	AB**FG**HI	7
3 A**GHKMNOP**	ABEFJNQRST	8
4 FHI	IJ	9
5 ADEJL**M**	ABGHJRVW	10
10A		① €23,60
H304 20 ha 100**T**(70-80m²) 5**D**		② €35,20

A395 Braunschweig-Bad Harzburg, bei Vienburg die B6 Richtung Wernigerode, danach die B244 nach Wernigerode und den Schildern folgen Richtung Ebbingerode.

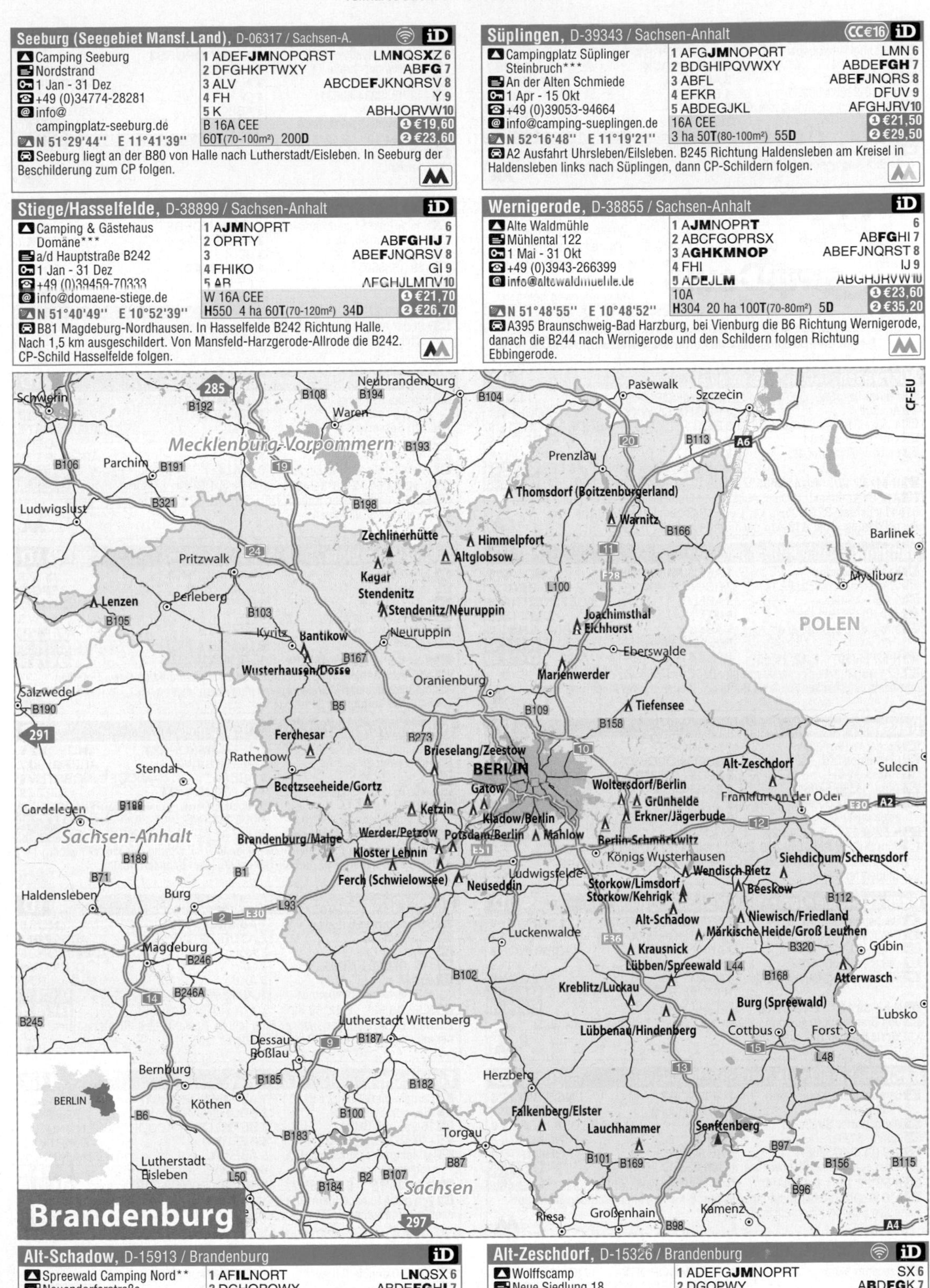

Deutschland

Alt-Schadow, D-15913 / Brandenburg

Spreewald Camping Nord**
Neuendorferstraße
1 Apr - 30 Okt
+49 (0)35473-621
mail@spreewald-camping-nord.de
N 52°7'33'' E 13°56'32''

1 AF**IL**NORT	L**N**QSX	6
2 DGHOPQWX	ABDE**FG**H**I**	7
3 BEL**P**	ABCDE**F**JKNQRSV	8
4	EJPRV	9
5 CDGIJKL	AGHJRVZ	10
16A CEE		① €22,00
7 ha 100**T**(20-80m²) 190**D**		② €28,00

A13 Berlin-Dresden, Ausfahrt 5a Teupitz, Richtung Buchholz B179. Über Neu-Lübbenau Richtung Alt-Schadow. Über Brücke, beim Platz im Ortszentrum befindet sich ein CP-Schild.

Alt-Zeschdorf, D-15326 / Brandenburg

Wolffscamp
Neue Siedlung 18
1 Jan - 31 Dez
+49 (0)33602-247
wolffscamp@hotmail.com
N 52°25'53'' E 14°26'46''

1 ADEFG**JM**NOPRT	SX	6
2 DGOPWY	A**B**D**FG**K	7
3 B**GH**IL	ABEFJNQRV	8
4 FIO	PUV	9
5 ADEFIKL**M**	ABHIJNOR	10
B 16A CEE		① €23,20
H50 2,4 ha 25**T** 50**D**		② €29,20

A12 Ausfahrt 9 Richtung Lebus bis links zur 167. Dann über die 2. Bahnlinie direkt links. Nach 2 km Richtung Aalkasten kommt der CP.

Teilkarte Brandenburg auf Seite 293

Altglobsow, D-16775 / Brandenburg
CC€12 iD

Ferienhof Altglobsow
Seestraße 11
1 Jan - 31 Dez
+49 (0)33082-50250
info@ferienhof-altglobsow.de
N 53°7'53" E 13°7'1"

1 AJMNOPRST	LNQX	6
2 BDGOPTWX	BFHJ	7
3 AFL	ABFJNQRV	8
4 EHIT	FGPV	9
5 AIJKL	ABGHIJLNR	10
16A CEE		❶ €15,50
4,5 ha 40T(ab 60m²) 68D		❷ €20,50

Aus Berlin die B96 bis Fürstenberg, Richtung Neuglobsow. Den Schildern 'Ferienhof Altglobsow' folgen.

Atterwasch, D-03172 / Brandenburg
iD

Deulowitzer See
Am See 4
1 Jan - 31 Dez
+49 (0)35692-284
campdeulo@gmx.de
N 51°55'17" E 14°38'35"

1 AGJMNOPQRST	LNX	6
2 BDGHIPQVWXY	ABDEFG	7
3 BEFL	ABCDEFJNQRSTU	8
4 I	ADGPTUV	9
5 ADI	AEHJLORV	10
Anzeige auf dieser Seite B 16A CEE		❶ €23,45
H65 10 ha 40T(20-120m²) 66D		❷ €28,45

A12 Berlin-Frankfurt/Oder, Ausfahrt 4 Fürstenwalde West Richtung Beeskow B168 Lieberose, 320 Guben. Vor Guben Richtung Gastrose. Siehe Beschilderung. Oder A13/A15 nach Cottbus, Ausfahrt Forst.

Bantikow, D-16868 / Brandenburg
iD

Knatter Camping
Wusterhausenerstraße 14
1 Apr - 31 Okt
+49 (0)33979-14361
info@knattercamping.de
N 52°55'50" E 12°26'55"

1 AEFGJMNOPQRST	LNQSXZ	6
2 BDGHOPWXY	ABFGIJ	7
3 ABFLQ	ABEFJNQRTUV	8
4 IKO	DEKPQV	9
5 ABKLM	ABEGHJLNOR	10
FKK 16A CEE		❶ €21,00
H70 3,6 ha 80T(100-120m²) 83D		❷ €26,00

A24 Ausfahrt Bückwitz/Neuruppin, B167. Bei Bückwitz die B5 Richtung Kyritz und bei Wusterhausen Ausfahrt Bantikow. Weiter der Beschilderung folgen.

Beeskow, D-15848 / Brandenburg
iD

Spreepark Beeskow
Bertholdplatz 6
1 Apr - 31 Okt
+49 (0)3366-520640
spreepark.beeskow@ewetel.net
N 52°9'57" E 14°14'22"

1 AJMNOPRT	AHJMUXY	6
2 BCFGILOPQSVX	BEFGHI	7
3 ABDEFGILMPU	ABCDFJNQRSTUV	8
4 EFHIKOQS	QVW	9
5	ABFGHJOR	10
B		❶ €16,00
24T(100m²)		❷ €16,00

Vom Dreieck Potsdam A10 zur A12 'Südlicher Berliner Ring' Richtung Frankfurt/Oder, Ausfahrt 5. Richtung Beeskow der B168 und dann der Beschilderung folgen.

Beetzseeheide/Gortz, D-14778 / Brandenburg
CC€14 iD

Flachsberg
Flachsberg 1
1 Apr - 31 Okt
+49 (0)171-3644742
info@camping-flachsberg.de
N 52°30'18" E 12°39'36"

1 AEFJMNOPQRST	LNQSWXY	6
2 BDFGHOPTWXY	ABDEF	7
3 ABFL	ABEFHNQR	8
4 FH	JNP	9
5 AGIKL	AHJMRW	10
16A CEE		❶ €19,70
50T(80-120m²) 121D		❷ €25,70

Von Brandenburg Richtung Nauen, bei Päwesin Richtung Bagow/Gortz. Vor Gortz links ab Richtung CP.

Berlin-Schmöckwitz, D-12527 / Berlin/Brand.
CC€18 iD

Campingplatz Krossinsee 1930 GmbH***
Wernsdorfer Straße 38
1 Jan - 31 Dez
+49 (0)30-6758687
anfrage@campingplatz-berlin.de
N 52°22'12" E 13°41'4"

1 AFILNORT	LNQSTWXYZ	6
2 ABDGHIOPY	BDEFGI	7
3 BL	ABCDEFJNQRSV	8
4 HPQ	GJMNOPQRTV	9
5 ABJKL	AGHKNPTU	10
B 10A CEE		❶ €27,00
8 ha 130T(20-100m²) 298D		❷ €33,00

A10 in südöstlicher Richtung, Ausfahrt 9 Niederlehme, Richtung Wernsdorf. Dann den Schildern Schmöckwitz folgen.

Brandenburg/Malge, D-14776 / Brandenburg

Seecamp Malge
Malge 3
1 Apr - 15 Okt
+49 (0)3381-663134
seecamp-malge@t-online.de
N 52°22'11" E 12°28'16"

1 BDFJMNOPQRT	LNOPQSWXYZ	6
2 ABDGHOPQSVWXY	ABDEFGHIJ	7
3 BEFLS	ABCDEFJNQRSTV	8
4 FH	DJQRV	9
5 ABKL	AFGHIJLR	10
10A CEE		❶ €21,00
8 ha 80T(70-150m²) 229D		❷ €26,00

A2 Ausfahrt 77 Richtung Brandenburg, dann 8 km durch den Wald bis Wilhelmsdorf. Dann links den CP-Schildern folgen. Der CP liegt 50m hinter der Gaststätte.

Brieselang/Zeestow, D-14656 / Brandenburg
iD

Zeestow-Havelkanal
Brieselanger Straße 11
1 Jan - 31 Dez
+49 (0)33234-88634
info@campingplatz-zeestow.de
N 52°34'19" E 12°57'56"

1 AFJMNOPQRST	N	6
2 APQWX	ABDEFG	7
3 A	ABEFHJNQ	8
4 O	D	9
5 ABIK	AGHIJORW	10
16A CEE		❶ €17,00
5,2 ha 40T(100m²) 103D		❷ €21,00

A10, Berliner Ring, Ausfahrt Brieselang (27). Dann 500m Richtung Wustermark.

Burg (Spreewald), D-03096 / Brandenburg
iD

Kneipp-und Erlebniscamping
Vetschauer Str. 1a
1 Mär - 31 Dez
+49 (0)35603-750966
info@caravan-kurcamping.de
N 51°49'27" E 14°8'23"

1 ADEILNOPRST	JNX	6
2 ABCGPVWXY	BEFGHIJK	7
3 BL	BDFGIJLNQRSTUV	8
4 AEHTUXZ	FQRV	9
5 ABIK	ABFGHJMPRW	10
B 10A		❶ €25,00
2,3 ha 80T(ab 100m²) 3D		❷ €35,00

Auf der A13/A15 die Ausfahrt 3 Richtung Vetschau - Burg nehmen, danach den Schildern folgen.

Eichhorst, D-16244 / Brandenburg
iD

Berolina Camping am Werbellinsee
Zum Süsserwinkel
1 Apr - 30 Sep
+49 (0)3335-237
info@berolina-camping.de
N 52°54'6" E 13°39'43"

1 AFJMNOPQRST	LNQSWXY	6
2 ABDGIX	ABDEFG	7
3 BFLV	ACEFJNQRST	8
4 N	DEP	9
5 ADK	ABFHIJPTU	10
B 16A CEE		❶ €24,00
4,5 ha 50T(60-80m²) 208D		❷ €30,00

E28 Berlin-Szczecin, Abfahrt Finowfurt. Wo sich B167 und B198 teilen, 4 km weit der B198 folgen.

Erkner/Jägerbude, D-15537 / Brandenburg
CC€16 iD

Jägerbude
Jägerbude 3
1 Jan - 31 Dez
+49 (0)3362-888084
post@lela24.de
N 52°23'7" E 13°46'53"

1 AFJMNOPRST	JXYZ	6
2 ACGPUVW	BEFGI	7
3 BF	BFNQRTUV	8
4 H	GQV	9
5 AJKL	AGHNS	10
B 16A CEE		❶ €19,50
120T(80-120m²) 99D		❷ €24,50

A10/E55 (Berliner Ring), Richtung Berlin Mitte/Frankfurt(Oder)/Potsdam. Nach 55 km Ausfahrt 7 Freienbrink/Hangelsberg, dann nach 1 km rechts ab, nach 1,5 km kommt der CP.

Falkenberg/Elster, D-04895 / Brandenburg
iD

Erholungsgebiet Kiebitz****
Hörsteweg 2
1 Apr - 31 Okt
+49 (0)35365-36024
info@erholungsgebiet-kiebitz.de
N 51°35'38" E 13°15'30"

1 AEFGJMNOPRST	LNOPQXZ	6
2 DGHIPSVWX	ABEFGHIJ	7
3 ABEFIL	ABCDEFJNQRSTUV	8
4 BEFHILNOPQT	JPTV	9
5 ABDEGHIKL	ABEFGHIJORVZ	10
FKK B 16A CEE		❶ €22,40
H88 7 ha 75T(70-90m²) 90D		❷ €28,20

A2 Richtung Berlin, Ausfahrt 76 Ziesar, B107 Richtung Dessau. Wittenberg B187-B101 Herzberg B87 Torgau-Falkenberg. Den Schildern folgen.

Ferch (Schwielowsee), D-14548 / Brandenburg
CC€16 iD

Schwielowsee-Camping***
Dorfstraße 50
1 Apr - 31 Okt
+49 (0)33209-70295
post@schwielowsee-camping.de
N 52°18'53" E 12°56'40"

1 AJMNOQRST	LNQS	6
2 ABDHIOPQVY	ABDEFGI	7
3 ABL	ABEFJNQRS	8
4 O	DGPQTV	9
5 AKL	ABGHJLRV	10
16A CEE		❶ €24,00
2,7 ha 60T(70-80m²) 63D		❷ €29,20

Über die A10 auf den Berliner Ring fahren, Ausfahrt 18 in Richtung Ferch nehmen. In Ferch ist der CP ausgeschildert.

Ferchesar, D-14715 / Brandenburg
CC€18 iD

Campingpark Buntspecht****
Weg zum Zeltplatz 1
15 Apr - 15 Okt
+49 (0)33874-90072
campingpark-buntspecht@web.de
N 52°39'15" E 12°25'47"

1 AEFJMNOPQRST	LNSXYZ	6
2 BDGHIPUVWXY	ABDEFGI	7
3 BEFKLQR	ABCDEFGJKLNQRSTU	8
4 BEFHNO	DJKPTVY	9
5 ABEJKL	ABFGHJLMPRZ	10
B 16A CEE		❶ €29,00
6 ha 155T(90-120m²) 71D		❷ €35,00

Von der A10 nach 5 km auf die B188 östlich von Rathenow Ausfahrt Stechow, dann rechts Ferchesar. CP ist ausgeschildert.

Gatow, D-14089 / Berlin/Brandenburg
iD

D.C.C. Camping Gatow***
Kladower Damm 207-213
1 Jan - 31 Dez
+49 (0)30-3654340
gatow@dccberlin.de
N 52°27'56" E 13°9'49"

1 AEFJMNOPRST		6
2 OPQRVWX	ABDEFGIK	7
3 BKL	ABCDEFJNQRSV	8
4		9
5 ADEGK	ABGHKLOR	10
B 10A CEE		❶ €26,50
H55 2,3 ha 80T(70-80m²) 65D		❷ €33,10

A10 Westring Berlin, Ausfahrt 26 Berlin/Spandau, Richtung Berlin, Heerstraße. Siehe CP-Schilder.

Deutschland

Teilkarte Brandenburg auf Seite 293

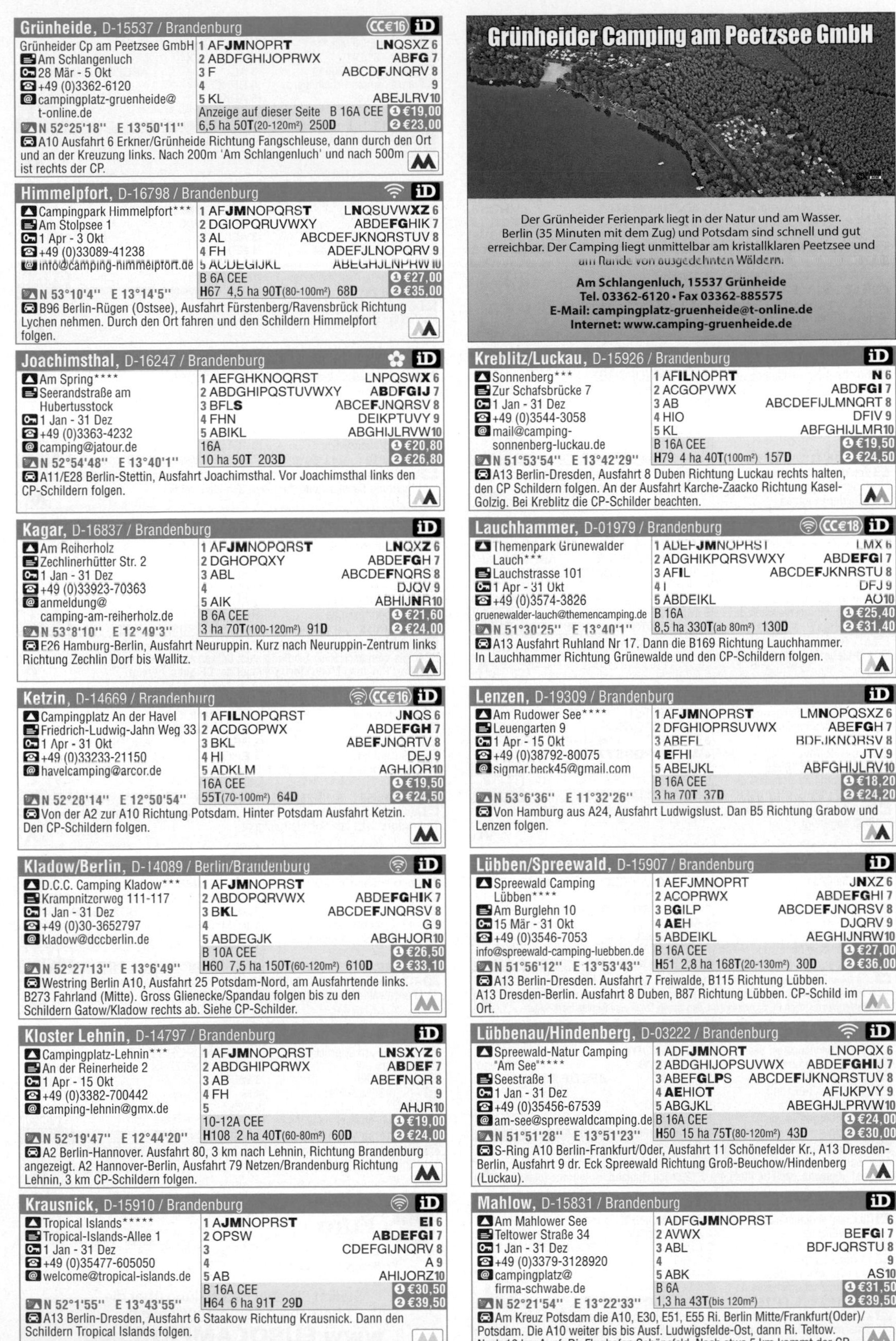

Grünheide, D-15537 / Brandenburg

CC€16 iD

Grünheider Cp am Peetzsee GmbH
Am Schlangenluch
28 Mär - 5 Okt
+49 (0)3362-6120
campingplatz-gruenheide@t-online.de
N 52°25'18'' E 13°50'11''

1 AFJMNOPRT	LNQSXZ	6
2 ABDFGHIJOPRWX	ABFG	7
3 F	ABCDFJNQRV	8
4		9
5 KL	ABEJLRV	10
Anzeige auf dieser Seite B 16A CEE		❶ €19,00
6,5 ha 50T(20-120m²) 250D		❷ €23,00

A10 Ausfahrt 6 Erkner/Grünheide Richtung Fangschleuse, dann durch den Ort und an der Kreuzung links. Nach 200m 'Am Schlangenluch' und nach 500m ist rechts der CP.

Himmelpfort, D-16798 / Brandenburg

iD

Campingpark Himmelpfort***
Am Stolpsee 1
1 Apr - 3 Okt
+49 (0)33089-41238
info@camping-himmelpfort.de
N 53°10'4'' E 13°14'5''

1 AFJMNOPQRST	LNQSUVWXZ	6
2 DGIOPQRUVWXY	ABDEFGHIK	7
3 AL	ABCDEFJKNQRSTUV	8
4 FH	ADEFJLNOPQRV	9
5 ACDEGIJKL	ABEGHJLNPRW	10
B 6A CEE		❶ €27,00
H67 4,5 ha 90T(80-100m²) 68D		❷ €35,00

B96 Berlin-Rügen (Ostsee), Ausfahrt Fürstenberg/Ravensbrück Richtung Lychen nehmen. Durch den Ort fahren und den Schildern Himmelpfort folgen.

Joachimsthal, D-16247 / Brandenburg

iD

Am Spring****
Seerandstraße am Hubertusstock
1 Jan - 31 Dez
+49 (0)3363-4232
camping@jatour.de
N 52°54'48'' E 13°40'1''

1 AEFGHKNOQRST	LNPQSWX	6
2 ABDGHIPQSTUVWXY	ABDFGIJ	7
3 BFLS	ABCEFJNQRSV	8
4 FHN	DEIKPTUVY	9
5 ABIKL	ABGHIJLRVW	10
16A		❶ €20,80
10 ha 50T 203D		❷ €26,80

A11/E28 Berlin-Stettin, Ausfahrt Joachimsthal. Vor Joachimsthal links den CP-Schildern folgen.

Kreblitz/Luckau, D-15926 / Brandenburg

iD

Sonnenberg***
Zur Schafsbrücke 7
1 Jan - 31 Dez
+49 (0)3544-3058
mail@camping-sonnenberg-luckau.de
N 51°53'54'' E 13°42'29''

1 AFILNOPRT	N	6
2 ACGOPVWX	ABDFGI	7
3 AB	ABCDEFIJLMNQRT	8
4 HIO	DFIV	9
5 KL	ABFGHIJLMR	10
B 16A CEE		❶ €19,50
H79 4 ha 40T(100m²) 157D		❷ €24,50

A13 Berlin-Dresden, Ausfahrt 8 Duben Richtung Luckau rechts halten, den CP Schildern folgen. An der Ausfahrt Karche-Zaacko Richtung Kasel-Golzig. Bei Kreblitz die CP-Schilder beachten.

Kagar, D-16837 / Brandenburg

iD

Am Reiherholz
Zechlinerhütter Str. 2
1 Jan - 31 Dez
+49 (0)33923-70363
anmeldung@camping-am-reiherholz.de
N 53°8'10'' E 12°49'3''

1 AFJMNOPQRST	LNQXZ	6
2 DGHOPQXY	ABDEFGH	7
3 ABL	ABCDEFNQRS	8
4	DJQV	9
5 AIK	ABHIJNR	10
B 6A CEE		❶ €21,60
3 ha 70T(100-120m²) 91D		❷ €24,00

E26 Hamburg-Berlin, Ausfahrt Neuruppin. Kurz nach Neuruppin-Zentrum links Richtung Zechlin Dorf bis Wallitz.

Lauchhammer, D-01979 / Brandenburg

CC€18 iD

Themenpark Grünewalder Lauch***
Lauchstrasse 101
1 Apr - 31 Okt
+49 (0)3574-3826
gruenewalder-lauch@themencamping.de
N 51°30'25'' E 13°40'1''

1 ADEFJMNOPRST	LMX	6
2 ADGHIKPQRSVWXY	ABDEFGI	7
3 AFIL	ABCDEFJKNRSTU	8
4 I	DFJ	9
5 ABDEIKL	AO	10
B 16A		❶ €25,40
8,5 ha 330T(ab 80m²) 130D		❷ €31,40

A13 Ausfahrt Ruhland Nr 17. Dann die B169 Richtung Lauchhammer. In Lauchhammer Richtung Grünewalde und den CP-Schildern folgen.

Ketzin, D-14669 / Brandenburg

CC€16 iD

Campingplatz An der Havel
Friedrich-Ludwig-Jahn Weg 33
1 Apr - 31 Okt
+49 (0)33233-21150
havelcamping@arcor.de
N 52°28'14'' E 12°50'54''

1 AFILNOPQRST	JNQS	6
2 ACDGOPWX	ABDEFGH	7
3 BKL	ABEFJNQRTV	8
4 HI	DEJ	9
5 ADKLM	AGHJOR	10
16A CEE		❶ €19,50
55T(70-100m²) 64D		❷ €24,50

Von der A2 zur A10 Richtung Potsdam. Hinter Potsdam Ausfahrt Ketzin. Den CP-Schildern folgen.

Lenzen, D-19309 / Brandenburg

iD

Am Rudower See****
Leuengarten 9
1 Apr - 15 Okt
+49 (0)38792-80075
sigmar.beck45@gmail.com
N 53°6'36'' E 11°32'26''

1 AFJMNOPRST	LMNOPQSXZ	6
2 DFGHIOPRSUVWX	ABEFGH	7
3 ABEFL	BDFJKNQRSV	8
4 EFHI	JTV	9
5 ABEIJKL	ABFGHIJLRV	10
B 16A CEE		❶ €18,20
3 ha 70T 37D		❷ €24,20

Von Hamburg aus A24, Ausfahrt Ludwigslust. Dan B5 Richtung Grabow und Lenzen folgen.

Kladow/Berlin, D-14089 / Berlin/Brandenburg

iD

D.C.C. Camping Kladow***
Krampnitzerweg 111-117
1 Jan - 31 Dez
+49 (0)30-3652797
kladow@dccberlin.de
N 52°27'13'' E 13°6'49''

1 AFJMNOPQRST	LN	6
2 ABDOPQRVWX	ABDEFGHIK	7
3 BKL	ABCDEFJNQRSV	8
4	G	9
5 ABDEGJK	ABGHJOR	10
B 10A CEE		❶ €26,50
H60 7,5 ha 150T(60-120m²) 610D		❷ €33,10

Westring Berlin A10, Ausfahrt 25 Potsdam-Nord, am Ausfahrtende links. B273 Fahrland (Mitte). Gross Glienecke/Spandau folgen bis zu den Schildern Gatow/Kladow rechts ab. Siehe CP-Schilder.

Lübben/Spreewald, D-15907 / Brandenburg

iD

Spreewald Camping Lübben****
Am Burglehn 10
15 Mär - 31 Okt
+49 (0)3546-7053
info@spreewald-camping-luebben.de
N 51°56'12'' E 13°53'43''

1 AEFJMNOPRT	JNXZ	6
2 ACOPRWX	ABDEFGHI	7
3 BGILP	ABCDEFJNQRSV	8
4 AEH	DJQRV	9
5 ABDEIKL	AEGHIJNRW	10
B 16A CEE		❶ €27,00
H51 2,8 ha 168T(20-130m²) 30D		❷ €36,00

A13 Berlin-Dresden. Ausfahrt 7 Freiwalde, B115 Richtung Lübben. A13 Dresden-Berlin. Ausfahrt 8 Duben, B87 Richtung Lübben. CP-Schild im Ort.

Kloster Lehnin, D-14797 / Brandenburg

iD

Campingplatz-Lehnin***
An der Reinerheide 2
1 Apr - 15 Okt
+49 (0)3382-700442
camping-lehnin@gmx.de
N 52°19'47'' E 12°44'20''

1 AFJMNOPQRST	LNSXYZ	6
2 ABDGHIPQRWX	ABDEF	7
3 AB	ABEFNQR	8
4 FH		9
5	AHJR	10
10-12A CEE		❶ €19,00
H108 2 ha 40T(60-80m²) 60D		❷ €24,00

A2 Berlin-Hannover. Ausfahrt 80, 3 km nach Lehnin, Richtung Brandenburg angezeigt. A2 Hannover-Berlin, Ausfahrt 79 Netzen/Brandenburg Richtung Lehnin, 3 km CP-Schildern folgen.

Lübbenau/Hindenberg, D-03222 / Brandenburg

iD

Spreewald-Natur Camping "Am See"****
Seestraße 1
1 Jan - 31 Dez
+49 (0)35456-67539
am-see@spreewaldcamping.de
N 51°51'28'' E 13°51'23''

1 ADFJMNORT	LNOPQX	6
2 ABDGHIJOPSUVWX	ABDEFGHIJ	7
3 ABEFGLPS	ABCDEFIJKNQRSTUV	8
4 AEHIOT	AFIJKPVY	9
5 ABGJKL	ABEGHJLPRVW	10
B 16A CEE		❶ €24,00
H50 15 ha 75T(80-120m²) 43D		❷ €30,00

S-Ring A10 Berlin-Frankfurt/Oder, Ausfahrt 11 Schönefelder Kr., A13 Dresden-Berlin, Ausfahrt 9 dr. Eck Spreewald Richtung Groß-Beuchow/Hindenberg (Luckau).

Krausnick, D-15910 / Brandenburg

iD

Tropical Islands*****
Tropical-Islands-Allee 1
1 Jan - 31 Dez
+49 (0)35477-605050
welcome@tropical-islands.de
N 52°1'55'' E 13°43'55''

1 AJMNOPRST	EI	6
2 OPSW	ABDEFGI	7
3	CDEFGIJNQRV	8
4	A	9
5 AB	AHIJORZ	10
B 16A CEE		❶ €30,50
H64 6 ha 91T 29D		❷ €39,50

A13 Berlin-Dresden, Ausfahrt 6 Staakow Richtung Krausnick. Dann den Schildern Tropical Islands folgen.

Mahlow, D-15831 / Brandenburg

iD

Am Mahlower See
Teltower Straße 34
1 Jan - 31 Dez
+49 (0)3379-3128920
campingplatz@firma-schwabe.de
N 52°21'54'' E 13°22'33''

1 ADFGJMNOPRST		6
2 AVWX	BEFGI	7
3 ABL	BDFJQRSTU	8
4		9
5 ABK	AS	10
B 6A		❶ €31,50
1,3 ha 43T(bis 120m²)		❷ €39,50

Am Kreuz Potsdam die A10, E30, E51, E55 Ri. Berlin Mitte/Frankfurt(Oder)/Potsdam. Die A10 weiter bis bis Ausf. Ludwigsfelde-Ost, dann Ri. Teltow. Nach 10 km Ausf. Ri. Flughafen Schönefeld. Nach etwa 5 km kommt der CP.

Teilkarte Brandenburg auf Seite 293

Marienwerder, D-16348 / Brandenburg

Familiencamping Ruhlesee
Zum Zeltplatz 10
1 Jan - 31 Dez
+49 (0)3337-451635
familiencamping@gmx.de
N 52°49'1'' E 13°34'51''

1 ADEGJMNOPRST	LNOPW 6
2 ABDHIOQX	ABG 7
3 IKLQ	ABEFJNRV 8
4	D 9
5 AEGI	AHJR 10
16A CEE	❶ €23,00
100T 203D	❷ €28,00

A11 Ausfahrt Lanke. Dan Richtung Prenden, weiter nach Ruhlsdorf. In Ruhlsdorf die Durchgangsstraße an der Kirche verlassen. Ca. 600m hinter dem Ortschild ist die Campingeinfahrt.

Märkische Heide/Groß Leuthen, D-15913 / Brandenb.

EuroCamp Spreewaldtor*****
Neue Straße 1
1 Jan - 31 Dez
+49 (0)35471-303
info@eurocamp-spreewaldtor.de
N 52°2'53'' E 14°2'22''

1 ADJMNOPQRT	LMNQS 6
2 DGHIPRUVWX	ABDEFGHIJ 7
3 BL	ABCDEFJNQRSV 8
4 AEFHIKT	ADEGIPTVY 9
5 BEIKL	ABFGHJLNRVWY 10
B 16A CEE	❶ €25,00
9 ha 220T(80-100m²) 90D	❷ €28,60

A13 Dresden-Berlin, Ausfahrt Lübben, B87 Richtung Beeskow, Kreuzung Birkenhainchen links, B179 Richtung Wusterhausen.

Neuseddin, D-14554 / Brandenburg

Camping am Seddiner See
Seddiner See
1 Apr - 31 Okt
+49 (0)33205-62967
post@icanos.de
N 52°16'41'' E 13°1'4''

1 AFGJMNOPQRST	LNQS 6
2 ABDGHPQXY	ABDEFG 7
3 EL	ABCDEFJNQRV 8
4	JMPV 9
5 ABDIK	ABHJLRV 10
B 16A CEE	❶ €19,35
3,5 ha 54T(80-100m²) 47D	❷ €23,75

Von der A10 Ausfahrt 17, Richtung Beelitz, 1. Strasse li Leipziger Chaussee, li Fercher Weg, rechts nach Lehnmarke. Nach 1 km rechts ab und die CP-Schilder beachten.

Niewisch/Friedland, D-15848 / Brandenburg

Schwielochsee-Camping Niewisch****
Uferweg-Nord 16
1 Apr - 31 Okt
+49 (0)33676-5186
info@camping-niewisch.de
N 52°4'53'' E 14°13'57''

1 AFJMNOPRT	HLMNPQSWXYZ 6
2 ABDGHIPQRWXY	ABDEFGHIJ 7
3 ABEFL	ABCDEFIJLMNQRSTV 8
4 EFHNOTX	DEPQTVY 9
5 ABCDEFGIKL	ABFGHJLMNPRV 10
B 16A CEE	❶ €17,70
H51 4 ha 50T(10-80m²) 160D	❷ €21,90

A12 Berlin-Frankfurt/Oder, Ausfahrt 5 Fürstenwalde-Ost, B87 Beeskow, B168 Fr.land-Lieberose, Ausfahrt Niewisch.

Potsdam/Berlin, D-14471 / Brandenburg

Campingpark Sanssouci*****
An der Pirschheide 41/ Am Templ. See
1 Apr - 2 Nov
+49 (0)331-9510988
info@camping-potsdam.de
N 52°21'43'' E 13°0'28''

1 AJMNOPQRST	AEHJMNOQSWXYZ 6
2 BCGHIOPQWXY	ABDEFGHIJK 7
3 ABEKLP	ABCDEFGIJLMNQRSTUV 8
4 AEFHIOPQRSTXYZ	GHIKOPQRVY 9
5 ABEGJKL	ABFGHIJLMNORW 10
B 10A CEE	❶ €33,00
6 ha 170T(70-110m²) 75D	❷ €38,40

A10 Ausfahrt 20 Glindow, der N273 folgen. In Potsdam ist der CP vor dem Viadukt angezeigt.

Senftenberg, D-01968 / Brandenburg

Familien Park Senftenberger See*****
Straße zur Südsee 1
1 Jan - 31 Dez
+49 (0)3573-8000
familienpark@senftenberger-see.de
N 51°29'31'' E 14°2'45''

1 ADFHKNOPRST	HLNOQSTX 6
2 BDGHOPQVXY	ABDEFGHI 7
3 ABEFILPSU	ABCDEFIJKNQRSTUV 8
4 AEHI	DIJMOPQTVY 9
5 ACDEGIJKL	ABFGHIKNRV 10
FKK B 16A CEE	❶ €32,50
H105 35 ha 165T(20-120m²) 625D	❷ €32,50

Von Dresden: A13 bis Ausf. Ruhland, B169 bis Ausf. Senftenberg-Mitte/Hoyerswerda, B96 nach Grosskoschen. Aus Berlin: A13 bis Ausf. Grossrachen, B96 bis Ausf. Senftenberg-Mitte/Hoyerswerda, dann Ri. Grosskoschen, den blauen Tafeln zum Familienpark folgen.

Senftenberg, D-01968 / Brandenburg

Komfort CP Senftenberger See*****
Senftenbergerstraße 10
1 Apr - 1 Nov
+49 (0)3573-661543
komfortcamping@senftenberger-see.de
N 51°29'57'' E 13°58'56''

1 ADFJLNORT	LNPQRSTX 6
2 ADGHIPWX	BEFGHI 7
3 FLPQR	ABCDFJKNQRSTUV 8
4 AHTX	DKMOQRTV 9
5 ABDEGIKL	ABEFGHIJMRV 10
B 16A CEE	❶ €31,00
H104 8 ha 130T(40-150m²) 203D	❷ €39,00

Von Dresden: A13 Ausf. Ryhland, B169 Ri. Senftenberg, erste Ausf. Schwarzbach/Senftenberg-Breiske, Hotelroute folgen. Von Berlin: A13 bis Ausf. Klettwitz, nach Senftenberg, B169 nach Ruhland, Hotelroute folgen.

Siehdichum/Schernsdorf, D-15890 / Brandenburg

Cp.- und Wochenendhausplatz Schervenzsee
Am Schervenzsee 1
15 Apr - 15 Okt
+49 (0)33606-770800
camping@schervenzsee.de
N 52°11'3'' E 14°26'31''

1 AFJMNOPRT	LNXZ 6
2 ABDHIOWXY	ABDEFGHI 7
3 BFL	BCDFJKNQRSTUV 8
4 FHIO	DJPTUV 9
5 ABDEHKL	ABFGHIJR 10
B 16A CEE	❶ €19,90
6,2 ha 82T(20-100m²) 39D	❷ €24,90

A12 Berlin/Frankfurt a/d Oder, Ausfahrt 7 Müllrose, Richtung Eisenhüttenstadt bis Schernsdorf Mitte, dann rechts Richtung Kupferhammer. Siehe CP-Schilder.

Stendenitz, D-16827 / Brandenburg

Am Rottstielfliess****
1 Apr - 31 Okt
+49 (0)33929-70644
info@camping-rheinsberg-neuruppin.de
N 53°1'9'' E 12°48'46''

1 ADEFGJMNOPQRST	LNOQSX 6
2 BDGIPWX	ABDEFGH 7
3 AL	ABCDEFJKNQRSTU 8
4 EFHO	AGJQRV 9
5 ABKL	ABFGHJNORV 10
B 16A CEE	❶ €25,80
2 ha 65T(60-80m²) 49D	❷ €32,80

A24 Ausfahrt Neuruppin B167 Richtung Neuruppin. In Neuruppin Richtung Rheinsberg. Nach 8 km Ausfahrt Stendenitz.

Stendenitz/Neuruppin, D-16827 / Brandenburg

Stendenitz****
Stendenitz
1 Apr - 31 Okt
+49 (0)33929-70644
info@camping-rheinsberg-neuruppin.de
N 53°0'26'' E 12°49'11''

1 ADEFGJMNOPQRST	LNQSX 6
2 BDGHPWX	ABDEFG 7
3 AFL	ABCDEFNQS 8
4 EFH	AEQRTV 9
5 ABIJKL	ABGHJORVW 10
16A CEE	❶ €25,80
2,4 ha 80T(40-80m²) 42D	❷ €32,80

A24 Ausfahrt Neuruppin, B167 Richtung Neuruppin, dann weiter Rheinsberg. Nach 8 km von Neuruppin rechts Richtung Stendenitz.

Storkow/Kehrigk, D-15859 / Brandenburg

Naturcampingplatz am Grubensee
Limsdorfer Str.10
1 Apr - 31 Okt
+49 (0)173-3937997
info@grubensee.de
N 52°9'19'' E 13°59'22''

1 ACFJMNOPST	LNP 6
2 BDXY	ABDEFGHI 7
3 BFL	ABDEFGQRST 8
4 QT	DEJV 9
5 AB	AHIJLORV 10
B 16A CEE	❶ €15,40
7,9 ha 50T(20-50m²) 176D	❷ €17,40

Von der Ausfahrt Storkow auf der A12 zur L741 links auf die L74, dann der L42 Richtung Beeskow und dann den Schildern folgen.

Storkow/Limsdorf, D-15859 / Brandenburg

Naturcampingplatz am Springsee***
Am Springsee 1
1 Jan - 31 Dez
+49 (0)33677-440
info@springsee.de
N 52°10'15'' E 13°59'42''

1 AEJMNOPRT	LNPQXZ 6
2 BDGHRSUY	ABDEFGHIJ 7
3 ABFLS	ABEFJNQRSV 8
4 FHI	ADIJPQTVY 9
5 ABDEIKL	AFGHIJLRV 10
B 16A CEE	❶ €19,00
21 ha 100T(20-100m²) 319D	❷ €24,00

A12 Berlin-Frankfurt/Oder, Ausfahrt 3 Storkow, Richtung Storkow auf der B246 bis Wendisch Rietz Siedlung nach Behrensdorf, Ahrensdorf nach Limsdorf Richtung Möllendorf. Dann ist der CP gut angezeigt.

Thomsdorf (Boitzenburgerland), D-17268 / Brandenb.

Am Dreetzsee
Thomsdorf 37
1 Apr - 31 Okt
+49 (0)39889-746
dreetzseecamping@t-online.de
N 53°16'59'' E 13°25'47''

1 AFGJMNOQRST	LNOPQSXZ 6
2 BDGHIPQWX	BFGIK 7
3 BEFL	ABCDEFJKNQRSTU 8
4 EHOX	EJPQRSTV 9
5 ACDIK	ABEFGIKNORW 10
16A CEE	❶ €23,00
H96 10,5 ha 150T(ab 80m²) 158D	❷ €29,00

Auf B96 bis Fürstenberg Richtung Lychen. In Hardenberg links Richtung Thomsdorf. Jetzt den Schildern folgen.

Tiefensee, D-16259 / Brandenburg

Country-Camping Tiefensee
Schmiedeweg 1
1 Jan - 31 Dez
+49 (0)33398-90514
info@country-camping.de
N 52°40'49'' E 13°51'1''

1 ADEFGJMNOQRST	LNXZ 6
2 DGHIOPVWX	BEFGI 7
3 ABEKL	BDFJKLMNQRTU 8
4 AEFHSTX	DFJPVY 9
5 ABDJKL	ABEFGHIJLRV 10
10A CEE	❶ €22,50
H107 12,5 ha 50T(100m²) 269D	❷ €30,50

A10, Berliner Ring Ost, Ausfahrt 2 Berlin-Hohenschönhausen. B158 Richtung Bad Freienwalde bis zum Tiefensee. Dort beschildert.

Warnitz, D-17291 / Brandenburg

CC€16

Camping am Oberuckersee
Lindenallee 2
1 Apr - 5 Okt
+49 (0)39863-459
info@camping-oberuckersee.de
N 53°10'38'' E 13°52'25''

1 AEJMNOPQRST	LNQSX 6
2 ABDGIJOPQTUXY	ABFG 7
3 BEFL	ABCDEFKNQRV 8
4 H	PQRTV 9
5 ABKL	AGHIJLPR 10
6A	❶ €20,20
5 ha 160T(80m²) 60D	❷ €25,20

A11/E28 Berlin - Szczecin, Ausfahrt 7 nach Warnitz. In Warnitz über den Bahnübergang sofort links.

Teilkarte Brandenburg auf Seite 293

Wendisch Rietz, D-15864 / Brandenburg

Schwarzhorn***	1 AF**IL**NOR**T** — L**N**PQRST**XYZ** 6
Schwarzhornerweg	2 ADGHIOPQXY — ABDE**FGH**I 7
1 Jan - 31 Dez	3 AEF**GHIK**L**MN** — ABCDE**F**JNQRSV 8
+49 (0)33679-401	4 IO**RSTZ** — DJMNOPQRTVY 9
	5 ABDEGHIJLM — AGHIKLRV 10
	B 16A CEE — ① €17,70
N 52°13'15'' E 14°0'54''	13 ha 250**T**(20-80m²) 254**D** — ② €20,70

A10 Süd-Ring Berlin, A12 Frankfurt/Oder. Ausfahrt 3 Storkow, B246 Richtung Beeskow. Ausfahrt W. Rietsch, bei Bushaltestelle/Bäckerei T-Kreuzung mit CP-Schild.

Wusterhausen/Dosse, D-16868 / Brandenburg

Wusterhausen****	1 AEF**JM**NOPQRS**T** — A**E**HL**N**QSXZ 6
Seestraße 42	2 BDGIPVWXY — ABDE**FG**IK 7
2 Jan - 23 Dez	3 BEFL**P** — ABCDE**FIJLM**NQRTUV 8
+49 (0)33979-14274	4 ADFHK**RST**V**Y** — DEIPV 9
koellner@camping-wusterhausen.de	5 ABDEGJKL — ABEGHJ**P**RV 10
	B 16A CEE — ① €18,00
N 52°54'26'' E 12°27'39''	**H**70 12 ha 92**T**(80-120m²) 280**D** — ② €22,00

E26/A24 Hamburg-Berlin, Ausfahrt 22 Neuruppin. Links ab über die B167 bis Bückwitz. Rechts nach Kyritz. In Wusterhausen Ortsmitte über die Brücke den CP-Schildern folgen. CP auf der linken Seite.

Werder/Petzow, D-14542 / Brandenburg

Blütencamping Riegelspitze****	1 ADF**JM**NOQRS**T** — L**N**PQSW**X**YZ 6
Fercher Straße 4-9	2 ADGHOPQX — BE**FGH**I 7
1 Apr - 25 Okt	3 B**K**LP — BDE**FG**JKNRS 8
+49 (0)3327-42397	4 FHIO — FJNPQRTV 9
info@bluetencamping.de	5 ABDEGIK — ABGHIJ**NP**R 10
	B 16A CEE — ① €28,00
N 52°21'36'' E 12°56'49''	8,1 ha 130**T**(50-100m²) 132**D** — ② €34,00

A10 Ausfahrt 20 Glindow. Der N273 folgen. In Werder ist der CP ausgeschildert.

Zechlinerhütte, D-16831 / Brandenburg

Campingplatz Eckernkoppel am Tietzowsee****	1 AFG**JM**NOQRS**T** — L**NXYZ** 6
1 Mär - 31 Okt	2 DGPQVWX — ABDE**FI** 7
+49 (0)33921-50941	3 AEL — ABCDE**F**NQR 8
campingplatz-eckernkoppel@web.de	4 — PQR 9
	5 AGK — ABHIJR 10
	16A CEE — ① €21,00
N 53°9'57'' E 12°52'29''	**H**50 1 ha 86**T**(50-110m²) 26**D** — ② €24,40

Von Neuruppin (B167) Richtung Löwenberg, bei Herzberg links, über Rheinsberg nach Zechliner Hütte, CP befindet sich links.

Woltersdorf/Berlin, D-15569 / Brandenburg

Flakensee	1 A**JM**NOPRS**T** — L**N**QS 6
Fangschleusenstraße 40	2 BDHX — ABDE**FG** 7
1 Apr - 31 Okt	3 A — ABEFJKNRTV 8
+49 (0)3362-888357	4 — D 9
info@campingplatz-flakensee.de	5 — ABGHJR 10
	B 16A CEE — ① €19,00
N 52°26'4'' E 13°46'9''	1,7 ha 40**T**(50-60m²) 86**D** — ② €24,00

A10 Ausf. 5 bis Kreuzung Ri. Rödersdorf. Nach 400m re. Ri. Woltersdorf. Nach 1600m li. und sofort re. Nach 300m an der Ampel li., dann den Schienen bis zur Schleuse folgen. Über die Schleuse den CP-Schildern folgen.

Zechlinerhütte, D-16831 / Brandenburg

Schlabornhalbinsel	1 ADEFG**JM**NOQRS**T** — LMNQS**X**YZ 6
Reiherholz	2 BDGINPTWX — AB**FG** 7
1 Apr - 31 Okt	3 L — ABCDE**F**NQR 8
+49 (0)33921-70295	4 FI — PQR 9
schlabornhalbinsel@web.de	5 ABKL — ABGHIJRVW 10
	16A CEE — ① €23,10
N 53°8'57'' E 12°52'18''	**H**54 6 ha 60**T** 40**D** — ② €25,50

L19 Rheinsberg-Wesenberg. In Zechlinerhütte ist der CP ausgeschildert. Man muss 0,5 km durch den Wald und die Ortschaft.

Deutschland

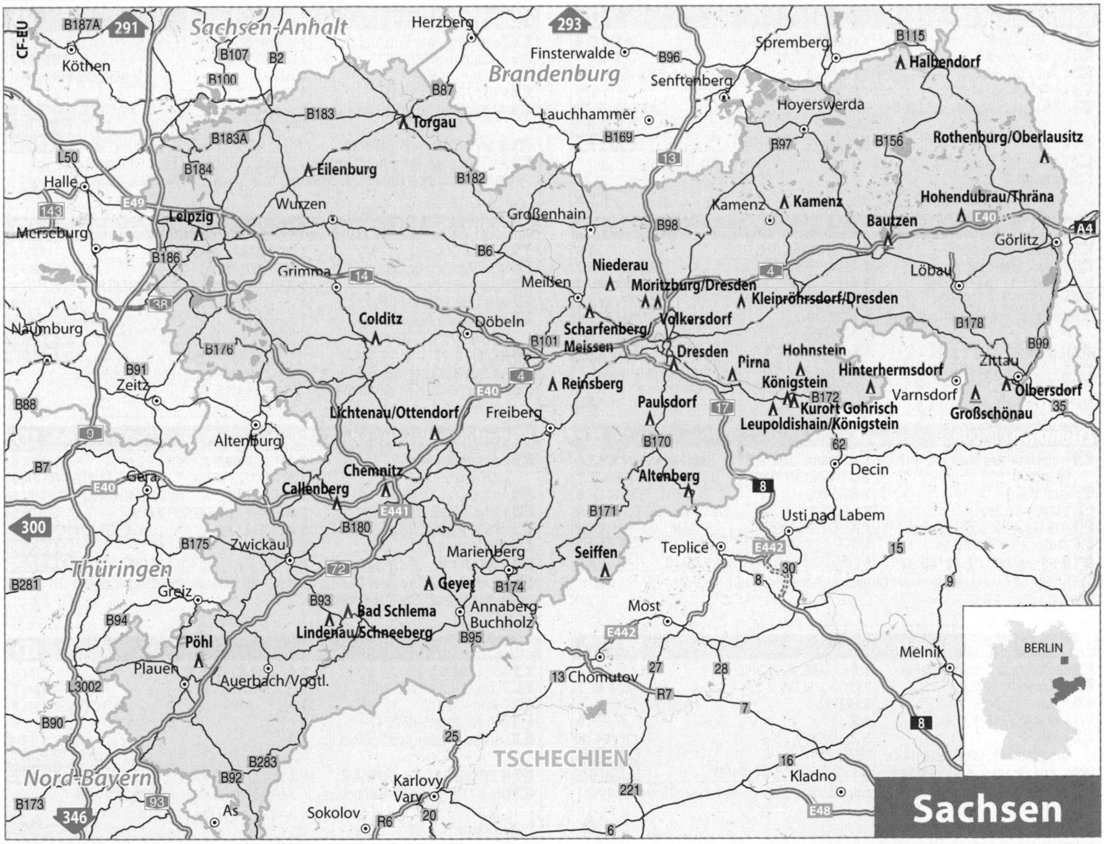

Sachsen

Altenberg, D-01773 / Sachsen

Kleiner Galgenteich	1 AF**JM**NOPQRST — HL 6
Galgenteichstr. 3	2 DGHOPRWX — A**B**D**EFG**H 7
1/1 - 31/10, 1/12 - 31/12	3 AEFL**M** — ABCDE**F**NQR 8
+49 (0)35056-31995	4 I**ST** — D 9
mail@camping-erzgebirge.de	5 AIK — AHJ**O**R 10
	W 16A CEE — ① €21,00
N 50°45'57'' E 13°44'45''	**H**800 5 ha 150**T**(80-120m²) 102**D** — ② €27,00

CP befindet sich an der B170 Dresden-Prag, 5 km vor der Grenze.

Bad Schlema, D-08301 / Sachsen

Silberbach	1 A**JM**NOQRST — 6
Silberbachstraße 11	2 BGPRW — AB**FG**I 7
1/1 - 31/1, 1/3 - 31/12	3 AE**K**S — ABCDEFHJNQRTUV 8
+49 (0)3772-372032	4 FI**T** — 9
camping-silberbach@t-online.de	5 ABG — AFGIKPR 10
	B 16A CEE — ① €18,20
N 50°36'19'' E 12°39'30''	**H**360 4 ha 40**T**(100-120m²) — ② €24,30

B93 von Zwickau nach Schneeberg/Aue B93. In Bad Schlema links und den Schildern folgen. A72 Ausfahrt Hartenstein nach Bad Schlema.

Bautzen, D-02625 / Sachsen

Natur- und Abenteuercamping
Nimschützer Straße 41
1 Apr - 31 Okt
+49 (0)3591-271267
camping-bautzen@web.de
N 51°12'8'' E 14°27'38''

1 AEJMNOPQRST LNX 6
2 ADFGHOPQRSTUVX ABEFGHI 7
3 ABCLV ABCDEFHIJNQRSTUV 8
4 HIOQ AFV 9
5 ABKL ABDGJNRV 10
B 16A CEE ❶ €24,50
H270 5 ha 100T(90-150m²) 11D ❷ €32,50

Aus Richtung Görlitz und Dresden die A4, Ausfahrt Bautzen Ost. Dann Richtung Weißwasser, danach Richtung B156.

Callenberg, D-09337 / Sachsen

Erholungsg. Stausee Oberwald
1 Jan - 31 Dez
+49 (0)3723-418213
info@stausee-oberwald.de
N 50°49'6'' E 12°39'33''

1 AFJMNOPQRST HLMNOX 6
2 ADGHKPW ABFGHIJ 7
3 BEFILMS ABCDEFHJNQR 8
4 BFIO JPT 9
5 ABDEIL AGHIKNPRVZ 10
B 16A CEE ❶ €22,70
H400 16 ha 50T(bis 100m²) 117D ❷ €30,70

A4 Ausfahrt 65 Hohenstein-Ernstthal. Dann den Schildern Stausee Oberwald folgen. CP an der Nordseite der A4.

Chemnitz, D-09117 / Sachsen

Chemnitz-Oberrabenstein****
Thomas-Müntzer-Höhe 10
1 Jan - 31 Dez
+49 (0)371-850608
campingplatz@rabenstein-sa.de
N 50°50'1'' E 12°48'50''

1 AJMNOPQRST 6
2 AGKPRTWXY ABDEFGHI 7
3 BELR ABCDEFHJNPQRS 8
4 K FJV 9
5 ABDIJK AGHJLNRV 10
B 6A CEE ❶ €17,50
H400 3 ha 60T 74D ❷ €21,50

A72 Ausf. Chemnitz-Süd Ri. Oberlungwitz. Nach ca. 1 km rechts Ri. Limbach. CP befindet sich nach 4 km links. A4 Ausf. 67, Limbach/Rabenstein Ri. Chemnitz. Nach 900m CP rechts. Siehe auch Stausee Oberrabenstein.

Colditz, D-04680 / Sachsen

Am Waldbad****
Im Tiergarten 5
1 Apr - 30 Sep
+49 (0)34381-43122
info@campingplatz-colditz.de
N 51°7'51'' E 12°49'54''

1 AJMNOPQRST ABFG 6
2 BGPTWXY ABFGH 7
3 BEFLQ ABEFINQRST 8
4 IORT J 9
5 AI AFGHJRV 10
16A CEE ❶ €19,00
H198 3 ha 40T 40D ❷ €23,00

Von Hartha über B176 nach Colditz, und im Zentrum rechts Richtung CP und Schwimmbad.

Dresden, D-01217 / Sachsen

Dresden-Mockritz
Boderitzerstr. 30
1/1 - 31/1, 16/2 - 31/12
+49 (0)351-4715250
camping-dresden@t-online.de
N 51°0'52'' E 13°44'49''

1 ADEJMNOPQRST A 6
2 AGOPRWXY ABDEFGIJ 7
3 AL ABCDEFHJKNPQRV 8
4 EJKUVWX 9
5 ABEGIKL AGHJLMNORV 10
B 16A CEE ❶ €23,30
H120 0,5 ha 158T 9D ❷ €27,90

A4 Dreieck-Dresden West Richtung Prag A17. Dann Ausfahrt 3 Dresden-Süd, B170 Richtung Dresden. Nach ca. 1 km rechts. Nach 800m wieder rechts. Nach 1 km liegt der CP links.

Eilenburg, D-04838 / Sachsen

Freizeit und Erholungszentrum Eilenburg***
Zum See 1
1 Jan - 31 Dez
+49 (0)3423-659933
camp-eb@t-online.de
N 51°28'26'' E 12°40'32''

1 AFJMNOPQRST LNOQRSTWXYZ 6
2 CDGHIOPVWX ABDEFGIJK 7
3 BEFKL ABCDEFJNTV 8
4 HIOQT DEJKMOPQRSTUV 9
5 ABDEGHIKLM ABFIJLMRVWZ 10
FKK B 16A CEE ❶ €19,00
H100 5 ha 150T(50-150m²) 207D ❷ €19,00

Af der B87 von Leipzig nach Torgau, Ausfahrt Eilenburg-Ost. Den CP-Schildern folgen.

Geyer, D-09468 / Sachsen

Campingpark Greifensteine
Thumerstraße 65
1 Jan - 31 Dez
+49 (0)37346-1303
info@campingpark-greifensteine.de
N 50°38'35'' E 12°54'54''

1 AEFJMNOPQRST HLOQSX 6
2 DGKPRTW ABFGI 7
3 BEFIL ABEFJNPQRV 8
4 Z FJPT 9
5 ACDEK AHIKLPR 10
16A CEE ❶ €18,00
H650 4,5 ha 250T 616D ❷ €24,00

B95 Chemnitz-Annaberg. In Ehrenfriedersdorf bei großer Bushaltestelle rechts Richtung Greifensteine, ca. 6 km.

Großschönau, D-02779 / Sachsen

CC€18

Trixi Park
Jonsdorferstraße 40
1 Jan - 31 Dez
+49 (0)35841-6310
info@trixi-park.de
N 50°52'52'' E 14°40'15''

1 ADFJMNOPQRST AEFGH 6
2 DGHIJOPRVW ABEFGHI 7
3 ABEFILQ ABCDEFHIJKNQRSTUV 8
4 ABCEILORSTUVXYZ JPVWY 9
5 ABDGHJK ABGHJMNORV 10
B 16A CEE ❶ €28,00
H350 15 ha 70T(72-100m²) 106D ❷ €35,00

Von Bautzen die B6 nach Löbau-Zittau. In Herrnhut rechts ab nach Oberoderwitz. Dann Richtung Großschönau und den CP-Schildern folgen.

Halbendorf, D-02953 / Sachsen

Halbendorfer See
Dorfstrasze 45A
1 Apr - 1 Okt
+49 (0)35773-76413
halbendorfersee@web.de
N 51°32'45'' E 14°34'10''

1 AEJMNOPRST HLMOPQSWXY 6
2 DGHOPWX ABFGI 7
3 ABEFILMP ABEFJNQRV 8
4 F EJPQTV 9
5 ABDEGIM AGHIJMOR 10
FKK B 16A CEE ❶ €18,30
4 ha 120T 69D ❷ €23,30

Auf der A15 Ausfahrt 5, dann die B97 Richtung Spremberg, hier die B156 nach Bad Muskau nehmen. In Graustein Richtung Weißwasser. Nach etwa 8 km liegt der CP links der Strecke.

Hinterhermsdorf, D-01855 / Sachsen

Thorwaldblick
Schandauerstraße 37
1 Jan - 31 Dez
+49 (0)35974-50648
info@thorwaldblick.de
N 50°55'23'' E 14°21'0''

1 AEFJMNOPQRST 6
2 BOPRVWX ABEFGI 7
3 ABGL ABEFNQRSV 8
4 I DFV 9
5 ABKL ABFHJNORV 10
16A CEE ❶ €21,50
H354 0,6 ha 50T 3D ❷ €28,50

A4 Dresden-Görlitz Ausfahrt Burkau, Nr.87. Dann Richtung Bischofswerda. Danach über Neustadt (Sachsen) und Sebnitz nach Hinterhermsdorf. Oder B172 Pirna, Bad Schandau.

Hohendubrau/Thräna, D-02906 / Sachsen

Freizeit- & Campingpark Thräna
Zum Wildgehege
1 Apr - 15 Okt
+49 (0)35876-41238
freizeitcamp-thraena@t-online.de
N 51°14'6'' E 14°41'58''

1 AJMNOPQRST 6
2 ABGHPQRWXY ABFGHI 7
3 BGHV ABCDEFJNQR 8
4 FHIKX DFV 9
5 AEGI AFHIJMNORVWX 10
10A CEE ❶ €20,50
H200 1,5 ha 50T 3D ❷ €26,50

A4 Ausfahrt 91 Richtung Gebelzig. Nach ca. 1 km rechts ab Richtung Thräna/Diehsa. Nach 2 km am CP-Schild rechts ab.

Hohnstein, D-01848 / Sachsen

Touristencamp Entenfarm
Schandauer Str. 11
1 Mär - 30 Nov
+49 (0)35975-84455
info@camping-entenfarm.de
N 50°58'30'' E 14°8'20''

1 AJMNOPQRST 6
2 GPRTWX ABFGI 7
3 ABLV ABCDEFJNQR 8
4 FHI J 9
5 ABDKL ABHJLNPRVZ 10
16A CEE ❶ €20,60
H311 3,3 ha 150T(50-100m²) 20D ❷ €27,10

A17 Dresden-Prag Ausfahrt Pirna. Über die Elbe Ausfahrt Graupa Richtung Pirna/Bastei. Durch Hohnstein Richtung Bad Schandau. Ausgeschildert.

Kamenz, D-01917 / Sachsen

Deutschbaselitz
Großteichstraße 30
1 Jan - 31 Dez
+49 (0)3578-301489
info@campingplatz-deutschbaselitz.com
N 51°18'17'' E 14°9'10''

1 AEFJMNOPQRST LMX 6
2 DGHPQXY ABDEFGIJ 7
3 AEL ABCDEFGHINQRS 8
4 I DEJPTV 9
5 ABDEKL AGHJLNRV 10
B 16A CEE ❶ €22,00
H150 4 ha 80T 53D ❷ €27,00

A4 Ausfahrt Burkau. Richtung Kamenz. Bei Kamenz rechts Richtung Deutschbaselitz. Hier den Schildern folgen (2 km).

Kleinröhrsdorf/Dresden, D-01900 / Sachsen

Cp. & Freizeitpark LuxOase*****
Arnsdorfer Straße 1
1 Mär - 18 Dez
+49 (0)35952-56666
info@luxoase.de
N 51°7'13'' E 13°58'48''

1 ACDEFJMNOPQRST ELNX 6
2 ADGPQSVWX ABDEFGHIK 7
3 ABCEFGHIKLQV ABCDEFGHIJKLNQRSTUV 8
4 ABCDFHILOPQRTUVX DIKV 9
5 ABCDEIJKL ABFGHIJNORVX 10
B 16A CEE ❶ €29,90
H250 7,2 ha 206T(100-120m²) 46D ❷ €37,90

Autobahn A4 Dresden-Görlitz, Ausfahrt 85 Pulsnitz Richtung Radeberg. In Kleinröhrsdorf Schildern folgen.

Königstein, D-01824 / Sachsen

Königstein
Schandauerstraße 25E
1 Apr - 31 Okt
+49 (0)35021-68224
info@camping-koenigstein.de
N 50°55'32'' E 14°5'48''

1 AFJKNOPRST JN 6
2 CJOPQRUVWX ABDEFGH 7
3 AL ABCDEFNQR 8
4 9
5 AK ABCGH 10
16A CEE ❶ €23,00
H371 2,5 ha 100T ❷ €32,00

Die B172 Dresden-Tschechien. In Königstein zwischen Bahnlinie und Elbe. Nach dem Kreisel in Königstein nach 1,5 km links ab. Dann der Beschilderung folgen.

Kurort Gohrisch, D-01824 / Sachsen

Caravan Camping 'Sächsische Schweiz'****
Dorfplatz 181d
1 Jan - 31 Dez
+49 (0)35021-59107
caravan-camping@web.de
N 50°54'52'' E 14°6'27''

1 ADEJMNOPQRST AFH 6
2 FGPQRSVWX ABDEFGHIJ 7
3 BEFLV ABCDEFHIJNPQRST 8
4 DEFHIT WZ 9
5 ABEIJKLM ABCFGHIJMNORVX 10
B 16A CEE ❶ €24,60
H330 300 ha 73T(bis 100m²) ❷ €32,80

In Königstein Richtung Bad Schandau, ca. 500m hinter dem Kreisel Richtung Kurort Gohrisch. In Gohrisch dem grünen CP-Schild folgen.

Deutschland

Teilkarte Sachsen auf Seite 297

Leipzig, D-04159 / Sachsen

Auensee
Gustav-Esche-Straße 5
1 Jan - 31 Dez
+49 (0)341-4651600
info@camping-auensee.de
N 51°22'12" E 12°18'49"

1 ADEFJMNOPQRST 6
2 BOPSVWXY ABDEFGIJ 7
3 ABEL ABCDEFJNQRSV 8
4 FH FJK 9
5 AJKL ABFGHIJRV 10
B 16A CEE ① €23,30
H100 9,5 ha 164T(100m²) 58D ② €31,30

A9 Ausfahrt Großkugel, Ausfahrt Leipzig West. Die B6 Ri. Leipzig. Ab Ortschild 'Leipzig' ca. 10 km auf der B6 weiter bleiben. An der Ampel Ri. Zentrum. Nächste Ampel rechts. Nach 1 Km CP rechts.

Leupoldishain/Königstein, D-01824 / Sachsen

Nikolsdorfer Berg
Nikolsdorfer Berg 7
1 Apr - 31 Okt
+49 (0)35021-99144
info@
camping-nikolsdorferberg.de
N 50°54'16" E 14°2'19"

1 AFJMNOPQRST 6
2 BOPRVWX ABDEFGI 7
3 AL ABCDEFJNQR 8
4 FI 9
5 AB ABFGHIJNPR 10
10A CEE ① €21,50
1,2 ha 50T ② €29,10

Über Dresden B172 nach Pirna / Bad Schandau. 10 km nach Pirna rechts nach Leupoldishain. Den Schildern folgen.

Lichtenau/Ottendorf, D-09244 / Sachsen

Minicamping-MiO
Made In Ottendorf
Gottfried Schenkerstr. 10
1 Jan - 31 Dez
+49 (0)3720-8877848
info@mio-minicamping.de
N 50°56'4" E 12°59'0"

1 AJMNOPQRST 6
2 AFGPRWX ABDEF 7
3 AQ ABCDEFGHJNPQRTUV 8
4 I ADUV 9
5 AIKL AJNPR 10
B 10A CEE ① €22,00
H300 2 ha 40T 2D ② €28,00

A4 Ausfahrt 71 Chemnitz-Ost. Richtung Mittweida. Nach 2 km rechts ab durch das Gewerbegebiet Ottendorf. Am Ende der Straße links ab.

Lindenau/Schneeberg, D-08289 / Sachsen

Campingplatz Lindenau
Am Forstteich 2
1 Jan - 31 Dez
+49 (0)3772-28102
info@
campingplatz-lindenau.de
N 50°35'36" E 12°35'58"

1 AJMNOQRST L 6
2 DGKPW AFG 7
3 BKL ABCDEFNQR 8
4 FITX J 9
5 ADGHIKL AGHJLR 10
16A CEE ① €20,00
H518 5,8 ha 40T 102D ② €26,00

A72 Ausfahrt 11 Zwickau-Ost. Über Zwickau auf der B93 Richtung Schneeberg. Vor Schneeberg Schildern folgen.

Moritzburg/Dresden, D-01468 / Sachsen

Bad Sonnenland Ferienpark &
Campingplatz
Dresdnerstraße 115
1 Apr - 31 Okt
+49 (0)351-8305495
info@bad-sonnenland.de
N 51°8'34" E 13°40'46"

1 ADFJMNOPQRST HLX 6
2 ADGHOPRWXY ABDEFGHI 7
3 BEFLV ABCDEFNQR 8
4 JKQRV 9
5 ABDEJKL AFGHIJLNPR 10
16A ① €25,70
H156 18 ha 200T 218D ② €36,70

A4 Ausfahrt 80 Dresden-Wilder Mann, Richtung Moritzburg. Nach ca. 5 km links.

Niederau, D-01689 / Sachsen

Waldbad
Am Gemeindebad 2
23 Mär - 1 Okt
+49 (0)35243-36012
camping.oberau@web.de
N 51°11'10" E 13°34'32"

1 DHKNOPRST A 6
2 BDGHIJKPRWXY ABDEFGH 7
3 AFLV ABEFNQR 8
4 I J 9
5 KL AGHJR 10
16A CEE ① €20,50
8,5 ha 30T 151D ② €26,50

Von Meissen Richtung Weinböhle/Moritzburg, über die Bahnlinie links ab. CP nach ± 2 km.

Olbersdorf, D-02785 / Sachsen

SeeCamping Zittauer Gebirge
Zur Landesgartenschau 2
1 Jan - 31 Dez
+49 (0)3583-696292
info@seecamping-zittau.com
N 50°53'39" E 14°46'14"

1 ADFJMNOPQRST LNOQRXY 6
2 DGHOPRWX ABDEFGIJ 7
3 LV ABCDEFHJKNQRS 8
4 FIO EFMPV 9
5 ABIKL AFGHJLMOPR 10
B 10A CEE ① €21,00
H253 5,7 ha 185T(100m²) 65D ② €24,00

A4, Ausfahrt 90 Bautzen-Ost. Dann über die B6 nach Löbau und die B178 nach Zittau. In Zittau der Umgehung zur B96 folgen. Dann den Schildern zum Olbersdorfer See folgen. Im Kreisel links.

Paulsdorf, D-01744 / Sachsen

Bad- und Campingparadies
Nixi
Am Bad 1a
1 Jan - 31 Dez
+49 (0)3504-612169
info@erlebnis-talsperre.de
N 50°54'52" E 13°39'4"

1 ACFHKNOPRST EFGHLNOQSX 6
2 DGHJPRVW ABFG 7
3 BEILP ABEFHJNQR 8
4 IOST DPV 9
5 ABDI ABGHJLORV 10
B 16A CEE ① €20,50
H390 6 ha 200T 375D ② €28,50

B170 Dresden-Altenberg, in Dippeldiswalde rechts Richtung Malter und 'Campingparadies'. CP befindet sich am Stausee.

Pirna, D-01796 / Sachsen

Waldcamping Pirna-Copitz
Äußere Pillnitzer Straße 19
1 Apr - 1 Nov
+49 (0)3501-523773
waldcamping@
stadtwerke-pirna.de
N 50°58'54" E 13°55'30"

1 AFJMNOPQRST LX 6
2 BDGHIOPRSVWX ABDEFG 7
3 ALV ABEFHJKNQRSTUV 8
4 BC DEK 9
5 ABGHIJLNOR 10
B 10A CEE ① €24,00
H118 6 ha 141T(90-100m²) 30D ② €31,00

A4 Ausfahrt Prag. A17 nach Pirna über die B172. In Pirna über die Elbebrücke nach Pirna-Copitz, danach Ausfahrt Graupa.

Pöhl, D-08543 / Sachsen

Talsperre Pöhl,
Campingplatz Gunzenberg****
Möschwitz, Hauptstraße 51
1 Apr - 31 Okt
+49 (0)37439-6393
tourist-info@talsperre-poehl.de
N 50°32'19" E 12°11'6"

1 ADFJMNOPQRST LNQRSTXYZ 6
2 ADGKOPRTVWX ABDEFGHIJ 7
3 ABEFKLU ABCDEFHJNOPQRS 8
4 BEFH KMOPQRTUVW 9
5 ABDEIJKL AFGHIJLRW 10
B 16A CEE ① €26,00
H400 11 ha 300T(80-120m²) 750D ② €31,60

A72 Ausfahrt Plauen-Ost/Talsperre Pöhl Nr. 7. Weiter Zentrum, dann rechts ab Richtung Talsperre Pöhl. Der CP ist an der Westseite des Stausees, hinter den Parkplätzen.

Reinsberg, D-09629 / Sachsen

Naturcamping Reinsberg
Badstraße 15/17
1 Apr - 31 Okt
+49 (0)37324-82268
campingplatz-reinsberg@
web.de
N 51°0'14" E 13°21'36"

1 AFJMNOPQRST AF 6
2 AGOPSWX ABDFG 7
3 BFL ABEFHJKNPQRV 8
4 F DV 9
5 AEIKL ABFHJLPST 10
B 16A CEE ① €18,00
H270 2 ha 70T 26D ② €24,00

A4 Ausfahrt Richtung Freiberg. Nach ca. 1,5 km links ab Reinsberg, danach der Beschilderung folgen.

Rothenburg/Oberlausitz, D-02929 / Sachsen

Neiße Camp
Tormersdorfer Allee 1
1 Jan - 31 Dez
+49 (0)160-1818888
info@neisse-tours.de
N 51°19'38" E 14°58'57"

1 AJMNOPQRS UX 6
2 GPWX ABFI 7
3 AEL ABEFJNQRSTU 8
4 AHIO DV 9
5 A ABGHJRW 10
16A CEE ① €16,50
H160 1,5 ha 81T(60-120m²) 1D ② €26,50

In Rothenburg (Oberlausitz) den CP-Schildern folgen.

Scharfenberg/Meissen, D-01665 / Sachsen

Rehbocktal
Rehbocktal 4
1 Apr - 31 Okt
+49 (0)3521-404827
info@camping-rehbocktal.de
N 51°8'15" E 13°30'3"

1 AJMNOPQRST 6
2 ACGPWXY ABDFGHIJK 7
3 V ABCDEFJNQR 8
4 FHI F 9
5 ABIL AGHJNOR 10
16A CEE ① €23,00
H100 1,2 ha 30T 8D ② €29,00

Ausfahrt Dresden-Altstadt, dann B6 Richtung Meissen. Nach ca. 10 km links (2 km vor Meissen).

Seiffen, D-09548 / Sachsen

CC€16

Ferienpark Seiffen
Deutschneudorferstr. 57
1 Jan - 31 Dez
+49 (0)37362-150
info@ferienpark-seiffen.de
N 50°37'36" E 13°27'26"

1 ADEJMNOPQRST 6
2 FGPRTUVW ABDEFGH 7
3 ACEGILQ ABCDEFNQRSTV 8
4 IORSTYZ DFGIJ 9
5 BIJK AFGHJORX 10
WB 10A CEE ① €21,90
H720 5 ha 100T 77D ② €23,90

A4, Ausfahrt Chemnitz-Nord, B174 bis Marienberg. B171 nach Olbernhau, dann nach Seiffen. Dort ausgeschildert.

Torgau, D-04860 / Sachsen

Torgau
'Am Großen Teich'***
Turnierplatzweg
1 Apr - 30 Sep
+49 (0)3421-902875
sv-info@torgau.de
N 51°32'45" E 12°59'23"

1 AJMNOPQRST FNX 6
2 DGPSWX ABFG 7
3 A ABEFHJNPQRST 8
4 FH F 9
5 AGHIJRV 10
B 16A CEE ① €15,70
H84 1,6 ha 60T 32D ② €17,70

In Torgau der CP-Beschilderung folgen.

Volkersdorf, D-01471 / Sachsen

Oberer Waldteich
Volkersdorfer Sandweg
1 Apr - 31 Okt
+49 (0)35207-81469
kontakt@
dresden-camping.com
N 51°8'19" E 13°43'8"

1 AFJMNOPQRST LN 6
2 ADGHPWXY ABFG 7
3 BEL ABEFNQR 8
4 9
5 ABDIJ AHJR 10
FKK 16A CEE ① €20,10
H204 5 ha 40T 80D ② €24,10

Ausfahrt Dresden/Wilschdorf, Ausfahrt 81b, Richtung Wilschdorf, ausgeschildert (2 km).

Deutschland

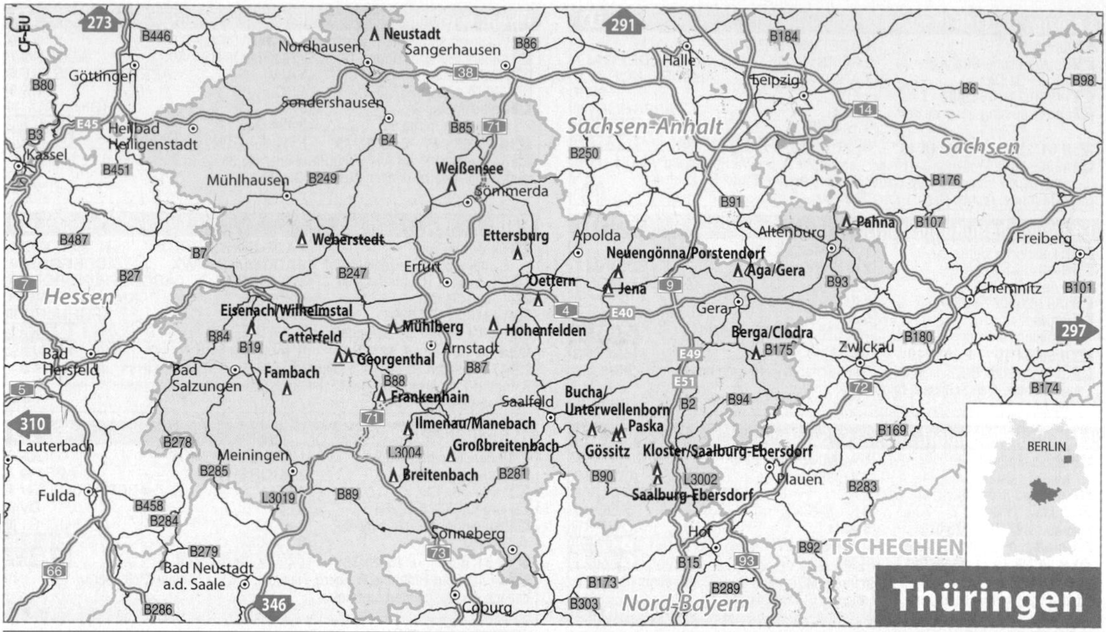

Thüringen

Aga/Gera, D-07554 / Thüringen

Strandbad Aga
Reichenbacherstr. 14
1 Apr - 1 Nov
+49 (0)36695-20209
strandbad.aga@thueringencamping.de

1 AJMNOPQRST	LMNX	6
2 ADGHPQRVWX	ABDEFG	7
3 BEFLS	ABCDEFNQR	8
4 IO		9
5 ADGKL	AHIJLPR	10
B 16A CEE		❶ €20,00
H210 16,5 ha 100T 100D		❷ €26,00

N 50°57'12'' E 12°5'12''
A4, Ausfahrt 58 Gera, rechts Richtung Leipzig, B2. Nach 7 km links Richtung Aga.

Eisenach/Wilhelmstal, D-99819 / Thüringen

Campingpark Eisenach
Am Altenberger See
1/1 - 31/10, 1/12 - 31/12
+49 (0)3691-215637
campingpark-eisenach@t-online.de

1 ACDFJMNOPQRT	L	6
2 ABDFGPQRSTUX	ABFGI	7
3 ADEL	ABCDEFGIJNQRTUV	8
4 EFGST	FJPT	9
5 ABDEIKL	AFHJNR	10
16A CEE		❶ €22,00
H340 6,5 ha 120T 106D		❷ €28,00

N 50°54'31'' E 10°18'3''
A44 Dortmund-Kassel, A7 Kassel-Würzburg, A4 Kirchheim-Eisenach, Ausfahrt 40 Eisenach-Ost, dann B19 Richtung Meiningen, nach 9 km ist CP ausgeschildert.

Berga/Clodra, D-07980 / Thüringen

Am Töpferberg
Clodra Dorfstraße 35
1 Apr - 31 Okt
+49 (0)36623-20438
info@toepferberg.de

1 AJMNOPRST		6
2 BGPQTWX	ABDE	7
3 AEK	ABEFNQ	8
4 FH	J	9
5 JL	AJRVX	10
16A CEE		❶ €15,50
H300 2 ha 35T 7D		❷ €19,50

N 50°45'35'' E 12°7'27''
A4 Richtung Gera, B92 Richtung Greiz bis Weida. In Weida Richtung Zwickau-Berga-Clodra die N175, nach 2 km links Richtung Clodra. Oder: A9 Ausfahrt Lederhosen Richtung Weida/Greiz.

Ettersburg, D-99439 / Thüringen

Bad-Camp Ettersburg
Badteichweg 1
1 Apr - 31 Okt
+49 (0)3643-418495
info@badcamp.de

1 AJMNOPQRST	AFH	6
2 ABGOPVWXY	ABDE	7
3 ABL	ABEFNQRSV	8
4 FHI		9
5 ABIL	ABHJLR	10
16A CEE		❶ €19,00
H302 32 ha 38T(30-120m²)		❷ €25,00

N 51°2'8'' E 11°17'14''
A4, Ausfahrt 49 Weimar. Nördlich von Weimar Richtung Buchenwald. An der Ausfahrt Buchenwald geradeaus und den CP-Schildern folgen.

Breitenbach, D-98553 / Thüringen

Am Waldbad
1 Jan - 31 Dez
+49 (0)36841-41153
info@campingbreitenbach.de

1 AFJMNOPQRST	AF	6
2 AGOPTUWX	ABFI	7
3 AL	ABCDEFNQR	8
4 EFHIKO		9
5 ABKL	AHJLR	10
16A CEE		❶ €19,20
H530 3 ha 60T(50-100m²) 23D		❷ €24,20

N 50°32'50'' E 10°46'44''
B247 Schleusingen-Suhl, nach 3 km Ausfahrt Breitenbach. CP befindet sich am Ortsende.

Fambach, D-98597 / Thüringen

Feriensiedlung Nüßleshof
Nüßleserstraße
1 Apr - 31 Okt
+49 (0)3683-403956
camping@hessles.de

1 AILNORT		6
2 BPTWX	I	7
3	ABEFNQUV	8
4	IJ	9
5	ABHJR	10
10A CEE		❶ €13,00
H350 1,5 ha 50T(80-100m²) 14D		❷ €15,00

N 50°45'49'' E 10°24'59''
A4 Ausfahrt 33 Ri. Bad Salzungen B62. Dann die B19 Ri. Meiningen, Ausfahrt Fambach. CP ist angezeigt. Achtung: an der CP-Einfahrt vorbei fahren, nach 100m umdrehen und dann auf den CP fahren.

Bucha/Unterwellenborn, D-07333 / Thüringen

Campingplatz Saalthal-Alter****
15 Apr - 15 Okt
+49 (0)36732-22267
info@camping-hohenwartestausee.de

1 AEFJMNOPQRST	LNOPQRSTXYZ	6
2 DGIJPRSUWX	ABDEFGH	7
3 AP	ABCDEFGIJNPQRSV	8
4 FH	DNPQRSTVW	9
5 ABDL	ABHJPR	10
10A CEE		❶ €24,50
H400 2,5 ha 100T(50-100m²) 156D		❷ €31,50

N 50°37'7'' E 11°30'27''
B281 von Saalfeld nach Pößneck, Ausfahrt Kamsdorf über Bucha Richtung Hohenwarte. Hinter Bucha die erste Straße links und den CP-Schildern folgen.

Frankenhain, D-99330 / Thüringen

Oberhof Camping
Am Stausee 9
1 Jan - 31 Dez
+49 (0)36205-76518
info@oberhofcamping.de

1 ADEJMNOPQRST	LNPQSX	6
2 ABDGJKPRSTUWXY	ABDEFGHI	7
3 ABL	ABCDEFIJLMNQRSV	8
4 FHIO	IJ	9
5 ABEJKL	AGHIJLPR	10
WB 16A CEE		❶ €23,00
H700 10 ha 150T(80-100m²) 159D		❷ €31,00

N 50°44'1'' E 10°45'24''
A71 Ausfahrt 17 Gräfenroda. Dann B88 Ri. Frankenhain. Dem Schild Lütsche Stausee/CP folgen. Oder: A4 Ausfahrt Gotha nehmen und in Ri. Oberhof fahren. In Ohrdruf Ri. Grawinkel/Frankenhain fahren. CP-Schild folgen.

Catterfeld, D-99894 / Thüringen

Paulfeld*****
1 Jan - 31 Dez
+49 (0)36253-25171
info@paulfeld-camping.de

1 AEJMNOPQRST	LN	6
2 BDGPQVWXY	ABDEFGHIJ	7
3 ABFL	ABCDEFJNQRSV	8
4 FHIKOT	DJY	9
5 ABEGIKL	AFGHIJNPRV	10
WB 16A CEE		❶ €22,50
H450 7 ha 80T(80-100m²) 164D		❷ €26,50

N 50°49'27'' E 10°36'41''
A4 Richtung Dresden, Ausfahrt Waltershausen, dann Friedrichroda, B88 Richtung Ohrdruf. In Catterfeld rechts, dann noch 3 km.

Georgenthal, D-99887 / Thüringen

Am Schwimmbad****
Forsthaus Am Steiger 2
1 Apr - 31 Okt
+49 (0)36253-469936
info@camping-georgenthal.de
N 50°49'41'' E 10°38'53''

1 AFJMNOPQRST AFHI 6
2 GOPRWXY ABDEFG 7
3 AF ABCDEFJNQR 8
4 D 9
5 ADKL AHIJR 10
B 16A CEE ❶ €19,50
H400 1,2 ha 35T(80m²) 14D ❷ €25,00

A4, Ausfahrt Gotha Richtung Suhl, nach ca. 6 km rechts Richtung Georgenthal. Im Ort B88 Richtung Eisenach, CP befindet sich rechts.

Gössitz, D-07389 / Thüringen

Neumannshof*****
Ortsstraße 1
1 Jan - 31 Dez
+49 (0)36483-7420
info@
camping-neumannshof.de
N 50°36'1'' E 11°35'34''

1 ACEJMNOPQRST LNQSXYZ 6
2 BDGJPUVWX ABDEFGIK 7
3 ABFILP ABCDEFJKNQRS 8
4 FHIO JUVW 9
5 ABDJL ABGHJNPR 10
B 16A CEE ❶ €23,50
H400 6 ha 100T(60-80m²) 166D ❷ €29,50

Die B281 von Saalfeld nach Pößneck. In Krölpa nach Ranis abfahren. Durch Schmorda und nach 1 km rechts ab Richtung Gößitz. Von Gößitz den Hinweisen folgen.

Großbreitenbach, D-98701 / Thüringen

Intercamping Großbreitenbach
Am Schwimmbad 1
1 Jan - 31 Dez
+49 (0)36781-42398
info@intercamping-
grossbreitenbach.com
N 50°35'4'' E 10°59'21''

1 AJMNOPQRST AFH 6
2 BGOPRWXY ABFGHIJ 7
3 BLS ABEFHJNPQRSV 8
4 FHIOPQST IJ 9
5 ADEHJKL AHJPRV 10
W 16A ❶ €18,00
H667 7,2 ha 120T(80-100m²) 65D ❷ €23,00

Von Illmenau die B88 Richtung Rudolfstadt. In Gehren (8 km) rechts Richtung Großbreitenbach. CP befindet sich am Ortseingang.

Hohenfelden, D-99448 / Thüringen

Stausee Hohenfelden****
1 Jan - 31 Dez
+49 (0)36450-42081
info@stausee-hohenfelden.de
N 50°52'20'' E 11°10'42''

1 ADEFJMNOPQRST LMNQSX 6
2 ABDGHOPRUVWXY ABFGIJ 7
3 ABEFLRUV ABCDEFIJKNQRSTUV 8
4 EFH JPQRTV 9
5 ABIK ABFGIJLR 10
B 16A CEE ❶ €22,00
H250 22,5 ha 194T(100-140m²) 370D ❷ €29,00

A4 Ausfahrt Erfurt-Ost, dann Richtung Kranichfeld (ca. 6 km). CP rechts.

Ilmenau/Manebach, D-98693 / Thüringen

Waldcampingplatz
Meyersgrund
Schmückerstraße 91
1 Jan - 31 Dez
+49 (0)36784-50636
info@meyersgrund.de
N 50°39'6'' E 10°50'36''

1 ADEJMNOPQRST 6
2 ABCGOPRWXY ABFGIJK 7
3 ABL ABEFJNQRV 8
4 FHIO J 9
5 ABDKL ABFGHIJLPRV 10
W 16A CEE ❶ €19,60
H630 7 ha 80T(80-150m²) 103D ❷ €25,60

CP befindet sich an der Straße 4 Illmenau (7 km) nach Schleusingen.

Jena, D-07749 / Thüringen

Campingplatz Jena unter
dem Jenzig
Am Erlkönig 3
1 Mär - 15 Nov
+49 (0)3641-666688
post@camping-jena.com
N 50°56'9'' E 11°36'30''

1 AJMNOPQRST AFHXZ 6
2 ACOPRWXY ABDEFG 7
3 AS ABCDEFGNQRS 8
4 FHI ADFQR 9
5 ADKL ABFGHIJNORV 10
16A CEE ❶ €18,50
H100 1 ha 50T(100m²) 8D ❷ €24,50

B7 von Jena Richtung Gera, über Saalebrücke, nach 200m bei der Ampel abbiegen. CP gut beschildert.

Kloster/Saalburg-Ebersdorf, D-07929 / Thüringen

Campingplatz Kloster***
1 Apr - 31 Okt
+49 (0)36647-22441
fremdenverkehr@
saalburg-ebersdorf.de
N 50°30'56'' E 11°43'50''

1 AEFJMNOPQRST LNQSWXY 6
2 ADFGJKOPRW ABDEFGI 7
3 AL ABEFJNQR 8
4 FH JNOQRUV 9
5 AIK ABHJRW 10
B 16A CEE ❶ €20,50
5 ha 120T(80-100m²) 282D ❷ €27,50

Von der A9 Ausfahrt 28 Richtung Saalburg. Von der A4 über via Rudolstadt/ Saalfeld nach Ebersdorf (B90), danach Richtung Saalburg.

Mühlberg, D-99869 / Thüringen

Drei Gleichen
Am Gut Ringhofen
1 Jan - 31 Dez
+49 (0)36256-22715
service@
campingplatz-muehlberg.de
N 50°52'29'' E 10°48'33''

1 ADEFJMNOPQRST 6
2 APVWX ABDEFGIK 7
3 AK ABCDEFJNQR 8
4 FHI 9
5 ABKL ABGHIJLPRV 10
B 16A CEE ❶ €20,00
H400 2,8 ha 100T(100m²) 40D ❷ €25,20

A4, Ausfahrt Mühlberg/Wandersleben, rechts Richtung Mühlberg, Schildern folgen und im Ort rechts.

Neuengönna/Porstendorf, D-07778 / Thüringen

Camping & Ferienpark
bei Jena
Rabeninsel 3
15 Mär - 31 Okt
+49 (0)36427-22556
camping-jena@t-online.de
N 50°58'27'' E 11°39'0''

1 AJMNOPQRST LN 6
2 CDGIOPWXY ABCDEFGHIJ 7
3 AFL ABEFIJKNQRSV 8
4 FH FJPT 9
5 ABEJL ABHIJRWX 10
FKK B 10A ❶ €18,50
H100 18 ha 80T(60-100m²) 68D ❷ €24,50

A4 Eisenach-Dresden, Ausfahrt 54 Jena-Lobeda. Dann die B88 Richtung Naumburg. Nach ± 7 km rechts der Strecke.

Neustadt, D-99762 / Thüringen

Campingplatz am
Waldbad****
An der Burg 3
1 Jan - 31 Dez
+49 (0)36331-479891
info@neustadt-harz-camping.de
N 51°34'8'' E 10°49'42''

1 AFJMNOPRST AF 6
2 CGRVWX ABDEFGIJ 7
3 BEHIKL ABCDEFJNQRSV 8
4 AEFHIO DUV 9
5 ABDIKL ABFGHIJLPRVW 10
WB 16A CEE ❶ €23,40
H293 2,5 ha 110T(50-110m²) 26D ❷ €30,90

Die B243 Seesen-Nordhausen; in Nordhausen die B4 Richtung Braunlage. In Niedersachswerfen nach Neustadt.

Oettern, D-99438 / Thüringen

Mittleres Ilmtal
Auf dem Butterberge 1
15 Apr - 31 Okt
+49 (0)36453-80264
+49 (0)36453-808519
N 50°55'28'' E 11°20'52''

1 AJMNOPQRST 6
2 ABCPRUWXY ABDF 7
3 L ABEFNQR 8
4 FH 9
5 AIL ABHJRV 10
16A ❶ €20,50
H340 1,5 ha 50T(100m²) 10D ❷ €26,50

A4 Eisenach-Dresden, Ausfahrt Apolda (Mellingen) Richtung Bad Berka. Hinter Oettern Beschilderung über die kleine Brücke folgen. 5 km von der A4.

Pahna, D-04617 / Thüringen

See-Camping
Altenburg-Pahna****
1 Jan - 31 Dez
+49 (0)34343-51914
camping-pahna@t-online.de
N 51°2'37'' E 12°29'49''

1 ADEJMNOPQRST LNOP 6
2 BDGHIOPRWXY ABDEFGHIJ 7
3 ABEFL ABCDEFGIJKLMNQRSTUV 8
4 FHINOPQZ AJVW 9
5 ACDEIKL ABFGHIJMNPRVW 10
B 16A CEE ❶ €24,00
H175 10 ha 100T(80-120m²) 435D ❷ €31,00

A4 Ausfahrt 60 (Ronneburg), dann B7 nach Altenburg. B93 Richtung Leipzig, rechts die B7 Richtung Frohburg, bei Eschefeld den Schildern folgen.

Paska, D-07381 / Thüringen

Linkenmühle
15 Apr - 15 Okt
+49 (0)36483-22548
info@
campingplatz-linkenmuehle.de
N 50°36'27'' E 11°36'43''

1 AJKNOPQRST LNQSXYZ 6
2 BDGJKPRUVWXY ABDEFGH 7
3 BL ABCDEFJNQRV 8
4 EFHI PQRT 9
5 ABIKL ABGHIJNR 10
16A CEE ❶ €17,50
H400 3,5 ha 50T(60-120m²) ❷ €23,50

A4 über Kreuz Heimsdorf, A9 bis Triptis dann die B281 bis Pössneck. Weiter Richtung Ziegenrück bis Maxa, dann die Ausfahrt nach Paska.

Saalburg-Ebersdorf, D-07929 / Thüringen

Saalburg-Am Strandbad
Am Strandbad 1
1 Jan - 31 Dez
+49 (0)36647-22457
cpbad@saalburg-ebersdorf.de
N 50°29'41'' E 11°43'49''

1 ADEFJMNOPQRST LNQSXYZ 6
2 DGIOPW ABDEFGIK 7
3 A ABCDEFNQRV 8
4 FHI DJ 9
5 AIL ABHJR 10
B 16A ❶ €20,50
40T(80-100m²) 149D ❷ €26,50

Von der A9 Ausfahrt 28 Richtung Saalburg. Von der A4 über Rudolstadt/ Saalfeld nach Ebersdorf (B90), danach Richtung Saalburg.

Weberstedt, D-99947 / Thüringen

Am Tor zum Hainich****
Hainichstraße 22
1 Jan - 31 Dez
+49 (0)36022-98690
info@camping-hainich.de
N 51°6'10'' E 10°30'32''

1 AEJMNOPQRST 6
2 BFGPUWX ABDEFGHIK 7
3 ABL ABCDEFJNQRTUV 8
4 FHIO ADV 9
5 ABDKLM ABGHIJNPRV 10
B 16A CEE ❶ €21,30
H272 3,5 ha 145T(80-100m²) 38D ❷ €29,30

A4 bei Eisenach verlassen, der B84 bis Bad Langensalza folgen. Der Beschilderung bis Weberstedt folgen.

Weißensee, D-99631 / Thüringen

Weißensee
Günstedter Straße 4
1 Apr - 31 Okt
+49 (0)36374-36936
info@
campingplatz-weissensee.de
N 51°12'22'' E 11°4'3''

1 AJMNOPQRST AFN 6
2 ADGOPRWXY ABDEFGHIJ 7
3 ABEFLSU ABEFJNPQRV 8
4 HI JV 9
5 ABIKL AHJLNPRV 10
B 10A CEE ❶ €17,00
5 ha 40T(80-120m²) 70D ❷ €21,00

CP liegt an der B86 Richtung Sangerhausen, an der Nordseite vom Weißensee.

Deutschland

Abenden, D-52385 / Nordrhein-Westfalen

iD

Campingplatz Friedensthal
Rurweg 1
1 Jan - 31 Dez
+49 (0)2427-6684
urlaub@camping-abenden.de

N 50°40'15'' E 6°28'38''

1 AE**IL**NOPQRT U 6
2 CGOPWX AB**F** 7
3 ABCDEFJNRV 8
4 G 9
5 AJ AJR 10
6-10A ① €23,45
H250 50**T**(60-90m²) 75**D** ② €32,25

A4 Richtung Düren. Dort Richtung Monschau/Nideggen. In Nideggen Richtung Heimbach. Im Ort Abenden CP ausgeschildert.

Ahrdorf, D-53945 / Nordrhein-Westfalen

iD

Frings-Mühle
Hubertusstraße 21-31
1 Jan - 31 Dez
+49 (0)2697-7425
campingfrings-muehle@t-online.de

N 50°22'17'' E 6°47'0''

1 AF**JM**NORT **N** 6
2 CGOPRWX **BEFG** 7
3 AL BDE**F**IJNR 8
4 FHI EGIV 9
5 BEGJK ABFGHIKORVWX 10
16A CEE ① €14,50
H320 3 ha 40**T**(100m²) 90**D** ② €18,50

CP befindet sich an der B258 zwischen Blankenheim und Nürburgring. Ab Ausbauende A1 Richtung Nürburgring.

Attendorn/Biggen, D-57439 / Nordrhein-Westf.

CC€16 iD

Hof Biggen
Finnentroper Straße 131
1 Jan - 31 Dez
+49 (0)2722-95530
info@biggen.de

N 51°8'12'' E 7°56'23''

1 AE**JM**NOPQRS**T** **N** 6
2 BFOPRUWX ABDE**FG**H**IJ** 7
3 AEFL**P** ABCDE**F**JNOQRSV 8
4 BIOQ DU 9
5 ACDEGJKL ABDGHJM**N**RV 10
B 16A CEE ① €22,90
H361 18 ha 100**T**(80-100m²) 272**D** ② €27,90

A45 Dortmund-Frankfurt, Ausfahrt 16 Meinerzhagen, nach ca. 20 km in Attendorn Richtung Finnentrop. Hinter dem Ort befindet sich der CP gegenüber des Restaurants 'Haus am See'.

Attendorn/Waldenburg, D-57439 / Nordrhein-W.

iD

Familiencamping Biggesee-Waldenburg****
Waldenburger Bucht 11
1 Jan - 31 Dez
+49 (0)2722-95500
info@camping-waldenburg.de

N 51°6'39'' E 7°54'9''

1 AEF**JM**NOPQRST FLM**N**PQSXY 6
2 BDFGHIKPRUVWXY ABDE**FG**HIJ 7
3 B**C**EF**I**LQ ABCDEF**G**IJK**LM**NQRSV 8
4 ABEFHILO**QT** AIVWZ 9
5 ACDEKL**M** ABFGHJ**NOP**RZ 10
WB 6A CEE ① €23,70
H400 230**T**(80-100m²) 109**D** ② €29,50

A45 Dortmund-Siegen, Ausfahrt 16 Meinerzhagen oder 18 Olpe, Richtung Attendorn, danach Schildern folgen.

Teilkarte Nordrhein-Westfalen auf Seite 302

Bad Godesberg/Mehlem, D-53179 / Nordrhein-Westf.

Genienau
Im Frankenkeller 49
1 Jan - 31 Dez
+49 (0)228-344949
genienau@t-online.de

1 AJMNOPQRST	NSX 6
2 ACGHP	ABDEFGIJ 7
3	ABEFNQR 8
4 IO	9
5 G	AGHJR 10
B 6A CEE	❶ €20,00
1,2 ha 100T(80m²) 15D	❷ €28,00

N 50°39'16'' E 7°12'7''
B9 Bonn-Remagen. Nach Bad Godesberg ist der CP in Mehlem ausgeschildert.

Bad Honnef/Aegidienberg, D-53604 / Nordrhein-W.

Jillieshof
Ginsterbergweg 6
1 Jan - 31 Dez
+49 (0)2224-972066
HPEfferoth@t-online.de

1 JMNOPQRST	6
2 AOPSTX	ABDEFGHI 7
3 BKL	ABCDEFJNQRSV 8
4 FI	GV 9
5 KL	ABGHIJLOR 10
16A CEE	❶ €19,50
H300 4 ha 40T(80-100m²) 161D	❷ €25,50

N 50°39'0'' E 7°18'2''
A3 Ausfahrt 34 Bad Honnef, im Ort Richtung Aegidienberg. CP ausgeschildert.

Bad Sassendorf, D-59505 / Nordrhein-Westfalen

Kur-Camping Rumkerhof
Weslarner Str. 30
1 Jan - 31 Dez
+49 (0)2921-53118
email@rumkerhof.de

1 AJMNOPQRST	6
2 AORSVWX	ABDEFG 7
3 AI	ABCDEFJNQR 8
4 EFGHIK	VWY 9
5 ABK	AGHKRX 10
B 16A CEE	❶ €21,00
15 ha 93T(80-100m²) 34D	❷ €26,00

N 51°35'45'' E 8°10'43''
A44 Ausfahrt Soest Richtung B475 nehmen. Richtung Soest fahren. In Soest die B1 Richtung Bad Sassendorf. Bei Bad Sassendorf ist der CP angezeigt.

Brilon, D-59929 / Nordrhein-Westfalen

Camping & Ferienpark Brilon
Hoppecker-Straße 75
1/1 - 25/10, 19/12 - 31/12
+49 (0)2961-977423
info@campingbrilon.de

1 AEJMNOPQRST	6
2 BFPRSUVW	ABDEFG 7
3 BGJR	ABCDEFJKNQRSTUV 8
4 FH	E 9
5 A	ADEFGHJPRW 10
W 10A CEE	❶ €23,25
H525 19 ha 100T(120-160m²) 154D	❷ €29,45

N 51°22'45'' E 8°35'8''
B251 Richtung Willingen, rechts ab Richtung Brilon. Den Schildern folgen.

Barntrup, D-32683 / Nordrhein-Westfalen

Ferienpark Teutoburgerwald Barntrup****
Badeanstaltsweg 4
27 Mär - 1 Nov
+49 (0)5263-2221
info@ferienparkteutoburgerwald.de

1 AEJMNOPRST	ABFG 6
2 BGOPSTUVWXY	ABCDEFGH 7
3 ABEFJLMQV	ABCDEFHIJKLMNQRSTV 8
4 BCEFHIO	ACEWZ 9
5 AKL	ABCDEFGHJNORXZ 10
Anzeige auf dieser Seite B 16A	❶ €28,00
H180 3 ha 110T(90-250m²) 8D	❷ €35,00

N 51°59'12'' E 9°6'30''
Über die B66 nach Lage, Lemgo, Barntrup. In Barntrup Ri. Schwimmbad. Oder A2, Ausf. 35 Bad Eilsen, N328 Ri. Rinteln/Barntrup. Ab Paderborn B1 Ri. Hameln über Blomberg nach Barntrup. In Barntrup den CP-Schildern folgen.

Brüggen, D-41379 / Nordrhein-Westfalen

Heide Camp Brüggen
Sankt Barbara Straße 43
1 Jan - 31 Dez
+49 (0)2157-873612
heidecamp@aol.com

1 AFJMNOPQRST	6
2 ABOPSVWX	ABDEFGH 7
3 ABEL	ABCDEFJNRTU 8
4 HI	9
5 ABIJKL	ABFGHIJLR 10
10A CEE	❶ €10,00
1,1 ha 52T(100m²) 120D	❷ €16,00

N 51°15'24'' E 6°10'25''
Auf der A61 Ausfahrt 3 Kaldenkirchen-Süd. Über die B221 nach Brüggen. Der CP liegt in Brüggen Bracht und ist dort ausgezeichnet.

Bestwig/Wasserfall, D-59909 / Nordrhein-Westfalen

Terrassencamping Wasserfall
Aurorastraße 2
1 Jan - 31 Dez
+49 (0)2905-721
FAX +49 (0)2905-851560

1 AJMNOPQRST	6
2 BFOPRUWX	ABDEF 7
3 A	ABCDEFJNR 8
4 EF	9
5 KL	ABJST 10
W 10A CEE	❶ €17,00
H625 50T(80-100m²) 100D	❷ €24,00

N 51°18'11'' E 8°26'8''
B7 Meschede-Olsberg in Bestwig Richtung 'Fort Fun'. CP ist neben 'Fort Fun', einige Meter hinter einem Bauernhof.

Brühl (Heider Bergsee), D-50321 / Nordrhein-W.

Heider Bergsee
1 Jan - 31 Dez
+49 (0)2232-27040
Schirmer@Heiderbergsee.de

1 ADJMNOPQRST	LNOW 6
2 ABDGHOPX	ABFG 7
3 BE	ABEFJNQRS 8
4 FHOP	9
5 ABEJK	AFGHIJOR 10
16A CEE	❶ €16,00
4,5 ha 140T 180D	❷ €21,00

N 50°49'46'' E 6°52'33''
A61/E31 Ausfahrt 108 Erftstadt. B265 Richtung Liblar/Hürth/Brühl. Ausfahrt Brühl-West/Heider Bergsee, dann den CP-Schildern folgen.

Beverungen/OT Würgassen, D-37688 / Nordrhein-W.

Am Axelsee
Axelsee
1 Jan - 31 Dez
+49 (0)5273-88818
axel-see@freenet.de

1 AFJMNOPQRST	LNQSX 6
2 CDFGHIPQVWXY	ABDFGHI 7
3 ABEL	ABCDEFJNQRS 8
4 EFHIOST	DEJV 9
5 ABGJKL	ABFGHIJLMNPRV 10
B 16A CEE	❶ €18,50
H132 34 ha 48T(80-100m²) 168D	❷ €23,50

N 51°38'47'' E 9°22'52''
B83 von Hameln über Höxter nach Beverungen, dann Richtung Bad Karlshafen, nach einigen km Richtung Würgassen, den Schildern folgen.

Datteln, D-45711 / Nordrhein-Westfalen

Erholungspark Wehlingsheide****
Im Wehling 26
1 Jan - 31 Dez
+49 (0)2363-33404
info@wehlingsheide.de

1 ACEFILNOPQRST	6
2 ALPSVWXY	ABDEFGH 7
3 BDEGKL	ABCDEFJLMNQRTUV 8
4 FHIOPSTVYZ	DEJVW 9
5 ABDEGIJK	ABFGHIJLMNORX 10
16A CEE	❶ €21,00
60T(bis 110m²) 119D	❷ €21,00

N 51°40'53'' E 7°18'20''
A43 Ausfahrt 8 Haltern. Dann den Schildern Richtung Datteln volgen. Der CP ist angezeigt.

Bielefeld, D-33649 / Nordrhein-Westfalen

CampingPark Bielefeld
Vogelweide 9
1 Mär - 30 Nov
+49 (0)521-4592233
bielefeld@meyer-zu-bentrup.de

1 AEJMNOPQRST	N 6
2 ABOPWXY	ABFGHIJK 7
3 BFKLMNQ	ABEFJNQRTU 8
4 FHIKO	DK 9
5 ACFGKL	ABGHJLMNORV 10
B 16A CEE	❶ €25,00
H330 10 ha 110T(bis 120m²) 222D	❷ €28,10

N 52°0'24'' E 8°27'28''
Kreuz Bielefeld der Beschilderung A33 Richtung Paderborn, rechts halten. Ausfahrt Richtung B61, dann die B68 Richtung Osnabrück Halle-West, rechts Osnabrückerstraße, links Fortunastraße. Den CP-Schildern folgen.

Datteln, D-45711 / Nordrhein-Westfalen

Haard-Camping****
In den Wellen 30
1 Jan - 31 Dez
+49 (0)2363-36139-1
info@haard-camping.de

1 AEJMNOPQRST	6
2 BCPSVWXY	BEFG 7
3 BFKLSV	ABDFJNQRSTU 8
4 FGHIKO	DUVWY 9
5 EIJK	ABGHJORVX 10
13A CEE	❶ €14,00
7 ha 30T(80-150m²) 176D	❷ €14,00

N 51°40'42'' E 7°16'58''
Von Nord/West: A43, Ausfahrt 8 Haltern, Richtung Datteln. Von Süd/Ost: A2, Ausfahrt 11 Henrichenburg/Castrop-Rauxel, B235 Richtung Datteln. CP ist angezeigt.

Blankenheim/Freilingen, D-53945 / Nordrhein-W.

Eifel-Camp*****
Am Freilinger See 1
1 Jan - 31 Dez
+49 (0)2697-282
info@eifel-camp.de

1 AEJMNOPQRST	LNOQX 6
2 ADFGIOPRSUVWXY	BEFGHIJ 7
3 BEFKLMQS	BFIJKLMNQRSTUV 8
4 ABDEFHILOPQ	AEFQUV 9
5 ABEFIKL	AEFGHIJLMNRVW 10
Anzeige auf dieser Seite B 16A CEE	❶ €27,10
H442 11 ha 152T(80-160m²) 274D	❷ €36,10

N 50°24'54'' E 6°43'7''
A1, Ende der Autobahn Richtung Nürburgring, dann Freilinger See.

Deutschland

Teilkarte Nordrhein-Westfalen auf Seite 302

Delecke (Möhnesee), D-59519 / Nordrhein-Westfalen

Delecke Südufer
Arnsberger Str. 8
1 Apr - 15 Okt
+49 (0)2924-8784210
info@campingplatz-moehnesee.de
N 51°28'39'' E 8°6'2''

1 AEFHKNOPQRS**T**	LNQS 6	
2 ADFGIOPVWX	ABDE**FG** 7	
3 AL	ABCDEFJNQRSV 8	
4 FH	9	
5 AD	ABGHIJR 10	
B 16A CEE		❶ €25,20
H200 4 ha 70**T**(70-80m²) 120**D**		❷ €31,20

A44 Ausfahrt 56 Soest/Möhnesee. Über die B229 nach Arnsberg über den See links Richtung Südufer.

Extertal/Bösingfeld, D-32699 / Nordrhein-Westf.

Bambi****
Hölmkeweg 1
1 Jan - 31 Dez
+49 (0)5262-4343
info@camping-bambi.de
N 52°4'59'' E 9°9'31''

1 AF**JM**NOPQRST	N 6	
2 PSUVWX	ABDE**FG**IK 7	
3 AL	ABCDEFJNQRV 8	
4 FI	9	
5 AKL	AFGHJLRWX 10	
10A CEE		❶ €15,50
H240 1,7 ha 30**T**(80-120m²) 35**D**		❷ €20,50

Von Bösingfeld Richtung Hameln. 1,7 km hinter dem Kreisel in Bösingfeld links ab auf den Schönhagener Ring. Dem Campingschild Bambi folgen.

Dortmund/Hohensyburg, D-44265 / Nordrhein-W.

Camping Hohensyburg
Syburger Dorfstraße 69
1 Jan - 31 Dez
+49 (0)231-774374
info@camping-hohensyburg.de
N 51°25'14'' E 7°29'44''

1 AFJMNOPQRST	NXY 6	
2 ACFOPSWX	ABFG 7	
3 ABLQ	ABCDEFJNRV 8	
4 H	FPT 9	
5 ABDEJK	ABGJ**O**R 10	
16A CEE		❶ €25,50
10 ha 60**T**(80-100m²) 252**D**		❷ €34,50

A45 Ausfahrt Hohensyburg. CP ausgeschildert. Oder A1, Ausfahrt Hagen-Nord.

Groß Reken, D-48734 / Nordrhein-Westfalen

Camping-Park Groß-Reken
Berge 4
1 Jan - 31 Dez
+49 (0)2864-4494
rosischomberg@aol.com
N 51°49'38'' E 7°3'46''

1 ABDFILNOPQRST	**ABE**FGH 6	
2 AOPVWX	ABDE**FG** 7	
3 B**JKLM**	ABCDEFIJNQRSTV 8	
4 FH	9	
5 BDEGIKL	ABGHJTUVXZ 10	
16A CEE		❶ €20,00
110**T**(bis 100m²) 495**D**		❷ €23,00

A31, Ausfahrt 34 Borken/Reken. Den Schildern Groß Reken folgen. CP angezeigt.

Drolshagen, D-57489 / Nordrhein-Westfalen

Gut Kalberschnacke****
Kalberschnacke 8
1 Jan - 31 Dez
+49 (0)2763-6171
info@camping-kalberschnacke.de
N 51°4'18'' E 7°48'58''

1 AEF**IL**NOPQRST	LNQS**XYZ** 6	
2 ADFGIKOPRTUVWXY	ABDE**FGHI** 7	
3 ABE**ILM**ST	ABCDEFHJKNQRSTUV 8	
4 EFHILO**QSTV**	DFPVW 9	
5 ACDEJKL	ABFGHJL**NR** 10	
WB 10A CEE		❶ €27,00
H350 13 ha 125**T**(90-110m²) 304**D**		❷ €33,00

A45 Dortmund-Giessen, Ausfahrt Drolshagen/Wegeringshausen, links Richtung Biggesee bis Listersee. Bei Brücke rechts, CP nach 700m.

Hamminkeln, D-46499 / Nordrhein-Westfalen

Erholungsgebiet Dingdener Heide GmbH
Bußter Weg 100
1 Jan - 31 Dez
+49 (0)2852-2405
info@dingdener-heide.de
N 51°46'59'' E 6°38'3''

1 ABEFG**JM**NOPQRS**T**	L**N** 6	
2 ADGHIPSW	ABDE**FG** 7	
3 ABEF**K**LV	ABCDEFJNQRV 8	
4 BFGH	AV 9	
5 ABDEGIKL	ABGHIJRZ 10	
B 16A		❶ €17,50
2 ha 65**T** 483**D**		❷ €21,50

A3 Ausfahrt 5 Hamminkeln. CP liegt an der N8 und ist ausgeschildert.

Dülmen, D-48249 / Nordrhein-Westfalen

Tannenwiese
Borkenbergestraße 217
1 Mär - 31 Okt
+49 (0)2594-991759
N 51°47'15'' E 7°16'19''

1 AF**JM**NOPQRST	6	
2 OPQVX	BD**FG** 7	
3 B	ABCDE**F**NQR 8	
4	9	
5 AK	ABGHIJR 10	
6A CEE		❶ €15,40
3,6 ha 50**T**(100-120m²) 80**D**		❷ €19,40

In der Umgebung von Dülmen Schildern Richtung Flugplatz folgen. CP befindet sich zwischen dem Flugplatz und Dülmen an der B17.

Heimbach, D-52396 / Nordrhein-Westfalen

Gut Habersauel
1 Jan - 31 Dez
+49 (0)2446-437
info@heimbacher-campingplatz.de
N 50°38'36'' E 6°28'31''

1 AF**JM**NOPQRST	NU 6	
2 CFGOPWX	AB**FG**H 7	
3 BEL	AB**F**JNQRV 8	
4 IO	F 9	
5 ABDEIKL	AJOR 10	
Anzeige auf Seite 305 16A CEE		❶ €19,90
H500 100**T**(100-150m²) 402**D**		❷ €24,90

A61, Ausfahrt Erfstad, dann N265 Zülpich-Vlatten. In Vlatten Richtung Heimbach. Durch den Ort durchfahren bis zur Tankstelle, nach rechts Richtung Hausen-Nideggen.

Düsseldorf, D-40627 / Nordrhein-Westfalen

Zweckverband Unterbacher See
Kleiner Torfbruch 31
30 Mär - 31 Okt
+49 (0)211-8992038
service@unterbachersee.de
N 51°11'58'' E 6°53'10''

1 AGHKNOPQRST	LM**N**QRSTXYZ 6	
2 ABDGHIOPRSVX	A**BFG** 7	
3 BEF**IK**L	ABCDE**F**JNQRTUV 8	
4 I	MOPRTV 9	
5 ABDEJK	AFGHJL**NO**RVXZ 10	
B 6A CEE		❶ €26,40
13 ha 63**T**(55-100m²) 264**D**		❷ €33,00

A46, Ausfahrt Ekrath Düsseldorf/Unterbach. Richtung Erkrath/Unterbach am See. Dort Schildern folgen.

Hellenthal, D-53940 / Nordrhein-Westfalen

Hellenthal
Platiss 1
1 Jan - 31 Dez
+49 (0)2482-1500
info@camphellenthal.de
N 50°28'46'' E 6°25'43''

1 ADE**JM**NOPQRST	AF**N** 6	
2 CGPX	ABDE**FG**H 7	
3 ALST	ABCDEFNQR 8	
4 BFHIO**P**	D 9	
5 ADGIJKL	ABHK**P**ST 10	
16A		❶ €19,50
75**T**(80-100m²) 203**D**		❷ €25,50

Schleiden Richtung Hellenthal. Im Ort die B265 Richtung Trier. 0,5 km hinter dem Ortsschild links der Strecke. Ausgeschildert.

Effeld, D-41849 / Nordrhein-Westfalen

Amici Lodges
Waldseestrasse 7
1 Jan - 31 Dez
+49 15254549877
info@amicilodges.com
N 51°7'46'' E 6°5'53''

1 AEG**IL**NOPQRS**T**	HLM**N**OPSTXYZ 6	
2 ADGHIPVWX	ABDE**FG** 7	
3 BDF**KSTU**	ABCDE**FG**HJKNPQRSTU 8	
4 FHN**X**	FJP 9	
5 ADEGJL	ACFGHIJ**O**RV 10	
B 10A CEE		❶ €25,00
6 ha 37**T**(80-140m²) 75**D**		❷ €25,00

A73 Ausfahrt Herkenbosch. Der N293 Richtung Herkenbosch folgen. Weiter zur L117. Camping ist angezeigt.

Essen-Werden, D-45239 / Nordrhein-Westfalen

Stadtcamping Essen-Werden
Im Löwental 67
1 Jan - 31 Dez
+49 (0)201-492978
stadtcamping-essen@t-online.de
N 51°23'3'' E 6°59'48''

1 AHKNOPQRST	**NUX** 6	
2 ACGOPQRTVWX	ABDE**FG**HIJ 7	
3 BL	ABCDEFJKNQR 8	
4 A**OQ**	9	
5 ABDIK	AFHIJRV 10	
B 16A CEE		❶ €16,50
H250 10 ha 140**T**(80-100m²) 145**D**		❷ €21,70

A52 Ausfahrt 26 Essen/Kettwig/Flugplatz. Richtung Werden (2x), CP ausgeschildert.

Extertal, D-32699 / Nordrhein-Westfalen

Campingpark Extertal****
Eimke 4
1 Jan - 31 Dez
+49 (0)5262-3307
info@campingpark-extertal.de
N 52°3'4'' E 9°6'8''

1 AF**JM**NOPRST	LM**N** 6	
2 CDFGIOPUVWX	ABDE**FGHIJK** 7	
3 ABE**GH**LQTU	ABCDEFJKNQRSTUV 8	
4 FHIO	9	
5 ABDGKL	AFGHIJM**P**RV 10	
WB 16A CEE		❶ €15,50
H250 10 ha 80**T**(100-120m²) 325**D**		❷ €18,50

Der Campingplatz liegt an der Straße Rinteln-Barntrup. 1 km südlich von Bösingfeld. Der Campingplatz ist ausgeschildert.

Deutschland

Horn-Bad Meinberg/OT Kempen, D-32805 / Nordrhein-W.

Eggewald	1 AJMNOQRST	F 6
Kempenerstraße 33	2 COPTUVX	ABDEFG 7
1 Apr - 30 Okt	3 BEL	ABCDEFJNQRV 8
+49 (0)5255-236	4 FHI	9
johannesglitz@yahoo.de	5 K	ABFGHJLVWX 10
	10A CEE	❶ €16,00
N 51°48'12" E 8°56'35"	H400 2,1 ha 50T(100-150m²) 30D	❷ €19,00

A1 Paderborn-Hameln. Ab Paderborn vor Horn, ab Hameln nach Horn Schild Richtung Altenbeken. CP ist im Ortsteil Kempen. Ab A1 (via Veldrom) ca. 8 km.

Kalkar/Wissel, D-47546 / Nordrhein-Westfalen

Freizeitpark Wisseler See GmbH	1 ADEFJMNOPQRST	AHLMNOPQSTXYZ 6
Zum Wisseler See 15	2 DGHIOPRSVWXY	ABDEFGHIJ 7
1 Jan - 31 Dez	3 ABEFGKLMP	ABCDEFJKLMNQRSTUV 8
+49 (0)2824-96310	4 BDFHILOPQ	ADEFJTV 9
info@wisseler-see.de	5 ABDEGHIJKM	ABFGHIJLMNORVXZ 10
	Anzeige auf dieser Seite B 16A CEE	❶ €28,50
N 51°45'39" E 6°17'6"	35 ha 241T(60-100m²) 636D	❷ €36,50

A3 Ausfahrt 3 Emmerich. N220 links ab Richtung Emmerich/Kleve. Über die Brücke 1. Straße links Richtung Kalkar. Cp ausgeschildert.

Hörstel, D-48477 / Nordrhein-Westfalen

Hertha-See****	1 ABEHKNOPQRST	LN 6
Hertha Seestraße 70	2 ABDGHPQWXY	BCDEFGHIJK 7
27 Mär - 27 Sep	3 BCEFILM	ABCDEFJKNQRS 8
+49 (0)5459-1008	4 BFHILQ	KVY 9
contact@hertha-see.de	5 ABDEGHKL	ABEGHIKNR 10
	B 16A CEE	❶ €25,20
N 52°19'39" E 7°36'3"	25 ha 136T(70-110m²) 406D	❷ €31,00

A30/E30 Hengelo-Osnabrück, Ausfahrt Hörstel 10, dann Richtung Hörstel-Rheine, nach 100m rechts Hertha Seestraße, ausgeschildert.

Kalletal, D-32689 / Nordrhein-Westfalen

CampingPark Kalletal	1 AEFJMNOPRST	LMNOPQSWXYZ 6
Seeweg 1	2 DGHIOPSVXY	ABDEFGIJ 7
1 Apr - 31 Okt	3 ABEFGHJLMS	ABCDEFGIJKLNQRSTUV 8
+49 (0)5755-444	4 ABCEFHILOTXZ	ADKQTVW 9
info@campingpark-kalletal.de	5 ABDEGJKLM	ABGHIJNORV 10
	B 16A CEE	❶ €28,50
N 52°10'34" E 8°59'57"	H50 12 ha 288T(100m²) 368D	❷ €34,50

A2, Ausfahrt Bad Oeynhausen, Richtung Vlotho. In Vlotho Richtung Rinteln (B514). In Varenholz links halten. Den Schildern folgen.

Höxter, D-37671 / Nordrhein-Westfalen

CC€16

Wesercamping Höxter***	1 AFJMNOPQRST	ABFHJNUXYZ 6
Sportzentrum 4	2 CFGOPVX	ABDFGHIJ 7
1 Jan - 31 Dez	3 BEGIM	ABCDEFIJNQRV 8
+49 (0)5271-2580	4 FHIOP	FJQVWY 9
info@campingplatz-hoexter.de	5 ABDEGIKL	ABFGHJLORV 10
	10A CEE	❶ €19,50
N 51°46'0" E 9°23'0"	H106 30 ha 80T(80-120m²) 95D	❷ €25,50

A44 richtung Kassel, Ausfahrt Bühren Richtung Paderborn. B64 Richtung Höxter. In Höxte Richtung Boffzen/Fürstenberg und Schildern zum CP und nach Brückfeld folgen.

Köln/Dünnwald, D-51069 / Nordrhein-Westfalen

Waldbad	1 AFJMNOPQRST	ABFGHO 6
Peter-Baum-Weg	2 ABCGOPY	ABDEFGHIK 7
1 Jan - 31 Dez	3 BIL	ABCDEFJNQRS 8
+49 (0)221-603315	4 IO	DGV 9
info@waldbad-camping.de	5 ABEJKL	AGHJNOR 10
	B 10A CEE	❶ €20,50
N 50°59'42" E 7°3'36"	3,2 ha 45T(ab 100m²) 73D	❷ €28,50

A3, Ausfahrt 24 (Kreuz Leverkusen). Der U51 folgen. Auf der B51 ist der CP in Dünnwald ausgeschildert.

Ibbenbüren, D-49479 / Nordrhein-Westfalen

Eichengrund	1 AFILNOPQRST	L 6
Im Brook 2	2 ADHPQVWX	FG 7
1 Jan - 31 Dez	3 BEILS	AFLNRTU 8
+49 (0)5455-521	4 I	9
camping-eichengrund@t-online.de	5 AK	ABGHJLR 10
	16A CEE	❶ €19,00
N 52°13'6" E 7°39'54"	H60 6 ha 25T(100m²) 225D	❷ €24,00

A30/E30 Osnabrück-Hengelo Ausfahrt 11 Ibbenbüren. Über die B219 Richtung Saerbeck/Münster. Über den Dortmund-Ems Kanal. Nach 500m CP rechts angezeigt (Im Brook).

Köln/Poll, D-51105 / Nordrhein-Westfalen

Campingplatz Stadt Köln	1 ADJMNOPQRST	NX 6
Weidenweg 35	2 ACPWX	BEFGIJ 7
1 Apr - 15 Okt	3 K	ABEFJNQR 8
+49 (0)221-831966	4 FI	9
info@camping-koeln.de	5 ABI	ABGHIJOR 10
	B 10A CEE	❶ €26,50
N 50°54'10" E 6°59'27"	1,8 ha 140T	❷ €35,00

A4 Ausfahrt 13 Köln/Poll. Schildern folgen.

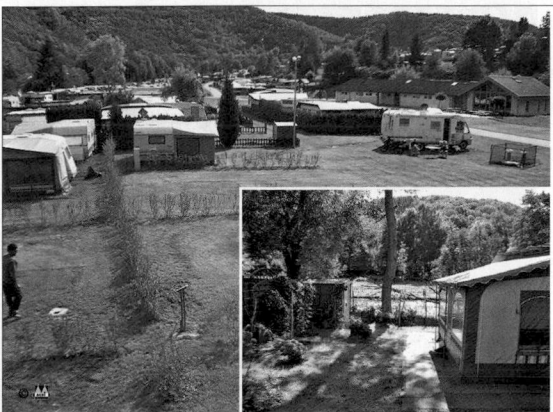

Deutschland

Köln/Rodenkirchen, D-50996 / Nordrhein-Westf. iD

Berger
Uferstraße 71
1 Jan - 31 Dez
+49 (0)221-9355240
camping.berger@t-online.de

1 AJMNOPQRST	JNXY 6
2 ACHOPX	ABDEFGI 7
3 BIKLM	ABCDEFJNQRSV 8
4 FHPQ	GV 9
5 ABJKL	AFGHIJNOR 10
B 10A CEE	❶ €24,80
4 ha 125T(80m²) 143D	❷ €30,40

N 50°53'28'' E 7°1'23''
A4 Aachen-Köln. Ausfahrt Köln/Rodenkirchen. Schildern folgen.

Königswinter/Oberpleis, D-53639 / Nordrhein-W. iD

CP am Schwimmbad
Theodor-Storm-Str. 37
1 Jan - 31 Dez
+49 (0)2244-6418
info@campingplatz-am-schwimmbad.de

1 AJMNOPQRST	A 6
2 ACOPQX	ABFG 7
3 BELM	ABCDEFJNR 8
4 HRST	D 9
5 A	ABEFGHJMPR 10
16A CEE	❶ €21,00
1,3 ha 20T(100m²) 84D	❷ €26,00

N 50°42'31'' E 7°15'57''
A3 Köln-Frankfurt, Ausfahrt 33 Siebengebirge. Am Ende links, Schildern folgen.

Labbeck/Sonsbeck, D-47665 / Nordrhein-Westf. iD

Kerstgenshof
Marienbaumerstraße 158
1 Jan - 31 Dez
+49 (0)2801-4308
info@kerstgenshof.de

1 ADEFJMNOPQRST	6
2 OPSVWX	ABDEFGIJ 7
3 BEFLQU	ABCDEFGHIJKLMNQRSTUV 8
4 BGHIKO	AJV 9
5 ABDEIKL	ABFGHIJLORVXZ 10
B 16A CEE	❶ €24,50
8 ha 95T(120m²) 250D	❷ €32,10

N 51°39'35'' E 6°22'22''
Die L480 von Xanten nach Sonsbeck Ausfahrt Labbeck, Richtung Marienbaum. CP angezeigt.

Ladbergen, D-49549 / Nordrhein-Westfalen iD

Erholungsgebiet Waldsee GmbH
Waldseestraße 81
1 Jan - 31 Dez
+49 (0)5485-1816
info@waldsee-camping.de

1 ADFILNOPRST	LMN 6
2 ADGIPQVX	ABDEFGHIJ 7
3 AELM	ABCDEFJKNQRSUV 8
4 ABFHIPS	D 9
5 ABEGIKL	ABFGHLRX 10
B 16A CEE	❶ €18,70
H55 10,5 ha 120T(100-120m²) 304D	❷ €21,90

N 52°9'0'' E 7°43'44''
A30 bis Kreuz Lotte, dann A1 Richtung Münster/Dortmund, Ausfahrt Ladbergen. Dann ausgeschildert.

Lemgo, D-32657 / Nordrhein-Westfalen CC€18 iD

Campingpark Lemgo
Regenstorstraße 10
1 Mär - 30 Nov
+49 (0)5261-14858
lemgo@meyer-zu-bentrup.de

1 AJMNOPQRST	ABEFGHN 6
2 COPRSWXY	ABCFGHIJK 7
3 ABL	ABCDEFJKNQRSTU 8
4 FHIOSTUV	DV 9
5 AKL	ABDFGHJORVW 10
16A CEE	❶ €25,60
H90 2,6 ha 60T(90-100m²) 13D	❷ €28,00

N 52°1'30'' E 8°54'31''
In Lemgo ist CP ausgeschildert.

Lengerich, D-49525 / Nordrhein-Westfalen iD

Auf dem Sonnenhügel
Zur Sandgrube 40
1 Jan - 31 Dez
+49 (0)5481-6216
info@sonnenhuegel-camping.de

1 ADFJMNOPQRST	LM 6
2 ADGHPQVWX	ABDEFGI 7
3 AEFLS	ABEFIJLNQRSTU 8
4 BHIOQ	VWY 9
5 ABGK	ABGHIJLPRV 10
B 10A CEE	❶ €18,00
H56 5,5 ha 50T(100-120m²) 180D	❷ €23,00

N 52°11'19'' E 7°48'16''
A30 Hengelo-Osnabrück, am Autobahnkreuz Lotte Ausfahrt 13 Richtung Münster/Dortmund. Ausfahrt 73 Lengerich. Im Kreisverkehr rechts; ausgeschildert.

Lengerich, D-49525 / Nordrhein-Westfalen iD

Camping Lengerich
Kiefernheide 36
1 Jan - 31 Dez
+49 (0)5481-3055072
kontakt@camping-lengerich.de

1 AFJMNOPRST	LNO 6
2 DGHPQWX	ABFG 7
3 ALS	BFNQR 8
4 KT	DV 9
5 BK	AHJLR 10
16A CEE	❶ €16,00
H66 4 ha 35T(90m²) 82D	❷ €21,00

N 52°11'14'' E 7°48'6''
A30 Hengelo/Osnabrück. Am Kreuz Lotte Ausfahrt 13 Richtung Münster/Dortmund. Ausfahrt 73 Lengerich. CP ist angezeigt.

Lienen, D-49536 / Nordrhein-Westfalen CC€14 iD

Eurocamp
Holperdorp 44
1 Jan - 31 Dez
+49 (0)5483-290
holperdorper-tal@osnanet.de

1 ADEFJMNOPQRST	6
2 FPQRUWX	BFG 7
3 BDLQ	BDFJKNQRV 8
4 F	I 9
5 IK	AJOR 10
B 16A CEE	❶ €17,00
H170 7,8 ha 60T(80-100m²) 191D	❷ €22,00

N 52°10'0'' E 7°58'52''
B51 Osnabrück/Nahne Richtung Bad Iburg, danach Richtung Holperdorp fahren. Campingplatz ist ausgeschildert.

Lippstadt, D-59558 / Nordrhein-Westfalen iD

Campingparadies Lippstädter Seenplatte
Seeufer Straße 16
1 Mär - 31 Okt
+49 (0)2948-2253
info@camping-lippstadt.de

1 AJMNOPQRST	LNOQSTXY 6
2 ABDGHOPVX	ABCDEFGH 7
3 BKL	ABCDEFIJNQRSTUV 8
4 HK	OQTVY 9
5 ABDGIKLM	ABFGHJR 10
B 16A CEE	❶ €21,00
2,5 ha 88T(120m²) 25D	❷ €27,00

N 51°42'4'' E 8°24'28''
Auf der B55 Ausfahrt Lippstadt Richtung Freizeitpark. Der CP ist ausgeschildert.

Lügde/Elbrinxen, D-32676 / Nordrhein-Westfalen iD

Eichwald
Obere Dorfstraße 80
1 Jan - 31 Dez
+49 (0)5283-335
info@camping-eichwald.de

1 ADEFJMNOPQRST	ABFH 6
2 GOPTUVWX	ABDEFG 7
3 BKL	ABCDEFIJLNRSTUV 8
4 EFHIOPT	J 9
5 AGKL	ABGHIJLMORVX 10
10A CEE	❶ €16,90
H160 10 ha 150T(100-150m²) 303D	❷ €22,10

N 51°53'54'' E 9°15'19''
A2 Ausfahrt 27 Bielefeld. Die B66 nach Detmold Richtung Höxter, dann die B239. Dann Richtung Bad Pyrmont nach Lügde. CP liegt in Elbrinxen (ca. 8 km hinter Lügde).

Meerbusch/Langst/Kierst, D-40668 / Nordrhein-W. iD

Rheincamping Meerbusch
Zur Rheinfähre 21
4 Apr - 12 Okt
+49 (0)2150-911817
info@rheincamping.com

1 AFJMNOPQRST	JNSWX 6
2 ACGHJOPQVWX	ABDEFGI 7
3 ABF	ABDFNQR 8
4 H	DFVY 9
5 ABDEGIKL	ABGHIJLMOR 10
6A CEE	❶ €25,00
3,5 ha 150T(80m²) 153D	❷ €36,00

N 51°18'1'' E 6°43'31''
A57, bei 15 Kreuz Meerbusch, A44 Richtung Düsseldorf. Ausfahrt 28 Lank/Latum. CP ist bei der Ausfahrt ausgeschildert.

Meinerzhagen, D-58540 / Nordrhein-Westfalen iD

Seeblick
Seeuferstr. 2
1 Jan - 31 Dez
+49 (0)2358-381
info@campingplatz-seeblick.com

1 AFILNOPQRST	LNOQSXYZ 6
2 ADGIKPRTUX	ABDEFG 7
3 BL	ABCDEFJNRS 8
4 IO	IV 9
5 ABDEKL	ABFHJPR 10
W 16A CEE	❶ €25,10
H350 2 ha 35T(80-100m²) 151D	❷ €25,10

N 51°4'41'' E 7°48'57''
A45 Dortmund-Siegen, Ausfahrt 16 Meinerzhagen Richtung Attendorn. Nach 4 km rechts Richtung Listertalsperre. Nach 10 km CP links.

Meschede (Hennesee), D-59872 / Nordrhein-W. CC€18 iD

Knaus Campingpark Hennesee*****
Mielinghausen 7
1 Jan - 31 Dez
+49 (0)291-952720
info@knauscamp.de

1 ADFJMNOPQRST	ELNOPQSTX 6
2 ADGIKOPRUVWXY	ABCDEFGHK 7
3 ABEFLQU	ABCDEFIJKLMNQRSTUV 8
4 ABDEFHINOSTZ	AEUVW 9
5 ABCDEGJKL	ABDEFGHJLMNPRV 10
Anzeige auf Seite 259 W 10A CEE	❶ €36,90
H390 12,5 ha 183T(80-130m²) 338D	❷ €44,70

N 51°17'54'' E 8°15'51''
B55 von Meschede nach Olpe. Nach 7 km am Ende des Stausees über die Brücke rechts en nach 300m CP links.

Mettingen, D-49497 / Nordrhein-Westfalen iD

Zur schönen Aussicht
Schwarze Straße 73
1 Jan - 31 Dez
+49 (0)5452-606
info@camping-schoene-aussicht.de

1 AHKNOPRT	CD 6
2 AFGPUWXY	BDEFG 7
3 BL	ABCDEFJNRTUV 8
4 FHIOPQS	G 9
5 ABDEGIK	AFGHJNRV 10
10A CEE	❶ €21,50
H120 3 ha 40T(80-100m²) 56D	❷ €27,50

N 52°18'46'' E 7°45'45''
A30, Ausfahrt 12 Ibbenbüren-Laggenbeck Richtung Mettingen. Über L594 und L796 durch Laggenbeck. CP ausgeschildert.

Deutschland

Teilkarte Nordrhein-Westfalen auf Seite 302

Monschau/Imgenbroich, D-52156 / Nordrhein-W.

Zum Jone-Bur****
Grünentalstraße 36
1 Jan - 31 Dez
+49 (0)2472-3931
camping@zum-jone-bur.de
N 50°34'1'' E 6°16'2''

1 AEF**IL**NOPQR**T**	F	6
2 OPRSVWX	ABDE**FG**H	7
3 AL	ABCDE**F**JNQRSTUV	8
4 **E**FHIO**Z**	EUW	9
5 EGIK	ABDFGHJN**O**ST	10
Anzeige auf dieser Seite B 6A CEE		① €24,00
60**T**(60-80m²) 142**D**		② €32,00

Auf der B258 Aachen-Monschau oder B399 Düren-Monschau ist der CP ausgeschildert. In Imgenbroich links, deutliche Beschilderung.

Niederkrüchten/Brempt, D-41372 / Nordrhein-W.

Brempt
Kahrstraße 115
1 Jan - 31 Dez
+49 (0)2163-80996
campingplatz-brempt@t-online.de
N 51°12'51'' E 6°13'36''

1 AF**JM**NOPQRST	L**N**QSX	6
2 ACDOPQW	A**B**D**EFG**	7
3 ABE**I**LQ	ABE**F**JNQR	8
4	Y	9
5 ABEJKL	AHIJL**O**RZ	10
16A CEE		① €13,00
1 ha 15**T**(50-80m²) 200**D**		② €18,00

A52, Abfahrt 3, Richtung Hariksee. In Brempt CP ausgeschildert (am Ortsausgang links).

Monschau/Perlenau, D-52156 / Nordrhein-W.

Perlenau****
23 Mär - 31 Okt
+49 (0)2472-4136
familie.rasch@monschau-perlenau.de
N 50°32'38'' E 6°14'15''

1 A**JM**NOPQRT	F**N**	6
2 BCPQRUVWX	ABD**FG**	7
3 A	ABCDEFIJNQRSV	8
4 FHIO	J	9
5 ABDIJKL	ABDGJOR	10
16A CEE		① €23,00
70**T**(50-80m²) 11**D**		② €29,00

B258 Monschau-Trier; der CP ist deutlich ausgeschildert.

Niederkrüchten/Elmpt, D-41372 / Nordrhein-Westf.

Lelefeld
Lelefeld 4
1 Jan - 31 Dez
+49 (0)2163-81203
info@camping-lelefeld.com
N 51°13'5'' E 6°8'46''

1 A**JM**NOPQRS		6
2 AOPVX	A**B**D**EFG**	7
3 **G**L	ABE**F**JNQR	8
4 FHIO	DV	9
5 ABK	ABFGHIJL**O**RZ	10
10A		① €14,60
1,5 ha 20**T**(100m²) 82**D**		② €19,60

Von der A52 Ausfahrt Elmpt. Hinter der ARAL-Tankstelle die zweite Straße links. CP gut ausgeschildert.

Münster, D-48157 / Nordrhein-Westfalen

Münster*****
Laerer Werseufer 7
1 Jan - 31 Dez
+49 (0)251-311982
campingplatz-muenster@t-online.de
N 51°56'47'' E 7°41'28''

1 AD**JM**NOPQRS**T**	**ABFHN**X	6
2 ACGOPVWX	ABDE**FG**HIJ	7
3 BCEF**IK**L**M**S	ABCDE**F**JNQRSTUV	8
4 ABFHIJO**PT**	DIKQV	9
5 ACEGJKL	ABEFGHIK**N**ORX	10
B 16A CEE		① €24,00
60 ha 180**T**(80m²) 302**D**		② €28,00

Kreuz Münster-Süd (A1/A43) Richtung Münster. Nach ca. 2 km Richtung Bielefeld/WDR. Nach ca. 6 km Richtung MS/Wolbeck/WDR, CP ausgeschildert.

Olpe/Kessenhammer, D-57462 / Nordrhein-Westfalen

Naturcamping Kessenhammer-Biggesee
Kessenhammer 3
1 Apr - 31 Okt
+49 (0)2761-94420
info@naturcamping-biggesee.de
N 51°3'38'' E 7°51'29''

1 ACF**JM**NOPQRST	L**N**PQS**X**	6
2 ADGIOPSVWX	ABDE**FG**HIJ	7
3 BEL	ABCDEFHJKNQRSTUV	8
4 FHIO	DIV	9
5 ABDEFGJKL	ABEFGHJR	10
B 10A CEE		① €22,40
H380 5,6 ha 170**T**(80-100m²) 116**D**		② €28,40

A45 Dortmund-Frankfurt, Ausfahrt 18 Olpe. B55 Richtung Meschede, Ausfahrt Rhode/Kessenhammer. Schildern folgen.

Nideggen/Brück, D-52385 / Nordrhein-Westfalen

Hetzingen****
Campingweg 1
1 Jan - 31 Dez
+49 (0)2427-508
info@campingplatz-hetzingen.de
N 50°41'7'' E 6°28'13''

1 ACE**JM**NOPQRST	U	6
2 COPRTUVXY	ABDE**FG**HIJ	7
3 B**GH**L	ABCDE**FG**JNQRSV	8
4 BDIO**QT**	DEV	9
5 ABDEJK**L**	ABGHJ**NO**R	10
Anzeige auf dieser Seite 10A CEE		① €21,10
100**T**(60-75m²) 310**D**		② €26,10

Von Nideggen in Richtung Brück; in Brück ist der CP deutlich ausgeschildert.

Olpe/Sondern, D-57462 / Nordrhein-Westfalen

Feriencamping Biggesee-Vier Jahreszeiten****
Am Sonderner Kopf 3
1 Jan - 31 Dez
+49 (0)2761-944111
info@camping-sondern.de
N 51°4'25'' E 7°51'25''

1 ACEF**JM**NOPQRST	L**N**OPQS**X**Y**Z**	6
2 ADGIOPRUVWXY	ABDE**FG**HIJ	7
3 ABE**K**L	ABCDEFJK**L**NQRSV	8
4 ABCFHILNOPQ**TX**	ALS	9
5 ACDEIKL	ABGHJ**N**RV	10
WB 10A CEE		① €24,70
H350 6,5 ha 230**T**(100m²) 73**D**		② €30,50

A45 Ausfahrt 18 Olpe. B54 Richtung Biggesee, dann nach Attendorn. Nach 6 km hinter Sondern rechts abzweigen.

Deutschland

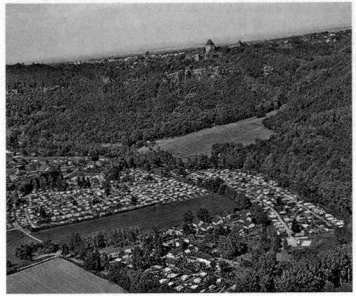

Teilkarte Nordrhein-Westfalen auf Seite 302

Porta Westfalica, D-32457 / Nordrhein-Westfalen

Grosser Weserbogen****
Zum Südlichen See 1
1 Jan - 31 Dez
+49 (0)5731-6188
info@grosserweserbogen.de

1 ABDEFJMNOPQRST	LMN 6	
2 ADGHIPRVWX	BEFGIJ 7	
3 BEFL	BDFJNQRSV 8	
4 FHIOX	DT 9	
5 ABDEJL	ABFGHIJOSTVZ 10	
B 16A CEE		❶ €31,20
H50 7,5 ha 112T(100-120m²) 200D		❷ €40,50

N 52°13'19'' E 8°50'18''

A2, Ausfahrt Porta Westfalica/Minden. Schildern folgen.

Solingen, D-42659 / Nordrhein-Westfalen

Waldcamping Glüder
Balkhauserweg 240
1 Jan - 31 Dez
+49 (0)212-242120
info@Camping-Solingen.de

1 AFJMNOPQRST	6	
2 ABCOPSX	ABFG 7	
3 BIL	ABEFJQRTV 8	
4 FHOZ	9	
5 ABDEGIKL	ABHIJOR 10	
6-10A CEE		❶ €22,50
2 ha 22T(ab 80m²) 78D		❷ €28,90

N 51°8'2'' E 7°7'2''

A1, Ausfahrt 97 Burscheid. In Burscheid Richtung Hilgen und dort Richtung Witzhelden. Dann Richtung Solingen. CP ist ausgeschildert.

Ramsbeck/Valme, D-59909 / Nordrhein-Westfalen

Valmetal
Valme 2A
1 Jan - 31 Dez
+49 (0)2905-253
camping-valmetal@t-online.de

1 AEFJMNOPQRST	6	
2 ABCPRVWX	ABDEFGH 7	
3 AL	ABCDEFJKNQRSV 8	
4 FH	9	
5 ABJKL	ABGHJMNRX 10	
W 16A CEE		❶ €16,00
H480 2,8 ha 60T(80m²) 120D		❷ €21,00

N 51°17'17'' E 8°24'25''

A44 Dortmund-Kassel, am Autobahnkreuz Werl die A445 Richtung Meschede/Bestwig. In Bestwig Richtung Ramsbeck. Links Richtung Valme.

Sundern, D-59846 / Nordrhein-Westfalen

Campen am Damm
Am Amecker Damm 2
1 Jan - 31 Dez
+49 (0)2935-9699015
gruenebaum@sorpesee.de

1 AJMNOPQRST	LNQSXZ 6	
2 DFGIOPRUW	ABDEFG 7	
3 AKL	ABCDEFJNRSV 8	
4 FH	9	
5 ABDEGJKL	ABHJOPR 10	
B 16A CEE		❶ €21,00
H250 10 ha 60T(80-100m²) 270D		❷ €22,00

N 51°18'31'' E 7°56'28''

A46 Ausfahrt 64 Richtung Sundern. Hinter Hachen Richtung Langscheid/Amecke. Dann ist der CP angezeigt.

Reken/Maria Veen, D-48734 / Nordrhein-Westfalen

Brockmühle
Zum Heubach 34
1 Jan - 31 Dez
+49 (0)2864-7759
brockmuehle@t-online.de

1 AFJMNOPQRST	AJ 6	
2 ACGOPSVX	ABFG 7	
3 ABEGHKL	ABCDEFJLNQRTUV 8	
4 AGIKO	DEKVY 9	
5 ABDKL	ABGHIJLMR 10	
16A CEE		❶ €17,00
5,6 ha 50T(100-120m²) 182D		❷ €19,00

N 51°50'49'' E 7°6'1''

Auf die 67 (Neu)-Borken-Dülmen die L600 Richtung Maria Veen. CP liegt an dieser Straße, ausgeschildert.

Tecklenburg, D-49545 / Nordrhein-Westfalen

Am Knoblauchsberg
Königstraße 8
1 Jan - 31 Dez
+49 (0)5482-396
campingplatz@knoblauchsberg.de

1 AILNOPRST	A 6	
2 APTWX	BDFGH 7	
3 ALQS	BDFIJNQRS 8	
4	9	
5 ADGL	AFHKR 10	
10-16A		❶ €16,00
H115 1,5 ha 30T(75m²) 85D		❷ €20,00

N 52°12'51'' E 7°49'15''

Autobahn Dortmund-Osnabrück, Ausfahrt 73 Lengerich/Tecklenburg, Richtung Tecklenburg über die Lengericher Straße. 1 km vor Tecklenburg ausgeschildert.

Sassenberg, D-48336 / Nordrhein-Westfalen

CC€16

Campingpark Heidewald*****
Versmolder Straße 44
1 Jan - 31 Dez
+49 (0)2583-1394
campheidewald@web.de

1 AEFJMNOPQRST	SX 6	
2 AOPVWX	BEFG 7	
3 BEFKLS	BDFJKNQRSTUV 8	
4 BFHO	DEIV 9	
5 ABDIKL	ABDEGHJLMNPR 10	
B 16A CEE		❶ €23,00
H63 8,5 ha 90T(100-130m²) 237D		❷ €29,00

N 52°0'0'' E 8°3'55''

A30 Richtung Osnabrück. Ausfahrt Ibbenbüren, danach Richtung Lengerich, Glandorf und weiter in Richtung Sassenberg fahren. Den CP-Schildern folgen.

Tecklenburg/Leeden, D-49545 / Nordrhein-W.

CC€18

Regenbogen Ferienanlage Tecklenburg
Grafenstraße 31
12 Feb - 31 Dez
+49 (0)5405-1007
tecklenburg@regenbogen.ag

1 ADFJMNOPQRST	AEFH 6	
2 AGOPVWXY	BEFGHIJ 7	
3 BEILMQ	BDFJKLNQRSUV 8	
4 BCDFHILNOTUVZ	E 9	
5 ABDEIKL	AFGHIJLNORVX 10	
B 10-16A CEE		❶ €34,20
30 ha 600T(90-100m²) 418D		❷ €34,20

N 52°13'47'' E 7°53'25''

A1 Hengelo-Osnabrück, Ausfahrt Ibbenbüren-Laggenbeck Richtung Tecklenburg-Lengerich. Dann ausgeschildert.

Sassenberg, D-48336 / Nordrhein-Westfalen

CC€16

Münsterland Eichenhof*****
Feldmark 3
1 Jan - 31 Dez
+49 (0)2583-1585
info@campmuensterland.de

1 ADEFJMNOPQRST	LNQSX 6	
2 DGHOPQSWX	ABDEFGHI 7	
3 BFKLMS	ABCDFHJKLNQRSTU 8	
4 BCHIK	DETVWY 9	
5 ABDEJKL	ABDEFGHJLMNORZ 10	
Anzeige auf Seite 309 B 16A CEE		❶ €21,80
H60 10 ha 80T(100-120m²) 205D		❷ €26,80

N 52°0'16'' E 8°3'51''

A30 Richtung Osnabrück/Bad Iburg. Weiter Richtung Warendorf und Sassenberg. In Sassenberg aus der Stadt, auf die Versmolder Straße. 800m hinter dem Ortsausgangsschild links ab.

Versmold/Peckeloh, D-33775 / Nordrhein-W.

CP Sonnensee*****
Seenstraße 25
1 Jan - 31 Dez
+49 (0)5423-6471
info@Campingpark-Sonnensee.de

1 ADFILNOPQRST	LMN 6	
2 DGHIPVWX	BEFGI 7	
3 ABEFIKLPST	ABCDEFIJKLNQRSTUV 8	
4 BCHIKQS	AIJVY 9	
5 ABDEIKL	ABEGHJORX 10	
B 10-16A CEE		❶ €23,30
15 ha 95T(90-110m²) 278D		❷ €31,30

N 52°0'52'' E 8°5'19''

A30 Richtung Osnabrück. Am Autobahnkreuz Lotte die A33 bis Borgholzhausen. Dann die B476 Richtung Versmold-Peckeloh. CP angezeigt.

Schleiden/Harperscheid, D-53937 / Nordrhein-W.

Schafbachmühle
1 Jan - 31 Dez
+49 (0)2485-268
jw-schafbachmuehle@t-online.de

1 AJMNOPQRST	6	
2 BCGPUVXY	BDEFG 7	
3 ALQ	ABCDEFJKNQRSV 8	
4 FH	F 9	
5 AKL	ABFGJLOR 10	
10A CEE		❶ €20,50
50T(70-90m²) 154D		❷ €27,50

N 50°31'39'' E 6°24'42''

B258 Achen-Monschau. Dann Richtung Schleiden fahren. 3 km vor Schleiden links abbiegen. CP ist ausgeschildert.

Vlotho, D-32602 / Nordrhein-Westfalen

Fam. Freizeitplatz Borlefzen
Borlefzen 2
1 Apr - 31 Okt
+49 (0)5733-80008
info@borlefzen.de

1 AEFJMNOPQRST	JLMNQSWXYZ 6	
2 ACDFGHIOPRVX	ABFG 7	
3 BEIQ	ABCDEFJNRV 8	
4 HOP	DFQ 9	
5 ACDEFGJK	ABFGHJMOR 10	
6A CEE		❶ €20,00
H55 40 ha 140T(80-100m²) 705D		❷ €27,00

N 52°10'23'' E 8°54'22''

A2 Dortmund-Hannover, Ausfahrt Vlotho-Exter Richtung Vlotho. Über die Weserbrücke rechts den Schildern folgen (Ortsteil Uffeln).

Schloß Holte/Stukenbrock, D-33758 / Nordrhein-W.

Campingplatz Am Furlbach***
Am Furlbach 33
15 Mär - 3 Nov
+49 (0)5257-3373
info@CampingplatzAmFurlbach.de

1 AFJMNOPQRST	N 6	
2 ABPQRVWXY	ABDEFG 7	
3 BEK	ABCDEFJNQRSTUV 8	
4 FHI	V 9	
5 ABEKL	AGIJRW 10	
B 16A CEE		❶ €19,50
H122 9 ha 50T(90-120m²) 210D		❷ €24,50

N 51°52'16'' E 8°40'19''

A2 Dortmund-Hannover, Autobahnkreuz Bielefeld A33 Richtung Paderborn. Abfahrt 23 Stukenbrock/Senne. Dann 2 km Richtung Stukenbrock, über B68/L756, Schildern folgen.

Simmerath/Hammer, D-52152 / Nordrhein-W.

CC€16

Camp Hammer
An der Streng
1 Jan - 31 Dez
+49 (0)2473-929041
info@camp-hammer.de

1 AFHKNOPQRT	J 6	
2 BCGJOPWX	ABDEFGH 7	
3 ALQ	ABDEFJKNQRSV 8	
4 FHO	F 9	
5 ABEGIKL	ABCDHJOPRV 10	
B 16A CEE		❶ €23,60
50T 76D		❷ €31,60

N 50°33'51'' E 6°19'59''

Heerlen-Aachen. Dann via B258 Richtung Monschau-Konzen-Eicherscheid-Hammer.

Deutschland

Teilkarte Nordrhein-Westfalen auf Seite 302

Vlotho, D-32602 / Nordrhein-Westfalen

NaturCamp an der Weser
Weserstraße 110A
1 Apr - 31 Okt
+49 (0)5733-18708
hildalemstra@chello.nl

1 A**JM**NOPRS**T**	JN**WXYZ**	6
2 ABCGIOPSWXY	AB**FG**	7
3 B**K**	ABEFNQRV	8
4 FGH	DQR	9
5 ADL	ABHJL**O**RVW	10
16A CEE		① €18,00
H55 1,5 ha 50**T**(80-120m²) 16**D**		② €22,20

N 52°9'59'' E 8°54'22''

A2 Dortmund-Hannover Ausfahrt 33 Bad Oeyenhausen. Dann die B514 Vlotho-Kalletal.

Wettringen, D-48493 / Nordrhein-Westfalen

Haddorfer Seen
Haddorf 59
1 Jan - 31 Dez
+49 (0)5973-2742
info@campingplatz-haddorf.de

1 AEF**JM**NOPQRST	LM**N**OPQS**XZ**	6
2 DGHIPQWX	BE**FG**	7
3 ADFIL	BDFGJQRSTUV	8
4 BH	BF	9
5 ABDEGHIKL	ADEGKNO**P**RW	10
16A CEE		① €23,00
128**T**(100m²) 410**D**		② €28,00

N 52°16'25'' E 7°19'12''

A31 Ausfahrt Schüttorf-Ost Richtung Wettringen. Nördlich von diesem Ort ist der CP angezeigt.

Vlotho, D-32602 / Nordrhein-Westfalen

Sonnenwiese
Borlefzen 1
1 Jan - 31 Dez
+49 (0)5733-8217
info@sonnenwiese.com

1 ACF**JM**NOPQRS**T**	JLM**N**W**XY**	6
2 ACDGHOPSVX	B**C**E**FG**HIJK	7
3 BE**IK**LQ	ABCDE**F**IJK**L**MNQRSTUV	8
4 ABEFHIO**RST**	DELQV	9
5 ACDEGJKL	ABEFGHIJLM**N**ORVX	10
B 16A CEE		① €25,50
H57 10 ha 80**T**(80-120m²) 411**D**		② €33,10

N 52°10'25'' E 8°54'25''

A2 Dortmund-Hannover, Ausfahrt Vlotho/Exter dann Richtung Vlotho, Schildern folgen. Hinter dem Bahnübergang links (Ortsteil Uffeln).

Winterberg, D-59955 / Nordrhein-Westfalen

Campingplatz Winterberg
Kapperundweg 1
1 Jan - 31 Dez
+49 (0)2981-1776
info@
campingplatz-winterberg.de

1 A**JM**NOPQRST		6
2 OPRVWX	AB**FG**	7
3	ABCDE**F**NQR	8
4 FHIT		9
5 AK	ABHKLR	10
W 10A CEE		① €20,00
H742 2,4 ha 25**T**(80-100m²) 160**D**		② €26,00

N 51°11'7'' E 8°30'16''

Südlich von Winterberg an der B236, Abfahrt Sommerrodelbahn.

Wachtendonk, D-47669 / Nordrhein-Westfalen

Blaue Lagune
Jülicherstrasse
1 Jan - 31 Dez
+49 (0)2839-277
info@blauelagune.de

1 ADE**IL**NOPQRST	LMOPWX	6
2 ADGHILPVW	ABDEFG	7
3 BEF**KSU**	ABCDEFJNRSTUV	8
4 FHQ	FJV	9
5 ADGK	ABFGHIJORZ	10
B 20A CEE		① €32,00
4 ha 50**T**(ab 90m²) 67**D**		② €36,00

N 51°22'53'' E 6°16'5''

Von Duisburg die A40, Ausfahrt 2 Straelen/Nettetal. Von Mönchengladbach A61, Ausfahrt Kaldenkirchen/Straelen/Leuth.

Winterberg, D-59955 / Nordrhein-Westfalen

Hochsauerland
Remmeswiese 10
1 Jan - 31 Dez
+49 (0)2981-3249
info@
camping-hochsauerland.de

1 A**JM**NOPQRST		6
2 BPUX	ABDE**FG**	7
3 B**K**L	ABCDEFJNQR	8
4	VW	9
5 DEIJKL	AHJ**P**RVX	10
WB 8A CEE		① €24,10
H700 6 ha 70**T**(80-100m²) 215**D**		② €31,10

N 51°11'55'' E 8°31'25''

Über die B480 an der Nordumgehung von Winterberg ausgeschildert, den CP-Schilden folgen.

Warburg, D-34414 / Nordrhein-Westfalen

Eversburg
Zum Anger 1
1 Jan - 31 Dez
+49 (0)5641-8668

1 ABJMNOPQRS**T**		6
2 ABCDFGIPX	ABDEFGJ	7
3 AGH	ABCDEFGIJKNPQRS	8
4 BD**E**IO		9
5 ABIJL	ABFGHIJRV	10
WB 16A		① €24,50
H172 5 ha 75**T**(75-100m²) 40**D**		② €29,50

N 51°29'8'' E 9°9'53''

A44 Dortmund-Kassel, Ausfahrt 65; B252 Richtung Warburg. Durchfahren bis zur B7, rechts ab, zur Stadt hin, wo der CP ausgeschildert ist.

Winterberg/Niedersfeld, D-59955 / Nordrhein-W.

Camping Vossmecke
Am Eschenberg 1a
1 Jan - 31 Dez
+49 (0)2985-8418
info@camping-vossmecke.de

1 AF**JM**NOPQRT		6
2 BCPRUVWX	AB**C**DE**FG**I	7
3 ABE**K**LQ	ABCDE**F**JNQRS	8
4 EFHI	DJ	9
5 ABDEIJKL	ABHJ**P**RV	10
WB 16A CEE		① €23,70
H680 4 ha 30**T**(80-100m²) 223**D**		② €29,30

N 51°14'23'' E 8°31'33''

A44 Dortmund-Kassel, Abfahrt Arnsberg (A46). Weiter bis Bestwig. Dann Richtung Winterberg, ± 800m hinter Niedersfeld CP rechts angezeigt.

Warstein/Niederbergheim, D-59581 / Nordrhein-W.

Wannetal
Wanndickerweg 2
1 Jan - 31 Dez
+49 (0)2925-2084
camping-wannetal@
t-online.de

1 A**IL**NOPQRST		6
2 APRTUVWX	ABDE**FG**H	7
3 AELQ	ABCDEFHJNQRS	8
4 FH		9
5 EJKL	ABHJL**NO**R	10
10A CEE		① €17,50
H250 3,2 ha 80**T**(80-100m²) 150**D**		② €22,50

N 51°28'12'' E 8°14'28''

Autobahn Dortmund-Kassel, Abfahrt Soest-Ost, Richtung Niederbergheim. An den Ampel geradeaus Richtung Hirschberg. Nach ca. 1 km hinter der Kapelle links.

Winterberg/Züschen, D-59955 / Nordrhein-Westfalen

Campingplatz Ahretal
Zum Homberg 8
1 Jan - 31 Dez
+49 (0)2981-1652
info@ahretal.de

1 A**JM**NORST	**N**	6
2 BCPRVX	AB**FG**	7
3 B**KMN**	ABCDE**F**JNR	8
4 **ST**		9
5 IKL	ABHJLRX	10
W 16A CEE		① €16,00
H450 3 ha 30**T**(80-100m²) 150**D**		② €20,00

N 51°8'49'' E 8°32'55''

B236 Winterberg-Marburg. 7 km südlich von Winterberg in Richtung Battenberg. Im Ort ausgeschildert, CP liegt 1 km außerhalb Züschen in Richtung Bad Berleburg.

Wesel/Flüren, D-46487 / Nordrhein-Westf.

Erholungszentrum
Grav Insel GmbH & Co.KG
Gravinsel 1
1 Jan - 31 Dez
+49 (0)281-972830
info@grav-insel.com

1 AE**JM**NOPQRST	JL**N**OPSTUV**X**YZ	6
2 ACDGHOPSVWX	ABE**FGH**	7
3 ABEF**HK**LQTU	ABCDE**F**GIJKNQRSTV	8
4 BEFGHIKLNO**PQX**	DEFJNPRT	9
5 ACDEFGJK**L**M	ABFGHIJM**O**QSTYZ	10
B 16A CEE		① €19,50
250 ha 500**T**(90-200m²) 2038**D**		② €23,50

N 51°40'5'' E 6°33'22''

A3 Oberhausen-Arnheim, Abfahrt 6 Wesel, dann der B58 folgen. In Wesel Nordumgehung B70/L7 weiter B8 Richtung Rees, Abfahrt Flüren. In Flüren Richtung Rees über den Deich, CP links.

Xanten, D-46509 / Nordrhein-Westfalen

Waldcamping Speetenkath
Urseler Str. 18
1 Jan - 31 Dez
+49 (0)2801-1769
mail@
waldcamping-speetenkath.de

1 AFHKNOPQRS	L	6
2 ABDFGHPQWXY	ABDE**FG**	7
3 BEL	ABCDE**F**IJK**L**QRUV	8
4 FHI	D	9
5 ABDGJKL	ABGHIJLRV	10
B 16A CEE		① €21,00
2 ha 80**T**(ab 100m²) 251**D**		② €29,00

N 51°39'25'' E 6°23'14''

Von der B57 Ausfahrt Sonsbeck und Richtung Xanten. Dort ist der CP angezeigt.

Deutschland

Teilkarte Nordrhein-Westfalen auf Seite 302

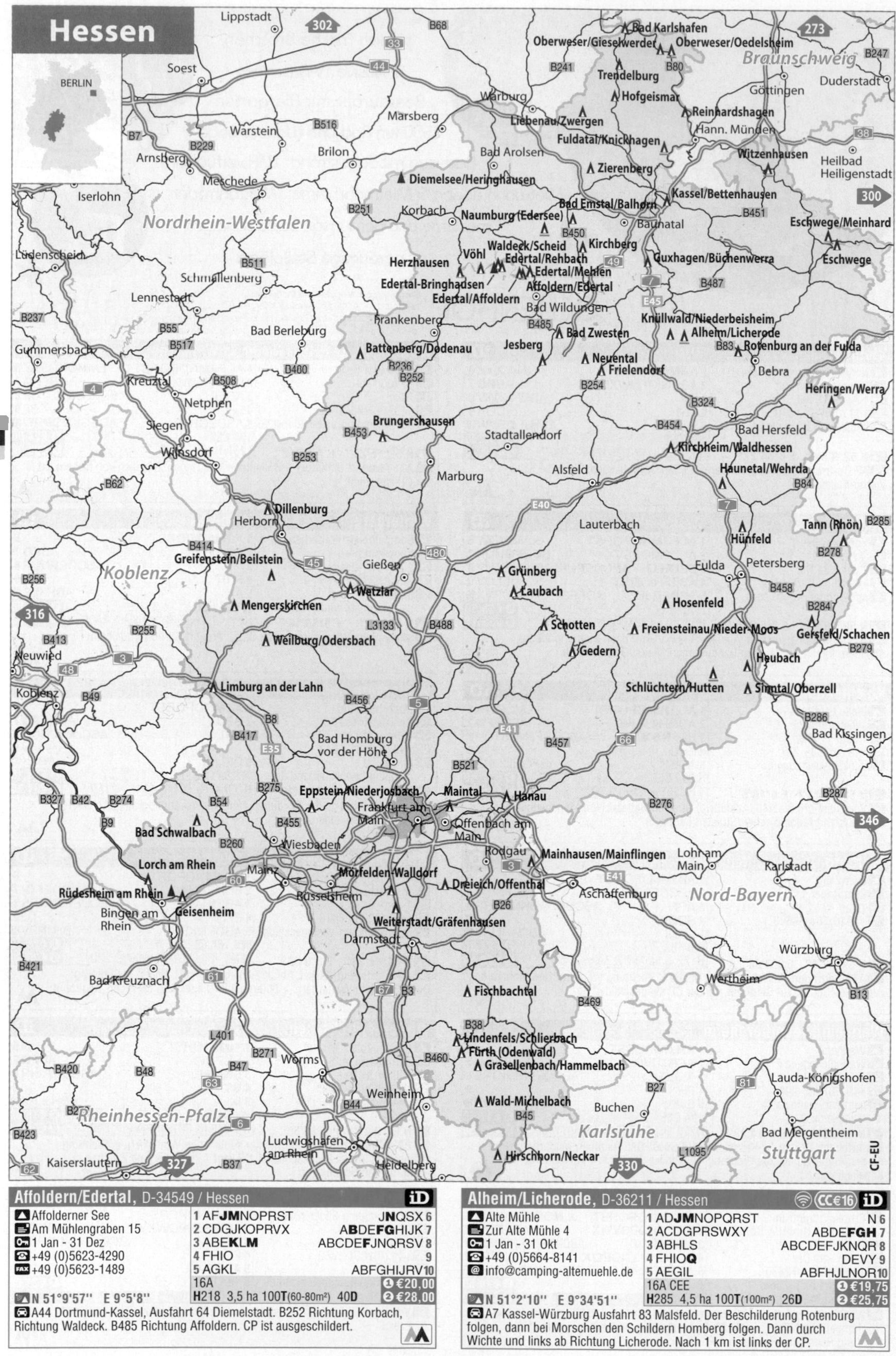

Affoldern/Edertal, D-34549 / Hessen

Affolderner See	1 AF**JM**NOPRST	J**N**QSX 6
Am Mühlengraben 15	2 CDGJKOPRVX	A**B**DE**FG**HIJK 7
1 Jan - 31 Dez	3 ABE**K**L**M**	ABCDE**F**JNQRSV 8
+49 (0)5623-4290	4 FHIO	9
FAX +49 (0)5623-1489	5 AGKL	ABFGHIJRV 10
	16A	① €20,00
N 51°9'57'' E 9°5'8''	**H**218 3,5 ha 100**T**(60-80m²) 40**D**	② €28,00

A44 Dortmund-Kassel, Ausfahrt 64 Diemelstadt. B252 Richtung Korbach, Richtung Waldeck. B485 Richtung Affoldern. CP ist ausgeschildert.

Alheim/Licherode, D-36211 / Hessen

CC€16

Alte Mühle	1 AD**JM**NOPQRST	N 6
Zur Alte Mühle 4	2 ACDGPRSWXY	ABDE**FGH** 7
1 Jan - 31 Okt	3 ABHLS	ABCDEFJKNQR 8
+49 (0)5664-8141	4 FHIO**Q**	DEVY 9
info@camping-altemuehle.de	5 AEGIL	ABFHJLNOR 10
	16A CEE	① €19,75
N 51°2'10'' E 9°34'51''	**H**285 4,5 ha 100**T**(100m²) 26**D**	② €25,75

A7 Kassel-Würzburg Ausfahrt 83 Malsfeld. Der Beschilderung Rotenburg folgen, dann bei Morschen den Schildern Homberg folgen. Dann durch Wichte und links ab Richtung Licherode. Nach 1 km ist links der CP.

Teilkarte Hessen auf Seite 310

Bad Emstal/Balhorn, D-34308 / Hessen

Ferienanlage Erzeberg
Birkenstraße 21
1 Jan - 31 Dez
+49 (0)5625-5274
info@campingplatz-erzeberg.de
N 51°16'10'' E 9°15'6''

1 AEFJMNOPQRST E 6
2 ABFPRSVWXY ABDFG 7
3 BEKLQ ABCDEFHJNPQRSTUV 8
4 FHIORSTVX EJV 9
5 AEGJKL ABEFGHIJNPRZ 10
WB 16A CEE ❶ €19,00
H329 4 ha 35T(80-150m²) 95D ❷ €25,00

A44 Ausfahrt 67 Zierenberg, B251 Richtung Wolfhagen. B450 Richtung Fritzlar, Abfahrt Emstal/Balhorn, an Schauenburg/Martinhagen vorbei. CP ist ausgeschildert.

Bad Karlshafen, D-34385 / Hessen

Bad Karlshafen****
Am rechten Weserufer 2
1 Jan - 31 Dez
+49 (0)5672-710
j.m.camping-bad-karlshafen@t-online.de
N 51°38'39'' E 9°26'54''

1 AEFJMNOPQRST AFJNWXY 6
2 CGOPWX ABDEFG 7
3 ABILR ABCDEFJNQRS 8
4 ABRSTUVWYZ DQRUVW 9
5 ABCDEGJKL ABFHIJLUR 10
B 16A CEE ❶ €21,80
H400 3,7 ha 306T(80m²) 149D ❷ €28,60

An der B83 zwischen Höxter und Kassel in Bad Karlshafen. In der Stadt über die Brücke, dann an der Weser links.

Bad Schwalbach, D-65307 / Hessen

Camping Wisperpark
Wisperstraße
1 Jan - 31 Dez
+49 (0)6124-9297
camping@wisperpark.de
N 50°7'50'' E 8°0'32''

1 AJMNOPRST 6
2 BCGOPRSVX ADEF 7
3 AL ABFJNQRS 8
4 FHOQ 9
5 BEGIL ABGHJLOR 10
12A CEE ❶ €18,20
H540 2,5 ha 30T(25-85m²) 60D ❷ €27,20

A3 Ausf. 45 Idstein, links ab durch Taunusstein B275 Ri. Bad Schwalbach. Nach Ramschied Schildern folgen. Nach ± 5 km links der CP. A66 Autobahnende bei Walluf Ri. Nassau und Bad Schwalbach B260. Ramschied links ab.

Bad Zwesten, D-34596 / Hessen

Waldcamping Bad Zwesten
Am Campingplatz 1
1 Jan - 31 Dez
+49 (0)5626-379
info@waldcamping.de
N 51°2'50'' E 9°11'25''

1 AEFJMNOPRST AN 6
2 ACGPRVWX ABDEFGI 7
3 ABEL ABCDEFJKNQRSV 8
4 FH F 9
5 DEIKL AFGHJLNOR 10
B 10A CEE ❶ €21,00
H194 5 ha 35T(100m²) 126D ❷ €25,00

A49 Kassel-Marburg, Ausfahrt 16 Borken, dann die B3 bis Bad Zwesten. Dann CP weiter ausgeschildert. Der CP liegt nah an der B3.

Battenberg/Dodenau, D-35088 / Hessen

Ferienplatz Edertal
Ferienplatz Edertal 1
1 Jan - 31 Dez
+49 (0)6452-1791
info@camping-dodenau.de
N 51°1'31'' E 8°34'11''

1 AJMNOPQRST J 6
2 BCGKPWX ABFG 7
3 ABL ABCDEFJNR 8
4 FHIO 9
5 ABGK AHIJLRV 10
10A CEE ❶ €15,50
H350 2,8 ha 60T(bis 80m²) 60D ❷ €20,50

B253 Biedenkopf-Frankenberg. Ausfahrt Allendorf/Battenfeld. B236 Richtung Winterberg, links Richtung Battenberg. Danach links Richtung Dodenau/Hobe.

Brungershausen, D-35094 / Hessen

Auenland
Zum Dammhammer 2
1 Apr - 31 Okt
+49 (0)6420-7172
info@campingplatz-auenland.de
N 50°51'47'' E 8°37'43''

1 AFJMNOPQRST AJNX 6
2 BCOPSWXY ABFG 7
3 ABM ABCDEFIJNQRSV 8
4 FHIO ADQV 9
5 AEGJKL ABFGHJPRV 10
B 16A CEE ❶ €25,00
H90 2,5 ha 40T 57D ❷ €32,00

B62 Cölbe-Biedenkopf, Ausfahrt Brungershausen. Den CP-Schildern folgen.

Diemelsee/Heringhausen, D-34519 / Hessen

Hohes Rad
Hohes Rad 1
1 Jan - 31 Dez
+49 (0)5633-99099
k.schiemann@camping-diemelsee.de
N 51°21'49'' E 8°43'7''

1 AJMNOPRST LNQS 6
2 CDGIKOPRX ABDEFG 7
3 BL ABCDEFJNQR 8
4 9
5 ABKL ABHJRX 10
B 16A CEE ❶ €21,50
H400 2,8 ha 50T(35-100m²) 76D ❷ €26,50

A44 Ausfahrt 61 Wünneberg-Haaren, Richtung Wünneberg, dann Bredelar, Padberg, Diemelsee, Heringhausen, Willingen. Dort ausgeschildert.

Diemelsee/Heringhausen, D-34519 / Hessen

Seeblick
Auf dem Kampe 3
1 Jan - 31 Dez
+49 (0)5633-993096
mail@diemelsee-camping.de
N 51°21'51'' E 8°43'46''

1 AEJMNOPQRST ABEFGHLNOQSTX 6
2 DGKOPRVX ABDEFG 7
3 ABLP ABCDEFJNQRS 8
4 FHP D 9
5 ADEJKL ABJPR 10
B 16A CEE ❶ €18,50
H400 2,2 ha 37T(80m²) 101D ❷ €23,50

A44 Dortmund-Kassel, Ausfahrt 61 Wünnenberg-Haaren. Richtung Wünnenberg, Marsberg, Bredelar, dann Heringhausen. Dort ist der CP ausgeschildert.

Diemelsee/Heringhausen, D-34519 / Hessen

Seebrücke
Seebrücke 2
1 Jan - 31 Dez
+49 (0)5633-494
Fax +49 (0)5633-991875
N 51°21'41'' E 8°43'7''

1 AHKNOPRST LNQS 6
2 DGKOPRWX ABDEFG 7
3 B ABEFKNR 8
4 FP I 9
5 AK AHIJR 10
B 16A ❶ €20,00
H400 3,8 ha 80T(80-100m²) 224D ❷ €24,00

A44 Dortmund-Kassel, Ausfahrt 61 Wünneberg/Haaren. Richtung Wünneberg, Marsberg, Bredelar und dann Heringhausen. Dort ist der CP ausgeschildert.

Dillenburg, D-35683 / Hessen

Waldcamp Meerbornsheide
Meerbornsheide 1-2
1 Jan - 31 Dez
+49 (0)2771-3305022
e.climpan@yahoo.de
N 50°43'52'' E 8°15'46''

1 AILNOPQRST 6
2 ABPRUWXY ABDEFGHI 7
3 K ABEFJNQRSV 8
4 EFHO DGJVW 9
5 ABDEGIK AJLMNPR 10
B 25A CEE ❶ €24,50
H550 3,5 ha 80T(80-100m²) 39D ❷ €33,50

A45 Dortmund-Giessen, Ausfahrt Dillenburg. In Dillenburg-Zentrum Richtung Donsbach (ausgeschildert).

Dreieich/Offenthal, D-63303 / Hessen

Offenthal
Bahnhofstr. 77
1 Jan - 31 Dez
+49 (0)6074-5629
info@campingplatz.dreieich.de
N 49°59'9'' E 8°45'26''

1 AFHKNOPRST A 6
2 APRVXY ABFGJ 7
3 AKLU ABCDEFJNQRTV 8
4 HI K 9
5 ABE AFHIJLR 10
16A CEE ❶ €19,60
H160 3 ha 30T(80-100m²) 75D ❷ €25,00

A661 Ausfahrt Langen, die B486 in östlicher Richtung Offenthal-Ost. An der Kreuzung links ins Zentrum Offenthal Richtung Dietzenbach, hinter dem 2. Kreisel rechts. Nach 2 km kommt der Camping.

Edertal/Affoldern, D-34549 / Hessen

Edertalerhof
Hemfurtherstraße 21
1 Jan - 31 Dez
+49 (0)5623-5438
hotel-haus-am-see@t-online.de
N 51°10'5'' E 9°4'48''

1 AFJMNOPRST LN 6
2 CDOPRSX ABFG 7
3 ABCEFKLQ ABCDEFJNQRSTV 8
4 FHIO GIP 9
5 ABL AFHJLORV 10
10A CEE ❶ €27,50
H219 5 ha 60T(bis 40m²) 109D ❷ €32,00

A44 Dortmund-Kassel, Ausfahrt 64 Diemelstadt. B252 Richtung Korbach, Richtung Waldeck, B485 Richtung Affoldern. Dort ausgeschildert.

Edertal/Bringhausen, D-34549 / Hessen

Am Linge
Daudenbergstraße 7
1 Jan - 31 Dez
+49 (0)5623-930653
post@camping-am-edersee.de
N 51°10'27'' E 8°59'58''

1 AJMNOPRST LNQRSTX 6
2 DFGOPRUX ABDEF 7
3 ABI ABCDEFJKNQRS 8
4 FHIO 9
5 ABEGJKL ABEHIJR 10
16A CEE ❶ €19,00
H151 10 ha 70T 70D ❷ €24,00

A44 Dortmund-Kassel, Ausfahrt 64 Diemelstadt. B252 Richtung Korbach, Richtung Wildungen. B485 Richtung Affoldern, dann Bringhausen. Ausgeschildert.

Edertal/Bringhausen, D-34549 / Hessen

CP an der Bringhäuser Bucht
Seestrasse 3
1 Jan - 31 Dez
+49 (0)5623-930575
info@campingplatz-bringhaeuser-bucht.de
N 51°10'50'' E 8°59'42''

1 AJMNOPQRST LNQRSTXY 6
2 DFJKOPSUW BFG 7
3 I BDFJNQRTUV 8
4 EFHIO 9
5 ADEIJL ABFHJR 10
13A CEE ❶ €28,40
H260 1,7 ha 21T 56D ❷ €32,40

A44 Dortmund-Kassel, Ausfahrt 64 Diemelstadt. B252 Richtung Korbach, dann Richtung Bad Wildungen. B485 Richtung Affoldern, weiter Richtung Bringhausen. Camping ist angezeigt.

Edertal/Mehlen, D-34549 / Hessen

Ideal
Waldecker Straße 29
15 Apr - 15 Okt
+49 (0)5623-2190
info@campingplatz-Ideal.de
N 51°10'12'' E 9°6'28''

1 AGJMNOPRST JLX 6
2 CDGOPRWXY ABDEFK 7
3 ABEL ABCDEFNQRST 8
4 FHI A 9
5 DGIL ABGHJLRV 10
B 16A CEE ❶ €19,10
H175 10,5 ha 74T(10m²) 39D ❷ €27,10

A44 Ausfahrt 64 Diemelstadt, B252 Richtung Korbach, B485 Richtung Bad Wildungen. In Mehlen ist der CP ausgeschildert.

Edertal/Rehbach, D-34549 / Hessen

Rehbach***
Strandweg 9
1 Apr - 3 Okt
+49 (0)5623-2049
post@campingplatz-rehbach.de
N 51°10'57'' E 9°1'21''

1 ADEHKNOPRT LNQSTXYZ 6
2 DFGJRTVWY ABDEFGHIK 7
3 BFKL ABCDEFJKNQRSTUV 8
4 FHIO OPQRTUVW 9
5 ABDEIJKL ABEGHOR 10
16A CEE ❶ €26,40
H255 15 ha 116T 22D ❷ €34,40

A44 Dortmund-Kassel, Ausfahrt 64 Diemelstadt. B252 Richtung Korbach, Richtung Wildungen. Dann N485 Richtung Affoldern nach Hemfurth, dann ausgeschildert.

Teilkarte Hessen auf Seite 310

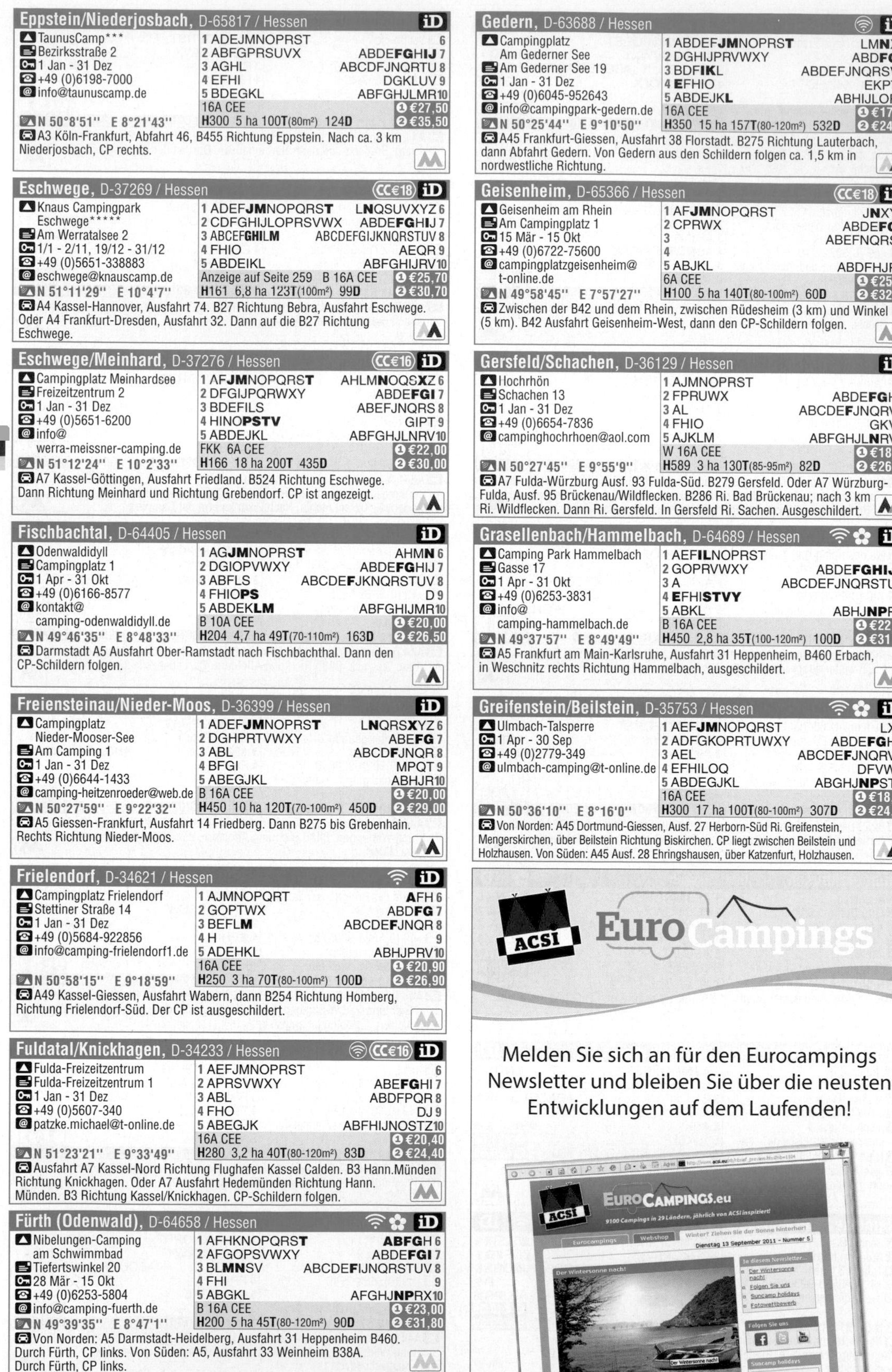

Eppstein/Niederjosbach, D-65817 / Hessen

TaunusCamp***
Bezirksstraße 2
1 Jan - 31 Dez
+49 (0)6198-7000
info@taunuscamp.de
N 50°8'51'' E 8°21'43''

1 ADEJMNOPRST 6
2 ABFGPRSUVX ABDEFGHIJ 7
3 AGHL ABCDFJNQRTU 8
4 EFHI DGKLUV 9
5 BDEGKL ABFGHJLMR 10
16A CEE ❶ €27,50
H300 5 ha 100T(80m²) 124D ❷ €35,50

A3 Köln-Frankfurt, Abfahrt 46, B455 Richtung Eppstein. Nach ca. 3 km Niederjosbach, CP rechts.

Gedern, D-63688 / Hessen

Campingplatz Am Gederner See
Am Gederner See 19
1 Jan - 31 Dez
+49 (0)6045-952643
info@campingpark-gedern.de
N 50°25'44'' E 9°10'50''

1 ABDEFJMNOPRST LMNX 6
2 DGHIJPRVWXY ABDFG 7
3 BDFIKL ABDEFJNQRSV 8
4 EFHIO EKPT 9
5 ABDEJKL ABHIJLOR 10
16A CEE ❶ €17,00
H350 15 ha 157T(80-120m²) 532D ❷ €24,00

A45 Frankfurt-Giessen, Ausfahrt 38 Florstadt. B275 Richtung Lauterbach, dann Abfahrt Gedern. Von Gedern aus den Schildern folgen ca. 1,5 km in nordwestliche Richtung.

Eschwege, D-37269 / Hessen

CC€18

Knaus Campingpark Eschwege*****
Am Werratalsee 2
1/1 - 2/11, 19/12 - 31/12
+49 (0)5651-338883
eschwege@knauscamp.de
N 51°11'29'' E 10°4'7''

1 ADEFJMNOPQRST LNQSUVXYZ 6
2 CDFGHIJLOPRSVWX ABDEFGHIJ 7
3 ABCEFGHILM ABCDEFGIJKNQRSTUV 8
4 FHIO AEQR 9
5 ABDEIKL ABFGHIJRV 10
Anzeige auf Seite 259 B 16A CEE ❶ €25,70
H161 6,8 ha 123T(100m²) 99D ❷ €30,70

A4 Kassel-Hannover, Ausfahrt 74. B27 Richtung Bebra, Ausfahrt Eschwege. Oder A4 Frankfurt-Dresden, Ausfahrt 32. Dann auf die B27 Richtung Eschwege.

Geisenheim, D-65366 / Hessen

CC€18

Geisenheim am Rhein
Am Campingplatz 1
15 Mär - 15 Okt
+49 (0)6722-75600
campingplatzgeisenheim@t-online.de
N 49°58'45'' E 7°57'27''

1 AFJMNOPQRST JNXY 6
2 CPRWX ABDEFG 7
3 ABEFNQRS 8
4 9
5 ABJKL ABDFHJR 10
6A CEE ❶ €25,20
H100 5 ha 140T(80-100m²) 60D ❷ €32,20

Zwischen der B42 und dem Rhein, zwischen Rüdesheim (3 km) und Winkel (5 km). B42 Ausfahrt Geisenheim-West, dann den CP-Schildern folgen.

Eschwege/Meinhard, D-37276 / Hessen

CC€16

Campingplatz Meinhardsee
Freizeitzentrum 2
1 Jan - 31 Dez
+49 (0)5651-6200
info@werra-meissner-camping.de
N 51°12'24'' E 10°2'33''

1 AFJMNOPQRST AHLMNOQSXZ 6
2 DFGIJPQRWXY ABDEFGI 7
3 BDEFILS ABEFJNQRS 8
4 HINOPSTV GIPT 9
5 ABDEJKL ABFGHJLNRV 10
FKK 6A CEE ❶ €22,00
H166 18 ha 200T 435D ❷ €30,00

A7 Kassel-Göttingen, Ausfahrt Friedland. B524 Richtung Eschwege. Dann Richtung Meinhard und Richtung Grebendorf. CP ist angezeigt.

Gersfeld/Schachen, D-36129 / Hessen

Hochrhön
Schachen 13
1 Jan - 31 Dez
+49 (0)6654-7836
campinghochrhoen@aol.com
N 50°27'45'' E 9°55'9''

1 AJMNOPRST 6
2 FPRUWX ABDEFGH 7
3 AL ABCDEFJNQRV 8
4 FHIO GKV 9
5 AJKLM ABFGHJLNRV 10
W 16A CEE ❶ €18,50
H589 3 ha 130T(85-95m²) 82D ❷ €26,50

A7 Fulda-Würzburg Ausf. 93 Fulda-Süd. B279 Gersfeld. Oder A7 Würzburg-Fulda, Ausf. 95 Brückenau/Wildflecken. B286 Ri. Bad Brückenau; nach 3 km Ri. Wildflecken. Dann Ri. Gersfeld. In Gersfeld Ri. Sachen. Ausgeschildert.

Fischbachtal, D-64405 / Hessen

Odenwaldidyll
Campingplatz 1
1 Apr - 31 Okt
+49 (0)6166-8577
kontakt@camping-odenwaldidyll.de
N 49°46'35'' E 8°48'33''

1 AGJMNOPRST AHMN 6
2 DGIOPVWXY ABDEFGHIJ 7
3 ABFLS ABCDEFJKNQRSTUV 8
4 FHIOPS D 9
5 ABDEKLM ABFGHIJMR 10
B 10A CEE ❶ €20,00
H204 4,7 ha 49T(70-110m²) 163D ❷ €26,50

Darmstadt A5 Ausfahrt Ober-Ramstadt nach Fischbachthal. Dann den CP-Schildern folgen.

Grasellenbach/Hammelbach, D-64689 / Hessen

Camping Park Hammelbach
Gasse 17
1 Apr - 31 Okt
+49 (0)6253-3831
info@camping-hammelbach.de
N 49°37'57'' E 8°49'49''

1 AEFILNOPRST 6
2 GOPRVWXY ABDEFGHIJ 7
3 A ABCDEFJNQRSTU 8
4 EFHISTVY 9
5 ABKL ABHJNPR 10
B 16A CEE ❶ €22,50
H450 2,8 ha 35T(100-120m²) 100D ❷ €31,10

A5 Frankfurt am Main-Karlsruhe, Ausfahrt 31 Heppenheim, B460 Erbach, in Weschnitz rechts Richtung Hammelbach, ausgeschildert.

Freiensteinau/Nieder-Moos, D-36399 / Hessen

Campingplatz Nieder-Mooser-See
Am Camping 1
1 Jan - 31 Dez
+49 (0)6644-1433
camping-heitzenroeder@web.de
N 50°27'59'' E 9°22'32''

1 ADEFJMNOPRST LNQRSXYZ 6
2 DGHPRTVWXY ABEFG 7
3 ABL ABCDFJNQR 8
4 BFGI MPQT 9
5 ABEGJKL ABHJR 10
B 16A CEE ❶ €20,00
H450 10 ha 120T(70-100m²) 450D ❷ €29,00

A5 Giessen-Frankfurt, Ausfahrt 14 Friedberg. Dann B275 bis Grebenhain. Rechts Richtung Nieder-Moos.

Greifenstein/Beilstein, D-35753 / Hessen

Ulmbach-Talsperre
1 Apr - 30 Sep
+49 (0)2779-349
ulmbach-camping@t-online.de
N 50°36'10'' E 8°16'0''

1 AEFJMNOPQRST LX 6
2 ADFGKOPRTUWXY ABDEFGH 7
3 AEL ABCDEFJNQRV 8
4 EFHILOQ DFVW 9
5 ABDEGJKL ABGHJNPST 10
16A CEE ❶ €18,50
H300 17 ha 100T(80-100m²) 307D ❷ €24,50

Von Norden: A45 Dortmund-Giessen, Ausf. 27 Herborn-Süd Ri. Greifenstein, Mengerskirchen, über Beilstein Richtung Biskirchen. CP liegt zwischen Beilstein und Holzhausen. Von Süden: A45 Ausf. 28 Ehringshausen, über Katzenfurt, Holzhausen.

Frielendorf, D-34621 / Hessen

Campingplatz Frielendorf
Stettiner Straße 14
1 Jan - 31 Dez
+49 (0)5684-922856
info@camping-frielendorf1.de
N 50°58'15'' E 9°18'59''

1 AJMNOPQRT AFH 6
2 GOPTWX ABDFG 7
3 BEFLM ABCDEFJNQR 8
4 H 9
5 ADEHKL ABHJPRV 10
16A CEE ❶ €20,90
H250 3 ha 70T(80-100m²) 100D ❷ €26,90

A49 Kassel-Giessen, Ausfahrt Wabern, dann B254 Richtung Homberg, Richtung Frielendorf-Süd. Der CP ist ausgeschildert.

Fuldatal/Knickhagen, D-34233 / Hessen

CC€16

Fulda-Freizeitzentrum
Fulda-Freizeitzentrum 1
1 Jan - 31 Dez
+49 (0)5607-340
patzke.michael@t-online.de
N 51°23'21'' E 9°33'49''

1 AEFJMNOPRST 6
2 APRSVWXY ABEFGHI 7
3 ABL ABDFPQR 8
4 FHO DJ 9
5 ABEGJK ABFHIJNOSTZ 10
16A CEE ❶ €20,40
H280 3,2 ha 40T(80-120m²) 83D ❷ €24,40

Ausfahrt A7 Kassel-Nord Richtung Flughafen Kassel Calden. B3 Hann.Münden Richtung Knickhagen. Oder A7 Ausfahrt Hedemünden Richtung Hann. Münden. B3 Richtung Kassel/Knickhagen. CP-Schildern folgen.

Fürth (Odenwald), D-64658 / Hessen

Nibelungen-Camping am Schwimmbad
Tiefertswinkel 20
28 Mär - 15 Okt
+49 (0)6253-5804
info@camping-fuerth.de
N 49°39'35'' E 8°47'1''

1 AFHKNOPQRST ABFGH 6
2 AFGOPSVWXY ABDEFGI 7
3 BLMNSV ABCDEFIJNQRSTUV 8
4 FHI 9
5 ABGKL AFGHJNPRX 10
B 16A CEE ❶ €23,00
H200 5 ha 45T(80-120m²) 90D ❷ €31,80

Von Norden: A5 Darmstadt-Heidelberg, Ausfahrt 31 Heppenheim B460. Durch Fürth, CP links. Von Süden: A5, Ausfahrt 33 Weinheim B38A. Durch Fürth, CP links.

Deutschland

Teilkarte Hessen auf Seite 310

Grünberg, D-35305 / Hessen

Spitzer Stein
Alsfelderstraße 57
1 Mär - 31 Okt
+49 (0)6401-6553

1 AJMNOPQRST	ABFGHN 6
2 AGOPRX	ABDEFG 7
3 BEFKLMQ	ABCDEFJNQRS 8
4 FH	9
5 ADEKL	AHJR 10
16A CEE	❶ €16,00
H250 4 ha 70T(50-100m²) 300D	❷ €21,40

N 50°35'27'' E 8°58'25''

A5 Frankfurt-Kirchheim, Ausfahrt 7 Grünberg. Der CP liegt an der B49 Giessen-Alsfeld, östlich von Grünberg.

Guxhagen/Büchenwerra, D-34302 / Hessen

Fuldaschleife****
zum Bruch 6
1 Mär - 31 Okt
+49 (0)5665-961044
info@fuldaschleife.de

1 ADEFJMNOPQRST	JNXYZ 6
2 ABCGOPRSVX	ABDEFGHIJK 7
3 ABEL	ABCDEFGIJKNQRSV 8
4 EFHIO	ADQR 9
5 ABDEJKL	ABEGHJLNPQRZ 10
B 16A CEE	❶ €22,00
H152 2,8 ha 50T(80-120m²) 85D	❷ €28,00

N 51°10'40'' E 9°28'41''

A7 Kassel-Frankfurt; Ausfahrt 81 Guxhagen. Von hier den CP-Schildern folgen bis Abfahrt Büchenwerra. Dort ist der CP ausgeschildert.

Hanau, D-63452 / Hessen

Bärensee
Bärensee 1
1 Mär - 31 Okt
+49 (0)6181-12306
FAX +49 (0)6181-1807961

1 AFJMNOPRST	LMN 6
2 ABDHPVWXY	ABDEFG 7
3 AEIL	ABCDEFJNQRSTUV 8
4	9
5 BDEGIJ	ABFHKMRZ 10
B 16A CEE	❶ €18,40
H100 38 ha 60T(64m²) 1000D	❷ €22,40

N 50°9'7'' E 8°57'25''

A45 Dortmund-Würzburg. Am Hanauer Kreuz A66 Richtung Frankfurt/Hanau, Ausfahrt 37 Richtung Erlensee/Neuberg: links einordnen, 1. Kreuzung links, dann ist der CP ausgeschildert.

Haunetal/Wehrda, D-36166 / Hessen

Ferienpark-Wehrda
Hohenwehrdaerstraße 22
1/1 - 4/1, 1/2 - 31/12
+49 (0)6673-919310
ferienparkwehrda@aol.com

1 AEJMNOPRST	E 6
2 GOPRSVX	ABFGHI 7
3 ABIJLMQ	ABCDEFJKNQRS 8
4 IOPQT	GJV 9
5 ABDEGJKL	ABFGHJR 10
B 16A CEE	❶ €17,50
H280 2,5 ha 24T 92D	❷ €21,50

N 50°44'21'' E 9°40'13''

A4 Kirchheim-Dresden, Ausfahrt 32 Bad Hersfeld, B27 Richtung Fulda, Ausfahrt Haunetal/Rhina, CP ist ausgeschildert.

Heringen/Werra, D-36266 / Hessen

Werratal-Camping
Am Steinberg
1 Jan - 31 Dez
+49 (0)6624-542022
werratalcamping@t-online.de

1 AFJMNOPRST	AEN 6
2 ACOPSTWXY	ABDEFGH 7
3 AGHILM	ABCDEFJNQRSV 8
4 FHIO	D 9
5 AL	ABFGHIJLMRV 10
16A CEE	❶ €20,00
H263 2 ha 100T 53D	❷ €26,00

N 50°53'4'' E 10°1'15''

A4 Frankfurt-Eisenach, Ausfahrt 33 Friedewald Richtung Herfa dann Heringen, oder Ausfahrt 34 Hönebach Richtung Heringen.

Herzhausen, D-34516 / Hessen

Camping und Ferienpark Teichmann****
Zum Träumen 1A
1 Jan - 31 Dez
+49 (0)5635-245
info@camping-teichmann.de

1 DJMNOPQRST	LMNQX 6
2 CDGIJOPRVX	ABDEFGHIJ 7
3 ABEGHILMR	ABCDEFKNQRS 8
4 EFHILOPRST	GJKLQTUV 9
5 ABDEIJKLM	ABFGHIKLMPRVX 10
B 16A CEE	❶ €30,50
H244 20 ha 220T(80-220m²) 242D	❷ €39,30

N 51°10'30'' E 8°53'28''

A44 Dortmund-Kassel Ausfahrt Diemelstadt. B252 Richtung Korbach. Hinter Herzhausen ist der CP nach 1 km rechts ausgeschildert.

Heubach, D-36148 / Hessen

Birkenhain
Birkeweg 7
1 Jan - 31 Dez
+49 (0)9742-1239
info@campingplatz-birkenhain.de

1 AFJMNOPQRST	6
2 AFOPRTUWX	FGH 7
3 A	ABEFHJNQRV 8
4 I	DF 9
5 BKM	ABFHJRV 10
W 16A CEE	❶ €17,50
H500 95T(100-120m²) 67D	❷ €22,50

N 50°22'55'' E 9°42'49''

A66 Ausfahrt 51 Richtung Kalbach auf die L3206 Richtung Oberkalbach, dann Heubach. Weiter den CP-Schildern.

Hirschhorn/Neckar, D-69434 / Hessen

Odenwald Camping Park
Langenthalerstraße 80
27 Mär - 5 Okt
+49 (0)6272-809
odenwald-camping-park@t-online.de

1 AFILNOPQRST	ABJN 6
2 CGOPRVWXY	ABDEFGHI 7
3 BGHIKLMQS	ABCDEFHJNQRS 8
4 ABFHIOPST	ADV 9
5 ACEGJK	ABEFGHIKLNOPRV 10
B 6A CEE	❶ €23,90
H150 8 ha 200T(80-120m²) 115D	❷ €31,30

N 49°27'9'' E 8°52'40''

A5, Ausfahrt 37 Heidelberg. B37 Richtung Eberbach/Mosbach. Ausfahrt Hirschhorn. In Hirschhorn ausgeschildert, am Ortsausgang von Hirschhorn Richtung Langenthal.

Hofgeismar, D-34369 / Hessen

Am Parkschwimmbad
Schönebergerstraße 16
1 Jan - 31 Dez
+49 (0)5671-1215
camping@in-hofgeismar.de

1 AFJMNOPRST	ABEFGHI 6
2 GOPSX	ABDEFGI 7
3 BEL	ABCDEFJNQRSV 8
4 FH	9
5 AEK	ABFGHJR 10
16A CEE	❶ €18,00
H140 1,5 ha 40T 76D	❷ €25,00

N 51°30'33'' E 9°24'14''

A44 Dortmund-Kassel, Ausfahrt Breuna. Dort ist Hofgeismar ausgeschildert. In der Stadt gibt es Schilder.

Hosenfeld, D-36154 / Hessen

Bergwinkel
Am Schwimmbad
1 Jan - 31 Dez
+49 (0)6650-580
info@camping-hosenfeld.de

1 AJMNOPQRST	ABFHN 6
2 GPRTUX	ABEFGHI 7
3 AELM	ABEFNQR 8
4 FHIO	DJ 9
5 KL	ABEHJLR 10
16A	❶ €14,50
H360 3,5 ha 80T(80-100m²) 78D	❷ €18,50

N 50°30'49'' E 9°28'31''

A7 Kassel-Würzburg, Ausfahrt 91 Fulda-Nord. B40 Ausfahrt Neuhof. In Neuhof Richtung Hauswurz, Richtung Hosenfeld. Dort ausgeschildert.

Hünfeld, D-36088 / Hessen

Knaus Campingpark Hünfeld Praforst*****
Dr.-Detlev-Rudelsdorff-Allee 6
1/1 - 2/11, 19/12 - 31/12
+49 (0)6652-749090
huenfeld@knauscamp.de

1 ACDEFJMNOPQRST	6
2 ABOPVWX	ABDEFGH 7
3 BCEFIJKL	ABCDEFJKNQRSTV 8
4 EFHI	DJPT 9
5 ABDIKL	ABFGHIJLNR 10
Anzeige auf Seite 259 16A	❶ €28,80
H290 4,7 ha 136T(ab 100m²) 46D	❷ €34,80

N 50°39'12'' E 9°43'26''

A7 Kassel-Frankfurt Ausfahrt 90 Hünfeld/Schlitz. CP ist beschildert. Auch über B27 zu erreichen, Ausfahrt Hünfeld/Schlitz.

Jesberg, D-34632 / Hessen

Kellerwald
Freizeitcentrum 1
1 Jan - 31 Dez
+49 (0)6695-7213
gemeindeverwaltung@gemeinde-jesberg.de

1 AJMNOPQRST	ABF 6
2 CGOPW	ABDEFG 7
3 BEGILMP	ABCDEFNQR 8
4	D 9
5 J	AJRW 10
B 16A	❶ €10,00
H500 1,5 ha 60T(80-100m²) 152D	❷ €13,00

N 50°59'48'' E 9°8'1''

A49 Kassel-Giessen, Ausfahrt Borken. Dann B3 bis Jesberg. Der CP ist ausgeschildert.

Kassel/Bettenhausen, D-34123 / Hessen

B.F.F.L. Lossaue
Fischhausweg 9
15 Apr - 15 Okt
+49 (0)561-517200
bffl.kassel@t-online.de

1 AGHKNOPRST	AB 6
2 ACGOPVWX	ABIK 7
3 BEFLMQ	ABEFJNQRV 8
4 IOT	DF 9
5 GL	ABHJR 10
FKK 10A CEE	❶ €17,00
H150 3 ha 10T 52D	❷ €17,00

N 51°17'47'' E 9°32'56''

A44 Dortmund-Kassel, dann A7 Frankfurt-Hannover. Ausfahrt 78 Kassel-Ost, Richtung Kassel-Zentrum. Nach ca. 1,5 km rechts. CP ist ausgeschildert.

Kirchberg, D-34305 / Hessen

zur Weissenthalsmühle
Weißenthalsmühle/Riederstraße
1 Apr - 30 Okt
+49 (0)5624-363
corinna.schulze@gmx.net

1 AJMNOPQRST	A 6
2 BCGPX	ABDEFG 7
3 EGHL	ABCDEFNQR 8
4 FH	C 9
5 AIKL	AFHJLR 10
16A CEE	❶ €13,10
H214 5 ha 40T 103D	❷ €17,10

N 51°12'44'' E 9°16'41''

A44 Dortmund-Kassel. Kassel-Südkreuz, A49 Richtung Fritzlar. Ausfahrt 13 Gudensberg, Richtung Niederstein, Richtung Kirchberg, dann ausgeschildert. Ins Navi eingeben: Riederstraße.

Kirchheim/Waldhessen, D-36275 / Hessen

Seepark*****
Brunnenstraße 20-25
1 Jan - 31 Dez
+49 (0)6628-1525
info@campseepark.de

1 ADEFJMNOPQRT	EFGHLNQUWXY 6
2 ADFGHOPRUVX	ABDEFG 7
3 ABEFIKLMNOPRS	ABCDEFJNRSTUV 8
4 ABEFHIJLNOPQSTUVZ	EGIJPTV 9
5 BDEFIKL	ABFGHIJLMRV 10
WB 16A CEE	❶ €28,80
H310 10 ha 300T 342D	❷ €32,80

N 50°48'52'' E 9°31'5''

A7 Kassel-Würzburg Ausfahrt 87 Kirchheim, vor/hinter dem Kirchheimer Dreieck. Dort ist der CP ausgeschildert.

Knüllwald/Niederbeisheim, D-34593 / Hessen

Am Bauernhof
Zum Lierloch 1
1 Jan - 31 Dez
+49 (0)5685-228
info@campingplatzambauernhof.de

1 ADFJMNOPRST	6
2 AGPUVWXY	BCFGHIJ 7
3 ABELSU	BCDEFGIJKNQRSTUV 8
4 EFHIOPT	I 9
5 ABDEIKL	ABFGHIJLRV 10
B 16A CEE	❶ €16,90
H276 3 ha 30T(100-150m²) 41D	❷ €21,10

N 51°2'0'' E 9°32'9''

A7 Kassel-Würzburg. Tankstelle Hasselberg eigene Zu- und Abfahrt. Richtung Oberbeisheim. An der Tankstelle Richtung Niederbeisheim. Der CP ist angezeigt.

Laubach, D-35321 / Hessen

Caravanpark Laubach
Am Froschloch 1
1 Jan - 31 Dez
+49 (0)6405-1460
info@caravanpark-laubach.de
N 50°33'3'' E 9°0'32''

1 AJMNOPQRST 6
2 ABCGPSWXY ABDEFGHI 7
3 ABDEFKLMNQS ABCDEFJKNQRSTUV 8
4 AFH 9
5 AKL AFGHJPRW 10
B 16A CEE ① €22,50
H220 11 ha 90T(70-120m²) 300D ② €24,50

A45 Dortmund-Aschaffenburg, Ausfahrt 36 Münzenberg/Lich. B488 Richtung Lich. Dann Richtung Laubach. Schildern folgen.

Liebenau/Zwergen, D-34396 / Hessen

Ponyhof Camping Club
Teichweg 1
1 Apr - 1 Nov
+49 (0)5676-1509
ponyhofcamping@t-online.de
N 51°28'49'' E 9°18'0''

1 AJMNOPQRST ABFGJ 6
2 COPRUWXY ABDEFGH 7
3 BCEFGHLRU ABCDEFIJKNQRSTU 8
4 EFHINOTUV H 9
5 ABEFGJK ABFGHJMRV 10
16A CEE ① €40,30
H149 7,5 ha 170T 84D ② €59,30

A44 Dortmund-Kassel, Ausfahrt 66 Breuna, Richtung Niederlistingen. B7 überqueren, Richtung Hofgeismar. Ausfahrt Liebenau/Zwergen, CP ist ausgeschildert.

Limburg an der Lahn, D-65549 / Hessen

Limburg
Schleusenweg 16
2 Apr - 25 Okt
+49 (0)6431-22610
info@lahncamping.de
N 50°23'21'' E 8°4'26''

1 AJMNOPRST ABFHJNUVXYZ 6
2 ACGOPRWXY ABDFG 7
3 AL ABCDFJNQRS 8
4 O DPQT 9
5 BEGJKL ABFGHILOR 10
B 6A CEE ① €22,50
H90 2,2 ha 200T(70m²) 52D ② €28,90

A3 Köln-Frankfurt am Main. Ausfahrt 42 Limburg-Nord. Rechts halten, bei der Ampel links. CP ist ausgeschildert.

Lindenfels/Schlierbach, D-64678 / Hessen

Terrassen CP Schlierbach
Am Zentbuckel 11
1 Apr - 31 Okt
+49 (0)6255-630
info@terrassencamping-schlierbach.de
N 49°40'55'' E 8°46'12''

1 DEFJMNOPRST 6
2 CGOPQSTUVWXY ABDEFGHIJ 7
3 AL ABCDEFJKNQRSTU 8
4 F 9
5 BGKL AHJLRV 10
B 10A CEE ① €21,50
H350 4,5 ha 35T(80-100m²) 100D ② €29,50

A5 Frankfurt-Basel, Ausfahrt Bensheim, B47. Hinter Gadernheim rechts Richtung Fürth, in Schlierbach links den CP-Schildern folgen. Oder Ausfahrt 31 Heppenheim, in Fürth Richtung Ellenbach.

Lorch am Rhein, D-65391 / Hessen

Naturpark-Camping Suleika
Im Bodenthal 2
15 Mär - 1 Nov
+49 (0)6726-839402
info@suleika-camping.de
N 50°1'5'' E 7°51'21''

1 AGJMNOPQRST 6
2 PRUVWXY ABDEFGH 7
3 B ABCDEFNQSTUV 8
4 EF EJ 9
5 BEGJKL ABGHIJLNR 10
Anzeige auf dieser Seite 16A ① €23,00
H200 4 ha 56T(20-80m²) 56D ② €33,00

B42 zwischen Lorch (5 km) und Assmannshausen (4 km). Achtung Tunnel Bahnübergang: Caravans höher als 2.25m fahren südlich von Lorch durch die Weinberge. Von Assmannshausen her über den Bahnübergang (ausgeschildert).

Mainhausen/Mainflingen, D-63533 / Hessen

Seecamping Mainflingen
Seestraße 11
1 Jan - 31 Dez
+49 (0)1633-890028
eigenbetrieb@mainhausen.de
N 50°1'22'' E 9°1'18''

1 ADEFJMNOPRST LMNOP 6
2 ADGHIOPQVWXY ABFG 7
3 ALS ABCDEFJKNQRV 8
4 H F 9
5 DKL ABHJLRZ 10
B 16A CEE ① €18,70
H100 8 ha 60T(100m²) 305D ② €23,70

A45 Ausfahrt 46 Mainhausen. Richtung Seligenstadt L2310, Richtung Mainhausen. Den CP-Schildern folgen.

Maintal, D-63477 / Hessen

Campingplatz Mainkur
Frankfurter Landstraße 107
1 Apr - 30 Sep
+49 (0)69-412193
Campingplatz-Mainkur@t-online.de
N 50°8'17'' E 8°46'55''

1 AFJMNOPRT JNSWXY 6
2 ACGPVWXY ABDEFGI 7
3 AL ABCDEFJNQRS 8
4 HI 9
5 ABK ABFGHR 10
16A ① €23,50
H90 1,7 ha 40T(80-120m²) 44D ② €30,50

A661, Ausfahrt 14 Frankfurt-Ost, B8 Richtung Hanau. Nach 3 km liegt rechts der CP.

Mengerskirchen, D-35794 / Hessen

Am Seeweiher
Am Seeweiher 1-2
1 Jan - 31 Dez
+49 (0)6476-2263
info@seeweiher.de
N 50°32'48'' E 8°8'51''

1 AFJMNOPRST LMNX 6
2 DFGHIOPVWX ABDEFGH 7
3 BFHKLQ ABEFJNQRS 8
4 BFH 9
5 ADEJKL ABGHIJLNPRVWZ 10
B 16A CEE ① €23,20
H450 16 ha 60T(ab 100m²) 220D ② €29,20

A3 Frankfurt-Köln, Ausfahrt 42 Limburg-Nord. Dann B49 Richtung Weilburg-Westerburg fahren. In Waldbrunn rechts abfahren. Vor Mengerskirchen ist der CP ausgeschildert.

Mörfelden-Walldorf, D-64546 / Hessen

Campingplatz Mörfelden
Am Zeltplatz 5-15
1 Jan - 31 Dez
+49 (0)6105-22289
info@campingplatz-moerfelden.de
N 49°58'47'' E 8°35'40''

1 AEFJMNOPRST 6
2 APRWXY ABDEFG 7
3 AK ABDEFJNQRS 8
4 FH 9
5 EFJKL ABFGHJPTU 10
B 16A CEE ① €23,50
H100 3 ha 40T(60-80m²) 200D ② €32,50

A5 Frankfurt-Basel, Ausfahrt Langen/Mörfelden. Richtung Mörfelden. Auf der Brücke links einordnen vor Abzweigung zum CP (links).

Naumburg (Edersee), D-34311 / Hessen

Camping in Naumburg****
Am Schwimmbad 12
1 Jan - 31 Dez
+49 (0)5625-9239670
camping@naumburg.eu
N 51°15'2'' E 9°9'37''

1 ADFJMNOPRST ABFGH 6
2 CGOPSUVWXY ABDEFGHIK 7
3 ABCEFKLQS ABCDEFJKNQRSTUV 8
4 FHIKNORT CDEFVY 9
5 ABEGIKL ABGHJNPQRV 10
WB 16A CEE ① €21,90
H291 6,5 ha 120T(80-160m²) 116D ② €26,50

A44 Dortmund-Kassel, Ausfahrt Zierenberg, B251 Richtung Edersee bis Ippinghausen; links ab Richtung Naumburg. CP ist angezeigt.

Neuental, D-34599 / Hessen

Neuenhainer See
Seeblick 14
1 Jan - 31 Dez
+49 (0)6693-1287
info@neuenhainer-see.de
N 50°59'43'' E 9°16'2''

1 AEFJMNOPQRST LMNO 6
2 ADGHIPVX ABDFG 7
3 ABFLM ABEFJNQSTUV 8
4 J DT 9
5 AJKL ABGHIJLPRVWZ 10
16A CEE ① €19,50
H320 25 ha 100T 4D ② €23,00

A7 Ausfahrt Homberg (Efze), nach Frielendorf (B254). Dann rechts Richtung Neuental. Ausgeschildert.

Oberweser/Gieselwerder, D-34399 / Hessen

Am beheizten Freibad
In der Klappe 21
1 Apr - 31 Okt
+49 (0)5572-7611
info@camping-gieselwerder.de
N 51°35'55'' E 9°33'18''

1 AEFJMNOPQRST ABFGJNXY 6
2 CFOPVWX ABDEFGHIJ 7
3 BEFLR ABCDEFIJNQRSV 8
4 EFHOPQ FQRV 9
5 ABDEFIJKL ABGHIJLRV 10
B 16A CEE ① €20,00
H165 2,5 ha 80T(80m²) 153D ② €28,00

A21, Ausfahrt 35, B83 via Hameln, Höxter bis Bad Karlshafen. B80, durch Gieselwerder und vor Weser rechts fahren. Via Straße 80 in Gieselwerder bei der Aral-Tankstelle ausfahren. Der CP liegt vor der Brücke rechts.

Oberweser/Oedelsheim, D-34399 / Hessen

Campen am Fluss****
Am Hallenbad
1 Apr - 31 Okt
+49 (0)5574-945780
info@campen-am-fluss.de
N 51°35'34'' E 9°35'24''

1 AEFJMNOPQRST EFGJNWXYZ 6
2 CFOPVWXY ABDEFGHIJK 7
3 BEFL ABCDEFJKNQRSV 8
4 FHIO QRUVW 9
5 ADEIKLM ABDGHIJLMORV 10
B 16A CEE ① €20,40
H165 2,3 ha 65T(95-110m²) 100D ② €28,40

B80 Hann.-Münden-Höxter in Gieselwerder an der Star Tankstelle abfahren, über die Weserbrücke und dann rechts, südwärts. Nach 4 km 'Campen am Fluss'.

Reinhardshagen, D-34359 / Hessen

Ahletal-Reinhardshagen
Im Ahletal 6
1 Jan - 31 Dez
+49 (0)5544-408
info@campingplatz-reinhardshagen.de
N 51°28'21'' E 9°37'18''

1 AFJMNOPRT J 6
2 BCOPSUVX ABDEFGH 7
3 ABLP ABCDEFJKNQRS 8
4 D 9
5 ABKL AFHJRV 10
16A CEE ① €12,10
H140 4 ha 30T 71D ② €17,70

A7 Kassel-Hannover Ausfahrt 76 Hann.-Münden/Lutterberg. In Hanm.-Münden B80 Richtung Höxter/Reinhardshagen. In Vaake ist CP ausgeschildert.

Deutschland

Teilkarte Hessen auf Seite 310

Rotenburg an der Fulda, D-36199 / Hessen

Campingplatz Rotenburg/Fulda
Campingweg
15 Apr - 15 Okt
+49 (0)6623-5556
info@fulda-camp-rotenburg.de
N 50°59'36'' E 9°44'34''

1 AFJMNOPRST NUVXZ 6
2 COPVWXY ABDEFGI 7
3 AL ABDEFNQR 8
4 FHIO PQRT 9
5 ABDEGKL ABHLR 10
16A CEE ① €16,60
H188 0,7 ha 70T(80m²) 10D ② €20,60

B83 Kassel-Bebra, Ausfahrt Rotenburg. Dort beschildert.

Rüdesheim am Rhein, D-65385 / Hessen

Ponyland Ebental
Hof Ebental
1 Mär - 15 Nov
+49 (0)6722-2518
info@ponyland.de
N 50°0'11'' E 7°54'38''

1 AJMNOPQRST 6
2 BGPRWXY ABDEFG 7
3 BGH ABEFNQ 8
4 G 9
5 ABDEIKL AFHIJR 10
6A ① €21,50
H300 30 ha 100T 35D ② €26,50

B42 nach Rüdesheim, dann Richtung Niederwalddenkmal/Presberg. Weiter den Schildern Ebental, 'Ponyland' folgen (3 km).

Rüdesheim am Rhein, D-65385 / Hessen

Richter Campingplatz am Rhein GmbH
Kastanienallee 4
1 Mai - 3 Okt
+49 (0)6722-2528
FAX +49 (0)6722-406783
N 49°58'40'' E 7°56'18''

1 AEJMNOPQRST ABEFHNQX 6
2 COPRWXY ABDEFG 7
3 BEIM ABCDFNQRS 8
4 9
5 ABDIKL AFGHIJST 10
B 10A CEE ① €29,00
H100 3 ha 180T ② €36,00

Achtung mit Navi: B42 von Koblenz im Zentrum nach rechts abbiegen (CP-Schild). B42 ab Wiesbaden am Ortsrand links (CP-Schild). Für Wohnmobile an der Bahnbrücke links, dann rechts den CP-Schildern folgen.

Schlüchtern/Hutten, D-36381 / Hessen

CC€14

Hutten-Heiligenborn
Am Heiligenborn 6
1 Jan - 31 Dez
+49 (0)6661-2424
helga.herzog-gericke@online.de
N 50°22'6'' E 9°36'30''

1 AFJMNOPRST AF 6
2 AFGPRUWX ABDEF 7
3 A ABCDEFJNQRV 8
4 FI 9
5 ABKL AFHJR 10
10A CEE ① €17,50
H440 5 ha 50T(80-100m²) 120D ② €22,50

Von der A66 die Ausfahrten 48, 49 oder 50 Richtung Schlüchtern-Hutten. Nach 7 km kommt der CP. In Hutten den Hinweisen 'Sportplatz-Freibad' folgen.

Schotten, D-63679 / Hessen

Campingplatz am Nidda-Stausee
Am Campingplatz 1
1 Jan - 31 Dez
+49 (0)6044-1418
campingplatz@schotten.de
N 50°28'58'' E 9°5'47''

1 AJMNOPRST LNQRSXY 6
2 DGIOPRUVWXY ABDEFGIJ 7
3 BK ABCDEFJNQRSV 8
4 FH PT 9
5 DEIJKL ABFGHKR 10
B 16A CEE ① €17,00
H230 3,3 ha 52T(80-100m²) 200D ② €25,00

A45 Giessen-Hanau Ausfahrt 37 Wölfersheim. B455 Richtung Schotten. Der CP ist am Niddastausee vor Schotten.

Sinntal/Oberzell, D-36391 / Hessen

Campingplatz Sinntal
Alfred Kühnertstraße
1 Mär - 30 Okt
+49 (0)6664-6161
N 50°20'17'' E 9°42'39''

1 AJMNOPRST 6
2 APRWX ABDEF 7
3 AE ABCDEFNQRTV 8
4 H DX 9
5 KL AHJMR 10
16A ① €15,00
H310 1,8 ha 50T(100m²) 36D ② €20,00

A7 Fulda-Würzburg, Ausfahrt Motten. B27 Richtung Motten. Vor Kothen links. Schildern Sinntal und CP folgen. CP ist in Oberzell, Gemeinde Sinntal.

Tann (Rhön), D-36142 / Hessen

Ulstertal
Dippach 4
1 Jan - 31 Dez
+49 (0)6682-8292
FAX +49 (0)6682-10086
N 50°36'53'' E 10°1'53''

1 AJMNOPQRST 6
2 CGPRUWX ABDEFGHIJ 7
3 BL ABCDEFJKNQRS 8
4 FHIOPQ G 9
5 ADEIKL ABFGHJLR 10
WB 16A CEE ① €19,00
H420 2,8 ha 100T 42D ② €19,00

A7 Kassel-Würzburg, Ausfahrt Hünfeld/Schlitz. Dann Richtung Hünfeld. In Hünfeld Richtung Tann (Rhön). In Wendershausen B278 Richtung Dippach ausgeschildert.

Trendelburg, D-34388 / Hessen

Trendelburg***
Zur Alten Mühle 10
1 Jan - 31 Dez
+49 (0)5675-301
conradi-camping@t-online.de
N 51°34'20'' E 9°25'26''

1 AJMNOQRST JNXZ 6
2 CGOPVWXY ABDEFGI 7
3 ALM ABCDEFJNQRSV 8
4 IO IQR 9
5 ABDEGIKL ABFHLPR 10
16A CEE ① €14,00
H134 2 ha 45T(80-100m²) 49D ② €18,50

Ab Kassel die B83. In Trendelburg hinter der Diemelbrücke links. Ab Bad Karlshafen die B83. In Trendelburg vor dem Ortsende, vor der Diemelbrücke rechts.

Vöhl, D-34516 / Hessen

Campingplatz Asel-Süd Ederseeparadies
Asel-Süd 1
1 Mär - 31 Okt
+49 (0)5635-608
info@camping-asel-sued.de
N 51°10'52'' E 8°57'19''

1 AEFJMNOPQRT LNQSXY 6
2 BDFGJKOPRTWXY ABFGHK 7
3 BEFGHLV ABDEFGJNQRST 8
4 BEFHIK ADEFPQTVY 9
5 ABEIKL ABJRV 10
B 16A CEE ① €19,60
H280 3,6 ha 190T(20-80m²) 211D ② €24,60

A44 Dortmund-Kassel, Ausfahrt Diemelstadt. B252 Richtung Korbach bis kurz nach Herzhausen. Links Richtung Asel-Süd. Ist ausgeschildert. CP im Süden vom Edersee.

Wald-Michelbach, D-69483 / Hessen

Schöner Odenwald
Spechtbach 35
1 Jan - 31 Dez
+49 (0)6207-2237
info@schoener-odenwald.de
N 49°33'44'' E 8°49'39''

1 AFJMNORT N 6
2 COPRTUVWX ABDEFGI 7
3 ABCDEFJNRV 8
4 FIO 9
5 BJKL AHJR 10
16A ① €17,00
H400 2,3 ha 50T(70-100m²) 100D ② €22,00

Von Süden: A5 Frankfurt-Basel, Ausfahrt 33 Weinheim, via Mörlenbach. Von Norden: Ausfahrt 31 Heppenheim, via Mörlenbach. In Wald-Michelbach ausgeschildert (3 Schilder).

Waldeck/Scheid, D-34513 / Hessen

Campingplatz Bettenhagen
Am Bettenhagen 1
1 Jan - 31 Dez
+49 (0)5634-7883
info@campingplatz-bettenhagen.de
N 51°11'18'' E 9°0'38''

1 AFJMNOPRT LNQSXZ 6
2 DFKRUW ABDEFG 7
3 A ABEFJNQR 8
4 FHI P 9
5 ABKL AFGKNST 10
10A CEE ① €19,00
H252 1,7 ha 60T 125D ② €26,00

A44 Dortmund-Kassel, Ausfahrt 64 Diemelstadt, B252 Richtung Korbach, dann Edersee, Sachsenhausen, Niederwerbe, Halbinsel Scheid. Dann ausgeschildert.

Weilburg/Odersbach, D-35781 / Hessen

Odersbach****
Runkelerstraße 5A
1 Apr - 31 Okt
+49 (0)6471-7620
info@camping-odersbach.de
N 50°28'33'' E 8°14'28''

1 ADEFJMNOPRST ANXY 6
2 CGOPVXY ABDFGHJ 7
3 BEGILMPV ABCDFNQRSV 8
4 FHIO DPQRUVW 9
5 ABDFJKL ABFGHIJLORV 10
B 16A CEE ① €19,00
H125 5 ha 75T(70-100m²) 238D ② €23,00

A3 Köln-Frankfurt, Ausfahrt 42 Limburg-Nord, B49 Richtung Weilburg, B456 Richtung Odersbach, CP ausgeschildert.

Weiterstadt/Gräfenhausen, D-64331 / Hessen

Am Steinrodsee
Triftweg 33
1 Mär - 31 Okt
+49 (0)6150-53593
rezeption.koehres@t-online.de
N 49°56'41'' E 8°36'20''

1 AFJMNOPRST 6
2 ADGPSVWX ABDEFG 7
3 AFKLMN ABCDFJNQRSTV 8
4 HIO DV 9
5 ABGKL ABGHKORV 10
B 16A CEE ① €23,00
H100 3 ha 55T(90-120m²) 130D ② €29,00

A5 Frankfurt-Darmstadt, Ausfahrt 25 Weiterstadt Richtung Darmstadt, B42. An der Ampel Richtung Gräfenhausen die L3113. Nach Gräfenhausen den CP-Schildern folgen.

Wetzlar, D-35576 / Hessen

Campingplatz Wetzlar
Dammstraße 52
1 Mär - 31 Okt
+49 (0)6441-34103
info@campingplatz-wetzlar.de
N 50°34'18'' E 8°30'29''

1 AJMNOPQRST JNVXYZ 6
2 ACLOPRSVWXY ABFGH 7
3 A ABEFJQRV 8
4 FHIO ADFQR 9
5 BEJK ABHKPRV 10
10A CEE ① €22,90
30T(ab 50m²) 9D ② €28,30

B49 Ausfahrt Bahnhof/Forum. Nach ca. 300m an der Ampel links. Nach 450m rechts (Carolinenweg). Nächste Ampel links halten. Der Straße bis zum Kreisel folgen, dort geradeaus. Nach 400m rechts ab Richtung Camping.

Witzenhausen, D-37213 / Hessen

CC€16

Campingplatz Werratal
Am Sande 11
1 Jan - 31 Dez
+49 (0)5542-1465
info@campingplatz-werratal.de
N 51°20'49'' E 9°52'9''

1 AEFJMNOPRST ABEFGHJNUX 6
2 ACKOPSXY ABDEFG 7
3 ABEGHILMNOP ABCDEFJNQR 8
4 FGHIO DFPQRUV 9
5 ABGKL ABFGHILR 10
16A ① €20,00
H144 3 ha 70T(120m²) 65D ② €27,60

A44 Dortmund-Kassel, dann die A7 Kassel-Hannover. Ausfahrt 75 Hedemünden/Werratal/Witzenhausen. B80 Richtung Witzenhausen. CP dort ausgeschildert.

Zierenberg, D-34289 / Hessen

Zur Warme
Im Nordbruch 2
1 Jan - 31 Dez
+49 (0)5606-3966
campingplatz-zierenberg@t-online.de
N 51°22'3'' E 9°18'55''

1 AJMNOPRST N 6
2 ACPW ABEFGHI 7
3 BIKL ABCDEFJQRTU 8
4 O 9
5 AEGJKL ABFHIJLRV 10
B 16A CEE ① €16,00
H250 4,2 ha 30T 80D ② €16,00

A44 Dortmund-Kassel, Ausfahrt 67 Zierenberg. In Zierenberg ist der CP ausgeschildert.

Deutschland

Teilkarte Hessen auf Seite 310

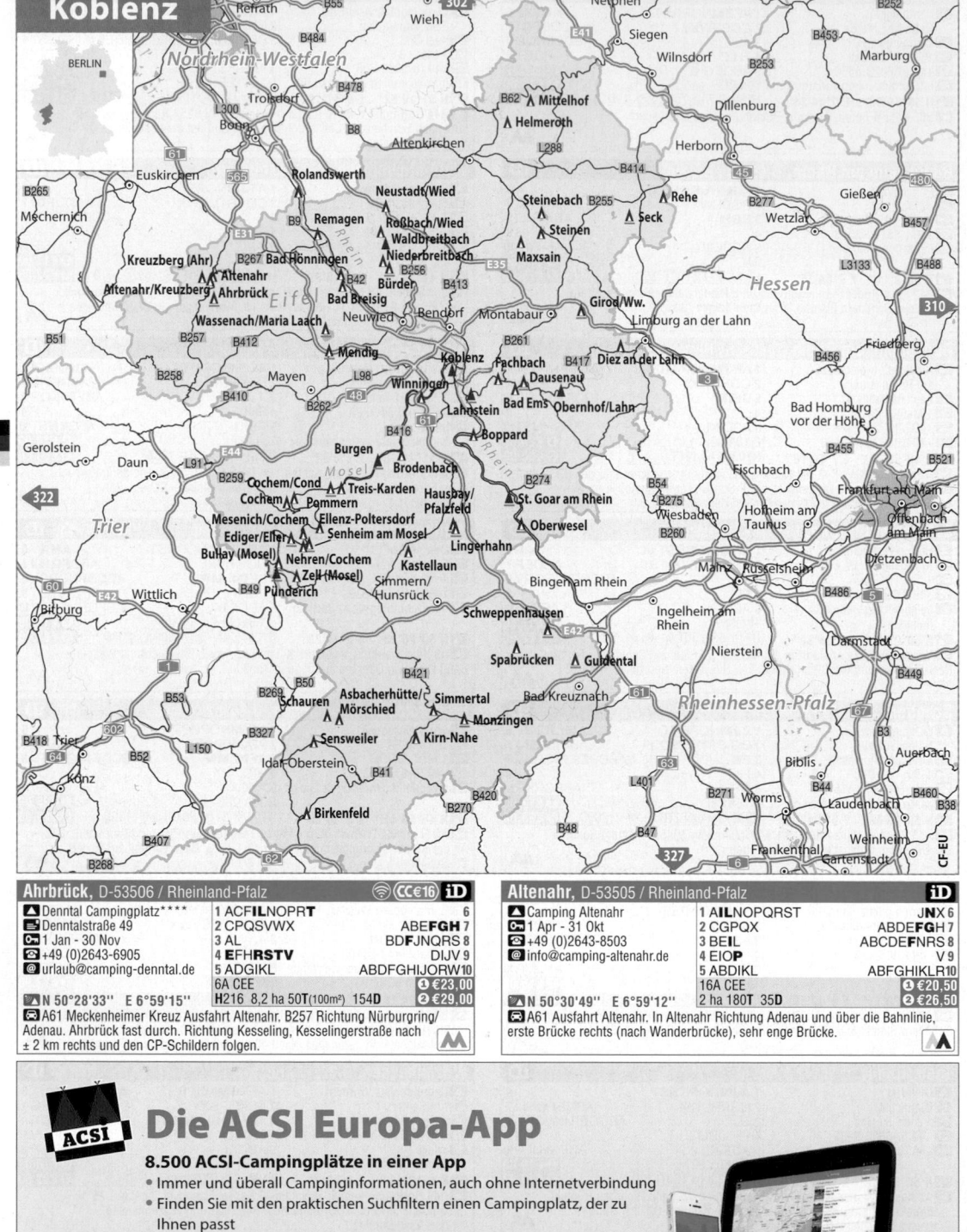

Deutschland

Koblenz

Ahrbrück, D-53506 / Rheinland-Pfalz

Denntal Campingplatz****
Denntalstraße 49
1 Jan - 30 Nov
+49 (0)2643-6905
urlaub@camping-denntal.de

1 ACF**IL**NOPR**T**		6
2 CPQSVWX	ABE**FGH**	7
3 AL	BD**F**JNQRS	8
4 **E**FH**RSTV**	DIJV	9
5 ADGIKL	ABDFGHIJORW	10
6A CEE		❶ €23,00
H216 8,2 ha 50**T**(100m²) 154**D**		❷ €29,00

N 50°28'33'' E 6°59'15''

A61 Meckenheimer Kreuz Ausfahrt Altenahr. B257 Richtung Nürburgring/ Adenau. Ahrbrück fast durch. Richtung Kesseling, Kesselingerstraße nach ± 2 km rechts und den CP-Schildern folgen.

Altenahr, D-53505 / Rheinland-Pfalz

Camping Altenahr
1 Apr - 31 Okt
+49 (0)2643-8503
info@camping-altenahr.de

1 A**IL**NOPQRST	J**N**X	6
2 CGPQX	ABDE**FG**H	7
3 BE**I**L	ABCDE**F**NRS	8
4 EIO**P**	V	9
5 ABDIKL	ABFGHIKLR	10
16A CEE		❶ €20,50
2 ha 180**T** 35**D**		❷ €26,50

N 50°30'49'' E 6°59'12''

A61 Ausfahrt Altenahr. In Altenahr Richtung Adenau und über die Bahnlinie, erste Brücke rechts (nach Wanderbrücke), sehr enge Brücke.

Teilkarte Koblenz auf Seite 316

Altenahr/Kreuzberg, D-53505 / Rheinland-Pfalz

Viktoria Station****
Bahnhofstrasse 6
1 Apr - 31 Okt
+49 (0)2643-8338
mail@viktoria-station.de
N 50°30'27'' E 6°58'46''

1 AEJMNOPQRST JNX 6
2 ACGOPQWX BEFGHIJ 7
3 BEKL ABCDEFGJKNQRST 8
4 AEFHIO 9
5 AEJKL ABFGHIJLORX 10
B 16A CEE ① €22,30
5 ha 190T 85D ② €29,30

A61 Ausfahrt Altenahr Richtung Adenau. Nach Altenahr Ausfahrt Kreuzberg, über Bahngleise, über die Brücke, links. Ausgeschildert.

Asbacherhütte/Mörschied, D-55758 / Rheinl.-Pfz

Harfenmühle****
Harfenmühle 2
1 Jan - 31 Dez
+49 (0)6786-7076
mail@harfenmuehle.de
N 49°48'15'' E 7°16'11''

1 AILNOPQRST HJX 6
2 BCGHPRTUVWXY ABFGHIJ 7
3 ABDEFKLMQT BDFJKNQRSTUV 8
4 BEFGHIST GJKW 9
5 ABDEGIKL ABFGHIJNPRVX 10
WB 16A CEE ① €25,40
H450 6,2 ha 80T(80-120m²) 81D ② €33,40

A61 Ausfahrt 42 Rheinböllen/Simmern. Auf der B50 am Flughafen Hahn vorbei bis Morbach folgen. Dann Richtung Bruchweiler/Kempfeld. Weiter Richtung Herrstein.

Bad Breisig, D-53498 / Rheinland-Pfalz

Rheineck
Rheineckerstraße
1 Jan - 31 Dez
+49 (0)2633-95645
info@camping-rheineck.de
N 50°29'30'' E 7°18'38''

1 AFGJMNOPQRST 6
2 ACGOPVWX ABDEFG 7
3 AF ABCDEFJNQR 8
4 F 9
5 BGIKL AGHIJORV 10
16A CEE ① €17,50
5 ha 125T 252D ② €22,50

Auf der A61 Ausfahrt Bad Breisig. Der CP ist angezeigt.

Bullay (Mosel), D-56859 / Rheinland-Pfalz

Bären-Camp****
Am Moselufer 1 + 3
28 Mär - 31 Okt
+49 (0)6542-900097
info@baeren-camp.de
N 50°3'14'' E 7°7'49''

1 ADEFJMNOPRST JNQSWXYZ 6
2 COPVWXY ABDEFG 7
3 BE ABCDEFJNQRSV 8
4 AEFH 9
5 ACEIJKL ABDGHIJLNPR 10
16A CEE ① €28,65
H80 1,9 ha 150T(70-105m²) 14D ② €35,65

A1, Ausfahrt 125 Wittlich über die B49 nach Alf, dort über Moselbrücke nach Bullay. Oder A61, Ausfahrt Rheinböllen/Simmern (Airport Hahn) die B50, in Kirchberg rechts nach Zell/Mosel B421. In Zell weiter B53 Cochem.

Bad Ems, D-56130 / Rheinland-Pfalz

Bad Ems
Lahnstraße
1 Apr - 31 Okt
+49 (0)2603-4679
026034679-0001@t-online.de
N 50°19'8'' E 7°44'1''

1 AGJMNOPQRST FJNXYZ 6
2 CGPRWXY ABDEFG 7
3 A ABCDEFNQRV 8
4 P I 9
5 ABGKL ABGHIJR 10
6A CEE ① €17,70
H100 1,2 ha 70T(80m²) 75D ② €24,70

CP ist an der B260 und der Lahn zwischen Nassau (8 km) und Bad Ems (2 km).

Bürder, D-56589 / Rheinland-Pfalz

Zum stillen Winkel*****
Brunnenweg 1c
1 Apr - 31 Okt
+49 (0)157-77722216
zumstillenwinkel@tretters.biz
N 50°30'56'' E 7°25'46''

1 AGJMNOPQRST JN 6
2 BCGPWXY ABDEFGH 7
3 ABEL ABEFJNQRSTUV 8
4 FHI J 9
5 AK AHIJLPRV 10
Anzeige auf dieser Seite 16A CEE ① €20,00
5 ha 70T(80-100m²) 161D ② €28,50

A3 Ausfahrt 36 Neuwied, Richtung Neuwied, danach Richtung Kurtscheid halten. Durchfahren bis nach Niederbreitbach, dort links wieder Richtung Neuwied bis zur Ausfahrt Bürder. CP-Schild 2.

Bad Hönningen, D-53557 / Rheinland-Pfalz

Wellness-Rheinpark-Camping
Allée St. Pierre les Nemours 1
1 Apr - 31 Okt
+49 (0)2635-923585
info@wellness-rheinpark-camping.de
N 50°30'39'' E 7°18'28''

1 ABEJMNOPQRST 6
2 CFOPSWXY ABDEFG 7
3 AB ABDFGHJNQRST 8
4 OSTUVWXYZ 9
5 ABDEGJKL ABFGHIJMNORV 10
B 16A CEE ① €21,60
4,5 ha 100T(80-120m²) 325D ② €27,00

A3, Ausfahrt 34 Bad Honnef/Linz. Richtung Linz, weiter Bad Hönningen. CP am Rhein und ist ausgeschildert.

Burgen, D-56332 / Rheinland-Pfalz

Camping Burgen****
Moselstraße
2 Apr - 18 Okt
+49 (0)2605-2396
info@camping-burgen.de
N 50°12'53'' E 7°23'24''

1 AEFJMNOPQRST AJNXY 6
2 CFKOPVWXY ABDEFGHI 7
3 BEFIL ABCDEFJNQRSV 8
4 FHIO FQV 9
5 ABKL ABDFGHIKMPRZ 10
16A ① €22,00
H80 4 ha 120T(60-100m²) 62D ② €30,00

A61, Ausfahrt 39 Dieblich. Dann B49 Richtung Cochem/Trier bis zum Ortseingang Burgen.

Birkenfeld, D-55765 / Rheinland-Pfalz

Campingpark Waldwiesen****
Waldwiesen/Wasserschied
1 Apr - 30 Okt
+49 (0)6782-5215
info@waldwiesen.de
N 49°39'11'' E 7°10'44''

1 ADEFJMNOPQRST L 6
2 ABCDGIPTUVWXY ABDEFGHI 7
3 BEKLMQ ABCDEFJKNQRSTUV 8
4 EFH EIJUV 9
5 CKL ABFGHIJLNPRV 10
FKK 16A CEE ① €22,65
H400 6 ha 85T 23D ② €31,65

A1, bis Kreuz Kaiserslautern/Saarbrücken. Dort A62 Richtung Kaiserslautern, Ausfahrt 4 Birkenfeld. Dann B41 bis der CP ausgeschildert ist.

Burgen, D-56332 / Rheinland-Pfalz

Knaus Campingpark Burgen/Mosel
Am Bootshafen(B49)
3 Apr - 18 Okt
+49 (0)2605-952176
mosel@knauscamp.de
N 50°12'19'' E 7°22'53''

1 ADEFJMNOPQRST ABJNXYZ 6
2 CFGOPQWX ABDEFGH 7
3 AI ABCDEFJNQRSV 8
4 FH D 9
5 ABDEGJKL ABDFGIKMORW 10
Anzeige auf Seite 259 B 16A CEE ① €22,45
H85 4 ha 120T(80-120m²) 102D ② €27,95

A61 Ausfahrt 39 Dieblich. B49 bis hinter Burgen folgen.

Boppard, D-56154 / Rheinland-Pfalz

Campingpark Sonneneck
An der B9
1 Apr - 31 Okt
+49 (0)6742-2121
info@sonneneck-camping.de
N 50°14'56'' E 7°37'34''

1 AJMNOPQRST AFHNSX 6
2 CGOPRWXY ABDEFGH 7
3 BILQ ABCDEFKNQRS 8
4 O E 9
5 ABDEJKL ABGHILR 10
B 6A ① €25,00
H100 11 ha 250T(80-100m²) 40D ② €30,00

Vom Norden: A61 Kreuz-Koblenz, A48 Richtung Koblenz. Dort B9 Richtung Boppard. CP 5 km vor Boppard.

Cochem, D-56812 / Rheinland-Pfalz

Schausten
Endert 124
1 Mär - 30 Nov
+49 (0)2671-7528
info@camping-cochem.de
N 50°9'3'' E 7°9'18''

1 AJMNOPQRST 6
2 ABCOPSUWXY ABDEFG 7
3 BKLV ABDFJNQRV 8
4 EFHQ DV 9
5 ABDEGHKL ABEFGHIKMNPR 10
16A ① €23,00
0,9 ha 60T 45D ② €28,00

A48, Ausfahrt 4 Kaisersesch, Richtung Cochem (ca. 7 km). Am Ortseingang links.

Brodenbach, D-56332 / Rheinland-Pfalz

Historische Mühle Vogelsang
Rhein-Mosel-Str. 63
1 Jan - 31 Dez
+49 (0)2605-1437
info@mühle-vogelsang.de
N 50°13'16'' E 7°26'44''

1 AFJMNOPQRT 6
2 ABCFGOPSTWXY ABFGHI 7
3 ALV ABEFJKNQRSV 8
4 FH IJ 9
5 ABIJKL AFGHIJLMRV 10
16A CEE ① €18,80
H100 1,5 ha 90T(80-120m²) 96D ② €24,00

A61 Ausfahrt 39 Dieblich. Dann der B49 Richung Cochem/Trier bis Brodenbach folgen.

Cochem/Cond, D-56812 / Rheinland-Pfalz

Moselcamping Cochem
Stadionstraße
27 Mär - 31 Okt
+49 (0)2671-4409
info@campingplatz-cochem.de
N 50°9'28'' E 7°10'26''

1 ADEJMNOPQRT ABEFHJNQWXY 6
2 CGOPVWX ABDEFG 7
3 ABI ABCDEFIJNQRS 8
4 FHIOSTU D 9
5 ABDEGIJK ABFGHIKPR 10
B 10A CEE ① €22,50
H100 2,4 ha 230T(80-120m²) 72D ② €31,50

A1/A48 Ausfahrt 4 Kaisersech, Richtung Cochem. Dort bei neuer Brücke links über Umgehungsstraße nach der Mosel.

Deutschland

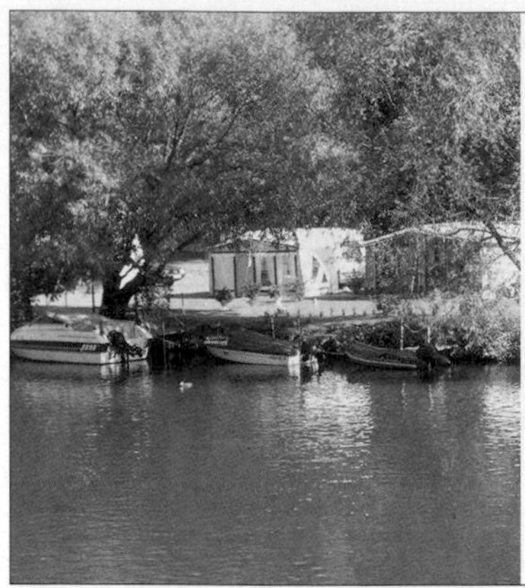

Dausenau, D-56132 / Rheinland-Pfalz (CC€16) iD

Lahn Beach	1 AJMNOPQRS**T**	J**NX**YZ 6
Hallgarten 16	2 CGOPRWX	ABDE**FG** 7
1 Apr - 31 Okt	3 BEL	ABCDE**F**NQR 8
+49 (0)2603-13964	4	QV 9
info@canutours.de	5 AGIKL	AGHIK**P**RV 10
	Anzeige auf dieser Seite B 6-16A CEE	❶ €23,50
N 50°19'39'' E 7°45'19''	H70 3 ha 80**T**(80m²) 60**D**	❷ €30,50

CP liegt an der B260 und der Lahn, zwischen Nassau (4 km) und Bad Ems (4 km). In Dausenau über die Lahn-Brücke und dann rechts.

Guldental, D-55452 / Rheinland-Pfalz (CC€16) iD

Campingpark Lindelgrund	1 AF**JM**NOPQRST	6
Im Lindelgrund 1	2 APRSUX	ABDE**FG** 7
1 Mär - 31 Dez	3 BLQS	ABCDEFIJNQRT 8
+49 (0)6707-633	4 HIO	EJKV 9
info@lindelgrund.de	5 ABJKL	ADFGHIJL**P**RW 10
	B 10A CEE	❶ €19,50
N 49°53'3'' E 7°51'25''	H300 8 ha 62**T** 183**D**	❷ €24,50

A61 Ausfahrt 47 Waldlaubersheim, durch Windesheim/Guldental. Hinter Guldental den CP-Schildern folgen.

Diez an der Lahn, D-65582 / Rheinland-Pfalz iD

Oranienstein	1 AEFJMNOPQRS**T**	FJ**NXYZ** 6
Strandbadweg 1a	2 ACGOPRSWX	A**B**DE**FG** 7
1 Apr - 31 Okt	3 ALQ	ABCDE**F**JNQRSV 8
+49 (0)6432-2122	4 HI	DQRVY 9
info@camping-diez.de	5 ABDEGIKL	ABFGHIJ**P**R 10
	10A CEE	❶ €19,85
N 50°22'53'' E 8°0'2''	H90 7 ha 150**T**(100m²) 158**D**	❷ €24,85

A3 Köln-Frankfurt, Ausfahrt 41 Diez. CP-Schildern folgen.

Hausbay/Pfalzfeld, D-56291 / Rheinland-Pfz (CC€16) iD

Country Camping Schinderhannes GmbH****	1 AE**JM**NOPQRST	L**N** 6
Campingplatz 1	2 ADGPRUWXY	ABDE**FG**H 7
1 Jan - 31 Dez	3 BEL**MP**	ABCDEFINQRS 8
+49 (0)6746-8005440	4 FHIO	9
info@countrycamping.de	5 ABEJKL	ABFGHIJL**NO**RW 10
	6A CEE	❶ €22,00
N 50°6'21'' E 7°34'4''	H500 30 ha 350**T**(100-120m²) 150**D**	❷ €29,00

A61 Ausfahrt 43 Pfalzfeld, dann den CP-Schildern folgen (3 km). Ins Navi geben: Hausbayerstraße/Pfalzfeld.

Ediger/Eller, D-56814 / Rheinland-Pfalz (CC€18) iD

Zum Feuerberg	1 AE**JM**NOPQRST	AJ**N**W**X**YZ 6
Moselstraße	2 CGIOPVWXY	ABDE**FG** 7
1 Apr - 31 Okt	3 AB**JK**L	ABCDE**F**JNQRSV 8
+49 (0)2675-701	4 A**E**FHIO	V 9
info@zum-feuerberg.de	5 ABGKL	ABGHIJM**N**R 10
	16A CEE	❶ €21,00
N 50°5'30'' E 7°9'48''	H98 1,8 ha 165**T**(100-150m²) 80**D**	❷ €28,00

A48 Ausfahrt 3 Laubach, Richtung Cochem. Dann Richtung Senheim, 4 km entlang der Mosel.

Helmeroth, D-57612 / Rheinland-Pfalz iD

Camping Nistertal	1 A**JM**NORT	6
Campingplatz 0	2 BCPWX	AB**FG** 7
1 Apr - 31 Okt	3 ALS	ABEFNQRV 8
+49 (0)2742-912480	4 FHI	D 9
info@campingwesterwald.de	5	ABHJR 10
	10A CEE	❶ €20,00
N 50°44'48'' E 7°44'19''	H170 2 ha 33**T**(80-100m²) 27**D**	❷ €25,00

A3 Köln-Frankfurt Ausfahrt Hennef/Altenkirchen, die B8 Richtung Altenkirchen, B256 Richtung Siegen/Wissen. In Helmeroth ist der CP ausgeschildert.

Ellenz-Poltersdorf, D-56821 / Rheinland-Pfalz iD

Happy Holiday	1 A**JM**NOPQRS**T**	J**N**W**XY** 6
Moselweinstraße	2 CFGOPWX	ABDE**F**G 7
27 Mär - 31 Okt	3	ABCDE**F**NQR 8
+49 (0)2673-1272	4 AFHIOP	9
	5 ABDEIJKL	ABHKOR 10
	16A	❶ €17,50
N 50°6'36'' E 7°14'9''	60**T** 60**D**	❷ €23,50

A48 Ausfahrt 4 Kaisersech Richtung Cochem, dann B49 Richtung Alf.

Kastellaun, D-56288 / Rheinland-Pfalz iD

BurgStadt Campingpark****	1 ADE**JM**NOPQR**T**	6
Südstraße 34	2 BCFGORSUVWX	ABD**FG**H 7
1 Mär - 31 Okt	3 ABEF**GHILMN**Q	ABCDEFIJK**LM**NQRSTUV 8
+49 (0)6762-40800	4 AEFHI**RST**	GIV 9
info@burgstadt.de	5 ABDEGJKL	AGHIJMNPR 10
	B 16A CEE	❶ €24,00
N 50°4'4'' E 7°27'16''	H450 2,5 ha 100**T**(bis 80m²) 59**D**	❷ €32,00

Von Norden die A61, Ausfahrt Emmelshausen, dann Richtung Kastellaun. Von Süden Ausfahrt Pfalzfeld, dann Richtung Kastellaun. In Kastellaun den CP-Schildern folgen.

Fachbach, D-56133 / Rheinland-Pfalz iD

Bäderblick	1 AJMNOPRT	JNXZ 6
Furtweg 14	2 CGIOPWX	ABFG 7
1 Mär - 31 Okt	3 A**JK**	AEFNQRT 8
+49 (0)2603-13202	4 NO	Q 9
info@baederblick.com	5 AIL	ABIKLSTVX 10
	16A CEE	❶ €20,50
N 50°20'10'' E 7°41'32''	55**T**(75-125m²) 50**D**	❷ €26,50

Von Koblenz Richtung Bad Ems. Der CP liegt direkt vor Bad Ems.

Girod/Ww., D-56412 / Rheinland-Pfalz (CC€16) iD

Eisenbachtal	1 AF**JM**NOPQRST	X 6
1 Jan - 31 Dez	2 ACGPRSTVWX	ABDE**FG**HIJ 7
+49 (0)6485-766	3 BEL	ABCDE**F**NQRSTUV 8
FAX +49 (0)6485-4938	4 EFIO	QR 9
	5 ABJKL	AFGHIJLNR 10
	B 6A CEE	❶ €18,00
N 50°26'16'' E 7°54'16''	H300 3,5 ha 30**T**(80m²) 130**D**	❷ €25,00

A3 Köln-Frankfurt, Ausfahrt 41 Wallmerod-Diez. Dann Richtung Montabaur. CP nach 5 km (siehe Schild).

Deutschland

Teilkarte Koblenz auf Seite 316

Kirn-Nahe, D-55606 / Rheinland-Pfalz

Papiermühle	1 AILNOPQRT	6
Krebsweilerstraße 8	2 COPTUWXY	ABDEFGHI 7
1 Apr - 1 Nov	3 BEL	ABCDEFJNQRS 8
+49 (0)6752-6432	4	9
	5 IK	AHJ10
	B 16A CEE	❶ €17,00
N 49°46'14'' E 7°27'30''	H200 4 ha 40T 150D	❷ €23,00

A61 Ausfahrt Bingen. B41 bis Kirn, dort Richtung Meisenheim, den CP-Schildern mit dem Namen 'Andre' folgen.

Lingerhahn, D-56291 / Rheinland-Pfalz

Camping und Mobilheimpark Am Mühlenteich****	1 AEFJMNOPQRST	A 6
1 Jan - 31 Dez	2 ABCGPRTWXY	ABDEFGHIJ 7
+49 (0)6746-533	3 BCEFLR	ABCDEFJNQRSV 8
info@muehlenteich.de	4 AEFHIOPQ	DE 9
	5 ABDEGJKL	ABFGHIJNPRV10
	Anzeige auf dieser Seite 10A CEE	❶ €28,50
N 50°5'57'' E 7°34'25''	H400 15 ha 150T 252D	❷ €37,50

A61 Ausfahrt 44 Laudert, Richtung Laudert. Dort Richtung Lingerhahn, Schildern folgen (4 km). Möglicherweise gibt Ihr Navigationsgerät eine andere Route an: dennoch den CP-Schildern folgen.

Koblenz, D-56072 / Rheinland-Pfalz

Gülser Moselbogen****	1 ADEFJMNOPQRST	JNW 6
Am Gülser Moselbogen 20	2 ACPRVWXY	ABDEFGI 7
1 Jan - 31 Dez	3 BLQ	ABCDFJNQRS 8
+49 (0)261-44474	4 F	V 9
info@moselbogen.de	5 ABDEGJKL	ABFGHIJPR10
	B 16A CEE	❶ €26,50
N 50°19'56'' E 7°33'11''	H100 8 ha 132T(100m²) 84D	❷ €32,50

A61, Ausfahrt 38 Koblenz-Metternich. B416 Richtung Cochem. In Güls an der B416. CP ist ausgeschildert.

Maxsain, D-56244 / Rheinland-Pfalz

Klingelwiese	1 AFJMNOQRST	LN 6
Klingelwiese 1	2 BDGKPTVWXY	FGH 7
1 Jan - 31 Dez	3 AE	ABCDEFJNRV 8
+49 (0)2626-5043	4	DT 9
info@klingelwiese.de	5 ABDEJKL	AHJR10
	16A CEE	❶ €15,50
N 50°33'10'' E 7°45'40''	H280 18 ha 120T(80-100m²) 401D	❷ €19,50

A3 Köln-Frankfurt, Abfahrt 37 Dierdorf. B413 Richtung Dierdorf-Herschbach-Selters. Nach Dierdorf Ausfahrt Selters, ausgeschildert.

Koblenz, D-56070 / Rheinland-Pfalz

Knaus Campingpark Rhein-Mosel Koblenz	1 AFJMNOPRST	XY 6
Schartwiesenweg 6	2 CFGPWX	ABDEFGHI 7
1 Apr - 30 Nov	3 BL	ABCDEFIJKNQRST 8
+49 (0)261-82719	4 O	D 9
koblenz@knauscamp.de	5 ABIJKL	ABFGHIPR10
	B 6-10A CEE	❶ €28,00
N 50°21'58'' E 7°36'12''	H60 5 ha 198T(80m²) 2D	❷ €37,00

A6, Ausfahrt Koblenz, D9. Ausfahrt Koblenz-Lützel. Dann der Beschilderung folgen.

Mendig, D-56743 / Rheinland-Pfalz

Siesta	1 AJMNOPQRST	6
Am Campingplatz 1	2 APTWXY	ABDFG 7
1 Jan - 31 Dez	3 BL	ABCDEFNR 8
+49 (0)2652-1432	4	V 9
walter.boehler@t-online.de	5 ABDEGIKL	AFHIKOV10
	16A CEE	❶ €18,50
N 50°23'14'' E 7°16'9''	H300 3 ha 100T 70D	❷ €24,50

A61 Ausfahrt Mendig, rechts in Richtung Maria Laach. Nach ca. 100m rechts über den Parkplatz zum CP.

Kreuzberg (Ahr), D-53505 / Rheinland-Pfalz

Sahrtal	1 AFJMNOPQRST	AJN 6
Münstereifeler Strasse 11	2 ACPQSVW	ABDEFG 7
1 Jan - 31 Dez	3 AL	ABCDEFHJKNRSU 8
+49 (0)2643-2450	4 ABCDEOPQT	AG 9
info@campingplatz-sahrtal.de	5 ADEGIKL	ABHJLMNRW10
	16A CEE	❶ €19,40
N 50°30'42'' E 6°57'5''	5,5 ha 25T(100-130m²) 166D	❷ €25,40

A61 Ausfahrt Altenahr Richtung Adenau. Hinter Altenahr Ausfahrt Kreuzberg. Über die Bahnlinie, dann über die Brücke und rechts abbiegen. CP ist angezeigt.

Mesenich/Cochem, D-56820 / Rheinland-Pfalz

Family Camping	1 AGIKNOPRT	AFJN 6
Wiesenweg 25	2 CGOPVWX	ABFGH 7
24 Apr - 4 Okt	3 ABKL	ABCDEFJNQRSV 8
+49 (0)2673-4556	4 ABDEFHILO	AI 9
info@familycamping.nl	5 ABDEGKL	ABHIJNOPR10
	B 10A CEE	❶ €30,50
N 50°6'6'' E 7°11'38''	H91 3 ha 98T(80-100m²) 28D	❷ €35,50

A48 Ausfahrt Cochem, dort über die Brücke, dann rechts in Richtung Beilstein. Ca. 4 km nach Beilstein kurz vor dem Ort Mesenich liegt der CP rechts der Straße an der Mosel.

Lahnstein, D-56112 / Rheinland-Pfalz

Burg Lahneck	1 FJMNOPQRST	AFH 6
Am Burgweg	2 GPRTUVWXY	ABDEFGHI 7
27 Mär - 1 Nov	3 A	ABCDEFNQR 8
+49 (0)2621-2765	4	9
+49 (0)2621-18290	5 ABDEJKL	ABGHIJR10
	16A CEE	❶ €27,00
N 50°18'19'' E 7°36'47''	H200 1,8 ha 80T(60-100m²) 2D	❷ €35,00

B42 Ausfahrt Oberlahnstein, dann 'Kurzentrum' und/oder CP-Schildern 'Burg Lahneck' folgen.

Mittelhof, D-57537 / Rheinland-Pfalz

Camping im Eichenwald****	1 AEFJMNOPQRST	FN 6
1 Jan - 31 Dez	2 BPTWXY	ABDEFG 7
+49 (0)2742-910643	3 BEFL	ABCDEFJKNQRS 8
camping@hatzfeldt.de	4 EFI	DIJUW 9
	5 ABDEJKL	AGHJLMNPRV10
	WB 16A CEE	❶ €18,00
N 50°46'50'' E 7°47'55''	H350 10 ha 150T 387D	❷ €26,00

A45 Dortmund-Giesen, Abfahrt 21 Siegen/Netphen. B62 Richtung Altenkirchen, ausgeschildert.

Lahnstein, D-56112 / Rheinland-Pfalz

Wolfsmühle	1 AEJMNOPQRST	JNXYZ 6
Hohenrhein 79	2 CGPRVWX	ABEFG 7
15 Mär - 31 Okt	3 BLS	ABCDFJNQR 8
+49 (0)2621-2589	4 IOQ	D 9
info@camping-wolfsmuehle.de	5 ABDGIKL	ABDFGHIKORXZ10
	6A CEE	❶ €22,50
N 50°18'54'' E 7°38'1''	H70 3 ha 150T(70-150m²) 81D	❷ €30,50

A61 oder A3 Richtung Koblenz A48 Ausfahrt Vallendar. B42 Richtung Koblenz, dann Rüdesheim Ausfahrt Oberlahnstein. Am Kreisel 1. Straße rechts. CP-Schildern folgen. Ab der B42 nicht dem Navi folgen.

Monzingen, D-55569 / Rheinland-Pfalz

Nahemühle	1 AEFJMNOPQRST	JNX 6
1 Mär - 31 Dez	2 CGKPRWX	ABFG 7
+49 (0)6751-7475	3 BELQ	ABCDEFJKNQRS 8
info@camping-nahemuehle.de	4 AEFHS	AEFIRV 9
	5 ABDEGJKL	ABDFGHIJR10
	B 16A CEE	❶ €24,50
N 49°47'45'' E 7°34'42''	H300 7,5 ha 150T(80-100m²) 217D	❷ €27,50

An B41 zwischen Bad Kreuznach und Idar-Oberstein. In Monzingen bei CP-Schild abzweigen, über Bahnübergang, dann gleich rechts.

Teilkarte Koblenz auf Seite 316

Nehren/Cochem, D-56820 / Rheinland-Pfalz

Nehren-Mosel	1 AJMNOPQRT JNXY 6
Moselstraße	2 CGOPVWXY ABDEFG 7
1 Apr - 15 Okt	3 K ABCDEFNRSV 8
+49 (0)2673-4612	4 9
info@campingplatz-nehren.de	5 ABDEGIK AGHIJMNPR10
	6A CEE ❶ €24,20
N 50°4'50'' E 7°11'36''	H80 4 ha 180T(100m²) 120D ❷ €27,20

A48, Ausfahrt 2 Ulmen. B259 Richtung Cochem, Abzweigung Sennheim.

Neustadt/Wied, D-53577 / Rheinland-Pfalz

Verkehrsverein Neustadt/Wied	1 AGJMNOPQRST JNX 6
Am Strandweg	2 ACOPW ABFG 7
1 Apr - 1 Okt	3 A ABEFNQR 8
+49 (0)2683-3645	4 E J 9
campingneustadtwied@ netcologne.de	5 AGIK AHIJ10
	16A ❶ €15,00
N 50°37'2'' E 7°25'33''	20T(80m²) 90D ❷ €18,00

A3 Ausfahrt 35 Neustadt/Wied. Im Ort ist der CP ausgeschildert.

Niederbreitbach, D-56589 / Rheinland-Pfalz

Neuerburg	1 AFILNOPQRST ABEFGHJN 6
Im Freizeitgelände	2 CGOPW ABDEFG 7
1 Apr - 31 Okt	3 BEL ABCDEFJNQRSV 8
+49 (0)2638-4254	4 EFGH J 9
Verkehrsverein.Niederbreitbach@ t-online.de	5 ABEGIKL AFHJLRVX10
	16A CEE ❶ €15,00
N 50°31'46'' E 7°24'52''	14 ha 40T(100m²) 212D ❷ €16,00

A3, Ausfahrt 36 Neuwied. Nach Straßenhausen rechts Richtung Niederbreitbach. Im Dorf den Schildern folgen.

Obernhof/Lahn, D-56379 / Rheinland-Pfalz

Obernhof-Arnstein	1 AFJMNOPRT JNXYZ 6
1 Apr - 31 Okt	2 CGPRSVWX ABDEFG 7
+49 (0)2603-13964	3 AE ABCDEFJNQRV 8
info@canutours.de	4 QV 9
	5 ABDEGIKL ABFHIJLRV10
	16A CEE ❶ €23,00
N 50°18'57'' E 7°51'4''	H70 60T(ab 80m²) 38D ❷ €30,00

A3 Ausfahrt 40, der B49 folgen, danach die B42 Richtung Lahnstein. Vor Lahnstein die B260 Richtung Bad Ems, durchfahren bis Obernhof.

Obernhof/Lahn, D-56379 / Rheinland-Pfalz

Schloß Langenau	1 AJMNOPQRST JNXY 6
1 Apr - 31 Okt	2 CGPRWXY ABFG 7
FAX +49 (0)2604-4666	3 B ABEFJNR 8
	4 I AD 9
	5 ABEIK ABGHIJRV10
	16A CEE ❶ €18,50
N 50°18'20'' E 7°50'34''	H100 6,1 ha 140T 101D ❷ €22,90

A3 Köln-Frankfurt, Ausfahrt 42 Limburg-Nord, Richtung Diez B8/B54/B417. In Diez weiter Richtung Nassau B417. CP ca. 5 km von Nassau entfernt, Richtung Obernhof.

Oberwesel, D-55430 / Rheinland-Pfalz

Schönburgblick	1 AJMNOPQRST JN 6
Am Hafendamm 1	2 ACJPRVWX ABDEFG 7
14 Mär - 2 Nov	3 A ABEFNQR 8
+49 (0)6744-714501	4 9
camping-oberwesel@ t-online.de	5 ADL ABDFGHKLPRV10
	6A ❶ €20,50
N 50°6'8'' E 7°44'12''	H75 0,8 ha 40T(ab 80m²) 10D ❷ €25,50

A61, Ausfahrt 44 Laudert Richtung Oberwesel die L220. Direkt am Rhein an der B9 in Oberwesel.

Pommern, D-56829 / Rheinland-Pfalz

Pommern	1 AEJMNOPQRST AFJNWXYZ 6
Moselweinstraße 12	2 CGOPSVWXY ABDEFGHI 7
28 Mär - 31 Okt	3 ABLQ ABCDEFJKNQRSV 8
+49 (0)2672-2461	4 FHIOPQ D 9
campingpommern@ netscape.net	5 ABDEFGJKLM ABDGHIKMPR10
	B 16A ❶ €19,00
N 50°10'8'' E 7°15'56''	4,5 ha 250T(60-100m²) 144D ❷ €24,50

A61 Koblenz, Ausfahrt zur B416 Cochem/Trier.

Pünderich, D-56862 / Rheinland-Pfalz

Campingplatz Marienburg	1 AJMNOPQRST JNWXY 6
Moselallee 3	2 CFOPWX ABFG 7
1 Apr - 31 Okt	3 L ABEFNQRV 8
+49 (0)6542-969242	4 FHI DEF 9
anmeldung@ campingplatz-marienburg.com	5 ABDEGJL ABHJMORVY10
	16A CEE ❶ €23,50
N 50°2'36'' E 7°7'37''	50T(60-90m²) 35D ❷ €27,50

A48 Ausfahrt Wittlich. Über Kinderbeuern, Bengel, Reil und Pünderich. Der Beschilderung innerorts zum Camping folgen.

Pünderich, D-56862 / Rheinland-Pfalz

Moselland	1 AJMNOPQRST JNXY 6
Im Planters	2 CFGPVWXY ABFG 7
1 Apr - 1 Nov	3 ABEL ABCDEFJNQRTV 8
+49 (0)6542-2618	4 FHIO D 9
campingplatz.moselland@ googlemail.com	5 ABDEGKL ABFGHJLNOR10
	16A CEE ❶ €18,20
N 50°2'16'' E 7°7'19''	H100 3,1 ha 150T 101D ❷ €25,20

A48 Ausfahrt 125 Wittlich. Über Kinderbeuern, Bengel, Reil und Pünderich.

Rehe, D-56479 / Rheinland-Pfalz

Cp. und Freizeitparadies Rehe	1 AEHKNOPQRST LOQSXYZ 6
Campingplatz 1	2 BDFGHPQRTVXY ABDEFGIK 7
1 Jan - 31 Dez	3 BEKL ABCDEFJNQRSV 8
+49 (0)2664-8533	4 FHILO TUV 9
welters-camping@t-online.de	5 ACDEIKL ABGHJNR10
	WB 16A CEE ❶ €22,00
N 50°37'4'' E 8°7'24''	H600 10 ha 100T(80-100m²) 400D ❷ €29,00

A45 Siegen-Frankfurt, Ausfahrt 26 Herborn West, B255 Richtung Rennerod. Im Zentrum von Rehe links, Schildern folgen.

Remagen, D-53424 / Rheinland-Pfalz

Goldene Meile	1 AJMNOPQRST ABFHNSWX 6
Simrockweg 9-13	2 ACOPQRSVX ABDEFGI 7
1 Jan - 31 Dez	3 ABEFHLM ABCDEFJKNQRSUV 8
+49 (0)2642-22222	4 J V 9
info@ camping-goldene-meile.de	5 ABDEGIJK ABFGHIJLNRVWX10
	16A CEE ❶ €23,80
N 50°34'34'' E 7°15'8''	11 ha 187T(100-120m²) 300D ❷ €33,80

B9 Bonn-Koblenz, durch Remagen fahren, vor Bahn-Unterführung links. CP ist ausgeschildert.

Rolandswerth, D-53424 / Rheinland-Pfalz

Siebengebirgsblick	1 AJMNOPQRST JNSWX 6
Wickchenstraße 101	2 CGHOPVX ABF 7
15 Apr - 20 Okt	3 AEF ABEFNQRTV 8
+49 (0)2228-910682	4 FH 9
info@Siebengebirgsblick.de	5 ABDEGIL AGHIJR10
	16A CEE ❶ €24,00
N 50°38'42'' E 7°12'24''	2,8 ha 134T(80-100m²) 90D ❷ €30,00

B9 Bonn-Remagen. CP befindet sich am Rhein und ist in Rolandswerth ausgeschildert.

Roßbach/Wied, D-53547 / Rheinland-Pfalz

Bocherplatz	1 ABFILNOPQRST JN 6
Buchenauer Weg	2 ABCOPWX ABFG 7
1 Jan - 31 Dez	3 ABEL ABEFJNQRS 8
+49 (0)2638-4665	4 FHIO D 9
buchfaehrung-lippert@web.de	5 ABEGK ABGHIJR10
	6-16A CEE ❶ €15,00
N 50°34'36'' E 7°24'41''	H100 47 ha 100T(80-100m²) 85D ❷ €18,00

A3 Abfahrt 36 Neuwied Richtung Rengsdorf. Nach Staßenhausen rechts Richtung Niederbreitbach. Dort rechts nach Roßbach, Schildern folgen.

Schauren, D-55758 / Rheinland-Pfalz

Edelsteincamp	1 AFJMNOQRST 6
Hammerweg 1	2 BCPTUVWXY ABDFG 7
1 Jan - 31 Dez	3 ABEFJNQRS 8
+49 (0)6786-1620	4 F 9
mail@edelsteincamp.de	5 AGIKL ABHIJMNPR10
	16A CEE ❶ €14,00
N 49°48'36'' E 7°14'25''	H480 2,5 ha 20T 80D ❷ €19,00

A61 bis Emmelshausen, B327 bis Hinzerath oder Morbach folgen, dann nach Bruchweiler und links nach Schauren. Durch Schauren durch, dann Schildern folgen. Nicht nach Navi fahren, sondern der Beschilderung folgen.

Schweppenhausen, D-55444 / Rheinl.-Pfz

Aumühle	1 AEJMNOPQRST 6
Naheweinstraße 65	2 ABCGPRWXY ABFGK 7
1 Apr - 31 Okt	3 BKLQS ABCDEFJNQR 8
+49 (0)6724-602392	4 BHO AW 9
info@camping-aumuehle.de	5 ADEGIL ABDHJNORV10
	10A CEE ❶ €20,50
N 49°56'2'' E 7°47'30''	H300 3 ha 45T(bis 100m²) 27D ❷ €26,50

A61, Ausfahrt 47 Waldlaubersheim. Richtung Schweppenhausen. Ab dort Schildern folgen.

ACSI **Match2Camp**

Match2Camp ist ein praktisches Mittel, mit dem Sie schnell einen Camping finden können, der Ihren Vorstellung entspricht. Schauen Sie auf Seite 26 nach ausführlicheren Informationen.

Teilkarte Koblenz auf Seite 316

Seck, D-56479 / Rheinland-Pfalz

Camping Park Weiherhof*****
1/1 - 31/10, 1/12 - 31/12
+49 (0)2664-8555
info@camping-park-weiherhof.de
N 50°35'12'' E 8°2'7''

1 AEF**JM**NOPQRST	LM 6
2 DFGHIPRSTUVWXY	ABDE**FG**H 7
3 BCDE**K**LS	ABCDE**FG**HIJKNQRSTUV 8
4 BEFHILOQ	DEIVY 9
5 ACDEGJKL	ABDFGHJM**N**RX 10
WB 16A CEE	❶ €23,50
H450 10 ha 120**T**(ab 100m²) 307**D**	❷ €31,50

Von Norden A3 Köln-Frankfurt, Ausfahrt 40 Montabaur, B255 Richtung Rennerod bis Hellenhahn, im Kreisel Richtung Seck und direkt wieder links. Von Süden: Ausfahrt 42 Limburg Nord, dann die B49/54 Richtung Siegen. CP ist angezeigt.

Senheim am Mosel, D-56820 / Rheinl.-Pfz

Holländischer Hof****
Am Campingplatz 1
15 Apr - 31 Okt
+49 (0)2673-4660
holl.hof@t-online.de
N 50°4'56'' E 7°12'29''

1 AEHKNOPRST	JNQ**XYZ** 6
2 CFGIOPSVWXY	ABDE**FG**H 7
3 AE**KLM**Q	ABCDE**F**JKNQRSV 8
4 **A**BCDEFHILO**P**	DQV 9
5 ACDEFGIJK**L**	ABCDFGHIJ**N**PRY 10
B 10A CEE	❶ €20,55
H80 4 ha 207**T**(60-200m²) 23**D**	❷ €27,65

A1/A48 Ausfahrt 4 Kaisersesch in Richtung Cochem. Über die Brücke in Cochem, dann nach Senheim. Immer an der Mosel entlang.

Sensweiler, D-55758 / Rheinland-Pfalz

Sensweiler Mühle
B422 / Mühle 2
15 Mär - 31 Okt
+49 (0)6781-3253
info@sensweiler-muehle.de
N 49°46'9'' E 7°12'18''

1 A**IL**NOQRS	N 6
2 CGOPUVWXY	A**B**D**FGH** 7
3 AE**KL**	ABCDE**F**JNQRV 8
4 FI	GI 9
5 L	AHJL**P**RV 10
16A CEE	❶ €20,80
H475 3 ha 95**T** 84**D**	❷ €27,80

A61 bis Ausfahrt 42 Emmelshausen/Hunsrück, die B327 Hunsrück Höhenstraße bis hinter Morbach. Dann Richtung Idar Oberstein über Allenbach (B422).

Simmertal, D-55618 / Rheinland-Pfalz

Haumühle
Haumühle 1
1 Jan - 31 Dez
+49 (0)6754-946565
info@camping-haumuehle.de
N 49°48'53'' E 7°30'14''

1 ADE**JM**NOQRST	A**N** 6
2 BCDGHPRVWX	ABDEFGHJ 7
3 BDFLU	ABCDEFGJNQRTU 8
4 ABCEFHN	ADIV 9
5 ABCFGJKLM	ABFGHIJLORV 10
16A CEE	❶ €20,50
H200 4,4 ha 96**T**(100-200m²) 55**D**	❷ €26,50

Von Bad Kreuznach, Idar-Oberstein via der B41. In Simmertal via B421 2 km Richtung Gemünden. Aus dem N. A61 Ausfahrt Rheinböllen, Ri. Gemünden, B421 Ri. Kirn-Martinstein.

Spabrücken, D-55595 / Rheinland-Pfalz

Am Weißenfels
Bronnenstrand 1
15 Mär - 31 Okt
+49 (0)6706-8630
N 49°54'35'' E 7°42'49''

1 AFG**JM**NOPQRST	N 6
2 ABGPRSVWX	ABE**FG** 7
3 **EG**	ABCDEFJNRTU 8
4 EFI	9
5 AGIK	AFGHJLTUVX 10
B 16A CEE	❶ €17,50
H420 4 ha 60**T**(bis 100m²) 60**D**	❷ €23,50

A61, Ausfahrt 46 Waldlaubersheim, Richtung Schweppenhausen, danach Richtung Spabrücken. Den CP-Schildern folgen.

St. Goar am Rhein, D-56329 / Rheinland-Pfz

Friedenau***
Gründelbach 103
15 Mär - 1 Nov
+49 (0)6741-368
N 50°8'57'' E 7°41'40''

1 ACF**JM**NOPRST	6
2 BCGPRTWXY	ABDE**FGH** 7
3 BL	ABE**F**NRS 8
4 FHIMNO**P**	9
5 ABEGJKL	AGHIJLORX 10
10A CEE	❶ €21,50
H700 1 ha 50**T**(bis 80m²)	❷ €27,50

St. Goar liegt südlich der B9. A61 Ausfahrt Koblenz-Nord. B9 Richtung Boppard/St. Goar.

St. Goar am Rhein, D-56329 / Rheinland-Pfalz

Loreleyblick
An der Loreley
1 Jan - 31 Dez
+49 (0)6741-2066
info@camping-loreleyblick.de
N 50°8'28'' E 7°43'22''

1 A**JM**NOPRST	N**X** 6
2 CGOPQRUWX	ABDE**FG** 7
3 BL	ABCDEFIJNQR 8
4 T	G 9
5 ABJKL	AGH**P**R 10
B 6A CEE	❶ €21,80
H100 6 ha 200**T**(80m²) 13**D**	❷ €27,00

An der B9, südlich kurz vor St. Goar. Von Norden: A61, Ausfahrt Koblenz, B9 Richtung Boppard. Von Süden: Ausfahrt Bingen und dann die B9 Richtung St. Goar.

Steinebach, D-57629 / Rheinland-Pfalz

Haus am See, Dreifelder Weiher****
Seeburgerstr. 1
1 Jan - 31 Dez
+49 (0)2662-7147
info@camping-hausamsee.de
N 50°35'55'' E 7°48'56''

1 AJMNOPQRS**T**	LQS**X** 6
2 BDFGOPRTWX	AB**FGI**K 7
3 A**K**L	ABCDE**F**JKNQRSTUV 8
4 EFH	EFMPTW 9
5 ABDEJKL	ABGHJSTV 10
16A CEE	❶ €18,30
H450 2,5 ha 50**T** 93**D**	❷ €24,90

A3 Köln-Frankfurt, Ausfahrt 37 Dierdorf Richtung Hachenburg. In Herschbach Richtung Schenkelberg, dann Richtung Steinebach-Schmidthahn.

Steinen, D-56244 / Rheinland-Pfalz

Hofgut Schönerlen*****
1 Jan - 31 Dez
+49 (0)2666-207
camping-kopper@t-online.de
N 50°33'57'' E 7°48'44''

1 AFHKNOPQRS**T**	LNQ**X** 6
2 DGHPTWX	A**B**DE**FGHI** 7
3 BE**GK**L	ABCDEFJ**L**NQRS 8
4 AEFHIL**ST**	DEVW 9
5 BKL	ABFGHJ**O**ST 10
WB 16A CEE	❶ €19,50
H450 15 ha 160**T**(100-120m²) 132**D**	❷ €25,50

A3 Köln-Frankfurt, Ausfahrt 37 Dierdorf, Richtung Hachenburg. In Hersbach Richtung Schenkelberg, dan an Kreuzung rechts zur B8 bis Steinen, dann ausgeschildert.

Treis-Karden, D-56253 / Rheinland-Pfalz

Mosel-Islands Camping*****
Am Laach
1 Apr - 31 Okt
+49 (0)2672-2613
campingplatz@mosel-islands.de
N 50°10'15'' E 7°17'33''

1 AE**IL**NOPQRST	JNSW**XYZ** 6
2 CGOPVWXY	ABDE**FG**JK 7
3 BE**ILMS**	ABCDE**F**JKNQRSTU 8
4 FH	K 9
5 ACIJKL	ABFGHIJMPR 10
B 16A CEE	❶ €26,00
H76 6 ha 130**T**(80-120m²) 80**D**	❷ €35,00

A48 Ausfahrt 5 Kaifenheim Richtung Treis-Karden, Schildern folgen.

Waldbreitbach, D-56588 / Rheinland-Pfalz

Am Strandbad
Strandbadweg 8
1 Jan - 31 Dez
+49 (0)2638-1295
info@campingplaetze-waldbreitbach.de
N 50°33'17'' E 7°25'9''

1 A**IL**NOQRST	**AF**JN 6
2 BCGOPWX	ABDE**FG** 7
3 BEL**MNP**	ABCDE**F**JKNQR 8
4 AEFHIO**ST**	9
5 CDEGKL	ABHJLRVX 10
16A CEE	❶ €20,00
1,5 ha 120**T**(80-100m²) 60**D**	❷ €25,00

A3, Ausfahrt 36 Neuwied. Nach Straßenhaus rechts Richtung Niederbreitbach. In Niederbreitbach Richtung Waltbreitbach, dort ausgeschildert.

Waldbreitbach, D-56588 / Rheinland-Pfalz

Wiedhof
Wiedhof
1 Apr - 31 Okt
+49 (0)2638-4258
Andreas.Krumscheid@wiedhof.de
N 50°33'14'' E 7°25'31''

1 A**JM**NOPQRST	JNUX 6
2 ACGPTX	AB**FG** 7
3 AEL	ABCDEFNQR 8
4	9
5 ABK	AHIJR 10
10A CEE	❶ €13,20
2,5 ha 30**T**(80-100m²) 90**D**	❷ €16,50

A3 Ausfahrt 36 Neuwied. Nach Straßenhausen rechts Richtung Niederbreitbach. Dort rechts nach Waltbreitbach. Nach der Brücke über Wied Schildern folgen.

Wassenach/Maria Laach, D-56653 / Rheinl.-Pfz

Camping Laacher See****
Am Laacher See/ L113/ Vulkaneifel
1 Apr - 27 Sep
+49 (0)2636-2485
info@camping-laacher-see.de
N 50°25'19'' E 7°15'54''

1 A**IL**NOPQRST	LM**N**PQS**XYZ** 6
2 ABDFGILOPSTUVWXY	ABDE**FG** 7
3 ABIL	ABCDE**F**JKNQRSTUV 8
4 **E**FHIO**R**	9
5 ABDEIJK**M**	ABFGHIJL**P**R 10
Anzeige auf dieser Seite B 16A CEE	❶ €26,00
H220 7 ha 95**T**(80-120m²) 95**D**	❷ €32,00

A61, Ausfahrt Mendig/Maria Laach. Dann ca. 5 km Richtung Norden.

Deutschland

Teilkarte Koblenz auf Seite 316

Winningen, D-56333 / Rheinland-Pfalz

Winninger Ferieninsel Ziehfurt
Inselweg 10
1 Mai - 1 Okt
+49 (0)2606-1800
FAX +49 (0)2606-2566

1 DJLNOPRST	JNQSWXY 6
2 CPRWXY	ABDFG 7
3 B	AEFNQR 8
4	9
5 ABEFJKL	AGHIKPR 10
B 6A	❶ €25,00
H100 5 ha 200T 200D	❷ €31,00

N 50°18'41'' E 7°29'58''
In Koblenz Richtung KO-Metternich. B416 Richtung Cochem. In Winningen links (Hafen und CP). Von der A61, Ausfahrt Winningen und CP-Beschilderung folgen.

Zell (Mosel), D-56856 / Rheinland-Pfalz

Campingpark Zell/Mosel
Moselufer
1 Apr - 31 Okt
+49 (0)6542-961216
@ info@campingpark-zell.de

1 AEFJMNOPQRST	JNWXYZ 6
2 CJPSVWX	ABFG 7
3 BM	ABFJNQRSTU 8
4 AEFH	NQRV 9
5 ABK	ABFGHJNPRV 10
16A CEE	❶ €28,50
H95 1,5 ha 110T(80-85m²)	❷ €31,50

N 50°2'2'' E 7°10'28''
A61 Ausfahrt Pfalzfeld, Richtung Kastellaun. Dann Richtung Zell-Nord.

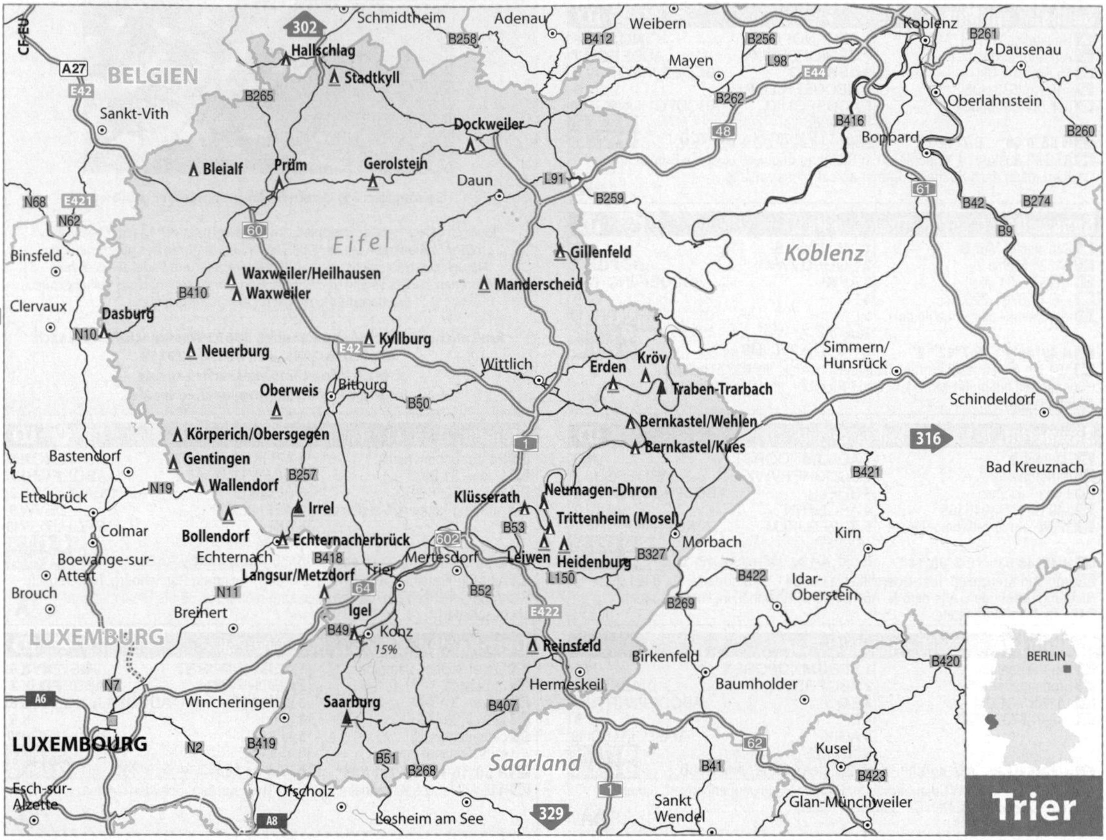

Bernkastel/Kues, D-54470 / Rheinland-Pfalz

Kueser Werth
Am Hafen 2
1 Apr - 31 Okt
+49 (0)6531-8200
FAX +49 (0)6531-8282

1 AEJMNOQRT	NSXYZ 6
2 CPWXY	ABFGH 7
3 AB	ABEFNQRSV 8
4 H	9
5 ABDEGIKL	ABFGHIJMR 10
B 16A CEE	❶ €21,00
H110 3,2 ha 200T 50D	❷ €31,00

N 49°54'32'' E 7°3'21''
A48 bis Ausfahrt 125 Wittlich, dann B50 in Richtung Mosel. An der Kueser Seite von Bernkastel ist die Einfahrt zum CP am Ende des Hafens.

Bernkastel/Wehlen, D-54470 / Rheinland-Pfalz

Schenk
Hauptstraße 165
28 Mär - 31 Okt
+49 (0)6531-8176
@ info@camping-schenk.com

1 AEJMNOPQRST	ABJNQSWXYZ 6
2 CFOPSTUVWXY	ABDEFG 7
3 ABEFLQ	ABCDEFJNPQRSTUV 8
4 AEFH	9
5 AIL	ABHIJNOR 10
16A CEE	❶ €20,00
H110 2 ha 55T(60-100m²) 50D	❷ €27,60

N 49°56'16'' E 7°2'57''
A48 Ausfahrt 125 Wittlich, dann die B50 Richtung Bernkastel. 1. Kreisel (= 1. Ausfahrt), danach Bernkastel bis zum 4. Kreise. Danach die 2. Ortseinfahrt nehmen.

Bleialf, D-54608 / Rheinland-Pfalz

Bleialf
Im Brühl 4
20 Apr - 29 Sep
+49 (0)6555-1059
@ info@camping-bleialf.de

1 AEJMNOPQRST	EFH 6
2 ACGOPRTVWX	ABDEFGH 7
3 AELQ	ABCDEFJNRSV 8
4 BEFHIKOPQ	AE 9
5 ADEGIK	ABFGHJNR 10
B 16A CEE	❶ €21,25
H550 3 ha 60T(80-100m²) 115D	❷ €29,75

N 50°14'7'' E 6°17'15''
E42 Maastricht-Lüttich-Verviers-St.Vith, nach St. Vith zweite Abfahrt, Bleialf. In Bleialf CP ausgeschildert.

Legende Karten

Ein offenes Zelt bedeutet daß sich hier ein Campingplatz befindet.

Ein geschlossenes Zelt bedeutet daß hier mehrere Campingplätze zu finden sind.

Campingplätze die CampingCard ACSI akzeptieren.

70 — Auf dieser Seite finden Sie das Teilgebiet.

73 — Pfeile mit Seitenangaben am Kartenrand verweisen auf angrenzende Gebiete.

Die Übersichtskarte des betreffenden Landes und im welchen Teilgebiet Sie sich befinden.

Deutschland

Bollendorf, D-54669 / Rheinland-Pfalz
CC€16 iD

Altschmiede****	1 AJMNOPQRT ABHIJNUX 6
1 Jan - 31 Dez	2 CFGPQVWX ABDEFGH 7
+49 (0)6526-375	3 AEL ABCDEFJKNRSV 8
info@camping-altschmiede.de	4 ABDEFHIO JQ 9
	5 ABDEGIL ABDHJNR 10
	Anzeige auf dieser Seite B 6A CEE ① €22,10
N 49°50'28'' E 6°20'13''	H300 250T 154D ② €28,10

B257 Bitburg, Ausfahrt Echternacherbrück. Vor der Grenzbrücke rechts Richtung Bollendorf. Im Ort Richtung Körperich. Zweiter CP, ausgeschildert.

Dockweiler, D-54552 / Rheinland-Pfalz
CC€14 iD

Campingpark Dockweiler Mühle	1 ADFGJMNOPRST N 6
Zur Dockweiler Mühle	2 ACGOPSUVWX BEFG 7
1 Jan - 31 Dez	3 BLQ ABDFJNQRS 8
+49 (0)6595-961130	4 FLO J 9
info@campingpark-	5 ADEGIK AFGHJLORVX 10
dockweiler-muehle.de	16A ① €26,10
N 50°15'20'' E 6°46'47''	H530 10 ha 100T(80-90m²) 186D ② €26,10

A61 und A1 über Blankenheim nach Hillesheim Richtung Daun.

Dasburg, D-54689 / Rheinland-Pfalz
iD

Relles-Mühle	1 AJMNOPQRT JN 6
An der Brücke 3a	2 BCOPWX ABDEFGH 7
1 Mär - 31 Okt	3 ALS ABFJNQRV 8
+49 (0)6550-1073	4 FHIO D 9
info@	5 ABEGIKL ABHJOST 10
camping-relles-muehle.de	6A CEE ① €17,50
N 50°3'9'' E 6°7'24''	44T(100m²) 62D ② €24,50

E42 Maastricht-Lüttich, Richtung Trier. Bei Ausfahrt 15 Richtung Luxemburg bis Dasburg. CP ausgeschildert.

Echternacherbrück, D-54668 / Rheinl.-Pfz
CC€16 iD

Campingpark Freibad Echternacherbrück	1 AEJMNOPQRST ABFHJNOUX 6
Mindenerstraße 18	2 CGOPVXY ABDEFGH 7
27 Mär - 15 Okt	3 BEFILQS ABCDEFJKNQRSV 8
+49 (0)6525-340	4 ABCEFHILOQ QV 9
info@echternacherbrueck.de	5 ACDEFGIK ABGKOSTX 10
	Anzeige auf dieser Seite B 12A CEE ① €28,90
N 49°48'44'' E 6°25'53''	H300 400T 130D ② €37,70

B257 Bitburg-Echternach, Ausfahrt Echternacherbrück links, letzte Straße links. Nach 200m CP und Schwimmbad ausgeschildert.

Deutschland

Teilkarte Trier auf Seite 322

Deutschland

Erden, D-54492 / Rheinland-Pfalz

CC€16 iD

Erden	1 AEFJMNOPQRST	JNPXYZ 6
Am Moselufer 1	2 ACFGPQWXY	ABDEFGHIK 7
28 Mär - 31 Okt	3 BL	ABCDEFQRSV 8
+49 (0)6532-4060	4 FHIKO	DV 9
camping-erden@gmx.de	5 ABDEGIKL	ABFGHIKLMORWX 10
	B 16A CEE	① €20,80
N 49°58'48'' E 7°1'13''	2 ha 70T(80-120m^2) 71D	② €26,80

A1 Ausfahrt Wittlich Richtung Bernkastel Kues. In Zeltingen über die Brücke Richtung Traben-Trarbach.

Gentingen, D-54675 / Rheinland-Pfalz

CC€16 iD

Ourtalidyll****	1 AEJMNOPQRT	JNUX 6
Uferstraße 17	2 CFGPV	ABDEFGH 7
28 Mär - 2 Nov	3 ABELQ	ABCDEFJKNQRSTUV 8
+49 (0)6566-352	4 BFHI	DEGJVY 9
info@eifelidyll.de	5 ABGIKL	ABDFHJPR 10
	B 16A CEE	① €22,75
N 49°54'1'' E 6°14'33''	90T(bis 100m^2) 95D	② €29,35

Von Nord: B50 Bitburg - Vianden. Kurz vor der Luxemburger Grenze Ri. Roth-Gentingen. Achtung Navigation: Nicht abfahrern bei Körperich/Obersgegen.

Gerolstein, D-54568 / Rheinland-Pfalz

CC€16 iD

Eifelblick / Waldferienpark Gerolstein*****	1 AILNOPRST	E 6
	2 FPRSUVWX	ABEFGH 7
Hillenseifen 200	3 ABILMQS	BDFJNQRTUV 8
13 Feb - 31 Dez	4 FHIOPQST	JUV 9
+49 (0)6591-678	5 AEGJL	AFGHIJNPW 10
waldferienpark-gerolstein@t-online.de	W 10A CEE	① €18,50
N 50°12'59'' E 6°36'16''	H460 2 ha 86T(100m^2) 30D	② €24,50

Von Prüm aus (B410) 1,5 km vor Gerolstein an der Ausfahrt Hinterhausen ist der Waldferienpark Gerolstein angezeigt.

Gillenfeld, D-54558 / Rheinland-Pfalz

CC€14 iD

Feriendorf Pulvermaar	1 AFJMNOPRST	LMNP 6
Vulkanstraße	2 ADFGIKPRWXY	ABDEFG 7
1 Jan - 31 Dez	3 ABELS	ABCDEFJNQRSV 8
+49 (0)6573-287	4 FHOP	J 9
info@feriendorf-pulvermaar.de	5 ABDEGKL	ADFHIJLRVWX 10
	16A CEE	① €21,00
N 50°7'52'' E 6°56'0''	4 ha 50T(60-120m^2) 152D	② €25,00

Von der A1 Ausfahrt Richtung Gillenfeld. In Gillenfeld rechts, Richtung Cochem. Das Feriendorf liegt etwa 1 km ausserhalb des Ortes an der linken Seite (angezeigt).

Hallschlag, D-54611 / Rheinland-Pfalz

iD

Kronenburger See*****	1 ADEFILNOPQRST	LNQS 6
Bahnhofstr. 19	2 DPSVW	ABDEFGHI 7
1 Jan - 31 Dez	3 BEHLRS	ABCDEFGHIJKLMNQRST 8
+49 (0)6557-900110	4 ABDFHITX	AEUVY 9
info@campingpark-kronenburger-see.de	5 ABEIKL	ABEFGHJLMNOR 10
	B 16A CEE	① €24,50
N 50°21'43'' E 6°27'15''	H490 4,2 ha 120T(80-120m^2) 155D	② €29,50

Von Norden: A1 Autobahnende Blankenheim, B51 Richtung Prüm. Vor Stadkyll die B421 nach Dahlem-Kronenburg. Von Süden: A61, Ausfahrt 4 Prüm, B51 Richtung Bad Münstereifel, hinter Stadtkyll rechts die B421 nach Dahlem-Kronenburg.

Heidenburg, D-54426 / Rheinland-Pfalz

CC€16 iD

Moselhöhe****	1 AFJMNOPRST	6
Bucherweg 1	2 AFOPRUVWX	ABDEFG 7
1 Jan - 31 Dez	3 ABELPS	ABCDEFJNPQRSV 8
+49 (0)6509-99016	4 EFIQ	E 9
campingplatz-moselhoehe@hotmail.com	5 ABDEGIJKLM	AHJLNORVW 10
	W 16A CEE	① €19,30
N 49°47'58'' E 6°55'37''	H414 3 ha 60T(95-105m^2) 41D	② €26,30

A1 Ausfahrt 131 Mehring Richtung Thalfang. 6 km bis CP-Schild, an Kreuzung Talling links Richtung Heidenburg.

Igel, D-54298 / Rheinland-Pfalz

iD

Campingplatz Igel	1 AFJMNOPRST	NWX 6
Moselstraße	2 ACOPWX	BF 7
1 Apr - 31 Okt	3 EM	BDFJNQRV 8
+49 (0)6501-12944	4 H	9
info@camping-igel.de	5 AGIL	ABKLRW 10
	6A	① €18,50
N 49°42'18'' E 6°33'13''	H131 3 ha 25T(60-80m^2) 40D	② €24,50

E44, Ausfahrt Mertert (Lux). Auf der N1 Richtung Wasserbillig/Trier. Hinter der Brücke über die Sauer rechts auf der B49.

Irrel, D-54666 / Rheinland-Pfalz

CC€14 iD

Nimseck	1 ACJMNOPQRT	ABJUX 6
12 Mär - 3 Nov	2 ACFGPRTUVWXY	ABDEFG 7
+49 (0)6525-314	3 AL	ABCDEFJNQRSUV 8
info@camping-nimseck.de	4 ABCDFHINOP	J 9
	5 ADEGJKL	ABDGHJLPST 10
	Anzeige auf Seite 325 B 16A CEE	① €23,70
N 49°51'13'' E 6°27'45''	H250 7 ha 150T(100-120m^2) 154D	② €31,50

B257 von Bitburg Richtung Echternach. Ausfahrt Irrel, CP links. Ausgeschildert.

Irrel, D-54666 / Rheinland-Pfalz

CC€14 iD

Südeifel	1 AEJMNOPQRT	JNUX 6
Hofstraße 19	2 ACGOPWX	ABDEFGH 7
1 Jan - 31 Dez	3 BLT	AEFNQRSTV 8
+49 (0)6525-510	4 EFHIKOPQ	9
info@camping-suedeifel.de	5 ADGIKL	ADHJOPST 10
	B 6A CEE	① €20,60
N 49°50'31'' E 6°27'26''	H300 3 ha 60T 100D	② €26,60

B257 von Bitburg Richtung Echternach. Ausfahrt Irrel, Richtung Ortsmitte. Der CP ist ausgeschildert.

Klüsserath, D-54340 / Rheinland-Pfalz

iD

Moselblick**	1 AJMNOPRST	NQXYZ 6
An der B53	2 ACOPWX	BFG 7
1 Apr - 31 Okt	3 AEK	ABFNR 8
+49 (0)6507-4667	4 O	9
campingplatz_kluesserath@t-online.de	5 AEIKL	ABGHJR 10
	16A CEE	① €15,10
N 49°50'37'' E 6°51'31''	H128 8 ha 100T(80-100m^2) 120D	② €19,10

A1/A48, Ausfahrt 128 Föhren/Bekond Richtung Klüsserath. Der CP ist ausgeschildert.

Körperich/Obersgegen, D-54675 / Rheinland-Pfalz

iD

Eifelcamping Reles-Mühle	1 AJMNOPQRST	6
Kapellenweg 3	2 COPVWX	ABDEFGH 7
1 Jan - 31 Dez	3 ALS	ABCDEFJNQRV 8
+49 6566-1465	4 FHI	DJ 9
info@eifelcamping.com	5 AKL	ABHJOPR 10
	12A CEE	① €17,00
N 49°56'2'' E 6°15'3''	H300 2 ha 40T 76D	② €23,00

B50 Bitburg-Körperich-Vianden. In Obersgegen liegt rechts der CP. Gut ausgeschildert.

Kröv, D-54536 / Rheinland-Pfalz

iD

Kröver Berg	1 AJMNOPQRST	6
Sportcentrum Kröver Berg	2 BPUVWXY	ABDEFH 7
1 Jan - 31 Dez	3 BEIL	ABCEFJNQRV 8
+49 (0)6541-70040	4 FHIOPQ	GJ 9
info@erlebnis-laendchen.de	5 ABEIJKL	AHIJLNORV 10
	15A CEE	① €17,50
N 49°59'23'' E 7°4'39''	H380 2 ha 25T 85D	② €23,50

A48, Ausfahrt 125 Wittlich, Richtung Wittlich, dann B49 Richtung Boombogen. Durch Boombogen rauf zur Ürziger Höhe. Bergstraße Richtung Traben-Trarbach bis zu den Schildern 'Kröver Berg'.

Teilkarte Trier auf Seite 322

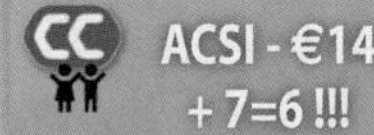

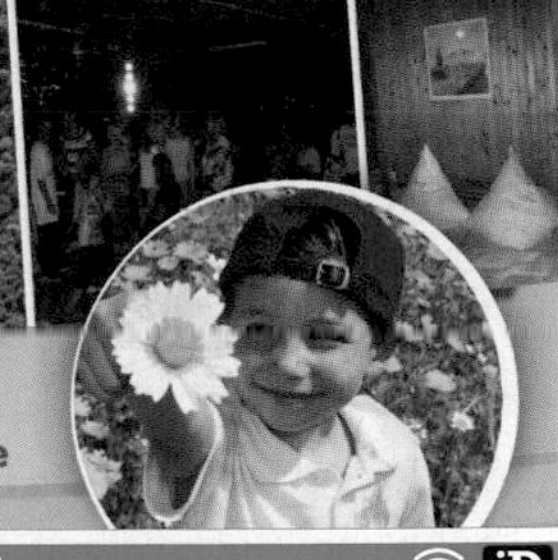

Kyllburg, D-54655 / Rheinland-Pfalz

CC€14 iD

Naturcamping Kyllburg	1 ADE**JM**NOPRS**T** **ABFGH**JN 6
Karl Kaufmann Weg 5	2 ABCFGOPRWXY ABE**FG**H 7
1 Jan - 31 Dez	3 AE**K**L BFJNQRS 8
+49 (0)6563-8133	4 **A**BDEFHNO**P** DFJV 9
info@campingkyllburg.de	5 ABEGIL ABDHIJL**P**RV10
	16A CEE ❶ €20,60
N 50°2'16'' E 6°35'28''	**H**265 2 ha 113**T**(60-100m²) 49**D** ❷ €26,20

A60, Ausfahrt Kyllburg. Von Malberg direkt links über Kyllbrücke, dann gleich rechts Bademerstraße. 1. Straße rechts. Den Schildern folgen.

Prüm, D-54591 / Rheinland-Pfalz

iD

Waldcamping Prüm****	1 AE**JM**NOPQRST **AF**H 6
Postfach 1012	2 ACGPVWXY ABDE**FG**H 7
1 Jan - 31 Dez	3 BEL**M** ABCDEFIJNQRSV 8
+49 (0)6551-2481	4 FHIO**P** 9
info@waldcamping-pruem.de	5 ABDEKL ABEGHJL**NP**R10
	B 10A CEE ❶ €25,20
N 50°13'7'' E 6°26'16''	150**T**(90m²) 70**D** ❷ €29,20

E29 Köln-Prüm. In Prüm Richtung Industriegebiet. Der CP ist ausgeschildert.

Langsur/Metzdorf, D-54308 / Rheinland-Pfalz

iD

Alter Bahnhof***	1 AEILNOPQR **N** 6
Uferstraße 42	2 ACOPQWX AB**FG** 7
1 Jan - 31 Dez	3 AL**PQ** BEFJNR 8
+49 (0)6501-12626	4 FH DEG 9
info@camping-metzdorf.de	5 AEGIKL ABFGHK**P**RV10
	B 16A CEE ❶ €21,50
N 49°45'11'' E 6°30'8''	**H**149 2,2 ha 40**T**(50-120m²) 95**D** ❷ €25,50

Von Trier Richtung Luxemburg, Ausfahrt Mertert (Lux). Auf der N1 Richtung Wasserbillig. Hinter der Sauerbrücke links auf die B418. Dann noch ca. 6 km.

Leiwen, D-54340 / Rheinland-Pfalz

CC€16 iD

Landal Sonnenberg****	1 AD**JM**NOPRT EF 6
20 Mär - 9 Nov	2 PRUVWXY BE**FGH**K 7
+49 (0)6507-93690	3 BCE**IKLPRTU** BDFNQRS 8
sonnenberg@landal.com	4 **A**EFILO**PQRST**V EJ 9
	5 ACDEGJK ABEGHKN**P**R10
	Anzeige auf dieser Seite B 10A CEE ❶ €38,00
N 49°48'12'' E 6°53'30''	**H**354 2,5 ha 140**T**(90m²) 261**D** ❷ €46,00

A1 Koblenz-Trier, Ausfahrt 128 Föhren-Leiwen. Folgen Sie den Schildern 'Sonnenberg'.

Manderscheid, D-54531 / Rheinland Pfalz

CC€16 iD

Naturcamping Vulkaneifel***	1 A**I**LNORST 6
Herbstwiese 1	2 AOPRUVXY BE**FG**HI**J** 7
1 Apr - 31 Okt	3 AEFL ABDFJNQR 8
+49 (0)6572-92110	4 **A**EFHI F 9
info@naturcamping-vulkaneifel.de	5 ABDEK**L** AFGORVW10
	4-6A ❶ €23,50
N 50°5'48'' E 6°47'53''	**H**404 3,2 ha 86**T**(60-180m²) 28**D** ❷ €24,50

A1/E44 Ausfahrt Manderscheid. Im Ort Richtung Daun halten, CP wird angezeigt. Kurz hinter dem Ort.

Neuerburg, D-54673 / Rheinland-Pfalz

CC€16 iD

Camping in der Enz****	1 ADE**JM**NOPQR**T** ABFGH**N** 6
In der Enz 25	2 CPRVWX ABDE**FG** 7
16 Mär - 31 Okt	3 B**GLM** ABCDE**F**JKNQRSTU 8
+49 (0)6564-2660	4 FHI J 9
info@camping-inderenz.com	5 ADEGIKL ABDFGHJ**NOP**R10
	B 16A CEE ❶ €27,50
N 50°1'40'' E 6°16'37''	77**T**(80-100m²) 32**D** ❷ €38,50

B50 Bitburg-Vianden. Ausfahrt Sinspelt, Richtung Neuerburg. Durch den Ort Richtung 'Camping' fahren. Ist angezeigt.

Oberweis, D-54636 / Rheinland-Pfalz

CC€18 iD

Prümtal-Camping Oberweis*****	1 AE**JM**NOPQRT ABFGHJ**N** 6
In der Klaus 17	2 CGOPSVWXY ABDE**FG**HI 7
1 Jan - 31 Dez	3 BELS ABCDEFIJKNQRSTUV 8
+49 (0)6527-92920	4 ABEFHIO**P** E 9
info@pruemtal.de	5 ABDEFGJKL ABDEFGHIJMNOPRX10
	B 16A CEE ❶ €29,30
N 49°57'32'' E 6°25'28''	**H**300 240**T**(65-100m²) 111**D** ❷ €38,50

B50 Bitburg, Richtung Vianden. Mitten im Ort links, Schildern zum CP und Schwimmbad folgen.

Neumagen-Dhron, D-54347 / Rheinland-Pfalz

iD

Campingplatz Neumagen-Dhron	1 A**JM**NOPRST **NX**YZ 6
Moselstraße 22	2 COPWX BE**FG** 7
1 Jan - 31 Dez	3 BDFNQRS 8
+49 (0)6507-5249	4 IOP 9
camping.neumagen@t-online.de	5 ABL ABHJPR10
	6A CEE ❶ €22,00
N 49°50'57'' E 6°53'35''	**H**123 1,5 ha 60**T**(80-110m²) 40**D** ❷ €28,00

A1/E44, Ausfahrt Salmtal/Klausen. Richtung Piesport-Neumagen-Dhron. Im Ort beschildert.

Reinsfeld, D-54421 / Rheinland-Pfalz

CC€16 iD

AZUR Campingpark Hunsrück	1 ADEF**JM**NOPQRS**T** ABFGNX 6
Parkstraße 1	2 AGPQWXY BE**FG** 7
1 Apr - 31 Okt	3 BDEFL**MQ** BDFJNQRS 8
+49 (0)6503-95123	4 BCDFIO**P** EY 9
reinsfeld@azur-camping.de	5 ADEGIJKL ABCGHJ**O**RVW10
	Anzeige auf Seite 361 WB 10-16A ❶ €26,05
N 49°41'8'' E 6°52'1''	**H**515 20 ha 550**T**(100-120m²) 304**D** ❷ €35,30

A1/E422 Ausfahrt Reinsfeld, dort den CP-Schildern folgen.

Deutschland

Saarburg, D-54439 / Rheinland-Pfalz (CC€16) iD

Landal Warsberg****	1 ADE**JM**NORT	EFGH 6
In den Urlaub	2 OPRTVWXY	BE**FG**H 7
20 Mär - 2 Nov	3 BEF**I**LT	BDFIJNQRS 8
+49 (0)6581-91460	4 **A**BEFGIL**PQ**S**TUV**	EJUVY 9
reception.warsberg@landal.de	5 ACDEIJKL	ABDFGHIKPRZ 10
	Anzeige auf dieser Seite B 16A CEE	❶ €37,20
N 49°37'14'' E 6°32'33''	**H**285 11 ha 509**T**(80-100m²) 190**D**	❷ €45,40

Über E9 Maastricht/Lüttich zur E42. Geht in B51 über, bis Konz fahren. Dort ist Saarburg ausgeschildert. In Saarburg Schildern nach Warsberg folgen.

Saarburg, D-54439 / Rheinland-Pfalz (CC€14) iD

Camping & Wohnmobilpark Leukbachtal***	1 AHKNOPRST	6
	2 COPQVWXY	BE**FG**H 7
Leukbachtal 1	3 ALR	BDFNQR 8
28 Mär - 11 Okt	4 EFHI	E 9
+49 (0)6581-2228	5 KL	ADFGHIJNOR 10
service@campingleukbachtal.de	6A CEE	❶ €19,70
N 49°35'58'' E 6°32'29''	**H**288 3,5 ha 70**T**(85-130m²) 41**D**	❷ €25,70

Von Trier B51 nach Saarburg, Schild 'Krankenhaus' folgen. Dann CP-Schild folgen. CP liegt hinter der Ford-Garage.

Saarburg, D-54439 / Rheinland-Pfalz (CC€16) iD

Waldfrieden****	1 ACDEFHKNOPRST	6
Im Fichtenhain 4	2 BGOPSTUVX	BE**FGH**I 7
1 Mär - 3 Nov	3 ABLRS	BDFJ**M**NQRSV 8
+49 (0)6581-2255	4 AEFHIO**PRT**	EGIV 9
info@campingwaldfrieden.de	5 ABDEIKL	ABDFGHIJ**O**RV 10
	Anzeige auf dieser Seite 16A CEE	❶ €21,30
N 49°36'3'' E 6°31'40''	**H**210 3 ha 66**T**(85-120m²) 39**D**	❷ €24,30

B51 Trier Richtung Saarburg, Krankenhaus-Schildern folgen, durch Tunnel, dann ist der CP ausgeschildert.

Stadtkyll, D-54589 / Rheinland-Pfalz (CC€14) iD

Landal Wirfttal****	1 AD**JM**NOPRST	N 6
Wirftstraße 81	2 CGPRVWXY	ABDE**FGH** 7
1 Jan - 31 Dez	3 AB**CGHI**L**MO**	ABCDEFJNQRS 8
+49 (0)6597-92920	4 EIL**STU**	EJUVY 9
wirfttal@landal.de	5 ABDEFGIJKL	ABEGHJR 10
	Anzeige auf dieser Seite 6A CEE	❶ €37,50
N 50°20'18'' E 6°32'21''	**H**482 6 ha 155**T**(75-80m²) 320**D**	❷ €47,00

A1, Ausfahrt Blankenheim. B51 Richtung Trier. In Stadtkyll Schildern 'Ferienzentrum Wirfttal' folgen.

Traben-Trarbach, D-56841 / Rheinland-Pfalz iD

Camping Rissbach****	1 ADE**JM**NOPQRS**T**	ABFJM**N**QSWXY 6
Rissbacherstraße 155	2 CGOPSVWXY	ABDE**FGH** 7
1 Apr - 1 Nov	3 BELRSV	ABCDE**F**JNQRSV 8
+49 (0)6541-3111	4 ABDFHIKO	DFQUVY 9
info@moezelcampings.nl	5 ABDEGIK**L**	ABFGHJNPR 10
	B 16A CEE	❶ €25,00
N 49°57'55'' E 7°6'19''	**H**110 1,3 ha 75**T** 47**D**	❷ €25,00

A48 bis Ausfahrt 125 Wittlich, dann B50 Richtung Mosel. Links entlang der Mosel Richtung Traben-Trarbach. CP ausgeschildert.

Traben-Trarbach, D-56841 / Rheinland-Pfalz iD

Wolf	1 A**JM**NOQRS**T**	J**N**WXYZ 6
Uferstraße	2 CGPWXY	A**BFG** 7
11 Apr - 11 Okt	3 B	AE**F**JNQR 8
+49 (0)6541-9174	4 FH	9
info@campingplatz-wolf.de	5 ABDFKL	AHIJLR 10
	16A CEE	❶ €22,00
N 49°58'52'' E 7°6'14''	1 ha 150**T**(80-100m²) 80**D**	❷ €27,00

A48 Ausfahrt 125 Wittlich, richtung Traben/Trarbach, dann Richtung Wolf.

Teilkarte Trier auf Seite 322

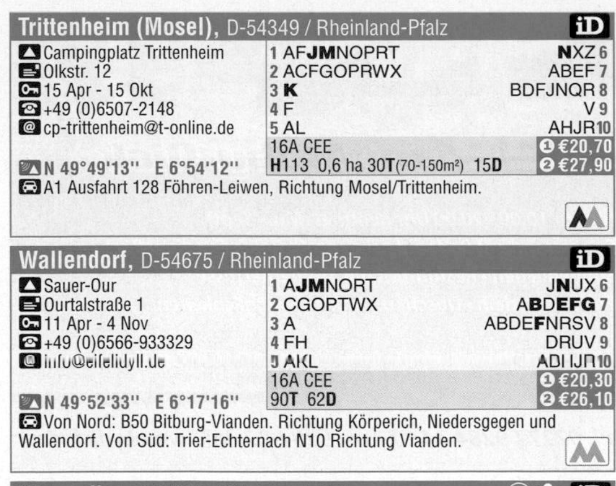

Trittenheim (Mosel), D-54349 / Rheinland-Pfalz

iD

Campingplatz Trittenheim
Olkstr. 12
15 Apr - 15 Okt
+49 (0)6507-2148
cp-trittenheim@t-online.de
N 49°49'13'' E 6°54'12''

1 AF**JM**NOPRT	**N**XZ	6
2 ACFGOPRWX	ABEF	7
3 **K**	BDFJNQR	8
4 F	V	9
5 AL	AHJR	10
16A CEE		❶ €20,70
H113 0,6 ha 30**T**(70-150m²) 15**D**		❷ €27,90

A1 Ausfahrt 128 Föhren-Leiwen, Richtung Mosel/Trittenheim.

Wallendorf, D-54675 / Rheinland-Pfalz

iD

Sauer-Our
Ourtalstraße 1
11 Apr - 4 Nov
+49 (0)6566-933329
info@eifelidyll.de
N 49°52'33'' E 6°17'16''

1 A**JM**NORT	**J**NUX	6
2 CGOPTWX	A**B**D**EFG**	7
3 A	ABDE**F**NRSV	8
4 FH	DRUV	9
5 AKL	ADIJR	10
16A CEE		❶ €20,30
90**T** 62**D**		❷ €26,10

Von Nord: B50 Bitburg-Vianden. Richtung Körperich, Niedersgegen und Wallendorf. Von Süd: Trier-Echternach N10 Richtung Vianden.

Waxweiler, D-54649 / Rheinland-Pfalz

iD

Eifel Ferienpark Prümtal GmbH*****
Schwimmbadstraße 7
1 Apr - 31 Okt
+49 (0)6554-92000
info@ferienpark-waxweiler.de
N 50°5'32'' E 6°21'32''

1 AE**JL**NOPQR**T**	AB	6
2 ACGPVWX	ABDE**FGH**	7
3 AE**ILMQ**	ABCDEFJKNQRSV	8
4 AFHILMO	JV	9
5 ABDEIL	ABGHJ**O**ST	10
16A CEE		❶ €31,30
2 ha 95**T**(40-80m²) 60**D**		❷ €38,30

Straße Prüm-Bitburg, Ausfahrt Waxweiler. Im Ort Schilder 'Ferienpark Camping' folgen.

Waxweiler/Heilhausen, D-54649 / Rheinl.-Pfz

CC€14 iD

Heilhauser Mühle
Heilhauser Mühle 1
1 Jan - 31 Dez
+49 (0)6554-805
walter.tautges@t-online.de
N 50°6'29'' E 6°20'58''

1 A**JM**NOPQRST	**J**NUX	6
2 ACOPRSXY	A**B**D**EFG**H	7
3 BEL	ABDE**F**JNQRST	8
4 BEFHI	D	9
5 AEGJKL	ABFHJLMPR	10
Anzeige auf dieser Seite 10A CEE		❶ €17,00
70**T** 38**D**		❷ €22,00

E42 Lüttich - St.Vith-Prüm bis Ausfahrt 3 Richtung Habscheid/Pronsveld. In Pronsveld Richtung Lünebach-Waxweiler.

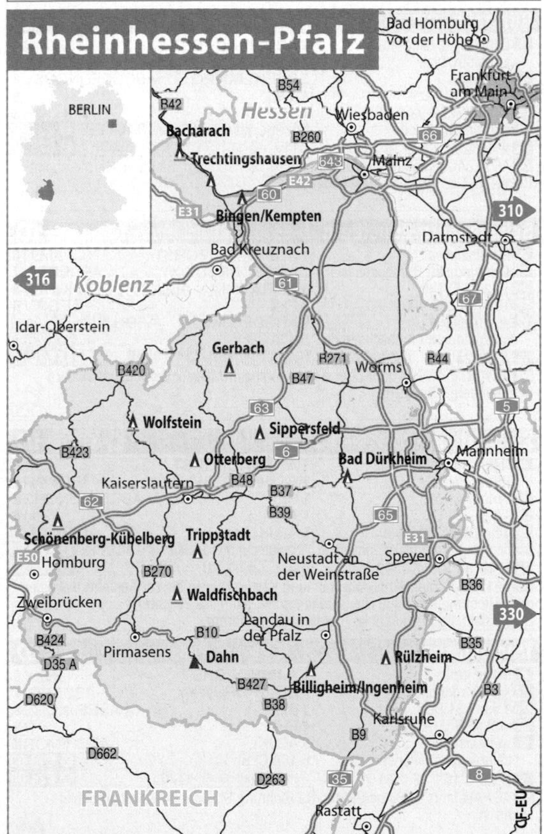

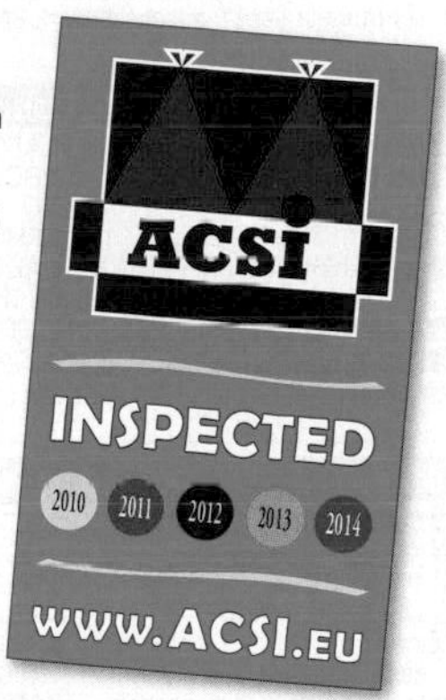

Bad Dürkheim, D-67098 / Rheinland-Pfalz

CC€18 iD

Knaus Campingpark Bad Dürkheim****
In den Almen 1
1 Jan - 31 Dez
+49 (0)6322-61356
badduerkheim@knauscamp.de
N 49°28'23'' E 8°11'29''

1 ADEF**JM**NOPRS**T**	L**N**X	6
2 ADGHOPQVWX	ABDE**FG**I	7
3 BEF**GHKLM**RU	ABCDEFIJLMNQRSV	8
4 BEFHIKO**T**	ADEQV	9
5 ABDEFGJKL**M**	ABCDFGHIKL**P**RVX	10
Anzeige auf Seite 259 B 16A CEE		❶ €36,40
H109 16 ha 307**T**(80-160m²) 309**D**		❷ €44,40

A61 Ausfahrt 60 Kreuz Ludwigshafen. Dann die A650/B37 nach Bad Dürkheim. An der 2. Ampel rechts und die 2. Straße wieder rechts.

Bacharach, D-55422 / Rheinland-Pfalz

CC€16 iD

Sonnenstrand
Strandbadweg 9
1 Apr - 31 Okt
+49 (0)6743-1752
info@camping-sonnenstrand.de
N 50°3'13'' E 7°46'22''

1 ADE**JM**NOPQRS**T**	**J**NQSWXY**Z**	6
2 ACGHIOPQRWX	AB**FG**	7
3 BEL	ABE**F**NQRS	8
4 IO		9
5 ABEGIK	AFGHJNPR	10
6A CEE		❶ €19,50
H100 1,2 ha 55**T**(bis 100m²) 20**D**		❷ €25,50

Über die A61. Ausfahrt 44 Laudert über Oberwesel nach Bacharach (B9).

Billigheim/Ingenheim, D-76831 / Rheinland-Pfalz

iD

Camping im Klingbachtal
Klingenerstraße 52
1 Apr - 31 Okt
+49 (0)6349-6145
info@camping-klingbachtal.de
N 49°8'13'' E 8°4'20''

1 AE**JM**NOPQRST	AB**FG**	6
2 ACGOPSVWX	ABDE**FG**	7
3 AE**JKMQ**	ABCDEFJNQRSTU	8
4 FH	FW	9
5 ABDIL	ABX	10
B 16A CEE		❶ €27,00
H310 2,2 ha 92**T**(90-130m²) 1**D**		❷ €35,00

A65 Neustadt-Karlsruhe, Ausfahrt 19, Rohrbach, Richtung Klingenmünster L493. In Billigheim-Ingenheim Richtung Sportplatz halten.

Deutschland

Bingen/Kempten, D-55411 / Rheinland-Pfalz

Hindenburgbrücke
Mainzerstrasse 199
1 Mai - 31 Okt
+49 (0)6721-17160
FAX +49 (0)6721-16998
N 49°58'13'' E 7°56'21''

1 FJMNOPRST	JNQSX 6
2 COPRWXY	AFG 7
3 B	AEFNQR 8
4	9
5 ABDEFJKL	ABHKR 10
6A	❶ €18,50
H100 4 ha 100T(60-80m²) 60D	❷ €22,10

A60 Bingen-Ost, Ausfahrt 13 'Bin-Kempten'/Fähre. CP am Rhein, unter Bahnunterführung durch. Vorsicht: max. Durchfahrtshöhe 2,4m.

Dahn, D-66994 / Rheinland-Pfalz

Büttelwoog****
Am Campingplatz 1
15 Mär - 4 Nov
+49 (0)6391-5622
buettelwoog@t-online.de
N 49°8'39'' E 7°46'4''

1 ABFJMNOPRST	ABEFGHI 6
2 BOPQUVWXY	ABDEFG 7
3 BEFILU	ABCDEFJKNQRSV 8
4 FHIO	DV 9
5 ABEGIJKL	ABHIJMNOR 10
B 4A	❶ €21,00
H250 1,6 ha 180T(80-100m²) 62D	❷ €31,00

B10 Pirmasens-Landau. Rechts Ausfahrt B427 Hinterweidenthal/Dahn. Im Zentrum ist der CP ausgeschildert; Bahnlinie überqueren.

Dahn, D-66994 / Rheinland-Pfalz

Neudahner Weiher
Neudahner Weiher 5
1 Apr - 1 Nov
+49 (0)6391-1326
kontakt@neudahner-weiher.de
N 49°9'53'' E 7°45'13''

1 AFGJMNOPQRST	LN 6
2 BCDGIPRVX	ABDEFGH 7
3 Q	ABCDEFJNQRSTV 8
4 FH	9
5 AEGJL	ABFHIJTU 10
8A CEE	❶ €25,50
H200 8 ha 80T(150-180m²) 70D	❷ €35,00

B10 Pirmasens-Landau, Ausfahrt B427 Hinterweidenthal nach Dahn. Zwischen Dahn-Hinterweidenthal, 3 km vor Dahn nach rechts.

Gerbach, D-67813 / Rheinland-Pfalz

CC€18

Donnersberg
Kahlenbergweiher 1
1 Apr - 31 Okt
+49 (0)6361-8287
info@campingdonnersberg.com
N 49°40'15'' E 7°53'11''

1 AEJMNOPRST	AN 6
2 BCGPRTUVWXY	ABDEFGIJ 7
3 BEKLMQRV	ABCDEFGJKNPQRST 8
4 ABDEFGHIO	AUVW 9
5 ABDEJKL	ABDHIJLPR 10
10A CEE	❶ €27,00
H400 10 ha 180T 106D	❷ €38,00

A63 Ausfahrt Kircheim-Bolanden. Die L401 Richtung Rockenhausen. An der Kreuzung mit der L404 rechts, dann an der L385 den CP-Schildern Richtung Gerbach folgen.

Otterberg, D-67697 / Rheinland-Pfalz

Gänsedell
In der Gänsedell 1
1 Jan - 31 Dez
+49 (0)6301-5537
info@camping-otterberg.de
N 49°30'44'' E 7°46'58''

1 AFJMNOPQRST	6
2 ABPRUVWXY	ABDEFG 7
3 AEM	ABEFNQR 8
4	F 9
5 FKL	AFHIJR 10
10A	❶ €18,50
H400 2,6 ha 30T(80m²) 71D	❷ €25,80

B40 Ausfahrt Otterberg, dort Richtung Rockenhausen. Nach 1 km liegt der CP links.

Rülzheim, D-76761 / Rheinland-Pfalz

Camping & Badesee am Moby Dick
Am See 3
1 Jan - 31 Dez
+49 (0)7272-928434
info@mobydick.de
N 49°9'5'' E 8°16'23''

1 ABEFILNOPRST	LMN 6
2 ABCDGHOPQVWX	ABDEFG 7
3 BEFKLMNPQ	ABCDEFGNQRSV 8
4 TV	9
5 ABL	ABHJOR 10
Anzeige auf dieser Seite B 16A CEE	❶ €21,90
H110 40 ha 127T(70-80m²) 330D	❷ €28,40

A65 Ludwigshafen-Karlsruhe Ausfahrt 18 Herxheim, Richtung Germersheim/Rülzheim. Der CP ist ausgeschildert.

Schönenberg-Kübelberg, D-66901 / Rheinl.-Pfz

CC€16

Ohmbachsee****
Campingpark Ohmbachsee 1
1 Jan - 31 Dez
+49 (0)6373-4001
jungfleisch@campingpark-ohmbachsee.de
N 49°24'43'' E 7°24'14''

1 ADEFJMNOPQRST	AFLN 6
2 ADFGOPRSUWXY	ABDEFGIJ 7
3 BEFIKLMP	ABCDEFGIJKLNQRSV 8
4 FHI	AEGITV 9
5 ABCDEGJKL	AFGHJLMNORVW 10
B 10A CEE	❶ €22,90
H300 7 ha 68T(100m²) 138D	❷ €28,90

A6 Ausfahrt Waldmohr oder Bruchmühlbach-Miesau. Dann den Schildern Schönenberg-Kübelberg.

Sippersfeld, D-67729 / Rheinland-Pfalz

CC€16

Naturcampingplatz Pfrimmtal****
Pfrimmerhof 3
1 Jan - 31 Dez
+49 (0)6357-975380
camping.pfrimmtal@t-online.de
N 49°33'8'' E 7°57'39''

1 AFJMNOPQRST	LN 6
2 BCDGPRTUWXY	ABDFGH 7
3 BEL	ABCDEFJNQRS 8
4 AEFI	FIJ 9
5 ABJKL	ABFHIJLR 10
Anzeige auf dieser Seite WB 16A CEE	❶ €20,00
H400 7,6 ha 40T 192D	❷ €28,00

A61, am Knoten Alzey A63 Richtung Kaiserslautern bis zur Ausfahrt Göllheim, dann Richtung Dreissen. Über Standenbühl, dann links Richtung Sippersfeld. Nach 4 km links Richtung Pfrimmerhof.

Trechtingshausen, D-55413 / Rheinland-Pfalz

Marienort
Am Morgenbech 1A
1 Jan - 31 Dez
+49 (0)6721-6133
webmaster@campingplatz-marienort.de
N 50°0'16'' E 7°51'20''

1 AJMNOPQRST	JNXY 6
2 CGIKPQRUWXY	ABDEFGI 7
3 BEL	ABEFJNQRS 8
4 FHO	D 9
5 ACJKL	AFGHIMOR 10
B 10A CEE	❶ €18,00
4 ha 60T(ab 80m²) 112D	❷ €24,00

A61 Ausfahrt 46 Bingen-Mitte, B9 Richtung St. Goar. Am zweiten Schild abfahren.

Trippstadt, D-67705 / Rheinland-Pfalz

Camping Freizeitzentrum Sägmühle*****
Sägmühle
1/1 - 31/10, 19/12 - 31/12
+49 (0)6306-92190
info@saegmuehle.de
N 49°21'5'' E 7°46'51''

1 AEJMNOPQRST	LMNX 6
2 BDGIOPUVWXY	ABDEFGH 7
3 BEFILMQ	ABCDEFJKNQRSTUV 8
4 ABDEFHLO	E 9
5 ABEGIJKL	ABCGHIJPR 10
B 16A CEE	Preise auf
H343 10 ha 200T(100-120m²) 165D	Anfrage

A6 bis zur Ausfahrt Kaiserslautern-West. Der Strecke über B270 Richtung Pirmasens folgen. Nach 9 km links ab, Richtung Karlstal/Trippstadt. Den CP-Hinweisen folgen.

Waldfischbach, D-67714 / Rheinland-Pfalz

CC€18 iD

Clausensee****	1 ADEF**IL**NOPRST	LM**N**OQS**X** 6
Schwarzbachstraße	2 ABCDGHPQVX	BE**FGHIJ** 7
1 Jan - 31 Dez	3 AB**K**LQ	BDFIJK**LM**NQRSTUV 8
+49 (0)6333-5744	4 EFHIO**X**	ADEFPT 9
info@campingclausensee.de	5 ACDEFGIJKL	ABFGHIJLNORV 10
	B 6A CEE	❶ €31,50
N 49°16'31'' E 7°43'15''	H200 13 ha 100**T**(100-125m²) 160**D**	❷ €40,10

A6 Ausfahrt 15. Die B270 Richting Pirmasens. Auf der B270 Ausfahrt Waldfischbach und den CP-Schildern folgen. Der CP liegt 7 km außerhalb von Waldfischbach.

Wolfstein, D-67752 / Rheinland-Pfalz

CC€18 iD

Camping am Königsberg****	1 AE**JM**NOPQRS**T**	AB**N** 6
Am Schwimmbad 1	2 CGPRVWXY	ABDE**FG**H 7
1 Mär - 31 Okt	3 ABE**I**LQSU	ABCDEFGIJKNQRS 8
+49 (0)6304-4143	4 BFHIORSTZ	DEJKUVW 9
info@campingwolfstein.de	5 ABEFGJKL	ABDHIJL**NP**TUV 10
	B 16A CEE	❶ €27,00
N 49°34'49'' E 7°37'6''	H200 3,8 ha 80**T**(100-120m²) 31**D**	❷ €39,00

An der B270 zwischen Kaiserslautern und Idar-Oberstein. Südlich von Wolfstein. Aus dem Süden rechts, aus dem Norden links.

Deutschland

Nohfelden/Bosen, D-66625 / Saarland

iD

Bostalsee*****	1 AEF**JM**NOPQRST	LM**N**OQST**XY** 6
Am Campingplatz 1	2 ADGHIOPSUVWX	BE**FG**HK 7
1 Jan - 31 Dez	3 ABEFI**K**LQ	BDFIJK**L**NQRSTUV 8
+49 (0)6852-92333	4 BFHILO**PST**	ADMOPQTUVW 9
campingplatz@bostalsee.de	5 ABDEJKL	ABFGHIJL**NP**RVX 10
	Anzeige auf dieser Seite B 16A CEE	❶ €26,00
N 49°33'38'' E 7°3'40''	H400 14 ha 210**T**(ab 100m²) 339**D**	❷ €26,00

A1 bis Kreuzung Nonnweiler und über die A62 bis Ausfahrt 3 Türkismühle. Dann den Bostalsee-Schildern folgen.

Losheim, D-66679 / Saarland

iD

Losheim am See	1 ADF**JM**NOR**T**	LNQSX**Z** 6
Zum Stausee 210	2 DGPQUVWX	B**FG** 7
1 Jan - 31 Dez	3 BE**IK**LQ	BDFNR 8
+49 (0)6872-4770	4 IO**P**	AF 9
Werner.Harth@t-online.de	5 EIK	ABGHILORV 10
	6A CEE	❶ €23,50
N 49°31'26'' E 6°43'48''	H331 8 ha 430**T**(80-100m²) 335**D**	❷ €28,50

Von Trier B268 folgen. Nicht durch Losheim, sondern Richtung Stausee fahren. CP ausgeschildert.

Perl/Nennig, D-66706 / Saarland

iD

Mosel-Camping Dreiländereck	1 AJMNOPQRS**T**	**N**XY 6
Zur Moselbrücke 15	2 CPRW	ABD**F** 7
1 Apr - 15 Okt	3	ABE**F**NRV 8
+49 (0)6866-322	4 H	9
info@mosel-camping.de	5 J	AK**O**R 10
	16A CEE	❶ €18,60
N 49°32'32'' E 6°22'17''	2,7 ha 40**T** 70**D**	❷ €23,40

A1/E44 Trier-Luxemburg, Ausfahrt Grevenmacher, dann Richtung Remich. Nach Brücke links, zweiter CP.

Losheim/Britten, D-66679 / Saarland

CC€16 iD

Landhaus Girtenmühle***	1 ADE**JM**NOPQR**T**	6
Girtenmühle 1	2 BCOPRTWXY	BE**FG** 7
1/1 - 2/11, 17/11 - 31/12	3 BE**K**LV	BDFJNQRS 8
+49 (0)6872-90240	4 FHO	FG 9
info@girtenmuehle.de	5 AEGIJ	AHJOR 10
	16A CEE	❶ €22,30
N 49°31'57'' E 6°41'16''	H374 5,4 ha 50**T**(120m²) 22**D**	❷ €27,30

A48 bis Trier. Von Trier der B268 Richtung Losheim folgen. Der CP ist gut ausgeschildert.

Rehlingen/Siersburg, D-66780 / Saarland

CC€16 iD

Siersburg	1 AE**JM**NOPQRST	**N** 6
Zum Niedwehr 1	2 ACFGPRVWXY	BE**FG** 7
1 Apr - 31 Okt	3 B	BD**F**JNRSV 8
+49 (0)6835-2100	4 **E**FH	DIRT 9
info@ campingplatz-siersburg.de	5 ABEKL	AHIJL**PR** 10
	B 16A CEE	❶ €19,00
N 49°22'2'' E 6°39'37''	H300 3 ha 132**T**(100-200m²) 54**D**	❷ €25,00

A8 oder B51 Richtung Saarlouis. Rehlingen folgen, nach Siersburg abbiegen. In Siersburg der Beschilderung folgen (Camping Siersburg).

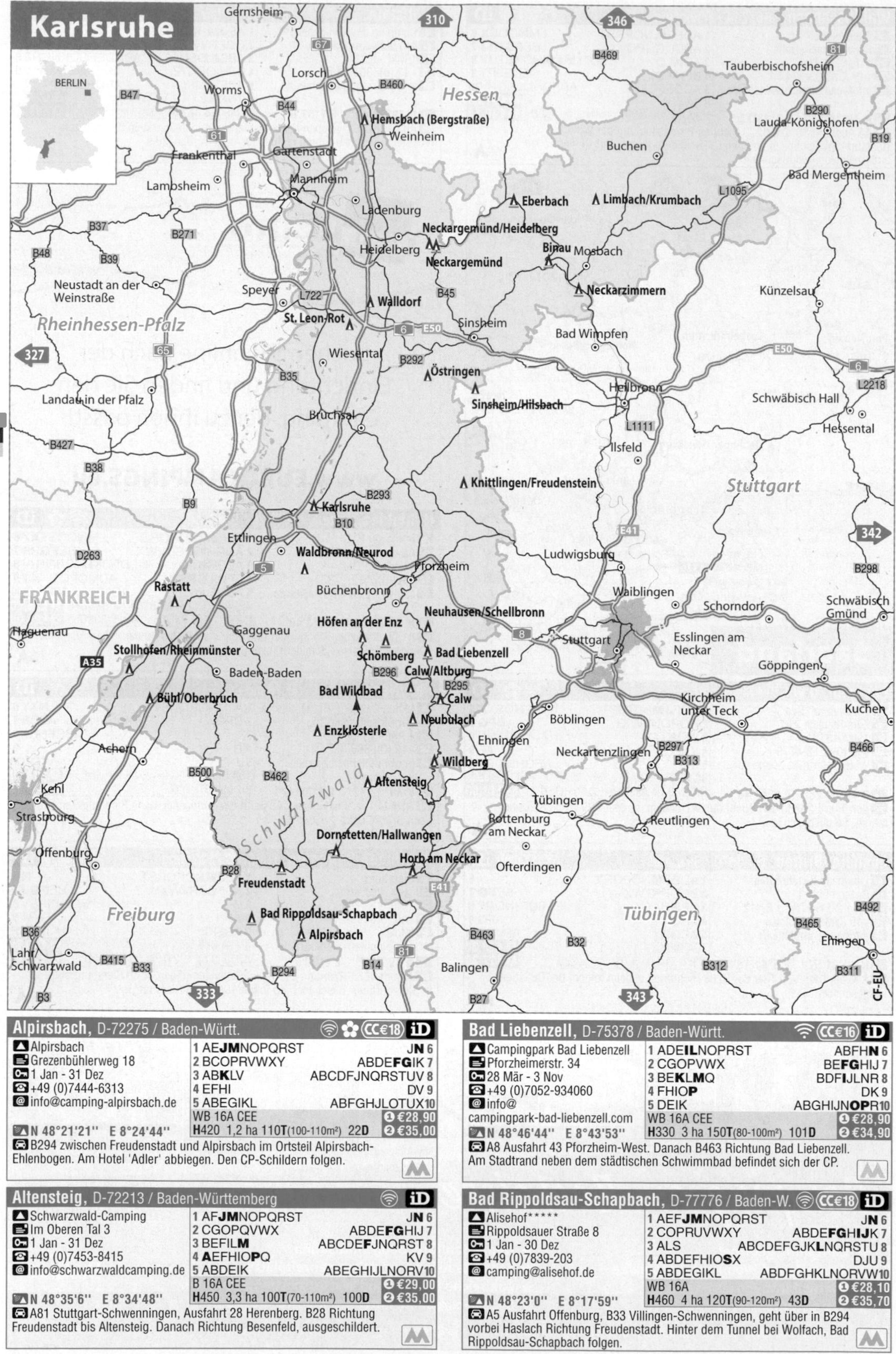

Alpirsbach, D-72275 / Baden-Württ.

Alpirsbach	1 AEJMNOPQRST	JN 6
Grezenbühlerweg 18	2 BCOPRVWXY	ABDEFGIK 7
1 Jan - 31 Dez	3 ABKLV	ABCDFJNQRSTUV 8
+49 (0)7444-6313	4 EFHI	DV 9
info@camping-alpirsbach.de	5 ABEGIKL	ABFGHJLOTUX 10
	WB 16A CEE	❶ €28,90
N 48°21'21'' E 8°24'44''	H420 1,2 ha 110T(100-110m²) 22D	❷ €35,00

B294 zwischen Freudenstadt und Alpirsbach im Ortsteil Alpirsbach-Ehlenbogen. Am Hotel 'Adler' abbiegen. Den CP-Schildern folgen.

Bad Liebenzell, D-75378 / Baden-Württ.

Campingpark Bad Liebenzell	1 ADEILNOPRST	ABFHN 6
Pforzheimerstr. 34	2 CGOPVWX	BEFGHIJ 7
28 Mär - 3 Nov	3 BEKLMQ	BDFIJLNR 8
+49 (0)7052-934060	4 FHIOP	DK 9
info@ campingpark-bad-liebenzell.com	5 DEIK	ABGHIJNOPR 10
	WB 16A CEE	❶ €28,90
N 48°46'44'' E 8°43'53''	H330 3 ha 150T(80-100m²) 101D	❷ €34,90

A8 Ausfahrt 43 Pforzheim-West. Danach B463 Richtung Bad Liebenzell. Am Stadtrand neben dem städtischen Schwimmbad befindet sich der CP.

Altensteig, D-72213 / Baden-Württemberg

Schwarzwald-Camping	1 AFJMNOPQRST	JN 6
Im Oberen Tal 3	2 CGOPQVWX	ABDEFGHIJ 7
1 Jan - 31 Dez	3 BEFILM	ABCDEFJNQRST 8
+49 (0)7453-8415	4 AEFHIOPQ	KV 9
info@schwarzwaldcamping.de	5 ABDEIK	ABEGHIJLNORV 10
	B 16A CEE	❶ €29,00
N 48°35'6'' E 8°34'48''	H450 3,3 ha 100T(70-110m²) 100D	❷ €35,00

A81 Stuttgart-Schwenningen, Ausfahrt 28 Herenberg. B28 Richtung Freudenstadt bis Altensteig. Danach Richtung Besenfeld, ausgeschildert.

Bad Rippoldsau-Schapbach, D-77776 / Baden-W.

Alisehof*****	1 AEFJMNOPQRST	JN 6
Rippoldsauer Straße 8	2 COPRUVWXY	ABDEFGHIJK 7
1 Jan - 30 Dez	3 ALS	ABCDEFGJKLNQRSTU 8
+49 (0)7839-203	4 ABDEFHIOSX	DJU 9
camping@alisehof.de	5 ABDEGIKL	ABDFGHKLNORVW 10
	WB 16A	❶ €28,10
N 48°23'0'' E 8°17'59''	H460 4 ha 120T(90-120m²) 43D	❷ €35,70

A5 Ausfahrt Offenburg, B33 Villingen-Schwenningen, geht über in B294 vorbei Haslach Richtung Freudenstadt. Hinter dem Tunnel bei Wolfach, Bad Rippoldsau-Schapbach folgen.

Teilkarte Karlsruhe auf Seite 330

Bad Wildbad, D-75323 / Baden-Württemberg

Family-Resort Kleinenzhof*****
Kleinenzhof 1
1 Jan - 31 Dez
+49 (0)7081-3435
info@kleinenzhof.de
N 48°44'15'' E 8°34'34''

1 AEILNOPQRST	ABEFGJN 6
2 CGOPSVWX	BCEFGHIJ 7
3 ABCDELRSUV	ABCDFIJKLMNQRSTUV 8
4 ABEFGHIKOQRTV	EGIJLUVWY 9
5 ACDEFGJKL	ABFGHIJLNPRV 10
Anzeige auf dieser Seite WB 16A CEE	❶ €33,60
H470 6 ha 150T(90-110m²) 187D	❷ €43,50

A8 Ausfahrt 43 Pforzheim-West. B294 Richtung Bad Wildbad. In Calmbach B294 folgen, Richtung Freudenstadt.

Bad Wildbad, D-75323 / Baden-Württemberg

Schwarzwald Camping Fautsburg
Rehmühle 1
1 Jan - 31 Dez
+49 (0)7055-1320
hillie@camping-fautsburg.eu
N 48°39'54'' E 8°32'52''

1 AILNOPQRST	EN 6
2 CPUWX	BEFG 7
3 BL	BDFJNRV 8
4 FHI	DEJ 9
5 ABEGIKL	AHIJLNORV 10
16A CEE	❶ €22,00
H600 2 ha 85T(60-100m²) 155D	❷ €27,00

A8, Ausfahrt 43 Pforzheim-West. B294 Richtung Bad Wildbad. In Calmbach B294 Richtung Freudenstadt, ca. 15 km CP-Beschilderung folgen.

Binau, D-74862 / Baden-Württemberg

Fortuna Camping
Neckarstraße 6
16 Mär - 25 Okt
+49 (0)6263-669
info@fortuna-camping.de
N 49°21'53'' E 9°3'29''

1 AEFILNOPQRST	AJNXYZ 6
2 CGOPSVWXY	BEFG 7
3 ABEFL	ABCDFJNQRTV 8
4 FHO	IKQ 9
5 ABDEIL	ABDFHIJMORZ 10
16A CEE	❶ €24,50
H155 3 ha 140T(100-150m²) 51D	❷ €31,50

Die A6, Ausfahrt 33 Sinsheim. B292 Richtung Mosbach bis Obrigheim. Dann B37 Richtung Heidelberg. CP ausgeschildert.

Bühl/Oberbruch, D-77815 / Baden-Württemberg

Adam Camping
Campingstraße 1
1 Jan - 31 Dez
+49 (0)7223-23194
info@campingplatz-adam.de
N 48°43'35'' E 8°5'2''

1 ADEFJMNOPQRST	HLMNQX 6
2 ADGJOPQSVWXY	ABDEFGH 7
3 BEFGHKLQ	ABCDEFJLNQRSTUV 8
4 BFH	EV 9
5 ACDEGIJKL	ABGHIKMNPR 10
WB 10A CEE	❶ €28,00
H120 25 ha 180T(80-100m²) 330D	❷ €37,00

A5 Karlsruhe-Basel, Ausfahrt 52. Am Ende der Ausfahrt ist der CP angezeigt.

Calw, D-75365 / Baden-Württemberg

Camping Schwarzwaldblick
Weidensteige 54
1 Jan - 31 Dez
+49 (0)7051-12845
info@cswb.de
N 48°42'27'' E 8°45'20''

1 AFILNOPQRST	A 6
2 FOPRUWX	FG 7
3 ABLMOP	ABCDFNQR 8
4 FHOP	DG 9
5 BGIK	AEGHJNORV 10
16A CEE	❶ €20,00
H430 3 ha 25T(60-80m²) 141D	❷ €25,00

A8 Karlsruhe-Stuttgart, Ausfahrt 46 Heimsheim, Richtung Calw-Stadtmitte. An Ampel und Kaufhaus Coop links abbiegen.

Calw/Altburg, D-75365 / Baden-Württemberg

Holiday Camp Altburg
Oberreichenbacher Straße
1 Jan - 31 Dez
+49 (0)7051-50788
info@holiday-camp.de
N 48°43'40'' E 8°41'18''

1 ABFILNOPQRST	AB 6
2 OPWX	ABCDEFGI 7
3 AELM	ABCDEFJKNQRTUV 8
4 EFHIZ	D 9
5 ABKL	ABHIJRV 10
16A CEE	❶ €20,00
H635 6,7 ha 80T(80-100m²) 302D	❷ €25,60

A8 Ausfahrt 43 Pforzheim West. B294 bis Höfen. In Höfen Richtung Calw. Am Ortseingang Calw rechts ab Richtung Altburg. Dann CP ausgeschildert.

Dornstetten/Hallwangen, D-72280 / Baden-W. CC€18

Höhencamping Königskanzel
Freizeitweg 1
1 Jan - 31 Dez
+49 (0)7443-6730
info@camping-koenigskanzel.de
N 48°28'51'' E 8°30'1''

1 ACDEFJMNOPQRST	ABFG 6
2 FGPSUVWXY	ABDEFGHI 7
3 ABDEFLV	ABDEFGHIJKLNQRSTU 8
4 ABEFHIZ	DV 9
5 ABDEIKL	ABFGHJPRZ 10
WB 16A CEE	❶ €28,50
H700 4 ha 50T(110-120m²) 102D	❷ €36,40

A5 Ausfahrt Rastatt B462 Richtung Freudenstadt. Von Freudenstadt Richtung Dornstetten und ab hier ist der CP ausgeschildert.

Eberbach, D-69412 / Baden-Württemberg CC€14

Eberbach
Alte Pleutersbacherstraße 8
1 Apr - 31 Okt
+49 (0)6271-1071
info@campingpark-eberbach.de
N 49°27'38'' E 8°58'57''

1 AFILNOPQRST	ABEFJNXY 6
2 CGOPVWX	BEFGI 7
3 ABEGHKM	ABEFJNQRS 8
4 FHO	9
5 ABEGJK	ABHIKR 10
6A	❶ €21,90
H226 2 ha 100T(60-80m²) 24D	❷ €29,10

A5, Ausfahrt 37 Heidelberg. Dann der B37 nach Eberbach folgen. Die Brücke überqueren.

Enzklösterle, D-75337 / Baden-Württemberg

Müllerwiese
Hirschtalstraße 3
15/3 - 7/11, 20/12 - 10/1
+49 (0)7085-7485
info@muellerwiese.de
N 48°40'0'' E 8°28'8''

1 AFJMNOPQRST	J 6
2 BCGOPQSVX	ABDEFG 7
3 BL	ABCDEFJNQRSTUV 8
4 EFGH	FI 9
5 BKL	ABFGHIJOR 10
W 10A CEE	❶ €26,00
H600 1,6 ha 48T(60-160m²) 37D	❷ €33,00

Von Pforzheim die B294 nach Calmbach nehmen. Hier rechts und über Bad Wildbad nach Enzklösterle. Im Zentrum rechts zum CP.

Freudenstadt, D-72250 / Baden-Württ. CC€18

Langenwald
Straßburger Straße 167
1 Apr - 1 Nov
+49 (0)7441-2862
info@camping-langenwald.de
N 48°27'32'' E 8°22'22''

1 AEJMNOPQRST	ABN 6
2 BCGOPSUVWXY	ABDEFGHIK 7
3 BFKLQV	ABCDEFGHIJNQRSTU 8
4 ABDEFHIOQX	DIJ 9
5 ABDEIKL	AEFGHJLNORV 10
B 16A CEE	❶ €29,80
H700 1,5 ha 80T(90-100m²) 24D	❷ €37,70

Von Westen: A5 Ausfahrt 54 Appenweier, B28 Richtung Freudenstadt, Richtung Kniebis. 3 km vor Freudenstadt links. Von Osten: A81 Ausfahrt 30 Horb, L370 Richtung Freudenstadt. 3 km hinter Freudenstadt rechts.

Hemsbach (Bergstraße), D-69502 / Baden-Württ.

Wiesensee
Ulmenweg 7
1 Jan - 31 Dez
+49 (0)6201-72619
familie.herwig@camping-wiesensee.de
N 49°35'52'' E 8°38'25''

1 AJMNORT	ABLMN 6
2 ADGHOPRVX	ABDEFGH 7
3 ABFGKLMN	ABCDEFJKNQRSTUV 8
4 EHO	V 9
5 BDEGIJKL	ABFGHIJPR 10
B 16A CEE	❶ €21,00
H100 3,5 ha 60T(70-80m²) 180D	❷ €30,00

A5 Frankfurt-Basel, am Darmstädter Kreuz Richtung Heidelberg auf der A5 bleiben bis zur Ausfahrt 32 Hemsbach. CP ausgeschildert.

Höfen an der Enz, D-75339 / Baden-Württemberg

Quellgrund
Sägmühlenweg
1 Jan - 31 Dez
+49 (0)7081-6984
info@campingplatz-quellgrund.de
N 48°48'27'' E 8°34'58''

1 AFJMNOPQRST	JN 6
2 COPWX	ABFG 7
3 ACIKL	BCDFHNQR 8
4 AEFHRTXZ	D 9
5 ABEK	AHJNPR 10
16A CEE	❶ €29,00
H365 3,7 ha 50T(70-110m²) 132D	❷ €39,00

A8 Ausfahrt 43 Pforzheim-West. B294 Richtung Freudenstadt. Der CP ist hinter dem Ortseingang von Höfen hinter der Aral Tankstelle.

Deutschland

Teilkarte Karlsruhe auf Seite 330

Horb am Neckar, D-72160 / Baden-Württ.
Schüttehof
Schütteberg 7
1 Jan - 31 Dez
+49 (0)7451-3951
info@camping-schuettehof.de
N 48°26'43'' E 8°40'25''

1 ADEFJMNOPQRST AF 6
2 AGPWX ABEFGHIJ 7
3 ABEFHLMQV ABDEFGIJNQRS 8
4 AFGHIO D 9
5 ABEJKL ABFGHLNPRVXY 10
WB 16A ① €18,50
H500 8 ha 54T(60-100m²) 253D ② €25,50

A81 Stuttgart-Singen. Ausfahrt 30 Richtung Horb. In Horb rechts ab zur B14. Links in die Altheimerstraße. CP liegt links.

Neuhausen/Schellbronn, D-75242 / Baden-Württ.
International Camping Schwarzwald
Freibadweg 1
1 Jan - 31 Dez
+49 (0)7234-6517
famfrech@t-online.de
N 48°49'8'' E 8°44'5''

1 ADEFHMNOPQRST ABFH 6
2 GOPVWX BEFGHI 7
3 BEFIKLM ABCDFNR 8
4 AFHIOSTZ DFKV 9
5 ABJK ABFGHIJLNOPR 10
B 16A CEE ① €22,00
H540 5 ha 70T(80-100m²) 255D ② €30,00

A8, Ausfahrt 43 Pforzheim-West. B10/B463 Richtung Calw. Ende Pforzheim links in Richtung Huchenfeld-Neuhausen. Ab Stuttgart: A8, Ausfahrt 46 Heimsheim, Friolzheim, Tiefenbronn, Hamberg, Schellbronn.

Karlsruhe, D-76227 / Baden-Württemberg
AZUR Cp-park Turmbergblick
Tiengener Str. 40
1 Apr - 31 Okt
+49 (0)721-497236
karlsruhe@azur-camping.de
N 49°0'28'' E 8°28'59''

1 AEFJMNOPQRST 6
2 APVX ABDEFGI 7
3 B ABCDEFNQRSV 8
4 9
5 AB ABCFGHIKLOR 10
Anzeige auf Seite 361 B 10A CEE ① €31,50
H124 3,5 ha 100T(90-130m²) 80D ② €41,50

A65 Ludwigshafen-Karlsruhe, Ausfahrt 44 Richtung Frankfurt/Basel, B10 Richtung Pforzheim, in Karlsruhe durch den Tunnel in Richtung Durlach. Der CP ist ausgeschildert.

Östringen, D-76684 / Baden-Württemberg
Kraichgau Camping Wackerhof
Schindelberg 10
25 Mär - 15 Okt
+49 (0)7259-361
info@wackerhof.de
N 49°12'0'' E 8°45'39''

1 BFILNOQRT 6
2 OPUVWX ABDEF 7
3 K ABCDFJNQR 8
4 FHI 9
5 ABKL ABFHJMR 10
16A CEE ① €12,30
H251 3 ha 50T(100-120m²) 95D ② €17,10

A5 Heidelberg-Karlsruhe, Ausfahrt 41 Kronau. B292 Richtung Sinsheim, Ausfahrt Östringen. CP ist ausgeschildert.

Knittlingen/Freudenstein, D-75438 / Baden-W.
Stromberg-Camping****
Diefenbacher Straße 70
1 Jan - 31 Dez
+49 (0)7043-2160
info@strombergcamping.de
N 49°2'6'' E 8°50'0''

1 ADEFILNOPQRST ABF 6
2 GPRVWXY BEFGI 7
3 BHILP ABCDEFNQR 8
4 FH D 9
5 ACDEJK ABFGHIJNPRV 10
B 16A ① €20,50
H320 7,5 ha 50T(80-100m²) 402D ② €29,50

A8 Stuttgart-Karlsruhe, Ausfahrt 44 Pforzheim-Nord zur B294 Richtung Bruchsal. In Bretten die B35 bis Knittlingen, dann links in Richtung Freudenstein.

Rastatt, D-76437 / Baden-Württemberg
Rastatter Freizeitparadies****
Im Teilergrund 1
1 Jan - 31 Dez
+49 (0)7222-10150
info@rastatter-freizeitparadies.de
N 48°52'24'' E 8°9'0''

1 AEFGJMNOPQRST LNOP 6
2 ADGHOPQSVWX ABDEFG 7
3 BEFGHIJKLMQ ABCDEFIJKNQRSTUV 8
4 BFHILO ESV 9
5 ACDEGJKL ABFGHIJLTUX 10
B 16A CEE ① €23,50
H114 70 ha 150T(90m²) 332D ② €31,50

A5 Karlsruhe-Basel, Ausfahrt 49 Rastatt. Richtung Mercedes-Werk, rechts. Im Zentrum Rastatt Richtung Ottersdorf, CP ausgeschildert.

Limbach/Krumbach, D-74838 / Baden-Württ.
Odenwald****
Willy-Grimm-Straße 1
1 Jan - 31 Dez
+49 (0)6287-1485
odenwald.camping@t-online.de
N 49°27'29'' E 9°10'37''

1 AFILNOPQRST ABEF 6
2 GOPTUVWXY ABEFG 7
3 AEFGHILMOST ABCDEFNRS 8
4 AEFHIOQRSTUY 9
5 ABDEFGIJK ABHIJLNOR 10
16A CEE ① €27,30
H370 12 ha 120T(70-100m²) 266D ② €34,30

A6 Ausfahrt 33 Sinsheim. B292 Richtung Obrigheim nach Mosbach. B27 Richtung Buchen, abbiegen Richtung Fahrenbach, Robern, Krumbach.

Schömberg, D-75328 / Baden-Württemberg
Höhencamping-Langenbrand*****
Schömbergerstraße 32
1 Jan - 31 Dez
+49 (0)7084-6131
info@hoehencamping.de
N 48°47'55'' E 8°38'8''

1 AFILNOPRT 6
2 OPVWX BEFGH 7
3 AL ABCDFNRS 8
4 FHIS D 9
5 CDK ABFGHIJPR 10
16A CEE ① €24,80
H700 1,6 ha 39T(100-120m²) 64D ② €31,80

A8 Ausfahrt 43 Pforzheim-West. B10 links ab Richtung Stadt bis 'Bauhaus', rechts. Rechts dann Richtung Brötzingen. 4. Ampel in Bad Büchenbronn/Schömberg rechts. Richtung Schömberg bis Langenbrand.

Neckargemünd, D-69151 / Baden-Württ.
Friedensbrücke
Falltorstraße 4
29 Mär - 25 Okt
+49 (0)6223-2178
j.vandervelden@web.de
N 49°23'47'' E 8°47'40''

1 AFILNOPQRST NXY 6
2 CGOPWX ABDEFG 7
3 AKT ABEFJNQRS 8
4 FHIO Q 9
5 ABDEHIK ABGHINPR 10
B 16A CEE ① €24,00
H130 3 ha 150T(60-80m²) 40D ② €29,50

A5, Ausfahrt 37 Heidelberg. B37 Richtung Eberbach. Bei der Einfahrt nach Neckargemünd links in die Poststraße abbiegen, oder schon vor der Brücke rechts. Schildern folgen.

Sinsheim/Hilsbach, D-74889 / Baden-Württemberg
FKK Camping Hilsbachtal****
Eichmühle 1
1 Apr - 31 Okt
+49 (0)7260-250
info@camping-hilsbachtal.de
N 49°10'39'' E 8°52'14''

1 AEFGHKNOPQRST ABFGH 6
2 ACGIOPSWXY BEFG 7
3 AEFKLT BDFIJNQRSTUV 8
4 FHIOT KL 9
5 ADEIKL ABFGHIJNOVW 10
FKK 16A CEE ① €23,00
H220 7 ha 50T(65-100m²) 250D ② €30,00

A6, Ausfahrt 33 Sinsheim. Dort rechts nach Weiler und Hilsbach Richtung Adelshofen. Dann rechts ab, Schildern folgen.

Neckargemünd/Heidelberg, D-69151 / Baden-W.
Haide****
Ziegelhäuserstraße 91
1 Apr - 31 Okt
+49 (0)6223-2111
camping-haide@t-online.de
N 49°24'6'' E 8°46'45''

1 ADEILNOPQRST JNX 6
2 CGPWXY ABEFGHIJ 7
3 B ABFNQR 8
4 FHIO FV 9
5 ABK ABGHIKLNOR 10
B 8A CEE ① €20,30
H119 3,6 ha 160T(80-100m²) 40D ② €25,70

A5 Ausfahrt 37 in Heidelberg. Über die 1. Brücke, dem Neckar Richtung Eberbach folgen.

St. Leon-Rot, D-68789 / Baden-Württemberg
St. Leoner See****
Am St. Leoner See 1
1 Jan - 31 Dez
+49 (0)6227-59009
info@st.leoner-see.de
N 49°16'58'' E 8°35'5''

1 ADEFHKNOPQRST LNQRSW 6
2 ADGHPQVWX BFG 7
3 BFIKL ABDEFIJLNQRS 8
4 AHI FJL 9
5 ABDHJK ABFGHIJNPR 10
B 16A CEE ① €23,00
H104 7 ha 300T(25-120m²) 656D ② €29,00

A5 Heidelberg-Karlsruhe, Ausfahrt 39 Walldorf. Dann Richtung Reilingen, St. Leon-Rot.

Neckarzimmern, D-74865 / Baden-Württ.
Cimbria
Wiesenweg 1
1 Apr - 31 Okt
+49 (0)6261-2562
info@camping-cimbria.de
N 49°19'10'' E 9°7'32''

1 ADEILNOPRST ABNXY 6
2 CGOPRSVWXY BEFG 7
3 BELMQ ABCDEFGNQR 8
4 FHIP DJQ 9
5 ADEGIJKL ABGHIJLNPR 10
16A CEE ① €25,00
H110 3 ha 150T(80-110m²) 23D ② €33,00

A6 Ausfahrt 33 Sinsheim. B292 Richtung Mosbach. In Obrigheim rechts Richtung Neckarsülm. Der CP ist am Ortseingang von Neckarzimmern.

Stollhofen/Rheinmünster, D-77836 / Baden-Württ.
Freizeitcenter Oberrhein*****
Am Campingpark 1
1 Jan - 31 Dez
+49 (0)7227-2500
info@freizeitcenter-oberrhein.de
N 48°46'24'' E 8°2'22''

1 ADEFJMNOPQRST LMNPQRSTWXYZ 6
2 ACDGHIPQRVWXY ABDEFGHIJ 7
3 BEFGHIKLMNQ ABCDEFGIJKLMNQRSTUV 8
4 AEFHILOP DEJKMORV 9
5 ACDEFGHIJKLM ABCFGHIJLMNPRXYZ 10
WB 16A CEE ① €32,00
H125 36 ha 300T(75-132m²) 489D ② €44,00

A5 Karlsruhe-Basel, Ausfahrt 52 Rheinmünster. Durch Zentrum Richtung Stohlhofen. Im Zentrum links ausgeschildert.

Neubulach, D-75387 / Baden-Württemberg
Erbenwald
Miss Gasse
1 Jan - 31 Dez
+49 (0)7053-7382
info@camping-erbenwald.de
N 48°40'39'' E 8°41'23''

1 AFJMNOPQRST ABFGN 6
2 GPVWX ABDEFGHI 7
3 ABEGHLPV ABDEFHJNRSTUV 8
4 ABEFHIJOPS JKL 9
5 ABDEJKL ABHIJNORV 10
Anzeige auf Seite 333 W 16A CEE ① €26,50
H620 7,9 ha 75T(80-130m²) 311D ② €34,50

A8 Ausfahrt 43 Pforzheim-West. B463 Richtung Calw. Dort rechts in Richtung Neubulach/Liebelsberg, dann CP-Schildern folgen.

Waldbronn/Neurod, D-76337 / Baden-Württemberg
Albgau
Kochmühle 1
1 Jan - 31 Dez
+49 (0)7243-61849
campingplatzalbgau@googlemail.com
N 48°54'53'' E 8°27'20''

1 ABFJMNOPQRST J 6
2 ABCOPQWX ABDEFG 7
3 ABG ABCDEFJNQRSV 8
4 FHIOP D 9
5 ACDEGJK ABGHIJLNOR 10
B 16A CEE ① €26,60
H250 10 ha 75T(50-80m²) 156D ② €33,60

A5 ab Basel, Ausfahrt 48 Ettlingen/Karlsruhe/Ruppur. Vor Ettlingen durch den Tunnel. Vor Waldbronn rechts über Bahnübergang.

Deutschland

Teilkarte Karlsruhe auf Seite 330

Teilkarte Karlsruhe auf Seite 330

Walldorf, D-69190 / Baden-Württemberg

Walldorf Astoria
Schwetzingerstr. 98
15 Apr - 15 Okt
+49 (0)6227-9195
info@
campingplatz-walldorf-astoria.de
N 49°18'59'' E 8°38'6''

1 AFHKNOPQRS**T** 6
2 AOPQWX BDE**F**I 7
3 **IK** BDFNQR 8
4 FHIO 9
5 ABDGIJ AHIK**NO**R 10
B 16A CEE ① €22,50
H110 3 ha 60**T**(80-100m²) 50**D** ② €29,50

A5 Frankfurt-Basel, Ausfahrt 39. Weiter links Richtung Heidelberg/ Schwetzingen, B291 Richtung Walldorf-West folgen. Ab hier ausgeschildert.

Wildberg, D-72218 / Baden-Württemberg

Camping Carpe Diem
Martinsholzle 6-8
1 Apr - 1 Okt
+49 (0)7054-931851
campingcarpediem@live.de
N 48°36'41'' E 8°44'6''

1 AE**JM**NOPQRST AF 6
2 CPVWX B**FG** 7
3 ABL ABCD**F**JNQRSTV 8
4 BFHIO ADEFUW 9
5 AEGIJKL ABDFHIKN**P**RVX 10
16A CEE ① €26,00
H372 3 ha 130**T**(80-110m²) 38**D** ② €33,00

A8 Ausfahrt 43 Pforzheim-West Richtung Calw. In Calw die B463 Richtung Nagold. Weiter Wildberg. Dann den CP-Schildern folgen.

Freiburg

Deutschland

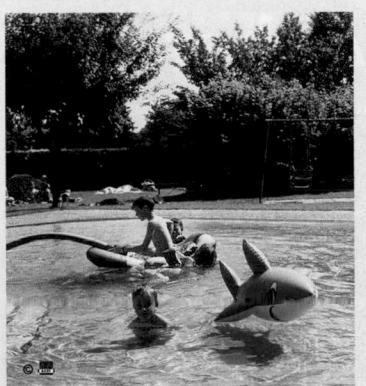

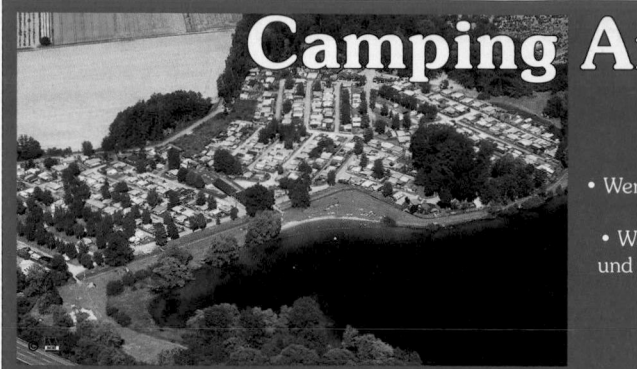

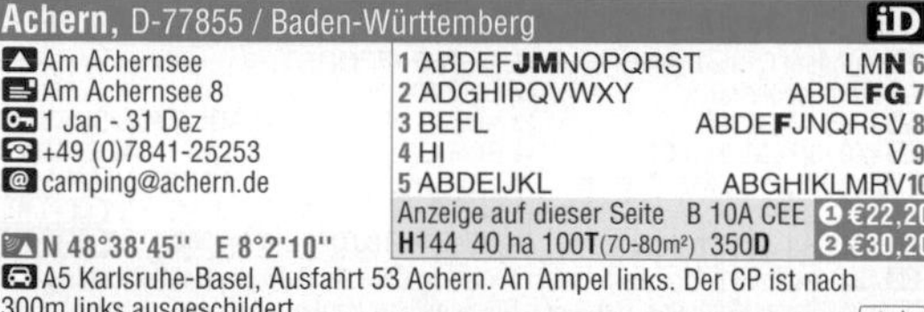

Achern, D-77855 / Baden-Württemberg

Am Achernsee
Am Achernsee 8
1 Jan - 31 Dez
+49 (0)7841-25253
camping@achern.de

1 ABDEF**JM**NOPQRST LMN 6
2 ADGHIPQVWXY ABDE**FG** 7
3 BEFL ABDE**F**JNQRSV 8
4 HI V 9
5 ABDEIJKL ABGHIKLMRV 10
Anzeige auf dieser Seite B 10A CEE ❶ €22,20
H144 40 ha 100**T**(70-80m²) 350**D** ❷ €30,20

N 48°38'45" E 8°2'10"
A5 Karlsruhe-Basel, Ausfahrt 53 Achern. An Ampel links. Der CP ist nach 300m links ausgeschildert.

Allensbach, D-78476 / Baden-Württemberg

Campingplatz Allensbach
Strandweg 30
15 Mär - 15 Okt
+49 (0)7533-9976565
info@campingamsee.com

1 AEG**IL**NOPQRS**T** LMNQS**X**Y 6
2 DGJPWXY ABDE**FG**IJ 7
3 BFLQ ABCDE**F**JK**LM**NQRS 8
4 AFHIO GQR 9
5 AEIJK**L** ABCFGHIKNORXZ 10
B 16A CEE ❶ €29,70
H405 3 ha 145**T**(ab 70m²) 49**D** ❷ €35,30

N 47°42'38" E 9°4'50"
Ab AB Kreuz Hegau (A81) nach Radolfzell B33 Richtung Konstanz. In Allensbach den CP-Schildern folgen.

Allensbach/Hegne, D-78476 / Baden-Württemberg

Campingplatz Hegne am Bodensee
Nachtwaid 1
15 Mär - 15 Okt
+49 (0)7533-9493913
info@camping-hegne.de

1 AEFILNOPQR**T** LM**N**QSV**X**Z 6
2 DGJKOPRSXY ABDE**FG**I 7
3 ABLQ ABCDEFGIJKNQRS 8
4 FHIO DQR 9
5 ABEGJKLM ABCGHIJRZ 10
B 16A CEE ❶ €31,30
H408 2,2 ha 90**T**(80-120m²) 65**D** ❷ €36,90

N 47°42'15" E 9°5'52"
B33 Radolfzell Richtung Konstanz. In Allensbach Richtung Hegne ist der CP ausgeschildert.

Allensbach/Markelfingen, D-78315 / Baden-W.

Willam****
Schlafbach 10
24 Mär - 3 Okt
+49 (0)7533-6211
info@campingplatz-willam.de

1 AEFHKNOPQRS**T** LM**N**PQSW**X**YZ 6
2 DGIJKPQSWX ABDE**FG**HI 7
3 ABEFL ABCDE**F**NQRS 8
4 ACDFHL DLNQRV 9
5 ABEIJKL AFGIJ**NO**TUV 10
Anzeige auf dieser Seite B 16A CEE ❶ €29,50
H404 4,5 ha 180**T**(70-100m²) 183**D** ❷ €36,70

N 47°43'45" E 9°1'31"
Von Radolfzell Richtung Konstanz. Auf der B33 Ausfahrt Allensbach, den CP-Schildern 'William' folgen. CP zwischen Markelfingen und Allensbach.

Bad Bellingen/Bamlach, D-79415 / Baden-W.

Lug ins Land-Erlebnis*****
Römerstraße 3
1 Jan - 31 Dez
+49 (0)7635-1820
info@camping-luginsland.de

1 AEF**JM**NOPQRST ABF**N**O 6
2 AFGOPUVWXY ABDE**FG**HI 7
3 BEFGH**JKLM**QV ABCDEF**L**NQRSTUV 8
4 ABCDEFHIKLO**RXY** DEIQV 9
5 ACDEFJKL ABFGHIJL**NP**RV 10
Anzeige auf Seite 335 B 16A CEE ❶ €34,00
H300 9 ha 220**T**(80-120m²) 200**D** ❷ €43,00

N 47°42'44" E 7°32'49"
A5 Ausfahrt 67 Efringen-Kirchen/Bad Bellingen, Richtung Bad Bellingen, dann ausgeschildert.

Bad Dürrheim, D-78073 / Baden-Württemberg

NaturCamping
Am Steigle 1
1 Jan - 31 Dez
+49 (0)7706-712
info@campingplatz-bad-duerrheim.de

1 AEF**JM**NOPQRS**T** LMN 6
2 ADFGOPUXY AB**FGIJK** 7
3 ABDEF**K**LQUV ABCDEFJ**LM**NQRSV 8
4 **E**FHIKO**W** FI 9
5 ABDEIL ABFGHJMORVW 10
WB 16A CEE ❶ €31,00
H720 7,8 ha 175**T**(100m²) 127**D** ❷ €39,00

N 48°0'15" E 8°34'59"
Von Villingen-Schwenningen nach Donaueschingen, Ausfahrt Bad Dürrheim. Dann ausgeschildert, Richtung Sunthausen.

Bad Peterstal-Griesbach, D-77740 / Baden-Württ.

Traiermühle
Renchtalstraße 53a
1 Apr - 15 Okt
+49 (0)7806-8064
camping@traiermuehle.de

1 AF**JM**NOPRS 6
2 BCFGOPRVWXY ABDE**FG** 7
3 A ABE**F**NQR 8
4 AF 9
5 AK**L** AFHK**O**TUW 10
10A ❶ €15,10
H380 2,2 ha 30**T**(80-120m²) 30**D** ❷ €19,10

N 48°25'46" E 8°10'54"
A5, Ausfahrt 54 Appenweiher zur B28 Richtung Freudenstadt, Oberkirch-Oppenau weiter Griesbach. CP rechts 2 km vor Bad Peterstal.

Badenweiler, D-79410 / Baden-Württemberg

Kur & Feriencampingplatz Badenweiler
Weilertalstraße 73
15 Jan - 15 Dez
+49 (0)7632-1550
info@camping-badenweiler.de

1 ADEF**JM**NOPQRST ABF 6
2 CFGOPUVWX ABD**EFG**H 7
3 BCE**K**LV ABCDEFIJNQRSUV 8
4 EFHI**Y** DJV 9
5 ABEIKL ABGHIJ**NP**TUV 10
B 16A CEE ❶ €32,20
H350 1,6 ha 100**T**(90-130m²) 3**D** ❷ €40,20

N 47°48'35" E 7°40'37"
A5 Karlsruhe-Basel, Ausfahrt Mühlheim/Neuenburg/Badenweiler. 12 km geradeaus Richtung Schönau. Am Ortseingang nach 700m links.

Teilkarte Freiburg auf Seite 333

Bodman-Ludwigshafen, D-78351 / Baden-W.

Campingplatz Schachenhorn
Radolfzeller Straße 23
15 Mär - 15 Okt
+49 (0)7773-9376851
info@camping-schachenhorn.de
N 47°49'4'' E 9°2'20''

1 AF**IL**NOPQRST	L**N**OPS**X**Y 6
2 ADFGIJPWXY	ABDE**FG**I 7
3 AEL	ABCDE**F**JKNQRSV 8
4 FHIO	DFKL 9
5 ABIKL	AGHIKLMNPRV 10
B 16A CEE	① €30,00
H400 180**T**(50-70m²) 43**D**	② €35,00

Von Stuttgart A81 Singen-Stockach West. Via Espasingen Richtung Ludwigshafen. Cp liegt rechts an der B31. Von München A96 Lindau, weiter die B31 Richtung Friedrichshafen-Stockach.

Engen im Hegau, D-78234 / Baden-Württemberg

Campingplatz Sonnental
Im Doggenhardt 1
1 Jan - 31 Dez
+49 (0)7733-7529
info@camping-sonnental.de
N 47°51'43'' E 8°45'39''

1 AG**JM**NOPQRS**T**	**A** 6
2 AOPSTUVWXY	ABDE**FG**I 7
3 ABEL	ABCDEFJNQRSTU 8
4 FH	9
5 ADEGJKL	ABEGHIJRV 10
WB 16A CEE	① €19,50
H522 3 ha 90**T**(10-80m²) 70**D**	② €23,90

A81 Richtung Singen, Ausfahrt 39 Engen. Dann ist CP ausgeschildert.

Bräunlingen, D-78199 / Baden-Württemberg

Kirnbergsee
Seestraße 15
1 Jan - 31 Dez
+49 (0)7654-7510
info@campingplatz-kirnbergsee.de
N 47°55'45'' E 8°21'52''

1 AEF**JM**NOPQRST	L**N**QX 6
2 DFGKPUVWX	ABDE**FG** 7
3 AE**GH**L	ABCDEFJNQRSV 8
4 FHO**XZ**	J 9
5 ABDEIJK**L**	ABGHIJLRZ 10
W 16A CEE	① €24,60
H840 1,2 ha 75**T**(90-100m²) 64**D**	② €33,60

B31 Freiburg -(Titisee)- Donaueschingen, Abfahrt Löffingen, links Richtung Dittishausen-Unterbränd. Im Kreisel geradeaus. Der CP ist ausgeschildert.

Ettenheim, D-77955 / Baden-Württemberg

Campingpark Oase****
Mühlenweg 34
28 Mär - 4 Okt
+49 (0)7822-445918
info@campingpark-oase.de
N 48°14'51'' E 7°49'41''

1 ADF**IL**NOPQRST	**AFG** 6
2 AGPRUVX	ABDE**FG** 7
3 BE**HIK**L**MP**QV	ABCDE**F**JKNQRST 8
4 **A**FHIO	9
5 ABDEJK**L**	ABGHIJ**P**T 10
6A CEE	① €25,50
H320 6 ha 160**T**(80-130m²) 85**D**	② €33,50

A5, Ausfahrt Ettenheim, Ausfahrt 57A Richtung Ettenheimweiler, gerade außerhalb der Stadt, gut ausgeschildert.

Breisach/Hochstetten, D-79206 / Baden-Württemberg

Münsterblick
Hochstetterstraße 11
27 Mär - 31 Okt
+49 (0)7667-93930
campingplatz@adler-hochstetten.de
N 48°1'9'' E 7°36'33''

1 AF**JM**NOQRST	6
2 AOPVXY	A**B**DE**FG** 7
3	ABCDE**F**NQR 8
4 FHI	V 9
5 AJ**L**	ABHIJ**N**R 10
10A	① €25,80
H180 0,7 ha 40**T**(80-100m²)	② €32,80

CP ist süd-östlich von Breisach im Ort Hochstetten an der B31, 1 km von Breisach entfernt.

Freiburg, D-79117 / Baden-Württemberg

Campingplatz am Möslepark
Waldseestraße 77
1 Apr - 26 Okt
+49 (0)761-7679333
information@camping-freiburg.com
N 47°58'53'' E 7°52'55''

1 ADEF**JM**NOPQRST	6
2 ABOPRTWXY	ABDE**FG**HIK 7
3 B**IK**	ABCDEFJNQRSV 8
4 FHI**STUVXYZ**	ADFIV 9
5 ABJKL	ABGHIJ**NP**TUWX 10
B 10-16A	① €27,00
H320 0,7 ha 80**T**(60-100m²) 19**D**	② €33,00

A5 Ausfahrt 62 Freiburg-Mitte, Richtung Titisee. Beschilderung folgen. Vorm Tunnel links einordnen, Richtung Stadion/Ebnet, den Schildern nach rechts folgen.

Donaueschingen/Pfohren, D-78166 / Baden-Württ.

Riedsee-Camping
Am Riedsee 11
1 Jan - 31 Dez
+49 (0)771-5511
info@riedsee-camping.de
N 47°56'15'' E 8°32'3''

1 ADEF**JM**NOPQRST	LMQS 6
2 ADGHPVWX	ABDE**FG**I 7
3 ABEKL**M**S	ABCDEFHJKNQRSV 8
4 AFHIN**X**	W 9
5 ABDEGJK**L**	ABGHIJ**NP**RZ 10
16A CEE	① €24,00
H750 10 ha 155**T**(75-120m²) 400**D**	② €32,00

A81 Stuttgart-Singen, Ausfahrt Geisingen. Noch 13 km Richtung Donaueschingen bis zum Stadtteil Pfohren. Links abbiegen, danach ausgeschildert.

Freiburg, D-79104 / Baden-Württemberg

Freiburg Camping Hirzberg
Kartäuserstraße 99
1 Jan - 31 Dez
+49 (0)761-35054
hirzberg@freiburg-camping.de
N 47°59'34'' E 7°52'26''

1 ADEF**JM**NOQRS	6
2 AFOPUWXY	ABDE**FG**IJ 7
3 A**K**	ABCDEFJNR 8
4 FHI	ADV 9
5 ABEJK**L**	AEGHIKL**NP**TUZ 10
W 10A	① €27,00
H280 1,2 ha 85**T**(60-100m²) 29**D**	② €33,00

A5, Ausfahrt Freiburg-Mitte, Richtung Titisee. Beschilderung folgen, vor Tunnel links einordnen Richtung Stadion (Ebnet), Am Sporthaus Kiefer links.

Teilkarte Freiburg auf Seite 333

TUNISEE CAMPING

Tunisee Camping liegt in einer der wärmsten Gegenden zwischen Kaiserstuhl und dem Schwarzwald. Von hier aus lassen sich sehr schöne Ausflüge machen. Der Platz hat einen eigenen Naturbadesee, in dem auch gesurft werden kann. Die Stellplätze sind groß und die Sanitäranlagen gut. Idealer Familiencampingplatz, mit und ohne Animationsprogramme.

79108 Freiburg/Hochdorf
Tel. 07665-2249 • Fax 07665-95134
E-Mail: info@tunisee.de
Internet: www.tunisee.de

Freiburg/Hochdorf, D-79108 / Baden-Württ.

CC€18 iD

Tunisee Camping
Seestraße 30
1 Apr - 31 Okt
+49 (0)7665-2249
info@tunisee.de
N 48°3'51'' E 7°48'52''

1 ADEF**JM**NOPQRST L**N**OQWX 6
2 ADGKPRVWXY ABDE**FG**IJ 7
3 BEFL**S**V ABCDEFJNQRTU 8
4 HIL DEFV 9
5 ABDEJK**L** ABDFGHIKL**P**R 10
Anzeige auf dieser Seite B 16A CEE ① €23,70
H204 30 ha 150**T**(80-119m²) 365**D** ② €29,90

A5 Karlsruhe-Basel, Ausfahrt 61 Freiburg-Nord. An der Ampel rechts und dann 4 mal links. CP ist ausgeschildert.

Gaienhofen/Horn, D-78343 / Baden-W.

CC€18 iD

Campingplatz Horn Bodensee
Strandweg 3-18
28 Mär - 3 Okt
+49 (0)7735-685
campingplatz.horn@gaienhofen.de
N 47°41'18'' E 8°59'41''

1 AEFG**JM**NOPQRS**T** LM**N**QST**X**Y**Z** 6
2 DGHPWXY ABDE**FG**H 7
3 ABEFIL ABCDE**F**J**LM**NQRSV 8
4 CDFHL DPQTVW 9
5 ABEFGJKL ABCDGHIJOPRVZ 10
B 16A CEE ① €27,00
H399 6 ha 175**T**(60-150m²) 82**D** ② €35,00

Von Radolfzell die L192 Richtung Stein am Rhein-Moos-Gaienhofen-Horn. Dann ausgeschildert.

Rothaus Camping

www.rothaus-camping.de

- 20 % Rabatt zwischen 15.1. und 15.3. sowie 15.10. und 15.12.
- 5% Ermäßigung für ACSI-Führer Inhaber
- Spielplatz angrenzend
- Rollstuhlgerechte Sanitärgebäude
- Baden und Segeln im Schluchsee 3 km
- Baden im Schlüchtsee 2 km
- Luxus Gemeinschaftszelt für ca. 100 Personen

Terrassencampingplatz mit Sonnen- und Schattenplätzen. Auf dem Platz herrscht eine gemütliche Atmosphäre. Viele Wandermöglichkeiten in direkter Umgebung, auch zum Heimatsmuseum.

79865 Grafenhausen/Rothaus • Tel. 07748-800

Grafenhausen/Rothaus, D-79865 / Baden-W.

CC€16 iD

Rothaus Camping
Mettmatalstraße 2
1 Jan - 31 Dez
+49 (0)7748-800
info@rothaus-camping.de
N 47°47'42'' E 8°14'6''

1 AF**JM**NOPQRST 6
2 BOPUVWXY ABDE**FG**HI 7
3 A**K**LQ**R**S ABCDE**F**JNQR 8
4 FH AD 9
5 AEJK**L** AGHIJRZ 10
Anzeige auf dieser Seite W 16A CEE ① €22,30
H930 2,5 ha 60**T**(80-100m²) 84**D** ② €31,70

Titisee Richtung Schluchsee, dann Richtung Rothaus/Grafenhausen, nach ca. 4 km rechts.

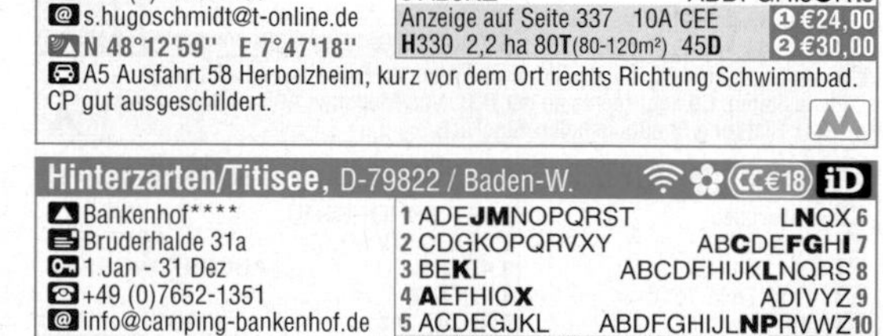

Herbolzheim, D-79336 / Baden-Württ.

CC€18 iD

Terrassencamping Herbolzheim****
Laue-Dietweg 1
27 Mär - 3 Okt
+49 (0)7643-1460
s.hugoschmidt@t-online.de
N 48°12'59'' E 7°47'18''

1 ADEF**I**KNOPQRST **ABFH** 6
2 GPUVWXY ABDE**FG** 7
3 ABEL**M** ABCDEFNQRS 8
4 **A**FHI V 9
5 ABJK**L** ABDFGHIJ**O**R 10
Anzeige auf Seite 337 10A CEE ① €24,00
H330 2,2 ha 80**T**(80-120m²) 45**D** ② €30,00

A5 Ausfahrt 58 Herbolzheim, kurz vor dem Ort rechts Richtung Schwimmbad. CP gut ausgeschildert.

Friesenheim/Schuttern, D-77948 / Baden-Württ.

iD

Baggersee Schuttern****
In der Kruttenau 100
1 Apr - 1 Okt
+49 (0)7808-2847
campingplatzschuttern@friesenheim.de
N 48°24'1'' E 7°51'28''

1 AD**JM**NOPQRST LNQXY 6
2 DGJKPRVX ABDE**FG**H**IJ** 7
3 AEF**I**L ABCDEFJNRS 8
4 HI W 9
5 ACDEHK ABGHKL**P**R 10
Anzeige auf dieser Seite B 16A CEE ① €20,10
H250 10 ha 125**T**(80-100m²) 350**D** ② €24,50

A5 Ausfahrt Lahr, die B36 Richtung Strassburg, Ausfahrt Kürzell. Geradeaus Richtung Schüttern, die Unterdorfstraße durchfahren. Dann ausgeschildert.

Hinterzarten/Titisee, D-79822 / Baden-W.

CC€18 iD

Bankenhof****
Bruderhalde 31a
1 Jan - 31 Dez
+49 (0)7652-1351
info@camping-bankenhof.de
N 47°53'10'' E 8°7'52''

1 ADE**JM**NOPQRST L**N**QX 6
2 CDGKOPQRVXY AB**C**DE**FG**H**I** 7
3 BE**K**L ABCDFHIJK**L**NQRS 8
4 **A**EFHIO**X** ADIVYZ 9
5 ACDEGJKL ABDFGHIJL**NP**RVWZ 10
WB 16A CEE ① €28,00
H860 3 ha 180**T**(80-100m²) 35**D** ② €37,60

A5 Karlsruhe-Basel, Ausfahrt Freiburg-Mitte, B31 Titisee folgen. In Titisee-Mitte Richtung Bruderhalde.

Camping zwischen Wald und Wasser
BAGGERSEE SCHUTTERN
Rund um zwei kleine Seen (12 Hektar) finden Sie alles für einen gelungenen Bade-, Erholungs- und Campingurlaub. Modernes Sanitär, freundliche Mitarbeiter, Kiosk und ein Gasthaus sorgen für das Wohlbefinden der Gäste. Seenachtsfest mit Feuerwerk am letzten Juliwochenende!
77948 Friesenheim/Schuttern
Tel. 07808-2847 • Fax 07808-912724
E-Mail: campingplatzschuttern@friesenheim.de
Internet: www.friesenheim.de

ACSI
Club iD
Das günstige Camping Carnet für Europa
4,95 €
www.ACSIclubID.de

Teilkarte Freiburg auf Seite 333

Deutschland

Ihringen, D-79241 / Baden-Württemberg

Kaiserstuhl Camping
Nachtwaid 5
15 Mär - 30 Okt
+49 (0)7668-950065
info@kaiserstuhlcamping.de
N 48°1'49'' E 7°39'27''

1 AF**JM**NOPQRST	ABFH	6
2 GPVWX	ABDE**FG**HI	7
3 BEF**GHK**L**MO**Q	ABCDE**F**JNQRS	8
4 FHIO	V	9
5 ABDEKL	ABFGHIJL**O**RV	10
B 16A CEE		❶ €24,00
H200 9,5 ha 210**T**(100-120m²) 25**D**		❷ €33,00

A5 Ausfahrt Freiburg-Mitte, direkt Richtung Umkirch. Dann via Waltershofen und Merdingen direkt nach Ihringen. 1 km vor dem Ort ist der CP links, hinter dem Schwimmbad.

Konstanz/Dingelsdorf, D-78465 / Baden-Württ.

Campingplatz Klausenhorn
Hornwiesenstraße 40-42
1 Apr - 3 Okt
+49 (0)7533-6372
info@camping-klausenhorn.de
N 47°44'46'' E 9°8'52''

1 ADEFGILNOPQRST	LMQS**XY**	6
2 DGHKPWXY	ABDE**FG**I	7
3 ABEFL	ABCDE**F**JKNQRSTUV	8
4 EFHILO	DFW	9
5 ABDEIKL	ABCFGHIJNOR	10
B 10A CEE		❶ €29,00
H392 3 ha 240**T**(65-100m²) 71**D**		❷ €36,60

Die B33 Radolfzell-Konstanz bis Allensbach, dann Richtung Dettingen/Dingelsdorf. Dem CP-Schild 'Klauserhorn' folgen.

Kandern, D-79400 / Baden-Württemberg

Terrassen-Camping-Kandern
Kandern Schwimmbadweg 2
15 Mär - 15 Okt
+49 (0)7626-7874
kontakt@terrassen-camping-kandern.de
N 47°43'13'' E 7°39'36''

1 AF**JM**NOPQRS**T**	**ABFHN**	6
2 AFOPRUVWXY	ABD**EFGI**	7
3 AF**IJM**	ABCDEFNQR	8
4 FH		9
5 BK**L**	ABGHIJL**P**RV	10
16A CEE		❶ €26,00
H400 2,2 ha 60**T**(80-100m²) 45**D**		❷ €33,40

Von der A5 zur A98, Kreuz Weil am Rhein. Dann Ausfahrt 4 nach Kandern. Ca. 10 km.

Konstanz/Dingelsdorf, D-78465 / Baden-Württ.

Seepark Fließhorn
Am Fließhorn 1
1 Apr - 15 Okt
+49 (0)7533-5262
info@fliesshorn.de
N 47°44'4'' E 9°10'21''

1 AEF**IL**NOPQRST	L**N**OPQSWYZ	6
2 DGJPVXY	ABDE**FG**HIJ	7
3 BL	ABCDE**FI**JNQRSV	8
4 FHIO	DFGKQR	9
5 ACEFGJKL	ABCGHIJ**NOR**	10
B 16A CEE		❶ €31,50
H350 5,8 ha 80**T**(10-80m²) 106**D**		❷ €34,50

Von der A81 der B33 Radolfzell Richtung Konstanz folgen. Ab hier ist der CP ausgeschildert.

Kehl am Rhein, D-77694 / Baden-Württemberg

DCC Kehl-Straßburg
Rheindammstraße 1
15 Mär - 31 Okt
+49 (0)7851-2603
campingparkkehl@aol.com
N 48°33'41'' E 7°48'30''

1 ADEF**IL**NOQRS**T**	**AFN**X	6
2 GPRWXY	ABDE**FGHIJ**	7
3 AE**ILM**	ABDE**F**JNQRS	8
4 EH	D	9
5 ABEJKL	ABFHJLNR	10
B 16A CEE		❶ €18,30
H147 2,3 ha 180**T**(80-100m²) 22**D**		❷ €23,50

A5 Ausfahrt 54 Appenweiher, 11 km auf der B28 in Richtung Kehl/Straßburg. Ca. 5 km vor Kehl ausgeschildert. In Kehl immer gerade aus, am Ende vom Weg zum Schwimmbad links.

Küssaberg/Kadelburg, D-79790 / Baden-Württemberg

Hochrhein****
Oberdorf 56
1 Jan - 31 Dez
+49 (0)7741-4244
camping-hochrhein@t-online.de
N 47°36'18'' E 8°17'59''

1 ADEF**JM**NOPRST	AB**J**NUV	6
2 CFGKOPVWX	ABDE**FG**H	7
3 BIL**QR**	ABCDE**F**JNQRV	8
4 **A**EFHIO	FPQRV	9
5 EJKL	ABFGHIJL**N**RVZ	10
B 16A CEE		❶ €19,70
H335 1,7 ha 140**T**(100m²) 96**D**		❷ €24,30

B34 Waldshut Richtung Tiengen-West (Schaffhausen), Ausfahrt Ettikon, Kadelburg, Küsseberg. Hinter Kadelburg ist der CP rechts gut ausgeschildert.

Kirchzarten, D-79199 / Baden-Württemberg

Kirchzarten*****
Dietenbacherstraße 17
1 Jan - 31 Dez
+49 (0)7661-9040910
info@camping-kirchzarten.de
N 47°57'37'' E 7°57'3''

1 ADE**JM**NOPQRST	ABFH**N**	6
2 CGOPVX	ABDE**FG**HI	7
3 BE**IKLMP**	ABCDEFIK**L**NRSTU	8
4 **A**FHIO**PT**	DEHIKVW	9
5 ACDEFIJKL	ABFGHIK**NP**RZ	10
Anzeige auf dieser Seite WB 16A CEE		❶ €35,00
H280 6 ha 430**T**(80-110m²) 101**D**		❷ €47,00

A5 Karlsruhe-Basel, Ausfahrt B31 Freiburg-Mitte Richtung Titisee bis Ausfahrt Kirchzarten. CP ist ausgeschildert.

Lenzkirch, D-79853 / Baden-Württemberg

Kreuzhof****
Bonndorferstraße 63
1 Jan - 31 Dez
+49 (0)7653-1450
info@camping-kreuzhof.de
N 47°51'41'' E 8°13'27''

1 AEF**JM**NOPQRST	EFLM	6
2 DOPVX	ABDE**FG**H	7
3 BEF**GH**L**M**STV	ABCDE**F**J**L**NQRSV	8
4 AFHIKO**STVXY**	DGV	9
5 ACEJK**L**	ABGHIJ**NP**RVZ	10
WB 16A CEE		❶ €32,60
H805 2 ha 150**T**(80-120m²) 41**D**		❷ €46,00

B317 von Titisee Richtung Feldberg, Ausfahrt Lenzkirch B315. CP ca. 2 km hinter Lenzkirch Richtung Bondorf.

Konstanz, D-78464 / Baden-Württemberg

Bruderhofer
Fohrenbühlweg 50
1 Apr - 4 Okt
+49 (0)7531-31388
+49 (0)7531-31392
N 47°40'26'' E 9°12'35''

1 AEFGJMNOPQR**T**	L**N**OPQRSTX	6
2 DGJOPSWX	A**BEFG**	7
3 BEL	ABE**F**NQRSV	8
4 FH	D	9
5 ABDGHKL	ABCHIJM**NOP**R	10
Anzeige auf dieser Seite 16A CEE		❶ €28,90
H406 40**T**(60-100m²) 58**D**		❷ €33,50

A81, Richtung Konstanz. Dort ist der CP ausgeschildert.

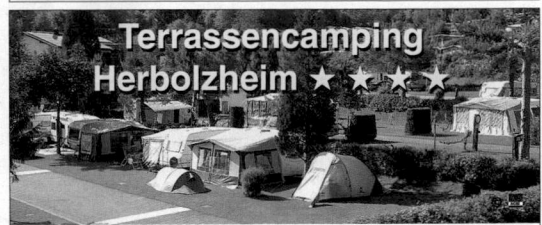

Teilkarte Freiburg auf Seite 333

Gugel ★★★★

Das Ferien- und Wellnessparadies zwischen Schwarzwald und Rhein

Dreiländer-Camping-und Freizeitpark

In der Hochsaison einmal die Woche abends Musik- oder Showprogramm

- **Beachbar** direkt am Schwimmbad mit Musik, Tanz und Cocktails.
- **Erlebnisbad** mit 160 m^2 Wasserspaß, Sonnenterrasse drinnen und draußen.
- **Wellnesscenter** mit Fitnessraum, Sauna, Saunagarten, Dampfbad, Solarium, Massagebad, Massage- und Kosmetikbehandlung, Wellnesskurtage und extra Privatmietbad.
- **Sport und Spiel:** Tennisplätze, Beachvolleyball, Minifußball, Basketball, Boules, Minigolf, Open-Air-Schach, Kanutouren auf dem Rhein.
- **Speziell für Kinder:** großer Spielplatz, Streichelzoo, Jugendraum und Rennauto.
- **Allgemein:** Einmal die Woche Begrüßungstreffen für Gäste. SB-Laden, prima Restaurant, Grillplatz und Snackbar. Komfortplätze mit Zu- und Abwasser, Sat-Anschluß und WLAN auf der gesamten Anlage. Radverleih, Radtouren und Freizeitprogramm für die ganze Familie.
- **In der Umgebung:** Golfplatz in 2,5 km.

Ganzjährig jede 10. Übernachtung für alle Personen gratis. Außerdem in der Vor- und Nachsaison Sonderrabatt je nach Länge der Aufenthaltsdauer

Oberer Wald 1-3
79395 Neuenburg am Rhein
Tel. 07631-7719 • Fax 07631-9377177
E-Mail: info@camping-gugel.de
Internet: www.camping-gugel.de

Komfort Camping mit freundlicher Atmosphäre

Teilkarte Freiburg auf Seite 333

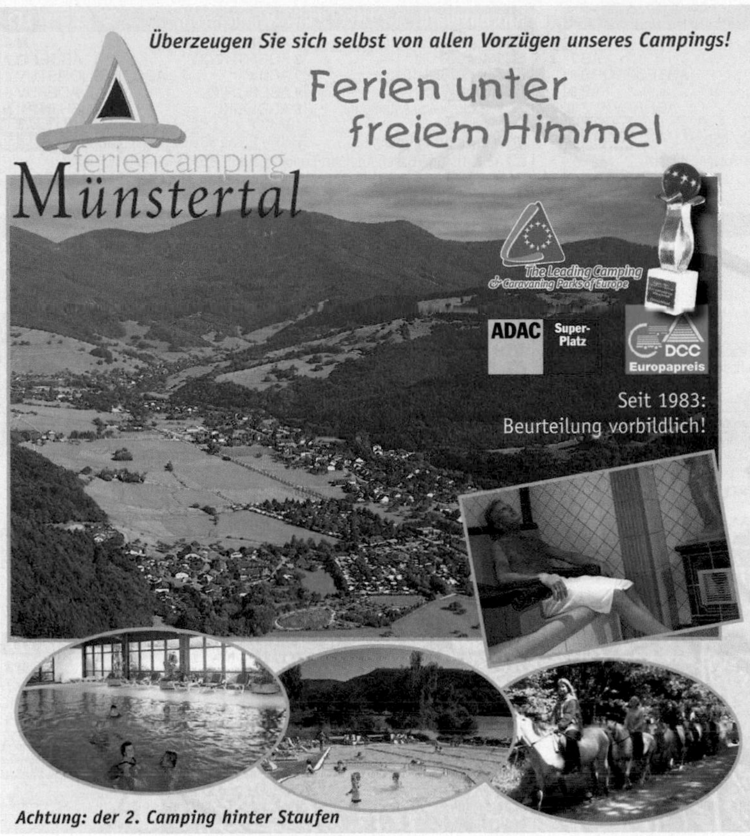

Überzeugen Sie sich selbst von allen Vorzügen unseres Campings!
Ferien unter freiem Himmel
feriencamping
Münstertal
The Leading Camping & Caravaning Parks of Europe
ADAC Super-Platz
DCC Europapreis
Seit 1983: Beurteilung vorbildlich!

Folgende Ausstattungen stehen für Sie bereit:
- Angelteich
- Babyzimmer, Behindertenbad
- Boules, Tischtennis, Minigolf
- Eishockey und Schlittschuhlaufen im Winter
- Fahrradverleih
- Ferienappartements
- Frei- und überdachtes Bad
- Aufenthaltsraum mit Billard, Tischfussball, Tischtennis
- Basketball, Beachvolleyball
- Verkauf von Campinggas
- Hundedusche
- Internet mit eigenem Laptop über ISDN oder drahtlos über WLAN auf allen Stellplätzen
- Kinderanimation während der Schulferien
- Gesundheitspraxis mit Massage und Therapien
- Liegewiese
- Begleitete Mountainbiketouren
- Park mit besonderen Pflanzen
- Reiten auf Ponys oder Islandpferden in der Reithalle oder draußen
- Restaurant 'Zur Bure Stube', täglich geöffnet (Frühstück ab 10 Uhr)
- Stellplätze mit Strom, Frisch- und Abwasser, Radio, Kabel-TV
- 3 Sanitärblocks mit Mietbadezimmer
- Saunalandschaft mit Wellnessangebot
- SB-Laden
- Solarium
- Abstell- und Trockenraum für die Ski
- Großes Spielgelände mit Bolzplatz
- Telefonzellen
- Tennisplätze (mit Unterricht)
- Servicestation für Wohnmobile
- Begleitete Wandertouren
- Waschmaschine und Trockner
- Wassergymnastik
- Wellness

Feriencamping Münstertal
Familie Wilfried Ortlieb
Dietzelbachstraße 6 • 79244 Münstertal
Tel. 07636-7080 • Fax 07636-7448
www.camping-muenstertal.de
E-Mail: info@camping-muenstertal.de

Achtung: der 2. Camping hinter Staufen

Münstertal, D-79244 / Baden-Württemberg

Münstertal	1 AEF**JM**NOPQRST ABEF**N** 6
Dietzelbachstraße 6	2 GPRVWXY ABC**D**E**FG**H 7
1 Jan - 31 Dez	3 BEF**GHILMNQR** ABCDEFIJ**L**NQRSTUV 8
+49 (0)7636-7080	4 ABDEFHIJ **QRSTVXYZ** IV 9
info@camping-muenstertal.de	5 ACDJKL ABEGHIJ**P**RX 10
	Anzeige auf dieser Seite WB 16A CEE ❶ €34,75
N 47°52'11'' E 7°45'50''	H360 4,9 ha 305**T**(80-110m²) 13**D** ❷ €46,30

A5 Karlsruhe-Basel, Ausfahrt Bad Krozingen/Staufen/Münstertal. L120/L123 bis Bad Krozingen, Ausfahrt L123. Hinter Staufen, zweiter CP links.

Orsingen, D-78359 / Baden-Württemberg

Camping und Ferienpark Orsingen	1 ADEFJMNOPQRST **ABFGN**O 6
Am Alten Sportplatz 8	2 AFGOPUVW ABDE**FG** 7
1 Jan - 31 Dez	3 ABE**GHIJ**KLQ ABCDEFIJKNQRSTV 8
+49 (0)7774-9237870	4 FHI**J**LO AEGV 9
info@camping-orsingen.de	5 ACDEGJKL ABCDFGHIJ**NOP**TUVWX 10
	Anzeige auf dieser Seite B 16A CEE ❶ €28,00
N 47°50'31'' E 8°56'12''	H480 11,5 ha 175**T**(77-136m²) 85**D** ❷ €39,00

Stockach Richtung Nensingen, Nensingen durchfahren nach Orsingen. Dann den Schildern folgen.

Neuenburg am Rhein, D-79395 / Baden-Württ.

Gugel Dreiländer****	1 ADEF**JM**NOPQRST E**N** 6
Oberer Wald 1-3	2 ABDGKOPVWXY ABDE**FG** 7
1 Jan - 31 Dez	3 BEF**IKLMN**QV ABCDEFJ**L**NQRSTU 8
+49 (0)7631-7719	4 ABDFHILO**PRSTVYZ** V 9
info@camping-gugel.de	5 ACEJKL ABEFGHIJ**NP**RVW 10
	Anzeige auf Seite 338 B 10-16A CEE ❶ €29,00
N 47°47'49'' E 7°33'2''	H315 13 ha 220**T**(80-100m²) 260**D** ❷ €38,00

A5 Karlsruhe-Basel, Ausfahrt Mühlheim/Neuenburg/Badenweiler. An nächster Kreuzung mit Ampeln links, dann ausgeschildert.

Camping und Ferienpark Orsingen

Komfortables Ferienresort mitten im Grünen, ganzjährig geöffnet.
175 Touristikstandplätze inkl. Stromanschluss, separates Zeltfeld, Wohnmobilplätze auf dem Campingplatz, eingerichtete Mietzelte und Mobilheime, WiFi auf dem ganzen Platz, Camping-Restaurant mit großer Terrasse, beheiztes Freibad mit großer Rutsche und Kinderbecken.

Am Alten Sportplatz 8, 78359 Orsingen
Tel. 07774-9237870 • Fax 07774-92378777
E-Mail: info@camping-orsingen.de • Internet: www.camping-orsingen.de

Neuenburg/Steinenstadt, D-79395 / Baden-Württ.

Vogesenblick	1 AF**JM**NOPRST 6
Eichwaldstraße 7	2 ACOPVWX ABD**F** 7
15 Mär - 31 Okt	3 **K** ABCDEFJNRV 8
+49 (0)7635-1846	4 FH I 9
campingplatz-vogesenblick@gmx.net	5 AHIJR 10
	16A CEE ❶ €24,00
N 47°46'8'' E 7°33'4''	H310 0,5 ha 40**T**(80-100m²) 7**D** ❷ €32,00

A5 Karlsruhe-Basel, Ausfahrt Neuenburg. Im Ort rechts Richtung Steinenstadt. In Steinenstadt nach 300m rechts zum CP.

Reichenau (Insel Reichenau), D-78479 / Baden-W.

Sandseele OHG	1 ADEHKNOPQRS**T** LM**N**OPQSTU**X**Y 6
Bradlengasse 24	2 DJPWXY ABDE**FG**HI 7
20 Mär - 4 Okt	3 BDELQ ABCDE**FI**JK**LM**NQRSV 8
+49 (0)7534-7384	4 AFHIO**Z** GPQRTUV 9
info@sandseele.de	5 ABEGHJKL ABCGHIJ**NO**RZ 10
	B 16A CEE ❶ €31,10
N 47°41'53'' E 9°2'40''	H393 12 ha 80**T**(bis 80m²) 89**D** ❷ €34,10

B33 Radolfzell-Konstanz bis Allensbach. Dort ist Reichenau angezeigt. Eine Allee führt direkt auf die Halbinsel.

Oberried, D-79254 / Baden-Württemberg

Kirnermartes Hof	1 AF**JM**NOPQRST 6
Vörlinsbach 22	2 CFOPRSUWXY A**B**DE**FG**H 7
1 Jan - 31 Dez	3 A**K**L ABCDFJNQRSV 8
+49 (0)7661-4727	4 FHIKO**T** EI 9
info@kirnermartes.de	5 AGIKL ABFGHIJL**P**R 10
	16A CEE ❶ €24,00
N 47°55'50'' E 7°57'33''	H450 2,5 ha 55**T**(75-100m²) 66**D** ❷ €30,00

In Freiburg-Zentrum zur B31 Richtung Donaueschingen. In Kirchzarten L126 Richtung Todtnau. Abzweig nach Oberried ist gut ausgeschildert.

Riegel/Kaiserstuhl, D-79359 / Baden-Württ.

Müller-See	1 AEFHKNOPQRST LOQ 6
Müller-See 1	2 ADGJPRSVWX A**B**D**EFGI** 7
1 Apr - 31 Okt	3 A**K**L ABCDE**F**JNQRSU 8
+49 (0)7642-3694	4 FHIO G 9
info@muellersee.de	5 ADKL ABDFGHJ**O**TU 10
	B 16A CEE ❶ €22,00
N 48°9'48'' E 7°44'28''	H175 5 ha 53**T**(60-100m²) 155**D** ❷ €28,00

A5 Karlsruhe-Basel, Ausfahrt 59. Rechts abbiegen, Beschilderung folgen.

Deutschland

Teilkarte Freiburg auf Seite 333

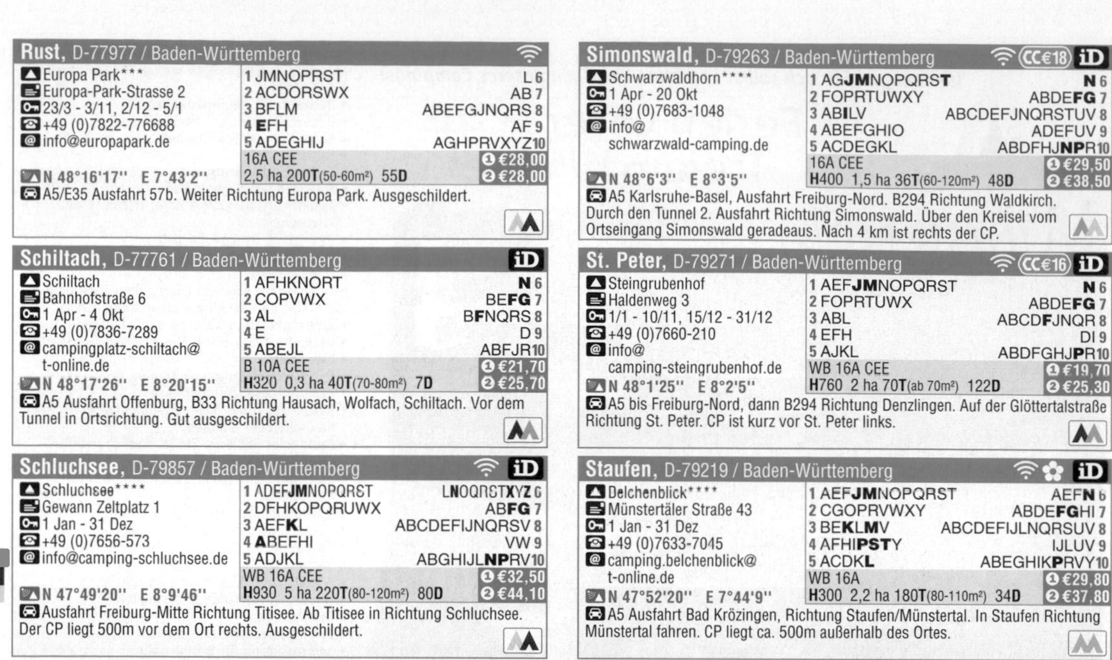

Rust, D-77977 / Baden-Württemberg

Europa Park***
Europa-Park-Strasse 2
23/3 - 3/11, 2/12 - 5/1
+49 (0)7822-776688
info@europapark.de
N 48°16'17'' E 7°43'2''

1 JMNOPRST	L 6
2 ACDORSWX	AB 7
3 BFLM	ABEFGJNQRS 8
4 **E**FH	AF 9
5 ADEGHIJ	AGHPRVXYZ10
16A CEE	❶ €28,00
2,5 ha 200**T**(50-60m²) 55**D**	❷ €28,00

A5/E35 Ausfahrt 57b. Weiter Richtung Europa Park. Ausgeschildert.

Simonswald, D-79263 / Baden-Württemberg

CC€18 iD

Schwarzwaldhorn****
1 Apr - 20 Okt
+49 (0)7683-1048
info@
schwarzwald-camping.de
N 48°6'3'' E 8°3'5''

1 AG**JM**NOPQRS**T**	**N** 6
2 FOPRTUWXY	ABDE**FG** 7
3 AB**I**LV	ABCDEFJNQRSTUV 8
4 ABEFGHIO	ADEFUV 9
5 ACDEGKL	ABDFHJ**NP**R10
16A CEE	❶ €29,50
H400 1,5 ha 36**T**(60-120m²) 48**D**	❷ €38,50

A5 Karlsruhe-Basel, Ausfahrt Freiburg-Nord. B294 Richtung Waldkirch. Durch den Tunnel 2. Ausfahrt Richtung Simonswald. Über den Kreisel vom Ortseingang Simonswald geradeaus. Nach 4 km ist rechts der CP.

Schiltach, D-77761 / Baden-Württemberg

iD

Schiltach
Bahnhofstraße 6
1 Apr - 4 Okt
+49 (0)7836-7289
campingplatz-schiltach@
t-online.de
N 48°17'26'' E 8°20'15''

1 AFHKNORT	**N** 6
2 COPVWX	BE**FG** 7
3 AL	B**F**NQRS 8
4 E	D 9
5 ABEJL	ABFJR10
B 10A CEE	❶ €21,70
H320 0,3 ha 40**T**(70-80m²) 7**D**	❷ €25,70

A5 Ausfahrt Offenburg, B33 Richtung Hausach, Wolfach, Schiltach. Vor dem Tunnel in Ortsrichtung. Gut ausgeschildert.

St. Peter, D-79271 / Baden-Württemberg

CC€16 iD

Steingrubenhof
Haldenweg 3
1/1 - 10/11, 15/12 - 31/12
+49 (0)7660-210
info@
camping-steingrubenhof.de
N 48°1'25'' E 8°2'5''

1 AEF**JM**NOPQRST	**N** 6
2 FOPRTUWX	ABDE**FG** 7
3 ABL	ABCD**F**JNQR 8
4 EFH	DI 9
5 AJKL	ABDFGHJ**P**R10
WB 16A CEE	❶ €19,70
H760 2 ha 70**T**(ab 70m²) 122**D**	❷ €25,30

A5 bis Freiburg-Nord, dann B294 Richtung Denzlingen. Auf der Glöttertalstraße Richtung St. Peter. CP ist kurz vor St. Peter links.

Schluchsee, D-79857 / Baden-Württemberg

iD

Schluchsee****
Gewann Zeltplatz 1
1 Jan - 31 Dez
+49 (0)7656-573
info@camping-schluchsee.de
N 47°49'20'' E 8°9'46''

1 ADEF**JM**NOPQRST	LNOQRST**XYZ** 6
2 DFHKOPQRUWX	AB**FG** 7
3 AEF**K**L	ABCDEFIJNQRSV 8
4 **A**BEFHI	VW 9
5 ADJKL	ABGHIJL**NP**RV10
WB 16A CEE	❶ €32,50
H930 5 ha 220**T**(80-120m²) 80**D**	❷ €44,10

Ausfahrt Freiburg-Mitte Richtung Titisee. Ab Titisee in Richtung Schluchsee. Der CP liegt 500m vor dem Ort rechts. Ausgeschildert.

Staufen, D-79219 / Baden-Württemberg

iD

Belchenblick****
Münstertäler Straße 43
1 Jan - 31 Dez
+49 (0)7633-7045
camping.belchenblick@
t-online.de
N 47°52'20'' E 7°44'9''

1 AEF**JM**NOPQRST	AEF**N** 6
2 CGOPRVWXY	ABDE**FG**HI 7
3 BE**KLM**V	ABCDEFIJLNQRSUV 8
4 AFHI**PST**Y	IJLUV 9
5 ACDK**L**	ABEGHIK**P**RVY10
WB 16A	❶ €29,80
H300 2,2 ha 180**T**(80-110m²) 34**D**	❷ €37,80

A5 Ausfahrt Bad Krözingen, Richtung Staufen/Münstertal. In Staufen Richtung Münstertal fahren. CP liegt ca. 500m außerhalb des Ortes.

Schönau, D-79677 / Baden-Württemberg

iD

Schönenbuchen
Friedrichstraße 58
1 Jan - 31 Dez
+49 (0)7673-7610
info@camping-schoenau.de
N 47°47'29'' E 7°54'3''

1 AF**JM**NOPRST	**ABFGHN** 6
2 CFOPRSVWX	ABE**FGH**IJK 7
3 B**K**L	ABCDEFGIJNQRSV 8
4 EFGHIOT	9
5 ADEGIKL	ABGHIJ**NO**RVW10
W 16A CEE	❶ €23,80
H450 0,5 ha 40**T**(60-100m²) 42**D**	❷ €28,80

A5 Karlsruhe-Basel, Ausfahrt Freiburg Mitte, dann via Kirchzarten, Oberried und Todtnau nach Schönau. In Schöngau ist der CP beim Schwimmbad.

Steinach, D-77790 / Baden-Württemberg

CC€12 iD

Kinzigtal
Welchensteinacherstr. 34
1 Jan - 31 Dez
+49 (0)7832-8122
webmaster@
campingplatz-kinzigtal.de
N 48°17'45'' E 8°2'52''

1 AF**JM**NOPQRST	**ABF**HN 6
2 CPRVWXY	ABDE**FG**H 7
3 ABL**M**V	ABEFJNQRS 8
4 ABEFHILO**PQ**	Z 9
5 ABEFJK**L**	ABFGHJ**P**R10
WB 16A	❶ €20,85
H355 3,5 ha 50**T**(60-80m²) 90**D**	❷ €29,85

A5 Karlsruhe-Basel, Ausfahrt 55 Offenburg. B33 Richtung Villingen/ Schwenningen ca. 20 km bis Steinach. An der T-Kreuzung links. Ausgeschildert.

Stockach (Bodensee), D-78333 / Baden-W.

CC€16 iD

Campingpark Papiermühle
Johann-Glatt-Straße 3
1 Jan - 31 Dez
+49 (0)7771-9190490
campingpark-stockach@
web.de
N 47°50'31'' E 8°59'42''

1 ABE**JM**NOPQRST	6
2 ABCGOPUVWXY	ABDE**FG**H 7
3 BF**KQ**	ABCDEFJNQRV 8
4 FH	D 9
5 ABK	ABGHJM**NP**RX10
Anzeige auf dieser Seite 6A CEE	❶ €21,40
40**T**(72-120m²) 38**D**	❷ €27,80

A81 bis Kreuzung Hegau Richtung Stockach folgen. Ausfahrt Stockach-West.

Seelbach, D-77960 / Baden-Württemberg

iD

Schwarzwälder Hof*****
Tretenhofstraße 76
1 Jan - 31 Dez
+49 (0)7823-960950
info@campingplatz-
schwarzwaelder-hof.de
N 48°18'0'' E 7°56'38''

1 AEF**JM**NOPQRS**T**	**AB**EFJN**X** 6
2 CGOPRTUVWX	ABDE**FG** 7
3 AEF**G**LMV	ABCDFHIJKNQRSTUV 8
4 ABDEFHIO**S**TUVX**YZ**	DFGUV 9
5 ABEGJKL	ABFGHJL**O**RVWX10
B 10A CEE	❶ €36,60
H210 4 ha 190**T**(80-110m²) 42**D**	❷ €52,80

A5, Ausfahrt Lahr Richtung Biberach. Ausfahrt Reichenbach, 1. Ort ist Seelbach. Nach Ortsausgang rechts.

Sulzburg, D-79295 / Baden-Württemberg

iD

Alte Sägemühle
Badstraße 57
1 Jan - 31 Dez
+49 (0)7634-551181
info@
camping-alte-saegemuehle.de
N 47°50'10'' E 7°43'23''

1 AF**JM**NOPQRST	**AF** 6
2 BCGPRSUWXY	ABDE**FG**H 7
3 E	ABCDEFJNQR 8
4 AFH	FKV 9
5 ABKL	ABFGHIJR10
16A CEE	❶ €26,00
H390 2,8 ha 40**T**(80-130m²) 4**D**	❷ €32,00

A5 Ausfahrt Bad Krozingen, via B3 Richtung Heitersheim. Dann Ausfahrt Sulzburg. Ab Ort beschildert.

Durchreisecampingplätze

In diesem Führer finden Sie eine handliche Karte mit Campingplätzen an den wichtigen Durchgangsstrecken zu Ihrem Ferienziel. Durch die Farbe des jeweiligen Zeltchens können Sie erkennen, ob dieser Platz ganzjährig geöffnet ist oder nicht. Darüber hinaus gibt es für jeden Platz auch noch eine kurze redaktionelle Beschreibung, inklusive Routenbeschreibung und Öffnungszeiten.

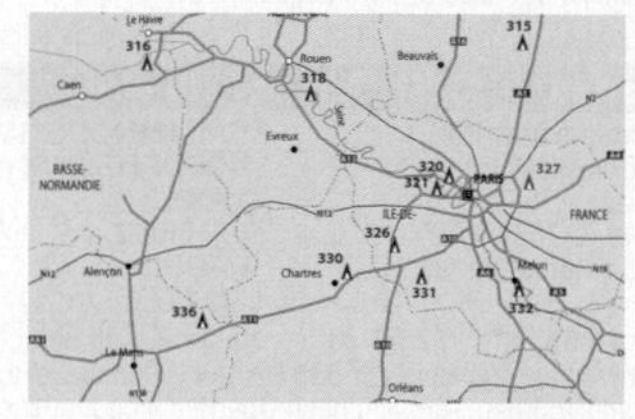

Deutschland

Teilkarte Freiburg auf Seite 333

Deutschland

Sulzburg, D-79295 / Baden-Württemberg

Sulzbachtal*****
Sonnmatt 4
1 Jan - 31 Dez
+49 (0)7634-592568
a-z@camping-sulzbachtal.de
N 47°50'52'' E 7°41'53''

1 ACDEFJMNOPQRST A 6
2 ABFOSUWXY ABDEFG 7
3 AGLMNV ABCDEFIJQRSTUV 8
4 AEFHIX V 9
5 ABDEIK ABDFGHIJPR 10
WB 16A CEE ① €30,50
H313 2,4 ha 85T(100-120m²) 10D ② €40,90

A5, Ausfahrt Heitersheim. B3, Ausfahrt Sulzburg, vor dem Ort rechts.

Tengen, D-78250 / Baden-Württemberg

Hegau-Familien-Camping*****
An der Sonnenhalde 1
1 Jan - 31 Dez
+49 (0)7736-92470
info@hegau-camping.de
N 47°49'26'' E 8°39'13''

1 ABDEJMNOPQRST EFGLMO 6
2 DGIPRUVWX ABDEFGHI 7
3 ABCFILMQR ABCDEFIJLMNQRSTUV 8
4 FHIORSTUV AEFISTVY 9
5 ABIKLM ABFGHIJMNORVZ 10
WB 16A CEE ① €37,00
H672 8,5 ha 170T(bis 146m²) 51D ② €49,00

Der CP liegt nordwestlich von Engen. Über die A81 Singen-Stuttgart fahren und Ausfahrt 39 Engen nehmen. Den CP-Schildern folgen.

Titisee, D-79822 / Baden-Württemberg

Bühlhof
Bühlhof
1/1 - 31/10, 15/12 - 31/12
+49 (0)7652-1606
info@camping-buehlhof.de
N 47°53'44'' E 8°8'17''

1 AFJMNOPQRST 6
2 OPTUX ABDEFGHI 7
3 BK ABCDEFJNR 8
4 AS 9
5 KL AHIKOR 10
W 16A CEE ① €24,50
H850 200T(80-120m²) 60D ② €32,50

A5 Ausfahrt Freiburg-Mitte. B31 bis Titisee-Mitte. Im Zentrum Richtung Bruderhalde folgen, 1. CP ab Titisee-Dorf rechts.

Titisee, D-79822 / Baden-Württemberg

Sandbank****
Seerundweg 9
1 Apr - 20 Okt
+49 (0)7651-8243
info@camping-sandbank.de
N 47°53'15'' E 8°8'18''

1 ADEFJMNOPQRST LNQSXYZ 6
2 BDFGHPQRUVWX ABDEFGHI 7
3 BKL ABCDEFJNQRS 8
4 FHP TV 9
5 ACEJKL AGHIJORZ 10
B 16A CEE ① €24,60
H820 2 ha 220T(80-115m²) ② €32,40

A5 Ausfahrt Freiburg-Mitte, B31 Titisee folgen, dann Richtung Bruderhalde, vierter CP ab Titisee.

Titisee/Neustadt, D-79822 / Baden-Württemberg

Weiherhof
Bruderhalde 26
1 Mai - 15 Okt
+49 (0)7652-228
kontakt@camping-titisee.de
N 47°53'23'' E 8°8'5''

1 ADEJMNOPQRST LNQSXY 6
2 BDGHKOPQRTUVXY ABDEFGH 7
3 BKL ABCDEFHNQRS 8
4 FHIOPS DIKPTV 9
5 ABEIKL AGHIJLPRVZ 10
B 16A CEE ① €27,20
H870 2 ha 150T(80-115m²) 11D ② €35,80

A5 Ausfahrt Freiburg-Mitte, der B31 bis Titisee-Dorf folgen, 2. CP hinter dem Ort Richtung Bruderhalde.

Todtnau/Muggenbrunn, D-79674 / Baden-W.

Hochschwarzwald****
Oberhäuserstraße 6
1 Jan - 31 Dez
+49 (0)7671-1288
info@camping-hochschwarzwald.de
N 47°51'55'' E 7°54'58''

1 AEJMNOPRT 6
2 FOPQRUVWX ABDEFGH 7
3 ABELV ABCDEFIJNQRS 8
4 F D 9
5 ABEJKL ABDGHJPRV 10
Anzeige auf dieser Seite WB 10A CEE ① €26,20
H1050 2,2 ha 55T(80-100m²) 43D ② €33,60

A5 Karlsruhe-Basel, Ausfahrt Freiburg-Mitte, dann über Kirchzarten und Oberried in Richtung Todtnau.

Ühlingen/Birkendorf, D-79777 / Baden-Württ.

Schlüchttal***
Im Tal 10
1 Jan - 31 Dez
+49 (0)7743-5373
urlaub@schluechttal-camping.de
N 47°45'6'' E 8°17'35''

1 ADEFJMNOPQRST AFN 6
2 CGPVWXY ABDEFGIJ 7
3 BIKLS ABCDEFJNQRS 8
4 AFHIO DGIK 9
5 ABEJKL ABFGHILPRVZ 10
W 16A CEE ① €20,60
H800 3 ha 65T(80-100m²) 125D ② €27,00

A5 Karlsruhe-Basel, Ausfahrt Freiburg-Mitte/Titisee/Schluchsee B31. Auf der Brücke links Richtung Rothaus/Grafenhausen. Birkendorf ist ausgeschildert; 'Im Oberholz'.

Wahlwies/Stockach, D-78333 / Baden-W.

Campinggarten Wahlwies
Stahringer Straße 50
1 Jan - 31 Dez
+49 (0)7771-3511
info@camping-wahlwies.de
N 47°48'31'' E 8°58'11''

1 ADEJMNOPQRST 6
2 AOPRXY ABDEFGH 7
3 AL ABCDEFJNQR 8
4 FGHI J 9
5 ABDGKL ABCDGHIJOPR 10
16A CEE ① €22,70
H340 1,2 ha 40T(70-100m²) 21D ② €29,20

Ab Stuttgart A81/98, Ausfahrt 12 Stockach-West. CP-Schild 'Wahlwies' folgen.

Waldkirch/Siensbach, D-79183 / Baden-Württ.

Elztalblick
Biehlstraße 10
1 Apr - 20 Okt
+49 (0)7681-4212
elztalblick@t-online.de
N 48°6'8'' E 7°59'29''

1 AFILNORST 6
2 FPUWX ABFG 7
3 AEL ABCDEFJNQR 8
4 FHIO 9
5 ABEIKL ABGHIJPR 10
16A CEE ① €26,70
H340 2 ha 80T(80-100m²) 30D ② €35,70

A5 Ausfahrt Freiburg-Nord, B294 Richtung Waldkirch. Durch den Tunnel bis Abzweig Waldkirch-Ost, dann noch 3 km bis Siensbach. Dann ausgeschildert.

Waldshut, D-79761 / Baden-Württemberg

Rhein Camping Waldshut
Jahnweg 22
1 Jan - 31 Dez
+49 (0)7751-3152
info@rheincamping.de
N 47°36'40'' E 8°13'31''

1 AEFJMNOPQRST AFJNQWXZ 6
2 COPRSWXY ABDEFGI 7
3 BEIKMO ABCDEFHJNQRS 8
4 AFHOPT G 9
5 ABDEJKL AFGHIJNORZ 10
B 16A CEE ① €24,20
H300 45 ha 50T(60-80m²) 31D ② €34,40

B34 Richtung Waldshut, vor der CH-Grenze Richtung Tiengen. Nach 1 km rechts. Dann ausgeschildert.

Willstätt/Sand, D-77731 / Baden-Württemberg

Europa Camping Sand
Waldstraße 32
1 Apr - 31 Okt
+49 (0)7852-2311
europa.camping@t-online.de
N 48°32'36'' E 7°56'7''

1 ADEJMNOPQRST 6
2 AGPRVWX ABFGI 7
3 AL ACEFJNQR 8
4 D 9
5 AFJKL AEFGJRVW 10
16A CEE ① €19,00
H303 1,2 ha 65T(90m²) 30D ② €26,00

A5 Ausfahrt 54 Appenweier/Straßburg Richtung Straßburg. Dann ist CP ausgeschildert. Durch Sand (nicht dem Navi folgen)fahren. CP 150m außerhalb des Ortes.

Wolfach/Halbmeil, D-77709 / Baden-Württ.

Trendcamping Wolfach*****
Schiltacherstr. 80
1 Apr - 18 Okt
+49 (0)7834-859309
info@trendcamping.de
N 48°17'27'' E 8°16'42''

1 ADFJMNOPQRST FJN 6
2 CFOPRTUVWX ABDEFGHI 7
3 ABEIKLMV ABCDEFJNQRSTUV 8
4 AEFHIKO DFGVW 9
5 ADEGIJL ABFGHJLORW 10
B 16A CEE ① €29,20
H330 3 ha 80T(80-120m²) 30D ② €38,20

W: A5 Ausf. 56 Lahr. B33 Ri. Villingen-Schwenningen. Durch Wolfach. Nach 3 km links der Strecke bei Halbmeil Ri. Schiltach. O: A81 Ausf. 34 Rottweil, B462 Ri. Offenburg/Schramber. An Schiltach vorbei. Rechts der Strecke bei Halbmeil.

Teilkarte Freiburg auf Seite 333

Deutschland

Creglingen/Münster, D-97993 / Baden-W.

Cp. Romantische Strasse	1 ABDEF**JM**NOPQRST EJLM**NX** 6
Münster 67	2 CDGJPSUWXY ABDE**FG** 7
15 Mär - 15 Nov	3 BE**I**LV ABCDEFJNQRSTUV 8
+49 (0)7933-20289	4 FGI**ST** E 9
camping.hausotter@web.de	5 ABEJL ABEGHJL**P**RV10
	B 6A CEE ❶ €23,80
N 49°26'21" E 10°2'32"	H320 6 ha 100**T**(80-120m²) 47**D** ❷ €32,50

A7 Ausfahrt 108 Rothenburg. Dann Richtung Bad Mergentheim. In Creglingen ausgeschildert, Richtung Münster. CP liegt kurz hinter Münster rechts der Straße.

Ellenberg, D-73488 / Baden-Württemberg

Fuchs	1 AEF**JM**NOPQRST L**N**QSXY 6
Haselbach 11	2 ADGHPRSTUVWX ABDE**FGH**I 7
1 Mär - 15 Okt	3 A**K**L ABCDE**F**JNQRV 8
+49 (0)7965-2270	4 FHI**Q** K 9
info@camping-fuchs.de	5 ABDEFGIKL ABFHJM**P**RZ10
	16A CEE ❶ €15,00
N 48°59'13" E 10°13'4"	H500 3 ha 21**T**(100m²) 130**D** ❷ €20,00

A7 Ulm-Würzburg, Ausfahrt 113 Ellwangen Richtung Dinkelsbühl. Bei Muckental Richtung Haselbach und Stauseen. Zweiter CP rechts.

Ellenberg, D-73488 / Baden-Württemberg

Sonneneck	1 AEF**JM**NOPQRS**T** LM**N**QSXY 6
Haselbach 12	2 ADGHPSUWX ABDE**FG**IK 7
1 Apr - 31 Okt	3 B**K**L ABCDEFGHJKNQRSTV 8
+49 (0)7965-2359	4 FHR**ST** D 9
info@camping-sonneneck.de	5 DEJKL ABFGHJ**NP**RXZ10
	B 16A CEE ❶ €17,00
N 48°59'14" E 10°13'1"	H500 2,8 ha 30**T**(80-100m²) 101**D** ❷ €22,00

A7 Ulm-Würzburg Abfahrt 113 Ellwangen, Richtung Dinkelsbühl. Bei Muckental Richtung Haselbach und Stauseen. Erster CP rechts.

Ellwangen, D-73479 / Baden-Württemberg

AZUR Cp. Ellwangen a.d. Jagst	1 ADEF**JM**NOPRS**T** **EN** 6
	2 ACOPSWXY ABDE**FG** 7
Rotenbacher Str. 37-45	3 F ABCDEFJNQRSV 8
1 Apr - 31 Okt	4 FH Y 9
+49 (0)7961-7921	5 ADEGJKL ABGHIJL**P**RVX10
ellwangen@azur-camping.de	Anzeige auf Seite 361 B 16A CEE ❶ €29,00
N 48°57'35" E 10°7'15"	H440 3,5 ha 80**T**(80-120m²) 9**D** ❷ €37,00

A7 Ausfahrt 113 Ellwangen. In Ellwangen durch den Tunnel, an der T-Kreuzung rechts ab. Rechts über die Brücke (Bahnlinie und kl. Fluss) die erste Straße links. Den CP-Schildern folgen.

Abtsgmünd/Hammerschmiede, D-73453 / Baden-W.

Hammerschmiede-See	1 AE**JM**NORT LQ**X**Z 6
Hammerschmiede 2	2 DFGPTWXY ABDE**FG** 7
1 Mai - 30 Sep	3 ABF**K**L ABCDE**F**JNQRV 8
+49 (0)7963-369	4 FH PT 9
hug.hammerschmiede@t-online.de	5 ADKL AHJLMR10
	10A CEE ❶ €16,20
N 48°56'46" E 9°58'38"	H440 5 ha 100**T**(80-100m²) 190**D** ❷ €21,20

A7 Ausfahrt 114. B29 bis Hüttlingen, weiter die B19 bis Abstgmünd. Bis zur Ausfahrt zum Hammerschmiede See, hinter Pommertsweiler links.

Essingen/Lauterburg, D-73457 / Baden-W.

Hirtenteich	1 AEFJMNOPRST A 6
Hasenweide 2	2 FGOPRSVWXY ABDE**FGH**I 7
1 Jan - 31 Dez	3 BELV ABCDEFGJNQRSV 8
+49 (0)7365-296	4 FH**ST** D 9
CampHirtenteich@aol.com	5 ABEIJKL ABDGHIJLMN**P**TUVX10
	WB 16A CEE ❶ €21,75
N 48°47'12" E 9°58'54"	H680 3,5 ha 60**T**(70-100m²) 173**D** ❷ €28,75

A7 Ausfahrt Aalen/Westhausen, Richtung Schwäbisch-Gmünd. B29 Aalen-Schwäbisch-Gmünd, ca. 6 km westlich von Aalen Richtung Essingen/ Skizentrum Hirtenteich.

Aichelberg, D-73101 / Baden-Württemberg

Aichelberg***	1 AF**JM**NOPRST 6
Bunzenberg 1	2 AOPRSVWX ABDE**FG** 7
1 Apr - 4 Okt	3 EF**K** ABCDEFJKNQRV 8
+49 (0)7164-2700	4 FHO D 9
info@camping-aichelberg.de	5 ABDEGIKL AHLM**P**TUX10
	B 10-16A CEE ❶ €19,00
N 48°38'22" E 9°33'18"	H375 2,6 ha 50**T**(80-100m²) 83**D** ❷ €27,00

A8 München-Stuttgart, Ausfahrt 58, danach rechts ab. Nach 50m links ab. A8 Stuttgart-München, Ausfahrt 58 am Kreisel die 3. Straße rechts, nach 200m rechts ab.

Freudenberg, D-97896 / Baden-Württemberg

Seecamping Freudenberg	1 ADEF**JM**NOPRS**T** **AH**NQX 6
Mühlgrundweg 10	2 DGPRWX ABD**FGHIJK** 7
1 Jan - 31 Dez	3 BEL**MR** ABCDE**F**JNQRSTU 8
+49 (0)9375-8389	4 HI**Q** D 9
info@seecamping-freudenberg.de	5 ABJKL ABGHJLMN**P**R10
	B 16A CEE ❶ €19,00
N 49°45'44" E 9°19'7"	H100 5,7 ha 50**T**(60-80m²) 251**D** ❷ €26,00

In Miltenberg Richtung Wertheim/Freudenberg, durch Freudenberg Richtung Wertheim. Dann im Kreisel den Schildern folgen.

Bettingen, D-97877 / Baden-Württemberg

Wertheim-Bettingen	1 ADEF**JM**NOPRST J**N**W**XYZ** 6
Geiselbrunnweg 31	2 ACPRWXY ABDE**FGH**I 7
1 Apr - 31 Okt	3 AEL ABCDE**F**JNQRSV 8
+49 (0)9342-7077	4 HO F 9
info@campingpark-wertheim-bettingen.de	5 AEJKL AGHL**O**R10
	B 10A CEE ❶ €20,50
N 49°46'51" E 9°34'0"	H140 7,5 ha 100**T**(80-100m²) 133**D** ❷ €25,50

A3 Aschaffenburg-Würzburg, Ausfahrt 66 Wertheim. Der CP ist ausgeschildert.

Gruibingen, D-73344 / Baden-Württemberg

Campingplatz Winkelbachtal	1 AJMNOPRST 6
Campingplatz 1	2 ABCPRSWX ABFGI 7
1 Jan - 31 Dez	3 A ABCDEFJNQRSV 8
+49 (0)176-20512536	4 FHI 9
dannenmann.bau@t-online.de	5 AHJR10
	B 16A CEE ❶ €18,50
N 48°35'31" E 9°37'28"	H600 3,5 ha 60**T**(60-80m²) 36**D** ❷ €24,50

A8 Ausfahrt 59 Gruibingen/Mühlhausen. Dann Richtung Gruibingen. CP ist gut ausgeschildert.

Buchhorn am See, D-74629 / Baden-Württemberg

Seewiese****	1 AF**IL**NOPQRST ABCL**N** 6
Seestr. 11	2 ADGOPTWX **BEFGH** 7
1 Jan - 31 Dez	3 ABF**IK**LP AB**F**HNRS 8
+49 (0)7941-61568	4 FHI**PRS** DG 9
campingseewiese@t-online.de	5 ABDEIJK AGHJR10
	B 16A CEE ❶ €21,50
N 49°9'6" E 9°30'0"	H407 5 ha 40**T**(90-120m²) 298**D** ❷ €27,50

A6, Ausfahrt 40 Richtung Öhringen. Dann via Pfedelbach und Heuberg nach Buchhorn. Dann ausgeschildert.

Hohenstadt, D-73345 / Baden-Württemberg

Camping Waldpark Hohenstadt	1 ADEJMNOPRST ABM 6
Waldpark 1	2 AFGOPRSTUVWXY ABDE**FG** 7
1 Mär - 31 Okt	3 AELV ABCDE**F**JKNQRTUV 8
+49 (0)7335-6754	4 FH W 9
camping@waldpark-hohenstadt.de	5 ABEFGJKL ABDGHJLMPR10
	16A CEE ❶ €20,50
N 48°32'51" E 9°40'2"	H820 7,5 ha 50**T**(100-150m²) 125**D** ❷ €27,50

A8/E52 Stuttgart-Ulm, Ausfahrt 60 (Behelfsausfahrt). CP Schildern Hohenstadt folgen.

Teilkarte Stuttgart auf Seite 342

Löwenstein, D-74245 / Baden-Württemberg

Campingpark
Breitenauer See*****
1 Jan - 31 Dez
+49 (0)7130-8558
info@breitenauer-see.de

1 ADEILNOPQRST QSX 6
2 DGPTWX BEFGHI 7
3 BFL BDEHINRS 8
4 FHIO J 9
5 ABDIK ABFGIKLNOR 10
16A CEE ❶ €25,00
H268 10 ha 300T(100-120m²) 304D ❷ €32,00

N 49°7'1'' E 9°23'0''

A81 Stuttgart-Würzburg, Ausfahrt 10 Weinsberg/Ellhofen. B39 Richtung Obersulm/Löwenstein. Ausfahrt Obersulm/Willsbach. Ausgeschildert.

Schwäbisch Hall/Steinbach, D-74523 / Baden-W.

Am Steinbacher See
Mühlsteige 26
15 Mär - 15 Okt
+49 (0)791-2984
thomas.seitel@t-online.de

1 AEFJMNOPQRST NX 6
2 CDOPSVWXY ABDEFGHI 7
3 AEFKLQV ABCDEFJNQRV 8
4 FGHIOS PW 9
5 AGKL ABGHIJLNPRVX 10
B 16A CEE ❶ €22,00
H270 1 ha 50T(75m²) 40D ❷ €30,00

N 49°5'53'' E 9°44'32''

A6, Ausfahrt 43 Richtung Schwäbisch Hall. In Schwäbisch Hall Straße B14 und B19 ausgeschildert (Richtung Comburg). Am Fußballplatz vorbei fahren.

Murrhardt/Fornsbach, D-71540 / Baden-Württ.

Waldsee
Am Waldsee 17
1 Jan - 31 Dez
+49 (0)7192-6436
camping-waldsee@t-online.de

1 AJMNOPRST LMN 6
2 BCDGHIOPRSTUVWXY ABDFGHI 7
3 BFIKL ABCDEFJNQRSV 8
4 FGHIT DEL 9
5 ABCIKL ABGHIJORV 10
B 16A CEE ❶ €23,60
H351 2,6 ha 90T(80m²) 98D ❷ €32,60

N 48°58'34'' E 9°39'59''

Murrhardt liegt an der Verbindungsstraße Salzbach-Gaildorf zwischen der B14 und B19. Bei Murrhardt die Ausfahrt 'Waldsee'. Am See vorbei zum CP.

Weikersheim/Laudenbach, D-97990 / Baden-W.

Schwabenmühle****
Weikersheimer Straße 21
27 Mär - 11 Okt
+49 (0)7934-992223
info@
camping-schwabenmuehle.de

1 ABEFJMNOPRST 6
2 CFOPRSVX ABFGH 7
3 AELSV ABCDEFGIJKNPQRSTUV 8
4 FGHIO FVW 9
5 AGKL ABCDGHIJPRX 10
B 16A CEE ❶ €25,00
H270 2,3 ha 70T(80-100m²) 1D ❷ €33,00

N 49°27'28'' E 9°55'34''

A81 Stuttgart-Würzburg. Ausfahrt 3 Tauberbischofsheim. B290 bis Bad Mergentheim, B19 Richtung Würzburg. In Jagersheim Richtung Weikersheim, dann Richtung Laudenbach (3 km). Kurz vor Laudenbach CP rechts.

Neckarsulm, D-74172 / Baden-Württemberg

Reisach-Mühle****
In der Hälde
1 Jan - 31 Dez
+49 (0)7132-2169
info@campingplatz-
reisachmuehle.de

1 AFILNOPQRST AEFH 6
2 AGOPUVWX BDFG 7
3 BGHLM ABFNQR 8
4 FHST 9
5 ABJK AHIR 10
16A CEE ❶ €17,50
H270 2,3 ha 80T(50-100m²) 150D ❷ €23,50

N 49°11'14'' E 9°14'50''

A6 Ausfahrt 37 Neckarsulm. Im 1. Kreisel rechts und im 2. Kreisel links. Richtung Sportplatz und 'Aquatoll' Gelände. Der CP liegt hinter den Tennisplätzen.

Wertheim/Bestenheid, D-97877 / Baden-Württ.

AZUR Cp-park
Wertheim am Main
An den Christwiesen 35
1 Apr - 31 Okt
+49 (0)9342-83111
wertheim@azur-camping.de

1 AEFJMNOPRST NXYZ 6
2 CPRUVWX ABDEFGHI 7
3 AEILQ ABCDEFJKNQRSV 8
4 IO Y 9
5 EJKL ABGHKLPR 10
6A CEE ❶ €29,30
H140 7 ha 220T(80-95m²) 100D ❷ €38,30

N 49°46'40'' E 9°30'33''

A3 Frankfurt-Würzburg. Von Norden: Ausfahrt 65 Wertheim/Marktheidenfeld bis Wertheim und dann in Richtung Miltenberg bis Bestenheid. Weiter nach CP-Beschilderung.

Schurrenhof, D-73072 / Baden-Württemberg

Schurrenhof
Schurrenhof 4
1 Jan - 31 Dez
+49 (0)7165-928585
info@schurrenhof.de

1 AEFJMNOPRT A 6
2 FPSVWX ABDEFGIK 7
3 ABGHIKLS ABCDEFJNQRTU 8
4 FI DGIV 9
5 ABDEGJKL ABDFGHJRVW 10
W 10A CEE ❶ €15,50
H555 2,8 ha 70T(80-100m²) 126D ❷ €22,50

N 48°43'40'' E 9°46'12''

A8 Stuttgart-München, Ausf. 56 Ri. Göppingen. Dann B10 Ri. Donzdorf, 1. Kreisel Schilder Heidenheim. Nach 1 km li. Reichenbach/Schurrenhof. Von der B29 Ri. Schwäbisch Gmünd. In Schwäbisch Gmünd Ri. Donzdorf. In Rechburg re. ab zum Schurrenhof.

Bad Urach, D-72574 / Baden-Württemberg

Pfählhof***
Pfählhof 2
1 Jan - 31 Dez
+49 (0)7125-8098
camping@pfaehlhof.de

1 EFILNOPQRST 6
2 CPSVWX BEFGI 7
3 BL BDFJNQRS 8
4 FH DJK 9
5 ABDEJK ABFGHJLR 10
16A CEE ❶ €20,85
H500 4,5 ha 50T(80-120m²) 173D ❷ €27,45

N 48°30'14'' E 9°25'28''

A8 Ausfahrt Nürtingen. Dann der B297 folgen, in Nürtingen die B313 bis Metzingen. Dann der B28 bis Bad Urach folgen.

Deggenhausertal, D-88693 / Baden-Württemberg

Birkenmühle
Bachweg 7-9
1 Jan - 31 Dez
+49 (0)7555-5308
info@birkenmuehle.de

1 AFJMNOPQRST AN 6
2 GOPTVX ABDEFGHK 7
3 BJKL ABEFNR 8
4 FHIQ GI 9
5 AKL ABFGHIJNORV 10
16A CEE ❶ €24,00
H513 1,3 ha 50T(60-80m²) 34D ❷ €29,00

N 47°47'41'' E 9°23'9''

3 Anfahrten möglich: 1) über die B31 nach Uhldingen, Salem und weiter Wittenhofen. 2) über die A81 Stuttgart via Sigmaringen, Pfullendorf und Denkingen Richtung Markdorf. 3) via Ulm über die B30/B33 Ravensburg-Hefigkofen.

Friedrichshafen, D-88048 / Baden-Württemberg

Campingplatz
Friedrichshafen-Fischbach
Grenzösch 3
10 Apr - 11 Okt
+49 (0)7541-42059
campingfn42059@aol.com

1 AFHKNOPQRST LMNQSWXY 6
2 DGHOPVWX ABDEFGI 7
3 AB ABCDEFJKNQRS 8
4 AFHO T 9
5 ABDEHIL ABGHIKORV 10
B 10A CEE ❶ €24,60
H367 2 ha 80T(70-120m²) 40D ❷ €28,60

N 47°40'10'' E 9°24'14''

Von Stockach B31 Richtung Friedrichshafen. Dann ist der CP ausgeschildert.

Aitrach, D-88319 / Baden-Württemberg

Park-Camping Iller****
Illerstraße 57
1 Mai - 1 Okt
+49 (0)7565-5419
info@camping-iller.de

1 ACDFILNOPRT ABFGN 6
2 CGPX BEFGH 7
3 ABLS ABDFIJKLNQRS 8
4 BEFGHIO DR 9
5 ABGKL ABFGHIJLNOV 10
Anzeige auf dieser Seite B 16A ❶ €24,00
H590 2,8 ha 70T(80-120m²) 134D ❷ €29,00

N 47°56'57'' E 10°5'15''

A7 Ulm-Memmingen. Memminger Kreuz Richtung Lindau fahren. In Aitrach rechts CP-Beschilderung folgen.

Deutschland

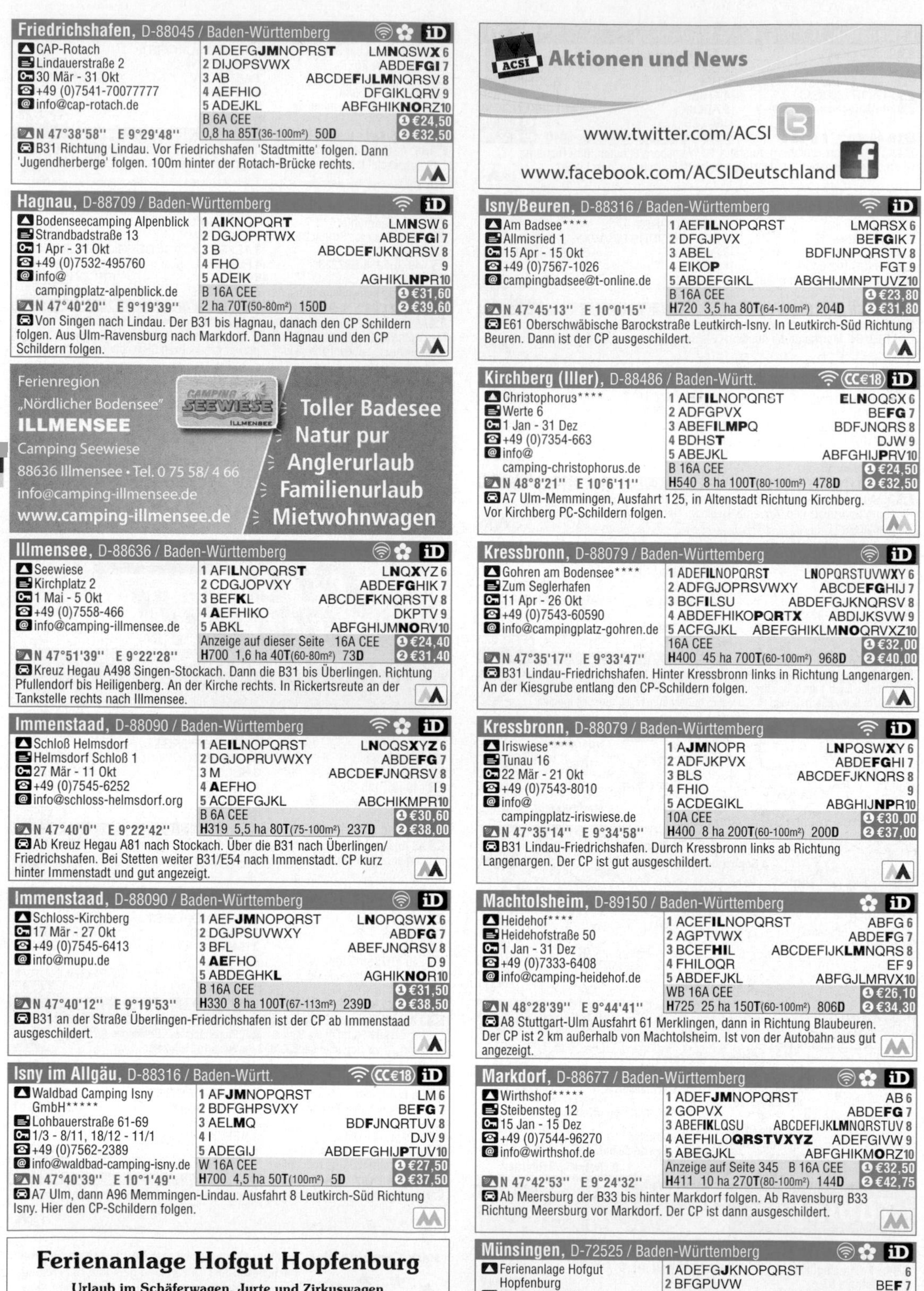

Friedrichshafen, D-88045 / Baden-Württemberg

CAP-Rotach
Lindauerstraße 2
30 Mär - 31 Okt
+49 (0)7541-70077777
info@cap-rotach.de
N 47°38'58" E 9°29'48"

1 ADEFG**JM**NOPRS**T** — LM**N**QSW**X** 6
2 DIJOPSVWX — ABDEF**GI** 7
3 AB — ABCDE**F**IJ**LM**NQRSV 8
4 AEFHIO — DFGIKLQRV 9
5 ADEJKL — ABFGHIK**NO**RZ10
B 6A CEE — ❶ €24,50
0,8 ha 85T(36-100m²) 50D — ❷ €32,50

B31 Richtung Lindau. Vor Friedrichshafen 'Stadtmitte' folgen. Dann 'Jugendherberge' folgen. 100m hinter der Rotach-Brücke rechts.

Hagnau, D-88709 / Baden-Württemberg

Bodenseecamping Alpenblick
Strandbadstraße 13
1 Apr - 31 Okt
+49 (0)7532-495760
info@campingplatz-alpenblick.de
N 47°40'20" E 9°19'39"

1 A**I**KNOPQR**T** — LM**N**SW 6
2 DGJOPRTWX — ABDE**FGI** 7
3 B — ABCDE**F**IJKNQRSV 8
4 FHO — 9
5 ADEIK — AGHIKL**NPR**10
B 16A CEE — ❶ €31,60
2 ha 70T(50-80m²) 150D — ❷ €39,60

Von Singen nach Lindau. Der B31 bis Hagnau, danach den CP Schildern folgen. Aus Ulm-Ravensburg nach Markdorf. Dann Hagnau und den CP Schildern folgen.

Illmensee, D-88636 / Baden-Württemberg

Seewiese
Kirchplatz 2
1 Mai - 5 Okt
+49 (0)7558-466
info@camping-illmensee.de
N 47°51'39" E 9°22'28"

1 AFI**L**NOPQRS**T** — L**N**Q**X**YZ 6
2 CDGJOPVXY — ABDE**FG**HIK 7
3 BEF**KL** — ABCDE**F**KNQRSTV 8
4 AEFHIKO — DKPTV 9
5 ABKL — ABFGHIJM**NO**RV10
Anzeige auf dieser Seite 16A CEE — ❶ €24,40
H700 1,6 ha 40T(60-80m²) 73D — ❷ €31,40

Kreuz Hegau A498 Singen-Stockach. Dann die B31 bis Überlingen. Richtung Pfullendorf bis Heiligenberg. An der Kirche rechts. In Rickertsreute an der Tankstelle rechts nach Illmensee.

Immenstaad, D-88090 / Baden-Württemberg

Schloß Helmsdorf
Helmsdorf Schloß 1
27 Mär - 11 Okt
+49 (0)7545-6252
info@schloss-helmsdorf.org
N 47°40'0" E 9°22'42"

1 AE**IL**NOPQRST — L**N**OQS**XYZ** 6
2 DGJOPRUVWXY — ABDE**FG** 7
3 M — ABCDE**F**JNQRSV 8
4 **A**EFHO — I 9
5 ACDEFGJKL — ABCHIKMPR10
B 6A CEE — ❶ €30,60
H319 5,5 ha 80T(75-100m²) 237D — ❷ €38,00

Ab Kreuz Hegau A81 nach Stockach. Über die B31 nach Überlingen/ Friedrichshafen. Bei Stetten weiter B31/E54 nach Immenstadt. CP kurz hinter Immenstadt und gut angezeigt.

Immenstaad, D-88090 / Baden-Württemberg

Schloss-Kirchberg
17 Mär - 27 Okt
+49 (0)7545-6413
info@mupu.de
N 47°40'12" E 9°19'53"

1 AEF**JM**NOPQRST — L**N**OPQSW**X** 6
2 DGJPSUVWXY — ABD**FG** 7
3 BFL — ABEFJNQRSV 8
4 **A**EFHO — D 9
5 ABDEGHK**L** — AGHIK**NO**R10
B 16A CEE — ❶ €31,50
H330 8 ha 100T(67-113m²) 239D — ❷ €38,50

B31 an der Straße Überlingen-Friedrichshafen ist der CP ab Immenstaad ausgeschildert.

Isny im Allgäu, D-88316 / Baden-Württ.

Waldbad Camping Isny GmbH*****
Lohbauerstraße 61-69
1/3 - 8/11, 18/12 - 11/1
+49 (0)7562-2389
info@waldbad-camping-isny.de
N 47°40'39" E 10°1'49"

1 AF**JM**NOPQRST — LM 6
2 BDFGHPSVXY — BE**FG** 7
3 AEL**MQ** — BD**F**JNQRTUV 8
4 I — DJV 9
5 ADEGIJ — ABDEFGHIJ**P**TUV10
W 16A CEE — ❶ €27,50
H700 4,5 ha 50T(100m²) 5D — ❷ €37,50

A7 Ulm, dann A96 Memmingen-Lindau. Ausfahrt 8 Leutkirch-Süd Richtung Isny. Hier den CP-Schildern folgen.

Isny/Beuren, D-88316 / Baden-Württemberg

Am Badsee****
Allmisried 1
15 Apr - 15 Okt
+49 (0)7567-1026
campingbadsee@t-online.de
N 47°45'13" E 10°0'15"

1 AEF**IL**NOPQRST — LMQRSX 6
2 DFGJPVX — BE**FG**IK 7
3 ABEL — BDFIJNPQRSTV 8
4 EIKO**P** — FGT 9
5 ABDEFGIKL — ABGHIJMNPTUVZ10
B 16A CEE — ❶ €23,80
H720 3,5 ha 80T(64-100m²) 204D — ❷ €31,80

E61 Oberschwäbische Barockstraße Leutkirch-Isny. In Leutkirch-Süd Richtung Beuren. Dann ist der CP ausgeschildert.

Kirchberg (Iller), D-88486 / Baden-Württ.

Christophorus****
Werte 6
1 Jan - 31 Dez
+49 (0)7354-663
info@camping-christophorus.de
N 48°8'21" E 10°6'11"

1 AEF**IL**NOPQRST — **EL**NOQSX 6
2 ADFGPVX — BE**FG** 7
3 ABEFI**LMP**Q — BDFJNQRS 8
4 BDHS**T** — DJW 9
5 ABEJKL — ABFGHIJ**P**RV10
B 16A CEE — ❶ €24,50
H540 8 ha 100T(80-100m²) 478D — ❷ €32,50

A7 Ulm-Memmingen, Ausfahrt 125, in Altenstadt Richtung Kirchberg. Vor Kirchberg PC-Schildern folgen.

Kressbronn, D-88079 / Baden-Württemberg

Gohren am Bodensee****
Zum Seglerhafen
11 Apr - 26 Okt
+49 (0)7543-60590
info@campingplatz-gohren.de
N 47°35'17" E 9°33'47"

1 ADEF**IL**NOPQRST — L**N**OPQRSTUVW**X**Y 6
2 ADFGJOPRSVWXY — ABCDE**FG**HIJ 7
3 BCF**I**LSU — ABDEFGJKNQRSV 8
4 ABDEFHIKO**PQRTX** — ABDIJKSVW 9
5 ACFGJKL — ABEFGHIKLM**NO**QRVXZ10
16A CEE — ❶ €32,00
H400 45 ha 700T(60-100m²) 968D — ❷ €40,00

B31 Lindau-Friedrichshafen. Hinter Kressbronn links in Richtung Langenargen. An der Kiesgrube entlang den CP-Schildern folgen.

Kressbronn, D-88079 / Baden-Württemberg

Iriswiese****
Tunau 16
22 Mär - 21 Okt
+49 (0)7543-8010
info@campingplatz-iriswiese.de
N 47°35'14" E 9°34'58"

1 A**JM**NOPR — L**N**PQSW**X**Y 6
2 ADFJKPVX — ABDE**FG**HI 7
3 BLS — ABCDEFJKNQRS 8
4 FHIO — 9
5 ACDEGIKL — ABGHIJ**NP**R10
10A CEE — ❶ €30,00
H400 8 ha 200T(60-100m²) 200D — ❷ €37,00

B31 Lindau-Friedrichshafen. Durch Kressbronn links ab Richtung Langenargen. Der CP ist gut ausgeschildert.

Machtolsheim, D-89150 / Baden-Württemberg

Heidehof****
Heidehofstraße 50
1 Jan - 31 Dez
+49 (0)7333-6408
info@camping-heidehof.de
N 48°28'39" E 9°44'41"

1 ACEF**IL**NOPQRST — ABFG 6
2 AGPTVWX — ABDE**FG** 7
3 BCEF**HI**L — ABCDEFIJK**LM**NQRS 8
4 FHILOQR — EF 9
5 ABDEFJKL — ABFGJLMRVX10
WB 16A CEE — ❶ €26,10
H725 25 ha 150T(60-100m²) 806D — ❷ €34,30

A8 Stuttgart-Ulm Ausfahrt 61 Merklingen, dann in Richtung Blaubeuren. Der CP ist 2 km außerhalb von Machtolsheim. Ist von der Autobahn aus gut angezeigt.

Markdorf, D-88677 / Baden-Württemberg

Wirthshof*****
Steibensteg 12
15 Jan - 15 Dez
+49 (0)7544-96270
info@wirthshof.de
N 47°42'53" E 9°24'32"

1 ADEF**JM**NOPQRST — AB 6
2 GOPVX — ABDE**FG** 7
3 ABEF**IK**LQSU — ABCDEFIJK**LM**NQRSTUV 8
4 AEFHILO**QRSTVXYZ** — ADEFGIVW 9
5 ABEGJKL — ABFGHIKM**O**RZ10
Anzeige auf Seite 345 B 16A CEE — ❶ €32,50
H411 10 ha 270T(80-100m²) 144D — ❷ €42,75

Ab Meersburg der B33 bis hinter Markdorf folgen. Ab Ravensburg B33 Richtung Meersburg vor Markdorf. Der CP ist dann ausgeschildert.

Münsingen, D-72525 / Baden-Württemberg

Ferienanlage Hofgut Hopfenburg
Hopfenburg 12
1 Jan - 31 Dez
+49 (0)7381-931193-0
info@hofgut-hopfenburg.de
N 48°24'12" E 9°30'31"

1 ADEFG**J**KNOPQRST — 6
2 BFGPUVW — BE**F** 7
3 BC**GH**L — BDFGJPQRSTUV 8
4 — ADEIV 9
5 ABKL — ABFGHNOQSTV10
Anzeige auf dieser Seite WB 16A — ❶ €25,05
H780 10 ha 80T(120m²) 53D — ❷ €33,05

A8 Stuttgart-München. Ausfahrt 55 Richtung Nürtingen-Metzingen-Bad Urach. In Münsingen den CP-Schildern folgen. Der CP liegt etwas ortsaußerhalb.

Deutschland

Teilkarte Tübingen auf Seite 343

Oberteuringen/Neuhaus, D-88094 / Baden-Württ.

Camping am Bauernhof/ Ferienhof Kramer
Sankt Georg Straße 8
28 Mär - 15 Sep
+49 (0)7546-2446
kramer@camping-am-bauernhof.de
N 47°44'22'' E 9°28'19''

1 AF**JL**NOPQRST — A 6
2 CGOPWX — ABDE**FG**HI 7
3 ABEFLQU — ABFJNQRSV 8
4 FHIK — I 9
5 ABKL — ABFGHIJMRVX 10
B 16A CEE — ① €22,50
H456 0,9 ha 45T(100-120m²) 4D — ② €32,50

A81 Stuttgart-Singen-Meersburg. B33 Richtung Ravensburg/Markdorf/ Neuhaus. Ulm-Ravensburg. B33 Richtung Meersburg/Neuhaus.

Salem/Neufrach, D-88682 / Baden-Württ.

Gern-Campinghof Salem****
Weildorferstraße 46
1 Apr - 31 Okt
+49 (0)7553-829695
info@campinghof-salem.de
N 47°46'12'' E 9°18'27''

1 AEF**JM**NOPRST — **N** 6
2 ABCGOPVWX — ABDE**FG**H**IJ** 7
3 ABEFGH**K**L**MR** — ABCDEFJKNQRSTUV 8
4 ACDFGHIKLOQ**TXZ** — EKV 9
5 ABDEGIKL — ABCDEHIJ**NO**RV 10
Anzeige auf dieser Seite 10-16A CEE — ① €22,50
H467 2 ha 94T(80-100m²) 27D — ② €28,50

A81 Stuttgart-Singen nach Lindau. Dann die B31 Überlingen-Salem. Von Ulm: die B30 Ulm-Ravensburg. B33 Richtung Markdorf. Dann Richtung Salem/ Neufrach.

Sigmaringen, D-72488 / Baden-Württemberg

Sigmaringen
Georg-Zimmerer-Straße 6
27 Mär - 31 Okt
+49 (0)7571-50411
info@outandback.de
N 48°5'1'' E 9°12'29''

1 ADEF**JM**NOQRST — J**N**VXZ 6
2 CGOPVWX — ABE**FG** 7
3 ABEIUV — ABDFJNQRT 8
4 EFHO — FJLQR 9
5 EJK**L** — ABFGHIJL**P**RV 10
B 6-16A CEE — ① €24,00
H570 1,5 ha 110T(70-80m²) 21D — ② €34,00

A81 Ausfahrt 38. B311 Richtung Tuttlingen, dann Richtung Sigmaringen B311/ B313. Ab hier den CP Schildern folgen.

Sonnenbühl/Erpfingen, D-72820 / Baden-W.

AZUR Rosencp. Schwäbische Alb
Hardtweg 80
1 Jan - 31 Dez
+49 (0)7128-466
erpfingen@azur-camping.de
N 48°21'47'' E 9°11'0''

1 ADEF**JM**NOPQRST — AB 6
2 FGPRTUVWXY — ABDE**FG**IJ 7
3 ABEF**I**LQV — ABCDFJNQRS 8
4 ABCEFH — E 9
5 ABEJKL — ABDFGHJL**P**RVW 10
Anzeige auf Seite 361 WB 16A CEE — ① €27,00
H790 9 ha 150T(100m²) 304D — ② €36,00

Von Stuttgart-Reutlingen die B312/313 Richtung Sigmaringen. Der Strecke zur Bärenhöhle, Sonnenbühl-Erpfingen ist gut ausgeschildert.

Tettnang/Badhütten, D-88069 / Baden-Württemberg

Gutshof Camping Badhütten
Laimnau/Badhütten 1/2
7 Apr - 3 Okt
+49 (0)7543-96330
gutshof.camping@t-online.de
N 47°38'0'' E 9°38'51''

1 AF**IL**NOPQRS**T** — AFHINU 6
2 CFGPVWXY — BE**FG** 7
3 BCEG**H**LQ — BCD**F**JKNQRST 8
4 **A**FHIK — DI 9
5 ABEGJK — ABGHJRW 10
6A CEE — ① €27,90
H380 10 ha 200T(120-150m²) 314D — ② €34,90

B31 Lindau-Friedrichshafen. Hinter Kressbronn in Richtung Tettnang, Abfahrt Tannau/Laimnau, dann ist der CP ausgeschildert.

Tübingen, D-72072 / Baden-Württemberg

Neckar-Camping Tübingen***
Rappenberghalde 61
1 Apr - 30 Okt
+49 (0)7071-43145
mail@neckarcamping.de
N 48°30'38'' E 9°2'9''

1 ADEF**IL**NOPQRST — AB**N** 6
2 CFGOPRWXY — ABDE**FG**HI 7
3 BL — ABCDEFHNRS 8
4 FH — ADV 9
5 ABDEJK — AFGHIJ**NO**R 10
B 16A CEE — ① €26,90
H400 3 ha 80T(60-80m²) 47D — ② €36,50

A81 Ausfahrt 28 Herrenberg. Dann der B28 Richtung Tübingen folgen. In der Stadt den CP-Schildern folgen. CP ist mitten in der Stadt.

Überlingen am Bodensee, D-88662 / Baden-Württ.

Campingpark Überlingen
Bahnhofstraße 57
1 Apr - 5 Okt
+49 (0)7551-64583
info@ campingpark-ueberlingen.de
N 47°46'14'' E 9°8'17''

1 AE**JM**NOPRST — LMOPQS 6
2 DOPRVX — ABDE**FG**I 7
3 AB — ABCDE**F**JKNQRSV 8
4 FHO — DKV 9
5 ABDEJK — ABCHIRZ 10
B 16A CEE — ① €30,00
H333 3 ha 160T(60-100m²) 53D — ② €37,00

B31 Stockach in Richtung Überlingen, ab hier den CP-Schildern folgen.

Teilkarte Tübingen auf Seite 343

Uhldingen-Mühlhofen, D-88690 / Baden-Württ.

Campingplatz Birnau-Maurach	1 AEF**IL**NOPQRST	LPQSX 6
21 Mär - 25 Okt	2 DKPX	ABDE**FG** 7
+49 (0)7556-6699	3 ABEL	ABCDFJNQRSTUV 8
info@mupu.de	4 FHI**Q**	VW 9
	5 ABEGIJL	AHOR 10
	B 16A	❶ €33,10
N 47°44'26" E 9°13'34"	H333 4 ha 80**T**(70-100m²) 100**D**	❷ €40,10

B31 Stockach via Überlingen nach Uhldingen. Hier ist der CP ausgeschildert.

Westerheim, D-72589 / Baden-Württemberg

ALB-Camping Westerheim	1 AEFJMNOPRST	ABFGM 6
Beim Campingplatz 1	2 AFGPTVWX	ABDE**FG** 7
1 Jan - 31 Dez	3 BE**ILMQ**	ABCD**F**IJKNQRSTV 8
+49 (0)7333-6140	4 BFHILO**PQR**	DEGIY 9
info@alb-camping.de	5 ABDEGJKL	ABGHIJLM**NP**RV 10
	WB 16A CEE	❶ €27,00
N 48°30'37" E 9°36'34"	H820 20 ha 74**T**(80-100m²) 934**D**	❷ €34,80

A8 Stuttgart-München. Behelfsausfahrt 60 Hohenstadt Richtung Westerheim. A8 München-Stuttgart Ausfahrt 61 Richtung Westerheim. Der CP ist ausgeschildert und von der Autobahn aus gut erreichbar.

Bad Kissingen, D-97688 / Bayern

Campingpark Bad Kissingen	1 AF**JM**NOPRST	**N** 6
Euerdorfer Str. 1	2 COPRSWX	ABDE**FG**H 7
1 Apr - 31 Okt	3 ALS	ABCDE**F**JNQRTUV 8
+49 (0)971-5211	4 AEFO**XZ**	DQV 9
campingpark@web.de	5 ABEJKLM	AFGHIKLM**P**TU 10
	B 6-16A CEE	❶ €33,50
N 50°11'22" E 10°4'20"	H200 1 ha 80**T**(80-110m²) 14**D**	❷ €42,30

A7 Würzburg-Fulda, Ausfahrt Bad Kissingen. Via B286 Bad Kissingen ab südlichen Saalebrücke Beschilderung folgen.

Collenberg, D-97903 / Bayern

Camping Maintal	1 AF**JM**NOPRS**T**	J**NXYZ** 6
Schloßstr.42	2 CGOPRSVWX	AB**FG** 7
1 Apr - 31 Okt	3 AE	ABCDEFJNQRSTU 8
+49 (0)9376-1270	4 FHO	D 9
info@campingmaintal.de	5 EJKL	ABFHJPR 10
	10A CEE	❶ €20,50
N 49°46'7" E 9°20'32"	H100 16 ha 30**T**(100-120m²) 52**D**	❷ €25,50

A3 Frankfurt Würzburg, Abfahrt 65 Marktheidenfeld, Richtung Wertheim. Am Kreuz Wertheim Richtung Hasloch und Collenberg. Kurz vor Collenberg ist der CP links. Für hohe Wohnmobile gibt es eine separate Einfahrt.

Bamberg/Bug, D-96049 / Bayern

Insel (Hoffmann)	1 A**JM**NOPQRS**T**	JN 6
Am Campingplatz 1	2 ACOPRWXY	ABDE**FG** 7
1 Jan - 31 Dez	3 ABKLS	ABCDEFJNQRS 8
+49 (0)951-56320	4 FH	FIV 9
campinginsel@web.de	5 ABDIK**L**	AHJL**O**RW 10
	B 16A CEE	❶ €23,50
N 49°51'43" E 10°54'59"	H300 5 ha 100**T** 53**D**	❷ €30,50

A73, Ausfahrt 5 Bamberg-Süd. Dann Richtung Zentrum und Bug folgen. CP ist ausgeschildert.

Ebrach, D-96157 / Bayern

Weihersee	1 AJMNOPRST	**A** 6
Schwimmbadweg 21	2 ABDFOPUVWX	AB 7
1 Jan - 31 Dez	3 B**HLM**S	ABCDEFJNQRT 8
+49 (0)9553-9890579	4 FH	D 9
weihersee@t-online.de	5 A	AHJLRV 10
	16A	❶ €19,00
N 49°50'44" E 10°28'57"	3 ha 90**T**(90-100m²) 31**D**	❷ €25,00

A3 Ausfahrt Geiselwind, ca 15 Min Richtung Ebrach. Dann den CP-Schildern folgen.

Betzenstein, D-91282 / Bayern

Betzenstein	1 ADEF**JM**NOPQRS**T**	6
Hauptstraße 69	2 AGOPRSTUVWX	ABDE**FG** 7
1 Jan - 31 Dez	3 A**K**LV	ABCDE**F**JNQRTUV 8
+49 (0)9244-7305	4 FH	ADG 9
info@ campingplatz-betzenstein.de	5 ADEIKL	ABHJ**O**RVW 10
	16A CEE	❶ €20,30
N 49°41'9" E 11°24'9"	H600 2,5 ha 50**T** 93**D**	❷ €26,30

A9 Nürnberg-Bayreuth, Ausfahrt 46 Plech. Dann Richtung Betzenstein. 2 km hinter Betzenstein Richtung Leupoldstein. Einfahrt am Restaurant Hubertus.

Fichtelberg, D-95686 / Bayern

Fichtelsee*****	1 AEF**JM**NOPQRST	LX 6
Fichtelseestraße 30	2 DGOPRVWXY	ABDE**F**G**H** 7
1/1 - 8/11, 19/12 - 31/12	3 AB**IK**L	ABCDEFJNOQRSTUV 8
+49 (0)9272-801	4 EFHIO	9
info@camping-fichtelsee.de	5 ABKL	ABDEFGHJ**O**RX 10
	Anzeige auf Seite 347 WB 16A CEE	❶ €23,00
N 50°0'59" E 11°51'20"	H800 2,6 ha 105**T**(90-140m²) 25**D**	❷ €31,00

B303 Richtung Fichtelberg/Marktredwitz. Den weißen Schildern 'Fichtelsee' und CP-Schildern folgen.

Bischofsheim an der Rhön, D-97653 / Bayern

Am Schwimmbad****	1 AF**JM**NOPRST	ABEF 6
Kissingerstraße 53	2 GOPRUVWX	ABD**FG**H 7
1 Jan - 31 Dez	3 AF**I**L	ABCD**F**IJNQRSV 8
+49 (0)9772-1350	4 FHI**S**	9
info@rhoencamping.de	5 ABKL	ABFGHJL**PR** 10
	WB 16A CEE	❶ €22,00
N 50°23'44" E 10°1'14"	H418 3,8 ha 80**T**(80-100m²) 80**D**	❷ €28,00

A7 Würzburg-Fulda, Abfahrt 95 Bad Brückenau/Wildflecken. Hindurch Riedenberg-Wildflecken und Ober Weißenbrunn. In Bischofsheim Schildern folgen.

Frickenhausen/Ochsenfurt, D-97252 / Bayern

Knaus Campingpark	1 ADEF**JM**NOPRS**T**	A**NWX** 6
Ochsenfurterstraße 49	2 CGPRVWX	ABDE**FG**HI 7
1 Jan - 31 Dez	3 AFL	ABCDEFJNQRSV 8
+49 (0)9331-3171	4 **A**EIO	AV 9
info@knauscamp.de	5 ABJKL	ABDHK**NP**RVZ 10
	Anzeige auf Seite 259 16A	❶ €31,20
N 49°40'9" E 10°4'28"	3,4 ha 80**T**(80-100m²) 119**D**	❷ €38,20

A3 Würzburg-Nürnberg, Ausfahrt 71 Randersacker, B13 Richtung Ochsenfurt. In Ochsenfurt den Main nicht überqueren, sondern vor der Brücke links. Hinter dem Schild kommt rechts der CP.

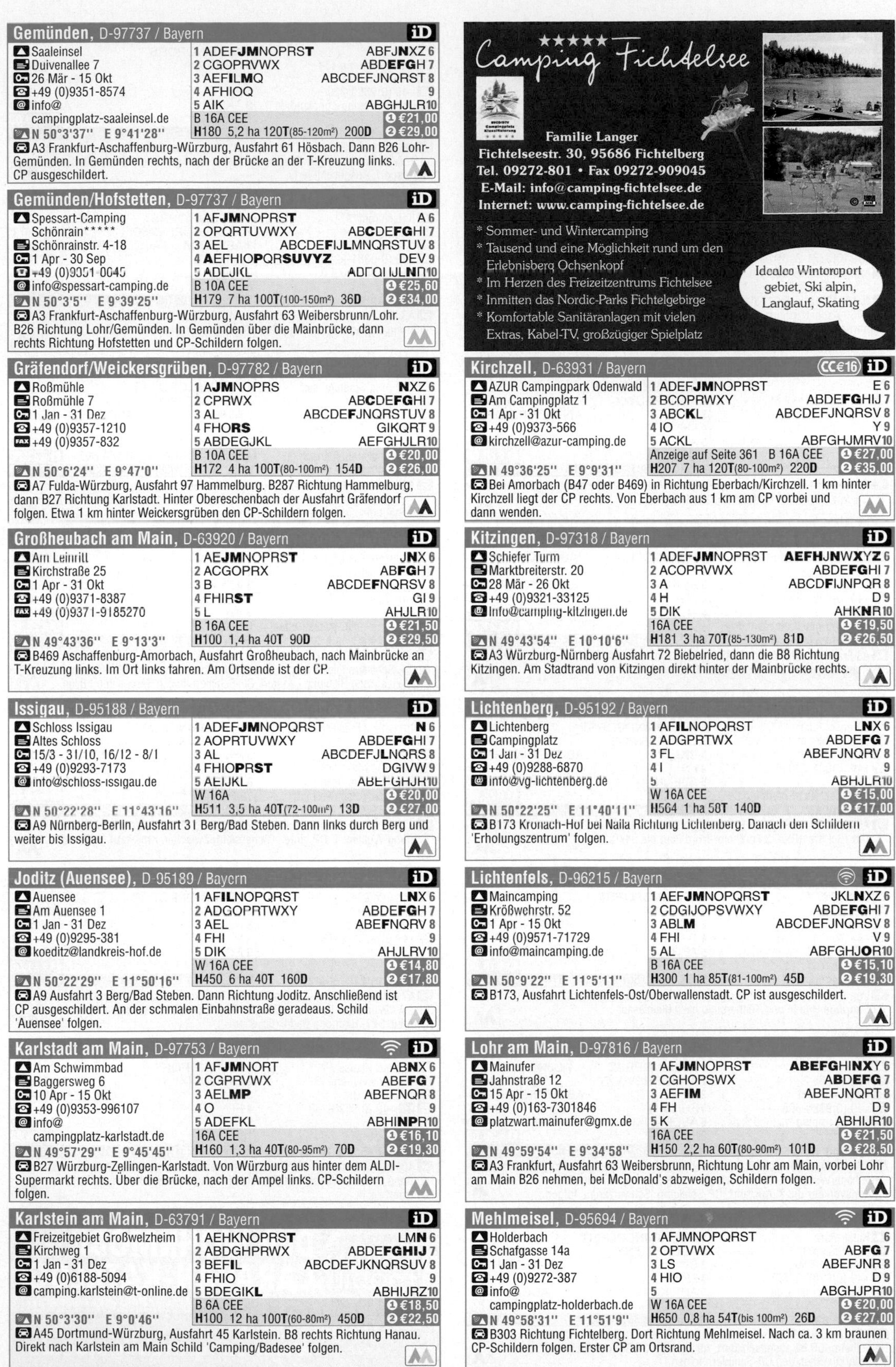

Gemünden, D-97737 / Bayern

Saaleinsel	1 ADEFJMNOPRST	ABFJNXZ 6
Duivenallee 7	2 CGOPRVWX	ABDEFGH 7
26 Mär - 15 Okt	3 AEFILMQ	ABCDEFJNQRST 8
+49 (0)9351-8574	4 AFHIOQ	9
info@ campingplatz-saaleinsel.de	5 AIK	ABGHJLR 10
	B 16A CEE	❶ €21,00
N 50°3'37'' E 9°41'28''	H180 5,2 ha 120T(85-120m²) 200D	❷ €29,00

A3 Frankfurt-Aschaffenburg-Würzburg, Ausfahrt 61 Hösbach. Dann B26 Lohr-Gemünden. In Gemünden rechts, nach der Brücke an der T-Kreuzung links. CP ausgeschildert.

Gemünden/Hofstetten, D-97737 / Bayern

Spessart-Camping Schönrain*****	1 AFJMNOPRST	A 6
	2 OPQRTUVWXY	ABCDEFGHI 7
Schönrainstr. 4-18	3 AEL	ABCDEFIJLMNQRSTUV 8
1 Apr - 30 Sep	4 AEFHIOPQRSUVYZ	DEV 9
+49 (0)9351-8045	5 ADEJKL	ADEGHJLNR 10
info@spessart-camping.de	B 10A CEE	❶ €25,60
N 50°3'5'' E 9°39'25''	H179 7 ha 100T(100-150m²) 36D	❷ €34,00

A3 Frankfurt-Aschaffenburg-Würzburg, Ausfahrt 63 Weibersbrunn/Lohr. B26 Richtung Lohr/Gemünden. In Gemünden über die Mainbrücke, dann rechts Richtung Hofstetten und CP-Schildern folgen.

Gräfendorf/Weickersgrüben, D-97782 / Bayern

Roßmühle	1 AJMNOPRS	NXZ 6
Roßmühle 7	2 CPRWX	ABCDEFGHI 7
1 Jan - 31 Dez	3 AL	ABCDEFJNQRSTUV 8
+49 (0)9357-1210	4 FHORS	GIKQRT 9
FAX +49 (0)9357-832	5 ABDEGJKL	AEFGHJLR 10
	B 10A CEE	❶ €20,00
N 50°6'24'' E 9°47'0''	H172 4 ha 100T(80-100m²) 154D	❷ €26,00

A7 Fulda-Würzburg, Ausfahrt 97 Hammelburg. B287 Richtung Hammelburg, dann B27 Richtung Karlstadt. Hinter Obereschenbach der Ausfahrt Gräfendorf folgen. Etwa 1 km hinter Weickersgrüben den CP-Schildern folgen.

Kirchzell, D-63931 / Bayern

AZUR Campingpark Odenwald	1 ADEFJMNOPRST	E 6
Am Campingplatz 1	2 BCOPRWXY	ABDEFGHIJ 7
1 Apr - 31 Okt	3 ABCKL	ABCDEFJNQRSV 8
+49 (0)9373-566	4 IO	Y 9
kirchzell@azur-camping.de	5 ACKL	ABFGHJMRV 10
	Anzeige auf Seite 361 B 16A CEE	❶ €27,00
N 49°36'25'' E 9°9'31''	H207 7 ha 120T(80-100m²) 220D	❷ €35,00

Bei Amorbach (B47 oder B469) in Richtung Eberbach/Kirchzell. 1 km hinter Kirchzell liegt der CP rechts. Von Eberbach aus 1 km am CP vorbei und dann wenden.

Großheubach am Main, D-63920 / Bayern

Am Leinritt	1 AEJMNOPRST	JNX 6
Kirchstraße 25	2 ACGOPRX	ABFGH 7
1 Apr - 31 Okt	3 B	ABCDEFNQRSV 8
+49 (0)9371-8387	4 FHIRST	GI 9
FAX +49 (0)9371-9185270	5 L	AHJLR 10
	B 16A CEE	❶ €21,50
N 49°43'36'' E 9°13'3''	H100 1,4 ha 40T 90D	❷ €29,50

B469 Aschaffenburg-Amorbach, Ausfahrt Großheubach, nach Mainbrücke an T-Kreuzung links. Im Ort links fahren. Am Ortsende ist der CP.

Kitzingen, D-97318 / Bayern

Schiefer Turm	1 ADEFJMNOPRST	AEFHJNWXYZ 6
Marktbreiterstr. 20	2 ACOPRVWX	ABDEFGHI 7
28 Mär - 26 Okt	3 A	ABCDFIJNPQR 8
+49 (0)9321-33125	4 H	D 9
info@camping-kitzingen.de	5 DIK	AHKNR 10
	16A CEE	❶ €19,50
N 49°43'54'' E 10°10'6''	H181 3 ha 70T(85-130m²) 81D	❷ €26,50

A3 Würzburg-Nürnberg Ausfahrt 72 Biebelried, dann die B8 Richtung Kitzingen. Am Stadtrand von Kitzingen direkt hinter der Mainbrücke rechts.

Issigau, D-95188 / Bayern

Schloss Issigau	1 ADEFJMNOPQRST	N 6
Altes Schloss	2 AOPRTUVWXY	ABDEFGHI 7
15/3 - 31/10, 16/12 - 8/1	3 AL	ABCDEFJLNQRS 8
+49 (0)9293-7173	4 FHIOPRST	DGIVW 9
info@schloss-issigau.de	5 AEIJKL	ABEFGHJR 10
	W 16A	❶ €20,00
N 50°22'28'' E 11°43'16''	H511 3,5 ha 40T(72-100m²) 13D	❷ €27,00

A9 Nürnberg-Berlin, Ausfahrt 31 Berg/Bad Steben. Dann links durch Berg und weiter bis Issigau.

Lichtenberg, D-95192 / Bayern

Lichtenberg	1 AFILNOPQRST	LNX 6
Campingplatz	2 ADGPRTWX	ABDEFG 7
1 Jan - 31 Dez	3 FL	ABEFJNQRV 8
+49 (0)9288-6870	4 I	9
info@vg-lichtenberg.de	5	ABHJLR 10
	W 16A CEE	❶ €15,00
N 50°22'25'' E 11°40'11''	H564 1 ha 58T 140D	❷ €17,00

B173 Kronach-Hof bei Naila Richtung Lichtenberg. Danach den Schildern 'Erholungszentrum' folgen.

Joditz (Auensee), D-95189 / Bayern

Auensee	1 AFILNOPQRST	LNX 6
Am Auensee 1	2 ADGOPRTWXY	ABDEFGH 7
1 Jan - 31 Dez	3 AEL	ABEFNQRV 8
+49 (0)9295-381	4 FHI	9
koeditz@landkreis-hof.de	5 DIK	AHJLRV 10
	W 16A CEE	❶ €14,80
N 50°22'29'' E 11°50'16''	H450 6 ha 40T 160D	❷ €17,80

A9 Ausfahrt 3 Berg/Bad Steben. Dann Richtung Joditz. Anschließend ist CP ausgeschildert. An der schmalen Einbahnstraße geradeaus. Schild 'Auensee' folgen.

Lichtenfels, D-96215 / Bayern

Maincamping	1 AEFJMNOPQRST	JKLNXZ 6
Krößwehrstr. 52	2 CDGIJOPSVWXY	ABDEFGHI 7
1 Apr - 15 Okt	3 ABLM	ABCDEFJNQRSV 8
+49 (0)9571-71729	4 FHI	V 9
info@maincamping.de	5 AL	ABFGHJOR 10
	B 16A CEE	❶ €15,10
N 50°9'22'' E 11°5'11''	H300 1 ha 85T(81-100m²) 45D	❷ €19,30

B173, Ausfahrt Lichtenfels-Ost/Oberwallenstadt. CP ist ausgeschildert.

Karlstadt am Main, D-97753 / Bayern

Am Schwimmbad	1 AFJMNORT	ABNX 6
Baggersweg 6	2 CGPRVWX	ABEFG 7
10 Apr - 15 Okt	3 AELMP	ABEFNQR 8
+49 (0)9353-996107	4 O	9
info@ campingplatz-karlstadt.de	5 ADEFKL	ABHINPR 10
	16A CEE	❶ €16,10
N 49°57'29'' E 9°45'45''	H160 1,3 ha 40T(80-95m²) 70D	❷ €19,30

B27 Würzburg-Zellingen-Karlstadt. Von Würzburg aus hinter dem ALDI-Supermarkt rechts. Über die Brücke, nach der Ampel links. CP-Schildern folgen.

Lohr am Main, D-97816 / Bayern

Mainufer	1 AFJMNOPRST	ABEFGHINXY 6
Jahnstraße 12	2 CGHOPSWX	ABDEFG 7
15 Apr - 15 Okt	3 AEFIM	ABEFJNQRT 8
+49 (0)163-7301846	4 FH	D 9
platzwart.mainufer@gmx.de	5 K	ABHIJR 10
	16A CEE	❶ €21,50
N 49°59'54'' E 9°34'58''	H150 2,2 ha 60T(80-90m²) 101D	❷ €28,50

A3 Frankfurt, Ausfahrt 63 Weibersbrunn, Richtung Lohr am Main, vorbei Lohr am Main B26 nehmen, bei McDonald's abzweigen, Schildern folgen.

Karlstein am Main, D-63791 / Bayern

Freizeitgebiet Großwelzheim	1 AEHKNOPRST	LMN 6
Kirchweg 1	2 ABDGHPRWX	ABDEFGHIJ 7
1 Jan - 31 Dez	3 BEFIL	ABCDEFJKNQRSUV 8
+49 (0)6188-5094	4 FHIO	9
camping.karlstein@t-online.de	5 BDEGIKL	ABHIJRZ 10
	B 6A CEE	❶ €18,50
N 50°3'30'' E 9°0'46''	H100 12 ha 100T(60-80m²) 450D	❷ €22,50

A45 Dortmund-Würzburg, Ausfahrt 45 Karlstein. B8 rechts Richtung Hanau. Direkt nach Karlstein am Main Schild 'Camping/Badesee' folgen.

Mehlmeisel, D-95694 / Bayern

Holderbach	1 AFJMNOPQRST	6
Schafgasse 14a	2 OPTVWX	ABFG 7
1 Jan - 31 Dez	3 LS	ABEFJNR 8
+49 (0)9272-387	4 HIO	D 9
info@ campingplatz-holderbach.de	5	ABGHJPR 10
	W 16A CEE	❶ €20,00
N 49°58'31'' E 11°51'9''	H650 0,8 ha 54T(bis 100m²) 26D	❷ €27,00

B303 Richtung Fichtelberg. Dort Richtung Mehlmeisel. Nach ca. 3 km braunen CP-Schildern folgen. Erster CP am Ortsrand.

Deutschland

Mehlmeisel, D-95694 / Bayern

Panorama Camp Fichtelgebirge
Klausenstraße 7
1 Jan - 31 Dez
+49 (0)9272-909444
panoramacamp@fichtelgebirge.de
N 49°58'14'' E 11°50'57''

1 AFILNOPQRT 6
2 PRTUVWXY ABDEFG 7
3 BL ABCDEFJNQR 8
4 FH 9
5 AK AJR10
W 16A CEE ❶ €19,00
H700 1,6 ha 30T 25D ❷ €25,00

B303 Richtung Fichtelberg. Hier Richtung Mehlmeisel. Den blauen CP-Schildern folgen. Nach ca. 3 km zweiter CP hinter dem Ort. Auf den Berg hoch. Der CP liegt am Waldrand.

Miltenberg a/d Main, D-63897 / Bayern

Mainwiese
Josef Wirthstraße 7
1 Apr - 30 Sep
+49 (0)9371-3985
reginaullrich1@aol.com
N 49°42'13'' E 9°15'15''

1 AEFJMNOPRST JNWX 6
2 CGOPRWXY ABDEFG 7
3 BEL ABCDEFJNQR 8
4 FH 9
5 BKL AGHKLR10
16A ❶ €18,50
H126 2,5 ha 80T(70-100m²) 60D ❷ €24,50

B469 Aschaffenburg-Amorbach, Richtung Miltenberg. Im Zentrum über Mainbrücke Richtung Klingenberg und dann gleich rechts.

Motten/Kothen, D-97786 / Bayern

Rhönperle
Zum Schmelzhof 36
1 Jan - 31 Dez
+49 (0)9748-450
info@camping-rhoenperle.de
N 50°22'25'' E 9°46'11''

1 ABFJMNOPQRST LX 6
2 ADOPRSUWX ABFG 7
3 L ABCDEFJNPQRV 8
4 FIR 9
5 AJ ABHJNPRV10
W 16A ❶ €20,00
H387 3 ha 80T(90m²) 12D ❷ €26,00

A7 Ausfahrt 94 Bad Brückenau-Volkers-Motten. B27 Richtung Fulda/Motten. Nach 6 km, CP im Ort Kothen, Gemeinde Motten.

Neustadt am Main, D-97845 / Bayern

Main Spessart Camping International
1 Apr - 30 Sep
+49 (0)9393-639
info@camping-neustadt-main.de
N 49°54'41'' E 9°35'3''

1 EFJMNOPRST ABFJNQSWXYZ 6
2 COPVWX BEFG 7
3 AEKL ABCDEFJNQRST 8
4 HIP V 9
5 ACDKL ABFGHJOR10
16A CEE ❶ €21,50
H164 5,6 ha 100T(90-130m²) 150D ❷ €28,50

A3 Frankfurt-Würzburg, Ausfahrt 65 Marktheidenfeld Richtung Lohr. Dann Richtung Neustadt. 2 km vor Neustadt CP am Main.

Pottenstein, D-91278 / Bayern

Bärenschlucht****
Bärenschlucht 1
1 Jan - 31 Dez
+49 (0)9243-206
info@baerenschlucht-camping.de
N 49°46'45'' E 11°23'7''

1 ADEFJMNOPQRST JNU 6
2 COPRUVWXY ABDEFGIJ 7
3 BKL ABCDEFJNQRSV 8
4 FH IJ 9
5 ABEIJKL ABEGHKR10
B 16A CEE ❶ €22,00
H400 5 ha 150T(50-120m²) 54D ❷ €28,40

A9 Ausfahrt 44 Pegnitz. Richtung Pottenstein. B470 ab Forchheim Richtung Pegnitz. Bei Km 10. A73 Forcheim-Nord über die B470.

Pottenstein, D-91278 / Bayern

Jurahöhe
Kleinlesau 9
1 Jan - 31 Dez
+49 (0)9243-9173
campingplatz-jurahoehe@gmx.de
N 49°47'54'' E 11°22'30''

1 AFJMNOPQRST 6
2 PRUVWX ABDFG 7
3 BK ABEFJNQRTUV 8
4 FH D 9
5 AEIKL ABFHJLR10
16A CEE ❶ €18,00
H468 1,6 ha 55T(81-125m²) 31D ❷ €24,00

Von Bamberg oder Würzburg via B470 nach Ebermannstadt. Via Behringermühle und Tüchersfeld nach Kleinlesau.

Schwarzach/Schwarzenau, D-97359 / Bayern

Mainblick****
Mainstraße 2
1 Apr - 31 Okt
+49 (0)9324-605
info@camping-mainblick.de
N 49°48'13'' E 10°13'2''

1 AFJMNOPRST ABJNQSWXYZ 6
2 ACGOPRSVWXY ABDEFGHI 7
3 AEKL ABCDFJKNQRSV 8
4 FHIOPQ DFIV 9
5 ABDEGIJKL ABFGHJLPR10
B 16A CEE ❶ €20,00
H123 2,9 ha 70T(85-100m²) 95D ❷ €26,00

A3, Ausfahrt 74 nach Kitzingen/Schwarzach/Dettelbach, Richtung Schwarzach/Dettelbach/Würzburg. Nach Hörblach rechts abbiegen auf die B22. Im Kreisverkehr die 3. Ausfahrt. CP-Schildern 'Schwarzenau' folgen.

Selb, D-95100 / Bayern

Halali-Park
Heidelheim 37
1 Apr - 31 Okt
+49 (0)9287-2366
info@halali-park.de
N 50°8'39'' E 12°3'4''

1 ADEFJMNOPQRST L 6
2 ADGPRTUWXY ABDEFGI 7
3 BV ABEFNQR 8
4 FHIO DI 9
5 ADEIKL ADGHJLOR10
16A CEE ❶ €18,60
H625 5,2 ha 80T 125D ❷ €23,60

A93, Ausfahrt 9 Selb-West/Marktleuthen. Bei Km 5,5 links Richtung Heidelheim. CP ist ausgeschildert. A9 Ausfahrt 37 Gefrees Richtung Selb. Von Marktleuthen den CP-Schildern folgen.

Sesslach/Coburg, D-96145 / Bayern

Sonnland
Bahnhofstraße 154
1 Jan - 31 Dez
+49 (0)9569-220
info@camping-sonnland.de
N 50°11'40'' E 10°50'17''

1 AFJMNOPQRS AN 6
2 CPRUVXY ABFG 7
3 AK ABFJNQRTU 8
4 FH JW 9
5 AKL AHJPRV10
16A CEE ❶ €20,00
H300 0,3 ha 50T(80-100m²) 29D ❷ €24,00

Ab der B279 Richtung Coburg via B303. In Oberelldorf Richtung Sesslach. Nach der Brücke vor dem Stadttor links. An der Kreuzung links Richtung Dietersdorf. Ausgeschildert.

Sommerach am Main, D-97334 / Bayern

Katzenkopf****
Am See 7
1 Apr - 25 Okt
+49 (0)9381-9215
FAX +49 (0)9381-6028
N 49°49'33'' E 10°12'3''

1 AEFJMNOPRST JLNQSWXYZ 6
2 ACDGHIOPRVWXY ABDEFGHI 7
3 AEFIKLM ABCDEFJKNPQRSTUV 8
4 FHIOPQ QRTUV 9
5 ABEJKL AGHJR10
B 6-16A CEE ❶ €21,60
H198 6 ha 169T(85-140m²) 100D ❷ €27,60

A3 Würzburg-Nürnberg, Ausfahrt 74 Kitzingen-Schwarzach. Anschließend Richtung Volkach. Nach 4 km Richtung Sommerach, dann beschildert.

Stadtsteinach, D-95346 / Bayern

CC€16

Camping Stadtsteinach
Badstraße 5
1 Mär - 30 Okt
+49 (0)9225-800394
info@camping-stadtsteinach.de
N 50°9'37'' E 11°30'57''

1 ACFJMNOPQRST ABFGO 6
2 GOPQRTUWXY ABDFGI 7
3 BLP ABCDEFJKNPQRV 8
4 EFHO GV 9
5 AEGIJK ABGHJOR10
Anzeige auf Seite 349 B 16A CEE ❶ €21,80
H350 3,5 ha 100T(90-110m²) 26D ❷ €27,10

A9 München-Berlin Ausfahrt Himmelkron/Stadtsteinach. Über die B303 Richtung Untersteinach/Kulmbach. Kurz vor Untersteinach im Kreisel rechts nach Stadtsteinach. Den CP-Schildern folgen.

Triefenstein/Lengfurt, D-97855 / Bayern

CC€18

Main-Spessart-Park*****
Spessartstraße 30
1 Jan - 31 Dez
+49 (0)9395-1079
info@camping-main-spessart.de
N 49°49'6'' E 9°35'18''

1 ADEFILNOPRST WXY 6
2 APRSUVWXY ABDEFG 7
3 AEFKLQV ABCDEFJKNQRSTUV 8
4 ABCHIKLO EI 9
5 ABEJKL ABCDFGHJLPRVX10
B 6-10A CEE ❶ €25,50
H155 9,5 ha 180T(90-110m²) 184D ❷ €32,50

A3 Ausfahrt 65 Marktheidenfeld. In Triefenstein/Lengfurt über die Brücke und dann den CP-Schildern folgen. Insgesammt 6 km. Oder A3 Ausfahrt 66 Wertheim. Am Main entlang Richtung Lengfurt. CP-Schildern folgen. Insgesammt 8 km.

Tüchersfeld/Pottenstein, D-91278 / Bayern

Campingplatz Fränkische Schweiz
Im Tal 1a
1 Apr - 15 Sep
+49 (0)9242-1788
info@campingplatz-fraenkische-schweiz.info
N 49°46'59'' E 11°21'59''

1 ADEFJMNOPQRST JNU 6
2 CGOPRVX ABDEFG 7
3 AK ABCDEFJNQR 8
4 FHIO 9
5 ABDKL ABGHKLOR10
16A CEE ❶ €29,70
H300 2 ha 150T 5D ❷ €36,90

A73 Ausfahrt 9 Forchheim-Süd. B470 via Ebermannstadt, Fränkische Schweiz, Richtung Weiden. 1. CP hinter Tüchersfeld. Zwischen Km-Pfahl 11,5 und 12.

Unterleichtersbach, D-97789 / Bayern

Aspenmühle
Waldstraße 1
1 Mai - 1 Nov
+49 (0)9741-2058
N 50°15'27'' E 9°49'4''

1 AFJMNOPRST 6
2 BCOPRUX ABFG 7
3 A ABEFJNQR 8
4 F I 9
5 EGJK AEHJR10
10A ❶ €11,50
H345 0,5 ha 20T(85-95m²) 41D ❷ €13,50

A7 Fulda-Würzburg, Ausfahrt 94 Bad Brückenau. B27 Richtung Hammelburg. Oder A7 Würzburg-Fulda, Ausfahrt 96 Oberthulba/Bad Kissingen, Richtung Reith bis B27. Richtung Bad Brückenau.

Untermerzbach, D-96190 / Bayern

Rückert Klause
Wüstenwelsberg 16
1 Apr - 31 Okt
FAX +49 (0)9533-288
N 50°8'15'' E 10°49'41''

1 AFJMNOPQRT 6
2 FPRTUWX ABDEFI 7
3 ABCDEFJNQRV 8
4 FI 9
5 KL ABFJR10
16A CEE ❶ €18,20
H356 1 ha 25T(60-100m²) 35D ❷ €22,20

Aus dem Westen via B279 nach Pfarrweisach-Lichtenstein-Wüstenwelsberg Richtung Untermerzbach. Via B4, Ausfahrt Kattenbrunn/Untermerzbach/Obermerzbach.

Teilkarte Nord-Bayern auf Seite 346

Deutschland

Volkach am Main, D-97332 / Bayern

Ankergrund	1 AFJMNOPRS	JNWXYZ 6
Fahrerstraße 7	2 CHOPRSVWX	BEFGI 7
1 Apr - 23 Okt	3 AEFLQ	ABCDEFIJNPQRSTU 8
+49 (0)9381-6713	4 FH	K 9
info@ campingplatz-ankergrund.de	5 ABDEIKL	ABGHIJNR 10
	16A CEE	❶ €22,70
N 49°52'9'' E 10°12'54''	H280 2 ha 75T(100-150m²) 60D	❷ €28,70

A3 Würzburg-Nürnberg, Ausfahrt 74 Kitzingen/Schwarzach. Sommerach/Volkach Beschilderung folgen, in Volkach ist der CP ausgeschildert.

Volkach/Escherndorf, D-97332 / Bayern

Campingplatz-Eschendorf-Mainschleife	1 ADEFILNOPRST	JNXYZ 6
An der Güß 9A	2 CIOPSVWX	ABEFG 7
30 Mär - 28 Okt	3 AKL	ABCDEFIJNQRSV 8
+49 (0)9381 2880	4 FHI	TW 9
info@campingplatz-mainschleife.de	5 ABHIKL	AFGHJORY 10
	B 16A CEE	❶ €23,50
N 49°51'36'' E 10°10'35''	H198 2 ha 60T(90-100m²) 40D	❷ €30,50

A7 Ausfahrt 101 Estenfeld/Würzburg Richtung Escherndorf. Schildern folgen.

Weißenstadt, D-95163 / Bayern

Am Weissenstädter See	1 ACFJMNOPQRST	ALMNQRSTXYZ 6
Badstraße 91	2 CDGIPSVWXY	ABDEFGH 7
1 Jan - 31 Dez	3 ABEKLMN	ABCDEFJKNQRSV 8
+49 (0)9253-288	4 EFHIO	TW 9
whuettel-stadtbad@t-online.de	5 ABDEGIJKLM	ABFGHJLMOR 10
	WB 10A CEE	❶ €19,30
N 50°6'28'' E 11°52'49''	H618 2,5 ha 150T(80-150m²) 81D	❷ €24,30

A9 Nürnberg-Berlin, Ausfahrt Gefees. Via Weissenstadt Richtung Selb. CP ist ausgeschildert.

Würzburg/Estenfeld, D-97230 / Bayern

Estenfeld	1 AFJMNOPQRST	6
Maidbronnerstr. 38	2 AOPRWX	ABDEFGHI 7
15 Mai - 10 Nov	3 AEK	ABCDEFJNQRSV 8
+49 (0)9305-228	4 HI	DG 9
cplestenfeld@freenet.de	5 ABDEKL	AFGHJLOR 10
	Anzeige auf dieser Seite 16A	❶ €20,50
N 49°49'57'' E 9°59'53''	H359 0,5 ha 50T(70-85m²) 7D	❷ €27,50

A7 Würzburg-Fulda, Ausfahrt 101 Würzburg/Estenfeld. B19 Richtung Estenfeld. CP ist ausgeschildert.

Deutschland

Mittel-Bayern

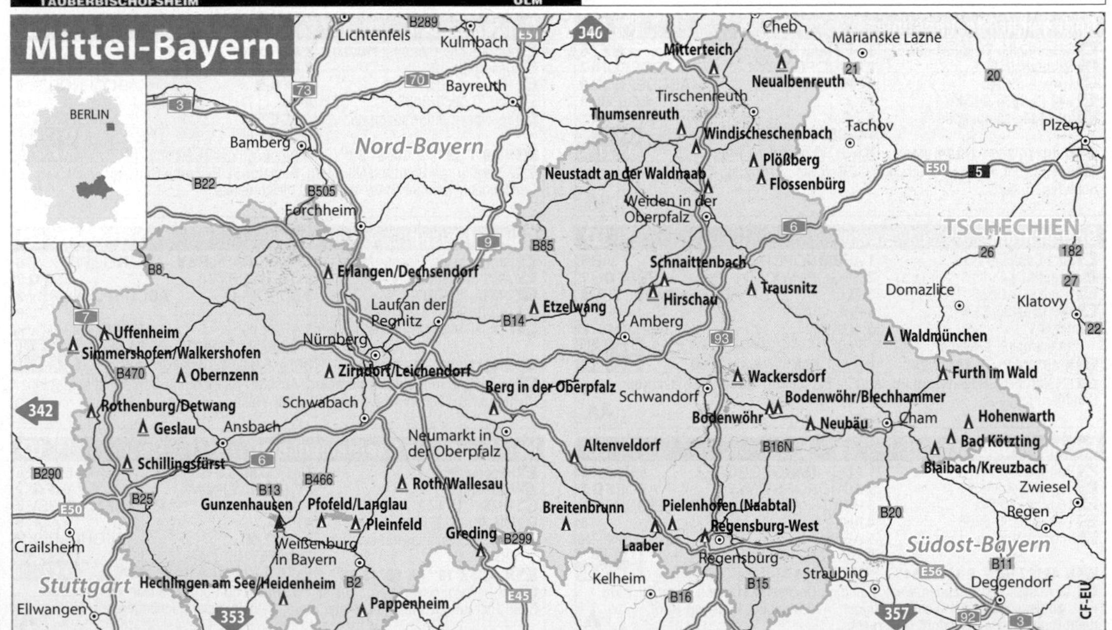

Deutschland

Altenveldorf, D-92355 / Bayern

Am Hauenstein
Seestraße 9
1 Jan - 31 Dez
+49 (0)9182-454
campingamhauenstein@t-online.de
N 49°13'1'' E 11°40'9''

1 AFJMNOPQRST A 6
2 APRWX ABFGH 7
3 AL ABCDEFJKNQRV 8
4 O F 9
5 ABEIK AHJR 10
B 16A CEE ❶ €21,00
H550 3,5 ha 100T(80-120m^2) 91D ❷ €29,00

A3 Nürnberg-Regensburg, Ausfahrt 93 Velburg. CP-Schildern folgen.

Bad Kötzting, D-93444 / Bayern

Am Flussfreibad
Jahnstraße 42
1 Jan - 31 Dez
+49 (0)9941-8124
info@camping-koetzting.de
N 49°10'47'' E 12°51'51''

1 AFJMNOPRST JNX 6
2 CGOPX ABFGH 7
3 B ABFJNQRV 8
4 FHI 9
5 DEIJKL ABGHIJRV 10
16A CEE ❶ €21,00
H500 1,4 ha 55T(80 100m^2) 30D ❷ €21,00

Von Cham B85 Richtung Regen. Bei Miltach Richtung Kötzting. CP wird in Kötzting auf blau-weißen Schildern Richtung Freibad angezeigt.

Berg in der Oberpfalz, D-92348 / Bayern

Camping in Berg
Hausheimer Straße 31
1 Jan - 31 Dez
+49 (0)9189-1581
campingplatz-herteis@t-online.de
N 49°19'47'' E 11°25'43''

1 AFJMNOPQRST 6
2 AFGPWX ABDEFGI 7
3 A ABCDEFHJKNQRSTV 8
4 FHI 9
5 AL AHJOR 10
16A CEE ❶ €20,00
H450 1,5 ha 63T(100m^2) 50D ❷ €27,00

A3 Nürnberg-Regensburg Ausfahrt 91 Oberölsbach, Richtung Neumarkt und Berg, weiter beschildert.

Blaibach/Kreuzbach, D-93476 / Bayern

Campingplatz Blaibach
Oberes Dorf 7
1 Mai - 3 Okt
+49 (0)9941-4128
info@aquahema.de
N 49°9'36'' E 12°48'31''

1 AILNOPQRST JNUV 6
2 BCGOPRSWXY ABFGH 7
3 AEFL ABCDEFJNQR 8
4 HI FQRUZ 9
5 A ABHIJRV 10
B 16A CEE ❶ €18,00
H380 40T(80-100m^2) 32D ❷ €24,00

Von Westen: A6/E50 Nürnberg Richtung Amberg. B93 Richtung Schwandorf, dann B85 Richtung Blaibach. Von Süden: A3 Passau, am Kreuz Deggendorf A92/B11 Richtung Regen. In Patersdorf B85 Richtung Cham. In Miltach die ST2140 nach Blaibach.

Bodenwöhr, D-92439 / Bayern

Weichselbrunn
Ludwigsheide 50
1 Apr - 10 Okt
+49 (0)9434-90070
info@campingweichselbrunn.de
N 49°16'37'' E 12°18'0''

1 AFJMNOPQRST LNX 6
2 BDHPTVWXY ABDEFGHJK 7
3 BLS ABCDEFIJKNQRS 8
4 AEFHILO DIPTV 9
5 BDEKL ABEGHJLMNOR 10
B 16A ❶ €24,00
H380 2 ha 89T(70-100m^2) 51D ❷ €31,00

Bodenwöhr liegt an der Straße Schwandorf-Roding-Cham. In Bodenwöhr-Zentrum ist der CP ausgeschildert.

Bodenwöhr/Blechhammer, D-92439 / Bayern

Seecamping Blechhammer
Bahnhofstraße 5
1 Apr - 15 Okt
+49 (0)9434-94240
info@see-camping.de
N 49°16'36'' E 12°19'40''

1 AFJMNOPRST LNXZ 6
2 DGHOPQTVWX ABDEFGHI 7
3 BKLM ABCDEFNQR 8
4 IO EGIPRV 9
5 EGJK ABGHJR 10
16A CEE ❶ €19,50
H379 1,5 ha 50T(80-100m^2) 80D ❷ €24,70

Bodenwöhr liegt an der Strecke B85 Schwandorf-Roding-Cham. In Bodenwöhr Schildern folgen.

Breitenbrunn, D-92363 / Bayern

Jura Camping Platz
Badstraße 4
1 Jan - 31 Dez
+49 (0)9495-337
info@juracamping-breitenbrunn.de
N 49°4'44'' E 11°37'24''

1 AFJMNOPQRST AB 6
2 BCGOPVWXY ABDEFGH 7
3 ALQ ABCDEFJNQRSTUV 8
4 FHI 9
5 AGKL AGHJOPR 10
16A CEE ❶ €14,00
H400 1,1 ha 95T(100m^2) 60D ❷ €19,00

A3 Nürnberg-Regensburg Ausfahrt 94 Parsberg/Dietfurt. In Breitenbrunn den Schildern folgen.

Erlangen/Dechsendorf, D-91056 / Bayern

Rangau
Campingstraße 44
15 Mär - 15 Okt
+49 (0)9135-8866
infos@camping-rangau.de
N 49°37'54'' E 10°56'51''

1 ADEFJMNOPQRST LNQSX 6
2 ADHOPQRSVWXY ABDEFG 7
3 BEKL ABCDEFJNQRS 8
4 FHIO V 9
5 AEJKL ABGHJMPR 10
B 10A CEE ❶ €21,50
H300 1,8 ha 113T(60-80m^2) 70D ❷ €28,50

A3 Ausfahrt 81 Erlangen-West, Richtung Dechsendorf. Nach ungefähr 2 km links abbiegen, dann CP-Schildern folgen. A73, Ausfahrt Erlangen-Nord, dann Richtung Dechsendorf. Dort rechts.

Etzelwang, D-92268 / Bayern

Frankenalb Camping
Nürnberger Straße 5
1 Jan - 31 Dez
+49 (0)9663-91900
frankenalb-camping@web.de
N 49°31'31'' E 11°34'55''

1 AFILNOPRT ABFG 6
2 CGOPVWXY ABDEFG 7
3 A ABCDEFJNQR 8
4 H 9
5 ABLR 10
W 16A CEE ❶ €17,50
H460 2,5 ha 40T 100D ❷ €22,50

B14 zwischen Lauf und Sulzbach-Rosenberg. Ausfahrt Etzelwang oder Neukirchen. CP liegt am Schwimmbad in Etzelwang.

Flossenbürg, D-92696 / Bayern

Campingplatz Gaisweiher
Gaisweiher 1
1 Jan - 31 Dez
+49 (0)9603-644
campingplatz-gaisweiher@t-online.de
N 49°44'41'' E 12°20'39''

1 AFJMNOPQRST LM 6
2 DGIPRUVWXY ABDEFGH 7
3 ABEFILPV ABCDEFJNQRV 8
4 FHI DG 9
5 K ABHJLOR 10
W 16A CEE ❶ €21,60
H700 9 ha 130T(75-90m^2) 142D ❷ €26,60

Die B22 Ausfahrt Neustadt an der Waldnaab/Altenstadt. In Neustadt Richtung Floß. Nach Floß Richtung Flossenbürg. Nach 3 km links Richtung Gaisweiher (weißes Schild).

Furth im Wald, D-93437 / Bayern

Einberg
Dabergerstraße 33
1 Apr - 31 Okt
+49 (0)9973-1811
drachencamping@gmail.com
N 49°18'36'' E 12°51'31''

1 AFJMNOPRST ABNPQSXY 6
2 CGPRVX BEFG 7
3 BEKL ABCDEFJNQRS 8
4 FI VZ 9
5 AGIJKLM ABFHJLNPRV 10
16A CEE ❶ €20,00
H400 2,5 ha 80T(80-100m^2) 8D ❷ €26,00

Von Cham aus B20 Richtung Fürth im Wald. Im Ort ist der CP an der Kirche mit Pfeilen ausgeschildert.

Geslau, D-91608 / Bayern

Mohrenhof
Lauterbach 3
1 Jan - 31 Dez
+49 (0)9867-94944
info@mohrenhof-franken.de
N 49°20'42'' E 10°19'26''

1 ADEJMNOPQRST LMN 6
2 ADFGHIPSW ABDEFGIJK 7
3 BCEFGHKLRV ABCDEFJNQRTUV 8
4 BFHIO FGIWY 9
5 ABEGIJKL ABDFGHJLMNPRV 10
16A CEE ❶ €27,50
H450 4 ha 58T(80-100m^2) 35D ❷ €34,50

A7 Ausfahrt 108 Rothenburg ob der Tauber. Richtung Geslau. Hinter Geslau links Richtung Lauterbach. Dort rechts Richtung CP.

Greding, D-91171 / Bayern

Bauer-Keller
Kraftsbucher Straße 1
1 Apr - 1 Okt
+49 (0)8463-64000
info@hotel-bauer-keller.de
N 49°2'26'' E 11°20'59''

1 JMNOPQRST 6
2 ABUW A 7
3 B AEFNQ 8
4 G 9
5 DGJ ANST 10
10A CEE ❶ €14,00
H300 1 ha 80T(40-60m^2) 24D ❷ €16,00

A9 München-Nürnberg, Ausfahrt 57 Greding. Genau gegenüber der Auffahrt nach München.

Gunzenhausen, D-91710 / Bayern

Altmühlsee-Camping Herzog
Seestraße 12
1 Jan - 31 Dez
+49 (0)9831-9033
post@camping-herzog.de
N 49°7'38'' E 10°44'38''

1 ACFJMNOPQRST MX 6
2 DGHPRSVWX BFG 7
3 BFILS ABCDFNQRSV 8
4 I 9
5 ACEFJK ABFGHIKOR 10
B 16A CEE ❶ €24,50
H408 4,5 ha 150T(100m^2) 78D ❷ €32,50

A6 Heilbronn Richtung Nürnberg, Ausfahrt 52 Richtung Gunzenhausen, vor Gunzenhausen hinter BMW-Werkstatt gleich rechts.

Gunzenhausen, D-91710 / Bayern

Campingplatz Fischer-Michl
Wald Seezentrum 4
1 Mär - 31 Okt
+49 (0)9831-2784
Fischer-Michl@t-online.de
N 49°7'32'' E 10°43'0''

1 ACEFJMOQRST LMNOQRSTXYZ 6
2 DGHIOPRVW BFG 7
3 BDFGHLQ ABCDEFJKNQRSV 8
4 TV 9
5 ABDEIK ABDEFGHIJPRW 10
Anzeige auf Seite 351 B 16A CEE ❶ €25,40
H415 4,5 ha 120T(120m^2) 40D ❷ €31,40

A6 Heilbronn Richtung Nürnberg, Ausfahrt 52 Richtung Gunzenhausen. Dann Richtung Nördlingen/Altmühlsee, Südufer-Wald.

Hechlingen am See/Heidenheim, D-91719 / Bayern

Hasenmühle
Hasenmühle 1
1 Mär - 15 Nov
+49 (0)9833-1696
campingplatz.hasenmuehle@t-online.de
N 48°58'18'' E 10°43'35''

1 AFGJMNORST LNQX 6
2 CDGHIOPRVWX ABFGI 7
3 A ABEFJNQRSV 8
4 FHI ADK 9
5 ABKLM ABFGHIJLRVX 10
16A CEE ❶ €19,00
H477 2 ha 33T(80-120m^2) 42D ❷ €27,00

A6 Heilbronn-Nürnberg, Ausfahrt 52 Richtung Gunzenhausen. Dann auf der B466 Richtung Nördlingen, weiter durch Ostheim nach Hechlingen.

Teilkarte Mittel-Bayern auf Seite 349

Hirschau, D-92242 / Bayern

Freizeitpark Monte Kaolino
Wolfgang Drossbachstraße 114
1 Jan - 31 Dez
+49 (0)9622-81502
info@montekaolino.eu
N 49°31'52'' E 11°57'58''

1 ADEFJMNOPQRST ABFGHIM 6
2 GHOPRVWXY ABDEFGHIJ 7
3 ABDFILUV ABCDEFJNQRSTV 8
4 BFHIO DEHW 9
5 ABDEIJK ABDFGHIJPRZ 10
Anzeige auf dieser Seite B 16A CEE ① €25,60
H450 3,3 ha 210T(60-100m²) 131D ② €33,60

In Hirschau-Zentrum an der der B14 angezeigt. Danach der Beschilderung folgen. Ca. 2 km südwestlich von Hirschau.

Hohenwarth, D-93480 / Bayern

Hohenwarth
Ferienzentrum 3
1/1 - 9/11, 8/12 - 31/12
+49 (0)9946 367
info@ campingplatz-hohenwarth.de
N 49°12'21'' E 12°55'27''

1 ADEFJMNOPQRST ELMNUX 6
2 CDGOPRTVX ABDEFGH 7
3 BEILQV ABCDEFJNRS 8
4 AEFIOST GIQRV 9
5 ACDEFGKL ABFGIJNOR 10
WB 16A CEE ① €23,65
H500 10 ha 280T(80-100m²) 122D ② €29,65

Straße Kötzingen-Bayerisch Eisenstein, nach ca. 6 km links ausgeschildert. Schildern zum CP folgen.

Laaber, D-93164 / Bayern

Hartlmühle
Hartlmühle 1
1 Jan - 31 Dez
+49 (0)9498-533
info@hartlmuehle.de
N 49°3'30'' E 11°54'19''

1 AFJMNOPQRST A 6
2 ABCFGOPUVWX ABDEFGHI 7
3 BKL ABCDEFJNQRSV 8
4 FHO IKQV 9
5 ABDEGILM ABHJLOPRV 10
B 16A ① €21,00
H372 5 ha 30T(80-120m²) 104D ② €27,00

Von der A3 Ausfahrt 96 Laaber, weiter den Schildern folgen.

Mitterteich, D-95666 / Bayern

Panorama und Wellness Cp. Großbüchlberg*****
Großbüchlberg 32
1 Jan - 31 Dez
+49 (0)9633-400673
camping@freizeithugl.de
N 49°58'23'' E 12°13'30''

1 ADEFJMNOPQRST 6
2 AFRSTUVWX ABDEFGH 7
3 IS ABCDEFIJNQRSTUV 8
4 FHI 9
5 ABEIJK AFGHJNPRX 10
WB 16A CEE ① €21,50
H605 1,6 ha 60T(80-110m²) 10D ② €27,50

A93 Ausf. 17 oder 16 dann Ri. Mitterteich. An der Ampel im Stadtzentrum Beschilderung 'Freizeithugl' folgen. Nach 200m links Ri. Großbüchlberg. In Großbüchlberg hinter dem Ortschild rechts und den CP-Schildern folgen.

Neualbenreuth, D-95698 / Bayern

Campingplatz Platzermühle
Platzermühle 2
1 Jan - 31 Dez
+49 (0)9638-912200
info@camping-sibyllenbad.de
N 49°58'15'' E 12°26'41''

1 AJMNOPQRST 6
2 FGPRSUVWX ABDEFGHI 7
3 BKLS ABCDEFJNQRTU 8
4 FHI I 9
5 AJKL ABGHJR 10
16A CEE ① €20,00
H550 1 ha 44T(100-120m²) 23D ② €26,00

A93 Ausfahrt Mitterteich-Süd, dann Neualbenreuth folgen.

Neubäu, D-93426 / Bayern

See-Campingpark****
Seestraße 4
1/1 - 31/10, 1/12 - 31/12
+49 (0)9469-331
r.notka@see-campingpark.de
N 49°14'9'' E 12°25'28''

1 AEFJMNOPQRST LMNQSX 6
2 BDGHOPRVWX ABDEFGH 7
3 BLM ABCDEFNQRS 8
4 OT EPT 9
5 EFJK ABGHJOPR 10
B 10A CEE ① €20,00
H360 4 ha 70T(70-90m²) 156D ② €26,00

Der CP liegt in Neubäu am See, an der Strecke B85 Schwandorf-Bodenwöhr-Roding-Cham.

Neustadt an der Waldnaab, D-92660 / Bayern

Waldnaab
Gramaustr. 64
1 Jan - 31 Dez
+49 (0)9602-3608
pfoster@ neustadt-waldnaab.de
N 49°44'15'' E 12°10'20''

1 AFJMNOPQRST FJN 6
2 ACGPVWXY ABDEFGI 7
3 BEL ABEFNQRV 8
4 FH 9
5 DI AFHJRV 10
16A CEE ① €12,90
H650 5 ha 40T(72-110m²) 15D ② €16,90

A93 Ausfahrt Neustadt-Nord. Dann ist der CP ausgeschildert.

Obernzenn, D-91619 / Bayern

See Camping Obernzenn
Urphertshofer Straße 17
1 Apr - 15 Okt
+49 (0)9844 1438
kamleiter@ seecamping-obernzenn.de
N 49°26'46'' E 10°27'23''

1 ADEFJMNOPQRST LMNQSXYZ 6
2 DFGHIJOPRSUVWX ABDEFG 7
3 ABFGHKL ABCDEFJKNQRTUV 8
4 FHIO DFW 9
5 AGKL ABFGHJLPRWX 10
16A CEE ① €18,00
H800 2,1 ha 49T(80-100m²) 35D ② €25,00

A7 Würzburg-Ulm, Ausfahrt 107 Bad Windsheim. B470 bis Illesheim. Rechts nach Obernzenn. Dort ist CP beschildert.

Pappenheim, D-91788 / Bayern

Natur-Camping
Badstraße 1
1 Apr - 31 Okt
+49 (0)9143-1275
info@camping-pappenheim.de
N 48°56'6'' E 10°58'10''

1 AEFJMNOQRT NX 6
2 CGOPRX ABDEF 7
3 A ABCDEFNQR 8
4 I 9
5 A ABHJLR 10
16A CEE ① €18,50
H404 15 ha 75T(100m²) 25D ② €26,50

Der CP liegt in Pappenheim. B2 Richtung Augsburg sofort nach Treuchtlingen links. Ausgeschildert.

Pfofeld/Langlau, D-91738 / Bayern

See Camping Langlau
Seestraße 30
1 Mär - 15 Nov
+49 (0)9834-96969
mail@seecamping-langlau.de
N 49°7'38'' E 10°51'52''

1 ACEFJMNOQRST LMNOQRSTXYZ 6
2 DGHPQRVWXY ABDEFGIJ 7
3 BEFILQ ABCDEFGIJKNOQRSV 8
4 BIOP LMOPTVWY 9
5 ACDEJKL ABHIJLPRVWZ 10
B 6A CEE ① €24,20
H428 12,4 ha 356T(100m²) 70D ② €30,70

A6 Heilbronn-Nürnberg, Ausfahrt 52 Richtung Gunzenhausen-Pleinfeld. Siehe Schild 'Seecamping Langlau am kleinen Brombachsee'.

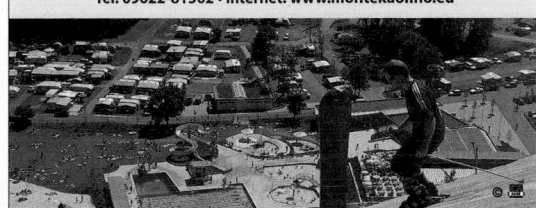

Deutschland

Pielenhofen (Naabtal), D-93188 / Bayern

Internationaler Campingplatz
Distelhausen 2
1 Jan - 31 Dez
+49 (0)9409-373
camping.pielenhofen@t-online.de
N 49°3'33'' E 11°57'37''

1 AFJMNOPQRST JMNXZ 6
2 ACGIPSVWXY ABDEFG 7
3 BELM ABCDEFJNQRS 8
4 FHIST JV 9
5 ABEGJKL ABGHJLMOR 10
B 10A CEE ① €23,35
H350 6 ha 100T(70-110m^2) 177D ② €30,85

A3 Nürnberg-Regensburg, Ausfahrt 97 Nittendorf. Über Etterzhausen nach Pielenhofen, gut ausgeschildert.

Pleinfeld, D-91785 / Bayern

Waldcamping Brombach
Sportpark 13
1 Jan - 31 Dez
+49 (0)9144-608090
info@waldcamping-brombach.de
N 49°6'46'' E 10°58'14''

1 ACDEFJMNOPQRST LMNQSXYZ 6
2 BDHIOPRSVWXY ABDEFGHIJ 7
3 ABEFHIKLMN ABCDFIJKLNQRSTUV 8
4 ABCEFHILNOSTZ EFGKTV 9
5 ACDEFGJKL ABFGHIJPTUVW 10
B 16A CEE ① €23,70
H418 14 ha 450T(100m^2) 268D ② €30,70

A6 Heilbronn Richtung Nürnberg, Ausfahrt 52 Richtung Gunzenhausen/Pleinfeld. CP-Schild 'Waldcamping Brombach' am großen Brombachsee.

Plößberg, D-95703 / Bayern

Plößberg
Großer Weiher Str. 22
1 Jan - 31 Dez
+49 (0)9636-91248
info@campingplatz-ploessberg.de
N 49°46'51'' E 12°19'30''

1 AFJMNOPQRST FLMNX 6
2 DGPRWX ABDEFGH 7
3 ABFIL ABCDEFJNQRV 8
4 FHIOPQ DPQTVW 9
5 ABDEFGIKL ABFGHJNOR 10
WB 16A CEE ① €24,20
H620 4 ha 100T(81-100m^2) 113D ② €32,40

A93 Richtung Regensburg-Hof, Ausfahrt 20 Windischeschenbach. Dan Richtung Plößberg. Den CP-Schildern folgen (großer Weiher).

Regensburg-West, D-93049 / Bayern

AZUR Campingpark Regensburg
Weinweg 40
1 Jan - 31 Dez
+49 (0)941-270025
regensburg@azur-camping.de
N 49°1'40'' E 12°3'32''

1 ADFJMNOPQRST NX 6
2 ACOPVWXY ABDEFGI 7
3 LM ABCDEFJKNQRS 8
4 IO 9
5 ABEGIK ABGHJLNOR 10
B 16A CEE ① €30,80
H333 2,5 ha 110T(60-80m^2) 50D ② €40,80

A93 Regensburg-Weiden, Ausfahrt 40 Regensburg-West. Dann ist CP gut ausgeschildert.

Roth/Wallesau, D-91154 / Bayern

Camping Waldsee
Badstraße 37
1 Jan - 31 Dez
+49 (0)9171-5570
info@camping-waldsee.de
N 49°11'21'' E 11°7'28''

1 ADFJMNOPQRST LNQSXZ 6
2 BDGIPRVWXY ABDEFG 7
3 AL ABCDEFJKNQRSTUV 8
4 BEHI DHJT 9
5 ABEIKL ABDEFGHIJOPR 10
B 16A CEE ① €20,00
H370 4 ha 70T(80-120m^2) 185D ② €27,00

A9 Nürnberg-München, Ausfahrt Allersberg Richtung Hilpoltstein. In Hilpoltstein rechts ab Richtung Roth/Eckersmühlen, bis Wallesau durchfahren. Am Ortseingang links.

Rothenburg/Detwang, D-91541 / Bayern

Tauber Idyll
Detwang 28A
28 Mär - 1 Nov
+49 (0)9861-3177
camping-tauber-idyll@t-online.de
N 49°23'16'' E 10°10'1''

1 AJMNOPQRST N 6
2 ACOPSWXY ABDEFGH 7
3 EK ABCDEFHJNQRV 8
4 FGH V 9
5 ABKL ABGHJOPR 10
16A CEE ① €20,20
H380 0,5 ha 40T(80-100m^2) ② €26,60

A7 Ausfahrt 108 Rothenburg. Dort Richtung Bad Mergentheim und 1 km nach Rothenburg bei Ortsschild Detwang links. Sofort links ausgeschildert.

Schillingsfürst, D-91583 / Bayern

Frankenhöhe
Fischhaus 2
1 Jan - 31 Dez
+49 (0)9868-5111
info@campingplatz-frankenhoehe.de
N 49°16'25'' E 10°15'57''

1 ADEFJMNOPQRST LMN 6
2 ADGPSTWXY ABDEFGHI 7
3 BKLQV ABCDEFHJNQRSV 8
4 FHIOQT DV 9
5 ABDGIKL ABDFGHJPRV 10
B 16A CEE ① €23,00
H450 2 ha 160T(100m^2) 66D ② €29,00

A7 Ausfahrt 109 Wörnitz, Richtung Schillingsfurst. In Schillingsfurst Richtung Dombuhl, CP ist ausgeschildert. 100m nach Fischhaus rechts.

Schnaittenbach, D-92253 / Bayern

Am Naturbad
Badstraße 13
1 Apr - 30 Sep
+49 (0)9622-1722
info@campingplatz.schnaittenbach.de
N 49°33'22'' E 12°0'23''

1 AFJMNOPQRST AFGM 6
2 DGPTVWXY ABFG 7
3 BEFLP ABEFJNQRSV 8
4 FHO 9
5 ADEI ABHJR 10
B 16A CEE ① €13,50
H410 5 ha 25T 134D ② €17,50

An der B14 Nürnberg-Lauf-Tschechische Grenze. Blau/weißen CP-Schildern folgen. Hinter der Autowerkstatt rechts, dem weißen Schild 'Am Naturbad' folgen.

Simmershofen/Walkershofen, D-97215 / Bayern

Camping-Paradies-Franken****
Walkershofen 40
1 Jan - 31 Dez
+49 (0)9848-969633
camping-paradies-franken@web.de
N 49°31'21'' E 10°7'28''

1 ABFJMNOPRST N 6
2 AFGOPRVW ABDEFGHI 7
3 BL ABCDEFJNQRSTUV 8
4 FHX V 9
5 ABEGJKL AGHJOR 10
B 16A CEE ① €25,00
H334 1,5 ha 50T(80-140m^2) ② €32,80

Von N (A7) Ausf. 105 Richtung Aub, von Gollachostheim den CP-Schildern folgen. Von S Ausfahrt 106 Ri. Bad Mergentheim, von Langensteinach dann den CP-Schildern folgen.

Thumsenreuth, D-92703 / Bayern

Campingplatz Am Erlenweiher
Erlenweg 10
1 Apr - 31 Okt
+49 (0)9682-737
info@erlenweiher.de
N 49°51'24'' E 12°6'16''

1 AFJMNOPQRST LMN 6
2 ADGIJPSVWX ABFG 7
3 ABFGLQ ABEFJQRV 8
4 FH 9
5 AEIKL ABGHJPRW 10
B 16A CEE ① €20,30
H450 10 ha 45T(70-110m^2) 70D ② €26,30

A93 Ausfahrt 19. Richtung Erbendorf folgen.

Trausnitz, D-92555 / Bayern

Trausnitz Camping
Campingplatz 1
1 Jan - 31 Dez
+49 (0)9655-1304
info@campingplatz-trausnitz.de
N 49°31'15'' E 12°16'43''

1 AFJMNOPQRST LMNXZ 6
2 ADGJPRUVWXY ABDEFG 7
3 BL ABCDEFJKNQRSTU 8
4 OPQ P 9
5 ABKL ABGHJR 10
B 16A CEE ① €19,60
H650 3 ha 50T 176D ② €22,60

A93 Hof-Regensburg, Ausfahrt 29 Pfreimd. Dann Richtung Trausnitz. Vor Trausnitz Richtung Tännesberg. CP ausgeschildert.

Uffenheim, D-97215 / Bayern

Camping Uffenheim
Sportstrasse 3
30 Mär - 3 Nov
+49 (0)9842-1568
info@camping-uffenheim.de
N 49°32'37'' E 10°13'29''

1 JMNOPRST ABFGH 6
2 AGPWX ABDEFGH 7
3 EGM ABEFNQRS 8
4 FH 9
5 BDK AHJOR 10
16A CEE ① €19,00
H328 2 ha 48T(60-85m^2) ② €24,00

Aus dem Norden: A7, Ausfahrt Gollhofen. B13 Uffenheim. Aus dem Süden: A7, Ausfahrt Langensteinach/Uffenheim. B25 Uffenheim. In Uffenheim Richtung Bad Mergentheim. Schildern folgen. An Schild 'Hallenbad' links.

Wackersdorf, D-92442 / Bayern

Camping Murner See****
Sonnenriederstraße 1
1 Apr - 31 Okt
+49 (0)9431-385797
info@see-camping.de
N 49°20'44'' E 12°12'31''

1 AEFJMNOPQRST LOQSXZ 6
2 ADGHPVWX ABDEFGH 7
3 BEIKL ABCDEFIJKNQRSTV 8
4 E 9
5 ABGJKL ABGHJLOR 10
B 16A CEE ① €22,30
H380 14 ha 150T(120-150m^2) 102D ② €28,70

A93 Regensburg-Weiden-Hof, Ausfahrt 33 Schwandorf, dann B85 Richtung Wackersdorf. Ausgeschildert.

Waldmünchen, D-93449 / Bayern

Ferienpark Perlsee
Alte Ziegelhütte 6
1 Jan - 31 Dez
+49 (0)9972-1469
info@ferienpark-perlsee.de
N 49°23'43'' E 12°41'54''

1 AFJMNOPRST LMNQSXYZ 6
2 DGHKPRTUVX ABDEFGHIJ 7
3 ABEILSV ABCDEFJNQRS 8
4 EFHI KTVW 9
5 ABDEJKL ABFGHJLOR 10
WB 16A CEE ① €22,10
H550 5 ha 250T(80-120m^2) 80D ② €29,30

Von Cham über die B22 und B85 nach Waldmünchen. Im Ort geradeaus bis zum 2. Kreisel, dann die 1. links (scharfe Kurve). Den CP-Schildern folgen.

Windischeschenbach, D-92670 / Bayern

Schweinmühle
Schweinmühle
1 Apr - 15 Okt
+49 (0)9681-1359
info@schweinmuehle.de
N 49°49'12'' E 12°8'46''

1 ADEFJLNOPQRST LN 6
2 ACDGOPWXY ABDEFGHI 7
3 ABGHLS ABCDEFJKNQRSV 8
4 FH EI 9
5 ABEIKL AGHJLRV 10
16A CEE ① €19,80
H600 1,7 ha 55T(ab 100m^2) 46D ② €26,50

A93 Hof-Regensburg, Ausfahrt 20 Richtung Windischeschenbach. Den CP-Schildern folgen, ca. 5 km von der Autobahn.

Zirndorf/Leichendorf, D-90513 / Bayern

Zur Mühle
Seewaldstraße 75
1 Apr - 31 Dez
+49 (0)911-693801
camping.walther@t-online.de
N 49°25'53'' E 10°55'34''

1 ADEFJMNOPQRST 6
2 AOPVWX ABDEFGHI 7
3 BL ABCDEFJNQRSTUV 8
4 O 9
5 ABEIKL ABGHJOR 10
16A CEE ① €19,00
H303 3 ha 50T(80-100m^2) 180D ② €24,00

A3 Kreuz Fürth/Erlangen Richtung Fürth bis Ausfahrt Nürnberg-West. Über Rothenburgstraße Richtung Großhabersdorf. CP ab hier beschildert.

Teilkarte Mittel-Bayern auf Seite 349

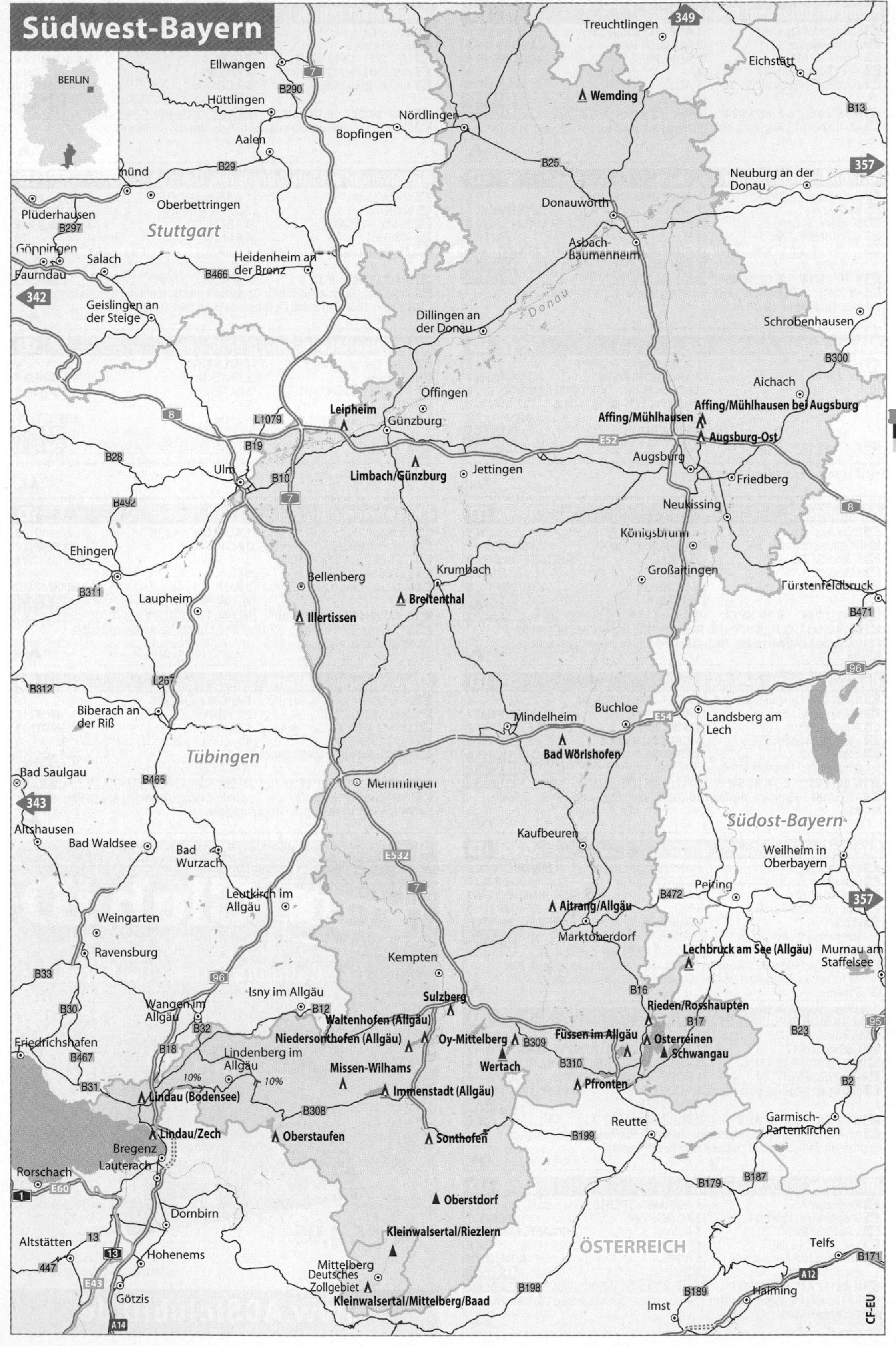
Südwest-Bayern
BERLIN
Ellwangen
Hüttlingen
Aalen
Nördlingen
Bopfingen
Treuchtlingen
349
Eichstätt
Wemding
Neuburg an der Donau
357
Donauwörth
Asbach-Baumenheim
Oberbettringen
Plüderhausen
Stuttgart
Göppingen
Salach
Faurndau
Heidenheim an der Brenz
342
Geislingen an der Steige
Dillingen an der Donau
Donau
Schrobenhausen
Aichach
Offingen
Leipheim
Günzburg
Affing/Mühlhausen bei Augsburg
Affing/Mühlhausen
Augsburg-Ost
Augsburg
Friedberg
Limbach/Günzburg
Jettingen
Ulm
Neukissing
Ehingen
Königsbrunn
Bellenberg
Krumbach
Großaitingen
Fürstenfeldbruck
Laupheim
Breitenthal
Illertissen
Biberach an der Riß
Mindelheim
Buchloe
Landsberg am Lech
Bad Wörlshofen
Tübingen
Bad Saulgau
Memmingen
343
Altshausen
Bad Waldsee
Bad Wurzach
Kaufbeuren
Südost-Bayern
Weilheim in Oberbayern
Leutkirch im Allgäu
Peiting
Weingarten
Aitrang/Allgäu
Marktoberdorf
Ravensburg
Kempten
Lechbruck am See (Allgäu)
Murnau am Staffelsee
Isny im Allgäu
Sulzberg
Wangen im Allgäu
Rieden/Rosshaupten
Waltenhofen (Allgäu)
Niedersonthofen (Allgäu)
Oy-Mittelberg
Füssen im Allgäu
Osterreinen
Schwangau
Friedrichshafen
Lindenberg im Allgäu
Wertach
Missen-Wilhams
Pfronten
Immenstadt (Allgäu)
Lindau (Bodensee)
Garmisch-Partenkirchen
Reutte
Lindau/Zech
Oberstaufen
Sonthofen
Bregenz
Lauterach
Rorschach
Oberstdorf
Dornbirn
Kleinwalsertal/Riezlern
Altstätten
ÖSTERREICH
Telfs
Hohenems
Mittelberg Deutsches Zollgebiet
Kleinwalsertal/Mittelberg/Baad
Götzis
Imst
Haiming
CF-EU

Deutschland

Affing/Mühlhausen, D-86444 / Bayern

Ludwigshof am See
Augsburgerstr. 36
1 Apr - 31 Okt
+49 (0)8207-961724
info@bauer-caravan.de

1 ADEFILNOQRST HLMX 6
2 ADGIJOPWX ABDEFGH 7
3 ABELMQ ABCDEFNR 8
4 9
5 ADJK AHIJLPR 10
16A CEE ❶ €21,50
H451 12 ha 50T(100m²) 290D ❷ €29,50

N 48°25'55'' E 10°55'24''

A8 Ausfahrt 73 Augsburg-Ost, Richtung Neuburg a/d Donau, nach 2,5 km CP links.

Affing/Mühlhausen bei Augsburg, D-86444 / Bayern

Lech Camping GmbH*****
Seeweg 6
30 Mär - 30 Sep
+49 (0)8207-2200
info@lech-camping.de

1 ADEFJMNOPQRT LP 6
2 ADGJOPWXY ABDEFGHK 7
3 BELS ABCDEFIJKLNQRSV 8
4 H KMTV 9
5 ABEFJKL ABGHIKMNPTUVZ 10
B 10A CEE ❶ €31,50
H484 3 ha 50T(100-120m²) ❷ €39,50

N 48°26'14'' E 10°55'45''

A8 Ausfahrt 73 Augsburg-Ost, Richtung Neuburg, am Flugplatz vorbei. Nach ein paar km kommt der CP rechts.

Aitrang/Allgäu, D-87648 / Bayern

Elbsee*****
Am Elbsee 3
1 Jan - 31 Dez
+49 (0)8343-248
info@elbsee.de

1 ACDEJMNOPQRST LMN 6
2 ABDGIOPRVWXY ABDEFGHI 7
3 BCEFHLMQRU ABCDEFGIJKLMNQRSTUV 8
4 BDEFHILOPQRSTVXZ GILPUVW 9
5 ABDEHJKL ABEFGHIJNOPRXZ 10
WB 16A CEE ❶ €34,55
H750 4 ha 120T(80-110m²) 192D ❷ €42,15

N 47°48'10'' E 10°33'14''

A7 Ulm-Kempten, Ausfahrt 134. B12 Richtung Kaufbeuren. Nach Unterthingau den Schildern nach Aitrang Elbsee folgen.

Augsburg-Ost, D-86169 / Bayern

Bella Augusta
Mühlhauser Straße 54b
1 Jan - 31 Dez
+49 (0)821-707575
info@caravaningpark.de

1 AEJMNOPQRST LN 6
2 ADGIJPRSVWXY ABDEFGH 7
3 BFKLQS ABCDEFIJNQRS 8
4 DGIV 9
5 ABDEFJK AGHIJNPRV 10
16A CEE ❶ €25,80
H464 6,6 ha 60T(bis 120m²) 100D ❷ €33,40

N 48°24'44'' E 10°55'24''

A8, Ausfahrt 73 Augsburg-Ost, Richtung Neuburg a/d Donau, Richtung Flugplatz, erste Ampel rechts, nach 200m CP rechts an der Mühlhauser Straße.

Bad Wörishofen, D-86825 / Bayern

Kur & Vital Campingplatz
Walter-Schulz-Str. 4
1 Jan - 31 Dez
+49 (0)8247-9973735
info@kurcamping-bad-woerishofen.de

1 ADEFJMNOPQRST 6
2 AOPRVWX ABDEFGH 7
3 GIKLMNO ABCDEFJNPQRV 8
4 IORSTUVWXZ GIUVW 9
5 ABEFIKL ABGHIJORX 10
10A ❶ €26,70
H618 1,2 ha 50T(60-90m²) 17D ❷ €32,50

N 48°1'27'' E 10°35'54''

A96 Lindau-München, Ausfahrt 19 Bad Wörishofen. Dann den CP-Schildern folgen.

Breitenthal, D-86488 / Bayern

See Camping Günztal
Oberrieder Weiherstraße 5
28 Mär - 8 Nov
+49 (0)8282-881870
info@see-camping-guenztal.de

1 AEFILNOPQRST LMNOPQRSX 6
2 CDFGIRSVW ABDEFGJ 7
3 AFLQ ABCDEFJKNQRSTUV 8
4 HO DFKMPTW 9
5 ABDEGK ABFGHJLNPRV 10
10A CEE ❶ €21,00
H515 2,5 ha 90T(80-100m²) 37D ❷ €30,00

N 48°13'39'' E 10°17'32''

A8 Stuttgart-München, Ausfahrt 67 Günzburg Richtung Krumbach. Hier rechts halten bis Breitenthal und der Oberrieder Weiherstraße folgen. Siehe CP-Schilder.

Füssen im Allgäu, D-87629 / Bayern

Hopfensee
Fischerbichl 17
1/1 - 3/11, 17/12 - 31/12
+49 (0)8362-917710
info@camping-hopfensee.com

1 AEFJMOPQRS ELNQSXZ 6
2 ADFGIJOPRSTUVWXY ABCDEFGH 7
3 ABCELMSU ABCDEFJKLNQRSTUV 8
4 BCDEFHOQRSTVXYZ IJUVWY 9
5 ACDEFGJK ABEFGHIJMNPR 10
WB 16A CEE ❶ €37,60
H800 8 ha 377T(80-120m²) 10D ❷ €50,60

N 47°36'7'' E 10°41'0''

A7 Ausfahrt Hopferau. Voor Hopferau rechts Richtung Hopfen am See. Hopfen am See ganz durch, danach liegt der CP rechts.

Illertissen, D-89257 / Bayern

Illertissen***
Dietenheimerstraße 91
1 Apr - 31 Okt
+49 (0)7303-7888
campingplatz-illertissen@t-online.de

1 ADFJMNOPQRST A 6
2 ACGOPWX BEFGI 7
3 A ABCDEFJNPQRS 8
4 DE 9
5 ABKL ABHJOR 10
B 16A ❶ €24,50
H513 3 ha 50T(70-80m²) 106D ❷ €32,50

N 48°12'44'' E 10°5'17''

A7 Ulm-Memmingen, Ausfahrt 124 Illertissen. Dann Richtung Dietenheim. Dort ausgeschildert.

Immenstadt (Allgäu), D-87509 / Bayern

Alpsee Camping****
Seestraße 25
1/1 - 2/11, 13/12 - 31/12
+49 (0)8323-7726
mail@alpsee-camping.de

1 AEFILNOPQRST LNQRST 6
2 DFGJOPVWX BDEFGH 7
3 BLM ABFJKNQRS 8
4 FHOT VW 9
5 ABDGIKL ABGHIJMPR 10
WB 16A ❶ €30,40
H730 3 ha 215T(80-110m²) 20D ❷ €45,20

N 47°34'22'' E 10°11'37''

Alpenstraße 308 in Bühl verlassen, links den CP-Schildern folgen.

Kleinwalsertal/Mittelberg/Baad, D-87569 / Bayern

Vorderboden****
Vorderboden 1
20 Mai - 10 Okt
+43 05517-6138
info@camping-vorderboden.at

1 AFILNOPQRST NU 6
2 CFOPRSVWX BEFG 7
3 ABLS BDFJNQRS 8
4 EFHIO I 9
5 ABFK ABFGHJPTUV 10
16A ❶ €25,60
H1250 1,2 ha 80T(80-120m²) 7D ❷ €33,60

N 47°18'45'' E 10°8'2''

B19 Kempten-Sonthofen. Vor Oberstdorf rechts, Richtung Kleinwalsertal. L201 folgen Richtung Baad. Dort befindet sich der CP links.

Kleinwalsertal/Riezlern, D-87567 / Bayern

Alpen Camping Haller**
Köpfleweg 10
1/1 - 13/11, 15/12 - 31/12
+43 05517-5343
christof_haller@gmx.de

1 AILNORT 6
2 FNOPRUVX ABDFG 7
3 BLPS BFJNQR 8
4 EI 9
5 EIJK ABFJPRV 10
W 10A CEE ❶ €27,80
H1150 1 ha 20T(60-80m²) 40D ❷ €35,80

N 47°21'25'' E 10°11'14''

B19 Kempten-Sonthofen vor Oberstdorf Kleinwalsertal rechts. Im Zentrum Riezlern gegenüber der Kirche links.

Kleinwalsertal/Riezlern, D-87567 / Bayern

Jochum*
Walserstraße 10
1/1 - 25/10, 10/12 - 31/12
+43 05517-5792
info@camping-jochum.at

1 ADFILNOPQRST 6
2 FOPQRSX BEFG 7
3 BCDFJNQR 8
4 I K 9
5 AK ABGHKMPR 10
W 10A ❶ €25,70
H1100 1 ha 40T(60m²) 40D ❷ €32,90

N 47°21'46'' E 10°11'40''

B19 Kempten-Sonthofen vor Oberstdorf rechts, nach Kleinwalsertal. Erster CP rechts.

Kleinwalsertal/Riezlern, D-87567 / Bayern

Zwerwald***
Zwerwaldstraße 29
13/5 - 31/10, 12/12 - 18/4
+43 05517-5727
specht@camping-zwerwald.de

1 AFGILNOPQRS U 6
2 CFPRVX BEFH 7
3 BL BFJNQRS 8
4 9
5 ABK ABFHJLR 10
W 16A CEE ❶ €26,70
H1100 2 ha 100T(80-100m²) 10D ❷ €34,90

N 47°21'1'' E 10°10'46''

B19 Kempten-Sonthofen, vor Oberstdorf rechts, Richtung Kleinwalsertal. Nach Kirche in Riezlern links, den Schildern folgen.

Deutschland

Teilkarte Südwest-Bayern auf Seite 353

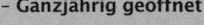

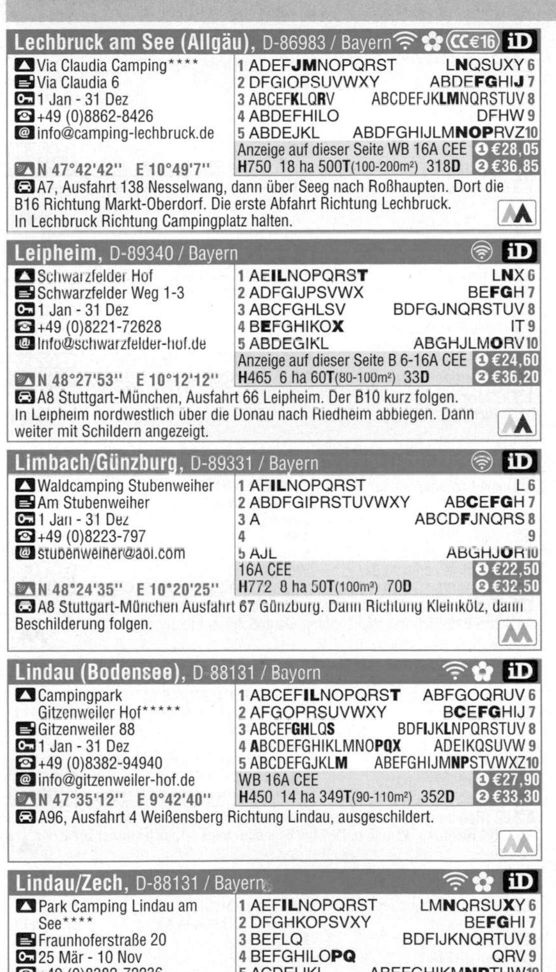

Lechbruck am See (Allgäu), D-86983 / Bayern

Via Claudia Camping****
Via Claudia 6
1 Jan - 31 Dez
+49 (0)8862-8426
info@camping-lechbruck.de
N 47°42'42'' E 10°49'7''

1 ADEF**JM**NOPQRST — L**N**QSUXY 6
2 DFGIOPSUVWXY — ABDE**FG**HI**J** 7
3 ABCEF**K**LQ**R**V — ABCDEFJK**LM**NQRSTUV 8
4 ABDEFHILO — DFHW 9
5 ABDEJKL — ABDFGHIJLM**NOP**RVZ 10
Anzeige auf dieser Seite WB 16A CEE — ❶ €28,05
H750 18 ha 500T(100-200m²) 318**D** — ❷ €36,85

A7, Ausfahrt 138 Nesselwang, dann über Seeg nach Roßhaupten. Dort die B16 Richtung Markt-Oberdorf. Die erste Abfahrt Richtung Lechbruck. In Lechbruck Richtung Campingplatz halten.

Niedersonthofen (Allgäu), D-87448 / Bayern

Camping Zeh am See / Allgäu****
Burgstraße 27
1 Jan - 31 Dez
+49 (0)8379-7077
info@camping-zeh-am-see.de
N 47°37'49'' E 10°14'45''

1 AEF**IL**NOPQRST — LM**N**QS**XY** 6
2 CDFGHJOPSVWX — BE**FGI** 7
3 ABF**KL** — BDFJ**L**NQRSV 8
4 DFHIKOP — P 9
5 ABDEJKL — ABFGHIJL**NP**RX 10
WB 16A — ❶ €23,00
H720 1,7 ha 60T(80-100m²) 50**D** — ❷ €31,00

A7 Ulm-Kempten, Ausfahrt 136. A980 bis Ausfahrt Waltenhofen. Dann B19 Richtung Immenstadt bis Ausfahrt Niedersonthofen. Nicht in Memhölz abfahren, sondern weiter geradeaus nach Niedersonthofen.

Leipheim, D-89340 / Bayern

Schwarzfelder Hof
Schwarzfelder Weg 1-3
1 Jan - 31 Dez
+49 (0)8221-72628
info@schwarzfelder-hof.de
N 48°27'53'' E 10°12'12''

1 AE**IL**NOPQRS**T** — LNX 6
2 ADFGIJPSVWX — BE**FGH** 7
3 ABCFGHLSV — BDFGJNQRSTUV 8
4 B**E**FGHIKO**X** — IT 9
5 ABDEGIKL — ABGHJLM**O**RV 10
Anzeige auf dieser Seite B 6-16A CEE — ❶ €24,60
H465 6 ha 60T(80-100m²) 33**D** — ❷ €36,20

A8 Stuttgart-München, Ausfahrt 66 Leipheim. Der B10 kurz folgen. In Leipheim nordwestlich über die Donau nach Riedheim abbiegen. Dann weiter mit Schildern angezeigt.

Limbach/Günzburg, D-89331 / Bayern

Waldcamping Stubenweiher
Am Stubenweiher
1 Jan - 31 Dez
+49 (0)8223-797
stubenweiher@aol.com
N 48°24'35'' E 10°20'25''

1 AF**IL**NOPQRST — L 6
2 ABDFGIPRSTUVWXY — AB**CEFG**H 7
3 A — ABCD**F**JNQRS 8
4 — 9
5 AJL — ABGHJ**OR** 10
16A CEE — ❶ €22,50
H772 8 ha 50T(100m²) 70**D** — ❷ €32,50

A8 Stuttgart-München Ausfahrt 67 Günzburg. Dann Richtung Kleinkötz, dann Beschilderung folgen.

Oberstaufen, D-87534 / Bayern

Aach**
Aach 1
1 Jan - 31 Dez
+49 (0)8386-363
info@camping-aach.de
N 47°31'23'' E 9°58'21''

1 ADEF**IL**NOPQRST — 6
2 FOPRTUVX — BE**FGH** 7
3 B**K**LS — BD**F**JNQRS 8
4 I**PST** — EI 9
5 ABDEGIJK — ABHIJNRY 10
W 16A CEE — ❶ €24,60
H670 2 ha 50T(60-80m²) 53**D** — ❷ €35,20

Alpenstraße 308 Lindau-Sonthofen, in Oberstaufen rechts Richtung Aach. Nach 7 km CP links.

Lindau (Bodensee), D-88131 / Bayern

Campingpark Gitzenweiler Hof*****
Gitzenweiler 88
1 Jan - 31 Dez
+49 (0)8382-94940
info@gitzenweiler-hof.de
N 47°35'12'' E 9°42'40''

1 ABCEF**IL**NOPQRS**T** — ABFGOQRUV 6
2 AFGOPRSUVWXY — B**CEFG**HIJ 7
3 ABCEF**GH**L**QS** — BDF**I**JK**L**NPQRSTUV 8
4 ABCDEFGHIKLMNO**PQX** — ADEIKQSUVW 9
5 ABCDEFGJKL**M** — ABEFGHIJM**NP**STVWXZ 10
WB 16A CEE — ❶ €27,90
H450 14 ha 349T(90-110m²) 352**D** — ❷ €33,30

A96, Ausfahrt 4 Weißensberg Richtung Lindau, ausgeschildert.

Oberstdorf, D-87561 / Bayern

Oberstdorf
Rubinger Straße 16
1 Jan - 31 Dez
+49 (0)8322-6525
camping-oberstdorf@t-online.de
N 47°25'23'' E 10°16'37''

1 AF**IL**NOPQRST — 6
2 FPQRSVX — BE**FGI** 7
3 B**MP** — BDFJNQRTUV 8
4 EFHI — KV 9
5 ADEIKL — ABEFGHK**PR** 10
W 16A CEE — ❶ €25,75
H850 1,6 ha 115T(70-100m²) 46**D** — ❷ €25,75

B19 Kempten-Sonthofen, vor Zentrum Oberstdorf links, CP-Schildern folgen.

Lindau/Zech, D-88131 / Bayern

Park Camping Lindau am See****
Fraunhoferstraße 20
25 Mär - 10 Nov
+49 (0)8382-72236
info@park-camping.de
N 47°32'14'' E 9°43'42''

1 AEF**IL**NOPQRST — LM**N**QRSU**X**Y 6
2 DFGHKOPSVXY — BE**FGH**I 7
3 BEFLQ — BDFIJKNQRTUV 8
4 BEFGHILO**PQ** — QRV 9
5 ACDEIJKL — ABEFGHIKM**NP**TUW 10
B 16A CEE — ❶ €28,40
H400 5,5 ha 270T(70-100m²) 60**D** — ❷ €34,80

E121 Friedrichshafen-Lindau Richtung Österreichische Grenze. CP-Schildern folgen. CP liegt vor der Grenze rechts.

Oberstdorf, D-87561 / Bayern

Rubi-Camp Oberstdorf
Rubinger Straße 34
1/1 - 31/10, 15/12 - 31/12
+49 (0)8322-959202
info@rubi-camp.de
N 47°25'25'' E 10°16'46''

1 AF**IL**NOPQRS**T** — 6
2 FOPSVW — BDE**FG**IJ 7
3 A**HMNP** — ABCDFIJK**L**NQRSTUV 8
4 FH — IW 9
5 ADGIKL — ABEFGHJM**P**TV 10
WB 16A CEE — ❶ €32,20
H800 1,8 ha 100T(60-100m²) 4**D** — ❷ €41,10

B19 Kempten-Sonthofen-Oberstdorf. Kurz vor dem Zentrum Oberstdorf links. Von hier ab noch ca. 500m. 2. CP rechts der Straße.

Missen-Wilhams, D-87547 / Bayern

Campingplatz Wiederhofen**
Zur Thaler Höhe 12
1 Jan - 31 Dez
+49 (0)8320-481
info@campingplatz-wiederhofen.de
N 47°35'14'' E 10°6'45''

1 AFG**IL**NOPRT — 6
2 CFPRTVWX — ABE**FG** 7
3 L — ABFJNQR 8
4 I**T** — D 9
5 ADGIK — ABHJTUV 10
Anzeige auf dieser Seite W 6A CEE — ❶ €23,70
H950 1,2 ha 35T(60-100m²) 55**D** — ❷ €30,90

Deutsche Alpenstraße 308 Lindau-Sonthofen. In Immenstadt Richtung Missen, ausgeschildert.

Deutschland

Osterreinen, D-87669 / Bayern

Magdalena am Forggensee	1 AEFJMNOPQRST	LNQSXY 6
Bachtalstraße 10	2 DFGJPRTUVWX	ABDEFG 7
1 Apr - 31 Okt	3 BL	ABCDEFJNQRS 8
+49 (0)8362-4931	4 FHIO	GILMPQUVW 9
campingplatz.magdalena@ t-online.de	5 ABDEFJKL	ABGHIJNOR 10
	16A CEE	❶ €22,00
N 47°36'56'' E 10°43'24''	H820 1,5 ha 80T(50-80m²) 60D	❷ €29,00

A7 bis Füssen. Danach an der Ausfahrt Richtung Rieden, dann rechts. Hier ist der CP angezeigt.

Sonthofen, D-87527 / Bayern

An der Iller****	1 ADEFILNOPQRST	NUV 6
Sinwagstraße 2	2 CFOPQRSVW	ABDEFG 7
1 Jan - 31 Dez	3	ABCDEFJNQRTU 8
+49 (0)8321-2350	4 HIO	9
info@illercamping.de	5 ADK	ABGHIJR 10
	WB 16A CEE	❶ €21,90
N 47°30'24'' E 10°16'23''	H740 1,7 ha 70T(70-120m²)	❷ €30,10

B19 Kempten-Oberstdorf. In Sonthofen Schildern folgen. CP liegt links der Straße.

Oy-Mittelberg, D-87466 / Bayern

Wertacher Hof**	1 ADFGILNOPQRST	LNQS 6
Grüntenseestraße	2 DFGKOPRVWX	BEFGHIJ 7
1 Jan - 31 Dez	3 ALP	BDFJNQRV 8
+49 (0)8361-770	4 FHIP	9
FAX +49 (0)8361-9344	5 ABDEIJK	ABFGHIKNR 10
	WB 16A	❶ €17,30
N 47°37'45'' E 10°27'34''	H900 3,5 ha 100T(60-100m²) 150D	❷ €24,00

A7 Memmingen-Kempten. Ausfahrt 137 Oy-Mittelberg Richtung Wertach. In Haslach den CP-Schildern folgen.

Sulzberg, D-87477 / Bayern

Öschlesee****	1 AEFILNOPQRST	N 6
Moos 1	2 FGJOPSVWXY	ABDEFGH 7
1 Jan - 31 Dez	3 BELP	ABDFJKNQRS 8
+49 (0)8376-93040	4 HIOP	GV 9
camping.oeschlesee@ t-online.de	5 ABDGIK	AFGHIJLORV 10
	WB 16A CEE	❶ €27,00
N 47°40'29'' E 10°20'2''	H750 5 ha 100T(80-100m²) 152D	❷ €35,50

A7 Memmingen-Kempten vorbei Kempten Ausfahrt 136. A980 3 km folgen, dann Richtung Sulzberg.

Pfronten, D-87459 / Bayern

Schneider	1 AJMNOPQRST	6
Tiroler Straße 184	2 CFOPWX	ABDEFG 7
15 Mai - 28 Sep	3 A	ABCDEFJNQR 8
+49 (0)8363-8353	4 FHI	9
	5 ABGKL	ABGHIJR 10
	16A	❶ €24,50
N 47°33'48'' E 10°34'44''	H850 1,6 ha 100T(65-100m²)	❷ €34,50

A7 Richtung Füssen, Ausfahrt 137. B309 nach Pfronten, gleich hinter Pfronten, 300m vor der Grenze nach Österreich.

Waltenhofen (Allgäu), D-87448 / Bayern

Insel-Camping am See Allgäu****	1 AFILNOPRST	LNOPQSX 6
	2 DFGJPSVX	BCEFGHI 7
Insel 32 3/4	3 BLPSU	BDFJKNQRS 8
1 Jan - 31 Dez	4 P	IP 9
+49 (0)8379-881	5 AIJKL	ABFGHIJMNPR 10
info@insel-camping.de	WB 16A CEE	❶ €21,00
N 47°38'26'' E 10°16'44''	H750 1,5 ha 85T(60-100m²) 67D	❷ €26,40

A7 Memmingen-Kempten-Füssen, Ausfahrt 136. A980 5 km folgen. Zweite Ausfahrt, B19 Richtung Waltenhofen. Dann Schildern folgen.

Rieden/Rosshaupten, D-87669 / Bayern

Seewang	1 ABEFJMNOQRST	LNQSXY 6
Tiefental 1	2 DFGOPRSVX	ABDEFG 7
1 Jan - 31 Dez	3 BLS	ABDEFJQRSTUV 8
+49 (0)8367-406	4 I	DJPW 9
info@camping-forggensee.de	5 ABEIJK	ABFGHIJPR 10
	W 16A CEE	❶ €20,30
N 47°38'33'' E 10°43'46''	H810 2,5 ha 120T(80m²) 62D	❷ €28,30

Von Ulm der A7 bis Füssen folgen. In Füssen links zur B16 Richtung Rieden.

Wemding, D-86650 / Bayern

CC€16

Campingpark Waldsee Wemding	1 AEFGJMNOPQRST	HLMX 6
Wolferstädter Str. 100	2 BDGIPRSTUVWXY	ABDEFGH 7
16 Mär - 6 Nov	3 ABEFGLM	ABCDEFJNQRS 8
+49 (0)9092-90101	4 FHIOPT	IJKPT 9
info@campingpark-waldsee-wemding.de	5 ABDEGJKL	ABFGHIJPRV 10
	B 16A CEE	❶ €25,00
N 48°53'4'' E 10°44'8''	H490 12 ha 210T(80-100m²) 125D	❷ €25,00

B2 (Romantische Straße), zwischen Weißenburg und Donauwörth Ausfahrt Richtung Wemding. Den CP-Schildern folgen. Gleich vor der Stadt rechts.

Schwangau, D-87645 / Bayern

Bannwaldsee****	1 ADEILNOPQRST	LN 6
Münchener Straße 151	2 ADFGJOPQRVWXY	ABCDEFGH 7
1 Jan - 31 Dez	3 BFLS	ABCDEFGJKNQRSTUV 8
+49 (0)8362-93000	4 ABEFHIJLNOPX	DHIPTVWY 9
info@ camping-bannwaldsee.de	5 ACEFJKL	ABCFGHIKNOQRXZ 10
	WB 16A CEE	❶ €29,50
N 47°35'30'' E 10°46'21''	H800 7 ha 500T(50-100m²) 207D	❷ €40,30

A7 bis Ausfahrt Füssen B16. Danach der B17 nach Schwangau. CP befindet sich 2 km stadtauswärts.

Wertach, D-87497 / Bayern

CC€16

Grüntensee Camping International****	1 AEFILNOPQRST	LMNQSX 6
	2 DFGJPQRSUVWXY	BEFGH 7
Grüntenseestr. 41	3 BEL	BDEFIJKNQRS 8
1 Jan - 31 Dez	4 AIJOPRS	GIPTV 9
+49 (0)8365-375	5 ABDFJK	ABFGHIJMNOR 10
info@camping-gruentensee.de	WB 16A	❶ €24,50
N 47°36'37'' E 10°26'47''	H930 5 ha 150T(80-100m²) 124D	❷ €35,00

A7 Ausfahrt 137 Oy-Mittelberg, 6 km geradeaus. An erster Ampel links abzweigen, danach CP-Schildern folgen.

Schwangau, D-87645 / Bayern

Brunnen*****	1 ADEJMNOPQRST	LNQSXY 6
Seestraße 81	2 DFGJOPRUVWXY	BEFGHI 7
1 Jan - 31 Dez	3 BCEFGHL ABCDEFJKLMNQRSTUV	8
+49 (0)8362-8273	4 BFHILOPQTUVY	VW 9
info@camping-brunnen.de	5 ACEFIJKL	ABFGHIJNOR 10
	WB 16A CEE	❶ €30,80
N 47°35'48'' E 10°44'19''	H800 6 ha 300T(80-120m²) 63D	❷ €46,70

A7 bis Ausfahrt 137, dann der B309/B310 folgen. B16 rechts nach Füssen, dann B17 nach Schwangau. An der Tankstelle/Reweladen abzweigen, den CP-Schildern folgen.

Wertach, D-87497 / Bayern

CC€14

Waldesruh****	1 AFGILNOPRT	6
Bahnhofstr. 19	2 AFOPRVWX	BEFGIJ 7
1 Jan - 31 Dez	3 ABL	ABDEFJNPQR 8
+49 (0)8365-1004	4 IOP	K 9
info@camping-wertach.de	5 KL	ABFGHJNPR 10
	Anzeige auf dieser Seite W 16A CEE	❶ €22,50
N 47°36'31'' E 10°25'4''	H915 1,7 ha 30T(60-80m²) 100D	❷ €33,30

A7 Stuttgart-Ulm-Kempten, Ausfahrt 137 Oy. Dann B310 Richtung Wertach. 2 km vor Wertach, auf der Alten Staatsstraße nach Wertach. Ausgeschildert.

Teilkarte Südwest-Bayern auf Seite 353

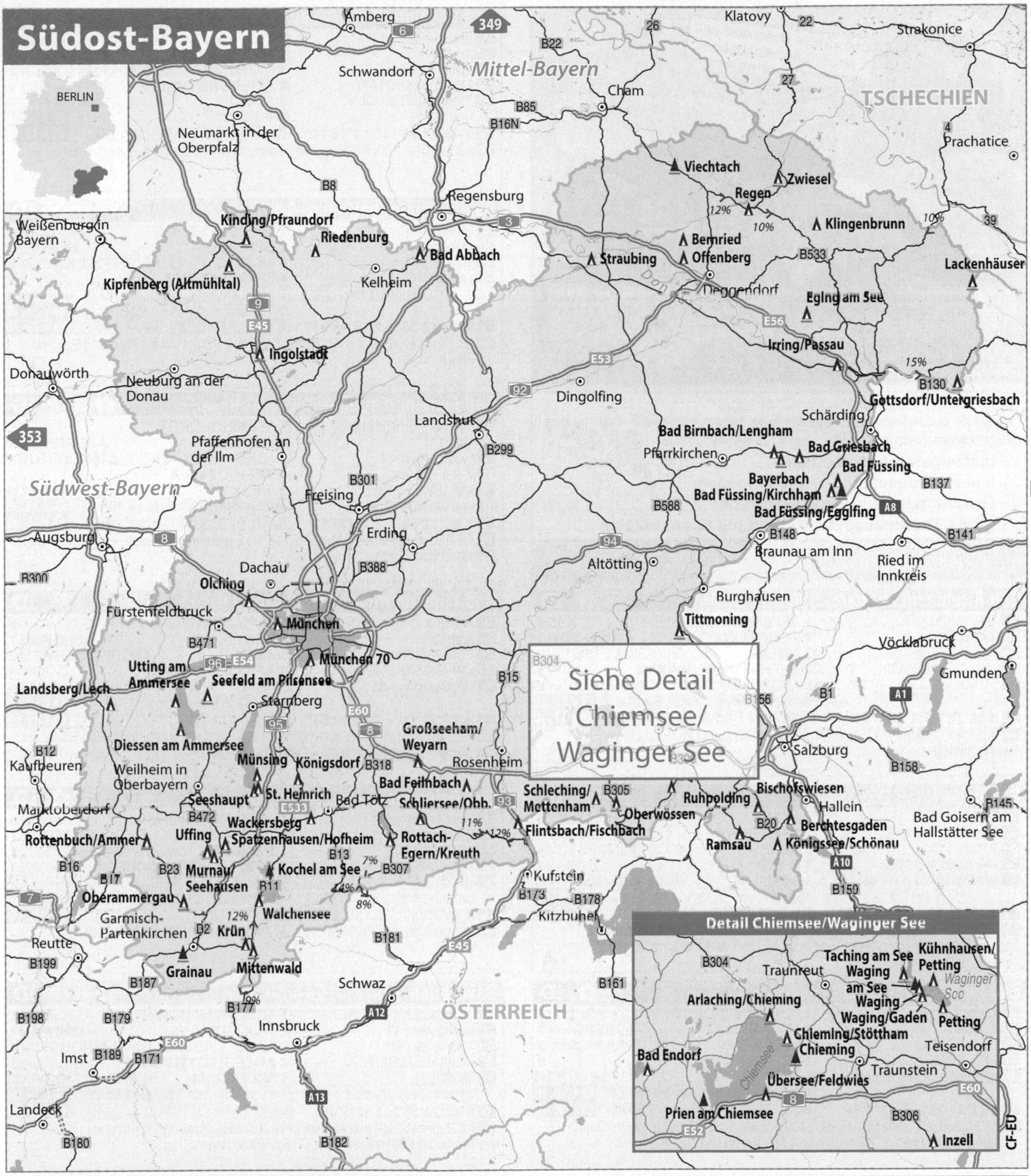

Südost-Bayern

Siehe Detail Chiemsee/Waginger See

Detail Chiemsee/Waginger See

CF-EU

Arlaching/Chieming, D-83339 / Bayern

Kupferschmiede	1 ADEJMNOPQRST LNQSX 6
Trostbergerstraße 4	2 DGIJOPVWXY ABDEFG 7
1 Apr - 3 Okt	3 ABJKL ABCDEFNQRSV 8
+49 (0)8667-446	4 FHI 9
info@	5 ABDEFGJKL ABGJMOR 10
campingkupferschmiede.de	B 16A CEE ① €21,30
N 47°55'47'' E 12°29'33''	H526 2,5 ha 80T(80-100m²) 120D ② €27,30

A8 Salzburg-München Ausfahrt Grabenstätt. Richtung Seebruck. CP liegt 1 km vor Seebruck rechts.

Bad Abbach, D-93077 / Bayern

Freizeitinsel	1 ADEFJMNORST NU 6
Inselstr. 1a	2 ACFGPUVW ABDEFGIJ 7
1 Mär - 31 Okt	3 AJ ABCDEFJNQRSTUV 8
+49 (0)9405-9570401	4 CFH Q 9
info@	5 ABM AFGHJOR 10
campingplatz-freizeitinsel.de	B 16A CEE ① €28,00
N 48°56'12'' E 12°1'15''	H355 2 ha 60T(60-120m²) 40D ② €37,00

Von Norden: A93 Ausfahrt Pentling (B16) Richtung Kelheim. Danach Ausfahrt Poikam Richtung Inselbad. Von Süden: A93 Ausfahrt Bad Abbach (B16) Richtung Kelheim. Danach Ausfahrt Poikam Richtung Inselbad.

Bad Birnbach/Lengham, D-84364 / Bayern

Arterhof*****
Hauptstraße 3
1 Jan - 31 Dez
+49 (0)8563-96130
info@arterhof.de
N 48°26'7'' E 13°6'34''

1 AEFJMNOPQRST ABE 6
2 GOPRSVWXY ABDEFGH 7
3 ABKLMNQS ABCDEFGHIJKLMNPQRSTUV 8
4 AEFHIKORSTUVWXYZ IVW 9
5 ABDEGHIJKL ABCEGHJPRX 10
Anzeige auf dieser Seite B 16A CEE ❶ €27,80
H360 5 ha 200T(90-130m^2) 35D ❷ €37,40

B388, ca. 14 km östlich von Pfarrkirchen Richtung Lengham fahren. Ausgeschildert.

Bad Endorf, D-83093 / Bayern

Stein
See 10
1 Mai - 1 Okt
+49 (0)8053-9349
info@camping-stein.de
N 47°53'3'' E 12°16'10''

1 AEFIKNOPQRST LQSXY 6
2 DFGJPRVWX ABDEFGHI 7
3 BEKL ABCDEFJNQRSTUV 8
4 FHIKO EFW 9
5 ABKL ABEFGHIJLMNPRX 10
16A CEE ❶ €26,10
H476 3 ha 70T(80-100m^2) 78D ❷ €32,75

A8 Salzburg-München, Ausfahrt 106 Bernau. Über Prien Richtung Bad Endorf. In Mauerkirchen Richtung Simssee. Oder A8 München-Salzburg, Ausfahrt 102 Rosenheim.

Bad Feilnbach, D-83075 / Bayern

Kaiser Camping****
Reithof 2
1 Jan - 31 Dez
+49 (0)8066-884400
info@kaiser-camping.com
N 47°47'21'' E 12°0'21''

1 ADEJMNOPQRST ABCDFJ 6
2 ACGOPSVWXY ABDEFGHIK 7
3 BCHKLQSV ABCDEFJKNQRSV 8
4 BCFHIOPQ 9
5 ABEGIKL ABFGHIJPRZ 10
Anzeige auf dieser Seite WB 16A CEE ❶ €32,40
H600 14 ha 376T(90-140m^2) 300D ❷ €39,40

A8 München-Salzburg, Ausfahrt 100, Aibling/Bad Feilnbach folgen. Dann Richtung Bad Feilnbach. CP rechts von der Strecke, angezeigt.

Bad Füssing, D-94072 / Bayern

Holmernhof*****
Am Tennispark 10
1 Jan - 31 Dez
+49 (0)8531-24740
campingholmernhof@t-online.de
N 48°21'30'' E 13°18'24''

1 ADEFHKNOPQRST ABFGHIN 6
2 AGOPSVWXY ABCDEFGHIJ 7
3 ABCEFKLMNOP ABCDEFGHIJKLMNPQRSTUV 8
4 AEFHIORSTWXYZ AIVY 9
5 ABIJKL ABCEFGHJNPRXZ 10
WB 16A CEE ❶ €31,30
H340 3,4 ha 160T(85-115m^2) 3D ❷ €41,10

A3 Ausfahrt 118, Pocking/Bad Füssing. In Bad Füssing ausgeschildert.

Bad Füssing/Egglfing, D-94072 / Bayern

Fuchs Kur-Camping****
Falkenstraße 14
1 Jan - 31 Dez
+49 (0)8537-356
info@kurcamping-fuchs.de
N 48°19'58'' E 13°18'54''

1 ADFJMNOPQRST AB 6
2 OPRSVWX BEFGHI 7
3 ABJK ABCDEFHJNQRTUV 8
4 EFHIORSTXYZ I 9
5 ABEGJKL ABEFGHJNPRW 10
B 16A CEE ❶ €23,10
H324 1,5 ha 90T(65-100m^2) 14D ❷ €29,70

A3 Nürnberg-Passau, Ausfahrt 118 Pocking/Bad Füssing Richtung Egglfing. Schildern folgen.

Bad Füssing/Egglfing, D-94072 / Bayern

Kur- und Feriencamping Max 1*****
Falkenstraße 12
1 Jan - 31 Dez
+49 (0)8537-96170
info@campingmax.de
N 48°19'58'' E 13°18'52''

1 AFJMNOPQRST AF 6
2 GOPQRSVWX ABEFGHIJK 7
3 ABK ABCDEFGHIJLMNQRSTUV 8
4 AEFHIOTVWX GIV 9
5 ABEJKL ABEFGHJNPRX 10
Anzeige auf dieser Seite B 16A CEE ❶ €28,50
H324 3,7 ha 170T(60-120m^2) 42D ❷ €38,05

A3 Nürnberg-Passau, Ausfahrt 118, B12 Richtung Simbach. Ausfahrt Futting Richtung Bad Füssing.

Bad Füssing/Kirchham, D-94148 / Bayern

Preishof
Angloh 1
1 Jan - 31 Dez
+49 (0)8537-919200
info@preishof.de
N 48°20'17'' E 13°16'56''

1 ADEFJMNOPQRST 6
2 PQRVWX ABDEFGH 7
3 ABJKS ABCDEFJNQRSTU 8
4 AFHIORSTVXYZ GIV 9
5 ABKL ABGHJMNPRX 10
B 16A CEE ❶ €19,60
H330 6,5 ha 230T(100m^2) 75D ❷ €25,60

A3/E56, Ausfahrt 118, zur B12 Richtung Simbach. Ausfahrt Tutting/Kirchham, durchs Zentrum von Kirchham, Richtung Golfplatz.

Bad Griesbach, D-94086 / Bayern

Dreiquellenbad*****
Singham 40
1 Jan - 31 Dez
+49 (0)8532-96130
info@camping-bad-griesbach.de
N 48°25'12'' E 13°11'31''

1 ADEFJMNOPQRST ABEN 6
2 ORSTVWXY ABDEFGHIJ 7
3 ABGIJKLMU ABCDEFGJKLMNPQRSTUV 8
4 ADEFHIORSTUVWXZ GHIJVW 9
5 ABEJKLM ABCEFGHIJMNPRVXY 10
Anzeige auf Seite 359 B 16A CEE ❶ €32,90
H360 4,5 ha 195T(80-120m^2) 25D ❷ €43,70

A3 Ausfahrt 118 Pocking, B12 bis Ausfahrt B388, CP ausgeschildert.

Bayerbach, D-94137 / Bayern

Vital Camping Bayerbach*****
Huckenham 11
1 Jan - 31 Dez
+49 (0)8532-9278070
info@vitalcamping-bayerbach.de
N 48°24'55'' E 13°7'48''

1 ADEFJMNOPQRST AEN 6
2 FGJOPRSUVW ABDEFGH 7
3 ABKL ABCDEFGIJKLMNQRSTUV 8
4 ADEFGHIOTUVWXZ IJL 9
5 ABDEFIJKM ABCDFGHJLMORWX 10
Anzeige auf Seite 359 B 16A CEE ❶ €26,50
H400 12 ha 330T(100-130m^2) 45D ❷ €26,50

A3 Regensburg-Linz. Ausfahrt 118 Richtung Pocking/Pfarrkirchen (B388). Weiter Abfahrt Bayerbach. Den CP-Schildern folgen.

Berchtesgaden, D-83471 / Bayern

Familien- AktivCamping Allweglehen*****
Allweggasse 4
1 Jan - 31 Dez
+49 (0)8652-2396
urlaub@allweglehen.de
N 47°38'50'' E 13°2'23''

1 ADEFJMNOPQRST ABNUV 6
2 CFGOPQRSTUVWXY ABCDEFGHI 7
3 ABKLV ABCDEFGIJKNQRSTUV 8
4 AEFGHIO FIJQRVWZ 9
5 ACEIJKLM ABCGHJLMNOPRVXZ 10
Anzeige auf Seite 360 WB 16A CEE ❶ €35,65
H570 3,5 ha 200T(110-150m^2) 14D ❷ €46,45

A8 München-Salzburg, Ausfahrt 115 Richtung Bad Reichenhall/Berchtesgaden. ± 3 km vor Berchtesgaden ist der CP angezeigt.

Bernried, D-94505 / Bayern

Campingland Bernrieder Winkl
Grub 6
1 Jan - 31 Dez
+49 (0)9905-8574
campingland.bernried@vr-web.de
N 48°54'54'' E 12°53'10''

1 AFJMNOPRST 6
2 AOPRUVXY ABDEFGHJ 7
3 AELM ABCDEFJNQRTUV 8
4 F GI 9
5 AIK ABFGHIJLMRV 10
WB 16A CEE ❶ €23,10
H500 1 ha 60T(90-100m^2) 27D ❷ €28,10

A3 Regensburg-Passau, Ausfahrt 109 Metten Richtung Bernried oder 108 Schwarzach Richtung Bernried. In Bernried ist der CP ausgeschildert.

Deutschland

Teilkarte Südost-Bayern auf Seite 357

Bischofswiesen, D-83483 / Bayern

Winkl-Landthal****	1 A**JM**NOPQRST J**N** 6
Klaushäuslweg 7	2 CFOPRUVWXY A**B**D**EFG**I 7
1/4 - 16/10, 2/11 - 20/3	3 A**K**L ABCDEFJNQRSTUV 8
+49 (0)8652-8164	4 **A**FHI D 9
camping-winkl@t-online.de	5 ABDKL ABCDEFGHJLM**NP**R 10
	Anzeige auf dieser Seite W 10A ① €29,00
N 47°40'36'' E 12°56'10''	H690 2,5 ha 80**T**(100m²) 46**D** ② €38,00

A8 München-Salzburg, Ausfahrt Bad Reichenhall. B20 Richtung Berchtesgaden. 11 km vor Berchtesgaden (Winkl).

Chieming, D-83339 / Bayern

Möwenplatz	1 AHKNOPQRST L**N**QS**X** 6
Grabenstätterstraße 18	2 ADGJKPQRVWXY ABDE**FG**H 7
1 Apr - 30 Sep	3 AB**K**L ABCDE**F**JNQRV 8
+49 (0)8664-361	4 FHI**Q** 9
h.lintz@t-online.de	5 ABKL ABDGHPTU 10
	16A ① €23,20
N 47°52'50'' E 12°32'0''	H500 0,8 ha 80**T**(80-100m²) 30**D** ② €33,60

A8 Salzburg-München, Ausfahrt Grabenstätt/Chieming.

Chieming, D-83339 / Bayern

Sport-Ecke	1 ABHKNOPQRST L**N**OPQS**X** 6
Grabenstätter Straße	2 ABDFJPRVWXY ABDE**FG** 7
1 Apr - 30 Sep	3 AB**K**L ABCDEFJNQRV 8
+49 (0)8664-500	4 FH**Q** 9
sport ecke@t-online.de	5 ABKL ABDGHPTU 10
	16A CEE ① €24,30
N 47°52'35'' E 12°31'44''	H520 1,5 ha 90**T**(80-90m²) 30**D** ② €32,30

A8 München-Salzburg, Ausfahrt 109 Richtung Chieming. Der CP ist ca. 5 km von der Ausfahrt Grabenstätt entfernt. 1. CP links.

Diessen am Ammersee, D-86911 / Bayern

St. Alban	1 ADEF**JM**NOPRST L**N**QRSTXYZ 6
Seeweg Süd 85	2 DGJPRWX AB**FG** 7
15 Mär - 15 Okt	3 BL ABEFNQRS 8
+49 (0)8807-7305	4 FH**PQ** 9
ivan.pavic@t-online.de	5 EJKL ABHIJR 10
	B 16A ① €27,00
N 47°57'57'' E 11°6'16''	H550 4,5 ha 45**T**(50-80m²) ② €34,00

A8 Richtung München, Ausfahrt 78. Dann B471 Richtung Fürstenfeldbruck. Dort A96 bis Ausfahrt 29 Richtung Dießen am Ammersee.

Chieming/Stöttham, D-83339 / Bayern

Seehäusl***	1 A**JM**NOPQRST L**N**QS**X** 6
Beim Seehäusl 1	2 ADFGIJPSVWXY ABDE**FG** 7
1/1 - 15/1, 15/3 - 31/12	3 AB**K**Q ABEFJKNQRSV 8
+49 (0)8664-303	4 FH**X** TV 9
info@camping-seehaeusl.de	5 ABEFGJKLM ABCDGHJM**P**RV 10
	Anzeige auf dieser Seite 16A CEE ① €30,50
N 47°54'8'' E 12°31'10''	H550 1,5 ha 45**T**(50-110m²) 5**D** ② €43,50

A8 München-Salzburg, Ausfahrt 109 Grabenstätt/Chieming/Stöttham, den Schildern Seehäusl folgen.

Deutschland

Teilkarte Südost-Bayern auf Seite 357

Deutschland

Eging am See, D-94535 / Bayern

CC€16 iD

Bavaria Kur- und Sport Camping****	1 ADEF**JM**NOPQRST 6
Grafenauer Str. 31	2 ACGPQSUVXY BE**FG** 7
1 Jan - 31 Dez	3 ABEI**KLMN** ABCDEFJNQRSV 8
+49 (0)8544-8089	4 FHIO**PQ**R**S** GILV 9
info@bavaria-camping.de	5 ABEGJK ABFGHIJLM**NP**RX10
	WB 16A CEE ❶ €23,00
N 48°43'16'' E 13°15'55''	H420 6 ha 120**T**(120m²) 48**D** ❷ €28,95

A3, Ausfahrt 113. Folgen Sie Eging am See. Vor Eging am See ist der CP ausgeschildert.

Flintsbach/Fischbach, D-83126 / Bayern

iD

Inntal Camping	1 AF**JM**NOPQRST L 6
Kranzhornweg 40	2 ABDGPVWXY ABDE**FG**H 7
1 Jan - 31 Dez	3 AEL ABEFJNQR 8
+49 (0)8034-2869	4 H 9
vorstand@campingerholungsverein.de	5 AEIL ABGHMNR10
	Anzeige auf dieser Seite B 16A CEE ❶ €26,50
N 47°41'57'' E 12°9'29''	H476 2 ha 47**T**(80m²) 50**D** ❷ €33,50

München-Kufstein, Ausfahrt 58 Brannenburg Richtung Kiefersfelden/Kufstein durch Flintsbach und Fischbach. CP ausgeschildert. Von Innsbruck Ausfahrt Oberaudorf Richtung Rosenheim bis zum Ortsschild Einöden und CP-Schild. Durchfahrtshöhe max. 3,80m.

Gottsdorf/Untergriesbach, D-94107 / Bayern

CC€16 iD

Feriendorf Bayerwald am Donautal	1 A**JM**NOPRST **AEF** 6
Mitterweg 11	2 BFGPRTUXY **AB**DE**FGHJK** 7
1 Jan - 31 Dez	3 BEF**ILM**QST ABCDE**F**JKNRSTV 8
+49 (0)8593-880	4 ABCFILO ACEGJ 9
info@ferienparkbayerwald.com	5 ABDFIKL ABDHIJ**NP**RV10
	WB 16A CEE ❶ €26,75
N 48°32'9'' E 13°43'43''	H700 12 ha 125**T**(70-110m²) 55**D** ❷ €35,25

Von Passau über die B388 entlang der Donau über Obernzell nach Untergriesbach. Richtung Gottsdorf-Feriendorf Bayerwald am Donautal.

Grainau, D-82491 / Bayern

CC€16 iD

Camping Erlebnis Zugspitze GmbH***	1 ADEF**JM**NOPQRS**T** J 6
Griesener Straße 2	2 CFOPQWX ABDE**FG** 7
1 Jan - 31 Dez	3 **K** ABEFJNQRT 8
+49 (0)8821-9439111	4 EFH F 9
info@pure-camping.de	5 AKL ABFGHK**P**R10
	W 16A CEE ❶ €26,50
N 47°28'49'' E 11°3'13''	H750 3 ha 120**T**(60-100m²) 42**D** ❷ €29,50

Vom Münchner Ring Ri. Garmisch-Partenkirchen bis zum AB-Ende der A95 Eschenlohe. Dann die B2, die in die B23 nach Garmisch übergeht. B23 Fernpass/Ehrwald. CP liegt am Fluss. Oder A3 Würzburg, dann A7 Ulm, Kempten oder Füssen, hinter Reutte. Dann die B23 Ri. Garmisch.

Grainau, D-82491 / Bayern

iD

Camping Resort Zugspitze	1 ADEF**IL**NOPQRT 6
Griesener Straße 9	2 CFORSVWX ABDE**FG** 7
1 Jan - 31 Dez	3 **K** ABCDEF**GIJLM**NQRSTUV 8
+49 (0)8821-9439111	4 EFH FJW 9
info@perfect-camping.de	5 AKL ABGHJPR10
	WB 16A CEE ❶ €40,50
N 47°28'39'' E 11°3'6''	H780 3,5 ha 125**T**(100-140m²) 7**D** ❷ €54,50

Vom Münchner Ring Ri. Garmisch-Partenkirchen bis zum AB-Ende der A95 Eschenlohe. Dann die B2, die in die B23 nach Garmisch übergeht. B23 Fernpass/Ehrwald. Einfahrt am Restaurant Schmölzer Wirt. Oder: A3 Würzburg, dann A7 Ulm, Kempten oder Füssen, hinter Reutte Ri. Garmisch.

Großseeham/Weyarn, D-83629 / Bayern

iD

Seehamer See	1 AJMNOPQRS**T** LOQSX 6
Hauptstraße 32	2 ADGJPWXY ABDE**FG** 7
1 Jan - 31 Dez	3 **K** ABCDE**FIJ**NRSV 8
+49 (0)8020-1400	4 9
info@seehamer-see.de	5 ABDEGJKL AGH**PR**10
	B 16A ❶ €24,00
N 47°51'6'' E 11°51'40''	H657 4 ha 90**T**(40-60m²) 90**D** ❷ €36,00

A8 München-Salzburg, ca 37 km vor München. Zwischen den Ausfahrten Weyarn und Irschenberg, Ausfahrt über den Autobahnparkplatz 'Seehamer See-West' oder 'Seehamer See-Ost'. 300m bis zum CP.

Ingolstadt, D-85053 / Bayern

CC€18 iD

AZUR Waldcamping Ingolstadt	1 ABDE**JM**NOPQRS**T** LN 6
Am Auwaldsee	2 ABDGIOPWXY B**FG** 7
1 Jan - 31 Dez	3 BILQ ABDFJNQRS 8
+49 (0)841-9611616	4 TY 9
ingolstadt@azur-camping.de	5 ABKL ABFGHKTUY10
	Anzeige auf Seite 361 B 16A CEE ❶ €29,00
N 48°45'14'' E 11°27'51''	H365 10 ha 275**T**(80-100m²) 120**D** ❷ €36,00

A9 München-Nürnberg, Ausfahrt 62 Ingolstadt-Süd. Den Schildern 'Camping Auwaldsee' folgen.

Inzell, D-83334 / Bayern

iD

Lindlbauer	1 AEF**JM**NOPQRS**T** L 6
Kreuzfeldstraße 44	2 DFGORSTUVWX ABDE**FG**HI 7
1 Jan - 31 Dez	3 ABKLV ABCDEFGIJ**L**NQRSTUV 8
+49 (0)8665-9289988	4 FH F 9
info@camping-inzell.de	5 ABKL ABJ**M**PRX10
	WB 16A CEE ❶ €30,20
N 47°46'2'' E 12°45'12''	H699 3 ha 141**T**(80-130m²) 1**D** ❷ €43,80

A8 München-Salzburg. Ausfahrt 112 Siegsdorf Richtung Bad Reichenhall/Inzell. Dann der Beschilderung folgen.

Irring/Passau, D-94113 / Bayern

iD

Dreiflüsse-Camping	1 AD**JM**NOPRST **E** 6
Am Sonnenhang 8	2 AGOPRTUXY AB**FG** 7
1 Apr - 31 Okt	3 ABL ABCDEFNQRTV 8
+49 (0)8546-633	4 I**ST** DFGIJKV 9
dreifluessecamping@t-online.de	5 ABDEGIJK AFGHJLOR10
	16A ❶ €27,00
N 48°36'23'' E 13°20'46''	H300 3 ha 180**T**(90m²) 13**D** ❷ €35,00

A3 Regensburg-Passau, Ausfahrt 115 Passau-Nord. CP nach Ausfahrt gleich ausgeschildert, Richtung Windorf.

Kinding/Pfraundorf, D-85125 / Bayern

CC€16 iD

Kratzmühle****	1 ACDF**JM**NOPQRST L**N**QSXZ 6
Mühlweg 2	2 ACDGIKOPRSUVWX ABDE**FG**HIJ 7
1 Jan - 31 Dez	3 BE**HIK**L ABCDEFJK**L**NQRSTU 8
+49 (0)8461-64170	4 EHIO**TX** DJKQV 9
info@kratzmuehle.de	5 ABDEJKL ABDFGHIJL**NP**RY10
	B 16A CEE ❶ €26,00
N 49°0'12'' E 11°27'7''	H384 15 ha 375**T**(80-130m²) 193**D** ❷ €33,00

A9 Nürnberg-München, Ausfahrt 58 Altmühltal, Richtung Kinding. CP ist ausgeschildert.

Kipfenberg (Altmühltal), D-85110 / Bayern

CC€18 iD

AZUR Camping Altmühltal	1 ADF**JM**NOPQRST J**NXZ** 6
Campingstraße 1	2 ACGOPVWXY AB**FG** 7
1 Apr - 31 Okt	3 B**I**L ABEFNQRS 8
+49 (0)8465-905167	4 IO**P** 9
kipfenberg@azur-camping.de	5 DK AGHJL**N**R10
	Anzeige auf Seite 361 B 16A CEE ❶ €28,80
N 48°56'54'' E 11°23'20''	H400 5,5 ha 210**T**(80-90m²) 90**D** ❷ €37,80

A9 Nürnberg-München, Ausfahrt 58 Altmühltal oder Ausfahrt 59 Denkendorf. Nach ca. 6 km liegt der CP. Gut ausgeschildert.

Klingenbrunn, D-94518 / Bayern

iD

Am Nationalpark	1 AJMNOPRST 6
Bergstraße 44	2 BGOPRTUVX ABDE**FG**H 7
1 Jan - 31 Dez	3 B ABCDEFJNQRTUV 8
+49 (0)8553-727	4 FH**ST** EFJ 9
info@camping-nationalpark.de	5 AEJK AHJLPRV10
	W 16A CEE ❶ €22,00
N 48°55'2'' E 13°19'53''	H850 4 ha 100**T**(60-100m²) 7**D** ❷ €29,60

B85 Passau-Regen, ca. 10 km vor Regen rechts am Schild Klingenbrunn. CP ausgeschildert. Von Zwiesel Richtung Grafenau/Frauenau.

Teilkarte Südost-Bayern auf Seite 357

AZUR City Camps
Herzlich Willkommen in Deutschland
Über 10x in
Deutschland & Italien.
AZUR CAMPING
www.azur-camping.de
Wir freuen uns auf Ihre Anfrage! Tel. 0711/4093-510

Kochel am See, D-82431 / Bayern

Kesselberg | 1 ADE**JM**NOPQRS**T** | **LN** 6
Altjoch 2 ½ | 2 ADFGIJPSVWXY | ABD**FG** 7
1 Apr - 15 Okt | 3 ABL | ABCDE**F**NQR 8
+49 (0)8851-464 | 4 O | DP 9
alois.perkmann@gmx.de | 5 ABDEIKL | AHIJNORV10
16A CEE | ❶ €23,50
N 47°38'13'' E 11°20'57'' | H600 1,5 ha 120**T**(50-70m²) 55D | ❷ €29,50

A8 nach München, über B2 Richtung Garmisch-Partenkirchen A95. Ausfahrt 9 Sintelsdorf, B472. Rechts zur B11, kurz nach Kochel Richtung Innsbruck.

Kochel am See, D-82431 / Bayern

Renken | 1 AEF**JM**NOPQRST | L**N**QS**X** 6
Mittenwalderstraße 106 | 2 ADFGJOPRTWX | AB**FGI** 7
1 Apr - 19 Okt | 3 A | ABCDEFNQRS 8
+49 (0)8851-615505 | 4 FHI | 9
info@campingplatz-renken.de | 5 ABDEIKL | ABFGHKLOR10
16A CEE | ❶ €22,00
N 47°38'25'' E 11°21'16'' | H600 1 ha 60**T**(50-100m²) 10D | ❷ €28,00

A8 nach München, über die B2 Richtung A95 Garmisch-Partenkirchen. Ausfahrt 9 Sintelsdorf, B472. Dann rechts zur B11, kurz nach Kochel Richtung Innsbruck.

Königsdorf, D-82549 / Bayern

Campingplatz am Bibisee | 1 ADE**JM**NOPQRST | HL**N**QR 6
Zum Lindenrain 8 | 2 ADGIJOPRVWX | ABDE**FG**HI 7
1 Jan - 31 Dez | 3 B**KL**S | ABCDEFJKNOQRS 8
+49 (0)8171-81580 | 4 FH | 9
mail@camping-koenigsdorf.de | 5 ABDEHIJKL | ABEGHIJNOR10
WB 16A CEE | ❶ €22,00
N 47°50'16'' E 11°28'9'' | H600 8,6 ha 100**T**(80-120m²) 300D | ❷ €28,00

A8, in München über B2 Richtung A95 Garmisch-Partenkirchen. Ausfahrt 6 zur B11 Richtung Königsdorf, nach 2 km Richtung Geretsried. Ausfahrt Bibisee.

Königssee/Schönau, D-83471 / Bayern

Grafenlehen | 1 ADE**JM**NOPQRST | J**N**U 6
Königsseer Fußweg 71 | 2 BCFOPQRSUVWXY | BDE**FG**H 7
1/1 - 1/11, 15/12 - 31/12 | 3 BL | ABEFJNQRV 8
+49 (0)8652-6554488 | 4 **A**FHIO | I 9
camping-grafenlehen@t-online.de | 5 ABEHIJKL | ABFGHJRX10
W 16A CEE | ❶ €31,00
N 47°35'41'' E 12°59'12'' | H600 2,5 ha 200**T**(60-90m²) 21D | ❷ €41,80

A8 München-Salzburg. Ausfahrt Bad Reichenhall, über B20 nach Berchtesgaden/Königssee. Einfahrt CP gegenüber Agip-Tankstelle.

Krün, D-82494 / Bayern

Tennsee***** | 1 ACDEF**JM**NOPQRST | **LN** 6
Am Tennsee 1 | 2 ACDFGOPQRUVWXY | ABCDE**F**GHIJ 7
1/1 - 2/11, 18/12 - 31/12 | 3 BCE**K**LR | ABCDEFIJ**L**MNQRSTUV 8
+49 (0)8825-170 | 4 **A**EFHI**JOPS** | ILUVW 9
info@camping-tennsee.de | 5 ABDEJKL | ABEFGHIJM**NP**RV10
WB 16A CEE | ❶ €30,20
N 47°29'27'' E 11°15'16'' | H950 5,2 ha 265**T**(80-100m²) 5D | ❷ €39,70

Ab 'Münchener Ring' den Schildern Garmisch-Partenkirchen folgen zur A95 bis Autobahnende Eschenlohe. Dann die B2, geht über zur B23 bis GAP. Dort über die B2 Richtung Mittenwald. Zwischen Klais und Barmsee.

Kühnhausen/Petting, D-83367 / Bayern

Stadler | 1 A**JM**NOPR**T** | LM**N**Q 6
Strandbadstraße 11 | 2 DFGIJPWXY | ABE**FG** 7
1 Apr - 30 Sep | 3 A**K** | ABCDE**F**NQRV 8
+49 (0)8686-8037 | 4 FH | EIV 9
stadlerflo@web.de | 5 AIJL | AJ**P**R10
10A CEE | ❶ €22,00
N 47°55'43'' E 12°48'10'' | H420 1 ha 45**T**(80m²) 25D | ❷ €25,00

A8 München-Salzburg, Ausfahrt Inzell/Ruhpolding Richtung Waging am See/ Freilassing. Via Petting/Kühnhausen kommen Sie zum Strandcampingplatz.

Lackenhäuser, D-94089 / Bayern

Knaus Campingpark Lackenhäuser**** | 1 ADF**JM**NOPRST | ABEFG**N** 6
Lackenhäuser 127 | 2 BCFGIPRSUVWXY | ABDE**FGH**IJ 7
1 Jan - 31 Dez | 3 BEF**ILPS** | ABCDEFJKNQRSTUV 8
+49 (0)8583-311 | 4 **A**BCEFHIO**PQTXZ** | AEJUVW 9
lackenhaeuser@knauscamp.de | 5 ACEJK | ABEGHJL**NP**RVZ10
Anzeige auf Seite 259 WB 16A CEE | ❶ €27,90
N 48°44'56'' E 13°49'0'' | H800 19 ha 322**T**(80-100m²) 157D | ❷ €31,90

B12, zwischen Freyung und Passau, Ausfahrt Waldkirchen. Bis Waldkirchen-Ost, hier ist der CP ausgeschildert. Noch ca. 28 km.

Landsberg/Lech, D-86899 / Bayern

Landsberg am Lech GbR | 1 DEF**JM**NOPQRST | 6
Pössinger Au 1 | 2 APRVWXY | ABDE**FGH**I 7
1 Jan - 31 Dez | 3 ABE**GH**L | ABCDEFIJNPQRSV 8
+49 (0)8191-47505 | 4 | 9
campingparkgmbh@aol.com | 5 ABJKL | ABFGHIJL**N**OR10
B 16A CEE | ❶ €21,10
N 48°1'56'' E 10°53'8'' | H654 6,5 ha 200**T**(100m²) 150D | ❷ €26,70

A96 München-Lindau, Ausfahrt 26 Landsberg-Ost, hier Richtung Stadtmitte, an der Aral-Tankstelle links. CP ausgeschildert.

Mittenwald, D-82481 / Bayern

Naturcampingpark Isarhorn | 1 AE**JM**NOPQRST | U 6
Am Horn 4 | 2 BCFJOPRSTWXY | ABDE**FG** 7
1/1 - 1/11, 15/12 - 31/12 | 3 B**U** | ABCDE**F**JNQRV 8
+49 (0)8823-5216 | 4 FHO | FZ 9
info@camping-isarhorn.de | 5 ABEIKL | AGHK**P**RVZ10
W 16A CEE | ❶ €22,00
N 47°28'21'' E 11°16'39'' | H900 7,5 ha 200**T**(60-120m²) 106D | ❷ €27,50

Ab 'Münchener Ring' den Schildern Garmisch-Partenkirchen folgen zur A95 bis Autobahnende Eschenlohe. Dann die B2/B23 nach Garmisch. Dann weiter über die B2 nach Mittenwald.

München, D-81247 / Bayern

München-Obermenzing | 1 AE**JM**NOPRS**T** | 6
Lochhausener Straße 59 | 2 ABOPVXY | ABDE**FG**I 7
15 Mär - 31 Okt | 3 B | ABCDE**F**JNOQRV 8
+49 (0)89-8112235 | 4 IO**P** | DF 9
campingplatz-obermenzing@t-online.de | 5 ABDGK**L** | AFGHI**NOR**10
10A CEE | ❶ €24,50
N 48°10'27'' E 11°26'47'' | H517 5,5 ha 250**T**(80-200m²) 11D | ❷ €28,50

A99 Richtung Stuttgart bis Kreuz München-West, Ausfahrt München-Lochhausen, dann links auf die Lochhausener Straße.

München 70, D-81379 / Bayern

Thalkirchen | 1 AJMNOPQRS**T** | 6
Zentralländstraße 49 | 2 ACGOPRVWXY | A**BDEFGH**I 7
15 Mär - 31 Okt | 3 A**K**L | ACE**F**JNQRTV 8
+49 (0)89-7231707 | 4 HIO**Q** | GUVW 9
campingplatz.muenchen@web.de | 5 ACDEKL**M** | AFGIKL**N**RW10
B 10A CEE | ❶ €26,00
N 48°5'28'' E 11°32'41'' | H539 4,5 ha 450**T**(40-80m²) 7D | ❷ €29,00

CP befindet sich beim Zoo, auf dem Ring um München ausgeschildert.

Münsing, D-82541 / Bayern

Hirth | 1 ADF**JM**NOPQRS**T** | L**N**OPQSX 6
Am Schwaiblbach 3 | 2 ADFGHJOPWX | AB**FG** 7
1 Jan - 30 Nov | 3 **K**L | ABE**F**JNQRV 8
+49 (0)8177-546 | 4 FH | DV 9
campingplatzhirth@t-online.de | 5 ABJK**L** | ABHJR10
B 16A | ❶ €24,50
N 47°51'15'' E 11°20'18'' | H570 3,3 ha 50**T**(80-100m²) 253D | ❷ €31,50

A95 München-Garmisch-Partenkirchen, Ausfahrt 6 Wolfratshausen. An der Ostseite des Starnberger Sees, 6 km nördlich von Seeshaupt.

Murnau/Seehausen, D-82418 / Bayern

Halbinsel Burg | 1 ADEFHKNOPQRST | L**NX** 6
Burgweg 41 | 2 DFGPQRWXY | ABDE**FGI** 7
1 Jan - 31 Okt | 3 BL | ABCDEFJNQRS 8
+49 (0)8841-9870 | 4 FIO | 9
info@camping-staffelsee.de | 5 ABEJ | AHK**N**R10
B 16A CEE | ❶ €26,60
N 47°41'6'' E 11°10'43'' | 2 ha 130T 20D | ❷ €40,40

Von der A95 Ausfahrt Murnau, weiter nach Murnau, in Murnau Richtung Oberammergau. Am Kreisel Richtung Staffelsee, weiter der Campingbeschilderung folgen.

Oberammergau, D-82487 / Bayern

Campingpark Oberammergau | 1 A**JM**NOPQRST | **N** 6
Ettalerstraße 56b | 2 CFGOPRSVWX | ABDE**FGHI** 7
1 Jan - 31 Dez | 3 CE**ILMO**U | ABCDEFIJK**LM**NQRSTU 8
+49 (0)8822-94105 | 4 EFHI | IJL 9
service@camping-oberammergau.de | 5 AK | ABEFGHIJM**NO**RV10
WB 16A CEE | ❶ €26,50
N 47°35'25'' E 11°4'7'' | H850 2 ha 85**T**(100-150m²) 49D | ❷ €37,90

A7 Ulm-Memmingen, Ausfahrt 128 Memmingen. A96 Richtung München, Ausfahrt 25 Landsberg. B17 nach Schongau. Dann B23 Richtung Garmisch-Partenkirchen.

Oberwössen, D-83246 / Bayern

Litzelau**** | 1 AF**JM**NOQRS**T** | J 6
Litzelau 4 | 2 BCFOPQUVWXY | ABDE**FGH**I 7
1 Jan - 31 Dez | 3 BE**HKLP** | ABCDE**F**JNQRSTU 8
+49 (0)8640-8704 | 4 FHIKOP**STU** | J 9
camping-litzelau@t-online.de | 5 ABEJKL | ABEGHIJL**O**RV10
WB 16A CEE | ❶ €26,20
N 47°43'3'' E 12°28'45'' | H634 4 ha 62**T**(80-120m²) 83D | ❷ €32,70

A8 München-Salzburg, Ausfahrt 106 Bernau und via B305 Richtung Reit im Winkl, nach Oberwössen (20 km).

Offenberg, D-94560 / Bayern

Auf dem Kapfelberg | 1 A**JM**NOPRST | 6
Kapfelberg 2 | 2 AGPSUWX | ABDE**FG** 7
15 Mär - 30 Okt | 3 A | ABCDEFJKNQRSV 8
+49 (0)9905-645 | 4 FHI | F 9
post@camping-kapfelberg.de | 5 | AGHJ**P**RV10
16A CEE | ❶ €19,00
N 48°52'32'' E 12°52'51'' | H400 0,3 ha 65**T**(80-100m²) 1D | ❷ €25,00

A3 Regensburg-Passau, Ausfahrt 109 Metten Richtung Neuhausen. In Neuhausen vor dem Sonnenstudio links. Den CP-Schildern folgen.

Deutschland

Teilkarte Südost-Bayern auf Seite 357

Olching, D-82140 / Bayern

Ampersee
Josef-Kistler Weg 5
1 Mai - 5 Okt
+49 (0)8142-12786
info@campingampersee.de
N 48°13'46'' E 11°21'32''

1 **AJM**NOPQRT	LMPQSX	6
2 ADGILPVWXY	ABE**FG**	7
3 A**IK**	ABCDE**F**JNQRV	8
4		9
5 AEGJL	AFGHR	10
10A	❶ €23,50	
H499 2,7 ha 40T(100m²) 80D	❷ €29,50	

A8 Augsburg-München, Ausfahrt 78 Fürstenfeldbruck/Olching. Dort CP ausgeschildert.

Riedenburg, D-93339 / Bayern

Talblick
Austraße 40
1 Apr - 15 Okt
+49 (0)9442-430
campingplatz-talblick@web.de
N 48°58'3'' E 11°40'46''

1 AF**JM**NOPQRS**T**	**N**	6
2 BFOPWXY	ABDE**FG**H	7
3 AL	ABCDE**F**NQRS	8
4 EHI		9
5 L	AHJLR	10
16A CEE	❶ €20,50	
H384 2,6 ha 70T(100-150m²) 70D	❷ €27,50	

A9 Nürnberg-München, Ausfahrt 59 Denkendorf-Pondorf-Riedenburg. In Riedenburg Richtung Prunn. CP liegt 0,5 km rechts von der Straße.

Petting, D-83367 / Bayern

Ferienpark Hainz am See
Hainz am See 2
15 Mai - 14 Sep
+49 (0)8686-287
ferienpark@hainzamsee.de
N 47°55'15'' E 12°47'36''

1 ABFGHKNOPQR	LM**N**QS	6
2 DFGIJPWXY	ABDE**FG**	7
3 AKLS	ABEFNQRV	8
4 FHI**X**		9
5 A	ABGHJ**P**RVW	10
16A CEE	❶ €28,35	
1,5 ha 70T(100-200m²)	❷ €36,70	

A8 Ausfahrt Traunstein, dann Richtung Waging. Danach Richtung Freilassing. Nach ca. 4 km links ab am CP-Schild Hainz am See.

Rottach-Egern/Kreuth, D-83700 / Bayern

Wallberg
Rainerweg 10
1 Jan - 31 Dez
+49 (0)8022-5371
campingplatz-wallberg@web.de
N 47°41'18'' E 11°44'55''

1 A**JM**NOPQRS**T**	QS**X**	6
2 OPVWXY	ABDE**FG**	7
3 B**GK**	ABCDEFJNQRS	8
4 FHO		9
5 AEGJKL	AFGHJL**P**RZ	10
WB 16A	❶ €24,70	
H734 3,5 ha 150T(80-120m²) 101D	❷ €34,10	

Autobahn München-Salzburg, Ausfahrt Holzkirchen, Miesbach. Zwischen Tegernsee und Bad Wiessee.

Prien am Chiemsee, D-83209 / Bayern

Hofbauer
Bernauerstraße 110
1 Apr - 30 Okt
+49 (0)8051-4136
Ferienhaus-Campingpl. Hofbauer@t-online.de
N 47°50'20'' E 12°21'4''

1 AEF**JM**NOPRST	ABCFG	6
2 AOPSTVWX	ABDE**FGI**	7
3 B**K**LSV	ABCDEFJNQRSTUV	8
4 GHIO	EGIV	9
5 ABEGIK**L**	ABEGHIK**NP**RV	10
B 16A CEE	❶ €26,30	
H522 1,5 ha 90T(75-100m²) 54D	❷ €34,80	

A8 München-Salzburg, Ausfahrt 106 Bernau. Dann ca. 3 km Richtung Prien. 100m nach dem Kreisel CP links der Straße.

Rottenbuch/Ammer, D-82401 / Bayern

Terrassen-Camping am Richterbichl****
Solder 1
1 Jan - 31 Dez
+49 (0)8867-1500
info@camping-rottenbuch.de
N 47°43'39'' E 10°58'1''

CC€16

1 ADE**JM**NOPQRST	LU	6
2 DGOPUVX	ABDE**FG**HI	7
3 BEL**M**S	ABCDEFJNQRSV	8
4 EFHIO	DFI	9
5 ABDGKL	ABDFGHIJ**NO**R	10
W 16A	❶ €21,50	
H763 1,2 ha 70T(70-90m²) 44D	❷ €27,30	

A7 Ulm-Kempten, Ausfahrt 134. B12 bis Marktoberdorf. Dann die B472 Richtung Schongau, danach B23 Richtung Garmisch-Partenkirchen. CP liegt direkt an der Romantischen Straße.

Prien am Chiemsee, D-83209 / Bayern

Panorama Camping Harras
Harrasserstraße 135
1 Apr - 31 Okt
+49 (0)8051-904613
info@camping-harras.de
N 47°50'26'' E 12°22'24''

1 ADEFG**JM**NOPRS**T**	L**N**QS**X**Y	6
2 ADJKRVWXY	ABDE**FG**H	7
3 B**K**L	ABCDE**FI**JKNRSV	8
4 FHO**P**	DVZ	9
5 ABEGJKL	ABGHIJL**N**RZ	10
Anzeige auf dieser Seite B 6A CEE	❶ €27,60	
H511 2 ha 150T(30-70m²) 40D	❷ €38,40	

A8 München-Salzburg, Ausfahrt 106 Bernau, 3 km Richtung Prien. Nach 2 km am Kreisel rechts. Dann ist der CP gut ausgeschildert.

Ruhpolding, D-83324 / Bayern

Ortnerhof****
Ort 5
1 Jan - 31 Dez
+49 (0)8663-1764
camping-ortnerhof@t-online.de
N 47°44'33'' E 12°39'47''

1 ABEFHKNOPQRST		6
2 AFOPQRSVWXY	ABDE**FG**	7
3 ABCE**KLP**	ABCDEFJNQRSV	8
4 **A**FHI	FW	9
5 AJKL	ABFGHJ**NP**RX	10
Anzeige auf dieser Seite WB 16A CEE	❶ €29,20	
H670 3,6 ha 100T(80-120m²) 81D	❷ €41,00	

A8 München-Salzburg, Ausfahrt 112 Siegsdorf, Richtung Ruhpolding. CP liegt auf der Südseite der Stadt an der B305. Ab Zentrum angezeigt.

Ramsau, D-83486 / Bayern

Simonhof
Alte Reichenhallerstraße 110
1/4 - 31/10, 1/12 - 28/2
+49 (0)8657-284
info@camping-simonhof.de
N 47°37'38'' E 12°52'9''

1 A**JM**NOPQRST		6
2 BCFOPQRSTVWXY	ABDE**FG**I	7
3 AB	ABCDE**F**JNQRSTU	8
4 FHIO	I	9
5 ABKL	ABCGHJ**P**RW	10
W 16A CEE	❶ €29,20	
H860 1,5 ha 85T(70-100m²) 31D	❷ €37,20	

B305 Von Siegsdorf nach Ramsau, Schildern folgen.

Regen, D-94209 / Bayern

Regental Aktiv Camping
Badstr. 18
1 Apr - 31 Okt
+49 (0)9921-9603470
info@camping-regen.de
N 48°57'59'' E 13°6'46''

1 AJMNOPQRST	**AB**HJUXY	6
2 COPRSVW	ABDE**F**	7
3 **G**I**V**	ABCDEFJNQRTUV	8
4 EFHIO	JQU	9
5 ADGIKL	AGHJNPRV	10
B 10A	❶ €21,00	
H550 1,6 ha 49T(69-120m²) 3D	❷ €28,00	

A3 Ausfahrt 110 Deggendorf. Dann die B11 Richtung Pilsen. Den Schildern 'Regen' auf der ST2135 folgen. Dann den CP-Schildern folgen (neben dem Schwimmbad).

Deutschland

Teilkarte Südost-Bayern auf Seite 357

Deutschland

Schleching/Mettenham, D-83259 / Bayern

Camping Zellersee****
Zellerseeweg 3
15 Apr - 15 Okt
+49 (0)8649-986719
info@camping-zellersee.de
N 47°44'4'' E 12°24'56''

1 ADEHKNOPQRST LM 6
2 BDGIJOPSUVWXY ABDEFGHI 7
3 AKLMUV ABCDEFGJNQRS 8
4 EFH DFJ 9
5 ABDEKL ABGHJLPR 10
16A CEE ❶ €28,50
H558 2,3 ha 90T(50-90m²) 36D ❷ €37,00

A8 München-Salzburg. Ausfahrt 106 Bernau, Richtung Reit im Winkl. In Marquarstein Richtung Schleching.

Straubing, D-94315 / Bayern

Straubing***
Wundermühlweg 9
1 Mai - 15 Okt
+49 (0)9421-89794
campingplatzstraubing@gmx.de
N 48°53'36'' E 12°34'36''

1 ADFJMNOPQRST NX 6
2 CPVWXY ABDEFGI 7
3 ABEKM ABCDEFJQRSV 8
4 FHIO ADV 9
5 ADEI ABGHIJR 10
B 8A CEE ❶ €22,50
H340 2 ha 85T(70-90m²) 2D ❷ €28,50

A3 Regensburg-Passau, Ausfahrt 106 Richtung Straubing B20. Rechts dem blauen Pfeil U28 und den weißen Schildern Zentrum folgen.

Schliersee/Obb., D-83727 / Bayern

Lido
Westerbergstraße 27
25 Mär - 15 Nov
+49 (0)8026-6624
info@camping-lido.de
N 47°43'41'' E 11°51'6''

1 ADEJMNOPQRST LNQSX 6
2 CDFGIJPRVWXY ABDE 7
3 AK ABEFGJKNQRV 8
4 AEFHO 9
5 ABEGI ABGHJMOR 10
16A CEE ❶ €30,30
H800 1 ha 67T(16-60m²) 70D ❷ €41,30

A8 München-Salzburg, Ausfahrt 98 Weyarn. Dann über Miesbach. Gut ausgeschildert.

Taching am See, D-83373 / Bayern

Seecamping Taching am See
Am Strandbad 1
1 Apr - 15 Okt
+49 (0)8681-9548
info@seecamping-taching.de
N 47°57'42'' E 12°43'54''

1 ADEFILNOPQRST LMNQSXYZ 6
2 DGHIJOPSTVWXY BEFG 7
3 BEFKL ABDEFJNQRSV 8
4 FH D 9
5 ABEFIJL ABDFGHJNPRW 10
B 16A CEE ❶ €25,00
H481 1,6 ha 100T(80-100m²) 99D ❷ €30,00

A8 München-Salzburg, Ausfahrt Traunstein/Siegsdorf. Auf der Strecke Waging-Tittmoning bei Taching Richtung See, danach noch ca. 0,3 km.

Seefeld am Pilsensee, D-82229 / Bayern

Pilsensee
Am Pilsensee 2
1 Jan - 31 Dez
+49 (0)8152-7232
info@camping-pilsensee.de
N 48°1'49'' E 11°11'57''

1 AEFJMNOPQRST LNQRSTXYZ 6
2 DGIOPSVWXY ABDEFG 7
3 BEKL ABCEFNQRST 8
4 DFMP 9
5 ACDEJKL ABFHIJLNPRV 10
12A CEE ❶ €24,60
H549 10 ha 70T(100m²) 411D ❷ €31,20

B2068 Oberpfaffenhofen-Herrsching, südlich von Seefeld abzweigen.

Tittmoning, D-84529 / Bayern

Seebauer
Furth 9
1 Apr - 30 Sep
+49 (0)8683-1216
info@camping-seebauer.de
N 48°4'21'' E 12°44'21''

1 AEFJMNOPQRST LNQX 6
2 DGIJOPRSVWXY ABDEFGH 7
3 ABEL ABCDEFJKNQRSV 8
4 FHIP PT 9
5 ABKL ABDGHJPR 10
B 16A ❶ €22,00
H500 2,3 ha 60T(90-100m²) 80D ❷ €28,40

A3 von Regensburg bis Ausfahrt Straubing. Dann die B20 bis Burghausen. Von dort noch 15 km. 3 km vor Tittmoning ist der CP gut ausgeschildert.

Seeshaupt, D-82402 / Bayern

Campingplatz Seeshaupt
St. Heinricherstraße 127
1 Apr - 31 Okt
+49 (0)8801-1528
info@campingplatz-seeshaupt.de
N 47°49'13'' E 11°19'27''

1 AJMNOPQRST LMNQSX 6
2 ACDGJOPRSWXY ABDEFG 7
3 BKLM ABCDEFJKNQRS 8
4 FH 9
5 ABEIJK ABGHIJR 10
B 16A CEE ❶ €26,00
H600 2 ha 75T(25-90m²) 60D ❷ €30,00

A8 nach München, über die B2 zur A95 Garmisch-Partenkirchen. Ausfahrt 7 Seeshaupt, dann rechts Richtung Seeshaupt.

Übersee/Feldwies, D-83236 / Bayern

Chiemsee Camping****
Rödlgries 1
1 Apr - 31 Okt
+49 (0)8642-470
info@chiemsee-camping.de
N 47°50'28'' E 12°28'19''

1 AHKNOPQRST LNQSXYZ 6
2 ADGHJPRVWX ABDEFG 7
3 BEFKLSTU ABCDEFJKNQRSTU 8
4 BFHO L 9
5 ABDEHK ABGHIPR 10
B 16A CEE ❶ €32,50
H526 7,4 ha 330T(80-100m²) 180D ❷ €41,00

A8 München-Salzburg, Ausfahrt 108 Übersee. Dann ausgeschildert.

Spatzenhausen/Hofheim, D-82447 / Bayern

Brugger am Riegsee
Seestraße 2
20 Mär - 18 Okt
+49 (0)8847-728
office@camping-brugger.de
N 47°42'23'' E 11°13'5''

1 AEFILNOPQRST LMNQSX 6
2 DFGIJPSUVWX ABDEFGH 7
3 BFIL ABCDFIJKNRSTUV 8
4 BEFHL KT 9
5 ABDEIJKL ABDFGHJMNOR 10
Anzeige auf dieser Seite B 16A CEE ❶ €24,50
H650 6 ha 100T(60-120m²) 300D ❷ €29,50

A95 Garmisch-Partenkirchen, Ausfahrt 9 Sindelsdorf. Links zur B472 Richtung Habach, dann den Schildern Hofheim folgen.

Uffing, D-82449 / Bayern

Campingplatz Aichalehof
Aichalehof 4
1 Mai - 3 Okt
+49 (0)8846-211
camping@aichalehof.de
N 47°41'56'' E 11°9'27''

1 EFJMNOPQRST LNPQSX 6
2 DGJPTWX ABDEFG 7
3 ABL ABCDEFHJNQRS 8
4 FH 9
5 ABDEFIJL AHJR 10
B 16A CEE ❶ €24,00
H633 6 ha 120T(80-100m²) 300D ❷ €30,00

A95 München - Garmisch-Partenkirchen, Ausfahrt 9. Dann B472 Richtung Eglfing bis Uffing. Dort Beschilderung folgen.

St. Heinrich, D-82541 / Bayern

Beim Fischer****
Buchscharnstraße 10
1 Jan - 31 Dez
+49 (0)8801-802
susannehub@aol.com
N 47°49'34'' E 11°20'20''

1 AJMNOPQRST LNOPQRSTUVXY 6
2 ADGIOPSVWX ABDEFG 7
3 BEFKL ABCDEFJNQRSV 8
4 FHIO GIVW 9
5 ABKL ABGHJLOR 10
B 16A CEE ❶ €23,50
H592 4 ha 77T(80-85m²) 96D ❷ €30,50

Die A8/A9/A96 Münchner Ring, über die B2 zur A95 Richtung Garmisch-Partenkirchen. Ausfahrt 7 Seeshaupt. In St. Heinrich ist der CP angezeigt.

In diesem Führer finden Sie eine handliche Karte mit Campingplätzen an den wichtigen Durchgangsstrecken zu Ihrem Ferienziel.

Teilkarte Südost-Bayern auf Seite 357

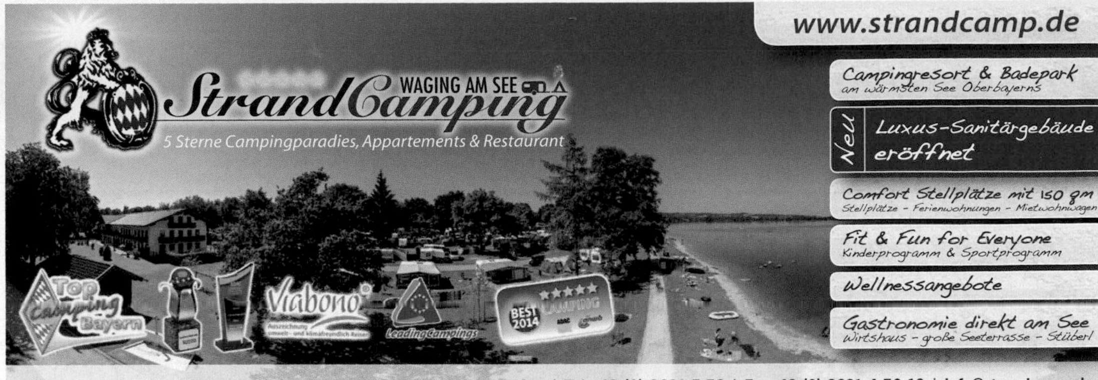

Utting am Ammersee, D-86919 / Bayern

Freizeitgelände G. Bielmeier	1 ADEF**JM**NOPQRS**T**	LM**N**QST**X**YZ 6
Fahrmannsbachstrasse	2 ADGIJOPQVWX	ABE**FG** 7
1 Apr - 15 Okt	3 AEF**GILMQU**	ABCDEFJNQRS 8
+49 (0)8806-7245	4 AFH**X**	OPT 9
campingplatz-utting@ t-online.de	5 ACJKL	ABFGHIJ**N**PR10
	B 16A CEE	❶ €29,60
N 48°1'39'' E 11°5'43''	**H**685 1,4 ha 120**T**(60-80m²) 160**D**	❷ €36,60

A96 München-Landsberg, Ausfahrt Ammersee-West, den CP-Schildern folgen.

Waging am See, D-83329 / Bayern

Tettenhausen	1 ADEF**JM**NOPQRST	LM**N**QS**X**YZ 6
Hauptstraße 2	2 DGHIJOPRVWXY	ABDE**FG** 7
1 Jan - 31 Dez	3 BEF**K**L	ABCDEFGIJNQRSUV 8
+49 (0)8681-1622	4 FH	9
campingplatz-tettenhausen@ t-online.de	5 ABDEGJL**M**	ABHKMRZ10
	B 10A CEE	❶ €23,90
N 47°57'12'' E 12°45'4''	**H**460 1 ha 80**T**(75-100m²) 40**D**	❷ €28,90

A8 München-Salzburg, Ausfahrt Siegsdorf in Richtung Traunstein/Waging. Danach nach Tettenhausen.

Viechtach, D-94234 / Bayern

Adventurecamp 'Schnitzmühle'	1 ADE**JM**NOPQRST	JL**N**UXYZ 6
Schnitzmühle 1	2 CDGJPQSX	ABDE**FG**HI 7
1 Jan - 31 Dez	3 BEF**GH**LQ**R**SV	ABCDEF**GI**JLNQRSV 8
+49 (0)9942-9481-0	4 ABDEFGHILMO**PSTUVXZ**	ADGKLQR 9
info@schnitzmuehle.de	5 ABDEGJKL	ABFGHJLM**NO**RV10
	WB 10A CEE	❶ €22,50
N 49°4'10'' E 12°54'49''	**H**418 2 ha 80**T**(120m²) 59**D**	❷ €33,20

A3 Regensburg-Passau, Ausfahrt 110 Ri. Deggendorf. Die B11/E53 bis Patersdorf. Nach links auf die B85 nach Viechtach. Den CP-Schildern folgen. Achtung: Einfahrt 12% Steigung und 3,20m Durchfahrtshöhe.

Waging/Gaden, D-83329 / Bayern

Schwanenplatz*****	1 ADEFHKNOPQRST	LM**N**QS**X**YZ 6
Am Schwanenplatz 1	2 CDGHIJOPRVWXY	ABDE**FG** 7
24 Apr - 4 Okt	3 ABE**K**L	ABCDEFJKNQRSTUV 8
+49 (0)8681-281	4 **A**BFHO**PX**	UV 9
info@schwanenplatz.de	5 ABDEGIKL	ABGHJ**NP**RWZ10
	B 10A CEE	❶ €27,20
N 47°56'10'' E 12°45'36''	**H**432 4 ha 155**T**(80-100m²) 90**D**	❷ €34,30

A8, Ausfahrt Traunstein, Richtung Waging. Dann Richtung Freilassing. Nach 1,5 km links bei Gaden.

Viechtach, D-94234 / Bayern

Knaus Campingpark Viechtach****	1 ADEF**JM**NOPRST	E 6
Waldfrieden 22	2 BGPRSTUVWXY	ABDE**FG**HIJ 7
1 Jan - 31 Dez	3 ABEFL	ABFJKNQRS 8
+49 (0)9942-1095	4 FGHIO**PQT**	EGJW 9
viechtach@knauscamp.de	5 ABEJKL	ABEFGHIJLM**NP**RV10
	Anzeige auf Seite 259 WB 16A CEE	❶ €28,80
N 49°4'57'' E 12°51'12''	**H**560 5,7 ha 183**T**(80-100m²) 99**D**	❷ €33,80

A3 Regensburg-Passau, Ausfahrt 110 Richtung Deggendorf. Die B11/E53 bis Patersdorf. Dort links die B85 bis Viechtach. Den Schildern 'Knaus-Camping' folgen.

Walchensee, D-82432 / Bayern

Walchensee	1 AEF**JM**NOPQRST	L**N**OPQS**X**Y 6
Lobisau	2 BDGJKOPRSVWX	ABDE**FG** 7
30 Apr - 4 Okt	3 A**K**	ABCDE**F**NQRS 8
+49 (0)8858-929168	4 FH	P 9
info@camping-walchensee.de	5 ABDEIKL	ABGHIJ**O**R10
	10A CEE	❶ €22,50
N 47°34'57'' E 11°18'37''	**H**804 2,8 ha 120**T**(50-100m²) 45**D**	❷ €29,70

A8 nach München, über B2 Richtung A95 Garmisch-Partenkirchen. Ausfahrt 9 Sintelsdorf, B472. Dann rechts zur B11, nach Kochel Richtung Innsbruck.

Wackersberg, D-83646 / Bayern

Demmelhof****	1 AFJMNOPQRST	L**N**QSUXZ 6
Stallau 148	2 CDFGJOPQUWXY	ABDE**FG**HI**J**K 7
1 Jan - 31 Dez	3 B**K**LV	ABCDE**FGI**JKNQRSV 8
+49 (0)8041-8121	4 FHIO	9
webmaster@ campingplatz-demmelhof.de	5 ABDEGKL	ABFGHIKLM**P**RX10
	WB 16A CEE	❶ €24,00
N 47°45'2'' E 11°30'5''	**H**703 2,6 ha 50**T**(30-120m²) 100**D**	❷ €30,00

Von Bad Tölz Richtung Peißenberg und Kochel am See (B472). Schräg gegenüber vom Blomberg.

Zwiesel, D-94227 / Bayern

Ferienpark Arber****	1 ADE**JM**NOPRST	ABEFGILU 6
Waldesruhweg 34	2 BCDFGHIOPSVWXY	ABDE**FG**H 7
1/1 - 1/3, 1/4 - 30/9	3 ABEF**K**LMV	ABCDEFJKNQRSV 8
+49 (0)9922-802595	4 ABDEFGHILNO**STUVWYZ**	AEJUVWY 9
info@ferienpark-arber.de	5 ABDGJK	ABDFGHIJNORVXZ10
	WB 16A	❶ €27,60
N 49°1'29'' E 13°13'16''	**H**600 16 ha 271**T**(100-160m²) 101**D**	❷ €37,30

Von der A3 Regensburg - Passau Ausfahrt Deggendorf. Den Hinweisen Arber, Zwieselwinkel (B11/E53) folgen, ca. 35 km. In Zwiesel ist der CP angezeigt.

Waging, D-83329 / Bayern

Ferienparadies Gut Horn*****	1 AEF**JL**NOPQRS	LM**N**QRST**X**YZ 6
Gut Horn	2 DFGIJPVWXY	**BDEFG**H 7
1 Mär - 30 Nov	3 ABE**IK**LQ	BDFJKNQRSV 8
+49 (0)8681-227	4 BFHI**X**	GINOPT 9
info@gut-horn.de	5 ACEFIJKL	ABGHJL**P**RVW10
	Anzeige auf dieser Seite B 16A CEE	❶ €24,90
N 47°56'47'' E 12°45'22''	**H**470 5 ha 250**T**(72-90m²) 119**D**	❷ €35,30

A8 München-Salzburg, Ausfahrt 112 Traunstein, Richtung Waging am See. Richtung Fridolfing über Tettenhausen zum CP Gut Horn.

Waging am See, D-83329 / Bayern

Strandcamping GmbH*****	1 ACDEF**JM**NOPQRST	HLM**N**QRSTXY 6
Am See 1	2 DFGHJOPVWXY	AB**CDEFG**HIJ 7
1 Mär - 31 Okt	3 ABCEF**IJKLMN**QRSU	ABCDEFIJK**LM**NPQRSTUV 8
+49 (0)8681-552	4 **A**BCDEFHIJLNO**PQRT**V**XYZ**	DIMOPQRTUVWZ 9
info@strandcamp.de	5 ACDEFGHIJKL**M**	ABEFGHJM**NP**RVWXYZ10
	Anzeige auf dieser Seite B 10-16A CEE	❶ €30,40
N 47°56'34'' E 12°44'50''	**H**450 35 ha 644**T**(80-150m²) 423**D**	❷ €40,20

A8 München-Salzburg, Ausfahrt Traunstein/Siegsdorf, Richtung Traunstein. Dann noch 10 km nach Waging.

Deutschland

Schweiz

OSTSCHWEIZ
383
LIECHTENSTEIN
VADUZ
383
GRAUBÜNDEN
389
ZENTRALSCHWEIZ
385
TESSIN
387
NORDWESTSCHWEIZ
378
BERN
BERNER OBERLAND
380
WALLIS
375
WESTSCHWEIZ
372
372
DEUTSCHLAND
ÖSTERREICH
FRANKREICH
ITALIEN
Autoverladung
Autoverladung
CF-EU

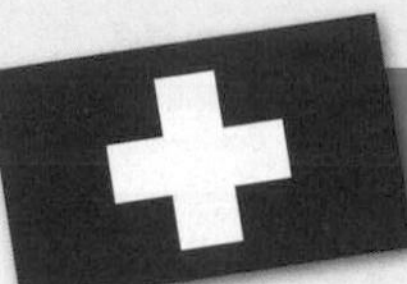

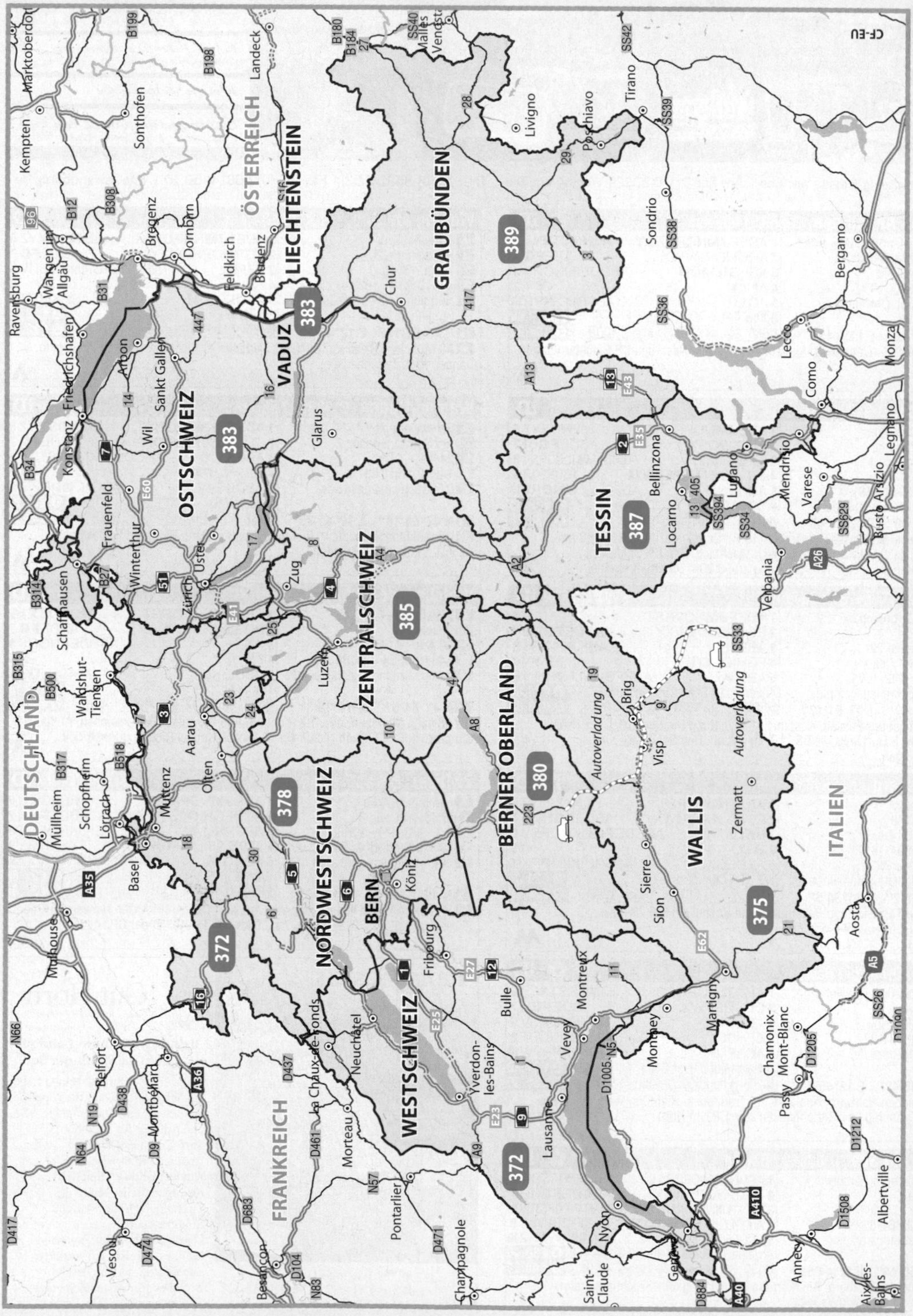

Allgemein

Die Schweiz ist kein Mitglied der EU.

Zeit

In der Schweiz ist es genauso spät wie in Berlin.

Sprache

Deutsch, Französisch, Italienisch. Auch mit Englisch kommt man gut weiter.

Grenzformalitäten

Viele Formalitäten und Vereinbarungen, wie erforderliche Reisedokumente, KFZ-Papiere, Anforderungen an Ihr Fahrzeug und Ihren Aufenthalt, Krankenkosten und das Mitführen von Tieren, sind nicht nur vom Zielort abhängig, sondern auch von Ihrem Ausgangsort und Ihrer Nationalität. Auch die Dauer Ihres Aufenthaltes spielt dabei eine Rolle. Im Rahmen dieses Führers ist es leider nicht möglich, allen Lesern korrekte und aktuelle Informationen in dieser Hinsicht zu garantieren.

Wir raten Ihnen, vor Ihrer Abreise bei den entsprechenden Behörden in Erfahrung zu bringen:

- welche Reisedokumente Sie für sich selbst und Ihre Reisebegleitung brauchen
- welche Dokumente Sie für Ihr Auto brauchen
- welchen Anforderungen Ihr Fahrzeug entsprechen muss
- welche Güter Sie ein- und ausführen dürfen
- wie im Unglücks- oder Krankheitsfall die medizinische Versorgung im Urlaubsland organisiert ist und bezahlt wird
- ob Sie Ihre Haustiere mitnehmen können. Nehmen Sie rechtzeitig Kontakt zu Ihrem Tierarzt auf. Dort erhalten Sie Informationen über relevante Impfungen, entsprechende Bestätigungen und Verpflichtungen bei Ihrer Rückkehr. Es ist auch sinnvoll herauszufinden, ob an Ihrem Urlaubsziel bestimmte Bedingungen für Haustiere in der Öffentlichkeit geknüpft sind. So müssen in manchen Ländern Hunde immer einen Maulkorb tragen oder vergittert transportiert werden.

Viele allgemeine Infos finden Sie auf ▸ *www.europa.eu* ◂ aber sorgen Sie selbst dafür, die richtige Information für Ihre individuelle Situation herauszufinden.

Aktuelle Zollbestimmungen entnehmen Sie den Botschaften des jeweiligen Urlaubslandes an Ihrem Wohnort.

Währung und Geld

Die Währungseinheit ist der Schweizer Franken (CHF). Wechselkurs (September 2014): € 1 = CHF 1,20. Vielerorts wird auch der Euro angenommen, allerdings das Wechselgeld in CHF ausgezahlt.

Kreditkarten

Fast überall kann man mit Kreditkarte zahlen.

Öffnungszeiten und Feiertage

Banken

Banken sind in den Städten montags bis freitags bis 16.30 Uhr geöffnet. In ländlichen Gebieten schließen die Banken oft zwischen 12.00 und 13.30 Uhr.

Geschäfte

Von Montag bis Freitag meistens von 8.00 bis 18.30 Uhr geöffnet. Montagmorgens sind viele Geschäfte geschlossen. Samstags schließen die Geschäfte um 17.00 Uhr.

Apotheken, Ärzte

Apotheken sind bis 18.30 Uhr geöffnet, außer sonntags. Über Tel. 1811 erfahren Sie die Dienst- & Öffnungszeiten von Ärzten und Apotheken.

Feiertage

Diese sind je nach Kanton unterschiedlich. Folgende Feiertage gelten landesweit: 1. Januar, Karfreitag, Ostern, 1. Mai (Tag der Arbeit), Himmelfahrt, Pfingsten, 1. August (Nationalfeiertag), Weihnachten.

Kommunikation

(Mobil)Telefon

Das Mobilfunknetz in der ganzen Schweiz ist gut, abgesehen von unbewohnten Alpengebieten. Für das mobile Internet gibt es ein 3G-Netz.

W-Lan, Internet

Im ganzen Land, vorallem in den Städten, finden Sie Internetcafés. W-Lan vielerorts zuhanden.

Post

Im Allgemeinen bis 18.30 Uhr geöffnet. Auch samstagmorgens geöffnet.

Straßen und Verkehr

Straßennetz

Die Straßenwacht der Schweiz ist der TCS. An Hauptverkehrsstraßen und auf Bergpässen finden Sie Notrufsäulen. Im Notfall ist die Pannenhilfe zu erreichen: 140, ▸ *www.tcs.ch* ◂

Verkehrsvorschriften

Verkehr von rechts hat Vorfahrt. Kreisverkehr hat Vorfahrt. In den Bergen hat der Bergauffahrende Vorfahrt.

Auf schmalen Straßen hat ein schwereres Fahrzeug Vorfahrt vor dem leichteren. Die Schweiz hat sog. 'Bergpoststraßen' auf denen Postfahrzeuge immer Vorfahrt haben.
Auf bestimmten Steigungsstrecken sind Schneeketten Pflicht, wenn es der Straßenzustand erfordert. Winterreifen sind für Ausländer zwar empfohlen, aber keine Pflicht.

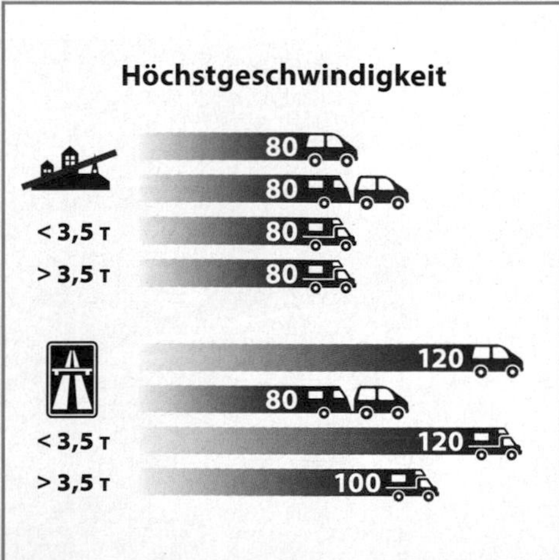

Promillehöchstgrenze 0,5 ‰. Im Tunnel muss mit Abblendlicht gefahren werden. Telefonieren nur mit Freisprechanlage.

Navigation

Warnung vor festen Blitzern durch Navi oder Mobiltelefon Apps ist nicht erlaubt.

Wohnwagen, Reisemobil

Fahrten durch die schweizer Berge mit dem Caravan erfordern doch einige Erfahrung.
Übernachten im Auto, Reisemobil oder Caravan ist auf Parkplätzen an den Autobahnen erlaubt in einigen Kantons (teilweise kostenpflichtig).
Auf Autobahnen mit 3 Spuren darf mit dem Wohnwagen nicht auf der äußerst linken Spur gefahren werden.
Für PKW und Wohnwagen braucht man 2 Autobahnvignetten! Eine für den PKW und eine für den Wohnwagen. Nähere Infos 'Maut'.

Zulässige Maße

Höhe 4m, Breite 2,55m, inklusive Kupplung

(PKW + Wohnwagen) nicht länger als maximal 18,75m.

Kraftstoff

Benzin und Diesel sind überall gut erhältlich. LPG ist ziemlich gut erhältlich.

Tankstellen

Tankstellen sind oft bis 20.00 Uhr offen. Außerdem haben die meisten Tankstellen einen Nachtautomat.

Maut

Für die Benutzung der Autobahnen und Schnellstraßen ist für In- und Ausländer generell eine Vignette erforderlich. Die Vignette gilt für alle KFZ mit Anhänger bis zu einem zulässigen Gesamtgewicht von 3,5 Tonnen und ist ein Jahr gültig. Für den Wohnwagen benötigen Sie eine zweite Vignette! Eine fehlende Vignette wird mit einer Geldbuße von CHF 200 (circa € 165) geahndet. Achtung! Den Grenzposten Basel-Weil können Sie nicht ohne Vignette passieren. Fahrzeuge über 3,5 Ton müssen eine Schwerverkehrsabgabe leisten. Nähere Infos: ▸ *www.ezv.admin.ch.* ◂ Praktischerweise kann man die Vignette auch online bestellen unter ▸ *www.tolltickets.com* ◂ Das erspart Wartezeiten an der Grenze.

Bergpässe

Verboten für Wohnwagen: Klausenpass zwischen Altdorf und Linthal. Nicht zu empfehlen für Wohnwagen: Albulapass zwischen Tiefencastel und La Punt, Furka zwischen Gletsch und Realp, Grimsel zwischen Meiringen und Gletsch, Umbrailpass zwischen Santa Maria und Bormio.

Tunnel

Die schweizer Tunnel sind ganzjährig geöffnet. Für die meisten besteht keine Maut, da sie unter die 'Autobahnvignette' fallen. Es gibt allerdings 2 die kostenpflichtig sind:

Grand St. Bernard und Munt la Schera. Munt la Schera hat nur eine Fahrspur, daher kann man nur zu festen Zeiten durch den Tunnel. Sie kommen auch mit Verladezügen durch die Tunnel.

Notruf

- 112: nationaler Notruf für Polizei, Feuerwehr und Krankenwagen
- 117: Polizei
- 118: Feuerwehr
- 144: Krankenwagen (in großen Städten)
- 1414: Rettungshubschrauber

Campen

Auf Campings in bergigen Gebieten dominieren die Gelände für Zeltcamper. Im Westen der Schweiz haben die Campings oft viele Dauerplätze. Wildes campen ist nicht erlaubt, es muss beim Eigentümer oder der örtlichen Polizei um Erlaubnis gefragt werden.

Praktisch

- Zusätzliche Kosten für Touristenabgaben und Umweltabgaben können manchmal hoch ausfallen.
- Tourismusinformationen sind montags bis freitags zwischen 9.00 und 18.00 Uhr geöffnet.
- Am besten immer Universalstecker dabei haben.
- Leitungswasser ist in der Schweiz unbedenklich.

Klima Zürich	Jan.	Feb.	März	April	Mai	Juni	Juli	Aug.	Sept.	Okt.	Nov.	Dez.
Tagestemperatur	1	3	7	11	16	19	21	20	17	11	5	2
Sonnenstunden am Tag	2	3	5	6	7	7	8	7	6	4	2	1
Regentage	12	10	9	11	13	13	13	13	10	10	10	10

Klima Lugano	Jan.	Feb.	März	April	Mai	Juni	Juli	Aug.	Sept.	Okt.	Nov.	Dez.
Tagestemperatur	5	6	10	14	17	21	24	23	20	14	8	4
Sonnenstunden am Tag	4	5	6	6	6	8	9	8	6	5	4	3
Regentage	6	6	7	10	13	12	10	10	9	9	8	7

Klima St. Moritz	Jan.	Feb.	März	April	Mai	Juni	Juli	Aug.	Sept.	Okt.	Nov.	Dez.
Tagestemperatur	-7	-5	-1	4	9	13	15	14	11	6	-1	-6
Sonnenstunden am Tag	3	4	5	6	6	6	7	6	5	5	3	3
Regentage	6	6	7	7	10	11	11	11	8	8	8	7

Westschweiz

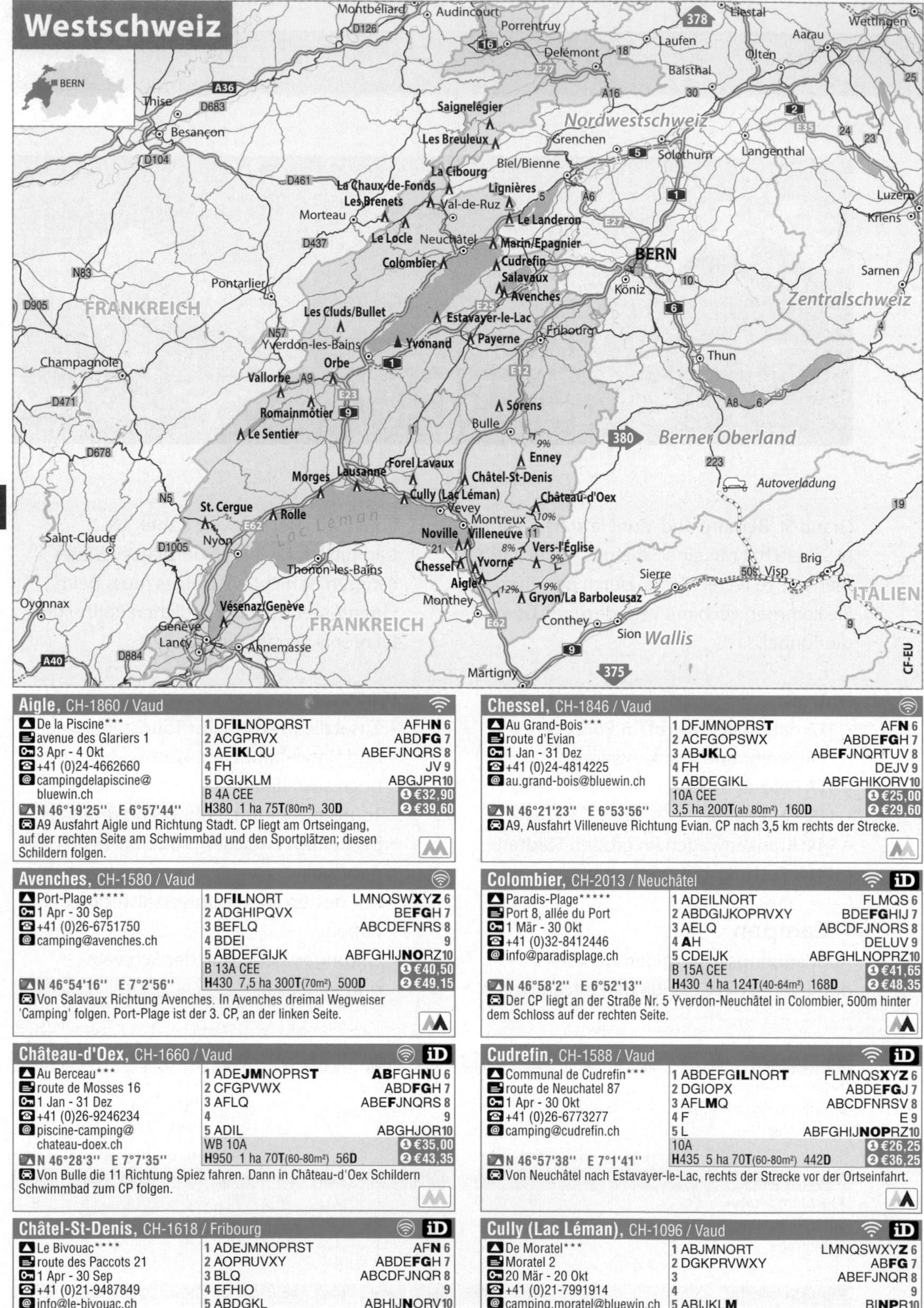

Aigle, CH-1860 / Vaud

De la Piscine***
avenue des Glariers 1
3 Apr - 4 Okt
+41 (0)24-4662660
campingdelapiscine@bluewin.ch
N 46°19'25'' E 6°57'44''

1 DF**IL**NOPQRST AFH**N** 6
2 ACGPRVX ABD**FG** 7
3 AE**IK**LQU ABEFJNQRS 8
4 FH JV 9
5 DGIJKLM ABGJPR 10
B 4A CEE ❶ €32,90
H380 1 ha 75**T**(80m²) 30**D** ❷ €39,60

A9 Ausfahrt Aigle und Richtung Stadt. CP liegt am Ortseingang, auf der rechten Seite am Schwimmbad und den Sportplätzen; diesen Schildern folgen.

Chessel, CH-1846 / Vaud

Au Grand-Bois***
route d'Evian
1 Jan - 31 Dez
+41 (0)24-4814225
au.grand-bois@bluewin.ch
N 46°21'23'' E 6°53'56''

1 DFJMNOPRS**T** AF**N** 6
2 ACFGOPSWX ABDEF**GH** 7
3 AB**JK**LQ ABE**F**JNQRTUV 8
4 FH DEJV 9
5 ABDEGIKL ABFGHIKORV 10
10A CEE ❶ €25,00
3,5 ha 200**T**(ab 80m²) 160**D** ❷ €29,60

A9, Ausfahrt Villeneuve Richtung Evian. CP nach 3,5 km rechts der Strecke.

Avenches, CH-1580 / Vaud

Port-Plage*****
1 Apr - 30 Sep
+41 (0)26-6751750
camping@avenches.ch
N 46°54'16'' E 7°2'56''

1 DF**IL**NORT LMNQSW**XYZ** 6
2 ADGHIPQVX BE**FGH** 7
3 BEFLQ ABCDEFNRS 8
4 BDEI 9
5 ABDEFGIJK ABFGHIJ**NO**RZ 10
B 13A CEE ❶ €40,50
H430 7,5 ha 300**T**(70m²) 500**D** ❷ €49,15

Von Salavaux Richtung Avenches. In Avenches dreimal Wegweiser 'Camping' folgen. Port-Plage ist der 3. CP, an der linken Seite.

Colombier, CH-2013 / Neuchâtel

Paradis-Plage*****
Port 8, allée du Port
1 Mär - 30 Okt
+41 (0)32-8412446
info@paradisplage.ch
N 46°58'2'' E 6°52'13''

1 ADEILNORT FLMQS 6
2 ABDGIJKOPRVXY BDE**FG**HIJ 7
3 AELQ ABCDFJNORS 8
4 **A**H DELUV 9
5 CDEIJK ABFGHLNOPRZ 10
B 15A CEE ❶ €41,65
H430 4 ha 124**T**(40-64m²) 168**D** ❷ €48,35

Der CP liegt an der Straße Nr. 5 Yverdon-Neuchâtel in Colombier, 500m hinter dem Schloss auf der rechten Seite.

Château-d'Oex, CH-1660 / Vaud

Au Berceau***
route de Mosses 16
1 Jan - 31 Dez
+41 (0)26-9246234
piscine-camping@chateau-doex.ch
N 46°28'3'' E 7°7'35''

1 ADE**JM**NOPRS**T** **AB**FGH**N**U 6
2 CFGPVWX ABD**FGH** 7
3 AFLQ ABE**F**JNQRS 8
4 9
5 ADIL ABGHJOR 10
WB 10A ❶ €35,00
H950 1 ha 70**T**(60-80m²) 56**D** ❷ €43,35

Von Bulle die 11 Richtung Spiez fahren. Dann in Château-d'Oex Schildern Schwimmbad zum CP folgen.

Cudrefin, CH-1588 / Vaud

Communal de Cudrefin***
route de Neuchatel 87
1 Apr - 30 Okt
+41 (0)26-6773277
camping@cudrefin.ch
N 46°57'38'' E 7°1'41''

1 ABDEFG**IL**NOR**T** FLMNQS**XYZ** 6
2 DGIOPX ABDE**FG**J 7
3 AFL**MQ** ABCDFNRSV 8
4 F E 9
5 L ABFGHIJ**NOP**RZ 10
10A ❶ €26,25
H435 5 ha 70**T**(60-80m²) 442**D** ❷ €36,25

Von Neuchâtel nach Estavayer-le-Lac, rechts der Strecke vor der Ortseinfahrt.

Châtel-St-Denis, CH-1618 / Fribourg

Le Bivouac****
route des Paccots 21
1 Apr - 30 Sep
+41 (0)21-9487849
info@le-bivouac.ch
N 46°31'32'' E 6°55'6''

1 ADEJMNOPRST AF**N** 6
2 AOPRUVXY ABDE**FGH** 7
3 BLQ ABCDFJNQR 8
4 EFHIO 9
5 ABDGKL ABHIJ**N**ORV 10
10A ❶ €32,15
H898 2 ha 30**T**(80-120m²) 130**D** ❷ €39,65

E27 Fribourg-Vevey. Ausfahrt Châtel-St. Denis/Les Paccots. In Richtung Les Paccots fahren. CP liegt auf der linken Seite.

Cully (Lac Léman), CH-1096 / Vaud

De Moratel***
Moratel 2
20 Mär - 20 Okt
+41 (0)21-7991914
camping.moratel@bluewin.ch
N 46°29'23'' E 6°44'16''

1 ABJMNORT LMNQSWXY**Z** 6
2 DGKPRVWXY AB**FG** 7
3 ABEFJNQR 8
4 9
5 ABIJKL**M** BI**NP**R 10
10A ❶ €20,00
H360 0,5 ha 31**T**(60-80m²) 12**D** ❷ €25,85

Vom Küstenweg 9 Lausanne-Vevey die Ausfahrt Cully fahren. In Cully ist der CP ausgeschildert.

Teilkarte Westschweiz auf Seite 372

Enney, CH-1667 / Fribourg

Haute Gruyère***
chemin du Camping 18
1 Jan - 31 Dez
+41 (0)26-9212260
camping.enney@bluewin.ch

1 ADEJMNOPRST	AU 6	
2 CPWX	ABDEFG 7	
3 ALQ	ABDEFNQRSTUV 8	
4 FHIO	9	
5 ABDEGJKL	ABGJNPR 10	
B 10A CEE		❶ €41,65
1,5 ha 60T 90D		❷ €50,00

N 46°33'27'' E 7°5'7''

A12 Bern-Vevey, Ausfahrt Bulle. Durch die Stadt und der Beschilderung nach Gruyères und Château-d' Oex folgen. Hinter Gruyères liegt der CP links der Straße.

Estavayer-le-Lac, CH-1470 / Fribourg

Nouvelle Plage***
route de la Plage 1
1 Apr - 15 Okt
+41 (0)26-6631693
info@nouvelle-plage.ch

1 DEGILNORT	LMNQRSTWXYZ 6	
2 ADGHIOPQVX	ABDEFGIJ 7	
3 AEFIKLQRT	ABCDEFJNRSV 8	
4 FIO	AFLMOQTUV 9	
5 ACDEFIJKL	ABGHIJLNOPRV 10	
10A CEE		❶ €43,45
H418 1,5 ha 60T(70m²) 157D		❷ €55,20

N 46°51'24'' E 6°50'52''

Von der Autobahn am 1. großen Kreisel, 3. Ausfahrt Richtung Estavayer-le-Lac und See. Dann 1. Kreisel vor der Post 3. Ausfahrt und dann geradeaus. Am Ende der Straße links bis zum Parkplatz (Zufahrtstor).

Forel Lavaux, CH-1072 / Vaud

Camping des Cases****
chemin des Cases 2
1 Jan - 31 Dez
+41 (0)21-7811464
info@campingforel.ch

1 ADEILNOPRST	AHN 6	
2 GPVWX	ABDEFG 7	
3 BEKLMQ	ABCDEFJNQRV 8	
4 IOZ	G 9	
5 ABDEGIJKLM	ABGIJLNOR 10	
B 13A CEE		❶ €30,00
H677 4 ha 60T(80-100m²) 153D		❷ €40,00

N 46°31'44'' E 6°45'55''

Von Chexbres Richtung Moudon fahren. 1 km vor Forel ist der CP ausgeschildert.

Gryon/La Barboleusaz, CH-1882 / Vaud

Les Frassettes C.C.C.V.***
Chemin des Bloz 2
1 Jan - 31 Dez
+41 (0)24-4981088
frassettes@camping-club-vaudois.ch

1 AEGJMNOPRST	6	
2 AFGOPRSUWX	ABDEFGHIK 7	
3 BKLQ	ABCDEFJNQRS 8	
4 FHI	D 9	
5 K	BHIJNRV 10	
WB 10A		❶ €35,25
H1200 1 ha 45T 52D		❷ €43,10

N 46°16'59'' E 7°4'35''

A9, Ausfahrt Aigle in Richtung Gryon/Ollon/Villars nehmen. In Villars in Richtung Gryon/La Barboleusaz fahren. Ausgeschildert.

La Chaux-de-Fonds, CH-2300 / Neuchâtel

Bois du Couvent***
Bois du Couvent 108
1 Mai - 30 Sep
+41 (0)79-2406030
campingboisducouvent@bluewin.ch

1 ADILNOQRT	6	
2 BGOPRUX	ABDEFGHJ 7	
3 AQ	ABCDEFHJNPRST 8	
4 EFGHIO	DJK 9	
5 CJKL	AFGHJPRVZ 10	
10A CEE		❶ €24,15
H1060 1,4 ha 40T(50-80m²) 85D		❷ €26,65

N 47°5'37'' E 6°50'11''

Von Le Locle in La Chaux-de-Fonds den Wegweisern Neuchâtel folgen. Der CP liegt auf der rechten Seite.

La Cibourg, CH-2616 / Neuchâtel

La Cibourg****
Clermont 157
1 Jan - 31 Dez
+41 (0)32-9683937
lacibourg@bluewin.ch

1 ADILNOPQRT	6	
2 APTX	ABDEFGHJ 7	
3 BELQ	ABEFJNPR 8	
4 IKOP	GHIJ 9	
5 ABEGIJK	AFHJORZ 10	
W 10A CEE		❶ €24,85
H1050 4 ha 30T 87D		❷ €31,50

N 47°7'13'' E 6°53'35''

Gelegen entlang der 30 von La Chaux-de-Fonds nach Biel. Über Bahnübergang, dann nach 500m rechts ab. Schildern folgen.

Lausanne, CH-1007 / Vaud

De Vidy****
ch. du Camping 3
1 Jan - 31 Dez
+41 (0)21-6225000
info@clv.ch

1 ABDEJMNORST	LNQSWXZ 6	
2 ADGOPQVX	ABDEFGH 7	
3 ABLQU	ABCDEFJNOQR 8	
4 AFHINOP	HLT 9	
5 ACDEFHIJKL	ABFGHIJLPRV 10	
B 10A CEE		❶ €36,40
H378 4,5 ha 450T(80m²) 75D		❷ €46,40

N 46°31'3'' E 6°35'52''

In Lausanne Schildern Lausanne-Süd folgen bis zum Ortsausgang von La Maladière. Schildern folgen A-Straße Genève. CP gut ausgeschildert.

Le Landeron, CH-2525 / Neuchâtel

Des Pêches****
rue du Port
1 Apr - 15 Okt
+41 (0)32-7512900
info@camping-lelanderon.ch

1 ABDEILNOPQRST	LMNQSXYZ 6	
2 ACDGHIOPVX	ABDEFGHIJ 7	
3 BEFLMQ	ABCDEFJNQRST 8	
4 FHO	DEV 9	
5 CGIKL	ABFGHIJPRV 10	
B 16A CEE		❶ €36,25
H450 4 ha 170T(64-100m²) 354D		❷ €42,90

N 47°3'11'' E 7°4'12''

Von La Neuville Richtung Le Landeron. Der CP ist im Dorf ausgeschildert. Achtung: in der Zufahrt zum CP sind hohe Verkehrschwellen, Schritt fahren.

Le Locle, CH-2400 / Neuchâtel

La Belle Verte***
Mont-Pugin 6
1 Mai - 24 Okt
+41 (0)78-8122697
camping@labelleverte.ch

1 AEILNOPRST	ABFGHI 6	
2 BCFGOPX	BDEFG 7	
3 AEFGILMQU	BDFJNQRS 8	
4 FHIO	DW 9	
5 ADEGIKL	ABGJNORV 10	
16A CEE		❶ €24,35
H960 1,2 ha 38T 49D		❷ €29,85

N 47°3'8'' E 6°45'37''

Von Les Pons-de-Martel am Ortseingang von Le Locle rechts Richtung Schwimmbad. Der CP liegt neben dem Schwimmbad. Von La Chaux-de-Fonds auch Richtung Schwimmbad.

Le Sentier, CH-1347 / Vaud

Le Rocheray C.C.C.V.***
Le Rocheray 37
1 Jan - 31 Dez
+41 (0)21-8455174
rocheray@camping-club-vaudois.ch

1 ADJMNOQRT	LNQSWX 6	
2 DFGIKOPRWX	ABDEFG 7	
3 ALQ	ABEFJNQR 8	
4 FHIO	D 9	
5 ABGKL	ABFGHW 10	
10A		❶ €36,25
H1000 0,7 ha 20T(20-60m²) 41D		❷ €43,75

N 46°37'35'' E 6°15'10''

Von Le Sentier (an Südwestpunkt von Lac de Joux) wird CP ausgeschildert (über Le Lieu auch ausgeschildert; schwierige Strecke).

Les Brenets, CH-2416 / Neuchâtel

Camping Lac des Brenets*****
Champ de la Fontaine 6
1 Jan - 31 Dez
+41 (0)32-9321618
campinglesbrenets@kfnmail.ch

1 ADEJMNOPRST	JLNWXYZ 6	
2 CDFGKOPRSUVWX	ABDEFGHIK 7	
3 ABEGLMQS	ABCDEFIJKLMNRSV 8	
4 IO	ADET 9	
5 ABDEGIJK	ABEFGHIJMNORV 10	
B 13A CEE		❶ €31,65
H790 5,3 ha 100T(80-100m²) 176D		❷ €37,50

N 47°3'56'' E 6°41'55''

Von La Chaux-de-Fonds Richtung Le Locle, durch das Zentrum Richtung Les Brenets, Richtung französische Grenze. Nach 5 km liegt der CP links der Strecke, 200m von der französische Grenze

Les Breuleux, CH-2345 / Jura

Les Cerneux****
1 Jan - 31 Dez
+41 (0)32-4869666
info@lescerneux.ch

1 ADEGILNOPQRST	A 6	
2 BFGPRSTUVWX	BEFGJ 7	
3 AEGHLQU	BDFGIJNQRSTU 8	
4 FHIKOTU	DGHJ 9	
5 ACIJKL	ABFGHJLNTUVY 10	
W 13A CEE		❶ €33,90
H993 3 ha 90T(60-80m²) 59D		❷ €39,35

N 47°12'43'' E 7°2'5''

Von Tramelan Richtung Les Reussilles, links Richtung Les Breuleux. Im Dorf ist nach ca. 2,5 km der CP ausgeschildert.

Les Cluds/Bullet, CH-1453 / Vaud

Les Cluds***
VD 28
1 Jan - 31 Dez
+41 (0)21-4541440
vd28@campings-ccyverdon.ch

1 AGILNORT	6	
2 BNOPTUWX	ABDEFGI 7	
3 ALQ	ABCDEFJNR 8	
4 F	D 9	
5 EJK	ABFGHJNOPR 10	
W 6A CEE		❶ €25,00
H1220 1 ha 20T(25-50m²) 71D		❷ €29,15

N 46°50'31'' E 6°33'34''

Neuchâtel - Yverdon. An St. Croix vorbei Ri. Bullet, ungefähr 3 km. Der CP ist ausgeschildert. Gespanne oder Reisemobile nicht die Strecke ab dem Lac des Brenets oder Cp Brenets nehmen. Kein Passiermöglichkeiten Ri. Bullet.

Lignières, CH-2523 / Neuchâtel

Fraso Ranch****
ch. du Grand-Marais
1/1 - 31/10, 23/12 - 31/12
+41 (0)32-7514616
camping.fraso-ranch@bluewin.ch

1 ADILNORT	ABFG 6	
2 AGOPVX	ABDEFGIJ 7	
3 AELMQ	ABCDEFJNQRS 8	
4 OTU	9	
5 ABCDIJKLM	ABHJNPRVZ 10	
10A CEE		❶ €24,15
H800 4 ha 47T(50-100m²) 378D		❷ €30,85

N 47°5'10'' E 7°4'16''

In Le Landeron Richtung Lignières fahren. Durchs Dorf Lignières 1 km auf der rechten Seite.

Marin/Epagnier, CH-2074 / Neuchâtel

Camping de la Tène***
route de la Tène
1 Apr - 30 Sep
+41 (0)32-7537340
camping.latene@bluewin.ch

1 ADILNOQRT	LMNQSXY 6	
2 ABDGHILPRVX	ABDEFGH 7	
3 BDEILMOQ	ABCDEFGHNQRSUV 8	
4 I	ETV 9	
5 CJKL	ABFGHIJRV 10	
6A		❶ €50,85
H461 3 ha 49T(60-100m²) 177D		❷ €58,35

N 47°0'20'' E 7°1'11''

N5, Ausfahrt Marin Richtung Epagnier. CP ist ausgeschildert.

Morges, CH-CH-1110 / Vaud

Le Petit Bois TCS****
Promenade du Petit-Bois 15
1 Apr - 4 Okt
+41 (0)21-8011270
camping.morges@tcs.ch

1 ADEJMNOPRST	ABFGHLMNOPQRSTWXYZ 6	
2 ADFGKOPRVWX	ABDEFGHIJ 7	
3 ABEKLMQT	ABCDEFNQRSV 8	
4 BFHIOP	AORST 9	
5 ACDEFGHIJKL	ABFGILNPSTVWX 10	
B 6A		❶ €50,85
H375 3,2 ha 170T(80m²) 79D		❷ €62,50

N 46°30'17'' E 6°29'20''

A1 aus Bern, Lausanne oder Genève; Ausfahrt 15 Morges-Ouest (West) Richtung Lac. CP ist ausgeschildert.

Teilkarte Westschweiz auf Seite 372

Noville, CH-1845 / Vaud

Les Grangettes****	1 ADEGJMNOPRST	LMNQSW 6
rue des Grangettes 31	2 ADFGIPVX	ABDEFG 7
1 Jan - 31 Dez	3 BLQ	ABFJNQRV 8
+41 (0)21-9601503	4 FHO	AB 9
noville@treyvaud.com	5 AGJKL	ABGHJORWXZ 10
	B 10A CEE	① €31,65
N 46°23'36'' E 6°53'44''	H375 6 ha 75T($70m^2$) 225D	② €41,65

A9 Richtung Villeneuve, Ausfahrt Noville. CP ist gut ausgeschildert.

St. Cergue, CH-1264 / Vaud

Les Cheseaux C.C.C.V.***	1 ABDILNOPQRST	6
Les Cheseaux	2 PW	ABDEFGH 7
1 Jan - 31 Dez	3 ABILNQ	ABEFJNQR 8
+41 (0)22-3601898	4 F	D 9
cheseaux@ camping-club-vaudois.ch	5 KL	BIJPR 10
	W 10A	① €34,15
N 46°26'47'' E 6°8'37''	H1098 0,7 ha 27T($20-60m^2$) 27D	② €40,85

Von Nyon nach St. Cergue und dann Richtung La Cure, 1 km hinter dem Dorf links. Der CP ist ausgeschildert.

Orbe, CH-1350 / Vaud

Le Signal T.C.S.***	1 ADEJMNOPQRT	AFHN 6
route du Signal 9	2 ABCFGOPRTXY	ABDEFGH 7
4 Apr - 5 Okt	3 BCHILMNOQT	ABCDEFNQRSV 8
+41 (0)24-4413857	4 FHNOP	AD 9
camping.orbe@tcs.ch	5 ACEFGHIKM	ABIJMPR 10
	B 6A	① €38,35
N 46°44'10'' E 6°31'57''	H450 2,1 ha 90T($80-100m^2$) 85D	② €46,65

Die A1 von Lausanne oder Bern. Die A9 nach Vallorbe. Abfahrt Orbe. 1 km vor dem Dorf ausgeschildert.

Vallorbe, CH-1337 / Vaud

Pré sous Ville***	1 AILNOPQRST	ABFGHNO 6
10 rue des Fontaines	2 CGOPRVWX	ABDEFG 7
15 Apr - 15 Okt	3 AEFLMQU	ABCDEFJNQRS 8
+41 (0)21-8432309	4 FHOP	ADGSUV 9
	5 AKL	ABGJNORV 10
	10A	① €31,65
N 46°42'38'' E 6°22'29''	H753 1 ha 45T($55-70m^2$) 21D	② €40,00

Die N57 von Pontarlier (Frankreich) oder die A1/9 von Bern oder Lausanne. An der Grenze Ausfahrt Vallorbe. Weiter ausgeschildert.

Payerne, CH-1530 / Vaud

Piscine Camping***	1 DILNORT	AFHI 6
rte de la Piscine 23	2 AGOPXY	ABDEFGH 7
1 Apr - 30 Okt	3 BEKLMQ	ABEFNRV 8
+41 (0)26-6604322	4 IP	9
info@piscine-payerne.ch	5 DEGHIJK	ABHIJRZ 10
	B 10A CEE	① €21,65
N 46°48'40'' E 6°56'44''	H489 3 ha 35T($60-100m^2$) 138D	② €26,65

In Payerne-Zentrum den Schildern zum Schwimmbad folgen. Kurz vor 'Moulin Agricole' links.

Vers-l'Église, CH-1864 / Vaud

La Murée***	1 AJMNOPRT	N 6
chemain des Planches 3	2 CFGOPVWX	ABDEFGIJ 7
1 Jan - 31 Dez	3 AELQ	ABCDEFJNQRUV 8
+41 (0)21-6345284	4 FHI	G 9
camping.lamuree@bluewin.ch	5 AEIJKL	AFGHJLNPRV 10
	W 10A	① €26,15
N 46°21'12'' E 7°7'23''	H1116 1,1 ha 50T($80-90m^2$) 35D	② €27,50

A9. Ausfahrt Aigle Richtung Leysin/Les Diablerets. In Vers-l'Église liegt der CP rechts der Straße.

Rolle, CH-1180 / Vaud

Aux Vernes***	1 ADEILNOPRST	LMNOQRSW 6
chemin de la Plage	2 ACDFGHIJKOPRVWX	ABDEFG 7
1 Apr - 1 Okt	3 ABKLQ	ABEFHNQRS 8
+41 (0)21-8251239	4 FHO	T 9
reception@campingrolle.ch	5 ABCDGHIKLM	ABFGJR 10
	B 10A	① €42,35
N 46°27'42'' E 6°20'46''	H373 1,5 ha 49T($25-75m^2$) 30D	② €50,65

A1 aus Bern, Lausanne oder Genève, Ausfahrt Rolle. Weiter ausgeschildert.

Vésenaz/Genève, CH-1222 / Genève

Pointe à la Bise****	1 ADEILNOPQRST	FLMNQSTXYZ 6
chemin de la Bise	2 ADFGIKOPVWXY	ABDFG 7
28 Mär - 6 Okt	3 ABKLQ	ABCDEFHJNQRSV 8
+41 (0)22-7521296	4 BFHIOQ	DFVW 9
camping.geneve@tcs.ch	5 ACEGIJKLM	ABFGIJNORV 10
	B 6A	① €56,10
N 46°14'42'' E 6°11'36''	H377 3,2 ha 110T($20-90m^2$) 84D	② €70,25

Von Genève Richtung Evian (Frankreich). Nach ein paar Kilometer Vésenaz. Im Zentrum CP-Schild nach links folgen. Weiter den Schildern folgen.

Romainmôtier, CH-1323 / Vaud

Le Nozon**	1 AILNOQRT	AF 6
chemin du Signal 2	2 AFOPRSTUVWX	AB 7
1 Apr - 1 Okt	3 ALQ	ABCDEFHNQRT 8
+41 (0)24-4531370	4 FI	9
caravanes@ camping-romainmotier.ch	5 ABDGKL	AIJRW 10
	8A	① €41,65
N 46°41'25'' E 6°27'56''	H734 1,7 ha 45T($80-100m^2$) 100D	② €55,00

N9 von Vallorbe nach La Sarraz. Abzweig nach Romainmotier. Dort wie beschildert durchs Dorf dem Straßenverlauf folgen (300m geht es hoch).

Villeneuve, CH-1844 / Vaud

Les Horizons Bleus C.C.C.V.***	1 ADJMNOPRT	LNOPXY 6
rue du Quai 11	2 ADFGOPRWX	ABDEFGIJK 7
1 Jan - 31 Dez	3 BIKLQS	ABCDEFJNQRS 8
+41 (0)21-9601547	4 FHIO	D 9
horizon-bleu@ camping-club-vaudois.ch	5 DGK	ABGIKNORV 10
	WB 10A	① €30,40
N 46°23'43'' E 6°55'17''	H380 1 ha 60T(ab $80m^2$) 32D	② €36,25

A9 aus Richtung Martigny an Ausfahrt Villeneuve verlassen. Der CP liegt am Ortseingang von Villeneuve auf der linken Seite in einer Kurve.

Saignelégier, CH-2350 / Jura

Camping Communal	1 ABFGJMNOPQRST	6
Sous la Neuvevie	2 ABGOPRSXY	ABDE 7
1 Mai - 31 Okt	3 BL	ABCFNRSV 8
+41 (0)32-9511082	4 FH	ADFJ 9
info@campingsaignelegier.ch	5 ABK	AJNOSV 10
	B	① €20,85
N 47°15'11'' E 7°1'10''	H1000 2 ha 40T 46D	② €25,00

Vom Zentrum Saignelégier aus liegt der CP 1,5 km Richtung Bienne.

Yvonand, CH-1462 / Vaud

La Menthue***	1 ABDEFGILNOPRT	LMNQSXY 6
chemin de la Plage	2 DGHPQVWX	ABDEFGH 7
28 Mär - 27 Sep	3 BEFLQ	AEFINQRS 8
+41 (0)24-4301818	4	DEUV 9
contact@camping-yvonand.ch	5 ACDEGIKL	ABGIJNPRV 10
	6A	① €31,65
N 46°48'16'' E 6°44'19''	H460 2,2 ha 120T($64m^2$) 150D	② €37,50

Von Estayer-le-Lac dem Küstenweg folgen nach Yverdon-les-Bains. In Yvonand Richtung Yverdon-les-Bains. Nach 500m rechts dem CP-Schild folgen.

Salavaux, CH-1585 / Vaud

Salavaux Plage****	1 ADEFJMNOPRST	LMNQSWXYZ 6
route de Salavaux 10	2 BDGHIPVXY	ABDEFGIK 7
4 Apr - 1 Okt	3 ABDEFLQRT	ABCDEFNQRSV 8
+41 (0)26-6771476	4 BDFHILO	DFKRVW 9
camping.salavaux@tcs.ch	5 ACDEFIKL	ABHIJLMNPRV 10
	B 13A CEE	① €52,90
N 46°54'49'' E 7°2'3''	6 ha 115T($75-90m^2$) 465D	② €66,25

A1 Bern-Yverdon, Ausfahrt Murten Richtung Salavaux. Durchfahren bis Salavaux, dann rechts abbiegen. Der CP ist ausgeschildert.

Yvonand, CH-1462 / Vaud

VD 8****	1 ABDEGHKNOPRST	LMNQRSTXYZ 6
Pointe d'Yvonand	2 DGHPQVWXY	ABDEFGHI 7
1 Apr - 30 Sep	3 ABEFLQ	ABCDEFINOQRSV 8
+41 (0)24-4301655	4 ILOP	DMNOPQRTUVW 9
VD8@campings-ccyverdon.ch	5 ACDEFGHIJKLM	ABFGIJNPRV 10
	9A CEE	① €29,60
N 46°48'16'' E 6°43'11''	H400 5 ha 480T($16-90m^2$) 213D	② €34,60

Von Yverdon-les-Bains Richtung Yvonand. Nach ca. 6 km ist der CP links ausgeschildert. Von Bern Neuchâtel/Lausanne folgen, Ausfahrt Estowayer-le-Lac Richtung Yverdon. CP ist in Yvonand rechts der Straße angezeigt.

Sorens, CH-1642 / Fribourg

La Fôret*****	1 AFJMNOPRST	ABF 6
rue principale 271	2 GPUVWX	ABFGHI 7
1 Apr - 30 Okt	3 AKLQ	ABCEFJKNQRTUV 8
+41 (0)26-9151882	4 FOTU	L 9
info@camping-la-foret.ch	5 ABDEFIJKL	AFGHIJPR 10
	W 6A	① €23,90
N 46°40'25'' E 7°1'30''	H1020 4 ha 30T($80-120m^2$) 125D	② €30,60

A12, Ausfahrt Rossens. Weiter der 12 Richtung Bulle bis Sorens folgen. Dann noch 5 km den Schildern folgen.

Yvorne, CH-1853 / Vaud

Clos de la George SA	1 DFILNOPRST	AFH 6
Les Ecots 3	2 ACDGIOPSVXY	ABDEFGHIJK 7
1 Jan - 31 Dez	3 ABEKLQ	BCDFJNQRTUV 8
+41 (0)24-4665828	4 AIO	ADEFV 9
info-camping@bluewin.ch	5 BDGKL	AEFGHIJLNPSTV 10
	10A CEE	① €35,10
N 46°20'48'' E 6°56'33''	H385 2,6 ha 70T($80-160m^2$) 128D	② €43,40

Die A9 bei Ausfahrt Villeneuve/Evian verlassen. Dann Richtung Aigle. Der CP liegt links der Straße und ist ausgeschildert.

Schweiz

Teilkarte Westschweiz auf Seite 372

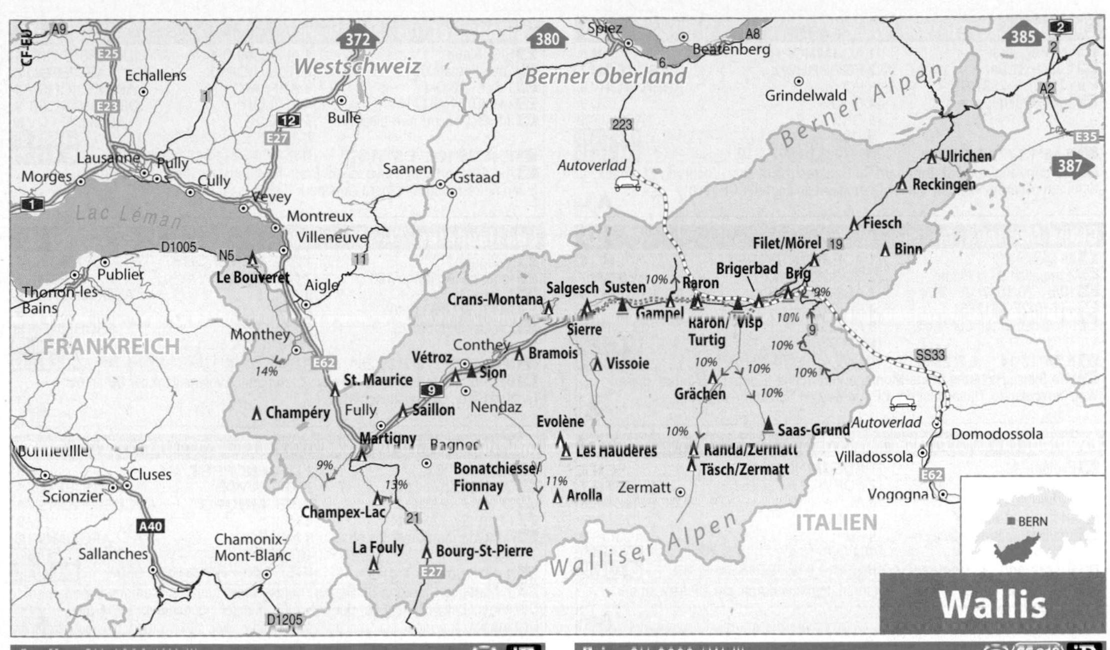

Arolla, CH-1986 / Wallis

Petit Praz**
15 Jun - 15 Sep
+41 (0)27-2832295
info@camping-arolla.com

1 AJLNORT	N 6
2 CFNOPQTUWX	ABDEF 7
3	ABEFNQRV 8
4 EF	9
5 AB	BGJPR 10
10A CEE	① €25,40
H1970 1,2 ha 80T(40-100m²)	② €32,10

N 46°1'37'' E 7°29'9''

In Sion Val d'Herens abfahren. Hinter Les Hauderes Schild Arolla folgen. In La Monta beim Hotel-Restaurant De La Tza links ab den CP-Schildern folgen.

Brig, CH-3900 / Wallis

Geschina****
Geschinaweg 41
17 Apr - 24 Okt
+41 (0)27-9230688
geschina@bluewin.ch

1 AJMNOPRST	ABFGH 6
2 ACFOPWX	ABDEFGH 7
3 AL	ABCDEFNQRS 8
4 AIO	9
5 ABKL	ABIJNPR 10
10A	① €25,60
H648 2 ha 100T 30D	② €32,75

N 46°18'34'' E 7°59'36''

In Brig den Hinweisen Brig-Glis folgen und weiter 'Altstadt' (P) folgen. Danach den CP-Schildern.

Binn, CH-3996 / Wallis

Giessen
1 Mai - 15 Okt
+41 (0)27-9714619
info@camping-giessen.ch

1 AJMNOPQRST	6
2 CFNPTWXY	ADFG 7
3	ABEFNQR 8
4 FHI	G 9
5 AKL	ABJR 10
Anzeige auf dieser Seite 10A	① €23,35
H1460 4 ha 100T(50-100m²) 14D	② €32,50

N 46°22'10'' E 8°12'9''

Aus Brig 16 km Richtung Grimsel, bis hinter Lax, dann ist CP ausgeschildert. Rechts nach Ernen/Binn. In Ernen scharf rechts. CP liegt 2 km hinter Binn. Enge Zufahrt zum CP mit Ausweichplätzen.

Brigerbad, CH-3900 / Wallis

Brigerbad****
Thermalbad 1
1 Mai - 31 Okt
+41 (0)27-9484837
camping@brigerbad.ch

1 ADEFHKNOPRST	ABEFGH 6
2 AFGOPVXY	ABDEFGHI 7
3 ABEI	ABCDEFNQRV 8
4 FHW	DHJVW 9
5 ACGJKL	AHIJPRVZ 10
10A	① €32,25
H672 0,8 ha 200T(60-100m²) 211D	② €41,10

N 46°18'6'' E 7°55'52''

Diverse Schilder mit 'Thermo-Brigerbad' führen zum CP. CP liegt neben dem Badekomplex.

Bonatchiesse/Fionnay, CH-1948 / Wallis

Camping Forêt des Mélèzes
route de Mauvoisin 533
1 Mai - 15 Sep
+41 (0)27-7781240
camping.bonatchiesse@gmail.com

1 AJMNORT	6
2 BCFGPSWX	BEFG 7
3 ALQ	FNQRV 8
4 FH	A 9
5 AJK	ABJOSV 10
	① €20,85
H1600 6 ha 160T 12D	② €29,15

N 46°1'15'' E 7°19'45''

E27 Martigny-Grand Saint Bernard, Ausfahrt in Sembrancher Richtung Verbier und Mauvoisin. In Mauvoisin weiter bis zum CP.

Champéry, CH-1874 / Wallis

du Grand Paradis***
18 route du Grand Paradis
1 Jan - 31 Dez
+41 (0)24-4791990
campingchampery@bluewin.ch

1 AGJMNOPRST	N 6
2 BCFGPRXY	ABDEFG 7
3	ABEFJNQR 8
4 FH	J 9
5 KL	BHKNPR 10
W 10A CEE	① €26,60
H1062 1 ha 23T(70-90m²) 37D	② €35,10

N 46°9'45'' E 6°51'37''

A9, Ausfahrt Monthey und dann Richtung Champéry. Der CP ist ausgeschildert und liegt 2 km hinter Champéry.

Bourg-St-Pierre, CH-1946 / Wallis

Cp. du Grand-St.-Bernard*
1 Jun - 30 Sep
+41 (0)79-3709822
vincent.formaz@netplus.ch

1 ADJMNOPRST	E 6
2 FGOPW	ABDEFGIJK 7
3 AQ	ABFJNRV 8
4 FHIO	F 9
5 AGIKL	AGIJLPRV 10
6A CEE	① €29,15
H1600 1,2 ha 50T(80m²) 27D	② €37,50

N 45°57'10'' E 7°12'27''

Martigny Richtung St. Bernhard, Ausfahrt Bourg-St-Pierre. Nach ca. 200m CP auf rechter Seite.

Bramois, CH-1967 / Wallis

Valcentre***
128 route de Chippis
15 Apr - 31 Okt
+41 (0)27-2031697
info@campingvalcentre.ch

1 ADEJMNORT	FG 6
2 AFOPTUVWXY	ABDEFG 7
3 AKLS	BCEFNQR 8
4 OQ	9
5 AIJKL	BKNORV 10
10A CEE	① €23,35
H470 1,1 ha 45T(60-100m²) 20D	② €29,65

N 46°14'16'' E 7°24'52''

Ausfahrt Sion-Est, Richtung Val d'Hérens. Am Kreisverkehr Richtung Bramois. Beim Schild Nax/St. Martin links ab und dann noch 1 km. CP ist ausgeschildert.

Schweiz

Champex-Lac, CH-1938 / Wallis

Les Rocailles
1 Jan - 31 Dez
+41 (0)27-7831979
pnttex@netplus.ch

1 ADJMNOPRT N 6
2 FGOPRUWX ABDEFGH 7
3 LQ ABEFJNQRV 8
4 FHO D 9
5 GKL ABHIJR 10
W 10A ❶ €32,90
H1470 1 ha 50T 31D ❷ €41,25

N 46°1'57'' E 7°6'30''

Martigny Richtung St. Bernhard. In Orsières (nicht eher) Richtung Champex. Schildern Champex folgen. Hinter Champex-Lac liegt der CP rechts.

Crans-Montana, CH-3963 / Wallis

La Moubra**
2 Impasse de la Plage
10/5 - 20/10, 7/12 - 20/4
+41 (0)27-4812851
info@campingmoubra.ch

1 ADEJMNOPQRST LNQ 6
2 BDGJOPRWXY ABFGH 7
3 ABEFGKLMQ ABDFJNQRV 8
4 FHIOQ T 9
5 ADEGIK GJORV 10
W 6A CEE ❶ €31,50
H1500 3 ha 80T(60-80m²) ❷ €38,50

N 46°18'14'' E 7°28'50''

Von Sierre Richtung Crans-Montana. Am Schild 'Route La Moubra' diesen Weg einschlagen. Danach ist der CP mit weißen Schildern angezeigt.

Evolène, CH-1983 / Wallis

Evolène***
route de Lanna
1 Mai - 15 Okt
+41 (0)27-2831144
info@camping-evolene.ch

1 ADEJMNOQRST FGN 6
2 FOPW ABDEFG 7
3 AL ABCEFNQRS 8
4 FHO DGUV 9
5 KL ABGIJOR 10
10A CEE ❶ €27,50
H1400 0,9 ha 70T(80-100m²) 4D ❷ €34,15

N 46°6'39'' E 7°29'47''

In Sion das Tal Val d'Hérens einfahren. Evolène durch, der CP liegt an der rechten Seite.

Fiesch, CH-3984 / Wallis

Eggishorn****
Fieschertalerstraße
1 Jan - 31 Dez
+41 (0)27-9710316
info@camping-eggishorn.ch

1 ADEJMNOPQRST ABE 6
2 CFGOPVWXY ABDEFG 7
3 ABEFLQ ABCDEFJNQRST 8
4 FHIKO 9
5 ABDEFGIJKL AEGHJNPR 10
WB 16A CEE ❶ €39,15
H1030 4 ha 280T(70-110m²) 40D ❷ €50,00

N 46°24'37'' E 8°8'21''

Aus Brig Richtung Furka. Bei Fiesch ist der CP angezeigt. 18 km bis nach Fiesch. CP liegt kurz hinter der Ortschaft.

Filet/Mörel, CH-3983 / Wallis

Camping Tunetsch*
Pfäwi 1
15 Apr - 30 Okt
+41 (0)27-9272525
info@tunetsch.com

1 ADEJMNOPQRST 6
2 CFOPWX AFG 7
3 B AEFN 8
4 FHO D 9
5 AEGIJL AJNOPR 10
10A ❶ €22,90
H768 0,8 ha 35T(60-120m²) 2D ❷ €29,60

N 46°21'33'' E 8°3'4''

Von Brig ca. 10 km Richtung Grimselpas. Beim Dorf Mörel rechts von der Straße, hinter dem Restaurant Tunetsch.

Gampel, CH-3945 / Wallis

Rhone***
Lampertji 7
1 Apr - 31 Okt
+41 (0)27-9322041
info@campingrhone.ch

1 ADEJLNOPQRST ABFN 6
2 CFGOPVWXY ABDEFG 7
3 BEIKLS ABCDEFJNQRS 8
4 FHI DJV 9
5 AGHIJKL ABHIJPSTX 10
B 6A CEE ❶ €25,90
H630 4,5 ha 190T(60-90m²) 151D ❷ €32,50

N 46°18'27'' E 7°44'36''

Von Goppenstein, nach Gampel 1. Straße rechts. Von Visp oder Sierre, Ausfahrt Goppenstein, 1. links.

Grächen, CH-3925 / Wallis

Grächbiel****
Niedergrächen
1 Mai - 31 Okt
+41 (0)27-9563202
graechbiel@gmx.net

1 AJMNOPRT E 6
2 FOPRUVWX ABDEFG 7
3 AL ABCDEFJNQRSTUV 8
4 FHIPRST G 9
5 ABEFGIJKL AHJOR 10
10A ❶ €32,75
H1550 3,5 ha 40T(80-100m²) 8D ❷ €40,40

N 46°11'33'' E 7°49'37''

In Visp Richtung Zermatt. In St. Niklaus dem weißen Schild Richtung Grächen folgen (links von Norden aus). Nach 300m Niedergrächen auf der linken Seite. CP-Schild und Hotel La Collina folgen. Zufahrt breit genug.

La Fouly, CH-1944 / Wallis

(CC€18)

Des Glaciers****
route de Tsamodet 36
14 Mai - 30 Sep
+41 (0)27-7831826
info@camping-glaciers.ch

1 ADEJMNOPRT 6
2 CFGOPRUVWXY ABDEFGH 7
3 ABELMU ABCDFIJKNQRSV 8
4 EFHIO ADJ 9
5 ABKL ABDGJLNPRVY 10
B 10A CEE ❶ €29,60
H1590 6 ha 200T(50-120m²) 7D ❷ €36,25

N 45°56'5'' E 7°5'46''

Martigny Richtung St. Bernhard. In Orsières Richtung La Fouly/Val Ferret, am Ortsende rechts. Verkehrsschild 'Durchgang verboten' gilt nicht für CP-Gäste.

Le Bouveret, CH-1897 / Wallis

(CC€18)

Rive Bleue****
Case Postale 68
1 Apr - 18 Okt
+41 (0)24-4812161
info@camping-rive-bleue.ch

1 ADEFGJMNOPRST ABFHILMNQRSTUWXYZ 6
2 ADGHIOPVX ABDEFGIJ 7
3 ABFLMQ ABCEFNQRSV 8
4 FHILOP DEIJLMOPQRT 9
5 CDGIKL ABGHIJPTUV 10
B 10A CEE ❶ €35,35
H375 3 ha 224T(61-100m²) 46D ❷ €41,25

N 46°23'12'' E 6°51'37''

A9, Ausfahrt Villeneuve/Evian. Dann Richtung Noville. In Noville Richtung Evian fahren. Den Schildern Aquapark folgen (liegt beim CP).

Les Haudères, CH-1984 / Wallis

(CC€18)

Molignon****
route de Molignon 163
1 Jan - 31 Dez
+41 (0)27-2831240
info@molignon.ch

1 ADEJMNOPQRST ABCFG 6
2 CFOPRTUVWXY BEFGHI 7
3 ABLQ ABDFJNQRSV 8
4 FHI J 9
5 ABEGJKL ABDHIJNPR 10
W 10A CEE ❶ €30,00
H1450 2,5 ha 110T(75-100m²) 36D ❷ €37,35

N 46°5'29'' E 7°30'29''

Bei Sion Richtung Val d'Hérens. 3 km hinter Evolène liegt der CP an der rechten Seite. Gut ausgeschildert.

Martigny, CH-1920 / Wallis

Martigny T.C.S.***
68 route du Levant
27 Mär - 29 Nov
+41 (0)27-7224544
camping.martigny@tcs.ch

1 DEJLNOPRST F 6
2 AFGPVWXY ABDEFGIJ 7
3 BEILMNOPQ ABCDEFJNQRSV 8
4 FHIO GV 9
5 ABDEGKL AFGIJNOR 10
10A CEE ❶ €40,00
H467 2,5 ha 70T(58-80m²) 66D ❷ €50,00

N 46°5'50'' E 7°4'43''

In Martigny Richtung St. Berhardtunnel. Dann Ausfahrt Martigny/Expo fahren. Der angegebene CP liegt auf der linken Straßenseite gegenüber dem Expo-Gebäude.

Randa/Zermatt, CH-3928 / Wallis

(CC€16)

Attermenzen****
1 Jan - 31 Dez
+41 (0)27-9672555
rest.camping@rhone.ch

1 ADEJMNOPQRST N 6
2 FOPRTUVWXY ABDEFGH 7
3 AJ ABEFNQR 8
4 FH G 9
5 ABEFGIJKL AJPTUV 10
WB 10A ❶ €30,00
H1400 2,4 ha 150T(80-100m²) 5D ❷ €37,50

N 46°5'9'' E 7°46'51''

Von Visp, Richtung Zermatt. Randa umfahren. Der CP liegt etwas nach Randa auf der linken Seite. Gut ausgeschildert.

Raron, CH-3942 / Wallis

Simplonblick***
Kantonstraße 12
1 Apr - 31 Okt
+41 (0)27-9343205
simplonblick@bluewin.ch

1 ADEJMNOPRST AB 6
2 ABFGOPVWXY ABEFGH 7
3 ABKLQS ABDEFJNRSTU 8
4 BFHO DG 9
5 ABEGIJKL ABHIKLNPST 10
12A CEE ❶ €25,75
H637 5,5 ha 100T(80-100m²) 230D ❷ €33,00

N 46°18'14'' E 7°47'41''

Von Gampel nach Visp (Kantonstraße Raron). Die Einfahrt zum CP ist zwischen dem Hotel/Restaurant und der Tankstelle.

Teilkarte Wallis auf Seite 375

Baron/Turtig, CH-3942 / Wallis

Santa Monica****
Kantonstraße 56
2 Apr - 18 Okt
+41 (0)27-9342424
info@santa-monica.ch

1 ADE**JL**NOPQRS**T** ABFG 6
2 ACFGOPRWX ABDE**FG**HI 7
3 ABE**KLM** ABCDEF**IJLM**NQRSTUV 8
4 BC**E**FGHILO**P** BEJ 9
5 ABDEGIKL ABDGHIJ**NP**R10
16A CEE ❶ €30,10
H630 4 ha 124T(80-120m²) 167D ❷ €39,00

N 46°18'11'' E 7°48'8''
Der CP liegt auf dem Weg von Gampel nach Visp. Die Einfahrt zum CP liegt in der Nähe der Renault-Werkstatt.

Reckingen, CH-3998 / Wallis

Augenstern***
11/5 - 16/10, 14/12 - 15/3
+41 (0)27-9731395
info@campingaugenstern.ch

1 ABE**JM**NOPRS**T** **ABFGN** 6
2 CFOPVWX ABDE**FG** 7
3 A**IK**LS ABE**F**JNQR 8
4 FHO EGHJ 9
5 ABDGIJKL ABDGHJ**N**ORW10
Anzeige auf dieser Seite W 10A ❶ €31,40
H1300 1,5 ha 200T(80-90m²) 39D ❷ €41,10

N 46°27'53'' E 8°14'41''
Von Brig Richtung Grimselpass fahren. In Reckingen vor der Kirche rechts abfahren und dann noch ungefähr 1 km den Schildern folgen.

Saas-Grund, CH-3910 / Wallis

Am Kapellenweg***
1 Mai - 11 Okt
+41 (0)27-9574997
camping@kapellenweg.ch

1 ADE**JM**NOPRS**T** 6
2 CFOPWX A**B**D**EFG** 7
3 ABCDEFJNQR 8
4 **E**FHIO**P** DGI 9
5 ABL ABHJ**NO**RV10
10A CEE ❶ €25,85
H1600 0,7 ha 100T(30-80m²) 32D ❷ €37,50

N 46°7'0'' E 7°56'24''
In Visp Richtung Saas-Grund und Saas-Fee fahren. Im Zentrum von Saas-Grund Richtung Saas-Almagell. Nach fast 700m liegt der CP auf der rechten Seite.

Saas-Grund, CH-3910 / Wallis

Bergheimat**
1 Jan - 31 Dez
+41 (0)27-9571839
zurbriggenalfredo@ hotmail.com

1 AEJMNOPRS**T** E 6
2 FOPW ABDE**F** 7
3 AL**M** ABEFJNR 8
4 **AEFHRTUV** GHI 9
5 DEFGJKL ABHJ**NOR**10
W 10A ❶ €27,90
H1560 0,6 ha 40T(60-100m²) 31D ❷ €40,40

N 46°7'39'' E 7°56'12''
Kommend von Visp, CP mittendrin Saas-Grund. Hauptstraße rechts, großes Schild 'Camping', liegt hinterm Hotel 'Bergheimat'.

Saas-Grund, CH-3910 / Wallis

Mischabel***
29 Mai - 4 Okt
+41 (0)27-9571608
mischabel@hotmail.com

1 A**JM**NOPQRST 6
2 CFOPVWX A**B**DE**FG**H 7
3 L ABCDEFJNQR 8
4 FHIO**Z** F 9
5 ABGKL ABHJLNOR10
10A CEE ❶ €25,85
H1620 1,8 ha 150T(80-120m²) 1D ❷ €37,50

N 46°6'49'' E 7°56'29''
Von Visp Richtung Saas-Grund und Saas-Fee; im Zentrum von Saas-Grund Hauptstraße in Richtung Saas-Almagell, nach 1 km liegt der CP rechts.

Saas-Grund, CH-3910 / Wallis

Schönblick**
1 Jan - 31 Dez
+41 (0)27-9572267
schoenblick@ campingschweiz.ch

1 JMNOPRST 6
2 CFOPWX ABDE**FG**H 7
3 AL ABCDEFJNQR 8
4 FHI D 9
5 AKL ABJR10
W 10A ❶ €25,85
H1650 1 ha 40T(70-100m²) 19D ❷ €37,50

N 46°6'41'' E 7°56'36''
In Visp Richtung Saas-Grund und Saas-Fee. Im Zentrum von Saas-Grund Richtung Saas-Almagell. Nach 1,5 km rechts, beim CP Gasthof Schönblick melden.

Saillon, CH-1913 / Wallis

De la Sarvaz****
route de Fully 100
1/1 - 10/1, 7/2 - 31/12
+41 (0)27-7441389
info@sarvaz.ch

1 ADE**JM**NOPRST CDFG 6
2 AFGOPVWX ABDE**FG**HIJK 7
3 ABEF**IK**LQS ABCDEFJK**L**NQRSTUV 8
4 FHIO**PQ** GJKL 9
5 ACEGIJKL ABEFGHIJL**N**PRV10
WB 16A CEE ❶ €35,40
H480 3 ha 87T(55-22m²) 70D ❷ €44,40

N 46°9'35'' E 7°10'2''
A9 Martigny-Sierre, Autoroute du Rhone, Ausfahrt Saxon. Dann Ausfahrt Saillon/Fully. Rechts Richtung Saillon und nach ca. 2 km CP rechts von der Strecke.

Salgesch, CH-3970 / Wallis

Swiss Plage****
Campingweg 5
28 Mär - 18 Okt
+41 (0)27-4556608
info@swissplage.ch

1 ADE**JM**NOPRST FLM**NX** 6
2 ABCDGHIPVWXY ABDE**FG** 7
3 BEFL**MNO**Q ABCDE**F**NQRS 8
4 HIO J 9
5 ACDEFGJKL ABGHIJ**NP**RW10
10A CEE ❶ €32,15
H500 8 ha 80T(60-70m²) 224D ❷ €38,85

N 46°18'5'' E 7°33'53''
Von Visp Richtung Sierre/Lausanne. Vor Sierre über die Brücke Richtung Varen/Salgesch. CP ist dort ausgeschildert. Von Sion, Sierre durch Richtung Simplon/Brig bis zur Ausfahrt Salgesch.

Sierre, CH-3960 / Wallis

Bois de Finges
route du bois de Finges
24 Apr - 4 Okt
+41 (0)27-4550284
camping.sierre@bluewin.ch

1 ADE**JM**NOPRT ABFG 6
2 ABOTXY BE**FG** 7
3 A**K**LQ AB**F**NQR 8
4 ABD**E**FHIO D 9
5 ABDGKL ABIKNQTV10
4A ❶ €38,85
3 ha 100T(40-60m²) 4D ❷ €46,15

N 46°17'37'' E 7°33'28''
Auf der A9 Ausfahrt 29 Richtung Sierre-Est, nach 500m rechts. Weiter der Beschilderung folgen. Es gibt einen Schleppservice.

Sion, CH-1950 / Wallis

Sedunum***
10 route des Ecussons
1 Apr - 31 Okt
+41 (0)27-3464268
info@camping-sedunum.ch

1 AD**IL**NOPR**T** AF**N** 6
2 ABGOPRVY ABDE**FG** 7
3 ABE**IK**LQ ABCDEFNQRSTV 8
4 FHIO**P** 9
5 BDEGIJKL ABHIJ**NP**RV10
10A CEE ❶ €27,50
H450 3 ha 20T(90m²) 90D ❷ €37,00

N 46°12'40'' E 7°18'43''
In Martigny A9 in Richtung Sion. Ausfahrt 25, 9.36 folgen Richtung 'Les Isles'-Aproz.

Sion, CH-1950 / Wallis

TCS Camping Sion*****
chemin du Camping 6
1/1 - 30/10, 16/12 - 31/12
+41 (0)27-3464347
camping.sion@tcs.ch

1 DE**JM**NOPQRST AFLM**NQ** 6
2 ACDFGIOPRVWXY ABDE**FG**HIJK 7
3 BEF**GHIKLMOP**QSTU ABCDEFJKNQRSTUV 8
4 **A**BCD**E**FHILO**PQ** AFJK 9
5 ACDEIJKL ABGHIKLM**N**OSTV10
WB 4A CEE ❶ €45,00
H480 8 ha 446T(60-120m²) 157D ❷ €55,85

N 46°12'42'' E 7°18'49''
In Martigny A9 Richtung Sion fahren. Dann Ausfahrt 25 Conthey/Vétroz. Dann Schild 'Iles' folgen. Danach wird der CP ausgeschildert.

St. Maurice, CH-1890 / Wallis

du Bois-Noir
route Cantonale
1 Apr - 31 Okt
+41 (0)27-7671252
info@campingduboisnoir.ch

1 DJMNOPRST AF 6
2 ABFPVXY AB**FG** 7
3 ALQ ABCDEFNQRV 8
4 FHIO E 9
5 AIKLM AHJ**NP**T10
10A ❶ €31,35
60T 61D ❷ €37,15

N 46°11'35'' E 7°1'35''
A9 Lausanne-Martigny, Ausfahrt 19 Richtung Martigny die N21 links der Straße. Ausgeschildert.

Schweiz

Teilkarte Wallis auf Seite 375

Susten, CH-3952 / Wallis

CC€18

Bella-Tola*****
Waldstraße 133
25 Apr - 11 Okt
+41 (0)27-4731491
info@bella-tola.ch
N 46°17'56'' E 7°38'11''

1 BDEJMNOQRT	ABFG 6
2 AFGPRTUVWX	ABDEFGH 7
3 BEGKLM	ABCDEFINQRS 8
4 BDFHLO	LUVW 9
5 ABDEGJKL	ABGHIJOR 10
B 10-16A	❶ €43,30
H750 4 ha 190T(60-100m²) 65D	❷ €59,95

E62/A9 Visp-Sierre. In Susten die Strecke verlassen und den CP-Schildern ca. 2 km durch den Wald folgen. Gut ausgeschildert.

Susten, CH-3952 / Wallis

iD

Gemmi 'Agarn'****
Briannenstraße 8
6 Apr - 15 Okt
+41 (0)27-4731154
info@campinggemmi.ch
N 46°17'52'' E 7°39'33''

1 ADEJMNOPQRST	6
2 AFOPVWXY	BEFG 7
3 AKLT	BDFIJLMNQRTUV 8
4 FHIO	D 9
5 ABDEGIKL	ABEHJNPTUZ 10
16A	❶ €34,65
H620 0,8 ha 69T(70-100m²) 8D	❷ €46,15

Der E2 folgen von Visp nach Sierre, dann Ausfahrt Agarn. Den Schildern 'Camping Torrent', 150m hinter Torrent liegt Gemmi.

Susten, CH-3952 / Wallis

iD

Monument**
Alter Kehr 33
1 Mai - 21 Sep
+41 (0)27-4731827
camping.monument@hotmail.com
N 46°18'25'' E 7°36'39''

1 AJMNOPRST	A 6
2 ABFGPQRTWXY	ABDF 7
3 AKL	AEFNQR 8
4 FH	9
5 ABDGKL	ABIKMT 10
10A CEE	❶ €31,60
H600 5,5 ha 170T(60-100m²) 12D	❷ €41,35

An der E2 Visp-Sierre, 6 km vor Sierre. Gut ausgeschildert. Ab Sion, 6 km hinter Sierre.

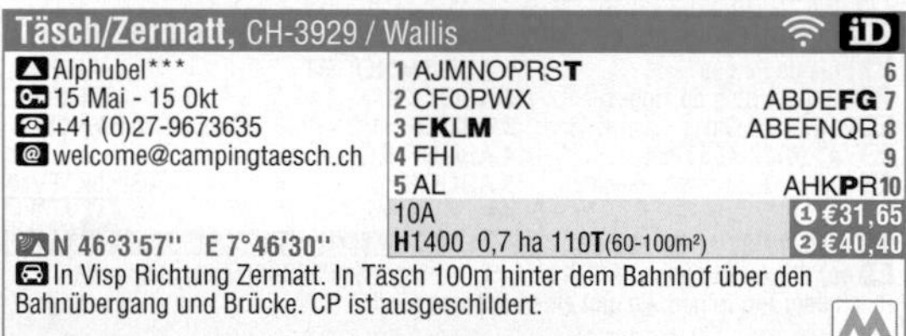

Susten, CH-3952 / Wallis

CC€18 iD

Torrent***
Kreuzmatten 12
1 Apr - 18 Okt
+41 (0)27-4732295
campingtorrent@bluewin.ch
N 46°17'58'' E 7°39'31''

1 AJMNOPQRST	F 6
2 AFPRTWXY	BEF 7
3 AKLQS	ABCDFNQRS 8
4 FHIO	D 9
5 ADGKL	ABDFIJNPTU 10
16A CEE	❶ €27,85
H650 5 ha 200T(100m²) 92D	❷ €34,10

E22 von Visp nach Sierre, dann Ausfahrt Agarn. Der CP ist gut ausgeschildert.

Täsch/Zermatt, CH-3929 / Wallis

iD

Alphubel***
15 Mai - 15 Okt
+41 (0)27-9673635
welcome@campingtaesch.ch
N 46°3'57'' E 7°46'30''

1 AJMNOPRST	6
2 CFOPWX	ABDEFG 7
3 FKLM	ABEFNQR 8
4 FHI	9
5 AL	AHKPR 10
10A	❶ €31,65
H1400 0,7 ha 110T(60-100m²)	❷ €40,40

In Visp Richtung Zermatt. In Täsch 100m hinter dem Bahnhof über den Bahnübergang und Brücke. CP ist ausgeschildert.

Nordwestschweiz

Ulrichen, CH-3988 / Wallis

iD

Camping Nufenen***
1 Jun - 30 Sep
+41 (0)27-9731437
info@camping-nufenen.ch
N 46°30'16'' E 8°18'39''

1 AJMNOPRST	NU 6
2 CFOPWX	ADF 7
3 KL	AFNQR 8
4 FH	9
5 ABKL	AJORV 10
10A	❶ €29,75
H1347 0,8 ha 45T(70-120m²) 10D	❷ €37,75

Von Brig die 19 Richtung Gletsch. In Ulrichen Ausfahrt Nufenen Pass. Nach ca. 400m rechts über die Brücke.

Vétroz, CH-1963 / Wallis

CC€18 iD

Botza*****
1 route du Camping
1 Jan - 31 Dez
+41 (0)27-3461940
info@botza.ch
N 46°12'21'' E 7°16'44''

1 ADEILNOPRST	ABFGHN 6
2 AFGPRVXY	BEFGH 7
3 BEGKLMQU	ABCDEFJKNQRSV 8
4 BDFHNOP	GJ 9
5 ABDEFGIJKL	ABDGHIKLNPSTV 10
WB 4A CEE	❶ €32,25
H480 3 ha 125T(60-153m²) 97D	❷ €39,35

A9 Martigny-Sion, Ausfahrt 25 Vétroz/Ardon. Links ab Botza folgen.

Visp, CH-3930 / Wallis

CC€16 iD

Camping/Schwimmbad Mühleye***
Mühleye
3 Apr - 2 Nov
+41 (0)27-9462084
info@camping-visp.ch
N 46°17'53'' E 7°52'23''

1 ADEJMNOPRST	ABFGH 6
2 ACFGOPVWX	ABDEFGH 7
3 AEKL	ABDEFNQRSTU 8
4 EFHIO	FK 9
5 ADEIJKL	ABDGHIKNORVXZ 10
B 13A CEE	❶ €30,40
H640 3,6 ha 182T(50-150m²) 3D	❷ €37,75

CP liegt an der Straße von Gampel nach Visp. Bis zur ersten Ampel in Visp fahren, dann vor der Brücke direkt hinter der Tankstelle links abbiegen. Gut ausgeschildert.

Visp, CH-3930 / Wallis

iD

Seewjinen*
Kantonstraße 69
1 Mai - 31 Okt
+41 (0)79-7068319
mazottihartung@bluewin.ch
N 46°17'40'' E 7°54'0''

1 AJMNOPRST	6
2 ACFPWXY	BEFH 7
3 A	ABFNR 8
4 IO	D 9
5 KL	AKTUV 10
12A	❶ €24,60
H650 0,5 ha 50T(ab 100m²) 17D	❷ €30,40

Gelegen an der Strecke Visp-Brig. 1 km hinter Visp hinter der Sanität Oberwallis links ab nach unten.

Vissoie, CH-3961 / Wallis

iD

d'Anniviers*
1 Apr - 31 Okt
+41 (0)27-4751572
georgestheytaz@bluewin.ch
N 46°13'6'' E 7°34'59''

1 AILNORT	ABN 6
2 FNOPRTUWX	ABDF 7
3 AL	ABFJNV 8
4	9
5	ABJOR 10
10A	❶ €30,00
H1200 0,5 ha 32T(40-80m²) 34D	❷ €37,50

Bei Sierre in das Tal Val d'Anniviers. 200m vorm Dorf Vissoie wird der CP deutlich ausgeschildert.

Gebrauchsanweisung

Um die Möglichkeiten des Führers optimal nutzen zu können, sollten Sie die Gebrauchsanweisung auf Seite 10 gut durchlesen. Hier finden Sie wertvolle Informationen, beispielsweise die Berechnung der Übernachtungspreise.

❶ € 25,00
❷ € 35,80

Aarburg, CH-4663 / Aargau

iD

Wiggerspitz***
Hofmattstraße 40
1 Mai - 30 Sep
+41 (0)62-7915810
info@camping-aarburg.ch
N 47°18'58'' E 7°53'42''

1 ADFILNOPRST	AFNU 6
2 ACOPX	ABDEFG 7
3 AEL	AEFJNQR 8
4 FHIO	D 9
5 DKL	AHSTV 10
6A CEE	❶ €25,00
H402 1,2 ha 60T(80m²) 35D	❷ €31,65

A1/A2 Basel-Luzern, Ausfahrt 46 Aarburg. CP ausgeschildert.

Schweiz

Burgdorf, CH-3400 / Berner Mittelland

Waldegg***	1 AJMNOPQRST	AEFJN 6
Waldeggweg	2 ABCGOPX	ABDE 7
1 Apr - 14 Okt	3 AILS	ABCDEFNQRS 8
+41 (0)34-4222460	4 FHO	9
camping.waldegg@ bluemail.ch	5 DEL	AJNR 10
	10A	① €27,90
N 47°3'13'' E 7°37'57''	H500 0,8 ha 40T(50-80m^2) 24D	② €32,90

A1 Basel-Bern, Ausfahrt 39 Kirchberg/Burgdorf, Richtung Burgdorf. CP ausgeschildert. Nach der Brücke links (2,65m Breite).

Erlach, CH-3235 / Berner Mittelland

Gemeinde Camping Erlach****	1 ADFGILNORST	LMNQSWXY 6
Stadtgraben 23	2 DGIJOPQVX	ABDEFGIJ 7
31 Mär - 15 Okt	3 ABEFLMQ	ABCDEFGIKNQRS 8
+41 (0)32-3381646	4 ABIOP	DTV 9
camping@erlach.ch	5 ACDHKL	ABGHIJNORVZ 10
	4A CEE	① €50,85
N 47°2'46'' E 7°5'51''	H395 1,6 ha 80T(70-90m^2) 124D	② €50,85

Von Gals Richtung Erlach/Täuffelen. Im Dorf Erlach links ab, 100m hinter dem CP Mon Plaisir.

Erlach, CH-3235 / Berner Mittelland

Mon Plaisir****	1 ADEGILNORST	LMNSWX 6
Galsstraße 26	2 ADGHIOPRSUVWX	ABDEFG 7
1 Jan - 31 Dez	3 ABFLQ	ABEFJNQRTUV 8
+41 (0)32-3381358	4 FHI	DEGJQRT 9
info@camping24.ch	5 ABKL	ABEFJNOST 10
	6A	① €39,00
N 47°2'44'' E 7°5'41''	H380 1 ha 17T(60-80m^2) 32D	② €51,00

Der CP liegt mitten im Dorf Erlach an der linken Seite der Straße Gals-Erlach-Täuffelen.

Frick, CH-5070 / Aargau

Camping Frick****	1 AFILNOPRT	ABEFGH 6
Juraweg 21	2 AOPVWX	ABDEFG 7
28 Mär - 31 Okt	3 ALM	ABCDEFJNQRS 8
+41 (0)62-8713700	4 FHIRT	D 9
info@campingfrick.ch	5 BEJKL	AKNPR 10
	B 6-13A CEE	① €24,15
N 47°30'1'' E 8°1'7''	H344 1 ha 30T(80m^2) 104D	② €30,00

A3 Basel-Luzern-Bern-Zürich, Richtung Zürich/Rheinfelden. Ausfahrt 17 Frick. Hallenbad/CP ausgeschildert.

Gampelen, CH-3236 / Berner Mittelland

Neuenburgersee***	1 ADILNORT	ABLMNQSWXYZ 6
Seestraße	2 ABDGIPVX	BDEFG 7
4 Apr - 7 Okt	3 ABELR	ABCDEFKNRS 8
+41 (0)32-3132333	4 ABDIMOP	DQRTUV 9
camping.gampelen@tcs.ch	5 CEFHKL	ABEFGIJNPRVZ 10
	B 6A CEE	① €44,65
N 47°0'5'' E 7°2'26''	H430 11 ha 140T(70-90m^2) 727D	② €55,50

Gampelen Richtung Cudrefin. Schildern folgen.

Hinterkappelen/Bern, CH-3032 / Berner Mittelland

Bern-Eymatt****	1 ADEGJMNOPRST	ABFGLNX 6
Wohlenstraße 62	2 ADGOPVWXY	ABDEFG 7
1 Mär - 10 Nov	3 BFLT	ABCDEFJNQRST 8
+41 (0)31-9011007	4 FHIO	DFJ 9
camping.bern@tcs.ch	5 ACDEGHIJKL	ABFGHIJNPRV 10
	B 6A CEE	① €46,50
N 46°57'49'' E 7°23'4''	3,5 ha 190T 80D	② €59,00

A1 Basel-Murten-Yverdon, Ausfahrt Bern/Bethlehem, Richtung Wohlen. Der CP ist an der Autobahnausfahrt angezeigt.

Meinisberg/Biel, CH-2554 / Berner Mittelland

Seeland Camp***	1 AGILNORT	AF 6
Postfach 27	2 AGPU	ABDEFGH 7
1 Jan - 31 Dez	3 AELQS	ABCDEFNRS 8
+41 (0)32-3772686	4 F	DE 9
info@seeland-camp.ch	5 ABDL	ABCFJLORV 10
	13A	① €32,85
N 47°9'45'' E 7°20'46''	H520 3 ha 25T(60-80m^2) 77D	② €44,50

In Biel Richtung Solothurn, Schild Meinisberg folgen, dort Straße links nach oben und CP-Schild folgen.

Möhlin, CH-4313 / Aargau

Campingplatz "Bachtalen"***	1 AILNORT	AFHN 6
Bachtalen	2 ACOPTW	ABDEFG 7
1 Apr - 31 Okt	3 AL	ABCDEFNR 8
+41 (0)61-8515095	4 FHIMORT	9
info@camping-moehlin.ch	5 BDEGKL	AJPST 10
	10A CEE	① €29,15
N 47°34'34'' E 7°50'19''	H320 1 ha 20T(50-80m^2) 50D	② €35,85

A3 Basel-Luzern-Bern-Zürich, Richtung Rheinfelden, Ausfahrt 15 Rheinfelden-Ost/Möhlin. CP/Schwimmbad ausgeschildert.

Neuenegg, CH-3174 / Berner Mittelland

Thörishaus****	1 BDFGJMNOPRST	J 6
Strandheimstrasse 20	2 ACOPWX	ABDEFG 7
1 Apr - 31 Okt	3 L	ABEFNQRV 8
+41 (0)31-8890271	4 FHIO	9
info@camping-thörishaus.ch	5 ABDGIKL	ABFGJNORV 10
	10A	① €28,90
N 46°53'35'' E 7°20'3''	H548 5,5 ha 20T 208D	② €36,60

A12 Bern-Fribourg, Ausfahrt Flamatt. Am 2. Kreisel nach rechts, nach ca. 300m ist die Ausfahrt zum CP ausgeschildert.

Prêles, CH-2515 / Berner Mittelland

Camping Prêles AG****	1 ADFILNORT	ABFGH 6
61 route de la Neuveville	2 BFGOPVX	ABDEFGHI 7
1 Apr - 15 Okt	3 ALQ	ABCDEFJLNQRS 8
+41 (0)32-3151716	4 IP	J 9
info@camping-jura.ch	5 ACDEFGIKLM	ABGHIJNPRV 10
	13A CEE	① €38,35
N 47°5'8'' E 7°7'2''	H820 6 ha 50T(60-80m^2) 174D	② €47,00

Vor Biel die A6 Richtung Delémont. 1. Ausfahrt Frinvillier, Richtung Orvin/ Lamboing. In Lamboing links Richtung La Neuveville-Prêles. 1 km hinter Prêles links abbiegen.

Reinach/Basel, CH-4153 / Basel

Camping Waldhort****	1 ADJMNOPRST	AF 6
Heideweg 16	2 AGOPQVWX	ABDFGHIJ 7
1 Mär - 29 Okt	3 ALM	ABCDEFJNQRS 8
+41 (0)61-7116429	4 FHI	9
info@camping-waldhort.ch	5 ABDEKL	AFHIKLR 10
	B 5A CEE	① €34,15
N 47°29'59'' E 7°36'11''	H350 3,3 ha 190T(60-100m^2) 134D	② €48,35

Autobahn Basel-Delémont, Ausfahrt Reinach-Nord, CP ausgeschildert.

Solothurn, CH-4500 / Solothurn

Camping TCS Lido****	1 ADFILNOPRT	ABFJNU 6
Glutzenhofstrasse	2 ACHOPSVX	ABDEFGI 7
1 Mär - 31 Dez	3 BILMO	ABCDEFJKNQRSTUV 8
+41 (0)32-6218935	4 FHIPRST	J 9
camping.solothurn@tcs.ch	5 CEGJKL	ABFGHIJOR 10
	B 12A CEE	① €41,65
N 47°11'54'' E 7°31'25''	H400 2,5 ha 200T(80m^2) 48D	② €48,35

A5, Ausfahrt Solothurn-West. Zentrum folgen. CP ist angezeigt. Richtung Biel/Grenchen, die B5.

Sutz/Lattrigen, CH-2572 / Berner Mittelland

Camping Sutz	1 ADGILNORST	LMNOPQSWX 6
am Bielersee****	2 ABDGIJOPSVX	ABDEFGHI 7
Kirchrain 40	3 ABDEFLPQ	ABCDEFJKNQRSTUV 8
1 Apr - 31 Okt	4 FHI	ADGUVW 9
+41 (0)32-3971345	5 ACEIKL	ABFGIJORVZ 10
mail@camping-sutz.ch	B 10A	① €35,85
N 47°6'33'' E 7°13'13''	H420 10 ha 56T(60-80m^2) 371D	② €45,00

Von Biel Richtung Nidau-Täuffelen. Nach 1 km hinter dem Zentrum von Ipsach rechts, gleich hinter Holzsägerei Spychiger A.G. Holz + Imprägnierung.

Sutz/Lattrigen, CH-2572 / Berner Mittelland

Lindenhof***	1 BFGILNOQRST	6
Mörigenweg 2	2 AFGOPSTY	ABDEF 7
1 Apr - 31 Okt	3 AELQ	ABEFNR 8
+41 (0)32-3971077	4 FHI	HV 9
info@camping-lindenhof.ch	5 ABL	ABFHJR 10
	10A	① €39,60
N 47°5'26'' E 7°12'39''	H450 1 ha 48T 1D	② €50,40

Biel/Bienne über Nidau Richtung Ins, direkt nach Sutz rechts, über den Bahnübergang ausgeschildert.

Wabern/Bern, CH-3084 / Berner Mittelland

Eichholz***	1 ADEJMNOPRST	NX 6
Strandweg 49	2 ACGPSWXY	ABDEFGHI 7
20 Apr - 30 Sep	3 EFL	ABEFNQRSV 8
+41 (0)31-9612602	4 FHIO	G 9
info@campingeichholz.ch	5 ABDGJL	ABFGHIJLMNOPRV 10
	B 16A	① €31,65
N 46°55'58'' E 7°27'20''	H510 3,5 ha 250T(60-100m^2) 10D	② €41,65

Autobahn Ri. Interlaken, Ausf. Bern-Ostring. In der Stadt auf etwa 4 km ausgeschildert. Am letzten Kreisel den angegebenen Weg zum CP einfahren. Dieses 'Durchfahrtsverbot' gilt nicht für die CP-Gäste.

Zurzach, CH-5330 / Aargau

Camp. Oberfeld****	1 AFILNOPQRT	ABFGHJN 6
Talacherweg 5	2 CGOPRVX	BEFG 7
1 Apr - 31 Okt	3 BL	BDFJNQRV 8
+41 (0)56-2492575	4 FHI	D 9
oberfeld@camping-zurzach.ch	5 ABDIKL	ABEGIKMOR 10
	B 16A CEE	① €30,00
N 47°34'59'' E 8°18'27''	H325 2 ha 30T(60-80m^2) 155D	② €36,65

Von Basel A3 Richtung Zürich, Ausfahrt Laufenburg vor Straße 7, in Zurzach Schild 'Camping/Regionalbad' folgen.

Teilkarte Nordwestschweiz auf Seite 378

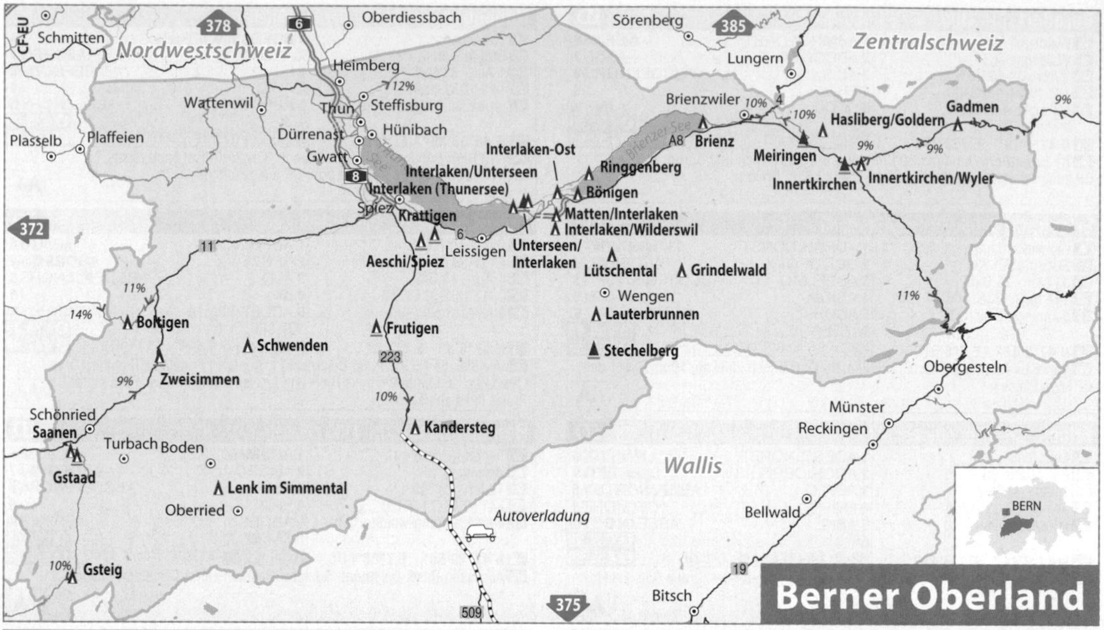

Berner Oberland

Aeschi/Spiez, CH-3703 / Berner Oberland

Panorama-Rossern***	1 ABILNORST	6
Rossern Scheidgasse 26	2 OPUWXY	ABDEFG 7
14 Mai - 11 Okt	3 AL	ABCDEFNQRS 8
+41 (0)33-6544377	4 F	I 9
postmaster@ camping-aeschi.ch	5 A	ABDJNOTUV 10
	10A CEE	❶ €27,20
N 46°39'13" E 7°41'59"	H902 1 ha 45T(80m²) 51D	❷ €36,15

Autobahn Bern-Spiez, Ausfahrt Spiez Richtung Aeschi.

Brienz, CH-3855 / Berner Oberland

Aaregg*****	1 ADILNOPRST	LNQSWXYZ 6
Seestraße 22	2 ADGIKOPSVWXY	ABDEFGHI 7
1 Apr - 31 Okt	3 BEL	ABCDEFIJKNQRSTUV 8
+41 (0)33-9511843	4 AFHIOPQ	JLPT 9
mail@aaregg.ch	5 ACDEFJKL	ABFGHIJMNOST 10
	B 16A CEE	❶ €42,50
N 46°44'53" E 8°2'56"	H560 4 ha 220T(60-100m²) 69D	❷ €55,85

Straße Nr. 4 von Luzern nach Brienz; gegenüber der Esso-Tankstelle bergab. Der CP ist gut ausgeschildert.

Boltigen, CH-3766 / Berner Oberland

Jaunpass****	1 ADEGILNOPRST	6
1 Jan - 31 Dez	2 FOPRW	ABDEFGH 7
+41 (0)33-7736953	3 ABLQ	ABEFJNQR 8
camping@jaunpass.ch	4 FIOP	DGI 9
	5 ABDEGIJKL	ABGHJNRV 10
	W 10A	❶ €30,00
N 46°35'35" E 7°20'24"	H1515 150 ha 35T(80-100m²) 143D	❷ €37,00

Bern-Interlaken. Vor Spiez Ausfahrt Zweisimmen. Durchfahren bis Reichenbach. Dort dem Hinweis Jaunpass folgen.

Frutigen, CH-3714 / Berner Oberland

Grassi****	1 ADEJMNOPRT	NU 6
Grassiweg 60	2 CFOPRUWXY	ABDEFGH 7
1 Jan - 31 Dez	3 ALQ	ABCDEFJNQR 8
+41 (0)33-6711149	4 EFIO	DJUVW 9
campinggrassi@bluewin.ch	5 ABKL	ABDFGHJNPR 10
	W 10A	❶ €29,25
N 46°34'55" E 7°38'29"	H809 2,6 ha 68T(20-120m²) 72D	❷ €34,60

Der Strecke Spiez-Kandersteg folgen, Ausfahrt Frutigen-Dorf. Über die Brücke, dann in den Ort. Am Hotel Simplon links abbiegen. CP ist deutlich ausgeschildert.

Bönigen, CH-3806 / Berner Oberland

Bönigen-Interlaken****	1 ADEJMNOPRST	ABFLNQXZ 6
Campingstraße 14	2 ADKOPRVXY	BEFG 7
1 Apr - 30 Sep	3 BL	ABDFNQRS 8
+41 (0)33-8221143	4 AFHIO	D 9
camping.boenigen@tcs.ch	5 ABDEHKL	ABFGHJNOR 10
	B 6A	❶ €46,50
N 46°41'27" E 7°53'37"	H568 1,5 ha 105T(80m²) 14D	❷ €56,50

Autobahn Bern-Thun-Interlaken-Luzern, kurz nach Interlaken Ausfahrt Bönigen, Richtung Bönigen, den CP-Schildern folgen.

Gadmen, CH-3863 / Berner Oberland

Gadmen**	1 ADGJMNOPR	6
Obermaad	2 OPRUWXY	ABDEFG 7
15 Mai - 1 Okt	3 AL	ABEFNQ 8
+41 (0)33-9751230	4 FI	A 9
f.meier@sunrise.ch	5 DFGIJ	ABJORV 10
	10A CEE	❶ €25,35
N 46°44'18" E 8°21'41"	H1210 0,5 ha 30T(20-100m²) 1D	❷ €31,50

CP liegt unten am Sustenpas, 13 km von Innertkirchen. (An Gadmen vorbei in der Gemeinde Obermaad.)

Campingplatzkontrolle

Alle Campingplätze in diesem Führer wurden im vergangenen Jahr von einem unserer 327 ACSI-Inspektoren besucht und begutachtet.

Sie erkennen diese Campings an der Jahresprüfplakette, die meist im Rezeptionsbereich auf dem ACSI-Schild zu finden ist.

Grindelwald, CH-3818 / Berner Oberland

Eigernordwand 27****
1 Jan - 31 Dez
+41 (0)33-8531242
camp@eigernordwand.ch

1 HKNOR	**N** 6
2 PRTWX	BE**FG**HJ 7
3 BL	ABCDFNRS 8
4 FHI	I 9
5 ABK	AIJ**NO**RV 10
WB 10A	❶ €37,85
H1100 1,2 ha 100T(80m²) 6D	❷ €46,15

N 46°37'20'' E 8°0'58''

Bis zum Ort Grindelwald fahren, dort die erste Straße rechts Richtung 'Jungfrau bahnen', am Stadion Grund entlang, rechts den Schildern folgen.

Gstaad, CH-3780 / Berner Oberland

Bellerive***
Bellerivestraße 38
1 Jan - 31 Dez
+41 (0)33-7446330
bellerive.camping@bluewin.ch

1 A**JM**NOPRST	**N**U 6
2 COPRSVWX	ABDE**FG** 7
3 AL	ABCDE**F**JNQR 8
4 AFHIOQR	DEJ 9
5 AKL	ABGJORV 10
Anzeige auf dieser Seite W 12A CEE	❶ €30,90
H1050 0,8 ha 35T(80-100m²) 29D	❷ €36,75

N 46°28'52'' E 7°16'22''

Von Saanen Richtung Gstaad. Den Schildern folgen. CP liegt rechts der Straße, 1,3 km hinter dem Kreisel in Saanen.

Gsteig, CH-3785 / Berner Oberland

Heiti****
Campingstr. 2
1 Jan - 31 Dez
+41 (0)33-7551148
info@bergcamping.net

1 ADEGJMNOPQRS	6
2 CFOPRSWX	ABDE**FG**HIK 7
3 ABDF**KS**	ABEFJNQRSTUV 8
4 FHI	AEGJ 9
5 ABEGIJKLM	ABEFGHJPRVZ 10
W 10A CEE	❶ €31,65
H1220 1,1 ha 15T(60-90m²) 8D	❷ €31,65

N 46°22'54'' E 7°15'46''

Über die A6 Bern-Thun nach Gstaad (11). Gsteig Camping liegt links von dieser Straße.

Interlaken-Ost, CH-3800 / Berner Oberland

T.C.S. Camping "Interlaken" 6***
Brienzstraße 24
4 Apr - 7 Okt
+41 (0)33-8224434
camping.interlaken@tcs.ch

1 ADE**JM**NOPQRST	JNSUVX 6
2 ABCGOPRTVWXY	ABDE**FG**HIJ 7
3 ABEH**K**LT	ABEFJNQRS 8
4 **AE**FHIO	AFGKLPQRUVW 9
5 AKLM	ABFGHIJLM**NO**RV 10
B 6A CEE	❶ €33,00
H567 1,2 ha 110T(70-100m²) 99D	❷ €38,00

N 46°41'33'' E 7°52'8''

A8 Bern-Interlaken-Luzern, Ausfahrt 26 Interlaken-Ost Richtung Ringgenberg, nach der Brücke links, CP-Symbol 6 folgen.

Hasliberg/Goldern, CH-6085 / Berner Oberland

Hofstatt-Derfli****
Gäsli Goldern
1/6 - 15/10, 25/12 - 15/4
+41 (0)33-9713707
welcome@derfli.ch

1 **IL**NOPRST	6
2 FGOPSVWX	ABDE**FG**HI 7
3 BEL	ABCDEFJNQRSV 8
4 FHIOU	U 9
5 ABL	ABFGHIJ**O**R 10
WB 10A	❶ €35,00
H1050 0,6 ha 30T(50-100m²) 10D	❷ €44,15

N 46°44'14'' E 8°11'45''

Von Bern oder Luzern (A8) bis zum Brünigpass (1000m), auf der Passhöhe Richtung Hasliberg. Nach 6 km in Hasliberg (bei Goldern) rechts abbiegen. Nach 300m CP erreicht.

Interlaken/Unterseen, CH-3800 / Berner Oberl.

Alpenblick****
Seestraße 130
1 Jan - 31 Dez
+41 (0)33-8227757
info@camping-alpenblick.ch

1 ABDE**JM**NOPR**T**	JL**N**QRSTWXZ 6
2 ACDFOPSVWXY	ABDE**FGH** 7
3 ABE**K**L	ABEFGIJNQRSV 8
4 FHIO	A 9
5 ABDEGIKLM	ABDFGHIK**NO**RVY 10
B 16A	❶ €45,35
H560 2 ha 100T(60-100m²) 83D	❷ €51,65

N 46°40'47'' E 7°49'4''

A8 Thun-Interlaken-Brienz. Ausfahrt 24 Interlaken-West. CP-Schild mit dem Symbol 2 folgen.

Innertkirchen, CH-3862 / Berner Oberland

Aareschlucht***
Hauptstraße 34
1 Mai - 31 Okt
+41 (0)33-9712714
campaareschlucht@bluewin.ch

1 AD**JM**NOPQRS**T**	**N** 6
2 OPWX	ABDE**FG**IJ 7
3 BLS	ABCDE**F**JNQR 8
4 I	AD 9
5 AKL	ABFGK**P**R 10
10A	❶ €25,75
H630 0,5 ha 45T(50-100m²) 17D	❷ €30,10

N 46°42'34'' E 8°12'53''

Aus Richtung Meiringen liegt der CP zwischen Meiringen und Innertkirchen links der Strecke, kurz hinter der Einfahrt Ost zur Aareschlucht bei Innertkirchen.

Interlaken/Unterseen, CH-3800 / Berner Oberland

Hobby 3****
Lehnweg 16
1 Apr - 30 Sep
+41 (0)33-8229652
info@campinghobby.ch

1 AJMNOPR**T**	F 6
2 AOPVWXY	**A**B**DEFG**HI 7
3 BE**K**L	ABCDE**F**NQRS 8
4 FHIO	9
5 ABKL	ABFGJ**N**ORV 10
B 10A	❶ €46,75
H560 1,2 ha 80T(80-130m²) 53D	❷ €55,10

N 46°41'2'' E 7°49'47''

A8 Spiez-Interlaken-Brienz. Ausfahrt 24 Interlaken-West. CP-Symbol 3 folgen.

Innertkirchen, CH-3862 / Berner Oberland

Grund***
Grundstraße 44
1 Jan - 31 Dez
+41 (0)33-9714409
info@camping-grund.ch

1 AD**JM**NOPRS**T**	6
2 FOPX	A**B**DE**FG** 7
3	ABCDE**F**JNQR 8
4 **A**FHI	ADFIJ 9
5 L	ABGJORV 10
10A	❶ €25,35
H630 1,5 ha 100T(40-120m²) 23D	❷ €31,00

N 46°42'8'' E 8°13'38''

Von Meiringen Richtung Innertkirchen. Gut sichtbares Schild rechts, dann noch 200m.

Interlaken/Unterseen, CH-3800 / Berner Oberland

Jungfrau 5****
Steindlerstraße 60
15 Jun - 20 Sep
+41 (0)33-8225730
info@jungfraucamp.ch

1 AD**IL**NORT	AFN 6
2 OPVWX	ABDE**FG**HI 7
3 BELM	ABCDE**F**NQRS 8
4 **A**FHIO	9
5 ACEIJ	ABFGIJLSU 10
10A	❶ €40,50
H580 2,5 ha 60T(60-100m²) 45D	❷ €47,15

N 46°41'13'' E 7°50'3''

A8 Bern-Spiez-Interlaken, Ausfahrt Interlaken-West. CP-Symbol 5 folgen.

Innertkirchen/Wyler, CH-3862 / Berner Oberland

Bauernhof-Camping Wyler**
Sustenstraße 32
1 Apr - 31 Okt
+41 (0)33-9718451
camping-wyler@bluewin.ch

1 AG**JM**NOPRS	6
2 FOPX	A**B**DE**FG** 7
3 B	AB**F**NQR 8
4 FHI	9
5 L	ABHJRV 10
10A CEE	❶ €26,15
H740 0,7 ha 30T(60-100m²) 7D	❷ €31,35

N 46°42'26'' E 8°14'29''

CP beim Anfang der Sustenpas, 2 km von Innertkirchen entfernt, rechts der Straße.

Interlaken/Wilderswil, CH-3812 / Berner Oberland

Oberei 8***
Obereigasse 9
1 Mai - 15 Okt
+41 (0)33-8221335
oberei8@swisscamps.ch

1 A**IL**NORT	6
2 OPTVWX	ABD**EFG**H 7
3 AL	ABCD**F**NQR 8
4 FHIO	EGI 9
5 ABK**L**	ABJPR 10
6A	❶ €32,50
H580 0,5 ha 53T(80m²) 5D	❷ €38,85

N 46°39'42'' E 7°51'53''

Autobahn Bern-Brienz, Ausfahrt 25 Lauterbrunnen/Grindelwald. In Wilderswil den Schildern zum CP folgen.

Interlaken (Thunersee), CH-3800 / Berner Oberland

Manor Farm 1*****
Seestraße 201
1 Jan - 31 Dez
+41 (0)33-8222264
info@manorfarm.ch

1 ABCDE**IL**NOPRST	FJLM**N**QRSTW**XYZ** 6
2 ACDGIJKOPRVWXY	ABDE**FGH**I 7
3 BEF**IJK**L	ABCDEFJ**L**NQRSTU 8
4 FHIO**P**	AEIMPQTV 9
5 ACDEFGJK	ABEFGIKL**NP**RV 10
10A	❶ €45,10
H560 7,8 ha 300T(40-120m²) 316D	❷ €53,40

N 46°40'52'' E 7°48'55''

A8 Spiez-Interlaken-Brienz. Ausfahrt 24 Interlaken-West Richtung Gunten. CP-Symbol 1 folgen.

Kandersteg, CH-3718 / Berner Oberland

Rendez-vous***
1 Jan - 31 Dez
+41 (0)33-6751534
rendez-vous.camping@bluewin.ch

1 ADE**IL**NORT	6
2 PUWXY	ABDE**FG**HI 7
3	ABE**F**JNQR 8
4 AFHI	UVW 9
5 ABDEIKL	ABGHJ**P**RV 10
W 10A	❶ €35,00
H1200 1 ha 60T(80-100m²) 20D	❷ €40,85

N 46°29'53'' E 7°41'7''

N6 Ausfahrt Spiez Richtung Kandersteg. In Kandersteg Dorf folgen. Der CP ist ausgeschildert.

Schweiz

Teilkarte Berner Oberland auf Seite 380

Krattigen, CH-3704 / Berner Oberland

Stuhlegg****
Stueleggstraße 7
1 Jan - 31 Dez
+41 (0)33-6542723
campstuhlegg@bluewin.ch

1 ADEGILNOPRST	ABFG 6	
2 AFOPUWX	ABDEFGHIJ 7	
3 BELQS	ABCDEFJNQRS 8	
4 EFHIOT	9	
5 ABDEIKL	ABDFGIJMNPTUVZ 10	
W 13A		❶ €31,15
H750 2,4 ha 65T(80m²) 90D		❷ €35,40

N 46°39'32'' E 7°43'1''
Autobahn Basel-Bern-Interlaken, Ausfahrt Leissigen Richtung Krattigen.

Lauterbrunnen, CH-3822 / Berner Oberland

Jungfrau*****
Weid 406
1 Jan - 31 Dez
+41 (0)33-8562010
info@camping-jungfrau.ch

1 DEILNOPRST	NU 6	
2 CFOPSUVWXY	ABCDEFGHIJK 7	
3 BILM	ABCDEFGIJKNQRS 8	
4 AEFHIOP	DEFGHJKLV 9	
5 ACDEFGHJKL	ABFGHIJNORVY 10	
WB 15A CEE		❶ €43,25
H800 4,5 ha 250T(80-100m²) 129D		❷ €52,75

N 46°35'16'' E 7°54'37''
Der Straße Interlaken-Lauterbrunnen folgen; hinter dem Bahnhof nach rechts; diese Straße führt direkt zum CP.

Lenk im Simmental, CH-3775 / Berner Oberland

Seegarten***
Seestraße 2
16/5 - 30/10, 1/12 - 14/4
+41 (0)33-7331616
info@campingseegarten.ch

1 ADEHKNOPRST	6	
2 DFGOPVW	ABCDEFGHIJK 7	
3 ALS	ABCDEFJNQR 8	
4 FHIK	D 9	
5 AKL	ABFGHJNPR 10	
W 10A CEE		❶ €27,35
H1100 1 ha 20T(100-140m²) 66D		❷ €32,15

N 46°27'8'' E 7°26'39''
Aus Zweisimmen den Schildern nach Lenk. Kurz hinter dem Ort ist der CP ausgeschildert.

Saanen, CH-3792 / Berner Oberland

Saanen beim Kappeli****
Campingstraße 15
1/1 - 31/10, 1/12 - 31/12
+41 (0)33-7446191
info@camping-saanen.ch

1 ADEJMNOPRST	N 6	
2 CFGOPRSVWX	ABDEFGIJK 7	
3 ABL	ABFJNPQR 8	
4 FIO	DL 9	
5 K	ABFGHIJNOV 10	
WB		❶ €38,50
H1050 0,8 ha 34T(35-98m²) 40D		❷ €46,15

N 46°29'13'' E 7°15'54''
Die Kantonstraße 11 von Zweisimmen 2x Richtung Gstaad auf 2 nacheinander folgenden Kreiseln. Nach 100m rechts. CP ist angezeigt.

Lütschental, CH-3816 / Berner Oberland

Dany's Camping****
Baumgarten 7
1 Mai - 15 Okt
+41 (0)33-8531824
FAX +41 (0)33-8536646

1 ILNOR	6	
2 PTUVWXY	BEFGH 7	
3 AL	ABCDFNQR 8	
4 FI	I 9	
5 ABK	ABIJORV 10	
10A		❶ €28,10
H700 0,4 ha 34T(60-80m²) 1D		❷ €33,10

N 46°38'16'' E 7°55'56''
Von Interlaken nach Zweilutschinen, dort die Straße Richtung Grindelwald ca. 2 km folgen, CP gut ausgeschildert.

Schwenden, CH-3757 / Berner Oberland

Eggmatte 8****
1 Jan - 31 Dez
+41 (0)33-6841232
info@wuethrich-diemtigtal.ch

1 AGJMNOPRST	6	
2 GOPRSUW	ABDEFGIK 7	
3 AL	ABEFJNQRSV 8	
4 FHI	GI 9	
5 AIKL	ABFHJNPTU 10	
WB 14A CEE		❶ €30,35
H1215 1,1 ha 22T 37D		❷ €37,00

N 46°34'15'' E 7°29'3''
A6 Richtung Zweisimmen. Ca. 1 km hinter dem Simmenfluhtunnel links abbiegen Richtung Diemtigtal. Talstraße bis Schwenden/Grimmialp (ca. 17 km). CP liegt rechts der Straße in Schwenden.

Matten/Interlaken, CH-3800 / Berner Oberland

Jungfraublick 7****
Gsteigstraße 80
1 Mai - 20 Sep
+41 (0)33-8224414
info@jungfraublick.ch

1 ADILNORT	AB 6	
2 GPVWX	ABDEFGH 7	
3 AEL	ABCDEFNQR 8	
4 FHIOP	9	
5 ABKL	ABFGIKNORV 10	
B 6A		❶ €36,00
H566 1,4 ha 90T(60-80m²) 25D		❷ €43,50

N 46°40'24'' E 7°51'59''
Autobahn Spiez-Interlaken-Brienz, bei Ausfahrt 25 Interlaken-West. CP-symbol '7' folgen.

Stechelberg, CH-3824 / Berner Oberland

Breithorn***
Sandbach
1 Jan - 31 Dez
+41 (0)33-8551225
breithorn@stechelberg.ch

1 AILNOR	N 6	
2 COPWX	ABDEFG 7	
3 A	ABFNQR 8	
4 FH	EHI 9	
5 CK	AJR 10	
W 10A		❶ €27,50
H830 1 ha 35T(80m²) 47D		❷ €33,15

N 46°34'5'' E 7°54'34''
Interlaken-Lauterbrunnen, in Lauterbrunnen Richtung Stechelberg, nach 3 km CP rechts der Straße.

Meiringen, CH-3860 / Berner Oberland

AlpenCamping****
Brünigstraße 47
1 Jan - 31 Dez
+41 (0)33-9713676
info@alpencamping.ch

1 ADJMNOPRST	6	
2 AFGOPRVW	ABDEFGHK 7	
3 BR	ABEFJNQRSTV 8	
4 FHIOT	AD 9	
5 ABDKL	ABDFGHJNORV 10	
WB 10A CEE		❶ €35,40
H595 1,4 ha 50T(80-110m²) 34D		❷ €44,60

N 46°44'4'' E 8°10'18''
Von Interlaken nach Luzern über die A8 nach Meiringen. Bei Meiringen den CP-Schildern folgen.

Stechelberg, CH-3824 / Berner Oberland

Rütti***
1 Mai - 30 Sep
+41 (0)33-8552885
campingruetti@stechelberg.ch

1 AILNOR	6	
2 COPRWXY	ABEFG 7	
3 A	ABDFNQR 8	
4 FHI	9	
5 ABDK	ABGIJR 10	
6A		❶ €25,85
H900 1 ha 100T(40-80m²) 10D		❷ €32,00

N 46°32'47'' E 7°54'7''
CP am Ende der Straße Lauterbrunnen-Stechelberg.

Meiringen, CH-3860 / Berner Oberland

Balmweid****
Balmweidstraße 22
1 Jan - 31 Dez
+41 (0)33-9715115
info@camping-meiringen.ch

1 DEILNOPRT	A 6	
2 BFOPRUVWXY	BEFGHI 7	
3 BLQSU	ABDFIJNQRS 8	
4 EFHIO	A 9	
5 ABDEFGIJKL	ABEGHJNORVW 10	
WB 10A CEE		❶ €32,90
H602 2,2 ha 120T(40-100m²) 55D		❷ €41,25

N 46°43'31'' E 8°10'19''
Von Brienz Straße 6/11 Richtung Meiringen, beim Kreisverkehr geradeaus. Schildern folgen, CP ca. 500m entfernt.

Unterseen/Interlaken, CH-3800 / Berner Oberland

Lazy-Rancho 4****
Lehnweg 6
1 Mai - 27 Sep
+41 (0)33-8228716
info@lazyrancho.ch

1 ADEGILNOPRT	ANX 6	
2 CFGOPSVX	ABDEFGHIK 7	
3 BGHKL	ABCDEFGIJNQRSTUV 8	
4 FHIOPQTU	JV 9	
5 ABCKL	ABFGHIJNOTUV 10	
B 10A		❶ €47,60
H560 1,6 ha 120T(60-90m²) 51D		❷ €55,60

N 46°41'9'' E 7°49'48''
A8 Spiez-Interlaken-Brienz. Ausfahrt 24 Interlaken-West. CP-Symbol 4 folgen.

Ringgenberg, CH-3852 / Berner Oberland

Talacker
Rosswaldstraße
1 Jan - 31 Dez
+41 (0)33-8221128
camping@talacker.ch

1 ADJMNOPRT	6	
2 ABFOPRSUWX	ABDEFG 7	
3 ABKL	ABEFJNQRS 8	
4 FHIO	9	
5 ABDEGHKL	ABGJORV 10	
10A		❶ €32,50
H620 0,8 ha 60T(80-100m²) 20D		❷ €40,00

N 46°42'27'' E 7°54'28''
A8 Thun-Spiez-Interlaken. Ausfahrt 26 Interlaken-Ost. Weiter Richtung Ringgenberg. Am Ort vorbei links ab. CP ist angezeigt.

Zweisimmen, CH-3770 / Berner Oberland

Vermeille****
Ey Gässli 2
1 Jan - 31 Dez
+41 (0)33-7221940
info@camping-vermeille.ch

1 ADEJMNOPRST	ABNU 6	
2 CFGPRWX	ABDEFGHIJK 7	
3 ALS	ABCDEFIJNQRS 8	
4 AFHIO	DLUW 9	
5 ABKL	ABDFGHJMNOPRV 10	
WB 10A CEE		❶ €32,25
H950 1,3 ha 30T(80-120m²) 62D		❷ €39,60

N 46°33'45'' E 7°22'41''
Die 11 von Spiez nach Zweisimmen. CP an der 11 beschildert, liegt vor Zweisimmen. Von der Ausfahrt zum CP noch 200m weiterfahren.

Teilkarte Berner Oberland auf Seite 380

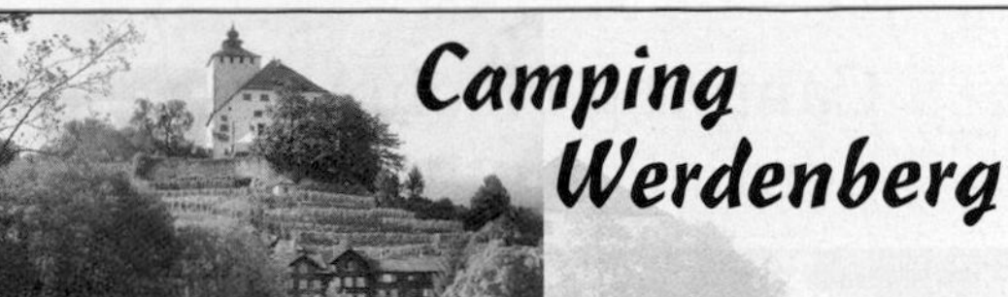

Appenzell, CH-9050 / Appenzell

Eischen/Kau****	1 AEILNOPRST	E 6
Kaustraße 123	2 FGPRW	ABCDEFG 7
1 Jan - 31 Dez	3 BKL	ABEFJNQRS 8
+41 (0)71-7875030	4 FHTUVX	G 9
info@eischen.ch	5 ABGJKL	AFGHIJPRZ 10
	B 10A	① €28,90
N 47°19'19'' E 9°23'12''	H1037 1,8 ha 60T 118D	② €34,75

Vor Appenzell CP-Hinweis. Richtung Kau halten. Die Strecke geht dann 3 km über einen kurvigen Weg bergan, wo man vom Landgasthof Eischen/Kau eine herrliche Aussicht hat.

Arbon, CH-9320 / Thurgau

Buchhorn***	1 ADEFHKNOPQRS	FGLMOQWXY 6
Philosophenweg 17	2 ADFGKPVWX	ABDEFG 7
1 Apr - 5 Okt	3 BEFQ	ABEFNQR 8
+41 (0)71-4466545	4 IOP	9
info@camping-arbon.ch	5 ABDEHKL	ABFGHIJNPRVZ 10
	B 13A	① €29,15
N 47°31'28'' E 9°25'14''	H400 2,5 ha 120T(50-80m²) 32D	② €35,85

Von der 13 aus nördlicher Richtung vor Arbon Schildern 'Strandbad-Camping' folgen. Aus südlicher Richtung durch Arbon und Schildern folgen.

Bächli/Hemberg, CH-9633 / Sankt Gallen

Bächli****	1 ADEILNOPRST	6
Wisstraße 9	2 FOPRUWXY	ABEFGIJ 7
1 Jan - 31 Dez	3 ALM	ABCDFJNQRSV 8
+41 (0)71-3771147	4 FHIP	GW 9
info@camping-baechli.ch	5 ABKL	ABEFGHJMNPRV 10
	B 10A	① €24,15
N 47°18'24'' E 9°11'42''	H851 0,8 ha 40T(70m²) 32D	② €30,85

An der Kreuzung im Ort Bächli Richtung St. Peterzell. CP ab Schönengrund ausgeschildert.

Bad Ragaz, CH-7310 / Sankt Gallen

Giessenpark***	1 ADEFILNOPQRST	ABFGH 6
Seestraße 41	2 ABCOPQRSVY	ABDEFGI 7
1 Jan - 31 Dez	3 ABEJKLM	ABCDEFJNQRS 8
+41 (0)81-6612345	4 IOP	DE 9
info@giessenpark.com	5 ABJKL	ABFGHJOSTZ 10
	B 10A	① €38,15
N 47°0'19'' E 9°30'46''	H448 1 ha 50T(80-100m²) 43D	② €44,85

Aus dem Norden nach Bad Ragaz, bis hinter das Zentrum, dort ist der CP zu sehen, links, dann rechts und durch den Park.

Bernhardzell, CH-9304 / Sankt Gallen

CP St-Gallen-Wittenbach***	1 ADGILNOPQRT	6
Leebrücke	2 ACPSWX	ABDEFGH 7
12 Apr - 4 Okt	3 AJKL	ABEFNQRS 8
+41 (0)71-2984969	4 FHIO	9
campingplatz.stgallen@ ccc-stgallen.ch	5 ABGKL	AFGHJOSTV 10
	6A CEE	① €27,40
N 47°27'41'' E 9°21'57''	H545 1,5 ha 70T 30D	② €32,60

E60 Ausfahrt St. Gallen/Trogen. Dann den Schildern Richtung Wittenbach/ Gossau folgen. Bernhardzell folgen und auf das CP-Schild rechts hinter der Brücke achten.

Bischofszell, CH-9220 / Thurgau

Leutswil	1 AFILNOPQRST	JU 6
1 Apr - 31 Okt	2 ACKPW	ABDEFGIJ 7
+41 (0)71-4226398	3 AL	ABCDEFNQRTUV 8
FAX +41 (0)71-4227251	4 I	9
	5 ABIKL	ABFGHJPRV 10
	10A CEE	① €24,15
N 47°30'6'' E 9°16'29''	H478 2 ha 20T 48D	② €29,15

Auf Straße 14 zwischen Weinfelden und Amriswil Ausfahrt nach Gossau. In Bischofszell Richtung Gossau, bei Avia-Tankstelle links, nach ca. 3 km CP rechts der Brücke.

Buchs, CH-9470 / Sankt Gallen

Buchs-Werdenberg**	1 AFILNOPQRT	6
Marktplatz 11	2 AOPWX	ABDEFG 7
1 Apr - 31 Okt	3 I	ABEFNQR 8
+41 (0)81-7561507	4 FHI	D 9
verkehrsvereinbuchs@ bluewin.ch	5 BKL	ABHJPTU 10
	Anzeige auf dieser Seite 16A	① €31,65
N 47°9'57'' E 9°27'55''	H436 0,7 ha 25T(70m²) 17D	② €37,50

Von A3 Ausfahrt Buchs, dann Richtung Wattwil und den CP-Schildern folgen. Achtung: bei Ampel links!

Egnach, CH-9322 / Thurgau

Seehorn****	1 ADEFILNOPQRST	FLMW 6
Wiedehorn	2 ADFGIKOPVWX	ABDEFGHIJ 7
1 Mär - 31 Okt	3 ABCFLV	ABDEFGIJKLMNQRSTUV 8
+41 (0)71-4771006	4 IO	EQRV 9
info@seehorn.ch	5 ABDEIJKL	ABCDFGHJMPRV 10
	B 13A CEE	① €38,35
N 47°32'7'' E 9°23'49''	H400 2,5 ha 80T(100-120m²) 183D	② €45,00

CP an Straße 13 zwischen Romanhorn und Arbon, sowohl aus Norden als auch aus Süden CP ausgeschildert, befindet sich südlich von Egnach.

Eschenz, CH-8264 / Thurgau

Camping Hüttenberg AG*****	1 ADEFILNOPRT	AF 6
Hüttenberg	2 FGOPRSUVX	ABEFG 7
1 Apr - 31 Okt	3 ABEILQ	ABCDEFJNQRS 8
+41 (0)52-7412337	4 FHINO	ADFJ 9
info@huettenberg.ch	5 ACDEKL	ABFGHIJPRV 10
	B 10A	① €34,15
N 47°38'40'' E 8°51'37''	H487 6 ha 60T(95-120m²) 291D	② €41,65

In Eschenz an der Straße 13, bei Agip-Tankstelle Hüttenberg hinauf fahren.

Flaach, CH-8416 / Zürich

Flaach am Rhein****	1 ADEFJMNOPRST	AFHJNU 6
Steubisallmend 4	2 ACGIOPRSVWXY	ABDEFGHIJ 7
5 Apr - 4 Okt	3 ABELT	ABCDFJNQRSTUV 8
+41 (0)52-3181413	4 FHIOPQ	AVW 9
camping.flaach@tcs.ch	5 ABDEJKL	ABFGHKLNORVZ 10
	B 6-13A CEE	① €48,35
N 47°34'43'' E 8°34'57''	H350 2 ha 160T 143D	② €61,65

Am Restaurant Ziegelhütte abbiegen, danach noch etwa 500 Meter.

Schweiz

Teilkarte Ostschweiz auf Seite 383

Schweiz

Kreuzlingen, CH-8280 / Thurgau

Fischerhaus****	1 ADEFHKNOPQRST	ABFHIKLMNOPQRSTVWXY 6
Promenadenstr. 52	2 ADGKOPWX	ABDEFGK 7
1 Apr - 20 Okt	3 ABFL	ABEFNQRS 8
+41 (0)71-6884903	4 FHIO	GKL 9
info@camping-fischerhaus.ch	5 ACDEGJKL	ABFGHIJNOPRVZ 10
	Anzeige auf dieser Seite B 10A	① €39,15
N 47°38'49'' E 9°11'54''	H397 2,8 ha 99T(50-80m²) 113D	② €50,00

CP an der Südseite von Kreuzlingen. Die Autobahn bei Kreuzlingen-Süd verlassen. Auf die 13 in Richtung Romanshorn (CP-Schildern nach). Nach der Bahnunterführung links, dann zweimal rechts.

Langwiesen, CH-8246 / Thurgau

Freizeitanlage Rheinwiese***	1 ADEHKNOPRT	JM 6
Hauptstrasse 96C	2 CGIJKPX	ABDFG 7
1 Mai - 28 Sep	3 BEL	ABDFNRS 8
+41 (0)52-6593300	4 FHI	Q 9
info@	5 DL	ABKNRVZ 10
camping-schaffhausen.ch	4A	① €35,00
N 47°41'14'' E 8°39'21''	4,3 ha 70T(100m²) 38D	② €42,50

An Straße 13 Schaffhausen-Kreuzlingen, 1 km östlich von Schaffhausen.

Murg, CH-8877 / Sankt Gallen

Am See***	1 AILNOPQRST	LMNOPQS 6
Strandboden	2 ADFGIJKLORSVWXY	ABFGI 7
1 Apr - 15 Okt	3 BEFLMN	ABEFNQRS 8
+41 (0)81-7381530	4 FHIO	9
info@murg-camping.ch	5 ADI	ABGJPRV 10
	10A	① €39,60
N 47°6'55'' E 9°12'54''	H420 2 ha 72T(40-60m²) 21D	② €45,40

A3, Ausfahrt Richtung Murg, von einem Schild am Wasser ausgewiesen. Aus Chur Ausfahrt Murg. Von Zürich Ausfahrt Murg. CP-Schilder beachten.

Ottenbach, CH-8913 / Zürich

CC€18

Reussbrücke****	1 ADEFGILNOPR	AFJX 6
Muristraße 34	2 ACOPSX	ABDEFG 7
28 Mär - 10 Okt	3 BL	ABEFNR 8
+41 (0)44-7612022	4 FHIO	AD 9
info@	5 ABDIKL	ABFHIJNORV 10
camping-reussbruecke.ch	6A CEE	① €31,25
N 47°16'47'' E 8°23'43''	H385 1,5 ha 60T(80-120m²) 150D	② €37,25

800m westlich von Ottenbach bei der Brücke über die Reuss, neben dem Hotel Reuss-brücke.

Saland, CH-8493 / Zürich

Camping Saland AG***	1 AEGILNOQRST	6
Auwisstraße 35	2 CPX	ABDEFG 7
1 Jan - 31 Dez	3 BL	ABCDFJNQRS 8
+41 (0)52-3862118	4 FH	9
campingsaland@datacomm.ch	5 CDIKL	ABGIJLRZ 10
	13A	① €23,35
N 47°23'24'' E 8°51'34''	H605 3 ha 40T(95m²) 120D	② €29,15

An der 3-Gabelung an der Post in Saland die 15 Richtung Rapperswil fahren. Dann Schild 'Juckern/Camping' folgen.

Sihlwald/Langnau, CH-8135 / Zürich

Züri-Leu***	1 ADFILNORT	6
Tabletenstraße 51	2 ACDOPX	ABDEFGH 7
15 Apr - 15 Okt	3 AL	ABCDEFNQR 8
+41 (0)44-7200434	4 FHI	AD 9
camping.sihlwald@gmx.ch	5 ABIKL	AFHIJNR 10
	10A	① €30,00
N 47°15'49'' E 8°33'38''	H490 2,5 ha 40T(100m²) 39D	② €36,65

An Straße 4 Zürich-Luzern gelegen, Einfahrt bei Hotel-Restaurant Forsthaus, nähe der Haltestelle Sihlwald.

St. Margrethen, CH-9430 / Sankt Gallen

Bruggerhorn	1 AFHKNOPQRST	ABFGHLMP 6
1 Apr - 31 Okt	2 ACDFGPWXY	ABDEFGIJ 7
+41 (0)71-7442201	3 BEFLM	ABEFNQRS 8
strandbad.stmargrethen@	4 IOP	V 9
bluewin.ch	5 ADEHIKL	ABGIJRZ 10
	10A	① €30,40
N 47°27'4'' E 9°39'23''	H404 1 ha 36T(75m²) 127D	② €38,75

Autobahn E60 Ausfahrt Margrethen, aufpassen: es wird sofort links zum CP Strandbad Bruggerhorn geführt, Autobahnüberführung, am Ende der Straße links.

Triesen, FL-9495 / Liechtenstein

Mittagspitze****	1 ABDEFILNOPQRST	AF 6
Sage Straße 29	2 ABGOPSUWXY	ABDEFGIK 7
1 Mär - 31 Dez	3 BMSV	ABEFJNQR 8
+423-3923677	4 FHIO	J 9
info@campingtriesen.li	5 ABJKL	ABHJNORV 10
	10A	① €35,50
N 47°5'11'' E 9°31'37''	H510 4 ha 80T 101D	② €42,40

A13, Ausfahrt Balzers, Richtung Vaduz, nach 3 km rechts, CP ausgeschildert.

Wagenhausen, CH-8259 / Thurgau

Wagenhausen	1 ADEFILNOPRT	AJNXYZ 6
Hauptstraße 82	2 CFGPX	BEFGK 7
3 Apr - 25 Okt	3 ABIL	ABCDEFINQRS 8
+41 (0)52-7414271	4 FHIQ	A 9
info@	5 ABIJK	ABGHJNORV 10
campingwagenhausen.ch	B 10A	① €29,15
N 47°39'45'' E 8°50'26''	H405 4,6 ha 50T(70-125m²) 232D	② €35,85

Straße 13 Schaffhausen-Kreuzlingen, beim Ort Wagenhausen links der Straße CP ausgeschildert.

Teilkarte Ostschweiz auf Seite 383

Walenstadt, CH-8880 / Sankt Gallen

See-camping
Ziegelhütte
1 Mai - 30 Sep
+41 (0)81-7351896
kontakt@see-camping.ch
N 47°7'2'' E 9°18'3''

1 AGHKNOPQRST	LMNOPQS**X**YZ 6	
2 ADFGHJPRSWX	A**B**D**EFGIJ** 7	
3 AL	ABEFJNQRS 8	
4 FHIO	9	
5 ABEKL	ABFGHIJNORVZ 10	
16A CEE		❶ €33,35
H425 2 ha 70**T** 100**D**		❷ €41,65

A3, Ausfahrt 48 über die Autobahn nach Walenstadt. Den CP-Schildern nach. Der CP ist westlich von Walenstadt.

Winterthur, CH-8400 / Zürich

Am Schützenweiher
Eichliwaldstr. 4
1 Jan - 31 Dez
+41 (0)52-2125260
campingplatz@win.ch
N 47°31'10'' E 8°42'59''

1 ADF**IL**NOPQRT	6	
2 AORSVWXY	ABDE**FG**HI 7	
3 ABL	ABEFJNQRS 8	
4 FIO	V 9	
5 L	ABIKNPRVZ 10	
13A CEE		❶ €31,25
H440 1,3 ha 40**T**(70-100m²) 30**D**		❷ €37,90

A1, E60 St.Gallen-Zürich, Abfahrt Winterthur Ohringen, nach 250m auf der rechten Seite CP ausgeschildert.

Winden, CH-9315 / Thurgau

Camping Manser***
Täschliberg
1 Apr - 31 Okt
+41 (0)71-4772291
info@manserferien.ch
N 47°30'39'' E 9°21'43''

1 AG**JM**NOPQRST	6	
2 AFGPWX	ABFIJK 7	
3 ABGHLS	ABEFG**LM**NQRSV 8	
4 BHIK	EI 9	
5 ABKL	ABFGJPRV 10	
B 16A CEE		❶ €25,85
H470 1 ha 30**T** 6**D**		❷ €32,50

A1 Ausfahrt 1 Arbon-West, links nach Neukirch, im Kreisel 3. Abfahrt links nach Wittenbach (CP-Schild). Nach 2,2 km links nach Täschliberg (CP-Schild).

Zürich/Wollishofen, CH-8038 / Zürich

Camping Fischer's Fritz
Seestraße 559
1 Jan - 31 Dez
+41 (0)44-4821612
info@fischers-fritz.ch
N 47°20'9'' E 8°32'27''

1 ABDEG**IL**NOPQRS**T**	L**N**QSW**X** 6	
2 DFGKOPRX	A**B**DE**FG** 7	
3 BEFLQS	ABCDEFNOQR 8	
4 FH	ADJMP 9	
5 ACDEGIKL	ABFHKOR 10	
B 16A		❶ €42,90
H410 2 ha 148**T**(50-85m²) 44**D**		❷ €57,10

In Zürich den blauen Schildern Richtung Wollishofen/Chur (Straße Nr. 3) folgen; der CP liegt an der Seestraße (Westseite des Zürichsees), gut ausgeschildert.

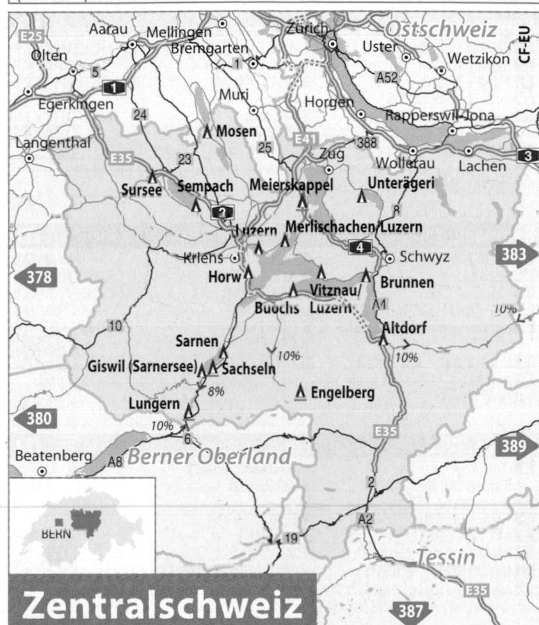

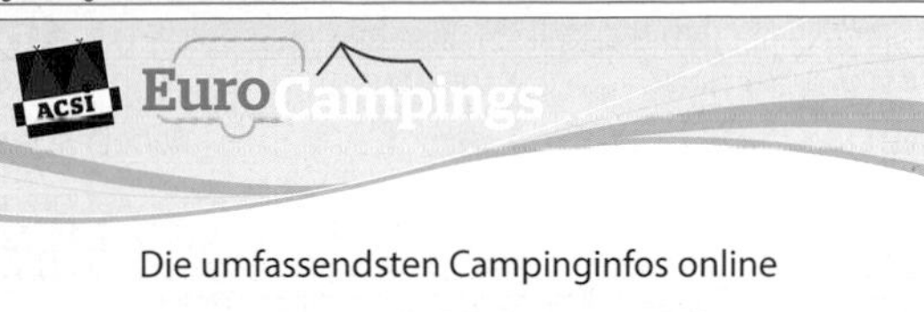

Engelberg, CH-6390 / Obwalden

Eienwaldli*****
Wasserfallstraße 108
1 Jan - 31 Dez
+41 (0)41-6371949
info@eienwaeldli.ch
N 46°48'34'' E 8°25'26''

1 ADE**IL**NOPRST	**EFGHI**J 6	
2 CFGOPRSVWXY	BE**FG**HIJ 7	
3 B**CE**J**K**LTU	BD**F**JKNQRSTUV 8	
4 ABCEFGHIO**RSTUVXYZ**	GV 9	
5 ACDEFGIJKL	ABEGHIJ**NP**RVZ 10	
WB 10A CEE		❶ €36,50
H1000 3,7 ha 150**T** 155**D**		❷ €44,00

A2, Ausfahrt Stans-Süd. Beim Kloster in Engelberg rechts Richtung Eienwäldli. CP nach 1,5 km hinter dem Hotel Eienwäldi.

Giswil (Sarnersee), CH-6074 / Obwalden

International Sarnersee Giswil****
Campingstraße 11
1 Apr - 15 Okt
+41 (0)41-6752355
giswil@camping-international.ch
N 46°51'13'' E 8°11'16''

1 ADE**JM**NORT	LMNQSX 6	
2 DFGJPRVWX	A**BEFGH** 7	
3 ABEFL	ABCD**F**NQRSV 8	
4 FHIO	GKTUV 9	
5 ABDEHKL	ABHJORVZ 10	
B 10A CEE		❶ €35,35
H504 1,9 ha 100**T**(40-100m²) 69**D**		❷ €42,00

Von Luzern Richtung Interlaken, hindurchfahren bis Giswil, hier Ausfahrt Kleinteil/Grossteil, gegenüber der Kirche Richtung Grossteil, nach 2,8 km Einfahrt der CP-Straße.

Altdorf, CH-6460 / Uri

Altdorf**
Flüelerstraße
1 Jan - 31 Dez
+41 (0)41-8708541
+41 (0)41-8708161
N 46°53'33'' E 8°37'41''

1 AF**IL**NOPQRST	6	
2 AOPRX	ABD**EF**GIJ 7	
3	**B**FNR 8	
4 FHI	D 9	
5 AK	ABGR 10	
10A		❶ €24,65
H450 0,9 ha 20**T** 49**D**		❷ €31,35

E35, Ausfahrt Altdorf. Den Schildern folgen, am Kreisverkehr rechts, nach ca. 150m CP links von der Straße.

Horw, CH-6048 / Luzern

TCS Camping Luzern-Horw****
Seefeldstraße
4 Apr - 7 Okt
+41 (0)41-3403558
camping.horw@tcs.ch
N 47°0'43'' E 8°18'40''

1 ADFGI**L**NOPQRST	L 6	
2 ADOPSVX	BE**FG**H 7	
3 BLS	ABCDEFNQRS 8	
4 FHIO	D 9	
5 ABDEFK**L**	ABFGHIJMNO 10	
6A		❶ €37,50
H434 2 ha 100**T**(100m²) 54**D**		❷ €45,85

A2 Luzern-St. Gotthard, Ausfahrt Horw. Dann direkt den Schildern folgen.

Brunnen, CH-6440 / Schwyz

Hopfreben***
Hopfrebenstrasse 1
25 Apr - 29 Sep
+41 (0)41-8201873
camping-brunnen@bluewin.ch
N 46°59'52'' E 8°35'36''

1 AILNOPQRST	LNOQS 6	
2 ADFGPRWXY	A**B**D**EFG** 7	
3 B	ABD**F**NQR 8	
4 A**F**HI	9	
5 ABDEIK	AGIKPR 10	
6A		❶ €39,65
H445 1,5 ha 80**T**(100m²) 30**D**		❷ €46,60

Straße 2b Luzern-Brunnen, 1 km nordwestlich von Brunnen, bei Fabrik Sabag abzweigen, CP gut ausgeschildert.

Lungern, CH-6078 / Obwalden

Obsee***
Campingstraße 1
1 Jan - 31 Dez
+41 (0)41-6781463
camping@obsee.ch
N 46°47'6'' E 8°9'6''

1 ADG**IL**NOPRS**T**	LMQRSTU**X**YZ 6	
2 ADGJOPUVWX	ABE**FG** 7	
3 AEF**I**L	ABCDE**F**JNQRS 8	
4 AEFHIO	GH 9	
5 ABEJKL	ABFGHIJNRV 10	
WB 10A CEE		❶ €27,85
H686 2,2 ha 120**T**(40-80m²) 126**D**		❷ €33,65

A8 Brienz Richtung Luzern. In Lungern an der 1. Ampel links, den Schildern folgen.

Buochs, CH-6374 / Nidwalden

TCS Camping Buochs Vierwaldstättersee
4 Apr - 4 Okt
+41 (0)41-6203474
camping.buochs@tcs.ch
N 46°58'47'' E 8°25'5''

1 ADILNOPQRST	FL 6	
2 ADOPVW	BE**FG** 7	
3 AL	ABDFJQR 8	
4 FHIP	DW 9	
5 BK	ABGK**NP**RV 10	
4A		❶ €41,65
H465 2,2 ha 94**T** 131**D**		❷ €51,65

A2 von Gothard, Ausfahrt Buochs, unter der Autobahn durch, links, dann CP-Schildern folgen.

Luzern, CH-6006 / Luzern

International Lido****
Lidostraße 19
1 Jan - 31 Dez
+41 (0)41-3702146
luzern@camping-international.ch
N 47°3'0'' E 8°20'18''

1 ADF**JM**NOPQRST	L 6	
2 ADGOPSVWX	ABDE**FG**H 7	
3 B	ABCDEFJNQRSV 8	
4 FHIOP	DEJK 9	
5 ABCDEFGIKL	AFGHIJ**NO**RV 10	
B 16A CEE		❶ €37,50
H435 2,7 ha 250**T**(80m²) 42**D**		❷ €45,85

An Straße 2 Luzern-Küssnacht, Ausfahrt beim Tennispark, dann noch 150m, schräg gegenüber dem Lido-Bad.

Schweiz

Erlebnisbauernhof Camping Gerbe

In Meierskappel (LU): In wundervollem Gebiet, ideal zum Wandern und Radfahren. Zentrale Verkehrslage zum Kennenlernen der Schweiz, 2 km von Küssnacht am Rigi. Familien- und kinderfreundliches Ferienerlebnis auf dem Bauernhof. Naturnahes Campieren. Grosse Plätze mit Stromanschluss ohne Parzellierung. Moderne Sanitäranlagen, Ver- und Entsorgungsstation für Wohnmobile. Laden mit frischem Brot, Campingrestaurant, Lagerfeuer, Schwimmbad und Kinderplanschbecken, grosser Spielplatz, viele Tiere, Ponyreiten und vieles mehr.

Camping Gerbe, Fam. B. Knüsel, CH-6344 Meierskappel
Tel. 0041 (0)41-790 45 34, Fax: -790 45 04, Handy: 0041 (0)76-382 73 23
E-Mail: info@swiss-bauernhof.ch · www.swiss-bauernhof.ch

Meierskappel, CH-6344 / Luzern

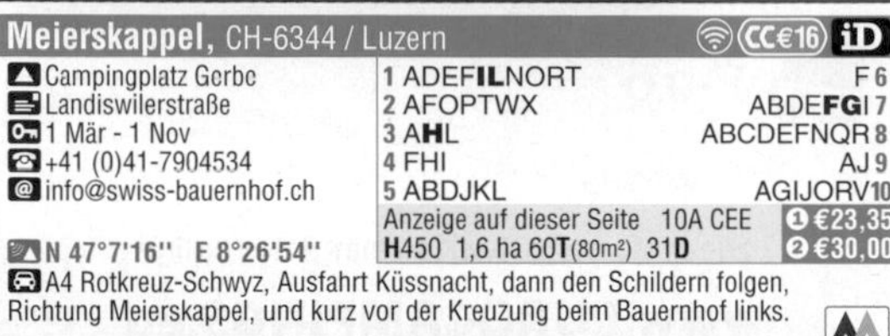

Campingplatz Gerbe
Landiswilerstraße
1 Mär - 1 Nov
+41 (0)41-7904534
info@swiss-bauernhof.ch

1 ADEFILNORT F 6
2 AFOPTWX ABDEFGI 7
3 AHL ABCDEFNQR 8
4 FHI AJ 9
5 ABDJKL AGIJORV 10
Anzeige auf dieser Seite 10A CEE ❶ €23,35
H450 1,6 ha 60T(80m²) 31D ❷ €30,00

N 47°7'16'' E 8°26'54''

A4 Rotkreuz-Schwyz, Ausfahrt Küssnacht, dann den Schildern folgen, Richtung Meierskappel, und kurz vor der Kreuzung beim Bauernhof links.

Sarnen, CH-6060 / Obwalden

Seefeld Park Sarnen*****
Seestrasse 20
1 Jan - 31 Dez
+41 (0)41-6665788
welcome@seefeldpark.ch

1 ADEFIKNOPRST ABFHIJLMNSXZ 6
2 ACDFGIPVWX BEFGHI 7
3 ABDEFILM BDFJKNQRSTV 8
4 FHIU AEK 9
5 ABHKL ABGJORVYZ 10
WB 13A ❶ €48,35
H471 2,6 ha 137T(ab 80m²) 62D ❷ €58,35

N 46°53'0'' E 8°14'33''

A2 Basel-Luzern-Gotthard-Chiasso. An der Kreuzung Loppe die A8 Richtung Interlaken. Ausfahrt Sarnen-Süd.

Merlischachen/Luzern, CH-6402 / Luzern

Vierwaldstättersee***
Luzernerstraße 271
11 Apr - 30 Sep
+41 (0)41-8500804
welcome@seecamping.ch

1 ABFHKNORT LM 6
2 ADFGIJOPW BFG 7
3 AKL BDFNQR 8
4 FH 9
5 KL AKOT 10
6A CEE ❶ €40,00
H435 1,2 ha 50T 15D ❷ €50,00

N 47°3'41'' E 8°24'12''

A4 Zürich-Schwyz Ausfahrt 36 Küssnacht Richtung Meggen-Luzern. Links der Strecke ist der CP ausgeschildert. Oder A2 Basel-Gotthard, Ausfahrt Luzern. In Luzern den Schildern Küssnacht folgen. Der CP liegt rechts der Strecke.

Sempach, CH-6204 / Luzern

T.C.S. Campingplatz****
Seeland
4 Apr - 4 Okt
+41 (0)41-4601466
camping.sempach@tcs.ch

1 ADILNOPRST FLMNQ 6
2 ADGHOPWX ABDEFGHIJ 7
3 ABIKLMR ABCDEFNQRS 8
4 AFHIOP AJKTUVW 9
5 CDEHIJK ABFGHIJLMSTZ 10
B 6A CEE ❶ €51,65
H510 5,2 ha 200T(80-100m²) 241D ❷ €64,15

N 47°7'31'' E 8°11'24''

Autobahn A2 Basel-Luzern, Ausfahrt 21 Sempach, CP südlich von Sempach ausgeschildert.

Mosen, CH-6295 / Luzern

Seeblick*****
Campingstrasse
1 Mär - 31 Okt
+41 (0)41-9171666
infos@camping-seeblick.ch

1 ADEFILNOPQRT FLMNQS 6
2 DGKOPRVX ABDEFGHIJK 7
3 BEL ABCDFNRS 8
4 FHI GK 9
5 ACDKL ABIKPRV 10
10A ❶ €33,35
H523 2,5 ha 70T(70-100m²) 110D ❷ €41,65

N 47°14'41'' E 8°13'29''

An der Straße 26 Lenzburg-Luzern, in Mosen gegenüber dem Bahnhof.

Sursee, CH-6210 / Luzern

Camping Sursee/Waldheim***
Baselstraße
1 Apr - 30 Sep
+41 (0)41-9211161
info@camping-sursee.ch

1 AFJMNOPRST 6
2 AOPSWX ABDEFGI 7
3 AL ABCDEFNQRS 8
4 FHIO DG 9
5 ABDEKL AJPRV 10
10A ❶ €25,00
H525 1,7 ha 40T(80m²) 85D ❷ €32,50

N 47°10'31'' E 8°5'13''

A2 Basel-Luzern, Ausfahrt 20 Sursee. Die B2 Richtung Basel weiter folgen. Am 4. Kreisel rechts Richtung Basel. CP ist angezeigt.

Sachseln, CH-6072 / Obwalden

Ewil
Brünigstraße 258
1 Apr - 30 Sep
+41 (0)41-6663270
info@camping-ewil.ch

1 AFILNOPRT LNQSX 6
2 ADFGJOPRSUVWX BEFG 7
3 AK BDFJNQRV 8
4 EFHI DIQ 9
5 ABKL ABGKPTU 10
Anzeige auf dieser Seite B 16A ❶ €30,40
1,5 ha 30T(70-100m²) 53D ❷ €36,25

N 46°51'21'' E 8°12'54''

Der N8 Luzern-Interlaken folgen, Ausfahrt 35 Sarnen-Süd. Im Kreisel links ab und dann geradeaus. Der CP ist ausgeschildert.

Unterägeri, CH-6314 / Zug

Unterägeri****
Wilbrunnenstraße 81
1 Jan - 31 Dez
+41 (0)41-7503928
camping-aegeri@bluewin.ch

1 ACFHKNOQRST LMNQ 6
2 DGPVWXY ABDEFGHJ 7
3 BL ABDEFJNQRS 8
4 EFHI 9
5 ABCDEHIKL ABFGHIJPRV 10
10A CEE ❶ €34,65
H724 4,8 ha 150T(70-100m²) 130D ❷ €42,15

N 47°7'40'' E 8°35'31''

A4 Luzern-Zürich bei Sihlbrugg in Richtung Ägeri. Über Baar nach Unterägeri. Innerorts ausgeschildert.

Vitznau/Luzern, CH-6354 / Luzern

Terrassen-Camping Vitznau****
Altdorfstraße 34
1 Apr - 1 Okt
+41 (0)41-3971280
info@camping-vitznau.ch

1 ADEILNOQRT ABFGN 6
2 FPUVWX ABDEFGHIJK 7
3 BLS BDEFGJNQRSUV 8
4 FIQZ HR 9
5 ACDIKL ABFGHIJPRV 10
15A ❶ €44,75
H450 2 ha 100T(80-90m²) 72D ❷ €53,10

N 47°0'24'' E 8°29'11''

In Vitznau (Straße 2b) an der Kirche dem CP-Schild folgen, dann noch ca. 400m den Berg hinauf.

Einrichtungsliste

Die Einrichtungsliste finden Sie vorne im aufklappbaren Deckel des Führers. So können Sie praktisch sehen, was ein Camping so zu bieten hat.

Schweiz

Teilkarte Zentralschweiz auf Seite 385

Acquarossa, CH-6716 / Ticino

Acquarossa**
1 Jan - 31 Dez
+41 (0)91-8711603
madlen.burri@bluewin.ch

1 AFILNOPRST AN 6
2 CFOPQRWX ABDEFG 7
3 ALS ABEFJNQRV 8
4 FHI D 9
5 ABGKL AIJNORVW 10
10A ❶ €36,50
H560 9 ha 50T(ab 70m²) 31D ❷ €43,65
N 46°27'35" E 8°56'31"

1 km nördlich von Acquarossa an der Straße über den Lukmanier-Pass. Von Norden ist die Zufahrt schwierig. Umdrehen in Acquarossa und Sie können ohne Probleme hindurchfahren.

Agno, CH-6982 / Ticino

Eurocampo****
Via di Molinnazzo
1 Apr - 31 Okt
+41 (0)91-6052114
+41 (0)91-6053187

1 AJMNORST FGLMNQSWXY 6
2 ADHOPQWXY ABDEFGH 7
3 AEK ACEFNQR 8
4 FOP 9
5 ABGKL ABKNPR 10
7A ❶ €39,65
H275 8 ha 250T(60-100m²) 70D ❷ €46,35
N 45°59'44" E 8°54'21"

A2, Ausfahrt Lugano-Nord/Ponte Tresa, Richtung Ponte Tresa. In Agno Richtung Flugplatz. Am Kreisel gegenüber Flugplatz rechts ist der CP ausgeschildert.

Agno, CH-6982 / Ticino

Molinazzo***
Via Acquacalda 15
1 Apr - 31 Okt
+41 (0)91-6051757
+41 (0)91-6051401

1 DEGJMNOQRST LNQSXYZ 6
2 ADGHOPWXY ABDEFG 7
3 AKL ABCDEFNQRS 8
4 BDFHIO L 9
5 ADFGIK ABGHIJOPRV 10
10A CEE ❶ €41,65
H280 1,6 ha 100T(80-100m²) 26D ❷ €55,00
N 45°59'39" E 8°54'5"

A2 Ausfahrt Lugano-Nord/Ponte Tresa, Richtung Ponte Tresa. In Agno Richtung Flugplatz. Der CP ist an der Straße ausgeschildert.

Astano, CH-6999 / Ticino

Al Parco d'Oro
16 Apr - 15 Okt
+41 (0)91-6081282
wyrsch.astano@bluewin.ch

1 GJMNORT 6
2 BOPTUWXY ABDEF 7
3 ALQ ABEFNQRV 8
4 FHI DGJ 9
5 ABDGKLM ABGHJORV 10
10A ❶ €32,35
H592 1,6 ha 35T(60-100m²) 15D ❷ €39,50
N 46°0'27" E 8°49'19"

A2 Ausfahrt Lugano-Nord/Ponte Tresa, Ri. Ponte Tresa, Ri. Luino. In Molinazzo de Monteggio Ri. Astano ca. 5 km, Steigung bis 10%. Mit dem Wohnwagen nicht die 1. Ausfahrt. Sessa/Astano nehmen, sondern die 2. Ausfahrt. Route gut vorbereiten.

Avegno, CH-6670 / Ticino

CP Piccolo Paradiso****
via Cantonale
13 Mär - 24 Okt
+41 (0)91-7961581
info@camping-piccoloparadiso.ch

1 ABDEFGJMNOPRT FJN 6
2 BCHKOPQRSTUVWXY ABDEFG 7
3 ABEFKL ABEFNQRSV 8
4 BFHIOP A 9
5 ABDEFGHIKL ABGHIJLNOPRV 10
B 10A ❶ €45,60
H321 44 ha 300T(80m²) 84D ❷ €50,85
N 46°12'2" E 8°44'39"

A2 Ausfahrt Bellinzona-Süd/Locarno, Richtung Locarno-Ascona, an Locarno vorbei Ausfahrt Vallemaggia. Vor Avegno ist der CP ausgeschildert.

Chiggiogna/Faido, CH-6764 / Ticino

Gottardo***
Fusnengo
1 Mär - 1 Nov
+41 (0)91-8661562
schroeder.camp@vtxmail.ch

1 ADEJMNOPRST A 6
2 ACFGOPQRTUX ABDEFGK 7
3 A ABEFJNQRV 8
4 FH G 9
5 ABDEFGIKM ABGHIKPR 10
10A ❶ €32,50
H685 0,8 ha 50T(20-120m²) 13D ❷ €41,65
N 46°28'13" E 8°48'59"

2 km südlich von Faido, Autobahn E35, Ausfahrt Faido, den Schildern folgen Richtung Faido (nicht Chiggiogna).

Claro, CH-6702 / Ticino

Al Censo****
1 Apr - 14 Okt
+41 (0)91-8631753
info@alcenso.ch

1 AFJMNORT AJN 6
2 ACGOPRTUVWXY ABDFG 7
3 AL ABDEFNQRS 8
4 FHIOPTU 9
5 ABDGKL ABGHIJNPRV 10
16A CEE ❶ €40,10
H270 2,5 ha 138T(80m²) ❷ €50,40
N 46°15'56" E 9°1'9"

A2, Ausfahrt Bellinzona-Nord, Landstraße in Richtung St. Gotthard/Biasca. Der CP ist in Claro ausgeschildert.

Cugnasco, CH-6516 / Ticino

Riarena****
Via Campeggio 1
13 Mär - 18 Okt
+41 (0)91-8591688
camping.riarena@bluewin.ch

1 ADEJMNOPQRST AFJN 6
2 ABCGOPQVXY ABDEFGH 7
3 ABEL ABCDEFIKNQRS 8
4 ABDFHILOPQ DL 9
5 ABDEFIJK ABDGHIJPRVY 10
B 10A ❶ €44,15
H217 3,2 ha 150T(70-100m²) 71D ❷ €54,15
N 46°10'11" E 8°54'51"

A2, Ausfahrt Bellinzona-Süd/Locarno, Richtung Locarno, am Flughafen vorbei Richtung Gordola-Gudo, Richtung Gudo. In Cugnasco ist der CP ausgeschildert.

Gordevio, CH-6672 / Ticino

Gordevio-Valle Maggia****
via Contanale
4 Apr - 14 Okt
+41 (0)91-7531444
camping.gordevio@tcs.ch

1 ABDEGJMNOPRST ABFGJN 6
2 BCHKOPQRUVWXY ABDEFGI 7
3 ABKLT ABCDEFNQRS 8
4 BFHILOP DGKLUW 9
5 ACEFGIJKL ABGHIJNPRVX 10
B 10A ❶ €56,60
H292 2,5 ha 230T(60-80m²) 37D ❷ €64,90
N 46°13'17" E 8°44'31"

A2, Ausfahrt Bellinzona-Süd/Locarno, Richtung Locarno-Ascona, an Locarno vorbei Ausfahrt Vallemaggia. Vor Gordevio ist der CP ausgeschildert.

Gudo, CH-6515 / Ticino

Isola****
Via al Gaggioletto 3
15 Jan - 15 Dez
+41 (0)91-8593244
isola2014@ticino.com

1 ADEJMNOPQRST AF 6
2 ABCGOPVXY ABDEFG 7
3 ABEFL ABCDEFJNQRSV 8
4 BFHILNOPQ DV 9
5 ABDFGIJL ABJNOPRW 10
B 10A CEE ❶ €41,65
H207 3 ha 150T(30-100m²) 73D ❷ €54,15
N 46°10'15" E 8°55'53"

A2, Ausfahrt Bellinzona-Süd/Locarno Richtung Locarno, am Flughafen vorbei Richtung Gordola-Gudo, dann Richtung Gudo. Zwischen Cugnasco und Gudo ist der CP ausgeschildert. Schmaler Zufahrtsweg.

Locarno, CH-6600 / Ticino

Delta*****
Via Respini 7
1 Mär - 31 Okt
+41 (0)91-7516081
info@campingdelta.com

1 CDEHKNOPRST JLMNOQSUWXYZ 6
2 ACDGHIOPQRVWXY ABDEFG 7
3 BEFIJKLMN ABCDEFJKNQRSV 8
4 ABDFHIJLOPR DLRUV 9
5 ACDEFGHIJKL ABGHIJNOPR 10
B 13A ❶ €78,35
H195 6 ha 300T(60-110m²) 50D ❷ €78,35
N 46°9'35" E 8°48'14"

A2, Ausfahrt Bellinzona-Süd/Locarno, Richtung Locarno, direkt hinter dem Tunnel Ausfahrt Locarno. In der Stadt ist der CP ausgeschildert.

Losone, CH-6616 / Ticino

Zandone***
Via Arbigo
30 Mär - 28 Okt
+41 (0)91-7916563
info@campingzandone.ch

1 AJMNOPQRS JN 6
2 ABCKOPQVX ABDEFG 7
3 AK ABEFNQR 8
4 FHIOP L 9
5 ABDKL AGIJLNPRV 10
B 10A ❶ €48,00
H260 2,1 ha 150T(40-80m²) 60D ❷ €62,60
N 46°10'37" E 8°43'44"

A2, Ausfahrt Bellinzona-Süd/Locarno, Richtung Locarno-Ascona, an Locarno vorbei Ausfahrt Losone. CP nach 300m hinter dem Industriegebiet Zandone, Richtung Intragna-Golino.

Melano, CH-6818 / Ticino

Monte Generoso***
Via Tannini
4 Apr - 19 Okt
+41 (0)91-6498333
camping@montegeneroso.ch

1 ADEFJMNOPQRST LMNOPQSUWXYZ 6
2 ADGJKOPRTVWX ABDEFG 7
3 ABLQ ABEFNQR 8
4 IOP DQTV 9
5 ABDEFGKL ABGIOPR 10
6A ❶ €40,85
H272 2 ha 110T(40-80m²) 47D ❷ €47,50
N 45°55'42" E 8°58'39"

A2 Bellinzona-Chiasso, Ausfahrt Melide in Richtung Chiasso. Der zweite angezeigte CP liegt direkt vor dem Viadukt und noch vor Melano; ausgeschildert.

Teilkarte Tessin auf Seite 387

Melano, CH-6818 / Ticino

Paradiso-Lago****
Via Pedreta
30 Mär - 28 Okt
+41 (0)91-6482863
info@camping-paradiso.ch
N 45°55'24'' E 8°58'45''

1 ABDEFGHKNOPRST LMNQSWXY 6
2 ADGJOPRTVWXY ABDEFG 7
3 ABEL ABCDEFJNQRV 8
4 FIOP 9
5 ABDEGHIKL ABGHIPR 10
4A ① €47,85
H270 3,5 ha 140T(60-65m²) 60D ② €56,35

A2 Bellinzona-Chiasso, Ausfahrt Melide, Richtung Chiasso. Im Ort Melano ist der CP ausgeschildert.

Meride, CH-6866 / Ticino

TCS Meride-Mendrisio****
Via Alla Carra 2
1 Mai - 26 Sep
+41 (0)91-6464330
camping.meride@tcs.ch
N 45°53'17'' E 8°56'58''

1 ABDEGJMNOPRS ABFN 6
2 ABCDGOPQRUXY ABDEFG 7
3 ABLT ABDEFNQRSV 8
4 BFIO 9
5 ADEGIKL ABJNOPR 10
B 14A ① €41,60
H533 1,2 ha 80T(80m²) 16D ② €50,75

A2, Bellinzona-Chiasso, Ausfahrt Mendrisio, Richtung Stabio-Varese, Richtung Arzo. In Arzo Richtung Serpieno-Meride. Vor Meride ausgeschildert.

Molinazzo di Monteggio, CH-6995 / Ticino

Tresiana****
Via Cantonale 21
28 Mär - 18 Okt
+41 (0)91-6083342
info@camping-tresiana.ch
N 45°59'28'' E 8°49'0''

1 ADEJMNOPRST AFJNU 6
2 ACOPRTVWXY ABDEFGH 7
3 AEKLS ABCDEFGINQRSV 8
4 BCDFHIOX DV 9
5 ABDEIKLM ABDGHJLPRV 10
B 10A ① €50,25
H255 1,5 ha 90T(56-80m²) 43D ② €58,60

A2 Ausfahrt Lugano-Nord/Ponte Tresa, Richtung Ponte Tresa. In Ponte Tresa Richtung Luino. Bis zur Grenze und dann rechts ab. Der CP ist in Molinazzo di Monteggio ausgeschildert.

Muzzano, CH-6933 / Ticino

TCS Camping Lugano****
1 Jan - 31 Dez
+41 (0)91-9947788
camping.muzzano@tcs.ch
N 45°59'43'' E 8°54'31''

1 ABDEFGJMNOPRST AFLMPQSWXYZ 6
2 ADFGIPRVWX ABDEFGIK 7
3 BEKLMT ABCDEFIJNQRSTUV 8
4 BFIJLOP D 9
5 ACEFGIJKL ABGHIKNPRV 10
B 10A CEE ① €40,85
H275 4,7 ha 210T(80-120m²) 45D ② €47,50

A2, Ausfahrt Lugano-Nord/Ponte Tresa. In Agno Richtung Flugplatz. Vor Muzzano ist der CP ausgeschildert. An der Suzuki-Werkstatt über die Parallelstraße zum CP.

Tenero, CH-6598 / Ticino

Campofelice*****
Via Alle Brere 7
26 Mär - 31 Okt
+41 (0)91-7451417
camping@campofelice.ch
N 46°10'8'' E 8°51'21''

1 ACDEHKNOPQRS HJLMQSUVWXYZ 6
2 ACDFGHIJOPQRVWXY ABDEFGH 7
3 ABEFIKLMNQRST ABCDEFJNQRSTUV 8
4 ABCDEFHIOX ADEGIJKMNQRTUVWXZ 9
5 ACDEFGIJKLM AEGHIJNPRVXYZ 10
Anzeige auf dieser Seite B 13A ① €50,00
H195 15 ha 730T(80-100m²) 240D ② €65,00

A2, Ausfahrt Bellinzona-Süd/Locarno, Richtung Locarno, am Flughafen vorbei Richtung Locarno/Tenero. Nach Ausfahrt Tenero ist der CP ausgeschildert.

Tenero, CH-6598 / Ticino

Camping Miralago S.A.*****
Via Roncaccio 20
1 Jan - 31 Dez
+41 (0)91-7451255
info@camping-miralago.ch
N 46°10'23'' E 8°50'53''

1 ABDEFJMNOPQRS ABFLMNQSWX 6
2 ADFGHIOPQRSVWXY ABDEFGH 7
3 ABEKLQ ABEFJNQRSTUV 8
4 BCFHX JLW 9
5 ABEFGIKL ABGHIJOPRXZ 10
B 13A ① €79,15
H195 2,2 ha 128T(50-92m²) 59D ② €95,85

A2, Ausfahrt Bellinzona-Süd/Locarno, Richtung Locarno, am Flughafen vorbei Richtung Locarno/Tenero. Nach Ausfahrt Tenero ist der CP ausgeschildert.

Tenero, CH-6598 / Ticino

Lago Maggiore****
Via Lido 4
23 Mär - 21 Okt
+41 (0)91-7451848
info@clm.ch
N 46°10'9'' E 8°51'13''

1 ACDEHKNOPQRST LMOQSW 6
2 ADGHIOPRVWXY ABDEFGHIJ 7
3 BEKL ABCDEFNQRUV 8
4 BFHI DKLT 9
5 ACDEFIJKL ABGHIJNOPRV 10
B 16A ① €36,65
H195 3,2 ha 360T(56-92m²) 138D ② €60,00

A2, Ausfahrt Bellinzona-Süd/Locarno, Richtung Locarno. Am Flughafen vorbei in Richtung Locarno/Tenero. Nach der Ausfahrt Tenero sind alle CP ausgeschildert.

Tenero, CH-6598 / Ticino

Lido Mappo*****
Via Mappo
27 Mär - 19 Okt
+41 (0)91-7451437
camping@lidomappo.ch
N 46°10'37'' E 8°50'35''

1 ADEHKNOPR LMNQSWXYZ 6
2 ADGHIJOPRVWXY ABDEFGH 7
3 ABKL ABCDEFJNQRSV 8
4 BHLP K 9
5 ACEGJK ABCGHIJNOPRV 10
B 10A ① €48,35
H206 6,5 ha 357T(60-80m²) 93D ② €63,35

A2, Ausfahrt Bellinzona-Süd/Locarno, Richtung Locarno, am Flughafen vorbei Richtung Locarno/Tenero. Nach Ausfahrt Tenero alle CP deutlich ausgeschildert.

Teilkarte Tessin auf Seite 387

Teilkarte Tessin auf Seite 387

Tenero, CH-6598 / Ticino

Rivabella*****	1 ADE**JM**NOPQRST	LM**N**QSWX**Z** 6
Via Naviglio 11	2 ADGHOPRVXY	ABE**FG** 7
1 Jan - 31 Dez	3 AB**K**L	ABEFNQRTV 8
+41 (0)91-7452213	4 O	DGJL 9
info@camping-rivabella.ch	5 ABDEFGIJKL	ABGHIJOPRW10
	B 10A CEE	❶ €44,15
N 46°10'21" E 8°50'50"	H195 1 ha 32**T**(60-80m²) 65**D**	❷ €50,85

A2, Ausfahrt Bellinzona-Süd/Locarno, Richtung Locarno, am Flughafen vorbei Richtung Locarno/Tenero. Nach Ausfahrt Tenero ist der CP ausgeschildert.

Tenero, CH-6598 / Ticino

Tamaro*****	1 ABDEFHKNOPQRS**T**	ALM**NT** 6
Via Mappo 32	2 ADFGHOPQRVWX	ABDE**FG** 7
7 Mär - 26 Okt	3 ABF**K**LSTV	ABCDEFKNQRSTUV 8
+41 (0)91-7452161	4 ABCDEFHINO**X**	ADKLVWZ 9
info@campingtamaro.ch	5 ABCDEFGIKLM	ABCEGHIJL**N**PRVZ10
	B 10A CEE	❶ €50,00
N 46°10'33" E 8°50'40"	H193 6 ha 290**T**(60-150m²) 167**D**	❷ €65,00

A2, Ausfahrt Bellinzona Süd/Locarno, Richtung Locarno. Am Flughafen vorbei in Richtung Locarno/Tenero. Nach Ausfahrt Tenero sind alle CP ausgeschildert.

Graubünden

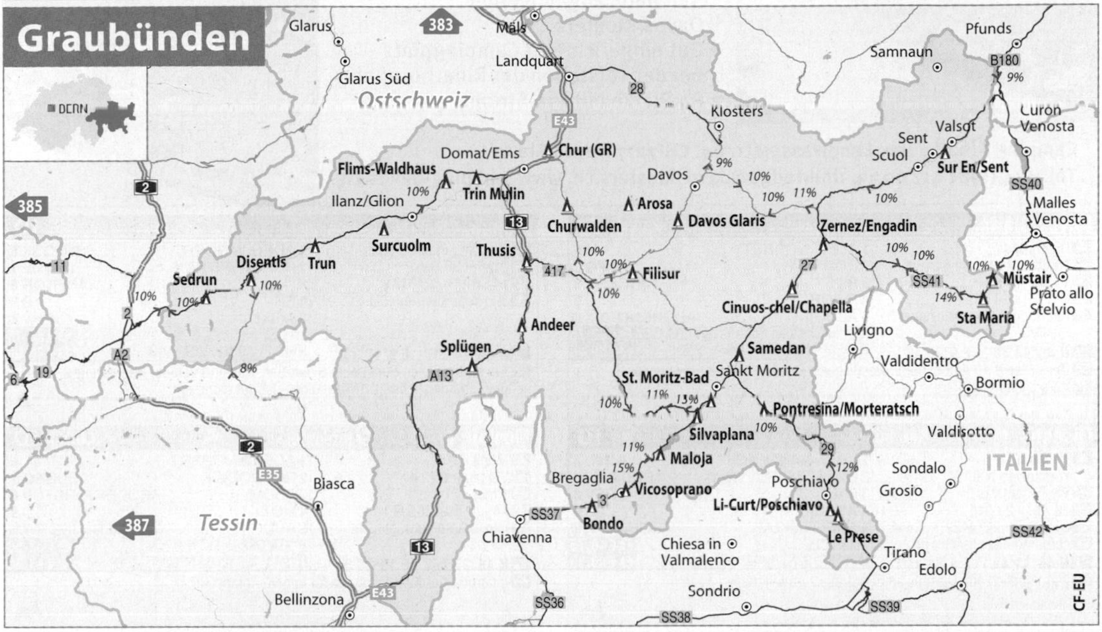

Andeer, CH-7440 / Graubünden

Sut Baselgia****	1 AF**JM**NOPRS**T**	**ABEFGN** 6
Sut Baselgia	2 AFOPQX	ABDE**FG** 7
1 Jan - 31 Dez	3 A**MN**	ABCDEFJNQRV 8
+41 (0)81-6611453	4 FHI	G 9
camping.andeer@bluewin.ch	5 ADGIKL	ABGHJPR10
	W 10A	❶ €32,65
N 46°36'23" E 9°25'35"	H985 1,2 ha 40**T**(40-80m²) 127**D**	❷ €39,35

A13, Ausfahrt Zillis oder Andeer, CP auf der Nordseite des Ortes beim Hallenbad. Schildern folgen.

Arosa, CH-7050 / Graubünden

Arosa	1 ADE**JM**NOPQRST	6
Mühlebodenstrasse 63	2 CFOPSTWX	AB**FG**I 7
1 Jan - 31 Dez	3 **GHK**	ABE**F**JNQR 8
+41 (0)791752186	4 FI	9
welcome@stall-weiterhof.ch	5 KL	AGJNOQRVW10
	W 10A	❶ €41,65
N 46°46'30" E 9°40'28"	H1740 20**T** 25**D**	❷ €49,15

Von Chur die Strecke nach Arosa, dort der Campingbeschilderung folgen.

Bondo, CH-7606 / Graubünden

Camping Bondo	1 AJMNOPRST	6
1 Mai - 31 Okt	2 BCFGPRTUWXY	ABD**F** 7
+41 (0)81-8221558	3	AE**F**NQR 8
benvenuti@camping-bondo.ch	4 FH	9
	5	ABFGKSTV10
	6A CEE	❶ €21,65
N 46°20'9" E 9°33'25"	H820 2,5 ha 132**T**	❷ €26,65

Über den Maloja Pass Richtung Italien zu erreichen. Hinter dem Tunnel bei Bondo linksab und den Schildern folgen.

Chur (GR), CH-7000 / Graubünden

CampAu Chur***	1 ADEF**JM**NOPQRS**T**	**ABEFGHN**UX 6
Felsenaustraße 61	2 ACGOPQRSVWXY	ABDE**FG**IJ 7
1 Jan - 31 Dez	3 BEF**GHIKLMNO**	ABCDEFIJNQRSV 8
+41 (0)81-2842283	4 H	G 9
info@camping-chur.ch	5 ABDEGIJKL	ABDFGHK**NPR**10
	WB 10A CEE	❶ €31,35
N 46°51'43" E 9°30'27"	H550 2,7 ha 80**T**(30-110m²) 103**D**	❷ €37,15

A13, Ausfahrt Chur-Süd (auch: Arosa/Lenzerheide). Danach auf der Hauptstraße den CP-Schildern folgen.

Churwalden, CH-7075 / Graubünden

Pradafenz****	1 ADE**JM**NOPQRST	**N** 6
Girabodawäg 34	2 FOPRSUVWX	AB**C**DE**FG**H 7
25/5 - 31/10, 15/12 - 15/4	3 A**K**L**MN**	ABCDEFJNQRSTUV 8
+41 (0)81-3821921	4 FH	UV 9
camping@pradafenz.ch	5 ADEGIJKL	ABEGHJ**NP**R10
	WB 10A CEE	❶ €32,35
N 46°46'37" E 9°32'29"	H1230 2,3 ha 50**T**(40-90m²) 104**D**	❷ €42,85

Die Straße 3, mitten in den Ort Churwalden. CP-Schildern folgen.

Cinuos-chel/Chapella, CH-7526 / Graub.

Chapella**	1 A**JM**NOPRS**T**	**N**UX 6
1 Mai - 31 Okt	2 CFGPQRTUWX	ABDE**FG** 7
+41 (0)81-8541206	3 A**K**L	ABCDEFJNQRV 8
camping.chapella@bluewin.ch	4 FH	9
	5 ABKL	ABDJ**NP**R10
	Anzeige auf dieser Seite 16A CEE	❶ €27,10
N 46°37'57" E 10°0'49"	H1650 2 ha 100**T**(40-100m²) 20**D**	❷ €32,10

An der Straße 27, einige km südlich von Cinuos-chel, auf die Kurve und Brücke achten!

Schweiz

Teilkarte Graubünden auf Seite 389

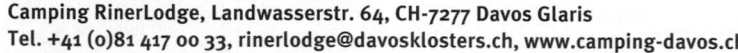

Davos Glaris, CH-7277 / Graubünden

CC€18 iD

RinerLodge
Landwasserstraße 64
1 Mai - 31 Okt
+41 (0)81-4170033
rinerlodge@davosklosters.ch
N 46°44'39'' E 9°46'46''

1 ADE**IL**NOPRST **N** 6
2 CORSVW AB**FG** 7
3 BK ABEFJNQRSV 8
4 FHIO**P** G 9
5 ABDGIKL ABGHKN**O**RVX 10
Anzeige auf dieser Seite W 13A CEE ❶ €32,75
H1450 1 ha 84T(40-80m²) 28D ❷ €39,40

Der CP liegt 10 Autominuten westlich von Davos. Die Anfahrtroute über Klosters ist kein Problem.

Disentis, CH-7180 / Graubünden

iD

Heberga AG
Fontanivas TCS***
Via Fontanivas 9
26 Apr - 29 Sep
+41 (0)81-9474422
camping.disentis@tcs.ch
N 46°41'49'' E 8°51'11''

1 ADEF**JM**NOPRST JM**N**U 6
2 BCFGOPQRUVWXY ABDE**FG**IJ 7
3 BKL ABCDEFJNQRSV 8
4 **AE**FHIO AD 9
5 ABDEGIJKLM ABGHJ**N**PR 10
B 13A CEE ❶ €40,75
H1100 2,5 ha 140T(ab 60m²) 43D ❷ €49,35

2 km südlich von Disentis an der Straße zum Lukmanier-Pass.

Filisur, CH-7477 / Graubünden

CC€16 iD

Islas****
1 Apr - 31 Okt
+41 (0)81-4041647
info@campingislas.ch
N 46°40'17'' E 9°40'27''

1 ADEGJMNOPRST A**N** 6
2 BCFGPQRWXY ABDE**F**GH 7
3 AB**K**L ABCDEFJNQRSV 8
4 **AE**FHO AD 9
5 ABEFGJKL ABDFHIJO**P**RVW 10
B 10A ❶ €32,50
H950 4,4 ha 120T(30-80m²) 87D ❷ €42,10

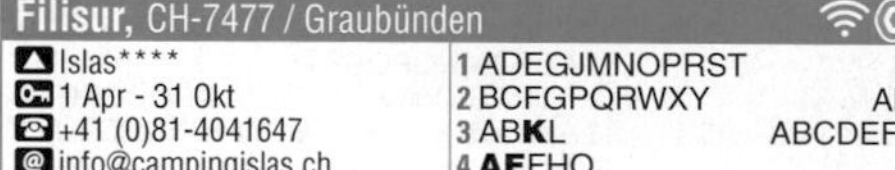

Von Tiefencastel erst Richtung Davos/Albula, dann Albula. Schildern folgen. Der Albula-Pass ist von der anderen Richtung schwer mit Wohnwagengespannen zu befahren.

Flims-Waldhaus, CH-7018 / Graubünden

iD

Flims****
Via Prau la Selva
1 Jan - 31 Dez
+41 (0)81-9111575
info@camping-flims.ch
N 46°49'28'' E 9°16'55''

1 ADEGJMNOPQRST 6
2 AFOPRSW ABDE**FG** 7
3 ABEI**KLMNR**SV ABCDEFJNQRSTUV 8
4 **E**FGHIO F 9
5 ABDGIKL ABEFGHJNORV 10
W 10A CEE ❶ €34,60
H1100 2 ha 40T(60-80m²) 103D ❷ €44,60

Die 19 südlich von Flims, zwischen Flims und Laax.

Le Prese, CH-7746 / Graubünden

CC€18 iD

Cavresc****
Via del Canton 757a
1 Jan - 31 Dez
+41 (0)81-8440259
camping.cavresc@bluewin.ch
N 46°17'41'' E 10°4'49''

1 ADEG**JM**NOPRS**T** **N**QX 6
2 CFOPQVWX AB**C**DE**F**G**H** 7
3 BLM**N** ABE**F**JNQRSTUV 8
4 FHIO DEUV 9
5 ABDFGIKL ABGHJ**NP**RV 10
B 13A CEE ❶ €33,65
H966 1 ha 84T(30-75m²) 18D ❷ €38,65

Im Ort Le Prese in einer Seitenstraße (Ostseite) der Hauptstraße 29, den Schildern folgen.

Li-Curt/Poschiavo, CH-7745 / Graubünden

iD

Boomerang****
Viale
1 Apr - 31 Okt
+41 (0)81-8440713
info@camping-boomerang.ch
N 46°18'27'' E 10°3'52''

1 ADE**JM**NOPRST **N** 6
2 CFOPQRTUX ABD**EFG**H 7
3 BL ABEFJNQRV 8
4 FHI DJK 9
5 ABDGKL AHJ**N**PRV 10
B 10A ❶ €37,50
H980 1,5 ha 50T(ab 60m²) 56D ❷ €44,15

Aus St. Moritz die 29 über den Bernina Pass, 3 km südlich von Poschiavo an einer Seitenstraße (ausgeschildert).

Maloja, CH-7516 / Graubünden

iD

Camping Plan Curtinac**
2 Jun - 30 Sep
+41 (0)81-8243181
info@camping-maloja.ch
N 46°24'21'' E 9°42'38''

1 ADEGJMNOPRT L**N**OQSX 6
2 BCDFGJPRTWX ABDE 7
3 ABFNQR 8
4 FH D 9
5 AFIKL AJ**P**RV 10
6A CEE ❶ €30,15
H1817 1,5 ha 142T 10D ❷ €35,00

Am südöstlichen Punkt vom Silser-See. Ausfahrt von der Hauptstraße 3 nehmen und den schmalen Weg folgen. Ist gut angezeigt.

Müstair, CH-7537 / Graubünden

CC€16 iD

Muglin
Via Muglin 223
1 Mai - 31 Okt
+41 (0)81-8585990
info@campingmuglin.ch
N 46°37'26'' E 10°26'56''

1 ADE**JM**NOPRST 6
2 BCFGOPWX ABDE**FG** 7
3 ABDM ABCDEFJQRSTUV 8
4 IJOT D 9
5 ABDGIK ADFGHJNORW 10
B 13A CEE ❶ €32,50
H1244 4,5 ha 65T(100m²) 29D ❷ €43,35

Innerorts der Kantonsstraße 28 folgen, Abfahrt CP.

Pontresina/Morteratsch, CH-7504 / Graubünden

iD

Morteratsch****
Morteratsch
26/5 - 14/10, 15/12 - 15/4
+41 (0)81-8426285
mail@
camping-morteratsch.ch
N 46°27'38'' E 9°56'12''

1 ADE**JM**NOPRS**T** J**N** 6
2 CFPQRWXY ABDE**FG**HIJ 7
3 B**K**L ABCDEFGIJLMNQRSV 8
4 FHIO**T** DJVW 9
5 ACDEGKL ABGJ**N**ORV 10
Anzeige auf Seite 391 WB 13A ❶ €37,90
H1850 4 ha 250T 45D ❷ €46,25

An der 29 von St. Moritz zum Bernina-Pass, 4 km südlich von Pontresina.

Samedan, CH-7503 / Graubünden

iD

Camping Gravatscha
Plazza Aviatica 27
1/6 - 15/10, 10/12 - 15/4
+41 (0)76-2537736
info@camping-gravatscha.ch
N 46°32'32'' E 9°53'32''

1 ADE**JM**NOPRS**T** **N** 6
2 BCFGPUVWXY ABDE**FG**I 7
3 B ABEFIJNQRST 8
4 FHO J 9
5 ABEGIJKL ABHJPRV 10
WB 16A CEE ❶ €40,85
H1700 2 ha 46T 20D ❷ €49,15

Bei Samedan die B27 Richtung Flughafen. Dann den CP-Schildern folgen.

Schweiz

Teilkarte Graubünden auf Seite 389

Sedrun, CH-7188 / Graubünden

Rheincamping Sedrun/Rueras***
15 Mai - 31 Okt
+41 (0)79-1268061
info@campadi-rein.ch
N 46°40'26'' E 8°45'18''

1 AJMNOPRST	N 6
2 CFGPRW	ADFG 7
3 ADFK	ABEFJNQRS 8
4 AFO	9
5 AGI	ABGJOR 10
B 6A CEE	① €29,50
H1400 15 ha 74T 8D	② €38,15

Die Straße zum Oberalp-Pass. Bei Rueras der Beschilderung Campadi Rein folgen (am blauen Kunstwerk).

Surcuolm, CH-7138 / Graubünden

Surcuolm****
Via Principala 11
1 Jan - 31 Dez
+41 (0)81-9333223
info@camping-surcuolm.ch
N 46°45'38'' E 9°8'36''

1 ADEGJMNOPRST	6
2 FGOPQRUVW	ABDEFGHI 7
3 AKLS	ABEFJNQRV 8
4 EFHI	GUV 9
5 ABDGIKL	ABFGHJNPRY 10
W 16A CEE	① €35,25
H1300 0,5 ha 33T(60-70m²) 38D	② €43,90

In Ilanz an der B19 Flims-Disentis abfahren. Dann die Ausfahrt Obersaxen/Surcuolm nehmen. Der CP ist vor dem Ort ausgeschildert.

Silvaplana, CH-7513 / Graubünden

Silvaplana****
Via da Bos-Cha 15
1 Jun - 12 Okt
+41 (0)81-8288492
reception@campingsilvaplana.ch
N 46°27'23'' E 9°47'36''

1 ADEJMNOPRST	LNQRSTXYZ 6
2 DFGOPQRTXY	ABDEFG 7
3 BEFKMN	ABEFJNQRSV 8
4 FHIOQ	M 9
5 ABCGHKL	AGHJNORVW 10
16A	① €37,90
H1810 4 ha 180T(50-80m²) 140D	② €46,25

Direkt südlich von Silvaplana an der Hauptstraße 3 am See. Die Zufahrtsstraße liegt sich südlich vom Ort. Den Schildern in und ums Dorf herum folgen.

Thusis, CH-7430 / Graubünden

CC€16

Viamala A.G.***
Pantunweg 3
1 Jan - 31 Dez
+41 (0)81-6512472
info@camping-thusis.ch
N 46°41'56'' E 9°26'42''

1 ABDEFGJMNOPRST	N 6
2 ABCOPQVWXY	BEFGI 7
3 ABELM	BDFJKNQRSTV 8
4 FHO	9
5 AIKL	ABDFGHJNORV 10
WB 16A CEE	① €38,50
H700 4,5 ha 130T(50-100m²) 70D	② €46,85

Von der A13 Ausfahrt Thusis-Süd und den CP-Schildern folgen.

Splügen, CH-7435 / Graubünden

CC€18

Auf dem Sand****
1 Jan - 31 Dez
+41 (0)81-6641476
camping@splugen.ch
N 46°32'58'' E 9°18'51''

1 ADEJMNOPRS	NU 6
2 ACFOPQRX	ABDEFGHIK 7
3 BLMN	ABDEFJKNQRV 8
4 EFGHI	G 9
5 ABDGIKL	ABGHJMNPRVX 10
W 10A CEE	① €37,50
H1470 0,8 ha 30T(ab 80m²) 110D	② €45,85

A13 Ausfahrt Splügen. In Splügen der Beschilderung folgen. Ca. 500m westlich des Ortes.

Trin Mulin, CH-7016 / Graubünden

Trin
Via Geraglia 2
1 Jan - 31 Dez
+41 (0)813-304335
info@campingtrin.ch
N 46°49'41'' E 9°20'50''

1 AGJMNOPRST	L 6
2 ADFOPW	ABDEFGI 7
3 ABFLMOS	ABEFJNQR 8
4 FHIO	DH 9
5 ABDEFGIKL	ABJNPR 10
W 13A CEE	① €33,35
H800 2,2 ha 126T(ab 50m²) 36D	② €43,35

Der B19 Chur-Disentis folgen. Der CP ist ausgeschildert.

St. Moritz-Bad, CH-7500 / Graubünden

St. Moritz***
Via San Gian 55
20 Mai - 3 Okt
+41 (0)81-8334090
camping.stmoritz@tcs.ch
N 46°28'42'' E 9°49'30''

1 ADEJMNOPRST	N 6
2 FOPQRTVW	ABDEFGHIJ 7
3 BKLMN	ABCDEFJNQRS 8
4 FHI	DUVW 9
5 ABDGHIKL	ABGKNORW 10
13A CEE	① €40,85
H1800 1,5 ha 130T(40-100m²) 2D	② €48,35

2 km südlich von St. Moritz-Bad an der Hauptstraße 27.

Trun, CH-7166 / Graubünden

Restaurant/Camping Trun***
Ogna 1
1 Apr - 30 Okt
+41 (0)81-5445697
info@camping-trun.ch
N 46°44'28'' E 8°59'39''

1 AJMNOPRST	NUV 6
2 CFOPQRWXY	ABDEFG 7
3 ABGHKLMN	ABCDEFJNQRV 8
4 FHIO	G 9
5 ABDEGIJKL	ABGJLNRVX 10
10A	① €27,25
H850 3,5 ha 150T(80-100m²) 81D	② €33,90

1 km östlich von Trun am Vor-Rhein. Von Straße 19 aus Schildern folgen.

Sta Maria, CH-7536 / Graubünden

CC€16

Pè da Munt***
22 Mai - 4 Okt
+41 (0)81-8587133
campingstamaria@bluewin.ch
N 46°35'49'' E 10°25'33''

1 AJMNOPRST	6
2 CFOPQRTUVWX	ABDEFG 7
3 A	ABEFNQRV 8
4 FHIO	9
5 AL	ABGJRV 10
10A	① €29,85
H1450 2 ha 60T(30-85m²)	② €39,85

CP etwas außerhalb des Ortes, an der Straße zum Umbrailpass.

Vicosoprano, CH-7603 / Graubünden

Mulina**
1 Mai - 31 Okt
+41 (0)81-8221035
camping.mulina@bluewin.ch
N 46°21'22'' E 9°37'51''

1 AJMNOPRST	JN 6
2 CDFGOPQTUWX	ABDEFGK 7
3	AEFJNQRV 8
4 FHI	A 9
5 ABGL	ABGJLNRV 10
10A CEE	① €25,00
H1070 2,5 ha 200T(40-75m²) 14D	② €30,85

CP auf der Nordseite von Vicosoprano, Straße 3, Ausfahrt Roticcio, auch ausgeschildert.

Sur En/Sent, CH-7554 / Graubünden

Sur En****
1 Jan - 31 Dez
+41 (0)79-6111147
wb@sur-en.ch
N 46°49'7'' E 10°21'57''

1 ADEGJMNOPRST	ABNUX 6
2 COPQRTX	ABDEFGHK 7
3 BGKLRSU	ABCDEFJNQRSV 8
4 AEFHIO	FJU 9
5 ABDEGJKL	AGJNOPR 10
W 15A CEE	① €32,50
H1124 3 ha 160T(70-100m²) 42D	② €40,00

Ausfahrt auf der 27 zwischen Ramosch und Crusch. Sehr starkes Gefälle zur Inn. CP ist ausgeschildert.

Zernez/Engadin, CH-7530 / Graubünden

Cul***
Via da Cul
15 Mai - 31 Okt
+41 (0)81-8561462
campingzernez@gmail.com
N 46°41'48'' E 10°5'13''

1 ADEFJMNOPRST	NX 6
2 CFOPQRVWXY	ABDEFGIJ 7
3 ABL	ABCDEFJNQRV 8
4 FHIO	K 9
5 ABDEGHIKL	ABGJNPRV 10
16A CEE	① €31,60
H1472 3,6 ha 250T(40-120m²) 30D	② €42,35

Straße 27, Ausfahrt etwas südlich von Zernez.

Teilkarte Graubünden auf Seite 389

Österreich

NIEDERÖSTERREICH/WIEN
421
WIEN
OBERÖSTERREICH
407
STEIERMARK/BURGENLAND
424
KÄRNTEN
412
SALZBURG
408
TIROL
398
TIROL
398
VOR-
ARLBERG
397
DEUTSCHLAND
TSCHECHIEN
SLOWAKEI
UNGARN
KROATIEN
SLOWENIEN
ITALIEN
SCHWEIZ
BRATISLAVA
LJUBLJANA
VADUZ
CF-EU

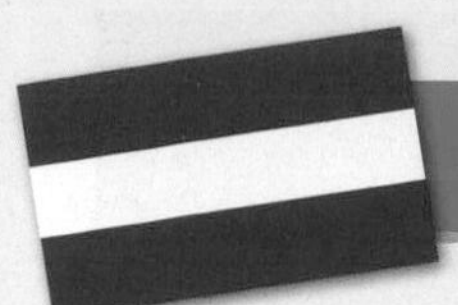

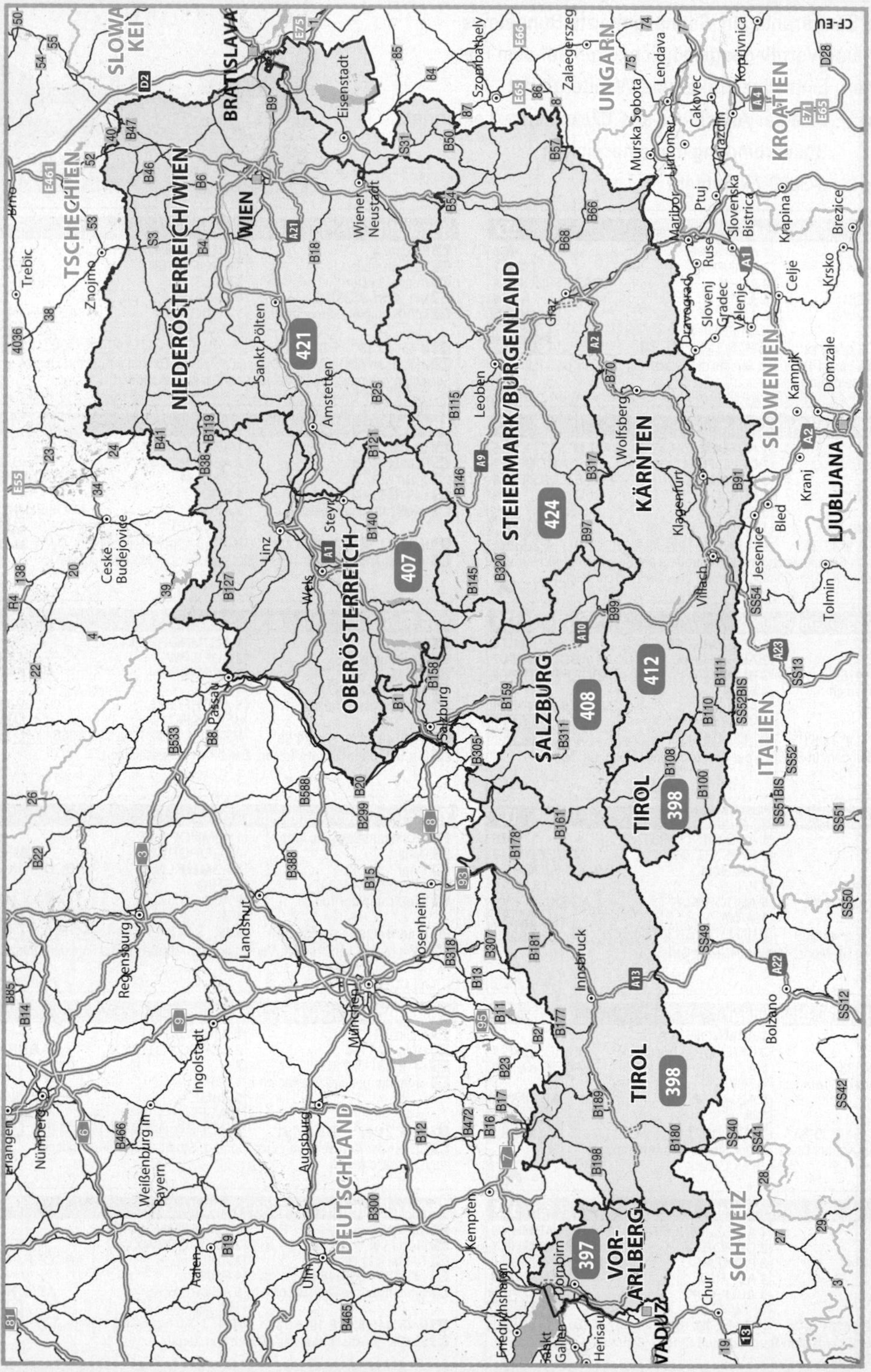

Allgemein
Österreich ist EU-Mitglied.

Zeit
In Österreich ist es genauso spät wie in Berlin.

Sprache
Deutsch.

Grenzformalitäten
Viele Formalitäten und Vereinbarungen, wie erforderliche Reisedokumente, KFZ-Papiere, Anforderungen an Ihr Fahrzeug und Ihren Aufenthalt, Krankenkosten und das Mitführen von Tieren, sind nicht nur vom Zielort abhängig, sondern auch von Ihrem Ausgangsort und Ihrer Nationalität. Auch die Dauer Ihres Aufenthaltes spielt dabei eine Rolle. Im Rahmen dieses Führers ist es leider nicht möglich, allen Lesern korrekte und aktuelle Informationen in dieser Hinsicht zu garantieren.

Wir raten Ihnen, vor Ihrer Abreise bei den entsprechenden Behörden in Erfahrung zu bringen:

- welche Reisedokumente Sie für sich selbst und Ihre Reisebegleitung brauchen
- welche Dokumente Sie für Ihr Auto brauchen
- welchen Anforderungen Ihr Fahrzeug entsprechen muss
- welche Güter Sie ein- und ausführen dürfen
- wie im Unglücks- oder Krankheitsfall die medizinische Versorgung im Urlaubsland organisiert ist und bezahlt wird
- ob Sie Ihre Haustiere mitnehmen können. Nehmen Sie rechtzeitig Kontakt zu Ihrem Tierarzt auf. Dort erhalten Sie Informationen über relevante Impfungen, entsprechende Bestätigungen und Verpflichtungen bei Ihrer Rückkehr. Es ist auch sinnvoll herauszufinden, ob an Ihrem Urlaubsziel bestimmte Bedingungen für Haustiere in der Öffentlichkeit geknüpft sind. So müssen in manchen Ländern Hunde immer einen Maulkorb tragen oder vergittert transportiert werden.

Viele allgemeine Infos finden Sie auf ▸ *www.europa.eu* ◂ aber sorgen Sie selbst dafür, die richtige Information für Ihre individuelle Situation herauszufinden.

Aktuelle Zollbestimmungen entnehmen Sie den Botschaften des jeweiligen Urlaubslandes an Ihrem Wohnort.

Währung und Geld
Die Währungseinheit in Österreich ist der Euro.

Kreditkarten
In Städten und Touristengegenden nehmen die meisten Restaurants, Geschäfte und Tankstellen Kreditkarten an.

Öffnungszeiten und Feiertage
Banken
Die Banken sind durchgehend von 8.00 bis 12.30 Uhr und von 13.30 bis 15.00 Uhr geöffnet, donnerstags bis 18.00 Uhr.

Geschäfte
Die meisten Geschäfte sind von Montag bis Freitag bis 19.00 Uhr und samstags oft bis 17.00 Uhr geöffnet.

Apotheken, Ärzte
Informationen über den Dienst habenden Arzt erhalten Sie bei der örtlichen Polizei. Apotheken sind an Werktagen geöffnet

zwischen 9.00 und 17.00 Uhr.
Geschlossene Apotheken informieren mit einem Schild über die nächstgelegenen Apotheken mit Bereitschaftsdienst.

Feiertage
1. und 6. Januar (Dreikönige), Ostern, 1. Mai (Tag der Arbeit), Himmelfahrt, Pfingsten, 4. Juni (Fronleichnam), 15. August (Mariä Himmelfahrt), 26. Oktober (Nationalfeiertag), Allerheiligen, 8. Dezember (Mariä Empfängnis), Weihnachten.

Kommunikation

(Mobil)Telefon
Das Mobilfunknetz ist in ganz Österreich gut, bis auf abgelegene Berggegenden. Es gibt ein 3 G-Netz für das mobile Internet.

W-Lan, Internet
Im ganzen Land, besonders in den Städten, finden Sie Internetcafés. W-Lan ist vielerorts möglich.

Post
Postämter sind von Montag bis Freitag von 8.00 bis 12.00 Uhr und von 14.00 bis 18.00 Uhr offen.

Straßen und Verkehr

Straßennetz
In den Alpen kommen Steigungen von 6 bis 15% und mehr vor. Beinahe alle Bergstraßen sind an der Talseite abgesichert. Die zwei österreichische Automobilclubs mit Pannenhilfe sind ÖAMTC: Tel. 120 und ARBÖ: Tel. 123. Achtung: Blinken die Notrufsäulen an den Autobahnen, bedeutet das: Geisterfahrer, Unfall, etc.

Verkehrsvorschriften

Verkehr von rechts hat Vorfahrt. Wenn Sie auf einer vorfahrtsberechtigten Straße anhalten, verlieren Sie das Vorfahrtsrecht. Auf schmalen Bergstraßen muss der Verkehr, der am leichtesten ausweichen kann, Vorfahrt gewähren. An Bahnübergängen gilt Überholverbot.

Promillehöchstgrenze: 0,5 ‰. Telefonieren nur mit Freisprechanlage. Keine Verpflichtung tagsüber mit Abblendlicht zu fahren. Kinder bis 12 Jahre müssen beim Radfahren einen Helm tragen. Seit 2012 sind Sie verpflichtet auf der Autobahn bei Stau eine Rettungsgasse in der Mitte für die Hilfsdienste und Polizei freizulassen. Sie benutzen nicht mehr den Standstreifen, Nähere Infos: ▸ *www.rettungsgasse.com* ◂ Vom 1. November bis 15. April gilt Winterreifenpflicht.

Navigation

Warnung vor festen Blitzern durch Navi oder Mobiltelefon Apps ist erlaubt.

Wohnwagen, Reisemobil

Die Autobahnvignette ist auch für Reisemobile Pflicht. Für Wohnwagen braucht man keine zusätzliche Vignette. Alle Fahrzeuge, auch Reisemobile, über 3,5 Ton zahlen kilometeranteilig über die sogenannte GO-Box. Diese Box erhält man an der Grenze. Für Caravans ist keine extra Vignette erforderlich.
Nähere Informationen über Vignetten in Österreich finden Sie unter Autobahnvignette. Übernachten im Caravan oder Reisemobil außerhalb der Campingplätze ist, außer in Wien, Tirol und den Nationalparks, für eine Nacht erlaubt, wenn Sie sich auf der Durchreise befinden. Sie dürfen sich jedoch nicht wie auf einem Campingplatz verhalten. Wildes campen hingegen ist verboten.

Zulässige Maße

Höhe 4m, Breite 2,55m und Länge Auto mit Caravan 18,75m.

Kraftstoff

In Österreich sind alle Benzinsorten erhältlich, LPG eher selten.

Tankstellen

Tankstellen an den Autobahnen sind

24 Stunden offen, andere zwischen 8.00 und 20.00 Uhr.

Maut

Die wichtigsten Mautstraßen sind der Arlbergtunnel, Großglockner-Hochalpenstraße, Felbertauernstraße, Brenner-, Tauern- und Pyhrnautobahn.

Autobahnvignette

Vor dem Auffahren der Autobahnen müssen Sie sich eine Vignette besorgen. Gültigkeit: 10 Tage, 2 Monate oder 1 Jahr. Vignetten sind an der Grenze, an Tankstellen (auch im deutschen Grenzgebiet) und in Postämtern erhältlich. Praktischerweise ist die 'Autobahnvignette' auch online bestellbar: ▸ *www.tolltickets.com* ◂

Korridorvignette

Nach der vollständigen Öffnung des Pfändertunnels ist die Korridorvignette abgeschafft. Auf dem 23 Kilometer langen Strecke der A14 Rheintal/Walgau, zwischen der deutschen Grenze und dem Knoten Hohenems im Vorarlberg, braucht man jetzt eine Autobahnvignette oder GO-Box.

Notruf

- 112: nationaler Notruf für Polizei, Feuerwehr und Krankenwagen
- 133: Polizei
- 122: Feuerwehr
- 144: Krankenwagen
- 140: Bergrettung

Campen

Österreichische Campings gehören zu den besten Europas. Vorallem Kärnten sticht durch seine hervorragende Lage, dem stabilen Klima und den schönen Seen hervor. In Tirol haben sich viele Campings auf Wellness und sportive Gäste spezialisiert. Im Winter sind die Campings am Vorarlberg, in Tirol und Salzburger Land stark frequentiert.

Praktisch

- Zusatzkosten wie Touristenabgabe und Umweltabgabe können oft hoch ausfallen.
- Am besten immer Universalstecker dabei haben.
- Leitungswasser kann man bedenkenlos trinken.

Klima Wien	Jan.	Feb.	März	April	Mai	Juni	Juli	Aug.	Sept.	Okt.	Nov.	Dez.
Tagestemperatur	-1	1	6	12	16	20	22	21	17	11	6	2
Sonnenstunden am Tag	2	3	5	6	8	8	9	8	7	4	2	2
Regentage	8	7	8	8	9	9	9	9	7	7	8	8

Au im Bregenzerwald, A-6883 / Vorarlberg

Camping Austria Fam. Köb	1 ADHKNOPQRST ABFHJNU 6
Neudorf 356	2 CFOPRSVWX ABCDEFG 7
1 Jan - 31 Dez	3 AL ABCDEFJNQRV 8
+43 (0)5515-2331	4 AEFHIO UY 9
info@campingaustria.at	5 CJKL ABEFGHJPRV 10
	W 15A CEE ❶ €22,00
N 47°18'58'' E 9°59'56''	H800 0,6 ha 60T(50-80m²) 15D ❷ €30,00

B200 Dornbirn-Warth. Der CP ist im Ort ausgeschildert: bei Gasthof Schiff über die Brücke, rechts und sofort links ums Haus.

Braz/Bludenz, A-6751 / Vorarlberg

Camping Traube Braz	1 ADEHKNOPQRT ABEN 6
Klostertalerstraße 12	2 AFGOPTWX ABDEFG 7
1 Jan - 31 Dez	3 AKM ABCDEFJNQRS 8
+43 (0)5552-28103	4 FGHOQTVXZ GU 9
office@traubebraz.at	5 AEGIJKL ABHJNPR 10
	W 6A ❶ €31,80
N 47°8'47'' E 9°54'8''	H700 2 ha 70T(80-100m²) 87D ❷ €44,00

S16, Arlberg-Bludenz, Ausfahrt Braz, CP ausgeschildert.

Bregenz, A-6900 / Vorarlberg

Mexico	1 ADEFJMNOPRST LSW 6
Hechtweg 4	2 ADGJKOPVWXY ABDEFGH 7
1 Mai - 30 Sep	3 AL ABCDEFGIKNQRS 8
+43 (0)5574-73260	4 FHIQ QRV 9
info@camping-mexico.at	5 ABDIL ABHIJNPR 10
	B 10A CEE ❶ €30,40
N 47°30'18'' E 9°42'47''	H398 0,6 ha 40T(60-100m²) 11D ❷ €36,70

Über die A14 durch den City-Tunnel bei Bregenz, hinter dem Tunnel Richtung Zentrum. An der Ampel rechts. Weiter den grünen CP-Schildern folgen.

Bregenz, A-6900 / Vorarlberg

Seecamping Bregenz****	1 AJMNOPQRST LQSWXYZ 6
Hechtweg	2 ADGIJKOPWXY ABDEFG 7
15 Mai - 15 Sep	3 ABL ABCDEFNQR 8
+43 (0)5574-71895	4 FH 9
info.seecamping@aon.at	5 ABDEIL AGIJR 10
	B 10A CEE ❶ €30,50
N 47°30'20'' E 9°42'45''	H400 10 ha 500T 25D ❷ €38,50

A14 Ausfahrt Bregenz Richtung See. Nach dem City-Tunnel rechts Richtung 'Stadtzentrum', 1. Ampel rechts den grünen CP-Schildern folgen (oder Richtung Höchst und den CP-Schildern folgen).

Dalaas, A-6752 / Vorarlberg

Camping Pension Erne	1 AJMNOPQRST ABFGJN 6
Klostertalerstraße 64	2 ACGOPRWX BEFG 7
1 Jan - 31 Dez	3 AEIKLU ABCDEFJNQRV 8
+43 (0)5585-7223	4 EFHIOT GI 9
info@etpc.at	5 ACDFJKL ABEGHJMPR 10
	W 10A ❶ €31,50
N 47°7'22'' E 9°59'50''	H830 0,7 ha 40T(80m²) 19D ❷ €39,50

S16 Arlberg-Bludenz, Ausfahrt Dalaas oder Ausfahrt Wald/Arlberg nach Dalaas, CP im Ort, ausgeschildert.

Dornbirn, A-6850 / Vorarlberg

In der Enz	1 AJMNOPQRST J 6
Gütlestrasse 15	2 ABCOPQSWXY ABDEFG 7
1 Apr - 30 Sep	3 AIL ABEFNQR 8
+43 (0)5572-29119	4 IO 9
camping@camping-enz.at	5 BDEIL ABKORV 10
	6A ❶ €26,00
N 47°23'57'' E 9°45'24''	H450 1 ha 100T(100m²) ❷ €30,00

A14, Ausfahrt 18 Dornbirn Süd, CP beim Zentrum ausgeschildert.

Feldkirch, A-6800 / Vorarlberg

Waldcamping Feldkirch	1 ADFJMNOPQRST ABFHI 6
Stadionstraße 9	2 ABGOPSVWXY ABDEFGH 7
1 Apr - 31 Okt	3 BEFKLMS ABEFJNQRS 8
+43 (0)5522-76001-3190	4 FHIO 9
waldcamping@feldkirch.at	5 ABL ABFGHIKPRV 10
	6A CEE ❶ €28,70
N 47°15'32'' E 9°35'0''	H500 3,5 ha 64T(60-100m²) 64D ❷ €36,50

A14, Ausfahrt Feldkirch-Nord, beim zweiten Kreisverkehr Richtung Gisingen, am Kreisverkehr in Gisingen rechts. Vorfahrtstraße bis Kreisverkehr folgen, dann 2 mal rechts.

Innerbraz (Klostertal), A-6751 / Vorarlberg

Walch's Camping & Landhaus****	1 ADEGJMNOPQRST N 6
	2 AFGOPVWX ABDEFG 7
Arlbergstraße 93	3 BCEJKL ABCDEFJKNQRSTUV 8
30/4 - 18/10, 12/12 - 12/4	4 AEFGHIOSTV EGL 9
+43 (0)5552-281020	5 ABKL ABDFGHJPRV 10
info@landhauswalch.at	WB 16A CEE ❶ €39,80
N 47°8'31'' E 9°55'36''	H700 2,5 ha 50T(80-120m²) 43D ❷ €48,80

A14/E60 Bregenz-Bludenz-Braz. Richtung Arlberg über die S16. An der T-Kreuzung rechts. Nach 2 km Camping links. Von Landeck/Arlberg Ausfahrt Braz und Beschilderung folgen. Mit Navi, eingeben: Innerbraz.

Nenzing, A-6710 / Vorarlberg

Alpencamping Nenzing*****	1 ADEJMNOPQRST ABEFGN 6
Garfrenga 1	2 ABCFGOPRSUVWXY BCEFGH 7
1 Jan - 31 Dez	3 ABCEGHKLMRSU BCDFIJKLMNQRSTUV 8
+43 (0)5525-624910	4 ABCDEFHILOTUVXY HKUVY 9
office@alpencamping.at	5 ABDEFGJKL ABEGHJMNPR 10
	WB 16A CEE ❶ €42,40
N 47°10'57'' E 9°40'56''	H700 3 ha 155T(80-120m²) 2D ❷ €56,20

A14 Bregenz-Innsbruck, Ausfahrt 41 Feldkirch/Frastanz, nach der 2. Ampel geradeaus, 1. Kreisel Richtung Nenzing. Bis zum orangen Blicklicht über der Straße, hier den Schildern folgen (Ausfahrt 50 ist möglich, aber schwierig).

Nüziders, A-6714 / Vorarlberg

Panorama Camping Sonnenberg	1 AFILNOPQRST 6
	2 AFOPRSUVWX ABDEFGH 7
Hinteroferst 12	3 BKLQSUV ABCDEFJNQRSTUV 8
1 Mai - 27 Sep	4 BEFGHILO J 9
+43 (0)5552-64035	5 ABKL ABDEFGHJNPR 10
sonnencamp@aon.at	13A CEE ❶ €32,50
N 47°10'12'' E 9°48'28''	H580 1,9 ha 116T(90-110m²) 2D ❷ €48,50

A14, Ausfahrt 57 Nüziders und Schildern Nüziders folgen. Danach wird CP angezeigt.

Raggal, A-6741 / Vorarlberg

Grosswalsertal	1 AJMNOPQRT AB 6
Plazera 21	2 FGOPUVW ABDEFG 7
14 Mai - 30 Sep	3 BEFL ABCDEFJNRV 8
+43 (0)5553-209	4 EFI I 9
info@camping-grosswalsertal.at	5 AKL ABHJPR 10
	16A CEE ❶ €25,00
N 47°12'57'' E 9°51'13''	H888 0,8 ha 55T(65-100m²) 1D ❷ €33,00

A14 Bregenz-Arlberg, Ausfahrt 50 Nenzing/Bludesch in Richtung Bludesch/Thüringen/Ludesch. Von Ludesch nach Raggal (6 km), durch Raggal, 2 km Richtung Sonntag; der CP liegt links.

Österreich

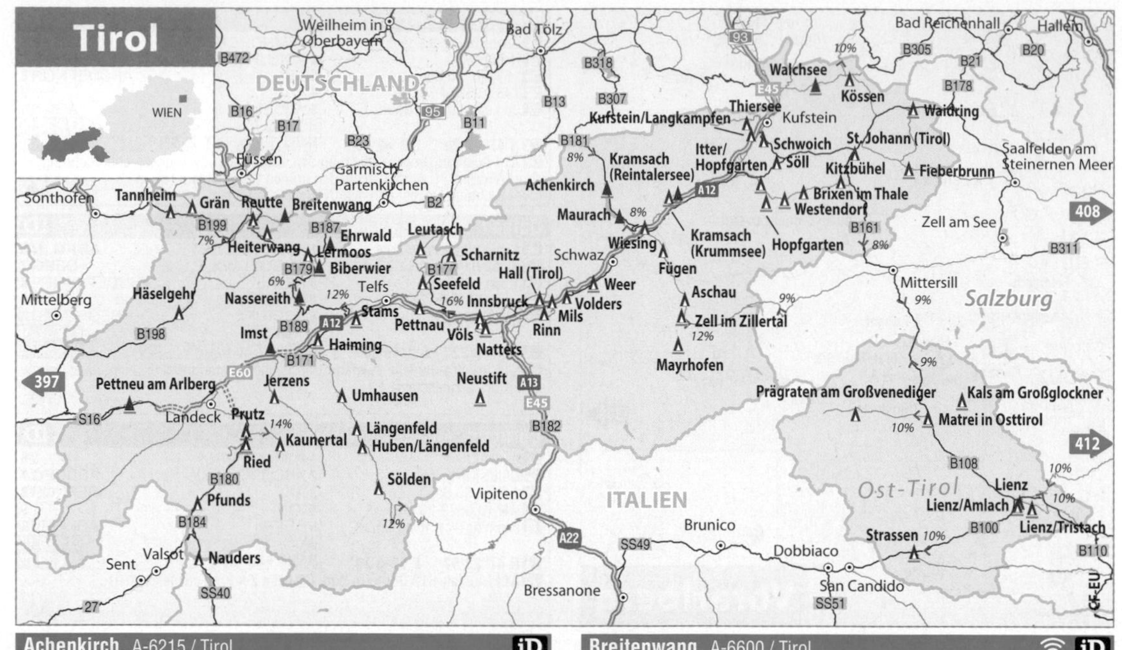

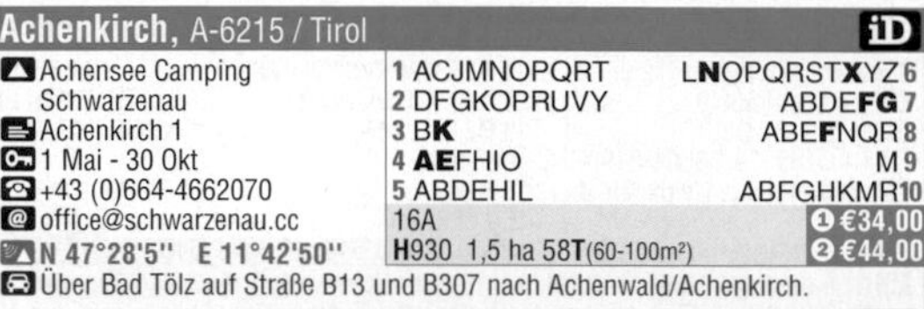

Achenkirch, A-6215 / Tirol

Achensee Camping Schwarzenau
Achenkirch 1
1 Mai - 30 Okt
+43 (0)664-4662070
office@schwarzenau.cc
N 47°28'5'' E 11°42'50''

1 ACJMNOPQRT LNOPQRSTXYZ 6
2 DFGKOPRUVY ABDEFG 7
3 BK ABEFNQR 8
4 AEFHIO M 9
5 ABDEHIL ABFGHKMR 10
16A ❶ €34,00
H930 1,5 ha 58T(60-100m²) ❷ €44,00

Über Bad Tölz auf Straße B13 und B307 nach Achenwald/Achenkirch.

Achenkirch, A-6215 / Tirol

Alpen-Caravanpark Achensee*****
1 Jan - 31 Dez
+43 (0)5246-6239
info@camping-achensee.com
N 47°29'57'' E 11°42'23''

1 ADEJMNOPQRST LNOPQRSTXYZ 6
2 DFGKOPQRTVX ABDEFGH 7
3 BCDFGHKL ABCDEFGJLNPQRSTUV 8
4 ABCEFGHIOPQ ITUVW 9
5 ABDEFGJKL ABDFGHJNPRW 10
Anzeige auf Umschlag WB 10A CEE ❶ €41,50
H930 2,5 ha 150T(60-100m²) 52D ❷ €54,50

A8 München-Rosenheim, Holzkirchen A93 Kufstein, Ausfahrt Wiesing zum Achensee, Maurach, Achenkirch.

Aschau, A-6274 / Tirol

Aufenfeld*****
Aufenfeldweg 10
1/1 - 2/11, 5/12 - 31/12
+43 (0)5282-2916
info@camping-zillertal.at
N 47°15'48'' E 11°53'59''

1 ADEJMNOPQRST EFGHLOUV 6
2 DFGJOPRSUVX ABDEFG 7
3 BCEFGHIKLMNORSTUV ABCDEFIJKLNQRSTU 8
4 ABCDEFHIJKLOPRSTVXZ IJLUVWY 9
5 ACDEFGJKL ABEFGHIJLNPRXZ 10
WB 16A CEE ❶ €41,90
H570 12 ha 350T(80-120m²) 100D ❷ €58,50

A12 Ausfahrt 39 Zillertal, B169 nach Aschau, dort über die Ziller zum CP.

Biberwier, A-6633 / Tirol

Alpencamp Marienberg
Marienbergweg 15
1/1 - 30/10, 15/12 - 31/12
+43 (0)5673-20237
info@alpencamp-marienberg.at
N 47°22'29'' E 10°53'33''

1 AEJMNOPQRST 6
2 CFORSTUVWXY ABDEFGH 7
3 KLQ ABCDEFHJNQRSTUV 8
4 AEFHIO UVW 9
5 ADEFJKL ABFGHIJMPRV 10
W 16A CEE ❶ €26,80
H1000 2 ha 75T(90-110m²) 50D ❷ €36,80

B179 Reutte-Imst. In Lermoos Ausfahrt Biberwier. An der T-Kreuzung rechts; den CP-Schildern folgen.

Biberwier, A-6633 / Tirol

Feriencenter Camping Biberhof
Schmitte 8
1 Jan - 31 Dez
+43 (0)5673-2950
reception@biberhof.at
N 47°22'56'' E 10°54'7''

1 AILNOPQRST 6
2 BCFGOPRVWXY ABDEFGH 7
3 AEFGHKLSU ABCDEFIJLNQRTUV 8
4 EFHIQ I 9
5 ABGKL ABDGHJMPRW 10
W 10A CEE ❶ €27,90
H1000 2,5 ha 80T(80-100m²) 69D ❷ €39,10

Reutte Richtung Lermoos. Ortsmitte Lermoos Richtung Biberwier. T-Kreuzung in Biberwier Richtung Ehrwald. Nach 300m CP rechts.

Breitenwang, A-6600 / Tirol

Seespitze***
Plansee
1 Mai - 15 Okt
+43 (0)5672-78121
agrar.breitenwang@aon.at
N 47°28'27'' E 10°47'5''

1 ADEJMNOPQRST LNOPQSX 6
2 DFGIPRTUWXY ABDEFG 7
3 BLV ABEFNQRS 8
4 AEFHIOP 9
5 ABDEKL ABGHJLPR 10
12A CEE ❶ €26,50
H900 1 ha 150T(80-100m²) ❷ €34,50

Über B179 nach Reutte, dann Richtung Plansee, erster CP links.

Breitenwang, A-6600 / Tirol

Sennalpe***
Plansee
1/1 - 15/10, 15/12 - 31/12
+43 (0)5672-78115
agrar.breitenwang@aon.at
N 47°29'11'' E 10°50'23''

1 ADEJMNOPQRST LNOPQSXZ 6
2 BDFGIPRVWXY ABDEFG 7
3 BFLV ABCDEFJNRSV 8
4 AEFHIOPQ TUW 9
5 ABDEJKL ABCGHJPRZ 10
WB 12A CEE ❶ €26,50
H1000 5 ha 200T(80-100m²) 150D ❷ €34,50

Über B179 nach Reutte, dann Richtung Plansee, bei Hotel Forelle rechts.

Teilkarte Tirol auf Seite 398

Brixen im Thale, A-6364 / Tirol

Brixen im Thale
Badhausweg 9
1 Jan - 31 Dez
+43 (0)5334-8113
info@camping-brixen.at

1 ABDJLNOPQRST 6
2 FOPRWX ABDEFGH 7
3 EKL ABCDEFJNQRSTU 8
4 EFHI DIJV 9
5 AGK ABFHJNPR 10
WB 16A CEE ❶ €28,50
H800 2,5 ha 60T(100-120m^2) 226D ❷ €36,70

N 47°26'46'' E 12°15'26''
B170 Kitzbühel-Wörgl vor dem Tunnel rechts, 2. Ausfahrt links.
B170 Wörgl-Kitzbühel vor dem Tunnel links, 2. Ausfahrt rechts.

Haiming, A-6425 / Tirol

Center Oberland GmbH***
Bundesstraße 9a
1 Mai - 31 Okt
+43 (0)5266-88294
camping-oberland@gmx.at

1 AILNOPQRST UV 6
2 AFGPSVWX ABDEFG 7
3 BL ABCDEFJNPQR 8
4 BEFHO E 9
5 ABDEGJKL ABDFGHIKLPR 10
10A CEE ❶ €28,40
H680 4 ha 230T(72m^2) 55D ❷ €35,40

N 47°14'28'' E 10°52'39''
Inntal Autobahn, Ausfahrt 123 Ötztal, nach Haiming (an der B171).

Ehrwald, A-6632 / Tirol

Dr. Lauth
Zugspitzstraße 34
1 Jan - 31 Dez
+43 (0)5673-2666
info@campingehrwald.at

1 AJMNOPQRST AB 6
2 FGOPRTUWXY ABDEFG 7
3 AKLQSV ABEFGHJKNPQRSV 8
4 AEFHIT DW 9
5 AEFGJKL ABGHJLNPRVW 10
W 16A CEE ❶ €27,50
H1020 1 ha 65T(80-100m^2) 47D ❷ €41,50

N 47°24'40'' E 10°55'25''
Über B179 nach Reutte/Lermoos, in Lermoos Richtung Zugspitzbahn nach Ehrwald. Erster CP rechts von der Straße.

Hall (Tirol), A-6060 / Tirol

Schwimmbad Camping Hall in Tirol***
Scheidensteinstr. 26
1 Mai - 30 Sep
+43 (0)676-889985114
info@camping-hall.at

1 AEJMNOPRST ABFGH 6
2 AFGOPVX ABDEFG 7
3 AFIKLMNP ABCDEFIJNQRS 8
4 AEFHP 9
5 ABDEIL ABFGHJNPRXZ 10
B 6A CEE ❶ €28,00
H563 0,9 ha 85T(60-100m^2) ❷ €36,00

N 47°17'6'' E 11°29'45''
Inntal-Autobahn, Ausfahrt 68 Hall und Schildern folgen (Richtung Schwimmbad, B171).

Ehrwald, A-6632 / Tirol

Zugspitzcamp****
1 Jan - 31 Dez
+43 (0)5673-2309
welcome@zugspitze-resort.at

1 ADEJMNOPQRST ABEFGH 6
2 BFGOPRTUVX ABCDEFGHIJ 7
3 BDKLS ABCDEFIJKLNQRSTUV 8
4 ABFHILOPQRSTUVX ILUVWXY 9
5 ABEGJK ABHJNPRVX 10
WB 16A CEE ❶ €49,30
H1200 5 ha 200T(80-100m^2) 111D ❷ €72,90

N 47°25'37'' E 10°56'28''
B179 nach Reutte/Lermoos, B314 Lermoos-Ehrwald, in Lermoos Richtung Tiroler Zugspitzbahn nach Ehrwald.

Häselgehr, A-6651 / Tirol

Rudi
Luxnach 122
1 Jan - 31 Dez
+43 (0)5634-6425
camping.rudi@lechtalnet.at

1 AFJMNOPQRST JUX 6
2 CFOPSVWX ABDEFG 7
3 L ABCDEFJNQRUV 8
4 FHIO DQRUV 9
5 AKL ABGHJORV 10
W 13A CEE ❶ €25,20
H1000 0,8 ha 40T(80m^2) 12D ❷ €34,40

N 47°18'55'' E 10°29'52''
B198 Reutte-Warth. Straße bei der Brücke nehmen. CP liegt am Ende der Straße, am Lech entlang.

Fieberbrunn, A-6391 / Tirol

Tirol Camp****
Lindau 20
11/5 - 1/11, 9/12 - 12/4
+43 (0)5354-56666
office@tirol-camp.at

1 ACDEFJMNOPQRST ABEFHIM 6
2 GOPRSUVWX ABDEFGH 7
3 ABEGHKLSU ABCDEFIJLMNQRSTUV 8
4 ABEFHILOPQRSTUVYZ GIUV 9
5 ACDEGJKL ABEGHJNPRVW 10
W 10A ❶ €38,00
H820 4,7 ha 250T(80-150m^2) 101D ❷ €50,00

N 47°28'6'' E 12°33'14''
B164 St. Johann in Tirol-Saalfelden. In Fieberbrunn ausgeschildert.

Heiterwang, A-6611 / Tirol

Heiterwangersee
1 Jan - 31 Dez
+43 (0)5674-5116
hotel@fischeramsee.at

1 ADEJMNOPQRST LNOXZ 6
2 DFGKOPRXY ABDEFG 7
3 ABEILV ABCDEFJNQR 8
4 FHOSTVX GHNP 9
5 ABDEGJKL ABGHJPRV 10
W 10A ❶ €35,00
H1000 1 ha 35T(60-100m^2) 74D ❷ €45,00

N 47°27'19'' E 10°45'35''
Über Straße B179 nach Reutte und Heiterwang. Schildern nach Fischer am See (Heiterwangersee) folgen.

Fügen, A-6263 / Tirol

Wohlfühlcamping Hell
Gageringerstraße 1
1 Jan - 31 Dez
+43 (0)5288-62203
info@zillertal-camping.at

1 ADEJMNOPQRST ABEFG 6
2 AFGOPSUVX ABDEFGHIJ 7
3 BEFKLS ABCDEFIJKLNQRSTUV 8
4 BEFHIJLOPRSTVX IJUV 9
5 ACDEFGJKL ABCEFGHKNPTUVX 10
WB 16A CEE ❶ €35,50
H540 3 ha 155T(80-130m^2) 47D ❷ €45,50

N 47°21'33'' E 11°51'6''
Inntal-Autobahn, Ausfahrt 39 Zillertal, auf der B169 Richtung Fügen, dann Ausfahrt Gagering.

Hopfgarten, A-6361 / Tirol

Camping Reiterhof****
Kelchsauer Straße 49
1 Jan - 31 Dez
+43 (0)5335-3512
info@campingreiterhof.at

1 AJMNOPQRST ABFL 6
2 DFIOPRSX ABDEFGH 7
3 BEFIKLMNSTUV ABCDEFHJKNPQRSTUV 8
4 EFHIO UV 9
5 AEJKL ABGHJPR 10
WB 13A CEE ❶ €24,70
H650 2,6 ha 70T(60-100m^2) 70D ❷ €31,50

N 47°25'50'' E 12°8'58''
A12, Inntal-Autobahn, Ausfahrt 17 Wörgl-Ost, Richtung Hopfgarten (Brixental).

Grän, A-6673 / Tirol

Comfort-Camp Grän GmbH****
Engetalstr. 13
8/5 - 2/11, 15/12 - 20/4
+43 (0)5675-6570
info@comfortcamp.at

1 AEFJMNOPQRST EN 6
2 CFOPRSTUVWX ABDEFGH 7
3 ABCGHLV ABCDEFIJKLNQRSTUV 8
4 AEFGHIOSTVX IUVW 9
5 ABDEFGJKL ABCDEFGHJNPR 10
Anzeige auf dieser Seite WB 16A CEE ❶ €33,40
H1150 3,3 ha 150T(80-100m^2) 43D ❷ €43,40

N 47°30'36'' E 10°33'22''
A7 von Kempten, Ausfahrt Oy, über Wertach, Oberjoch, Grän.

Huben/Längenfeld, A-6444 / Tirol

Ötztaler Naturcamping
241
1 Jan - 31 Dez
+43 (0)5253-5855
info@oetztalernaturcamping.com

1 ADEJMNOPQRST NU 6
2 BCFOPRSVWXY ACDEFG 7
3 ABCDEFJNQRSTUV 8
4 FHIO GIW 9
5 ADEFGIKL ABEGHJNPR 10
W 16A CEE ❶ €27,90
H1200 1,5 ha 97T(60-100m^2) 14D ❷ €37,50

N 47°2'15'' E 10°58'33''
A12 Inntal-Autobahn, Ausfahrt Ötztal, ins Ötztal hinein bis Längenfeld/Huben.

Österreich

Imst, A-6460 / Tirol (CC€16) iD

Campingpark Imst-West
Langgasse 62
1 Jan - 31 Dez
+43 (0)5412-66293
fink.franz@aon.at
N 47°13'43'' E 10°44'36''

1 A**JM**NOPQRST 6
2 AFOPRVWXY ABDE**FG**H 7
3 ALV ABCDEFJNQRSV 8
4 **A**EFHIO 9
5 ACDGKL ABDGHIJ**P**R10
Anzeige auf dieser Seite W 16A CEE ❶ €26,00
H750 1,1 ha 70**T**(60-90m²) ❷ €34,00

Über die B314 nach Reutte, Fernpass B189, Imst, dort Imst-West folgen, Schildern folgen Richtung B171 Pitztal.

Kaunertal, A-6524 / Tirol iD

Kaunertal
Platz 30
1 Mai - 30 Okt
+43 (0)5475-316
info@weisseespitze.com
N 47°3'12'' E 10°45'2''

1 ADE**JM**NOPQRS **EN** 6
2 GOPRVWX ABDE**FG**H 7
3 ABLMV ABCDEFJNQRS 8
4 **A**EFHO**RSTVXZ** GL 9
5 AGJL ABHJNPR10
6A CEE ❶ €25,50
H1270 0,9 ha 60**T**(80m²) 74**D** ❷ €33,50

Über Fernpass oder Arlbergtunnel bis Landeck, dann Richtung Reschenpass bis Prutz, ins Kaunertal.

Imst, A-6460 / Tirol iD

Am Schwimmbad
Schwimmbadweg 10
1 Apr - 15 Okt
+43 (0)5412-21355
info@camping-imst.at
N 47°14'24'' E 10°44'43''

1 AILNOPQRST **ABFG**H 6
2 AFOPTVWXY ABD**FG** 7
3 A**MN** AEFNQRV 8
4 AEFGHI**Q**R V 9
5 AKL ABHJNPR10
6A CEE ❶ €26,00
H800 1,2 ha 53**T**(60-100m²) 12**D** ❷ €33,00

Umgehungsstraße Imst, Ausfahrt 2, Schildern folgen.

Kitzbühel, A-6370 / Tirol iD

Wellness-Sport Camping Schwarzsee
Reitherstraße 24
1 Jan - 31 Dez
+43 (0)5356-628060
office@bruggerhof-camping.at
N 47°27'36'' E 12°21'45''

1 ADE**IL**NOPQRST EFGIL**NP** 6
2 DFGOPRX ABDE**FG** 7
3 BI**JK**LM ABCDEFNQRSV 8
4 AEFHIO**STU** GKL 9
5 ACEFIJKL ABGHJNOTUW10
WB 16A ❶ €46,40
H750 4 ha 200**T** 300**D** ❷ €63,40

Kitzbühel Richtung Wörgl, nach ca. 2 km rechts, CP ist ausgeschildert.

Innsbruck, A-6020 / Tirol iD

Camping Kranebitterhof
Kranebitter Allee 216
1 Jan - 31 Dez
+43 (0)512-279558
info@camping-kranebitterhof.at
N 47°15'50'' E 11°19'35''

1 ACDEJMNOPQRS**T** J 6
2 ACFGHOPRSUVW ABDE**FG**I 7
3 BE**I**S ABCDEFNQRSTU 8
4 **AE**FHIO G 9
5 ABFGJKL AGHKMPRW10
WB 16A CEE ❶ €30,00
H620 1,5 ha 75**T**(80-120m²) 42**D** ❷ €37,00

A12 Richtung Innsbruck, Ausfahrt Innsbruck/Kranebitter, dann den CP-Schildern folgen.

Kössen, A-6345 / Tirol iD

Euro-Camp Wilder Kaiser
Kranebittau 18
1/1 - 2/11, 7/12 - 31/12
+43 (0)5375-6444
eurocamp@eurocamp-koessen.com
N 47°39'14'' E 12°24'54''

1 ACDE**JM**NOPQRST ABFG**N**U 6
2 FGPRVWX ABD**FG**H 7
3 ABEF**K**LMPSU ABCDEFH**IJKLM**NQRSTUV 8
4 **A**BDEFHIJLO**ST** EF 9
5 ACDEFGJKL ABEFGHJLMNPRWX10
WB 10A ❶ €34,30
H620 5,2 ha 200**T**(100-120m²) 109**D** ❷ €45,30

B172 Niederndorf-Kössen-Reit im Winkl. Im Winter ist folgende Route zu empfehlen: München-Inntal-Niederaudorf-Niederndorf-Kössen.

Itter/Hopfgarten, A-6305 / Tirol (CC€18) iD

Terrassencamping Schlossberg Itter*****
Brixentalerstraße 11
1/1 - 15/11, 1/12 - 31/12
+43 (0)5335-2181
info@camping-itter.at
N 47°27'59'' E 12°8'22''

1 A**JM**NOPQRST ABFGU 6
2 ACGOPTUVX ABDE**FGH**I 7
3 BE**K**LS ABCDEFJK**L**NQRSTUV 8
4 ABEFHILO**PQSTUV** K 9
5 ABDEJKL ABDEFGHJ**NP**R10
WB 10A ❶ €35,00
H600 4 ha 150**T**(80-110m²) 50**D** ❷ €45,00

Inntal-Autobahn, Ausfahrt 17 Wörgl-Ost, Richtung Brixental. Nach 5 km am Kreisel rechts auf die B170 Richtung Brixental. 2 km vor Hopfgarten links.

Kramsach (Krummsee), A-6233 / Tirol (CC€16) iD

Seencamping Stadlerhof*****
Seebühel 14
1 Jan - 31 Dez
+43 (0)5337-63371
camping.stadlerhof@chello.at
N 47°27'24'' E 11°52'51''

1 AF**JM**NOPQRS**T** ABFGLM**N**P 6
2 ADFGIJOPRSUVY ABDE**FG**H 7
3 BCLV ABCDEFIJK**L**NQRSTUV 8
4 ABEFHIO**PST**U**VXZ** DIUV 9
5 ABDEJKL ABDEFGHJLM**NO**PRX10
W 13A ❶ €32,90
H530 3 ha 100**T**(80-120m²) 41**D** ❷ €39,30

A12 Ausfahrt 32 Kramsach, Schildern 'Zu den Seen' folgen.

Jerzens, A-6474 / Tirol iD

Mountain Camp Pitztal
Niederhof 206
1 Jan - 31 Dez
+43 (0)5414-87571
info@mountain-camp.at
N 47°8'37'' E 10°44'42''

1 ADE**JM**NOPQRST **N**U 6
2 BCFGOPRVWX ABDE**FG** 7
3 AEF**R**UV ABCDEFIJ**L**NQRSTUV 8
4 AEFHIKO JU 9
5 ABEGJKL ABGHJM**NP**RV10
W 13A CEE ❶ €29,50
H980 1,5 ha 35**T**(80-110m²) 6**D** ❷ €37,50

A12, Bregenz-Innsbruck, Ausfahrt Imst Richtung Pitztal. Oder ab Füssen/Reute die B179 nach Imst, weiter ins Pitztal. Von Wenns weiter nach Jerzens. CP 2,8 km hinter Wenns.

Kramsach (Reintalersee), A-6233 / Tirol (CC€16) iD

Camping Seeblick Toni*****
Moosen 46
1 Jan - 31 Dez
+43 (0)5337-63544
info@camping-seeblick.at
N 47°27'39'' E 11°54'24''

1 ADEF**JM**NOPQRST **L**N 6
2 ADFGIOPRSTUVY ABCDE**FG**H 7
3 BCEF**GHL**ST ABCDEFHIJK**L**NQRSTUV 8
4 ABCDEFHIJKLO**PQ**R**STUVX** IJWYZ 9
5 ACDEJKL ABDEFGHJL**NP**QRVX10
Anzeige auf Umschlag WB 10A ❶ €43,50
H520 4,5 ha 230**T**(90-120m²) 37**D** ❷ €57,50

A12 Ausfahrt 32 Kramsach, ca. 5 km den grünen Schildern 'Zu den Seen' folgen, dann der dritte CP. An dem, auf der linken und rechten Seite liegenden, CP vorbeifahren bis zu dem Schild grünen Schild von Seeblick Toni.

Kals am Großglockner, A-9981 / Tirol (CC€18) iD

Nationalparkcamping Kals****
Burg 22
23/5 - 18/10, 18/12 - 12/4
+43 (0)4852-67389
info@nationalpark-camping-kals.at
N 47°1'18'' E 12°38'20''

1 A**JM**NOPQRST J**N** 6
2 BCFOPUVW ABDE**FG**HI 7
3 AL ABCDEFJKNQRV 8
4 FHI 9
5 ABKL ABHJNPR10
W 13A CEE ❶ €29,90
H1450 2,5 ha 108**T**(100-120m²) ❷ €37,10

Kufstein-Kitzbühel-Mittersill-Felbertauern-Matrei-Huben, dann hier links Richtung Kals. Ab Kals ist der CP ausgeschildert.

Teilkarte Tirol auf Seite 398

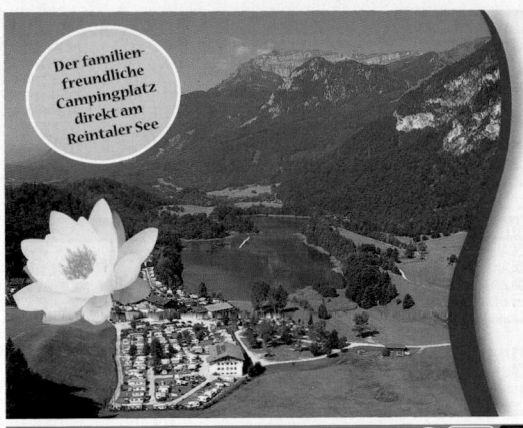

Kramsach (Reintalersee), A-6233 / Tirol

Camping Seehof*****
Moosen 42
1 Jan - 31 Dez
+43 (0)5337-63541
info@camping-seehof.com
N 47°27'43" E 11°54'26"

1 ADEF**JM**NOPQRS**T** L**N**OP 6
2 ADFGJOPRSUVX ABDE**F**GH 7
3 B**GH**LSTV ABCDEFHJK**L**NQRSTUV 8
4 **A**BEFHIKLO**QRS** IKPUVWY 9
5 ABDEJKL ABCDEFGHJLM**NP**QRVX 10
Anzeige auf dieser Seite WB 16A CEE ❶ €32,50
H560 4 ha 130**T**(90-120m²) 50**D** ❷ €41,90

A12 Ausf. 32 Kramsach, ca. 5 km den grünen Schildern 'Zu den Seen' oder 'Campingplätze' folgen. 2. CP an der Straße. Rezeption li. neben der Zufahrt (Holzhäuschen). Wenn man über den Neudegger Höhenweg kommt, dann liegt der CP re.

Lienz/Amlach, A-9908 / Tirol

Dolomiten Camping Amlacherhof****
Seestrasse 20
15 Mär - 31 Okt
+43 (0)4852-62317
info@amlacherhof.at
N 46°48'48" E 12°45'47"

1 A**JM**NOPQRS**T** AUX 6
2 AFGOPVWX ABDE**FGHI** 7
3 A**GHIKLMS**V ABCDEFJK**LM**NQRSTUV 8
4 **A**FHIO**PS** DEGIJLUVWY 9
5 ABDEFGIKL ABGHIJ**NP**R 10
Anzeige auf Seite 403 WB 16A CEE ❶ €29,00
H710 2,5 ha 85**T**(80-120m²) 35**D** ❷ €36,20

Felbertauerntunnel-Lienz, bei Lienz hinter dem Kreisel Richtung Spittal. An der 2. Ampel rechts Richtung Feriendorf/Amlach, noch 2 km den Schildern folgen. Keine Vignette erforderlich.

Kufstein/Langkampfen, A-6336 / Tirol

Park Camping Hager
Kufsteinerstraße 38
1 Jan - 31 Dez
+43 (0)5372-64170
office@hager-stb.at
N 47°33'57" E 12°7'35"

1 ADEJMNOPQRT 6
2 AFOPRVX ABDE**FG**H 7
3 A**K**LV ABEFJNPQRSTU 8
4 EFGHI 9
5 AEJL ABGHKOR 10
W 12A CEE ❶ €22,00
H500 0,5 ha 35**T**(80-100m²) 10**D** ❷ €32,00

Inntal-Autobahn, Ausfahrt 2 Kufstein-Nord, rechts B75, nach BP-Tankstelle rechts, 3,5 km.

Lienz/Tristach, A-9900 / Tirol

Camping Seewiese****
Tristachersee 2
13 Mai - 14 Sep
+43 (0)4852-69767
seewiese@hotmail.com
N 46°48'23" E 12°48'8"

1 A**JM**NOPQRS**T** FLM**NX** 6
2 BDFGIJOPRTWX ABDE**FG** 7
3 ABEF**KLR**V ACDFJNQRV 8
4 FHIO 9
5 ABGIJL AFGHIJ**NP**R 10
Anzeige auf Seite 403 6A ❶ €35,90
H838 2,3 ha 95**T**(100-200m²) ❷ €45,90

Von Kufstein-Kitzbühel-Felbertauerntunnel Ri. Lienz. In Lienz der Beschilderung Tristach-Tristachersee und Seewiese folgen. Keine Vignette erforderlich.

Längenfeld, A-6444 / Tirol

Camping Ötztal****
Unterlängenfeld 220
1 Jan - 31 Dez
+43 (0)5253-5348
info@camping-oetztal.com
N 47°4'20" E 10°57'51"

1 A**JM**NOPQRST **ABEFGIN**UV 6
2 CFOPSVWXY ABDE**FG**H 7
3 BEFL**MN**UV ABCDEFIJK**L**NQRSTUV 8
4 **A**EFGHIO**PRSTWXYZ** DJLUVW 9
5 ABDEFGIJKL ABEFGHIJ**NP**RW 10
WB 12A CEE ❶ €31,20
H1180 2,6 ha 125**T**(80-120m²) 56**D** ❷ €42,80

A12 Inntal-Autobahn, Ausfahrt Ötztal, ins Ötztal B186 bis Längenfeld.

Matrei in Osttirol, A-9971 / Tirol

Edengarten
Edenweg 15A
1 Apr - 31 Okt
+43 (0)4875-5111
info@campingedengarten.at
N 46°59'43" E 12°32'20"

1 AJMOPRST **N** 6
2 FGOPWXY ABDE**FG**H 7
3 AL ABCDE**F**GJNQRSV 8
4 FHIOQ I 9
5 DGIJK ABHIKNPR 10
16A CEE ❶ €28,60
H941 1,5 ha 80**T**(80-100m²) 6**D** ❷ €35,60

Vom Felbertauerntunnel B108, 2. Ausfahrt nach Matrei/Goldriedbahn/Virgen. CP direkt bei dieser Ausfahrt!

Lermoos, A-6631 / Tirol

Lermoos Lärchenhof
Gries 16
1 Jan - 31 Dez
+43 (0)5673-2197
info@camping-lermoos.at
N 47°24'25" E 10°52'9"

1 AEJMNOPRST ABFGH 6
2 AFOPWX ABDE**FG** 7
3 **K**LV ABCDEFJNQRV 8
4 AEFHIO**STUV** FGIUVW 9
5 ABDEGJKL ABGHIK**N**PR 10
Anzeige auf dieser Seite W 16A CEE ❶ €17,90
H1000 3 ha 50**T**(60-80m²) 62**D** ❷ €21,70

Über Reutte nach Lermoos. In Lermoos ist der CP bei BP-Tankstelle.

Leutasch, A-6105 / Tirol

Tirol.Camp Leutasch*****
Reindlau 230b
30/4 - 31/10, 8/12 - 6/4
+43 (0)5214-65700
info@tirol.camp
N 47°23'55" E 11°10'47"

1 A**JM**NOPQRS**T** EFGJ**N**UV 6
2 CFGOPRSVXY ABDE**FG**H 7
3 AE**K**LM**N**V ABCDEFJK**LM**NQRSTUV 8
4 **A**EFGHITV GKLUVW 9
5 ABEGJKL ABCDEGHIJPRXZ 10
WB 12A CEE ❶ €34,00
H1130 2,8 ha 145**T**(80-120m²) 5**D** ❷ €46,00

Garmisch-Partenkirchen-Mittenwald-Scharnitz-Giessenbach-Leutasch. Direktverbindung Mittenwald-Leutasch nicht zu empfehlen; teilweise sehr enge Straßen und Maximalgewicht von 7,5t.

Maurach, A-6212 / Tirol

Karwendel Camping
Planbergstraße 23
1/1 - 30/10, 15/12 - 31/12
+43 (0)5243-6116
info@karwendel-camping.at
N 47°25'17" E 11°44'26"

1 ADE**JM**NOPQRST **N**OQRST 6
2 FGOPRVX ABDE**FG** 7
3 BE**K**L ABEFJNQRV 8
4 AEFHI FGJ 9
5 ADEJKL ABEGHJLM**NP**R 10
W 16A ❶ €27,00
H1000 1,5 ha 45**T**(80-100m²) 58**D** ❷ €35,00

Über Bad Tölz auf Straße B13 und B307 nach Achenwald und Maurach am Achensee.

Lienz, A-9900 / Tirol

Comfort & Wellness Camping Falken****
Falkenweg 7
1/1 - 15/10, 15/12 - 31/12
+43 (0)664-4107973
camping.falken@tirol.com
N 46°49'22" E 12°46'14"

1 ADEF**JM**NOPQRS**T** X 6
2 FOPVWXY ABDE**FGI** 7
3 A**KLM** ABCDE**F**IJNPQRSTUV 8
4 FHIO GL 9
5 ABDEGIJKL ABEGHIJL**NP**RVX 10
Anzeige auf Seite 403 WB 6A ❶ €32,00
H672 2,5 ha 136**T**(70-120m²) 50**D** ❷ €42,00

Über Kufstein-Kitzbühel-Mittersil-Felbertauerntunnel nach Lienz. In Lienz am Kreisel Richtung Spittal. An der zweiten Ampel (ÖAMTC) rechts. Dann den Schildern folgen.

Maurach, A-6212 / Tirol

Wimmer***
Buchau 7
1 Jun - 30 Sep
+43 (0)5243-5217
info@achensee-camping.at
N 47°25'58" E 11°44'6"

1 AILNOPQRS**T** LM**N**PQRSTVX 6
2 DFGHOPRVX ABDE**FG** 7
3 **E**I**KLMN** ABCDEFJNQRSV 8
4 EFH KQRUVW 9
5 ABDKL ABGHJRX 10
6A ❶ €24,50
H930 1,5 ha 80**T**(60-120m²) 10**D** ❷ €30,50

Über Bad Tölz auf der B13 und B307 nach Achenwald und Maurach. Oder über die A12 Richtung Innsbruck, Ausfahrt 39 Wiesing. Dann Richtung Achensee.

Österreich

Teilkarte Tirol auf Seite 398

Mayrhofen, A-6290 / Tirol

CC€16 iD

Mayrhofen****
Laubichl 125
1/1 - 31/10, 10/12 - 31/12
+43 (0)5285-6258051
camping@alpenparadies.com
N 47°10'34'' E 11°52'11''

1 ADEJMNOPQRST ABEFGNUV 6
2 FGOPVX ABDEFG 7
3 BL ABCDEFJLMNPQRSTUV 8
4 AFHIOQSTUVX GI 9
5 ACDEJKL ABGHJNPRVWZ10
WB 16A CEE ❶ €28,50
H630 2,5 ha 220T(60-100m²) 72D ❷ €38,70

A12 Ausfahrt 39 Zillertal, B169 nach Mayrhofen.

Mils, A-6060 / Tirol

Reschenhof
Bundesstraße 7
1 Jan - 31 Dez
+43 (0)5223-5860
landhotel@reschenhof.at
N 47°16'53'' E 11°31'47''

1 BDEILNOPQRT ABFG 6
2 AGOPRVX ABDEFGH 7
3 AKLQ ABCDEFJNQRS 8
4 AFHRSTVZ GW 9
5 ACDEFGJL ABGHKNOR10
W 12A CEE ❶ €22,00
H600 0,5 ha 17T(80m²) 79D ❷ €28,00

Inntal-Autobahn, Ausfahrt 68 Hall, dann B171 Richtung Mils.

Nassereith, A-6465 / Tirol

iD

Camping Fernsteinsee
Fernstein 426
13 Mai - 18 Okt
+43 (0)5265-5210
camping@fernsteinsee.at
N 47°20'31'' E 10°48'58''

1 ADEJMNOPRST 6
2 BCFGOPRVWX ABDEFGH 7
3 BKLQ ABCDEFJNQRV 8
4 AEFHILOPQT IPTUV 9
5 ABDFGHJL ABEGHJR10
B 6A CEE ❶ €26,00
H980 6 ha 120T(100-150m²) 8D ❷ €32,00

Über die B179 nach Reutte und dann Richtung Fernpass.

Nassereith, A-6465 / Tirol

CC€14 iD

Rossbach****
Rossbach 325
1 Jan - 31 Dez
+43 (0)5265-5154
camping.rossbach@aon.at
N 47°18'37'' E 10°51'20''

1 AJMNOPQRT ABFGN 6
2 CFGOPVWXY ABDEFGH 7
3 AGHKL ABCDEFJNQRSV 8
4 AEFHIOP I 9
5 ABDEIKL ABDGHIJMORV10
W 6A CEE ❶ €21,50
H850 1 ha 80T(70-80m²) 2D ❷ €28,70

B179 Reutte-Nassereith (über den Fernpass), Ausfahrt Nassereith. Im Zentrum Richtung Domitz/Rossbach. Den CP-Schildern folgen.

Natters, A-6161 / Tirol

CC€18 iD

Ferienparadies Natterer See*****
Natterer See 1
1 Jan - 31 Dez
+43 (0)512-546732
info@natterersee.com
N 47°14'18'' E 11°20'21''

1 ACDEJKNOPQRST HLMNU 6
2 ABDFGOPSUVWXY ABDEFGHI 7
3 BCEFHKLQRSTV ABCDEFIJKLNQRSTUV 8
4 ABCDEFHIJLNOPQ ADEFGIKLMOPQTUVWY 9
5 ACDEFGJKL ABDEFGHIJLMNPRVX10
Anzeige auf dieser Seite WB 16A ❶ €38,85
H830 11 ha 230T(60-155m²) 55D ❷ €52,25

A13, Brenner-Autobahn, Ausfahrt 3 Innsbruck-Süd/Natters. Schildern folgen Richtung Natterer See.

Nauders, A-6543 / Tirol

iD

Alpencamping
Am Reschenpaß 279
23/4 - 1/9, 20/12 - 16/4
+43 (0)5473-87217
alpencamping@tirol.com
N 46°51'5'' E 10°30'16''

1 ADEJMNOPQRST N 6
2 CFOPSUVWX BDEFG 7
3 A ABCDEFJNQRSTV 8
4 EIRST 9
5 ABKL ABGKORV10
W 14A CEE ❶ €24,50
H1460 0,8 ha 30T(80-120m²) ❷ €32,50

B180 Landeck-Reschenpass. CP liegt auf der österreichischen Seite an der Grenze zu Italien.

Neustift, A-6167 / Tirol

CC€16 iD

Stubai****
Stubaitalstraße 94
1 Jan - 31 Dez
+43 (0)5226-2537
info@campingstubai.at
N 47°6'36'' E 11°18'31''

1 ADEJMNOPQRST NU 6
2 ACFOPRSTUWX ABDEFGH 7
3 ABCLQS ABCDEFJLMNQRSU 8
4 BEFHILOSTUVX IKUV 9
5 ACDEJKL ABDGHIJPRV10
WB 6A CEE ❶ €26,30
H950 2 ha 110T(60-100m²) 50D ❷ €34,90

A13 Brenner-Autobahn, Ausfahrt Europabrücke, auf B183 nach Stubaital, nach Neustift.

Pettnau, A-6408 / Tirol

iD

Camping Tiefental 'Roppnerhof'
Tiroler Straße 121
1 Mai - 30 Sep
+43 (0)664-4663003
doriskoell@aon.at
N 47°17'25'' E 11°9'51''

1 AJMNOPRT 6
2 AFOPVWX ABDEF 7
3 AEFKV ABEFJNR 8
4 AFHI 9
5 L ABGKRW10
13A ❶ €22,00
H620 0,2 ha 30T(80-100m²) ❷ €28,00

A12 Inntal-Autobahn, Ausfahrt 101 Telfs, dann B171 Richtung Pettnau/ Unterpettnau.

Pettneu am Arlberg, A-6574 / Tirol

CC€14 iD

Arlberglife CP + Appartements
Dorfstraße 58c/ an der Panoramastr.
1 Jan - 31 Dez
+43 (0)5448-8352
info@arlberg-panoramacamping.at
N 47°8'53'' E 10°20'48''

1 AJMNOPQRST N 6
2 AFOPSVWXY ABDEFGH 7
3 K ABEFGIJNQRTUV 8
4 EFHIO GHI 9
5 ABDFGIKL ABDEGHJMPRX10
Anzeige auf dieser Seite W 13A ❶ €27,00
H1215 1 ha 40T(70-100m²) 12D ❷ €31,00

A14/E20/S18 via Bregenz-Innsbruck, Ausfahrt St. Anton; Von Innsbruck aus Ausf. Flirsch. Oder: via Füssen/Reute B179 nach Imst Richtung Bregenz, Ausf. Flirsch. Den Schildern 'Arlberg Panoramacamping' in Pettneu folgen.

Pettneu am Arlberg, A-6574 / Tirol

iD

Camping Arlberg****
Strohsack 235C
1/1 - 30/4, 1/6 - 31/12
+43 (0)5448-22266-0
info@camping-arlberg.at
N 47°8'42'' E 10°20'16''

1 ABDJMNOPQRST EFGNU 6
2 ACFGOPRSVW ABDEFGH 7
3 BEK ABCDEFJLMNQRV 8
4 AEFHSTVX E 9
5 ABDEFJKL ABEFGHIKOR10
W 16A CEE ❶ €26,00
H1228 5 ha 63T(ab 105m²) 2D ❷ €39,00

Über die S16 Bregenz-Innsbruck ca. 2 km östlich des Arlbergtunnels. Ausfahrt Pettneu. Der CP ist ausgeschildert (Hallenbad-Camping Arlberg).

Pfunds, A-6542 / Tirol

iD

Via Claudiasee
Rauth 714
1 Jan - 31 Dez
+43 (0)5474-43097
camping@pfunds.at
N 46°57'15'' E 10°30'42''

1 AJMNOPQRST ABFGJLNU 6
2 CDFGJKLOPQRSVWX ABDEFG 7
3 BS ABEFJNQRTUV 8
4 O 9
5 ABDFKL ABGHKLMPRVX10
W 16A CEE ❶ €21,00
H985 5,5 ha 150T(70-150m²) 50D ❷ €28,00

B180 von Landeck nach Nauders. 2 km hinter Pfunds links abbiegen. Der CP ist ausgeschildert. Einfahrt bei der Innbrücke.

Prägraten am Großvenediger, A-9974 / Tirol

iD

Bergkristall
Hinterbichl 9a
1 Mai - 31 Okt
+43 (0)4877-5223
bergkristall.dorer@aon.at
N 47°1'5'' E 12°20'25''

1 AFJMNOPRST JNUX 6
2 CFGOPTVWX ABDEFG 7
3 V ABEFNQR 8
4 EFHI G 9
5 ABL ABGHJNOR10
16A ❶ €25,00
H1331 0,4 ha 34T(90m²) 16D ❷ €33,00

Mittersill-Felbertauernstraße/Tunnel B108 Richtung Lienz. Zweite Ausfahrt Richtung Matrei/Virgen/Prägraten. 3 km hinter Prägraten ist der CP ausgeschildert.

Österreich

Teilkarte Tirol auf Seite 398

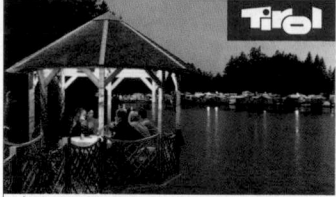

Osttirol

Dein **Berg Tirol.**

www.osttirol.com

CAMPINGURLAUB ZWISCHEN GLOCKNER UND DOLOMITEN

Mediterranes Klima, dazu die höchsten Berge Österreichs, ursprüngliche Almen und Gebirgsseen, wilde Flüsse, herzliche Gastgeber und Lienz - die alte Sommerresidenz der Görzer Grafen - all das macht den Campingurlaub zum Erlebnis. Tolle Ausflugsstraßen: Felbertauernstraße inmitten des Nationalparks Hohen Tauern, Pustertaler Höhenstraße mit Blick auf die Dolomiten und die nahe Großglockner Hochalpenstraße. Infos, gratis Prospektmaterial: **OSTTIROL INFORMATION, TEL. +43 (0)50 212 212, INFO@OSTTIROL.COM, WWW.OSTTIROL.COM**

CAMPING SEEWIESE ****

Idyllisch gelegener Komfort-Campingplatz mit Gasthaus beim einzigen Badesee Osttirols, direkt unter den Felswänden der Lienzer Dolomiten. Freien Eintritt in das Strandbad Tristachersee und in der Hauptsaison Gratisbus in die Stadt Lienz. Wireless-Internet, Camper-Service.

Tristachersee 2, 9907 Lienz/Tristach, Tel. +43 (0)4852 69767, **www.campingtirol.com**

COMFORT & WELLNESS CAMPING FALKEN ****

Comfort Campingplatz am südlichen Stadtrand von Lienz, 10 Gehminuten vom Stadtzentrum. Ab 3 Tagen Aufenthalt gratis Warmduschen u. freier Eintritt in das Dolomitenbad Lienz und Strandbad Tristachersee. W-Lan, Camper Service, Restaurant mit hausgemachten Tiroler Spezialitäten. Mit großem Wellnessbereich. Tel. +43 (0)664 4107973, **www.camping-falken.com**

DOLOMITEN CAMPING AMLACHERHOF **** *MIT* SCHWIMMBAD

Campen in herrlich ruhiger Lage auf dem schönsten Platz im Lienzer Talboden. Alles Comfortplätze mit Wasser- und Abwasseranschluss, Strom 16 AMP, Camperservice. Schwimmbad, Minigolf, Trampolin, Fahrradverleih usw. direkt am Platz. Mobilhomes und Caravans zu vermieten. 10 Appartements für 2 bis 6 Personen. Tel. +43 (0)4852 62317, **www.amlacherhof.at**

Teilkarte Tirol auf Seite 398

Prutz, A-6522 / Tirol

CC€14 iD

Aktiv Camping Prutz****
Pontlatzstraße 22
1 Jan - 31 Dez
+43 (0)5472-2648
info@aktiv-camping.at

1 ACDE**JM**NOPQRS**T**		**N**U 6
2 ACFOPRSVWX		ABDE**FG**H 7
3 BEF**G**LUV		ABCDEFHJKNQRSTV 8
4 **A**BDEFHIO**PQ**		UVW 9
5 ABDEIKL		ABCDFGHJL**NP**RVW 10
Anzeige auf dieser Seite WB 6A CEE		❶ €32,00
H866 1,5 ha 120**T**(60-130m²) 12**D**		❷ €40,00

N 47°4'49" E 10°39'34"

Mautfrei: von Imst nach Landeck, dann auf der B180 Richtung Serfaus (Reschenpass) nach Prutz. Oder A12 Richtung Reschenpass, durch den Tunnel bei Landeck, dann auf die B180 (Mautpflicht).

Scharnitz, A-6108 / Tirol

iD

Karwendelcamp Scharnitz
Oberdorf 390
1 Jan - 31 Dez
+43 (0)699-10109009
info@karwendelcamp.at

1 A**JM**NOPQRT		F 6
2 FGOPSVW		ABDE**FG** 7
3 AF**K**LQV		ABEFJNQRS 8
4 **AE**FHI**P**		FUVW 9
5 ADEJKL		ABEGHJ**P**TUV 10
W 16A CEE		❶ €23,00
H964 9 ha 30**T**(80-100m²) 1**D**		❷ €31,00

N 47°23'5" E 11°15'45"

Die B177 über Garmisch nach Scharnitz. In Scharnitz den CP-Schildern folgen.

Reutte, A-6600 / Tirol

CC€18 iD

Camping Reutte
Ehrenbergstraße 53
1 Jan - 31 Dez
+43 (0)5672-62809
camping-reutte@aon.at

1 A**JM**NOPRT		6
2 FOPSVWX		ABDE**FG**H 7
3		ABCDE**F**HJNQRS 8
4 A**E**FH		9
5 ABDEGJKL		ABDEFGHJ**P**R 10
W 16A CEE		❶ €29,00
H854 2,2 ha 80**T**(80-120m²) 65**D**		❷ €38,20

N 47°28'41" E 10°43'22"

Über die B179 nach Reutte. Ausfahrt Reutte-Süd. Nach 400m links abbiegen (Richtung Hospital).

Schwoich, A-6334 / Tirol

iD

Schwoich
Egerbach 54
1 Jan - 31 Dez
+43 (0)5372-58352
info@camping-maier.com

1 A**JM**NOPQRST		A 6
2 AGOPRTUVX		ABDE**FG**H 7
3 A**K**L		ABEFGJNQRV 8
4 EFHIO		9
5 AL		AGHJPRV 10
W 13A CEE		❶ €21,90
H550 0,6 ha 80**T**(80-100m²) 20**D**		❷ €27,90

N 47°33'9" E 12°9'34"

Inntal-Autobahn, Ausfahrt 6 Kufstein-Süd (zollfrei). B173 Richtung Kitzbühel, Schildern folgen.

Ried, A-6531 / Tirol

CC€16 iD

Dreiländereck****
Gartenland 37
1 Jan - 31 Dez
+43 (0)5472-6025
camping-dreilaendereck@tirol.com

1 A**JM**NOPQRST		U 6
2 AOPRSVWX		ABDE**FG**HI 7
3 ACEFHILMQRSUV		ABCDE**F**IJKNQRS 8
4 **A**BCDEFHILO**PQSTVXYZ**		EFGIKUVW 9
5 ABCDEFGIJKL		ABDGHIJ**NP**R 10
W 15A CEE		❶ €31,80
H880 1 ha 60**T**(70-100m²) 46**D**		❷ €38,80

N 47°3'21" E 10°39'24"

Mautfrei: über Imst auf der 171 nach Landeck (Richtung Reschenpass), und nach Ried. Oder A12 Richtung Meran (Reschenpass), dann die B180 Richtung Serfaus (Mautpflicht).

Seefeld, A-6100 / Tirol

iD

Camp Alpin*****
Leutascherstraße 810
1 Jan - 31 Dez
+43 (0)5212-4848
info@camp-alpin.at

1 ACDE**JM**NOPQRST		6
2 CFOPRSUVWX		ABDE**FG** 7
3 B**GHK**LS		ABCDEFIJ**L**NQRSTUV 8
4 **AE**FHIO**S**TV**X**		I 9
5 ABDEGJKL		ABEGHJPRVW 10
WB 16A CEE		❶ €31,70
H1280 2 ha 140**T**(100m²) 5**D**		❷ €41,70

N 47°20'14" E 11°10'42"

Über München, Garmisch, Mittenwald, Seefeld, in Seefeld Schildern folgen.

Rinn, A-6074 / Tirol

iD

Rinn Judenstein
Judenstein 40
1 Mai - 1 Okt
+43 (0)5223-78098
kommunalgmbh@rinn.tirol.gv.at

1 ADE**JM**NOPRST		6
2 FOPVX		ABDE**FG**H 7
3 **JMN**		ABEFNQR 8
4 FHIO		9
5 ABDK		ABEGHJ**N**R 10
12A CEE		❶ €18,50
H900 0,6 ha 31**T**(80-100m²) 30**D**		❷ €24,50

N 47°15'36" E 11°30'19"

Inntal-Autobahn, Ausfahrt 68 Hall, nach Tulfes und Rinn.

Sölden, A-6450 / Tirol

iD

Sölden
Wohlfahrtstraße 22
1/1 - 12/4, 27/6 - 31/12
+43 (0)5254-26270
info@camping-soelden.com

1 ADE**JM**NOPQRST		**N** 6
2 CFOPRSUVWXY		ABDE**FG**H**I** 7
3 ALUV		ABCDEFJKNQRSUV 8
4 **AE**FHIOR**S**TV**XZ**		DLUVW 9
5 AEFJKL		ABEGHIJ**NP**R 10
WB 10A CEE		❶ €32,70
H1380 1,3 ha 99**T**(60-90m²) 1**D**		❷ €42,70

N 46°57'28" E 11°0'43"

A12/E60 Inntal-Autobahn, Ausfahrt Ötztal. Die B186 ins Ötztal bis Sölden. Den Ortsschildern folgen.

Österreich

Teilkarte Tirol auf Seite 398

CAMPING EICHENWALD

- Ruhige Lage mitten in der Natur, geschützt durch Eichen
- Nur 5 Minuten entfernt von Stams (Geschäfte und Restaurants)
- Beheiztes Schwimmbad
- Abenteuerspielplatz, Tischtennis
- Wildwasserfahren (Kajak) in der Umgebung
- Tennis (1 km), Minigolf, Kegeln, Reiten (3 km)
- **Stellplätze für Wohnmobile**
- Im Mai und September ab 5 Tagen kostenloser Stellplatz während der ganzen Periode
- Schneesafaripaket: Camping, Liftpass, Schwimmbad/Fitness (für Informationen schauen Sie auf www.tirol-camping.at)
- Innerhalb von 10 km: Hallenbad, Freibäder (5 km), Sauna, Squash, See
- Urlaub an einem Ort, wo früher Fürsten und Äbte weilten
- Neu: Komfortstellplatz mit eigenen Sanitäranlagen

Schiesstandweg 10, 6422 Stams • Tel.und Fax 05263-6159
E-Mail: info@tirol-camping.at • Internet: www.tirol-camping.at

ACSI-Kunden sind willkommen ©

Söll, A-6306 / Tirol

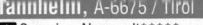

Franzlhof
Dorfbichl 37
1/1 - 30/10, 15/12 - 31/12
+43 (0)5333-5117
info@franzlhof.com
N 47°30'29'' E 12°11'23''

1 ADE**JM**NOPRST 6
2 FPRVX ABC**C**DE**FG**H 7
3 BC**IKMNO**SU ABCDEFJNQRSTU 8
4 AEFH**STUV** EGIJ 9
5 ABEFGJL ABEGHJ**NP**RW 10
W 16A CEE ① €30,30
H700 5,5 ha 50**T**(90-110m²) 67**D** ② €39,30

A12 Ausfahrt 6, Kufstein-Süd, Richtung St. Johann; hinter Söll rechts ab nach Söll, nicht auf der Umgehungsstraße bleiben. Dann der Beschilderung folgen

Tannheim, A-6675 / Tirol

Camping Alpenwelt*****
Kienzerle 3
20/5 - 3/11, 14/12 - 26/4
+43 (0)5675-43070
alpenwelt@tirol.com
N 47°30'29'' E 10°29'41''

1 ADEF**JM**NOPR**T** 6
2 CFOPSUVWX ABDE**FG** 7
3 AL ABCDEFJNQRSTUV 8
4 FHIO**ST** HI 9
5 ABEGIJKL ABEFGHJMPRV 10
WB 16A CEE ① €32,80
H1150 1,2 ha 50**T**(ab 70m²) 22**D** ② €41,80

An der B199/B308 Sonthofen-Füssen im Tannheimer Tal. CP liegt westlich von Tannheim, zwischen Tannheim und Zöblen.

St. Johann (Tirol), A-6380 / Tirol

Michelnhof
Weiberndorf 6
1 Jan - 31 Dez
+43 (0)5352-62584
camping@michelnhof.at
N 47°30'39'' E 12°24'32''

1 AC**JM**NOPQRST 6
2 GPRTVWXY A**BC**D**EFG** 7
3 B**GH** ABCDE**F**IJNQRS 8
4 FHI I 9
5 ABDEGIJKL ABFGHJ**NOP**R 10
WB 10A CEE ① €32,50
H663 4 ha 90**T**(ab 90m²) 41**D** ② €42,50

Die B161 von St. Johann in Tirol Richtung Kitzbühel. Nach 2 km den CP-Schildern folgen.

Thiersee, A-6335 / Tirol

Rueppenhof
Seebauern 8
15 Apr - 15 Okt
+43 (0)5376-5694
rueppenhof@gmail.com
N 47°35'18'' E 12°7'1''

1 A**JM**NOPQRS**T** L**N**PQS 6
2 ADGHJOPRX ABDE**FG** 7
3 A**MN**RV ABCDEFNQR 8
4 AEFHI FGI 9
5 KL ABGHJ**P**RV 10
16A CEE ① €22,70
H600 1 ha 25**T**(ab 80m²) 51**D** ② €27,70

Inntal-Autobahn, Ausfahrt Kufstein, nach Thiersee (7 Km), 2. CP.

Stams, A-6422 / Tirol

Eichenwald
Schiesstandweg 10
1/1 - 30/9, 1/12 - 31/12
+43 (0)5263-6159
info@tirol-camping.at
N 47°16'32'' E 10°59'10''

1 AC**JM**NOPQRST ABFG**N**UV 6
2 ABCFGOPRSUVWXY ABDE**FG**H 7
3 BE**K**LQT ABCDEFHIJNPQRSTUV 8
4 AEFHIO**PQT** EGJUVW 9
5 ABDEFGJKL ABFGHIJLM**NP**RVX 10
Anzeige auf dieser Seite WB 16A CEE ① €28,05
H670 5 ha 100**T**(70-100m²) 30**D** ② €36,20

Reutte, Fernpass, Nassereith, Mieming, Richtung Mötz/Stams, CP ausgeschildert.

Umhausen, A-6441 / Tirol

Camping Ötztal-Arena
Mühlweg 32
1 Jan - 31 Dez
+43 (0)5255-5390
info@oetztal-camping.at
N 47°8'8'' E 10°55'54''

1 A**JM**NOPQRST L**N** 6
2 CDFGOPRSTUVWXY ABDE**FG** 7
3 ABL**MN**U ABCDE**F**HJNQRS 8
4 AEFHIO**ST** J 9
5 ADEGJKL ABGHIJLM**NP**R 10
W 16A CEE ① €25,30
H1036 0,8 ha 100**T**(32-110m²) 2**D** ② €34,90

Inntal-Autobahn A12, Ausfahrt Ötztal (B186), Richtung Ötztal bis Umhausen, den Schildern folgen.

Strassen, A-9918 / Tirol

Camping Lienzer Dolomiten***
Tassenbach 23
1 Jan - 31 Dez
+43 (0)4842-5228
camping-dolomiten@gmx.at
N 46°44'47'' E 12°27'49''

1 A**JM**NOPRST A**N** 6
2 FOPRSVWX ABDE**FG** 7
3 AEV ABCDEFJNQRSV 8
4 FH 9
5 AL ABGHJNOR 10
W 6-16A CEE ① €27,50
H1100 2 ha 75**T**(80-120m²) 25**D** ② €35,50

München-Kufstein-Mittersill-Felbertauernstraße-Lienz, dann Richtung Sillian, 3 km vor Sillian Strassen/Tassenbach. Keine Vignette.

Volders, A-6111 / Tirol

Schloss Camping Aschach
Hochschwarzweg 2
1 Mai - 16 Sep
+43 (0)5224-52333
info@schlosscamping.com
N 47°17'14'' E 11°34'20''

1 ADE**JM**NOPQRST ABFG 6
2 AFGOPTVY ABDE**FG**HI 7
3 B**K**LV ABCDEFNQRSV 8
4 **AE**FH 9
5 ADEJKL ABGHIJNPRZ 10
Anzeige auf dieser Seite B 16A CEE ① €27,40
H555 2 ha 160**T**(80-120m²) ② €36,40

Inntal-Autobahn, Ausfahrt 61 Wattens oder 68 Hall, dann B171 nach Volders.

Tirol

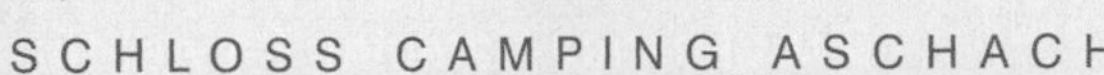

Ruhige Lage inmitten einer herrlichen Bergkulisse, zwischen Wattens (Swarovski Kristallwelten) und Hall (historische Altstadt) gelegen. Der Platz bietet schattenspendende Bäume, sehr gepflegtes Rasengelände (2 ha), Schwimmbad, 160 Stellplätze (80 bis 120 m²).

VOLDERS / TIROL / AUSTRIA
info@schlosscamping.com / www.schlosscamping.com

Österreich

Teilkarte Tirol auf Seite 398

Völs, A-6176 / Tirol

Innsbruck - Völs
Bahnhofstraße 10
1 Apr - 31 Okt
+43 (0)512-303533
campingvoels@aon.at

1 AILNOPQRST		6
2 AFOPRSY	ABFG	7
3	ABEFNQR	8
4 H		9
5 ACF	AGHPR	10
13A		① €30,00
H600 40T		② €38,00

N 47°15'11'' E 11°19'35''
A12 Ausfahrt Kranebitten/Völs. Richtung Völs, dort den CP-Schildern folgen.

Weer, A-6114 / Tirol

Alpencamping Mark****
Bundesstraße 12
1 Apr - 31 Okt
+43 (0)5224-68146
alpcamp.mark@aon.at

1 AJMNOPQRST	ABFG	6
2 AFGOPSTVY	ABDEFG	7
3 AEFGHLMNRU	ABCDEFHIJNPQRSV	8
4 AEFHIJLO	A	9
5 ABDEJL	ABDGHJLMNPRZ	10
10A		① €29,00
H555 2 ha 95T(80-130m²) 1D		② €39,00

N 47°18'23'' E 11°38'57''
A12 Inntal-Autobahn, Ausfahrt 61 Wattens. Von Kufstein Richtung Innsbruck, Ausfahrt 49 Schwaz oder 53 Vomp, dann nach Weer. Sehr einfach zu erreichen.

Waidring, A-6384 / Tirol

Camping Steinplatte GmbH
Unterwasser 43
1 Jan - 31 Dez
+43 (0)5353-5345
info@camping-steinplatte.at

1 ADEFJMNOPQRST	L	6
2 DFGJOPRVWX	ABDEFGH	7
3 BGIKLMP	ABCDEFJNQRSV	8
4 EFHIOPST	EFIV	9
5 ABDEFGIJKL	ABDEGHJPR	10
WB 10A		① €31,00
H780 4 ha 220T 127D		② €34,00

N 47°35'0'' E 12°34'59''
Von Norden kommend D, NL mautfrei: München, Ausfahrt Oberaudorf. B172 über Walchsee und Kössen bis Erpfendorf. Ri. Lofer bis nach Waidring. Von Westen kommend: Inntalautobahn, Ausfahrt Wörgl-Ost bis nach St. Johann. Ri. Waidring.

Westendorf, A-6363 / Tirol

Panorama Camping
Mühltal 70
1/1 - 30/10, 17/12 - 31/12
+43 (0)5334-6166
info@panoramacamping.at

1 AEFJMNOPQRST	ABFGH	6
2 FOPRUVWXY	ABDEFGH	7
3 BELS	ABCDEFJNQRSTUV	8
4 ABEFGHIOPRSTXZ	UVW	9
5 ABEJKL	ABDGHIJNPRW	10
WB 12A		① €29,00
H800 2,2 ha 90T(85-90m²) 44D		② €36,80

N 47°25'58'' E 12°12'7''
Inntal-Autobahn, Ausfahrt 17 Wörgl, nach Westendorf (Brixental).

Walchsee, A-6344 / Tirol

Ferienpark Terrassencamping Süd-See****
Seestraße 76
1 Jan - 31 Dez
+43 (0)5374-5339
info@terrassencamping.at

1 AJMNOPQRST	LNWXY	6
2 ADFGIPQRUVWXY	ABEFGH	7
3 BGHKOP	ABCDEFJKNQRSTUV	8
4 AEFH	I	9
5 ABDEIJKL	ABDFGHJLMNOPR	10
W 16A		① €30,40
H650 11 ha 150T(70-115m²) 152D		② €40,40

N 47°38'26'' E 12°19'26''
B172 von Niederndorf nach Kössen, in Walchsee angezeigt (nach rechts), am Ortseingang beschildert.

Wiesing, A-6210 / Tirol

Camping Inntal****
1/1 - 6/11, 1/12 - 31/12
+43 (0)5244-62693
jbrugger@camping-inntal.at

1 ADEJMNOPQRST	AB	6
2 AFGPRUVY	ABDEFG	7
3 AGHL	ABCDEFIJLNQRSTUV	8
4 ABEFHILOST	DIW	9
5 ACEFJKL	ABGHJLNPRVX	10
W 13A		① €29,50
H560 2,1 ha 100T(80-100m²) 60D		② €38,50

N 47°24'22'' E 11°48'23''
Inntal-Autobahn, Ausfahrt 39 Wiesing, Schildern folgen.

Walchsee, A-6344 / Tirol

Seespitz****
Seespitz 1
1 Jan - 31 Dez
+43 (0)5374-5359
info@camping-seespitz.at

1 AEJMNOPRST	HLMNQRSWXZ	6
2 ACDFGIOPQRWXY	ABDEFG	7
3 BEGHIKLMNS	ABCDEFJKNQRS	8
4 AEFHIO	MOTVW	9
5 ABDEIJKL	ABGHJMNOPRZ	10
WB 6A		① €27,90
H668 2,5 ha 180T 70D		② €36,90

N 47°38'57'' E 12°18'50''
A8 München-Innsbruck, Ausfahrt Oberaudorf Richtung Niederndorf/Walchsee. Direkt an der Tankstelle rechts.

Zell im Zillertal, A-6280 / Tirol

Campingdorf Hofer
Gerlosstraße 33
1 Jan - 31 Dez
+43 (0)5282-2248
info@campingdorf.at

1 ADEJMNOPQRST	CNUV	6
2 FGOPVX	ABDEFGH	7
3 AKLMNPV	ABCDEFJNQRSV	8
4 ABDEFHIO	GI	9
5 ACDEJKL	ABCGHJRZ	10
Anzeige auf dieser Seite W 6A CEE		① €31,80
H600 1,6 ha 100T(80-100m²) 10D		② €41,40

N 47°13'44'' E 11°53'10''
A12 Ausfahrt 39 Zillertal, B169 nach Zell am Ziller, 4. CP im Zillertal.

Österreich

Au an der Donau, A-4332 / Oberösterreich

Au/Donau	1 ADEILNOPRT	JNXYZ 6
Hafenstraße 1	2 CGHIPVWXY	ABDEFGJ 7
15 Apr - 15 Okt	3 BEFLM	ABCDEFNQRTV 8
+43 (0)7262-53090	4 AFH	FGNPVW 9
info@camping-audonau.at	5 ABDEFGJKL	ABFGHJLNORV 10
	B 16A CEE	❶ €27,50
N 48°13'37'' E 14°34'56''	H231 1,1 ha 40T(65-180m²) 16D	❷ €35,50

A1 Salzburg-Wien, Ausfahrt 155 Enns Richtung Mauthausen. Nach der Donaubrücke links halten und den CP-Schildern folgen. Nach 2 km rechts ab nach Au.

Eggelsberg, A-5142 / Oberösterreich

Seewirt	1 AJMNOQRT	L 6
Ibm 80	2 DGHPVX	ABDEFGH 7
1 Jan - 31 Dez	3 BL	ABCDEFNQR 8
+43 (0)7748-2345	4 FI	G 9
camping-seewirt@aon.at	5 ABEFGIL	ABIJMNOPRVW 10
	10A	❶ €22,00
N 48°4'20'' E 12°57'19''	H426 1 ha 40T(70-100m²) 51D	❷ €29,40

Von Braunau die B156 bis Eggelsberg, IBM-See folgen, vor Ibm-See am Restaurant Seewirt links.

Feldkirchen an der Donau, A-4101 / Oberösterreich

Camping-Insel Puchner	1 AFGJMNOPRT	LMNOPW 6
Golfplatzstrasse 21	2 DFGPRWX	ABDEF 7
1 Mai - 30 Sep	3 ABIJKL	ABEFNQRTU 8
+43 (0)7233-7268	4 FHI	SV 9
office@camping-insel.at	5 DEHIKL	ABHJRW 10
	B 16A	❶ €20,60
N 48°19'48'' E 14°4'24''	H300 2 ha 40T(80-120m²)	❷ €27,20

Die 131 Aschach a.d. Donau Richtung Linz. 3. Ausfahrt Feldkirchen a.d. Donau. Am CP-Schild + 'Badesee' ca. 3 km den CP-Hinweisen folgen.

Freistadt, A-4240 / Oberösterreich

Freistadt	1 AILNOPRT	6
Eglsee 12	2 COPVWX	ABDEFG 7
1 Jan - 31 Dez	3 AKLMO	ABCDEFJNQRSTV 8
+43 (0)7942-72570	4 FHIOT	UV 9
ffc.freistadt@gmx.at	5 ABGJ	AGHNPR 10
	16A CEE	❶ €21,60
N 48°30'52'' E 14°30'36''	H560 0,3 ha 40T	❷ €27,20

Vom Knoten Linz A1/A7 die A7/B310 Richtung Freistadt/Tschechien. Hinter Freistadt im Kreisel Richtung Zwettel B38. Nach 200m rechts.

Grein, A-4360 / Oberösterreich

CC€16

Grein	1 AEJMNOPRT	NWXYZ 6
Campingplatz 1	2 CFOPVWXY	BFG 7
1 Apr - 15 Okt	3 ABR	ABEFJNQRS 8
+43 (0)7268-21230	4 HO	DFUV 9
office@camping-grein.at	5 ABDEGIKL	ADHMNPRW 10
	B 6A	❶ €25,50
N 48°13'30'' E 14°51'11''	H238 2 ha 87T(100m²) 5D	❷ €33,50

A1 Linz-Wien, Ausfahrt 123 Amstetten. Danach den Schildern Grein folgen. CP ist angezeigt und liegt in Grein an der B3.

Haibach/Schlögen, A-4083 / Oberösterreich

Freizeitanlage Schlögen	1 ADEGILNOPQRT	ABEJNWXY 6
Mitterberg 3	2 CDGOPRUVW	BEFG 7
1 Apr - 31 Okt	3 AEMP	ABCDEFNQRTU 8
+43 (0)7279-8241	4 HRST	GV 9
info@ freizeitanlage-schloegen.at	5 ACFGJ	ABHIJR 10
	16A	❶ €26,50
N 48°25'24'' E 13°52'4''	H301 2 ha 30T(80m²) 65D	❷ €34,50

An der B130 Passau-Linz ca. 6 km an Haibach vorbei. CP liegt links der Straße, direkt an der 'Schlögener Schlinge' an der Donau.

Klaffer am Hochficht, A-4163 / Oberösterreich

Böhmerwaldcamp	1 AJLNOPQRST	LNQX 6
Seeweg	2 DGPVXY	ABF 7
1 Jan - 31 Dez	3 BDFK	ABEFJNQRT 8
+43 (0)7288-6318	4 FO	T 9
gemeinde@klaffer.ooe.gv.at	5 ADQI	ADHJLMNO 10
	W 16A CEE	❶ €18,90
N 48°41'51'' E 13°52'3''	H650 1 ha 21T(80-100m²) 40D	❷ €22,90

A3, Ausfahrt 115 Passau. Hauzenberg-Breitenberg und Aigen folgen. Kurz vor Klaffer dem Schild folgen.

Linz, A-4030 / Oberösterreich

Camping-Linz am Pichlingersee	1 ADEFILNOPRST	MO 6
	2 ADGOPVX	ABDEFGH 7
Wienerstraße 937	3 AFIKI	ABCDEFGIJNQRSTUV 8
15 Mär - 15 Okt	4 FH	D 9
+43 (0)732-305314	5 ACDGIJ	ABGHIKLOPR 10
office@camping-linz.at	B 16A CEE	❶ €22,50
N 48°14'6'' E 14°22'43''	H265 2,4 ha 110T(80-100m²) 53D	❷ €28,50

A1 Richtung Wien, Ausfahrt 160 Asten. Vor Asten Richtung Linz. Nach 2,3 km ist rechts der CP. Ist von der A1 aus gut ausgeschildert.

Lochen (Mattsee), A-5221 / Oberösterreich

Campingparadies Am Mattsee	1 AJMNOPQRST	LNOPQSXYZ 6
Stein 1	2 DFGJPTVWXY	ABFG 7
1 Apr - 31 Okt	3 BEL	ABCDEFIJNRSV 8
+43 (0)6217-20538	4 AEFHI	TV 9
campingparadies@aon.at	5 ADEFIL	AEGHJR 10
	B 12A	❶ €20,00
N 47°59'29'' E 13°7'51''	H514 4 ha 30T(60-100m²) 200D	❷ €25,50

Salzburg Nord-Mattsee (156), nach Mattsee 4 km den CP-Schildern folgen.

Mondsee, A-5310 / Oberösterreich

CC€18

AustriaCamp	1 DEFGJMNOPQRST	LMNOPQRSTUVWXYZ 6
St. Lorenz 229	2 ADFGIPVX	ABDEFGH 7
1 Apr - 30 Sep	3 ABFGKLM	ABCDEFJKNQRS 8
+43 (0)6232-2927	4 ABEFHIJOQT	LMOST 9
office@austriacamp.at	5 ABDEFGIJKL	ABGHIJLMOTUV 10
	B 10A CEE	❶ €29,70
N 47°49'49'' E 13°21'53''	H500 2 ha 100T(50-70m²) 40D	❷ €40,10

B154 Mondsee-St. Gilgen, nach 5 km Schildern 'Austria Camping' folgen.

Mondsee/Tiefgraben, A-5310 / Oberösterr.

CC€16

Camp MondSeeLand****	1 ADJMNOPQRST	ABNO 6
Punz Au 21	2 AFGPVWX	ABDEFGHIJK 7
1 Apr - 4 Okt	3 BEGHIKLRS	ABCDEFIJLNQRSTUV 8
+43 (0)6232-2600	4 ABDEFHIO	F 9
austria@campmondsee.at	5 ABEFGJKL	ABGHIJMNPRVW 10
	B 16A CEE	❶ €27,50
N 47°51'59'' E 13°18'24''	H500 3 ha 60T(100-120m²) 83D	❷ €36,50

A1 Salzburg-Wien, Ausfahrt 264 Mondsee. 1. Kreisel Richtung Straßwalchen, am 2. Kreisel 3. Ausfahrt den CP-Schildern folgen.

Nußdorf am Attersee, A-4865 / Oberösterreich

Seecamping Gruber	1 ADEFJMNOPRT	ABFGLMNPQRSTWX 6
Dorfstraße 63	2 DGJOPRUVX	ABDEFGHIJ 7
15 Apr - 15 Okt	3 AM	ABCDEFJKNQRST 8
+43 (0)7666-80450	4 AEHIJPQRST	OPV 9
office@camping-gruber.at	5 ACEGJL	ABGHIJLPRV 10
	B 16A	❶ €37,90
N 47°52'47'' E 13°31'29''	H470 2,6 ha 70T(75-110m²) 89D	❷ €49,90

CP im Ort am See, deutlich ausgeschildert, aus Unterach rechts.

Obertraun, A-4831 / Oberösterreich

Am See	1 AILNOPRS	LMNQUX 6
Winkl 77	2 DGKPRY	ABDEFGHIK 7
1 Mai - 30 Sep	3 AK	ABEFNQRS 8
+43 (0)6131-265	4 AEFI	DEFUVW 9
relax@camping-am-see.at	5 ABDEGL	ABFGHJMOPRV 10
	10A	❶ €39,80
N 47°32'56'' E 13°40'37''	H516 1,5 ha 50T(80-100m²) 9D	❷ €53,60

Von Salzburg die B158 nach Bad Ischl, die B145 Graz bis Ausfahrt Hallstatt. 2 km hinter Hallstatt liegt der CP links. Achtung: via Bad Aussee ist der CP mit dem Caravan nicht erreichbar!

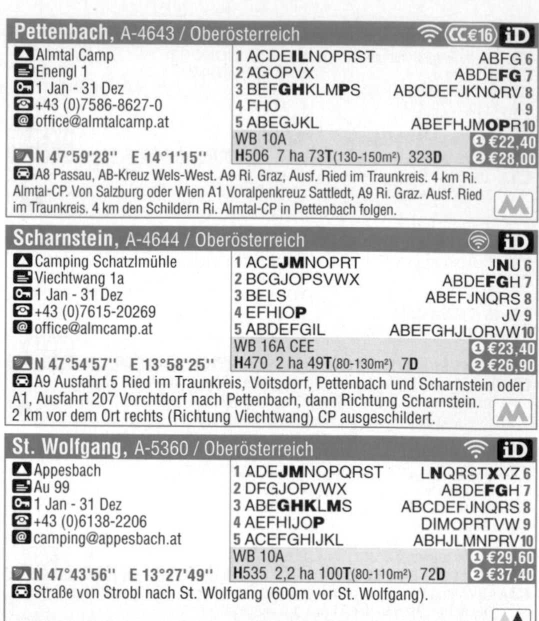

Pettenbach, A-4643 / Oberösterreich

Almtal Camp
Enengl 1
1 Jan - 31 Dez
+43 (0)7586-8627-0
office@almtalcamp.at

1 ACDEILNOPRST	ABFG	6
2 AGOPVX	ABDEFG	7
3 BEFGHKLMPS	ABCDEFJKNQRV	8
4 FHO	I	9
5 ABEGJKL	ABEFHJMOPR	10
WB 10A		❶ €22,40
H506 7 ha 73T(130-150m²) 323D		❷ €28,00

N 47°59'28'' E 14°1'15''

A8 Passau, AB-Kreuz Wels-West. A9 Ri. Graz, Ausf. Ried im Traunkreis. 4 km Ri. Almtal-CP. Von Salzburg oder Wien A1 Voralpenkreuz Sattledt, A9 Ri. Graz. Ausf. Ried im Traunkreis. 4 km den Schildern Ri. Almtal-CP in Pettenbach folgen.

St. Wolfgang, A-5360 / Oberösterreich

Seeterrassen-Camping Ried
Ried 18
1 Apr - 31 Okt
+43 (0)6138-3201
camping-ried@aon.at

1 AGJMNOPQRST	LNPQRSTWXY	6
2 DFGIJOPUVWXY	ABDFHI	7
3 ABL	ACDEFKNQRSV	8
4 AEFHIO	AGIMOPQRTUVW	9
5 ABDEFGIKL	ABGJMNPR	10
16A		❶ €24,00
H535 3 ha 35T 9D		❷ €34,00

N 47°44'34'' E 13°26'1''

In St. Wolfgang durch den Tunnel, der Straße am See entlang folgen. Am Ende der Sackgasse sieht man schon den CP rechts.

Scharnstein, A-4644 / Oberösterreich

Camping Schatzlmühle
Viechtwang 1a
1 Jan - 31 Dez
+43 (0)7615-20269
office@almcamp.at

1 ACEJMNOPRT	JNU	6
2 BCGJOPSVWX	ABDEFGH	7
3 BELS	ABEFJNQRS	8
4 EFHIOP	JV	9
5 ABDEFGIL	ABEFGHJLORVW	10
WB 16A CEE		❶ €23,40
H470 2 ha 49T(80-130m²) 7D		❷ €26,90

N 47°54'57'' E 13°58'25''

A9 Ausfahrt 5 Ried im Traunkreis, Voitsdorf, Pettenbach und Scharnstein oder A1, Ausfahrt 207 Vorchtdorf nach Pettenbach, dann Richtung Scharnstein. 2 km vor dem Ort rechts (Richtung Viechtwang) CP ausgeschildert.

Steinbach (Attersee), A-4853 / Oberösterreich

Grabner
Seefeld 47
1 Apr - 15 Okt
+43 (0)7663-8940
office@camping-grabner.at

1 ADEFILNOPRT	ABFGHLNOPQRSTWXYZ	6
2 DFGJKLOPSVWX	ABDEFGH	7
3 AIKLMPU	ABCDEFNRSV	8
4 EHIO	EKLOPTUV	9
5 ABEFIKL	ABFHJLNPRV	10
16A		❶ €23,90
H470 3,2 ha 100T(80-120m²) 109D		❷ €31,70

N 47°50'15'' E 13°32'44''

A1, Ausfahrt 234 Seewalchen. Dann Richtung Weyreg und weiter bis Seefeld. CP liegt rechts der Strecke.

St. Wolfgang, A-5360 / Oberösterreich

Appesbach
Au 99
1 Jan - 31 Dez
+43 (0)6138-2206
camping@appesbach.at

1 ADEJMNOPQRST	LNQRSTXYZ	6
2 DFGJOPVWX	ABDEFGH	7
3 ABEGHKLMS	ABCDEFJNQRS	8
4 AEFHIJOP	DIMOPRTVW	9
5 ACEFGHIJKL	ABHJLMNPRV	10
WB 10A		❶ €29,60
H535 2,2 ha 100T(80-110m²) 72D		❷ €37,40

N 47°43'56'' E 13°27'49''

Straße von Strobl nach St. Wolfgang (600m vor St. Wolfgang).

Steyr, A-4400 / Oberösterreich

Forelle-Steyr (Munichholz)
Kematmullerstr. 1a
1 Apr - 31 Okt
+43 (0)6764-729445
forellesteyr@gmx.at

1 AJMNOPRT	JSUXY	6
2 CGOP	ABF	7
3 BIMP	ABEFN	8
4 I	QRV	9
5 ABF	AHJOR	10
16A		❶ €22,30
H320 0,5 ha 60T(100m²)		❷ €27,10

N 48°3'34'' E 14°25'57''

An der B122 Bad Hall-Amstetten ist der CP angezeigt. An der Hagerstraße weiter den Schildern folgen.

St. Wolfgang, A-5360 / Oberösterreich

Berau****
Schwarzenbach 16
1 Jan - 31 Dez
+43 (0)6138-2543
office@berau.at

1 ADJMNOPQRT	LNQSWXZ	6
2 DFGKOPRWXY	BEFGHI	7
3 BKLRU	ABCDEFJKNQRSV	8
4 ABEFHIOPRTUV	GIJPRT	9
5 ACDFGHJKL	AFGHJLNPRV	10
WB 10A CEE		❶ €33,00
H520 2 ha 160T(90m²) 51D		❷ €42,60

N 47°43'50'' E 13°28'42''

Straße von Strobl nach St. Wolfgang, CP an der Straße links, ausgeschildert.

Unterach (Attersee), A-4866 / Oberösterreich

Insel Camping
Unterburgau 37
1 Mai - 15 Sep
+43 (0)7665-8311
camping@inselcamp.at

1 ADEFJMNOPRT	JLNQSWX	6
2 CDFGOPRWXY	ABDEFG	7
3 AMN	ABCDEFNQRS	8
4 AIO		9
5 ABL	AGHIJNPR	10
10A CEE		❶ €21,80
H470 1,8 ha 100T 45D		❷ €28,40

N 47°48'3'' E 13°28'56''

B151 Mondsee-Seewalchen. Bei km 30,6 rechts. Dann den CP-Schildern folgen.

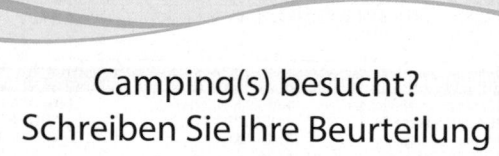

Österreich

Abersee/St. Gilgen, A-5342 / Salzburg

Romantik Camp. Wolfgangsee Lindenstrand****
Schwand 19
1 Apr - 31 Okt
+43 (0)6227-3205-0
camping@lindenstrand.at

1 ADEJMNOPQRST	LNOPQRSTXZ	6
2 DFGJOPRVWXY	ABDEFG	7
3 ABE	ABCDEFIJNQRSTUV	8
4 ABEFHIJLO	V	9
5 ABCFKL	ABDHJPRW	10
B 12A CEE		❶ €25,30
H541 3 ha 150T(80-110m²) 50D		❷ €32,90

N 47°44'23'' E 13°24'8''

B158 von St. Gilgen nach Strobl, Ausfahrt ausgeschildert. In Schwand links 4 km nach St. Gilgen.

Abersee/St. Gilgen, A-5342 / Salzburg

Birkenstrand Wolfgangsee****
Schwand 4
1 Apr - 31 Okt
+43 (0)6227-3029
camp@birkenstrand.at

1 AILNOPQRST	LNOPQRSTWXZ	6
2 DFGOPRVWXY	ABCDEFGHIK	7
3 ABL	ABCDEFJNQRSTUV	8
4 FHIOST	HIV	9
5 AKL	ABDGHJPTUV	10
12A CEE		❶ €23,60
H540 1,8 ha 110T(80-100m²) 40D		❷ €29,20

N 47°44'21'' E 13°24'4''

B158 St. Gilgen-Strobl, 4 km hinter St. Gilgen in Schwand Ausfahrt links, Schildern folgen.

Abersee/St. Gilgen, A-5342 / Salzburg

Seecamping Primus
Schwand 39
25 Apr - 30 Sep
+43 (0)6227-3228
Seecamping.primus@aon.at

1 AJMNOPQRST	LNQSWXYZ	6
2 DFGKOPRVWXY	ABDEFG	7
3 AB	ABCDEFNQRTUV	8
4 EFH	GI	9
5 A	ABDJNOPR	10
10A		❶ €25,55
H540 2 ha 75T 64D		❷ €31,35

N 47°44'27'' E 13°24'21''

B158 von St. Gilgen nach Strobl. Ausfahrt ist beschildert. Schwand, 4 km hinter St. Gilgen. Aufpassen: Vorletzter CP!

Abersee/St. Gilgen, A-5342 / Salzburg (CC€16) iD

Seecamping Wolfgangblick	1 ADJMNOPQRST	LNQSWXZ	6
Seestraße 115	2 DFGJKOPRVWXY	BEFG	7
18 Apr - 30 Sep	3 ABIKLM	ABDEFNQRS	8
+43 (0)6227-3475	4 EFHIO	JMPTV	9
camping@wolfgangblick.at	5 ACDEFGIJKL	ABFGHJLOPR	10
	12A		① €23,70
N 47°44'14'' E 13°25'58''	H550 2,2 ha 80T(70-95m²) 48D		② €29,90

B158 von St. Gilgen nach Strobl, bei Km-Pfahl 34 Ausfahrt Abersee nehmen. Ausgeschildert.

Abersee/Strobl, A-5342 / Salzburg (CC€16) iD

Schönblick	1 ADEJLNOPQRST	LNOPQSWX	6
Gschwendt 33	2 DFGJKPRUVWXY	ABDEFGH	7
1 Mai - 15 Okt	3 ABKL	ABEFNQRS	8
+43 (0)6137-7042	4 AFH	GIK	9
laimer.schoenblick@aon.at	5 ABL	ABHJNPR	10
	10A		① €24,40
N 47°43'30'' E 13°26'14''	H540 1,6 ha 36T 56D		② €31,40

B158 von St. Gilgen nach Strobl, 8 km nach St. Gilgen Ausfahrt zur Gschwendt/Schiffstation bei Km-Pfahl 35,8. Ausgeschildert.

Abtenau, A-5441 / Salzburg iD

Panorama-Oberwötzlhof-Camp*****	1 AJMNOPQRST	ANUVX	6
	2 FGOPVWXY	ABDEFGH	7
Erlfeld 37	3 ABL	ABCDEFJLMNQRSTUV	8
1 Jan - 31 Dez	4 AEFHOSTZ	G	9
+43 (0)6243-2698	5 ABDGKL	ABEJLMNPRV	10
oberwoetzlhof@sbg.at	W 10A		① €31,40
N 47°35'10'' E 13°19'29''	H686 2 ha 50T(80-100m²) 25D		② €39,40

Von Salzburg Ausfahrt Golling-Abtenau (2,5 km vor Abtenau). Aus Villach hinter dem Tauerntunnel Ausfahrt Eben.

Altenmarkt im Pongau, A-5541 / Salzburg iD

Campingplatz Passrucker	1 AJMNOPRST	AB	6
Götschlau 33	2 ACFGOPRSWXY	ABDEFGH	7
1 Jan - 31 Dez	3 AKLS	ABCDEFJNQRSU	8
+43 (0)664-4526470	4 EFHIORST	GIY	9
camping.passrucker@sbg.at	5 ABKL	ABEFGHJNORV	10
	WB 13A		① €24,50
N 47°22'19'' E 13°25'10''	H850 1,2 ha 50T 36D		② €31,50

A10, Ausfahrt 63 Knoten Ennstal. Dann B99 Richtung Graz bis Ausfahrt Altenmarkt-West. Bis zur Kirche fahren; den CP-Schildern folgen.

Bad Gastein, A-5640 / Salzburg (CC€18) iD

Kur-Camping Erlengrund	1 ADEJMNOPRST	AB	6
Erlengrundstr. 6	2 FGOPRVWX	ABDEFG	7
1 Jan - 31 Dez	3 BKLQS	ABCDEFJLNPQRSTUV	8
+43 (0)6434-30205	4 EFHIOT	ADEIJ	9
office@kurcamping-gastein.at	5 ABL	ABDEGHIJNOPTU	10
	Anzeige auf dieser Seite W 16A		① €33,00
N 47°8'3'' E 13°7'47''	H875 2,4 ha 100T(100-120m²) 39D		② €41,00

A10 Salzburg-Villach, Ausfahrt 47 Bischofshofen, B311 bis Ausfahrt zur B167. Richtung Bad Gastein halten. Nach dem 2. Kreisel nach 2 km links (Erlengrundstraße). Nach ungefähr 1 km re. beim CP-Schild.

Bad Hofgastein, A-5630 / Salzburg iD

Kurcamping Bertahof	1 AJMNOPRST	L	6
Vorderschneeberg 16	2 DFGOPRVWXY	ABDEFGH	7
1 Jan - 31 Dez	3 AK	ABCDEFIJNRSTUV	8
+43 (0)6432-6701	4 EFH		9
camping@bertahof.at	5 AJKL	ABFGHJMPR	10
	W 16A		① €31,00
N 47°8'38'' E 13°7'11''	H857 2,7 ha 50T(100m²) 80D		② €40,00

A10 Salzburg-Villach, Ausfahrt 46 Bischofshofen. B311 folgen bis Ausfahrt zur B167, nach Bad Gastein, CP 1 km vor Bad Gastein rechts der Straße.

Bruck, A-5671 / Salzburg (CC€18)

Sportcamp Woferlgut****	1 EJMNOPQRST	ABFGLX	6
Krössenbach 40	2 ADFGIOPVWXY	ABDEFGH	7
1 Jan - 31 Dez	3 BCDEFGHIKLMNQSUV	ABCDEFJKLMNQRSTUV	8
+43 (0)6545-73030	4 ABCDEFHIJKLOPQRSTVXY	ADEFGILPQRUVWY	9
info@sportcamp.at	5 ACDEFGJKL	ABDEGHJNPRVWX	10
	Anzeige auf dieser Seite WB 16A CEE		① €37,30
N 47°17'1'' E 12°49'0''	H757 6,5 ha 270T(100-180m²) 86D		② €50,90

Von Zell am See Richtung Bruck. Am Kreisel geradeaus, dann die Ausfahrt Großglockner und den Schildern Bruck und CP folgen. Keine Vignette.

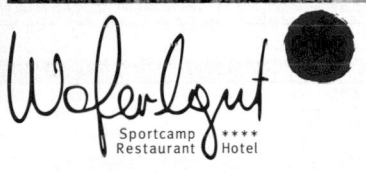

Eben im Pongau, A-5531 / Salzburg

See-Camping-Eben | 1 AILNOPQRST HLM 6
Badeseestraße 54 | 2 ADFGOPQRSVWX ABDEFGHK 7
1 Jan - 31 Dez | 3 BEKLS ABCDEFJNRTU 8
+43 (0)6458-8231 | 4 AEFHIOSTV IKVW 9
info@seecamping-schneider.at | 5 A ABGJNPRV 10
W 16A | ① €25,00
N 47°23'57'' E 13°23'45'' | H855 0,8 ha 25T 26D | ② €35,00

A10 Salzburg-Villach, Ausfahrt 60 Eben.

Hallein, A-5400 / Salzburg

Auwirt | 1 ADEILNOPQRST 6
Salzburgerstraße 42 | 2 ACOPWXY ABDEFGH 7
3/4 - 10/10, 1/12 - 2/1 | 3 BK BDEFJNQRSV 8
+43 (0)6245-80417 | 4 FHIO GIKV 9
info@auwirt.com | 5 ABFGJKL AEHMNPR 10
B 10A | ① €25,00
N 47°42'16'' E 13°4'7'' | H400 0,5 ha 50T(50-100m²) 19D | ② €34,00

Autobahn München-Salzburg, Ausfahrt Salzburg-Süd Richtung Anif, dann B159 Richtung Hallein, 3 km vor Hallein links CP Auwirt.

Kaprun, A-5710 / Salzburg

zur Mühle | 1 ADEJMNOPQRST ABFGH 6
Umfahrungsstr. 5 | 2 CGOPSVXY ABDEFI 7
1 Jan - 31 Dez | 3 AKLV ABCDEFJNQRTUV 8
+43 (0)6547-8254 | 4 FHIOPST GL 9
office@muehle-kaprun.at | 5 ABGIJKL ABFGHJNPR 10
W 16A | ① €28,50
N 47°15'51'' E 12°44'44'' | H731 1,5 ha 75T 65D | ② €37,50

Von Zell am See B138 Richtung Mittersill. Bei Furth links nach Kaprun, diese Straße folgen, nach Tunnel noch ca. 1 km, CP links, ausgeschildert.

Maishofen, A-5751 / Salzburg

CC€14

Neunbrunnen am Waldsee | 1 ADEJMNOPQRST LN 6
Neunbrunnen 56 | 2 BDFGPSWX ABDEFGH 7
1 Jan - 31 Dez | 3 BIKL ABCDEFJNQRV 8
+43 (0)6542-68548 | 4 P GI 9
camping@neunbrunnen.at | 5 AEFGJKL ABGHJMPR 10
Anzeige auf Seite 411 WB 16A CEE | ① €22,20
N 47°22'40'' E 12°47'43'' | H786 3 ha 100T(70-100m²) 68D | ② €29,20

Von Zell am See die B311 Richtung Saalfelden. 0,5 km hinter Maishofen vor dem Tunnel rechts. Den Schildern folgen.

Mauterndorf, A-5570 / Salzburg

Camping Mauterndorf**** | 1 ADEJMNOPQRST AB 6
Hammer 145 | 2 ACFGOPRSUVWXY ABCFG 7
1 Jan - 31 Dez | 3 ABKS ABCDEFJKLNQRSTUV 8
+43 (0)6472-72023 | 4 BFGHIORTVX EGIJUVW 9
info@camping-mauterndorf.at | 5 ABEFGJKL ABEGHKNPR 10
WB 16A CEE | ① €31,20
N 47°8'35'' E 13°39'53'' | H1160 2,5 ha 163T(65-100m²) 32D | ② €42,20

A10, Ausfahrt St. Michael im Lungau, Richtung Mauterndorf. B99 Erlebnisberg Großeck-Speiereck. CP liegt an der B99 nach 1,5 km auf der linken Seite.

Obertrum, A-5162 / Salzburg

Obertrum am See | 1 ADFJMNOPQRT LNQSX 6
Seestraße 16 | 2 DFGOPTVX ABDEFG 7
1 Mai - 30 Sep | 3 BL ABEFNQR 8
+43 (0)6219-6442 | 4 FHI GIKMOPT 9
camping-obertrum@gmx.at | 5 ABDEFIL ABGHJPR 10
12A | ① €28,50
N 47°56'33'' E 13°4'9'' | H480 1 ha 50T(70-90m²) 38D | ② €35,50

L102 von Obertrum Richtung Seeham. CP 1 km außerhalb des Ortskerns an der Straße.

Pfarrwerfen, A-5452 / Salzburg

Vierthaler | 1 ADEILNOPQRST NU 6
Reitsam 8 | 2 ACFGOPWXY ABDEFG 7
15 Apr - 30 Sep | 3 ABEL ABEFGNQRSV 8
+43 (0)6468-5657 | 4 EFHI JK 9
vierthaler@camping-vierthaler.at | 5 ABFKL AGHJLORV 10
10A | ① €18,50
N 47°26'35'' E 13°12'36'' | H550 1,5 ha 50T 3D | ② €23,50

Von Norden: A10 Salzburg-Villach, Ausfahrt 43 Werfen, links Ri. Bischofshofen B159, Ausfahrt 41,6 links abbiegen. Von Süden: A10 Villach-Salzburg, Ausfahrt 44 Pfarrwerfen, links Ri. Bischofshofen B159, Ausfahrt 41,6 links abbiegen.

Radstadt, A-5550 / Salzburg

Forellencamp | 1 AJMNOPRST 6
Gaismairallee 51 | 2 AFPQWX ABFG 7
1 Jan - 31 Dez | 3 AK ABEFJNQRS 8
+43 (0)6452-7861 | 4 FHIO 9
info@forellencamp.com | 5 ABJL AHJNR 10
W 16A | ① €21,50
N 47°22'59'' E 13°26'55'' | H856 1 ha 20T(100m²) 90D | ② €27,10

A10, Ausfahrt 63 Richtung Radstadt B99 und kurz vor Radstadt Schildern folgen.

Detailkarte

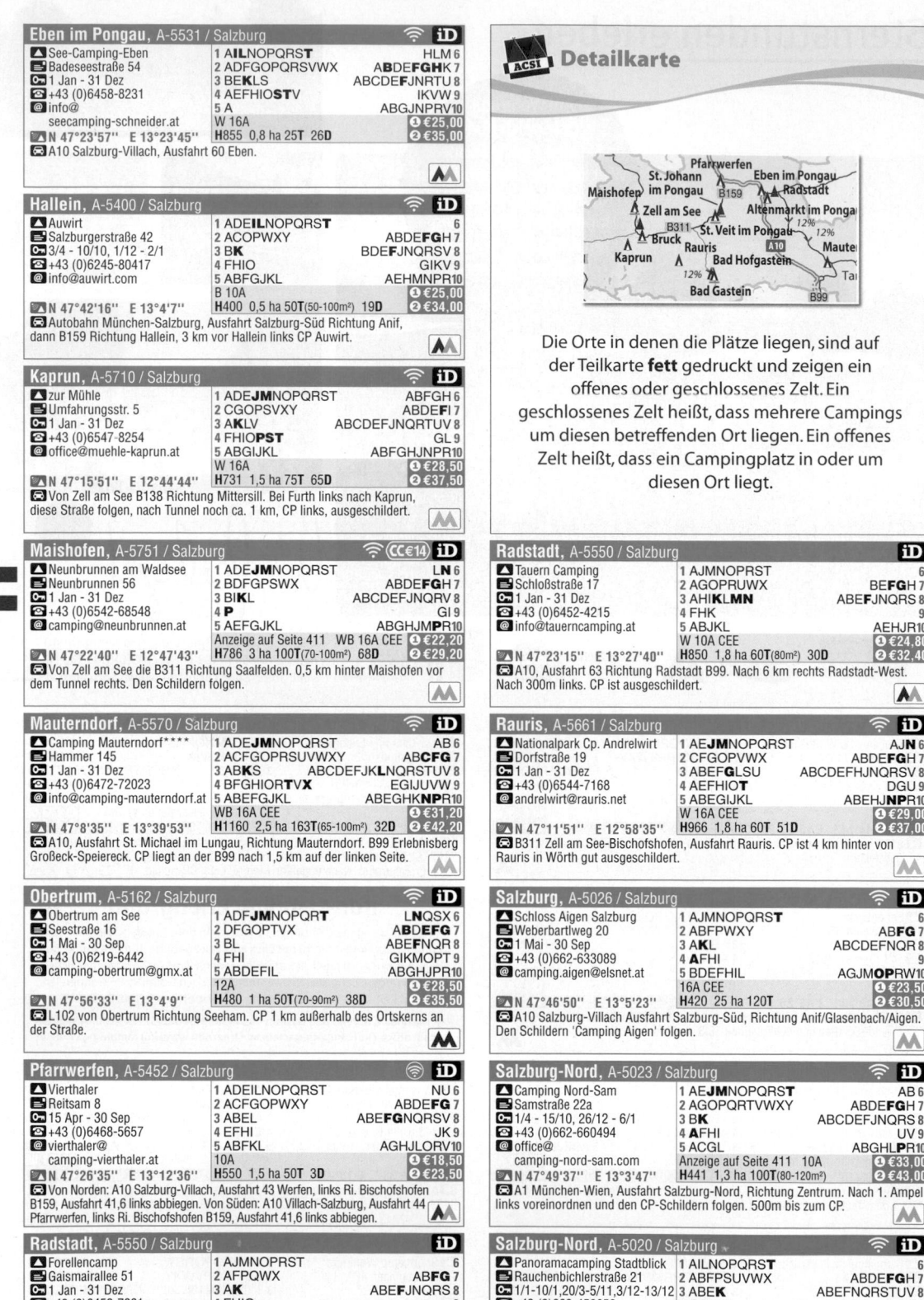

Die Orte in denen die Plätze liegen, sind auf der Teilkarte **fett** gedruckt und zeigen ein offenes oder geschlossenes Zelt. Ein geschlossenes Zelt heißt, dass mehrere Campings um diesen betreffenden Ort liegen. Ein offenes Zelt heißt, dass ein Campingplatz in oder um diesen Ort liegt.

Radstadt, A-5550 / Salzburg

Tauern Camping | 1 AJMNOPRST 6
Schloßstraße 17 | 2 AGOPRUWX BEFGH 7
1 Jan - 31 Dez | 3 AHIKLMN ABEFJNQRS 8
+43 (0)6452-4215 | 4 FHK 9
info@tauerncamping.at | 5 ABJKL AEHJR 10
W 10A CEE | ① €24,80
N 47°23'15'' E 13°27'40'' | H850 1,8 ha 60T(80m²) 30D | ② €32,40

A10, Ausfahrt 63 Richtung Radstadt B99. Nach 6 km rechts Radstadt-West. Nach 300m links. CP ist ausgeschildert.

Rauris, A-5661 / Salzburg

Nationalpark Cp. Andrelwirt | 1 AEJMNOPQRST AJN 6
Dorfstraße 19 | 2 CFGOPVWX ABDEFGH 7
1 Jan - 31 Dez | 3 ABEFGLSU ABCDEFHJNQRSV 8
+43 (0)6544-7168 | 4 AEFHIOT DGU 9
andrelwirt@rauris.net | 5 ABEGIJKL ABEHJNPR 10
W 16A CEE | ① €29,00
N 47°11'51'' E 12°58'35'' | H966 1,8 ha 60T 51D | ② €37,00

B311 Zell am See-Bischofshofen, Ausfahrt Rauris. CP ist 4 km hinter von Rauris in Wörth gut ausgeschildert.

Salzburg, A-5026 / Salzburg

Schloss Aigen Salzburg | 1 AJMNOPQRST 6
Weberbartlweg 20 | 2 ABFPWXY ABFG 7
1 Mai - 30 Sep | 3 AKL ABCDEFNQR 8
+43 (0)662-633089 | 4 AFHI 9
camping.aigen@elsnet.at | 5 BDEFHIL AGJMOPRW 10
16A CEE | ① €23,50
N 47°46'50'' E 13°5'23'' | H420 25 ha 120T | ② €30,50

A10 Salzburg-Villach Ausfahrt Salzburg-Süd, Richtung Anif/Glasenbach/Aigen. Den Schildern 'Camping Aigen' folgen.

Salzburg-Nord, A-5023 / Salzburg

Camping Nord-Sam | 1 AEJMNOPQRST AB 6
Samstraße 22a | 2 AGOPQRTVWXY ABDEFGH 7
1/4 - 15/10, 26/12 - 6/1 | 3 BK ABCDEFJNQRS 8
+43 (0)662-660494 | 4 AFHI UV 9
office@camping-nord-sam.com | 5 ACGL ABGHLPR 10
Anzeige auf Seite 411 10A | ① €33,00
N 47°49'37'' E 13°3'47'' | H441 1,3 ha 100T(80-120m²) | ② €43,00

A1 München-Wien, Ausfahrt Salzburg-Nord, Richtung Zentrum. Nach 1. Ampel links voreinordnen und den CP-Schildern folgen. 500m bis zum CP.

Salzburg-Nord, A-5020 / Salzburg

Panoramacamping Stadtblick | 1 AILNOPQRST 6
Rauchenbichlerstraße 21 | 2 ABFPSUVWX ABDEFGH 7
1/1-10/1,20/3-5/11,3/12-13/12 | 3 ABEK ABEFNQRSTUV 8
+43 (0)662-450652 | 4 AFHIO GI 9
info@panorama-camping.at | 5 ABDIJKL ABFGHKNPR 10
B 6A | ① €34,00
N 47°49'44'' E 13°3'7'' | H480 0,8 ha 70T(40-70m²) 18D | ② €44,00

A1 Salzburg-Wien Ausfahrt Salzburg-Nord. Gleich rechts. Den Schildern 'CP Stadtblick' folgen (an erster Ampel nach Ausfahrt rechts).

Teilkarte Salzburg auf Seite 408

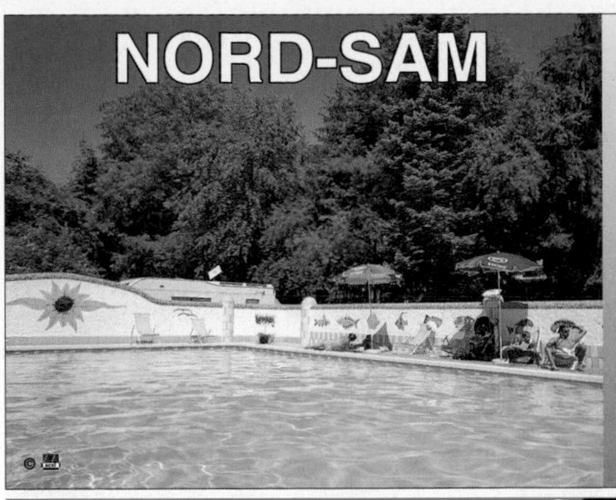

Bester Standort für Stadtbesichtigungen. Ein Platz, der für Qualität und Behaglichkeit steht. Einzigartige parzellierte Parkanlage. Bushaltestelle am Platz. Schöner Radweg vom Platz direkt zur Ortsmitte. Radverleih. Schwimmbad, Warmwasser und Duschen gratis. Reisemobilstation. Reservierung auf der Homepage des Campings möglich.

Ermäßigungen in der Vor- und Nachsaison.
Vom 6-7 bis 27-8-2015: 15% Hochsaisonzuschlag.

25% Rabatt auf Vorzeigen der ACSI Club ID
vom 07-04/22-05 & 14-09/15-10-2015
10% Ermäßigung auf Vorzeigen der ACSI Club ID
vom 23-05/03-07 & 24-08/13-09-2015

Öffnungszeiten zu Weihnachten siehe Internet.

Samstraße 22a, 5023 Salzburg-Nord • Tel. und Fax 0662-660494
Internet: www.camping-nord-sam.com

Seekirchen, A-5201 / Salzburg

Strandcamping Seekirchen
Seestraße 2
1 Apr - 31 Okt
+43 (0)6212-4088
info@camping-seekirchen.at
N 47°54'11" E 13°8'30"

1 ADEJMNOPQRST HLMNQRSTX 6
2 DFGHJOPRVWX ABDEFG 7
3 BEFKLT ABCDEFJNQRSV 8
4 AEFHIP MOPQRTUV 9
5 ABDEHIKL ABGHJORW 10
B 16A ① €22,00
H510 1,5 ha 90T(25-100m²) 40D ② €26,00

Straße von Seekirchen nach Neumarkt, Ausfahrt Zell am Wallersee, nach 2 km Richtung Schloss Seeburg, den CP-Schildern folgen.

St. Veit im Pongau, A-5621 / Salzburg

Sonnenterrassencamping St. Veit im Pongau****
Bichlwirt 12
1 Jan - 31 Dez
+43 (0)6415-57333
office@sonnenterrassen-camping-stveit.at
N 47°19'30" E 13°10'2"

1 ACJMNOPRST 6
2 FOPRSUVWX ABEFGH 7
3 ABKI ABCDEFJKNQRSTUV 8
4 AEFHIKOP D 9
5 ABDEKL ABDEGHKLMPRW 10
W 16A CEE ① €24,50
H630 2 ha 64T(80-100m²) 41D ② €32,50

A10, Ausfahrt 46 Bischofshofen. Dann die B311 Richtung Zell am See über St. Johann im Pongau bis zur Ausfahrt St. Veit. CP nach 500m rechts von der Strecke.

St. Johann im Pongau, A-5600 / Salzburg

Kastenhof
Kastenhofweg 6
1 Jan - 31 Dez
+43 (0)6412-5490
info@kastenhof.at
N 47°20'29" E 13°11'53"

1 AEJMNOPRST N 6
2 CFGOPRVWXY ABDEFGH 7
3 ABHKLQS ABEFJNQRS 8
4 FHIORSTV GI 9
5 ABKL ABEFGHIJLNORV 10
WB 15A CEE ① €28,00
H600 2 ha 40T(80m²) 81D ② €35,00

A10, Ausfahrt 46 Bischofshofen, Richtung Zell am See B311 bis Ausfahrt St. Johann im Pongau/Grossarl/Hüttschlag. Unter Bahnunterführung hindurch, über die Brücke, erste Straße links, nach 150m Eingang.

Wald im Pinzgau, A-5742 / Salzburg

SNP Camping GmbH***
Lahn 65
1/1 - 31/10, 1/12 - 31/12
+43 (0)6565-84460
info@snp-camping.at
N 47°14'35" E 12°12'41"

1 ADEJMNOPRST 6
2 FOPVWXY ABDEFG 7
3 BL ABCDEFJNQR 8
4 AEFHIOP 9
5 ADEGIKL ABGHJNPRWX 10
W 6A CEE ① €24,60
H900 0,7 ha 35T(80-120m²) 15D ② €33,00

Mautfrei! Ausfahrt Kufstein-Süd Ri. Mittersill. Die B165 Ri. Gerlos. Nach dem Tunnel in Wald im Pinzgau liegt der CP rechts. Vom Zillertal Ri. Gerlos und Krimmler Wasserfall. CP links nach ca. 5 km.

St. Johann im Pongau, A-5600 / Salzburg

Wieshof
Wieshofgasse 8
1 Jan - 31 Dez
+43 (0)6412-8519
info@camping-wieshof.at
N 47°20'45" E 13°11'32"

1 AJMNOPRST 6
2 AFTUVWX ABDEFGIJ 7
3 AK ABCDEFJNQR 8
4 FHI I 9
5 AB ABGHIKNPR 10
W 16A CEE ① €21,00
H600 1,5 ha 70T(70-100m²) 55D ② €27,00

Über A10 Salzburg-Villach, Ausfahrt 47, B311 Richtung Zell am See bis St. Johann im Pongau. CP-Schild rechts der Straße.

Zell am See, A-5700 / Salzburg

Panorama Camp Zell am See
Seeuferstraße 196
1 Jan - 31 Dez
+43 (0)6542-56228
info@panoramacamp.at
N 47°18'7" E 12°48'57"

1 AFJMNOPQRST NQU 6
2 FGIPRXY ABDEFGHIJ 7
3 BHKLV ABCDEJNQRSTUV 8
4 EFGHIO IUV 9
5 ABFKL ABEGHJMOPRV 10
W 16A CEE ① €32,30
H756 1 ha 50T(70-90m²) 18D ② €42,90

Von Lofer Richtung Zell am See. Nicht in den Tunnel hineinfahren! Ausfahrt Thumersbach. CP nach 4 km rechts.

St. Martin bei Lofer, A-5092 / Salzburg

Park Grubhof
St. Martin 39
24/4 - 1/11, 4/12 - 11/4
+43 (0)6588-8237
home@grubhof.com
N 47°34'27" E 12°42'21"

1 AEJMNOPQRST JNUVX 6
2 CFGOPSVWXY ABDEFGH 7
3 BEKLS ABCDEFJLNQRSTUV 8
4 ABEFGHIPRSTVXYZ FIJQRUV 9
5 ACDEFGIJKL ABDFGHIJLNPRW 10
WB 10A CEE ① €36,20
H650 10 ha 190T(bis 180m²) 42D ② €47,20

Von der B312 in Lofer Ausfahrt Richtung Zell am See B311, nach 1 km links, CP ausgeschildert.

Zell am See, A-5700 / Salzburg

Seecamp Zell am See
Thumersbacherstraße 34
1 Jan - 31 Dez
+43 (0)6542-721150
zell@seecamp.at
N 47°20'23" E 12°48'32"

1 ADEJMNOPQRST LMNOQRSTUVWX 6
2 DFGIJKOPRVWXY ABDEFGHIJ 7
3 BEFHKLU ABCDEFJKNQRSTUV 8
4 ACEHIOP FLQRTU 9
5 ACEFGIJKL ABEGHIJMNPRW 10
WB 16A CEE ① €38,40
H752 3 ha 160T(75-95m²) 21D ② €50,60

Aus Richtung Saalfelden oder Zell am See Ausfahrt Thumersbach nehmen, den Schildern folgen. Nicht in den Tunnel fahren!

Neunbrunnen am Waldsee

Willkommen auf diesem Camping. Ein Ort wo Zufriedenheit, Entspannung und Lebensfreude zusammentreffen. Dieser idyllische Platz liegt am Waldrand und einem kleinen See mit Quellwasser (kalt) inmitten schöner Weiden. Genießen Sie den herrlichen Blick über die Berge des Steinernen Meeres, wo Sie zahllose Ausflüge machen können und viele Sehenswürdigkeiten sind. Ideal für Sportliebhaber: von Segeln oder Windsurfen bis Mountainbike und Gletscherski. Dieser Camping ist besonders familienfreundlich, ideal für jedermann.

Neunbrunnen 56, 5751 Maishofen • Tel. 06542-68548 • Fax 06542-685488
E-Mail: camping@neunbrunnen.at
Internet: www.camping-neunbrunnen.at

Österreich

Afritz am See, A-9542 / Kärnten

Altseewirth
Seestraße 30
1 Mai - 30 Sep
+43 (0)4247-2130
altseewirth@gmx.at

1 AHKNOPQRT	LNOQSX	6
2 DFGOPUW	ABDFG	7
3 ALS	AEFNQR	8
4 FH	IK	9
5 A	ABJR	10
10A	❶ €22,60	
H750 1 ha 30T 1D	❷ €30,60	

N 46°44'18'' E 13°46'4''

A10 Salzburg-Villach, Ausfahrt Spittal/Millstätter See, B98 Richtung Radentheim, rechts B98 bis Schilder bei Afritzer See, dann rechts hinter CP Bodner.

Afritz am See, A-9542 / Kärnten

Bodner
Seestraße 27
1 Mai - 30 Sep
+43 (0)4247-2579
office@camping-bodner.at

1 ABJMNOPQRT	LNOQRSX	6
2 DFGOPRWX	ABDEF	7
3 ALM	ACDEFNQRS	8
4 FH	P	9
5 ABDEKL	ABJMR	10
6A	❶ €21,10	
H700 1,2 ha 80T 9D	❷ €27,10	

N 46°44'13'' E 13°46'7''

A10 Salzburg-Villach, Ausfahrt Spittal/Millstätter See, B98 Richtung Radenthein, dort rechts der B98 folgen, dann den CP-Schildern bei Afritzer See folgen.

Afritz am See, A-9542 / Kärnten

Fischerhof Glinzner
Seestraße 28
1 Jan - 31 Dez
+43 (0)4247-2133
info@glinzer.at

1 ACJMNOPQRST	LNOQRSTXZ	6
2 DFGHOPRUWX	ABDEFG	7
3 AEGHLMS	ABCDEFJNQRSV	8
4 AEFHIOPQT	GIJKMOPRTUVY	9
5 ABDEJKL	ABFGHIJLMNOR	10
W 12A	❶ €27,00	
H750 1,5 ha 55T(80-100m²) 36D	❷ €39,00	

N 46°44'14'' E 13°46'13''

A10 Salzburg-Villach, Ausfahrt Spittal/Millstätter See, B98 Richtung Radenthein, dort rechts der B98 folgen, den CP-Schildern beim Afritzer See folgen.

Annenheim, A-9520 / Kärnten

Camping Bad Ossiacher See
Seeuferstraße 109
1/1 - 22/2, 28/3 - 26/10
+43 (0)4248-2757
office@camping-ossiachersee.at

1 ADEHKNOPQRST	LMNOPQRSTW	6
2 ADFGHOPRWXY	ABDEFG	7
3 AEFGHILMNR	ABCDEFGJKNQRSV	8
4 BDEFHT	DKMOSTUV	9
5 ACDEFHIJKL	ABDGHIJNOPRZ	10
WB 16A	❶ €33,30	
H500 5,5 ha 290T(70-100m²) 3D	❷ €43,30	

N 46°39'22'' E 13°53'30''

A10 Salzburg-Villach, Ausfahrt Villach/Ossiacher See. Dann B94 Richtung Feldkirchen. In Annenheim rechts zum Ossiacher See-Südufer. CP nach 200m links.

Berg im Drautal, A-9771 / Kärnten

Berggruss
Nr. 49
1 Mai - 31 Okt
+43 (0)4712-615
camping.berggruss@aon.at

1 AJMNOPRST	AU	6
2 BCFGOPWXY	ABDEF	7
3 BFKL	ABEFNQR	8
4 FHI		9
5 ABDFGL	ABIJMNOPRV	10
10A	❶ €23,50	
H650 1,2 ha 50T(100m²)	❷ €30,50	

N 46°44'26'' E 13°7'56''

A10 Salzburg-Villach, Ausfahrt 139 Spittal/Millstätter See, B100 Richtung Lienz. CP Berggruss befindet sich an der B100 in Berg im Drautal, links der Straße.

Dellach im Drautal, A-9772 / Kärnten

Camping Am Waldbad
Rassnig 8
1 Mai - 1 Okt
+43 (0)4714-288
info@camping-waldbad.at

1 ADEJMNOPQRST	ABFGHIJNUX	6
2 CGOPRVWXY	ABDEFG	7
3 ABEFKLQU	ABCDEFGIKNPQRSV	8
4 BCDEFHIOP	AEUVW	9
5 ABDEGIJKL	ABGHIJMNPRWXZ	10
B 10A	❶ €27,50	
H618 3 ha 195T(60-110m²) 44D	❷ €40,50	

N 46°43'54'' E 13°4'41''

Aus Lienz über die B100 nach Dellach im Drautal, im Ort in der Kurve rechts. CP gut ausgeschildert. Keine Vignette!

Teilkarte Kärnten auf Seite 412 und 413

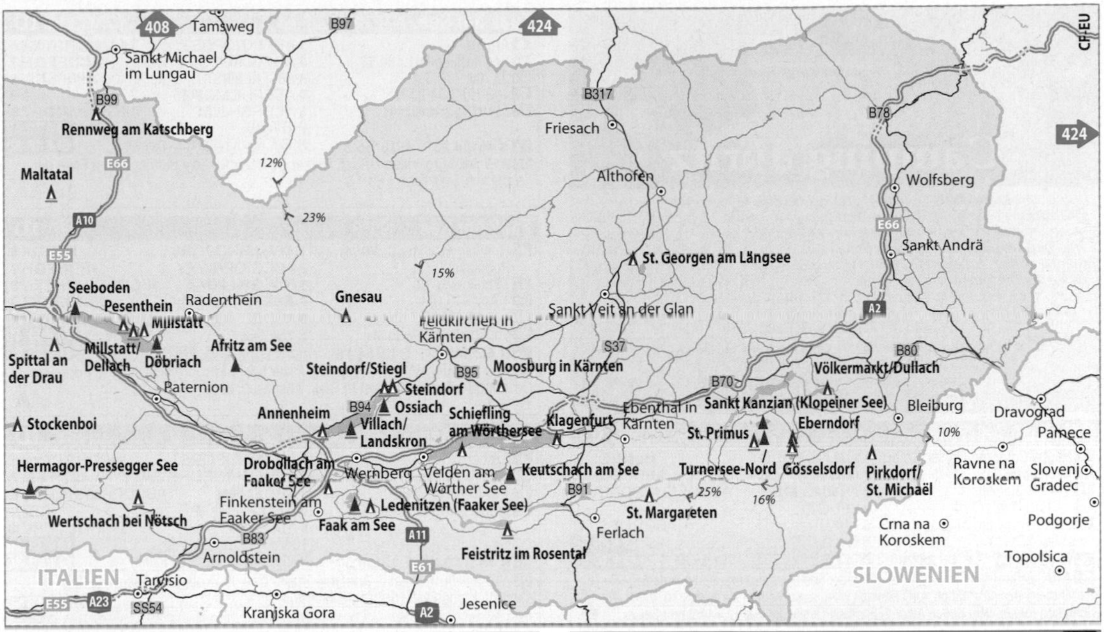

Tamsweg
408
B97
424
CH/EU
Sankt Michael im Lungau
B99
B317
B78
Rennweg am Katschberg
Friesach
424
Maltatal
E66
12%
Althofen
Wolfsberg
A10
23%
E66
E55
Sankt Andrä
St. Georgen am Längsee
15%
Seeboden
Pesenthein
Radenthein
Gnesau
Millstatt
Sankt Veit an der Glan
Feldkirchen in Kärnten
A2
Millstatt/Dellach
Spittal an der Drau
Döbriach
Afritz am See
S37
B80
Steindorf/Stiegl
B95
Moosburg in Kärnten
Völkermarkt/Dullach
Paternion
Steindorf
B70
Stockenboi
Annenheim
B94
Ossiach
Schiefling am Wörthersee
Ebenthal in Kärnten
Sankt Kanzian (Klopeiner See)
Bleiburg
Dravograd
Villach/Landskron
Klagenfurt
St. Primus
Eberndorf
10%
Pamece
Hermagor-Pressegger See
Drobollach am Faaker See
Wernberg
Velden am Wörther See
Keutschach am See
Turnersee-Nord
Gösselsdorf
Pirkdorf/St. Michael
Ravne na Koroskem
Slovenj Gradec
B91
25%
16%
Wertschach bei Nötsch
Finkenstein am Faaker See
Ledenitzen (Faaker See)
St. Margareten
Faak am See
Crna na Koroskem
Podgorje
B83
A11
Ferlach
Arnoldstein
Feistritz im Rosental
E61
Topolsica
ITALIEN
Tarvisio
SLOWENIEN
E55
A23
SS54
Kranjska Gora
A2
Jesenice

Döbriach, A-9873 / Kärnten

CC€16 iD

Brunner am See
Glanzerstraße 108
1 Jan - 31 Dez
+43 (0)4246-7189
office@camping-brunner.at

1 ACDE**JM**NOPQRST	L**N**OPQRSTUW	6
2 CDFGHIOPQRSVWX	AB**C**DE**FG**H	7
3 BCEF**IK**L**MNSU**	ABCDEFGIJK**L**NPQRSTUV	8
4 **A**BCEFGHILOT	IJVW	9
5 ACEFGIJKL	ABDGHIKLM**NP**STVZ	10
Anzeige auf dieser Seite	WB 6A CEE	① €45,00
H580 3,5 ha 215**T**(60-107m²) 12**D**		② €53,50

N 46°46'4'' E 13°38'53''

A10 Salzburg-Villach, Ausf. 139 Millstätter See (Ausf. links!). Ampel links, B98 Richtung Radenthein. Nach 12 km rechts Ri. Döbriach-See. Nach ca 1,5 km beim ADEG-Markt rechts. Von S: Ausf. 178 Villach-Ossiacher See Ri. Millstätter See.

Döbriach, A-9873 / Kärnten

iD

Burgstaller Komfort Cp Park
Seefeldstraße 16
27 Mär - 1 Nov
+43 (0)4246-7774
info@burgstaller.co.at

1 ACDE**JM**NOPQRST	ABLM**N**OPQRSTWX**Z**	6
2 DFGHPRVWXY	AB**C**DE**FG**HI	7
3 BCEF**G**H**IK**L**MNP**RU	ABCDEFIJK**L**NPQRSTUV	8
4 ABDEFGHILMO**PSTX**	DEILMOPQTUVW	9
5 ACDEFGJKL	ABEFGHIJ**NP**STZ	10
Anz. auf S. 415 + Umschl. B 6A CEE		① €38,50
H580 12 ha 580**T**(65-120m²) 74**D**		② €55,00

N 46°46'12'' E 13°38'53''

A10 Salzburg-Villach, Ausf. 139 Millstätter See (Ausfahrt li.). An der Ampel li. B98 Ri. Radenthein. Nach ca. 12 km re. Ri. Döbriach-See. CP 200m li. hinter der Brücke. Von Süden Ausf. ag 170 Villach-Ossiacher See Ri. Millstätter See (navi abschalten).

Österreich

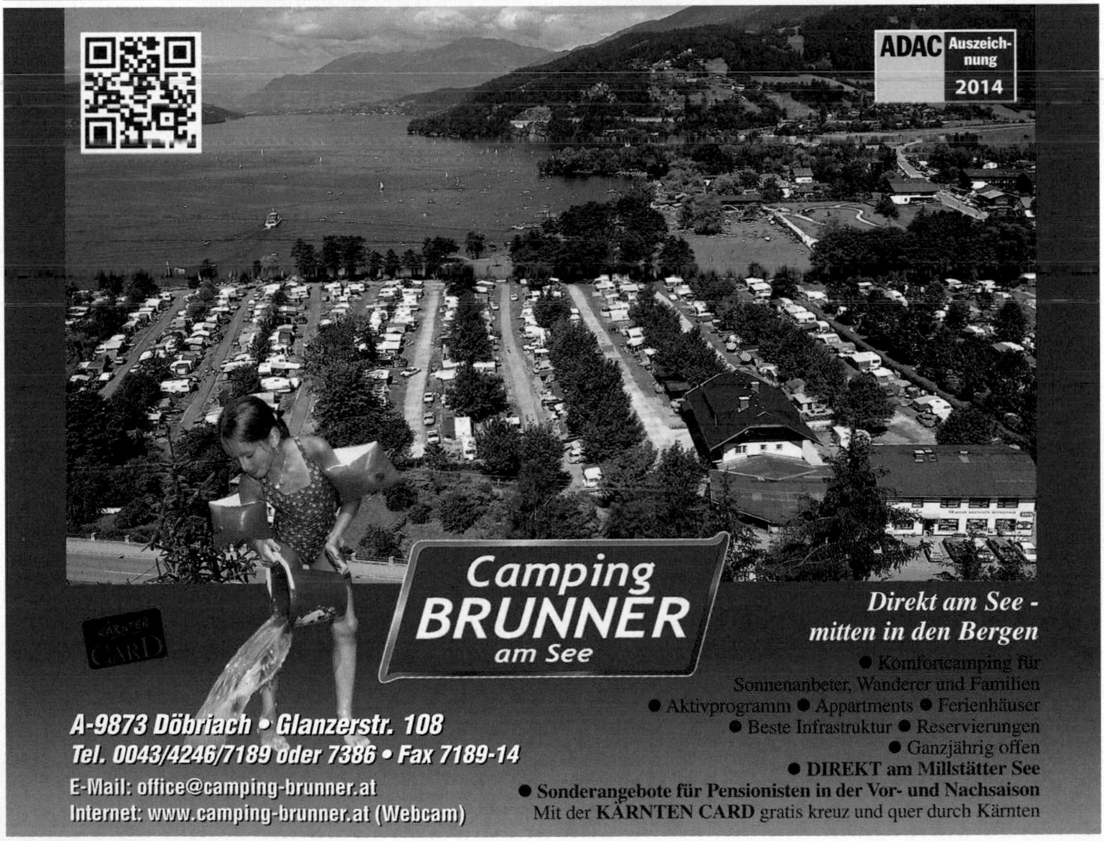

Döbriach, A-9873 / Kärnten

CC€16 iD

Happy Camping Golser GmbH	1 AJLNOPQRST	HLNPQS 6
Mauerweg 4	2 DFGHOPRVWX	ABDEFGH 7
1 Mai - 30 Sep	3 AEGIKLMSU	ABCDEFIJNPQRSV 8
+43 (0)4246-7714	4 EFHOT	DI 9
info@happycamping.at	5 ABKL	ABGHIJPST 10
	B 6A	① €29,00
N 46°46'33" E 13°38'28"	H580 1,5 ha 120T(70-90m²) 3D	② €36,00

A10 Salzburg-Villach, Ausf. 139 Millstätter See (Ausfahrt li!), an der Ampel li, B98 Ri. Radenthein. An Information von Döbriach wenden und 400m zurückfahren, den Schildern folgen. Von Süden Ausf. 178 Villach-Ossiacher See Ri. Millstätter See.

Döbriach, A-9873 / Kärnten

iD

Schwimmbad Camp. Mössler***	1 ADEGJMNOPQRST	ABFGJNOPQRSTUWXZ 6
Glanzerstraße 24	2 CFGPRVWXY	ABCDEFGHI 7
15 Mär - 15 Nov	3 BEFHKLMNRU	ABCDEFJKLNPQRSTUV 8
+43 (0)4246-7735	4 ABDEFGHIKOPTXZ	DEILUV 9
camping@moessler.at	5 ABEJKLM	ABEGHJNPST 10
	B 6A CEE	① €37,70
N 46°46'28" E 13°39'20"	H580 4 ha 192T(70-100m²) 45D	② €51,00

A10 Salzburg-Villach, Ausf. Millstätter See (Ausfahrt li.), an der Ampel li, B98 Ri. Radenthein, nach ca. 12 km rechts Ri. Döbriach-See. Nach 1,5 km li. Von Süden Ausf. 178 Villach-Ossiacher See Ri. Millstätter See.

Döbriach, A-9873 / Kärnten

CC€16 iD

Seecamping Mössler	1 ADEJMNOPQRST	ABFGLMNOPQRSTWXZ 6
Seefeldstraße 1	2 CDFGHIPRVWX	ABCDEFGH 7
15 Mär - 15 Nov	3 ABFGHKLR	ABCDEFJKNPQRSTUV 8
+43 (0)4246-7310	4 ABEFHOP	DUV 9
camping@moessler.at	5 ACEFJKL	ABCDHIJNPST 10
	B 6A	① €39,80
N 46°46'6" E 13°38'56"	H580 1 ha 72T(70-100m²) 12D	② €53,00

A10 Salzburg-Villach. Ausf. 139 Millstätter See (Ausf. links). An der Ampel li. B98 Ri. Radenthein. Nach ca. 12 km re. Ri. Döbriach-See. Nach ca. 1,5 km CP re. Von Süden Ausf. 178 Villach-Ossiachersee Ri. Millstätter See.

Drobollach am Faaker See, A-9580 / Kärnten

iD

Mittewald	1 ADEJMNOPQRST	6
Fuchsbichlweg 9	2 ABOPRSTUWXY	BEFGH 7
1 Apr - 30 Sep	3 AKLQT	BFJNQRSV 8
+43 (0)660-5288887	4 FHO	F 9
camp.mittewald@gmail.com	5 ABDEGIJL	AGHIJMORW 10
	10A	① €26,70
N 46°35'46" E 13°53'27"	H550 1,5 ha 48T 2D	② €34,70

A10/A2 Villach-Italien. Ausfahrt Villach-Faaker See. Links bis zum CP-Bad, dann links ab.

Eberndorf, A-9141 / Kärnten

CC€18 iD

Rutar Lido	1 ADEFJMNOPQRST	ABEFGLMN 6
Lido 1	2 DFGIPVWXY	ABDEFGH 7
1 Jan - 31 Dez	3 AFKLQ	ABCDEFHIJLNPQRTUV 8
+43 (0)4236-2262	4 ABEFGHIJLOPQRTUX	DEFGHIJWZ 9
fkkurlaub@rutarlido.at	5 ACDEJKLM	ADGHIJMNPRVX 10
	FKK W 16A CEE	① €35,80
N 46°35'2" E 14°37'34"	H447 15 ha 319T(70-140m²) 119D	② €49,00

Von Klagenfurt Ausfahrt 298 Grafenstein links, B70 Richtung Graz. Nach 4 km rechts nach Tainach, Eberndorf, Rutar Lido. Von Graz A2, Ausfahrt 278 Völkermarkt-Ost.

Faak am See, A-9583 / Kärnten

iD

Anderwald	1 ADEJMNOPQRST	LNOPQRSX 6
Strand Nord 4	2 ADFGHIKOQRWXY	BEFGH 7
10 Apr - 15 Okt	3 AKL	BDFGJKNQRSV 8
+43 (0)4254-2297	4 ABDEFGHILOPQ	Y 9
office@campinganderwald.at	5 ABEFJL	ABGHIJMNOPRZ 10
	B 16A	① €43,90
N 46°34'24" E 13°56'7"	H590 3,6 ha 220T(80-100m²)	② €48,90

A10 Salzburg-Villach, Ausfahrt Faaker See. CP an der Straße von Faak nach Egg auf der linken Seite.

Faak am See, A-9583 / Kärnten

CC€16 iD

Arneitz	1 AEFIKNOPRST	HLMNQRSTXZ 6
Seeuferlandesstraße 53	2 ADFGJKOPQSVWXY	ABCDEFGH 7
23 Apr - 30 Sep	3 ABCEKLMNST	ABCDEFGIJKNPQRSTUV 8
+43 (0)4254-2137	4 ABEFHILMOPZ	L 9
camping@arneitz.at	5 ACEFGHJLM	AEGHIJMNORZ 10
	B 16A CEE	① €37,40
N 46°34'28" E 13°56'8"	H565 6,5 ha 400T(90-120m²)	② €48,90

A10 Salzburg-Villach, Ausf. Faaker See. Der CP liegt auf der linken Seite der Straße von Faak nach Egg.

Faak am See, A-9583 / Kärnten

iD

Familien-Erlebnis Camping Poglitsch	1 AEFJMNOPQRST	HLNQX 6
Kirchenweg 19	2 ADFGIOPRWXY	ABDEFGH 7
1 Apr - 15 Okt	3 BCEGKLMNQ	ABCDEFJNQRSTU 8
+43 (0)4254-2718	4 ABEFHIJLMOP	DEPQRUVZ 9
poglitsch@net4you.at	5 ACDEFHIJL	ABGHIJLMNPRVX 10
	B 16A CEE	① €34,40
N 46°34'11" E 13°54'25"	H500 7 ha 230T 19D	② €46,40

A10 Salzburg-Villach, Ausfahrt Faaker See. In Drobrollach scharfe Kurve rechts Richtung Faak. Der CP liegt in Faak. Ausgeschildert.

Faak am See, A-9583 / Kärnten

iD

Gruber	1 AEJMNOPQRST	LNPQRSTXYZ 6
1 Mai - 20 Sep	2 ABDFGHIOPQRSVWXY	ABDEFG 7
+43 (0)4254-2298	3 ABCELMN	ABCDEFIJKNQRSV 8
gruber@strandcamping.at	4 ABCDEFHIOP	TZ 9
	5 ABDELM	ABGHIJLMPRV 10
	10A	① €38,10
N 46°34'24" E 13°56'5"	H500 2,6 ha 120T(80-100m²)	② €50,30

A10 Salzburg-Villach, Ausfahrt Faaker See. In Drobollach Richtung Egg, dann Richtung Faak (dritter CP rechts).

Faak am See, A-9583 / Kärnten

iD

Strandcamping Sandbank	1 ACJMNOPQRST	LMNQRSTX 6
Badeweg 3	2 ADFGHIJOPQRVWX	ABDEFG 7
1 Apr - 31 Okt	3 AFKLMN	ABCDEFJNQRTUV 8
+43 (0)664-8586317	4 FHP	DJMPT 9
info@camping-sandbank.at	5 DEIJL	ABGHIJMRW 10
	16A	① €32,70
N 46°34'6" E 13°55'40"	H500 2,5 ha 62T(80-100m²) 14D	② €42,90

A10 Salzburg-Villach, Ausfahrt Faaker See. CP an der Straße von Faak nach Egg, auf der linken Seite.

Feistritz im Rosental, A-9181 / Kärnten

CC€16 iD

Juritz	1 AEGJMNOPQRST	C 6
Campingstraße	2 AFGOPRWX	ABDEFGH 7
15 Apr - 30 Sep	3 AFLST	BFIJNQRS 8
+43 (0)4228-2115	4 BCEFHJL	9
office@camping-juritz.com	5 AEJL	ABDGJMORV 10
	Anzeige auf dieser Seite 16A	① €26,70
N 46°31'31" E 14°9'38"	H500 3 ha 90T	② €37,70

Villach, Karawankentunnel (SLO) Ausfahrt St. Jakob im Rosental. Richtung Feistritz (Schildern folgen und nicht dem GPS/Navi).

Gnesau, A-9563 / Kärnten

iD

Camping Hobitsch	1 ACDEJMNOPQRST	ABFGM 6
Sonnleiten 24	2 CFGOPRWX	ABEFG 7
1 Mai - 30 Sep	3 AFKLMNQV	ABCDEFGIJKNQRSV 8
+43 (0)4278-3683	4 BEFGHIO	DUV 9
office@camping-hobitsch.at	5 ADKL	ABFGHJMNORVWX 10
	16A	① €23,10
N 46°46'46" E 13°57'4"	H950 1 ha 25T(80-150m²) 1D	② €28,50

A10 Salzburg-Villach, Ausfahrt Spittal/Millstatter See Richtung Radenthein/Bad Kleinkircheim/Patergassen/Gnesau. Kurz vor Gnesau CP links.

Gösselsdorf, A-9141 / Kärnten

CC€16 iD

Sonnencamp Gösselsdorfer See	1 AFJMNOPQRST	JLMNQ 6
Seestraße 23	2 CDGOPVWX	ABDEFGHIJ 7
1 Mai - 30 Sep	3 AEFHKLMN	ABCDEFHJNPQRSTUV 8
+43 (0)4236-2168	4 ABDEFHIJLOQX	DET 9
office@goesselsdorfersee.com	5 ABDEFJK	ABDGHIJNOPRV 10
	10A CEE	① €27,30
N 46°34'29" E 14°37'27"	H447 7 ha 230T(80-144m²) 106D	② €36,20

Hinter Völkermarkt die B82, 2 km hinter Eberndorf Richtung Eisenkappel. In Gösselsdorf ausgeschildert.

Greifenburg, A-9761 / Kärnten

iD

Fliegercamp Oberes Drautal	1 AJMNOPRST	L 6
Seeweg 333	2 DFGPRVWX	ABDEFG 7
1 Apr - 15 Okt	3 ABFGKL	ABCDEFNQRS 8
+43 (0)4712-8666	4 FHIO	GIUV 9
info@fliegercamp.at	5 ABDEFJKL	AEGHJLNPRX 10
	B 12A CEE	① €23,70
N 46°44'51" E 13°11'40"	H580 5 ha 140T(80m²) 11D	② €33,30

A10 Salzburg-Villach, Ausfahrt B100 Richtung Lienz, kurz vor Greifenburg Schildern links 'Badesee' und 'Camping' folgen.

Österreich

Teilkarte Kärnten auf Seite 412 und 413

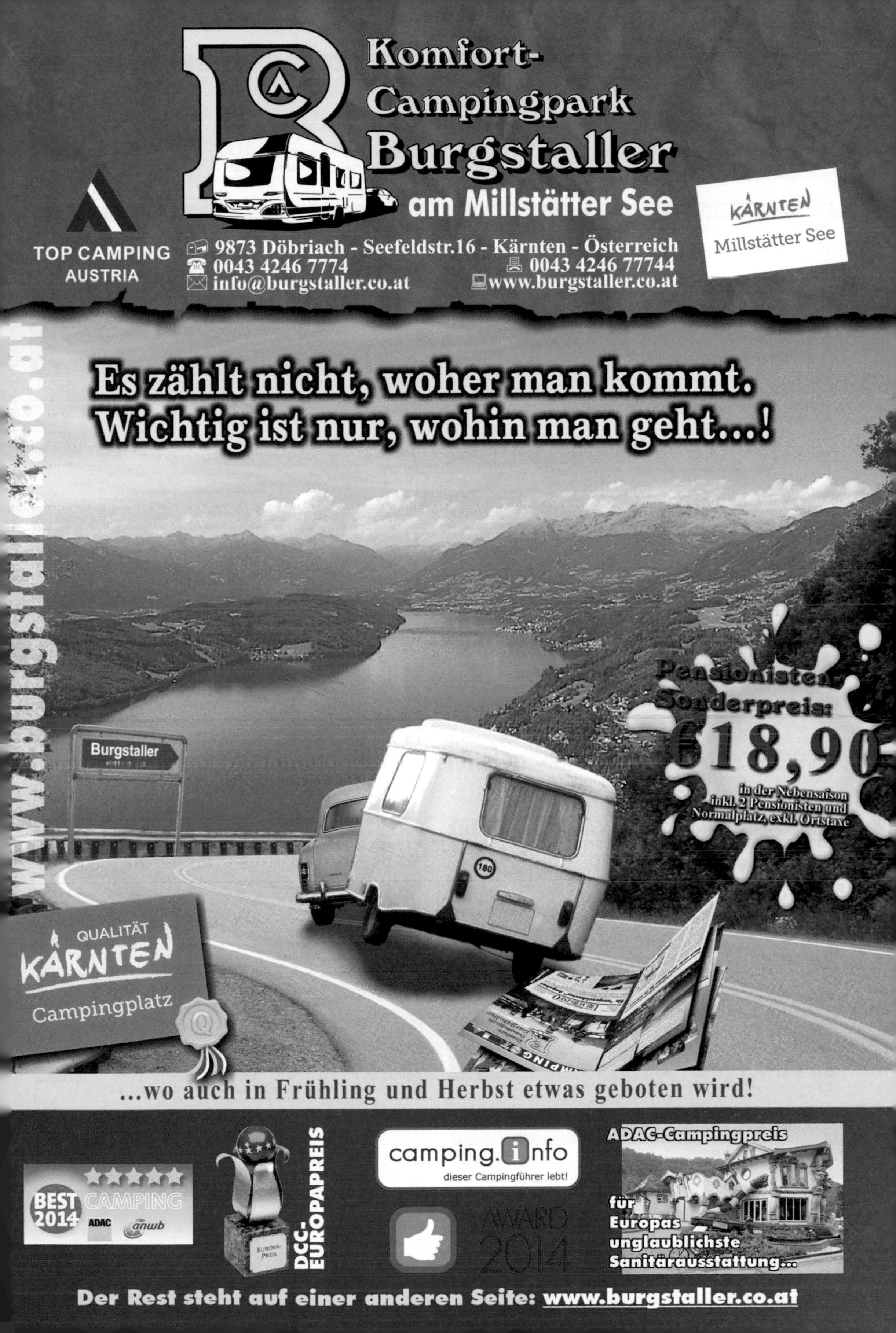
Komfort-
Campingpark
Burgstaller
am Millstätter See
TOP CAMPING AUSTRIA
9873 Döbriach - Seefeldstr.16 - Kärnten - Österreich
0043 4246 7774
0043 4246 77744
info@burgstaller.co.at
www.burgstaller.co.at
KÄRNTEN
Millstätter See
www.burgstaller.co.at
Es zählt nicht, woher man kommt.
Wichtig ist nur, wohin man geht...!
Burgstaller
Pensionisten-Sonderpreis:
€18,90
in der Nebensaison
inkl. 2 Pensionisten und
Normalplatz, exkl. Ortstaxe
180
QUALITÄT
KÄRNTEN
Campingplatz
...wo auch in Frühling und Herbst etwas geboten wird!
BEST 2014
CAMPING
ADAC
anwb
DCC-EUROPAPREIS
camping.info
dieser Campingführer lebt!
AWARD 2014
ADAC-Campingpreis
für
Europas
unglaublichste
Sanitärausstattung...
Der Rest steht auf einer anderen Seite: www.burgstaller.co.at

Greifenburg, A-9761 / Kärnten

Reiter
Hauzendorf 3
1 Mai - 30 Sep
+43 (0)4712-389
info@camping-reiter.at
N 46°44'53'' E 13°9'51''

1 ACJMNOPRST A 6
2 FOPWX ABDEFG 7
3 AKLS ABEFJNQR 8
4 FHI G 9
5 ABDEJL ABGIKNR 10
10A ① €21,00
H600 0,8 ha 50T(80m²) 2D ② €27,00

A10 Salzburg-Villach, Ausfahrt 139 Spittal/Millstätter See, B100 Richtung Lienz, nach Greifenburg liegt der CP links.

Heiligenblut, A-9844 / Kärnten

Nat.Park-Camp. Großglockner
Hadergasse 11
1 Jan - 31 Dez
+43 (0)4824-2048
nationalpark-camping@heiligenblut.at
N 47°2'13'' E 12°50'20''

1 ADEJMNOPQRST N 6
2 CFPRUWX ABDEFGH 7
3 AEL ABCDEFJNQV 8
4 AEFHNO G 9
5 ABDEGIJKL ABHJLNOR 10
W 16A ① €29,00
H1300 1,5 ha 70T(80-120m²) 6D ② €36,00

3 Routen: a. Zell am See-Großglockner-Heiligenblut; b. Mittersill-Felbertauerntunnel-Lienz-Heiligenblut; c. Tauern-Autobahn Spittal/Drau-Großglocknerstraße-Heiligenblut. Innerorts den CP-Schildern folgen.

Hermagor-Pressegger See, A-9620 / Kärnten

Max-Pressegger See
Presseggen 5
10 Mai - 30 Sep
+43 (0)4282-2727
info@camping-max.com
N 46°37'49'' E 13°27'15''

1 AHKNORT LMOPQRSTX 6
2 DFGPRTUVWXY ABDEFHI 7
3 A ABCDEFNQRS 8
4 F IMPT 9
5 ABL ABHIJR 10
6A ① €21,50
H600 1,2 ha 35T(100-120m²) 5D ② €30,00

A2 Villach-Grenze Italien, Ausfahrt 364 Gailtal, B111 bis 6 km vor Hermagor, links Schildern folgen (Presseggersee). Die Strecke über die 'Windische Höhe' ist gesperrt.

Hermagor-Pressegger See, A-9620 / Kärnten

Naturpark Schluga Seecamping*****
10 Mai - 20 Sep
+43 (0)4282-2760
camping@schluga.com
N 46°37'55'' E 13°26'42''

1 ACDEJMNOPQRST LMNPQRSTX 6
2 BDFGHOPRSUVWXY ABDEFGHI 7
3 BEFHILMNRSU ABCDEFIJKLNQRSTUV 8
4 ABCDEFHIJLOP ADEILMQTV 9
5 ACDEFGHJKL ABGHIJLMNOPRV 10
Anzeige auf Seite 417 B 16A ① €35,90
H600 8,8 ha 350T(80-140m²) 72D ② €48,30

A23 Villach-Grenze Italien. Ausfahrt 364 Hermagor/Gailtal. Danach B111 bis 6 km vor Hermagor. CP rechts der Straße. Route über Paternion/Feistritz 'Windische Höhe' für Caravans gesperrt!

Hermagor-Pressegger See, A-9620 / Kärnten

Schluga Camping Hermagor*****
Vellach 15
1 Jan - 31 Dez
+43 (0)4282-2051
camping@schluga.com
N 46°37'53'' E 13°23'46''

1 ACDEJMNOPQRST ABEFGMNPQRSTUX 6
2 FGHOPRSVXY ABDEFGHIJ 7
3 BCEHLMNPRSU ABCDEFGIJKLMNQRSTUV 8
4 ABCDEFHIJKLMOPRSTVX DEGIKLMQTV 9
5 ACEGHJKL ABDEFGHIJMNOPRVX 10
Anzeige auf Seite 417 WB 16A ① €38,30
H600 5,6 ha 297T(80-120m²) 36D ② €51,10

A23 Villach-Grenze Italien (Udine), Ausfahrt 364 Hermagor/Gailtal. Weiter die B111 bis 2 km vor Hermagor. Am CP-Schild rechts, nach 50m CP links. Route Paternion/Feistritz 'Windische Höhe' für Caravans gesperrt!

Hermagor-Pressegger See, A-9620 / Kärnten

Sport-Camping-Flaschberger
Obervellach 27
1 Jan - 31 Dez
+43 (0)4282-2020
office@flaschberger.at
N 46°37'56'' E 13°23'48''

1 ACJMNOPRST ABMO 6
2 FGOPRVWXY ABDEFGHK 7
3 AEILMNPS ABCDEFIJLNQRTUV 8
4 EFHIOPRST IJUV 9
5 ACDEIKL ABDEFGHIJMNPRVX 10
W 16A ① €25,00
H610 2 ha 80T(90-120m²) 12D ② €32,80

A23 Villach-Grenze Italien, Ausfahrt 364 Hermargor/Gailtal, B111 bis ± 2 km vor Hermagor. Am CP-Schild rechts. CP nach 100m rechts. Route über Paternion/Feistritz 'Windische Höhe' für Caravans gesperrt!

Irschen, A-9773 / Kärnten

Rad-Wandercamping-Ponderosa
Glanz 13
27 Apr - 4 Okt
+43 (0)660-6867055
info@rad-wandercamping.at
N 46°44'39'' E 13°2'39''

1 AJMNOPQRST UX 6
2 FGOPRUWXY ABDEFGHJ 7
3 BKL ABCDEFIJNQRSTU 8
4 AEFGHI EJ 9
5 ABDEFGJL ABHIJNPRV 10
B 6A ① €22,00
H617 0,9 ha 40T(80-100m²) 2D ② €28,80

Von Lienz oder Spittal der B100/E66 folgen, Ausfahrt Glanz (Gemeinde Irschen). Ausfahrt zum CP ist gut ausgeschildert.

Keutschach am See, A-9074 / Kärnten

Family-Camping Hafnersee
Plescherken 5
1 Mai - 30 Sep
+43 (0)4273-2375
info@sonnenhotel-hafnersee.at
N 46°35'23'' E 14°8'13''

1 DEFJMNOPRST LN 6
2 ADFGIJOPUVWXY ABDEFG 7
3 BEFIKLPS ABCDEFJKNQRSV 8
4 FHIJLOPRST GHIUV 9
5 ABDEGHJKL ABHIJLMNOR 10
6A ① €32,40
H500 7 ha 260T(80-100m²) 281D ② €42,60

A2 Villach-Klagenfurt, Ausfahrt Velden Richtung Keutschach am See, dann auf der rechten Seite beim Feriendorf Hafnersee.

Keutschach am See, A-9074 / Kärnten

FKK Grosscamping Sabotnik
Dobein 9
1 Mai - 30 Sep
+43 (0)4273-2509
info@fkk-sabotnik.at
N 46°34'41'' E 14°9'10''

1 ADEFJMNOPQRST LMNSXYZ 6
2 ABDFGHIKPRVWXY BEFG 7
3 BEKLQ BDFKNQRSV 8
4 BCDFHIJLPTX DEGIV 9
5 ACFGJL AGHIJMNOPR 10
Anzeige auf Seite 417 FKK B 12A ① €24,70
H500 9 ha 750T(80-100m²) 307D ② €28,20

A2 Villach-Klagenfurt, Ausfahrt Velden, Richtung Keutschach am See bis zu den CP-Schildern, rechter Hand der Straße ausgeschildert (FKK-Zentrum Keutschacher See).

Keutschach am See, A-9074 / Kärnten

FKK-Camping Müllerhof
Dobein 10
1 Mai - 30 Sep
+43 (0)4273-2517
muellerhof@fkk-camping.at
N 46°34'41'' E 14°9'2''

1 AEHKNOPQRST LMNSXYZ 6
2 DFGIJPRVWXY ABDEFGH 7
3 BCEFKLQR ABCDEFJKNQRSV 8
4 BDFHIOTX DE 9
5 ACEFJL ABEGHIJPRZ 10
FKK 6A CEE ① €31,90
H500 5,8 ha 280T(80-100m²) 50D ② €43,10

A2 Villach-Klagenfurt, Ausfahrt Velden Richtung Keutschach am See, bis Schilder rechts der Straße 'FKK-Zentrum Keutschacher See', dann erster CP links.

Keutschach am See, A-9074 / Kärnten

FKK-Kärntner Lichtbund Turkwiese
Dobeinitz 32
1 Jun - 31 Aug
+43 (0)4273-2838
office@klb.at
N 46°35'0'' E 14°10'5''

1 AGHKNORT LMPQ 6
2 BDFGIPRVWX BEFG 7
3 AEL BFNQR 8
4 FHIO 9
5 ADEL ABFHJNOR 10
FKK 10A ① €28,50
H500 56T(48-80m²) 60D ② €36,10

A2 Villach-Klagenfurt, Ausfahrt Velden Richtung Keutschach bis nach Keutschach. Am 2. Kreisel die 1. Straße rechts. Uferstraße Richtung Süden. Den CP-Schildern folgen.

Keutschach am See, A-9074 / Kärnten

Reautschnighof
Reauz 4
1 Mai - 30 Sep
+43 (0)463-281106
camping-reautschnighof@gmx.at
N 46°35'11'' E 14°13'41''

1 AJMNOPQRT LN 6
2 DFGIOPUWXY BEF 7
3 AKL BDFNQR 8
4 FH 9
5 AL ABJMPST 10
6A ① €21,30
H500 50T(80-85m²) ② €27,30

A2 Villach-Klagenfurt. Ausfahrt Velden Richtung Keutschach am See. Durch Keutschach bis man rechts das CP-Schild sieht.

Keutschach am See, A-9074 / Kärnten

Strandcamping Brückler Nord
Plaschischen 5
1 Mai - 30 Sep
+43 (0)4273-2384
camp.brueckler@aon.at
N 46°35'30'' E 14°10'8''

1 ADEJMNOPRT LNSXYZ 6
2 ADFGJOPRVWX ABDFH 7
3 AKL ABCDEFNQR 8
4 ABEFH EGV 9
5 ADEJKL ABGHIJMPR 10
12A ① €31,80
H500 2 ha 200T(80-100m²) 72D ② €41,80

A2 Villach-Klagenfurt, Ausfahrt Velden Richtung Viktring bis in Keutschach, beim Kreisel direkt rechts zum CP.

Keutschach am See, A-9074 / Kärnten

Strandcamping Süd
Dobeinitz 30
1 Mai - 30 Sep
+43 (0)4273-2773
info@strandcampingsued.at
N 46°35'7'' E 14°10'23''

1 AFJMNOPQRT LPSX 6
2 ABDFGJPRVWXY ABDEFG 7
3 BKLS ABCDEFNQRS 8
4 BFHI D 9
5 ABDEJL ABDGHIJMPR 10
13A ① €28,40
H500 2 ha 160T(80-100m²) 41D ② €38,00

A2 Ausfahrt Klagenfurt West-Süduferstraße Richtung Reifnitz. Bei Gemeindeamt Reifnitz links abbiegen Richtung Keutschach. Über den Kreisverkehr geradeaus noch 1 km.

Keutschach am See, A-9074 / Kärnten

Textilcamping Reichmann
Reauz 5
25 Apr - 30 Sep
+43 (0)664-1430437
info@camping-reichmann.at
N 46°35'1'' E 14°13'44''

1 ADEJMNOPQRST LN 6
2 DFGIJPX ABFG 7
3 AEKL ABEFNRS 8
4 FHI DGUV 9
5 ABDEJKL ABJMOR 10
6A ① €29,00
H520 1,2 ha 180T 19D ② €38,00

A2 Villach-Klagenfurt, Ausfahrt Velden Richtung Keutschach am See. Durch Keutschach bis Schild rechts Camping Reichmann.

Klagenfurt, A-9020 / Kärnten

Klagenfurt Wörthersee
Metnitzstrand 5
16 Apr - 30 Sep
+43 (0)463-287810
info@campingfreund.at
N 46°37'7'' E 14°15'23''

1 ADEJMNOPQRST HLMNOPQS 6
2 ADFGHIOPVWXY ABDEFG 7
3 BEFIKLS ABCDEFGIJKNQRSV 8
4 ABEFHILO EPTUVW 9
5 ACDEFHJL ABGHJLMNPRVYZ 10
B 10A ① €31,70
H440 4,1 ha 340T(80-160m²) 1D ② €41,50

A2 Villach-Klagenfurt, Ausfahrt Klagenfurter See, Schildern zum CP folgen.

Österreich

Teilkarte Kärnten auf Seite 412 und 413

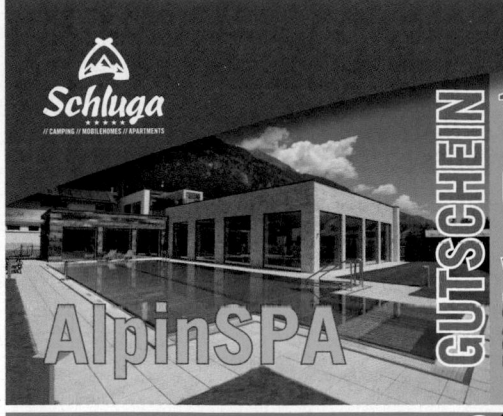

Kolbnitz, A-9815 / Kärnten

Campanula Camping
Rottau
1 Mai - 30 Sep
+43 (0)487-330294
info@campanulacamping.eu

1 AJMNOPQR**T** — J**N**U**X** 6
2 COPWX — ABE**F**GHIJK 7
3 AFL**M** — ABEFJQ 8
4 EFHI**J**K — DFPR 9
5 ABDFG**L** — AF**P**10
6A CEE — ① €18,80
H661 45**T**(75-100m²) 19**D** — ② €28,00

N 46°52'14" E 13°19'18"

CP liegt an der B106 Möllbrücke-Obervellach in Kolbnitz, mit Schildern angezeigt.

Millstatt, A-9872 / Kärnten

Gauglerhof
Matzelsdorf 2
1 Mai - 1 Okt
+43 (0)4766-37178
info@gauglerhof.com

1 ADE**JM**NOPQRT — 6
2 FOPUVWXY — ABDE**FG**H 7
3 ABE**GK**L**MN** — ABCDEFGIKNPQRSV 8
4 FHIO — ADI 9
5 ADGIL — ABHJ**P**ST10
B 10A CEE — ① €28,90
H840 1,2 ha 50**T**(80-120m²) 9**D** — ② €36,90

N 46°47'23" E 13°37'52"

A10 Ausfahrt Spittal/Millstättersee, links ab Ri. Seeboden. Dann Navi abschalten. 2. Kreisel li, nach ± 2 km rechts Ri. Golfplatz. Am Fluchtweg mit dem Baum rechts halten. Nach 10 km (Sappl) links links Ri. Matzelsdorf.

Kötschach/Mauthen, A-9640 / Kärnten

Alpencamp Kärnten
Kötschach 284
1/1 - 3/11, 15/12 - 31/12
+43 (0)4715-429
info@alpencamp.at

1 ADE**JM**NOPQRST — J**N**UVX 6
2 CFOPVWXY — ABDE**FG**H 7
3 B**GH**L**M**V — ABCDEFHJNQRS 8
4 **A**EFHIO**RSTV** — GIJRVWY 9
5 ABDEFJKL — ABGHIJN**PR**10
W 16A CEE — ① €31,10
H715 1,6 ha 80**T**(80-135m²) 19**D** — ② €40,90

N 46°40'11" E 12°59'30"

B100 Lienz-Spittel. In Oberdrauburg Ausfahrt Plöckenpass/Italien. CP wird in Kötschach gut ausgeschildert Richtung Lesachtal.

Millstatt/Dellach, A-9872 / Kärnten

CC€14

Neubauer
Dellach 3
1 Mai - 15 Okt
+43 (0)4766-2532
info@camping-neubauer.at

1 A**JM**NOPRST — LM**N**OPQ 6
2 DFGIKOPRTUVWXY — ABDE**FG**H 7
3 AB**K**L — ABCDEFGIJKNQRS 8
4 FGHKO — DEGIKV 9
5 AEFIKL — AHJM**P**ST10
6A CEE — ① €27,50
H580 1,5 ha 120**T**(80-90m²) 23**D** — ② €35,50

N 46°47'18" E 13°36'49"

A10 Salzburg-Villach, Ausfahrt 139 Millstätter See (Ausfahrt links!). An der Ampel links B98 Richtung Radenthein. ± 4 km hinter Millstatt in Dellach rechts. Siehe CP-Schildern.

Ledenitzen (Faaker See), A-9581 / Kärnten

Ferien am Walde
Sportplatzweg
1 Mai - 30 Sep
+43 (0)4254-2670
camp.f.a.walde@aon.at

1 A**JM**NOPQRST — 6
2 ABOPWXY — ABDE**FG**H 7
3 AE**K**L — ABDEFKNQRSV 8
4 FHI — V 9
5 ACDL — ABGHIJLM**NP**RV10
12A — ① €31,00
H550 5 ha 230**T**(120m²) — ② €39,00

N 46°34'13" E 13°57'8"

A10-A11 Salzburg-Villach-Slowenien, Ausfahrt St. Niklas/ Faaker See. Richtung Faaker See. In Egg Richtung Ledenitzen. Der Beschilderung folgen.

Möllbrücke, A-9813 / Kärnten

Möllcamping
Lendstraße
1 Mai - 30 Sep
+43 (0)4769-221114
lurnfeld.tourist@ktn.gde.at

1 ADEJMNOPRST — ABFGHX 6
2 ACFOPWXY — ABDE**FG**H 7
3 AE — ABDEFNQRS 8
4 AEFHI — 9
5 ABL — ABHJL**O**RXY10
B 10A — ① €21,00
H531 0,6 ha 36**T**(80m²) — ② €28,00

N 46°50'19" E 13°22'3"

A10, Ausfahrt Richtung Lendorf und B100 bis Möllbrücke folgen, CP in Möllbrücke links der Straße.

Maltatal, A-9854 / Kärnten

CC€16

Terrassencamping Maltatal****
Malta 6-7
30 Apr - 12 Okt
+43 (0)4733-2340
info@maltacamp.at

1 ADE**JM**NOPQRST — **ABFG**HM**N** 6
2 ACFGOPRTUVXY — ABDE**FG**H 7
3 BHL**M** — ABCDEFGHIJK**L**NPQRSTUV 8
4 **ABDE**FGHIKLO**PQTV** — DEGUV 9
5 ACDEFGJKL — ABDGHJM**NP**STY10
Anzeige auf Seite 419 B 6A CEE — ① €33,00
H800 3,9 ha 238**T**(60-100m²) 26**D** — ② €43,80

N 46°56'58" E 13°30'34"

A10 Salzburg-Villach, Ausfahrt 130 Gmünd. Dort Schildern Richtung Maltatal folgen. 2 km hinter Fischerstratten liegt der Camping rechts von der Straße.

Moosburg in Kärnten, A-9062 / Kärnten

Tigringer See FKK
Tigring Schloßstraße 5
1 Mai - 30 Sep
+43 (0)4272-83542
fkk@tigring.at

1 A**IL**NOPRST — LM**N** 6
2 DFGHIPRTWXY — ABDE**FG**H 7
3 BE**K**L — ABCDEFJNQRSV 8
4 FHIO — 9
5 AL — AGHJR10
FKK B 10A CEE — ① €23,40
H560 7 ha 150**T**(100-150m²) 30**D** — ② €30,80

N 46°41'1" E 14°10'44"

A10 Salzburg-Villach, Ausfahrt Ossiacher See, dann B94 Richtung Feldkirchen, dort rechts B95 Richtung Klagenfurt bis Moosburg, dort links Richtung Tigring, Schildern folgen.

Österreich

Teilkarte Kärnten auf Seite 412 und 413

Mörtschach, A-9842 / Kärnten

Camping Lindlerhof
Lassach 11
1 Jan - 31 Dez
+43 (0)664-4826545
camping@lindlerhof.at
N 46°54'33'' E 12°54'39''

1 AGJMNOPQRST	FHJNUX	6
2 CFGOPRUVWX	ABFG	7
3 BEL	ABEFGJNQRV	8
4 ABCDEFHIKOTU	EFJVY	9
5 ABDEGIKL	ABFGHIKLNPRVWX	10
W 10A CEE	❶ €18,00	
1 ha 48T(64-144m²) 7D	❷ €22,00	

Von Mittersill-Felbertauerntunnel-Lienz Richtung Großglockner oder Zell am See-Großglocknerstrasse Richtung Lienz. CP zwischen Winklern und Mörtschach bei Km 17.0 angezeigt.

Oberdrauburg, A-9781 / Kärnten

CC€14

Natur- & Familiencamping Oberdrauburg
Gailbergstraße
1 Mai - 30 Sep
+43 (0)4710-224922
tourismus@oberdrauburg.at
N 46°44'33'' E 12°58'11''

1 ACEJMNOPQRST	ABFGH	6
2 FGOPRTUVWXY	ABDEFG	7
3 AEFKLM	ABEFIKNPRSV	8
4 ABCDEFHILO	V	9
5 ADGHIKL	ABGHJNPRSTUV	10
B 12A	❶ €27,00	
H660 1,2 ha 70T(80-110m²)	❷ €37,00	

Straße von Spittal nach Lienz, in Oberdrauburg Ausfahrt Plöckenpas, CP nach 500m links.

Obervellach 175, A-9821 / Kärnten

Sport-Erlebnis Camping
1 Mai - 30 Sep
+43 (0)4782-2727
info@sporterlebnis.at
N 46°55'36'' E 13°12'7''

1 AJMNOPRST	JNUVX	6
2 CFGPRWXY	ABDEF	7
3 BEFGHLMNOQRU	ABEFNQR	8
4 FHIO	FQR	9
5 ADEGJL	AGHIJLMNPRVZ	10
16A	❶ €21,50	
H600 200T(120m²) 19D	❷ €31,10	

A10 Salzburg-Villach, Ausfahrt 139 Spittal-Millstatter See, B100 Richtung Lienz. In Lurnfeld rechts B106 bis Obervellach. Dann rechts und den CP-Schildern folgen.

Ossiach, A-9570 / Kärnten

CC€16

Ideal Camping Lampele****
Alt-Ossiach 57
1 Mai - 30 Sep
+43 (0)4243-529
camping@lampele.at
N 46°40'58'' E 13°59'54''

1 ACJMNOPQRT	ELMNOPQRSTWXYZ	6
2 DFGHOPRTUVWXY	ABDEFG	7
3 AELPST	ABCDEFJNQRSTUV	8
4 ABEFHILOPRST	DEUVW	9
5 ACDEFJKL	ABDFGHIJLMNOR	10
B 10A	❶ €34,40	
H500 4 ha 172T(80-100m²) 18D	❷ €46,20	

A10 Salzburg-Villach, Ausfahrt Ossiacher See Richtung Südufer. Weiter bis Ossiach und dann links zum CP.

Ossiach, A-9570 / Kärnten

Jodl
Alt-Ossiach 6
19 Apr - 30 Sep
+43 (0)4243-8779
info@camping-jodl.at
N 46°41'9'' E 14°0'45''

1 ACEILNOPQRT	LMNOPQSWXYZ	6
2 DFGHOPRUWX	ABDEFGH	7
3 ABLS	ABCDEFGIJKNQRSV	8
4 FHOX	IP	9
5 ABDEL	ABGHIJMOR	10
16A	❶ €33,40	
H500 1,1 ha 90T(80-100m²) 8D	❷ €45,20	

A10 Salzburg-Villach, Ausfahrt Ossiacher See, Richtung Südufer, bis Alt-Ossiach durchfahren, CP links.

Ossiach, A-9570 / Kärnten

CC€14

Kalkgruber
Alt-Ossiach 4
24 Apr - 30 Sep
+43 (0)4243-527
office@camping-kalkgruber.at
N 46°41'15'' E 14°1'10''

1 ACJMNOPQRT		6
2 FOPRUVWX	ABFG	7
3 AEL	ABEFJNQRS	8
4 FHIK	D	9
5 AL	ABDGHJLMORX	10
10A CEE	❶ €32,10	
H500 0,9 ha 30T(80-100m²) 1D	❷ €40,10	

A10 Salzburg-Villach, Ausfahrt Ossiacher See, Richtung Feldkirchen. In Steindorf rechts Richtung Ossiach. Dann 1. CP rechts.

Ossiach, A-9570 / Kärnten

CC€16

Kölbl
Süduferstraße 106
1 Jan - 31 Dez
+43 (0)4243-8223
info@camping-koelbl.at
N 46°39'44'' E 13°58'20''

1 AFILNOPQRST	LMNOPQRSTWXYZ	6
2 ADFGHIOPRVWX	ABDEFGH	7
3 BEGHILMN	ABCDEFIJKLNQRSTUV	8
4 ABDEFHIJLOX	DEGIMOPQRUV	9
5 ABDEFJKL	ABDFGHIJLNOPRZ	10
B 10A	❶ €34,50	
H500 180T(80-100m²) 53D	❷ €36,50	

A10 Salzburg-Villach, Ausfahrt Ossiacher See, Richtung Südufer, nach Heiligen Gestade erster CP links.

Ossiach, A-9570 / Kärnten

CC€16

Terrassen Camping Ossiacher See
Ostriach 67
1 Mai - 30 Sep
+43 (0)4243-436
martinz@camping.at
N 46°39'49'' E 13°58'29''

1 ACDEFJMNOPQRST	HLMNOPQRSTWXYZ	6
2 ADFGHIJOPUVWXY	ABDEFGH	7
3 BCEFILMNS	ABCDEFGIJKLMNQRSUV	8
4 ABCDEFHILNOP	ADEGJLMOPQRUVW	9
5 ACEFGHJKL	ABDGHIJMNORVXYZ	10
B 6A CEE	❶ €37,40	
H501 10 ha 520T(80-120m²) 138D	❷ €50,00	

A10 Salzburg-Villach, Ausfahrt Ossiacher See in Richtung Südufer. An der Ampel links Richtung Ossiach, nach ± 5 km kommt der Camping an der linken Seite.

Ossiach, A-9570 / Kärnten

CC€16

Wellness Seecamping Parth
Ostriach 10
1/4 - 2/11, 26/12 - 10/1
+43 (0)4243-27440
camping@parth.at
N 46°39'55'' E 13°58'35''

1 AFJMNOPQRST	LMNOPQRSTWXY	6
2 ADFGJOPRTUVWXY	ABCDEFGHI	7
3 BEGILMNS	ABCDEFIJKLMNQRSTUV	8
4 ABDEFHIJLOPRSTUVXY	EGIKLMOPQRSUVW	9
5 ACDEJKL	ABDGHIJLMNPRVZ	10
B 6A CEE	❶ €35,60	
H500 2,2 ha 150T(75-120m²) 36D	❷ €48,00	

A10 Salzburg-Villach, Ausfahrt Ossiacher See Richtung Südufer. Nach Heiligen Gestade dritter CP links.

Pesenthein, A-9872 / Kärnten

CC€16

Terrassencamping Pesenthein
Pesenthein 19
1 Mai - 30 Sep
+43 (0)4766-2665
camping@pesenthein.at
N 46°47'47'' E 13°35'57''

1 ADEJMNOPQRST	HLMNQSW	6
2 DFGHOPRTUVWXY	ABDEFGH	7
3 BL	ABEFNPQRS	8
4 FGHIO	UV	9
5 AGJL	ABHIKNOSTV	10
FKK 6A	❶ €28,00	
H560 5 ha 218T(70-95m²) 30D	❷ €36,00	

A10 Salzburg-Villach, Ausfahrt 139 Millstätter See (Ausfahrt links!), an der Ampel links auf B98 Richtung Radenthein, ca. 2 km nach Millstatt CP an der Ostseite von Pesenthein links.

Pirkdorf/St. Michaël, A-9143 / Kärnten

Sonnencamp Pirkdorfer See
Pirkdorf 29
1 Jan - 31 Dez
+43 (0)4230-321
office@pirkdorfersee.at
N 46°33'30'' E 14°45'5''

1 AJMNOPRST	LN	6
2 DFGIOPVW	ABDEFGHJ	7
3 AEFGLRU	ABCDEFHJNPQRST	8
4 ABCDEFHILOQ	EGITVW	9
5 ABEIJKL	ABHIJLNOPRVW	10
W 12A CEE	❶ €26,80	
H500 10 ha 65T(100m²) 168D	❷ €35,80	

Von Klagenfurt B70, Ausfahrt Klopeiner See. Dann B82 bis Eberndorf, B81 bis St. Michaël folgen. Schildern folgen.

Reisach, A-9633 / Kärnten

CC€18

Alpenferienpark Reisach
Schönboden 1
1/1 - 1/10, 15/12 - 31/12
+43 (0)4284-301
info@alpenferienpark.com
N 46°39'17'' E 13°8'57''

1 AEJMNOPRT	AFU	6
2 BFGPRSUVXY	ABDEFGHI	7
3 ADEFKL	ABCDEFJNQRSV	8
4 EFHIO	EJ	9
5 ABGIL	ABDHIJNOPRV	10
10A	❶ €27,30	
H800 3 ha 60T(40-100m²) 17D	❷ €35,10	

Zu erreichen über Kötschach oder Hermagor über die B111 nach Reisach. In Reisach die Ausfahrt zum Alpenferienpark nehmen und dann noch 1,5 km den Schildern folgen.

Rennweg am Katschberg, A-9863 / Kärnten

Ramsbacher
Gries 53
1 Jan - 31 Dez
+43 (0)4734-663
camp.ram@utanet.at
N 47°1'56'' E 13°35'44''

1 ADEJMNOPQRST	ABFN	6
2 ACFGOPRVWXY	ABDEFGH	7
3 AFIKLMNR	ABCDEFJNQR	8
4 EFGH	UVW	9
5 AEGJKL	ABGHJPSTV	10
W 16A CEE	❶ €25,70	
H1200 1,4 ha 65T(80-100m²) 18D	❷ €34,70	

A10 Salzburg-Villach, Ausfahrt 112 Rennweg, B99 Richtung Rennweg, erste Straße rechts, bei Verkehrsbüro rechts, bis Gries Hauptstraße folgen, dann den CP-Schildern folgen.

Sachsenburg, A-9751 / Kärnten

Drau-Camping Sachsenburg
Ringmauergasse 8
1 Mai - 30 Sep
+43 (0)4769-3131
info@draucamping.at
N 46°49'42'' E 13°20'54''

1 AJMNOPRST	X	6
2 ACFGOPRVWX	ABDEFGH	7
3 ACEILM	ABCDEFJNQRS	8
4 AEFHI	V	9
5 KL	ABEGHJNPR	10
B 16A CEE	❶ €25,00	
H550 1,3 ha 80T(80-100m²)	❷ €37,00	

A10 Salzburg-Villach Ausfahrt B100 Richtung Lienz. In Sachsenburg den Schildern zum CP folgen.

Sankt Kanzian (Klopeiner See), A-9122 / Kärnten

Camping Nord
Klopein am See X-1
1 Mai - 30 Sep
+43 (0)4239-222432
camping@nord.at
N 46°36'30'' E 14°35'7''

1 ADEFJMNOPQRST	LMNOPQRS	6
2 ADGOPVWX	ABDEFGHIJ	7
3 AK	ABCDEFHNPRS	8
4 AFHI		9
5 ADHJ	AHKPRZ	10
16A	❶ €27,30	
H446 1,6 ha 84T(60-80m²) 91D	❷ €35,90	

Von Graz A2, Ausfahrt 278 Völkermarkt-Ost, den Schildern Klopeinersee folgen (Nordufer).

Österreich

Teilkarte Kärnten auf Seite 412 und 413

Österreich Terrassencamping MALTATAL

- *Der* Top-Camping mit Panoramalage auf 800m Seehöhe
- Inmitten der Nationalpark 'Hohe Tauern' und 'Nockberge'
- Wander- und Erholungsparadies für die ganze Familie
- Kinderfreundlicher Familienbetrieb seit über 50 Jahren
- Parzellierte Komfortplätze auf Rasen
- Öffentliches, beheiztes Schwimmbad (25 x 12,5m) mit 2 Babybecken
- Kinderbauernhof mit Streicheltieren und Ponys, Spielplatz
- Ausgezeichnetes Restaurant mit Holzofenpizza, Bar, SB-Shop
- Wireless Internet am ganzen Platz, HOT SPOT
- Einfache Anfahrt: Tauernautobahn A10, Abfahrt Gmünd, 6 km flach bis zu Ihrem Urlaubsplatz
- Mobilheime, Hotelzimmer und Apartments

Terrassencamping Maltatal
Malta 6-7, 9854 Maltatal
Tel. 04733-2340 • Fax 04733-23416
E-Mail: info@maltacamp.at
Internet: www.maltacamp.at

'All Inclusive' mit der
Kärnten-Card - über 100
Ausflugsziele gratis.

Wir senden Ihnen gerne ein Infopaket über unser Hotel.

Österreich

Sankt Kanzian (Klopeiner See), A-9122 / Kärnten

Ferienzentrum Camping "Süd"
Südpromenade 57
1 Mai - 25 Sep
+43 (0)4239-2322
office@feriensued.com
N 46°35'59'' E 14°34'57''

1 AFJMNOR LNPSX 6
2 DFGOPVW ABFG 7
3 K ABEFNQR 8
4 AFH PT 9
5 AJ AP 10
8A ❶ €31,90
H450 1,6 ha 40T(70-90m²) 50D ❷ €39,90

Von Klagenfurt A2, Ausfahrt 298 Grafenstein, Klopeiner See Südufer. Von Graz A2, Ausfahrt 278 Völkermarkt-Ost, Klopeiner See Südufer.

Schiefling am Wörthersee, A-9535 / Kärnten

Camping Weisses Rössl
Auenstraße 47
19 Apr - 6 Okt
+43 (0)4274-2898
weisses.roessl@aon.at
N 46°37'9'' E 14°6'20''

1 AJMNOPQRST 6
2 BFOPRTUWXY ABFG 7
3 AKL ABCDEFJNQRS 8
4 FHIX GIV 9
5 ABDEJL ABGHJLMORV 10
16A ❶ €32,10
H500 2,5 ha 150T 17D ❷ €42,10

A2 Villach-Klagenfurt, Ausfahrt Velden-West, Richtung Maria Wörth, Wörthersee Süd; dann ca. 6 km den Schildern folgen. Nicht nach Schiefling!

Seeboden, A-A-9871 / Kärnten

Sonnen-Panorama Camping
Im Winkel 19
1 Apr - 15 Okt
+43 (0)650-8241000
info@sonnen-pannoramacamping.at
N 46°49'25'' E 13°31'52''

1 AJMNOPQRST 6
2 FGPRUVWXY ABDEFG 7
3 K ABCDEFNQR 8
4 FH DJ 9
5 ABL ABHIJMPST 10
10A CEE ❶ €25,00
H580 1,6 ha 40T(100-120m²) 7D ❷ €33,00

A10 Salzburg-Villach, Ausfahrt 139 Millstätter See (Ausfahrt links!), bei Ampel links auf B98 Richtung Radenthein, in Seeboden ca. 200m nach ADEG STEURER links, Schildern folgen.

Seeboden, A-9871 / Kärnten

Strandcamping Winkler
Seepromenade 33
1 Mai - 1 Okt
+43 (0)4762-81927
strandcampingwinkler@gmail.com
N 46°48'55'' E 13°31'13''

1 AJMNOPRST LMNOPQRSTW 6
2 DGPRVWX ABDEGH 7
3 ABFIKLMS ABEFNPQR 8
4 FGH MOPTUVW 9
5 GJL ABHKSTY 10
6A ❶ €32,50
H560 0,6 ha 70T(50-70m²) ❷ €41,50

A10 Salzburg-Villach. Ausfahrt Millstätter See (Ausfahrt links!). In Seeboden B98 den CP-Schildern 'Winkler zum See' folgen'. Gäste dürfen die Verbotsstraße einfahren.

Spittal an der Drau, A-9800 / Kärnten

Draufluss
Schwaig 10
15 Apr - 1 Okt
+43 (0)4762-2466
drauwirt@aon.at
N 46°47'7'' E 13°29'13''

1 AJMNOPRST JNU 6
2 ACFGOPRWXY ABDEFGH 7
3 AL ABEFNQR 8
4 FHIO G 9
5 ABDEJL ABHIJMR 10
16A ❶ €22,80
H600 0,7 ha 50T(80-100m²) 8D ❷ €28,80

A10 Salzburg-Villach, Ausfahrt 146 Spittal-Ost. In Spittal den CP-Schildern und 'Goldeckbahn' folgen. Hinter Draubrücke links.

St. Georgen am Längsee, A-9313 / Kärnten

Wieser Längsee
Bernaich 8
1 Mai - 10 Okt
+43 (0)4212-3535
info@campingwieser.com
N 46°48'8'' E 14°24'45''

1 AFJMNOPRST N 6
2 AFGPVWX ABDEF 7
3 AK ABCDEFNQR 8
4 FHI 9
5 ABK AHJLRW 10
10A ❶ €26,90
H540 2 ha 80T(120-160m²) 14D ❷ €34,90

Auf der B317/B83 5 km nördlich von St. Veit Abzweig 281, dann noch 500m.

St. Margareten, A-9173 / Kärnten

Rosental Rož
Gotschuchen 34
1 Apr - 15 Okt
+43 (0)4226-81000
camping.rosental@roz.at
N 46°32'38'' E 14°23'26''

1 ACEJMNOPRST HL 6
2 DFGOPVWXY ABDEFGH 7
3 BEFLV ABCDEFGHIJKNPQRSTUV 8
4 ABCDEFHIKLO EJUVW 9
5 ACDEFJKL ABGHIJMNPRW 10
16A ❶ €31,90
H430 6 ha 440T(100-180m²) 29D ❷ €45,10

Von Klagenfurt Richtung Loiblpass, bei Ferlach die B85 bis Gotschuchen. CP-Schildern folgen. Der CP kommt nach 1,3 km.

St. Primus, A-9123 / Kärnten

Camping Breznik - Turnersee
12 Apr - 4 Okt
+43 (0)4239-2350
info@breznik.at
N 46°35'9'' E 14°33'59''

1 ACDEFJLNOPQRST LMNOQX 6
2 ADGPVWXY ABDEFGH 7
3 BEFGKLU ABCDEFHIJKNPQRSTUV 8
4 ABDEFHIJLMO DEILSUVZ 9
5 ACDEFJKL ABDEGHIKNPR 10
10A ❶ €33,50
H480 7,5 ha 204T(80-110m²) 250D ❷ €45,90

Ab Klagenfurt A2, Ausfahrt 298 Grafenstein, B70 Richtung Völkermarkt, dann Richtung Tainach/St. Kazian. Den CP-Schildern Turnersee folgen. Von Graz A2, Ausfahrt 278 Völkermarkt-Ost.

Steindorf, A-9552 / Kärnten

Seecamping Laggner****
Strandweg 3
1 Mai - 30 Sep
+43 (0)650-7300706
heidi.hinkel@gmail.com
N 46°41'40'' E 14°0'34''

1 AILNOPQRT LMNOPQSWXY 6
2 ADFGIOPTVWXY ABDEFH 7
3 KLMN ABCDEFIJNQRS 8
4 FH IP 9
5 ADEJL ABDHJPR 10
B 10A ❶ €35,80
1 ha 38T(60-90m²) 15D ❷ €44,80

A10 Salzburg-Villach, Ausf. Ossiacher See Ri.g Nordufer und Feldkrichen auf B94. Nach 15 km rechts in Ri. Ossiach über Bahn und sofort rechts zurück nach Steindorf. Zirka 900m links nach Gasthof zum Strandweg 3.

Steindorf/Stiegl, A-9552 / Kärnten

Seecamping Hoffmann****
Uferweg 65
1 Mai - 30 Sep
+43 (0)4243-8704
info@seehotel-hoffman.at
N 46°41'42'' E 13°59'48''

1 AJMNOPQRST LMNOPQRSTXZ 6
2 ADFGIJOPRUVWXY BEFGH 7
3 BFJKLMNSV BDFKNQRS 8
4 ABEFGHOPQTX GIPQRTVW 9
5 ABDEJL ABDHJPR 10
16A ❶ €32,70
H500 1 ha 50T(70-90m²) 46D ❷ €40,70

A10 Salzburg-Villach, Ausfahrt Villach/Ossiachersee, B94 Richtung Feldkirchen. In Steindorf der Beschilderung folgen.

Steinfeld, A-9754 / Kärnten

Bergfriede
Mitterberg 3
1 Apr - 31 Okt
+43 (0)4717-401
camping.bergfriede@aon.at
N 46°45'43'' E 13°14'37''

1 ABFJMNOPRT A 6
2 FGIPRUWX ABDEF 7
3 ABL ABCDEFKNQRUV 8
4 EFHI G 9
5 J ABJOR 10
16A ❶ €21,00
H775 2 ha 35T(90-100m²) 2D ❷ €30,00

Von der B100 Spittal - Linz, Ausfahrt Steinfeld, dann den Schildern Bergfriede folgen.

Stockenboi, A-9714 / Kärnten

Ronacher
Mösel 6
1 Mai - 10 Okt
+43 (0)4761-256
info@campingronacher.at
N 46°42'11'' E 13°24'54''

1 AEJMNOPRT LNOPQSX 6
2 DFGHJPUVX ABDEFGH 7
3 ACFLT ABCDEFJNQRSV 8
4 FIOTV IPQSTU 9
5 ABDEHJL ABGHIJMNRZ 10
B 10A ❶ €31,95
H930 1,8 ha 140T(70-100m²) 2D ❷ €41,15

A10 Salzburg-Villach, Ausfahrt 146 Spittal-Ost und über Mautbrücken nach Weissensee-Ost, CP ausgeschildert.

Techendorf (Weißensee), A-9762 / Kärnten

Knaller
Techendorf 16
1/1-8/3,10/5-31/10,1/12-20/12
+43 (0)4713-223450
info@knaller.at
N 46°42'50'' E 13°17'45''

1 ADJMNOPRST LNOQRSWX 6
2 DFGJOPTUWXY ABDEFG 7
3 BELS ABCDEFIJKLNQRS 8
4 FHP S 9
5 DE AGHJNPRWX 10
B 16A CEE ❶ €30,50
H940 1,4 ha 140T(70-120m²) ❷ €38,50

A10 Salzburg-Villach, Ausfahrt 139 Spittal/Millstätter See, B100 bis Greifenburg. Links B87 Richtung Hermagor. Schildern Richtung Weißensee-Süd bis Techendorf folgen, nach der Brücke links.

Turnersee-Nord, A-9122 / Kärnten

Panorama
Obersammelsdorf
1 Mai - 31 Okt
+43 (0)4239-2285
ferienparadies@ilsenhof.at
N 46°35'15'' E 14°35'4''

1 ADEJMNOPRST N 6
2 FPUX ABDEFG 7
3 AGHKL ABCDEFHNPRS 8
4 FH 9
5 AKL AHJR 10
B 10A ❶ €29,60
H500 2 ha 70T(100m²) 50D ❷ €39,20

Von Klagenfurt A2 Ausfahrt 298 Grafenstein, B70 Richtung Völkermarkt, dann Turnersee-Nord. Ab Graz Ausfahrt 278 Völkermarkt-Ost, dann Turnersee-Nord.

Turnersee-Nord, A-9122 / Kärnten

Terrassencamping
Obersammelsdorf
1 Mai - 31 Okt
+43 (0)4239-2285
ferienparadies@ilsenhof.at
N 46°35'10'' E 14°34'51''

1 ADGJMNOPRT LNQRSXZ 6
2 DFGPRUVWX ABDEF 7
3 AGHK ABCDEFHJNPQR 8
4 FH IJ 9
5 ADEIK ABHJPRW 10
10A ❶ €32,80
H480 2 ha 50T(80m²) 60D ❷ €44,40

Von Klagenfurt A2 Ausfahrt Grafenstein, B70 Richtung Völkermarkt, dann Turnersee-Nord. Von Graz, Ausfahrt 278 Völkermarkt-Ost, dann Turnersee-Nord.

Villach/Landskron, A-9523 / Kärnten

Plörz
Ossiacher See Süduferstraße 289
1 Mai - 30 Sep
+43 (0)676-3221494
info@camping-ploerz.at
N 46°39'19'' E 13°56'24''

1 BJMNOPQRT LMNOPQSWXZ 6
2 ADFGOPRTUVWX BEFHIJK 7
3 A BFJNQRS 8
4 FHIOX G 9
5 AL ABGHJMRV 10
12A ❶ €29,10
H500 106T(80-100m²) 7D ❷ €40,50

A10 Salzburg-Villach, Ausfahrt Ossiacher See Richtung Südufer. In Heiligen Gestade der 3. CP links.

Österreich

Teilkarte Kärnten auf Seite 412 und 413

Villach/Landskron, A-9523 / Kärnten

CC€16 iD

Seecamping Berghof*****	1 ACDE**J**KNOPQRST	HL**N**OQRSTWXYZ 6
Ossiacher See Süduferstraße 241	2 ADFGHOPUVWXY	AB**C**DE**FG**H 7
4 Apr - 18 Okt	3 BCEF**ILMN**	ABCDEFG**IJ**K**L**NQRSTUV 8
+43 (0)4242-41133	4 ABCDEFHIJLO**PQ**	DEGIJKLMOPQRTUVWZ 9
office@seecamping-berghof.at	5 ACDEFJK**L**	ABDFGHIJ**NP**RV 10
	B 10A CEE	❶ €37,90
N 46°39'12'' E 13°56'0''	H500 10 ha 430**T**(80-150m²) 36**D**	❷ €51,70

A10 Salzburg-Villach, Ausfahrt Ossiacher See; links ab ca. 3 km bis ans Nordufer, dann rechts Richtung Südufer. An der Ampel zur 'Burg Landskron' links Richtung Ossiach ca. 4 km.

Weißbriach, A-9622 / Kärnten

iD

Alpendorf	1 ADE**JM**NOPRST	6
208	2 FPTWX	A**B**DE**F**H 7
1 Jan - 31 Dez	3 ALS	ABE**F**JNQR 8
+43 (0)4286-346	4 EFGI	9
santner_johann@gmx.at	5 ABE**L**	ABJ**P**R 10
	WB 16A	❶ €20,50
N 46°40'58'' E 13°14'52''	H820 1,7 ha 90**T**(100m²)	❷ €25,50

A10 Salzburg-Villach, Ausfahrt 139 Spittal/Millstätter See, B100 bis Greifenburg, links B87 nach Hermagor. In Weißbriach Schildern folgen.

Villach/Landskron, A-9523 / Kärnten

iD

Seecamping Mentl	1 AEFHKNOPQRST	LM**N**OPQSW 6
Ossiacher See Süduferstraße 265/267	2 ADFGHOPRUVWX	ABDE**FG** 7
26 Apr - 30 Sep	3 BEFLS	ABCDEFJKNQRSTUV 8
+40 (0)4242 41000	4 BDFH**X**	DGIMUV 9
info@camping-mentl.at	5 ADDJKL	ADGHIJ**NO**R 10
	B 6A CEE	❶ €34,70
N 46°39'15'' E 13°56'14''	H500 3 ha 170**T**(72-120m²) 9**D**	❷ €46,50

A10 Salzburg-Villach, Ausfahrt Ossiacher See Richtung Südufer. In Heiligen Gestade zweiter CP links.

Weißensee, A-9762 / Kärnten

iD

Seecamping Müller	1 AJMNOPRST	FHL**N**OQRSXYZ 6
Oberdorf 22	2 DFGJOPRUWXY	ABDE**FG**H 7
1 Mai - 30 Sep	3 AEL	ACDEFKNR 8
+43 (0)664-4313078	4 FH	PQRV 9
info@seecamping-weissensee.at	5 ADL	AQJMRV 10
	16A	❶ €24,00
N 46°43'12'' E 13°15'39''	H930 6 ha 250**T**(120m²)	❷ €30,00

A10 Salzburg-Villach, Ausfahrt 139 Spittal/Millstättersee; B100 Richtung Lienz; bei Greifenburg links. B87 Richtung Weißensee-Westufer.

Völkermarkt/Dullach, A-9100 / Kärnten

iD

Stausee Camping	1 AF**JM**NOPQRST	AL**N**X 6
Dullach 8	2 ADGOPVX	ABDE**FG**HIK 7
1 Mai - 31 Okt	3 AL	ABEFJNQRTU 8
+43 (0)650-2644996	4 FHIO	E 9
office@stauseecamping.com	5 AL	AGHIJLORW 10
	B 16A CEE	❶ €24,20
N 46°38'3'' E 14°41'30''	H500 2,5 ha 45**T**(80m²) 44**D**	❷ €32,20

A2 278 Ausfahrt Völkermarkt-Ost, rechts ab auf die B80. Der Beschilderung Stausee folgen.

Wertschach bei Nötsch, A-9612 / Kärnten

CC€16 iD

Alpenfreude	1 AC**JM**NOPQRST	ABFGHM 6
Wertschach 27	2 AFGOPRUVWX	ABDE**FG**H 7
1 Mai - 30 Sep	3 AE**ILMN**V	ABCDEF**L**NQRSV 8
+43 (0)4256-2708	4 BCDEFILO**P**	DJ 9
camping.alpenfreude@aon.at	5 CDEFHIJKL	ABDFGHIJLNOR 10
	16A CEE	❶ €27,15
N 46°36'26'' E 13°35'26''	H800 5 ha 150**T**(50-120m²) 15**D**	❷ €36,65

A10 Salzburg-Villach-Italien, Ausfahrt Hermagor, B111. Nach dem Ausfahrt Nötsch CP-Schildern folgen.

Niederösterreich/Wien

Österreich

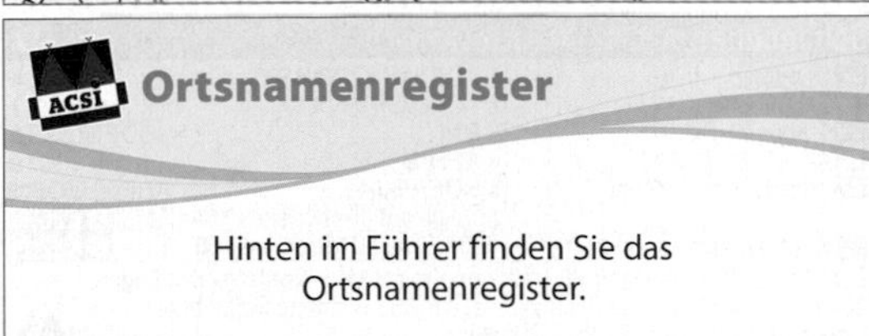

Ortsnamenregister

Hinten im Führer finden Sie das Ortsnamenregister.

Gmünd, A-3950 / Niederösterreich

iD

Sole-Felsen-Bad	1 ADE**JM**NOQRS	**ABEFG**HI**L** 6
Albrechtser Straße 10	2 DPVWXY	ABEFGH 7
5 Apr - 5 Okt	3 AEL**MV**	BDEFJNQRS 8
+43 (0)2852-20203203	4 FH**STUVX**	K 9
info@hotel-sole-felsen-bad.at	5 AJL	ABFGHIKRV 10
	16A CEE	❶ €22,10
N 48°45'31'' E 14°59'36''	H516 0,6 ha 51**T**(50-100m²)	❷ €28,10

B310 Linz-Freistadt, B38-Sandl-Weitra, erste Kreuzung rechts (Freizeitcenter). Bei der Ankunft bitte am Parkplatz stehenbleiben und an der Rezeption vom Sole-Felsen-Bad anmelden.

Geras, A-2093 / Niederösterreich

iD

Geras Edlersee	1 AJMNOPQRS**T**	LM**N** 6
Hornerstraße	2 DGKOPTWX	**BF** 7
1 Apr - 31 Okt	3 BF**IL**	BFNQR 8
+43 (0)2912-266	4 FH	P 9
gemeinde.geras@aon.at	5 BDI	AHJR 10
	6A CEE	❶ €18,50
N 48°47'32'' E 15°39'48''	H506 2,5 ha 20**T**(80m²) 100**D**	❷ €24,90

B30 Horn über Hötzelsdorf nach Geras, CP kurz vor Geras.

Kaumberg, A-2572 / Niederösterreich

CC€16 iD

Paradise Garden	1 AJMNOPQRS**T**	6
Höfnergraben 2	2 CPWX	A**B**DE**FG**H 7
1 Apr - 30 Sep	3	ABDFIJKNQR 8
+43 (0)676-4741966	4 FHI	DL 9
grandl@camping-noe.at	5 BGK	AEHJOR 10
	B 16A CEE	❶ €23,00
N 48°1'28'' E 15°56'55''	H466 1,5 ha 65**T**(80-120m²) 85**D**	❷ €29,00

A1, Ausfahrt 59 St. Pölten-Süd und die B20 bis Traisen. Im Kreisverkehr links über die B18 über Hainfeld nach Kaumberg. 3 km nach Kaumberg rechts und dann noch 1 km zum CP.

Klosterneuburg, A-3402 / Niederösterreich

Donaupark Camping Klosterneuburg
In der Au
23 Mär - 8 Nov
+43 (0)2243-25877
campklosterneuburg@oeamtc.at
N 48°18'38'' E 16°19'42''

1 ADEJMNOPRS**T**	6
2 AOPRSVWX	ABDE**FG**HI 7
3 AB**KLS**	ABCDEFJNQR 8
4 HO	DEV 9
5 ABEIKL	ABDEFGHK**N**PR10
Anzeige auf Seite 423 B 6A CEE	❶ €33,50
H155 2,3 ha 143**T**(60-90m²) 5**D**	❷ €40,50

Von Westen: A1, Ausfahrt Sankt Christophen B19, über Tulln und B14 nach Klosterneuburg, dort CP ausgeschildert.

Krems (Donau), A-3500 / Niederösterreich

Donaupark Camping Krems
Yachthafenstraße 19
1 Apr - 31 Okt
+43 (0)2732-84455
donaucampingkrems@aon.at
N 48°24'14'' E 15°35'33''

1 ADEJMNOPQRST	J**N**SWX**Z** 6
2 ACFPWX	ABDE**FG** 7
3 L	ABEFNQR 8
4 FHIO	EVW 9
5 ABD	ABHJN**P**TUZ10
B 6A	❶ €25,90
H196 0,8 ha 60**T** 4**D**	❷ €31,30

Von Osten Kreuz St. Pölten die S33. Danach die B37 Richtung Krems. In Krems, Kreisel 3. Ausfahrt, dann sofort am Schifffahrtszentrum Krems/Stein links zum CP.

Lackenhof am Ötscher, A-3295 / Niederösterreich

Ötschercamping
Ötscherwiese 18
1 Jan - 31 Dez
+43 (0)7480-5276
office@digruber.at
N 47°52'18'' E 15°10'9''

1 ABDEGJMNOPQRT	6
2 BOPTUVWX	AB 7
3 BL	ABEFJNQRTUV 8
4 F	G 9
5 AGIJK	AEHJPT10
W 10A	❶ €22,00
20**T** 39**D**	❷ €28,00

Über die A1, Ausfahrt 100, Ybbs/ Wieselburg. B25 Richtung Wieselburg. Nach ± 50 km Richtung Lackenhof. Danach den Campingschildern folgen.

Langau, A-2091 / Niederösterreich

Seecamping Langau
Langau 303
1 Apr - 30 Sep
+43 (0)644-4974118
N 48°50'36'' E 15°43'14''

1 A**JM**NOPQRS**T**	LMQSXYZ 6
2 DGPVWX	B 7
3 B	BDFJNQR 8
4 FH	J 9
5 K	AEGHIJR10
6A	❶ €16,50
H438 3 ha 37**T**(120m²) 14**D**	❷ €18,50

Von Horn Richtung Geras. Dann Langau 5 km. In Langau wird der CP ausgeschildert.

Marbach an der Donau, A-3671 / Niederöst.

Marbacher Freizeitzentrum
Campingweg 2
4 Apr - 25 Okt
+43 (0)7413-20733
info@marbach-freizeit.at
N 48°12'49'' E 15°8'26''

1 AE**JM**NOPQRST	J**N**SW**X**YZ 6
2 CGOPRVWX	BE**F**G**H** 7
3 BF**K**	BEFJNQRUV 8
4 HI	JV 9
5 ABK	AFHKNPTU10
20A CEE	❶ €25,60
H230 0,4 ha 50**T**(70-100m²) 6**D**	❷ €30,60

A1 Linz-Wien. Ausfahrt 100 Ybbs/Wieselburg. Der Straße Richtung Ybbs/Persenbeug folgen. Über die Donau Richtung Krems. Nach ca. 7 km auf der rechten Seite ist der Camping.

Neulengbach, A-3040 / Niederösterreich

Finsterhof
Inprugg 1
1 Jan - 31 Dez
+43 (0)2772-52130
ursula.fischer@utanet.at
N 48°13'18'' E 15°54'48''

1 ADJMNOPQRST	6
2 ACOPRTWXY	A**B**DE**FG**HIK 7
3 BE	BCDE**F**JNQRS 8
4 FHIO	D 9
5 B	ABFGHJLR10
B 12A CEE	❶ €14,70
H202 2,8 ha 90**T**(80-120m²) 122**D**	❷ €14,70

Über die A1 Ausfahrt St. Christophen oder Altlengbach Richtung Tulln. 1 km hinter Inprugg liegt der CP auf der linken Seite.

Oberretzbach, A-2070 / Niederösterreich

Hubertus Waldcamping
Waldstraße 54
1 Jan - 31 Dez
+43 (0)664-3519341
waldcamping.hubertus@gmx.at
N 48°47'21'' E 15°58'3''

1 A**JM**NOPQRST	6
2 BCPUXY	BE**F**GHI 7
3 L	BFNQR 8
4 FH	9
5	ABHIJLR10
16A CEE	❶ €18,40
H319 1 ha 32**T**(80m²) 2**D**	❷ €25,40

Von Retz nach Norden N35 folgen, im Ort Oberretzbach erste Straße links.

Poysdorf, A-2170 / Niederösterreich

Poysdorf Veltlinerland Camping
Laaerstraße 106
1 Mai - 31 Okt
+43 (0)2552-20371
info@poysdorf.at
N 48°39'52'' E 16°36'42''

1 JMNOPRST	L 6
2 DGHIPRTUVWX	ABDE**F** 7
3 BE**IKLM**	JNQRS 8
4 FH	9
5	AGJR10
6A	❶ €18,70
H205 0,5 ha 37**T**(30m²) 20**D**	❷ €24,10

Der B7 bis Poysdorf folgen. An der Ampel die 21,9 nehmen. Der CP liegt ± 1 km rechts der Strecke.

Purgstall, A-3251 / Niederösterreich

Aktiv-Camp-Purgstall*****
Augasse 8-12
15 Mär - 15 Nov
+43 (0)7489-2015
topcamp@aon.at
N 48°3'25'' E 15°7'47''

1 ADEJMNOPQRS**T**	MN**U** 6
2 CGOPVWXY	BE**FG**HK 7
3 AB**GHK**LV	BDFHNQRS 8
4 **A**EFHIJO**TV**	GJLRV 9
5 ABDEGIKL	ABGHIJLNORV10
WB 12A CEE	❶ €33,00
H303 2,8 ha 48**T**(80-120m²) 6**D**	❷ €42,00

A1 Salzburg-Wien, Ausfahrt 100 Ybbs/Wieselburg. B25 Richtung Wieselburg. Nach 13 km Purgstall. Danach den CP-Schildern folgen.

Rastenfeld, A-3532 / Niederösterreich

Seecamping Ottenstein
Ottenstein 5
1 Mai - 30 Sep
+43 (0)2826-416
office@ottensteinersee.at
N 48°35'59'' E 15°20'31''

1 ADEG**JM**NOPQRST	L**N**QRST**XZ** 6
2 BDGHPRUVWX	ABDE 7
3 **K**L	ABCDE**F**INQRS 8
4 I	AKMOPQRT 9
5 BDEI**L**	AHJRVW10
6A CEE	❶ €28,80
H383 110**T**(60-90m²) 3**D**	❷ €35,20

Von Krems die B37 Ri. Rastenfeld. Weiter an der Kreuzung auf die B38 rechts Ri. 'Schloß Ottenstein' halten. Dann am Schild Schloß Ottenstein/Segel und Surfschule/Seecamping links. Dann den Schildern folgen.

Reingers, A-3863 / Niederösterreich

Haarstubencampingplatz Reingers
Reingers 106
1 Apr - 11 Okt
+43 (0)664-5781796
gemeinde.reingers@wvnet.at
N 48°58'18'' E 15°9'11''

1 AEJMNOPQRST	L**N** 6
2 BDOPVW	BE**F**HIK 7
3 **K**L	BFJNQRTUV 8
4 HI	9
5 AD	AFGHJ**P**RV10
16A CEE	❶ €19,00
H592 0,5 ha 30**T**(80m²)	❷ €23,00

Von Schrems in nördlicher Richtung der N30 folgen bis Heidenreichstein. Dann die N5 weiter. CP ist angezeigt.

Rossatz, A-3602 / Niederösterreich

Rossatzbach
1 Apr - 31 Okt
+43 (0)676-848814800
camping@rossatz-arnsdorf.at
N 48°23'24'' E 15°31'0''

1 ADE**JM**NOPQRS**T**	J**NX**Y**Z** 6
2 CGHJOPWXY	B**FG** 7
3 BFL	ABCDEFJNQRS 8
4 FH	9
5 ABDEGI	ABHJ**O**R10
B 16A	❶ €26,00
H120 0,5 ha 60**T**(80-120m²) 15**D**	❷ €30,00

An der B33 Melk-Krems. Südliches Donauufer.

Schönbühel, A-3392 / Niederösterreich

Stumpfer
Schönbühel 7
1 Apr - 31 Okt
+43 (0)2752-8510
office@stumpfer.com
N 48°15'15'' E 15°22'15''

1 ADEJMNOPQRS**T**	J**N**XZ 6
2 ACFGOPVWXY	BE**FG** 7
3 B**M**	BD**F**NQRS 8
4 AFHI**S**	GIV 9
5 BDEFGJK	ABFGHJ**O**R10
Anzeige auf dieser Seite 16A CEE	❶ €26,00
H207 1 ha 50**T**(80-90m²) 15**D**	❷ €32,00

A1 Linz-Wien, Ausfahrt 80 Melk. Am Kreisel Melk-Nord/Wachau folgen. 300m vor der BP scharfe Rechtskurve, der B33 Richtung Schönbühel folgen. CP hinter dem Gasthof Stumper.

Sulz, A-2392 / Niederösterreich

Naturcamp. Wienerwald
Leopoldigasse 2
15 Apr - 15 Okt
+43 (0)664-4609796
ww-camp@aon.at
N 48°6'18'' E 16°8'1''

1 ADE**JM**NOPRST	N 6
2 AOPTUWX	AB**F**HK 7
3 **GMN**	ABCDEFNQRV 8
4 FO	FU 9
5 ABDL	ABHJNOR10
12A	❶ €21,50
H437 0,4 ha 40**T** 1**D**	❷ €28,30

A21, Ausfahrt 26 Hinterbrühl. Am Ende Ausfahrt links, durch Sittendorf (3 km) die Straße weiter in den Wienerwald. Nach 4 km wird der CP nach (in) Sulz ausgeschildert.

Österreich

Teilkarte Niederösterreich/Wien auf Seite 421

Traisen, A-3160 / Niederösterreich

Terrassen-Camping Traisen
Kulmhof 1
15 Feb - 15 Nov
+43 (0)2762-62900
info@camping-traisen.at
N 48°2'33'' E 15°36'11''

1 A**JM**NOPQRS**T**	AB	6
2 GOPUVWXY	BE**FG**J	7
3 BELS	BD**F**IJNQR	8
4 EFHI	JV	9
5 ABDGKL	ABGHIJ**N**OR	10
Anzeige auf dieser Seite 6A CEE	① €27,00	
H415 2,1 ha 30**T**(60-80m²) 78**D**	② €35,00	

A1 Linz-Wien, Ausfahrt 59 St. Pölten-Süd in Richtung Mariazell. Nach 15 km Traisen. Den CP-Schildern folgen. Vor der Kirche rechts.

Tulln an der Donau, A-3430 / Niederösterr.

Donaupark Camping Tulln
Donaulände 76
1 Apr - 15 Okt
+43 (0)2272-65200
camptulln@oeamtc.at
N 48°19'59'' E 16°4'8''

1 ADEJMNOPQRS**T**	HLM**N**WXY**Z**	6
2 CDGOPWXY	ABDE**FG**I	7
3 BEF**ILM**	ABCDEFJNQRS	8
4 **A**BHO	DEQV	9
5 BDEIJKL	ABEFGHIJL**N**ORV	10
Anzeige auf dieser Seite B 6A CEE	① €33,50	
H179 10 ha 90**T**(80-100m²) 140**D**	② €40,50	

A1 Linz-Wien, Ausfahrt 41 St. Christophen Richtung Tulln (B19). In Tulln Richtung Klosterneuburg. Unter der Bahnlinie durch, die 1. rechts. Nach 650m links ab, den CP-Schildern folgen.

Waidhofen an der Thaya, A-3830 / Niederösterreich

Waidhofen
Badgasse
1/5 - 24/6, 30/6 - 30/9
+43 (0)2842-50356
stadtamt@
waidhofen-thaya.gv.at
N 48°48'39'' E 15°17'24''

1 AJMNOPQRST	JM**N**U	6
2 CGIPWXY	BE**FG**HIK	7
3 AB**K**LQ	ABD**F**NQRSV	8
4 HIV	EPTV	9
5 ABL	ABEHJORV	10
B 16A	① €19,70	
H477 1 ha 60**T**(80m²) 5**D**	② €23,90	

Die 5, Ausfahrt Waidhofen. Im Kreisel geradeaus. Brücke über die Thaya. An der Ampel im Zentrum 'Freizeitzentrum' folgen. Dann den CP-Schildern nach. Besucher 2015 zuerst Rezeption anrufen (+43 (0)664-5904433) wegen (möglicher) Totalsanierung des Campings.

Wien, A-1220 / Wien

Aktiv Camping Neue Donau
Am Kleehäufel
1 Apr - 26 Sep
+43 (0)1-2024010
neuedonau@campingwien.at
N 48°12'30'' E 16°26'50''

1 ADF**JM**NOPRS**T**		6
2 AOPRSVWX	ABDE**FG**IJ	7
3 ABEFL	ABCDEFJNQRV	8
4 AHIO**PQ**	V	9
5 ABDEGIL	AFGHIKLNORV	10
B 16A CEE	① €34,00	
H176 3,5 ha 200**T**(60-80m²)	② €44,00	

Von 1-2-4-21-22-23. Über die Donaubrücke direkt Richtung Ölhafen Lobau 3-3a. Nach 250m am Ende der Straße. Siehe CP-Schild.

Wien, A-1230 / Wien

Wien Süd
Breitenfurterstraße 269
1 Jun - 31 Aug
+43 (0)1-8673649
sued@campingwien.at
N 48°9'1'' E 16°18'2''

1 ADE**JM**NORST		6
2 AOPRWXY	ABDE**FG**IJ	7
3 AB	ABCDEFJNQRST	8
4 I		9
5 **L**	AGHIJORV	10
B 16A CEE	① €31,50	
H211 2,5 ha 240**T**(45-100m²)	② €41,50	

Von A21/A2, abfahren Richtung Wien, Ausfahrt Altmannstorf, weiter wie beschildert.

Wien-West, A-1140 / Wien

Wien West
Hüttelbergstr. 80
1/1 - 31/1, 16/2 - 31/12
+43 (0)1-9142314
west@campingwien.at
N 48°12'50'' E 16°15'2''

1 ADE**JM**NOPRST		6
2 ACOPRSVWXY	ABDE**FG**HI	7
3 A	ABCDEFJNQR	8
4 AIO**P**	FGV	9
5 ABDEGIL	AGHIKLNOTUV	10
B 13A CEE	① €31,50	
H318 2,5 ha 200**T**(26-80m²) 26**D**	② €41,50	

Ende der A1, an der ersten Ampel links, dann geradeaus bis zum CP rechts. Den Schildern folgen.

Teilkarte Niederösterreich/Wien auf Seite 421

Steiermark/Burgenland

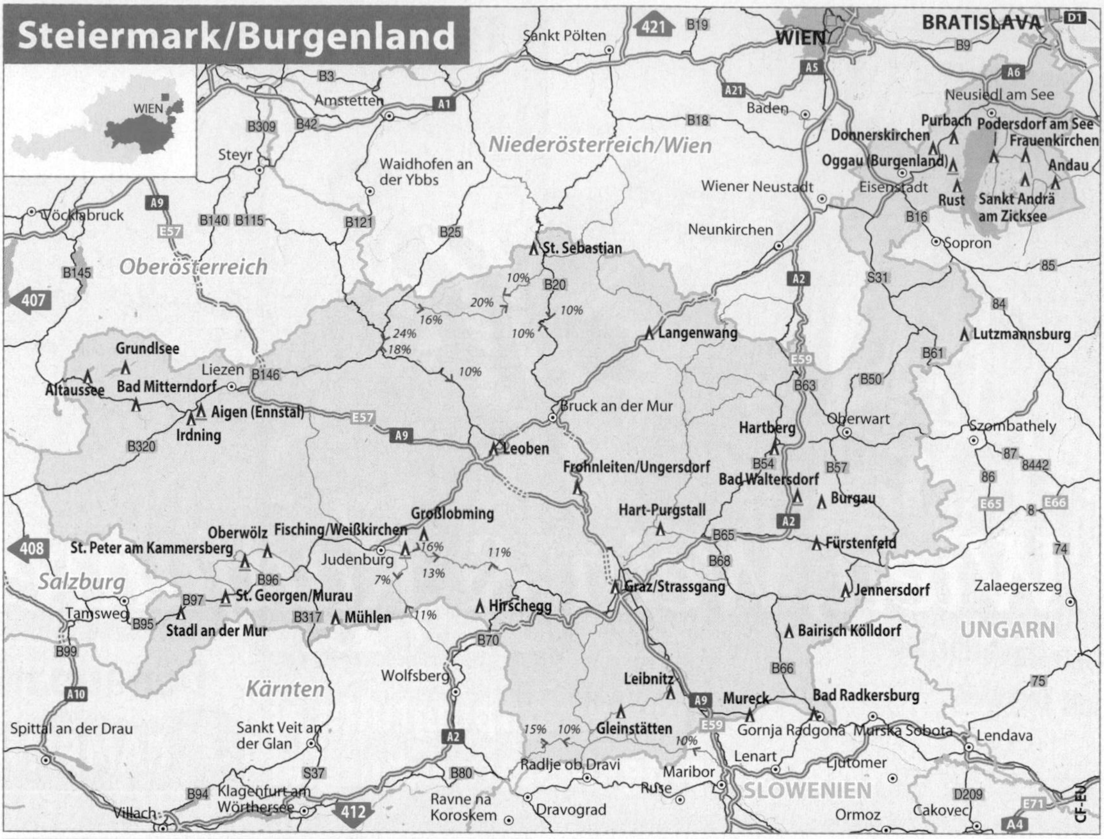

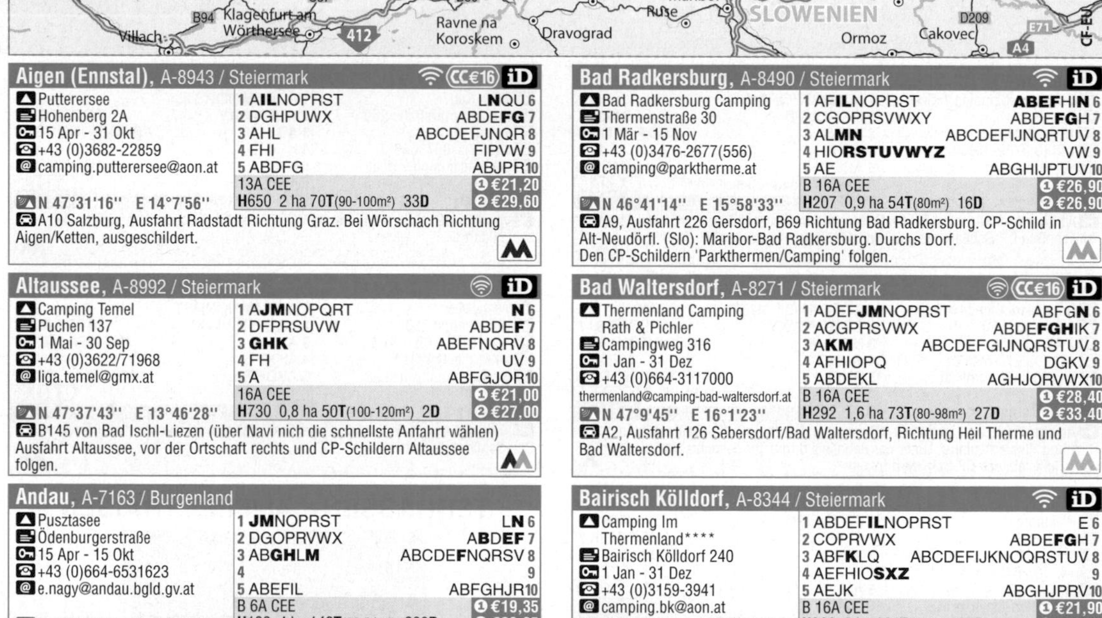

Aigen (Ennstal), A-8943 / Steiermark

Puttererersee
Hohenberg 2A
15 Apr - 31 Okt
+43 (0)3682-22859
camping.puttererersee@aon.at

1	A**IL**NOPRST	**L**NQU 6
2	DGHPUWX	ABDE**FG** 7
3	AHL	ABCDEFJNQR 8
4	FHI	FIPVW 9
5	ABDFG	ABJPR 10
	13A CEE	❶ €21,20
	H650 2 ha 70**T**(90-100m²) 33**D**	❷ €29,60

N 47°31'16'' E 14°7'56''

A10 Salzburg, Ausfahrt Radstadt Richtung Graz. Bei Wörschach Richtung Aigen/Ketten, ausgeschildert.

Bad Radkersburg, A-8490 / Steiermark

Bad Radkersburg Camping
Thermenstraße 30
1 Mär - 15 Nov
+43 (0)3476-2677(556)
camping@parktherme.at

1	AF**IL**NOPRST	**ABEF**HI**N** 6
2	CGOPRSVWXY	ABDE**FG**H 7
3	AL**MN**	ABCDEFIJNQRTUV 8
4	HIO**RSTUVWYZ**	VW 9
5	AE	ABGHIJPTUV 10
	B 16A CEE	❶ €26,90
	H207 0,9 ha 54**T**(80m²) 16**D**	❷ €26,90

N 46°41'14'' E 15°58'33''

A9, Ausfahrt 226 Gersdorf, B69 Richtung Bad Radkersburg. CP-Schild in Alt-Neudörfl. (Slo): Maribor-Bad Radkersburg. Durchs Dorf. Den CP-Schildern 'Parkthermen/Camping' folgen.

Altaussee, A-8992 / Steiermark

Camping Temel
Puchen 137
1 Mai - 30 Sep
+43 (0)3622/71968
liga.temel@gmx.at

1	A**JM**NOPQRT	**N** 6
2	DFPRSUVW	ABDE**F** 7
3	**GHK**	ABEFNQRV 8
4	FH	UV 9
5	A	ABFGJOR 10
	16A CEE	❶ €21,00
	H730 0,8 ha 50**T**(100-120m²) 2**D**	❷ €27,00

N 47°37'43'' E 13°46'28''

B145 von Bad Ischl-Liezen (über Navi nich die schnellste Anfahrt wählen) Ausfahrt Altaussee, vor der Ortschaft rechts und CP-Schildern Altaussee folgen.

Bad Waltersdorf, A-8271 / Steiermark

Thermenland Camping Rath & Pichler
Campingweg 316
1 Jan - 31 Dez
+43 (0)664-3117000
thermenland@camping-bad-waltersdorf.at

1	ADEF**JM**NOPRST	ABFG**N** 6
2	ACGPRSVWX	ABDE**FGH**IK 7
3	A**KM**	ABCDEFGIJNQRSTUV 8
4	AFHIOPQ	DGKV 9
5	ABDEKL	AGHJORVWX 10
	B 16A CEE	❶ €28,40
	H292 1,6 ha 73**T**(80-98m²) 27**D**	❷ €33,40

N 47°9'45'' E 16°1'23''

A2, Ausfahrt 126 Sebersdorf/Bad Waltersdorf, Richtung Heil Therme und Bad Waltersdorf.

Andau, A-7163 / Burgenland

Pusztasee
Ödenburgerstraße
15 Apr - 15 Okt
+43 (0)664-6531623
e.nagy@andau.bgld.gv.at

1	**JM**NOPRST	L**N** 6
2	DGOPRVWX	A**B**D**EF** 7
3	AB**GH**L**M**	ABCDE**F**NQRSV 8
4		9
5	ABEFIL	ABFGHJR 10
	B 6A CEE	❶ €19,35
	H133 4 ha 140**T**(16-64m²) 290**D**	❷ €23,35

N 47°46'27'' E 17°0'47''

Durch Andau Richtung Tadten/St. Andrä, beim verlassen von Andau CP auf der rechten Seite.

Bairisch Kölldorf, A-8344 / Steiermark

Camping Im Thermenland****
Bairisch Kölldorf 240
1 Jan - 31 Dez
+43 (0)3159-3941
camping.bk@aon.at

1	ABDEF**IL**NOPRST	E 6
2	COPRVWX	ABDE**FGH** 7
3	ABF**K**LQ	ABCDEFIJKNOQRSTUV 8
4	AEFHIO**SXZ**	9
5	AEJK	ABGHJPRV 10
	B 16A CEE	❶ €21,90
	H280 2 ha 104**T**(100m²) 30**D**	❷ €21,90

N 46°52'32'' E 15°56'4''

A2 Graz-Wien, Ausfahrt 157 Gleisdorf-Süd. Die 68 nach Feldbach. Weiter auf der B66 Richtung Radkersburg. Hinter Bad Gleichenberg ist der CP ausgeschildert.

Bad Mitterndorf, A-8983 / Steiermark

Kur Camping Grimmingsicht
Bad Mitterndorf 338
1 Jan - 31 Dez
+43 (0)3623-2985
camping@grimmingsicht.at

1	AJMOPRS**T**	**EFGHNO** 6
2	CGOPRWX	ABDE**FGH** 7
3	A**GHIMO**QS**U**	ABEFJNQRV 8
4	**AE**FGHIK**STVWZ**	DGI 9
5	AGL	ABHJR 10
	WB 16A	❶ €24,05
	H812 0,5 ha 30**T** 17**D**	❷ €31,95

N 47°33'18'' E 13°55'21''

CP befindet sich von Bad Ischl kommend an der B145 vor Bad Mitterndorf rechts bzw. von Liezen kommend an der B145 hinter Bad Mitterndorf links.

Burgau, A-8291 / Steiermark

Schlosscamping Burgau
Schlossweg 296
1 Apr - 31 Okt
+43 (0)680-3046297
info@schlosscampingburgau.com

1	AB**JM**NOQRST	HLM**N** 6
2	ADGHIOPRSVWXY	ABDE**F** 7
3	ABDFMST	ABCDEFNQR 8
4	FGHI	DIS 9
5		ABHJPR 10
	16A	❶ €20,45
	0,5 ha 57**T**(75-125m²) 17**D**	❷ €24,45

N 47°8'46'' E 16°5'54''

A2 von Wien aus Bad-Burgau den Schildern Burgau folgen. CP in der Stadt angezeigt.

Donnerskirchen, A-7082 / Burgenland

Sonnenwaldbad Camping
Badstraße 25
1 Mai - 30 Sep
+43 (0)2683-8670
sonnenwaldbad@donnerskirchen.at
N 47°53'33'' E 16°37'52''

1 ILNOPRST ABFGH 6
2 FGPRTUWXY ABDEFGHIK 7
3 BEFIKMNQ ABEFJNQRV 8
4 FH V 9
5 EGJL ABHJ10
16A CEE ❶ €25,50
H184 5 ha 45T 140D ❷ €29,50

In Donnerskirchen B50 Schildern 'Camping' und 'Freibad' folgen.

Fisching/Weißkirchen, A-8741 / Steiermark

50plus Campingpark Fisching****
Fisching 9
1 Apr - 30 Okt
+43 (0)3577-82284
campingpark@fisching.at
N 47°9'47'' E 14°44'18''

1 ACFJMNOPQRST M 6
2 ADFGOPSVWX ABDEFGHIK 7
3 KV ABCDEFJNQRTUV 8
4 AEFHIO FIKV 9
5 ADEGJKL ABDEFGHIJMNPRV10
6A CEE ❶ €27,40
H681 1,5 ha 50T(100-130m²) 11D

S36, Ausfahrt Zeltweg-West, B78 Richtung Weißkirchen, beim Kreisverkehr Richtung Fisching. Schildern folgen.

Frauenkirchen, A-7132 / Burgenland

Camping - Paula
Mönchhoferstraße 17
1 Mai - 30 Sep
+43 (0)664-4745826
camping-paula@aon.at
N 47°50'41'' E 16°55'49''

1 ACILNOPRST 6
2 GPVWXY ABDEF 7
3 AB ABCDEFNQRV 8
4 J 9
5 DEG ABGHIJR10
12A CEE ❶ €23,70
H135 6 ha 100T(50-80m²) 62D ❷ €32,70

A4 Ausfahrt Mönchhof Richtung Frauenkirchen. Direkt in der Ortseinfahrt Frauenkirchen liegt der CP.

Frohnleiten/Ungersdorf, A-8130 / Steiermark

Lanzmaierhof
Ungersdorf 16
22 Mär - 15 Okt
+43 (0)3126-2360
lanzmaierhof@gmail.com
N 47°15'8'' E 15°19'6''

1 AJMNOPRST ABFGHI 6
2 AOPWXY ABF 7
3 ABL ABEFNQR 8
4 EGI 9
5 ABEJKL AGJR10
10A ❶ €23,50
H433 0,4 ha 30T(50m²) 5D ❷ €29,30

S35 Graz-Bruck Ausfahrt Pegau Nord (BADL). Unten an der Ausfahrt rechts, 3 km Richtung Frohnleiten. CP ist angezeigt. Von Norden: S35 Ausfahrt Frohnleiten-Süd. Dann erste Ausfahrt im Kreisel.

Fürstenfeld, A-8280 / Steiermark

Thermenland Camping Fürstenfeld****
Campingweg 1
15 Apr - 15 Okt
+43 (0)3382-54940
camping.fuerstenfeld@chello.at
N 47°3'27'' E 16°3'46''

1 ADEGILNOPRST AFHIJN 6
2 ABCGPRUWXY ABDEFGHIK 7
3 BFKST ABEFNQRS 8
4 AEFHIO 9
5 AGHL ABHIJPR10
B 16A CEE ❶ €22,30
H267 4 ha 34T(80-90m²) 34D ❷ €30,30

A2 Richtung Grenze Ungarn/Fürstenfeld, dann Ausfahrt 1 (Zentrum). Hinter der Brücke geradeaus bis zum Freibad. Einfahrt zum CP über das Freibad.

Gleinstätten, A-8443 / Steiermark

Naturbadesee Weinland Camping
Gleinstätten 230
1 Apr - 3 Nov
+43 (0)3457-3344
info@weinland-camping.at
N 46°45'6'' E 15°21'40''

1 ABILNOPRST AFHLMNX 6
2 DGIJOPQSWXY ABEFG 7
3 ABEFGHKLM ABCDEFNQRV 8
4 FHS V 9
5 ABDEFGIKL ABHJPRY10
16A CEE ❶ €21,00
H303 0,9 ha 40T(70m²) 9D ❷ €23,50

A9 Ausfahrt Wildon 202 in Richtung Preding L603 und am Kreisel Richtung Gleinstätten L303. Oder A9 Ausfahrt Leibnitz 214 Richtung Gleinstätten der B74 folgen.

Graz/Strassgang, A-8054 / Steiermark

Central
Martinhofstraße 3
1 Apr - 31 Okt
+43 (0)676-3785102
guenther_walter@utanet.at
N 47°1'30'' E 15°23'49''

1 AILNOPRST AFM 6
2 AGPRVWXY ABDEFGH 7
3 AL ABCEFNQR 8
4 9
5 AGHIKOR10
B 6A CEE ❶ €30,00
H369 3 ha 80T(70-90m²) 20D ❷ €40,00

Aus Norden Richtung: A9 Richtung Graz, direkt nach dem Tunnel Richtung Webling nach Strassgang. Den Schildern folgen. Aus dem Süden: A9 Richtung Graz, beim Knoten-West idem. A2 Richtung Graz idem.

Großlobming, A-8734 / Steiermark

Murinsel
Teichweg 1
1 Apr - 15 Okt
+43 (0)3512-60088
office@camping-murinsel.at
N 47°11'40'' E 14°48'20''

1 AJMNOPQRST LN 6
2 ACDFGIPVWX ABEFGHI 7
3 AKM ABCDEFHJNOPQRTUV 8
4 IOX DVZ 9
5 ADEFJL ABFGHIJMPRV10
16A CEE ❶ €26,50
H640 5 ha 85T(100-140m²) 44D ❷ €34,50

S36 Knittelfeld-Ost, den Schildern folgen. Nicht über Spielberg-Knittelfeld-West wegen zu niedriger Durchfahrt.

Grundlsee, A-8993 / Steiermark

Gössl
Gössl 201
1 Mai - 31 Okt
+43 (0)3622-8181
office@campinggoessl.com
N 47°38'20'' E 13°54'8''

1 AJMNOPR LNOPQRSTUXYZ 6
2 DFGHKOPW ABDEFG 7
3 M ABCDEFNQRS 8
4 DGIV 9
5 ABDIJKL AJPR10
B 10A ❶ €21,50
H710 1 ha 80T 19D ❷ €27,50

Von Salzburg die B158 bis Bad Ischl, dann die B145 Richtung Bad Aussee. Dann Richtung Grundlsee bis Gössl. CP-Einfahrt hinter dem Kreisel über Campingplatz Veit.

Hart-Purgstall, A-8063 / Steiermark

Freie Menschen FKK
Volkersdorferstraße 48
1 Mai - 30 Sep
+43 (0)6-644104215
info@tkk.org
N 47°8'15'' E 15°34'4''

1 AGHKNOPRST ABFM 6
2 GPRWX ABDEI 7
3 ABEKLM ABEFNQR 8
4 IO FI 9
5 DHIK ABHIJNR10
FKK 16A ❶ €22,50
H450 2 ha 25T(48-64m²) 72D ❷ €22,50

A2 Graz-Wien, nach Gleisdorf-West. B65 Richtung Graz/Eggersdorf (Kumberg). Bei Eggersdorf/Volkersdorf durchfahren bis zum Schild 'FM Graz FKK'. Dem Sandweg folgen.

Hartberg, A-8230 / Steiermark

Herz-Camping Westner
Augasse 35
1 Apr - 1 Nov
+43 (0)676-9414939
herz@hartberg.at
N 47°16'42'' E 15°58'21''

1 AILNOPRST ABEFGHI 6
2 AOPWXY ABF 7
3 ILM ABEFNQR 8
4 FHRST 9
5 AL AHJR10
B 12A CEE ❶ €22,50
H330 0,5 ha 70T 10D ❷ €27,50

A2, Ausfahrt 115 Hartberg. Den Schildern 'Zentrum' bis zum Eurospar folgen. Bis zum Kreisel folgen. Links ab. Dann die 1. Straße links Richtung Herzhalle. Den CP-Schildern folgen.

Hirschegg, A-8584 / Steiermark

Hirschegg
Hirschegg 53
1 Jan - 31 Dez
+43 (0)3141-2201
info@camping-hirschegg.at
N 47°1'19'' E 14°57'18''

1 AGJMNOPQRST LN 6
2 CDFGPRSTUVWX ABF 7
3 ABCDEFJNR 8
4 FIO 9
5 AGHJORV10
W 10A ❶ €23,30
H900 2 ha 30T(100-120m²) 28D ❷ €29,30

A2, Ausfahrt Modriach oder Pack. Den CP-Schildern folgen.

Irdning, A-8952 / Steiermark

Im Dörfl
Falkenburg Dörfl 273
1 Jan - 31 Dez
+43 (0)3682-22022
info@imdoerfl.at
N 47°30'36'' E 14°5'49''

1 AEJMNOPRT AMN 6
2 DFGOPW ABDE 7
3 ABFGHJ ABCDEFJNQRS 8
4 FHI J 9
5 ADEGIL AGHJMRW10
W 16A ❶ €21,00
H640 1 ha 40T(100m²) 5D ❷ €28,00

B320 von Liezen nach Schladming. Rechts ab B75 Richtung Irdning. Nach 1 km kurz vor Irdning liegt der CP links.

Jennersdorf, A-8380 / Burgenland

Jennersdorf
Freizeitzentrum 3
16 Mär - 31 Okt
+43 (0)3329-46133
camping.jennersdorf@speed.at
N 46°56'45'' E 16°8'2''

1 AGILNOPRST ABFHIM 6
2 GPRVWX ABDEFGHI 7
3 AKLM ABEFNQRSV 8
4 IO KW 9
5 AL ABHJOR10
B 16A CEE ❶ €23,80
H241 1 ha 55T(70-90m²) 22D ❷ €29,80

A2 von Wien oder Graz Ausfahrt Ilz Richtung Fürstenfeld. Dann Richtung Jennersdorf und den CP-Schildern folgen.

Langenwang, A-8665 / Steiermark

Europa Camping
Siglstraße 5
1 Jan - 31 Dez
+43 (0)3854-2950
europa.camping.stmk@aon.at
N 47°34'8'' E 15°37'12''

1 AJMNOPQRST 6
2 ACOPVXY ABFH 7
3 BL ABDEFJNQR 8
4 FHO U 9
5 ABFIJKL AHIJRY10
W 16A CEE ❶ €18,65
H637 0,5 ha 37T(60-80m²) 11D ❷ €23,65

Über die S6 zur Ortsmitte (Langenwang). Der CP liegt hinter dem Hotel Krainer und dem SB-Markt Billa.

Leibnitz, A-8430 / Steiermark

Städt. Freizeitzentrum Leibnitz
R.H. Bartschgasse 33
1 Mai - 15 Okt
+43 (0)3452-82463
camping@leibnitz.at
N 46°46'43'' E 15°31'44''

1 ABDEILNOPRST ABFGHIJN 6
2 ACGPVWXY ABDEFG 7
3 ABDEFGIKLMS ABEFGINQR 8
4 FH 9
5 ADE ABGHIJPR10
B 16A CEE ❶ €21,90
H283 1 ha 63T(60-100m²) ❷ €26,90

A9, Ausfahrt 214 Leibnitz. Den Schildern Leibnitz-Zentrum folgen, dann den CP-Schildern.

Österreich

Teilkarte Steiermark/Burgenland auf Seite 424

Leoben, A-8700 / Steiermark

Hinterberg
Hinterbergstraße 47
15 Apr - 30 Sep
+43 (0)3842-26758
campingclubleobenhinterberg@gmx.at
N 47°21'39'' E 15°3'57''

1 AJMNOPQRST	6
2 AFOPWX	ABF 7
3 AQ	ABEFNQR 8
4 IO	D 9
5 AG	AJMPR 10
13A	❶ €19,50
H540 3 ha 40T(80m²) 35D	❷ €19,50

S6 Ausfahrt Leoben-West. Am Kreisel 3/4 Richtung Hinterberg. Am 'Hornbach' entlang, unter der Brücke durch und links. Nach 400m kommt der Camping. Oder A2 Ausfahrt St.Michael-Leoben.

Purbach, A-7083 / Burgenland

Campingplatz Storchencamp Purbach
1 Apr - 27 Okt
+43 (0)2683-5170
office@gmeiner.co.at
N 47°54'34'' E 16°42'20''

1 FJMNOPRST	ABFGHINQRSTXYZ 6
2 GOPRWX	ABDEF 7
3 AKLM	ABCDEFJNQRSV 8
4 HP	AGITV 9
5 ABDEGHIJKL	AHJOR 10
B 6A	❶ €21,30
H122 2 ha 100T(80-100m²) 402D	❷ €28,30

B50 Eisenstadt-Neusiedl am See. Im Ort CP-Schild oder Schild 'Zum See' folgen.

Lutzmannsburg, A-7361 / Burgenland

Sonnenland*****
Trift 3
28 Feb - 11 Nov
+43 (0)2615-81257
camping@camping-sonnenland.at
N 47°28'3'' E 16°38'23''

1 ACDEFJMNOPRST	LMN 6
2 DFGHIOPRSVW	ABDEFGHIJ 7
3 BCEFHKLMNPQRSU	ABCDEFJKLMNQRSTUV 8
4 BEFHIKOPQ	DV 9
5 ACDEFGJKL	ABGHJMNORVX 10
B 16A CEE	❶ €34,80
H208 12 ha 146T(115-240m²) 12D	❷ €43,80

Von der S4 zur S31 Ri. Ungarn. Ausfahrt Oberpullendorf und Lutzmannsburg folgen. Der CP liegt links, 100m hinter der Kirche. Der CP ist gut angezeigt.

Rust, A-7071 / Burgenland

Storchencamp Rust
Seebad
1 Apr - 27 Okt
+43 (0)2685-595
office@gmeiner.co.at
N 47°48'4'' E 16°41'30''

1 DEFJMNOPRST	ABFGHILMNQRSTXYZ 6
2 DGIPQRVWX	ABDEFGH 7
3 BFIKL	ABEFJNQRSV 8
4 FHIO	AGKMOTV 9
5 ABDEGHIKL	ABFGHJOTUV 10
B 12A	❶ €26,60
H116 7 ha 200T(80m²) 329D	❷ €33,90

Von der A4 oder A3 die B50 nehmen und diese Richtung Oggau und Rust verlassen. In Rust den CP-Schildern folgen.

Mühlen, A-8822 / Steiermark

Camping am Badesee
Hitzmannsdorf 2
30 Apr - 27 Sep
+43 (0)3586-2204
office@camping-am-badesee.at
N 47°2'13'' E 14°29'15''

1 ACEFJMNOPQRST	LN 6
2 DFGPUVWX	ABDEFGH 7
3 AEKLSV	ABCDEFJNQRSV 8
4 ABEFGHIKO	JW 9
5 ABDEFGIL	ABHJMPRV 10
6A CEE	❶ €22,60
H960 1,5 ha 65T(100m²) 26D	❷ €28,60

Südlich Neumark, Ausfahrt nach Mühlen. Vor Mühlen liegt der CP. CP-Schild an der Straße. Am besten über die A9 bis St. Michel (bei Leoben). Dann Richtung Klagenfurt über die S36.

Sankt Andrä am Zicksee, A-7161 / Burgenland

Zicksee Camping
1 Apr - 16 Okt
+43 (0)2176-2144
camping@standraezicksee.at
N 47°47'30'' E 16°54'58''

1 ADHKNOPRST	LMNQRSTUV 6
2 DGKOPRVXY	ABDEFG 7
3 ABELPS	ABCDEFJNQRS 8
4 H	T 9
5 ABDJKL	ABGHIJR 10
B 10A CEE	❶ €22,80
H131 4 ha 350T(70-105m²) 88D	❷ €22,80

A4 von Wien Ausfahrt Mönchhof. Dann Richtung Frauenkirchen und St. Andrä. Den CP-Schildern folgen.

Mureck, A-8480 / Steiermark

Mureck****
Austraße 9
1 Apr - 2 Dez
+43 (0)3472-210512
m.rauch@mureck.steiermark.at
N 46°42'18'' E 15°46'21''

1 ADEJMNOPRST	ABFHIMN 6
2 BCGPRWXY	ABDEFGH 7
3 ABEFILMNOU	ABDEFNPQR 8
4 FH	9
5 ADEFGI	ABFGHJLOPRZ 10
B 16A	❶ €22,90
H237 2 ha 60T(80-100m²) 35D	❷ €27,90

A9 Graz Richtung Slovenien. Ausfahrt 226 Gersdorf. Dann B69 Richtung Mureck. In der Stadt den Schildern folgen.

St. Georgen/Murau, A-8861 / Steiermark

Olachgut*****
Kaindorf 90
1 Jan - 31 Dez
+43 (0)3532-2162
office@olachgut.at
N 47°6'27'' E 14°8'22''

1 AJMNOPQRST	JLNU 6
2 CDFGOPRUVWXY	ABCDEFGH 7
3 ABEGHKLRS	ABCDEFIJKLMNPQRSTUV 8
4 ABEFGHIOT	DGIJ 9
5 ABEGIKL	ABDGHJLMNORV 10
WB 16A CEE	❶ €28,40
H832 10 ha 140T(100-140m²) 63D	❷ €38,40

A10/E55, Ausf. 104 St. Michael. Straße 96 bis Tamsweg, dann Straße 97 bis St. Georgen, nach 2 km CP re.

St. Peter am Kammersberg, A-8842 / St.

Bella Austria****
Peterdorf 100
28 Mär - 27 Sep
+43 (0)3536-73902
info@camping-bellaustria.com
N 47°10'49'' E 14°12'55''

1 AJMNOPQRST	ABFGN 6
2 CFGPRSVWX	ABDEFGH 7
3 ABELQ	ABCDEFJKNPQRSTU 8
4 ABEFHILOT	ELUV 9
5 AEGJ	ABHIJOST 10
Anzeige auf dieser Seite B 10A CEE	❶ €22,00
H800 5,5 ha 70T(110m²) 180D	❷ €30,00

Über die B99 Richtung Tamsweg, die Turracher Bundesstrasse (B95) Richtung Ramingstein, Predlits, Falkendorf nach Murau. Durch Murau nach Frojack Katsch, Peterdorf und Bella Austria.

Oberwölz, A-8832 / Steiermark

Rothenfels
Bromach 1
1 Mär - 31 Okt
+43 (0)664-1412514
camping@rothenfels.at
N 47°12'3'' E 14°17'35''

1 AJMNOPQRST	6
2 FGPRTUXY	ABDEFGH 7
3 ABG	ABCDEFJNQR 8
4 FH	D 9
5 AL	AGJLST 10
FKK 6A CEE	❶ €20,00
H900 80 ha 40T(100-200m²) 22D	❷ €26,00

B96 Niederwölz, B75 Oberwölz, nach Stadtplan nach 150m rechts, Schildern 'Schloss Camping' folgen, hier anmelden, verschiedene Plätze bis 1300m.

St. Sebastian, A-8630 / Steiermark

Erlaufsee
1 Mai - 15 Sep
+43 (0)3882-4937
gemeinde@st-sebastian.at
N 47°47'24'' E 15°16'56''

1 AJMNOPQRST	HLMNOPQSU 6
2 DFGHOPRTWXY	ABDEF 7
3 LS	ABEFJNQR 8
4 FI	L 9
5 L	ABJRV 10
12A	❶ €19,50
H802 1 ha 60T(80-120m²) 15D	❷ €23,50

Über die B20 bis St. Sebastian-Zentrum. Am Gemeindeamt vorbei und auf dieser Straße weiterfahren, CP nach 3 km.

Oggau (Burgenland), A-7063 / Burgenland

Oggau
1 Apr - 31 Okt
+43 (0)2685-7271
office@campingoggau.at
N 47°50'39'' E 16°41'15''

1 ADEFJMNOPQRST	AFHNSXYZ 6
2 PRVWX	ABDEFG 7
3 BEFKM	ABCDEFJNQRSV 8
4 FH	TV 9
5 ABEIJK	ABGHJR 10
10A	❶ €24,60
H246 8 ha 155T(50-80m²) 315D	❷ €30,40

Von der A4 oder A3 die B50 nehmen und diese Richtung Oggau und Rust verlassen. In Oggau den CP-Schildern folgen.

Stadl an der Mur, A-8862 / Steiermark

da' Bräuhauser
Steindorf 23a
1 Jan - 31 Dez
+43 (0)3534-2338
info@pichlerpaul-urlaub.at
N 47°5'21'' E 13°59'21''

1 ACJMNOPQRST	N 6
2 CFGOPRWX	ABFGH 7
3 BKLS	ABEFJNQRT 8
4 EFHIKO	FGI 9
5 AEIKL	AGHJOPR 10
WB 16A CEE	❶ €22,00
H900 1 ha 30T(100-120m²) 12D	❷ €28,00

A10/ E55 Ausfahrt 104 St. Michael. Die B96 bis Tamsweg, dann die B97 bis nach Stadl an der Mur. Weiter rechts ab bei Steindorf. Den CP-Schildern folgen.

Podersdorf am See, A-7141 / Burgenland

Strandcamping Podersdorf am See
27 Mär - 1 Nov
+43 (0)2177-2279
strandcamping@podersdorfamsee.at
N 47°51'15'' E 16°49'36''

1 ADFILNOPRST	LMNQRXY 6
2 ADFGJKLORSVX	ABCDEFGH 7
3 AB	ABCDEFJKNQRS 8
4	DE 9
5 ABDKL	ABFGHIJLPR 10
B 12A CEE	❶ €31,80
H124 7,5 ha 690T(60-80m²) 227D	❷ €35,80

A4 bis Gols, nach 4 km rechts nach Podersdorf. Vor dem Ort rechts ab (nördliche Richtung). Den Schildern 'zum See' zum CP folgen.

Nur bei Angabe dieses Logos CC wird die CampingCard ACSI akzeptiert.

Siehe auch die Gebrauchsanweisung hinten in diesem Führer

Österreich

Polen

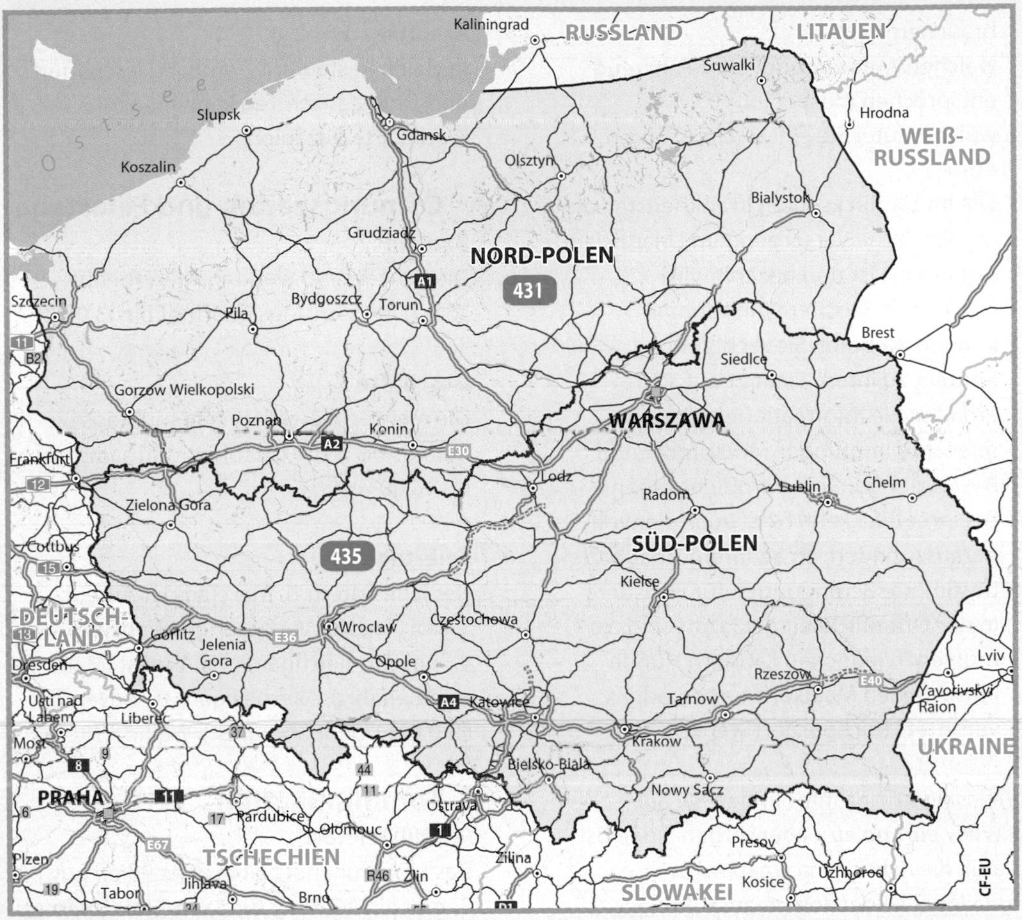

Allgemein

Polen ist EU-Mitglied.

Zeit

In Polen ist es genauso spät wie in Berlin.

Sprache

Polnisch, aber auch Englisch wird verstanden.

Grenzformalitäten

Viele Formalitäten und Vereinbarungen, wie erforderliche Reisedokumente, KFZ-Papiere, Anforderungen an Ihr Fahrzeug und Ihren Aufenthalt, Krankenkosten und das Mitführen von Tieren, sind nicht nur vom Zielort abhängig, sondern auch von Ihrem Ausgangsort und Ihrer Nationalität. Auch die Dauer Ihres Aufenthaltes spielt dabei eine Rolle. Im Rahmen dieses Führers ist es leider nicht möglich, allen Lesern korrekte und aktuelle Informationen in dieser Hinsicht zu garantieren.

Wir raten Ihnen, vor Ihrer Abreise bei den entsprechenden Behörden in Erfahrung zu bringen:

- welche Reisedokumente Sie für sich selbst und Ihre Reisebegleitung brauchen
- welche Dokumente Sie für Ihr Auto

brauchen
- welchen Anforderungen Ihr Fahrzeug entsprechen muss
- welche Güter Sie ein- und ausführen dürfen
- wie im Unglücks- oder Krankheitsfall die medizinische Versorgung im Urlaubsland organisiert ist und bezahlt wird
- ob Sie Ihre Haustiere mitnehmen können. Nehmen Sie rechtzeitig Kontakt zu Ihrem Tierarzt auf. Dort erhalten Sie Informationen über relevante Impfungen, entsprechende Bestätigungen und Verpflichtungen bei Ihrer Rückkehr. Es ist auch sinnvoll herauszufinden, ob an Ihrem Urlaubsziel bestimmte Bedingungen für Haustiere in der Öffentlichkeit geknüpft sind. So müssen in manchen Ländern Hunde immer einen Maulkorb tragen oder vergittert transportiert werden.

Viele allgemeine Infos finden Sie auf ▸ *www.europa.eu* ◂ aber sorgen Sie selbst dafür, die richtige Information für Ihre individuelle Situation herauszufinden.

Aktuelle Zollbestimmungen entnehmen Sie den Botschaften des jeweiligen Urlaubslandes an Ihrem Wohnort.

Währung und Geld

Die polnische Münzeinheit ist der Zloty (PLN). Wechselkurs (September 2014): € 1 = PLN 4,19. Wechseln Sie nur an ausgewiesenen Wechselstuben oder Banken.

Geldautomat

Es gibt ausreichend Geldautomaten, wo man Geld abheben kann.

Kreditkarten

In vielen Restaurants, großen Geschäften und Touristenzentren kann man mit Kreditkarte bezahlen.

Öffnungszeiten und Feiertage

Banken

Die Banken sind werktags geöffnet bis 16.00 Uhr. Samstags geöffnet bis 13.00 Uhr.

Geschäfte

Die meisten Geschäfte sind montags bis freitags bis 20.00 Uhr offen und samstags bis 16.00 Uhr.

Feiertage

Neujahr, Ostern, 1. Mai (Tag der Arbeit), 3. Mai (Tag der Verfassung), Pfingsten, 4. Juni (Fronleichnam), 15. August (Mariä Himmelfahrt), Allerheiligen, 11. November (Tag der Unabhängigkeit), Weihnachten.

Kommunikation

(Mobil)Telefon

Das Mobilfunknetz ist in ganz Polen gut. Es gibt ein 3G-Netz für das mobile Internet. Von touristischen und großen Orten kann man internationale Gespräche führen. In kleineren Orten können Sie sich auf

der Post über einen Telefonisten eine Auslandsverbindung machen lassen.

W-Lan, Internet
Im ganzen Land, besonders in den Städten, finden Sie Internetcafés. In den großen Städten gibt es auch W-Lan Hotspots.

Post
An Werktagen ist die Post geöffnet bis 18.00 Uhr und samstags bis 14.00 Uhr.

Ⓐ Straßen und Verkehr

Straßennetz
Die Autobahnen in Polen sind in gutem Zustand. Nur in ländlichen Gebieten gibt es noch unbefestigte Straßen. Nicht zu empfehlen sind Fahrten über Landstraßen nach Einbruch der Dunkelheit. Pannenhilfsdienst Starter: Tel. 600-222-222.

Verkehrsvorschriften

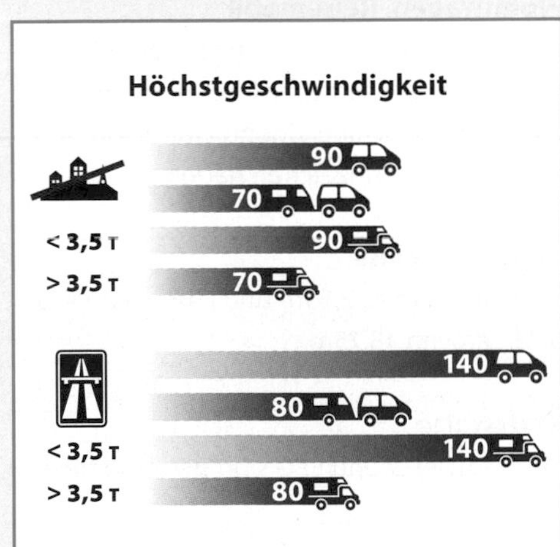

Rechts hat Vorfahrt. Straßenbahnen haben immer Vorfahrt. Im Kreisverkehr hat man Vorfahrt. Bei eine Fahrradüberweg hat der Fahrradfahrer Vorfahrt.

Promillehöchstgrenze: 0,2‰.
Telefonieren nur mit Freisprechanlage.
Tagsüber muss man mit Licht fahren. Bei einem Verkehrsunfall müssen Sie die Polizei hinzuziehen. Es ist verboten eine Person 'in angetrunkenem Zustand' vorne im Auto zu befördern.

Der so genannte Mehrzweckstreifen ist eine Art Fluchtweg außerhalb geschlossener Ortschaften. Man erkennt ihn an der durchgezogenen weißen Linie, die ihn vom Fahrbahnrand trennt. Hier muss man aufpassen, denn dieser Streifen ist auch für den langsamen Verkehr bestimmt, wie Radfahrer, Fußgänger, Mütter mit Kinderwagen usw. Winterreifen nicht verpflichtet, jedoch sehr zu empfehlen.

Navigation
Warnung vor festen Blitzern durch Navi oder Mobiltelefon Apps ist erlaubt.

Wohnwagen, Reisemobil
Achtung! Caravans und Anhänger mit einem max. Gesamtgewicht von mehr als 750 kg müssen eine eigene Zulassung und ein eigenes Kennzeichen haben.

Zulässige Maße
Höhe 4m, Breite 2,55m und Länge von KFZ und Caravan 18,75m.

Kraftstoffe
Bleifrei, Diesel und LPG sind gut erhältlich.

Tankstellen
Tankstellen sind im Allgemeinen zwischen 8.00 und 19.00 Uhr geöffnet. In den großen Städten und an den Autobahnen sind viele Tankstellen Tag und Nacht geöffnet. An den meisten können Sie mit Kreditkarte bezahlen.

Maut
Auf den Autobahnen A1, A2 und A4 muss man Maut bezahlen. Man kann mit Zlotys oder Euro bezahlen.

Notruf
112: nationaler Notruf für Polizei, Feuerwehr und Krankenwagen.
Achtung! In Polen können Sie einen Notruf für ausländische Touristen anrufen:
Tel. 608-599-999.

Campen
Die Qualität polnischer Campings variiert zwischen einfachen und modernen Geländen, die auf europäischem Niveau mithalten können. In Polen sind parzellierte Plätze noch wenig bekannt, dagegen haben aber alle Strom. Die Plätze an der Ostsee und in den Karpaten sind sehr beliebt. Vor allem in diesen Gebieten ist eine eigene chemische Toilette empfehlenswert.

Praktisch
- Am besten immer Universalstecker dabei haben.
- Lieber Mineralwasser in Flaschen anstatt Leitungswasser verwenden.

Klima Warschau	Jan.	Feb.	März	April	Mai	Juni	Juli	Aug.	Sept.	Okt.	Nov.	Dez.
Tagestemperatuur	-2	-2	3	9	16	19	21	20	16	10	4	0
Sonnenstunden am Tag	1	2	4	5	6	7	7	7	6	3	1	0
Regentage	8	7	5	7	7	8	11	8	8	6	8	9

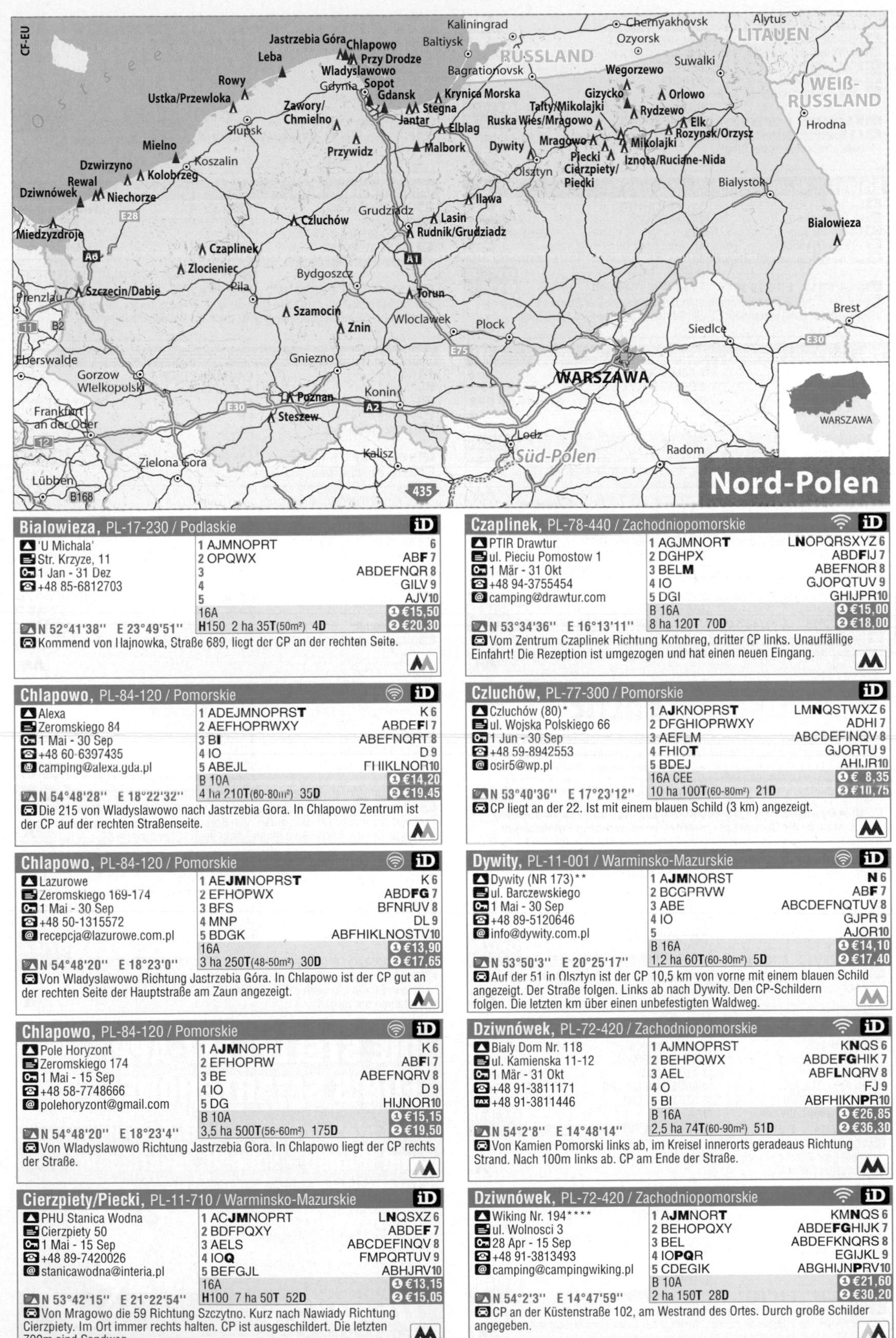

Bialowieza, PL-17-230 / Podlaskie

'U Michala'
Str. Krzyze, 11
1 Jan - 31 Dez
+48 85-6812703

1 AJMNOPRT	6
2 OPQWX	ABF**F** 7
3	ABDEFNQR 8
4	GILV 9
5	AJV 10
16A	❶ €15,50
H150 2 ha 35**T**(50m²) 4**D**	❷ €20,30

N 52°41'38'' E 23°49'51''
Kommend von Hajnowka, Straße 689, liegt der CP an der rechten Seite.

Czaplinek, PL-78-440 / Zachodniopomorskie

PTIR Drawtur
ul. Pieciu Pomostow 1
1 Mär - 31 Okt
+48 94-3755454
camping@drawtur.com

1 AGJMNOR**T**	L**N**OPQRSXYZ 6
2 DGHPX	ABD**F**IJ 7
3 BEL**M**	ABEFNQR 8
4 IO	GJOPQTUV 9
5 DGI	GHIJPR 10
B 16A	❶ €15,00
8 ha 120**T** 70**D**	❷ €18,00

N 53°34'36'' E 16°13'11''
Vom Zentrum Czaplinek Richtung Kolobreg, dritter CP links. Unauffällige Einfahrt! Die Rezeption ist umgezogen und hat einen neuen Eingang.

Chlapowo, PL-84-120 / Pomorskie

Alexa
Zeromskiego 84
1 Mai - 30 Sep
+48 60-6397435
camping@alexa.gda.pl

1 ADEJMNOPRS**T**	K 6
2 AEFHOPRWXY	ABDE**F**I 7
3 B**I**	ABEFNQRT 8
4 IO	D 9
5 ABEJL	FHIKLNOR 10
B 10A	❶ €14,20
4 ha 210**T**(60-80m²) 35**D**	❷ €19,45

N 54°48'28'' E 18°22'32''
Die 215 von Wladyslawowo nach Jastrzebia Gora. In Chlapowo Zentrum ist der CP auf der rechten Straßenseite.

Czluchów, PL-77-300 / Pomorskie

Czluchów (80)*
ul. Wojska Polskiego 66
1 Jun - 30 Sep
+48 59-8942553
osir5@wp.pl

1 A**J**KNOPRS**T**	LM**N**QSTWXZ 6
2 DFGHIOPRWXY	ADHI 7
3 AEFLM	ABCDEFINQV 8
4 FHIO**T**	GJORTU 9
5 BDEJ	AHIJR 10
16A CEE	❶ € 8,35
10 ha 100**T**(60-80m²) 21**D**	❷ €10,75

N 53°40'36'' E 17°23'12''
CP liegt an der 22. Ist mit einem blauen Schild (3 km) angezeigt.

Chlapowo, PL-84-120 / Pomorskie

Lazurowe
Zeromskiego 169-174
1 Mai - 30 Sep
+48 50-1315572
recepcja@lazurowe.com.pl

1 AE**JM**NOPRS**T**	K 6
2 EFHOPWX	ABD**FG** 7
3 BFS	BFNRUV 8
4 MNP	DL 9
5 BDGK	ABFHIKLNOSTV 10
16A	❶ €13,90
3 ha 250**T**(48-50m²) 30**D**	❷ €17,65

N 54°48'20'' E 18°23'0''
Von Wladyslawowo Richtung Jastrzebia Góra. In Chlapowo ist der CP gut an der rechten Seite der Hauptstraße am Zaun angezeigt.

Dywity, PL-11-001 / Warminsko-Mazurskie

Dywity (NR 173)**
ul. Barczewskiego
1 Mai - 30 Sep
+48 89-5120646
info@dywity.com.pl

1 A**JM**NORST	**N** 6
2 BCGPRVW	AB**F** 7
3 ABE	ABCDEFNQTUV 8
4 IO	GJPR 9
5	AJOR 10
B 16A	❶ €14,10
1,2 ha 60**T**(60-80m²) 5**D**	❷ €17,40

N 53°50'3'' E 20°25'17''
Auf der 51 in Olsztyn ist der CP 10,5 km von vorne mit einem blauen Schild angezeigt. Der Straße folgen. Links ab nach Dywity. Den CP-Schildern folgen. Die letzten km über einen unbefestigten Waldweg.

Chlapowo, PL-84-120 / Pomorskie

Pole Horyzont
Zeromskiego 174
1 Mai - 15 Sep
+48 58-7748666
polehoryzont@gmail.com

1 A**JM**NOPRT	K 6
2 EFHOPRW	AB**F**I 7
3 BE	ABEFNQRV 8
4 IO	D 9
5 DG	HIJNOR 10
B 10A	❶ €15,15
3,5 ha 500**T**(56-60m²) 175**D**	❷ €19,50

N 54°48'20'' E 18°23'4''
Von Wladyslawowo Richtung Jastrzebia Gora. In Chlapowo liegt der CP rechts der Straße.

Dziwnówek, PL-72-420 / Zachodniopomorskie

Bialy Dom Nr. 118
ul. Kamienska 11-12
1 Mär - 31 Okt
+48 91-3811171
+48 91-3811446

1 AJMNOPRST	K**N**QS 6
2 BEHPQWX	ABDE**FG**HIK 7
3 AEL	ABF**L**NQRV 8
4 O	FJ 9
5 BI	ABFHIKN**PR** 10
B 16A	❶ €26,85
2,5 ha 74**T**(60-90m²) 51**D**	❷ €36,30

N 54°2'8'' E 14°48'14''
Von Kamien Pomorski links ab, im Kreisel innerorts geradeaus Richtung Strand. Nach 100m links ab. CP am Ende der Straße.

Cierzpiety/Piecki, PL-11-710 / Warminsko-Mazurskie

PHU Stanica Wodna
Cierzpiety 50
1 Mai - 15 Sep
+48 89-7420026
stanicawodna@interia.pl

1 AC**JM**NOPRT	L**N**QSXZ 6
2 BDFPQXY	ABDE**F** 7
3 AELS	ABCDEFINQV 8
4 IO**Q**	FMPQRTUV 9
5 BEFGJL	ABHJRV 10
16A	❶ €13,15
H100 7 ha 50**T** 52**D**	❷ €15,05

N 53°42'15'' E 21°22'54''
Von Mragowo die 59 Richtung Szczytno. Kurz nach Nawiady Richtung Cierzpiety. Im Ort immer rechts halten. CP ist ausgeschildert. Die letzten 700m sind Sandweg.

Dziwnówek, PL-72-420 / Zachodniopomorskie

Wiking Nr. 194****
ul. Wolnosci 3
28 Apr - 15 Sep
+48 91-3813493
camping@campingwiking.pl

1 A**JM**NOR**T**	KM**N**QS 6
2 BEHOPQXY	ABDE**FG**HIJK 7
3 BEL	ABDEFKNQRS 8
4 IO**PQ**R	EGIJKL 9
5 CDEGIK	ABGHIJN**PR**V 10
B 10A	❶ €21,60
2 ha 150**T** 28**D**	❷ €30,20

N 54°2'3'' E 14°47'59''
CP an der Küstenstraße 102, am Westrand des Ortes. Durch große Schilder angegeben.

Polen

Dzwirzyno, PL-78-131 / Zachodniopomorskie

Biala Mewa (Nr. 88)
ul. Wyzwolenia 48 H
1 Mai - 30 Sep
+48 94-3585402
camping@gmina.kolobrzeg.pl
N 54°9'42'' E 15°25'32''

1 ACJMNOPRST KQSX 6
2 EHOPQRWXY ABDEFI 7
3 ABEF ABEFNRTV 8
4 HIOQ F 9
5 ABDG ABHIJOR 10
B 12A ❶ €16,00
5 ha 500T 107D ❷ €20,30

Ab Kolobrzeg Ortsmitte den Schildern Dzwirzyno folgen. Nach 10 km liegt der CP links etwas abseits der Straße.

Elblag, PL-82-300 / Warminsko-Mazurskie

Elblag (61) Kat.2
ul. Panienska 14
1 Mai - 30 Sep
+48 55-6418666
camping@camping61.com.pl
N 54°9'11'' E 19°23'38''

1 AJMNOPRST NX 6
2 COPRSWX ABFHIK 7
3 EL ABEFJNQRV 8
4 GR 9
5 L ABHIKNOR 10
B 16A ❶ €15,75
1 ha 60T(80-100m²) 8D ❷ €19,10

Auf der 7 die 22 nach Elblag. Ausfahrtende links ab. Der Strecke bis über die Brücke folgen, dann hinter dem CP-Schild rechts ab. Den Schildern folgen.

Elk, PL-19300 / Warminsko-Mazurskie

Miejski Osrodek
Sportu i Rekreacji
Parkowa 9
1 Jun - 15 Sep
+48 87-109700
mosir@elk.com.pl
N 53°48'59'' E 22°21'12''

1 AJMNOPRT JL 6
2 CDHOSVWX F 7
3 ABEFNQRTUV 8
4 9
5 L FHIJR 10
16A ❶ €15,50
H125 61T ❷ €15,50

Von Olsztyn die 16 nach Elk. In Elk durch das Zentrum über den Fluss, dann 1. Straße rechts. CP liegt links der Straße.

Gdansk, PL-80-656 / Pomorskie

Camper Park Przy Wydmach
Ul. Wydmy 6
1 Mai - 30 Sep
+48 583073029
biuro@osrodekprzywydmach.pl
N 54°22'25'' E 18°43'54''

1 ACDEJMNOPQRST 6
2 ABEOPRSXY ABDEF 7
3 ABCDEFJNQRTUV 8
4 O GJKL 9
5 ADEGI BGHIJNORV 10
16A CEE ❶ €14,30
3,5 ha 90T(60-90m²) 120D ❷ €19,10

Die 7 Elblag-Gdansk. Bei Gdansk der Ortsbeschilderung Stogi bis kurz vor Ende des Strandes folgen, rechts ab 1000m Sandweg. Camping auf der linken Seite.

Gdansk, PL-80-656 / Pomorskie

Stogi (218)
ul. Wydmy 9
1 Mär - 30 Nov
+48 58-3073915
jan@kemping-gdansk.pl
N 54°22'11'' E 18°43'48''

1 ADJMNOPRST K 6
2 BEHOQSTWXY ABDEF 7
3 AL ABEFNQR 8
4 O DFL 9
5 BDEGI AFIJNOST 10
10A ❶ €17,95
3,5 ha 65T(bis 50m²) 94D ❷ €23,70

Straße 7 Elblag-Gdansk. Bei Gdansk den Schildern Stogi bis zum Ende folgen. Kurz vor dem Strand rechts zum CP.

Gizycko, PL-11-500 / Warminsko-Mazurskie

Elixir Hotelik
Caravan Camping
Guty 9
25 Apr - 31 Okt
+48 87-4282826
office@elixirhotel.com
N 54°2'14'' E 21°41'55''

1 ACDJMNOPRT HLMNPQSUWXZ 6
2 DFGHIOPTWX BFH 7
3 AEFLMNS BDFNQRSTV 8
4 ABDEFHIJLMNOPQ DEGLNOPQRTVY 9
5 ABDEGIKLM AHIJNOPRV 10
16A ❶ €16,70
H110 3,5 ha 70T 43D ❷ €19,10

Von Gizycko Richtung Magrowo, dann die 592 Richtung Ketrzyn. Nach ein paar Kilometer rechts abfahren Richtung Doba. CP ist ausgeschildert.

Gizycko, PL-11-500 / Warminsko-Mazurskie

Stranda
Pierkunowo 36
20 Apr - 15 Okt
+48 50-2033033
kontakt@stranda.pl
N 54°2'39'' E 21°44'17''

1 ADJMOPRT LNPQSTWXYZ 6
2 DGIPVW ABDEFGH 7
3 AE ABEFJNQRTUV 8
4 OQ INO 9
5 DEGJLM HIJMORV 10
B 10A ❶ €14,30
H114 1 ha 30T(100m²) 10D ❷ €14,30

Man nimmt die Strecke 59 Mragowo-Gizycko. In Gizycko auf der 63 Ri. Wegorzewo halten bis zum Kreisel. Die 3. Straße re. nehmen. Weiter an der Kaserne vorbei, über den Kanal (100m holperig), hinter dem Hotel Helena liegt dann li. der CP.

Ilawa, PL-14-200 / Warminsko-Mazurskie

Lesna (14) Kat.1
ul. Sienkiewicza 9
1 Mai - 31 Okt
+48 89-6488188
biuro@lesna-ilawa.pl
N 53°35'57'' E 19°32'56''

1 ADJMNOPRST LNQSTWXZ 6
2 DGOPRTWXY ABFH 7
3 AEFLMN ABEFNQRT 8
4 AEINORT GOPQRUV 9
5 EFGJ ABHINORV 10
B 10A ❶ €11,95
H119 2,5 ha 174T(80-100m²) 36D ❷ €16,70

CP liegt an der 16, 800m westlich von Ilawa Zentrum. CP ist ausgeschildert.

Iznota/Ruciane-Nida, PL-12-220 / Warminsko-Maz.

Camping Galindia
Bartlewo 1
1 Mai - 30 Sep
+48 87-4231416
galindia@galindia.com.pl
N 53°44'11'' E 21°33'46''

1 AILNOPRT LNPQRSUXZ 6
2 BDFGHIPRWXY ABDEFG 7
3 AR ABEFNQR 8
4 OQ GILMNPRUV 9
5 ADEGJL AHIKNOST 10
6A ❶ €32,20
H119 3 ha 180T 53D ❷ €34,60

Von Mikolajek oder Ruciane-Nida die 609 Richtung Iznota. CP ist angezeigt. 4 km, wobei die ersten 500m eng sind, dann 1,7 km unbefestigter Weg.

Jantar, PL-82-107 / Pomorskie

Nr. 178
Morska 9
1 Mai - 30 Sep
+48 55-2479531
janusz_kalina@wp.pl
N 54°20'33'' E 19°2'6''

1 AJMNOPRST KN 6
2 BEHPQTXY A 7
3 E ABEFNV 8
4 P DGJ 9
5 ACK AHIJOR 10
B 10A ❶ €15,50
4 ha 100T(80-100m²) 41D ❷ €17,20

Die 7, bei Nowy Dwor (Gd) Ausfahrt die 502 Richtung Stegna. In Stegna die 501 Richtung Jantar. Der CP ist mit einem großen blauen Schild ausgeschildert.

Jastrzebia Góra, PL-84-104 / Pomorskie

'Na Skarpie' nr. 60 Kat.1
ul. Rozewska 9
25 Jun - 8 Sep
+48 58-6749095
go_fast@o2.pl
N 54°49'59'' E 18°19'19''

1 AJKNOPRST K 6
2 EHOPWX ABDEHI 7
3 AL BFNQV 8
4 I J 9
5 BDK ABHIKRVY 10
B 10A ❶ €11,95
1,5 ha 100T(80-100m²) 25D ❷ €15,75

CP an Straße 215 von Wladyslawowo nach Karwia. CP ausgeschildert.

Kolobrzeg, PL-78-100 / Zachodniopomorskie

Camping Nr. 78 Baltic***
ul. 4 Dywizji-WP nr. 1
15 Apr - 15 Okt
+48 94-3524569
baltic78@post.pl
N 54°10'53'' E 15°35'45''

1 ADEJMNOPRST KQSX 6
2 EHOPRSVWX ABDEFIK 7
3 AELS ABEFJNQR 8
4 IO JV 9
5 DGI AFGHIKPRV 10
Anzeige auf dieser Seite B 16A ❶ €20,50
4 ha 190T 18D ❷ €25,00

CP an der Ostseite von Kolobrzeg. Straße 11 folgen. Von Gdansk; am ersten Kreisverkehr rechts. CP nach 100m. Von Szczecin: am zweiten Kreisverkehr dreiviertel herum. Nach 500m rechts, dann noch 100m bis zum CP.

Krynica Morska, PL-82-120 / Pomorskie

Nr. 71 Kat.2
ul. Marynarzy 2
1 Mai - 1 Okt
+48 502281806
gallus@mierzeja.pl
N 54°22'47'' E 19°25'28''

1 AJMNOPRT KQ 6
2 BEHOPQTXY ABFH 7
3 A ABEFJNQR 8
4 IOPQ DGI 9
5 CDEGIJ ABHIJRV 10
16A ❶ €15,45
4 ha 100T(80-100m²) 76D ❷ €19,60

Straße 7 bei Nowy Dwór(Gd), Ausfahrt Straße 502 Richtung Stegna. In Stegna Straße 501 nach Krynica Morska. Vor Tankstelle links Straße hineinfahren bis zum CP.

Polen

Lasin, PL-86-320 / Kujawsko-Pomorskie

Casus Camping	1 ADJMNOPRST	L**N**QSUWXZ 6
Sportowa	2 DGHPQRWX	ABDE**FGH**IK 7
1 Jan - 31 Dez	3 ABEF**I**LM	ABEFNQRV 8
+48 515-276722	4 INO	JNPRT 9
recepcja@holiday-casus.pl	5 DEFGIJLM	AFHJNORV 10
	16A	❶ €13,35
N 53°30'42" E 19°4'46"	H52 2,5 ha 64**T**(80-100m²) 18**D**	❷ €13,35

Auf der 16 im Dorf Lasin rechts ab zur ersten Kreuzung. Dann geradeaus den CP-Schildern folgen.

Leba, PL-84-360 / Pomorskie

Ambre Nr. 41	1 A**JM**NOR**T**	HKNQSX 6
ul. Nadmorska 9	2 EHPQVXY	ABDE**F**HIJ 7
1 Mai - 30 Sep	3 BEL	ABEFNR 8
+48 59-8662472	4 IO**RSTUVWY**	JL 9
ambre@ambre.leba.pl	5 ACDEFGIL	AGHIKLPR 10
	B 16A	❶ €21,00
N 54°45'55" E 17°34'14"	2,7 ha 173**T**(40-50m²) 67**D**	❷ €25,80

Am 1. Kreisel rechts, der Straße bis zur Hauptstraße folgen, rechts ab, nach etwa 400m liegt der CP auf der linken Seite.

Leba, PL-84-360 / Pomorskie

Lesny Nr. 51***	1 A**JM**NOR**T**	KNQSX 6
Brzozowa 16A	2 EGHPQWX	ABDE**FG**HIJK 7
15 Apr - 31 Okt	3 BL	ABEFNQR 8
+48 59-8662811	4 IO**PT**	DGJKV 9
camping_51_lesny@wp.pl	5 ACDG	AGHIJPRV 10
	B 16A	❶ €18,85
N 54°45'44" E 17°33'59"	1,2 ha 150**T** 22**D**	❷ €22,65

Am 1. Kreisel rechts ab, am 2. Kreisel der Straße folgen. Am Tennisplatz rechts ab, nach 200m liegt der CP links.

Leba, PL-84-360 / Pomorskie

Marco Polo Nr. 81****	1 AILNOR**T**	6
ul. Wspólna 6	2 GPWX	ABF 7
15 Mai - 30 Sep	3 E	ABEFR 8
+48 59-8662333	4	J 9
marcopolo@leba.info	5 BDG	BHIJLPR 10
	16A	❶ €16,45
N 54°45'21" E 17°33'1"	1,5 ha 250**T** 12**D**	❷ €21,25

Am Kreisel vor Leba 3. Ausfahrt nehmen. Na ca. 800m gegenüber Hotel Maxim neue Einfahrt. Mit großem Schild angezeigt. Weit vor Leba wird der CP durch große Schilder angezeigt.

Leba, PL-84-360 / Pomorskie

Morski Nr. 21 Eurocamp	1 AC**JM**NOPRS	Q 6
ul. Turystyczna 3	2 BEHPVWXY	ABDE**F**HI 7
25 Apr - 30 Sep	3 ABCEFL	ABCDEFIJKNQRTUV 8
+48 59-8661300	4 EIO	AI 9
camp21@op.pl	5 BDEK	ABEFGHIJL**NP**RV 10
	B 16A	❶ €18,40
N 54°45'43" E 17°32'18"	2,9 ha 205**T** 4**D**	❷ €22,20

Von Lebork-Wicko nach Leba. Am Kreisel 3. Ausfahrt bis zur T-Kreuzung, links ab. Dann der Straße und den CP-Schildern 21 folgen.

Leba, PL-84-360 / Pomorskie

Przymorze Nr. 48 Kat.1	1 A**JM**NOR**T**	KNQSX 6
ul. Nadmorska 9	2 EHPQXY	ABDEFHIJ 7
1 Mai - 30 Sep	3 BFM	ABCDEFNQR 8
+48 59-8665016	4 O	JL 9
biuro@camping.leba.pl	5 C	ABGHJPR 10
	B 16A	❶ €20,55
N 54°45'55" E 17°34'21"	1,7 ha 250**T** 4**D**	❷ €25,80

Am 1. Kreisel in Leba rechts ab, der Straße weiter folgen und am Ende rechts ab. Sie sind dann auf der Nadmorska und der CP liegt links. Dem Hinweis der großen Reklametafeln auf CP Nr. 48 folgen.

Malbork, PL-82-200 / Pomorskie

Camping 197 Kat.1	1 AD**JM**NOPRS**T**	**J**NSUX 6
Parkowa 3	2 CPWX	ABDE**F**H 7
1 Apr - 30 Sep	3 AEL**MN**	ABEFNQRV 8
+48 55-2722413	4 O	GJL 9
hotel@caw.malbork.pl	5 DGI	ABHIJ**NO**RV 10
	B 16A	❶ €19,10
N 54°2'48" E 19°2'16"	2,5 ha 75**T**(80-100m²) 31**D**	❷ €23,85

Von der Straße 22 Schild 'Centrum' folgen, im Zentrum dann blauen Schildern 'Hotel/Camping 197' nachfahren.

Malbork, PL-82-200 / Pomorskie

Nad Stawem	1 AJMNOPQRST	N 6
Solskiego 10	2 ADOPW	AB 7
1 Apr - 30 Nov	3 A	ABEFJNQRUV 8
+48 50-1406740	4	9
bodzio@boa.pl	5	ABHINORV 10
	10A	❶ €14,30
N 54°2'44" E 19°1'31"	4 ha 70**T**(60-80m²)	❷ €19,10

Die 55 von N-W DWOR, Gdanski. Vor dem Schloss in Malbork liegt der CP auf der linken Seite.

Miedzyzdroje, PL-72-500 / Zachodniopomorskie

Camping no. 24	1 AJMNOPRST	6
Polna 34	2 EGPQRWX	ABDEFH 7
1 Apr - 30 Sep	3 AF	ABEFNQR 8
+48 91-3280275	4 FHIO	K 9
info@camping24.info.pl	5 D	ABGHIJLPR 10
	16A	❶ €17,90
N 53°55'16" E 14°26'9"	3 ha 300**T**	❷ €20,30

Swinoujscie (Swinemünde) die Landstraße 3, Ausfahrt Miedzyzdroje Landstraße 102. Camping 24 ist angezeigt.

Mielno, PL-76-032 / Zachodniopomorskie

Brawo	1 AJMRS	K 6
Ul. Pólnocna 1	2 PRVWXY	ABDE**F** 7
1 Mai - 30 Sep	3	ABEFHQV 8
+48 943189143	4	G 9
zbigniewchoinski@wp.pl	5	HJ**P**V 10
	16A	❶ €19,55
N 54°15'24" E 16°3'12"	0,4 ha 22**T**(50-80m²) 10**D**	❷ €23,40

Von Koszalin (DK11), Ausfahrt zuur DK165. Am Kreisel 1. Ausfahrt rechts Richtung Mielno Zentrum. Danach 1. Straße rechts und nach 150m Camping Brawo links.

Mielno, PL-76-032 / Zachodniopomorskie

Rodzinny Nr. 105****	1 AJMNOR**T**	K 6
ul. Chrobrego 51	2 EHPWX	ABDE**F**I 7
15 Apr - 15 Nov	3 AL	BFNQRV 8
+48 94-3189385	4 IOQ**Z**	GIMPV 9
recepcja@campingrodzinny.pl	5	ABHIKNPR 10
	16A	❶ €15,50
N 54°15'46" E 16°4'21"	0,6 ha 100**T** 27**D**	❷ €19,35

8 km westlich von Koszalin ab der Straße 6 Ausfahrt Mielno. Ins Zentrum fahren; durch die Hauptstraße. CP ist deutlich links angezeigt.

Mikolajki, PL-11-730 / Warminsko-Mazurskie

Wagabunda Kat.2	1 AJMNOPR**T**	L**N**QSTUV 6
ul. Lesna 2	2 DOPRVWX	ABDE**F** 7
1 Mai - 30 Sep	3 AEF	ABE**F**JNQRV 8
+48 87-4216018	4 ANO	FHIJLPQRUV 9
wagabunda-mikolajki@wagabunda-mikolajki.pl	5 DGL	AHIJL**O**RV 10
	16A	❶ €17,90
N 53°47'44" E 21°33'54"	H120 3 ha 100**T** 108**D**	❷ €20,30

Von Mragowo über die 16 Ri. Mikolajki. 50m hinter der Bahnunterführung, hinter dem Ortsschild rechts abbiegen. Dort ist der CP ausgeschildert. Achtung, ehere Unterführung ignorieren.

Mragowo, PL-11-700 / Warminsko-Mazurskie

Lorsby	1 DE**IL**NOPRT	LNOPQSUX 6
Nowe Bagienice 16	2 BDGIOPRTWXY	ABDEF 7
1 Jan - 31 Dez	3	ABEFNR 8
+48 89-7428263	4 QT	GJLPV 9
lorsby@poczta.onet.pl	5 AGIKL	AIJNOR 10
	16A	❶ €15,50
N 53°50'30" E 21°12'36"	H118 8 ha 35**T** 11**D**	❷ €22,65

Niechorze, PL-72-350 / Zachodniopomorskie

Pomona Nr. 208***	1 ACJMNOPRS**T**	K 6
ul. Polna 25	2 EFGHOPRVWX	ABDE**F**HI 7
1 Mai - 30 Sep	3 AE	ABCDE**F**NQRTV 8
+48 91-3863445	4 IO	GJKL 9
	5 ABCGIL	ABHIJOSTV 10
	10A	❶ €16,00
N 54°5'34" E 15°3'59"	2,8 ha 100**T**(bis 65m²) 25**D**	❷ €20,30

Die 102 Kolobrzeg-Miedzywodzie. 4 km vor Rewal ist der CP gut angezeigt.

Orlowo, PL-11-510 / Warminsko-Mazurskie

Folwark Lekuk	1 AJMNOPRT	LNPQSU**X**Z 6
Lekuk Maly 8	2 BDFGHIPRTWXY	ABDEFHIK 7
1 Jan - 31 Dez	3 ABFIS	ABEFJNQRT 8
+48 60-6338253	4 HIOQT	ADGIORTVY 9
lekuk@lekuk.pl	5 DEGL	ABFHIJNORV 10
	B 16A	❶ €16,30
N 54°3'18" E 22°9'56"	H158 40**T** 8**D**	❷ €18,65

Von Gizycko nach Suwaki die 655. Auf dieser Straße den CP-Schildern folgen. Richtung Orlowo vor dem Friedhof links, die letzen Km schlechte Straße.

Piecki, PL-11-710 / Warminsko-Mazurskie

Piecki (269) Kat.1	1 A**JM**NOPR**T**	L**N**QS 6
ul. Zwyciestwa 60	2 BDIOPQWX	ABDE 7
1 Jan - 31 Dez	3 AEL	ABEFNQV 8
+48 89-7421025	4 IN	GJPR 9
owpttk@post.pl	5 GI	AHJSTV 10
	16A	❶ €16,45
N 53°46'45" E 21°20'6"	H135 6 ha 60**T** 37**D**	❷ €20,30

Gelegen an der 59, 10 km von Mragowo Richtung Szczytno; 1,5 km vor Piecki. CP ist aus beiden Richtungen ausgeschildert.

Poznan, PL-61-036 / Wielkopolskie

Malta Nr. 155	1 ADJMNORT	L 6
Ul. Krancowa 98	2 DOPVWX	ABEFHI 7
1 Jan - 31 Dez	3 A	ABFJNQRV 8
+48 61-8766203	4 I	J 9
camping@malta.poznan.pl	5 AIJ	ABGHIKPRV 10
	B 16A	1 €23,85
N 52°24'12'' E 16°59'2''	3 ha 40T(70-80m^2) 66D	2 €31,05

Ab der Mautstrecke A2 Ausfahrt Poznan/Wezel/Krzesiny. Richtung Zentrum bis zum Kreisel, 6 km. Nach 1,7 km am Kreisel rechts ab. Nach 1,8 km rechts ab Richtung Malta.

Przy Drodze, PL-84-131 / Pomorskie

Kaper (152) Kat.1	1 ADJMNOPRST	KQRSTWXZ 6
Wojewódskiej 216	2 EHOPQWX	ABDEF 7
1 Mai - 15 Sep	3 AEM	ABEFNQRV 8
+48 58-6741486	4 IMNOP	IMOQRT 9
kaperkemping@wp.pl	5 ACGIJ	AHIJORY 10
	16A	1 €15,35
N 54°46'38'' E 18°27'24''	3,6 ha 140T(80-100m^2) 208D	2 €20,15

Von Gdynia Straße 6 bis Rede, dann Straße 216 Richtung Wladyslawowo, dort Richtung Hel, ca. 3 km, CP rechts der Straße.

Przywidz, PL-83-047 / Pomorskie

Przywidz (20) Kat.2	1 AJMNOPRST	LN 6
ul. Gdanska 19B	2 DGOPTW	ABFGH 7
1 Mai - 30 Sep	3 AELMS	ABEFNQRV 8
+48 60-2623091	4 I	FJPRTV 9
biuro@camping.vti.pl	5 GIL	AHORV 10
	B 16A	1 €11,95
N 54°11'42'' E 18°19'26''	H200 2 ha 100T(60-80m^2) 20D	2 €14,30

CP liegt an der 221 und ist im Ort ausgeschildert (Kolbudy-Koscierzyna).

Rewal, PL-72-344 / Zachodniopomorskie

Klif Nr.192 Kat.1	1 AJMNORT	KNQS 6
ul. Kamienska 2	2 EHPWX	ABDEFGHIJK 7
1 Mai - 30 Sep	3 AELS	ABEFNQRTV 8
+48 913-862618	4 IOP	DGJL 9
campingklif@wp.pl	5 DEGIJ	AGHIKORV 10
	B 16A	1 €21,25
N 54°4'46'' E 15°0'15''	2 ha 200T 14D	2 €28,40

CP außerhalb von Rewal, an der Straße 102 nach Miedzyzdroje.

Rowy, PL-76-212 / Pomorskie

Nr. 156 Przymorze***	1 ADJMNORT	6
ul. Baltycka 6	2 HOPQWX	ABDEFHIJ 7
1 Mai - 15 Sep	3 AEL	ABEFNQRV 8
+48 59-8141940	4 IO	IJ 9
biuro@przymorze.com.pl	5 ACDEG	ABHIJPR 10
	B 10A	1 €21,00
N 54°39'32'' E 17°3'6''	2,5 ha 150T 18D	2 €23,85

CP liegt 400m von Rowy entfernt, an der Straße nach Ustka auf der linken Seite der Straße. Großes Schild 'Camping'.

Rozynsk/Orzysz, PL-12-250 / Warminsko-Mazurskie

Agrotouristik Camping	1 AJMNOPQRST	NX 6
15 Mai - 15 Sep	2 BPRWXY	ABDEF 7
+48 60-8173299	3	ABEFNQRTV 8
asiagrundel@gmx.de	4 FH	JQ 9
	5 L	AGHIJR 10
	16A	1 €11,45
N 53°47'33'' E 22°8'52''	H134 2 ha 45T 2D	2 €12,90

Von Olstyn die 16, zwischen Orzysz und Elk ist der CP ausgeschildert. Ausfahrt Rozynsk, nach 100m liegt der CP links.

Rudnik/Grudziadz, PL-86-300 / Kujawsko-Pomorskie

Rudnik-Grudziadz (134)**	1 AJMNOPRST	LMNQSXYZ 6
ul. Zalesna 1	2 BDGHIOPXY	ABDEFH 7
30 Apr - 30 Sep	3 AEFL	ABEFNQRV 8
+48 56-4622581	4 HINOP	FHJPQRTU 9
rudnik@moriw.pl	5 DGIJK	AHIJRV 10
	16A	1 €12,15
N 53°26'29'' E 18°45'14''	2 ha 50T(80-100m^2) 44D	2 €13,35

Die 55, am Kreisel Richtung Rudnik. Auf dem Waldweg bleiben bis zum CP-Schild; rechts ab. CP ist links.

Ruska Wies/Mragowo, PL-11-700 / Warminsko-Maz.

Seeblick	1 AJMNOPRT	LNQSXZ 6
Ruska Wies 1	2 DFGHIOPTUWX	ABDEF 7
1 Jan - 31 Dez	3 EFLM	ABCDEFINQRV 8
+48 89-7413155	4 AHIO	GIJMOPQR 9
marian.seeblick@gmail.com	5 GIL	ABHIJNRVX 10
	10A CEE	1 €15,50
N 53°56'34'' E 21°19'12''	H145 1,5 ha 100T 7D	2 €18,60

Von Mragowo aus die 591 Richtung Ketrzyn. Nach 8 km CP-Schild. 450m weiter von hier rechts ab. Am folgenden Schild rechts in den Hartsandweg ca. 200m.

Rydzewo, PL-11-513 / Warminsko-Mazurskie

Echo	1 AJMNOPRT	LNPQSWXZ 6
Mazurska 48	2 DGHIOPVWXY	ADF 7
1 Mai - 30 Sep	3 AEL	BFJNQRV 8
+48 87-4211186	4 H	PRTUV 9
bdnowakowska@gmail.com	5 AL	AHIJPRV 10
	16A	1 €16,70
N 53°58'2'' E 21°46'34''	H116 2 ha 58T(100-120m^2)	2 €21,50

In Gizycko die 63 Richtung Lomza. In Ruda (nach 11 km) rechts nach Rydzewo. Nach ca. 6 km liegt der CP auf der rechten Seite. Campingeinfahrt sehr schmal.

Sopot, PL-81-713 / Pomorskie

Metropolis**	1 ADEJMNOPRST	6
Ul. Zamkowa Gora 25	2 ABEHOPWX	AB 7
1 Mai - 30 Sep	3	ABFNQRV 8
+48 509606055	4	JU 9
metropolis.polmetro@ campingsopot.pl	5 G	GHINOSU 10
	16A	1 €14,90
N 54°27'40'' E 18°33'17''	3,3 ha 100T(ab 60m^2) 33D	2 €20,60

Der Camping ligt an der 468 Gdansk-Gdynia kurz außerhalb von Sopot, rechts hinter der Tankstelle.

Sopot, PL-81-831 / Pomorskie

Przy Plazy (NR 67)**	1 AJMNOPRST	KQR 6
Bitwy pod Plowcami 73	2 EHOPRXY	ABDEFH 7
15 Jun - 31 Aug	3 AI	ABEFNV 8
+48 58-5516523	4 IO	9
camping67@sopot.pl	5 BD	AHIKR 10
	B 16A	1 €18,25
N 54°25'51'' E 18°35'13''	3 ha 200T(60-80m^2)	2 €25,50

Auf der Hauptstraße durch Sopot die Ausfahrt Molo nehmen. Am Ende der Straße rechts. In dieser Straße ist der CP links. Ausgeschildert.

Stegna, PL-82-103 / Pomorskie

Nr. 159	1 ADJMNOPRST	KN 6
ul. Morska 26	2 BEHOPQTUWXY	ABDEFGHI 7
1 Mai - 31 Aug	3 A	ABFNQRV 8
+48 55-2478303	4	DJLV 9
camp@camp.pl	5 BDG	ABEHIJOR 10
	10A	1 €18,40
N 54°20'31'' E 19°7'4''	1,7 ha 100T(80-100m^2) 4D	2 €23,15

Die 7 bei Nowy Dwór (Gd), Ausfahrt Straße 502 Richtung Stegna. In Stegna die 501 Richtung Krynica Morska. Rechts der Strecke ist der CP mit einem weißen Schild ausgeschildert.

Steszew, PL-62-060 / Wielkopolskie

Nad Lipnem nr. 29	1 AJMNORT	LNX 6
Ul. Boleslawa Chrobrego 81	2 BDGHIPQTXY	B 7
1 Jan - 31 Dez	3 AFL	BFJQ 8
+48 600-396397	4 N	GJUX 9
rezerwacje@nad-lipnem.pl	5 DGIJ	HIKPV 10
	B 16A	1 €11,95
N 52°17'1'' E 16°43'29''	10 ha 100T 34D	2 €14,30

Von Poznan der E261 (Nr. 5) folgen. An der Ampel bei der Darbrik. 'Konar' links ab Richtung Zentrum Steszew. Erste Kurve links ab und in die Sackgasse folgen.

Szamocin, PL-64-820 / Wielkopolskie

U Koziolka	1 AJMNOPRST	LNQSXZ 6
Parkowa 1	2 DGIPQWX	AD 7
1 Mai - 31 Aug	3 BF	EFNQR 8
+48 67-2848174	4 FHO	FGRT 9
	5 DEGJL	BHJORV 10
	10A	1 €11,95
N 53°1'37'' E 17°6'32''	H80 2 ha 60T(80-100m^2) 32D	2 €11,95

Von Pita oder Bydgoszcz über die 10, Ausfahrt Margonin (190). Von Poznan die 11 bis Chodziez. Dann Ausfahrt Gniezno, bei Wyrzysk auf die 191. In Szamocin den Schildern folgen.

Szczecin/Dabie, PL-70-800 / Zachodniopomorskie

Marina Kat.1	1 ADEJMNORST	LNQSXYZ 6
ul. Przestrzenna 23	2 ADGOPWX	BEFGHIJ 7
1 Jan - 31 Dez	3 A	ABEFJKNQRV 8
+48 91-4601165	4 I	GJLV 9
camping.marina@pro.onet.pl	5 AEGI	AGHIKPRV 10
	16A CEE	1 €17,65
N 53°23'43'' E 14°38'12''	4 ha 120T 27D	2 €21,95

Auf der A6 Ausfahrt Szczecin-Zentrum. Nach 4 km rechts ab Richtung Dabie. Links an der Kirche vorbei. Noch 2 km.

Teilkarte Nord-Polen auf Seite 431

Talty/Mikolajki, PL-11-730 / Warminsko-Mazurskie

KamA****	1 ABJMNOPQRST	LNQSWXZ 6
ul. Talty 36	2 DFGHIOPRWXY	ABCFHK 7
1 Mai - 15 Okt	3 AE	ABEFJNQRV 8
+48 87-4216575	4 FHOQ	DJLPQTU 9
camping@kama.mazury.pl	5 AGIKL	ABEHIJLNOPST 10
	B 16A	① €20,55
N 53°50'39'' E 21°33'33''	H118 2 ha 60T 9D	② €24,35

Von Mikolajki nach Gizycko die 16, links ab nach Talty 4,5 km. Der CP ist angezeigt.

Torun, PL-87-100 / Kujawsko-Pomorskie

Camping nr. 33 Tramp Kat.2	1 AJMNOPRST	6
ul. Kujawska 14	2 OPSVWX	ABF 7
1 Jan - 31 Dez	3 AE	ABEFNQRV 8
+48 56-6547187	4	FG 9
tramp@mosir.torun.pl	5 EGJ	AHNOR 10
	B 8A	① €15,40
N 53°0'1'' E 18°36'31''	H70 3 ha 150T(80-100m²) 37D	② €17,80

CP liegt an der 1 vor der großen Brücke in der Stadt nach Gdansk. Unter der Unterführung durch und dann rechts ab. Hier nach 300m links ist der CP. Von Warszawa nicht Transit fahren.

Ustka/Przewloka, PL-76-270 / Pomorskie

Ustka Morski nr. 101 Kat.1	1 AJMNOR	6
Armi Krajowej 4	2 OPQVWX	ABDEFHI 7
1 Mai - 15 Okt	3 ALM	ABCDEFN 8
+48 59-8144789	4 O	GIJK 9
cam_mor@pro.onet.pl	5 ABEG	AHIJLPRV 10
	B 6A	① €15,50
N 54°34'35'' E 16°52'50''	2,5 ha 150T(40-60m²) 60D	② €18,85

Der CP liegt 500m außerhalb Ustka an der Strecke nach Rowy.

Wegorzewo, PL-11-600 / Warminsko-Mazurskie

Rusalka (175) Kat.2	1 AJMNOPRT	LNQSWXZ 6
Lesna 2	2 BDGPQTVWX	7
1 Mai - 30 Sep	3 AL	ABEFN 8
+48 87-4272191	4 IOPQ	FJLPRT 9
camp.175@wp.pl	5 ABGI	JRV 10
	16A	① €15,50
N 54°11'13'' E 21°46'15''	10 ha 312T 49D	② €18,15

Die Straße Nr. 63 in Richtung Gizycko-Wegorzewo fahren. 3 km vor Wegorzewo ist der CP links gut ausgeschildert.

Wladyslawowo, PL-84-120 / Pomorskie

Male Morze (72) Kat.1	1 ACDJMNOPRST	KMNQRSTWXYZ 6
ul. Droga Helska 1	2 EHOPQSWX	BEF 7
1 Jan - 31 Dez	3 AE	BDFNQRTV 8
+48 58-6741231	4 FINOT	GIMOPQRTUV 9
camping@malemorze.pl	5 CDEGJL	AHIKNRVY 10
	16A	① €18,00
N 54°46'55'' E 18°26'38''	1,5 ha 50T(80-100m²) 122D	② €22,30

Straße 216 nach Wladyslawowo, dort ca. 1,5 km Richtung Hel. CP ist rechts der Straße, Schild lautet 'Morze Male Camping'.

Zawory/Chmielno, PL-83-333 / Pomorskie

Tamowa nr. 181	1 ACJMNOPRST	LNQSXZ 6
1 Jan - 31 Dez	2 DFGPUW	ADF 7
+48 58-6842535	3 AELM	AEFNQRV 8
camping@tamowa.pl	4 INOQT	DGIJMOPRTUV 9
	5 DGK	ABHJNRV 10
	10A	① €14,30
N 54°19'13'' E 18°7'4''	H179 2 ha 110T 19D	② €19,10

Von Kartuzy über die 228 Ri. Bytow bis zum Schild auf der rechten Seite Chmielno. In diesen kleinen Weg abbiegen bis Zawory, dort den CP-Schildern folgen. Die letzten Km schmaler, teils mit Betonplatten befestigter Sandweg.

Zlocieniec, PL-78-520 / Zachodniopomorskie

Inter Nos Island Camping	1 ADEJMNOPRT	LNOPQRSTUVWXZ 6
Ul. Bledno 1/Lubieszewo	2 BDFGHIPQRTWXY	ABDEFG 7
1 Mai - 30 Sep	3 AFL	ABEFNQT 8
+48 94-3631190	4 AEFHIO	ADPQRSV 9
michael.moser@inter-nos.pl	5 ABDGIKLM	ABGJMPRV 10
	Anzeige auf dieser Seite 6A	① €19,25
N 53°27'25'' E 15°55'12''	8,5 ha 150T 3D	② €24,25

Vor der Ortsmitte Drawsko POM nach Lubieszewo. Nach etwa 13 km den großen CP-Schildern folgen bis zur Fähre (1 km).

Znin, PL-88-400 / Kujawsko-Pomorskie

Palucki Oddzial PTTK Kat.2	1 BHKNORT	LNX 6
ul. Szkolna 16	2 DHIPQWX	ABHI 7
1 Mai - 30 Sep	3 EFL	ABEFNQV 8
+48 52-3020113	4 IP	F 9
pttk.znin@neostrada.pl	5 DGI	ABHRV 10
	16A	① €11,95
N 52°50'30'' E 17°43'32''	H100 0,2 ha 60T(80-100m²) 12D	② €15,75

Von der 261 in Znin in die Straße gegenüber vom Restaurant. Dann Richtung Inowroclaw folgen. Am 2. Schild rechts. CP-Schild folgen. CP-Schild nach 150m rechts (PTTK).

Süd-Polen

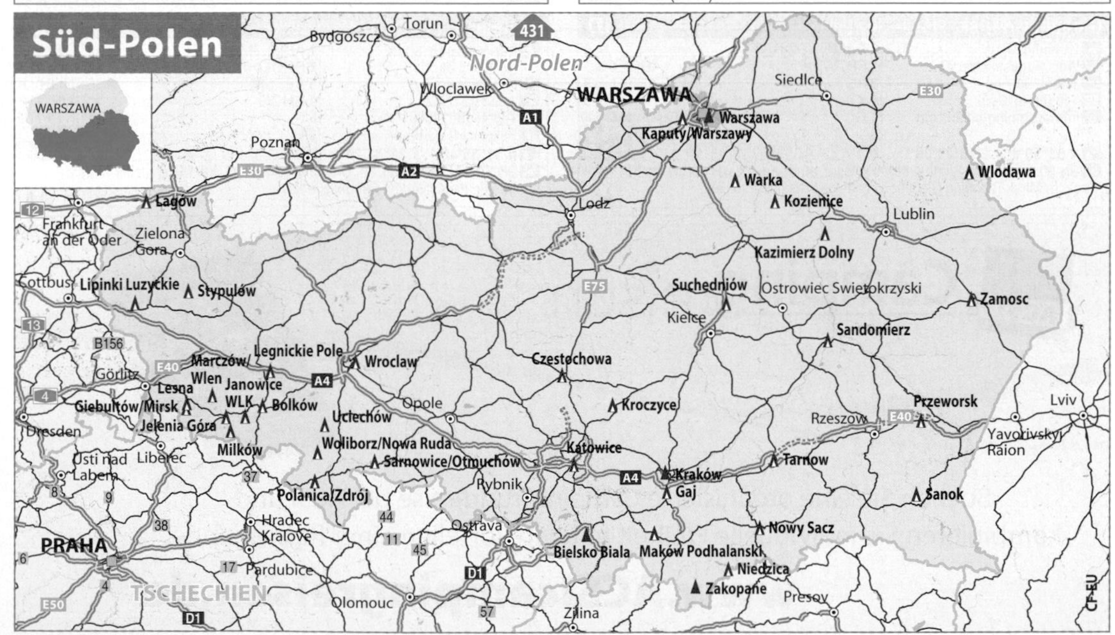

Polen

Bielsko Biala, PL-43-309 / Slaskie

Kemping Ondraszek (57) Kat.2 | 1 AJMNOPRST A 6
ul. Pocztowa 43 | 2 GOPX ABDE 7
1 Apr - 31 Okt | 3 AEL ABEFNQR 8
+48 33-8146425 | 4 O GJ 9
kemping57ondraszek@op.pl | 5 GL AHIJORV 10
12A CEE ❶ €15,50
N 49°46'48'' E 19°3'14'' | H401 1,5 ha 40T(40-70m²) 8D ❷ €17,90

Auf dem Weg von Bielsko Biala nach Szczyrk gelegen. 5 km hinterm Zentrum rechts ab. Ausgeschildert.

Bielsko Biala, PL-43-316 / Slaskie

Pod Debowcem (Nr. 99) | 1 AJMNOPRST 6
ul. Karbowa 15 | 2 OPRUVX ABDEFGI 7
1 Mai - 30 Sep | 3 B ABEFNQRS 8
+48 33-8216181 | 4 FHI V 9
99@camping.org.pl | 5 GIJ HIJNOPRV 10
B 6A ❶ €21,95
N 49°46'53'' E 19°1'22'' | 1 ha 50T ❷ €26,75

In Bielsko Biala die Strecke nach Szczyrk. Richtung Hospital, nach etwa 5 km der CP.

Bolków, PL-59-420 / Dolnoslaskie

Pod Lasem | 1 A**JM**NOPQRST AF 6
Swiny 17 | 2 BCFGIPRUVWXY ABDE**F** 7
15 Apr - 30 Sep | 3 A**H** ABEFNQRTV 8
+48 50-8677106 | 4 ADEF 9
info@campingpodlasem.pl | 5 AL ABGHJNO**P**RV 10
10A ❶ €14,30
N 50°55'59'' E 16°6'47'' | 2 ha 60T(60-120m²) 14D ❷ €17,20

An der E65 von Legnica nach Bolków. 2 km vor Bolków ist der CP angezeigt.

Czestochowa, PL-42-200 / Slaskie

Olénka (76) | 1 AD**JM**NOPRST 6
ul. Olénki 22-30 | 2 OPRXY ABDEFH 7
1 Mai - 15 Okt | 3 ABEFNQR 8
+48 34-3606066 | 4 L 9
camping@mosir.pl | 5 ABFGHIJOR 10
B 6A CEE ❶ €13,15
N 50°48'40'' E 19°5'28'' | 3,5 ha 60T(60-120m²) ❷ €16,70

Den Schildern 'Jasna Gora' folgen, im Zentrum CP-Schildern nachfahren. CP liegt hinter der Kathedrale.

Gaj, PL-32-031 / Malopolskie

Korona*** | 1 AJMNOPRT N 6
ul. Myslenicka 32 | 2 ACFOPRUVX ABDE**F**I 7
15 Mai - 31 Aug | 3 AE ABEFNQR 8
+48 12-2701318 | 4 IO**Q** L 9
biuro@camping-korona.com.pl | 5 ABDEGI ABGHIJNOPRV 10
10A CEE ❶ €16,70
N 49°57'44'' E 19°53'35'' | 3 ha 100T(60-120m²) ❷ €21,50

N7 von Kraków nach Zakopane/Chyzne, im Dorf Gaj, 7 km südlich von Kraków ausgeschildert.

Giebultów/Mirsk, PL-59-630 / Dolnoslaskie

Camping Mirsk | 1 A**JM**NOPQRST A 6
Wola Augustowska 41 | 2 FPTWXY ABDE**FG** 7
1 Jun - 31 Aug | 3 AS ABEFNS 8
+48 69-4613892 | 4 IO DL 9
info@camping-polen.com | 5 GL ABHIJM**NO**R 10
6A ❶ €15,05
N 50°59'8'' E 15°21'39'' | H390 2,6 ha 45T(80-100m²) 5D ❷ €17,90

Die 30 von Görlitz Richtung Jelenia Gora, an Gryfow Slaski vorbei die 361 nach Mirsk. In Mirsk Richtung Giebultów, dann den Schildern folgen.

Janowice WLK, PL-58-520 / Dolnoslaskie

Boduwico | 1 A**JM**NOPRT F 6
ul. Lesna 1 | 2 BPTWX ABDE**FG** 7
1 Mai - 30 Okt | 3 A ABCDEFJNQR 8
+48 75-7515243 | 4 IO EG 9
boduwico@dip.pl | 5 AGI AJNORV 10
6A CEE ❶ €15,75
N 50°52'52'' E 15°55'45'' | H400 0,9 ha 23T(80-100m²) 7D ❷ €20,55

Jelenia Góra-Bolkow-Wroclaw. Janowice WLK 4 km hineinfahren und folgen. Durchs Dorf über die Brücke und Bahngleise, dann sofort links, nach 500m links.

Jelenia Góra, PL-58-500 / Dolnoslaskie

Auto-Camping Park Nr. 130 Kat.1 | 1 AD**IL**NOPRST **A** 6
ul. Sudecka 42A | 2 PRTUX ABDE**F**HIJ 7
1 Jan - 31 Dez | 3 A**M** ABEFNQR 8
+48 75-7524525 | 4 IO DGJ 9
campingpark@interia.pl | 5 AHINOPRV 10
6-16A CEE ❶ €12,65
N 50°53'47'' E 15°44'34'' | H250 1,8 ha 40T(60-120m²) 31D ❷ €14,10

An der 367 Jelenia Góra-Karpacz. Auf allen Anfahrtswegen mit CP-Schildern ausgeschildert (Camping 130).

Kaputy/Warszawy, PL-05-850 / Mazowieckie

Kaputy 222 | 1 AD**JM**NOPQRST **N** 6
ul. Sochaczewska 222 | 2 APRW AB**C**DE**FH**IJ 7
15 Apr - 31 Okt | 3 L ABEFJNQR 8
+48 22-1100061 | 4 O**Q** GJL 9
biuro@camping222.pl | 5 ABEL HIJNPSTV 10
10A ❶ €22,65
N 52°13'50'' E 20°47'32'' | H93 1 ha 78T 5D ❷ €27,45

E30/A2, Richtung Babice Nowe, nach 1,9 km im Kreisel 3. Ausfahrt. 2. Kreisel geradeaus, dann noch 1 km bis zum CP, rechts Nr. 222. Camping ist links der Straße angezeigt.

Katowice, PL-40-266 / Slaskie

Camping 215 | 1 AD**JM**NOPRST ALNQSX 6
ul. Trzy Stawy 23 | 2 ADGIPTVX ABDEFIJ 7
1 Jan - 31 Dez | 3 **M** ABEFNQR 8
+48 32-2565939 | 4 IO**T** GI 9
camping@mosir.katowice.pl | 5 IJ AHIK**O**PR 10
B 10A CEE ❶ €14,55
N 50°14'37'' E 19°2'52'' | 3 ha 150T(80-100m²) 19D ❷ €19,55

CP 215 liegt an der Kreuzung der Ausfallstraße 86 Katowice-Bielsko Biala und der E40 Wroclaw-Kraków.

Kazimierz Dolny, PL-24-120 / Lubelskie

Pielak | 1 AJMNOPRST 6
Pulawska 82 | 2 CPQRTWX ABDE**F**H 7
1 Mai - 30 Okt | 3 ABEFNRV 8
+48 69-1047409 | 4 9
| 5 AIRV 10
16A ❶ €16,70
N 51°19'52'' E 21°57'32'' | H143 14T ❷ €20,05

An der 824 von Puntawy nach Kazimierz Dolny. CP ist 1 km vor der Ortschaft angegeben.

Kozienice, PL-26900 / Mazowieckie

Kozienickie Centrum Rekreacji Sportu | 1 ABDEJMNOPRT JL**N**UX 6
ul. Legionów 4 | 2 BCDGHPRWXY ABDE**FH** 7
1 Jan - 31 Dez | 3 AEFL**M** ABEFNQRV 8
+48 48486146091 | 4 BHOQ GIJRTU 9
Rekreacji@KCRIS.pl | 5 I HINOPR 10
6A ❶ €13,60
N 51°35'46'' E 21°32'24'' | H106 5 ha 60T 79D ❷ €18,85

Die 79 von Warschau, am Ortsanfang links ab, 300 Meter weiter rechts, 900 Meter, dann liegt der Camping links.

Polen

Teilkarte Süd-Polen auf Seite 435

Kraków, PL-31-223 / Malopolskie

Clepardia Kat. 3
ul. Pachonskiego 28a
15 Apr - 15 Okt
+48 12-4159672
clepardia@gmail.com
N 50°5'44'' E 19°56'29''

1 AJMNOPRST AF 6
2 OPSWX ABFHI 7
3 ABCDEFNQRV 8
4 O FJL 9
5 AFGHIJNPR 10
B 10A CEE ❶ €19,10
1,2 ha 50T(60-120m²) 11D ❷ €25,05

Der 4 folgen. Am Kreisverkehr geradeaus, Schildern 'camping domki Clepardia' folgen nordöstlich von Kraków.

Kraków, PL-30-252 / Malopolskie

Smok Kat.1
Kamedulska 18
1 Jan - 31 Dez
+48 12-4298300
info@smok.krakow.pl
N 50°2'47'' E 19°52'53''

1 AJMNOPRST 6
2 ABOPRTWXY ABDEFH 7
3 A ABEFNQR 8
4 FIO G 9
5 ABL AFGHIJLNOR 10
6A CEE ❶ €21,95
2 ha 50T(60-120m²) 9D ❷ €27,90

An der Strecke 780 Krakau-Oswięcim, von Krakau ausgeschildert, dem Schild 'Camping 46' folgen. Der CP liegt dann links der Strecke.

Kroczyce, PL-42-425 / Slaskie

Gosciniec Jurajski (232) Kat.2
Podlesice 81
1 Mai - 15 Okt
+48 34-3152048
recepcja@gosciniecjurajski.pl
N 50°34'3'' E 19°32'8''

1 AILNOPRST 6
2 BFGPWX AB 7
3 AELM ABEFNQR 8
4 EHI GU 9
5 ADGI AHIJNORV 10
10A ❶ €10,75
2 ha 200T(60-120m²) 10D ❷ €18,85

CP liegt südöstlich von Czestochowa, die 792 von Zarki nach Kroczyce links der Strecke, 2 km vor Kroczyce.

Lagów, PL-66-220 / Lubuskie

De Kroon
Pozradlo 16
1 Apr - 30 Sep
+48 6-53850782
N 52°17'49'' E 15°14'48''

1 AJMNOPRT AF 6
2 OPX ABDEFH 7
3 ABLS ABDEFIJNQRS 8
4 IOQ EVY 9
5 GKL AHIJOSTV 10
B 6A CEE ❶ €20,00
H90 1 ha 60T 2D ❷ €27,00

Frankfurt-Oder Richtung Poznan bis Ausfahrt Rzepin mautfrei. Sie können auch durchfahren (Mautstrecke) bis Torzym. In Pozradlo vor Orlén Tankstelle rechts ab in Richtung Skape.

Legnickie Pole, PL-59-241 / Dolnoslaskie

Gminny Osrodek Kultury i Sportu Kat.2
Henryka Brodatego 7
1 Mai - 30 Sep
+40 76-8582837
campinglp@wp.pl
N 51°8'34'' E 16°14'25''

1 AJMNOPRST 6
2 AFGPX ABDEF 7
3 B ABEFNQ 8
4 J 9
5 AHIJNORV 10
8A CEE ❶ €14,55
H120 1 ha 42T(60-120m²) 6D ❷ €18,40

Von Legnicka E65 Richtung Walbrzych, dann Legnickie Pole fahren. Gut ausgeschildert von Wroclow, auf der 4 auch gut ausgeschildert.

Lesna, PL-59-820 / Dolnoslaskie

Zloty Potok Resort
Zloty Potok 42
1 Apr - 1 Okt
+48 75-7847155
recepcja@zlotypotokresort.pl
N 51°1'1'' E 15°22'27''

1 AJMNORST LNQSWX 6
2 BDFGHNPTUWX AB 7
3 A ABEFNQTU 8
4 FHI DFPQRTU 9
5 ADEFGI AHIJNORV 10
6A ❶ €15,50
60T(80-120m²) 12D ❷ €17,90

Die 30 Zgorzelec-Jelenia Góra. In Luban die 393 nehmen. Durch Lesna Richtung Zloty Potok, am großen Schild an der rechten Seite der Straße rechts. Nach ± 800m CP.

Lipinki Luzyckie, PL-68-213 / Lubuskie

Stary Folwark
Pietrzykow 51
1 Jan - 31 Dez
+48 50-0416197
jacek.jurkowskimaslak@gmail.com
N 51°40'47'' E 14°59'46''

1 ADJMNOPQRS AJLNV 6
2 BCDGOPRTWXY ABCFG 7
3 AGLQS ABEFNQRTV 8
4 FHIOQRSTUVX AHIJRV 9
5 AGIL AFGHIJNOPRV 10
16A CEE ❶ €25,00
H120 16 ha 20T(200m²) 13D ❷ €30,00

Ab Autobahndreieck Spreewald die A15 Ri. Polen/Wroclaw, geht über zur DK18 (Autobahn noch nicht fertig). Ca 9 km nach der Grenze Ausfahrt Krolow, die 12 Richtung Strzesowice - Zary. Nach 9 km links Ri. Pitrzykow.

Maków Podhalanski, PL-34-220 / Slaskie

Jazy
ul. Jazy 6
1 Mai - 30 Sep
+48 33-8771605
osrodek.jazy@gmail.com
N 49°43'18'' E 19°41'49''

1 AJMNOPRST N 6
2 CFGOPSX ABDEHIJ 7
3 BLM ABEFNQ 8
4 I G 9
5 ADL ABIJNOPRV 10
20A ❶ €11,45
1 ha 30T(60-120m²) 18D ❷ €15,25

Die 98 von Wadowice nach Rabka. Nach dem Dorf Maków links.

Marczów/Wlen, PL-59-610 / Dolnoslaskie

Pension Jaskòlka
Marczow 56
1 Jan - 31 Dez
+48 75-7136587
info@jask.com
N 51°2'35'' E 15°38'11''

1 AJMNOPRST FNSU 6
2 FOPTWX ADFI 7
3 AGLSV AEFNQ 8
4 BCEFHIJKOX GJQRV 9
5 AGL AHIJNORZ 10
W 6A ❶ €12,65
H274 3,5 ha 92T(40-100m²) 8D ❷ €17,90

Von der E40 bei Bolestawice die 297 nach Lwowek Sl. nehmen. Hinter Lwowek Sl. Ausfahrt links Richtung Marczów. Weiter ausgeschildert.

Milków, PL-58-535 / Dolnoslaskie

Wisniowa Polana 142
Milkow 260
1 Mai - 30 Sep
+48 51-0111415
camping-milkow@karkonosz.pl
N 50°48'19'' E 15°46'2''

1 AJMNOPRST AFJN 6
2 BCFGIOPRX BEFGHI 7
3 ABE ABEFNQR 8
4 IO 9
5 ADEGL AGHIJNOPRV 10
6-16A CEE ❶ €16,00
H447 1,5 ha 40T(60-120m²) ❷ €20,75

Die 367 Jelenia Góra nach Karpacz. An der Kreuzung mit Straße 366 links nach Kowary Sobieszow. Östlich von Mitkow bei kleinem Fluss.

Niedzica, PL-34-441 / Malopolskie

Polana Sosny**
Os.Polana Sosny 5
1 Jan - 31 Dez
+48 18-2629403
polana.sosny@niedzica.pl
N 49°24'18'' E 20°20'2''

1 ADEGJMNOPRST NUXYZ 6
2 CDGHOPRSVW ABFGI 7
3 AEF ABEFJNQV 8
4 T GLU 9
5 GJL AHIJORV 10
WB 16A ❶ €14,80
H483 1,5 ha 35T(100m²) 47D ❷ €14,80

Von Kraków, 3 Stunden fahren über Nowy Targ und der 969 bis Krosnica. Ausschilderung Niedzica Castle folgen bis zur Brücke über die Dunajoo. CP liegt zwischen Kluskowce und Grywald.

Nowy Sacz, PL-33-300 / Malopolskie

Dom Turysty PTTK
Nadbrzezna 40
1 Mai - 30 Sep
+48 18-4415012
apazdyk@gmail.com
N 49°37'13'' E 20°42'57''

1 AJMNOPRST 6
2 COPRWXY 7
3 ABEFNQ 8
4 GI 9
5 DG IJR 10
16A ❶ €10,25
H280 1,2 ha 140T(60-100m²) 21D ❷ €16,45

Die 4/E40 von Krakau nach Brzesko, dann die 75 bis kurz hinter der Ortsmitte. Am 2. Kreisel links, an der Ampel links, CP links der Straße. Der CP ist nicht angezeigt.

Polanica/Zdrój, PL-57-320 / Dolnoslaskie

OSIR Polaniça Zdroj Kat.1
ul. Sportowa 7
1 Jan - 31 Dez
+48 74-8681210
osir.polanica@neostrada.pl
N 50°24'48'' E 16°30'44''

1 AJMNORST 6
2 BGPRVX ABDEFH 7
3 ELM ABEFNQV 8
4 I GJ 9
5 ABHIJNORV 10
B 16A CEE ❶ €13,35
H700 1,8 ha 100T(60-120m²) 41D ❷ €16,70

Von der 8 Ktoduko-Kudowa, Ausfahrt Polanica/Zdrój. In der Stadt ausgeschildert. Beim Sportkomplex.

Przeworsk, PL-37-200 / Podkarpackie

Pastewnik No. 221*
Lancucka 2
1 Mai - 30 Okt
+48 16-6492300
zajazdpastewnik@hot.pl
N 50°3'38'' E 22°28'58''

1 ADILNORT 6
2 COPRWX ABFHIJ 7
3 A ABEFNRV 8
4 GJ 9
5 FJ AHIRV 10
16A ❶ €14,55
H171 3 ha 50T(bis 100m²) 22D ❷ €19,35

Von Przeworsk an der A4/E40 Richtung Rzeszow, kurz hinter der Brücke, auf der rechten Seite.

Sandomierz, PL-27-600 / Swietokryskie

Browarny (201)***
ul. Zwirki i Wigury 1
1 Mai - 30 Sep
+48 15-8332703
wmajsak@poczta.fm
N 50°40'48'' E 21°45'18''

1 AILNORT 6
2 OPQWX ABDEFGHIK 7
3 ABL ABEFJNQR 8
4 IO AGIV 9
5 LM AHINOSTV 10
B 16A ❶ €13,85
H120 2,5 ha 40T(bis 100m²) 24D ❷ €15,25

CP liegt an der 77-79 von Kielce-Przemysl. Ist ausgeschildert. Die Einfahrt des CP's liegt am Ende der Bushaltestelle.

Sanok, PL-38-500 / Podkarpackie

Diabla Góra
Tyrawa Solna 121
1 Jan - 31 Dez
+48 50-2207623
patryk-bielawski@o2.pl
N 49°36'50'' E 22°16'35''

1 AJMNOPQRST JU 6
2 BCFGHIOPRSTVWXY ABDEFGH 7
3 ABFLS ABEFNQRSTV 8
4 FIKMOQRTX DGJU 9
5 DGK AJNOPSX 10
20-25A ❶ € 9,55
H270 21T(35-50m²) 77D ❷ €12,90

In Sanok auf der 23 bei Kaufland Richtung Mrzyglod. Der Camping ist gut angezeigt. Es sind ± 14 km bis zum Campingplatz.

Polen

Teilkarte Süd-Polen auf Seite 435

FORTECA
CAMPING
Am Fuße des Riesengebirges im Südwesten von Polen, idyllisch gelegen am privaten See. Hervorragend geeignet zum Wandern, Radfahren und das Land und der Kultur der Polen kennenzulernen.
Großzügige Stellplätze • moderne Sanitärgebäude • Restaurant, Erholungsraum, Spielplatz, Lagerfeuerplätze • Vermietung von Blockhäuser • kostenloses WiFi
ul. Wroclawska 12, 58-211 Uciechów • info@campingforteca.nl
www.campingforteca.nl • 0048-748323008, 0048-725488000

Sarnowice/Otmuchów, PL-48-385 / Opolskie

Otmuchów (42) Kat.2	1 AD**JM**NOPRST LNQSWXY 6
ul. Plazowa 6	2 DFGHJPQRX ABDE 7
15 Apr - 30 Sep	3 AL ABEFNQ 8
+48 77-4315225	4 IMNO**P**Q DEGJLNRT 9
camping.otmuchow@wp.pl	5 ADEFGI HIN**PR**10
	10A CEE ❶ €10,75
N 50°28'45'' E 17°7'20''	0,9 ha 150**T**(28-40m²) 39**D** ❷ €13,15

Von der 408 den CP-Schildern PTTK 42 folgen, 3 km durch die Stadt, durch den kleinen Ort Sarnowice. CP liegt am See links. Bei GPS-Anwendung: der Straßenname kommt nicht vor!

Stypulów, PL-67-120 / Lubuskie

Maly Raj	1 AFJMNOPRST AN 6
Stypulow 113	2 DOPWXY ABDEFGH 7
15 Jun - 15 Aug	3 ABFNQ 8
+48 66-6077386	4 G 9
Jeziore@hotmail.com	5 AHIJRV10
	6A ❶ €15,00
N 51°42'17'' E 15°32'30''	H132 1,5 ha 40**T**(150-250m²) 21**D** ❷ €15,00

Die 296 von (Nowa Sol) Kozuchow nach Zagan. Im Ort Stypulow ist der CP ausgeschildert.

Suchedniów, PL-26-130 / Swietokryskie

Suchedniów (140)***	1 AILNOPRT LNSX 6
ul. Ogrodowa 11	2 DGHIOPWX ABE**F**HIJ 7
1 Jan - 31 Dez	3 BEFL**M** ABEFJNQRTV 8
+48 41-2543351	4 IO**T** GJPQRT 9
kierownik@camping140.pl	5 D AHIJNPRV10
	40A ❶ €11,30
N 51°2'31'' E 20°50'31''	H180 3 ha 15**T**(bis 100m²) 28**D** ❷ €13,90

Auf der 7 Radom-Kielce, Ausfahrt Suchedniów. Der Streckennummer 751 Richtung Bodzentyn folgen, CP ist ausgeschildert.

Tarnow, PL-33-100 / Malopolskie

202 Pod Jabloniami***	1 ABILNOPRT **EH**I 6
Ul. Pilsudskiego 28A	2 OPRWX ABDE**FG**HI 7
1 Jan - 31 Dez	3 AFL**M** ABEFNQRV 8
+48 14-6215124	4 HIO GIJ 9
recepcja@camping.tarnow.pl	5 JKL AHIJRV10
	16A ❶ €16,70
N 50°1'23'' E 20°59'17''	H182 1 ha 24**T** 32**D** ❷ €23,40

CP liegt an A4 Kraków-Rzeszow, im Zentrum von Tarnow. Route ist gut ausgeschildert.

Uciechów, PL-58-211 / Dolnoslaskie

Camping Forteca	1 A**JM**NOPRST L 6
ul. Wroclawska 12	2 DFIPRWXY ABDE**F** 7
1 Apr - 1 Okt	3 ABLS ABEFNR 8
+48 74-8323008	4 HIO FGT 9
info@campingforteca.nl	5 AEGIL ABIJNOPRV10
	Anzeige auf dieser Seite 16A ❶ €15,50
N 50°45'21'' E 16°41'40''	H279 4 ha 55**T**(70-150m²) 13**D** ❷ €21,50

Die 8 von Wroclaw nach Klodzko, in der Ortschaft Lagiewniki Richtung Dzierzoniew die 384 abfahren. Am Ortsschild Uciechów, CP links. Empfohlen über GPS.

Warka, Mazowieckie

Sielanka nad Pilica	1 AJMNOPRST JNUX 6
ul. Nowy Zjazd 6	2 CGIPRW AB**F**IJK 7
1 Apr - 31 Okt	3 AFRU ABEFNQR 8
+48 504-047895	4 FHO GJLNRV 9
adrian.kielbinski@sielanka.pl	5 DGIK**L** HIKNPR10
	B 10A ❶ €14,00
N 51°46'48'' E 21°11'11''	H105 8 ha 120**T** 12**D** ❷ €16,50

Von Warschau die 79, dann die 731. Wenn aus Warka heraus fährt, ist der CP angezeigt.

Warszawa, PL-02-366 / Mazowieckie

Camping 123 Zajazd Majawa Kat.1	1 AD**IL**NOPRT 6
ul. Bitwy Warszawsk. 15-17	2 OPX ABDE 7
1 Mai - 30 Sep	3 **M** ABEFNQRV 8
+48 22-8229121	4 F 9
biuro@majawa.pl	5 ABHJR10
	16A ❶ €29,85
N 52°12'53'' E 20°57'56''	H101 0,7 ha 60**T** 19**D** ❷ €37,00

Vom Zentrum aus der Hauptstraße Nr. 2 folgen. An der Überführung Ri. Stadtteil Ochota fahren. Ausf. Ri. Poznan; ganz li einordnen. Danach re halten. Nach 100m kommt der CP. Nicht notwendig, den Parallelweg hinauf zu fahren, wegen vieler geparkter Fahrzeuge.

Warszawa, PL-04-867 / Mazowieckie

WOK (Nr. 90)****	1 ADILNOPRT 6
Odrebna 16	2 OPY ABE**FGH** 7
1 Jan - 31 Dez	3 A ABEFNQRV 8
+48 22-6127951	4 IO**PQ** L 9
wok@campingwok.warszawa.pl	5 DGI BHJNORV10
	16A CEE ❶ €29,85
N 52°10'39'' E 21°8'50''	H80 0,5 ha 30**T** ❷ €37,00

Die 801 Ri. Pulawij. Am Kreisel den Weg zurück. Ausf. hinter 2. Ampel. Re. in die Straße abbiegen. CP liegt ca. 9 km vom Zentrum Warschau. Ausgeschildert. Nicht in Straße abbiegen, sondern durchfahren bis zum nächsten Kreisel und wenden.

Wlodawa, PL-22-250 / Lubelskie

Camping Astur	1 AILNOPRST LNSX 6
Okuninka 12	2 BDGHOPXY **F** 7
1 Mai - 31 Okt	3 AEFL ABEFNQ 8
+48 82-5717037	4 AHINOQ GJLOPRTV 9
info@astur.com.pl	5 EGI BIJNOPV10
	16A ❶ €15,75
N 51°29'39'' E 23°31'8''	H160 4,5 ha 20**T**(100m²) 63**D** ❷ €18,15

In Wlodawa von Lublin aus die 82, am Kreisel nach Chelm die 812. Zweiter Kreisel am Lidl rechts Chelm die 812. An der Kreuzung Okuninka nach 1,5 km liegt der CP links.

Woliborz/Nowa Ruda, PL-57-431 / Dolnoslaskie

Lesny Dwor-Waldgut	1 A**JM**NORST AF 6
Woliborz 12b	2 BFOPRTUX ABDE**FH**I 7
1 Jan - 31 Dez	3 ALS ABEFJNQR 8
+48 74-8724590	4 IO ADGIV 9
waldgut@waldgut.de	5 GI AFGHIJNOPRV10
	WB 6A CEE ❶ €15,05
N 50°35'29'' E 16°34'53''	H519 2 ha 25**T**(60-120m²) 9**D** ❷ €18,85

Auf der 381 von Wat Brzych nach Ktodzko. In Nowa Ruda den Schildern Richtung Woliborz (385) folgen. CP ist ausgeschildert.

Wroclaw, PL-51-612 / Dolnoslaskie

Stadion Olimpijski Nr. 117**	1 AJMNOPQRST 6
Aleja Ignacego Paderewskiego	2 OPRWX ABDE 7
1 Mai - 15 Okt	3 ABCDEFNQ 8
+48 71-3484651	4 F 9
	5 AHIJORV10
	10A CEE ❶ €17,40
N 51°7'1'' E 17°5'28''	2,5 ha 180**T**(60-120m²) 30**D** ❷ €17,40

In Wroclaw Schildern 'Olympisches Stadion' und der A8 Warszawa (Warschau) folgen.

Zakopane, PL-34-500 / Malopolskie

Harenda (160) Kat.2	1 A**JM**NOPRST 6
os. Harenda 51b	2 OPRSTWX AB**FGH** 7
1 Jan - 31 Dez	3 A ABEFNQR 8
+48 18-2014700	4 IO GJ 9
harenda51b@gmail.com	5 AFHIJNORV10
	W 6A CEE ❶ €14,80
N 49°19'33'' E 19°59'6''	H800 1,2 ha 120**T**(60-120m²) 14**D** ❷ €18,60

Vor Zakopane an der Tankstelle und McDonalds rechts abbiegen, dann wieder rechts abbiegen, nach 50m links über die Brücke, sofort wieder rechts abbiegen und links liegt der CP.

Zakopane, PL-34-500 / Malopolskie

Ustup	1 AJMNOPR**T** 6
ul. Ustup 5B	2 CGOPR ABDE**F** 7
1 Mai - 30 Sep	3 ABCDEFNQR 8
+48 605950007	4 J 9
camping.ustup@gmail.com	5 AIKR10
	10A CEE ❶ €16,45
N 49°19'19'' E 19°59'8''	H700 0,8 ha 30**T** 1**D** ❷ €22,65

Vor Zakopane an der Tankstelle und McDonalds rechts, direkt wieder rechts. Dann gleich links ist der CP.

Zamosc, PL-22-400 / Lubelskie

Duet (Nr. 253) Kat. 1	1 AJMNORT 6
Kr. Jadwigi 14	2 OPRWX AB 7
1 Jan - 31 Dez	3 AL**MN** ABEFN 8
+48 84-6392499	4 **P**RT JV 9
	5 EGJL IORV10
	16A ❶ €14,30
N 50°43'10'' E 23°14'21''	3 ha 35**T** 19**D** ❷ €15,75

Von Chelm die 74 Richtung Bilgorej/Szczebrzeszyn abfahren. An dem Punkt wo man die 74 auffährt liegt der CP rechts in der Kurve.

Teilkarte Süd-Polen auf Seite 435

Litauen

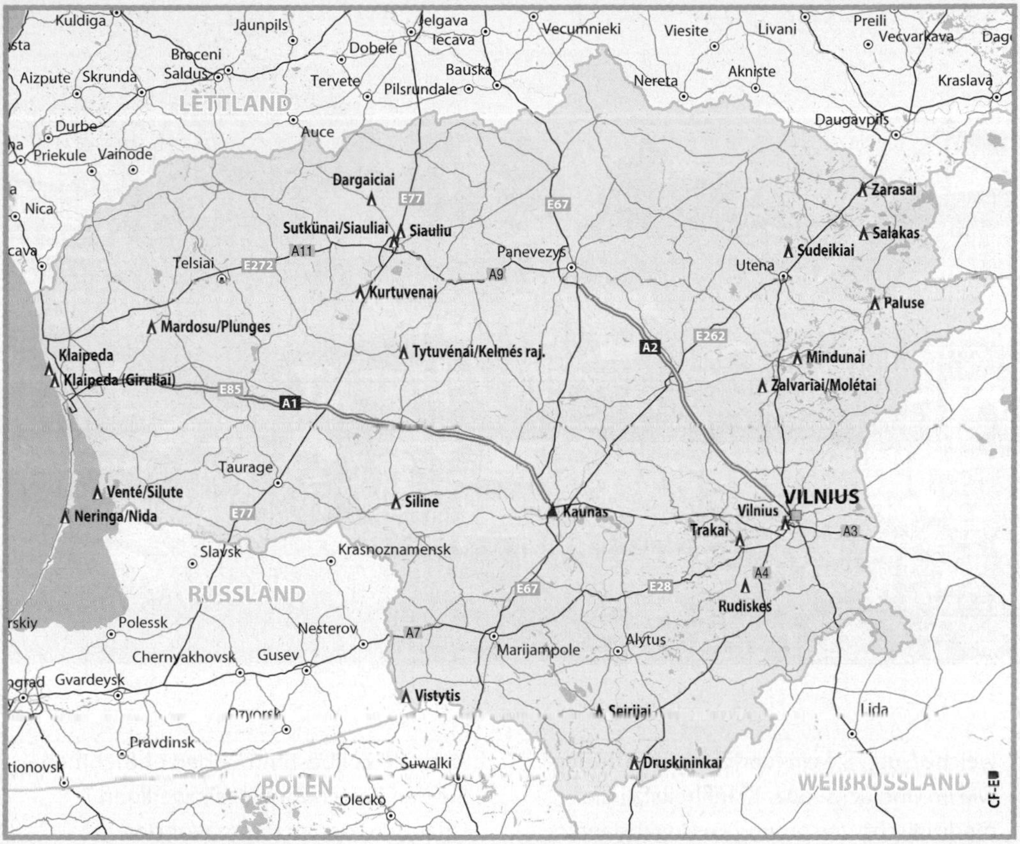

Allgemein

Litauen ist EU-Mitglied.

Zeit

In Litauen ist es eine Stunde später als in Berlin.

Sprache

Litauisch, aber auch mit Englisch kommt man gut zurecht.

Grenzformalitäten

Viele Formalitäten und Vereinbarungen, wie erforderliche Reisedokumente, KFZ-Papiere, Anforderungen an Ihr Fahrzeug und Ihren Aufenthalt, Krankenkosten und das Mitführen von Tieren, sind nicht nur vom Zielort abhängig, sondern auch von Ihrem Ausgangsort und Ihrer Nationalität. Auch die Dauer Ihres Aufenthaltes spielt dabei eine Rolle. Im Rahmen dieses Führers ist es leider nicht möglich, allen Lesern korrekte und aktuelle Informationen in dieser Hinsicht zu garantieren.

Wir raten Ihnen, vor Ihrer Abreise bei den entsprechenden Behörden in Erfahrung zu bringen:

- welche Reisedokumente Sie für sich selbst und Ihre Reisebegleitung brauchen
- welche Dokumente Sie für Ihr Auto brauchen
- welchen Anforderungen Ihr Fahrzeug entsprechen muss

- welche Güter Sie ein- und ausführen dürfen
- wie im Unglücks- oder Krankheitsfall die medizinische Versorgung im Urlaubsland organisiert ist und bezahlt wird
- ob Sie Ihre Haustiere mitnehmen können. Nehmen Sie rechtzeitig Kontakt zu Ihrem Tierarzt auf. Dort erhalten Sie Informationen über relevante Impfungen, entsprechende Bestätigungen und Verpflichtungen bei Ihrer Rückkehr. Es ist auch sinnvoll herauszufinden, ob an Ihrem Urlaubsziel bestimmte Bedingungen für Haustiere in der Öffentlichkeit geknüpft sind. So müssen in manchen Ländern Hunde immer einen Maulkorb tragen oder vergittert transportiert werden.

Viele allgemeine Infos finden Sie auf ▸ *www.europa.eu* ◂ aber sorgen Sie selbst dafür, die richtige Information für Ihre individuelle Situation herauszufinden.

Aktuelle Zollbestimmungen entnehmen Sie den Botschaften des jeweiligen Urlaubslandes an Ihrem Wohnort.

Währung und Geld

Ab 1. Januar 2015 ist der Euro die offizielle Währung.

Geldautomat

Im Allgemeinen ist das Abheben von Geld am EC-Automaten kein Problem. Vorallem in Städten gibt es ausreichend Geldautomaten.

Kreditkarten

Kreditkarten werden in praktisch allen Hotels, Restaurants, Geschäften und Tankstellen akzeptiert. Nehmen Sie genug Bargeld mit, am besten Euro oder US-Dollar.

Öffnungszeiten und Feiertage

Banken

Banken sind im Allgemeinen geöffnet von montags bis freitags bis 16.00 Uhr, mit einer Mittagspause um 12.00 Uhr. Samstags sind Banken zwischen 9.00 und 12.00 Uhr geöffnet.

Geschäfte

Geschäfte sind an Werktagen geöffnet bis 20.00 Uhr und samstags bis 15.00 Uhr.

Ärzte

In Vilnius gibt es 24-Stunden Dienste von Ärzten, die im Westen studiert haben und mehrere Sprachen sprechen. Die Ärzte akzeptieren oft nur westliche Währung. Um Missverständnisse vorzubeugen, sprechen Sie vorher über das Honorar.

Feiertage

Neujahr, 16. Februar (Unabhängigkeitstag), 11. März (Wiedererlangung der Unabhängigkeit), Ostern, 1. Mai (Tag der Arbeit), 24. Juni (Mitsommertag), 6. Juli (Nationalfeiertag), 15. August (Mariä Himmelfahrt), Allerheiligen, Weihnachten.

Kommunikation

(Mobil) Telefon

Das Mobilnetz ist gut, bis auf abgelegene Gebiete. Es gibt ein 3 G-Netz für das mobile Internet. Um von Litauen aus nach Deutschland zu telefonieren müssen Sie zunächst die '8' wählen, dann auf das Freizeichen warten. Danach die '10' und weiter die '49' ('43' Österreich, '41' Schweiz) und die Teilnehmerzahl ohne die Null in der Ortsvorwahl. Wenn Sie innerhalb Litauens telefonieren zunächst die '8' und auf das Freizeichen warten. Danach Ortskennzahl und Teilnehmernummer.

W-Lan, Internet

In den Städten findet man Internetcafés.

Post

Postämter sind montags bis freitags offen bis 16.00 Uhr.

Straßen und Verkehr

Straßennetz

Rund 90% aller Straßen sind befestigt, wodurch die meisten Dörfer gut erreichbar sind. Beachten Sie, dass auf 'Autobahnen' in Litauen Bushaltestellen und Fußgängerwege sein können. Auch Radfahrer benutzen die Schnellstraßen. Bei einer Panne wählen Sie litauische Straßenwacht (LAS): Tel. 8-800-00-000.

Via Baltica

Die Via Baltica ist eine 633 km lange Straße von der polnischen Grenze durch Litauen, Lettland und Estland nach Helsinki in Finnland.

Verkehrsvorschriften

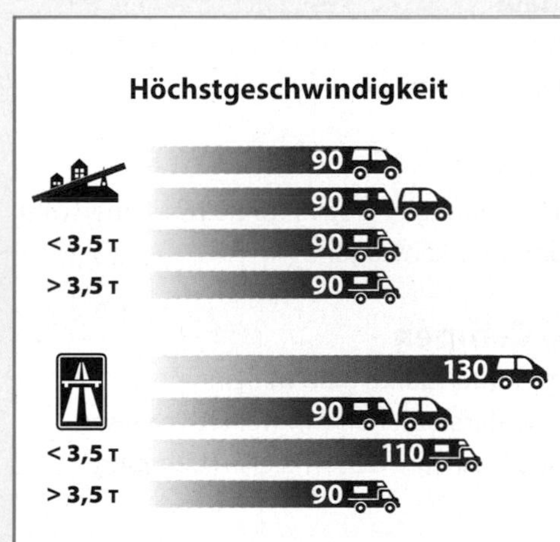

Promillehöchstgrenze: 0,4‰. Auch tagsüber mit Abblendlicht fahren.

Telefonieren nur mit Freisprechanlage. Es gilt die Gurtpflicht vorne. Bei Verkehrsunfällen muss die Polizei hinzugezogen werden. Winterreifen sind ab 1. November bis 1. April Pflicht.

Navigation
Warnung vor festen Blitzern durch Navi oder Mobiltelefon Apps ist erlaubt.

Zulässige Maße Wohnwagen, Reisemobil
Höhe 4m, Breite 2,55m und Länge 12m.

Kraftstoff
Benzin und Diesel sind gut erhältlich. LPG nur begrenzt erhältlich.

Tankstellen
Die meisten Tankstellen sind zwischen 7.30 und 22.00 Uhr geöffnet. An vielen Tankstellen kann man mit Kreditkarte bezahlen. An den Hauptstraßen und in großen Städten sind die meisten Tankstellen Tag und Nacht geöffnet.

Maut
Auf den litauischen Straßen besteht keine Mautpflicht.

Notruf
112: nationaler Notruf für Polizei, Feuerwehr und Krankenwagen.

Campen

In Litauen sollte man mit einem zuverlässigen Campingführer verreisen, da die Anzahl der offiziellen Campings beschränkt ist. Regelmäßig bieten Motels und Straßenrestaurants Camping 'nebenbei' an. Die Qualität ist durchweg einfach. In den letzten Jahren gibt es aber Verbesserungen bei Sanitäranlagen, mehr Plätze mit Stromanschluss und sind Servicestationen für Reisemobile keine Seltenheit mehr.

Praktisch
- Das Fahrzeug immer auf einem bewachten Parkplatz abstellen.
- Am besten immer Universalstecker dabei haben.
- Trinkwasser ist nicht an allen Orten von gleicher Qualität. In entlegenen Gebieten sollte daher Wasser vorher immer abgekocht oder aus Flaschen verwendet werden.

Fährverbindung ins Baltikum ab Lübeck, Sassnitz oder Schweden, Finnland.
Mehr Infos siehe ▸ *www.aferry.de* ◂ oder ▸ *www.directferries.de* ◂
Achtung: bei der Einreise über Kaliningrad braucht man ein Durchreisevisum.
Einfacher ist die Einreise über den polnisch-litauischen Grenzübergang.

Klima Vilnius	Jan.	Feb.	März	April	Mai	Juni	Juli	Aug.	Sept.	Okt.	Nov.	Dez.
Tagestemperatur	-5	-4	0	7	14	18	20	18	15	8	1	-3
Sonnenstunden am Tag	1	2	5	6	8	10	9	7	6	3	1	1
Regentage	14	13	12	11	11	11	12	12	11	12	14	15

Dargaiciai, LT-81414 / Siauliai

Peledyne	1 AGHKNOPRT	HL 6
Dargaiciu gatve	2 BCDFGIPSWY	ABIJ 7
1 Mai - 30 Sep	3 AF	AEFNQ 8
+370 654-28252	4 TV	A 9
minutis@gmail.com	5	FJSV 10
	6A CEE	❶ €14,50
N 56°7'59'' E 23°15'12''	2 ha 36T 6D	❷ €14,50

Von Siauliai aus die A12 abfahren zur 154 bis Dargaiciai. CP angezeigt 1300m (Schotterweg).

Druskininkai, LT-66204 / Alytus

Druskininkai Camping	1 AD**JM**NOPRT	6
Gardino 3	2 ABOPRSVWX	ABD**FH**IJK 7
1 Mai - 30 Sep	3 AEF**R**	ABEFKNQRSTV 8
+370 313-60800	4 HO	AEL 9
camping@druskininkai.lt	5 DK	ABGHIJL**NO**SV 10
	10A CEE	❶ €18,00
N 54°0'33'' E 23°58'39''	3,4 ha 38T(65-120m²) 20D	❷ €24,00

Der CP ist in Druskininkai angezeigt.

Kaunas, LT-44131 / Kaunas

City Camping Kaunas	1 A**I**LNOPRT	A 6
Jonavos 51A	2 ARS	AB**FK** 7
1 Jan - 31 Dez	3 A	ABE**F**NQR 8
+370 61-809407	4 A	EV 9
camp@kaunascamping.eu	5	AHIPR 10
	6A	❶ €20,30
N 54°56'4'' E 23°55'5''	2,5 ha 40T(100-150m²) 3D	❷ €20,30

An der Autobahn Kaunas-Vilnius ist der CP angezeigt.

Kaunas, LT-4716 / Kaunas

Kaunas Camp Inn	1 ADEJMNOPRT	L 6
Raudondvario plentas 161A	2 DFHNOPQWXY	AB**FG**HIJK 7
1 Mai - 1 Sep	3 ABFIM	ABEFNQR 8
+370 602-33444	4 T	QRUV 9
kaunas@campinn.lt	5 G	GHIN 10
	10A	❶ €20,85
N 54°54'57'' E 23°50'0''	3 ha 50T	❷ €25,50

Von der Durchgangstraße her ist der CP aus Süd und Nord gut angezeigt.

Klaipeda, Klaipeda

Karklės Kopos	1 AJMNOPRT	6
Karklės km, Placio str. 37	2 AEHOPW	ABFK 7
1 Apr - 1 Okt	3 AL	ABEFNQUV 8
+370 8687-49456	4	G 9
info@karkleskopos.lt	5	BOR 10
	10A	❶ €15,00
N 55°48'36'' E 21°4'26''	2 ha 40T(60-100m²) 7D	❷ €17,00

A13 Klaipeda-Palanga, Ausfahrt Karklé (5 km). Gut angezeigter Camping 'Karklės Kopos'.

Klaipeda (Giruliai), Klaipeda

Pajūrio kempingas	1 ADEG**JM**NOPR**T**	QS 6
Slaito g.3	2 ABEIOPRSVY	ABDE**FG**IJ 7
1 Jan - 31 Dez	3 AE**M**	ABCDEFJKLNQRSTU 8
+370 677-73227	4 **AE**HO**T**	AHJV 9
camping@klaipedainfo.lt	5	ABHI**N**OSVW 10
	B 6A	❶ €17,40
N 55°45'57'' E 21°5'38''	2,8 ha 45T(ab 60m²) 59D	❷ €22,05

Klaipeda (Giruliai). CP ist ausgeschildert.

Kurtuvenai, LT-80233 / Siauliai

Kurtuvenai	1 ADE**IL**NOPRT	**NO** 6
Parko 2	2 ABDFGIOPVW	ABDE**FGIJK** 7
1 Mai - 30 Sep	3 BF**G**	ABEFIJMNQRTU 8
+370 618-29964	4 **A**FHI	V 9
kurtuvenaicamping@kurtuva.lt	5 **L**	ABHJ**NO**VW 10
	B 15A	❶ €17,40
N 55°49'36'' E 23°2'50''	0,9 ha 50T(100-150m²)	❷ €20,30

Der 215 nach Kurtuvenai folgen. In Kurtuvenai ist der CP angezeigt.

Mardosu/Plunges, LT-90103 / Telsiu

Zemsuoda	1 ADEHKNOPRT	JN 6
1 Apr - 1 Nov	2 CGIPRX	7
+370 620-26033	3 AFL	ABFNQV 8
poilsis@zemsodis.lt	4 O**TV**	GJQRT 9
	5 GIJ	GHIKNRVW 10
	10A CEE	❶ €23,20
N 55°52'26'' E 21°44'55''	6 ha 80T(100-120m²) 15D	❷ €29,00

A11 Ausfahrt Taurage/Plungé. In Plaugé die 164 Richtung Taurage, danach die 166. CP ist angezeigt.

Mindunai, LT-33201 / Utenos

Mindūnu Kempingas	1 AG**IL**NOR**T**	LNQXZ 6
1 Mai - 1 Okt	2 ABDGHIPQRTWXY	ABDE**FG**IK 7
+370 8-38654444	3 AE	ABFNQR 8
rommesa@is.lt	4 AHIO**T**	EGPQRTUV 9
	5	HIKOTV 10
	B 16A CEE	❶ €17,40
N 55°13'14'' E 25°33'36''	5 ha 20T(100-150m²) 27D	❷ €20,85

Die 114 Moletai Richtung Mindunai. Camping ist angezeigt. Dem Sandweg gegenüber der Bushaltestelle folgen (4 km).

Neringa/Nida, LT-93121 / Klaipeda

Nidos Kempingas	1 AD**IL**NORT	**E**KNQSX 6
Taikos 45A	2 ABEHPQSWX	ABDE**FG**HI 7
1 Mär - 1 Nov	3 A**M**	ABEFNQRV 8
+370 469-52045	4 HO**T**	AGHILV 9
info@kempingas.lt	5 EJ	ABHIJ**NO**TUW 10
	10A	❶ €33,60
N 55°17'55'' E 20°58'58''	1,7 ha 200T(12-35m²) 19D	❷ €40,00

47 km südlich vom Fährhafen Smiltyne. Der CP liegt am Mautweg 167, ist ausgeschildert.

Paluse, Utenos

Paluse Camping	1 AJMNOPR**T**	6
1 Mai - 30 Sep	2 DOPSVX	ABDEFIJK 7
+370 861245015	3	ABEFNQV 8
info@palusestc.lt	4	9
	5	NP 10
	6A CEE	❶ €18,85
N 55°19'40'' E 26°6'19''	1 ha 69T(100-150m²)	❷ €24,65

Der CP liegt an der 114 und ist angezeigt.

Rudiskes, LT-21177 / Vilnius

Harmonie	1 AJMNOPRT	N 6
Bukles K	2 ABPRWXY	ABDE**FHIJK** 7
1 Jan - 31 Dez	3 Q	ABCDEFJNQR 8
+370 614-21560	4 AEFHIO	GUV 9
wim_brauns@hotmail.com	5	AHIJN**O**T 10
	16A CEE	❶ €17,10
N 54°30'28'' E 24°53'26''	3 ha 39T(100-150m²) 3D	❷ €17,10

An der Grenze Ogroniki-Alytus der 220 Richtung Trakai folgen. In Rudiskis den Schildern folgen. Von Vilnius, Trakai-Rudiskis folgen.

Salakas, LT-32216 / Utenos

Kempingas Degesa	1 AILNOPR**T**	L**N**PQS**X** 6
Sabalunkos/Salako MSTL.	2 BDFGHORW	**EFGH** 7
1 Jan - 30 Dez	3 F	ABEFJNQRV 8
+370 685-44450	4 O**TV**	AGJOQRTUV 9
info@degesa.lt	5 J	ABIJ**NO**RVW 10
	8A	❶ €10,15
N 55°34'21'' E 26°9'22''	2 ha 26T(100-150m²) 74D	❷ €10,15

Auf der 179 hinter Dukstas Richtung Salakas ist der Camping gut angezeigt.

Litauen

Seirijai, LT-67229 / Alytus

Silaiciai
1 Jan - 31 Dez
+370 8313-52507
irena@grutoparkas.lt

1 AJMNOPRT	HLNOPQ	6
2 BDFGHIPVWXY	FHIJK	7
3 AEFGH	ABEFNQRTU	8
4 **T**	GIPT	9
5 DGL	AHIJ**N**RV	10
6A	❶ €14,50	
9 ha 40**T**(100-150m²) 90**D**	❷ €14,50	

N 54°12'47'' E 23°51'12''

Von der 132 zur 180 Richtung Leipalingis/Druskininkai. Nach etwa 4 km dem Hinweis Silaiciai 1 folgen. Dann am Basketballplatz links ab.

Tytuvénai/Kelmés raj., LT-86482 / Siauliai

Sedula
Skogolio km
1 Mai - 1 Sep
+370 8682-46498
vadybininkas@sedula.lt

1 AHKNORT	LNX	6
2 BDHIPSWX		7
3 AELS	EFNQRV	8
4 O**T**	J	9
5 J	ABGHIJLV	10
4A CEE	❶ €14,50	
4,7 ha 55**T**(100-150m²) 17**D**	❷ €14,50	

N 55°35'20'' E 23°13'25''

Dem CP-Schild an der Kirche folgen, 700m geradeaus. Dann rechts ab und ca. 3 km der Straße zum CP folgen.

Siauliu, LT-81439 / Siauliai

Kaimo turizmo
Sodyba "Girele"
Domantu k.
1 Mai - 31 Dez
+370 412-11043
sodybagirele@yahoo.com

1 ADEJMNOPRT		6
2 RSW		7
3 A	ABEFN	8
4 OT	G	9
5 J	FHIJNS	10
10A CEE	❶ €18,00	
4,5 ha 24**T**(100-150m²) 13**D**	❷ €18,00	

N 55°59'57'' E 23°22'59''

Auf der A12 Richtung Kreuzberg, 200m vor dem Kreuzberg Ausfahrt rechts zum CP angezeigt.

Venté/Silute, LT-99361 / Klaipeda

Ventainé
Mariu st.7
1 Jan - 31 Dez
+370 441-68525
info@ventaine.lt

1 ADEHKNORT	**E**KMNQSWXYZ	6
2 AEFGHOPRVW	ABD**EFGH**	7
3 AEL**M**	ABEFNRV	8
4 AHO**QTUVY**	FGILOPQTUV	9
5 DGJ	ABHIKL**NO**SV	10
10A	❶ €20,30	
4 ha 32**T**(bis 30m²) 20**D**	❷ €23,20	

N 55°21'23'' E 21°12'21''

Von der 141 Klaipeda-Silute, in Priekule Richtung Venté abbiegen, dann sind es noch 28 km zum CP. In Venté ist der CP angezeigt.

Siline, Taurage

Honey Valley Medausslenis
1 Jan - 31 Dez
+370 640-32128
ovismedus@gmail.com

1 AD**JM**NOPRT		6
2 ABFGJOPRWX	AB**FI**K	7
3 AE	ABFNOQRTUV	8
4 **AE**HO**T**	GV	9
5	IJ**NO**RV	10
B 10A CEE	❶ €14,50	
2,7 ha 145**T**(100-150m²) 4**D**	❷ €17,40	

N 55°5'31'' E 22°57'48''

13 km vor Jurbarkas. CP ist mit einem Zeltzeichen angezeigt (Straße Nr. 141).

Vilnius, LT-04215 / Vilnius

Vilnius City Camping
Parodu G. 11
15 Mai - 10 Sep
+370 629-72223
vilnius@camping.lt

1 A**JM**NOPRT		6
2 AOPQWX	ABDE**FG**HIJ	7
3	ABEFJNQRUV	8
4	V	9
5 K	AGHIJ**NO**R	10
10A	❶ €20,85	
1,2 ha 100**T**(100-150m²)	❷ €25,50	

N 54°40'48'' E 25°13'37''

In Vilnius auf der A1/A2 am großen Kreisel Richtung TV-Turm. Der CP ist gut angezeigt.

Sudeikiai, Utenos

Sudeikiai Kempingas
1 Jun - 31 Aug
+370 615-15324
tic@utenainfo.lt

1 A**JM**NOPRT	LNOPQXY	6
2 DFGIOPSUWY	CD**FH**IK	7
3 BFL	ABEFJLNQR	8
4 O	L	9
5	HIJ**N**ST	10
B 6A CEE	❶ €21,75	
6 ha 112**T**(100-150m²)	❷ €24,65	

N 55°35'10'' E 25°40'50''

Von Litene nach Sudeikiai. Der CP ist gut angezeigt. In Utena den Schildern nach Sudeikiai folgen.

Vistytis, Marijampole

Kempingas Puselé
Zirgénu k
1 Mai - 1 Okt
+370 342-47555
pusele@ktv.satela.lt

1 AD**JM**NOPRS**T**	LM**N**QRUVXY	6
2 ADFGHJPQTWX	J	7
3 BEFL	ABEFNQRTUV	8
4 IOQ**T**	ADFHMOPQRV	9
5 AG	BHIJNORV	10
16A CEE	❶ €14,50	
5,3 ha 165**T**(100-150m²) 161**D**	❷ €17,40	

N 54°25'40'' E 22°45'6''

Der CP liegt südöstlich der Ortschaft Vistytis. Der CP ist deutlich angegeben.

Sutkünai/Siauliai, LT-76116 / Siauliai

Camping Grazina
Masiuliskiu g 1
1 Jan - 30 Dez
+370 699-38735
jocasa@takas.lt

1 A**JM**NOPR**T**		6
2 ABPWY	D**FGHIK**	7
3 AF	ABEFJMNQRU	8
4 **T**	G	9
5 AEHI	ABHJORW	10
5A	❶ €17,40	
H106 1,8 ha 40**T** 20**D**	❷ €20,85	

N 55°58'19'' E 23°19'41''

Von Siauliai die 154. CP ist ausgeschildert.

Zalvariai/Molétai, LT-01122 / Utenos

Camping Appeleiland****
Grabuostasmeer
1 Jan - 31 Dez
+370 383-50073
info@appleisland.lt

1 AD**IL**NOR**T**	HLMNQSXZ	6
2 ABDGHIOPSUVWXY	AD**FGH**	7
3 ABEF**ILMN**QST	AEFNQRTU	8
4 HIO**QT**	FJPQTUVY	9
5 AEGIJKL	AFGHIJL**N**RV	10
B 10A CEE	❶ €21,75	
H220 13,8 ha 200**T**(100-150m²) 16**D**	❷ €24,65	

N 55°9'38'' E 25°18'24''

Der Strecke Vilnius nach Moletai 60 km folgen. Litauischer Name der Insel: 'Obuoliu Sala'. Dort ausgeschildert (links ab und 10 km der Strecke folgen).

Trakai, LT-21102 / Vilnius

Kempingas Slényje
Slenio 1
1 Jan - 31 Dez
+370 528-53880
slenyje@gmail.com

1 A**IL**NOPRT	**H**LNOQSUX	6
2 ABDGHOPRTUWX	ABDE**FGI**	7
3 AEF**I**	ABEFJNQR	8
4 AHIO**QTUVWZ**	AFGIOPRTV	9
5 AGJ	AHIJ**N**OSVX	10
16A CEE	❶ €18,85	
5,6 ha 180**T**(100-150m²) 54**D**	❷ €24,65	

N 54°40'9'' E 24°55'47''

Schnellstraße Kaunas-Vilnius. Richtung Trakai folgen. Der CP ist angezeigt.

Zarasai, LT-93432 / Utenos

Zarasai
Kauno 67
1 Mai - 1 Okt
+370 86-2093432
turizmas@zarasai.lt

1 AJMNORT	LN	6
2 DSX	AB**F**K	7
3	ABEFNQ	8
4		9
5	ARV	10
B 10A CEE	❶ €14,05	
2 ha 50**T**(100-150m²)	❷ €17,55	

N 55°43'7'' E 26°13'21''

Der CP liegt an der A6 und ist gut angezeigt.

Karte Litauen auf Seite 439

Lettland

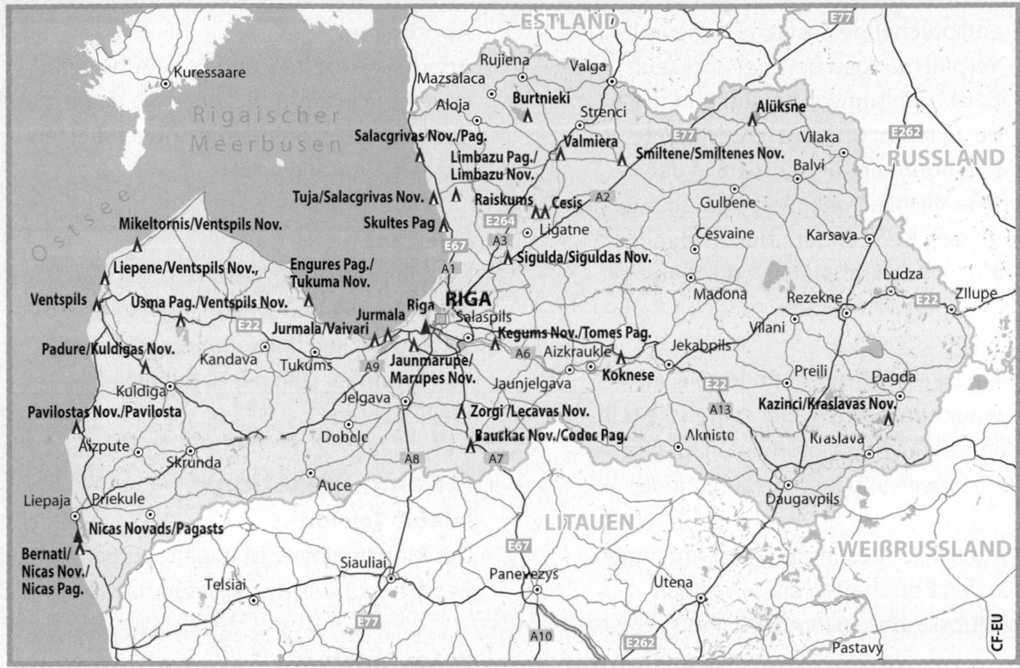

Allgemein

Lettland ist EU-Mitglied.

Zeit

In Lettland ist es eine Stunde später als in Berlin.

Sprache

Amtssprache ist Lettisch, aber auch mit Englisch und Deutsch kommt man gut zurecht.

Grenzformalitäten

Viele Formalitäten und Vereinbarungen, wie erforderliche Reisedokumente, KFZ-Papiere, Anforderungen an Ihr Fahrzeug und Ihren Aufenthalt, Krankenkosten und das Mitführen von Tieren, sind nicht nur vom Zielort abhängig, sondern auch von Ihrem Ausgangsort und Ihrer Nationalität. Auch die Dauer Ihres Aufenthaltes spielt dabei eine Rolle. Im Rahmen dieses Führers ist es leider nicht möglich, allen Lesern korrekte und aktuelle Informationen in dieser Hinsicht zu garantieren.

Wir raten Ihnen, vor Ihrer Abreise bei den entsprechenden Behörden in Erfahrung zu bringen:

- welche Reisedokumente Sie für sich selbst und Ihre Reisebegleitung brauchen
- welche Dokumente Sie für Ihr Auto brauchen
- welchen Anforderungen Ihr Fahrzeug entsprechen muss
- welche Güter Sie ein- und ausführen dürfen
- wie im Unglücks- oder Krankheitsfall die medizinische Versorgung im Urlaubsland organisiert ist und bezahlt wird
- ob Sie Ihre Haustiere mitnehmen können. Nehmen Sie rechtzeitig Kontakt zu Ihrem Tierarzt auf. Dort erhalten Sie Informationen über relevante Impfungen,

entsprechende Bestätigungen und Verpflichtungen bei Ihrer Rückkehr. Es ist auch sinnvoll herauszufinden, ob an Ihrem Urlaubsziel bestimmte Bedingungen für Haustiere in der Öffentlichkeit geknüpft sind. So müssen in manchen Ländern Hunde immer einen Maulkorb tragen oder vergittert transportiert werden.

Viele allgemeine Infos finden Sie auf ▸ *www.europa.eu* ◂ aber sorgen Sie selbst dafür, die richtige Information für Ihre individuelle Situation herauszufinden.

Aktuelle Zollbestimmungen entnehmen Sie den Botschaften des jeweiligen Urlaubslandes an Ihrem Wohnort.

Währung und Geld

Ab 1. Januar 2014 ist der Euro die offizielle Währung.

Geldautomat
Es gibt ausreichend Geldautomaten zum Geldabheben.

Kreditkarten
In den meisten Hotels, Restaurants, Läden und Postämtern kann man problemlos mit Kreditkarte bezahlen.

Öffnungszeiten und Feiertage

Banken
Im Allgemeinen sind Banken geöffnet von montags bis freitags bis 17.00 Uhr, mit einer Mittagspause um 12.00 Uhr.

Geschäfte
Die Geschäfte sind von Montag bis Freitag bis 18.00 Uhr und samstags bis 16.00 Uhr geöffnet.

Apotheken
Apotheken die 24 Stunden geöffnet sind, erkennt man am 'A'. Rechnen Sie damit, dass die Apotheken oft nur die notwendigsten Arzneien vorrätig haben.

Feiertage
Neujahr, Karfreitag, Ostern, 1. Mai (Tag der Arbeit), 4. Mai (Unabhängigkeit), 23. und 24. Juni (Mitsommernachtsfest), 18. November (Tag der Republik), Weihnachten.

Kommunikation

(Mobil) Telefon
Das Mobilfunknetz ist in ganz Lettland gut. Es gibt ein 3 G-Netz für das mobile Internet.

W-Lan, Internet
Internetcafés finden Sie nur in Riga. In einer Bibliothek können Sie kostenlos ins Internet.

Post
Lettische Postämter sind von montags bis freitags bis 18.00 Uhr und samstags bis 16.00 Uhr geöffnet.

Straßen und Verkehr

Straßennetz
Rechnen Sie damit, dass in Lettland Bushaltestellen und Fußgängerüberwege an den (Schnell) Straßen sein können. Auch Radfahrer dürfen die (Schnell)Straßen befahren! Die Pannenhilfe von Lettland (LAMB) ist 24 Std über Tel. 1888 erreichbar.

Via Baltica
Die Via Baltica ist eine 633 km lange Straße von der polnischen Grenze durch Litauen, Lettland und Estland nach Helsinki in Finnland.

Verkehrsvorschriften

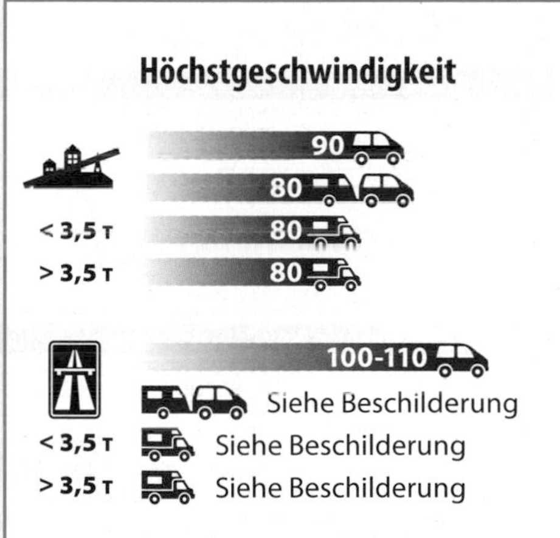

Promillehöchstgrenze: 0,5‰.
Die Gurtpflicht gilt nur vorne. Auch tagsüber muss mit Abblendlicht gefahren werden. Telefonieren nur mit Freisprechanlage. In Lettland springen die Verkehrsampel von Grün, über ein blinkendes Grün zu Gelb und dann erst nach Rot. Blinkendes Grün bedeutet, dass man anhalten muss. Bei Verkehrsunfällen muss die Polizei hinzugezogen werden.

Winterreifen sind ab 1. Dezember bis 1. März Pflicht.

Navigation
Warnung vor festen Blitzern durch Navi oder Mobiltelefon Apps ist erlaubt.

Zulässige Maße Wohnwagen, Reisemobil
Höhe 4m, Breite 2,55m und Länge 12m.

Kraftstoff
Euro 95 und Diesel gut, LPG eingeschränkt erhältlich.

Tankstellen
Tankstellen sind zwischen 7.00 und 21.00 Uhr geöffnet. Nur in Riga gibt es Tankstellen die 24 Stunden geöffnet sind. Vielerorts kann man mit Kreditkarte bezahlen.

Maut
In Lettland gibt es keine Mautstraßen.

Notruf
112: nationaler Notruf für Polizei, Feuerwehr und Krankenwagen.

Campen

Die Anzahl der lettischen Campings, die sich westeuropäischen Standards richten, nimmt weiter zu. Man muss aber sagen, dass viele Campings, auch an der beliebten Ostseeküste und in den Nationalparks, einfach sind. Auch die Sanitäranlagen sind eher bescheiden, aber sauber. Viele Campings verfügen inzwischen über Strom für ihre Gäste. Servicestationen für Reisemobile gibt es erst wenige.

Praktisch

- Die Tourismusinformation erkennt man in jeder Stadt an den grünen Schildern. Sie erreichen sie unter der allgemeinen Nummer 1188.
- Am besten immer Universalstecker dabei haben.
- Trinkwasser nur abgekocht oder aus Flaschen verwenden.

Klima Riga	Jan.	Feb.	März	April	Mai	Juni	Juli	Aug.	Sept.	Okt.	Nov.	Dez.
Tagestemperatur	-6	-5	-1	7	13	17	18	18	14	9	2	-3
Sonnenstunden am Tag	1	2	5	7	9	9	9	8	6	3	1	1
Regentage	12	10	8	8	8	8	9	10	10	10	11	12

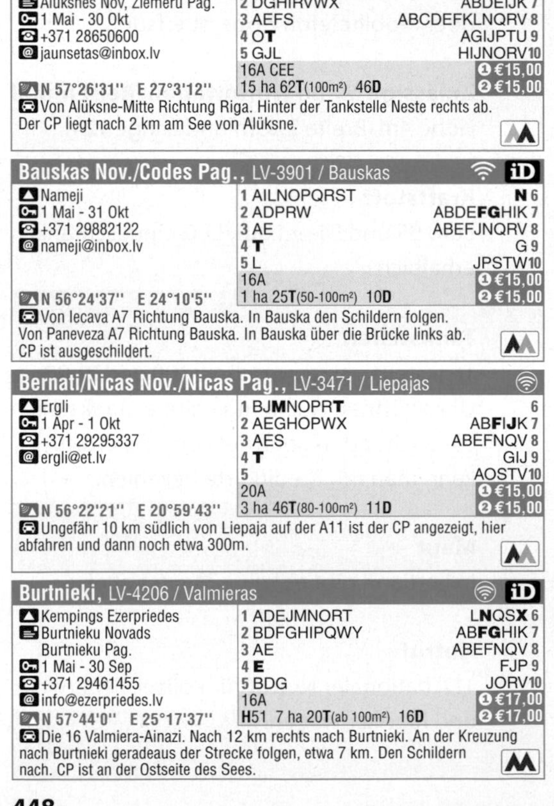

Alüksne, LV-4300 / Aluksnes

Jaunsetas
Aluksnes Nov, Ziemeru Pag.
1 Mai - 30 Okt
+371 28650600
jaunsetas@inbox.lv
N 57°26'31'' E 27°3'12''

1 BDJMNOPQRST — LMNQSWXY 6
2 DGHIRVWX — ABDEIJK 7
3 AEFS — ABCDEFKLNQRV 8
4 O**T** — AGIJPTU 9
5 GJL — HIJNORV 10
16A CEE — ① €15,00
15 ha 62**T**(100m²) 46**D** — ② €15,00

Von Alüksne-Mitte Richtung Riga. Hinter der Tankstelle Neste rechts ab. Der CP liegt nach 2 km am See von Alüksne.

Bauskas Nov./Codes Pag., LV-3901 / Bauskas

Nameji
1 Mai - 31 Okt
+371 29882122
nameji@inbox.lv
N 56°24'37'' E 24°10'5''

1 AILNOPQRST — **N** 6
2 ADPRW — ABDE**FG**HIK 7
3 AE — ABEFJNQRV 8
4 **T** — G 9
5 L — JPSTW 10
16A — ① €15,00
1 ha 25**T**(50-100m²) 10**D** — ② €15,00

Von Iecava A7 Richtung Bauska. In Bauska den Schildern folgen. Von Paneveza A7 Richtung Bauska. In Bauska über die Brücke links ab. CP ist ausgeschildert.

Bernati/Nicas Nov./Nicas Pag., LV-3471 / Liepajas

Ergli
1 Apr - 1 Okt
+371 29295337
ergli@et.lv
N 56°22'21'' E 20°59'43''

1 BJ**M**NOPR**T** — 6
2 AEGHOPWX — AB**F**I**J**K 7
3 AES — ABEFNQV 8
4 **T** — GIJ 9
5 — AOSTV 10
20A — ① €15,00
3 ha 46**T**(80-100m²) 11**D** — ② €15,00

Ungefähr 10 km südlich von Liepaja auf der A11 ist der CP angezeigt, hier abfahren und dann noch etwa 300m.

Burtnieki, LV-4206 / Valmieras

Kempings Ezerpriedes
Burtnieku Novads
Burtnieku Pag.
1 Mai - 30 Sep
+371 29461455
info@ezerpriedes.lv
N 57°44'0'' E 25°17'37''

1 ADEJMNORT — L**N**QS**X** 6
2 BDFGHIPQWY — AB**FG**HIK 7
3 AE — ABEFNQV 8
4 **E** — FJP 9
5 BDG — JORV 10
16A — ① €17,00
H51 7 ha 20**T**(ab 100m²) 16**D** — ② €17,00

Die 16 Valmiera-Ainazi. Nach 12 km rechts nach Burtnieki. An der Kreuzung nach Burtnieki geradeaus der Strecke folgen, etwa 7 km. Den Schildern nach. CP ist an der Ostseite des Sees.

Cesis, LV-4101 / Cesu

Zagarkalns
Mûrlejas Street 2
1 Jun - 14 Sep
+371 26266266
info@zagarkalns.lv
N 57°18'25'' E 25°13'16''

1 ADEILNOPRST — JNUVX 6
2 BCGHIOPWXY — AB 7
3 AEF — ABEFNQRV 8
4 FH**T** — AJPQRUV 9
5 D — AJLORV 10
16A — ① €15,00
2 ha 50**T**(60-80m²) 11**D** — ② €25,00

Von Cesis etwa 5 km Richtung Limbazi über die P14. Dann den Schildern folgen.

Engures Pag./Tukuma Nov., LV-3113 / Tukuma

Kempings Abragciems
1 Mai - 30 Sep
+371 63161668
kemping-dez@finieris.lv
N 57°11'52'' E 23°12'15''

1 BDEHKNOR**T** — KMN 6
2 BEFGHOWX — AB**FG** 7
3 AEFL — ABEFJNQRV 8
4 O**T** — GJTU 9
5 EGI — AHJ**N**OV 10
B 32A — ① €14,00
6,3 ha 40**T**(50-80m²) 32**D** — ② €14,00

Der CP liegt an der P131 von Turkums nach Kolka nördlich von Engures und ist auf der P131 angezeigt. Nach ± 2,5 km kommt der CP.

Jaunmarupe/Marupes Nov., LV-2166 / Rigas

Jaunmartini
1 Mai - 1 Okt
+371 29142465
andris.libers@inbox.lv
N 56°53'43'' E 23°56'19''

1 ABJMNOPRST — LN 6
2 ACDGHIPW — AB**CFGHIK** 7
3 AFS — ABEFNQUV 8
4 FH — G 9
5 — AJMOSTV 10
16A — ① €15,00
1 ha 15**T**(80-100m²) 6**D** — ② €15,00

Die A5 in Höhe von Jaunmärupe zwischen A9 und A8. CP ist ausgeschildert.

Karte Lettland auf Seite 445

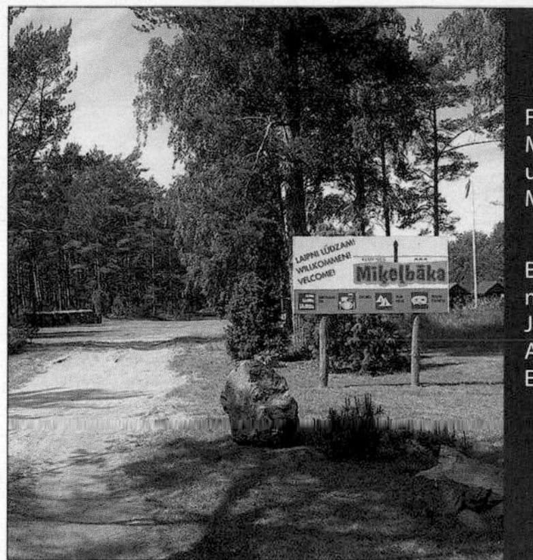

Jurmala, LV-2015 / Rigas

Jurmala
Dubultu prospekts 51
1 Mai - 30 Sep
+371 26400500
info@campingjurmala.lv
N 56°58'1'' E 23°45'29''

1 ABDE**IL**NOPQRT 6
2 ABEGHIPRWX ABFI 7
3 AEF**MN** ABEFNQRUV 8
4 **A**O GJV 9
5 AORV 10
Anzeige auf dieser Seite 16A ❶ €27,00
4 ha 100**T**(50-100m²) 4**D** ❷ €31,50

Von Riga der A10 bis Jurmala folgen. Dann die 10 km Richtung Kolka. Von Ventspils die A10 Richtung Riga, Ausfahrt Jurmala. Der Beschilderung folgen. Camping ist angezeigt.

Jurmala/Vaivari, LV-2008 / Rigas

Nemo
Atbalss iela 1
1 Mai - 30 Sep
+371 26100500
info@campingnemo.lv
N 56°57'33'' E 23°38'42''

1 ADE**IL**NOPQRT M 6
2 ABEGHIOPRWX ABFI 7
3 AEF ABEFNQRUV 8
4 **ANT** J 9
5 GJ AGHIJORV 10
Anzeige auf dieser Seite B 16A ❶ €27,00
3,5 ha 100**T**(50-100m²) 80**D** ❷ €31,50

Von Riga die A10 bis Jurmala. Dann noch 14 km Richtung Kolka. Dort ausgeschildert. Von Ventspils A10 Ri. Ausfahrt Furmala, dann den Schildern folgen. Achtung! Die Einfahrt zum CP hat zwei hohe Schwellen.

Kazinci/Kraslavas Nov., LV-17625 / Kraslavas

Camping Siveri
1 Mai - 30 Sep
+371 29278599
inga@campsiveri.lv
N 56°1'20'' E 27°24'8''

1 AB**JM**NOPRST L**N**OPQSWX 6
2 ABDGHIPQTVWX ABCDE**FH**IK 7
3 AD ABEFNQR 8
4 **A**T AGPQR 9
5 AHIJNOR 10
B 16A CEE ❶ €21,00
H148 2,1 ha 50**T**(70-100m²) 5**D** ❷ €24,00

P61 Kraslava-Dagda, 22 km hinter Kraslava links ab bei Kazinci. 3 km Schotterweg, ausgeschildert.

Kegums Nov./Tomes Pag., LV-5020 / Ogres

Sniedzes
1 Jan - 31 Dez
+371 29425800
sniedzes@apollo.lv
N 56°48'42'' E 24°33'45''

1 BDJ**M**NOPRT J**N**QRSWXYZ 6
2 BCGHIPQWX ABDE**F**IJ 7
3 AEF ABEFNQR 8
4 **T** JMPT 9
5 OSTV 10
FKK 16A ❶ €27,15
3 ha 20**T**(ab 100m²) 10**D** ❷ €27,15

An der P85 von Daugmale nach Jaunjelgave westlich von Kegums, Schild an der Strecke, 30 km von Riga. Von der A6 in Kegums Ausfahrt Jaunjelgava. Hinter dem Staudamm rechts Richtung Riga. Nach ca. 16 km CP rechts.

Koknese, LV-5113 / Aizkraukles

Daugavas radzes
Postbox 20
1 Mai - 1 Okt
+371 26524446
radze3@inbox.lv
N 56°36'26'' E 25°29'59''

1 AJMNOPRST JNQSXY 6
2 BCGIPQW 7
3 AE ABCDEFMNQT 8
4 **T** FGJP 9
5 HJORV 10
16A ❶ €10,00
12 ha 13**T**(100m²) 12**D** ❷ €10,00

Riteri liegt an der Strecke Riga-Jekabpils (A6) zwischen Koknese und Plavinas. Nehmen Sie die Ausfahrt 'Radzes'. Nicht Daugavas Aizelksri! Der CP ist schlecht angezeigt.

Liepene/Ventspils Nov.,, LV-3621 / Ventspils

Kempings Liepene
Targales Pag,
1 Jan - 31 Dez
+371 63630002
una.svikekalne@gmail.com
N 57°29'22'' E 21°38'56''

1 B**IL**NOPRST KNQSW 6
2 ABEHOPWX AB**F**HK 7
3 E ABEFNQR 8
4 IO**T** GI 9
5 J AJOST 10
B 16A ❶ €12,00
7 ha 75**T**(80-100m²) 16**D** ❷ €18,00

Auf der Strecke Ventspils-Kolka nach 10 km dem Schild Liepene folgen. Nach 2 km Sandweg ist der Camping angezeigt.

Limbazu Pag./Limbazu Nov., LV-4020 / Limbazu

Meza Salas
1 Jan - 1 Dez
+371 29122133
info@mezasalas.lv
N 57°28'51'' E 24°33'48''

1 AEG**JM**NOPRST LN 6
2 CDFGIPRSWX AB**F**HI 7
3 AEF ABCDEFGIJNQRTV 8
4 FO**TU** GJOT 9
5 I ABHJORV 10
B 10A ❶ €15,00
10 ha 40**T**(60-100m²) 11**D** ❷ €29,00

Von Riga Ausfahrt Limbazi, dann 7,5 km durchfahren, danach rechts (4,5 km). Den CP-Schildern folgen.

Mikeltornis/Ventspils Nov., LV-3601 / Ventspils

Mikelbaka
1 Mai - 30 Sep
+371 27884438
martins@mikelbaka.lv
N 57°35'49'' E 21°57'57''

1 ACGJMNOPRST KNQS 6
2 BEHPWY AB 7
3 AF ABEFNQR 8
4 DIJQR 9
5 I JOSV 10
Anzeige auf dieser Seite 25A ❶ €15,00
6 ha 50**T**(ab 100m²) 19**D** ❷ €25,00

Strecke Ventspils-Koka. Durchfahren bis zum Schild Mikeltornis (nicht dem Navi folgen). Dann links auf den Sandweg. Nach 2 km kommt der Camping.

Nicas Novads/Pagasts, LV-3473 / Liepajas

Camping 'Gaili'
1 Mai - 1 Okt
+371 63430790
gaili.i@inbox.lv
N 56°24'24'' E 20°59'51''

1 AJMNOPRST K 6
2 ABEGHOPWXY ABDE**FH**IJ 7
3 ABEFNQRV 8
4 GJ 9
5 ABHJSTVWX 10
10A CEE ❶ €15,00
2 ha 30**T**(80-100m²) 2**D** ❷ €18,00

Ungefähr 7 km südlich von Liepaja. An der A11 ist der CP angezeigt.

Nicas Novads/Pagasts, LV-3473 / Liepajas

Verbelnieki
1 Jan - 31 Dez
+371 29138565
verbelnieki@inbox.lv
N 56°25'37'' E 20°59'52''

1 ABJMNOPRS**T** K 6
2 ABEGHPWX DE 7
3 BCS ABEFNQUV 8
4 **T**Y GJ 9
5 BI OSTV 10
16A ❶ €21,00
10 ha 130**T**(80-100m²) 22**D** ❷ €24,00

Der CP liegt ca. 3 km südlich von Liepaja an der A11. Der CP ist ausgeschildert.

Lettland

Padure/Kuldigas Nov., LV-3321 / Ventspils

Kempings 'Nabite'
1 Jan - 31 Dez
+371 29458904
nabite@inbox.lv

1 ABDILNOR**T** LNQSWXYZ 6
2 ABDFGIPW AB**F**HIJK 7
3 AEF ABE**F**NQRTV 8
4 **T** GJPT 9
5 DG AHIJLPSTV 10
B 16A ①€15,00
11 ha 140**T**(50-100m²) 45**D** ②€18,00

N 57°4'27'' E 21°48'48''

Auf der 108 Kuldiga-Ventspils, ungefähr 16 km nordwestlich von Kuldiga ist der CP an der Kreuzung ausgeschildert. Dann noch ungefähr 1,8 km einen schmalen Kiesweg.

Pavilostas Nov./Pavilosta, LV-3466 / Liepajas

Pavilosta Marina
Ostmalas Iela 4
1 Mai - 1 Okt
+371 63498581
Pavilosta@Pavilostamarina.lv

1 ADE**JM**NOPRST NOQST**XYZ** 6
2 EFHPRW AB**FG**I**J**K 7
3 A ABEFNQUV 8
4 GJO 9
5 L PSTVWX 10
40A ①€15,00
5 ha 24**T**(50-100m²) 8**D** ②€18,00

N 56°53'17'' E 21°10'14''

An der P111 Ventspils-Liepaja ± 40 km nördlich von Liepaja. Den Schildern Tankstelle bis zum CP angezeigt.

Raiskums, LV-4146 / Cesu

Apalkalns
Raiskuma Pag, Pargaujas Nov.
15 Apr - 1 Okt
+371 29448188
apalkalns@inbox.lv

1 BDEJMNOPQRST LNSXZ 6
2 ADGIOPRSWX ABDE**FG**IJK 7
3 AFS ABEFNQRV 8
4 FHO IJPQV 9
5 AFGHJORV 10
B 16A CEE ①€19,00
2,7 ha 113**T**(100m²) 9**D** ②€19,00

N 57°19'3'' E 25°8'53''

Von Cesis ca. 7 km Richtung Limbazi über die P14. Dann noch etwa 4 km Richtung Raiskums. Den Schildern folgen.

Riga, LV-1046 / Rigas

ABC
Sampetera iela 139a
1 Mai - 30 Sep
+371 67892728
hotelabc@hotelabc.lv

1 BDE**JM**NOPRT A 6
2 ABPRSWX ABDE**FH** 7
3 A ABEFNQRUV 8
4 R**T** G 9
5 GJ AIJNPSTVX 10
16A ①€15,00
1 ha 15**T**(50-80m²) 60**D** ②€15,00

N 56°55'53'' E 24°0'59''

Aus Riga auf der A10 die Ausfahrt Flughafen nehmen, an der Kreuzung rechts und dann noch 400m neben dem Hotel.

Riga, LV-1048 / Rigas

Riga City Camping
Kipsalas iela 8
15 Mai - 16 Sep
+371 67067519
camping@bt1.lv

1 ABDE**JM**NOPRS**T** EJ 6
2 COPRW ABDE**FG**HIK 7
3 AEL**M** ABEFNQRUV 8
4 **A**O V 9
5 DGIL**M** AHIK**NO**STVY 10
Anzeige auf dieser Seite B 6-16A CEE ①€24,00
2 ha 100**T**(50m²) ②€27,00

N 56°57'23'' E 24°4'45''

A10 Riga-Ventspils, Richtung Riga-Zentrum. Ab der Daugava Brücke ist der CP ausgeschildert. CP liegt am Messezentrum im Stadtteil Kipsala.

Riga, LV-LV-1048 / Rigas

Riga Riverside Camping
Matrozu Iela 15
15 Mai - 15 Sep
+371 26658899
info@riversidecamping.lv

1 AB**JM**NOPQRS**T** 6
2 ACORSVW **FG** 7
3 ABEFNQR 8
4 9
5 I HIK**NO**ST 10
25A ①€14,00
2 ha 35**T**(50-80m²) ②€16,00

N 56°57'55'' E 24°4'54''

Von A10 Richtung Zentrum. Von Daugava Brücke aus der linken der Flussseite folgen. Camping ist ab dort angezeigt.

Salacgrivas Nov./Pag., LV-4033 / Limbazu

Kempings 'Rakari'
Svetciems
1 Jan - 31 Dez
+371 27060869
info@rakaricamp.lv

1 ABDE**JM**NOPRST KPQS**X** 6
2 AEGHPRW E 7
3 AEFL ABEFJNQRUV 8
4 IO**QTU** GJPUV 9
5 EGJL ABFHJPSTV 10
16A ①€16,00
6,5 ha 24**T**(100-150m²) 24**D** ②€19,00

N 57°41'13'' E 24°22'1''

An der A1/E67 Riga-Tallinn, ausgeschildert.

Sigulda/Siguldas Nov., LV-2150 / Rigas

Siguldas Pludmale
Peldu iela 2
1 Mai - 1 Okt
+371 29244948
karina@makars.lv

1 AB**IL**NOPRS**T** JNU 6
2 ACGHPRSWX AB**F**I 7
3 F ABEFNQRUV 8
4 H GPQR 9
5 KOSTV 10
10A CEE ①€21,00
0,7 ha 35**T**(60-90m²) 6**D** ②€24,00

N 57°9'28'' E 24°50'14''

Die A2/E77. Stadt Sigulda einfahren, über die Bahnlinie und der Vorfahrtstraße folgen. Innerorts stehen CP-Schilder. Der CP liegt am Ende einer 11% Steigung.

Skultes Pag, LV-4025 / Limbazu

Kempings Laucu Akmens
Limbazu Nov.
1 Jan - 31 Dez
+371 26350536
lauci@latnet.lv

1 ABDEHKNOPR**T** KM 6
2 AEHJPW A**FI** 7
3 AEF ABE**F**NQV 8
4 O GHIJ 9
5 J AFJPRV 10
B 16A ①€18,00
4 ha 30**T**(100m²) 11**D** ②€18,00

N 57°22'0'' E 24°24'13''

Ungefähr 3 km nördlich von Skulte, von der A1 Riga-Ainari in Richtung Meer abbiegen. An der Strecke steht ein Schild, dem Kiesweg 2 km folgen.

Smiltene/Smiltenes Nov., LV-4729 / Valkas

Kalbakas Camping
1 Jan - 31 Dez
+371 29465018
kalbakas@kalbakas.lv

1 ABJMNORT 6
2 GPWX ABFHIK 7
3 AEFL ABEFNQRV 8
4 **T** GV 9
5 JNOST 10
16A ①€15,00
1,5 ha 15**T**(80-100m²) 12**D** ②€15,00

N 57°26'18'' E 25°56'8''

P24 Valka-Smiltene, ca. 2,5 km vor Smiltene ist der CP deutlich angezeigt.

Tuja/Salacgrivas Nov., Limbazu

Jurasdzeni
Juras Iela 10
1 Mai - 30 Sep
+371 26550574
info@jurasdzeni.lv

1 ABJMNOPQRST KX 6
2 AEFGHOPWXY A 7
3 AEF ABE**F**NQRV 8
4 **T** IJV 9
5 IL JPR 10
16A ①€15,00
3 ha 62**T**(50-80m²) 5**D** ②€15,00

N 57°29'32'' E 24°23'1''

A1 Riga-Talinn. Bei Tuja links ab 3 km. Ist gut angezeigt.

Usma Pag./Ventspils Nov., LV-3619 / Ventspils

Usmas Kempings
Priezkalni
1 Apr - 31 Okt
+371 63630491
usma@usma.lv

1 ADEGILNOPRST L**N**ST**XZ** 6
2 ABDGHIPWXY ABDE**F**IK 7
3 AEF ABEFNQRUV 8
4 O**TZ** GJOPTV 9
5 GJ AHIJOSVW 10
16A ①€13,00
4,5 ha 55**T**(100m²) 22**D** ②€15,00

N 57°14'25'' E 22°10'5''

Von Ventspils die A10 nach Riga. Bei Usma ausgeschildert. Dem Asphaltweg folgen, kein Sandweg.

Valmiera, LV-4224 / Valmieras

Baili Camping
Kaugura pagast
Beverinas Novads
1 Jan - 31 Dez
+371 29408146
baili@valm.lv

1 ADEJMNOPQRST 6
2 BPWXY AB 7
3 ESU ABCDEFJNQRV 8
4 FH**T** AGJQR 9
5 DG HIJORV 10
W 16A ①€18,00
H58 4 ha 23**T**(bis 100m²) 18**D** ②€18,00

N 57°32'2'' E 25°28'5''

Von Valmiera-Mitte Richtung Smiltene. Der CP ist deutlich ausgeschildert.

Ventspils, LV-3601 / Ventspils

Piejuras Kempings
(Seaside camping)
Vasarnicu iela 56
1 Jan - 31 Dez
+371 63627925
camping@ventspils.lv

1 ABDE**JM**NOPQRST KMQS 6
2 ABEGHOPSVWXY AB**FH**IJK 7
3 AEFL ABCDEFJNQRV 8
4 O**T** JUVY 9
5 DEG ABFHINOSVX 10
B 16A CEE ①€24,20
10 ha 70**T**(32-100m²) 43**D** ②€25,60

N 57°23'1'' E 21°32'16''

In Ventspils mit Schildern angezeigt.

Zorgi /Lecavas Nov., LV-3913 / Bauskas

Labirinti Camping
Bérzini
1 Apr - 30 Okt
+371 26320336
info@kempingslabirinti.lv

1 ABJLNOPQRST SX 6
2 APWX AB**F** 7
3 A**C**EIS ABEFNQRV 8
4 I GPY 9
5 L BJLPSTV 10
10A ①€15,00
2 ha 50**T**(ab 100m²) 1**D** ②€21,00

N 56°33'51'' E 24°10'4''

Der CP liegt nah an der A7 (Riga-Bauska), ungefähr 18 km nördlich von Bauska. Der CP ist ausgeschildert.

Estland

Allgemein

Estland ist EU-Mitglied.

Zeit

In Estland ist es eine Stunde später als in Berlin.

Sprache

Estnisch, aber auch mit Englisch kommt man gut zurecht.

Grenzformalitäten

Viele Formalitäten und Vereinbarungen, wie erforderliche Reisedokumente, KFZ-Papiere, Anforderungen an Ihr Fahrzeug und Ihren Aufenthalt, Krankenkosten und das Mitführen von Tieren, sind nicht nur vom Zielort abhängig, sondern auch von Ihrem Ausgangsort und Ihrer Nationalität. Auch die Dauer Ihres Aufenthaltes spielt dabei eine Rolle. Im Rahmen dieses Führers ist es leider nicht möglich, allen Lesern korrekte und aktuelle Informationen in dieser Hinsicht zu garantieren.

Wir raten Ihnen, vor Ihrer Abreise bei den entsprechenden Behörden in Erfahrung zu bringen:

- welche Reisedokumente Sie für sich selbst und Ihre Reisebegleitung brauchen
- welche Dokumente Sie für Ihr Auto brauchen
- welchen Anforderungen Ihr Fahrzeug entsprechen muss
- welche Güter Sie ein- und ausführen dürfen
- wie im Unglücks- oder Krankheitsfall die medizinische Versorgung im Urlaubsland organisiert ist und bezahlt wird

- ob Sie Ihre Haustiere mitnehmen können. Nehmen Sie rechtzeitig Kontakt zu Ihrem Tierarzt auf. Dort erhalten Sie Informationen über relevante Impfungen, entsprechende Bestätigungen und Verpflichtungen bei Ihrer Rückkehr. Es ist auch sinnvoll herauszufinden, ob an Ihrem Urlaubsziel bestimmte Bedingungen für Haustiere in der Öffentlichkeit geknüpft sind. So müssen in manchen Ländern Hunde immer einen Maulkorb tragen oder vergittert transportiert werden.

Viele allgemeine Infos finden Sie auf ▸ *www.europa.eu* ◂ aber sorgen Sie selbst dafür, die richtige Information für Ihre individuelle Situation herauszufinden.

Aktuelle Zollbestimmungen entnehmen Sie den Botschaften des jeweiligen Urlaubslandes an Ihrem Wohnort.

Währung und Geld

Währungseinheit ist der Euro.

Geldautomat

Es gibt ausreichend Geldautomaten zum Geld abheben.

Kreditkarten

Kreditkarten werden an Tankstellen, den meisten Hotels, Restaurants und Geschäften akzeptiert. Geld kann man wechseln bei Wechselstuben, Banken oder großen Hotels.

Öffnungszeiten und Feiertage

Banken

Banken sind geöffnet von Montag bis Freitag bis 16.00 Uhr.

Geschäfte

Die meisten Geschäfte sind jeden Tag geöffnet; werktags von 10.00 Uhr bis 19.00 Uhr, im Wochenende kürzer.

Apotheken, Ärzte

Wenn Sie einen Arzt brauchen, erreichen Sie ihn unter Tel. 1220. Lassen Sie lieber einen Einheimischen mit ihm sprechen, da nicht alle Ärzte englisch verstehen. Apotheken sind im Allgemeinen werktags bis 19.00 Uhr geöffnet. Beachten Sie, dass einige Medikamente, die bei uns überall erhältlich sind, in Estland nur in einer Apotheke erhältlich sind.

Feiertage

Neujahr, 24. Februar (Unabhängigkeitstag 1918), Karfreitag, Ostersonntag, 1. Mai (Frühling), Pfingstsonntag, 23. Juni (Tag des Sieges), 24. Juni (Mittsommertag), 20. August (Unabhängigkeit 1991), Weihnachten.

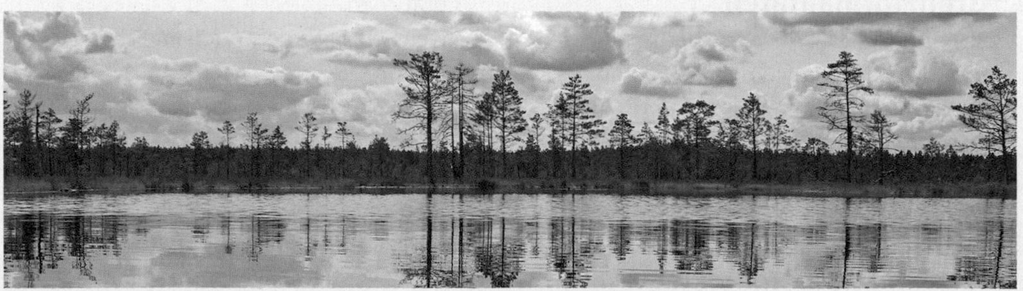

Kommunikation

(Mobil) Telefon

Das Mobilnetz ist gut. Es gibt ein 3 G-Netz für das mobile Internet.

W-Lan, Internet

Internetcafés finden Sie in Tallinn und Tartu. Kosten: € 2 bis € 3 pro Stunde. Bibliotheken bieten gratis Internet.

Post

Geöffnet montags bis freitags bis 18.00 Uhr und samstags bis 15.00 Uhr.

Straßen und Verkehr

Straßennetz

Bei einer Panne erreichen Sie die Estnische Straßenwacht (FALCK AUTOABI) unter Tel. 1888.

Via Baltica

Die Via Baltica ist eine 633 km lange Straße von der polnischen Grenze durch Litauen, Lettland und Estland nach Helsinki in Finnland. Praktisch wenn Sie die Baltikländer besuchen!

Verkehrsvorschriften

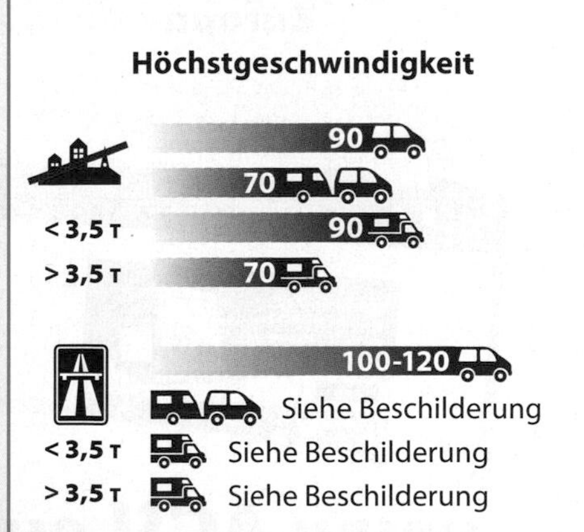

In Estland gibt es ein absolutes Alkoholverbot im Verkehr. Rechts hat Vorfahrt. Straßenbahnen haben immer Vorfahrt. Tagsüber muss man mit Abblendlicht fahren. Innerhalb geschlossener Ortschaften Telefonieren nur mit Freisprechanlage, außerhalb keine Pflicht. Bei einem Unfall müssen Sie die Polizei hinzuziehen. Ab 1. Dezember bis 1. März sind in Estland Winterreifen Pflicht. Je nach Witterungsumständen kann diese Periode auch kürzer oder länger ausfallen.

Navigation

Warnung vor festen Blitzern durch Navi oder Mobiltelefon Apps ist erlaubt.

Zulässige Maße Wohnwagen, Reisemobil

Höhe 4m, Breite 2,55 und Länge 12m.

Kraftstoff

Benzin und Diesel kauft man am besten bei der finnischen Gesellschaft Neste, diese Tankstellen liegen an der Via Baltica. LPG sehr beschränkt erhältlich.

Tankstellen

Viele Tankstellen öffnen um 7.00 Uhr und schließen um 21.00 Uhr. Unbemannte Tankstellen an den Autobahn sind meist 24 Stunden täglich geöffnet.

Maut

Auf den Straßen in Estland besteht keine Mautpflicht.

Notruf

- 112: allgemeiner Notruf für Feuerwehr und Rettungsdienste
- 110: Polizei

Campen

Die Zahl der Campings in Estland steigt ständig an durch die Popularität der Baltikländer unter Campern. Viele Campings liegen in Nationalparks und nähern sich westlichen Standards. Daher bieten immer mehr Plätze Strom und es kommen Servicestationen für Reisemobile. Auf den estnischen Campingplätzen kann es an Wochenenden durch Feiertagsgäste sehr voll sein.

Praktisch

- Fremdenverkehrsbüros sind an Werktagen bis 17.00 Uhr geöffnet. Sie erkennen sie an den grünen Schildern.
- Am besten haben Sie immer Universalstecker dabei.
- Leitungswasser in Estland ist bedenkenlos zu trinken.

Klima Tallinn	Jan.	Feb.	März	April	Mai	Juni	Juli	Aug.	Sept.	Okt.	Nov.	Dez.
Tagestemperatur	-4	-5	-1	4	10	15	18	17	13	7	2	-2
Sonnestunden am Tag	1	2	5	6	8	10	9	8	5	2	1	1
Regentage	11	10	8	8	8	8	9	10	10	11	11	11

Elbiku, EST-91202 / Lääne

Roosta Puhkeküla
Noarootsi vald
1 Jan - 31 Dez
+372 4725190
roosta@roosta.ee

1 ADEJMNOPRS**T** KQRS 6
2 BEHQRSUVY **FG** 7
3 AEF**GILMP**Q ABEFGJNQRV 8
4 FO**QTUV** JLMPUV 9
5 ADGHJL AHIJN**O**PRV 10
10A ❶ €15,00
12 ha 42**T**(20-40m²) 32**D** ❷ €15,00

N 59°9'29'' E 23°31'12''

Der Küstenstraße Haapsalu-Nova folgen. Von Linnamäe noch 23 km. Ausfahrt Riguldi in nördlicher Richtung bis Elbiku. CP gut ausgeschildert.

Elva, EST-56006 / Tartu

Waide Motel
Käo Village
1 Jan - 31 Dez
+372 7303606
info@waide.ee

1 ADEJMNOPRST 6
2 ABPSVWX ABDE**FI** 7
3 AE ABEFJNQRV 8
4 FH**T** GV 9
5 AEGIL AHJNORV 10
10A ❶ €16,00
H50 2,5 ha 50**T** 26**D** ❷ €16,00

N 58°13'13'' E 26°22'12''

Westlich von Elva, an der A3 Tartu-Valga. Mit Schildern angezeigt. Von der A3 nicht nach Elva, sondern dem CP-Schild folgen.

Haapsalu, EST-90506 / Lääne

Pikseke
Männiku tee 32
1 Jan - 31 Dez
+372 4755779
pikseke@hotmail.com

1 AJMNOPR**T** 6
2 ABOPVWXY ABDE**F**IK 7
3 A**KMNP** CDEFGNQRV 8
4 **TY** FV 9
5 AL ABHJNORV 10
10A ❶ €18,00
0,7 ha 40**T**(30-100m²) 2**D** ❷ €21,00

N 58°55'41'' E 23°32'15''

Von Tallinn oder Pärnu nach Haapsalu. In Haapsalu findet man Schilder zum CP.

Kärla, EST-93501 / Saare

Karujärve
15 Mai - 31 Aug
+372 24542181
jyri.kuusk.002@mail.ee

1 AILNOPR**T** LN 6
2 ABDGHIOPX A 7
3 AEF ABE**F**NQRV 8
4 **T** FJP 9
5 DGL ABHIJRV 10
B 10A ❶ €13,00
4 ha 110**T**(30-80m²) 42**D** ❷ €13,00

N 58°22'41'' E 22°13'54''

Die 10 Kuivastu-Kuressaare und dann die 78 Richtung Kihelkonna folgen. Ausfahrt Kärla nehmen, noch ca. 6 km.

Kõpu, EST-92212 / Hiiu

Pihla Camping
1 Jan - 31 Dez
+372 56470091
pihla@hot.ee

1 AJMNOPR**T** 6
2 BGPWXY **FG**K 7
3 AE ABEFNQ 8
4 IO**T** GV 9
5 ABGIL ABJNOPRV 10
B 16A ❶ €15,00
5 ha 50**T**(30-80m²) 15**D** ❷ €15,00

N 58°54'23'' E 22°12'51''

Der CP liegt südwestlich von Kõpu. Dem kleinen Schild 'Pihla Talu' folgen.

Karte Estland auf Seite 451

Kõrkküla, EST-43405 / Ida-Viru

Mereoja Camping
Uuskõrtsi
1 Mai - 30 Sep
+372 59084196
mereoja@mereoja.eu

1 ADEJMNOPQRST		N 6
2 AEFJKOPRSVWX		ABDEFG 7
3 B		ABEFJNQRV 8
4 T		JV 9
5 BL		RV 10
10A		❶ €18,00
5 ha 60T(60-100m²) 2D		❷ €18,00

N 59°26'2'' E 26°57'14''

An der Autobahn 1 Tallinn (130 km) und Narva (82 km) ist der Camping ausgeschildert.

Kuressaare, EST-93810 / Saare

Saaremaa Spa Hotel
Pargi 16
1 Jan - 31 Dez
+372 4527140
sales@saaremaaspahotels.eu

1 ADEJMOPQR		EHNPSX 6
2 AEGHIOPSWX		7
3 CKLMOP		ABEFJNQRV 8
4 FHIJNOPQRSTUVXYZ		GLVW 9
5 DGJ		AFIJO 10
B 16A		❶ €18,00
0,5 ha 15T 225D		❷ €18,00

N 58°14'52'' E 22°28'25''

Die 10 von Kuivastu nach Kuressaare. Am Kreisel der Ringstraße geradeaus Richtung City Harbour. Spa Hotel liegt am Stadthafen.

Laagna, EST-40110 / Ida-Viru

Laagna camping-hotel
1 Jan - 31 Dez
+372 392500
info@laagna.ee

1 ADEJMNOPQRST		EFGLN 6
2 ADGPWX		DEF 7
3 ACEGL		ABEFJNQRV 8
4 AOTU		GPUV 9
5 GJL		HIJNOPRV 10
16A		❶ €13,00
H50 4 ha 60T 35D		❷ €13,00

N 59°23'46'' E 27°58'9''

Von Narva aus die Route 1. Rechts Richtung Laagna. Gut angezeigt. Von Tallinn aus die Route 1. Links Richtung Laagna.

Mangu/Körgessaare, EST-92211 / Hiiu

Randmäe Holiday Farm
1 Jan - 31 Dez
+372 056833511
puhketalu@hot.ee

1 ADEJMNOPRT		KNQ 6
2 BDEGHPWX		ABFGIK 7
3 AEFS		ABEFNQRV 8
4 FHOT		FJRV 9
5 GL		AJNPRV 10
B 16A		❶ €15,00
11 ha 50T(80-120m²) 8D		❷ €15,00

N 59°1'38'' E 22°35'11''

Die 80 von Kärdla Richtung Körgessaare. Nach 10 km rechts Richtung Tahkuna. Ausfahrt Posti links liegen lassen. 100m weiter Privatweg links zum CP Randmäe.

Pärnu, EST-80021 / Pärnu

Konse Motel & Caravan Camping
Suur-Jõe 44a
1 Jan - 31 Dez
+372 53435092
info@konse.ee

1 ADEJMNOPRT		JNQSXYZ 6
2 ACFGOPRSWXY		ABFGHIJK 7
3 K		ABCDEFJNQR 8
4 OT		GLPTUV 9
5 DGL		ABGHIJMNOPR 10
B 10A		❶ €20,00
1 ha 80T(8-80m²) 32D		❷ €22,00

N 58°23'5'' E 24°31'35''

In den östlichen Stadtteil von der alten Strecke 4/E67 abbiegen. Am Riia Denkmal ist der CP anzeigt.

Pärnumaa, EST-86009 / Pärnu

Lemmeranna
Majaka Küla, Häädemeeste vald
15 Mai - 15 Sep
+372 053014400
info@lemmeranna.ee

1 ADEJMNOPRT		KNPQRS 6
2 ABEGHOPRWXY		ABDEFHJK 7
3 AEFGS		ABCDEFGNQRV 8
4 OT		FGV 9
5 DEGIL		AHIJNOPR 10
16A		❶ €18,00
25T 33D		❷ €18,00

N 57°58'25'' E 24°24'31''

Auf der E67 (4) von Pärnu (52 km) nach Ikla (12 km) ist der Camping angezeigt.

Saka, EST-30103 / Ida-Viru

Saka Manor
15 Apr - 15 Okt
+372 3364900
saka@saka.ee

1 ADEJMNOPRST		EFGK 6
2 AEFGHKMPWX		FGH 7
3 AEMR		ABEFJNQRV 8
4 FSTUVXYZ		FGJV 9
5 GJL		IJORV 10
B 10A		❶ €13,00
2 ha 40T 51D		❷ €13,00

N 59°26'16'' E 27°10'43''

CP und Hotel liegen an der Autobahn Tallinn (148 km) und Narva (64 km). Sehr gut angezeigt. Am Ende der Straße Saka Cliff Nois (rechts) folgen.

Taevaskoja, EST-63229 / Põlva

Taevaskoja Salamaa
Taevaskoja tee 32
1 Jan - 31 Dez
+372 53456480
info@salamaa.eu

1 ADEJMNOPQRST		LN 6
2 ABDOPSWY		ABFHIK 7
3 ACES		ABEFJNQRV 8
4 FHOT		GR 9
5 L		AJNPRV 10
16A		❶ €18,00
H80 2,6 ha 25T(bis 80m²) 10D		❷ €18,00

N 58°6'19'' E 27°2'23''

Auf der 61 von Tartu nach Põlva ist der CP ca. 7 km vor Põlva ausgeschildert.

Tallinn, EST-11911 / Harju

Pirita Harbour Camping
Regati 1
1 Jan - 31 Dez
+372 6398980
top@piritatop.ee

1 ADEJMNOPRT		QRSTXYZ 6
2 AEFGHOPRSW		F 7
3 MN		ABEFJNQRUV 8
4 T		9
5 FJ		AHIKNOPR 10
16A		❶ €20,00
1 ha 70T		❷ €20,00

N 59°28'2'' E 24°49'27''

Vom Zentrum Tallinn Richtung Narva. Auf der Narva Maantee links Richtung Pirita (Pirata Tee) halten. CP ist angezeigt (auf dem Gelände des Yachthafens).

Tartumaa, EST-51014 / Tartu

Kure Turismitalu
Kure Tee 4
1 Jan - 31 Dez
+372 5047412
kuretalu@kuretalu.ee

1 AJMNOPRST		L 6
2 ADGOPSW		ABFGHIK 7
3 S		ABEFJNQR 8
4 TU		FG 9
5 AL		BHJNPRV 10
16A		❶ €18,00
3 ha 30T 18D		❷ €18,00

N 58°24'25'' E 26°36'44''

Hauptstraße 2 Tartu-Tallinn. Etwa 7 km westlich von Tartu ist der CP angezeigt.

Tehumardi, EST-93201 / Saare

Tehumardi****
1 Mai - 20 Okt
+372 4571666
info@tehumardi.ee

1 AJMNOPRT		KL 6
2 ABDEGHOPQSWXY		ABDEFHIJK 7
3 AEF		ABEFJNQR 8
4 IOT		FGJV 9
5 DL		AFGHJNOPRV 10
Anzeige auf dieser Seite 16A		❶ €16,00
7,5 ha 100T(bis 100m²) 25D		❷ €17,00

N 58°10'47'' E 22°15'15''

Die 77 von Kuressaare nach Sääre. 2 km vor dem Ort Salme wenn Sie aus Kuressaare kommen.

Toila, EST-41702 / Ida-Viru

Toila Spa Hotell
Ranna 12
1 Mai - 30 Sep
+372 3342920
info@toilaspa.ee

1 ADEJMNOPRST		EFGKQS 6
2 EFGJKOPVWXY		ABDIJ 7
3 ACEIMS		ABEFNQRV 8
4 AFGHIJNSTUVWXYZ		GJV 9
5 AGJL		AHIJNOPRV 10
16A		❶ €15,00
H50 2 ha 40T 177D		❷ €15,00

N 59°25'33'' E 27°30'52''

Über die 1/E20 Tallinn-Narva, 50 km vor Narva die Strecke nach Toila nehmen. Dort angegeben.

Voose/Hanila, EST-90112 / Lääne

Voosemetsa
1 Mai - 1 Okt
+372 5052679
voose@voosemetsa.ee

1 AILNOPRT		6
2 ABGPSWXY		ABDEFHI 7
3 EF		ABEFNQRV 8
4 IOT		FGV 9
5 L		AHJNORV 10
16A CEE		❶ €12,00
1 ha 40T(30-60m²) 6D		❷ €12,00

N 58°38'46'' E 23°39'45''

Die 10 von Lihula Richtung Virtsu, Gemeinde Hanila. Das Dorf Voose in 12 km von Virtsu. Rechts halten. Nach 2,5 km CP.

Võru, EST-65603 / Võru

Kubija hotel and Naturespa
Männiku 43a
1 Jan - 31 Dez
+372 5045745
info@kubija.ee

1 ADEJMNOPRST		LN 6
2 ABDGHIOPSTWX		FG 7
3 ACEI		ABEFJNQ 8
4 FHST		GLU 9
5 GJ		JNORV 10
16A		❶ €15,00
H75 2 ha 26T 60D		❷ €15,00

N 57°48'52'' E 27°0'28''

Ab Võru den Schildern 'Hotel Kubija' folgen. Der CP liegt östlich von der 67 nach Rõuge und ca 3 km vom Zentrum von Võru.

Võsu, EST-45501 / Lääne-Viru

Lepispea Caravan & Camping
Lepispea 3
1 Mai - 30 Sep
+372 54501522
info@lepispea.eu

1 AJMNOPQRST		KS 6
2 BEGHIOPVWX		ABFIK 7
3 AE		ABEFNQRV 8
4 T		V 9
5 BL		AGHJPRV 10
16A		❶ €17,00
7,5 ha 200T(60-100m²) 30D		❷ €18,00

N 59°34'33'' E 25°56'11''

Von Tallinn nach Loska. Von dort nach Võsu. Hier ausgeschildert.

Estland

Tschechien

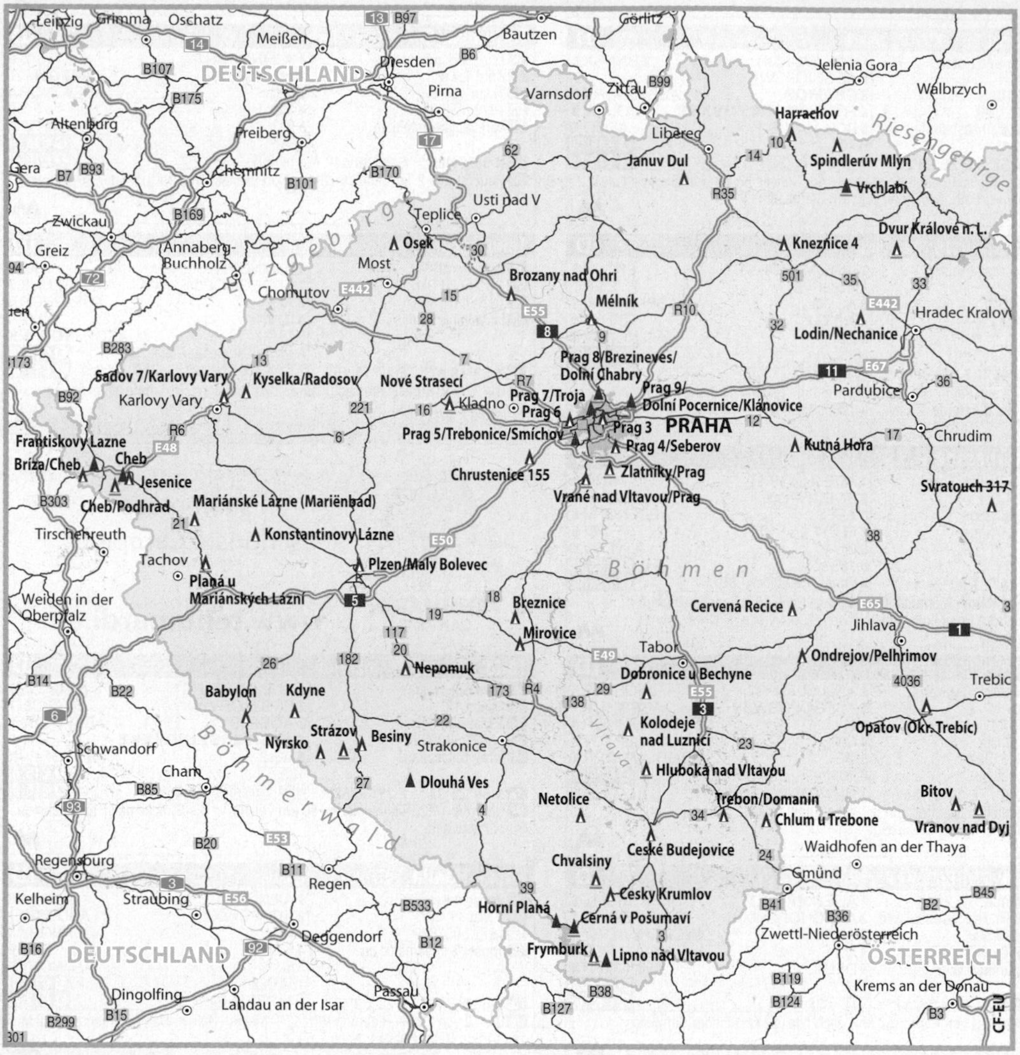

Allgemein

Tschechien ist EU-Mitglied.

Zeit

In Tschechien ist es genauso spät wie in Berlin.

Sprache

Tschechisch, aber auch Deutsch und Englisch werden oft verstanden und gesprochen.

Grenzformalitäten

Viele Formalitäten und Vereinbarungen, wie erforderliche Reisedokumente, KFZ-Papiere, Anforderungen an Ihr Fahrzeug und Ihren Aufenthalt, Krankenkosten und das Mitführen von Tieren, sind nicht nur vom Zielort abhängig, sondern auch von Ihrem Ausgangsort und Ihrer Nationalität. Auch die Dauer Ihres Aufenthaltes spielt dabei eine Rolle. Im Rahmen dieses Führers ist es leider nicht möglich, allen Lesern korrekte

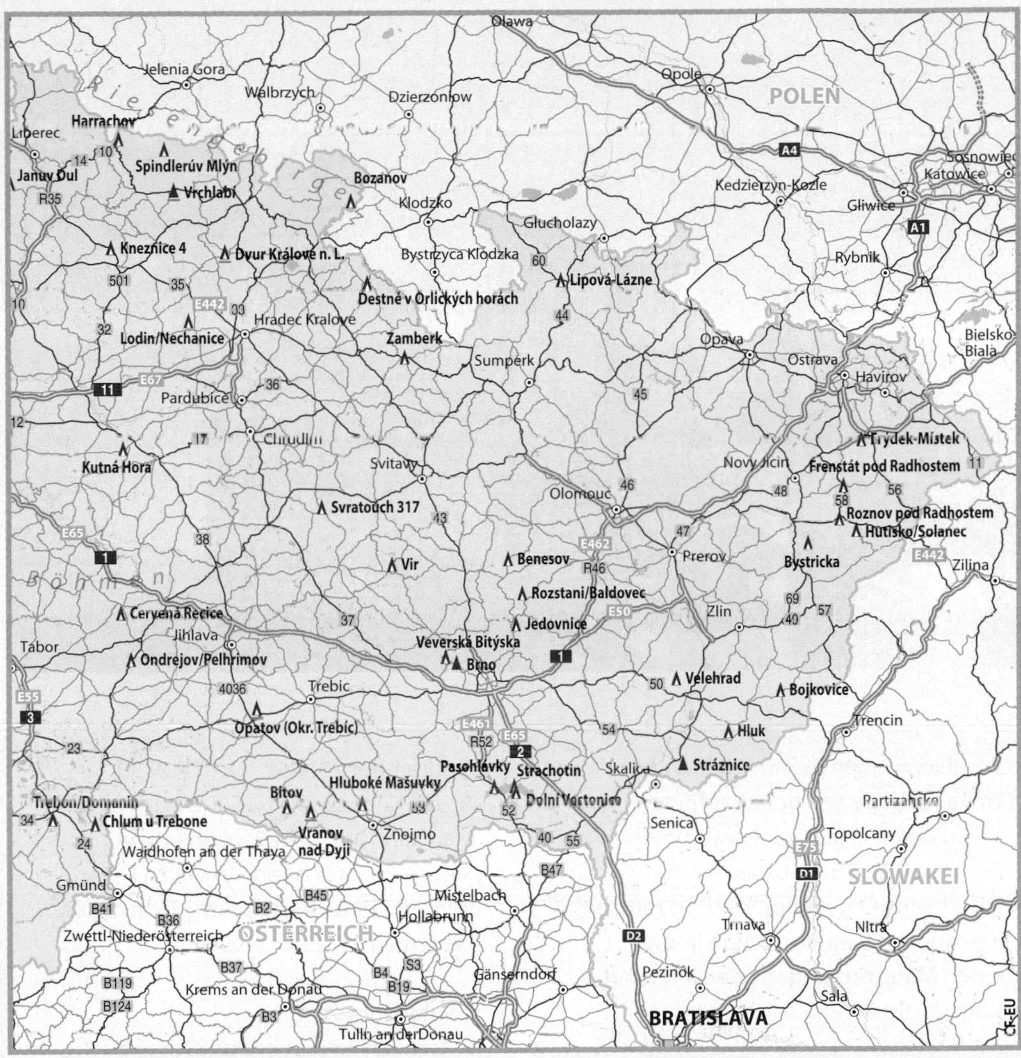

und aktuelle Informationen in dieser Hinsicht zu garantieren.

Wir raten Ihnen, vor Ihrer Abreise bei den entsprechenden Behörden in Erfahrung zu bringen:

- welche Reisedokumente Sie für sich selbst und Ihre Reisebegleitung brauchen
- welche Dokumente Sie für Ihr Auto brauchen
- welchen Anforderungen Ihr Fahrzeug entsprechen muss
- welche Güter Sie ein- und ausführen dürfen
- wie im Unglücks- oder Krankheitsfall die medizinische Versorgung im Urlaubsland organisiert ist und bezahlt wird
- ob Sie Ihre Haustiere mitnehmen können. Nehmen Sie rechtzeitig Kontakt zu Ihrem Tierarzt auf. Dort erhalten Sie Informationen über relevante Impfungen, entsprechende Bestätigungen und

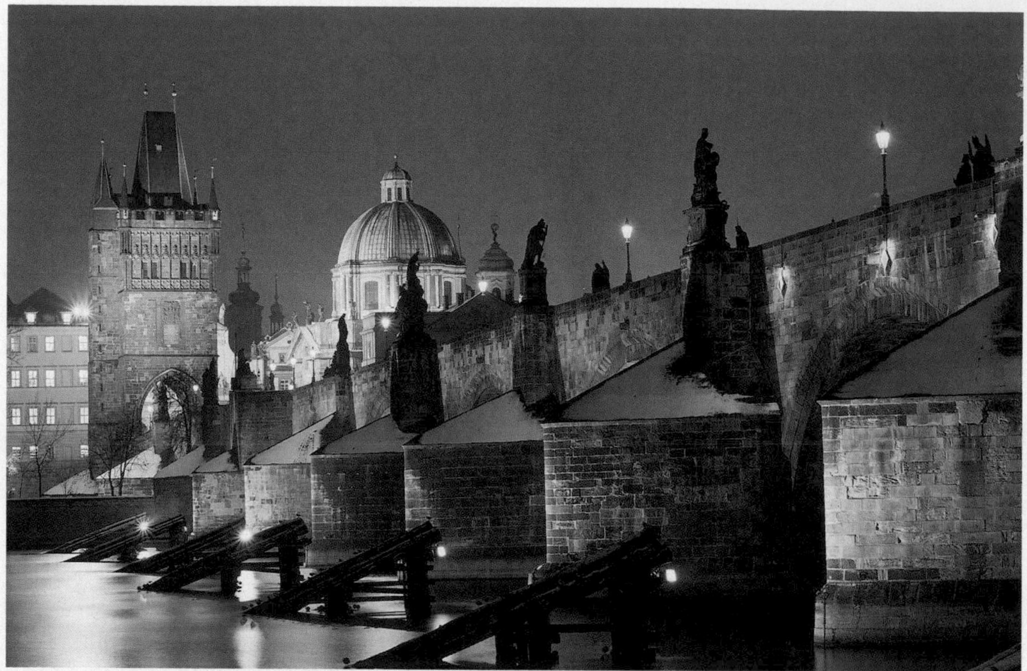

Verpflichtungen bei Ihrer Rückkehr. Es ist auch sinnvoll herauszufinden, ob an Ihrem Urlaubsziel bestimmte Bedingungen für Haustiere in der Öffentlichkeit geknüpft sind. So müssen in manchen Ländern Hunde immer einen Maulkorb tragen oder vergittert transportiert werden.

Viele allgemeine Infos finden Sie auf ▸ *www.europa.eu* ◂ aber sorgen Sie selbst dafür, die richtige Information für Ihre individuelle Situation herauszufinden.

Aktuelle Zollbestimmungen entnehmen Sie den Botschaften des jeweiligen Urlaubslandes an Ihrem Wohnort.

Währung und Geld

Die Währungseinheit in Tschechien ist die Tschechische Krone (CZK), Wechselkurs (September 2014): € 1 = CZK 27,50. An der Grenze finden Sie Wechselstuben. Man kann auch bei Banken und in Reisebüros wechseln. An vielen Orten (Hypermärkte, Restaurants, Tankstellen) kann man mit Euro zahlen.

Geldautomat

In Tschechien gibt es ausreichend Geldautomaten.

Kreditkarten

Viele Restaurants, Geschäfte und Tankstellen akzeptieren Kreditkarten.

Öffnungszeiten und Feiertage

Banken

Banken sind an Werktagen von 9.00 bis 12.00 Uhr und von 13.00 bis 17.00 Uhr geöffnet.

Geschäfte

An Werktagen bis 18.00 Uhr geöffnet, samstags bis 13.00 Uhr.

Apotheken

In den Städten ausreichend Apotheken. Prag hat 24-Std Apotheken.

Feiertage

1. Januar (Neujahr/Staatsgründung), Ostern, 1. Mai (Tag der Arbeit), 8. Mai (Befreiung), 5. Juli (Cyril & Methodius), 6. Juli (Jan Hustag), 28. September (Nationalfeiertag), 28. Oktober (Unabhängigkeit), 17. November (Freiheit & Demokratie), 24. Dezember (Heiligabend), Weihnachten.

Kommunikation

(Mobil)Telefon

Das Mobilnetz ist in ganz Tschechien gut. Es gibt ein 3 G-Netz für das mobile Internet.

W-Lan, Internet

W-Lan verbreitet sich immer besser.

Post

An Werktagen bis 17.00 Uhr und samstagmorgens geöffnet.

Straßen und Verkehr

Straßennetz

Die Hauptstraßen sind in gutem Zustand. Fahrten nach Anbruch der Dunkelheit sind nicht ohne Risiko, wegen oft unbeleuchteter Fahrzeugen. Wegen der vielen Staus in der Prager Innenstadt sollte man besser einen P+R Platz außerhalb der Stadt benutzen und mit öffentlichen Verkehrsmitteln in die Stadt fahren. Die Straßenwacht (ÚAMK CR) ist Tag und Nacht erreichbar: Tel. 1230.

Verkehrsvorschriften

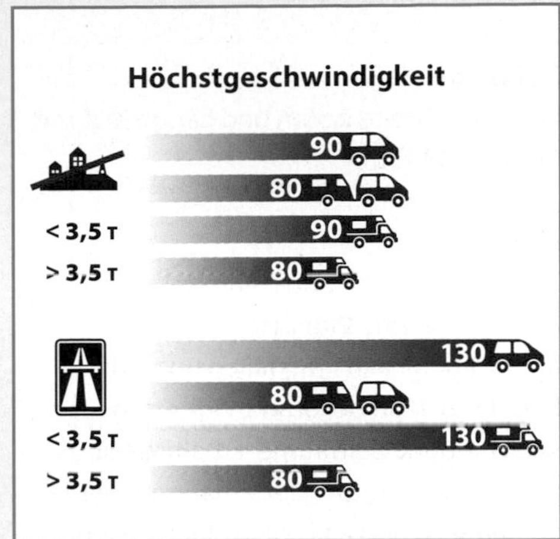

Es gibt ein absolutes Alkoholverbot im Verkehr. Rechts hat Vorfahrt, außer auf Hauptstraßen. Kreisverkehr hat vor dem einfahrenden Verkehr Vorfahrt. Unfälle mit Verletzten oder größeren Sachschäden sind der Polizei zu melden. Tagsüber ist ganzjährig Abblendlicht vorgeschrieben. Telefonieren nur mit Freisprechanlage. Kinder unter 15 Jahr müssen ein Fahrradhelm tragen, älteren Personen wird dieser Helm empfohlen. Im Fall einer Staubildung muss eine Rettungsgasse für Einsatzfahrzeuge freigehalten werden. Benutzung von Winterreifen wird empfohlen zwischen 1. November und 31. März.

Navigation

Warnung vor festen Blitzern durch Navi oder Mobiltelefon Apps ist nicht erlaubt.

Wohnwagen, Reisemobil

In Tschechien ist es verboten mit dem Auto, Wohnwagen oder Reisemobil entlang der öffentlichen Straße zu übernachten. Für Fahrzeuge über 3,5 Tonnen wird über ein OBU (On Board Unit) pro gefahrenen

Kilometer Maut berechnet. Weitere Infos: ▸ *www.premid.cz* ◂

Zulässige Maße

Höhe 4m, Breite 2,55m und Länge KFZ mit Caravan 18,75m.

Maut

Auf Schnellstraßen und Autobahnen müssen Sie eine Vignette haben. Fast alle Straßen nach Prag fallen unter diese Regelung. Man bekommt Vignetten für verschiedene Zeiträume. Erhältlich ist die Vignette an Grenzübergängen, bei Postämtern und an großen Tankstellen. Weitere Infos: ▸ *www.premid.cz* ◂

Kraftstoff

In Tschechien sind alle Benzinsorten und Diesel erhältlich. Auch LPG ist vielerorts erhältlich.

Tankstellen

Tankstellen an den Autobahnen und in großen Städten sind rund um die Uhr geöffnet, ansonsten meistens bis 19.00 Uhr. Bei internationalen Tankstellennetzen in größeren Städten können Sie mit Kreditkarte bezahlen.

Notruf

112: nationaler Notruf für Polizei, Feuerwehr und Krankenwagen.

Campen

In Tschechien hat Campen noch einen nostalgischen Charakter, weil die Tschechen selbst noch viel mit dem Zelt campen. Aber die Plätze entwickeln sich: immer mehr parzellierte Stellplätze sind im Kommen, Strom ist fast überall vorhanden, die Zahl der Servicestationen für Reisemobile nimmt zu und mehr Campings bieten Ihren Gästen W-Lan.

Praktisch

- Am besten haben Sie immer Universalstecker dabei.
- Verwenden Sie lieber (Mineral)Wasser aus Flaschen anstatt Leitungswasser.

Klima Prag	Jan.	Feb.	März	April	Mai	Juni	Juli	Aug.	Sept.	Okt.	Nov.	Dez.
Tagestemperatur	-1	0	5	9	14	17	19	19	15	10	4	1
Sonnenstunden am Tag	2	3	5	6	8	9	9	8	6	4	2	1
Regentage	9	8	8	9	9	9	9	9	7	9	8	9

Klima Ceske Budejovice	Jan.	Feb.	März	April	Mai	Juni	Juli	Aug.	Sept.	Okt.	Nov.	Dez.
Tagestemperatur	-1	0	5	10	15	18	20	19	16	10	5	1
Sonnenstunden am Tag	2	3	4	5	7	8	8	7	6	4	2	1
Regentage	7	6	7	8	9	10	10	10	7	7	7	8

Babylon, CZ-34401 / Plzensky kraj

Babylon
Babylon 27
1 Mai - 30 Sep
+420 379793275
autokemp@babylon-obec.cz

1 **JMNOPRT** 6
2 OPW ABF**I**J 7
3 ABEL AEFN 8
4 FI F 9
5 BIL AHIJNOR 10
6A ❶ €12,00
H465 3,5 ha 216T(90-120m^2) 57D ❷ €14,20

N 49°24'9'' E 12°51'16''

Liegt an der 26 von Domazlice nach Furth im Wald (Deutschland).

Benesov, CZ-67953 / Jihomoravsky kraj

"De Bongerd"
Benesov 104
1 Mai - 1 Sep
+31 06-10536681
campingbenesov@hetnet.nl

1 ABG**JMNOPQRST** ABH**N** 6
2 FGOPQRUVWXY A**BFG**H 7
3 ABE**GHIJK**LQV ABCDEFJNPQRV 8
4 ABEFHIOQ IJ 9
5 GKL ABFHIJLNRV 10
6A CEE ❶ €18,20
H700 2,5 ha 49T(100-150m^2) 2D ❷ €24,20

N 49°30'35'' E 16°46'22''

Die 150 von Boskovice-Prostejov. In Boskovice den CP-Schildern 'De Bongerd' folgen. Von Boskovice etwa 10 km.

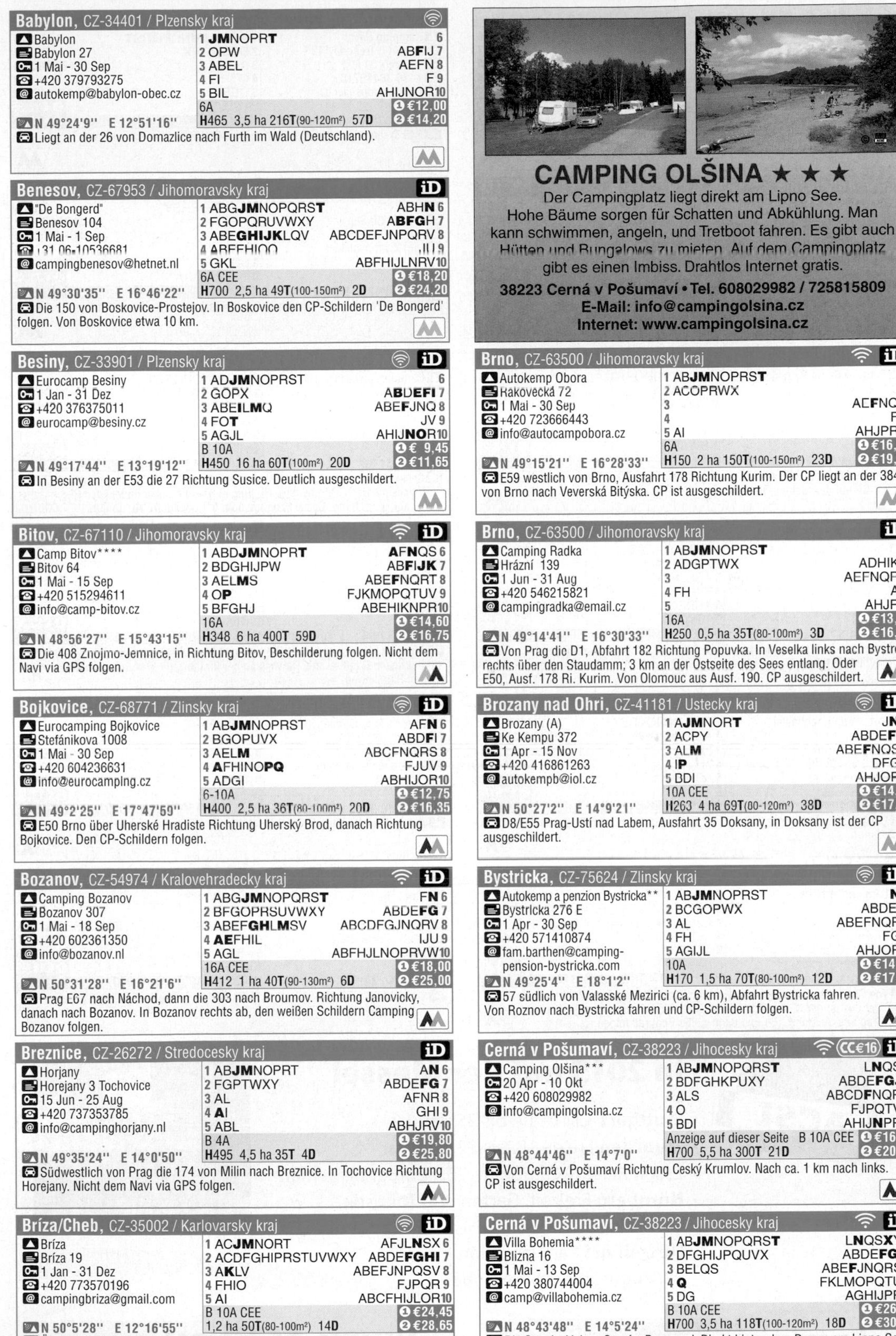

Besiny, CZ-33901 / Plzensky kraj

Eurocamp Besiny
1 Jan - 31 Dez
+420 376375011
eurocamp@besiny.cz

1 AD**JM**NOPRST 6
2 GOPX AB**DEFI** 7
3 ABE**I**L**M**Q ABE**F**JNQ 8
4 FO**T** JV 9
5 AGJL AHIJ**NOR** 10
B 10A ❶ € 9,45
H450 16 ha 60T(100m^2) 20D ❷ €11,65

N 49°17'44'' E 13°19'12''

In Besiny an der E53 die 27 Richtung Susice. Deutlich ausgeschildert.

Brno, CZ-63500 / Jihomoravsky kraj

Autokemp Obora
Rakovecká 72
1 Mai - 30 Sep
+420 723666443
info@autocampobora.cz

1 AB**JM**NOPRS**T** 6
2 ACOPRWX 7
3 ACFNQ 8
4 F 9
5 AI AHJPR 10
6A ❶ €16,00
H150 2 ha 150T(100-150m^2) 23D ❷ €19,65

N 49°15'21'' E 16°28'33''

E59 westlich von Brno, Ausfahrt 178 Richtung Kurim. Der CP liegt an der 384 von Brno nach Veverská Bitýska. CP ist ausgeschildert.

Bitov, CZ-67110 / Jihomoravsky kraj

Camp Bitov****
Bitov 64
1 Mai - 15 Sep
+420 515294611
info@camp-bitov.cz

1 ABD**JM**NOPR**T** **AFNQS** 6
2 BDGHIJPW AB**FIJK** 7
3 AEL**MS** ABE**F**NQRT 8
4 **OP** FJKMOPQTUV 9
5 BFGHJ ABEHIKNPR 10
16A ❶ €14,60
H348 6 ha 400T 59D ❷ €16,75

N 48°56'27'' E 15°43'15''

Die 408 Znojmo-Jemnice, in Richtung Bitov, Beschilderung folgen. Nicht dem Navi via GPS folgen.

Brno, CZ-63500 / Jihomoravsky kraj

Camping Radka
Hrázní 139
1 Jun - 31 Aug
+420 546215821
campingradka@email.cz

1 AB**JM**NOPRS**T** 6
2 ADGPTWX ADHIK 7
3 AEFNQR 8
4 FH A 9
5 AHJR 10
16A ❶ €13,80
H250 0,5 ha 35T(80-100m^2) 3D ❷ €16,35

N 49°14'41'' E 16°30'33''

Von Prag die D1, Abfahrt 182 Richtung Popuvka. In Veselka links nach Bystrc, rechts über den Staudamm; 3 km an der Ostseite des Sees entlang. Oder E50, Ausf. 178 Ri. Kurim. Von Olomouc aus Ausf. 190. CP ausgeschildert.

Bojkovice, CZ-68771 / Zlinsky kraj

Eurocamping Bojkovice
Stefánikova 1008
1 Mai - 30 Sep
+420 604236631
info@eurocamping.cz

1 AB**JM**NOPRST AF**N** 6
2 BGOPUVX ABDF**I** 7
3 AEL**M** ABCFNQRS 8
4 **A**FHINO**PQ** FJUV 9
5 ADGI ABHIJOR 10
6-10A ❶ €12,75
H400 2,5 ha 36T(80-100m^2) 20D ❷ €16,35

N 49°2'25'' E 17°47'59''

E50 Brno über Uherské Hradiste Richtung Uherský Brod, danach Richtung Bojkovice. Den CP-Schildern folgen.

Brozany nad Ohri, CZ-41181 / Ustecky kraj

Brozany (A)
Ke Kempu 372
1 Apr - 15 Nov
+420 416861263
autokempb@iol.cz

1 A**JM**NOR**T** JN 6
2 ACPY ABDE**FI** 7
3 AL**M** ABE**F**NQS 8
4 **IP** DFG 9
5 BDI AHJOR 10
10A CEE ❶ €14,00
H263 4 ha 69T(80-120m^2) 38D ❷ €17,65

N 50°27'2'' E 14°9'21''

D8/E55 Prag-Ustí nad Labem, Ausfahrt 35 Doksany, in Doksany ist der CP ausgeschildert.

Bozanov, CZ-54974 / Kralovehradecky kraj

Camping Bozanov
Bozanov 307
1 Mai - 18 Sep
+420 602361350
info@bozanov.nl

1 ABG**JM**NOPQRS**T** FN 6
2 BFGOPRSUVWXY ABDE**FG** 7
3 ABEF**GH**L**M**SV ABCDFGJNQRV 8
4 **AE**FHIL IJU 9
5 AGL ABFHJLNOPRVW 10
16A CEE ❶ €18,00
H412 1 ha 40T(90-130m^2) 6D ❷ €25,00

N 50°31'28'' E 16°21'6''

Prag E67 nach Náchod, dann die 303 nach Broumov. Richtung Janovicky, danach nach Bozanov. In Bozanov rechts ab, den weißen Schildern Camping Bozanov folgen.

Bystricka, CZ-75624 / Zlinsky kraj

Autokemp a penzion Bystricka**
Bystricka 276 E
1 Apr - 30 Sep
+420 571410874
fam.barthen@camping-pension-bystricka.com

1 AB**JM**NOPRST **N** 6
2 BCGOPWX ABDEI 7
3 AL ABEFNQR 8
4 FH FG 9
5 AGIJL AHJOR 10
10A ❶ €14,65
H170 1,5 ha 70T(80-100m^2) 12D ❷ €17,55

N 49°25'4'' E 18°1'2''

57 südlich von Valasské Mezirici (ca. 6 km), Abfahrt Bystricka fahren. Von Roznov nach Bystricka fahren und CP-Schildern folgen.

Breznice, CZ-26272 / Stredocesky kraj

Horjany
Horejany 3 Tochovice
15 Jun - 25 Aug
+420 737353785
info@campinghorjany.nl

1 AB**JM**NOPRT A**N** 6
2 FGPTWXY ABDE**FG** 7
3 AL AFNR 8
4 **AI** GHI 9
5 ABL ABHJRV 10
B 4A ❶ €19,80
H495 4,5 ha 35T 4D ❷ €25,80

N 49°35'24'' E 14°0'50''

Südwestlich von Prag die 174 von Milin nach Breznice. In Tochovice Richtung Horejany. Nicht dem Navi via GPS folgen.

Cerná v Pošumaví, CZ-38223 / Jihocesky kraj

Camping Olšina***
20 Apr - 10 Okt
+420 608029982
info@campingolsina.cz

1 AB**JM**NOPQRS**T** LNQS 6
2 BDFGHKPUXY ABDE**FG**J 7
3 ALS ABCD**F**NQR 8
4 O FJPQTV 9
5 BDI AHIJ**N**PR 10
Anzeige auf dieser Seite B 10A CEE ❶ €16,35
H700 5,5 ha 300T 21D ❷ €20,00

N 48°44'46'' E 14°7'0''

Von Cerná v Pošumaví Richtung Ceský Krumlov. Nach ca. 1 km nach links. CP ist ausgeschildert.

Bríza/Cheb, CZ-35002 / Karlovarsky kraj

Bríza
Bríza 19
1 Jan - 31 Dez
+420 773570196
campingbriza@gmail.com

1 AC**JM**NORT AFJL**N**SX 6
2 ACDFGHIPRSTUVWXY ABDE**FGHI** 7
3 A**K**LV ABEFJNPQSV 8
4 FHIO FJPQR 9
5 AI ABCFHIJLOR 10
B 10A CEE ❶ €24,45
1,2 ha 50T(80-100m^2) 14D ❷ €28,65

N 50°5'28'' E 12°16'55''

Über die 303/E48 Richtung Marktredwitz Richtung Cheb/Eger. Ausfahrt Richtung Liba, rechts ab und dann die 2. links. Den Schildern Camping Briza ca 3 km folgen.

Cerná v Pošumaví, CZ-38223 / Jihocesky kraj

Villa Bohemia****
Blizna 16
1 Mai - 13 Sep
+420 380744004
camp@villabohemia.cz

1 AB**JM**NOPQRS**T** L**N**QS**XY** 6
2 DFGHIJPQUVX ABDE**FG**I 7
3 BELQS ABE**F**JNQRS 8
4 **Q** FKLMOPQTU 9
5 DG AGHIJPR 10
B 10A CEE ❶ €26,20
H700 3,5 ha 118T(100-120m^2) 18D ❷ €30,55

N 48°43'48'' E 14°5'24''

Die Strecke Volary-Cerná v Posumavi. Direkt hinter dem Damm am Lipno See Richtung Jestrabi. Nach 1,5 km kommt der CP.

Tschechien

Cervená Recice, CZ-39446 / Kraj Vysocina

Camping Kovarna
Cervená Recice 63
1 Jun - 31 Aug
+420 565398005
campingkovarna@gmail.com

1 B**JM**NOPRST	**A**F 6
2 BCPRTUWX	ABDE**F** 7
3 ALV	ABEFNR 8
4 FHI	FJ 9
5 AGIL	ABHJNOR 10
6A CEE	❶ €19,00
H500 2 ha 39**T**(100-150m²) 9**D**	❷ €23,95

N 49°31'9'' E 15°9'29''

E50 Prag-Brno, Ausfahrt 90, Humpolec. Richtung Pelhrimov/Tabor. An der Ausfahrt Vlasim die 112 Richtung Vlasim. In Cervená Recice ist der CP ausgeschildert.

Ceské Budejovice, CZ-37001 / Jihocesky kraj

Motel Dlouhá louka
Litvinovicka 126
1 Apr - 30 Okt
+420 387203601
info@villaresort.cz

1 AB**JM**NOPQR**T**	**AB** 6
2 PQX	AB**F**HIK 7
3 **M**	ABEFNQR 8
4	GHIV 9
5 J	AJNO 10
10A	❶ €16,35
H420 4 ha 50**T** 56**D**	❷ €20,00

N 48°57'59'' E 14°27'38''

Vor Ceské Budejovice Richtung Linz/Lipno/Ceský Krumlov fahren. Hinter der AGIP-Tankstelle wird der CP ausgeschildert. Neben CP Stromovka.

Cesky Krumlov, CZ-38101 / Jihocesky kraj

Caravan Camp Petraskuv Dvur
Krenov 36
1 Mai - 30 Sep
+420 774833168
milan.sebesta@seznam.cz

1 AG**JM**NOPQRS**T**	6
2 CGIRWXY	ABDE**F** 7
3 ABE**F**NR	8
4	9
5 GI	AHJPR 10
B 16A CEE	❶ €14,20
H500 100**T**	❷ €17,10

N 48°49'8'' E 14°15'59''

Die 39 von Ceský Krumlov-Cerni Posumavi. Etwa 3 km hinter Ceský Krumlov ist der CP auf der rechten Straßenseite.

Cheb, CZ-35099 / Karlovarsky kraj

Auto-Camping Drenice (B)
1 Mai - 20 Sep
+420 354431591
autokemping@atc-drenice.cz

1 A**JM**NOPRST	L**N**QRSX 6
2 ADGPRTVX	ABDE**FG**I 7
3 ABEL**M**Q	ABEFNR 8
4 FINOQ	FKMPRT 9
5 ABDEGIL	ABHINOR 10
B 10A CEE	❶ €15,25
H400 2,7 ha 155**T**(65-95m²) 20**D**	❷ €17,55

N 50°4'0'' E 12°25'51''

Von Cheb in Richtung Karlovy Vary. Nach ca. 1 km rechts abbiegen. Den Schildern folgen.

Cheb, CZ-35099 / Karlovarsky kraj

Autocamp Fischbastei
Na hrazi
1 Jan - 31 Dez
+420 354431951
info@rbcheb.cz

1 ADE**JM**NOPRST	LMQRSX 6
2 ADFGHPRWX	ABDE**FG**HIK 7
3 F**M**	ABEFKNQ 8
4 FH	DGJMT 9
5 ABDEJ**L**	AB**NP**R 10
B 16A	❶ €16,75
6 ha 90**T**(80-120m²) 17**D**	❷ €18,20

N 50°5'1'' E 12°28'4''

Die 21 Cheb-Mariánské Lázne. Der CP liegt an der rechten Seite vor dem Staudamm.

Cheb/Podhrad, CZ-35002 / Karlovarsky kraj

Camping am See "Václav"****
Všeborská 51
27 Apr - 13 Sep
+420 354435653
info@kempvaclav.cz

1 AB**JM**NOPRST	HLNQSXZ 6
2 ADFGHIKOPRSTUVWXY	ABDE**FG**H 7
3 ABE**GHIK**LST	ABCDEFJKNQRSTUV 8
4 ABDEFHILOP	EPQT 9
5 ABDEGIL	ABDFGHIJLNPR 10
Anzeige auf Seite 463 B 10A	❶ €24,20
H400 5 ha 150**T**(100-200m²) 14**D**	❷ €30,35

N 50°3'0'' E 12°24'43''

Von Cheb 5 km südöstlich in Richtung Podhrad/Lipová. In Podhrad links. Von hier aus ist der CP ausgeschildert. Noch 1,5 km zum Jesenice See. Von Prag aus, Ausfahrt 164 und dann weiter Podhrad folgen.

Chlum u Trebone, CZ-37804 / Jihocesky kraj

Camping Sever
Chlum u Trebone 443
10 Apr - 31 Okt
+420 384797189
post@campsever.cz

1 ABCD**JM**NOPQRS**T**	L**N**QS 6
2 DFGHOPX	ABD**F** 7
3 AELS	ABE**F**NR 8
4 O	F 9
5 DEF	ABHJPR 10
6A CEE	❶ €12,35
H400 1,5 ha 70**T** 16**D**	❷ €16,00

N 48°57'54'' E 14°56'14''

E49 Trebon nach Chlum u Trebone, im Ort deutlich ausgeschildert.

Chrustenice 155, CZ-26712 / Stredocesky kraj

Valek
1 Mai - 30 Sep
+420 603804871
info@campvalek.cz

1 A**JM**NOPRS**T**	A**N** 6
2 AGPTX	ABDE**F**HI 7
3 AL**M**	ABEFNQR 8
4 IO**R**	F 9
5 BDI	AHIJNR 10
B 16A	❶ €21,45
H500 4,5 ha 150**T** 10**D**	❷ €25,45

N 50°0'42'' E 14°9'2''

E50/D5 Plzen-Praha, Ausfahrt 10 Lodenice. Schildern zum CP folgen (2,5 km).

Chvalsiny, CZ-38208 / Jihocesky kraj

Camping Chvalsiny
Chvalsiny 321
17 Apr - 15 Sep
+420 380739123
info@campingchvalsiny.nl

1 AB**JM**NOPQRST	AJLN 6
2 CDFGHIPQUVWX	ABDE**FG** 7
3 AEFLQV	ABE**FG**KNQRS 8
4 BCD**E**FHIKLO	ABDJ 9
5 ABDEFIL	ABDGHIJPR 10
6A CEE	❶ €24,00
H500 7,5 ha 150**T**(120-150m²) 16**D**	❷ €29,45

N 48°51'36'' E 14°12'53''

Ceské Budejovice (Budweis) nach Ceský Krumlov. Hinter Ceský Krumlov 3 km Ri. Chvalsiny. Den CP-Schildern 'NL' folgen. Die 39 Ceské Budejovice Ri. Lipno. Ca. 3 km hinter Ceský Krumlov dem CP-Schildern 'NL' folgen.

Destné v Orlických horách, CZ-51791 / Kral. kraj

Autocamp Zákoutí
Weg 321
30/5 - 15/9, 1/11 - 15/4
+420 494663335
info@zakouti.eu

1 AB**JM**NOPQRS**T**	AB 6
2 BCFGPRWXY	ABDEFIJ 7
3 BELS	ABEFJNQRS 8
4 FHIO**P**	GI 9
5 DGKL	AHJNPRV 10
W 10A	❶ €10,55
H680 0,6 ha 40**T**(100-150m²) 9**D**	❷ €14,20

N 50°17'59'' E 16°22'4''

An der 310 gelegen. Von Olesnice aus, 500m hinter der Ortsmitte von Destné auf der linken Straßenseite. Hinweis an der Einfahrt, die Einfahrt auf einem kleinen Parallelweg.

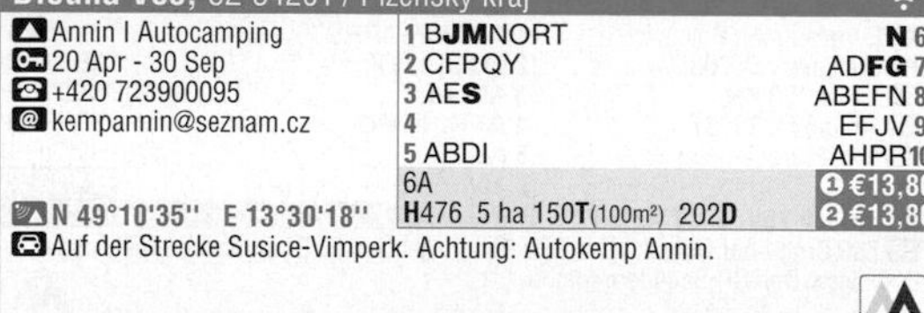

Dlouhá Ves, CZ-34201 / Plzensky kraj

Annin I Autocamping
20 Apr - 30 Sep
+420 723900095
kempannin@seznam.cz

1 B**JM**NORT	**N** 6
2 CFPQY	AD**FG** 7
3 AE**S**	ABEFN 8
4	EFJV 9
5 ABDI	AHPR 10
6A	❶ €13,80
H476 5 ha 150**T**(100m²) 202**D**	❷ €13,80

N 49°10'35'' E 13°30'18''

Auf der Strecke Susice-Vimperk. Achtung: Autokemp Annin.

Dlouhá Ves, CZ-34201 / Plzensky kraj

Autokempink Nové Mestecko
Dlouhá Ves
1 Mai - 9 Sep
+420 376593242
obec.dlves@quick.cz

1 A**JM**NOR**T**	JN 6
2 BCGJKPRY	AB 7
3 ABEL**MS**	ABE**F**NQR 8
4 FH	FHJQRUV 9
5 ABDI	ABHIJPR 10
10A CEE	❶ €14,20
H500 5 ha 100**T**(100m²) 24**D**	❷ €16,35

N 49°10'48'' E 13°29'56''

Von E53/27 5 km hinter Zelezna Ruda Richtung Susice. Entlang Straße Susice-Vimperk.

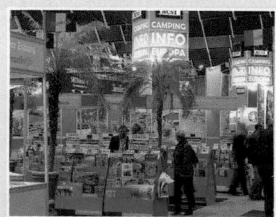

Tschechien

Dobronice u Bechyne, CZ-39165 / Jihocesky kraj

iD

Camping Na Staré Papirne
Dobronice 51
2 Mai - 13 Sep
+420 381210761
info@nastarepapirne.com

1 ABILNORT	JNX 6	
2 BCGIJNPUWXY	ABFG 7	
3 AFL	ABEFNQR 8	
4 FHIOQ	FIQ 9	
5 ADGIL	ABHJRV 10	
6A		❶ €17,45
H430 3 ha 45T 11D		❷ €21,80

N 49°20'50'' E 14°30'49''

An der 137 von Tábor nach Tyn nad Vltavou ist 10 km hinter Tábor der CP mit gelben Schildern angezeigt. Die 122 ist nicht geeignet für Fahrzeuge breiter als 2.10m.

Dolní Vestonice, CZ-691 29 / Jihomoravsky kraj

iD

U Vody
Dolni Vestonice 123
1 Apr - 30 Sep
+420 774369156
kemp@ulangru.cz

1 ABJMNOPRST	LNSX 6	
2 DGIOPWX	ADE 7	
3 A	AEFNQ 8	
4 FHIO	FG 9	
5 AI	AJOR 10	
10A		❶ €10,20
H200 0,2 ha 18T(80-100m²) 13D		❷ €13,10

N 48°53'14'' E 16°39'16''

Auf der Strecke Pohorelice-Mikulov, Ausfahrt Dolni Vestonice. In Dolni Vestonice Richtung Bréclav. Nach 700m kommt der CP.

Dvur Králové n. L., CZ-54401 / Kral. kraj

CC€18 iD

Safari Kemp
Stefanikova 1029
1 Jan - 31 Dez
+420 499311215
safarikemp@zoodvurkralove.cz

1 ABDJMNOPQRST	AB 6	
2 FGOPRWXY	FG 7	
3 ABFGHIJLMP	ABEFHJNQSTUV 8	
4 AUX	AGIJVY 9	
5 ABDFHIK	BHIJNPRWY 10	
6A CEE		❶ €28,00
2 ha 50T(100-150m²) 47D		❷ €35,00

N 50°25'59'' E 15°47'48''

Die 33 Hradec Králové-Jaromer. Die 37 Richtung Trutnov bis zur Ausfahrt Dvur Králové. Dort die 300 zum Zentrum und Safaripark. Einfahrt ist am Zoo-Parkplatz.

Frantiskovy Lazne, CZ-35101 / Karlovarsky kraj

iD

ATC Jadran
Jezerni 499/12A
1 Mär - 30 Nov
+420 354542412
info@atcjadran.cz

1 ABJMNOPQRST	LN 6	
2 ABDGIPRSW	ABEFGIK 7	
3 ABCKLS	ABEFHNPQRT 8	
4 FHIO	EFUVY 9	
5 ABDEKL	ABFHIJNOPR 10	
B 16A CEE		❶ €15,00
H600 3,3 ha 50T(100m²) 33D		❷ €19,60

N 50°7'0'' E 12°19'48''

Von Cheb aus Richtung Frantiskovy Lazne. Am Ortseingang der Beschilderung folgen.

Frantiskovy Lazne, CZ-35101 / Karlovarsky kraj

iD

Camping Amerika
Jezerni 151/8A
1 Apr - 30 Okt
+420 354599093
info@camping-amerika.cz

1 ABJMNOPQRT	LN 6	
2 BDFGHIPWX	ABFGI 7	
3 ABEFJKMN	ABCDEFHNPQRV 8	
4 AFHIK	J 9	
5 ADEGIL	ABHIJLPRVWX 10	
Anzeige auf dieser Seite B 16A		❶ €16,60
287 ha 84T(100m²) 19D		❷ €22,20

N 50°6'39'' E 12°20'8''

Vom Grenzübergang Marktredwitz 2. Ausfahrt nach Frantiskovy Lazne in der Stadt angezeigt.

Frenstát pod Radhostem, CZ-74401 / Morav. kraj

iD

Autok. Frenstat pod Radhostem
Dolní 1807
1 Jan - 31 Dez
+420 556836624
recepce.atc@mufrenstat.cz

1 ABCDEJMNOPRST	AFHI 6	
2 GOPRSVWXY	ABDEFGHIJK 7	
3 ABDFL	ABCDEFNQRSTV 8	
4 FHIOT	JL 9	
5 ABDEFIJL	ABFGHIJPRV 10	
B 10A CEE		❶ €14,55
H390 1,8 ha 54T(80-100m²) 22D		❷ €17,80

N 49°33'6'' E 18°12'17''

Von Roznov die 58 Richtung Frenstat. Über die Bahnlinie 1. Kreisel links ab auf die 58. Nach 900m rechts ab. Camping nach 250m links von der Straße.

Frýdek-Místek, CZ-73802 / Moravskoslezsky kraj

iD

Sportplex F-M. sko
Nad Prèhradou
15 Jun - 31 Aug
+420 558434806
sportplex@sportplex.cz

1 ABJMNOPRST	ABEFGHL 6	
2 DGPTWX	ABDEI 7	
3 FLP	ABEFNQR 8	
4 FHTUXYZ	9	
5 ABDGI	AHKOR 10	
B 16A CEE		❶ €10,55
H250 2 ha 140T(100-80m²)		❷ €12,35

N 49°39'53'' E 18°18'42''

Die 48 (E462) Novy Jicin Richtung Ceský Tesin. Bei Frýdek-Místek ist der CP ausgeschildert.

Frymburk, CZ-38279 / Jihocesky kraj

CC€16 iD

Camping Frymburk****
184
24 Apr - 20 Sep
+420 380735284
info@campingfrymburk.cz

1 AJMNOPQRST	LNQSX 6	
2 DFGIJOPTUVWX	ABDEFGH 7	
3 BEFLS	ABFILNQRTUV 8	
4 AFHIO	EFJLMOPQRTUV 9	
5 ABDEIL	ABGHIJNPR 10	
B 6A		❶ €26,70
H740 3,5 ha 170T(60-120m²) 22D		❷ €33,25

N 48°39'20'' E 14°10'13''

Der CP liegt an der 163, 1 km südlich von Frymburk am Lipnosee.

Camping am See „Václav"
☆ ☆ ☆ ☆ ☆
WLAN / Internet / Hotspot GRATIS
DELUXE
www.kempvaclav.cz
www.restaurantvaclav.cz

Harrachov, CZ-51246 / Liberecky kraj

iD

Jiskra Harrachov Camping
1 Jan - 31 Dez
+420 481529536
camping@harrachov.cz

1 AJMNOPRST	L 6	
2 BDFOPRTWXY	ABDEFG 7	
3 AEIKLM	ABEFNQR 8	
4 F	FJ 9	
5 ACDK	AIJOR 10	
W 10A		❶ €16,00
H700 1,5 ha 80T(100-150m²) 25D		❷ €19,25

N 50°46'53'' E 15°25'18''

Die 14/10 Liberec-Harrachov. Der CP wird ausgeschildert, etwa 5 km vor der Polnischen Grenze an der linken Seite der Straße.

Hluboká nad Vltavou, CZ-37341 / Jihocesky kraj

CC€14 iD

Camping Kostelec
Kostelec 8
1 Mai - 15 Sep
+420 731272098
info@campingkostelec.nl

1 ABJMNOPQRST	AN 6	
2 FPRUVWX	ABDEFG 7	
3 AELQS	ABEFNPQRSV 8	
4 ABEHIKLO	U 9	
5 ABDEL	ABHJNPRV 10	
B 10A CEE		❶ €20,20
H400 1,5 ha 50T		❷ €24,55

N 49°8'15'' E 14°28'21''

An der 105 ist der CP sowohl in Týn nad Vltavou als auch in Hluboká nad Vltavou gut ausgeschildert.

Hluboké Mašuvky, CZ-67152 / Jihomoravsky kraj

iD

Camping Country
Hluboké Masuvky 257
1 Mai - 31 Okt
+420 515255249
camping-country@cbox.cz

1 ADJMNOPRST	AF 6	
2 GOPRWX	ABDEFGHIK 7	
3 DEGILMN	ABEFNQR 8	
4 BFHO	GIJUV 9	
5 GI	ABHJORVZ 10	
B 10A		❶ €18,10
H320 2 ha 100T(100-150m²) 11D		❷ €22,45

N 48°55'10'' E 16°1'32''

7 km nördlich von Znojmo, an der E59 von Jihlava-Wien. Von Jihlava bei Kravsko links. CP kommt nach etwa 6 km in Hluboké Masuvsky. Von Brno die 53; kurz vor Znojmo Ausfahrt rechts die 408, CP schon angezeigt.

Hluk, CZ-68725 / Zlinsky kraj

iD

Camping Babi Hora
Boršická 846
1 Mai - 16 Sep
+420 725500353
babi.hora@email.cz

1 ABCILNORT	6	
2 PVWX	ABDEFG 7	
3 BELQ	ABEFNQR 8	
4 I	FJ 9	
5 GJ	AHIJOR 10	
10A		❶ €14,20
H320 1,5 ha 35T(80-100m²) 49D		❷ €17,80

N 48°57'20'' E 17°33'15''

E50 vor Uherské Hradiste Ausfahrt Kunovice. An der Ampel links Richtung Breclav/Veseli nad Moravu. Dann links Richtung Trencin, sofort rechts Richtung Hluk.

Tschechien

Horní Planá, CZ-38226 / Jihocesky kraj

Autocamp Jenišov***
25 Apr - 5 Okt
+420 380738156
hajny.pa@seznam.cz

1 ABJMNOPQRST LNQS 6
2 DFGHJOPTWX ABEFG 7
3 ALMN ABFNR 8
4 O EPT 9
5 BJ AHJPR 10
B 6A CEE ❶ €16,35
H720 2,5 ha 200T 2D ❷ €20,00

N 48°45'4'' E 14°2'36''

CP liegt am Lipnosee zwischen Horní Planá und Cerná v Posumavi. CP ist ausgeschildert.

Horní Planá, CZ-38226 / Jihocesky kraj

Camping u Kukacku
Pihlov 97
15 Apr - 15 Okt
+420 727926923
ukukacku@gmail.com

1 ABDEJMNOPQRST LNQSX 6
2 DFGHIJPWXY ABDEFGI 7
3 AEGLS ABFNR 8
4 H DEFPQRT 9
5 ABGJ ABPR 10
10A CEE ❶ €15,10
H750 4 ha 150T 29D ❷ €18,75

N 48°46'30'' E 14°0'56''

Der CP liegt an der Strecke Volary-Horní Planá. 1,5 km vor Horní Planá ist der CP angezeigt.

Horní Planá, CZ-38226 / Jihocesky kraj

Caravancamping
1 Mai - 30 Sep
+420 725815809
info@caravancamping-hp.cz

1 AJMNOPQRST LNQS 6
2 DFGHJOPRSW ABF 7
3 AEFILMN ABFNQRS 8
4 Q 9
5 ABE ABGHIJNPR 10
B 10A CEE ❶ €17,10
H720 3 ha 260T ❷ €20,75

N 48°45'39'' E 14°1'33''

Der CP liegt am Lipnosee. Caravancamping ist im Zentrum Horní Planá ausgeschildert. Nicht dem Navi via GPS folgen.

Horní Planá, CZ-38226 / Jihocesky kraj

Karlovy Dvory II
15 Apr - 30 Okt
+420 602423116
jurcik.pavel@gmail.com

1 ABJMNOPQRST LNQSX 6
2 DFHIOPTUWX ABDEFGH 7
3 AES ABFNQ 8
4 T 9
5 BDEGJ AHJPST 10
16A CEE ❶ €16,35
H740 3 ha 160T 30D ❷ €20,00

N 48°45'2'' E 14°3'12''

CP liegt am Lipno See zwischen Horní Planá und Cerná v Posumavi. CP ausgeschildert.

Hutisko/Solanec, CZ-75662 / Zlinsky kraj

Euro-Camp
1 Jan - 31 Dez
+420 571644043
romanturisthoteleuro@sezam.cz

1 ABJMNOPRST AN 6
2 CGOPSWX ABDEJ 7
3 AELM ABEFNQ 8
4 IOT G 9
5 DI AHIJORV 10
WB 12A ❶ € 9,10
H500 2,5 ha 55T(80-100m²) 50D ❷ €11,25

N 49°25'42'' E 18°13'30''

Die Straße 18 Richtung Zilina. Ausfahrt Velké Karlovice, Ausfahrt Euro-Kemp H/S. Den Schildern 'Hotel-Euro' folgen.

Januv Dul, CZ-46352 / Liberecky kraj

Camping 2000
Januv Dul 15
15 Apr - 15 Sep
+420 485179621
camping2000@online.nl

1 ABJMNOPQRST AFHI 6
2 BFOPVWX ABDEFGHK 7
3 ABEFGHKLMQ ABCDEFIJNRTV 8
4 ABCDFHILNOPQ AEFUV 9
5 BDFGJL ABFHIKMNORVY 10
6A CEE ❶ €28,00
H500 6 ha 150T 23D ❷ €28,00

N 50°42'12'' E 14°56'21''

E442/35 Novy Bor-Liberec. In Jablonne. V.P. Auf der 270 und 278 bis Osecne und Januv Dul. Dort ausgeschildert.

Jedovnice, CZ-67906 / Jihomoravsky kraj

Autokemp Olsovec
Havlickovo námesti 71
1 Mai - 30 Sep
+420 516442134
rezervace@olsovec.cz

1 BDJMNOPRST FLNQS 6
2 DGPWX ABDEFI 7
3 AEFIL ABEFNQR 8
4 FGJT 9
5 ABGIJ AHIJPR 10
16A ❶ €13,80
H300 3,5 ha 210T(100-150m²) 125D ❷ €15,25

N 49°20'1'' E 16°45'47''

Von der E50 Praha-Brno die 43 nach Blansko fahren, dann die 379 Richtung Vyskov. Der CP ist in Jedovnice ausgeschildert.

Jesenice, CZ-35002 / Karlovarsky kraj

Autocamp Baldi
Okrouhla
15 Apr - 30 Sep
+420 602427163
autocamp@baldi.cz

1 AJMNOPRST LNOPQSWX 6
2 ADFGHIPRWX A 7
3 ABL ABEFNQR 8
4 HI DJ 9
5 EG ABHJNOPR 10
16A ❶ €11,55
124T(80-140m²) 8D ❷ €13,75

N 50°4'17'' E 12°28'28''

Die 21 von Cheb Richtung Plzen. Hinter dem Staudamm die 2. Straße rechts. Ist ausgeschildert.

Kdyne, CZ-34506 / Plzensky kraj

Autocamping Kdyne (A)
Hajovna
1 Mai - 30 Sep
+420 379731233
automotoklub@kdyne.cz

1 AJMNOPRT AF 6
2 GPTX ABDEFI 7
3 AEL ABEFNR 8
4 FIO FJL 9
5 ABI AHIJNPR 10
16A ❶ €10,10
H500 3,5 ha 55T(70-90m²) 36D ❷ €11,95

N 49°24'11'' E 13°3'25''

In Kdyne Straße 184 Schildern Richtung Nemcice folgen.

Kneznice 4, CZ-50601 / Kralovehradecky kraj

Cesky Ráj
E442
1 Jan - 31 Dez
+420 776303889
ladis.p@tiscali.cz

1 ABJMNOPQRST AB 6
2 FGPRX ABDEF 7
3 AEL ABEFNQR 8
4 IOQT GIJ 9
5 ABGIKL ABHIJPR 10
10A ❶ €14,55
H280 1,2 ha 45T(100-150m²) 15D ❷ €18,55

N 50°29'34'' E 15°19'30''

Straße 35 von Jicin nach Turnov, 6 km hinter Jicin auf der rechten Seite der Straße, als Pension-camping Cesky Ray ausgeschildert.

Kolodeje nad Luznicí, CZ-37501 / Jihocesky kraj

Camping Kolodeje
Kolodeje nad Luznici 6
1 Jun - 30 Aug
+420 737782725
info@campingkolodeje.eu

1 ABJMNOPQRST JMNX 6
2 CFGIOPRVWXY ABFG 7
3 AKLQS ABEFGNQRV 8
4 BFHIOQ ADFJPQRU 9
5 DGIL ABJPR 10
10A CEE ❶ €19,25
H430 1 ha 50T(90-130m²) 9D ❷ €24,00

N 49°15'15'' E 14°25'12''

Die 105 von Ceské Budejovice nach Milevsko. Nach Tyn nad Vltavou wird der CP angezeigt mit Schildern.

Konstantinovy Lázne, CZ-34952 / Plzensky kraj

La Rocca
1 Mai - 30 Sep
+420 374625287
larocca@larocca.cz

1 ABJMNOPRST A 6
2 OPWXY ABDEI 7
3 AELMQ ABEFNQRV 8
4 FIO EF 9
5 ABGIL AHIJLNORV 10
10A ❶ €17,80
H600 4,5 ha 72T(100m²) 60D ❷ €22,20

N 49°53'13'' E 12°58'18''

Straße 21 Mariánské Lázne-Striboro, bei Plana Straße 201 nach Konstantinovy Lázne, Schildern folgen.

Kutná Hora, CZ-28401 / Stredocesky kraj

Santa Barbara Camping
Ceska 325
1 Apr - 31 Okt
+420 602361330
info@santabarbara.cz

1 BCDJMNOPRST 6
2 OPRWX ABDEFIJK 7
3 ABEFNQRT 8
4 HIOP KL 9
5 DGL ABFHIJNPRW 10
10A CEE ❶ €16,00
H500 0,8 ha 40T(80-100m²) ❷ €19,65

N 49°57'16'' E 15°15'36''

Die 2, Pardubice-Kutna Hora-Ricany. Ungefähr 1 km hinter dem Zentrum Kutna Hora an der rechten Seite. Ausgeschildert.

Kyselka/Radosov, CZ-36272 / Karlovarsky kraj

Na Spici
Radosov
1 Apr - 31 Dez
+420 353941152
naspici@quick.cz

1 AGJMNOPRST JU 6
2 CGIOPRUX AB 7
3 ABGJKLS ABCDEFNQR 8
4 FOS FGIJR 9
5 AGJL ABHIJNORV 10
6A ❶ €12,75
H350 2 ha 90T(32-100m²) 29D ❷ €14,90

N 50°16'12'' E 12°59'37''

Von Karlovy Vary die 222. Vom Grenzübergang Oberwiesenthal Richtung Karlovy Vary bis Ostrov. Dann nach links Richtung Velichov Straße 221. CP ist deutlich ausgeschildert.

Tschechien

Lipno nad Vltavou, CZ-38278 / Jihocesky kraj

Camping Lipno Modrin
Lipno nad Vltavou 307
1 Mai - 30 Sep
+420 380736272
info@campinglipno.cz
N 48°38'20'' E 14°12'30''

1 ABJMNOPQRST	LMNQS 6
2 DFGIJPVX	ADDEFG 7
3 AEFKLQS	AEFNR 8
4 H	ANUVW 9
5 BDHJ	ABHKPRZ10
B 6A	① €20,35
H740 10 ha 380T(80-120m²) 2D	② €24,75

CP liegt an der 163 von Horni Planá nach Vissy Brod. 5 km hinter Frymburk wird der CP ausgeschildert.

Lipno nad Vltavou, CZ-38278 / Jihocesky kraj

Terrassen Camping Panorama
1 Apr - 30 Sep
+420 602395582
markovi@cmail.cz
N 48°38'19'' E 14°13'31''

1 AGJMNOPRST	EFGLNQSTW 6
2 DFGHIJOPTUWXY	ABF 7
3 K	ABDEFJNQV 8
4 O	GQR 9
5 BEGJ	AHJPR10
16A CEE	① €15,25
H700 1,5 ha 45T 21D	② €17,80

Auf der Strecke von Ceské Budejovice nach Lipno. Nach Vyssi Brod über den Staudamm 1. Straße links ab. Von Frymburk nach Marina Lipno 1. Straße rechts. Ist in Lipno mit dem großen Schild 'Camping Panorama' angezeigt.

Lipová-Lázne, CZ-79061 / Olomoucky kraj

Autocamping Bobrovnik
1 Jan - 30 Dez
+420 584411145
camp@bobrovnik.cz
N 50°13'30'' E 17°10'28''

1 ABDJMNOPQRST	LN 6
2 BCDFGPRVWX	FHIJ 7
3 AEFLU	ABEFHJNPQR 8
4 FHIOQ	GJ 9
5 ABDGIK	AGHIJNOR10
10A	① €13,45
H470 2,5 ha 150T(100-150m²) 30D	② €16,20

CP liegt auf der rechten Seite der 60 von Jesenik nach Lipová Lázne. Ausgeschildert.

Lodin/Nechanice, CZ-50315 / Kralovehradecky kraj

Camping Lodín
Lodín C 99
20 Mai - 30 Sep
+420 495445192
koupalisteakemplodin@centrum.cz
N 50°16'8'' E 15°36'24''

1 ABJMNOPQRST	ABFGHIM 6
2 FGOPRWX	ABFIJK 7
3 AEFGHILMS	ABEFNQRV 8
4 IO	J 9
5 DGL	AHJNPRV10
10A	① €17,45
H254 2 ha 70T(100-150m²) 15D	② €21,80

Die 35 von Horice nach Hr. Kralove. ± 10 km hinter Horice rechts ab auf die 323 Richtung Nechaniche. In Sucha rechts ab nach Lodin. Der CP ist mitten in Lodin ausgeschildert.

Mariánské Lázne (Mariënbad), CZ-35301 / Karl. kraj

Stanowitz Stanoviste
Stanoviste 9
1 Apr - 31 Okt
+420 354624673
info@stanowitz.com
N 49°56'39'' E 12°43'40''

1 AJMNOPRST	6
2 PRTUX	ABDEF 7
3	ABEFNQR 8
4 FO	G 9
5 AGIL	ABHJNOR10
10A CEE	① €16,35
H600 1 ha 30T(64m²) 3D	② €19,25

In Mariánské Lázne die 230 Richtung Karlovy Vary, etwas außerhalb von Mariánské Lázne den Schildern folgen, linker Hand nach Stanoviste.

Mélník, CZ-27601 / Stredocesky kraj

Autocamp Mélník
Klášterní
1 Jan - 31 Dez
+420 315623856
info@campmelnik.cz
N 50°21'37'' E 14°28'37''

1 AJMNOPRST	6
2 OPX	ABI 7
3 AIL	ABCDEFNQR 8
4	FG 9
5 JL	ABGHIJNORVY10
6A	① €14,75
H100 4 ha 80T 34D	② €17,25

D8 Praha-Usti nad Labem, Ausfahrt 18. Über die 16 nach Melnik. Am Kreisel Richtung Tesco. CP liegt hinter der Bahnlinie.

Mirovice, CZ-39804 / Jihocesky kraj

Guesthouse Camping Pliskovice
Pliskovice 27
1 Mai - 15 Okt
+420 382211723
fennavdberg@gmail.com
N 49°30'59'' E 14°1'11''

1 ABJMNOPQRST	A 6
2 PRWX	AB 7
3 ALS	ABEFNQR 8
4 IOQ	AFI 9
5 DL	ABFHIJNOR10
6A CEE	① €16,75
H500 0,5 ha 30T 5D	② €21,10

Liegt an der 19 von Plzen nach Tabor. Der CP ist zwischen Breznice und Mirovice ausgeschildert.

Nepomuk, CZ-33501 / Plzensky kraj

Novy Ribnik
Plzenska 456
1 Mai - 30 Sep
+420 371591336
kemp@novyrybnik.cz
N 49°29'10'' E 13°32'5''

1 AJMNOPRT	LS 6
2 DGHOPRWX	AFH 7
3 ABEIL	ABEFNR 8
4 FHIO	FPT 9
5 ABGIL	ABHIJOR10
B 10A	① €12,00
H430 2 ha 80T(80-100m²) 32D	② €14,90

In Nepomuk gut ausgeschildert; liegt südwestlich von Nepomuk, erst Richtung Prestice, dann Klatovy.

Netolice, CZ-38411 / Jihocesky kraj

Autocamp Podrouzek (A)
Tyrsova 226
1 Mai - 20 Okt
+420 388324468
autocamp-podrouzek@c-box.cz
N 49°2'16'' E 14°11'4''

1 AJMNOPRT	L 6
2 DFGPQX	ABFI 7
3	AEFNQ 8
4 I	FGJ 9
5 ABDI	AHJNPR10
B 10A	① €12,20
H427 3 ha 140T 100D	② €14,75

Die 20 Pisek-Ceské Budejovice. Ausfahrt Netolice. Vorm Markplatz dem Schild Richtung Lhenice folgen. Aus Richtung Vimperk kommend die 145, Ausfahrt Netolice nehmen.

Nové Strasecí, CZ-27101 / Stredocesky kraj

CC€14

Bucek****
Trtice 170
1 Mai - 6 Sep
+420 313564212
info@campingbucek.cz
N 50°10'12'' E 13°50'20''

1 AJMNORT	ELMQS 6
2 ABDGHOPRVWX	ABFG 7
3 BELS	ABFLNQRTU 8
4 FHIO	EILMPQ 9
5 AEGIL	AHJNOR10
B 6A	① €22,90
H430 4,5 ha 100T(ab 100m²) 8D	② €28,35

CP liegt an der E48/6, 35 km westlich von Prag. Richtung Karlovy Vary, 4,5 km hinter Nové Strasecí. Von Revnicov Richtung Prag. Nach 2 km links ab.

Nýrsko, CZ-34022 / Plzensky kraj

Autokemp Nyrsko
Tylova 778
1 Mai - 30 Sep
+420 607667765
alena-hostalkova@ceznam.cz
N 49°17'10'' E 13°8'41''

1 ABJMNOPRT	AF 6
2 CGOPW	ABDEFI 7
3 BMQ	AEFNR 8
4 FHIO	FK 9
5 ABJL	ABHKNPR10
16A CEE	① €10,75
H500 2 ha 80T(80m²) 21D	② €13,65

An der Südseite von Nýrsko auf der Umgehung ausgeschildert.

Ondrejov/Pelhrimov, CZ-39301 / Kraj Vysocina

Camping Ondrejov
Ondrejov 40
1 Jun - 30 Sep
+420 565397025
N 49°23'28'' E 15°10'28''

1 ABJMNOPRT	6
2 FPRUWXY	A 7
3	ABFNQ 8
4	D 9
5 GL	AJRV10
6A CEE	① €18,55
H592 0,5 ha 30T 3D	② €24,00

Der CP liegt 8 km südlich von Pelhrimov an der E551/34 von Pelhrimov nach Jindrichuv Hradec.

Opatov (Okr. Trebíc), CZ-67528 / Kraj Vysocina

CC€16

Vídlák
Opatov 322
15 Apr - 15 Okt
+420 736678687
campingvidlak@tiscali.cz
N 49°12'32'' E 15°39'22''

1 ABJMNOPQRST	L 6
2 BCDFPWX	ABDEF 7
3 ALV	ABCDEFJNQRV 8
4 FHIO	I 9
5 AL	ABDFHJNOR10
B 10A CEE	① €20,75
H600 2 ha 50T(150-250m²) 2D	② €28,00

Die E59/38 von Jihlava Richtung Znojmo. Nach ungefähr 20 km in Dlouhá Brtnice Richtung Opatov. Den CP-Schildern folgen.

Osek, CZ-41705 / Ustecky kraj

Autocamp Osek
Nelsonská 669
1 Apr - 30 Sep
+420 417837221
kavka@osek.cz
N 50°37'19'' E 13°41'6''

1 ABJMNOPRST	AFLMN 6
2 BDFGHOPRWXY	AFI 7
3 AEFL	ABEFNQR 8
4 F	GJ 9
5 DGIL	AGHIJR10
10A CEE	① €18,60
H160 4 ha 75T 29D	② €23,40

Von Dubi zum Zentrum Osek. Im Zentrum rechts Richtung Dlouhy Louka. 200m weiter links befindet sich der CP, ausgeschildert.

Tschechien

Karte Tschechien auf Seite 456

ATC Merkur Pasohlávky

Pasohlávky, CZ-69122 / Jihomoravsky kraj

ATC Merkur Pasohlávky****	1 ABD**JM**NOPRST	**HMN**QRS 6
Pasohlávky 1	2 DFGIOPRVWX	A**B**D**EFGIJ** 7
1 Apr - 31 Okt	3 AEF**IMS**	AE**F**NQR 8
+420 519427714	4 IMO**P**	JMNPTV 9
camp@pasohlavky.cz	5 ACDFGIJ	AHIKPR10
	Anzeige auf dieser Seite FKK B 16A	❶ €15,25
N 48°54'36'' E 16°34'11''	H177 5 ha 1400**T**(80-100m²) 109**D**	❷ €18,90

52 Brno-Wien. Nach Nová Ves wird der CP ausgeschildert. CP liegt direkt an der Straße.

Planá u Mariánských Lázní, CZ-34815 / Plzensky kraj

Camp Karolina****	1 A**JM**NOPRST	A 6
Brod nad Tichou	2 BCFGPRX	ABDE**F** 7
1 Mai - 30 Sep	3 ABELS	ABCDEFJNRV 8
+420 777296990	4 FHI	EJU 9
office@camp-k.cz	5 ADGL	ABHJPRV10
	Anzeige auf Seite 467 B 10A	❶ €17,30
N 49°49'13'' E 12°45'12''	H450 3 ha 92**T**(70-100m²) 16**D**	❷ €17,30

Aus Planá Richtung Bor Straße 21. Deutliche CP-Schildern folgen.

Plzen/Maly Bolevec, CZ-32300 / Plzensky kraj

Autocamping Ostende Bolevec	1 B**JM**NOPQRS**T**	**L**NQS 6
U Velkého rybníka 1	2 ABDGOPRX	AB**F**HIJK 7
1 Mai - 30 Sep	3 AE	ABE**F**NQR 8
+420 739604601	4 FHI	FJP 9
recepce@bolevak.eu	5 ABIL	FHIJOR10
	10A	❶ €18,20
N 49°46'38'' E 13°23'24''	H320 3 ha 160**T**(80-100m²) 54**D**	❷ €21,80

Ist ausgeschildert auf der Durchgangsroute Plzen-Most. CP liegt an der Nordseite von Plzen.

Prag 3, CZ-13000 / Praha

Camp Zizkov Prague	1 ABJMNOPRS**T**	**ABFG** 6
Nad Ohradou 17	2 AOPX	ABFIK 7
1 Mai - 30 Sep	3 A**M**S	ABEFNQR 8
+420 607296507	4 FHIOQ**R**	AGW 9
camp.zizkov@gmail.com	5 FGIL	ABHIJNORV10
	16A	❶ €27,65
N 50°5'31'' E 14°28'23''	1,5 ha 45**T**(35m²) 16**D**	❷ €36,35

D1 Prag-Brno, Ausfahrt Zizkov. Rechts ab nach Husitska/Konevova. Danach ausgeschildert.

Prag 4/Seberov, CZ-14900 / Praha

Pension camp Prager	1 A**JM**NOR**T**	6
v. Ladech 3	2 AOPX	AB**F** 7
1 Mai - 15 Sep	3	ABEFNQR 8
+420 244912854	4 IO	G 9
petrgali@login.cz	5	AIJ**NO**10
	10A CEE	❶ €19,20
N 50°0'46'' E 14°30'42''	H220 0,4 ha 20**T**(80-120m²) 4**D**	❷ €27,20

E55/D1, Praha-Brno, Ausfahrt 2A Seberov oder E55/D1 Brno-Praha-Dresden, Ausfahrt 2 Seberov/Chodov. CP am Kreisverkehr ausgeschildert.

Prag 5/Smíchov, CZ-15000 / Praha

Caravan Camping Praha	1 AJMNOPRS	6
Císarská louka 162	2 ACPX	ABDE**F** 7
1 Jan - 31 Dez	3	ABEFN 8
+420 257317555	4	G 9
info@caravancamping.cz	5 BI	ABIOR10
	10A CEE	❶ €22,00
N 50°3'21'' E 14°24'48''	1,1 ha 80**T** 10**D**	❷ €26,35

In Prag Richtung Branik. Danach Richtung Smichov über die Smichovská-Straße. Der CP liegt 200m von der Tankstelle.

Prag 5/Trebonice, CZ-15500 / Praha

Drusus	1 ADJMNOR**T**	6
K. Reporyjim 4	2 APX	ABE**FG**HI 7
2 Apr - 15 Okt	3 AE**G**	ABE**F**NR 8
+420 235514391	4 OR	FGJV 9
drusus@drusus.com	5 BI	ABHJR10
	B 16A CEE	❶ €20,30
N 50°2'37'' E 14°17'4''	H350 1,2 ha 65**T** 14**D**	❷ €26,10

Von Plzen/Karlovy Vary/Slany die E50 Richtung Brno/Transit. Ausfahrt 21 Praha Stodulky. Von Brno die E50 Ausfahrt Richtung Slany/Karlovy Vary/Plzen/Transit. Ausfahrt 21 Praha Stodulky oder 23A Praha Trebionce.

Prag 6, CZ-16000 / Praha

Kemp Dzbán	1 ABD**JM**NORST	6
Nad Lávkou 5	2 AOPX	AB**F**IJ 7
26 Apr - 30 Sep	3 BQ	ABEFNQR 8
+420 725956457	4	9
info@campdzban.eu	5 AB	AHIJOR10
	10A	❶ €24,75
N 50°5'56'' E 14°20'11''	2 ha 100**T**(ab 80m²)	❷ €32,00

Die 7 ab Slany Richtung Flughafen ins Zentrum Ortsteil Vokovice. An der Straße Europsko ist der CP ausgeschildert.

Prag 7, CZ-17100 / Praha

River Camping Prague	1 A**JM**NOR	6
Troja 147 E	2 ACPW	B**F** 7
1 Apr - 31 Okt	3	ABDFNQR 8
+420 607048800	4	9
info@ rivercampingprague.com	5	AJPTUV10
	10A	❶ €27,70
N 50°6'50'' E 14°25'35''	40**T**	❷ €33,80

Liegt in Prag-Nord (Prag 7), Richtung Trója. E55 von Praha-Teplice, Richtung Zoo. Camping ist ausgeschildert.

Prag 7/Troja, CZ-17100 / Praha

Autocamp Trojská	1 A**JM**NOR**T**	6
Trojska 375/157	2 OPRX	ABDE**F**HI 7
1 Jan - 31 Dez	3	ABCDEFN 8
+420 283850487	4 O	FGKL 9
reception@ autocamp-trojska.cz	5 BDI	ABHJOR10
	4A	❶ €22,20
N 50°7'2'' E 14°25'39''	H150 0,8 ha 25**T** 5**D**	❷ €27,25

Liegt in Prag-Nord, im Stadtteil Troja. Am einfachsten über Teplice-Prag (E55/8) Ausfahrt Troja zu erreichen. Dann ausgeschildert.

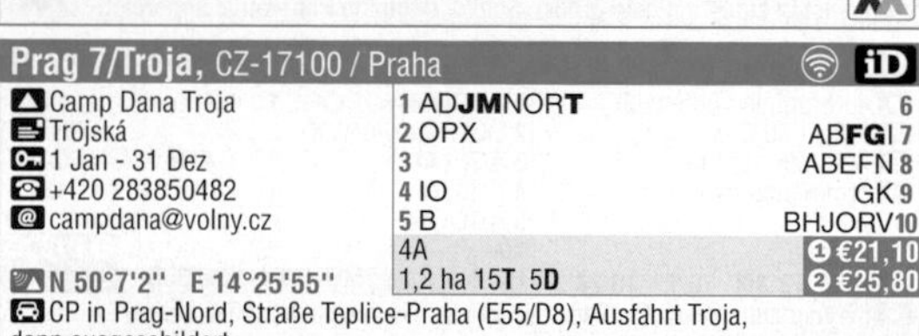

Prag 7/Troja, CZ-17100 / Praha

Camp Dana Troja	1 AD**JM**NOR**T**	6
Trojská	2 OPX	AB**FGI** 7
1 Jan - 31 Dez	3	ABEFN 8
+420 283850482	4 IO	GK 9
campdana@volny.cz	5 B	BHJORV10
	4A	❶ €21,10
N 50°7'2'' E 14°25'55''	1,2 ha 15**T** 5**D**	❷ €25,80

CP in Prag-Nord, Straße Teplice-Praha (E55/D8), Ausfahrt Troja, dann ausgeschildert.

Tschechien

Karte Tschechien auf Seite 456

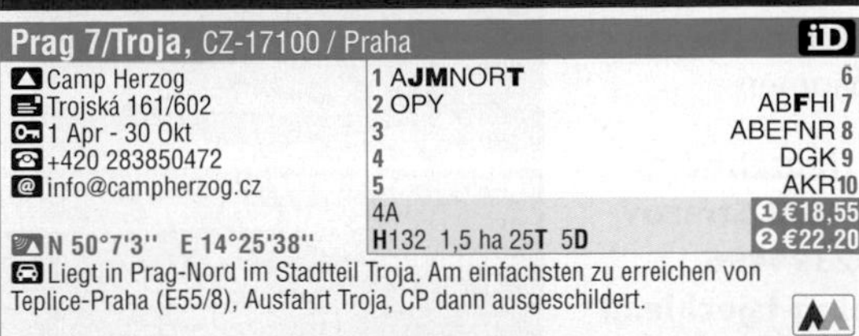

Prag 7/Troja, CZ-17100 / Praha

Camp Herzog	1 A**JM**NOR**T**	6
Trojská 161/602	2 OPY	AB**F**HI 7
1 Apr - 30 Okt	3	ABEFNR 8
+420 283850472	4	DGK 9
info@campherzog.cz	5	AKR10
	4A	❶ €18,55
N 50°7'3'' E 14°25'38''	H132 1,5 ha 25**T** 5**D**	❷ €22,20

Liegt in Prag-Nord im Stadtteil Troja. Am einfachsten zu erreichen von Teplice-Praha (E55/8), Ausfahrt Troja, CP dann ausgeschildert.

Prag 7/Troja, CZ-17100 / Praha

Fremunt	1 A**JM**NOR**T**	6
Trojská 159	2 AOPSWX	AB**FG** 7
1 Jan - 31 Dez	3	ABEFJNRTU 8
+420 283850476	4	GJ 9
campfremunt@email.cz	5 B	ABGHIJ10
	10A CEE	❶ €21,45
N 50°7'2'' E 14°25'39''	H220 0,6 ha 12**T** 7**D**	❷ €25,80

Der CP liegt in Prag-Nord. E55 Praha-Teplice, Ausfahrt Troja. Richtung Zoo.

Prag 8/Brezineves, CZ-18200 / Praha

Busek Praag	1 A**JM**NORT	6
U Parku 6	2 AOPX	AB**F**I 7
1 Jan - 31 Dez	3	ABEFN 8
+420 283910254	4	GI 9
campbusekprag@volny.cz	5 I	ABHJ10
	16A	❶ €20,35
N 50°9'53'' E 14°29'8''	H300 0,8 ha 24**T** 25**D**	❷ €25,45

E55/8 Teplice-Praha, Ausfahrt Brezineves; ausgeschildert 'Camp Busek'.

Prag 8/Dolní Chabry, CZ-18400 / Praha

Triocamp***	1 AD**JM**NOPRS**T**	A 6
Ústecká (Obsluz 043)	2 AOPRTX	ABDE**F** 7
1 Jan - 31 Dez	3 BEM	ABEFNR 8
+420 283850793	4 AO	FGJL 9
triocamp.praha@telecom.cz	5 BDIK	AHJ**O**R10
	B 6A	❶ €30,90
N 50°9'9'' E 14°27'1''	H300 1 ha 65**T** 22**D**	❷ €38,20

Ab Zentrum D8/E55 Richtung Teplice, Ausfahrt Zdiby; über die 608 Richtung Dolní Chabry. Nach 3 km rechts ab.

Prag 9/Dolní Pocernice, CZ-19012 / Praha

Sokol Praha****	1 AD**JM**NOR**T**	A 6
Národních hrdinù 290	2 AOPWX	ABDE**FG**HIK 7
1 Apr - 31 Okt	3 E**I**LS	ABCEFNQR 8
+420 777553543	4 IO	EJKLV 9
info@campingsokol.cz	5 ABDIJK	ABGHIJ**NO**RV10
	B 16A CEE	❶ €30,00
N 50°5'18'' E 14°35'0''	H300 2,5 ha 39**T**(ab 80m²) 33**D**	❷ €38,00

CP liegt im östlichen Teil Prags. E65/67 in Richtung Hradec Králové/Kolin, Ausfahrt Dolní Pocernice. CP ist ausgeschildert.

Prag 9/Klánovice, CZ-19014 / Praha

Praha Klánovice	1 AD**JM**NOPRST	AF 6
V Jehlicine 391	2 AGIOPVW	ABDE**FG** 7
12 Apr - 18 Okt	3 BEF**I**LS	ABCDEFNQR 8
+420 774553542	4 BIO	E 9
info@campingpraha.cz	5 ABCDEJL	ABHI**NO**R10
	B 16A CEE	❶ €31,00
N 50°5'55'' E 14°41'6''	2 ha 61**T**(70-100m²) 22**D**	❷ €39,00

Ring Prag Ausfahrt Bechovice Richtung Kolin die 12 nach Ujezd nad Lesy. An der Kreuzung links Richtung Klánovice, etwa 3 km und die letzte Straße rechts zur Slechtitelska.

Roznov pod Radhostem, CZ-75661 / Zlinsky kraj

Camping Roznov	1 ABD**JM**NOPRST	**A** 6
Radhoštská 940	2 OPVWX	ABDE**FGH** 7
15 Apr - 31 Okt	3 BL	ABCDEFNQR 8
+420 571648001	4 FHIO**Q**	FGJKL 9
info@camproznov.cz	5 ABI	AHIOR10
	B 16A	❶ €16,00
N 49°28'0'' E 18°9'50''	H400 4 ha 220**T**(50-100m²) 140**D**	❷ €20,00

Nähe Roznov an der E442 Richtung Zilina auf der linken Seite der Strecke.

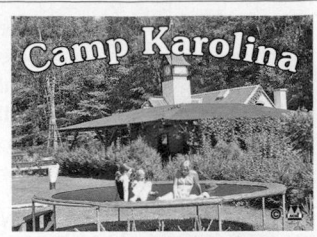

Rozstani/Baldovec, CZ-79862 / Olomoucky kraj

Camping Baldovec	1 AB**JM**NOPRS**T**	A 6
Baldovec 319	2 BCGNPRTUWXY	AB**FG**H 7
1 Jan - 31 Dez	3 AEF**GLMU**	ABE**F**NQ 8
+420 606744265	4 **AEFHINOPQTUXY**	FIJLU 9
info@baldovec.cz	5 ADEGJ	ABHJPR10
	10A	❶ €15,90
N 49°24'47'' E 16°48'30''	H500 7,5 ha 100**T**(100-150m²) 70**D**	❷ €18,80

Die 42, Brno-Svitavy. In Blansko die 379 richtung Jedovnice und die 378 Richtung Lipovec nehmen. Bei Rozstani links nach Baldovec. Im Ort ausgeschildert. Letzte Km sehr schlechter Straßen wegen des Steinbruchs.

Sadov 7/Karlovy Vary, CZ-30001 / Karlovarsky kraj

Sasanka	1 AB**JM**NOPR**T**	6
1 Apr - 31 Okt	2 OPX	AB**F** 7
+420 353590130	3 A	ABEFKNQR 8
campsadov@seznam.cz	4 F	F 9
	5 L	AIJNPR10
	B 16A	❶ €16,35
N 50°15'52'' E 12°54'0''	H450 3,1 ha 240**T** 12**D**	❷ €19,25

Straße 13 Cheb-Ostrov, Ausfahrt Sadov. Schildern folgen.

Spindlerúv Mlýn, CZ-54351 / Kralovehradecky kraj

Autocamp Spindleruv Mlyn	1 ABD**JM**NOPRST	**ABFGHJNU** 6
Spindleruv Mlyn 276	2 BCFGOPRWXY	ABDE**FG**IJK 7
1 Jan - 31 Dez	3 ADI**LM**	AB**F**JNQR 8
+420 499523534	4 FHIOQ	IJUW 9
info@kemp-spindl.cz	5	ABHIJPRY10
	W 16A CEE	❶ €22,50
N 50°44'10'' E 15°36'30''	2 ha 170**T**(100-150m²) 19**D**	❷ €27,50

Von Jablonec nad Jizerou über die 14 am Kreisel kurz vor Vrchlabi links die 295. CP auf der linken Seite der Straße, kurz hinter dem Zentrum Spindlerúv Mlýn.

Strachotin, CZ-69301 / Jihomoravsky kraj

Autocamp Strachotin Free Star****	1 ADE**JM**NOPRS**T**	ABL**NQX** 6
	2 ADFOPRW	A**BDEI** 7
Šakvicka 3	3 AFL	ABE**F**NQRSV 8
1 Apr - 20 Okt	4 FHO	FIKQV 9
+420 776230887	5 ABDG	AHJPRV10
autocamp@freestar.cz	B 10A	❶ €11,65
N 48°54'11'' E 16°39'4''	H195 1 ha 60**T**(80-100m²) 14**D**	❷ €11,65

E65 Brno-Bratislava. Ausfahrt Hustopece. Im Zentrum Hustopece rechts ab Richtung Horni Vestonice. Nach 7 km wird der CP in Strachotin angezeigt.

Strážnice, CZ-69662 / Jihomoravsky kraj

Autocamping Strážnice s.r.o.	1 ABD**JM**NOPRST	**AFHN** 6
Bzenecka 1533	2 GOPWX	ABDE**FG**HJ 7
1 Mai - 31 Okt	3 AE**I**	ABE**F**NQR 8
+420 518332037	4 FHIO	FGJKUV 9
info@camp-straznice.cz	5 ABDGI	AHIJPRV10
	B 10A	❶ €12,35
N 48°54'32'' E 17°18'43''	H200 4 ha 500**T**(80-100m²) 86**D**	❷ €16,75

Ausgeschildert an der 55 in Strážnice. Ausfahrt 426 Richtung Bzenec.

Strážnice, CZ-69662 / Jihomoravsky kraj

Autokemp Lucina	1 AB**JM**NOPRS**T**	AF**N** 6
Tvarozná Lhota 272	2 DGPRWX	ABDEIJ 7
1 Mai - 31 Okt	3 AE**I**L	ABE**F**NQ 8
+420 518-337525	4 FHO**PQ**	FJ 9
riha.libor@seznam.cz	5 ABDFGI	AHIJ**O**R10
	10A	❶ €11,15
N 48°51'39'' E 17°23'7''	1,5 ha 50**T**(60-80m²) 72**D**	❷ €16,65

55 Uhershé Hradiste-Hodonin. In Strážnice Ausfahrt Radejov. CP ist ausgeschildert.

Tschechien

Strázov, CZ-34021 / Plzensky kraj
CC€16 iD

u Dvou Orechu	1 A**JM**NOPRS**T**	6
Splz 13 Stràzov	2 FGOPTUX	ABE**F** 7
25 Apr - 30 Sep	3 A	ABEFNQ 8
+420 602394496	4 FHI	9
info@camping-tsjechie.nl	5 DGL	ABJNPR 10
	Anzeige auf dieser Seite 10A CEE	① €17,80
N 49°16'53" E 13°14'24"	**H**550 2 ha 30**T**(64m²)	② €26,90

Von Klatovy die 191 Nýrsko, danach die 171 Richtung Strázov. In Strázov rechts, R. Depoltice/Divisovice, links halten, nach 2 km Spliz/Hajek.

Vrané nad Vltavou/Praag, CZ-25246 / Stred. kraj
CC€12 iD

Camp Matyás	1 AB**JM**NOPQRS**T**	**F**JM**N**QSUWXYZ 6
U Elektrarny 100	2 ACFGOPWXY	ABDE**F**I 7
1 Apr - 15 Okt	3 BEF**ILMS**	ABEFNQRV 8
+420 777016073	4 FHIMO**PTUVWXYZ**	JMPQRTUVZ 9
campmatyas@centrum.cz	5 ABDJL	ABDFGHIJLPR 10
	10A	① €23,00
N 49°55'58" E 14°22'20"	**H**210 1 ha 50**T** 2**D**	② €24,00

Von Dresden der E55 und Ostatni Transit und Strakonice der R4 folgen. Ausfahrt Slapy/Zbraslav und der 101 folgen. Nach der Zbraslav Brücke der Beschilderung zum Camping Matyás folgen.

Svratouch 317, CZ-53942 / Pardubicky kraj
iD

Nás Sen Onze Droom	1 ABGJMNOPQRS**T**	L**X** 6
1/4 - 31/10, 16/12 - 7/1	2 BDIPRW	ABDE**FGH** 7
+420 608310222	3 A**K**L	ABEFJNQR 8
h.brand18@chello.nl	4 FHIO	DFG 9
	5 ABGIL	ABHIJNORVXY 10
	6A CEE	① €17,80
N 49°43'23" E 16°2'31"	**H**760 1,5 ha 30**T**(100-150m²) 10**D**	② €21,45

Die 34 von Hlinsko nach Policka. Im Ort Krovna rechts die 354 nach Svratka. In Svratouch mit den Schildern 'Nas Sen' ausgeschildert.

Vranov nad Dyji, CZ-67103 / Jihomor. kraj
CC€10 iD

Camping Vranovská Pláž***	1 ABD**I**KNOPRS**T**	**H**L**N**OQRX 6
Vranovská Prehrada - Pláz 1	2 BDFGHIJPRWX	AB**FG**JK 7
1 Mai - 30 Sep	3 ABCEF**ILMOS**	AB**F**NQRS 8
+420 724101725	4 BM**PRSTU**	EIJMNPRTUV 9
recepce@vranovska-plaz.cz	5 ABFGIJ	AIJ**P**V 10
	10A	① €17,75
N 48°54'54" E 15°48'44"	13 ha 440**T** 66**D**	② €21,40

An der 408 von Znojmo nach Jemnice wird der CP zwischen Zalesi und Stitary ausgeschildert. Nicht dem Navi via GPS folgen.

Trebon/Domanin, CZ-37901 / Jihocesky kraj
iD

Autocamp Trebon	1 AB**JM**NOPQRT	LQ 6
Domanin 285	2 DFGHPQRUX	AB**F**HI 7
1 Mai - 20 Sep	3 AE	ABE**F**NQ 8
+420 384722586	4 IO**Q**	FGLQ 9
info@autocamp-trebon.cz	5 BDH	AHJ**N**OR 10
	6A	① €13,45
N 48°59'36" E 14°46'0"	**H**430 2,5 ha 150**T** 146**D**	② €16,75

Gelegen an der Strecke Trebon-Borovany. Wird ausgeschildert.

Vrchlabí, CZ-54311 / Kralovehradecky kraj
CC€10 iD

Euro-Air-Camping	1 ABCJMNOPQRST	AF**N** 6
N14	2 BDFGOPRWXY	ABFG 7
1 Mai - 30 Sep	3 AELM**P**S	ABCDE**F**JNQRSV 8
+420 491612605	4 AIO**PQ**	FU 9
info@euro-air-camp.cz	5 ABGJKL	ABDFHIJNPR 10
	10A	① €16,00
N 50°37'27" E 15°38'26"	**H**475 4 ha 90**T**(100-150m²) 8**D**	② €18,90

Straße 14 Vrchlabí-Trutnov. Einige km hinter Zentrum Vrchlabí an rechter Straßenseite gelegen, gegenüber Flugplatz Airoclub. Deutlich ausgeschildert.

Velehrad, CZ-68706 / Zlinsky kraj
iD

Autokemp Velehrad	1 ABJMNOPRST	6
Velehrad c.p.31	2 BGPWX	ABDEFIK 7
1 Apr - 30 Sep	3 AF	ABEFNQR 8
+420 572571183	4 IO	GJ 9
autokemp@sm-reality.cz	5 ADGI	AJPR 10
	16A	① €10,90
N 49°7'8" E 17°22'49"	5 ha 50**T**(80-100m²) 16**D**	② €16,00

Von Uhershé Hradiste nach Stare Mesto. Dann noch 6 km nach Velehrad. Der CP ist deutlich angezeigt.

Vrchlabí, CZ-54362 / Kralovehradecky kraj
iD

Holiday Park Lisci Farma****	1 ABDE**JM**NOPRST	AF**N**U 6
Dolní Branná 350	2 FGOPRUVWXY	AB**FGI** 7
1 Jan - 31 Dez	3 BCEF**GIK**L**MNR**SU	ABCDE**F**JKNQRSV 8
+420 733636797	4 **A**BDFHI**J**LO**PQT**	AEGJLU 9
rezervace@liscifarma.cz	5 BDEGIJK**L**	ABFHIJ**NP**RX 10
	W 6-10A	① €22,00
N 50°36'37" E 15°36'10"	**H**550 8 ha 260**T**(100-150m²) 53**D**	② €26,00

Liegt an der 295 von Vrchlabí nach Studenec. CP rechts der Straße ausgeschildert.

Veverská Bitýska, CZ-66471 / Jihomoravsky kraj
iD

Camping Hana	1 A**JM**NOPRST	NUX 6
Dlouhá 135	2 ACOPRVWX	ABD**FG**HI**K** 7
1 Mai - 1 Okt	3 A**K**L**O**	ABE**F**NQR 8
+420 607905801	4 A**E**FH**RSTX**	9
camping.hana@seznam.cz	5 ABL	ABHIJPR 10
	10A	① €14,90
N 49°16'35" E 16°27'11"	**H**460 0,8 ha 55**T**(60-290m²)	② €17,80

Von der E50/E65 Praha-Brno, Ausfahrt 178 Ostrovanice, Richtung Svitavy, danach Veverská Bitýska fahren. Der CP wird hier ausgeschildert.

Zamberk, CZ-56401 / Pardubicky kraj
iD

Autocamping Zamberk	1 ABDE**JM**NOPQRS**T**	**AFG**HI 6
Pod Cerným Lesem 1024	2 CGPRWX	ABDE**F**IJ 7
15 Apr - 31 Okt	3 BEFIL**MNOP**	ABEFNQRV 8
+420 465614755	4 HNO**RSU**	EFJU 9
kemp@orlicko.cz	5 ABGHI	ABHKPRW 10
	10A	① €13,80
N 50°5'12" E 16°28'32"	**H**465 1,5 ha 65**T**(100-150m²) 40**D**	② €17,10

Die 11 Jablonné-Zamberk. Hurz vor der Ortsmitte Zamberk. Der CP liegt an der rechten Seite der Straße in der Kurve.

Vir, CZ-59266 / Kraj Vysocina
iD

Autocamp Na Kopci	1 ABCG**JM**NOPRS**T**	A**N**UX 6
388	2 BCGHOPRSTWXY	BE**FGH** 7
1 Jan - 31 Dez	3 AEFLQR	ABEFJNRSV 8
+420 604100679	4 FHINO**Q**	ADFIKUV 9
info@autocampnakopci.com	5 ABDEFGIKL	ABFGHIJLNPST 10
	10A	① €13,65
N 49°32'37" E 16°17'36"	**H**440 5,6 ha 50**T**(100-150m²) 45**D**	② €13,65

Von Praha Richtung Brno. Ausfahrt Jihlava Richtung Zdár nad Sázavou. Auf der 19 Richtung Nové Mesto, nach Bystrice n.P. und Ausfahrt Vir auf der 388. Nach etwa 3 km an der rechten Seite.

Zlatníky/Praag, CZ-25241 / Stredocesky kraj
CC€14 iD

Camping Oase Praag****	1 ABD**JM**NOPQRST	AEF 6
Libenská	2 AOPRVWXY	ABDE**FG**HIK 7
25 Apr - 14 Sep	3 ABCEF**GH**I**K**LRS	ABCDEFGIJKNQRSTUV 8
+420 241932044	4 ABCEHILO**QTUX**	AEGY 9
info@campingoase.cz	5 ABDEGJK**L**	ABDGHIJ**NP**RVX 10
	B 6-10A	① €26,55
N 49°57'6" E 14°28'30"	**H**200 3 ha 120**T**(100-180m²) 10**D**	② €33,80

Südlich von Prag der R1 (Prazky Okruh) folgen, Ausfahrt 82 Jesenice. In Jesenice links Richtung Zlatníky. In Zlatniky am Kreisel links und der CP ist 500m hinter dem Ort. Ausgeschildert.

Karte Tschechien auf Seite 456

Slowakei

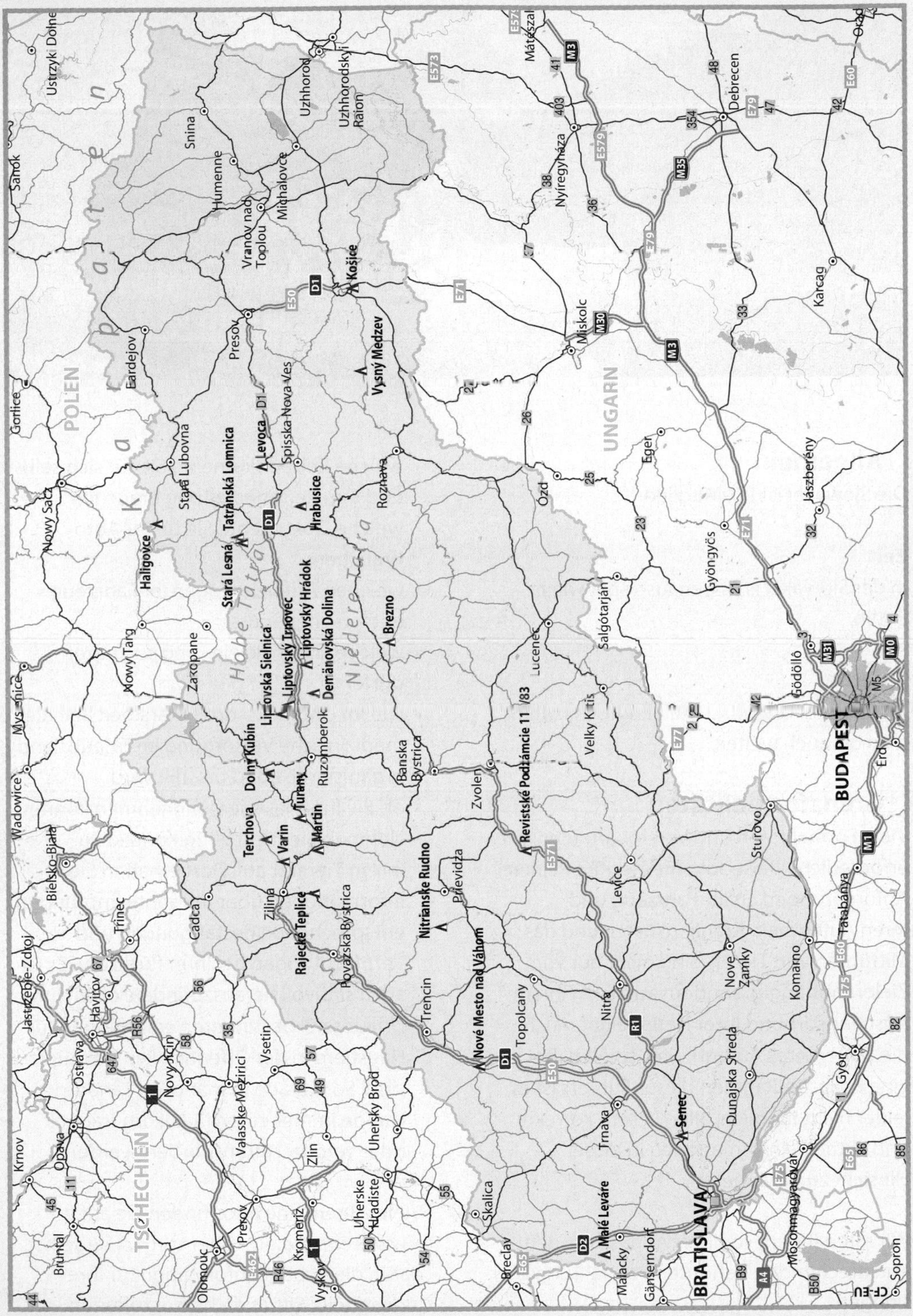

Allgemein

Die Slowakei ist EU-Mitglied.

Zeit

In der Slowakei is es genauso spät wie in Berlin.

Sprache

Slowakisch, Ungarisch, mit Englisch kommt man oft auch weiter.

Grenzformalitäten

Viele Formalitäten und Vereinbarungen, wie erforderliche Reisedokumente, KFZ-Papiere, Anforderungen an Ihr Fahrzeug und Ihren Aufenthalt, Krankenkosten und das Mitführen von Tieren, sind nicht nur vom Zielort abhängig, sondern auch von Ihrem Ausgangsort und Ihrer Nationalität. Auch die Dauer Ihres Aufenthaltes spielt dabei eine Rolle. Im Rahmen dieses Führers ist es leider nicht möglich, allen Lesern korrekte und aktuelle Informationen in dieser Hinsicht zu garantieren.

Wir raten Ihnen, vor Ihrer Abreise bei den entsprechenden Behörden in Erfahrung zu bringen:

- welche Reisedokumente Sie für sich selbst und Ihre Reisebegleitung brauchen
- welche Dokumente Sie für Ihr Auto brauchen
- welchen Anforderungen Ihr Fahrzeug entsprechen muss
- welche Güter Sie ein- und ausführen dürfen
- wie im Unglücks- oder Krankheitsfall die medizinische Versorgung im Urlaubsland organisiert ist und bezahlt wird
- ob Sie Ihre Haustiere mitnehmen können. Nehmen Sie rechtzeitig Kontakt zu Ihrem Tierarzt auf. Dort erhalten Sie Informationen über relevante Impfungen, entsprechende Bestätigungen und Verpflichtungen bei Ihrer Rückkehr. Es ist auch sinnvoll herauszufinden, ob an Ihrem Urlaubsziel bestimmte Bedingungen für Haustiere in der Öffentlichkeit geknüpft sind. So müssen in manchen Ländern Hunde immer einen Maulkorb tragen oder vergittert transportiert werden.

Viele allgemeine Infos finden Sie auf ▸ *www.europa.eu* ◂ aber sorgen Sie selbst dafür, die richtige Information für Ihre individuelle Situation herauszufinden.

Aktuelle Zollbestimmungen entnehmen Sie den Botschaften des jeweiligen Urlaubslandes an Ihrem Wohnort.

Währung und Geld

Währung ist der Euro.

Geldautomat

In der Slowakei gibt es ausreichend Geldautomaten.

Kreditkarten

Fast überall kann man mit Kreditkarte bezahlen.

Öffnungszeiten und Feiertage

Banken

Banken sind an Werktagen bis 18.00 Uhr geöffnet.

Geschäfte

Sind an Werktagen bis 18.00 Uhr geöffnet. Samstags sind die Geschäfte bis 12.00 Uhr geöffnet.

Feiertage

Neujahr, 6. Januar (Dreikönige), Karfreitag, Ostern, 1. Mai (Tag der Arbeit), 8. Mai (Tag der Befreiung), 5. Juli (Kyrill und Methodius), 29. August (Nationalfeiertag), 1. September (Verfassung), Allerheiligen, 17. November (Aufstand von 1989), 24. Dezember (Heiligabend), Weihnachten.

Kommunikation

(Mobil)Telefon

Das Mobilfunknetz ist in der Slowakei gut, abgesehen von den dünn besiedelten Gebieten im Tatragebirge. Es gibt ein 3 G-Netz für das mobile Internet.

W-Lan, Internet

In einigen Städten finden Sie Internetcafés.

Post

Offen an Werktagen bis 18.00 Uhr, samstags bis 13.00 Uhr.

Straßen und Verkehr

Straßennetz

Unbefestigte und schlechte Straßen kommen nur in den ländlichen Gebieten vor. Fahrten nach Anbruch der Dunkelheit sind nicht ohne Risiko, wegen oft unbeleuchteter Fahrzeugen. Die slowakische Straßenwacht SATC erreicht man unter Tel. 18124.

Verkehrsvorschriften

Rechts hat immer Vorfahrt, außer auf Hauptstraßen. Der Kreisverkehr hat Vorfahrt.

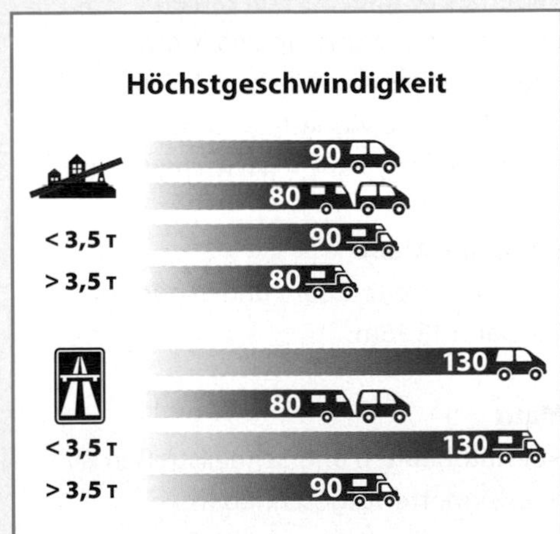

Absolutes Alkoholverbot. Sie müssen auch tagsüber mit Abblendlicht fahren. Telefonieren nur mit Freisprechanlage. Unfälle mit Körperverletzungen und Schäden höher als € 4.000 müssen unmittelbar der Polizei gemeldet werden. Kinder unter 15 Jahren müssen überall einen Fahrradhelm tragen, für ältere Radfahrer gilt die Helmpflicht nur außerhalb geschlossener Ortschaften. Winterreifen sind bei schnee- und eisbedeckten Straßen Pflicht.

Navigation
Warnung vor festen Blitzern durch Navi oder Mobiltelefon Apps ist erlaubt. Achtung mit Ihrer Navigation: in der Slowakei dürfen Sie Ihr Navi nicht mitten auf der Windschutzscheibe haben, da es die Sicht versperrt.

Wohnwagen, Reisemobil
Haben Zugfahrzeug und Wohnwagen ein Gesamtgewicht über 3,5 Ton, brauchen Sie eine zusätzliche Vignette. Sie müssen dann 2 anstatt 1 Vignette an Ihrer Windschutzscheibe haben.
Reisemobile über 3,5 Ton zahlen elektronische Maut pro gefahrenen Kilometer. Reisemobile bis 3,5 Ton brauchen eine Vignette. Weitere Infos zu Reisemobilen , siehe ▸ *www.emyto.sk* ◂

Zulässige Maße
Höhe 4m, Breite 2,55m und Länge von Gespann 18,75m.

Maut
Auf Autobahnen und Schnellstraßen ist eine Vignette vorgeschrieben.
Vignetten erhält man an der Grenze, auf Postämtern oder Tankstellen in Grenznähe und müssen, vom Fahrer aus gesehen, rechts oben oder unten auf der Windschutzscheibe angebracht werden.

Kraftstoff
Bleifrei ist gut erhältlich, Diesel einigermaßen bis gut und LPG einigermaßen.

Tankstellen
Tankstellen sind geöffnet von Montag bis Samstag bis 20.00 Uhr. Sie können meist mit Kreditkarte bezahlen. An den Autobahnen und Hauptstrecken und in großen Städten sind viele Tankstellen Tag und Nacht geöffnet.

Notruf
112: allgemeiner nationaler Notruf für Polizei, Feuerwehr und Krankenwagen.

Campen

Die meisten Campings liegen in den Nationalparks wie die Hohe Tatra und an den zahlreichen Stauseen. Bedenken Sie, dass die Sanitäranlagen ein niedrigeres Niveau als in Westeuropa haben.
Parzellierte Stellplätze und Servicestationen kommen eher selten vor. Die meisten Campings verfügen aber über Strom.
Es ist nicht erlaubt auf Parkplätzen zu übernachten.

Praktisch
- Am besten immer Universalstecker dabei haben.
- Verwenden Sie lieber Mineralwasser in Flaschen anstatt Leitungswasser.

Klima Bratislava	Jan.	Feb.	März	April	Mai	Juni	Juli	Aug.	Sept.	Okt.	Nov.	Dez.
Tagestemperatur	0	2	7	13	17	21	23	22	19	12	6	3
Sonnenstunden am Tag	2	3	5	7	9	10	10	9	8	5	2	2
Regentage	8	7	7	8	8	7	8	6	6	8	8	10

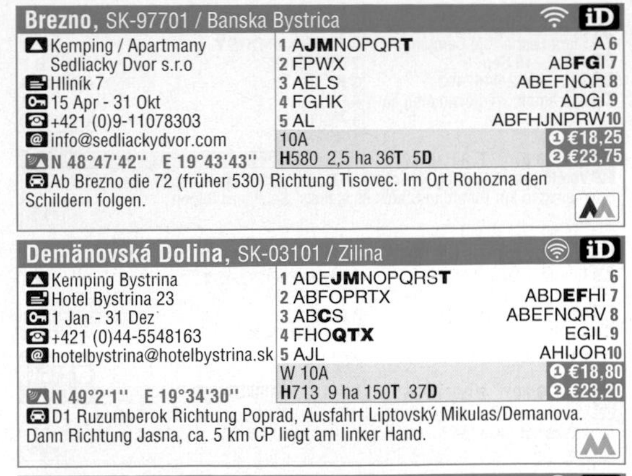

Brezno, SK-97701 / Banska Bystrica

Kemping / Apartmany Sedliacky Dvor s.r.o	1 AJMNOPQRT	A 6
Hliník 7	2 FPWX	ABFGI 7
15 Apr - 31 Okt	3 AELS	ABEFNQR 8
+421 (0)9-11078303	4 FGHK	ADGI 9
info@sedliackydvor.com	5 AL	ABFHJNPRW 10
	10A	1 €18,25
N 48°47'42'' E 19°43'43''	H580 2,5 ha 36T 5D	2 €23,75

Ab Brezno die 72 (früher 530) Richtung Tisovec. Im Ort Rohozna den Schildern folgen.

Demänovská Dolina, SK-03101 / Zilina

Kemping Bystrina	1 ADEJMNOPQRST	6
Hotel Bystrina 23	2 ABFOPRTX	ABDEFHI 7
1 Jan - 31 Dez	3 ABCS	ABEFNQRV 8
+421 (0)44-5548163	4 FHOQTX	EGIL 9
hotelbystrina@hotelbystrina.sk	5 AJL	AHIJOR 10
	W 10A	1 €18,80
N 49°2'1'' E 19°34'30''	H713 9 ha 150T 37D	2 €23,20

D1 Ruzumberok Richtung Poprad, Ausfahrt Liptovský Mikulas/Demanova. Dann Richtung Jasna, ca. 5 km CP liegt am linker Hand.

Dolný Kubín, SK-02601 / Zilina

Tilia Camp Gäcel	1 ADJMNOPQRST	ABJNU 6
Gäcel ská Cesta	2 CGPRW	ADDEFI 7
1 Mai - 30 Sep	3 AEL	ABEFNQR 8
+421 (0)917-798826	4	FIQR 9
info@kemptilia.sk	5 AGJ	AHJNOR 10
	16A	1 €13,70
N 49°12'19'' E 19°16'5''	H459 2,3 ha 80T(ab 60m²) 17D	2 €15,20

Von Ruzomberok Ri. Dolný Kubín. Ausf. Zentrum. An der Ampel li, Ri. Oravská Poruba. CP liegt 2 km außerhalb der Stadt. Oder Zilina Ri. Kralovany, Ri. Dolný Kubín. In der Stadt Brücke überqueren, 2. Ampel re. CP-Schildern folgen.

Košice, SK-04013 / Kosice

A.T.C. Salas Barca**	1 ADJMNOPQRST	6
Alejová 24	2 APRWX	ABI 7
15 Mai - 15 Okt	3 ALS	ABEFNR 8
+421 (0)915-889298	4	FI 9
salas.barca@gmail.com	5 AGJ	AHIKR 10
	10A	1 €21,50
N 48°41'15'' E 21°15'22''	H209 2 ha 31T 9D	2 €25,50

Von Presov zunächst Ri. Miskolc (Ungarn), dann Roznava. Am CP vorbei Ri. Flughafen: das Schild Ausfahrt Flughafen steht gleich hinter der Brücke. Roznava Ri. Michalovce, dann der Beschilderung folgen.

Haligovce, SK-06534 / Presov

ATC Chatova Osada Goralsky Dvor	1 AJMNOPQRST	AB 6
Haligovce 188	2 CFGOPRSUWX	ABDEFGHIJK 7
1 Mai - 30 Okt	3 ABELMS	ABEFNQR 8
+421 (0)905-389413	4 FHIKOQ	FJVY 9
info@goralskydvor.sk	5 AIJLM	AFHIJNORV 10
	B 16A	1 €14,50
N 49°22'47'' E 20°26'22''	H530 3 ha 55T 14D	2 €17,50

Der CP liegt an der 543 Cervený Klástor-Stará L'ubovňa, 3 km hinter Cervený Klástor. Eigenes Schild gibt CP und Restaurant an.

Levoca, SK-05401 / Presov

Levoca Dolina	1 AJMNOPQRST	LMNQ 6
5333	2 BDGHOPRTUX	ABFHI 7
1 Jan - 31 Dez	3 AL	ABEFNR 8
+421 (0)53-4512705	4 FHORTU	FGILTUV 9
rzlevoca@pobox.sk	5 ABIJ	ABHIJORV 10
	10A	1 €17,90
N 49°2'59'' E 20°35'14''	H599 3 ha 70T 32D	2 €21,90

Von Poprad-Preov über die 18 (E50), um Levoca noch ca. 3 km geradeaus. Von Presov, letzte Kreuzung vor Stadmauer rechts, noch ca. 3 km.

Hrabusice, SK-05315 / Presov

Autocamping Podlesok	1 ADJMNOPQRST	6
Podlesok	2 BCFOPQRTW	F 7
1 Apr - 31 Okt	3 ALM	ABEFNR 8
+421 (0)53-4299165	4 FHO	FUV 9
recepcia@podlesok.sk	5 ABFIJ	AHJORV 10
	6A	1 €11,50
N 48°57'51'' E 20°23'6''	H550 2 ha 300T 21D	2 €16,50

Poprad Richtung Presov, weiter bis Spissky Svrtok E50/18. Hier Richtung Hrabusice/Slovensky Raj.

Liptovská Sielnica, SK-03223 / Zilina

Villa Betula Resort***	1 ADJMNOPQRST	AM 6
Brnice 166	2 AGOPRWX	ABDEFIK 7
1 Jan - 31 Dez	3 BFGHLMST	ABEFNQRSV 8
+421 (0)907-812327	4 BFHIJKOTX	ADEGI 9
villabetula@villabetula.sk	5 AGJLM	AHJNPR 10
	Anzeige auf dieser Seite W 10A	1 €26,40
N 49°8'10'' E 19°30'44''	H543 2 ha 130T 25D	2 €38,40

Von Martin die E50 Ri. Poprad, Ausfahrt Besanová ist ebenfalls Ausfahrt Liptovsky Trnovec (Campingplatz). Den CP-Schildern folgen. Oder die E50 über Liptovsky Mikulas Ri. Zuberec (die 584). CP ist ausgeschildert. E50 = D1.

Liptovský Hrádok, SK-03301 / Zilina

Autokemp Borová Sihot' S.R.O.	1 ADJMNOPQRST	NUX 6
SNP 200	2 ACFPRWX	ABDEFHI 7
1 Mai - 30 Sep	3 ALS	ABEFJNQR 8
+421 (0)44-5224039	4 FHIOQ	FGIL 9
recepcia@borovasihot.sk	5 AGJL	AHIJNPRV 10
	10A	1 €21,20
N 49°2'17'' E 19°42'12''	H637 3 ha 100T 39D	2 €26,20

D1 Ausfahrt 537 Liptovský Hrádok Richtung Liptovský Hrádok und dann die 18 Richtung Liptovský Mikulás. 100m außerhalb des Ortes. Den Schildern folgen.

Liptovský Trnovec, SK-03222 / Zilina

Mara Camping/ATC Liptovský Trnovec	1 ADJMNOPQRST	LMNOPQSWXYZ 6
1 Mai - 31 Okt	2 ADFGIJKOPRWX	ABDFI 7
+421 (0)44-5598458	3 BEFLMS	ABEFNQR 8
info@maracamping.sk	4 JO	EFLNQRTUV 9
	5 ADEFG	ABHNPRV 10
	B 10A	1 €23,40
N 49°6'39'' E 19°32'46''	H574 6,5 ha 184T(60-90m²) 32D	2 €28,40

Von der D1 nach Liptovský Mikalas. In der Stadt Ri. Zuberec und Liptovský Trnovec über die 584. Dann den CP-Schildern folgen. Oder von Ruzumberok Ri. Poprad. Ausfahrt Besanová, Ri. Liptovský Mikalas. Den Schildern folgen.

Malé Leváre, SK-90874 / Bratislava

ATC Rudava Malé Leváre	1 AJMNOPQRST	6
Malé Leváre 177	2 DHPRW	A 7
1 Jun - 10 Sep	3 AF	ACFN 8
+421 (0)911-691692	4	T 9
info@autokemprudava.sk	5 A	HJPV 10
	10A	1 €16,00
N 48°29'29'' E 16°57'21''	65 ha 63T	2 €19,00

Von Vel'ké Leváre nach Malé Leváre, links halten und der Beschilderung folgen.

Slowakei

Martin, SK-03608 / Zilina

Autocamping Turiec s.r.o.***	1 A**JM**NOPQRS**T**	6
Kolónia Hviezda 92	2 FOPRTWX	DEF**H**I 7
1 Jan - 31 Dez	3 LQ	ABEFNQRV 8
+421 (0)43-4284215	4 FHIO	FGJ 9
recepcia@autocampingturiec.sk	5 L	AHIJ**NP**RV 10
	10A	❶ €16,90
N 49°6'29'' E 18°54'0''	H441 2 ha 35T 26D	❷ €22,10

E50 Zilina-Poprad, in Vrutky (4 km westlich von Martin) den CP-Schildern folgen (Abfahrt ist gegenüber des Spiegels in der Kurve). Von Martin über die E50 Richtung Zilina ist der CP auch ausgeschildert.

Nitrianske Rudno, SK-97226 / Trencin

ATC Nitrianske Rudno S.R.O.	1 A**JM**NOPQRS**T**	**HLN**QXZ 6
Priehrada II/1	2 DGLOPRUW	A**B**DE**FHIK** 7
1 Jun - 30 Sep	3 AEL**M**	ABEFNQ 8
+421 (0)905-204739	4 FM**PQ**	EFPT 9
info@camping-nrudno.sk	5 ADFGJL	AHI**NOR** 10
	10A	❶ €12,80
N 48°48'16'' E 18°28'33''	H320 7 ha 250T(80m²) 23D	❷ €16,00

Über die 50 und die 574 Richtung Nitrianske Rudno. Kurz hinter dem Ort rechts der Strecke.

Nové Mesto nad Váhom, SK-91501 / Trencin

Zelená Voda	1 A**JM**NOPQRS**T**	6
515	2 ADGIJKOPRWX	A**F** 7
1 Jun - 30 Sep	3 F	AENQ 8
+421 (0)908-424504	4	ET 9
recepcia@zelenavoda.com	5 ABI	AIJ**N**PR 10
	10A	❶ €11,80
N 48°45'53'' E 17°51'15''	4 ha 316T 24D	❷ €15,00

Bratislava-Zilina über die DI. Nehmen Sie die Ausfahrt Nové Mesto nad Váhom. Nach 500m liegt der CP rechts.

Rajecké Teplice, SK-01313 / Zilina

Slnecné Skaly	1 A**JM**NOPQRS**T**	M 6
Poluvsie	2 CPRWX	**FH** 7
1 Mai - 30 Sep	3 AE**G**	ABEFNQR 8
+421 (0)41-5493404	4 FK	FJ 9
info@camping-raj.sk	5 ABD	AHIJORV 10
	16A	❶ €16,30
N 49°8'31'' E 18°43'9''	H392 4 ha 150T 8D	❷ €19,90

Die 64 von Zilina nach Prievidza. 1 km hinter dem Ort Porubka auf der rechten Seite.

Revistské Podzámcie 111/83, SK-96681 / Banska Bystr.

Drevenica Reviste - Autocamp	1 A**JM**NOPQRST	6
1 Jan - 31 Dez	2 ACFGOPRW	AK 7
+421 (0)917-409913	3 AL**S**	ABEFNQ 8
info@drevenicareviste.sk	4 HIO**UY**	GQRU 9
	5 AIJ	AJORV 10
	16A	❶ €12,00
N 48°31'15'' E 18°43'44''	H200 2,5 ha 78T 12D	❷ €16,00

R1 (E571) Nitra Ri. Zvolen, Ausfahrt Bzenica(110). 1. Straße links. Über das Viadukt re. Nach ca. 700m CP re. Oder R1(E571) Zvolen Ri. Nitra, Ausf. Zarnovica(109). 1. Straße li, na 500m li. Über das Viadukt re. Nach ca. 700m CP re.

Senec, SK-90301 / Bratislava

Stredisko Slnecné Jazerá (B)	1 A**JM**NOPQRS**T**	LM**NQ**S**X** 6
Slnecne Jazera - JUH	2 ADGKOPR	ABDEF**I** 7
15 Jun - 15 Sep	3 BF**M**	ABE**FN** 8
+421 (0)2-45928224	4	FIT 9
scr@slnecnejazerasenec.sk	5 ADEHI	AHPR 10
	B 10A	❶ €18,40
N 48°12'49'' E 17°24'39''	H220 20 ha 200T(60m²) 39D	❷ €21,80

D1 Bratislava Ri. Zilina, Ausf. 31 Senec. Die 503 Ri. Senec fahren. Am 1. Kreisel li. (3. Ausf.). Am 2. Kreisel links (3. Ausf.) geradeaus bis zum Kreisel vor Lidl 1. Straße re. CP liegt li. der Straße gegenüber dem Bahnhof.

Stará Lesná, SK-05960 / Prešov

Stará Lesná Rijo Camping	1 A**JM**NOPQRS**T**	6
1 Mai - 15 Sep	2 BFPRWX	AB 7
+421 (0)52-4467493	3 **K**	AEFNR 8
rijocamping@rijocamping.eu	4 F	9
	5 ABDE	AHIJRV 10
	10A	❶ €15,60
N 49°8'57'' E 20°16'52''	H835 2 ha 62T	❷ €20,20

Von Poprad Richtung Kezmarok (67), in Velká Lomnica links, die 540. Nach einigen km Richtung Stará Lesná links, Schildern folgen.

Tatranská Lomnica, SK-05960 / Presov

Tatranec camp.***	1 AD**JM**NOPQRS**T**	**N** 6
1 Jan - 31 Dez	2 CFOPRW	ABDE**FHIJK** 7
+421 (0)52-4467092	3 **KL**S	ABEFNQR 8
hoteltatranec@hoteltatranec.com	4 FIO**QRTVX**	FGL 9
	5 AIJ	AHIJOR 10
	10A	❶ €16,00
N 49°9'30'' E 20°18'35''	H774 8 ha 1500T 36D	❷ €20,00

Von Poprad Richtung Kezmarok (67), in Vel'ká Lomnica links Richtung Tatranská Lomnica (540).

Terchova, SK-01305 / Zilina

Camping Belá Nizné Kamence	1 A**JM**NOPQRS**T**	AM**N** 6
Wegnr. 583	2 CFOPRWX	A**F**IK 7
1 Mai - 15 Okt	3 AE**G**	ABE**F**NQR 8
+421 (0)41-5695135	4 O	FV 9
camp@bela.sk	5 ABDI	AHINPRV 10
	10A	❶ €16,00
N 49°14'54'' E 18°59'20''	H650 15 ha 200T 10D	❷ €20,00

Die 583 Zilina-Terchova. 2 km hinter Belá liegt der CP links der Strecke. Wird angezeigt.

Turany, SK-03853 / Zilina

A.T.C. Trusalova	1 AF**JM**NOPQRS**T**	**N** 6
1 Jun - 15 Sep	2 CFPRTX	ABDE**F**HI 7
+421 (0)43-4292636	3 AEL	ABEFNRV 8
trusalova@gmail.com	4 FIO	F 9
	5 ABD	AHIJRV 10
	10A	❶ €15,20
N 49°8'25'' E 19°3'5''	H492 4,2 ha 100T 38D	❷ €18,30

Der CP ist ausgeschildert an der E50 Martin-Ruzomberok, hinter Turany. Zwischen Autohändler und Straßencafé durchfahren.

Varin, SK-01303 / Zilina

ATC Varín	1 A**JM**NOPQRS**T**	AM 6
Dr. J. Tisu	2 CGOPRX	ABDEFI 7
1 Mai - 15 Okt	3 AEFLMQ	ABCEFNQR 8
+421 (0)41-5692410	4 O**TX**	FJUV 9
selinan@selinan.sk	5 AJL	AHJ**NP**RV 10
	16A	❶ €16,20
N 49°12'35'' E 18°52'45''	H387 5,7 ha 350T 22D	❷ €20,40

Von Bratislava Richtung Zilina. Erst Richtung Poprad/Martin, dann Terchova, über die 583. Von Poprad Richtung Terchova die 583. Der CP liegt rechts von der 583.

Vysný Medzev, SK-04425 / Kosice

Penzion Sokol	1 AFG**JM**NOPQRT	AB 6
Hrdinov SNP 64	2 PRSWXY	ABDE**F** 7
1 Apr - 1 Okt	3 **MP**QV	ABEFNQRTUV 8
+421 (0)55-4667488	4 **A**FGHI	HUVZ 9
info@sokol.nl	5 AIL	ABFGHIJ**NOR**V 10
	16A	❶ €20,00
N 48°42'53'' E 20°54'8''	H424 1 ha 31T 7D	❷ €22,50

E571 bei Moldava Ri. Jasov nach Medzev (550) durch den Ort, die 2. Straße rechts (Schild Sokol) nach Vysny Medzev. Hinter die Kirche links ab über die Brücke. Camping hinter Stahltüren auf der SNP 64 und SNP 66.

Durchreisecampingplätze

In diesem Führer finden Sie eine handliche Karte mit Campingplätzen an den wichtigen Durchgangsstrecken zu Ihrem Ferienziel. Durch die Farbe des jeweiligen Zeltchens können Sie erkennen, ob dieser Platz ganzjährig geöffnet ist oder nicht. Darüber hinaus gibt es für jeden Platz auch noch eine kurze redaktionelle Beschreibung, inklusive Routenbeschreibung und Öffnungszeiten.

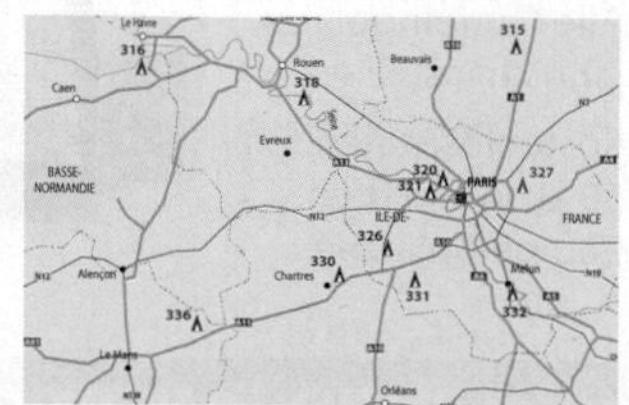

Ungarn

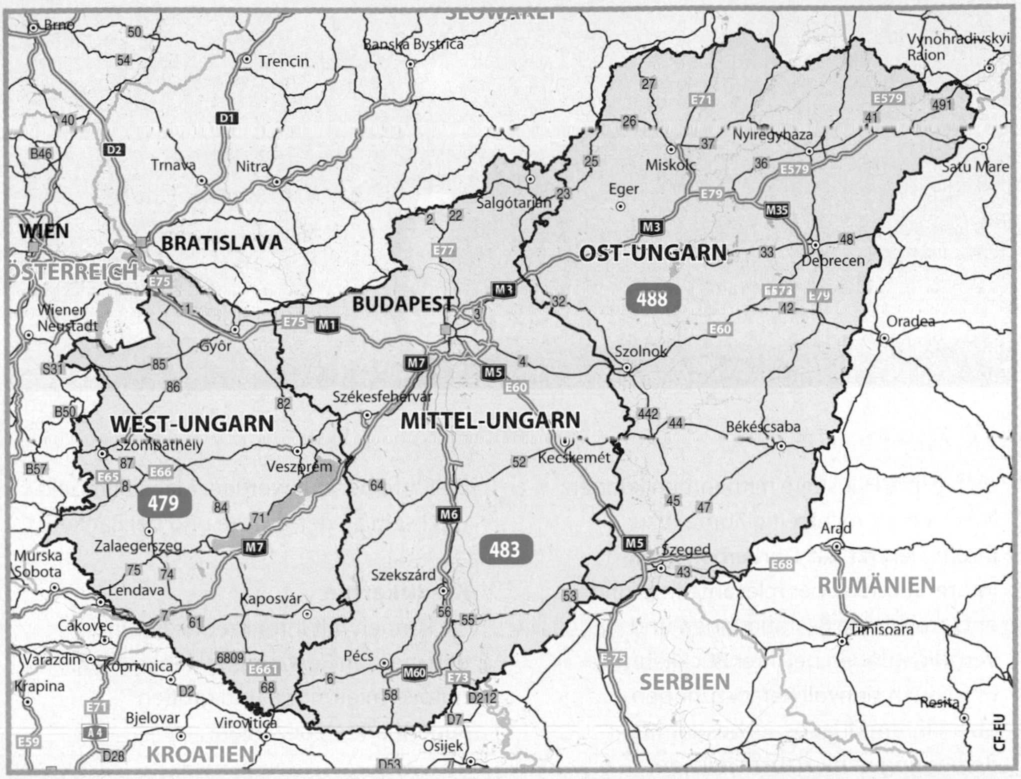

Allgemein

Ungarn ist Mitglied der EU.

Zeit

In Ungarn ist es genauso spät wie in Berlin.

Sprache

Ungarisch, viele Ungarn verstehen und sprechen aber auch Englisch und Deutsch.

Grenzformalitäten

Viele Formalitäten und Vereinbarungen, wie erforderliche Reisedokumente, KFZ-Papiere, Anforderungen an Ihr Fahrzeug und Ihren Aufenthalt, Krankenkosten und das Mitführen von Tieren, sind nicht nur vom Zielort abhängig, sondern auch von Ihrem Ausgangsort und Ihrer Nationalität. Auch die Dauer Ihres Aufenthaltes spielt dabei eine Rolle. Im Rahmen dieses Führers ist es leider nicht möglich, allen Lesern korrekte und aktuelle Informationen in dieser Hinsicht zu garantieren.

Wir raten Ihnen, vor Ihrer Abreise bei den entsprechenden Behörden in Erfahrung zu bringen:

- welche Reisedokumente Sie für sich selbst und Ihre Reisebegleitung brauchen
- welche Dokumente Sie für Ihr Auto brauchen
- welchen Anforderungen Ihr Fahrzeug entsprechen muss
- welche Güter Sie ein- und ausführen dürfen
- wie im Unglücks- oder Krankheitsfall die medizinische Versorgung im Urlaubsland organisiert ist und bezahlt wird

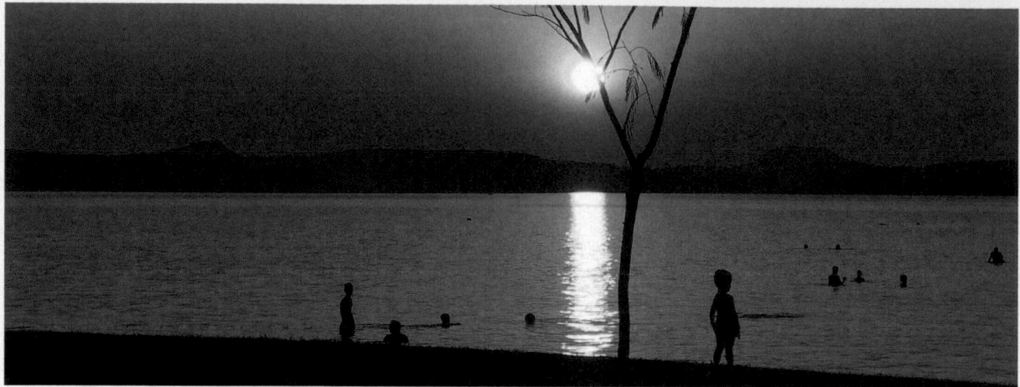

- ob Sie Ihre Haustiere mitnehmen können. Nehmen Sie rechtzeitig Kontakt zu Ihrem Tierarzt auf. Dort erhalten Sie Informationen über relevante Impfungen, entsprechende Bestätigungen und Verpflichtungen bei Ihrer Rückkehr. Es ist auch sinnvoll herauszufinden, ob an Ihrem Urlaubsziel bestimmte Bedingungen für Haustiere in der Öffentlichkeit geknüpft sind. So müssen in manchen Ländern Hunde immer einen Maulkorb tragen oder vergittert transportiert werden.

Viele allgemeine Infos finden Sie auf ▸ *www.europa.eu* ◂ aber sorgen Sie selbst dafür, die richtige Information für Ihre individuelle Situation herauszufinden.

Aktuelle Zollbestimmungen entnehmen Sie den Botschaften des jeweiligen Urlaubslandes an Ihrem Wohnort.

Währung und Geld

Die Währungseinheit in Ungarn ist Forint (HUF). Wechselkurs (September 2014): € 1 = HUF 315.
Man kann vielerorts auch in Euro bezahlen. In den meisten Geschäften kann nicht mit EC-Karte bezahlt werden. Man kann Geld wechseln an der Grenze und bei Banken.

Kreditkarten
Sie können mit Ihrer Kreditkarte in den meisten Restaurants, Tankstellen, Autovermietungen und großen Supermärkten bezahlen.

Öffnungszeiten und Feiertage

Banken
Banken sind montags bis donnerstags bis 16.00 Uhr geöffnet.

Geschäfte
Geschäfte sind alltags bis 18.00 Uhr geöffnet und samstags bis 13.00 Uhr.

Apotheken
In Ungarn sind die Apotheken zwischen 8.00 und 18.00 Uhr geöffnet.

Feiertage
Neujahr, 15. März (Gedenken der Revolution von 1848), Ostern, 1. Mai, Pfingsten, 20. August (Tag des Grundgesetzes), 23. Oktober (Tag der Republik), Allerheiligen, Weihnachten.

Kommunikation

(Mobil)Telefon

Das Mobilfunknetz ist in ganz Ungarn gut. Es gibt ein 3 G-Netz für das mobile Internet. Telefonkarten für Telefonzellen erhält man an Kiosks und auf Postämtern.

W-Lan, Internet

Im ganzen Land finden Sie Internetcafés. Auf Campingplätzen ist W-Lan weitgehend verfügbar und meist kostenlos.

Post

Im Allgemeinen offen an Werktagen bis 18.00 Uhr und samstags bis 14.00 Uhr.

Straßen und Verkehr

Straßennetz

Die ungarische Straßenwacht MAK hilft unter: Tel. 188.

Verkehrsvorschriften

Rechts hat Vorfahrt, außer auf Hauptstraßen. Busse und Straßenbahnen haben immer Vorfahrt.

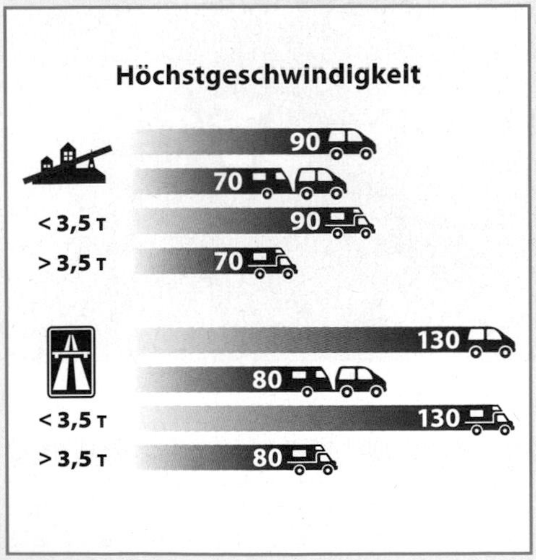

Höchstgeschwindigkeit

	90
	70
< 3,5 T	90
> 3,5 T	70
	130
	80
< 3,5 T	130
> 3,5 T	80

Absolutes Alkoholverbot. Achtung: wenn die Ampel grün blinkt, so bedeutet das: Anhalten! (entspricht unserer Gelb-Phase). Außerhalb von Ortschaften muss tagsüber das Abblendlicht eingeschaltet sein! Telefonieren nur mit Freisprechanlage. Bei einem Verkehrsunfall muss die Polizei hinzugezogen werden. Achtung: das Zentrum von Budapest ist nur für den Geschäftsverkehr zugänglich. Keine Winterreifenpflicht. Alle Fahrzeuge müssen bei winterlichen Straßenverhältnissen über Schneeketten verfügen.

Navigation

Warnung vor festen Blitzern durch Navi oder Mobiltelefon Apps ist erlaubt.

Wohnwagen, Reisemobil

Wenn Sie mit dem Reisemobil oder Wohnwagen reisen, dann müssen Sie über die E-Vignette Maut entrichten. Tarife dazu siehe unter 'Maut'.

Zulässige Maße

Höhe 4m (Wohnmobil), Breite 2,55m und Länge 12m.

Maut

In Ungarn gibt es die sog. E-Vignette. Die Kontrolle erfolgt über Kameras und Computersysteme, die die beim Kauf angegebenen Autokennzeichen mit dem zentralen Datensatz abgleichen. Daher ist es unbedingt notwendig eine E-Vignette anzuschaffen bevor man auf eine Mautstrecke fährt! Alle Autobahnen in Ungarn sind mautpflichtig. Nähere Informationen zur E-Vignette und Tarife siehe ▸ *www.motorway.hu* ◂
Sie müssen diese E-Vignette noch 12 Monate aufbewahren (hinsichtlich

eventueller unberechtigter Bußgelder). Die E-Vignette ist an der Grenze und den meisten Tankstellen in Ungarn erhältlich.

Kraftstoff

Benzin und Diesel werden frei verkauft. Bleifrei ist auch als 'Ólommentes' angegeben. LPG ist gut erhältlich.

Tankstellen

Tankstellen sind durchgehend offen zwischen 6.00 und 20.00 Uhr. Sie können oft mit Kreditkarte bezahlen.

Notruf

112: nationaler Notruf für Polizei, Feuerwehr, Krankenwagen

Campen

Die größte Konzentration der Campings befindet sich rund um den Balaton. Der Sanitärkomfort auf den Campingplätzen ist nicht schlecht. Pluspunkt ungarischer Campings ist, dass sie zu den günstigsten in Europa gehören.

Praktisch

- Gas ist erhältlich, aber man sollte schon selbst einen Adapter dabei haben.
- Am besten immer Universalstecker dabei haben.
- Leitungswasser ist zwar bedenkenlos, im Zweifel dennoch Mineralwasser aus Flaschen verwenden.

Klima Budapest	Jan.	Feb.	März	April	Mai	Juni	Juli	Aug.	Sept.	Okt.	Nov.	Dez.
Tagestemperatur	-1	2	7	13	18	22	24	23	19	13	6	2
Sonnenstunden am Tag	2	3	4	6	8	9	10	9	7	4	2	1
Regentage	5	5	5	5	6	5	5	4	4	5	6	6

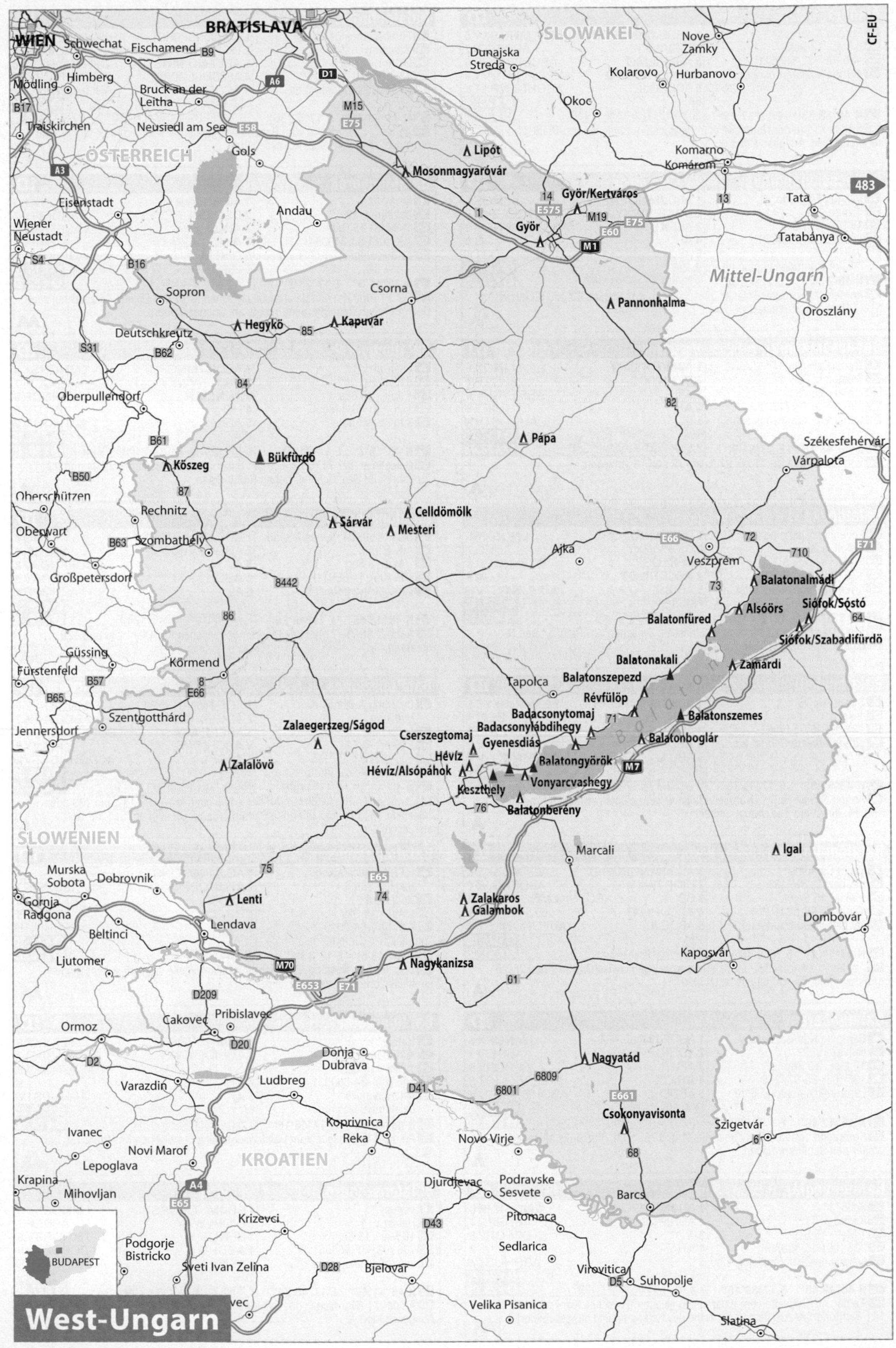
West-Ungarn
CF-EU
WIEN
BRATISLAVA
SLOWAKEI
ÖSTERREICH
Mittel-Ungarn
SLOWENIEN
KROATIEN
BUDAPEST
Schwechat
Fischamend
Mödling
Himberg
Bruck an der Leitha
Traiskirchen
Neusiedl am See
Gols
Eisenstadt
Andau
Wiener Neustadt
Sopron
Deutschkreutz
Oberpullendorf
Oberschützen
Oberwart
Rechnitz
Szombathely
Großpetersdorf
Güssing
Fürstenfeld
Körmend
Szentgotthárd
Jennersdorf
Murska Sobota
Dobrovnik
Gornja Radgona
Beltinci
Lendava
Ljutomer
Cakovec
Pribislavec
Ormoz
Varazdin
Ludbreg
Donja Dubrava
Ivanec
Novi Marof
Lepoglava
Krapina
Mihovljan
Krizevci
Podgorje Bistricko
Sveti Ivan Zelina
Koprivnica
Reka
Djurdjevac
Novo Virje
Podravske Sesvete
Pitomaca
Sedlarica
Bjelovar
Velika Pisanica
Virovitica
Suhopolje
Slatina
Barcs
Szigetvár
Kaposvár
Dombóvár
Marcali
Tapolca
Ajka
Veszprém
Várpalota
Székesfehérvár
Oroszlány
Tatabánya
Tata
Komarno
Komárom
Kolarovo
Hurbanovo
Nove Zamky
Dunajska Streda
Okoc
Csorna
Lipót
Mosonmagyaróvár
Györ/Kertváros
Györ
Pannonhalma
Hegykö
Kapuvár
Bükfürdö
Köszeg
Pápa
Celldömölk
Sárvár
Mesteri
Balatonalmádi
Alsóörs
Balatonfüred
Siófok/Sóstó
Siófok/Szabadifürdö
Balatonakali
Zamárdi
Balatonszepezd
Révfülöp
Balatonszemes
Badacsonytomaj
Badacsonylábdihegy
Balatonboglár
Cserszegtomaj
Gyenesdiás
Hévíz
Hévíz/Alsópáhok
Balatongyörök
Vonyarcvashegy
Keszthely
Balatonberény
Balaton
Zalaegerszeg/Ságod
Zalalövö
Lenti
Zalakaros
Galambok
Nagykanizsa
Nagyatád
Csokonyavisonta
Igal
483
B9
A6
D1
M15
E75
E58
A3
B17
S4
B16
85
S31
B62
84
B61
B50
87
B63
8442
86
B57
B65
8
E66
14
E575
M19
E60
M1
1
13
82
72
710
E71
73
64
71
M7
76
75
E65
74
M70
E653
7
61
D209
D20
D2
D41
6809
6801
E661
68
6
A4
D43
D28
D5

Alsóörs, H-8226 / Veszprém

Európa Alsóörs***
8 Mai - 13 Sep
+36 (06)-87-555021
europa@balatontourist.hu
N 46°58'33'' E 17°57'25''

1 ABDEJMNOPQRST ABHLMNQSXY 6
2 DIPVWXY ABDEFGI 7
3 ABEFILMQ ABCDFINQRS 8
4 ABCDHINOPQ AEJLPQRTUVY 9
5 ACDEGJL ABGHIJLNPST10
6A ❶ €23,50
20 ha 351T(58-126m²) 94D ❷ €29,50

Straße 71 (an der Nordseite vom Balatonsee), zwischen Km-Pfahl 31 und 32, direkt am See. Ausgeschildert.

Balatonfüred, H-8230 / Veszprém

Füred Camping***
Széchenyi u.24
24 Apr - 27 Sep
+36 (06)-87-580241
fured@balatontourist.hu
N 46°56'45'' E 17°52'36''

1 ADEJMNOPQRST AFHLMNQRSTWXYZ 6
2 DGIOPVWXY ADFGHI 7
3 ABEFIKLMNST BDFHKNQRSTV 8
4 ABCDFHILMOPQ EIJKLMOPQTUVY 9
5 ACDEFGIJL ABGHIJNPSTV10
16A CEE ❶ €21,25
21 ha 948T(60-120m²) 172D ❷ €28,90

An der 71, Nordseite vom Balatonsee, gelegen. Zwischen Km-Pfahl 40 und 41 abbiegen, direkt am See. Ausgeschildert.

Badacsonylábdihegy, H-8262 / Veszprém

Balaton Eldorado
Vízpart 1
15 Mär - 15 Okt
+36 (06)-87-432369
balaton@balatoneldoradocamping.hu
N 46°47'23'' E 17°28'30''

1 ABDJMNOPRT ALNQS 6
2 DGIOPVWXY ABDEFGI 7
3 AEFKL ABCDEFJKNQR 8
4 AH G 9
5 AFJL ABGHIJOST10
B 10A ❶ €20,95
4 ha 88T(60-100m²) 38D ❷ €26,35

An der 71, Nordufer Balaton, zwischen den Km-Pfahlen 82 und 83 direkt am See. CP ist ausgeschildert.

Balatongyörök, H-8313 / Zala

Carina***
Balaton u. 12
15 Mär - 15 Okt
+36 (06)-83-349084
carinacamping@t-online.hu
N 46°45'3'' E 17°21'2''

1 AJMNOPRT LNQSXY 6
2 DOPXY ABDEFHI 7
3 AIKQ ABEFNRV 8
4 AHIO MPV 9
5 GIKLM AGHIKPST10
B 20A ❶ €15,50
1,4 ha 100T(80m²) 15D ❷ €23,20

Die 71 rund um den Balatonsee zwischen Km-Pfahl 95 und 96 abfahren zum Dorf. Vor dem Bahnübergang rechts ab. Ausgeschildert.

Badacsonytomaj, H-8258 / Veszprém

Tomaj Camping***
Balaton u. 28
1 Mai - 30 Sep
+36 (06)-87-471321
tomajcamping@t-online.hu
N 46°48'16'' E 17°31'9''

1 AJMNOPQRT LMNQX 6
2 DIOPWXY ABDEF 7
3 AFL ABEFNQRV 8
4 AH IRT 9
5 DL AHIJOSTV10
16A ❶ €17,45
3,5 ha 150T(80-100m²) 35D ❷ €23,15

Von der Straße Nr. 71 zwischen km 77 und 76 abbiegen.

Balatongyörök, H-8313 / Zala

Castrum****
Szépkilátó
1 Jun - 15 Sep
+36 (06)-83-346666
info@castrum.eu
N 46°46'7'' E 17°21'53''

1 ABDEJMNOPRT LMNQRSX 6
2 DGJOPVWXY ABDEFI 7
3 AEKLMN ABCDEFNQR 8
4 HO IMOTV 9
5 AEIL AGHIKSTV10
6A ❶ €23,15
H100 6,5 ha 150T(40-100m²) 48D ❷ €30,15

Gelegen an der 71 (umkreist den Balaton) zwischen Km-Pfahl 94 und 95. Ausfahrt zum See. Schilder geben Richtung an.

Balatonakali, H-8243 / Veszprém

Levendula Camping FKK***
Hokuli u.25
10 Mai - 15 Sep
+36 (06)-87-544011
levendula@balatontourist.hu
N 46°52'46'' E 17°44'30''

1 DEFJMNOPQRST LNQSXY 6
2 DIOPVWXY ADFG 7
3 BFKLQS BDFKNQRS 8
4 ABCDHILOT ELUV 9
5 ABDIJL ABHIJNOSTV10
FKK 10A ❶ €21,45
1,3 ha 108T(60-120m²) 17D ❷ €27,15

Die 71 an der Nordseite des Balatonsees. Zwischen Km-Pfahl 54 und 55. Direkt am See ausgeschildert.

Balatonszemes, H-8636 / Somogy

Balatontourist Campsite Lido
Ady E. u. 8
7 Mai - 5 Sep
+36 (06)-84-360112
lido@balatontourist.hu
N 46°48'45'' E 17°46'26''

1 ADEJMNOPQRST LNQ 6
2 ADGOPVWXY ABDEFI 7
3 AL ABCDEFNQRV 8
4 ABCH ADGKV 9
5 AL ABHIJPR10
16A ❶ €19,35
2 ha 180T(50-100m²) 125D ❷ €24,45

Auf der Straße 71 bei Balatonszemes zwischen Km-Pfahl 130 und 129 abfahren.

Balatonakali, H-8243 / Veszprém

Strand-Holiday***
1 Apr - 1 Okt
+36 (06)-87-544021
strand@balatontourist.hu
N 46°52'52'' E 17°45'15''

1 ADEJMNOPQRST HLMNQSXYZ 6
2 DIOPVWXY BEFI 7
3 ABFKLS BDFKNQRS 8
4 ABDHILOQ ADELPQRTUV 9
5 ABDIL AGHIJNOSTV10
10A ❶ €22,20
9 ha 504T(60-100m²) 120D ❷ €28,55

An der Straße Nr. 71 (Nordseite Balatonsee) gelegen, zwischen Km-Pfahl 53 und 54, direkt am See. Ausgeschildert.

Balatonszemes, H-8636 / Somogy

Camping & Bungalows Vadvirág**
Lellei utca 1-2
24 Apr - 6 Sep
+36 (06)-84-360115
vadvirag@balatontourist.hu
N 46°48'3'' E 17°44'25''

1 ADEJMNOPQRT ALMNQSXYZ 6
2 ADGIPVWXY ABDEFHIK 7
3 ABEFILMN BDFLMNQRSV 8
4 ABCHIOPQ JKLTVY 9
5 ABGKL ABDGHIJOSTV10
10A ❶ €20,00
16 ha 420T(60-100m²) 127D ❷ €25,10

Südseite vom Balatonsee. An der 7 zwischen km-Pfahl 132 und 133 oder zwischen 134 und 135 über den Bahnübergang. CP liegt am See. CP ist ausgeschildert.

Balatonalmádi, H-8220 / Veszprém

Yacht Camping**
Véghely D. Str. 18
1 Mai - 15 Sep
+36 (06)-88-584101
yacht@balatontourist.hu
N 47°1'14'' E 18°0'30''

1 ADEJMNOPQRST ALMNQSXY 6
2 DIOPVWXY ABDEFGJK 7
3 BEL BDFHKLMNQRSTUV 8
4 ABCDHIOP ADJLORTUV 9
5 ABDGJL ABFGHIJNPST10
10A ❶ €24,05
2,7 ha 160T(60-100m²) 21D ❷ €31,35

An der 71 (Nordseite vom Balatonsee) gelegen, zwischen Km-Pfahl 25-26 direkt am See. Der CP ist ausgeschildert.

Balatonszemes, H-8636 / Somogy

H&R Mobilcamping Balaton Süd
Radi ut. 6
1 Apr - 15 Okt
+36 (06)-84-702008
kontakt@h-r-camping-balaton.de
N 46°48'6'' E 17°45'1''

1 AGJMNOPQRST 6
2 AFGHOPRW ABDEFIK 7
3 ABDT ABEFNQR 8
4 H AE 9
5 AL AGHIJR10
10A ❶ €16,10
48T(80m²) 6D ❷ €20,55

Von der E71 Ausfahrt 135 Richtung Balantonlelle. Danach ausgeschildert, ebenfalls von der 7 aus angezeigt.

Balatonberény, H-8649 / Somogy

Camping Naturist Berény
Hetvezer u.2
10 Mai - 15 Sep
+36 (06)-85-377299
bereny@balatontourist.hu
N 46°42'48'' E 17°18'39''

1 ABDFJMNOPRT LMNQSX 6
2 ADGIOPVWXY ABDEFI 7
3 AFL BFNQRV 8
4 AHIOX DEGIJQT 9
5 ABDEHL ABGHIJNOSTV10
FKK 10A ❶ €24,20
6 ha 117T(80-110m²) 29D ❷ €29,60

Kommend von Keszthely über die 71 und 76, nach 7 km links abbiegen. Weiter den Schildern folgen.

Balatonszemes, H-8636 / Somogy

Hattyú**
Kikötö utca 1
1 Mai - 15 Sep
+36 (06)-84-360031
hattyucamp@balatonihajozas.hu
N 46°48'43'' E 17°46'16''

1 AJMNOPQRST LNQSXYZ 6
2 ADHIOPVWXY ABDEI 7
3 ABEFNQRV 8
4 AH 9
5 IL AGHIJPST10
6A ❶ €20,25
1,5 ha 100T(50-80m²) 1D ❷ €24,70

An der 71 (Südseite vom Balatonsee) gelegen zwischen Km-Pfahl 130 und 129.

Balatonboglár, H-8630 / Somogy

Sellö***
Kikötö u. 3
1 Mai - 15 Sep
+36 (06)-85-550367
sellocamp@balatonihajozas.hu
N 46°46'48'' E 17°38'45''

1 ADJMNOPQRST LNQSXYZ 6
2 ADHIPQWXY ABDEFIJ 7
3 A BFNQRV 8
4 AH 9
5 L ABGHIJST10
6A ❶ €21,20
1,6 ha 150T(60-80m²) 10D ❷ €25,95

An der 71 (Südseite vom Balatonsee) gelegen. Zwischen Km-Pfahl 140 und 141 Richtung See. CP liegt in der Nähe des Hafens und ist ausgeschildert.

Balatonszepezd, H-8252 / Veszprém

Venus**
Halász.u. 1
16 Mai - 13 Sep
+36 (06)-87-568061
venus@balatontourist.hu
N 46°51'40'' E 17°40'24''

1 BDJMNOPQRST LMNQSXY 6
2 DIOPVWXY ABDEF 7
3 BFKLS BFHKNQRSV 8
4 ABDHQ ADOPQRTV 9
5 AEIKL AGHIJNOSTV10
10A ❶ €21,90
2,8 ha 150T(50-90m²) 26D ❷ €27,30

An der 71 (Nordseite vom Balatonsee) gelegen. Bei Km-Pfahl 61 direkt am See. Ausgeschildert.

Teilkarte West-Ungarn auf Seite 479

Bükfürdö, H-9740 / Vas

Romantik Camping***
Thermal krt. 12
1 Jan - 31 Dez
+36 (06)-94-358362
info@romantikcamping.com
N 47°23'2'' E 16°47'26''

1 ADJMNOPQRST A 6
2 GOPXY BEFHI 7
3 ABKM ABEFJNQR 8
4 AOS EGKLV 9
5 EJK AHJORW 10
Anzeige auf dieser Seite B 12A ① €20,60
H210 6 ha 400T 63D ② €26,40

Die 87 oder 84 Richtung Bük. In Bük Schildern Richtung Bükfürdö folgen, und dann Schild 'Romantik Panzio és camping'.

Bükfürdö, H-9740 / Vas

Termál Gyógykemping
Termál Krt 2
1 Jan - 31 Dez
+36 (06)-94-558356
camping@spabuk.hu
N 47°22'38'' E 16°47'2''

1 BDFJMNOPQRST ABEFH 6
2 GIOPSVX BEFGI 7
3 IKLMP BCDFHJNQR 8
4 ARTUVWXY 9
5 BDFHIJ AFHIJMOPX 10
B 13A CEE ① €35,00
H210 3 ha 150T(40-80m²) ② €44,40

Die Straße von Bük nach Bükfürdö fahren. Danach CP-Schildern folgen. Termál Gyógykemping ist der erste CP auf der linken Seite.

Györ, H-9025 / Györ-Moson-Sopron

Tópart Camping
Mákosdulo 7
15 Apr - 15 Okt
+36 (06)-96-311745
topartcamping@freemail.hu
N 47°40'42'' E 17°36'14''

1 AJMNOPRST AN 6
2 ADOPQVWX ADEFI 7
3 ABEFNQR 8
4 I GV 9
5 ADDO IKPR 10
B 16A ① €14,75
H100 1,6 ha 52T(30-80m²) 4D ② €18,55

Grenzübergang Nickelsdorf/Hegyeshalom. Richtung Mosonmagyarovar/Györ. Vor der Stadt ist der CP ausgeschildert.

Celldömölk, H-9500 / Vas

JUFA Vulkan Thermen Resort es camping
Sport utca 8
1 Jan - 31 Dez
+36 (06)-95421180
vulkantherme@jufa.eu
N 47°14'39'' E 17°8'43''

1 ABDEJMNOPQRT ABEFGHIM 6
2 GIOPVX ABDEF 7
3 ABCDEFL ABCDEFJKNQRSTUV 8
4 ABEHIOPQRSTUVWXYZ LUVW 9
5 ABDEHIJ AGHIJMNPRVZ 10
B 16A ① €32,00
H200 74T(80-100m²) 18D ② €32,00

Die 84 Sopron-Savar. Umfahrung Sarvar Ri. Celldömölk. In Celldömölk der Haupstraße bis zum Kreisel folgen, dann im Kreisel re. Diese Straße weiter. Gleich stadtaußerhalb vor der Tankstelle re. in die Sport ut. Das Resort li.

Györ/Kertváros, H-9011 / Györ-Moson-Sopron

Pihenö
Dunasor 1
1 Mai - 30 Sep
+36 (06)-96-523008
piheno@piheno.hu
N 47°43'32'' E 17°42'52''

1 ADEJMNORST AFN 6
2 ABGOPVY ABDEFI 7
3 AG ABEFJNQRS 8
4 IOT GJ 9
5 BGIKL ABHKRV 10
16A ① €13,50
H103 1,2 ha 40T(30-110m²) 30D ② €18,25

An der 1 links der Straße, 5 km hinter Györ Richtung Komáron.

Cserszegtomaj, H-8372 / Zala

Panoráma***
Panoráma köz 1
1 Apr - 31 Okt
+36 (06)-83-330215
matuska78@freemail.hu
N 46°48'29'' E 17°12'44''

1 ABJMNOPRST A 6
2 FGPUVWXY ABEF 7
3 AL ABEFJNQRV 8
4 A DI 9
5 AKL AGHIJST 10
10A ① €16,00
H350 1,4 ha 50T(80-120m²) 17D ② €24,00

CP ist ausgeschildert an der Strecke von Keszthely nach Hévíz.

Hegykö, H-9437 / Györ-Moson-Sopron

Sá-Ra Termál Kft
Fürdö út 5
1 Jan - 31 Dez
+36 (06)-99-540220
info@saratermal.hu
N 47°37'11'' E 16°47'6''

1 ABDEJMNOPQRST ABEFG 6
2 OPVX ABDEFGI 7
3 ABE ABCDEFJNQR 8
4 WXYZ GIV 9
5 DEI AHIORV 10
10A ① €20,05
H122 1,3 ha 130T(60-80m²) 30D ② €28,95

An Straße 85 von Sopron nach Györ werden die CPs von Hegykö angezeigt.

Csokonyavisonta, H-7555 / Somogy

Thermal Camping**
Fürdö
1 Jan - 31 Dez
+36 (06)-82-475024
postmaster@csokonyafurdo1.t-online.hu
N 46°6'23'' E 17°26'8''

1 ADEJMNOPQRST ABEFGHIMN 6
2 GOPWXY ABDEFHI 7
3 EFL ABEFNQR 8
4 TUWY G 9
5 ADEJKL AFGHIJPR 10
10A ① €14,30
H139 1,8 ha 130T 34D ② €18,10

Gelegen auf 100m Höhe von der 68, zwischen Barcs und Nagyatád, in der Nähe des Km-Pfahls 17. Gut ausgeschildert.

Hévíz, H-8380 / Zala

Castrum Camping****
Topart
1 Mär - 30 Nov
+36 (06)-83-343198
heviz@castrum.eu
N 46°47'2'' E 17°11'44''

1 ABDEJMNOPRT L 6
2 BCDOPRSVWXY ABDEFGI 7
3 MN ABCDEFJNQRTUV 8
4 AHSTUVWYZ EGIV 9
5 ABJKL AEFGHIJPST 10
6-20A ① €25,70
3 ha 243T(40-80m²) 21D ② €28,90

Keszthely-Hévíz. In Hévíz geradeaus weiter fahren. Der CP wird ausgeschildert.

Galambok, H-8754 / Zala

Castrum Zalakaros****
Ady E. út 113
1 Mai - 30 Sep
+36 (06)-93-358610
zalakaros@castrum.eu
N 46°31'54'' E 17°7'27''

1 ADEFJMNOPRT E 6
2 AGOPVWXY ABDEFI 7
3 ABCDEFJNQRT 8
4 AEIORT GIV 9
5 AEJKL AGHIJPR 10
6A ① €26,05
2,5 ha 144T(40-100m²) 15D ② €33,65

In Zalakaros Richtung Galambok. Nach ca. 2 km ist der CP ausgeschildert.

Hévíz/Alsópáhok, H-8380 / Zala

Solar Camping***
Ady E.U. Külterület
1 Apr - 31 Okt
+36 (06)-83-343365
bsonja@t-online.hu
N 46°46'34'' E 17°10'34''

1 AJMNOPRT AB 6
2 OPQSVWXY ABDEFHI 7
3 AL ABEFJNQR 8
4 AHI DIL 9
5 AGHIJORV 10
10A ① €22,50
6,2 ha 90T(80-150m²) 29D ② €26,50

Der CP liegt an der Strecke von Hévíz nach Alsópáhok.

Gyenesdiás, H-8315 / Zala

Caravan Camping***
Madach ut 43
1 Apr - 15 Okt
+36 (06)-83-316020
info@caravancamping.hu
N 46°45'54'' E 17°17'24''

1 AJMNOPRT ANQSX 6
2 OPVWXY ABDEFG 7
3 AIKMN ABEFNQR 8
4 AHO DV 9
5 AGJL AGHIJPR 10
B 16A ① €15,85
1,4 ha 120T(80m²) 24D ② €23,15

Die 71 (rund um den Balatonsee) zwischen Km-Pfahl 100 und 101. Abfahren zum See. Schilder geben Richtung an.

Igal, H-7275 / Somogy

Höforrás Camping*
Acsai út 1
1 Mai - 26 Sep
+36 (06)-82-372025
info@hoforrascamping.hu
N 46°32'40'' E 17°56'38''

1 AJMNOPQRST ABEH 6
2 GOPWXY ABFI 7
3 ABEFNQRV 8
4 TYZ GK 9
5 L AHIJST 10
8A ① €18,75
1,7 ha 100T 18D ② €23,80

In Igal von der Durchgangsstraße aus angezeigt mit den Schildern 'Camping/Thermalbad'.

Gyenesdiás, H-8315 / Zala

Wellness Park Camping
Napfény utca 6
1 Mär - 30 Okt
+36 (06)-30-5487203
info@wellness-park.hu
N 46°45'51'' E 17°18'9''

1 ADJMNOPRST A 6
2 OPVWX ABFH 7
3 BKLMQ ABEFNQR 8
4 AHTUX GILV 9
5 AEGJL ABGHJORV 10
B 16A ① €16,00
2 ha 80T(80-100m²) 35D ② €21,00

Auf der 71 zwischen Km-Pfahl 100 und 99 zum See hin abbiegen.

Kapuvár, H-9330 / Györ-Moson-Sopron

Magdaléna Camping
Thermal ut.
1 Mär - 30 Nov
+36 (06)-30-2406079
info@campingkapuvar.com
N 47°35'54'' E 17°2'9''

1 ABFJMNOPQRS 6
2 GPSVX ABDEFGHI 7
3 ABEFJNQRTU 8
4 D 9
5 L ABCHIJORVX 10
B 16A ① €14,00
H150 2 ha 55T(bis 80m²) 2D ② €19,00

An der 85 hinter Kapuvár-Mitte Richtung Györ am CP-Schild links ab. Geradeaus weiter.

Ungarn

Teilkarte West-Ungarn auf Seite 479

Keszthely, H-8230 / Zala

Balatontourist Camping & Bungalows Zala***
Entz Géza sétány
17 Apr - 4 Okt
+36 (06)-83-312782
zala@balatontourist.hu
N 46°44'47'' E 17°14'38''

1 ABDFJMNOPRST AFLMNQSX 6
2 DGIPVWXY ABDEFGI 7
3 AFLMN ABEFNQRV 8
4 ABHIOR DEIJV 9
5 ABDEJ ADGHIJNPRV 10
B 10A ❶ €21,95
7,2 ha 300T(60-100m²) 61D ❷ €27,35

Auf der 71 zwischen Km-Pfahl 113 und 114 Richtung Keszthely abbiegen. In Keszthely ausgeschildert (Keszthely Balatontourist.) Nach Bahnübergang rechts einhalten.

Nagykanizsa, H-8800 / Zala

Nyirfás 'Camping'**
Bajcsy Zsilinsky ut 118
1 Jan - 31 Dez
+36 (06)-93-319821
nyirfascamping79@freemail.hu
N 46°27'27'' E 16°56'42''

1 AJMNOPQRST 6
2 AOPWXY ABFIK 7
3 G AEFNQRV 8
4 O G 9
5 AG AHKPRV 10
12A ❶ €12,05
H147 0,5 ha 30T 6D ❷ €15,85

M7 Ausfahrt Nagykanizsa/Gyékényes. Dann 4 km über die 7 Richtung Letenye. Den CP-Schildern folgen.

Keszthely, H-8360 / Zala

Castrum****
Mora F.V.48
15 Apr - 31 Okt
+36 (06)-83-312120
info@castrum.eu
N 46°46'5'' E 17°15'34''

1 ABDJMNOPRT AF 6
2 GOPSVWXY ABDEFHI 7
3 ABLS BDFNQRTU 8
4 HIOPQX V 9
5 ABEJL ABHIJLOST 10
B 6A ❶ €25,15
2,2 ha 126T(40-100m²) 7D ❷ €32,15

Auf der Hauptstraße 71 zwischen Km-Pfahl 103 und 104 angezeigt.

Pannonhalma, H-9090 / Györ-Moson-Sopron

Panoráma Camping
Fenyvesalja 4/a
1 Mai - 31 Okt
+36 (06)-96-471240
FAX +36 (06)-96-470561
N 47°32'55'' E 17°45'31''

1 AJMNOPRST F 6
2 ABFGNOPQSTUVY ABDEFHI 7
3 ABL ABEFNQR 8
4 O GL 9
5 GL AFGHJMRV 10
16A ❶ €17,80
H200 1,2 ha 70T(60-80m²) 2D ❷ €20,65

M1 Richtung Budapest in der Nähe von Györ die 82 nach Veszprém fahren. Pannonhalma und der CP sind gut ausgeschildert.

Köszeg, H-9730 / Vas

Gyöngyvirág
Bajcsy-zs ut 6
15 Apr - 1 Nov
+36 (06)-94-360454
info@gyongyviragpanzio.hu
N 47°23'36'' E 16°32'34''

1 BJMNOPQRT 6
2 GOPWX BEI 7
3 A ABEFJNQ 8
4 IOT GHI 9
5 G AHJNRV 10
16A ❶ €11,75
H267 0,4 ha 25T 17D ❷ €13,95

Beim Grenzübergang Rattersdorf die 87 ca. 3 km folgen. Gut ausgeschildert.

Pápa, H-8500 / Veszprém

Thermal Camping Pápa
Várkert út. 7
1 Jan - 31 Dez
+36 (06)-89-320735
info@thermalkemping.hu
N 47°20'17'' E 17°28'26''

1 ABDEFGJMNOPQRST ABEFGHMN 6
2 GOPQSVW BEFGHIK 7
3 ABEHLOQS ABCDEFHJKNQRSTUV 8
4 ABCEFHIORSTWXYZ DKLV 9
5 ABDEFGHJK ABEFGHIJLMNOPRVX 10
B 16A CEE ❶ €24,00
H200 4 ha 204T(bis 100m²) 2D ❷ €30,40

Grenzübergang Nickelsdorf/Hegyeshalom, der M1 folgen. Auf der Umgehung Györ die 83 nach Pápa. In Pápa den Schildern 'Várkertfürdo/Centrum/Camping' folgen.

Lenti, H-8960 / Zala

Castrum Thermalcamping Lenti****
Tancics utca 18-20
1 Jan - 31 Dez
+36 (06)-92-351368
info@lentikemping.hu
N 46°37'3'' E 16°31'53''

1 ADFJMNOPQRST ABEFGHIMN 6
2 AOPRSVWXY ABDEI 7
3 G ABCDEFJNQRTUV 8
4 HIOTUWXYZ GIV 9
5 ABEIL AEFGHIJPR 10
Anzeige auf Seite 483 B 6-10A ❶ €25,55
H181 1,5 ha 147T(40-80m²) 44D ❷ €33,00

Von Körmend über die Straße Nr. 86. Von Keszthely über die Straße Nr. 75. In Lenti den CP-Schildern folgen.

Révfülöp, H-8253 / Veszprém

Balatontourist Napfény***
Halász Utca 5
1 Mai - 27 Sep
+36 (06)-87-563031
napfeny@balatontourist.hu
N 46°49'46'' E 17°38'24''

1 ADFJMNOPQRST FLMNQSX 6
2 DIOPVWXY ABDEFGH 7
3 ABEFIL ABCDEFHKLMNQRS 8
4 ABCHIOQ AELMRTVY 9
5 ABDEFJL ABGHIJNOST 10
6A ❶ €23,95
7,2 ha 350T(60-110m²) 65D ❷ €30,65

An der 71 (Nordseite vom Balatonsee) gelegen. Zwischen Km-Pfahl 65 und 66 direkt am See. CP ausgeschildert.

Lipót, H-9233 / Györ-Moson-Sopron

Lipóti Thermálbath & Spa & Camping
Fo út 84
1 Apr - 31 Okt
+36 (06)-30-4737656
info@lipoticamping.hu
N 47°51'42'' E 17°27'20''

1 ABDJMNOPQRST ABHI 6
2 CGHIOPQVXY ABDEFI 7
3 ABDEL ABCDEFJNQRSTU 8
4 OTW E 9
5 GH HIJPRVYZ 10
B 20A ❶ €22,70
H100 2 ha 64T(bis 90m²) 19D ❷ €30,30

Grenzübergang Nickelsdorf/Hegyeshalom. Nach Mosonmagyarovar Richtung Rajka. Weiter Richtung Halászi über Puski nach Lipót. Am gleichen Grenzübergang über die M1, Ausfahrt Lebeny/Kimle über Kimle nach Lipót.

Sárvár, H-9600 / Vas

Thermal Camping Sárvár****
Vadkert u. 1
1 Jan - 31 Dez
+36 (06)-95-523610
info@thermalcamping.com
N 47°14'53'' E 16°56'51''

1 ABDEFJMNOPQRST ABEFGHI 6
2 OPQSVX ABDEFI 7
3 GQS ABCDEFJNQRSTUV 8
4 AJRUVWXYZ IJL 9
5 ABDGHIL ABGHIJNPRWY 10
B 16A ❶ €42,00
H200 2 ha 89T(100m²) 35D ❷ €56,00

84 von Sopron durch Sárvár Richtung Balaton (84) am Rand von der Stadt bei dem Thermalbad.

Mesteri, H-9551 / Vas

Mesteri Termál
Fürdötelep 1
1 Jan - 31 Dez
+36 (06)-30-9291148
info@mesteritermal.hu
N 47°13'4'' E 17°5'36''

1 ABJMNOPQRS ABEFG 6
2 GPRWX ABDE 7
3 ABEFJNQRV 8
4 TWX 9
5 I AHIJNOR 10
16A ❶ €15,55
1,7 ha 55T 5D ❷ €21,60

In Sarvar und/oder Celldömölk Richtung Mesteri und in Mesteri der Beschilderung folgen.

Siófok/Sóstó, H-8604 / Somogy

Ifjúság
Pusztatorony Tér
24 Mai - 30 Aug
+36 (06)-84-352851
ifjusag@balatontourist.hu
N 46°56'19'' E 18°7'49''

1 BDEJMNOPRST LN 6
2 ADOPVWXY ABDEFI 7
3 AFL ABCDEFNQR 8
4 AHIO FIKLVY 9
5 ACDJL AGHIJLNOSTV 10
10A ❶ €19,70
8,2 ha 560T(50-100m²) 64D ❷ €25,40

Von der 7 (Südseite Balaton) ist der CP zwischen Km-Pfahl 105 und 106 angezeigt.

Mosonmagyaróvár, H-9200 / Györ-Moson-Sopron

Halászkert Kis-Duna
Gabonarakpart 6
1 Jan - 31 Dez
+36 (06)-96-216433
kisdunamotel@gmail.com
N 47°50'32'' E 17°17'9''

1 AJMNOPQRST ABFGJNXZ 6
2 ACGOPRX ABDE 7
3 GHMP ABEFNQR 8
4 I DGKLQRV 9
5 IJKL AHKNPR 10
16A ❶ €16,85
H116 1 ha 40T 14D ❷ €22,55

Von der Grenze, hinter Mosonmagyaróvár an der 1, auf der linken Seite, gut ausgeschildert.

Siófok/Szabadifürdö, H-8604 / Somogy

Balatontourist Bungalow & Cp. Aranypart***
Szent László u. 185
1 Mai - 13 Sep
+36 (06)-84-353399
aranypart@balatontourist.hu
N 46°55'40'' E 18°6'12''

1 BDEJMNOPQRST HLNQSX 6
2 ADIOPQRVWXY ABDEFI 7
3 BEFIL ABCDEFNQRSTUV 8
4 ABCDHIO EIJLVY 9
5 ACDEJLM ABFHINOSTV 10
10A ❶ €22,85
9,1 ha 653T(50-100m²) 92D ❷ €28,90

Über die N70 bei Km-Pfahl 108 über den Bahnübergang und ca. 200m über die Latinca Sándor.

Nagyatád, H-7500 / Somogy

Thermalcamping Castrum****
Zrínyi ut 75
1 Mai - 15 Okt
+36 (06)-82-452136
nagyatad@castrum.eu
N 46°14'21'' E 17°21'50''

1 ADJMNOPQRST ABEFGHIM 6
2 GOPVWXY ABDEFGHIK 7
3 ABEFGLM ABCDEFNQRTUV 8
4 HIRTUWZ DV 9
5 ABDEIL AHIJORZ 10
B 10A ❶ €20,00
H131 2,8 ha 150T(40-100m²) 4D ❷ €26,35

Der 68 bis ins Stadtzentrum folgen. Schild CP Castrum folgen.

Vonyarcvashegy, H-8314 / Zala

Park Camping***
Szent Mihály domb
17 Apr - 4 Okt
+36 (06)-83-348044
park@balatontourist.hu
N 46°45'5'' E 17°19'59''

1 ADFJMNOPRT LMNQSX 6
2 DIPVWXY ABDEFGHI 7
3 BL ABCDEFNQRT 8
4 ABHIOX IPV 9
5 ABDEJ AGHIJNPSTV 10
B 10A ❶ €20,40
4,2 ha 210T(60-120m²) 51D ❷ €25,80

Straße Nr. 71 an der Nordseite vom Balatonsee. Zwischen km 96 und 97 zum See abbiegen (ausgeschildert). Dann noch 1 km.

Teilkarte West-Ungarn auf Seite 479

Teilkarte West-Ungarn auf Seite 479

Zalaegerszeg/Ságod, H-8900 / Zala

Thermálfalu és camping	1 BDEJMNOPR**T**	L**N**Q 6
Tó út	2 DFGIPSTVX	ABDEFIJ 7
1 Jan - 31 Dez	3 A	BEFJNQRTUV 8
+36 (06)-30-5427648	4	JKLT 9
info@termalfalu.com	5 I	AFHJORVW 10
	16A CEE	❶ €14,45
N 46°51'58'' E 16°49'4''	H172 3 ha 63**T**(40-100m²) 12**D**	❷ €20,10

Über die 76 oder 74 den Schildern 'Aqua City' und/oder 'Aqua city és camping' folgen. Dann nur noch den CP-Schildern folgen. Gut ausgeschildert.

Zalakaros, H-8749 / Zala

Balatontourist Termál Zalakaros***	1 ADEF**JM**NOPRT	**ABEHI** 6
Gyøgyfürdö tér 6	2 AOPSVWXY	ABDE**FGHI** 7
1 Apr - 15 Okt	3 A	ABEFNQRV 8
+36 (06)-93-340105	4 H	DHJV 9
termal@balatontourist.hu	5 EJKL	AGHI**P**RVY 10
	B 10-16A	❶ €17,25
N 46°33'10'' E 17°7'33''	6 ha 288**T**(50-100m²) 18**D**	❷ €21,10

CP liegt im Zentrum in der Nähe der Thermalbäder. Dort Schildern folgen.

Castrum Thermalcamping**** Lenti
(UNGARN)
Der Campingplatz liegt direkt neben der Therme Lenti und verfügt über eine Gesamtfläche von 15.0000 m². Auf den parzellierten Stellplätzen finden Sie TV-Kabelanschluss.
Eine Sanitäranlage mit Dusche, Waschbecken, Spülbecken, Strom- und Wasserzapfstellen. Für die Gäste von Thermalcamping ist der täglich mehrmalige Thermeneintritt gewährleistet.
Adresse:
Castricum Thermalcamping**** Lenti
H-8960 Lenti, Táncsics M. u. 18-20
Telefon: +36 92 351 368, + 36 20 394 91 21
Fax +36 92 351 368
E-Mail: info@lentikemping.hu
GPS: N 46°37'03" E 16°31'53"

Zalalövö, H-8999 / Zala

Bernsteinsee Camping	1 A**JM**NOPQRT	LMNQU 6
Borostyán u. 19	2 BDFGIPUVWXY	ABDE**FGH**IJK 7
1 Apr - 31 Okt	3 ABEF	ABEFNQRTV 8
+43 067-64555960	4 I	FIJKPRT 9
info@bernsteinsee.at	5 ABDEIJL	AHJRV 10
	16A CEE	❶ €18,00
N 46°51'15'' E 16°34'12''	3 ha 33**T**(50-100m²) 42**D**	❷ €18,00

Die 86 von Körmend Richtung Zalalövö. In Zalalövö Richtung Öriszentpéter. In Zalalövö ist der CP gut angezeigt.

Zamárdi, H-8621 / Somogy

Balatontourist Autós/Zamárdi***	1 ADE**JM**NOPQRST	LM**N**QS**X** 6
Szent István út	2 ADIOPVWXY	ABDE**FG**I 7
1 Mai - 15 Sep	3 BE**I**L	BDF**LM**NQRSV 8
+36 (06)-84-348931	4 **ABCHIX**	AEKLRTVY 9
autos@balatontourist.hu	5 ABGJL	ABGHIK**NO**STV 10
	10A	❶ €22,85
N 46°52'50'' E 17°54'55''	6,7 ha 456**T**(60-100m²) 41**D**	❷ €28,55

Südseite vom Balatonsee. Richtung Tihany 200m vor der Fähre rechts. Nach 800m ist der CP links direkt am See gelegen und ist ausgeschildert.

Mittel-Ungarn

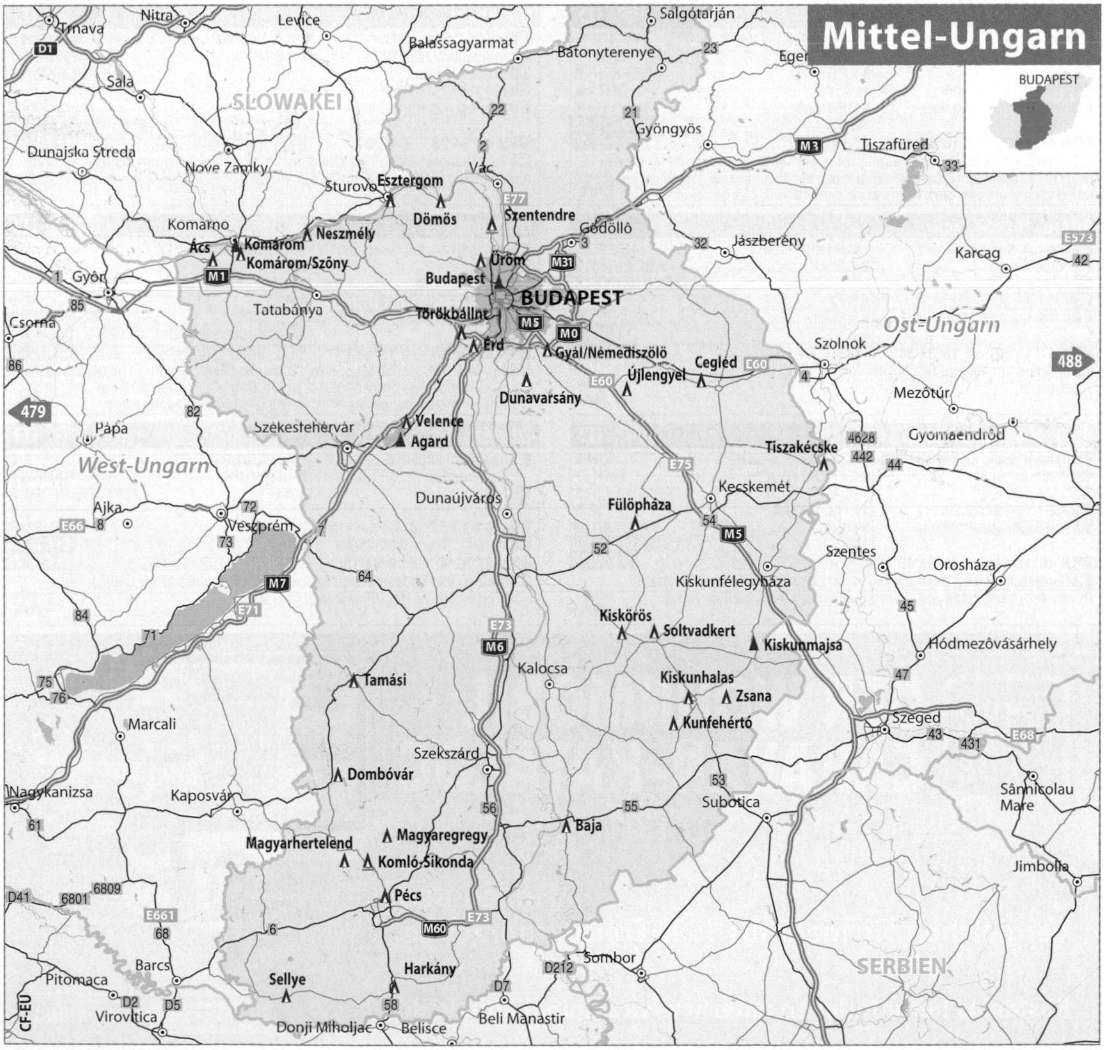

Ungarn

- 'Niche' ist ein Drei-Sterne-Campingplatz.
- Wir akzeptieren die CampingCard ACSI (CCA).
- Unser Restaurant ist ausgezeichnet.
- Ohne Verwendung der CCA Karte ist der Preis inkl. Frühstück.
- Wir sind das ganze Jahr geöffnet

Ács, H-2941 / Komárom-Esztergom

Natura Camping	1 AJMNOPQRS**T**	**N** 6
Fő út 1	2 ABGPY	AD**FG**H 7
1 Jan - 31 Dez	3 L	ABEFNQR 8
+36 (06)-30-9467361	4 IO	DI 9
marta.kincses@freemail.hu	5 B	AHKPR 10
	4A	❶ €10,15
N 47°43'23" E 18°2'23"	H117 2,5 ha 75**T** 5**D**	❷ €11,25

An der 1 Budapest-Komarom-Györ bei Km-Pfahl 94.

Agárd, H-2484 / Fejér

Park Strand Kemping***	1 ABC**JM**NOPQRS**T**	**H**MNQS 6
Chernel István utca 51-52	2 ADGIOPQY	ABDEI 7
15 Apr - 30 Sep	3 ABE	ABEFNQR 8
+36 (06)-22-370308	4	DRTV 9
parkkemping@gvu.hu	5 DFGILM	AHIJPRV 10
	10A	❶ €18,55
N 47°11'30" E 18°35'25"	8 ha 450**T**(80m²) 2**D**	❷ €22,40

Ab Budapest die M7, in Agárd hinter Km 51 re. und von Székesfehérvár die M7 nehmen. Hinter Km 52 etwa 450m li. Dann CP-Schild folgen. Von Székesfehérvár der M7 und bei Km 56 Velencei tó folgen. Nach einigen Km ist der CP links deutlich angezeigt.

Agárd, H-2484 / Fejér

Thermal Kemping Agárd	1 BJMNOPQRST	ABEFG 6
Fürdo Tér 1	2 GIPVX	ABDEFHIK 7
1 Apr - 30 Okt	3	ABEFKNQR 8
+36 (06)-30-5772214	4 IW**Y**	9
info@agarditermal.hu	5 DFGH	AHJORV 10
	6A	❶ €19,70
N 47°11'22" E 18°37'31"	2 ha 63**T**(80-100m²)	❷ €26,05

In Agárd am Velence See auf der No.7 sind CP und Themalbad gut angegezeigt.

Baja, H-6500 / Bács-Kiskun

Ifjúsági Szálló és Kemping	1 ADE**JM**NOPQRST	**J**N 6
Petőfi-sziget 5	2 CFHOPVWXY	AB**F**J 7
1 Mai - 30 Sep	3 FL**M**	ABEFHNQR 8
+36 (06)-79-522230	4 FHIO**RTUZ**	QR 9
szallas@bajaiturizmus.hu	5 DEGI	AGHJPR 10
	10A	❶ €14,90
N 46°10'41" E 18°56'45"	H80 2 ha 45**T**(60-100m²)	❷ €18,10

Der Beschilderung Zentrum folgen. Im Zentrum die Brücke über den Donau-Arm nach Petőfi Sziget (Insel) nehmen. CP nach 200m rechts.

Budapest, H-1106 / Pest

Arena Camping & Guesthouse Budapest	1 A**JM**NOPRST	6
Pilisi utca 7	2 ACOPRWXY	ABDEF 7
1 Jan - 31 Dez	3 ALS	ABCDEFJNQRT 8
+36 (06)-30-2969129	4 O	G 9
info@budapestcamping.hu	5 JL	AGHIJNOPR 10
	Anzeige auf Seite 485 16A	❶ €19,05
N 47°30'15" E 19°9'30"	0,7 ha 40**T** 8**D**	❷ €24,15

M1/M7 ins Zentrum, über die Elisabeth-Brücke (weiße Brücke), dann 8 km geradeaus. Hinter dem CP-Schild 500m rechts, dann nach 100m rechts.

Budapest, H-1096 / Pest

Haller Camping**	1 AJMNOPRST	6
Haller utca 27	2 AOPQX	ABDEF 7
10 Mai - 30 Sep	3	ABEFNQR 8
+36 (06)-20-3674274	4	9
info@hallercamping.hu	5 EFGJ	AGHIJOPR 10
	Anzeige auf Seite 485 16A	❶ €21,90
N 47°28'33" E 19°4'59"	H117 1,5 ha 120**T**	❷ €27,15

Von Süden über die M5 Richtung Zentrum. Auf dem 1. Stadtring Richtung Lagymanyosi hid (Brücke). Vor der Brücke, am großen Einkaufscenter (Lurdy-Ház) rechts. Ist ausgeschildert. Einfahrt an der Óbester Utca.

Budapest, H-1039 / Pest

Mini Camping***	1 A**JL**NOPRT	6
Királyok utca 307	2 AOPQVX	ABDEI 7
10 Mai - 20 Sep	3 A	ABEFNR 8
+36 (06)-30-2003752	4	K 9
	5	AHIJR 10
	16A	❶ €15,85
N 47°36'16" E 19°4'10"	H102 0,6 ha 35**T**	❷ €19,70

Vom Zentrum Budapest die 11 Richtung Szentendre. Ca. 15 km auf der rechten Seite bei Bekasmegyr. Anweisungen folgen (Gelb/Schwarz in Länge auf Laternen).

Budapest, H-1031 / Pest

Római Camping***	1 AJLNOPRT	**ABFGH** 6
Szentendrei utca 189	2 ABOPY	ABDE**FG** 7
1 Jan - 31 Dez	3 AF	ABEFNQR 8
+36 (06)-1-3887167	4	FJ 9
info@romaicamping.hu	5 BEI	AHIJORV 10
	16A	❶ €24,30
N 47°34'28" E 19°3'6"	H124 7,2 ha 250**T** 21**D**	❷ €31,65

Von Budapest Richtung Esztergom die 11 und 12 km vorm Zentrum auf der rechten Seite. Schildern 'Római-Club' folgen.

Budapest, H-1121 / Pest

Zugligeti 'Niche' Camping***	1 ADE**JM**NOPQRS**T**	6
Zugligeti ut 101	2 BNOPRTUVY	ABDE**F**IJ 7
1 Jan - 31 Dez	3 U	ABCDEFJNQR 8
+36 (06)-1-2008346	4 **A**IO	KL 9
camping.niche@t-online.hu	5 BDGIJK	ABGHJNOR 10
	Anzeige auf dieser Seite 4A CEE	❶ €22,85
N 47°30'58" E 18°58'27"	H450 2 ha 90**T**(20-45m²)	❷ €27,30

Von Österreich über die M1 oder vom Plattensee die M7; Ausfahrt 14 Budakeszi. Von der M0 bis zum Ende folgen, dann die Straße Nr.1 Ri. Budakeszi. Von Budakszi den CP-Schildern folgen. Von der Stadt aus, Ri. Moszkva Tér. CP-Schildern folgen.

Cegléd, H-2700 / Pest

Appartementpark & Camping****	1 ABDE**JM**NOPRT	6
Fürdo u. 27-29	2 GOPVWX	ABFIJ 7
1 Jan - 31 Dez	3 AEFL	ABCDEFJNQRT 8
+36 (06)-53-501177	4	I 9
camping@cegleditermal.hu	5	AHIJPU 10
	B 16A	❶ €14,30
N 47°12'4" E 19°44'18"	4 ha 120**T**(80-100m²) 36**D**	❷ €18,75

Die E60 von Budapest nach Szolnok; Der CP liegt 6 km vor Cegléd. Von Cegléd aus ist der CP angezeigt.

Ungarn

Teilkarte Mittel-Ungarn auf Seite 483

Dombóvár, H-7200 / Tolna

Gunaras Camping**	1 ADEJMNOPQRST	ABEFGHIN 6
Tó ut 5	2 BPRSVWXY	ABDEFHIJK 7
1 Mai - 30 Sep	3 BEGLMS	ABCDEFNQRTU 8
+36 (06)-74-463337	4 HIQWY	I 9
info@gunaras.info	5 J	AFHJPRV 10
	16A	① €11,00
N 46°24'12'' E 18°10'20''	H115 4,3 ha 100T(40-100m²) 32D	② €15,00

An der 61. Gut ausgeschildert. Kurz außerhalb Dombóvár. Zuerst Richtung Tamasi, dann nach der MOL-Tankstelle Richtung Högyész. Wegweiser Schwimmbad Gunaras folgen. In der Nähe des Schwimmbades liegt der CP.

Dömös, H-2027 / Komárom-Esztergom

Dömös Duna-Part***	1 AJMNOPQRST	AFJNX 6
Dömös Dunapart	2 CGHJOPVX	ABDEFGI 7
1 Mai - 30 Sep	3 ABEGIM	ABFNQR 8
+36 (06)-33-482319	4 AIO	JK 9
info@domoscamping.hu	5 GI	ABHJNPRV 10
	B 10A	① €18,70
N 47°45'56'' E 18°54'54''	H200 1,8 ha 100T(85-120m²) 7D	② €24,40

Gelegen an der 11 zwischen Esztergom und Budapest. Gut ausgeschildert und an der Donau gelegen.

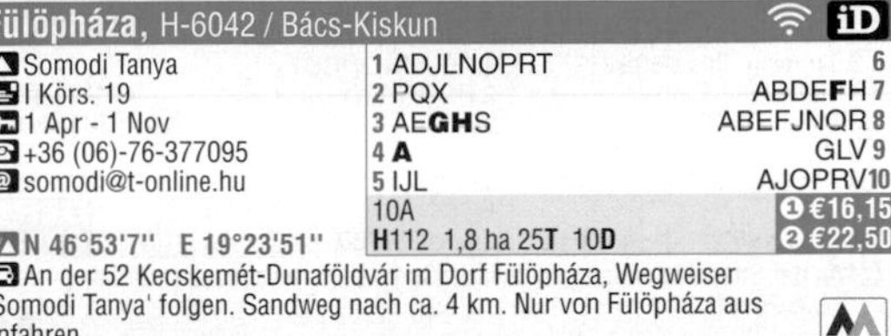

Fülöpháza, H-6042 / Bács-Kiskun

Somodi Tanya	1 ADJLNOPRT	6
I Körs. 19	2 PQX	ABDEFH 7
1 Apr - 1 Nov	3 AEGHS	ABEFJNQR 8
+36 (06)-76-377095	4 A	GLV 9
somodi@t-online.hu	5 IJL	AJOPRV 10
	10A	① €16,15
N 46°53'7'' E 19°23'51''	H112 1,8 ha 25T 10D	② €22,50

An der 52 Kecskemét-Dunaföldvár im Dorf Fülöpháza, Wegweiser 'Somodi Tanya' folgen. Sandweg nach ca. 4 km. Nur von Fülöpháza aus anfahren.

Dunavarsány, H-2335 / Pest

Strandcamping Rukkel-Tó	1 AJLNOPRST	HILMNQ 6
Szent Imre utca 6 Kms	2 ADGJOPQWXY	AB 7
1 Mai - 30 Sep	3 AEF	ABEFNQR 8
+36 (06)-70-3860851	4 O	QRT 9
rukkel@waterpark.hu	5 DGI	AJR 10
	10A	① €19,70
N 47°17'12'' E 19°6'5''	H104 1,5 ha 50T	② €28,55

Der Straße Nr. 51 bis zur Kreuzung Taksony-Bugyi folgen. 6 km hinter Taksony liegt der CP rechter Hand der Straße. Sehr gut ausgeschildert.

Gyál/Némediszölö, H-2360 / Pest

Galopp Major	1 AJLNOPRS	A 6
Galopp Major	2 APQX	AB 7
1 Apr - 1 Okt	3 AGH	ABEFJNQ 8
+36 (06)-30-2308954	4 O	GJ 9
info@galoppmajor.hu	5 ADGJL	AHKR 10
	10A	① €18,75
N 47°21'6'' E 19°11'49''	H109 1 ha 40T 7D	② €27,60

M5 Budapest-Szeged, Ausfahrt Gyál. Ausfahrt 21 (Km-Pfahl) am Kreisel. Den Schildern Alsónémedi folgen.

Érd, H-2030 / Pest

Flamingo	1 AJMNOPRT	A 6
Fürdö utca 4	2 AOPVY	ABDEFHI 7
1 Apr - 30 Okt	3 EM	ABEFJNQR 8
+36 (06)-30-3364003	4 AO	JV 9
flamingocamp@t-online.hu	5 GIJ	ABHIJOR 10
	10A CEE	① €22,15
N 47°23'40'' E 18°56'9''	H110 1 ha 50T 3D	② €29,80

Über die M1 nach M0, dann Ausfahrt Diós/Érd. Über die 7 Érd, danach den Schildern folgen.

Esztergom, H-2500 / Komárom-Esztergom

Gran Camping	1 AJMNOPQRST	AN 6
Nagy Duna Sétány 3	2 CGPX	ABDE 7
1 Mai - 30 Sep	3 ABEM	ABEFNQR 8
+36 (06)-33-402513	4 I	GJ 9
fortanex@t-online.hu	5 AEFGJ	AHIJPRV 10
	20A	① €17,45
N 47°47'25'' E 18°43'55''	H119 3,5 ha 160T(80-120m²) 11D	② €22,55

Von Tát über die 11 nach Esztergom. In Esztergom im Kreisel Richtung Párkány/Stúrovo. Hinter der Brücke nach der Kurve ist der CP.

Harkány, H-7815 / Baranya

Termál Kemping Harkány	1 ACDEJMNOPQRST	AEFH 6
Bajcsy-zs utca 6	2 BOPSVWXY	ABDEFHI 7
1 Jan - 31 Dez	3 ELM	ABEFNQRSTUV 8
+36 (06)-72-580965	4 FHIORTUVXY	GIJKL 9
thermal@campingharkany.hu	5 AI	AHIJPRV 10
	Anzeige auf dieser Seite B 15A	① €20,50
N 45°51'20'' E 18°14'21''	H100 2 ha 102T(80-100m²) 35D	② €27,15

Im Zentrum Richting Siklos fahren. Nach 500m an der Bushaltestelle links abbiegen in Richtung Thermalbad. Immer geradeaus bis zum Ende der Allee fahren.

Ungarn

Teilkarte Mittel-Ungarn auf Seite 483

Kiskörös, H-6200 / Bács-Kiskun

Kiskörös Thermalbad & Kemping	1 AILNOPRST ABEFG 6
Erdötelki utca 17	2 GOPQWXY ABDEFI 7
1 Jan - 31 Dez	3 AEF ABEFJNQR 8
+36 (06)-78-311524	4 STWY 9
furdokemping@kiskunviz.hu	5 DGJ HIJOPR 10
	10A ❶ €18,75
N 46°37'18'' E 19°16'27''	H104 2 ha 100T(ab 60m²) ❷ €23,80

In Kiskörös gut ausgeschildert.

Kiskunhalas, H-6400 / Bács-Kiskun

Napfény Camping***	1 AILNOPRT ABEF 6
Nagy Szeder István utca 1	2 GOPQVWX ABDEFI 7
15 Mai - 31 Aug	3 ABF ABFNQRV 8
+36 (06)-77-422590	4 STVW 9
info@halasthermal.hu	5 D AHIJPR 10
	B 16A ❶ €15,25
N 46°25'57'' E 19°28'17''	H122 3 ha 100T(70-100m²) ❷ €20,30

In Kiskunhalas-Zentrum den Schildern von Motel und Hotel 'CSIPKE' folgen.

Kiskunmajsa, H-6120 / Bács-Kiskun

Camping 'Ons Dorpke'	1 ACJMNOPRST A 6
Ötfa 40 / pb 022	2 BOPRWXY ABFGHIJK 7
1 Mai - 31 Okt	3 AS ABEFJKNQRV 8
+36 (06)-20-3143802	4 O DJ 9
mail@dorpkecamping.com	5 AKL AHIJNPRV 10
	B 16A ❶ €17,80
N 46°31'53'' E 19°44'19''	1,5 ha 20T 6D ❷ €17,80

An der Strecke von Kecskemét nach Kiskunmajsa gelegen. Der CP ist ausgeschildert.

Kiskunmajsa, H-6120 / Bács-Kiskun

Jonathermál AG***	1 ADJMNOPQRST ABEFGHIMN 6
Kökút 26	2 GHIOPQWXY ABDEFI 7
1 Jan - 31 Dez	3 AEFGHILS ABEFJNQR 8
+36 (06)-77-481855	4 AIORSTUWY AFGIJKLVY 9
info@jonathermal.hu	5 ABCGI AHIJLNORV 10
	Anzeige auf Seite 487 B 10A ❶ €12,55
N 46°31'15'' E 19°44'48''	H100 5 ha 134T 95D ❷ €14,85

Auf der Strecke Kiskunfelegyháza nach Kiskunmajsa ca. 3 km vorm Dorf Kiskunmajsa, auf der linken Seite.

Komárom, H-2900 / Komárom-Esztergom

Solaris	1 ABJMNOPQRST ABEFG 6
Táncsics M. u. 34-36	2 AGIPVX ABDEFHIJ 7
1 Jan - 31 Dez	3 BDEIM ABEFHJNQR 8
+36 (06)-34-342551	4 IRSTW IJ 9
komthermal@komthermal.hu	5 BDEFGI ABCHIJNPR 10
	B 6A ❶ €27,00
N 47°44'36'' E 18°7'52''	H106 1,3 ha 84T 18D ❷ €39,70

Die 1 Györ-Budapest, ab Zentrum Komárom gut ausgeschildert.

Komárom, H-2900 / Komárom-Esztergom

Thermal Camping	1 ABDEJMNOPQRST ABEF 6
Táncsics M. u. 38	2 AGOPVX ABFHIJ 7
1 Apr - 15 Okt	3 ABILM ABEFJNQR 8
+36 (06)-34-342447	4 OSTWYZ GIL 9
thermalhotel@komthermal.hu	5 IJKL AHJPRV 10
	15A ❶ €27,00
N 47°44'34'' E 18°8'1''	H106 2,5 ha 180T 27D ❷ €39,70

Vom Komárom-Zentrum die Straße 1, 500m Richtung Esztergom. Links halten.

Komárom/Szőny, H-2900 / Komárom-Esztergom

WF Szabadidöpark	1 ADEJMNOPQRST AFGHMN 6
Puskaporosi út 24	2 ADGHPX ABDEFHIJ 7
1 Mai - 1 Okt	3 ABDEIM ABEFNQR 8
+36 (06)-34-347233	4 AIMORSTW FIJKLV 9
wf.park@t-online.hu	5 BDEFGHJL AHIJNRVW 10
	16A ❶ €20,95
N 47°43'31'' E 18°8'47''	H79 3 ha 100T 19D ❷ €32,40

Von der M1 Györ-Budapest, Ausfahrt Komárom die 13. Dann in Komárom am Kreisel Richtung Budapest. Nach einigen Kilometern rechts ab Richtung Mocsa. Dann den Schildern 'WF Szabadidöpark' folgen.

Komló-Sikonda, H-7300 / Baranya

Thermal Camping Mediano	1 ADEJMNOPQRST ABEFGN 6
Fürdö Utca 8	2 BOPRSUWXY ABDEFI 7
1 Apr - 31 Okt	3 AEFGILMQ ABDEFHKNPQRSV 8
+36 (06)-72-481981	4 DFHIORSTVWYZ AGJKV 9
info@medianocamping.hu	5 ABDEGL ABDFGHIJMOSTVZ 10
	6A ❶ €20,00
N 46°10'31'' E 18°13'22''	H200 3 ha 50T(50-100m²) 27D ❷ €26,00

Auf der 66 Pécs-Kaposvár die Ausfahrt Sikonda nehmen. CP gegenüber dem Thermalbad; ist deutlich angezeigt.

Kunfehértó, H-6413 / Bács-Kiskun

Condnoki Iroda	1 AFILNOPR LMN 6
Tabor utca 27	2 BDGHIPQRWXY ABI 7
15 Mai - 15 Sep	3 ABEFNQ 8
+36 (06)-30-6352583	4 J 9
kfto.sporttabor@gmail.com	5 AHIJOST 10
	6A ❶ €12,40
N 46°22'33'' E 19°24'1''	1 ha 50T 5D ❷ €14,90

Südlich von Kiskunhalas der 53 folgen. Ausfahrt Kunfeherto. Kunfehértó durchfahren bis zum See. Der CP liegt vor dem See.

Magyaregregy, H-7332 / Baranya

Máré Vára	1 AJMNOPQRT AN 6
Várvölgyi utca 2	2 OPWXY ABF 7
15 Apr - 30 Sep	3 AGLS AEFHNPQR 8
+36 (06)-72-420126	4 FH ADJ 9
info@camping-marevara.com	5 AEGL AGHIJPSTV 10
	10A ❶ €17,45
N 46°14'1'' E 18°18'30''	H231 2,5 ha 40T(100m²) 7D ❷ €23,15

Die Strecke Komló-Szászvár, 6 km von Komló und 1 km vor dem Ort liegt der CP. CP ist ausgeschildert.

Magyarhertelend, H-7394 / Baranya

Forrás*	1 ABJMNOPQRT ABEFGN 6
Bokreta u. 105	2 GOPWXY ABDEFI 7
1 Mai - 31 Aug	3 L ABEFNQR 8
+36 (06)-72-521110	4 TUWX 9
bojtheforras@freemail.hu	5 GL AHIJPRV 10
	6A ❶ €13,80
N 46°11'27'' E 18°8'31''	H132 2 ha 80T(65-90m²) ❷ €17,60

66 von Kaposvar nach Pécs, bei Oroszlö Schildern zum CP folgen. Oder von Magyarszék Richtung Orfü bis Magyarhertelend fahren. CP liegt beim Schwimmbad.

Neszmély, H-2544 / Komárom-Esztergom

Éden	1 ABDEJMNOPQRST AJNWXYZ 6
Dunapart	2 CGKPVX ABDEFGH 7
1 Apr - 31 Okt	3 BELMQ ABCDEFNQRS 8
+36 (06)-33-474183	4 ABIO AEGJPQRTU 9
eden@mail.holop.hu	5 CEGIJK ABHJNPRW 10
	B 6A CEE ❶ €19,65
N 47°44'39'' E 18°24'9''	H100 9 ha 300T 42D ❷ €22,60

CP liegt an der 10 zwischen den Dörfern Neszmély und Süttö an der Donau.

Pécs, H-7627 / Baranya

Familia Privat Camping	1 ABGILNOPQRST 6
Puskin Tér	2 ABOPSWXY AB 7
1 Jan - 31 Dez	3 ABEFJNQRV 8
+36 (06)-72-327034	4 I FGI 9
eros.timi@gmail.com	5 L ABFGHIJPST 10
	4-12A ❶ €13,95
N 46°5'6'' E 18°15'46''	H90 1,5 ha 35T(40-60m²) 7D ❷ €19,70

Vom Zentrum die 6 Richtung Budapest. 2 km vom Zentrum, 0,5 km von der Stadtgrenze. An der Ampel (links Lidl, rechts Kirche) links ab, Zufahrt zum CP nach 100m rechts.

Teilkarte Mittel-Ungarn auf Seite 483

Sellye, H-7960 / Baranya

Hársfa Camping
Fürdö ut 101
1 Jan - 31 Dez
+36 (06)-30-4368140
info@harsfacamping.hu

1 AJMNOPRT	**ABFGN** 6
2 PSWXY	ABDEI 7
3 E**G**L	ABEFNQ 8
4 HI**TW**	AFGIP 9
5 L	AHJRV 10
B 16A	❶ €15,25
H100 1 ha 30**T** 18**D**	❷ €23,50

N 45°52'43" E 17°51'0"

Von Harkány aus in Sellye den CP-Schildern folgen und Thermalfürdö (=Schwimmbad).

Soltvadkert, H-6230 / Bács-Kiskun

Vadkerti*
Vadkerti-tó
1 Jun - 31 Aug
+36 (06)-78-480350
vadkertitokemping@gmail.com

1 ACJKNOPRST	**HLMN**QX 6
2 DGHIPQWXY	ABDEIK 7
3 AI	ABEFNQ 8
4	KV 9
5 CDFI	AGHIJOR 10
6A	❶ €12,70
H125 3 ha 150**T**	❷ €15,85

N 46°36'35" E 19°23'31"

Von Soltvadkert-Zentrum den Schildern 'Kecskemét' (die 54) folgen. Dann dem Schild Schwimmbad und Gaststätte folgen.

Szentendre, H-2000 / Pest

Pap-Sziget Camping***
Papsziget 1
10 Apr - 18 Okt
+36 (06)-26-310697
info@pap-sziget.hu

1 A**JL**NOPRST	AF**N**XY 6
2 COPQVXY	ABDE**F** 7
3 BELU	ABEFNQR 8
4 **AQ**	FGJV 9
5 ADFJKL	AGHIJLOPRV 10
16A	❶ €19,05
H109 3,5 ha 80**T**(30-100m²) 48**D**	❷ €24,15

N 47°40'54" E 19°4'58"

Von Budapest 11, bei Km-Pfahl 22 an der Donau. Über die Holzbrücke fahren.

Tamási, H-7090 / Tolna

Camping Tamási
Hársfu ut 1
1 Mai - 15 Okt
+36 (06)-74-471738
tamasikemping@gmail.com

1 ABCDE**JM**NOPQRST	**ABEFGHI** 6
2 OPSWXY	ABDE**F**IJK 7
3	ABEFHNQR 8
4 HO**TUWX**	GI 9
5 L	AHIJPRV 10
10A	❶ €12,70
0,7 ha 70**T**(60-100m²) 18**D**	❷ €15,55

N 46°37'32" E 18°17'12"

In Tamási der Kreuzung der 61 und der 65 (Ampel), 400m Richtung Szekszárd. Der Beschilderung folgen.

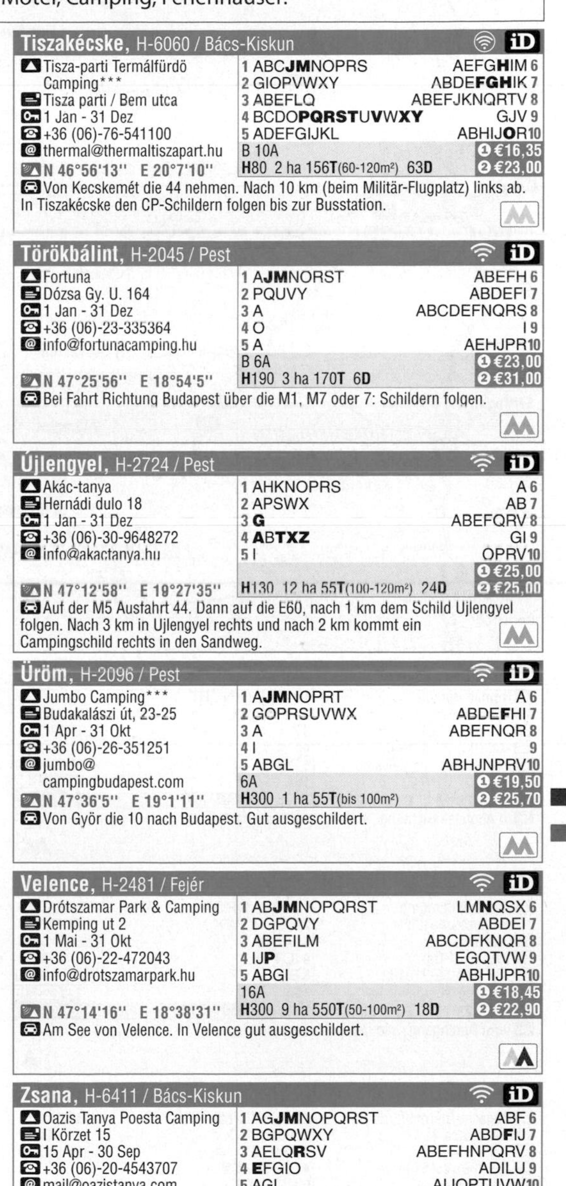

Tiszakécske, H-6060 / Bács-Kiskun

Tisza-parti Termálfürdö Camping***
Tisza parti / Bem utca
1 Jan - 31 Dez
+36 (06)-76-541100
thermal@thermaltiszapart.hu

1 ABC**JM**NOPRS	AEFG**H**IM 6
2 GIOPVWXY	ABDE**FGH**IK 7
3 ABEFLQ	ABEFJKNQRTV 8
4 BCDO**PQRST**U**V**W**XY**	GJV 9
5 ADEFGIJKL	ABHIJ**O**R 10
B 10A	❶ €16,35
H80 2 ha 156**T**(60-120m²) 63**D**	❷ €23,00

N 46°56'13" E 20°7'10"

Von Kecskemét die 44 nehmen. Nach 10 km (beim Militär-Flugplatz) links ab. In Tiszakécske den CP-Schildern folgen bis zur Busstation.

Törökbálint, H-2045 / Pest

Fortuna
Dózsa Gy. U. 164
1 Jan - 31 Dez
+36 (06)-23-335364
info@fortunacamping.hu

1 A**JM**NORST	ABEFH 6
2 PQUVY	ABDEFI 7
3 A	ABCDEFNQRS 8
4 O	I 9
5 A	AEHJPR 10
B 6A	❶ €23,00
H190 3 ha 170**T** 6**D**	❷ €31,00

N 47°25'56" E 18°54'5"

Bei Fahrt Richtung Budapest über die M1, M7 oder 7: Schildern folgen.

Újlengyel, H-2724 / Pest

Akác-tanya
Hernádi dulo 18
1 Jan - 31 Dez
+36 (06)-30-9648272
info@akactanya.hu

1 AHKNOPRS	A 6
2 APSWX	AB 7
3 **G**	ABEFQRV 8
4 **ABTXZ**	GI 9
5 I	OPRV 10
	❶ €25,00
H130 12 ha 55**T**(100-120m²) 24**D**	❷ €25,00

N 47°12'58" E 19°27'35"

Auf der M5 Ausfahrt 44. Dann auf die E60, nach 1 km dem Schild Ujlengyel folgen. Nach 3 km in Ujlengyel rechts und nach 2 km kommt ein Campingschild rechts in den Sandweg.

Üröm, H-2096 / Pest

Jumbo Camping***
Budakalászi út, 23-25
1 Apr - 31 Okt
+36 (06)-26-351251
jumbo@campingbudapest.com

1 A**JM**NOPRT	A 6
2 GOPRSUVWX	ABDE**F**HI 7
3 A	ABEFNQR 8
4 I	9
5 ABGL	ABHJNPRV 10
6A	❶ €19,50
H300 1 ha 55**T**(bis 100m²)	❷ €25,70

N 47°36'5" E 19°1'11"

Von Györ die 10 nach Budapest. Gut ausgeschildert.

Velence, H-2481 / Fejér

Drótszamar Park & Camping
Kemping ut 2
1 Mai - 31 Okt
+36 (06)-22-472043
info@drotszamarpark.hu

1 AB**JM**NOPQRST	LM**N**QSX 6
2 DGPQVY	ABDEI 7
3 ABEFILM	ABCDFKNQR 8
4 IJ**P**	EGQTVW 9
5 ABGI	ABHIJPR 10
16A	❶ €18,45
H300 9 ha 550**T**(50-100m²) 18**D**	❷ €22,90

N 47°14'16" E 18°38'31"

Am See von Velence. In Velence gut ausgeschildert.

Zsana, H-6411 / Bács-Kiskun

Oazis Tanya Poesta Camping
I Körzet 15
15 Apr - 30 Sep
+36 (06)-20-4543707
mail@oazistanya.com

1 AG**JM**NOPQRST	ABF 6
2 BGPQWXY	ABDFIJ 7
3 AELQ**R**SV	ABEFHNPQRV 8
4 **E**FGIO	ADILU 9
5 AGL	AIJOPTUVW 10
6A	❶ €18,00
H131 1,5 ha 20**T** 4**D**	❷ €22,10

N 46°24'55" E 19°36'30"

Zwischen Kiskunhalas und Szeged. Ca. 7 km von Kiskunhalas vor der Ortschaft Zsana li. in den Sandweg fahren. Ausgeschildert. Nur von der genannten Szeged Utca Straße aus gut zu erreichen. Mit Navi bitte den Koordinaten folgen.

Gebrauchsanweisung

Um die Möglichkeiten des Führers optimal nutzen zu können, sollten Sie die Gebrauchsanweisung auf Seite 10 gut durchlesen. Hier finden Sie wertvolle Informationen, beispielsweise die Berechnung der Übernachtungspreise.

❶ € 25,00
❷ € 35,80

Teilkarte Mittel-Ungarn auf Seite 483

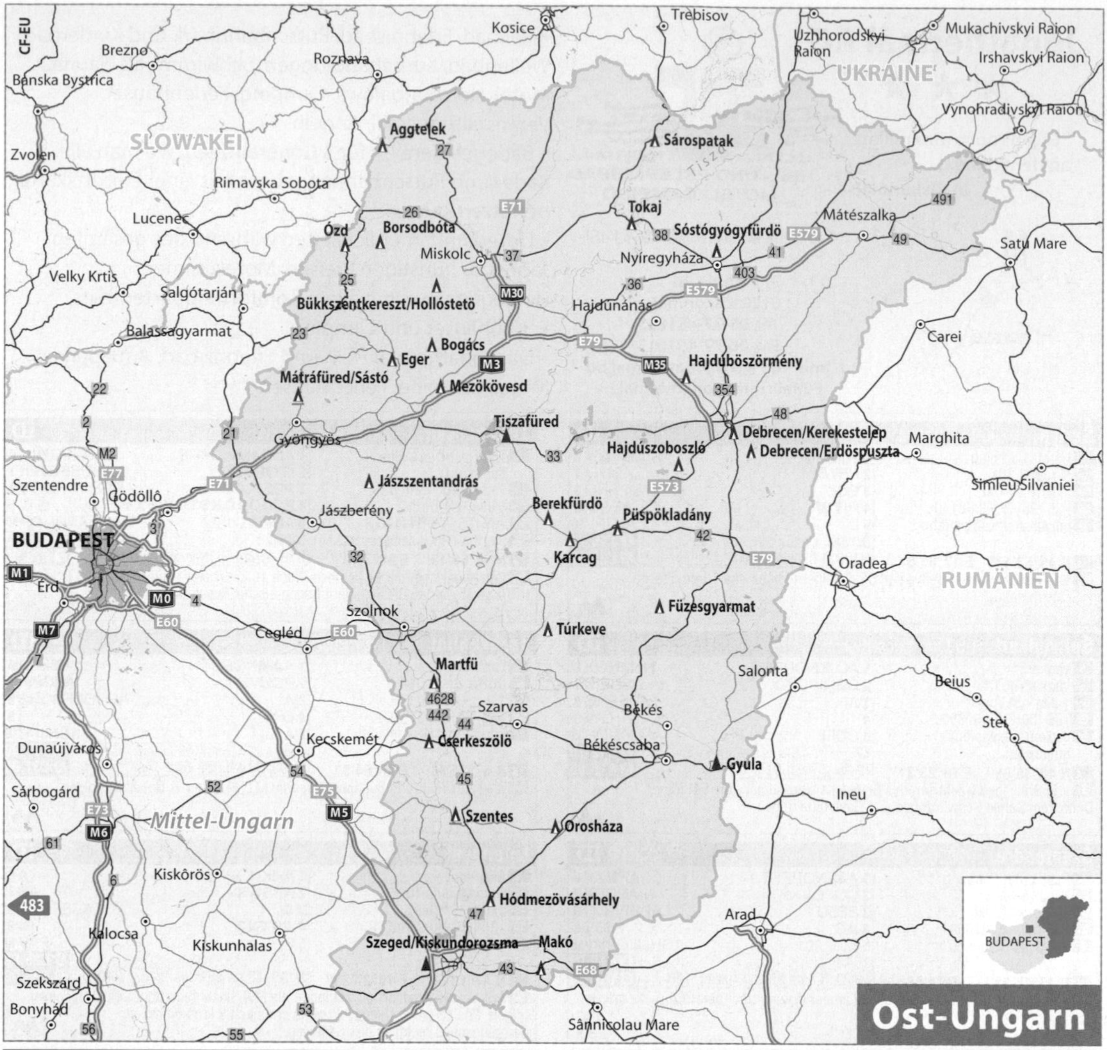

Ost-Ungarn

483

Aggtelek, H-3759 / Borsod-Abaúji-Zemplén

Nomád Baradla*	1 ACDEJMNORT	6
Baradla oldal 1	2 BFOPWX	ABIK 7
15 Apr - 15 Okt	3 A	ABEFNQT 8
+36 (06)-30-8619427	4 F	GJU 9
info@szallas-aggtelek.hu	5 DIJ	AHKORV 10
	16A	❶ €13,95
N 48°28'16'' E 20°29'40''	H322 3 ha 60T 37D	❷ €19,05

In Aggtelek Richtung 'Barlang/Cave/Höhle' fahren.

Borsodbóta, H-3658 / Borsod-Abaúji-Zemplén

Amedi	1 AG**JM**NOPQRST	A 6
Rakoczi ut 181	2 FPWXY	ABDE**FG**HI 7
1 Mai - 30 Sep	3 ALQRV	ABEFNQR 8
+36 (06)-48-438468	4 FHIO**X**	JU 9
info@campingamedi.hu	5 GL	AHJNPRV 10
	16A	❶ €18,90
N 48°12'47'' E 20°24'21''	H248 2,5 ha 40T(120-130m²) 2D	❷ €24,60

M3 bis zur Ausf. Eger. Der 25 bis zur Ausfahrt Szilvásvárad folgen. Dann Ri. Bükkmogyorósd/Csernely/Dédestapolcsány nach Sáta. Beschilderung Borsobóta folgen, in Borsodbóta rechts Ri. Uppony, rechts liegt der CP.

Berekfürdö, H-5309 / Jász-Nagykun-Szolnok

Thermal Camping és Vendégha'z**	1 AC**IL**NOPQR	ABEFGM**N** 6
	2 CGOPQWX	AB**F**IJK 7
Camping u. 2	3 BE**IM**	ABEFNQR 8
1 Apr - 31 Okt	4 IO**T**W	GJKT 9
+36 (06)-59-319162	5 BDI	AHIJORV 10
kemping@berek-viz.hu	16A	❶ €23,15
N 47°23'19'' E 20°50'32''	H76 3 ha 250T 31D	❷ €32,40

Vom Durchgangsweg deutlich ausgeschildert.

Bükkszentkereszt/Hollóstetö, H-3557 / Borsod-Ab.-Ze.

Hollóstetöi-Hegyi Camping**	1 A**JM**NORT	6
15 Apr - 30 Sep	2 BOPRTWX	AB 7
+36 (06)-46-390183	3 AL	AEFNQ 8
hollosteto@gmail.com	4 FI	DJ 9
	5 DGIL	AHIJORV 10
	16A	❶ €14,30
N 48°3'55'' E 20°35'40''	H566 4 ha 200T(100-120m²) 39D	❷ €18,75

Miskolc-Eger über Lillafüred. CP ist gut ausgeschildert. Die direkte Route von Miskolc-Bükkszentkereszt ist für Caravangespanne abzuraten.

Bogács, H-3412 / Borsod-Abaúji-Zemplén

Bogácsi Thermálfürdö KFT	1 ABCDE**JM**NOPR**T**	ABFG**HM** 6
Fürdö utca 4	2 AGIOPWXY	ABIJ 7
1 Apr - 31 Okt	3 A**MNST**	ABEFNQR 8
+36 (06)-49-534410	4 HI**ST**W**XY**	IJ 9
szallas@bogacsitermalfurdo.hu	5 DEGHIJL	AHIK**O**TUV 10
	B 16A	❶ €25,90
N 47°54'39'' E 20°31'41''	H179 2 ha 200T(30-60m²) 50D	❷ €37,35

Auf der Nordumfahrung (die Landstraße 3, nicht die M3) von Mezökövesd Ausfahrt Bogács nehmen. In Bogács über die Brücke, direkt rechts. CP kommt nach dem Schwimmbad, daher am Thermálfürdö vorbeifahren.

Teilkarte Ost-Ungarn auf Seite 488

Cserkeszölö, H-5465 / Jász-Nagykun-Szolnok

Thermal Camping****
Beton út 5
1 Jan - 31 Dez
+36 (06)-56-568450
hotelcamping@cserkeszolo.hu
N 46°51'52'' E 20°12'9''

1 ABD**JM**NOPRS**T**	ABEFG**H**IM 6
2 GOPVWX	ABDE**F**HIJK 7
3 AEF**ILMP**	ABEFJNQRTUV 8
4 **STU**WXY	GIJ 9
5 DEHJ	AGHIJRYZ 10
B 10A	1 €20,30
H80 4 ha 200**T**(60-100m^2) 96**D**	2 €28,25

Liegt an der 44 zwischen Kecskemet und Kunszentmárton. In Cserkeszölö wird der CP ausgeschildert.

Debrecen/Erdöspuszta, H-4002 / Hajdú-Bihar

Dorcas Camping***
Erdöspuszta
1 Jan - 31 Dez
+36 (06)-52-441119
dorcascenter@debrecen.com
N 47°26'56'' E 21°41'23''

1 AD**JM**NOPRT	A**N** 6
2 BGOPQVY	AB**F** 7
3 AELS	ABEFHNPQR 8
4 F	DGIJ 9
5 ABEJ	ABHIKNORV 10
B 6A	1 €17,80
H121 5,4 ha 80**T**(60-100m^2) 58**D**	2 €21,60

Auf der Nationalstraße 47 zwischen Km-Pfahl 5 und 6 Richtung Hosszupalyi, nach 6 km Dorcas an der rechten Seite.

Debrecen/Kerekestelep, H-4030 / Hajdú-Bihar

Lyra Beach Camping
Lomnicz utca 1-3
1 Jan - 31 Dez
+36 (06)-20-2193066
info@kerekestelepifurdo.hu
N 47°30'31'' E 21°38'16''

1 AC**JM**NOPRT	ABFGM 6
2 GIOPXY	ABFHIJK 7
3 AF**MNS**	ABEFNQR 8
4 IJOTUVW**X**Y	GIJ 9
5 DFGIL	HIJPRV 10
16A	1 €18,10
120**T**(70-100m^2) 15**D**	2 €23,00

Von Budapest M3, Ausfahrt M35 Richtung Debrecen. Ausfahrt Debrecen Richtung Biharkeresztes (die 47). In Debrecen kommt nach dem Zentrum eine hohe Eisenbahnbrücke. Danach die 3. Straße links (siehe Schild).

Eger, H-3300 / Heves

Tulipán Camping**
Tulipankert utca 3
15 Mär - 15 Okt
+36 (06)-36-311542
info@tulipancamping.com
N 47°53'40'' E 20°21'33''

1 AB**JM**NOPQRST	6
2 PSVWXY	AB**F** 7
3 A	ABEFNQRV 8
4	DJL 9
5 AL	AHIJOR 10
16A	1 €15,55
H180 10 ha 140**T**(36-70m^2) 21**D**	2 €18,10

In Eger, Straße 25, CP-Schildern Tulipán folgen. CP liegt fast im Zentrum.

Füzesgyarmat, H-5525 / Békés

Thermalcamping Füzesgyarmat
Csánky Dezsö ut. 1
1 Jan - 31 Dez
+36 (06)-66-491052
thermalcamping@fuzestv.hu
N 47°5'38'' E 21°12'7''

1 AJMNOPQRT	ABEFH 6
2 GOPVWX	ABDEFI 7
3 AE**GHILM**	ABCDEFINQRTUV 8
4 **ITWZ**	9
5 DIJ	AGHIJORV 10
6A	1 €19,30
H92 1,1 ha 110**T**	2 €24,55

Von der 60 und 47 ist der CP ausgeschildert.

Gyula, H-5700 / Békés

Mark-Camping***
Vár-utca 5
1 Jan - 31 Dez
FAX +36 (06)-66-463380
N 46°38'50'' E 21°17'8''

1 A**IL**NOR	6
2 GPRWX	ABD**FI** 7
3	ABEFNR 8
4 O	D 9
5	AHIOR 10
22A	1 €14,30
H98 1,5 ha 30**T** 5**D**	2 €17,45

Im Zentrum von Gyula Schildern 'Mark-Camping' folgen.

Gyula, H-5700 / Békés

Thermál Kemping & Motel***
Szelso u. 16
1 Jan - 31 Dez
+36 (06)-66-650111
gyulatermalkemping@gmail.com
N 46°38'43'' E 21°17'54''

1 AD**IL**NOQRT	6
2 GPWXY	ABDE**F**HI 7
3 ABEF	ABEFHNR 8
4 IO	DGJV 9
5 GJ	AHIJOR 10
16A CEE	1 €18,90
H86 3,2 ha 320**T** 29**D**	2 €24,65

Am Ortseingang von Gyula, Schildern mit 'Thermál-Kemping' folgen.

Hajdúböszörmény, H-4220 / Hajdú-Bihar

Hajdúböszörményi Castrum Termálkemping****
Nagy András Utca
1 Mai - 30 Sep
+36 (06)-20-9591931
info@bocskaitermal.hu
N 47°41'1'' E 21°29'57''

1 ADE**JM**NOPRST	AB**E**FGHM 6
2 GOPQRVWXY	ABDE**F**IK 7
3 AFL	ABCDEFJNQRSTV 8
4 R**TUV**W**XY**	AHIV 9
5 DEIL	AHIJOPRV 10
B 16A	1 €11,90
2 ha 120**T**(40-100m^2) 18**D**	2 €24,60

Von der 35 Richtung Hajdúböszörmény. Ab hier ist der CP ausgeschildert.

Hajdúszoboszló, H-4200 / Hajdú-Bihar

Thermal Camping***
Böszörményi u 35/A
1 Jan - 31 Dez
+36 (06)-52-558552
thermalcamping@hungarospa.hu
N 47°27'24'' E 21°23'42''

1 ACDE**IL**NOQR	ABEFH**IM** 6
2 DGPWXY	ABDE**FIJ** 7
3 F	ABCDEFHNQRTU 8
4 IO**RST**W	LT 9
5 BDIJ	AGHIJORW 10
12A CEE	1 €28,40
H112 5,7 ha 300**T**	2 €43,05

Von der Umgehung Richtung Zentrum von Hajdúszobozló Nyugat. Dort ist der CP deutlich angezeigt.

Hódmezövásárhely, H-6800 / Csongrád

Termál Kemping
Ady Endre utca 1
1 Apr - 30 Okt
+36 (06)-62-249363
hodfurdo4@hodmezovasarhely.hu
N 46°24'42'' E 20°19'3''

1 A**IL**NOPRST	ABEFG 6
2 GOPQRSWXY	ABDEFIK 7
3 AEF	ABEFNQR 8
4 O**RSTU**W**Y**	FK 9
5 DG	AHIKOPR 10
16A	1 €19,05
H88 2,5 ha 75**T** 4**D**	2 €23,50

Von Mako, im Zentrum Richtung Szeged die 47 fahren bis zu den Schildern wo der CP ausgeschildert wird. Der CP liegt ca. 3 Minuten vom Zentrum.

Jászszentandrás, H-5136 / Jász-Nagykun-Szolnok

Thermal Strand Camping***
Martirok u.14
1 Mai - 23 Okt
+36 (06)-57-446025
termalkemping@invitel.hu
N 47°34'55'' E 20°10'13''

1 ABC**JM**NOPRST	AF**HI** 6
2 GPVWXY	ABDEFIJ 7
3 AEL**M**	ABEFNQRTV 8
4 IOTUWXY**Z**	IJ 9
5 DEL	AHIJPRV 10
B 16A	1 €15,55
H120 5 ha 250**T**(56-124m^2) 116**D**	2 €22,20

Die 31 von Heves in Richtung Jászherény; nach 8 km Richtung Jászszentandrás fahren; im Zentrum Schild 'Strandbad-Camping' folgen.

Karcag, H-5300 / Jász-Nagykun-Szolnok

Karcag**
Fürdö utca 3
1 Apr - 31 Okt
+36 (06)-59-312353
akacligetfurdo@gmail.com
N 47°19'16'' E 20°54'36''

1 ABC**JM**NOPQRT	ABFHIM 6
2 AGOPWX	FIK 7
3 BFLS	FLMNQ 8
4 IO**STWX**	GIJV 9
5 D	ABFHIJOSV 10
10A	1 €24,20
150**T** 16**D**	2 €34,80

Von der 4 bei Karcag der Beschilderung folgen.

Makó, H-6900 / Csongrád

Camping Motel Mako***
Am Ufer der Maros
1 Mai - 30 Sep
+36 (06)-62-211914
campingmako@freemail.hu
N 46°12'12'' E 20°27'21''

1 AILNORT	ANXY 6
2 CGPQRXY	ABDE**F**HIJ 7
3 AE**GH**L	ABEFNR 8
4 IO	GJKORV 9
5 G	AHIJORV 10
16A	1 €15,00
H91 10,5 ha 50**T** 26**D**	2 €21,00

Aus Richtung Szeged die 43 an der Maros Brücke (Breite 3,80m) nehmen, unter der Brücke links abbiegen.

Martfü, H-5435 / Jász-Nagykun-Szolnok

Martfü Kuur en Recreatie Camping****
Tüzep utca 1
1 Jan - 31 Dez
+36 (06)-56-452416
info@toma-bau.hu
N 47°1'11'' E 20°16'5''

1 ABCD**JM**NOPRST	**AB**CEFGM**N**OXZ 6
2 CDGIOPVW	ABDE**FH**IJK 7
3 EFL**MNP**QS	ABEFJKNQRTUV 8
4 HI**JOPQRSTW**	IJLPQV 9
5 GJ	AEGHIJ**N**PRV 10
B 16A	1 €21,45
H88 2,5 ha 60**T**(ab 90m^2) 12**D**	2 €25,25

Von Szolnok die 442 nach Martfü. In Martfü ist der CP angezeigt.

Mátrafüred/Sástó, H-3232 / Heves

CC€12

Mátra Camping Sástó****
Farkas utca 4
1 Apr - 31 Okt
+36 (06)-37-374025
info@matrakemping.hu
N 47°50'39'' E 19°57'26''

1 ABDE**JM**NOPQRST	**EFG** 6
2 BDOPSVWXY	ABF**H**IJK 7
3 ABC	ABEFNQRSTUV 8
4 FHI**TUVY**	JP 9
5 ABDEGHL	ABEHIKPRV 10
B 16A	1 €17,80
H560 2,7 ha 87**T**(40-140m^2) 26**D**	2 €21,60

Von Gyöngyös kommend der 24 folgen. 2 km hinter Mátrafüred den großen Parkplatz links zum Camping überqueren.

Mezökövesd, H-3400 / Borsod-Abaúji-Zemplén

Zsóry-Camping KFT
Bazsarózsa u. 2
15 Apr - 15 Okt
+36 (06)-49-411436
zsorycamping@gmail.com
N 47°47'44'' E 20°31'23''

1 ABDEG**JM**NOPQRST	6
2 AGOPSVWXY	ABIJ 7
3 AE**GM**	ABEFNQRV 8
4 HIO	AJKL 9
5 **L**	AGHIJNORV 10
16A	1 €14,90
H179 2 ha 90**T**(72-100m^2) 16**D**	2 €18,75

CP liegt an der 3/E71 hinter Gyögyös und 4 km vor Mezökövesd. Strandfurdo folgen, dann noch 400m. Wird ausgeschildert.

Ungarn

Teilkarte Ost-Ungarn auf Seite 488

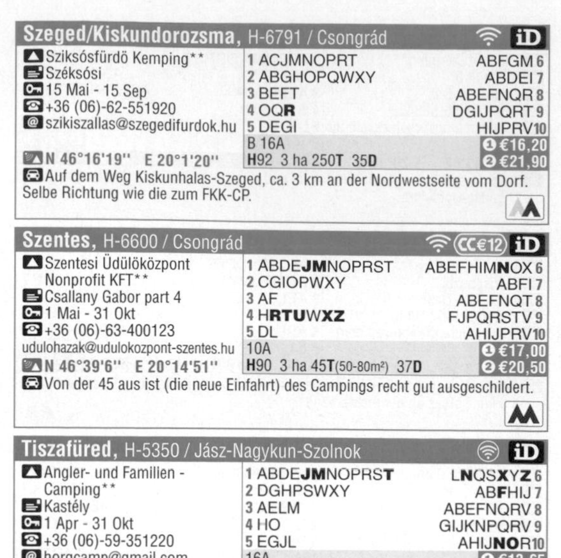

Orosháza, H-5900 / Békés

Thermál Kemping	1 ACDILNOPQR**T**	ABFG**HIN** 6
Fasor u. 3	2 DGIOPWXY	ABDEFIJK 7
1 Mai - 30 Sep	3 ABEF	ABEFNQT 8
+36 (06)-68-512260	4 **A**BHIOR**STU**W**XY**	TUV 9
marketing@gyoparosfurdo.hu	5 GIL	BHIJORYZ 10
	10A	① €16,05
N 46°34'17'' E 20°37'23''	76T	② €23,00

Auf der 47 ist der CP ausgeschildert.

Ózd, H-3600 / Borsod-Abaúji-Zemplén

Strandfürdö Camping**	1 ABJMNOPQRS**T**	ABFGM**N** 6
Bolyki Tamás u 6	2 DGOPWXY	AB**F**IK 7
1 Mai - 30 Sep	3 AEFL	ABEFNQ 8
+36 (06)-48-472520	4	GI 9
postmaster@ ozdiviz.t-online.hu	5 D	AHIKRV 10
	16A	① €19,35
N 48°13'29'' E 20°15'49''	**H**168 2 ha 48**T**(100-170m²) 5**D**	② €27,60

Von Eger vor dem Zentrum von Ózd die 25 verlassen, Richtung Hangony/ Domahaza fahren. Von Bánrève bei Ózd durchfahren bis zum Kreisverkehr, dann Richtung Domahaza. CP ist ausgeschildert.

Püspökladány, H-4150 / Hajdú-Bihar

Árnyas Camping**	1 ACDJMNOQR**T**	AEFM**N** 6
Petöfi utca 62	2 DGOPRWXY	ABDE**F**IJ 7
1 Jan - 31 Dez	3 BE**G**LM	ABEFNQRV 8
+36 (06)-54-451329	4 AIO**S**UW	GIJLQ 9
arnyascamping@externet.hu	5 I	AGHIJNORV 10
	30A	① €15,45
N 47°19'20'' E 21°6'17''	**H**79 2 ha 100**T** 56**D**	② €28,15

Die 4 von beiden Richtungen 2. Ausfahrt Püspökladány fahren. Nach 1. Bahnübergang mit der Straße mit. Nach 2. Bahnübergang direkt rechts entlang dem Thermalbad.

Sárospatak, H-3950 / Borsod-Abaúji-Zemplén

Tengerszem***	1 ACHKNOPQRST	A 6
Herceg ut. 2	2 GPQVWX	BI 7
15 Apr - 15 Okt	3 EL**MN**	ABEFNQ 8
+36 (06)-47-312744	4 O	FGJL 9
info@tengerszem-camping.hu	5 AB	HIJPRV 10
	16A	① €19,05
N 48°19'58'' E 21°34'57''	**H**103 4 ha 60**T**(80-90m²) 81**D**	② €22,55

Die 37. Schilder in Sárospatak auffallend gut von allen Anfahrtswegen.

Sóstógyógyfürdö, H-4431 / Szalbolcs-Szatmár-B.

Igrice**	1 ADE**JM**NOPQRST	L**N** 6
Blaha Lujza Sétany 41/43	2 DGOPWX	ABDEI 7
30 Mai - 31 Aug	3 AELS	ABEFNQ 8
+36 (06)-42-444200	4 I	GIJV 9
info@igricecamping.hu	5 GIJ	ABHIJOR 10
	16A	① €20,95
N 48°0'2'' E 21°43'44''	**H**107 2 ha 130**T**(50-110m²) 18**D**	② €25,40

Sóstófürdo ist überall ausgeschildert. In Sóstófürdo Schildern Ersebeth Eterem folgen.

Szeged/Kiskundorozsma, H-6791 / Csongrád

Jason Contour LTD	1 ACD**IL**NOPRS**T**	LMQUX 6
Vereshomok Dülö 1	2 ADGIPQVWXY	A**B**DE**F**I 7
1 Mai - 20 Sep	3 AEFLS	ABEFNQR 8
+36 (06)-20-2498616	4 IJO**QRTU**	ADEFGRT 9
info@natours.hu	5 DGI	AHIJ**NO**RV 10
	FKK 12A	① €25,95
N 46°16'3'' E 20°0'54''	**H**89 5 ha 150**T** 25**D**	② €33,60

Kommend von Kiskunhalas auf dem Weg nach Szeged. Ca. 3 km vorm Dorf Kiskundorozsma gut ausgeschildert. Der CP liegt auf der rechten Seite. FKK-CP wird ausgeschildert.

Szeged/Kiskundorozsma, H-6791 / Csongrád

Sziksósfürdö Kemping**	1 ACJMNOPRT	ABFGM 6
Széksósi	2 ABGHOPQWXY	ABDEI 7
15 Mai - 15 Sep	3 BEFT	ABEFNQR 8
+36 (06)-62-551920	4 OQ**R**	DGIJPQRT 9
szikiszallas@szegedifurdok.hu	5 DEGI	HIJPRV 10
	B 16A	① €16,20
N 46°16'19'' E 20°1'20''	**H**92 3 ha 250**T** 35**D**	② €21,90

Auf dem Weg Kiskunhalas-Szeged, ca. 3 km an der Nordwestseite vom Dorf. Selbe Richtung wie die zum FKK-CP.

Szentes, H-6600 / Csongrád

CC€12

Szentesi Üdülöközpont Nonprofit KFT**	1 ABDE**JM**NOPRST	ABEFHIM**N**OX 6
Csallany Gabor part 4	2 CGIOPWXY	ABFI 7
1 Mai - 31 Okt	3 AF	ABEFNQT 8
+36 (06)-63-400123	4 H**RTU**W**XZ**	FJPQRSTV 9
udulohazak@udulokozpont-szentes.hu	5 DL	AHIJPRV 10
	10A	① €17,00
N 46°39'6'' E 20°14'51''	**H**90 3 ha 45**T**(50-80m²) 37**D**	② €20,50

Von der 45 aus ist (die neue Einfahrt) des Campings recht gut ausgeschildert.

Tiszafüred, H-5350 / Jász-Nagykun-Szolnok

Angler- und Familien - Camping**	1 ABDE**JM**NOPRS**T**	L**N**QS**XYZ** 6
Kastély	2 DGHPSWXY	AB**F**HIJ 7
1 Apr - 31 Okt	3 AELM	ABEFNQRV 8
+36 (06)-59-351220	4 HO	GIJKNPQRV 9
horgcamp@gmail.com	5 EGJL	AHIJ**NO**R 10
	16A	① €13,65
N 47°37'20'' E 20°44'24''	**H**90 2,8 ha 150**T**(30-100m²) 76**D**	② €17,45

Straße Nr. 33 Füzesabony-Tiszafüred. Am Restaurant Panzio und der Tankstelle MOL rechts ab. 300m hinter dem Bahnübergang liegt der CP Horgász.

Tiszafüred, H-5350 / Jász-Nagykun-Szolnok

Dieters Camping****	1 ABC**JM**NOPQRST	A**N** 6
Fürdö út 9	2 OPSVWXY	ABDE**F**HIJ 7
1 Mär - 31 Okt	3 AL	ABCDEFJNQRTUV 8
+36 (06)-59-353306	4 **A**	ILVY 9
henrich@indamail.hu	5 JKL	AHIJPR 10
	Anzeige auf dieser Seite 16A	① €16,35
N 47°37'35'' E 20°44'57''	**H**101 1 ha 47**T**(80-100m²) 6**D**	② €19,20

Von Füzesabony die 33 nach Tiszafüred. Gut angezeigt mit Dieter's Camping.

Tiszafüred, H-5350 / Jász-Nagykun-Szolnok

Thermal Camping und Bad	1 ABCDE**JM**NOPRST	ABEN 6
Húszöles u. 2	2 GOPVWXY	ABDE**F**HIJ 7
1 Apr - 31 Okt	3 AEFL	ABEFNQRT 8
+36 (06)-59-352911	4 O**TV**W**XY**	GJL 9
thermalcamping@gmail.com	5 DIL	AHIJORV 10
	16A	① €21,15
N 47°37'23'' E 20°44'47''	**H**101 3,1 ha 140**T**(54-100m²) 20**D**	② €30,50

Von Füzesabony die 33 nach Tiszafüred. Gut ausgeschildert mit Thermal Camping und Bad.

Tokaj, H-3910 / Borsod-Abaúji-Zemplén

Tiszavirág	1 A**IL**NOPRS**T**	**N**YZ 6
Horgasz utca 11/A	2 CPQXY	ABDE**F**IJ 7
1 Apr - 30 Okt	3 A	ABEFN 8
+36 (06)-70-9344175	4 IO	IJQ 9
tiszavir@freemail.hu	5 J	AHIJORV 10
	8A	① €12,70
N 48°7'23'' E 21°25'5''	**H**95 1,4 ha 60**T**(40-100m²) 18**D**	② €14,75

E38 Nyiregyháza nach Tokaj, vor Tisza-Brücke rechts.

Túrkeve, H-5420 / Jász-Nagykun-Szolnok

Túrkeve Termál Camping***	1 AC**IL**NOQR**T**	ABF**N** 6
Kuthen Kir u.11	2 GPWXY	ABDE**F**HIJK 7
1 Apr - 31 Okt	3 E**IM**	ABEFNQR 8
+36 (06)-56-554305	4 W	GIJ 9
receptio@turkevetermal.hu	5 DE	AHIJ**NO**U 10
	16A	① €17,45
N 47°5'45'' E 20°45'3''	**H**82 3 ha 80**T**(40m²) 33**D**	② €25,10

CP von allen Anfahrtswegen gut ausgeschildert. Schildern Thermalbad folgen.

Ungarn

Teilkarte Ost-Ungarn auf Seite 488

Rumänien

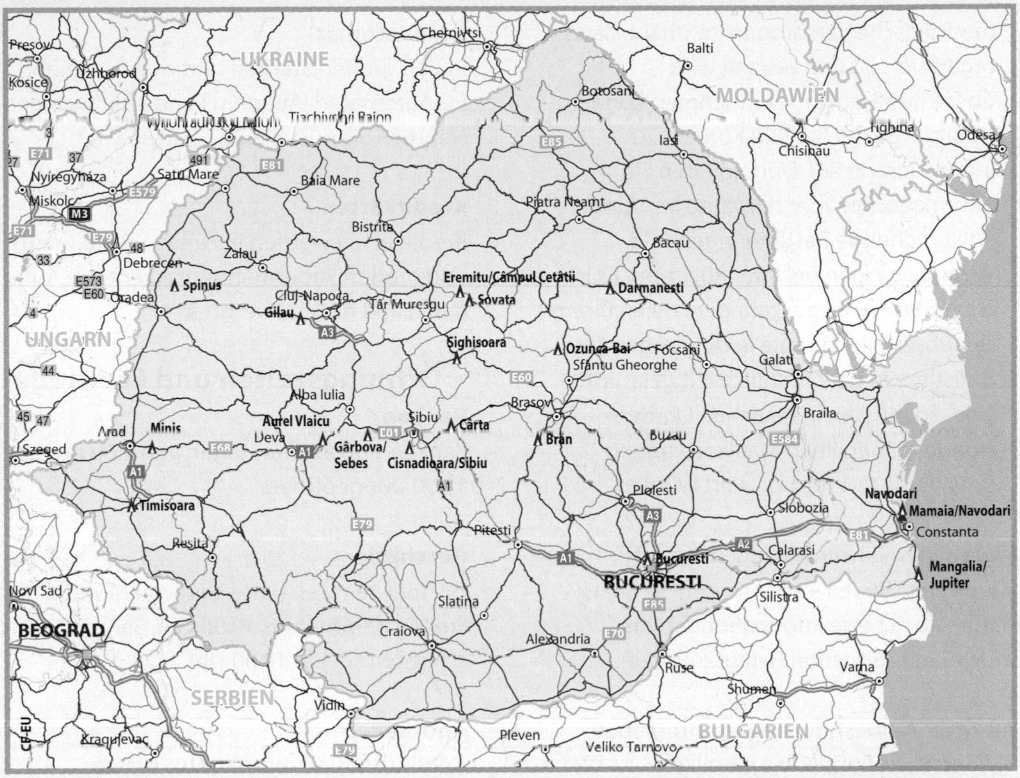

Allgemein

Rumänien ist EU-Mitglied.

Zeit

In Rumänien ist es eine Stunde später als in Berlin.

Sprache

Amtssprache ist Rumänisch, aber auch Englisch und Deutsch werden oft verstanden.

Grenzformalitäten

Viele Formalitäten und Vereinbarungen, wie erforderliche Reisedokumente, KFZ-Papiere, Anforderungen an Ihr Fahrzeug und Ihren Aufenthalt, Krankenkosten und das Mitführen von Tieren, sind nicht nur vom Zielort abhängig, sondern auch von Ihrem Ausgangsort und Ihrer Nationalität. Auch die Dauer Ihres Aufenthaltes spielt dabei eine Rolle. Im Rahmen dieses Führers ist es leider nicht möglich, allen Lesern korrekte und aktuelle Informationen in dieser Hinsicht zu garantieren.

Wir raten Ihnen, vor Ihrer Abreise bei den entsprechenden Behörden in Erfahrung zu bringen:

- welche Reisedokumente Sie für sich selbst und Ihre Reisebegleitung brauchen
- welche Dokumente Sie für Ihr Auto brauchen
- welchen Anforderungen Ihr Fahrzeug entsprechen muss
- welche Güter Sie ein- und ausführen dürfen
- wie im Unglücks- oder Krankheitsfall die

medizinische Versorgung im Urlaubsland organisiert ist und bezahlt wird
- ob Sie Ihre Haustiere mitnehmen können. Nehmen Sie rechtzeitig Kontakt zu Ihrem Tierarzt auf. Dort erhalten Sie Informationen über relevante Impfungen, entsprechende Bestätigungen und Verpflichtungen bei Ihrer Rückkehr. Es ist auch sinnvoll herauszufinden, ob an Ihrem Urlaubsziel bestimmte Bedingungen für Haustiere in der Öffentlichkeit geknüpft sind. So müssen in manchen Ländern Hunde immer einen Maulkorb tragen oder vergittert transportiert werden.

Viele allgemeine Infos finden Sie auf ▸ *www.europa.eu* ◂ aber sorgen Sie selbst dafür, die richtige Information für Ihre individuelle Situation herauszufinden.

Aktuelle Zollbestimmungen entnehmen Sie den Botschaften des jeweiligen Urlaubslandes an Ihrem Wohnort.

Währung und Geld

Die Münzeinheit in Rumänien ist der Leu (RON). Wechselkurs (September 2014): € 1 = RON 4,42.

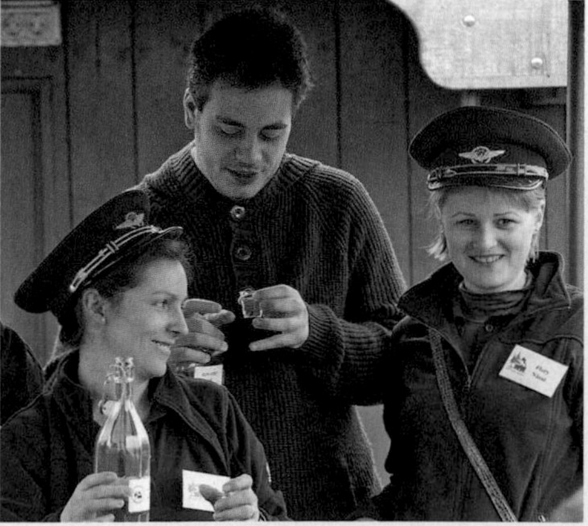

Geldautomat

In den großen Städten gibt es ausreichend EC-Automaten. Auf dem Land eher weniger. Nehmen Sie ausreichend Bargeld mit.

Kreditkarten

Kreditkarten werden in Hotels, Restaurants und großen Supermärkten akzeptiert. Auf dem Land nicht so verbreitet.

Öffnungszeiten und Feiertage

Banken

Banken sind an Werktagen von 9.00 bis 13.00 Uhr geöffnet.

Geschäfte

Die meisten Geschäfte sind von Montag bis Freitag geöffnet bis 19.00 Uhr. Samstags schließen sie um 14.00 Uhr.

Apotheken

Apotheken sind montags bis freitags geöffnet bis 17.00 Uhr.

Feiertage

Neujahr, 2. Januar, 6. Januar (Dreikönige), 12. und 13. April (Ostern orthodox), 1. Mai (Tag der Arbeit), 31. Mai und 1. Juni (Pfingsten orthodox), 15. August (Mariä Himmelfahrt), 1. Dezember (Nationalfeiertag), Weihnachten.

Kommunikation

(Mobil) Telefon

Das Mobilfunknetz ist in weiten Teilen Rumäniens gut, bis auf ein paar abgelegene Berggegenden. Es gibt ein 3 G-Netz für das mobile Internet. Telefonkarten für Telefonzellen erhält man an Kiosks und auf Postämtern.

W-Lan, Internet
In den meisten Städten finden Sie Internetcafés. Auf Campingplätzen ist W-Lan weitgehend verfügbar und meist kostenlos.

Post
Große Postämter sind werktags geöffnet von 8.00 bis 19.00 Uhr, samstags bis 14.00 Uhr.

Straßen und Verkehr

Straßennetz
Die Straßen sind nicht überall von guter Qualität. Viele Fußgänger und Tiere benutzen auch die Straße; darum sollte man nach Einbruch der Dunkelheit sehr vorsichtig sein. Fahren Sie besser mitten durch das Ortszentrum, als um den Ort herum. Die Straßen rund um die Städte können wegen des hohen Frachtverkehrs schlecht sein.
Auf der Autobahn Bukarest-Constanta sind inzwischen ausreichend Tankstellen. Der Automobilclub ACR hat eine Schlüssel- und Abschlepphilfe. Sie müssen den Hilfsdienst bar bezahlen : Tel. 0722-382715.

Verkehrsvorschriften
Rechts hat Vorfahrt. Der sich im Kreisverkehr Befindliche hat, vor dem in den Kreisel Einfahrenden, Vorfahrt. Auf schmalen Bergstraßen hat immer der bergauffahrende Verkehr vor dem talfahrenden Vorfahrt.
Absolutes Alkoholverbot. Außerhalb geschlossener Ortschaften muss mit Abblendlicht gefahren werden. Telefonieren nur mit Freisprechanlage. Bei einem Verkehrsunfall muss die Polizei gerufen werden. Keine Winterreifenpflicht, ist aber vernünftig Schneeketten dabei zu haben. Strenge Geschwindigkeitskontrollen.

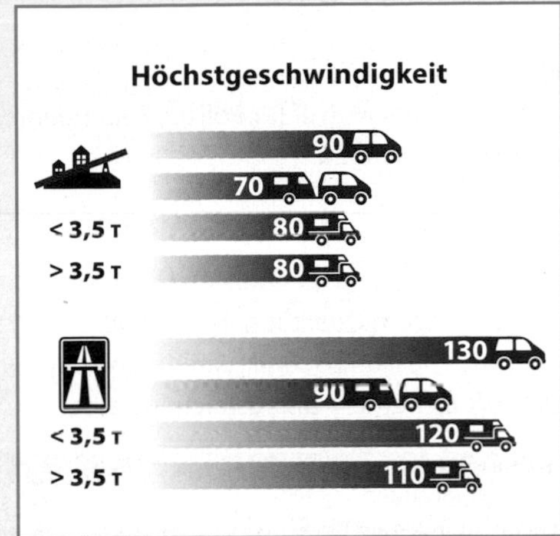

Navigation
Warnung vor festen Blizern durch Navi oder Mobiltelefon Apps ist erlaubt.

Zulässige Maße Wohnwagen, Reisemobil
Höhe 4m, Breite 2,55m und Länge von KFZ mit Caravan 18,75m.

Kraftstoff
Diesel und Bleifrei ('benzina fara plumb') sind gut erhältlich. LPG nur bei den Petrom Tankstellen.

Tankstellen
Tankstellen sind im Allgemeinen zwischen 6.00 und 21.00 Uhr offen. Sie können nicht überall mit Kreditkarten bezahlen.

Maut
Mautgebühr wird durch die elektronische Straßensteuer erhoben. Sie geben die Informationen Ihrer Identität und Ihres Fahrzeuges bei Postämtern, Tankstellen oder Grenzstellen der Behörde bekannt, wo Sie abhängig von der Aufenthaltsdauer

Ihre Abgaben zahlen. Achtung! Auf einigen Brücken über die Donau müssen Sie Maut bezahlen.

Notruf

112: nationaler Notruf für Polizei, Feuerwehr und Krankenwagen.

Campen

Beachten Sie, dass die meisten Campings eine niedrigere Qualität haben als der europäische Durchschnitt. Sanitäranlagen sind oft nicht mehr als ausreichend, aber sauber. In den meisten Fällen gibt es Strom auf dem Camping. In Rumänien entstehen immer mehr Campings an Tankstellen, Restaurants und Motels. Gasflaschenwechsel in Rumänien nur begrenzt möglich. Daher immer ausreichend Gas von zuhause mitbringen.

Praktisch

- Am besten immer Universalstecker dabei haben.
- Benutzen Sie lieber (Mineral)Wasser aus Flaschen als Leitungswasser.

Klima Bukarest	Jan.	Feb.	März	April	Mai	Juni	Juli	Aug.	Sept.	Okt.	Nov.	Dez.
Tagestemperatur	-2	1	6	14	19	23	25	25	21	14	7	2
Sonnenstunden am Tag	2	3	5	6	8	9	10	10	8	5	2	2
Regentage	7	6	6	7	8	9	7	5	4	5	7	7

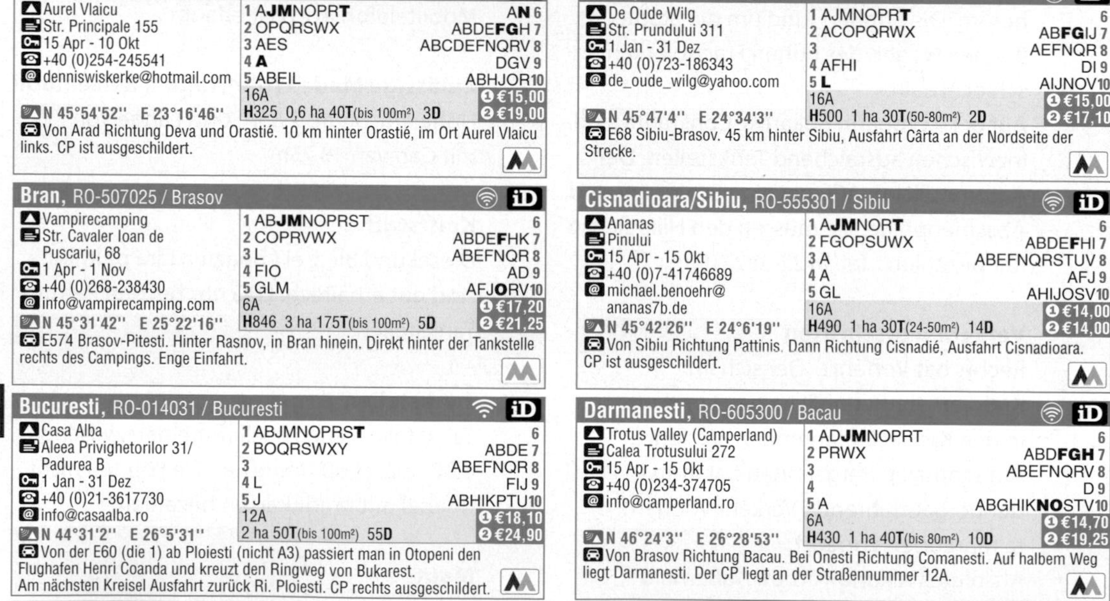

Aurel Vlaicu, RO-335401 / Hunedoara
Aurel Vlaicu
Str. Principale 155
15 Apr - 10 Okt
+40 (0)254-245541
denniswiskerke@hotmail.com
N 45°54'52'' E 23°16'46''
1 AJMNOPRT — AN 6
2 OPQRSWX — ABDEFGH 7
3 AES — ABCDEFNQRV 8
4 A — DGV 9
5 ABEIL — ABHJOR 10
16A
H325 0,6 ha 40T(bis 100m²) 3D
① €15,00 ② €19,00
Von Arad Richtung Deva und Orastié. 10 km hinter Orastié, im Ort Aurel Vlaicu links. CP ist ausgeschildert.

Bran, RO-507025 / Brasov
Vampirecamping
Str. Cavaler Ioan de Puscariu, 68
1 Apr - 1 Nov
+40 (0)268-238430
info@vampirecamping.com
N 45°31'42'' E 25°22'16''
1 ABJMNOPRST — 6
2 COPRVWX — ABDEFHK 7
3 L — ABEFNQR 8
4 FIO — AD 9
5 GLM — AFJORV 10
6A
H846 3 ha 175T(bis 100m²) 5D
① €17,20 ② €21,25
E574 Brasov-Pitesti. Hinter Rasnov, in Bran hinein. Direkt hinter der Tankstelle rechts des Campings. Enge Einfahrt.

Bucuresti, RO-014031 / Bucuresti
Casa Alba
Aleea Privighetorilor 31/ Padurea B
1 Jan - 31 Dez
+40 (0)21-3617730
info@casaalba.ro
N 44°31'2'' E 26°5'31''
1 ABJMNOPRST — 6
2 BOQRSWXY — ABDE 7
3 — ABEFNQR 8
4 L — FIJ 9
5 J — ABHIKPTU 10
12A
2 ha 50T(bis 100m²) 55D
① €18,10 ② €24,90
Von der E60 (die 1) ab Ploiesti (nicht A3) passiert man in Otopeni den Flughafen Henri Coanda und kreuzt den Ringweg von Bukarest. Am nächsten Kreisel Ausfahrt zurück Ri. Ploiesti. CP rechts ausgeschildert.

Cârta, RO-557070 / Sibiu
De Oude Wilg
Str. Prundului 311
1 Jan - 31 Dez
+40 (0)723-186343
de_oude_wilg@yahoo.com
N 45°47'4'' E 24°34'3''
1 AJMNOPRT — 6
2 ACOPQRWX — ABFGIJ 7
3 — AEFNQR 8
4 AFHI — DI 9
5 L — AIJNOV 10
16A
H500 1 ha 30T(50-80m²) 2D
① €15,00 ② €17,10
E68 Sibiu-Brasov. 45 km hinter Sibiu, Ausfahrt Cârta an der Nordseite der Strecke.

Cisnadioara/Sibiu, RO-555301 / Sibiu
Ananas
Pinului
15 Apr - 15 Okt
+40 (0)7-41746689
michael.benoehr@ananas7b.de
N 45°42'26'' E 24°6'19''
1 AJMNORT — 6
2 FGOPSUWX — ABDEFHI 7
3 A — ABEFNQRSTUV 8
4 A — AFJ 9
5 GL — AHIJOSV 10
16A
H490 1 ha 30T(24-50m²) 14D
① €14,00 ② €14,00
Von Sibiu Richtung Pattinis. Dann Richtung Cisnadié, Ausfahrt Cisnadioara. CP ist ausgeschildert.

Darmanesti, RO-605300 / Bacau
Trotus Valley (Camperland)
Calea Trotusului 272
15 Apr - 15 Okt
+40 (0)234-374705
info@camperland.ro
N 46°24'3'' E 26°28'53''
1 ADJMNOPRT — 6
2 PRWX — ABDFGH 7
3 — ABEFNQRV 8
4 — D 9
5 A — ABGHIKNOSTV 10
6A
H430 1 ha 40T(bis 80m²) 10D
① €14,70 ② €19,25
Von Brasov Richtung Bacau. Bei Onesti Richtung Comanesti. Auf halbem Weg liegt Darmanesti. Der CP liegt an der Straßennummer 12A.

Karte Rumänien auf Seite 491

Campingplatzkontrolle

Alle Campingplätze in diesem Führer wurden im vergangenen Jahr von einem unserer 327 ACSI-Inspektoren besucht und begutachtet.

Sie erkennen diese Campings an der Jahresprüfplakette, die meist im Rezeptionsbereich auf dem ACSI-Schild zu finden ist.

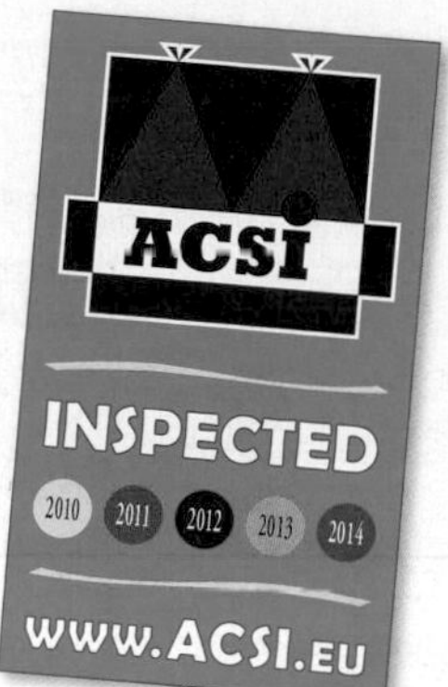

Eremitu/Câmpul Cetâtii, RO-547210 / Mures

Mustang	1 AILNOPRT	N 6
Principala 16A	2 COPQRWX	ABDEFIK 7
1 Apr - 30 Sep	3	ABEFNQRV 8
+40 (0)265-347044	4 EF	F 9
mustangcamping@yahoo.com	5 L	AHJORV 10
	10A	❶ €11,50
N 46°40'4" E 25°0'16"	H600 0,8 ha 40T(ab 80m²) 2D	❷ €14,50

Von Targu Mures die 15 Richtung Reghin. Bei Ernei abfahren nach Eremitu. Dann Richtung Sovata. Nach einigen Km links zum Câmpul Cetâtii, rechts der Strecke.

Gârbova/Sebes, RO-517305 / Alba

Poarta Oilor	1 AJMNOPRT	AFN 6
Str. M. Eminescu 573	2 FGIPRSVWX	ABDEFGHIK 7
1 Mai - 30 Sep	3 AELMQS	ABEFJNQRTV 8
+40 (0)258 748001	4 AEIO	G 9
poartaoilor@gmail.com	5 ADEIL	AFGHIJNOR 10
	16A CEE	❶ €20,00
N 45°53'28" E 23°46'5"	H340 2,1 ha 15T(80-110m²) 10D	❷ €24,00

Hinter Sebes auf der E68 bleiben! Die GPS-Route kennt diese nach Gârbova nicht. Halten Sie sich an die Koordinaten von der Kreuzung mit der E68. Das CP-Schild zeigt den Weg dann weiter.

Gilau, RO-407310 / Cluj

Eldorado	1 ADILNORT	ABLN 6
DN1 - E60	2 CDGHPQVWXY	ABDEFGH 7
1 Mai - 30 Sep	3 AEL	ABEFNQRV 8
+40 (0)264-371688	4 AE	FI 9
info@campingeldorado.com	5 ABJK	AGHIOR 10
	16A	❶ €13,50
N 46°46'1" E 23°21'12"	H460 3,8 ha 80T(80-200m²) 10D	❷ €16,50

Von Oradea E60 Richtung Cluj. Vor Gilau links der Strecke.

Mamaia/Navodari, RO-900001 / Constanta

Camping S	1 ABDHKNOPRST	KQSWX 6
Bulevar-dul Mamaia Nord 79	2 EHPWX	ABDE 7
1 Jan - 31 Dez	3 AEFL	ABEFNOR 8
+40 (0)730-664102	4 ABIOQX	GIJ 9
camping@camping-s.ro	5 ABGHIJ	BGHIJPRY 10
	10A	❶ €22,15
N 44°17'4" E 28°37'7"	2 ha 400T(28-80m²) 79D	❷ €24,55

Von Constanta der Straße durch Mamaia nach Navodari folgen. CP liegt rechts, rund 2 km außerhalb von Mamaia, gut 1 km hinter dem Club Le Gaga.

Mamaia/Navodari, RO-900001 / Constanta

GPM Holidays	1 ABDJMNOPRST	KQSWX 6
Bulevardul Mamaia Nord	2 BEGHPWXY	AF 7
1 Mai - 1 Okt	3 AF	ABEFNOQR 8
+40 (0)241-831002	4 X	GIMT 9
gpm_camping@yahoo.com	5 ABGHI	AHIKOR 10
	11A	❶ €22,40
N 44°16'29" E 28°37'5"	5,6 ha 300T(ab 40m²) 69D	❷ €28,05

In Constanta der Straße durch Mamaia nach Navodari folgen. CP liegt rechts, 1 km außerhalb Mamaia, gleich hinter dem Club Le Gaga.

Mangalia/Jupiter, RO-905502 / Constanta

Popas Zodiac	1 ABDEJMNOPRST	AFK 6
Gala Galaction 49	2 EHPWXY	ABDEFH 7
15 Apr - 31 Okt	3 B	ABEFNR 8
+40 (0)743-334194	4	9
campingzodiac@gmail.com	5	AHIJPRV 10
	B 10A	❶ €20,60
N 43°51'34" E 28°35'56"	2 ha 400T(80-100m²)	❷ €26,90

Auf der E87 (die 39) Constanza nach Bulgarien, 3 km vor Mangalia Ausfahrt Jupiter nehmen. Der Strecke nach Jupiter folgen. CP nach 1,8 km direkt nach der Kreuzung.

Minis, RO-317037 / Arad

Route Roemenië	1 AGJMNOPRT	F 6
Minis 298	2 PRWX	ABDEFGH 7
1 Apr - 30 Sep	3 AB	ABEFKNQRV 8
+40 (0)745372072	4 AI	DG 9
camping.route.roemenie@ gmail.com	5 AIL	ABIJNOVW 10
	B 16A CEE	❶ €16,00
N 46°8'1" E 21°35'52"	H107 0,5 ha 30T(40-90m²) 4D	❷ €20,00

25 km hinter Arad nach Bukarest auf der E68 in Paulis links Richtung Ghioroc die 708B. Nach 3 km in Minis (Achtung 2. Ausfahrt nach Ghioroc). CP ausgeschildert.

Navodari, RO-905700 / Constanta

La Mal Pirivoli	1 ABDEJMNOPQRST	KM 6
DN1-Boulevardul Mamaia	2 EGHIOPQRVW	A 7
1 Mai - 15 Sep	3 AF	ABEFNOQRT 8
+40 (0)734-986305	4 O	J 9
info@campingpirivoli.com	5 FGHIL	AIJPR 10
	16A	❶ €22,60
N 44°18'37" E 28°37'29"	1,6 ha 50T(80-100m²) 10D	❷ €27,15

Von Navodari aus Richtung Mamaia, über die feste Brücke. Nach ca. 2,5 km an GPL Station links unter der Schranke durch. Am Straßenende rechts ab. Nach etwa 50m Camping mit Terrasse auf der rechten Seite.

Ozunca-Bai, RO-527019 / Covasna

The Valley	1 AGJMNOPR	AF 6
Ozunca Bai 44c	2 BCFPUWX	BDF 7
1 Jan - 31 Dez	3 G	BDFJNRV 8
+40 726138079	4 FHIO	G 9
info@campingthevalley.eu	5 ADIKL	AIJST 10
	4A	❶ €10,85
N 46°5'42" E 25°48'21"	H678 1 ha 20T 8D	❷ €14,50

An der Strecke Micfalau-Baraolt am Gasthof Hatod, Ausfahrt nach Ozunca-Bai. CP-Schildern verweisen Sie ca. 5 km weiter. Hinter Ozunca-Bai unbefestigter und schlechter Straßenbelag.

Sighisoara, RO-545400 / Mures

Aquaris Camping	1 ADILNOPR	AM 6
N. Titulescu N° 2-4	2 OPSWX	ABDEFGIJK 7
1 Jan - 31 Dez	3 EL	ABCDEFJNQRUV 8
+40 (0)265-775614	4 IO	FGIV 9
office@aquariscamp.net	5 ADL	ABHIJNOSV 10
	20A	❶ €11,30
N 46°13'24" E 24°47'45"	1,5 ha 25T 21D	❷ €18,10

In Sighisoara Richtung Gara (=Bahnhof). Weiter ist der CP ausgeschildert und liegt hinter der Basilika.

Sovata, RO-545500 / Mures

Vasskert Camping	1 AJMNORT	6
Strada Prinzipala 129/A	2 COPRWX	ABDEI 7
1 Mai - 30 Sep	3 A	ABEFNQRV 8
+40 (0)265-570902	4	F 9
vasskert@szovata.hu	5 L	AHJOSV 10
		❶ €14,50
N 46°35'29" E 25°4'19"	H520 0,8 ha 30T(64-100m²) 11D	❷ €18,50

Von Odorheiu Securesc über die 13A über Praid. Hinter Praid Richtung Reghin in Sovata. CP rechts der Strecke.

Spinus, RO-417530 / Bihor

The Vineyard	1 AILNOPRT	FN 6
Strada Principale 48	2 FOPRSWXY	ABDEF 7
1 Apr - 31 Okt	3 ABLS	ABEFNQV 8
+40 (0)740-857000	4 IO	D 9
contact@erwinenruth.nl	5 AL	ABFHIJORV 10
	16A CEE	❶ €14,00
N 47°12'2" E 22°11'13"	2 ha 36T(80-180m²) 5D	❷ €19,00

Von Oradea Ri. Cluj-Napoca E60, hinter Uileacu de Gris Ri. Derna/Marghita (sehr schlechte Strecke) danach Ri. Spinus. Oradea nach Marghita (N191) Ausf. 767 Spinus neben Farmacie. In Spinus schräg gegenüber der Kirche.

Timisoara, RO-300310 / Timis

Camping International	1 ADJMNOPRT	6
Dorobantilor 63	2 BOPSVWXY	ABCDEFGHIJ 7
1 Mai - 1 Okt	3 AEL	ABCDEFJNQRTV 8
+40 (0)256-217086	4	IJ 9
campinginternational@ yahoo.com	5 M	AFHIJORV 10
	10A CEE	❶ €22,60
N 45°46'10" E 21°15'59"	4,3 ha 300T(50-100m²) 27D	❷ €22,60

Vom Zentrum Timisoara die 6/E70 Richtung Lugoj. Kurz hinter der Stadt, links der Strecke.

Slowenien

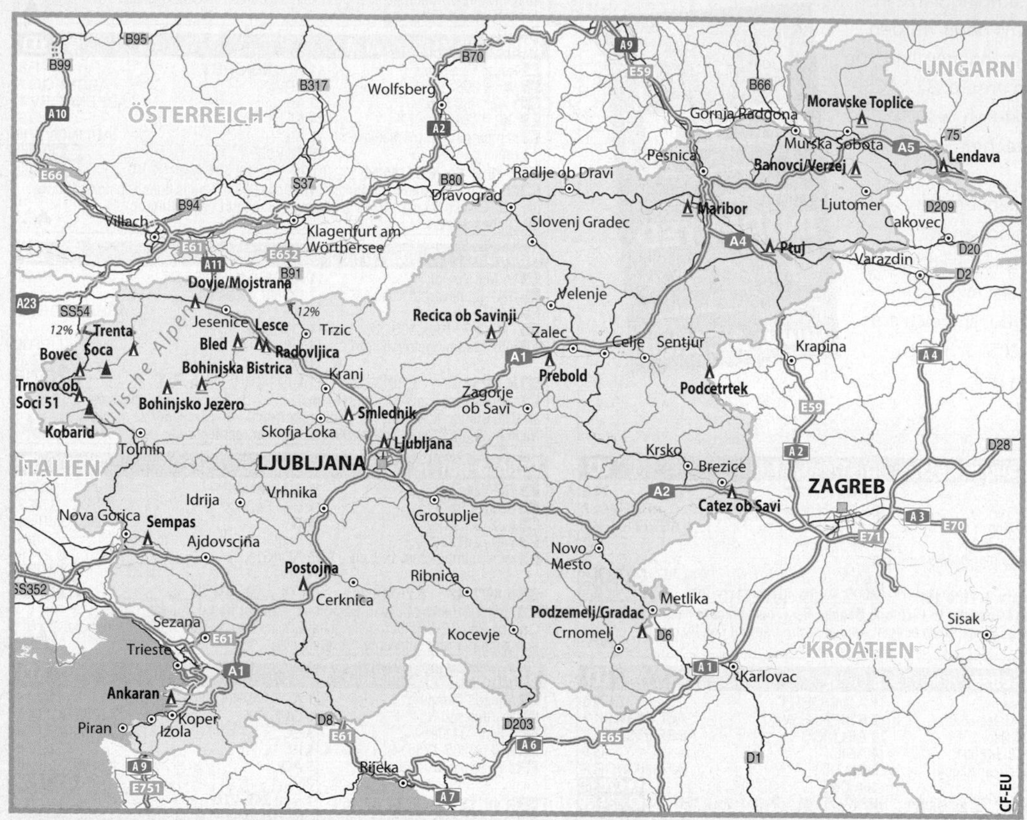

ⓘ Allgemein

Slowenien ist EU-Mitglied.

Zeit

Es ist in Slowenien genauso spät wie in Berlin.

Sprache

Slowenisch, aber auch Englisch.

Grenzformalitäten

Viele Formalitäten und Vereinbarungen, wie erforderliche Reisedokumente, KFZ-Papiere, Anforderungen an Ihr Fahrzeug und Ihren Aufenthalt, Krankenkosten und das Mitführen von Tieren, sind nicht nur vom Zielort abhängig, sondern auch von Ihrem Ausgangsort und Ihrer Nationalität. Auch die Dauer Ihres Aufenthaltes spielt dabei eine Rolle. Im Rahmen dieses Führers ist es leider nicht möglich, allen Lesern korrekte und aktuelle Informationen in dieser Hinsicht zu garantieren.

Wir raten Ihnen, vor Ihrer Abreise bei den entsprechenden Behörden in Erfahrung zu bringen:

- welche Reisedokumente Sie für sich selbst und Ihre Reisebegleitung brauchen
- welche Dokumente Sie für Ihr Auto brauchen
- welchen Anforderungen Ihr Fahrzeug entsprechen muss
- welche Güter Sie ein- und ausführen dürfen

- wie im Unglücks- oder Krankheitsfall die medizinische Versorgung im Urlaubsland organisiert ist und bezahlt wird
- ob Sie Ihre Haustiere mitnehmen können. Nehmen Sie rechtzeitig Kontakt zu Ihrem Tierarzt auf. Dort erhalten Sie Informationen über relevante Impfungen, entsprechende Bestätigungen und Verpflichtungen bei Ihrer Rückkehr. Es ist auch sinnvoll herauszufinden, ob an Ihrem Urlaubsziel bestimmte Bedingungen für Haustiere in der Öffentlichkeit geknüpft sind. So müssen in manchen Ländern Hunde immer einen Maulkorb tragen oder vergittert transportiert werden.

Viele allgemeine Infos finden Sie auf ▸ *www.europa.eu* ◂ aber sorgen Sie selbst dafür, die richtige Information für Ihre individuelle Situation herauszufinden.

Aktuelle Zollbestimmungen entnehmen Sie den Botschaften des jeweiligen Urlaubslandes an Ihrem Wohnort.

Währung und Geld

Die Währungseinheit in Slowenien ist der Euro.

Kreditkarten

Kreditkarten werden in fast allen Hotels, Restaurants, Geschäften und Tankstellen akzeptiert.

Öffnungszeiten und Feiertage

Banken

Banken sind geöffnet bis 17.00 Uhr mit einer Mittagspause von 12.00 bis 14.00 Uhr.

Geschäfte
Meistens geöffnet bis 19.00 Uhr, samstags bis 13.00 Uhr.

Apotheken
In Slowenien sind die Apotheken zwischen 7.00 Uhr und 19.00 Uhr, samstags zwischen 7.00 Uhr und 13.00 Uhr offen.

Feiertage
Neujahr und 2. Januar, 8. Februar (Tag der Kultur), Ostern, 27. April (Tag des Widerstands), 1. und 2. Mai (Tage der Arbeit), Pfingstsonntag, 25. Juni (Nationalfeiertag), 15. August (Mariä Himmelfahrt), 31. Oktober (Tag der Reformation), Allerheiligen, Weihnachten.

Kommunikation
Telefon und Internet
Das Mobilfunknetz ist in großen Teilen Sloweniens gut, bis auf ein paar abgelegene Gebiete.
Es gibt ein 3 G-Netz für das mobile Internet. Telefonkarten für Telefonzellen erhält man an Kiosks, Tabakgeschäften und auf Postämtern.

W-Lan, Internet
Man kann immer öfter W-Lan benutzen.

Post
Montags bis freitags geöffnet bis 18.00 Uhr, samstags bis 12.00 Uhr.

Straßen und Verkehr
Straßennetz
Die Haupt- und Nebenstrecken sind in ordentlichem Zustand. Nach Anbruch der Dunkelheit ist es nicht ratsam auf Nebenstraßen zu fahren. Wer einen Auslandsschutzbrief hat, kann die Dienste des Automobilclubs AMZS kostenlos in Anspruch nehmen: Tel. 1987.

Verkehrsvorschriften
Rechts hat Vorfahrt. Auf Rotunden haben Sie Vorfahrt auf Verkehr der die Rotunde auffahren möchte. Schwerlastverkehr und Militärkolonnen haben immer Vorfahrt.

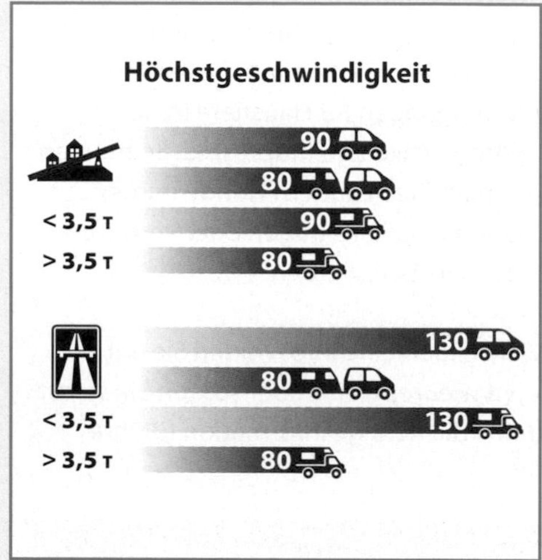

Promillehöchstgrenze: 0,5 ‰. Tagsüber ist Abblendlicht Pflicht. Telefonieren nur mit Freisprechanlage. Beim Überholvorgang muss der Blinker solange eingeschaltet bleiben, bis Sie an dem Fahrzeug vorbei sind. Beim Rückwärtsfahren müssen Sie den Warnblinker einschalten. Bei winterlichen Verhältnissen muss man mit Winterreifen fahren oder Schneeketten anlegen.

Navigation
Warnung vor festen Blitzern durch Navi oder Mobiltelefon Apps ist erlaubt.

Wohnwagen, Reisemobil
Wenn Sie mit dem Caravan reisen, müssen Sie ein zweites Warndreieck dabei haben. Man sollte von teuren Geräten in Ihrem

Wohnwagen/Reisemobil die Registrierung oder Kaufrechnung dabeihaben. Fahrzeuge unter 3,5 Ton zahlen Maut mittels einer Vignette. Fahrzeuge über 3,5 Ton bezahlen an den Mautstellen. Siehe Maut. Nähere Info: ▸ *www.dars.si* ◂

Zulässige Maße
Höhe 4,20m, Breite 2,55m und Länge KFZ mit Caravan 18,75m.

Maut
Auf den Autobahnen besteht eine Vignettenpflicht für Fahrzeuge unter 3,5 Ton.
Tipp: bestellen Sie diese Vignette vorher. Das erspart Wartezeit an der slowenischen Grenze! Sie können sie auf ▸ *www.tolltickets.com* ◂ bestellen. Sie erhalten die auch an slowenischen Kiosks oder in Supermärkten und größeren Tankstellen im Grenzgebiet.

Der Karawankentunnel zwischen Österreich und Slowenien ist nicht bei der Mautvignette inbegriffen. Also Sie zahlen hier zusätzliche Maut.

Kraftstoff
Bleifrei und Diesel überall erhältlich, LPG einigermaßen.

Tankstellen
An den Autobahnen sind die Tankstellen 24 Stunden offen, ansonsten zwischen 7.00 und 20.00 Uhr. Meist können Sie mit Kreditkarte bezahlen.

Notruf
112: Feuerwehr und Krankenwagen
113: Polizei

Ⓐ Campen

Ein Teil der slowenischen Campings hat sich auf Wellness und Spa spezialisiert. Diese Plätze liegen auf überdurchschnittlichem

Niveau. Etwas einfacher sind die schön gelegenen Campings in den Julischen Alpen, angrenzend zu Österreich und Italien, die sich vor allem an sportive Campinggäste wie Wanderer, Mountainbiker und Bergsteiger richten. Viele Campings haben Spielplätze und Kinderanimation.

Slowenische Campings sind von 1 bis 5 Sterne eingestuft. Je mehr Sterne, desto mehr Einrichtungen. Wildes Campen ist nicht erlaubt. Wer außerhalb der offiziellen Campingplätze übernachten will, muss sich dies vorab von den örtlichen Behörden oder der Polizei genehmigen lassen.

Praktisch

- Am besten immer Universalstecker dabei haben.
- Leitungswasser ist unbedenklich, kann aber etwas hart sein.

Klima Ljubljana	Jan.	Feb.	März	April	Mai	Juni	Juli	Aug.	Sept.	Okt.	Nov.	Dez.
Tagestemperatur	0	2	7	12	16	20	22	22	18	12	6	2
Sonnenstunden am Tag	2	3	4	5	7	7	8	8	5	3	1	1
Regentage	10	8	8	10	13	13	9	9	7	11	12	12

Ankaran, SLO-6280

Adria****
1 Apr - 13 Okt
+386 (0)5-6637350
camp@adria-ankaran.si
N 45°34'40'' E 13°44'9''

1 ABDEJMNOPQRST AEFKMNQSWXY 6
2 EGIJOPVXY ABDEFG 7
3 ADEFGHILMPQST ABEFKLNOQRS 8
4 ABCDILOPQRSTUVXYZ AEKLRTV 9
5 ABFGHIJ AGHIKMNOPTUVZ 10
Anzeige auf dieser Seite B 10A ① €32,00
7 ha 300T(60-90m²) 258D ② €46,00

Von der Autobahn von Italien aus oder aus Ljubljana, die Ausfahrt Ankaran nehmen. Weiter Richtung Ankaran. Nach 5 km liegt links der CP.

Banovci/Verzej, SLO-9241

Terme Banovci***
Banovci 1a
27 Mär - 1 Nov
+386 (0)2-5131440
terme@terme-banovci.si
N 46°34'22'' E 16°10'20''

1 ABDEJMNOPQRST ABEFGH 6
2 AGPWXY ABDEFG 7
3 AM ABEFNQRV 8
4 ABCDEHOTUWX GIV 9
5 ADFGHJ AHIJNOSV 10
Anzeige auf Seite 503 FKK 16A ① €34,20
H300 0,3 ha 240T 202D ② €41,70

Von Graz (Österreich) die A9/A1 Ri. Maribor (Slo). Vor Maribor A5 Ri. Lendava bis Ausfahrt Bucecovci/Vucja. Rechts ab Ri. Ljutomer, bis Krizevci. Links Ri. Verzej. Nach einigen Km rechts Ri. Banovci. Den Schildern folgen.

Bled, SLO-4260

Bled*****
Kidriceva 10c
1 Apr - 15 Okt
+386 (0)4-5752000
info@camping-bled.com
N 46°21'41'' E 14°4'51''

1 ABCDEJMNOPQRST LMNO 6
2 ADGIJOPQUVWXY ABDEFGH 7
3 BEFKLRS ABCDEFJKLMNQRS 8
4 ABDEFGHILOPQTX AFLPQRSUWX 9
5 ACDEGJKL ABGHIJMNPRV 10
Anzeige auf Seite 503 B 16A ① €31,50
H475 6 ha 280T(90-200m²) 33D ② €41,15

Von Bled entlang dem See Richtung Bohinsjka Bistrica fahren. Nach 1,5 km rechts halten. Nach ca. 1 km kommt der CP. Deutlich ausgeschildert.

Bohinjska Bistrica, SLO-4264

Camp Danica Bohinj***
Triglavska 60
1 Jan - 31 Dez
+386 (0)4-5721702
info@camp-danica.si
N 46°16'27'' E 13°56'52''

1 ABDEJMNOPQRST JNUV 6
2 COPWXY ABDEFGH 7
3 AELMNQ ABCDEFHNPQRS 8
4 ABCDEFHLX QRUWXYZ 9
5 ADGJ AHIJNPRVW 10
B 12A ① €30,30
H520 4,5 ha 460T(80-100m²) 30D ② €40,05

Hinter Bled in Richtung Bohinj fahren. CP liegt auf der rechten Seite der Straße, hinter dem Dorf Bohinjska Bistrica.

Bohinjsko Jezero, SLO-4265

Zlatorog**
Ukanc 2
21 Mai - 30 Sep
+386 (0)59-923648
info@camp-bohinj.si
N 46°16'45'' E 13°50'10''

1 ABDEGJMNOPQRST LNOQSUXYZ 6
2 DFGKPRTUVXY ABDFG 7
3 AL AEFNQR 8
4 FHX APQRUW 9
5 ADEFGJ ABHIJPRV 10
10A ① €32,50
H520 3 ha 220T(20-100m²) 6D ② €42,55

Bei Ribcev Laz (Anfang See) vor der Brücke links ab. Am Südufer des Sees entlang nach Westen. Nach ca. 3 km in der Kurve ist die Einfahrt zum CP.

Bovec, SLO-5230

Polovnik***
Ledina 8
1 Apr - 15 Okt
+386 (0)5-3896007
kamp.polovnik@siol.net
N 46°20'10'' E 13°33'30''

1 ABDEJMNOPQRST NUV 6
2 OPQWXY ABDEFG 7
3 ABEFNQRS 8
4 FH 9
5 DEJ AHJNPR 10
B 16A ① €25,00
H458 1,2 ha 100T(80m²) ② €32,05

CP liegt an der Nordseite von Bovec, den CP-Schildern folgen. Für sehr große Caravans ist der Passo de Predil nicht zu empfehlen. Fahren Sie dann über Udine, Cividale (Italien), Kobarid, Bovec.

Catez ob Savi, SLO-8251

Terme Catez*****
Topliska cesta 35
1 Jan - 31 Dez
+386 (0)7-4936700
info@terme-catez.si
N 45°53'28'' E 15°37'33''

1 ABCDEJMNOPQRST ABEFGHIMN 6
2 AGOPVWX ABCDEFG 7
3 BDEFIKLMOPS ABCDEFJLNQRS 8
4 ABHILOPQRSTUVWXYZ AEGILV 9
5 ACDEFGHIJ ABGHIJNPRVYZ 10
Anzeige auf Seite 501 B 10A ① €48,90
H141 20 ha 300T(90m²) 999D ② €69,10

A2 Ljubljana-Zagreb, Ausfahrt Brezice/Terme Catez. Hiernach der Beschilderung zur Terme Catez folgen.

Karte Slowenien auf Seite 496

- Ganzjährig geöffnet, 100 km von der österreichischen Grenze entfernt
- 250 Stellplätze mit komplett neu ausgestatteten beheizten Sanitärräumen (auch für Rollstuhlfahrer geeignet)
- modern eingerichtete Ferienwohnungen (47 m²)

- Camping*****
- Indianerdorf
- Piratenbucht
- Ferienwohnanlage***

- Piratenbucht - Anlage für Abenteuerferien mit 20 Schwimmhäuschen
- Indianerdorf & Westernwagen
- Erlebnisbadkomplex mit zahlreichen Schwimmbädern und Wasserattraktionen auf fast 12.000 m² Innen- & Aussenthermalwasserfläche
- Saunapark mit 8 verschiedenen Saunen
- Verwöhnen in den Wellnesszentren
- Sport und Erholung

TERME ČATEŽ

TERME ČATEŽ d.d., Topliška c. 35
SI-8251 Čatež ob Savi, SLOWENIEN
Tel.: +386 7 49 36 700,
+ 386 7 62 07 810
Fax: + 386 7 62 07 804
info@terme-catez.si
www.terme-catez.si

Dovje/Mojstrana, SLO-4281

Camping Kamne***
Dovje 9
1 Jan - 31 Dez
+386 (0)4-5891105
campingkamne@telemach.net

1 ABDE**JM**NOPQRST — **N** 6
2 AFUVWXY — A**B**D**FG** 7
3 AL**MN** — ABE**F**NQRS 8
4 A**E**FO — JUWZ 9
5 AGL — ABHJNPR 10
16A — ① €25,00
H670 1,5 ha 62**T**(35-120m²) 16**D** — ② €36,00

N 46°27'52'' E 13°57'28''

CP liegt an der nördlichen Seite der Straße 202 bei Dovje (Mojstrana). Hinter dem Karawankentunnel Ausfahrt Kranska Gora nehmen und dann noch ca. 5 km weiter fahren.

Kobarid, SLO-5222

Camping Chalets Koren****
Ladra 1B
1 Jan - 31 Dez
+386 (0)5-3891311
info@kamp-koren.si

1 ABDE**JM**NOPQRST — **N**UV 6
2 CFOPRUWXY — ABDE**FG**H 7
3 ABFLQ**U** — ABCDEFHJNOPQRSV 8
4 **AE**FGH**J**O — ADIJQRUVW 9
5 ABDFGL — ABDIJLN**O**RV 10
Anzeige auf dieser Seite B 16A — ① €29,00
H210 2 ha 100**T**(50-140m²) 14**D** — ② €35,55

N 46°15'3'' E 13°35'12''

Die Strecke Bovec-Tolmin. Bei Kobarid Ausfahrt 'Ind. Cona'. Zwischen Fabrik und Supermarkt geradeaus. Über die Brücke links ab (40m). Von Italien aus: In Kobarid den Schildern Dreznica folgen.

Kobarid, SLO-5222

Kamp Rut
Svino 13
1 Mai - 10 Okt
+386 (0)31755263
kamp.rut@gmail.com

1 A**JM**NOPQRST — 6
2 BFPRSUVWXY — ABDEFIJ 7
3 E — ABEFQR 8
4 IO — GJ 9
5 GL — AHIJNOR 10
16A CEE — ① €26,00
H250 1,5 ha 70**T**(20-120m²) 4**D** — ② €32,00

N 46°14'41'' E 13°33'56''

Von Bovec an Kobarid und Ind. Zona bis T-Kreuzung entlang, rechts ab, 1. Straße links neben Ford-Werkstatt Richtung Svino. Der CP-Beschilderung folgen.

Lendava, SLO-9220

Camping Terme Lendava***
Tomsiceva 2a
1 Jan - 31 Dez
+386 (0)2-5774400
info@terme-lendava.si

1 ABDE**JM**NOPQRST — ABEFGH 6
2 AGOPSVWX — ABDE 7
3 AF — ABEFNQRV 8
4 ABDFHOR**ST**U**V**W**XYZ** — GILVW 9
5 DGJ — AHIJ**NO**TUYZ 10
Anzeige auf Seite 503 16A CEE — ① €31,90
90**T**(60-90m²) 204**D** — ② €41,35

N 46°33'7'' E 16°27'30''

Von Graz (Österreich) A9/A1 Ri. Maribor (Slo). Vor Maribor A5 Ri. Lendava Ausf. 15 Lendava. Jetzt links am Kreisel Ri. Lendava, am 2. Kreisel Ri. Terme Lendava. Vor dem Hotel rechts abbiegen, nach 100m CP links.

Slowenien

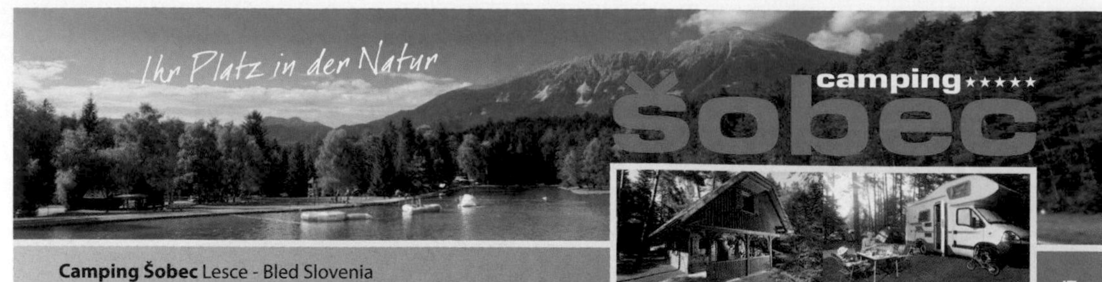

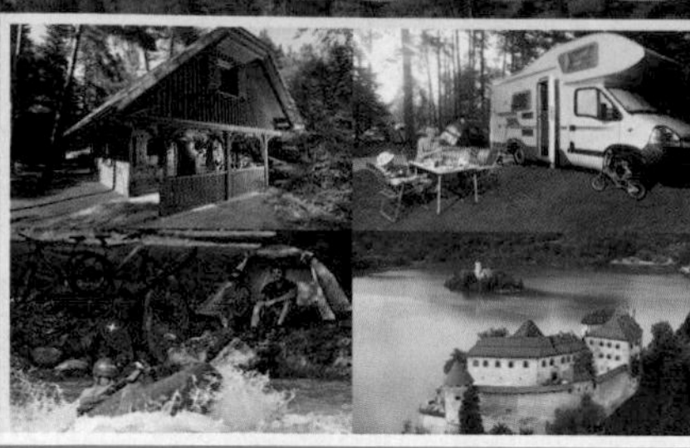

Camping Šobec Lesce - Bled Slovenia

Šobčeva cesta 25, SI-4248 Lesce, Slovenia
Tel.: **00386 4 53 53 700**
E-Mail: **sobec@siol.net**
Web: **www.sobec.si**
GPS: N 46°21'21" E 14°09'00"

Lesce, SLO-4248

Šobec*****	1 ABDE**JM**NOPQRST	FLM**N**UV 6
Šobceva cesta 25	2 ABCDFGIPQVWXY	A**BDEFG** 7
10 Apr - 4 Okt	3 ABEF**IKLMN**U	ABCDEFJKNQRS 8
+386 (0)4-5353700	4 BDEFHILO	AJKLUV 9
sobec@siol.net	5 ACDEGJL	AGHIJNPRVZ10
	Anzeige auf dieser Seite B 16A	❶ €33,90
N 46°21'21" E 14°9'0"	H425 16 ha 400**T**(80-120m²) 118**D**	❷ €44,85

Von der A2 Jesenice-Ljubljana Ausfahrt 3 Lesce nehmen. Am Kreisel Richtung Lesce geradeaus. Weiter nach ca. 1,3 km links abbiegen. Danach CP nach 1 km.

Ljubljana, SLO-1000

Ljubljana Resort (hotel & camping)****	1 ABDE**JM**NOPRS	**ABFGN** 6
Dunajska cesta 270, Jezica	2 AGOPVX	ABDE**FG** 7
1 Jan - 31 Dez	3 BEF**KLMN**S	ABCDEFJKNQRS 8
+386 (0)1-5890130	4 **A**IO**PRTUX**Y	EGLV 9
resort@gpl.si	5 ADEFGJ	AGHINO**P**SUVYZ10
	Anzeige auf dieser Seite B 16A	❶ €31,30
N 46°5'52" E 14°31'8"	H350 3 ha 177**T**(60-90m²) 72**D**	❷ €48,30

Vom Karawankentunnel: A2 Ausf. 13, LJ-Brod und Schildern folgen. Von Maribor: A1 bei Ljubljana H3 Ausf. LJ-Bezigrad und den Schildern folgen. Auf einigen Schildern wird der CP noch mit dem alten Namen 'Jezica' angegeben.

Der beste Ausgangspunkt für Tagestouren in Slowenien. Binnen 2 Stunden ist alles erreichbar. Fragen Sie auch nach Touren von 3 oder 7 Tagen. Der Camping liegt am Rande von Ljubljana an der Sava (5 km vom Zentrum und 1 km von Ringstraße um Ljubljana). Das Stadtzentrum ist gut erreichbar mit dem Bus (15 min.), Taxi (5 min. und € 5,-), Leihrädern (20 min.) oder zu Fuß (35 min.). Sie können die schönsten Schwimmbäder mit Hydromassage von Slowenien benutzen. Außerdem können Sie bei uns wandern, Tennis spielen, Fitness machen, raften, Kayak fahren und Volleyball spielen. Spielplatz und Angelmöglichkeit. 177 Plätze, Restaurant, Fahrradverleih, Waschmaschinen und Trockner, Chemotoilette und 12 Mobilheime stehen zu Ihrer Verfügung.

FAMILIENCAMPING – CAMPERCLUBS UND RADFAHRER WILLKOMMEN – PFADFINDER UND ANDERE GRUPPEN

Dunajska cesta 270, Jezica, 1000 Ljubljana
Tel. 01-5890130 • Fax 01-5890142
E-Mail: resort@gpl.si • Internet: www.ljubljanaresort.si

Maribor, SLO-2000

Camping Center Kekec	1 A**JM**NOPQRST	6
Pohorska ulica 35c	2 AFGOPSVWX	AB**F** 7
1 Jan - 31 Dez	3 K	ABEFJNQRTV 8
+386 (0)40-665732	4	9
info@cck.si	5 FJ	AFHJNPRV10
	Anzeige auf Seite 503 W 16A	❶ €23,00
N 46°32'10" E 15°36'12"	H303 3 ha 105**T**(85m²)	❷ €29,50

In Maribor Ri. Sentilj-Ljubljana. An der Ausf. Ptuj/Zagreb die entgegengesetzte Ri. nehmen zur Cesta Proletarskih Brigad, 7. Straße links (Ul.Pohorskega) an der T-Kreuzung rechts. An der Kreuzung li. zur Pohorska Ulica. CP links.

Moravske Toplice, SLO-9226

Terme 3000 Moravske Toplice Spa****	1 ABDE**JM**NOPQRST	ABEFGHI 6
Kranjceva 12	2 AGPSVWXY	AB**CDEFGH** 7
1 Jan - 31 Dez	3 BEF**JM**	ABEFJNQRSV 8
+386 (0)2-5121200	4 ABCEHLO**RSTV**W**XYZ**	GIJLVW 9
recepcija.camp2@terme3000.si	5 ADEFGIJL	ABHIJN**P**TUVYZ10
	Anzeige auf Seite 503 16A CEE	❶ €44,00
N 46°41'5" E 16°12'57"	H183 7 ha 230**T**(80-100m²) 730**D**	❷ €58,50

Von Graz (Österreich) A9/A1 Richtung Maribor (Slo). Vor Maribor A5 Richtung Lendava bis Ausfahrt Gancani, Moravske Toplice. CP ausgeschildert.

Podcetrtek, SLO-3254

Terme Olimia/Natura*****	1 ABDEJMNOPRST	ABFGHIM**N** 6
Zdraviliska cesta 24	2 CGOPVWXY	ABDE**F** 7
27 Apr - 15 Okt	3 ABEF**K**	ABCDEFNPQR 8
+386 (0)3-8297836	4 **A**BCFHOUW**Y**	IU 9
info@terme-olimia.com	5 ABDFGHJ	AFGHIJ**NP**RVZ10
	Anzeige auf dieser Seite 16A CEE	❶ €47,20
N 46°9'55" E 15°36'19"	H220 4 ha 52**T**(90-100m²) 70**D**	❷ €76,60

A1 Maribor-Celje, Ausfahrt Slovenska Bistrica. Hiernach über Mestinje ca. 30 km in Richtung Süden. Von Celje Ausfahrt Dramlje und über Smarje Pri Jelsah fahren. Folgen Sie der Teller richtung Podcetrtek.

Camp Natura*****

Zurück zur Natur und das Leben genießen...

Terme Olimia d.d., Zdraviliška cesta 24,
SI – 3254 Podčetrtek, Slovenia,
T +386 3 829 78 36, info@terme-olimia.com,
www.terme-olimia.com

Slowenien

Karte Slowenien auf Seite 496

Podzemelj/Gradac, SLO-8332

Camping Podzemelj ob Kolpi	1 AB**JM**NOPQRST	J**N** 6
Podzemelj 16B	2 CFGPVWXY	ABDE 7
26 Apr - 27 Sep	3 AF**I**L	ABEFINQRSTV 8
+386 (0)7-3069572	4 ABFHO	EQV 9
kamp.podzemelj@ gtm-metlika.si	5 FGIJ	AHJPRV 10
	16A CEE	① €24,60
N 45°36'17'' E 15°16'31''	3,5 ha 75**T**(50-100m²) 43**D**	② €31,40

Ab Slovenien A2 Ljubljana-Zagreb. Ausfahrt 27 Novo Mesto. Die 105 nach Metlika. Rechts die 218 nach Podzemelj. Von Kroatien in Karlovac die 6 nach Jurovski Brod und Metlika. Links die 218 nach Podzemelj.

Prebold, SLO-3312

Dolina***	1 AJMNOPRST	AB 6
Dolenja vas 147	2 AGOPWX	ABD**EFGI** 7
1 Jan - 31 Dez	3 A	ABEFJNQR 8
+386 (0)3-5724378	4 HIO**X**	GIV 9
camp@dolina.si	5 AGL	AJNPRV 10
	8A	① €20,30
N 46°14'25'' E 15°5'16''	**H**300 1 ha 55**T**(70-100m²) 6**D**	② €23,45

A1 Ljubljana-Maribor, Ausfahrt Sempeter/Prebold. Richtung Prebold folgen. CP ist nur 2 km von der Autobahn. Route gut ausgeschildert. Achtung, nicht die CPs in Prebold verwechseln!

Postojna, SLO 6230

Pivka Jama***	1 ADEJMNOPQRST	AF 6
Veliki Otok 50	2 ABGRSUY	ABDE**FGH**I 7
1 Apr - 31 Okt	3 AEL**M**Q	ABCDEFNQR 8
+386 (0)5-7203993	4 IO	IJKLV 9
avtokamp.pivka.jama@siol.net	5 ABEGJ	AGHIJ**O**RZ 10
	6A	① €28,80
N 45°48'18'' E 14°12'15''	**H**560 2,5 ha 350**T** 24**D**	② €38,80

A1/E70 Ausfahrt Postojna. Am Lidl vorbei geradeaus. Am 2. Kreisel Hinweis Pivka Jama folgen. Dann links und an den Pivka Jama Höhlen vorbei. Nach ca. 4 km CP-Schild rechts ab. Nach ca. 3 km CP-Einfahrt.

Ptuj, SLO-2251

Camping Terme Ptuj****	1 ABDE**JM**NOPQRT	**AB**EFGH**I** 6
Pot v Toplice 9	2 AGPWXY	AB**FG** 7
1 Jan - 31 Dez	3 BEF**IJM**	ABEFJNOQRTV 8
+386 (0)2-7494100	4 ABDH**R**TUW**XYZ**	EGIJLV 9
kamp@terme-ptuj.si	5 AEFGJ	ABHIJNPTUVYZ 10
	Anzeige auf dieser Seite 16A	① €41,00
N 46°25'21'' E 15°51'16''	**H**280 1,5 ha 120**T** 207**D**	② €50,80

Auf der 9/E59 Zagreb-Kaprina-Maribor, Ausfahrt Hajdina-Terme Ptuj. Nach Ptuj/Ormoz. Am Kreisel links Richtung Ptuj über die Brücke an der SW-Seite der Drava (Drau) rechts ab. CP ausgeschildert.

Slowenien

Karte Slowenien auf Seite 496

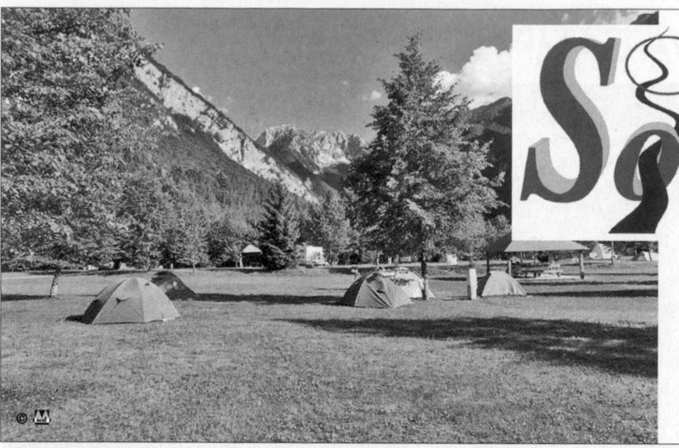

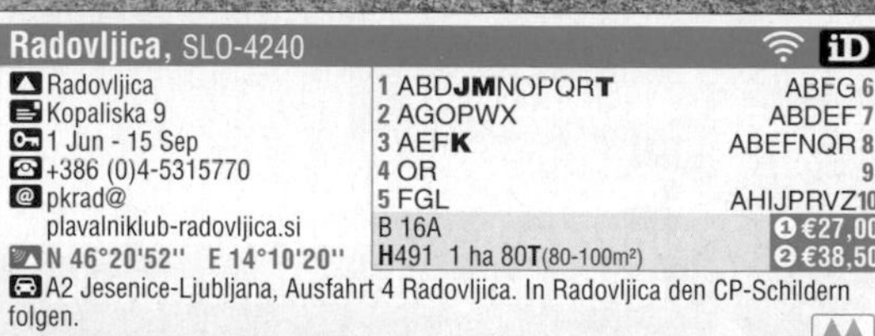

Radovljica, SLO-4240

Radovljica	1 ABD**JM**NOPQR**T**	ABFG 6
Kopaliska 9	2 AGOPWX	ABDEF 7
1 Jun - 15 Sep	3 AEF**K**	ABEFNQR 8
+386 (0)4-5315770	4 OR	9
pkrad@ plavalniklub-radovljica.si	5 FGL	AHIJPRVZ 10
	B 16A	❶ €27,00
N 46°20'52" E 14°10'20"	H491 1 ha 80T(80-100m²)	❷ €38,50

A2 Jesenice-Ljubljana, Ausfahrt 4 Radovljica. In Radovljica den CP-Schildern folgen.

Sempas, SLO-5261

Camp Lijak*	1 AB**JM**NOQRST	6
Ozeljan 6A	2 AFOPWX	AB**C**DE**FG** 7
1 Jan - 31 Dez	3 BS	ABEFNQRU 8
+386 (0)5-3088557	4 A	EUZ 9
info@camplijak.com	5 A	AHJ**P**RVW 10
	Anzeige auf dieser Seite 6A CEE	❶ €27,50
N 45°56'31" E 13°43'5"	H67 1 ha 60T(80-100m²) 2D	❷ €35,95

Von der Autobahn H4 (Ajdovscina-Grenze Italien), Ausf. Vogrsko und danach nördlich halten. Am Ende der Straße li. Der CP liegt gleich auf der rechten Seite. Ab Bovec und Nova Forica nach dem Kreisel Ri. Ajdovscina (4 km).

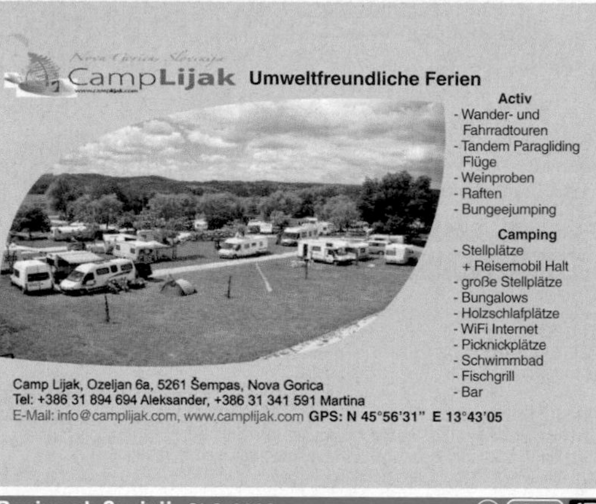

Smlednik, SLO-1216

Smlednik	1 ABJMNOPQRST	**JN** 6
Dragocajna 14a	2 ABCGPUXY	ABDE**FG** 7
1 Mai - 15 Okt	3 AFL**MQ**	ABEFNQR 8
+386 (0)1-3627002	4 O	J 9
camp@dm-campsmlednik.si	5 ADGIL	AGHJPR 10
	FKK 10A CEE	❶ €20,00
N 46°10'28" E 14°24'56"	H350 4 ha 120T(75-120m²) 38D	❷ €24,25

A2 Kranj-Ljubljana Ausfahrt 11 Vodice. Weiter der Beschilderung zum CP folgen. Der CP liegt ca. 7 km von der Autobahn.

Soca, SLO-5232

Camp Soca**	1 ABDE**JM**NOPRST	**N**UV 6
Soca 8	2 CFOPRUWX	AB**FG**H 7
1 Apr - 31 Okt	3 A	ABEFJNOQR 8
+386 (0)5-3889318	4 FIO**TX**	FGI 9
kamp.soca@siol.net	5 ADG	AGJ**P**RVW 10
	Anzeige auf dieser Seite 16A	❶ €23,40
N 46°20'7" E 13°38'39"	H460 3 ha 250T(120-160m²) 45D	❷ €33,90

Nordseite von Bovec, Ausfahrt Trenta/Kranska Gora, der 1. CP im Tal. Vom Vrsic-Pass bei Kranska Gora (nicht für Caravans) dort der 5. CP im Tal. Größere Caravans besser über Italien anfahren. Empfehlung: Udine und Cividale.

Recica ob Savinji, SLO-3332

Menina****	1 ABDE**JM**NOPQRST	JL**N**UV 6
Varpolje 105	2 BCDGJKPRXY	ABDE**FG** 7
1 Jan - 31 Dez	3 BEILQSU	ABEFGINQR 8
+386 (0)40-525266	4 ABCDEHIO**TX**	DEJQRU 9
info@campingmenina.com	5 AFGIL	ADHJLNOR 10
	Anzeige auf dieser Seite 10A CEE	❶ €26,00
N 46°18'42" E 14°54'33"	H320 8 ha 210T(100-200m²) 49D	❷ €40,50

A1 Ljubljana-Maribor Ausfahrt Sentrupert/Mozirje (ca. 15 km von Celje) und in nördlicher Richtung zum CP fahren (± 20 km). Im Dörfchen Nizka dann die Ausfahrt zum CP nehmen.

Soca, SLO-5232

Penzion & Kamp Klin***	1 ABDEJMNOPRST	**NU** 6
Lepena 1	2 CFPWXY	AB**FG** 7
1 Apr - 31 Okt	3	ABEFJNQR 8
+386 (0)5-3889513	4 FHIO**T**X	G 9
kampklin@siol.net	5 ADEGJ	AJNORV 10
	16A	❶ €31,50
N 46°19'48" E 13°38'38"	H490 3 ha 100T(100-140m²) 9D	❷ €39,00

Nordseite von Bovec, Ausfahrt Trenta/Kranska Gora. Nach 7 km CP ausgeschildert. 2. CP im Tal. Vom Vric-Pass aus bei Kranska Gora (nicht für Caravans) der 4. CP in diesem Tal. Größere Caravans über Italien anfahren. Empfehlung: Udine und Cividale.

Trenta, SLO-5232

Kamp Triglav*	1 AB**JM**NOPQRST	U 6
Trenta 18	2 CFPRWXY	AB 7
1 Mai - 15 Okt	3 AU	ABEFNQR 8
+386 (0)5-3889311	4 F	I 9
marija.kravanja@siol.net	5 A	AHJNORV 10
	16A	❶ €23,00
N 46°22'26" E 13°44'27"	H600 1,5 ha 40T(120m²) 15D	❷ €27,00

Nördlich Bovec, Ausfahrt Trenta/Kranska Gora; an dem Weiler Soca vorbei, der 4. CP in diesem Tal. Vom Vric-Pass aus bei Kranska Gora (nicht für Wohnwagen) 2. CP im Tal. Anfahrt für größere Caravans über Italien. Empfohlen: Udine und Cicidale.

Trnovo ob Soci 51, SLO-5224

Kamp Trnovo*	1 ABJMNOPRST	**N**UV 6
64	2 CFPTWXY	ABD**F** 7
1 Mai - 15 Sep	3 AE	ABEFNQ 8
+386 (0)5-3845583	4 FHO	FQRU 9
klara.kokosin.fon@siol.net	5 GL	HJNOR 10
	16A	❶ €22,00
N 46°17'5" E 13°32'55"	H320 1 ha 50T(100-120m²) 2D	❷ €30,00

An der Ostseite von Trnovo an der 301. CP ist ausgeschildert. Größere Caravans über Italien anfahren. Empfehlung: Udine und Cividale.

Karte Slowenien auf Seite 496

Kroatien

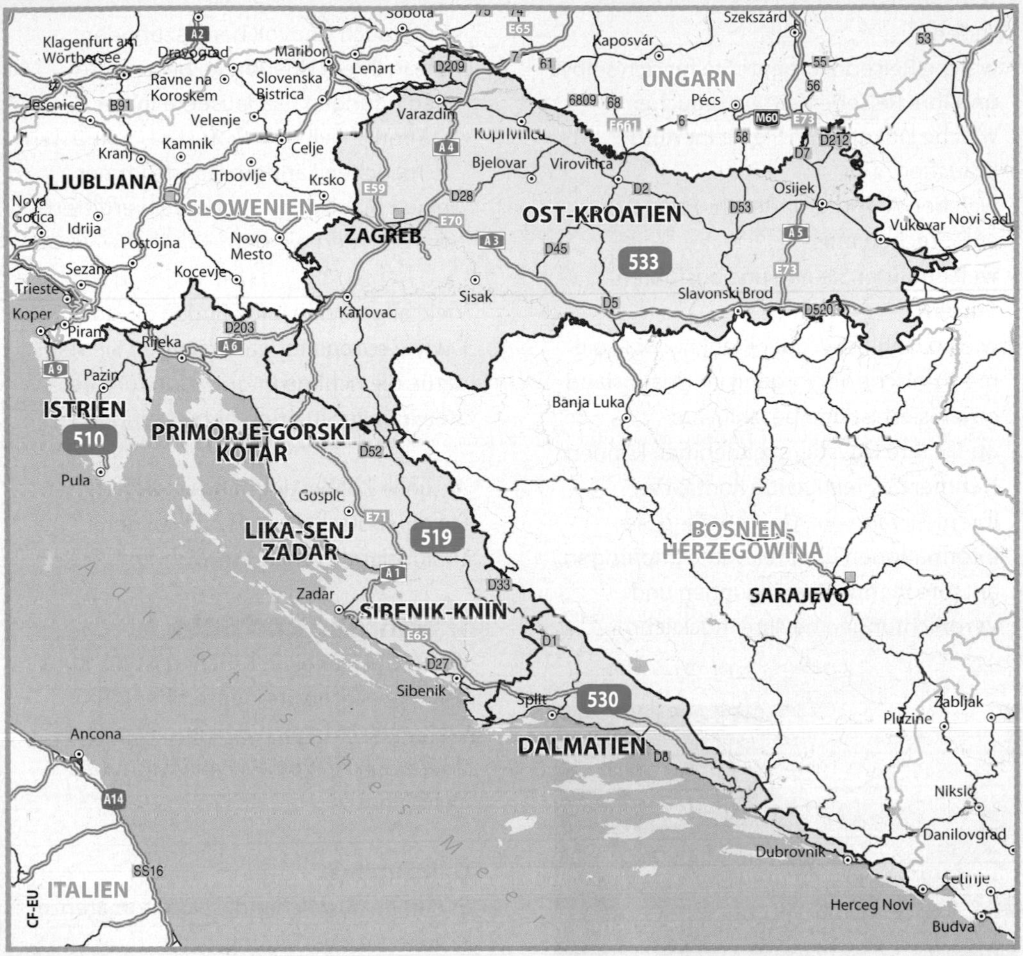

Allgemein

Kroatien ist Mitglied EU.

Zeit

In Kroatien ist es genauso spät wie in Berlin.

Sprache

Kroatisch, vielerorts aber auch Englisch und Deutsch.

Grenzformalitäten

Viele Formalitäten und Vereinbarungen, wie erforderliche Reisedokumente, KFZ-Papiere, Anforderungen an Ihr Fahrzeug und Ihren Aufenthalt, Krankenkosten und das Mitführen von Tieren, sind nicht nur vom Zielort abhängig, sondern auch von Ihrem Ausgangsort und Ihrer Nationalität. Auch die Dauer Ihres Aufenthaltes spielt dabei eine Rolle. Im Rahmen dieses Führers ist es leider nicht möglich, allen Lesern korrekte und aktuelle Informationen in dieser Hinsicht zu garantieren.

Wir raten Ihnen, vor Ihrer Abreise bei den entsprechenden Behörden in Erfahrung zu

bringen:
- welche Reisedokumente Sie für sich selbst und Ihre Reisebegleitung brauchen
- welche Dokumente Sie für Ihr Auto brauchen
- welchen Anforderungen Ihr Fahrzeug entsprechen muss
- welche Güter Sie ein- und ausführen dürfen
- wie im Unglücks- oder Krankheitsfall die medizinische Versorgung im Urlaubsland organisiert ist und bezahlt wird
- ob Sie Ihre Haustiere mitnehmen können. Nehmen Sie rechtzeitig Kontakt zu Ihrem Tierarzt auf. Dort erhalten Sie Informationen über relevante Impfungen, entsprechende Bestätigungen und Verpflichtungen bei Ihrer Rückkehr.

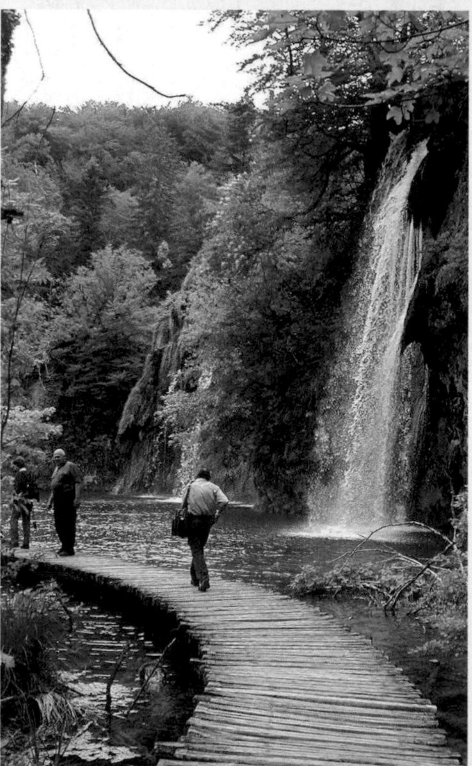

Es ist auch sinnvoll herauszufinden, ob an Ihrem Urlaubsziel bestimmte Bedingungen für Haustiere in der Öffentlichkeit geknüpft sind. So müssen in manchen Ländern Hunde immer einen Maulkorb tragen oder vergittert transportiert werden.

Viele allgemeine Infos finden Sie auf ▸ *www.europa.eu* ◂ aber sorgen Sie selbst dafür, die richtige Information für Ihre individuelle Situation herauszufinden.

Aktuelle Zollbestimmungen entnehmen Sie den Botschaften des jeweiligen Urlaubslandes an Ihrem Wohnort.

Währung und Geld

Währungseinheit in Kroatien ist die Kuna (HRK), Wechselkurs (September 2014): € 1 = HRK 7,61. Auch der Euro wird fast überall in Kroatien als Zahlungsmittel akzeptiert.

Geldautomat

Es stehen ausreichend Geldautomaten in Kroatien zur Verfügung.

Kreditkarten

Alle Kreditkarten und Travellercheques werden akzeptiert. Geldwechsel in Banken und Wechselstuben möglich.

Öffnungszeiten und Feiertage

Banken

Banken sind montags bis freitags bis 19.00 Uhr und samstags bis 13.00 Uhr geöffnet.

Geschäfte

Meistens geöffnet bis 20.00 Uhr, am Samstag und Sonntag bis 14.00 Uhr.

Apotheken
Apotheken sind meist von 8.00 bis 13.00 Uhr und von 15.00 bis 19.00 Uhr und samstags bis 14.00 Uhr geöffnet.

Feiertage
1. Januar, 6. Januar (Dreikönige), Ostern, 1. Mai (Tag der Arbeit) 19. Juni (Fronleichnam), 22. Juni (Tag des antifaschistischen Kampfes), 25. Juni (Nationalfeiertag), 5. August (Dank ans Vaterland), 15. August (Mariä Himmelfahrt), 8. Oktober (Unabhängigkeitstag), Allerheiligen, Weihnachten.

Kommunikation

(Mobil)Telefon
Das Mobilfunknetz ist in ganz Kroatien gut. Es gibt ein 3 G-Netz für das mobile Internet. Telefonkarten für Telefonzellen erhält man an Kiosks und auf Postämtern, Telefonläden und Hotels.

W-Lan, Internet
In einigen Städten gibt es Internetcafés. W-Lan ist immer besser verfügbar.

Post
Meistens an Werktagen von Montag bis Freitag bis 19.00 Uhr geöffnet. In wichtigen Touristenzentren sind einige Poststellen samstags und sonntags geöffnet.

Straßen und Verkehr

Straßennetz
Unbefestigte Straßen kommen nur noch auf dem Land vor. Nach Anbruch der Dunkelheit ist es nicht ratsam diese Nebenstraßen zu befahren. Wenn Sie einen Auslandsschutzbrief haben, können Sie die

kroatische Straßenwacht HAK anfordern: Tel. 987.

Verkehrsvorschriften

Fahrzeuge im Kreisel haben Vorfahrt. An Bergstrecken hat der steigende vor dem talfahrenden Verkehr Vorfahrt.

Promillehöchstgrenze: 0,5 ‰. Abblendlicht tagsüber ist vom letzten Sonntag im Oktober bis zum letzten Sonntag im März Pflicht. Telefonieren nur mit Freisprechanlage. Schulbusse, die an der Haltestelle Passagiere ein- und aussteigen lassen, dürfen nicht überholt werden. Während des Überholvorgangs muss die ganze Zeit geblinkt werden. Unfälle müssen Sie der örtlichen Polizei melden. In der Winterzeit (Anfang November bis Ende April) muss man Schneeketten im Wagen haben, wenn man keine Winterbereifung hat.

Navigation

Nicht bekannt, ob die Warnung vor festen Blitzern durch Navi oder Mobiltelefon Apps erlaubt ist.

Wohnwagen, Reisemobil

Fahrzeuge mit Anhänger oder Wohnwagen müssen mit mindestens 2 Warndreiecken ausgestattet sein. Es empfiehlt sich auch bei teuren Geräten an Bord die Rechnung dabei zu haben.

Zulässige Maße

Höhe 4m, Breite 2,50m und Länge von KFZ mit Caravan 18,75m.

Kraftstoff

Benzin und Diesel sind gut erhältlich. LPG vorallem in größeren Städten und an den Autobahnen.

Tankstellen

Tankstellen sind durchgehend zwischen 7.00 und 20.00 Uhr offen, im Sommer bis 22.00 Uhr. Kreditkarten werden nur bei einigen Tankstellen akzeptiert.

Maut

Auf fast allen Autobahnen in Kroatien besteht Mautpflicht. Man kann in Euro, Kuna oder mit Kreditkarte bezahlen. Siehe: ▸ *www.hac.hr* ◂
Auf der Brücke nach Krk, vor dem Ucka-Tunnel zwischen Rovinj und Rijeka und für das Mirna-Viaduct zwischen Rovinj und Umag muss man Extra-Maut zahlen.

Notruf

112: nationaler Notruf für Polizei, Feuerwehr und Krankenwagen.

Ⓐ Campen

Im Juli und August findet man auf den Campings in Istrien und der Norddalmatischen Küste kaum einen freien Platz. Am besten Sie reservieren vorher für die Hochsaison. Im europäischen Durchschnitt ist das Freizeitangebot

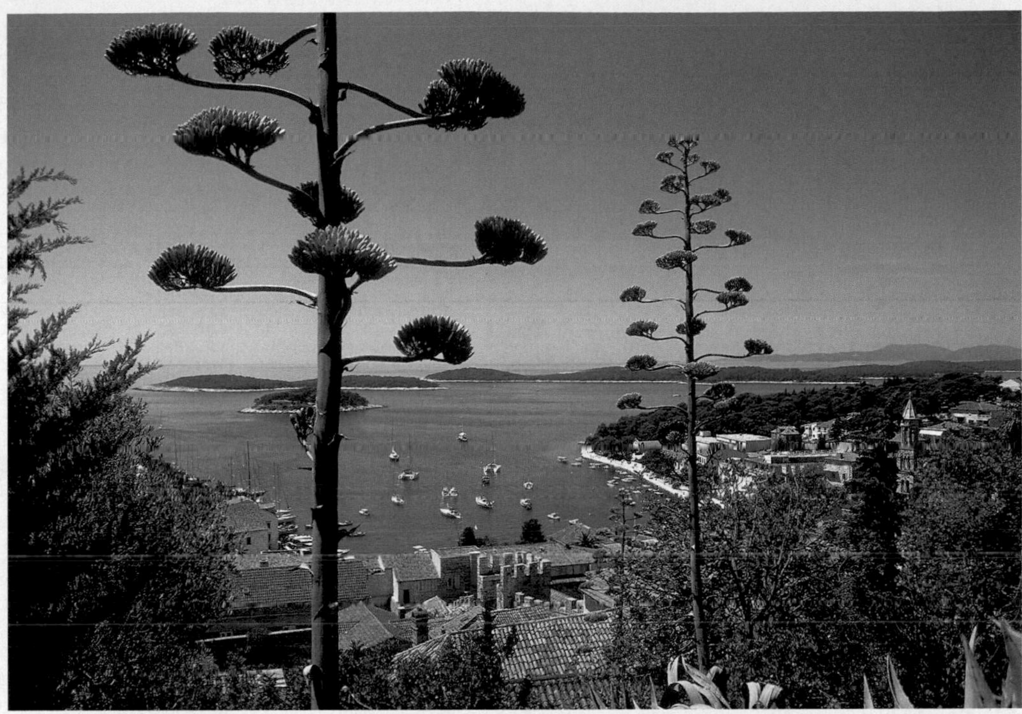

kroatischer Campings vergleichsweise hoch. Animation ist auf großen Anlagen Standard. Kroatien ist auch bei FKK-lern sehr beliebt.

Durch die Autobahn zwischen Zagreb und Dubrovnik werden Campings in der Mitte und im Süden Dalmatien immer beliebter. Die oft idyllisch gelegenen Campings auf den Inseln sind vorallem für Zeltcamper gut geeignet.

Übernachten an der Straße und wildes Campen ist nicht erlaubt.

Praktisch

- Am besten immer Universalstecker dabei haben.
- Verwenden Sie in Kroatien lieber Mineralwasser aus Flaschen anstatt Leitungswasser.

Klima Pula	Jan.	Feb.	März	April	Mai	Juni	Juli	Aug.	Sept.	Okt.	Nov.	Dez.
Tagestemperatur	7	7	10	14	18	22	25	25	21	16	12	9
Sonnenstunden am Tag	3	4	5	6	7	8	10	9	7	5	3	3
Regentage	8	7	8	9	9	9	7	7	7	8	9	8
Wassertemperatur	13	12	13	15	16	19	22	23	22	20	17	14

Klima Rijeka	Jan.	Feb.	März	April	Mai	Juni	Juli	Aug.	Sept.	Okt.	Nov.	Dez.
Tagestemperatur	6	7	10	14	19	22	25	24	21	16	11	8
Sonnenstunden am Tag	4	4	5	6	7	8	10	9	7	6	3	3
Regentage	7	7	7	7	7	9	7	5	6	8	9	9

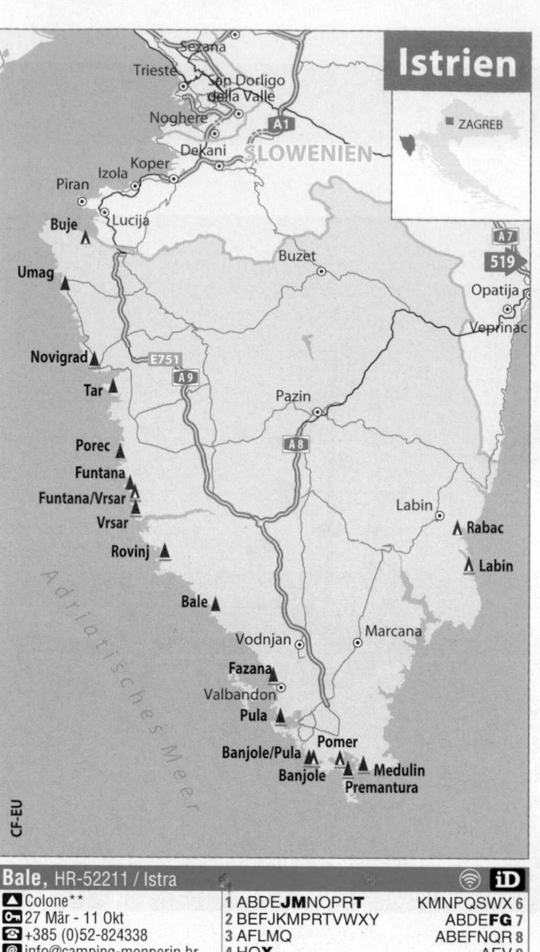

Banjole, HR-52203 / Istra (CC€16) iD

Diana***	1 ABGHKNOPRS**T** AF 6
Kastanjez 100	2 PUWXY AB 7
1 Mai - 30 Sep	3 ELMQ ABEFNQR 8
+385 (0)99-7380313	4 9
booking@camp-diana.com	5 G ABDJPTU 10
	16A ❶ €33,00
N 44°49'29'' E 13°51'32''	30**T**(60-100m²) ❷ €43,00

Von Pula Richtung Premantura, Ausfahrt Banjole. Richtung CP Indije, 1 km vom CP Indije ist der CP Diana.

Banjole/Pula, HR-52100 / Istra (CC€14) iD

Camp Peškera***	1 AB**JM**NOPQRST K**N**OPQ**XY** 6
Indije 73	2 EFMRWXY ABD 7
1 Apr - 31 Okt	3 ABEFHNOPR 8
+385 (0)52-573209	4 A IU 9
info@camp-peskera.com	5 GIL ABDGHIJ**NO**TUVW 10
	B 10A ❶ €27,45
N 44°49'38'' E 13°51'6''	1,5 ha 80**T**(75-100m²) 36**D** ❷ €27,45

Hinter Pula die A9 Richtung Premantura, dann Ausfahrt weiter Banjole und Indije. 50m vor dem Camping Indije. Links ab und nach 100m Peškera.

Banjole/Pula, HR-52203 / Istra (CC€16) iD

Camping Village Indije*	1 ABDE**JM**NOPRST KM**N**OP**XYZ** 6
Indie 96	2 EFKPRTWXY ABD**F** 7
23 Apr - 20 Sep	3 AL ABEFNORS 8
+385 (0)52-573066	4 **A**BCL**X** EKQSTUZ 9
acindije@arenaturist.hr	5 ACDEFGJK ADHIJNOTUV 10
	Anzeige auf Seite 515 B 10A ❶ €29,50
N 44°49'26'' E 13°51'3''	19 ha 399**T**(60-120m²) 84**D** ❷ €39,30

Umgehungsstraße Pula: Richtung Premantura bis Ausfahrt Banjole. CP-Schildern folgen.

Buje, HR-52470 / Istra iD

CampingIN Kanegra FKK****	1 ABDE**JM**NOPQRST KM**N**QSW**XYZ** 6
Kanegra 2	2 EFGJKOPRVWX ABDE**F** 7
24 Apr - 27 Sep	3 AEF**ILM** ABCDEFKNQRSTU 8
+385 (0)52-709000	4 **A**BCDLMO**PQX** JLNOQTV 9
camp.kanegra@istraturist.hr	5 ACDFGIJ ABEGHIJ**NO**UVXY 10
	Anzeige auf Seite 518 **FKK** 10A CEE ❶ €36,10
N 45°28'49'' E 13°34'13''	5 ha 134**T**(80-100m²) 292**D** ❷ €45,50

Portoroz-Buje, Ausfahrt Umag, nach 3 km rechts, nach 2,5 km wieder rechts, CP nach 1,5 km.

Bale, HR-52211 / Istra iD

Colone**	1 ABDE**JM**NOPR**T** KMNPQSWX 6
27 Mär - 11 Okt	2 BEFJKMPRTVWXY ABDE**FG** 7
+385 (0)52-824338	3 AFLMQ ABEFNQR 8
info@camping-monperin.hr	4 HO**X** AEV 9
	5 ABDFGI JOTUY 10
	Anzeige auf Seite 511 16A CEE ❶ €33,40
N 45°1'13'' E 13°43'23''	7 ha 494**T**(80-100m²) 189**D** ❷ €42,00

An der Straße von Rovinj nach Pula steht in Höhe von Bale die Beschilderung nach Colone. Von Bale 7 km bis zum CP.

Fazana, HR-52212 / Istra (CC€16) iD

Bi-Village***	1 ABDF**JM**NOPQRST ABFGKMNOPQRSW**XYZ** 6
Dragonja 115	2 EFGJKOPVWXY ABDE**FG** 7
3 Apr - 31 Okt	3 AEF**KLMNRSU** ABEF**IJKLM**NQRST 8
+385 (0)52-300300	4 ABCDHLMN**PQX** EGJLMSTUXYZ 9
info@bivillage.com	5 ACDEFGJ ADHIJM**NP**TUWXY 10
	B 10A CEE ❶ €43,00
N 44°55'3'' E 13°48'40''	25 ha 1000**T**(100-120m²) 415**D** ❷ €57,00

A9 Ausfahrt Vodnjan/Fazana, Richtung Fazana und den CP-Schildern folgen.

Bale, HR-52211 / Istra iD

San Polo**	1 ABDE**JM**NOPR**T** KMNPQSWX 6
27 Mär - 11 Okt	2 BEFJKMPRTVWXY ABDE**FG** 7
+385 (0)52-824338	3 AFLM**S** ABEF**L**NQR 8
info@camping-monperin.hr	4 HO**X** EKNQRTV 9
	5 ABDFGI AJPTUVY 10
	Anzeige auf Seite 511 16A CEE ❶ €33,60
N 45°1'13'' E 13°43'23''	5 ha 256**T**(80-100m²) 170**D** ❷ €42,20

An der Straße von Rovinj nach Pula steht in Höhe von Bale die Beschilderung zum CP. Von Bale 7 km bis zum CP.

Fazana, HR-52212 / Istra iD

Pineta	1 ABDE**JM**NOPQRST KM**N**OPQSWX 6
Perojska suma BB	2 BEFGJKLOPRWXY A 7
22 Apr - 30 Sep	3 AEFI**J**LQ**S** AEFNR 8
+385 (0)52-521884	4 **A**D**X** T 9
pineta@brijunirivijera.hr	5 ACEGJ AHIJL**P**TUV 10
	10A CEE ❶ €29,95
N 44°56'23'' E 13°48'10''	77 ha 400**T**(80-110m²) 200**D** ❷ €37,90

A9 Ausfahrt Vodnjan, Fazana. CP-Schildern folgen.

Campingplatzkontrolle

Alle Campingplätze in diesem Führer wurden im vergangenen Jahr von einem unserer 130 ACSI-Inspektoren besucht und begutachtet.

Sie erkennen diese Campings an der Jahresprüfplakette, die meist im Rezeptionsbereich auf dem ACSI-Schild zu finden ist.

Teilkarte Istrien auf Seite 510

Funtana, HR-52452 / Istra

Naturist Camping Istra***
Ulica Grgeti 35
5 Apr - 6 Okt
+385 (0)52-465010
camping@valamar.com
N 45°10'29'' E 13°35'55''

1 ABDE**JM**NOPQRST	KMPQSW**X**YZ 6
2 EFGJKLMPRTUVXY	ABDE**FG** 7
3 AEF**I**L**M**Q	ABCDEFKNOQRSTV 8
4 **A**BDLO**X**	DEKLNRT 9
5 ACFGIJK	ABGHIJM**N**PRY 10
FKK B 16A CEE	① €37,10
36 ha 792**T**(90-110m²) 215**D**	② €48,10

Auf halber Strecke zwischen Porec und Vrsar, im Ort Funtana abbiegen und den Schildern folgen.

Funtana/Vrsar, HR-52450 / Istra

CC€14

Valkanela**
17 Apr - 3 Okt
+385 (0)52-406640
valkanela@maistra.hr
N 45°9'54'' E 13°36'28''

1 ABDE**JM**NOPQRS**T**	KM**N**PQSW**X**Y**Z** 6
2 EFGJKLMPRVWXY	ABDE**FG** 7
3 ABEF**I**L**MS**	ABCDEFKNOQRSTV 8
4 **A**BDHILO**PQX**	DELNPQTV 9
5 ACDFGHIJ	ABDFGHIJ**NO**RVXY 10
Anzeige auf dieser Seite B 10A CEE	① €38,90
55 ha 1200**T**(90-120m²) 694**D**	② €49,90

Auf der Strecke Porec-Vrsar südlich von Funtana zum CP abzweigen.

Funtana, HR-51452 / Istra

Puntica**
24 Apr - 30 Sep
+385 (0)52-445270
ac.puntica@plavalaguna.hr
N 45°10'39'' E 13°36'12''

1 ABDE**JM**NOPQRST	KMNPQSW**X**Y 6
2 EFKLMOPQRTVXY	A**B**D**EF** 7
3 A	ABEFNOQRTV 8
4 **PQX**	KLNU 9
5 ACDFGI	ABGHIJM**NP**R 10
Anzeige auf Seite 513 B 12-16A CEE	① €31,00
4 ha 169**T**(80-120m²) 111**D**	② €38,40

Zwischen Porec und Vrsar, an der Nordseite des Ortes Funtana, nach rechts abbiegen.

Labin, HR 52220 / Istra

CC€18

Camping Marina***
Sv. Marina bb
3 Apr - 1 Nov
+385 (0)52-879058
marina@valamar.com
N 45°2'0'' E 14°9'29''

1 ABDE**JM**NOPQRST	KM**N**OPQSW**X**YZ 6
2 EFJLMPRTVWX	ABDE**FG**H 7
3 BLS	ABCDEFKNQRSTUV 8
4 BI	EKL 9
5 ABDEFGIL	ABGHIJNOPRV 10
B 6A CEE	① €37,45
5 ha 267**T**(60-110m²) 68**D**	② €46,20

Den Hügel bis zur Altstadt von Labin hinauf. Den Schildern nach 'Sv. Marina' folgen. Straße sehr öfters schmal. Achtung: hier nimmt der Gegenverkehr oft die Innenkurve!

Teilkarte Istrien auf Seite 510

Medulin, HR-52203 / Istra
CC€16 iD

Camping Village Kažela**	1 ABDEJMNOPQRST	AKMNOQRSWXYZ	6
Kapovica 350	2 EFGKOPRVWXY	ABDEF	7
2 Apr - 11 Okt	3 AEFGLMQS	ABCDEFHKNOPQRTV	8
+385 (0)52-577277	4 ABCDLPQX	EHILMQSTUXZ	9
ackazela@arenaturist.hr	5 ACDEFGJM	ADHIJNPTUVY	10
	Anzeige auf Seite 515 FKK B 10A CEE	① €33,20	
N 44°48'25'' E 13°57'2''	110 ha 1100T(100-120m²) 323D	② €42,80	

CP an Ringstraße Pula gut ausgeschildert.

Medulin, HR-52203 / Istra
CC€16 iD

Camping Village Medulin*	1 ABDJMNOPQRST	HKMNOQRWXYZ	6
Osipovica 30	2 EFGHKOPRTWXY	ABFGH	7
2 Apr - 11 Okt	3 ABFS	ABEFNQR	8
+385 (0)52-572801	4 ABDLMPX	ELMNQSTUWYZ	9
acmedulin@arenaturist.hr	5 ACDEFJ	ABDGHINOTUVY	10
	Anzeige auf Seite 515 B 10A CEE	① €34,80	
N 44°48'51'' E 13°55'54''	30 ha 946T(60-120m²) 171D	② €44,10	

Autostraße Ausfahrt Pula/Medulin. Schildern Medulin folgen, Ausfahrt Camps vorbei Boulevard bis Ausfahrt Camping Village Medulin.

Novigrad, HR-52466 / Istra
CC€16 iD

Camping Park Mareda****	1 ABDEJMNOPRST	AFKMNPQSWXYZ	6
Mareda bb	2 EJKLMOPRTUVWXY	ABDEFG	7
17 Apr - 11 Okt	3 AEFILMNQS	ABCDEFKNQRSTU	8
+385 (0)52-858680	4 ABDILOPX	AELTV	9
camping@laguna-novigrad.hr	5 ACDFGIJL	ABGHIJNPRY	10
	Anzeige auf dieser Seite B 10-16A CEE	① €37,50	
N 45°20'36'' E 13°32'53''	17 ha 532T(80-140m²) 493D	② €46,50	

Von Novigrad ca. 3 km nach Norden Richtung Umag. Deutlich ausgeschildert.

Novigrad, HR-52466 / Istra
CC€16 iD

Camping Sirena****	1 ABDEJMNOPQRST	KMNPQRSWXY	6
Terre 6	2 EKLOPRTUVWXY	ABDEFG	7
20 Mär - 10 Nov	3 ABEFILMS	ABCDEFGKNQRSTU	8
+385 (0)52-858670	4 ABDLX	EKLQRTUV	9
camping@laguna-novigrad.hr	5 ACDFGIL	ABGHIJPTUYZ	10
	Anzeige auf dieser Seite B 10-16A CEE	① €44,00	
N 45°18'54'' E 13°34'33''	7 ha 333T(80-160m²) 267D	② €53,00	

Der CP liegt direkt am Strand, 2 km von Novigrad und 16 km nördlich von Porec.

Pomer, HR-52100 / Istra
CC€14 iD

Camping Pomer	1 ABDEJMNOQRST	KMNOPQRSTXY	6
Pomer BB	2 BEFKMRTUVWXY	AB	7
23 Apr - 27 Sep	3	ABEFNQRT	8
+385 (0)52-573746	4 AO	MRTXZ	9
acpomer@arenaturist.hr	5 ADEFGJ	ADHIJPTUV	10
	Anzeige auf Seite 515 B 10A CEE	① €30,80	
N 44°49'13'' E 13°54'8''	22,5 ha 166T(40-120m²) 40D	② €39,40	

A9 Ausfahrt Medulin/Premantura. Dann Ausfahrt Pomer, weiter Richtung Yachthafen. CP-Schildern folgen.

Porec, HR-52440 / Istra
iD

AC Bijela Uvala****	1 ABDEJMNOPQRST	AFKMNPQSWXYZ	6
24 Apr - 30 Sep	2 EFGJKLMOPQRTVWXY	ABDEFGH	7
+385 (0)52-410551	3 BEFGHILMNS	ABCDEFKNOQRSTUV	8
reservations@plavalaguna.hr	4 ABDHILOPQRXZ	AEKLNPQSTUVZ	9
	5 ACDFGIJKL	ABGHIJNPRXY	10
	Anzeige auf Seite 513 B 10-16A CEE	① €38,40	
N 45°11'30'' E 13°35'49''	42 ha 1350T(60-100m²) 650D	② €49,80	

3 km südlich von Porec die Küstenstraße Richtung Vrsar verlassen. Von hier noch 3 km bis zum CP.

Porec, HR-52440 / Istra
iD

NC Ulika****	1 ABDEJMNOPQRST	AFKMNPQSWXY	6
1 Apr - 4 Okt	2 EFJKOPQRVWXY	ABDEFG	7
+385 (0)52-436325	3 BEFILMNQ	ABEFKLNOQRSTU	8
reservations@plavalaguna.hr	4 ABDHILOPQXZ	DEKLNTXZ	9
	5 ACDFGIJKL	ABGHIJMNPRWXY	10
	Anzeige auf Seite 513 FKK B 16A CEE	① €37,60	
N 45°15'24'' E 13°34'59''	36 ha 906T(90-100m²) 154D	② €49,00	

In Istrien ab der A9 Richtung Pula Ausfahrt Nova Vas nehmen. Danach Novigrad Richtung Porec. Danach Ausfahrt Cervar nehmen, nach 3,5 km sieht man den CP.

Porec, HR-52440 / Istra
iD

Zelena Laguna****	1 ABDEJMNOPRST	AHKMNPQSWXYZ	6
1 Apr - 4 Okt	2 EFGJKLMOPQRTUVWXY	ABDEFGH	7
+385 (0)52-410700	3 BEFGHILMNQS	ABCDEFKNOQRSTU	8
reservations@plavalaguna.hr	4 ABHLOPQXZ	AEKLNTUV	9
	5 ACDFGIJL	ABFGHIJMNPRY	10
	Anzeige auf Seite 513 B 10-16A CEE	① €38,40	
N 45°11'46'' E 13°35'22''	15 ha 680T(70-100m²) 232D	② €49,80	

2 km südlich von Porec die Küstenstraße in Richtung Vrsar verlassen. Von hier noch 3 km bis zum CP.

Teilkarte Istrien auf Seite 510

Laguna Poreč

HOTELS RESORTS & CAMPING

ONLINE BOOKING

Tel. 00385 /52/ 410-373
reservations@lagunaporec.com
www.lagunaporec.com

Camping Bijela Uvala ****
Familien-Ferienplatz mit zwei Swimmingpools.
Lassen Sie sich von unserem Animationsteam überraschen!

Camping Zelena Laguna ****
Außerordentliches Naturerlebnis.
Entdecken Sie so viele Möglichkeiten für Sport und Erholung

Naturist Camping Ulika ****
Naturist-Zentrum mit neuen Mobilheimen.
Geniessen Sie einen idyllischen Urlaub im Schatten der hundertjährigen Eichen!

Camping Puntica **
Natürlich, einfach, angenehm

Besuchen Sie uns auf www.lagunaporec.com

Istrien

Teilkarte Istrien auf Seite 510

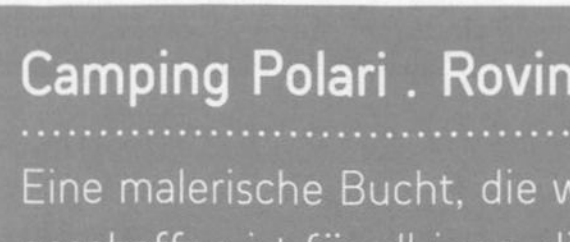

Camping Polari . Rovinj

Eine malerische Bucht, die wie geschaffen ist für all jene, die gerne den leichten Schatten der Olivenbäume und das sauberste Wasser des Mittelmeeres genießen.

ONLINE BOOKING
Mobilheime mit Whirlpool!
Kinderclubs und Kinderspielplätze!
Parzellen mit Wasseranschluss/
-abfluss! WiFi!
Istrien
KROATIEN

tel: +385 (0)52 800 200
e-mail: polari@maistra.hr
www.CampingRovinjVrsar.com

Premantura, HR-52205 / Istra

CC€14 iD

Camping Runke*	1 ABDEJMNOPQRST	KMNOPQXY 6
23 Apr - 20 Sep	2 EFKOPRTUWXY	AD 7
+385 (0)52-575022	3	ABEFHKNOPQ 8
acrunke@arenaturist.hr	4 AQ	Q 9
	5 ABGJ	AHIJPV 10
	Anzeige auf Seite 515 10A	① €28,40
N 44°48'28'' E 13°55'0''	4,5 ha 247T(60-120m²)	② €37,00

CP an Ringstraße Pula ausgeschildert.

Pula, HR-52100 / Istra

CC€16 iD

Camping Village Stoja***	1 ABDEJMNOPRST	KMNOPQSWXYZ 6
Stoja 37	2 EFGKOPRVWXY	ABDEFH 7
2 Apr - 11 Okt	3 AEFILM	ABEFHJNPQR 8
+385 (0)52-387144	4 ABCDLOPX	EKLTUWXZ 9
acstoja@arenaturist.hr	5 ACDEFGJKLM	ADGHIJPTUV 10
	Anzeige auf Seite 515 B 10A	① €33,90
N 44°51'34'' E 13°48'52''	16,7 ha 719T(60-144m²) 167D	② €43,70

CP an Ringstraße Pula ausgeschildert.

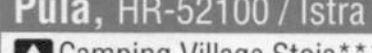

Premantura, HR-52100 / Istra

CC€14 iD

Camping Tasalera*	1 ABDEJMNOPRST	KMNOPQSWXY 6
Premantura bb	2 EFGKPRTUWXY	ABF 7
23 Apr - 27 Sep	3 AF	ABEFOPQR 8
+385 (0)52-575555	4 AX	E 9
actasalera@arenaturist.hr	5 ACEGJ	AIJLOPR 10
	Anzeige auf Seite 515 B 10A	① €27,20
N 44°48'52'' E 13°54'42''	4 ha 216T(90-100m²) 178D	② €35,40

Von der Umgehung Pula den Schildern Premantura folgen. Dann den CP-Schildern nach.

Rabac, HR-52221 / Istra

iD

Autocamp Oliva***	1 ABDEJMNOPQRST	AFHKMNOPQSWXYZ 6
Rabac bb	2 EJPVX	ABDEFGH 7
21 Apr - 6 Okt	3 BEILMQS	ABCDEFNOQRS 8
+385 (0)52-872258	4 ABCRSTVXYZ	ELV 9
olivakamp@ maslinica-rabac.com	5 ABCEFGJL	ABGHIKOPRVW 10
	B 6A CEE	① €38,05
N 45°4'51'' E 14°8'45''	5,5 ha 500T 301D	② €46,05

Von Labin Richtung Rabac. Am Ende des Hangs rechts. Straße zum CP läuft hinter den Hotels vorbei.

Premantura, HR-52203 / Istra

CC€16 iD

Camping Village Stupice*	1 ABDEJMNOPQRST	KMNOPQRWXY 6
Selo 250	2 BEFGJKOPRTWXY	ABFGH 7
2 Apr - 11 Okt	3 AEIMQS	AEFHNOPQR 8
+385 (0)52-575111	4 ABDLPQY	ELMRUV 9
acstupice@arenaturist.hr	5 ACDEFJKL	ABDGHIJPTUV 10
	Anzeige auf Seite 515 10A	① €31,90
N 44°47'52'' E 13°54'50''	26 ha 920T(60-120m²) 190D	② €41,10

CP an Ringstraße Pula ausgeschildert.

Rovinj, HR-52210 / Istra

CC€16 iD

Polari***	1 ABDEJMNOPQRST	AFKMNOPQRSWXYZ 6
Polari 1	2 EGJKLMOPRTUVWXY	ABDEFGH 7
17 Apr - 26 Sep	3 ABEFILMNQS	ABCDEFKLNQRSTU 8
+385 (0)52-801501	4 ABDHLOPQX	ADEKLMNOPQRSTUVX 9
polari@maistra.hr	5 ACDEFGIJ	ABGHIJNPRXY 10
	Anzeige auf dieser Seite FKK B 10A CEE	① €47,20
N 45°3'46'' E 13°40'30''	60 ha 1496T(80-120m²) 611D	② €59,40

3 km südlich von Rovinj CP-Schildern folgen.

Pula, HR-52100 / Istra

iD

Brioni*	1 ABDEJMNOPQRST	KMNOPQSWXYZ 6
Puntizela 155	2 BEFGJKMPSVWXY	ABDEF 7
1 Jan - 31 Dez	3 AEFKLQS	ABEFNPQRSTV 8
+385 (0)52-517490	4 ABDLPQX	EFGKPSTUVXZ 9
info@puntizela.hr	5 ABDEFJL	AGHIJNPTUVWY 10
	B 16A CEE	① €31,60
N 44°53'54'' E 13°48'29''	9 ha 631T(100-120m²) 152D	② €39,60

A9 bis Ausfahrt Vodnjan, dann den Ring bis Pula. Bei der Tankstelle rechts nach Fazana und den CP-Schildern folgen.

Rovinj, HR-52210 / Istra

CC€14 iD

Amarin***	1 ABDEJMNOPQRST	AFKMNOPQRSTWXYZ 6
Monsena bb	2 EGJKLMOPRTVX	ABDEFG 7
25 Apr - 26 Sep	3 AEFILMNQS	ABEFNOQR 8
+385 (0)52-802200	4 ABDILOPX	ADIKLMNPQSTUVX 9
ac-amarin@maistra.hr	5 ACDEFGHJ	ABGHIJMNOTUY 10
	Anzeige auf dieser Seite B 16A CEE	① €36,70
N 45°6'32'' E 13°37'11''	12,5 ha 650T(80-120m²) 555D	② €48,80

CP liegt 3,5 km nördlich von Rovinj, ausgeschildert.

Camping Amarin . Rovinj

Die einzigartige Natur, mit der diese Region beschenkt wurde, ist nur ein Teil des Rahmens für einen perfekten Sommerurlaub voller Erlebnisse.

ONLINE BOOKING
Vielseitiges Animationsprogramm!
Hervorragender Kinderclub!
Neuer Pool!
Istrien
KROATIEN

tel: +385 (0)52 800 200
e-mail: ac-amarin@maistra.hr
www.CampingRovinjVrsar.com

Kroatien

Teilkarte Istrien auf Seite 510

Rovinj, HR-52210 / Istra

Valalta Naturist*****
Cesta Za Valaltu-Lim 7
1 Mai - 1 Okt
+385 (0)52-804800
valalta@valalta.hr

1 BDEHKNOPQRST ABFHKMPQSW**X**Y**Z** 6
2 EFGHIJKLMOPRUVXY ABDE**FG**H 7
3 ABEFIL**M**Q**S** ABCDEFIKNOQRSTU 8
4 **A**BDHLO**PQ**R**T**U**XYZ** EIJLNTU 9
5 ACDEFGIJL AGHIJ**NP**VWXYZ 10
Anzeige auf dieser Seite **FKK** B 10-16A CEE ① €53,50
120 ha 1185**T**(80-140m²) 1323**D** ② €65,50

N 45°7'22'' E 13°37'52''
Von Rovinj 7 km nach Nord-Westen, den Schildern 'Valalta' folgen.

Rovinj, HR-52210 / Istra

Valdaliso***
Val de Lesso 1
12 Apr - 5 Okt
+385 (0)52-805505
ac-valdaliso@maistra.hr

1 ABDEHKNOPQRS**T** KMOPQRSW**X**Y 6
2 BEFGJKLMOPRTVWXY ABDE**F** 7
3 AFL**M**Q**S** ABEFIKNQRST 8
4 ABDHLO**PQRX** EGKLSU 9
5 ACDFGHIJ ABGIJ**NP**TUY 10
Anzeige auf Seite 517 B 16A ① €38,00
9 ha 380**T**(80-120m²) 315**D** ② €49,60

N 45°6'15'' E 13°37'31''
CP liegt 3,5 km nördlich von Rovinj und ist ausgeschildert.

Rovinj, HR-52210 / Istra

Veštar***
Veštar 1
19 Apr - 28 Sep
+385 (0)52-803700
vestar@maistra.hr

1 ABDE**JM**NOPQRST AFKMNPQSW**X**Y**Z** 6
2 EFGJKMPRTVWX ABDE**FGH** 7
3 AEFLS ABCDEFK**L**NQRSTU 8
4 **A**BDHLO**X** AEKLNQTV 9
5 ACDFGIJ ABGHIJ**NP**RY 10
Anzeige auf dieser Seite B 10A CEE ① €45,10
15 ha 680**T**(60-120m²) 159**D** ② €61,30

N 45°3'15'' E 13°41'11''
Von Rovinj in Richtung Pula, nach ca. 4 km rechts und CP-Schildern folgen.

Teilkarte Istrien auf Seite 510

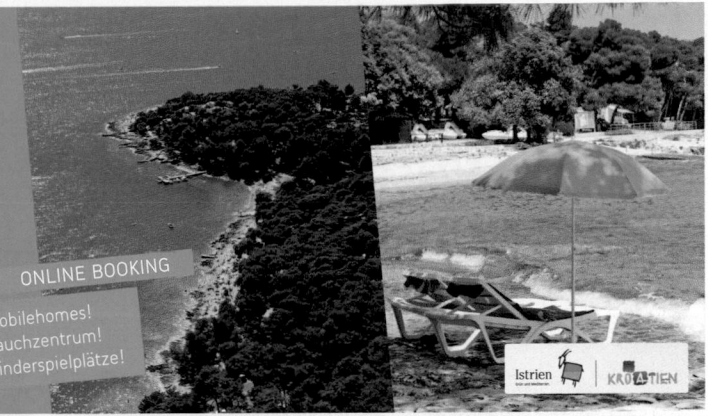

Tar, HR-52465 / Istra

Lanterna***
Lanterna 1
12 Apr - 5 Okt
+385 (0)52-465010
camping@valamar.com
N 45°17'50'' E 13°35'40''

1 ABDE**JM**NOPQRST AFKMOPQRSTW**X**Y**Z** 6
2 EFGJKLMOPRTUVWXY ABDE**FG**H 7
3 ABDEF**GHI**L**MN**Q**STU** ABCDEFIKNOQRSTU 8
4 **A**BCDHLO**PQ**U**X**Y**Z** ADEKLMNOPQRSTUV 9
5 ACDEFGIJK**L** ABFGHIJ**N**ORVWXY 10
B 16A CEE ① €41,10
80 ha 2092**T**(70-120m²) 1114**D** ② €53,70

In Istrien von der Autobahn Richtung Pula A9, die Ausfahrt Nova Vas nehmen. Danach über Novigrad Richtung Porec. Die Ausfahrt zum CP ist ausgeschildert.

Umag, HR-52475 / Istra

CampingIN Pineta****
Istarska bb/Savudrija
24 Apr - 27 Sep
+385 (0)52-709550
camp.pineta@istraturist.hr
N 45°29'12'' E 13°29'32''

1 ABDE**JM**NOPQRST KMNPQSW**X** 6
2 BEKMPRVY ABDE**F** 7
3 BF**I**L**MS** ABCDEFKNQRSTU 8
4 L**X** LQTV 9
5 ACDFGJL ABEGHIJL**NO**TUVXY 10
Anzeige auf Seite 518 B 10A CEE ① €36,10
17 ha 310**T**(80-120m²) 131**D** ② €45,50

Der CP liegt ca. 9 km nordwestlich von Umag bei dem Örtchen Savudrija. Ist gut ausgeschildert und leicht zu finden. Von Basanija aus sind es nur 800m bis zum CP.

Tar, HR-52465 / Istra

Naturist Resort Solaris***
Solaris 1
1 Apr - 4 Okt
+385 (0)52-465010
camping@valamar.com
N 45°17'28'' E 13°35'5''

1 ABDE**JM**NOPQRST AKM**N**OPQSW**X**Y**Z** 6
2 EGKMOPRWXY BDE**FG** 7
3 BEF**GHI**L**MN**Q ABCDEFKNQRSTUV 8
4 **A**BDEHLO**XZ** DEGILNRTVXZ 9
5 ACDEFGIJ AGHIJM**N**OTUVY 10
FKK B 16A CEE ① €36,10
50 ha 1034**T**(80-120m²) 705**D** ② €47,50

In Istrien von der Autobahn Richtung Pula die A9, Ausfahrt Nova Vas nehmen. Danach über Novigrad Richtung Porec. CP ist angezeigt.

Umag, HR-52470 / Istra

CampingIN Stella Maris****
Monterol 8a, Stella Maris
24 Apr - 27 Sep
+385 (0)52-710900
camp.stella.maris@istraturist.hr
N 45°27'3'' E 13°31'21''

1 ABDE**JM**NOPQRS**T** AFKMNOPQSW**X**Y**Z** 6
2 EGJKLMPQRTVWXY ABDE**F** 7
3 BEF**GI**L**MN** ABCDEFKNQRTU 8
4 BDLN**R** IJLNQRSTUV 9
5 ACDFGJ ABEGHIJ**NO**RVWXY 10
Anzeige auf Seite 518 B 10A CEE ① €35,60
5 ha 573**T**(80-100m²) 615**D** ② €45,00

Von Umag Beschilderung nach Stella Maris folgen.

Umag, HR-52470 / Istra

CampingIN Finida****
Krizine 55A
24 Apr - 27 Sep
+385 (0)52-725950
camp.finida@istraturist.hr
N 45°23'34'' E 13°32'30''

1 ABDE**JM**NOPRST KMNPQSW**X**Y**Z** 6
2 EKLMOPQRVXY ABDE**FGH** 7
3 AL ABCDEFKNQRSTU 8
4 **QX** NRTUV 9
5 ACFGJL AEGHIJ**NP**RVX 10
Anzeige auf Seite 518 B 10A CEE ① €36,10
3,3 ha 155**T**(70-100m²) 133**D** ② €45,50

In Umag Richtung Novigrad folgen, CP ca. 5 km von Umag entfernt. Wird deutlich beschildert.

Vrsar, HR-52450 / Istra

Camping Orsera***
Sveti Martin 2/1
12 Apr - 5 Okt
+385 (0)52-465010
camping@valamar.com
N 45°9'20'' E 13°36'37''

1 ABDE**JM**NOQRT KMNOPQSW**X**Y 6
2 EFGJKLMPRTUVWXY ABDE**FG** 7
3 AB ABCDEFKNQRSV 8
4 BDLO**X** DELPQST 9
5 ACFGJ**L** ABGHIJPUY 10
B 16A CEE ① €39,40
9 ha 410**T**(70-90m²) 174**D** ② €51,60

Der CP liegt an der Nordseite von Vrsar. Deutlich ausgeschildert.

Umag, HR-52470 / Istra

CampingIN Park Umag****
Karigador bb
28 Mär - 4 Okt
+385 (0)52-725040
camp.park.umag@istraturist.hr
N 45°22'2'' E 13°32'50''

1 ABDE**JM**NOPQRST AFKM**N**OPQRSTW**X**Y**Z** 6
2 EFGJKLMOPRVWXY ABCDE**FGH** 7
3 ABEF**I**L**MN**Q**RSU** ABCDEFIKNQRSTU 8
4 **A**BCDJLO**PQX** AELMNOQRTUVW 9
5 ACDFGJ ABEGHIJ**NP**QRVXYZ 10
Anzeige auf Seite 518 B 10A CEE ① €39,70
138 ha 1759**T**(80-120m²) 733**D** ② €50,90

Von Umag Richtung Novigrad, nach 8 km CP an der Meeresseite.

Vrsar, HR-52450 / Istra

Naturist park Koversada***
Koversada
19 Apr - 28 Sep
+385 (0)52-441378
koversada-camp@maistra.hr
N 45°8'31'' E 13°36'20''

1 ABDE**JM**NOPQRS**T** KM**N**OPQSW**X**Y**Z** 6
2 EFGJKLMPRVWXY ABDE**FG**H 7
3 BEF**I**L**M**Q ABCDEFKNOQRSTUV 8
4 ABDLO**X** GILQSTUV 9
5 ACDEFGIJK ABGHIJ**NO**TVXYZ 10
Anzeige auf dieser Seite **FKK** B 10A CEE ① €41,50
85 ha 1432**T**(90-120m²) 603**D** ② €51,50

CP 1 km südlich von Vrsar, Schildern nach Koversada folgen.

Teilkarte Istrien auf Seite 510

CampingIN Umag

Das einzige 4 ★ ★ ★ ★ Camping-Reiseziel in Istrien!

umag

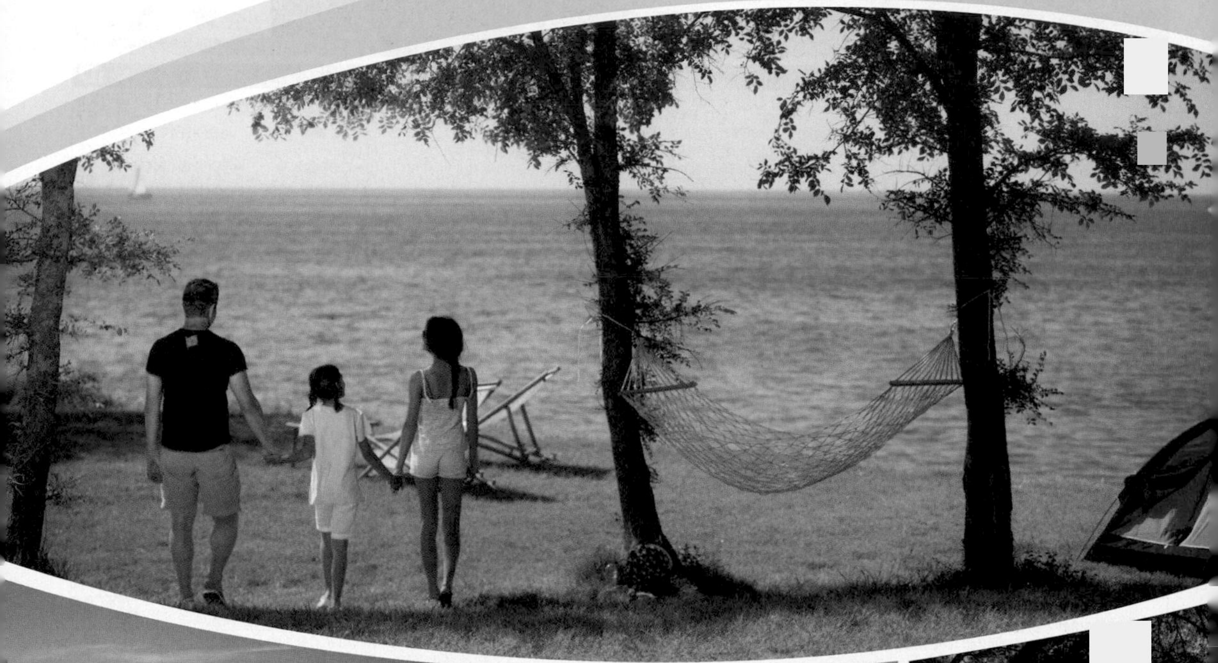

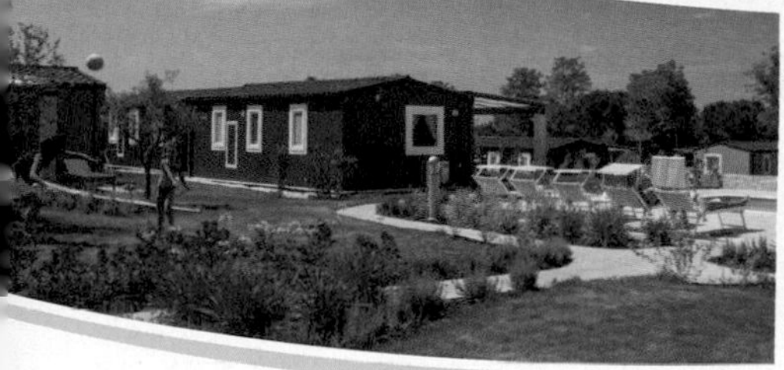

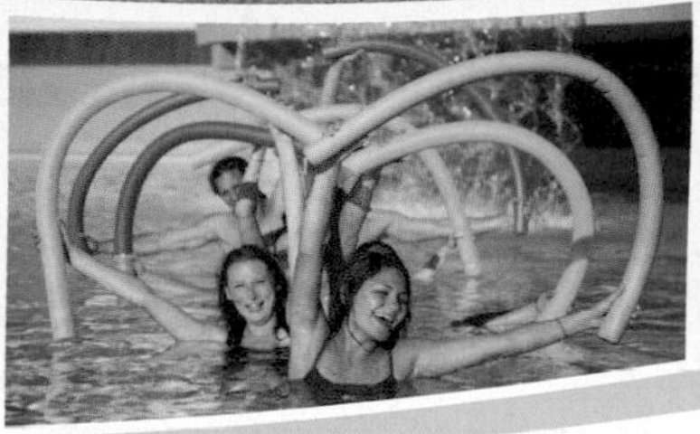

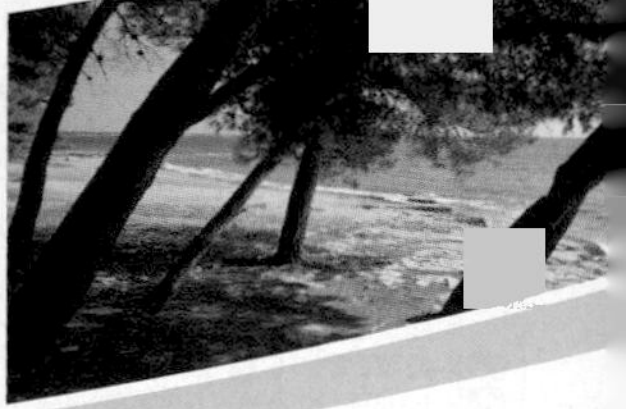

CampingIN
istracamping.com

Verbringen Sie die besten Campingurlaube in Kroatien an der Adriaküste in Umag, Istrien. Istraturist verfügt über fünf Vier-Sterne- Campingplätze, die am Meer inmitten der üppigen Adriavegetation liegen. Jeder Campingplatz bietet eine familienfreundliche Atmosphäre und endlos viele Möglichkeiten zur Unterhaltung, sowie viele Aktivitäten. Lassen Sie uns Ihnen bei der Planung Ihres nächsten Campingurlaubs helfen!

Park ★★★★ UMAG	Stella Maris ★★★★ UMAG	Finida ★★★★ UMAG	Pineta ★★★★ UMAG	Kanegra FKK ★★★★ UMAG

Preisgekrönte Campingplätze- Westlichstes Camping in Kroatien - Saubere wohlerhaltene Campingplätze - Am Meer inmitten der Natur Familienfreundlich - Haustierfreundlich

KROATIEN Istra

ISTRATURIST partner of MELIÃ HOTELS INTERNATIONAL

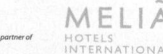

Teilkarte Istrien auf Seite 510

Vrsar, HR-52450 / Istra — CC€16 iD

Porto Sole***
1 Jan - 31 Dez
+385 (0)52-426500
portosole@maistra.hr

1 ABCDE**JM**NOPRS**T**	AFKMNOPQSW**X**Y	6
2 EFGJKLMPRTUVWXY	ABDE**FG**H	7
3 ABEF**ILMN**Q	ABCDEFKNOQRSV	8
4 **A**BDHLOR**XZ**	GILSUV	9
5 ACDFGJ	ABGHIJ**NO**RY	10
Anzeige auf dieser Seite B 10A CEE	① €40,00	
25 ha 732**T**(100m²) 324**D**	② €52,40	

N 45°8'30'' E 13°36'8''
CP 1 km südlich von Vrsar in Richtung Koversada.

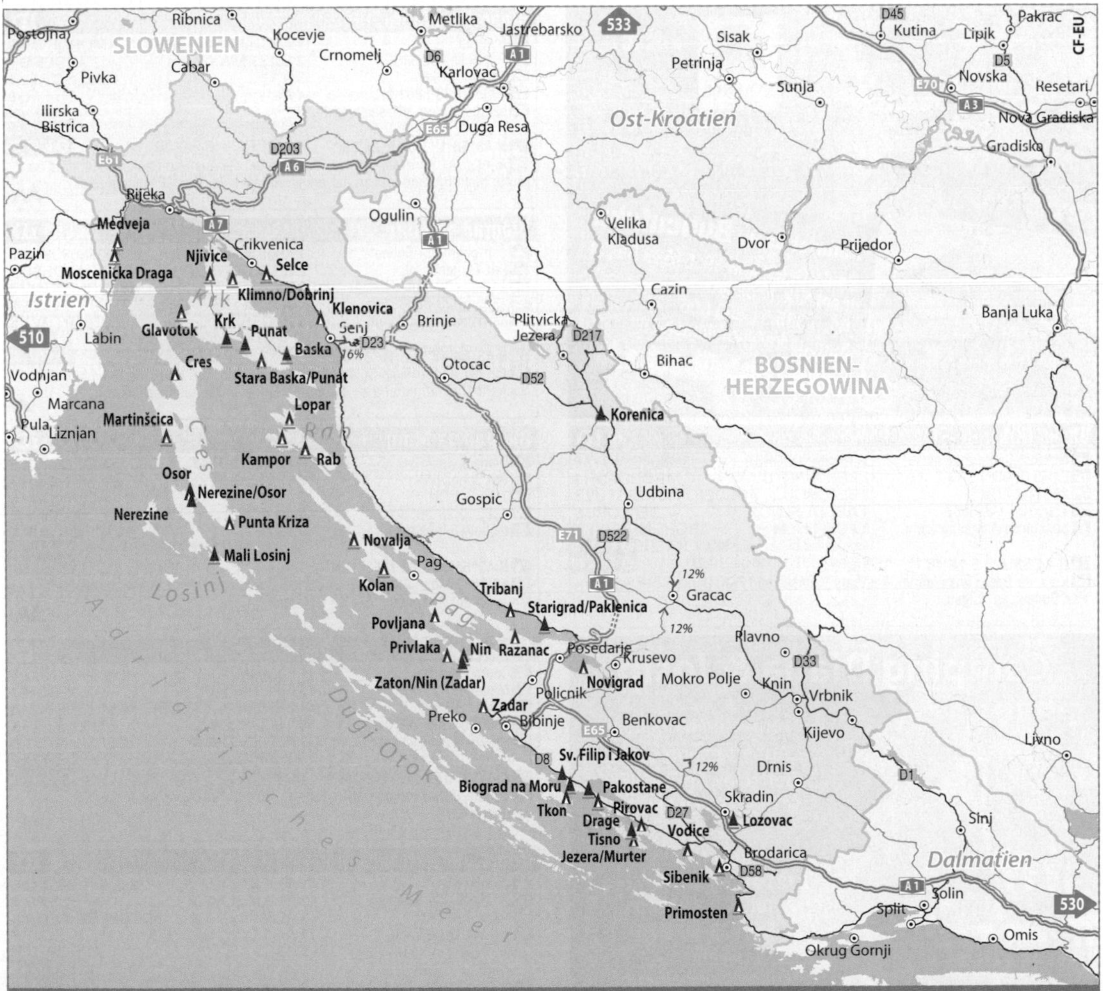

Postojna
SLOWENIEN
Ribnica
Kocevje
Metlika
Jastrebarsko
533
Sisak
D45
Kutina
Lipik
Pakrac
CF-EU
Crnomelj
Cabar
Pivka
D6
Karlovac
Petrinja
Sunja
D5
Novska
Resetari
Ilirska Bistrica
Duga Resa
Ost-Kroatien
Nova Gradiska
Gradiska
D203
Rijeka
Medveja
Ogulin
Velika Kladusa
Dvor
Prijedor
Pazin
Moscenicka Draga
Njivice
Crikvenica
Selce
Istrien
Klimno/Dobrinj
Krk
Klenovica
Glavotok
Punat
Senj
Brinje
Plitvicka Jezera
D217
Cazin
Banja Luka
510
Labin
Baska
D23
Cres
Otocac
Bihac
Vodnjan
Stara Baska/Punat
D52
BOSNIEN-HERZEGOWINA
Marcana
Lopar
Pula
Liznjan
Martinšcica
Rab
Korenica
Kampor
Rab
Osor
Nerezine/Osor
Udbina
Nerezine
Punta Kriza
Gospic
Novalja
D522
Mali Losinj
Pag
Kolan
Losinj
Tribanj
Gracac
Starigrad/Paklenica
Povljana
Pag
Privlaka
Nin
Razanac
Posedarje
Krusevo
Plavno
D33
Zaton/Nin (Zadar)
Novigrad
Mokro Polje
Knin
Policnik
Vrbnik
Zadar
Preko
Bibinje
Benkovac
Kijevo
Adriatisches Meer
Dugi Otok
D8
Sv. Filip i Jakov
Livno
Drnis
Biograd na Moru
Pakostane
D1
Tkon
Pirovac
D27
Skradin
Drage
Lozovac
Sinj
Tisno
Vodice
Jezera/Murter
Brodarica
Dalmatien
Sibenik
D58
Solin
Primosten
Split
530
Omis
Okrug Gornji

Primorje-Gorski Kotar/Lika-Senj/Zadar/Sibenik-Knin

Kroatien

Baska (Krk), HR-51523 / Primorje-Gorski K.

Camp Zablace***
Put Zablaca 40
17 Apr - 11 Okt
+385 (0)51-856909
zablace@hotelibaska.hr

1 ADEJ**M**NOPQRST ABEF**H**KM**N**PQSW**X** 6
2 EFHJOPRVWX ABDE**FG**H 7
3 AEF**I**L**MS** ABCDEFKNQRSTUV 8
4 **A**BCDEFLO**RSTUXYZ** DEKLU 9
5 ABDEFGJ**L** ABGHIK**N**PRVY 10
Anzeige auf dieser Seite B 16A CEE ① €36,80
9 ha 534**T**(80-100m²) 162**D** ② €40,95

N 44°58'1'' E 14°44'43''
Vor Baska rechts. Den Schildern 'Camp Zablace' folgen.

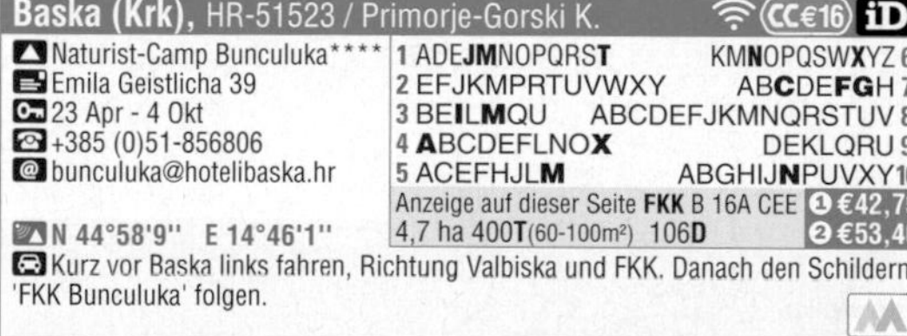

Baska (Krk), HR-51523 / Primorje-Gorski K.

Naturist-Camp Bunculuka****
Emila Geistlicha 39
23 Apr - 4 Okt
+385 (0)51-856806
bunculuka@hotelibaska.hr

1 ADE**JM**NOPQRS**T** KM**N**OPQSW**X**YZ 6
2 EFJKMPRTUVWXY AB**C**DE**FG**H 7
3 BE**I**L**M**QU ABCDEFJKMNQRSTUV 8
4 **A**BCDEFLNO**X** DEKLQRU 9
5 ACEFHJL**M** ABGHIJ**N**PUVXY 10
Anzeige auf dieser Seite **FKK** B 16A CEE ① €42,75
4,7 ha 400**T**(60-100m²) 106**D** ② €53,40

N 44°58'9'' E 14°46'1''
Kurz vor Baska links fahren, Richtung Valbiska und FKK. Danach den Schildern 'FKK Bunculuka' folgen.

Detailkarte

Die Orte in denen die Plätze liegen, sind auf der Teilkarte **fett** gedruckt und zeigen ein offenes oder geschlossenes Zelt. Ein geschlossenes Zelt heißt, dass mehrere Campings um diesen betreffenden Ort liegen. Ein offenes Zelt heißt, dass ein Campingplatz in oder um diesen Ort liegt.

Biograd na Moru, HR-23210 / Zadar

Biograd
Put Solina bb 51
1 Mai - 1 Okt
+385 (0)23-385185
camping-biograd@sangulin.hr

1 ABDE**JM**NOPQRS**T** KMOPQSW**X** 6
2 EJKLRVWX ABDE**FG** 7
3 A ABEFNQRTV 8
4 A E 9
5 AHIJPV 10
16A CEE ① €25,50
4 ha 30**T**(80-100m²) 13**D** ② €32,05

N 43°56'1'' E 15°26'58''
Auf der A1 Karlovac-Split an Zadar vorbei die Ausfahrt Benkovac/Biograd na Moru. Nach Biograd und an der ersten Ampel links. Der CP ist angezeigt.

Biograd na Moru, HR-23210 / Zadar

Camping Park Soline****
Put Kumenta 16
14 Apr - 30 Sep
+385 (0)23-383351
info@campsoline.com

1 ABDE**JM**NOPQRS**T** KM**N**OPQSW**X** 6
2 BEJKLRVWXY ABDE**F**H 7
3 BFLQ ABEFNQRSTUV 8
4 **A**BCDFHO JL 9
5 ABDFGJ ABFHI**P**TUVY 10
Anzeige auf Seite 521 B 16A CEE ① €45,00
20 ha 1123**T**(90-100m²) 310**D** ② €57,35

N 43°55'42'' E 15°27'20''
Auf der A1 Karlovac-Split hinter Zadar die Ausfahrt Benkovac/Biograd na Moru. Nach Biograd fahren und an der ersten Ampel links. Ausgeschildert.

Biograd na Moru, HR-23210 / Zadar

Diana & Josip
Put Solina 55
1 Apr - 1 Okt
+385 (0)23-385340
bioline@globalnet.hr

1 A**JM**NOPRS**T** KMOPQSW**X** 6
2 EHJKLRVWXY ABDE**F**H 7
3 AF**M** ABEFNQRV 8
4 A AEGIJK 9
5 ABDFJ AHIJ**P** 10
Anzeige auf dieser Seite 25A ① €42,00
1 ha 75**T**(80-120m²) 48**D** ② €49,00

N 43°55'56'' E 15°27'11''
A1 Split-Zadar, Ausfahrt Benkovac/Biograd nach Moru. Richtung Biograd-Mitte. An der 2. Ampel links. CP ist angezeigt.

Cres (Cres), HR-51557 / Primorje-Gorski Kotar

Camp Kovacine***
Melin I/20
4 Apr - 19 Okt
+385 (0)51-573150
campkovacine@kovacine.com

1 BDE**JM**NOPQRST KM**N**OPQRSW**X**Z 6
2 EFJLPRTUVX ABDE**FGH** 7
3 BEFLMQT ABCDEFK**LM**NQRSTUV 8
4 ABCDELO**XZ** EGKLNSTUV 9
5 ACDEFGJKL**M** ABGHIJM**N**PVY 10
FKK B 10A CEE ① €37,20
25 ha 1000**T**(70-120m²) 330**D** ② €47,60

N 44°57'46'' E 14°23'49''
Von der Fähre Hauptstraße nach Cres folgen, kurz vor Cres rechts, ausgeschildert.

Drage, HR-23211 / Zadar

Oaza Mira****
Ul. Dr. Franje Tudmana 2
1 Apr - 31 Okt
+385 (0)23-635419
info@oaza-mira.hr

1 ABDE**JM**NOPQRS**T** AKM**N**OPQSW**X**Y**Z** 6
2 EFGJRSUVWXY ABDE**FG** 7
3 AEFMQ ABCDEF**GI**NQRTV 8
4 **A**ORT ELNT 9
5 ABGJ ABHIJ**P**RY 10
16A ① €58,00
4 ha 192**T**(120-150m²) 20**D** ② €74,00

N 43°53'30'' E 15°32'3''
A1 Karlovac-Split an Zadar vorbei Ausfahrt Biograd na Moru. Dann Küstenstraße 8 Ri. Šibenik. Pakostane vorbei, in Drage an Meeresseite der Straße ausgeschildert. Pfeile Autokamping Oaza Mira folgen.

Kroatien

Teilkarte Primorje-Gorski Kotar/Lika-Senj/Zadar/Sibenik-Knin auf Seite 519

An der mittleren Adria im schattigen Pinienhain mit sandiger Küste im Herzen der Königsstadt Biograd
Spezial Angebot: 7=6 & 4=3 vom 24.04.-30.05. und 01.09-30.09.2015.
10% Ermässigung für die Buchung bis 28.02.2015.

Put Kumenta 16, 23210 Biograd na Moru
www.campsoline.com
T: +385 (0)23 383 351
e-mail: info@campsoline.com

Glavotok (Krk), HR-51500 / Primorje-G. K.

CC€16 iD

Camping Glavotok	1 ABDE**JM**NOPQRT	KM**N**OPQS**X**Y**Z** 6
Glavotok 4	2 BEFJMPRTUVXY	ABDE**F** 7
24 Apr - 8 Okt	3 BEFL	ABCDE**F**KNOQRS 8
+385 (0)51-867880	4 BCDLO	FNQSU 9
info@kamp-glavotok.hr	5 ABEGJL	ABDGHIJNORX 10
	B 10A	① €50,85
N 45°5'38'' E 14°26'25''	6 ha 333**T**(80 140m²) 143**D**	② €58,75

Folgen Sie der Hauptstraße Zollbrücke/Krk. Ausfahrt Valbiska rechts, dann Schildern Glavotok folgen. Letzte 2 km schmale, oft kurvige Straße mit Ausweichbuchten.

Kampor, HR-51280 / Primorje-Gorski Kotar

CC€16 iD

Lando Resort****	1 ABDEG**J**KNOPQRST	ABFGKMOPQSWX 6
bb	2 EGHIOPQVWX	ABDE**FG**IJ 7
1 Apr - 1 Nov	3 AFST	ABCDEFNQTU 8
+385 (0)99-6457000	4 FH	FLMNQRTUX 9
rab@starturist.hr	5 ADEJ	ABDGHJNPRV 10
	Anzeige auf dieser Seite B 16A CEE	① €51,00
N 44°47'2'' E 14°42'24''	0,6 ha 25**T**(bis 100m²) 11**D**	② €70,00

Von Krk oder dem Festland aus Richtung Rab folgen, danach Richtung Kampor. Bei Kampor der Beschilderung nach Resort Lando.

Jezera/Murter, HR-22242 / Sibenik-Knin

iD

Holiday resort Jezera Village***	1 ABDE**JM**NOPQRS**T**	KM**N**OP**X**Y**Z** 6
	2 EFJLORTUVXY	ABDE**FH** 7
30 Apr - 5 Okt	3 B**I**L**M**	ABEFNQRSV 8
+385 (0)22-439600	4 **A**BDO**X**	EGILT 9
marketing@jezeravillage.com	5 ACDEFGJ	AHIK**P**TUY 10
	16A	① €42,00
N 43°47'31'' E 15°37'39''	18 ha 400**T**(100-120m²) 172**D**	② €56,00

Die neue A1 Karlovac-Split an Zadar vorbei Ausfahrt Pirovac. Küstenstraße Nr. 8 überqueren zur Halbinsel Murter. Nach 6,5 km in Tisno-Ort über die Brücke nach Murter. Weiter ausgeschildert.

Klenovica, HR-51252 / Lika-Senj

iD

Auto-camp Sibinj**	1 A**JM**NOPQRS**T**	K**N**P**X**Y**Z** 6
Sibinj 3	2 EJLOPTUVWX	A**B**DE**F** 7
1 Apr - 30 Sep	3	ABCEFNOQR 8
+385 (0)51-796916	4 F	E 9
campsibinj@net.hr	5 ABIJL	AHKOR 10
	B 16A	① €22,75
N 45°2'39'' E 14°52'41''	4 ha 80**T** 7**D**	② €26,40

Kommend von Rijeka Richtung Split, Klenovica durchfahren. CP dann auf der rechten Seite.

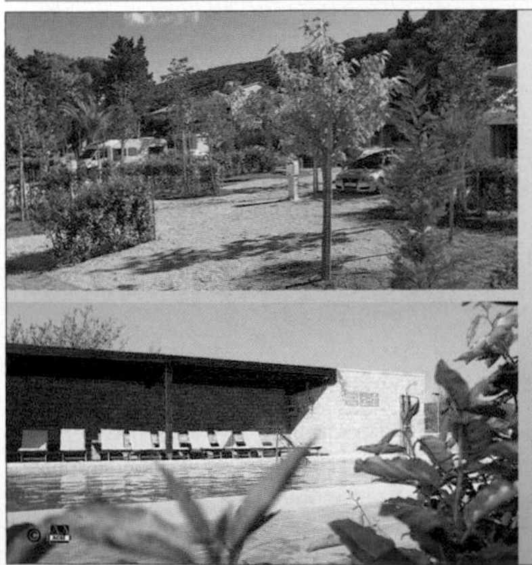

Lando Resort

★ ★ ★ ★

KVARNER

KROATIEN

Lando Resort ist ein kürzlich eröffneter Campingplatz von 6000 m² an der Kampor Mel Bucht, direkt am Sandstrand, ca. 7 km zur Stadt Rab. 2 beheizte Schwimmbäder (mit integriertem Kinderbad), Liegestühle und Sonnenschirme. Spielplatz, WiFi-Punkt, Restaurant und Cocktailbar. Auf diesem Viersternecamping gilt das Motto 'Feel the Joy'. Gäste können in 50 m² Mobilheimen mit überdachter Terrasse oder auf 100 m² Stellplätzen untergebracht werden, die von einer üppigen mediterranen Vegetation umgeben sind. Außergewöhnliches Qualitätssanitär mit allem Luxus. Haustiere sind nicht gestattet. Der Camping verfügt über 36 Plätze, darunter 11 Plätze mit Luxuswohnwagen.

bb, 51280 Kampor • Tel. 099-6457000
E-Mail: rab@starturist.hr • Internet: www.lando.hr

Kroatien

Teilkarte Primorje-Gorski Kotar/Lika-Senj/Zadar/Sibenik-Knin auf Seite 519

Klimno/Dobrinj, HR-51514 / Primorje-G. K.

CC€16 iD

Slamni****
Klimno 8a
15 Apr - 15 Okt
+385 (0)51-853169
info@kampslamni.com.hr
N 45°9'13'' E 14°37'2''

1 ABDE**JM**NOPQRST KM**N**PQS**X**Z 6
2 EFJOVWX ABCDEFHI 7
3 BDLQ ABCDEFGKNQRSTUV 8
4 BDFHIOR EKLNV 9
5 ABEGJKLM ABGHIJNPRV 10
Anzeige auf dieser Seite B 16A CEE ① €35,15
7,5 ha 45**T**(35-80m²) 17**D** ② €42,90

Die Krk Brücke vom Festland aus zur Insel Krk. Am ersten Kreisel geradeaus. Nach 1300m links abbiegen. Die Strecke zum CP ist weiter ausgeschildert.

Kolan (Pag), HR-23251 / Zadar

CC€14 iD

Camping Village Šimuni***
Simuni 106
1 Jan - 31 Dez
+385 (0)23-697441
info@camping-simuni.hr
N 44°27'55'' E 14°58'1''

1 ABCDE**JM**NOPQRS**T** KM**N**OPQRSTVW**X**YZ 6
2 EHJORSTUVWXY AB**FG** 7
3 ABDEFL**MN**Q**SU** ABCDFNQRTUV 8
4 **A**BCDFHIJLNO**PQXZ** EJMNORSTVZ 9
5 ACDFGHIJK ABHIKPTUWY 10
Anzeige auf Seite 523 16A CEE ① €48,00
30 ha 900**T**(60-140m²) 410**D** ② €63,00

An der M2/E27 (Küstenstraße) Fähre Prizna-Zigljen nehmen. Dann Ri. Pag. Über die neue A1 Karlovac-Split, vor Zadar Ausfahrt in Posedarje nehmen nach Pag (43 km). Noch 11 km bis Novalja. Ausgeschildert.

Korenica, HR-53230 / Lika-Senj

iD

Borje***
Vranovaca bb
1 Apr - 15 Okt
+385 (0)53-751790
autocamp-borje@np-plitvicka-jezera.hr
N 44°45'57'' E 15°41'21''

1 ABDE**JM**NOPQRS**T** 6
2 BFGPTWX ABDE**FG** 7
3 A ABEFKNQRV 8
4 FHO 9
5 ABGHIJ AHJPR 10
16A ① €27,35
6,5 ha 140**T** ② €33,10

Liegt an der 1/E71 (Karlovac-Gracac), 15 km südlich vom Eingang 2 des Naturgebiets Plitvicka-Jezera und etwas südlich von der Ortschaft Korenica hinter der Ausfahrt nach Rijeka-Senj. Der CP liegt auf der Südwestseite der Straße.

Korenica, HR-53230 / Lika-Senj

iD

Licka Kapa
Bjelopolje bb
1 Apr - 15 Okt
+385 (0)53-753004
info@pansion-licka-kapa.hr
N 44°42'43'' E 15°44'24''

1 ABCDEJMNOPQRS**T** 6
2 FPVWX AB 7
3 ABEFNQRV 8
4 O G 9
5 AGJ AK**O**R 10
16A ① €19,70
4 ha 130**T**(90-120m²) 19**D** ② €26,30

Auf der 1/E71 von Karlovac-Slunj-Gracac einige Km südlich von Korenica an der Südwestseite der Strecke bei der Pension Licka Kapa.

Krk (Krk), HR-51500 / Primorje-Gorski Kotar

CC€18 iD

Camping Bor***
Crikvenicka 10
1 Jan - 31 Dez
+385 (0)51-221581
info@camp-bor.hr
N 45°1'21'' E 14°33'44''

1 AG**JM**NOPQRST AF**X** 6
2 FRTUVWX ABDE**F**H 7
3 A ABEFJNQRS 8
4 FHO 9
5 ABJ ABDGHIJ**P**R 10
Anzeige auf Seite 525 B 10A ① €33,40
H60 1,3 ha 160**T**(70-130m²) 15**D** ② €42,85

Vor Krk Schildern Richtung 'Centar' (Zentrum) folgen, beim Kreisverkehr Schildern autocamp 'Bor' folgen, erste Straße rechts.

Krk (Krk), HR-51500 / Primorje-Gorski Kotar

iD

Camping Jezevac****
Plavnicka bb
1 Apr - 7 Okt
+385 (0)51-221081
camping@valamar.com
N 45°1'8'' E 14°34'1''

1 ADE**JM**NOPQRST KM**N**OPQSW**XYZ** 6
2 EJMOPRTUVWXY ABDE**FG**H 7
3 ADEFL**MNO**Q ABCDEFK**LM**NQRSTU 8
4 BCDLO**X** EKLRTU 9
5 ABDEFGJL**M** ABFGHIKM**NP**TUVY 10
B 10A CEE ① €40,10
11 ha 553**T**(80-120m²) 230**D** ② €51,70

Von Krk Schildern mit Jezevac oder Autocamp (Jezevac) folgen. CP liegt auf der Westseite der Stadt.

Krk (Krk), HR-51500 / Primorje-Gorski K.

CC€18 iD

Camping Krk****
Politin bb
3 Apr - 4 Okt
+385 (0)52-465010
camping@valamar.com
N 45°1'28'' E 14°35'30''

1 ABDE**JM**NOPQRST ABFGKM**N**OPQSUW**XYZ** 6
2 EFJKLMPRTUVWX ABDE**FG**H 7
3 BCEFIL**M** ABCDEFIKNQRSTU 8
4 BCD**E**FHLO**PTXZ** AELRTU 9
5 ABEFGJ**L** ABEGHIJM**N**PRVY 10
B 10A CEE ① €42,00
5,6 ha 300**T** 124**D** ② €50,80

Von Krk Richtung Punat fahren. Vor der Tankstelle (links der Straße) rechts abbiegen.

Lopar (Rab), HR-51280 / Primorje-Gorski K.

CC€16 iD

San Marino****
Lopar 488
1 Apr - 30 Sep
+385 (0)51-775133
ac-sanmarino@imperial.hr
N 44°49'24'' E 14°44'14''

1 ABDE**JM**NOPQRS**T** **H**KMNOPQSW**XYZ** 6
2 EFHOPQVWXY ABDE**FG** 7
3 BEF**IL**M**N**QS ABCDEF**GIKL**NQRSTU 8
4 ABCDLMO**PQRTUXZ** DEGKLPQTX 9
5 ACDEFGIJK**M** ABGHIK**NP**RVW 10
B 16A ① €36,00
9 ha 1059**T**(80-100m²) 277**D** ② €44,60

Gut ausgeschildert von der 3-Gabelung beim Tourismusbüro vor Lopar.

Kroatien

Lozovac, HR-22221 / Sibenik-Knin

Camp Krka	1 ABJMNOPQRS**T**	6
Skocici 2	2 APRWXY	ABDE**F** 7
1 Jan - 31 Dez	3 A	ABEFNQRV 8
+385 (0)22-778495	4 A	GI 9
goran.skocic@si.t-com.hr	5 AGI	AHKPV 10
	Anzeige auf dieser Seite 16A	❶ €18,15
N 43°48'2'' E 15°56'32''	1 ha 40**T** 6**D**	❷ €20,45

Von der Küstenstraße südlich von Sibenik Richtung Skradin/ Nationalpark Krka. Von der A1 Ausfahrt 21 Skradin/Nationalpark Krka. In einigen Km vom Nationalpark ist der CP ausgeschildert.

Lozovac, HR-22221 / Sibenik-Knin

Camp Marina (NP. KRKA)**	1 ABDEJMNOPQRS**T**	6
Skocici 6	2 AOPRSVWXY	ABDE**FGH** 7
1 Jan - 31 Dez	3 A	ABEFNQRT 8
+385 (0)913-683323	4 **A**O	G 9
predrag.skocic@gmail.com	5 AGI	ABHJNORV 10
	Anzeige auf dieser Seite B 16A	❶ €22,50
N 43°47'59'' E 15°56'39''	1 ha 37**T**(40-70m²) 6**D**	❷ €28,50

Von der Küstenstraße südlich von Šibenik Richtung Skradin-National Park Krka. Von der A1 Ausfahrt 21 Skradin-National Park Krka. Nach einigen Kilometer vom National Park ist der CP angezeigt.

Mali Losinj (Losinj), HR-51550 / Primorje-G. K.

Camping Cikat***	1 ABDE**JM**NOPQRST	KM**N**OPQRS**XZ** 6
Cikat 6 A	2 BEFJLMPRTUVWXY	ABDE**FG**H 7
1 Jan - 31 Dez	3 A**C**EFLMS	ABCDEFK**L**NQRST 8
+385 (0)51-232125	4 ABCDEH**J**LO**PQXZ**	DEKLRUV 9
info@camp-cikat.com	5 ACDEIJK**LM**	ABGHIJLNPTUVXY 10
	B 10A	❶ €33,10
N 44°32'9'' E 14°27'3''	H75 6 ha 1033**T**(60-120m²) 415**D**	❷ €41,60

Kommend von der Fähre muss man die Inseln Cres und Mali Losinj kreuzen. Ab der 4-Gabelung, kurz hinter Mali Losinj Richtung Cikat folgen.

Mali Losinj (Losinj), HR-51550 / Primorje-G. K.

Poljana***	1 ABCDE**JM**NOPQRST	KM**N**OPQSW**XYZ** 6
Poljana bb	2 BEFJMPRTUVXY	ABDE**FGHK** 7
26 Mär - 2 Nov	3 ABEFL**MN**R**S**U	ABCDEF**LM**NOQRSTUV 8
+385 (0)51-231726	4 **A**BCD**EJ**LNO**XZ**	EJKLNOSUV 9
info@poljana.hr	5 ACEFGJKL	ABDFGHIJ**P**TUXY 10
	B 10A CEE	❶ €43,00
N 44°33'21'' E 14°26'32''	18 ha 506**T**(40-120m²) 167**D**	❷ €65,00

Von Nerezine liegt der CP vor Mali Losinj an der linken Straßenseite.

Martinšcica (Cres), HR-51556 / Primorje-G. K.

Camping Slatina****	1 ABDE**JM**NOPQRST	KMNOPQS**X**YZ 6
28 Mär - 10 Okt	2 EFJMRTUWXY	ABDE**FG** 7
+385 (0)51-574127	3 AF**ILS**	ABCDEFK**L**NQRSTV 8
info@camp-slatina.com	4 BO**QX**	EKLSV 9
	5 ACEFGJK**M**	ABDGHIJMNPTU 10
	B 16A	❶ €28,20
N 44°49'16'' E 14°20'35''	15 ha 1670**T**(70-120m²) 181**D**	❷ €36,20

Von Cres Richtung Osor fahren. Nach circa 20 km rechts abbiegen. Schildern Slatina folgen (8 km). Der CP liegt hinter Martinscica.

Medveja, HR-51416 / Primorje-Gorski Kotar

Autocamp Medveja***	1 ABDE**JM**NOPQRST	KM**N**PQSWXYZ 6
Medveja bb	2 EJOPRVXY	ABDE**FG**H 7
26 Apr - 13 Okt	3 EL	ABCDEFKNQRS 8
+385 (0)51-291191	4 BCDFO**X**	EGIJKL 9
ac-medveja@liburnia.hr	5 ACEGJKL	AGHIKPTUY 10
	Anzeige auf dieser Seite B 10A CEE	❶ €34,35
N 45°16'13'' E 14°15'56''	9 ha 287**T**(90-110m²) 185**D**	❷ €43,40

Von Opatija der Küstenstraße Richtung Pula folgen, durch Lovran. Der CP liegt 1 km hinter dem Ortschild von Lovran auf der rechten Seite.

Moscenicka Draga, HR-51417 / Primorje-G. K.

Autocamp Draga**	1 ABDE**JM**NOPQRST	KMNOPQSW**X**Y 6
Aleja Slatina bb	2 EJOPTUVWX	AB**C**DE**F** 7
14 Apr - 1 Okt	3	ABEFNQR 8
+385 (0)51-737523	4 F	ELU 9
info@autocampdraga.com	5 AL	ABGHIKPRY 10
	B 16A	❶ €32,60
N 45°14'24'' E 14°15'1''	2,2 ha 100**T**(80-100m²) 67**D**	❷ €42,30

Küstenweg von Opatija Richtung Pula. Der CP liegt links, Ausfahrt Mosenicka Draga.

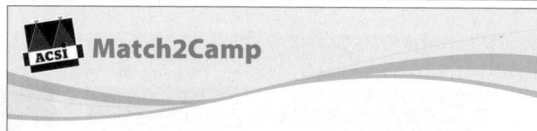

Nerezine (Losinj), HR-51554 / Primorje-Gorski K.

A/C Lopari	1 ABDE**JM**NOPQRST	KMPQRST**X** 6
Nerezine b.b., p.p. 26	2 EFHKPRVWXY	ABDE**F** 7
26 Apr - 30 Sep	3 BQ	ABCDEFKNQRS 8
+385 (0)51-237127	4 BCIO**PQX**	EJKLNQU 9
lopari@losinia.hr	5 ACGIJKL**M**	ABGHIJ**NO** 10
	B 10A CEE	❶ €33,00
N 44°40'51'' E 14°23'43''	15 ha 300**T** 14**D**	❷ €39,50

Kommend von Osor liegt der CP nach ca. 1,5 km an der linken Seite von der Straße nach Nerezine.

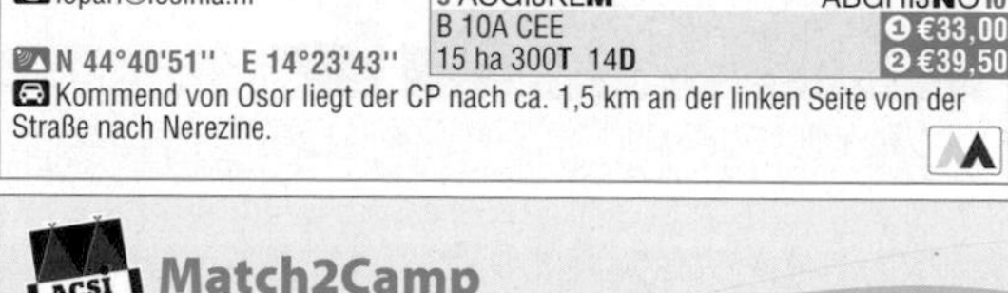

Ihre Campingwahl nach Maß!
Mehr Informationen finden
Sie auf Seite 26.

Kroatien

Teilkarte Primorje-Gorski Kotar/Lika-Senj/Zadar/Sibenik-Knin auf Seite 519

Nerezine (Losinj), HR-51554 / Primorje-Gorski K.

A/C Rapoca**
18 Apr - 5 Okt
+385 (0)51-237145
rapoca@losinia.hr

1 ABDE**JM**NOPQRST	KM**N**OPQS 6
2 EJMORTX	ABDE**F** 7
3 BF	ABDEFK**LM**NQRS 8
4 BC	IJKLU 9
5 ABDGI**LM**	ABHIJ**N**OV 10
B 6A CEE	① €30,00
4,4 ha 250**T** 76**D**	② €37,00

N 44°39'49'' E 14°23'51''
Von Osor CP links an der Straße am Ortsanfang von Nerezine.

Nerezine/Osor (Losinj), HR-51554 / Primorje-Gorski K.

AC Preko Mosta
Osor 8
15 Apr - 30 Sep
+385 (0)51-237350
booking@jazon.hr

1 BDE**JM**NOPQRST	K**N**PQSUWXZ 6
2 EFKOPRTX	ABD**F** 7
3	ABEFNQR 8
4	9
5	ABHJOTUV 10
10A	① €21,80
1 ha 100**T** 16**D**	② €31,80

N 44°41'34'' E 14°23'31''
CP liegt bei der Brücke auf der Landenge zwischen den Inseln Cres und Losinj.

Nin, HR-23232 / Zadar

CC€12

Ninska Laguna
Put Blata 10
1 Apr - 15 Okt
+385 (0)23-264265
contact@ninskalaguna.hr

1 AB**JM**NOPQRS**T**	KM**N**PQSW**X**Y 6
2 EGHPRWXY	ABD 7
3	ABE**F**NQRV 8
4 O**X**	D 9
5	AHJ**P**ST 10
Anzeige auf dieser Seite 16A	① €22,00
1 ha 100**T**(60-90m²) 19**D**	② €31,00

N 44°14'47'' E 15°10'26''
Die A1 Karlovac-Split, vor Zadar Ausfahrt Nin auf die alte Küstenstraße A8/E65 Ri. Zadar. Nach 10 km re. Ri. Vir/Privlaka. In Nin Ri. Vir/Privlaka. Am Ortsausgang nach 400m re. Ausgeschildert.

Njivice (Krk), HR-51512 / Primorje-Gorski K.

CC€16

Njivice**
Primorska Cesta bb
11 Apr - 1 Nov
+385 (0)51-846168
reservation@kampnjivice.hr

1 ADE**JM**NOPQRS**T**	K**N**OPQSW**XYZ** 6
2 EFJKMPRTVXY	ABDE**F** 7
3 BCD**GHI**L**MN**QT	ABEFJKNOQRSTU 8
4 BCDEFLNR**XZ**	ELU 9
5 ACEFGI	ABDFGHIK**N**PTUY 10
B 16A CEE	① €38,05
10 ha 164**T**(120-140m²) 439**D**	② €42,60

N 45°10'10'' E 14°32'49''
Der CP liegt 10 km hinter der Zollbrücke Richtung Krk. Von der Hauptstraße ist die Route nicht sehr deutlich ausgeschildert. Schildern 'Hotel' folgen.

Kroatien

Novalja (Pag), HR-53291 / Zadar

Strasko****
Zeleni put 7
17 Apr - 11 Okt
+385 (0)53-663381
info@kampstrasko.com

1 ABCDEJMNOPQRST KMNPQSWXY 6
2 EJKLMPRVWXY ABDEFGH 7
3 BDEFGHLMNQRST ABCDEFKLNQRSTUV 8
4 ABCDFHIJKLOPQRXZ ADELQRTUVX 9
5 ACDFGIJKM ABEFGHIJMOTUY 10
Anzeige auf Seite 527 FKK B 10-16A CEE ❶ €48,00
5,8 ha 1560T(100-160m²) 517D ❷ €52,60

N 44°32'56'' E 14°53'15''

Auf der M2/E27 die Fähre Prizna-Zigljen nehmen. Vor Novalja links ab, ausgeschildert, oder auf der A1 in Posedarje Ausfahrt Pag (43 km) dann noch 32 km. Und vor Novalja links ab.

Novigrad, HR-23312 / Zadar

Adriasol Camping Novigrad
1 Mai - 30 Sep
+385 (0)23-375111
office@adriasol.com

1 ABJMNOPQRST KMNOPQSWXYZ 6
2 AEFJKLMORSUVWX ABFH 7
3 AFL ABCDEFKNQRSTV 8
4 AOQ JKLQ 9
5 AGL ABFGHIJNPRV 10
B 16A CEE ❶ €34,40
2 ha 120T(80m²) 12D ❷ €42,80

N 44°11'21'' E 15°32'49''

A1 Zagreb-Karlovac-Zadar-Split. Vor Zadar Ausfahrt nach Pag und Posedarje. Der Nebenstraße nach Süden folgen. An der Südseite vom Novigradsko More Richtung Novigrad. Durch Novigrad Zentrum bis zum Ende der Straße.

Osor (Cres), HR-51542 / Primorje-Gorski Kotar

AC Bijar
Osor 76
24 Apr - 1 Okt
+385 (0)51-237147
info@camp-bijar.com

1 ABDEJMNOPQRST KMNPQSWXYZ 6
2 EKMRTUY ABDEFH 7
3 BFL ABEFKLMNQRS 8
4 BCDLOX DKU 9
5 ABDEFLM ABGHIJNOTUVY 10
B 10A ❶ €33,10
3 ha 250T(50-110m²) 65D ❷ €41,50

N 44°41'58'' E 14°23'48''

Von Cres befindet sich AC Bijar 400m vor Osor, auf der rechten Straßenseite.

Pakostane, HR-23211 / Zadar

Autocamp Nordsee
Alojzija Stepinca 68
1 Mär - 15 Nov
+385 (0)23-381438
info@autocamp-nordsee.com

1 ABJMNOPQRST KMNOPQSWXYZ 6
2 EFJKMRVWXY ABDEF 7
3 ABEFJNQRV 8
4 AO DIN 9
5 DGIL ABHIJPTU 10
Anzeige auf dieser Seite 16A CEE ❶ €39,50
1,7 ha 90T(80-100m²) 16D ❷ €42,50

N 43°54'20'' E 15°30'58''

Die Autobahn A1 Karlovac-Split an Zadar vorbei Ausfahrt Biograd na Moru. Dann die Küstenstraße 8 Ri. Sibenik. Kurz außerhalb Pakostane (Richtung Drage) rechts der Straße ausgeschildert. Jetzt den Pfeilen Autocamp Nordsee folgen.

Pakostane, HR-23211 / Zadar

Crkvine
Vransko Jezero
1 Mai - 30 Sep
+385 (0)23-636194
vranskojezero@gmail.com

1 ABJMNOPQRST LNQSXY 6
2 DGPWXY ABDEH 7
3 ALQ ABEFNOQRV 8
4 NPQ 9
5 AGJ AHIJO 10
16A ❶ €21,95
5,5 ha 200T 100D ❷ €27,65

N 43°55'49'' E 15°30'35''

Auf der neuen A1 Karlovac-Split vorbei Zadar die Ausfahrt Benkovac/Biograd na Moru Richtung Biograd. Dann die Küstenstraße Nr. 8 Ri. Sibenik/Split folgen. In Pakostane links Richtung Vransko Jezero. Ausgeschildert.

Pakostane, HR-23211 / Zadar

Kozarica****
Brune Busica 43
7 Apr - 31 Okt
+385 (0)23-381070
kozarica@adria-more.hr

1 ABDEJMNOPQRST FKMNOPQSWXZ 6
2 EGJKLORVWXY ABDEFGH 7
3 BFLQ ABCDEFIKLNQRSV 8
4 ABCDFHLOTUX DEILU 9
5 ACGJ ABFHIJPVY 10
Anzeige auf dieser Seite 16A CEE ❶ €39,70
6 ha 425T(80-110m²) 86D ❷ €52,10

N 43°54'41'' E 15°29'59''

Die A1 Karlovac-Split hinter Zadar Ausfahrt Benkovac/Biograd na Moru. Küstenstraße 8 Richtung Biograd folgen. Zwischen Pakostane und Biograd auf der Meeresseite der Straße am Schild Kozarica ab.

Pirovac, HR-22213 / Sibenik-Knin

Miran**
Zagrebacka 37
1 Mai - 15 Okt
+385 (0)22-466803
sales@rivijera.hr

1 ABDEJMNOPQRST AKMNPXY 6
2 EGJKLRTVWXY ABDE 7
3 ALM ABEFNQRV 8
4 OX EGIJLT 9
5 ACDGJ AHIJNRY 10
16A ❶ €34,00
4 ha 130T 134D ❷ €38,00

N 43°49'24'' E 15°39'29''

Die neue A1 Karlovac-Split, an Zadar vorbei, Ausfahrt Pirovac. An Pirovac am Meer entlang, Richtung Hotel und CP Miran. Oder von Rijka der Küstenstr. M2/E27 Richtung Süden, Maslenica. Hier auf die Autobahn bis Ausfahrt Pirovac.

Povljana, HR-23249 / Zadar

Camp Porat
Stjepana Radica bb
1 Mai - 1 Okt
+385 (0)23-692995
info@camp-porat.com

1 ABDEJMNOPQRST KMNPXY 6
2 EHJLPRVWX ABDEF 7
3 AS ABCDEFKNQRTV 8
4 H J 9
5 ACDJ AHIJP 10
16A CEE ❶ €25,25
16 ha 40T(80-100m²) 29D ❷ €32,00

N 44°20'58'' E 15°6'19''

A1 Ausfahrt 16 Posedarje Ri. Pag. Nach 30 km links nach Povljana (6 km). CP angezeigt. Von Rijeka über die Küstenstraße in Prizna die Fähre nach Zigljen. Südlich an Pag vorbei, nach 7 km rechts. Die 108 nach Povljana.

Primosten, HR-22000 / Sibenik-Knin

Adriatic Cat.1
Huljerat 1a
10 Apr - 1 Nov
+385 (0)22-571223
camp-adriatiq@adriatiq.com

1 ADEJMNOPQRST KMNOPQSTWXYZ 6
2 AEJKMORTUVXY ABDEFGH 7
3 ABCEFLMQS ABEFKNQRSTU 8
4 ABDHLOPQ DKMNPQRST 9
5 ACDEFGIJM ABGHIJMNPRV 10
B 10A CEE ❶ €36,00
12 ha 500T(80-140m²) 69D ❷ €49,00

N 43°36'23'' E 15°55'15''

An der E65, 20 km von Sibenik, vor Primosten auf der rechten Seite.

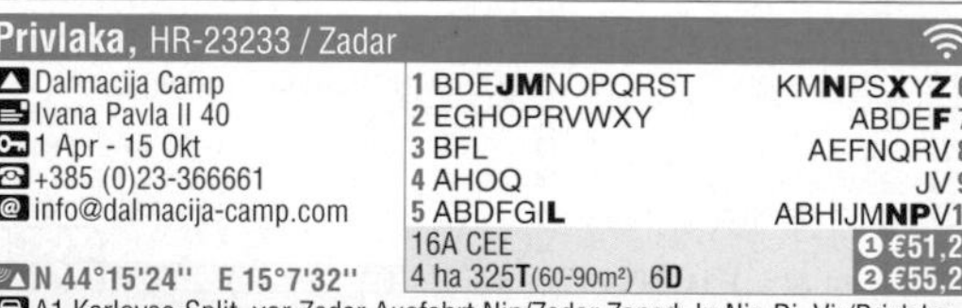

Privlaka, HR-23233 / Zadar

Dalmacija Camp
Ivana Pavla II 40
1 Apr - 15 Okt
+385 (0)23-366661
info@dalmacija-camp.com

1 BDEJMNOPQRST KMNPSXYZ 6
2 EGHOPRVWXY ABDEF 7
3 BFL AEFNQRV 8
4 AHOQ JV 9
5 ABDFGIL ABHIJMNPV 10
16A CEE ❶ €51,20
4 ha 325T(60-90m²) 6D ❷ €55,20

N 44°15'24'' E 15°7'32''

A1 Karlovac-Split, vor Zadar Ausfahrt Nin/Zadar Zapad. In Nin Ri. Vir/Privlaka. Ausgeschildert. Oder ab Rijeka der Küstenstraße M2/E27 Ri.Süden folgen bis zur Maslenica Brücke. Rechts nach Nin/Privlaka. In Nin CP angezeigt.

Kroatien

Punat (Krk), HR-51521 / Primorje-Gorski K.

Camp Pila***
Setaliste i. Brusica 2
24 Apr - 18 Okt
+385 (0)51-854020
pila@hoteli-punat.hr
N 45°0'58'' E 14°37'44''

1 ADE**JM**NOPQRST	KM**N**PQSTW**XYZ**	6
2 EFKLOPRTVX	ABDE**FGH**I	7
3 BE	ABCDEFKNQRSTV	8
4 **A**BLO**PQX**	EKLU	9
5 ACDEGJL	ABGHIK**N**PTUXY	10
Anzeige auf dieser Seite B 10A CEE	① €35,35	
7 ha 600**T**(80-100m²) 212**D**	② €45,05	

Von Krk aus, an Punat vorbei fahren, Richtung Stara Baska. CP liegt als erster rechts der Straße.

Razanac, HR-23248 / Zadar

Autocamp Planik
Razanac 58
15 Mai - 30 Sep
+385 (0)23-651431
info@planik.hr
N 44°16'40'' E 15°20'41''

1 ABDE**JM**NOPQRS**T**	M**N**OPQSW**XYZ**	6
2 BJKLOPRTXY	ABDE**F**	7
3 AE	ABEFNQRV	8
4 **A**O	AD	9
5 DG**L**	HIJ**P**V	10
16A	① €25,90	
2 ha 160**T**(80-120m²) 41**D**	② €34,15	

A1 Zagreb-Karlovac-Split. Vor Zadar Ausfahrt Pag/Posedarje Richtung Pag folgen und an der 1. Kreuzung rechts. Nach 500m CP links.

Punat (Krk), HR-51521 / Primorje-Gorski K.

Naturist Camp Konobe***
24 Apr - 30 Sep
+385 (0)51-854036
konobe@hoteli-punat.hr
N 44°59'29'' E 14°37'50''

1 ADE**JM**NOPQRST	KM**N**PQSW**X**YZ	6
2 EFJKMPRUVWX	ABDE**FG**H	7
3 ABEIL**M**	ABCDEFNOQRS	8
4 **A**BL**X**	DKL	9
5 ACDEGJL	ABFGHIJPTUVY	10
Anzeige auf dieser Seite **FKK** B 10A CEE	① €35,35	
H60 20 ha 400**T**(60-100m²) 15**D**	② €45,05	

Kommend von Krk, Punat durchfahren Richtung Stara Baska. Nach ca. 3 km rechts ab.

Selce, HR-51266 / Primorje-Gorski Kotar

Camping Selce**
Jasenova 19
1 Apr - 15 Okt
+385 (0)51-764038
autokampselce@jadran-crikvenica.hr
N 45°9'14'' E 14°43'30''

1 ADE**JM**NOPQRST	KM**N**OPQSWXZ	6
2 EFJKLOPRTUX	ABDE**FH**	7
3 LQ	ABEFNQR	8
4 IO	EJKLQT	9
5 ABGJKL	AHIK**N**OTUVXY	10
B 10A CEE	① €32,20	
8 ha 325**T**(80-120m²) 189**D**	② €35,70	

Strecke an der Küstenstraße bei Selce gut ausgeschildert. Von Rijeka zweite oder dritte Ausfahrt nach Selce.

Punta Kriza (Cres), HR-51554 / Primorje-Gorski K.

Camping Baldarin FKK**
24 Apr - 1 Okt
+385 (0)51-235646
info@camp-baldarin.com
N 44°36'56'' E 14°30'30''

1 ABDE**JM**NOPQRS**T**	KM**N**PQSWXYZ	6
2 BEFJMOPTWXY	ABDE**FG**H	7
3 AEFIL**M**	ABEFK**L**NQRS	8
4 BCDLO**X**	DEKLMNOPQRTUV	9
5 ACDEGJKL**M**	ABGHIJOTUVWY	10
FKK B 10A	① €26,30	
10 ha 450**T**(bis 140m²) 28**D**	② €34,20	

Aus Cres kommend kurz vor Osor links ab nach Punta Kriza. Der CP liegt 3 km hinter Punta Kriza (schmaler Weg von 15 km Länge mit Ausweichstellen).

Sibenik, HR-22000 / Sibenik-Knin

Camping Resort Solaris****
1 Apr - 15 Okt
+385 (0)22-361017
camping@solaris.hr
N 43°41'57'' E 15°52'46''

1 ADE**JM**NOPQRS**T**	AEFKM**N**PQRSW**XZ**	6
2 AEJKOPRWXY	ABDE**FG**H	7
3 E**MQS**	ABCDEF**G**KNQRSTU	8
4 **A**BLO	DEHIJKLU	9
5 ACDEFIJK	ABCDFHK**N**OTUY	10
Anzeige auf Seite 529 B 6A	① €44,00	
50 ha 792**T**(80-100m²) 588**D**	② €59,00	

An der E65 Šibenik-Split, 5 km südlich von Šibenik.

Rab, HR-51280 / Primorje-Gorski Kotar

Padova III***
Banjol 496
1 Apr - 31 Okt
+385 (0)51-724355
padova3@imperial.hr
N 44°45'10'' E 14°46'27''

1 ABDE**JM**NOPQRST	KM**N**PQSW**X**	6
2 EFHJPRTVWX	ABDE**FGH**	7
3 AL**T**	ABEFNOQRST	8
4 BDO**QRXZ**	EKLNPQT	9
5 ACDEFGJK**L**	ABGHIK**NP**RVXY	10
B 16A CEE	① €35,10	
5 ha 500**T**(80-100m²) 61**D**	② €40,80	

Richtung Rab folgen. Nach der Ausfahrt Lopar erste Straße links (scharfe Kurve). Nach ca. 500m wird der CP rechts ausgeschildert.

Stara Baska/Punat (Krk), HR-51521 / Primorje-G. K.

Camping Skrila
Stara Baska bb
13 Apr - 7 Okt
+385 (0)51-844678
skrila@valamar.com
N 44°58'0'' E 14°40'26''

1 ADE**JM**NOPQRST	K**N**PQSW**XZ**	6
2 EFJMORSTUVWXY	ABDE**FG**H	7
3 BL	ABCDEFNQRSTV	8
4 FO	E	9
5 ABDEGJ	ABFGHIJPTUVXY	10
B 10A CEE	① €34,45	
5,5 ha 200**T**(70-80m²) 130**D**	② €34,45	

Kommend von Krk, Punat entlang fahren Richtung Stara Baska. Nach ca. 9 km liegt der CP rechts. (Letzter Teil ist 12%.)

Teilkarte Primorje-Gorski Kotar/Lika-Senj/Zadar/Sibenik-Knin auf Seite 519

Starigrad/Paklenica, HR-23244 / Zadar

Autokamp Nacionalni Park	1 ABDE**JM**NOPQRS**T**	K**N**PQ 6
Dr. Franje Tudmana 14A	2 AEGJKOPRWXY	ABDE 7
15 Mär - 15 Nov	3	ABEFNOQRV 8
+385 (0)23-369155	4	9
np-paklenica@zd.t-com.hr	5 ACFG	AHJOY 10
	16A CEE	❶ €25,75
N 44°17'19'' E 15°26'44''	0,2 ha 30**T**	❷ €31,95

Von Rijeka Küstenstraße M2/E27 bis Starigrad-Paklenica. Ausgeschildert. Oder über die neue Autobahn A1 Karlovac-Zadar-Split, vor Zadar Ausfahrt Maslenica nach Rijeka. Dann der M2/E27 (Küstenstraße) bis Starigrad folgen. Ausgeschildert.

Starigrad/Paklenica, HR-23244 / Zadar (CC€16)

Paklenica	1 ABDE**JM**NOPQRS**T**	AFKMOP**X**Y**Z** 6
Dr. Franje Tudmana 14	2 AEGJKLOPRVWXY	ABDE**F** 7
6 Apr - 31 Okt	3 AEF**IL**M**Q**	ABCDEFKNOQRSTV 8
+385 (0)23-209050	4 **A**BFHO**RTUVXYZ**	EGILQTUV 9
alan@bluesunhotels.com	5 ACFGIJ	ABHIJ**P**TUY 10
	16A	❶ €39,80
N 44°17'14'' E 15°26'51''	2,5 ha 300**T** 196**D**	❷ €51,55

In Starigrad-Paklenica 45 km S. von Karlobag M2/E27. CP in der Nähe vom Hotel Alan. Oder die A1 Karlovac-Split, vor Ausfahrt Maslenica nach Rijeka. Dann der M2/E27 (Küstenstraße) bis Starigrad. Ausgeschildert.

Starigrad/Paklenica, HR-23244 / Zadar (CC€14)

Plantaza	1 ABDE**JM**NOPQRS**T**	K**N**OPQSW**X**YZ 6
Put Plantaze 2	2 EJKLORTWXY	ABDE**FGH** 7
1 Jan - 31 Dez	3	ABEFJK**L**NQRV 8
+385 (0)23-369131	4 AFHO	GI 9
plantaza@hi.t-com.hr	5 AFGJ**LM**	ABHJ**P**RY 10
	Anzeige auf dieser Seite 16A	❶ €26,80
N 44°18'2'' E 15°25'55''	1,5 ha 100**T** 31**D**	❷ €32,05

Von Rijeka M2/E27 bis 1 km nördlich von Starigrad - Paklenica. Ausgeschildert. Oder über die neue A1 Karlovac - Split, vor Zadar Ausf. Maslenica nach Rijeka. Dann über die M2/E27 (Küstenstraße) bis hinter Starigrad. Ausgeschildert.

Sv. Filip i Jakov, HR-23207 / Zadar

Autocamp Rio***	1 ABJMNOPQRST	KOPQS**XZ** 6
Put Primorja 66	2 EFHJPRTVXY	ABDE**F** 7
28 Mär - 30 Okt	3	ABEFNQRTV 8
+385 (0)23-388671	4 **A**	9
autocamp_rio@hotmail.com	5	ABHIJ**P**R 10
	16A	❶ €33,10
N 43°57'22'' E 15°26'7''	0,7 ha 55**T**(80-120m²) 20**D**	❷ €44,10

Die neue A1 Karlovac-Split vorbei Zadar Ausfahrt 2 Biograd. Dann die Küstenstraße Nr. 8 folgen Richtung Zadar. In Filip i Jakov rechts in den Ort. Jetzt ausgeschildert.

Sv. Filip i Jakov, HR-23207 / Zadar

Moce	1 AB**JM**NOPR	KM**N**PQSW**X**Y**Z** 6
Put Primorja 8	2 EGHJKLPRVXY	ABDE**F** 7
1 Apr - 15 Okt	3	ABEFNQRTUV 8
+385 (0)23-388436	4 A	9
info@camping-moce.com	5	ABEHIJNPR 10
	16A	❶ €20,05
N 43°57'38'' E 15°25'47''	2,7 ha 28**T**(80-100m²)	❷ €24,50

Die neue A1 Karlovac-Split an Zadar vorbei Ausfahrt Biograd na Moru. Dann die Küstenstraße Nr. 8 Richtung Zadar folgen. In Filip i Jacov links nach dem Ort. Ausgeschildert.

Kroatien

Teilkarte Primorje-Gorski Kotar/Lika-Senj/Zadar/Sibenik-Knin auf Seite 519

Tisno, HR-22240 / Sibenik-Knin

Autocamp. Jazina	1 ABDEJMNOPQRST	KMNOPQXYZ 6
Put Jazina bb	2 EFHJKLRTUVWXY	AB 7
15 Apr - 15 Okt	3 IL	ABEFNQRV 8
+385 (0)22-438558	4	9
prisliga@si.t-com.hr	5 ABDG	AHKPTU10
	16A	❶ €28,65
N 43°48'33'' E 15°37'42''	6 ha 350T(70m²) 30D	❷ €34,95

Die neue A1 Karlovac-Split vorbei Zadar, Ausfahrt Pirovac. Die Küstenstraße Nr. 8 überqueren zur Halbinsel Murter. Nach ca. 6,5 km vor Tisno-Ort rechts (empfohlen) oder geradeaus bis vor die Brücke und dann rechts ab.

Tisno, HR-22240 / Sibenik-Knin

Camp Dalmacija***	1 ABDEJMNOPQRST	KMNOPQSWXYZ 6
Tisnjanski rat bb	2 EFGJKLRSUVXY	ABDEF 7
15 Apr - 15 Okt	3 A	ABEFKNQRSV 8
+385 (0)22-438542	4 O	J 9
info@dalmacija-tisno.com	5 AFI	ABIJPV10
	Anzeige auf dieser Seite B 16A CEE	❶ €30,45
N 43°48'35'' E 15°37'42''	24 ha 100T(50-100m²) 8D	❷ €37,45

A1 Zagreb-Karlovac-Split hinter Zadar die Ausfahrt 20 Pirovac Ri. Murter. Die Küstenstraße Nr. 8 zur Halbinsel Murter überqueren. Nach 6,5 km vor Tisno-Dorf rechts ab. Vor der CP-Einfahrt Jazina links über den Kiesweg.

Tkon, HR-23212 / Zadar

Naturist Camp Sovinje	1 ABJMNOPQRST	KMPXY 6
1 Apr - 10 Okt	2 EGHPRWXY	ABDE 7
+385 (0)23-285010	3 AL	ABEFNQRV 8
sovinje@tkon.hr	4 FH	9
	5 AG	ABHIKOV10
	FKK 16A	❶ €27,20
N 43°54'33'' E 15°26'8''	8,5 ha 90T	❷ €34,05

Fähre ab Biograd-na-Moru nach Tkon (Insel Pašman). Beim Verlassen der Fähre gleich links halten (Richtung Süden). Der einzigen schmalen Hauptstraße folgen bis zum Ende (1,5 km). Hier liegt Camping Sovinje.

Tribanj, HR-23245 / Zadar

Sibuljina**	1 ABDEJMNOPQRT	KNXYZ 6
Tribanj Sibuljina bb	2 EKLORWXY	ABDEF 7
1 Apr - 15 Okt	3	ABEFKNQRV 8
+385 (0)23-658004	4 O	J 9
info@campsibuljina.com	5 ACDGJ	ABHIJOTUV10
	16A	❶ €27,75
N 44°20'17'' E 15°20'28''	2,4 ha 100T 50D	❷ €34,50

Von Rijeka der Küstenstr. M2/E27 bis 1 km nördlich von Starigrad-Paklenica folgen. CP ausgeschildert. Oder A1 Karlovac-Split, vor Zadar die Ausf. in Maslenica nach Rijeka nehmen. Der M2/E27 bis Tribanj-Sibuljina folgen.

Vodice, HR-22211 / Sibenik-Knin

Imperial***	1 ABDEJMNOPQRST	AEFKMNOPQSWXYZ 6
Vatroslava Lisinskog 2	2 EGJKLOPRUVWXY	AB 7
27 Apr - 30 Okt	3 ALM	ABEFKNQRSV 8
+385 (0)22-454412	4 AQRT	EV 9
autocamp.imperial@rivijera.hr	5 GJ	ABFHIJOR10
	16A CEE	❶ €70,00
N 43°45'9'' E 15°47'24''	10 ha 122T(80-120m²) 26D	❷ €70,00

Die neue A1 Karlovac-Split an Zadar vorbei Ausf. Pirovac. Dann der Küstenstraße Nr. 8 folgen Ri. Šibenik bis Vodice. In Vodice an der Tankstelle am Kreisel geradeaus. Jetzt ausgeschildert.

Zadar, HR-23000 / Zadar

Borik*	1 ABDEJKNOPQRST	KMOP 6
Majstora Radovana 7	2 EGHJKLOPXY	ABD 7
1 Mai - 30 Sep	3 A	ABEFNQRV 8
+385 (0)23-206599	4 A	J 9
ante-pavin@campingborik.com	5 ACGI	AHIJPVY10
	10A CEE	❶ €31,50
N 44°8'5'' E 15°12'58''	9 ha 490T(70-100m²) 60D	❷ €36,35

Empfohlen: die neue Autobahn A1 Karlovac-Split, vor Zadar Ausfahrt Zapad/Nin. In Nin Richtung Zadar-Zapad/Nin. An der Ampel vor Zadar rechts nach Punta Mika. Ausgeschildert.

Zaton/Nin (Zadar), HR-23232 / Zadar

Autocamp Peros	1 ABDEJMNOPQRST	ABFGKMNOPSW 6
Put Petra Zoranica 14	2 EGJRSVXY	ABDEF 7
1 Mär - 1 Dez	3 A	ABEFNQRTUV 8
+385 (0)23-265830	4 O	J 9
info@autocamp-peros.hr	5 AFGLM	ABHJPTUV10
	16A CEE	❶ €37,20
N 44°13'48'' E 15°10'20''	2 ha 60T(80-120m²) 20D	❷ €48,20

Empfehlung: die neue A1 Karlovac-Split. Vor Zadar Ausfahrt nach Nin. In Nin Ri. Zadar. Kurz hinter dem Ort nach 2 km rechts. Vor dem Haupteingang CP Zaton rechts ab. Ausgeschildert.

Zaton/Nin (Zadar), HR-23232 / Zadar

Zaton Holiday Resort****	1 ABDEJMNOPQRST	ABFGHIKMNOPQSTWXYZ 6
Draznikova 76t	2 EHJRVWXY	ABDEFGHI 7
1 Mai - 30 Sep	3 BEFGHILMNQST	ABCDEFIKNOQRSTUV 8
+385 (0)23-205580	4 ABCDHLMOPQRX	EIKLMOPQTUV 9
camping@zaton.hr	5 ACDFGIJKL	ABFGHIKPVYZ10
	B 16A CEE	❶ €56,90
N 44°14'4'' E 15°9'58''	50 ha 1500T(80-120m²) 1023D	❷ €75,70

Empfohlen: die Route A1 Zagreb-Zadar. Vor Zadar Ausfahrt Nin/Zadar Zapat. In Nin Richtung Zadar. Kurz hinter Nin nach 2 km rechts. Ausgeschildert.

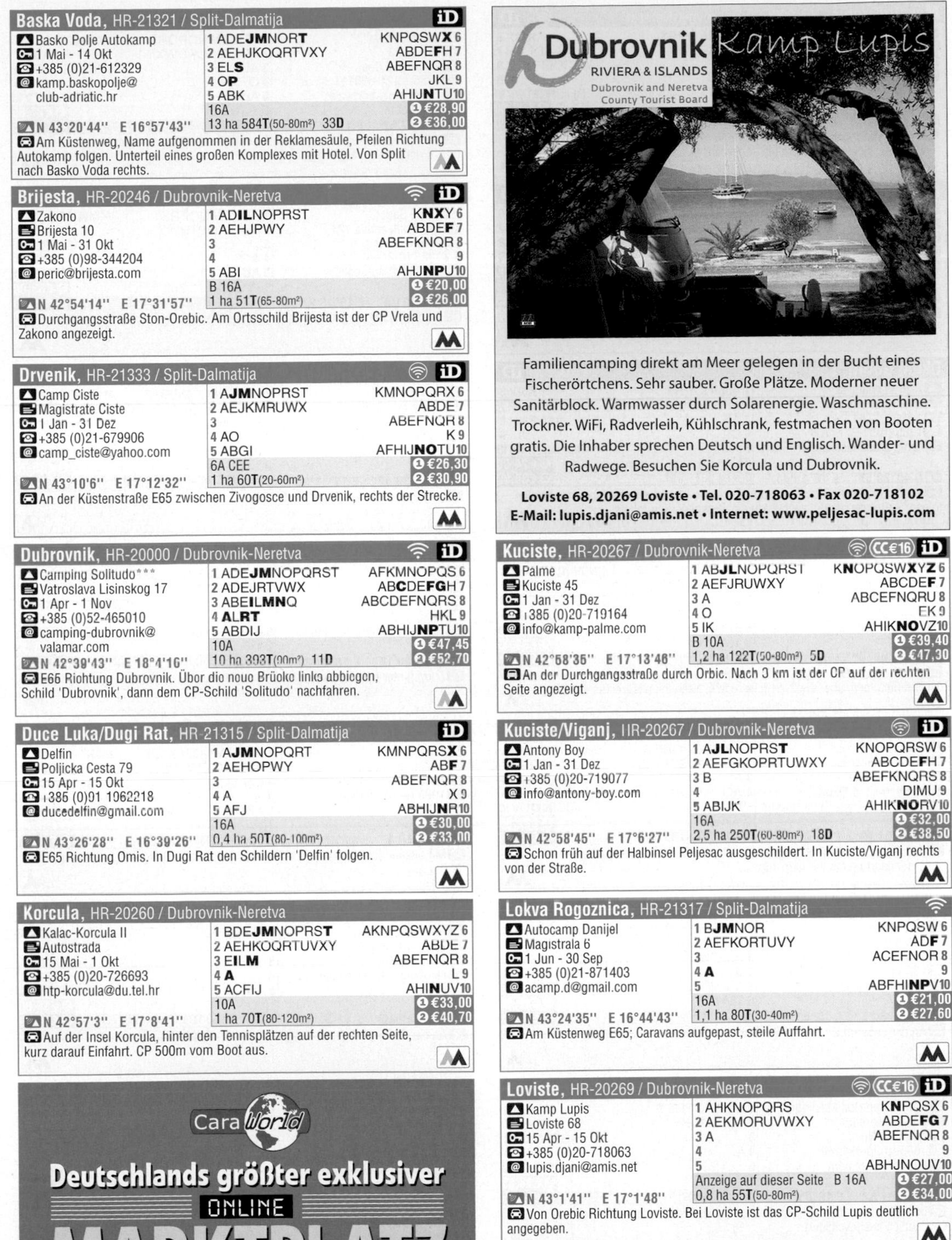

Baska Voda, HR-21321 / Split-Dalmatija

Basko Polje Autokamp
1 Mai - 14 Okt
+385 (0)21-612329
kamp.baskopolje@club-adriatic.hr

1 ADE**JM**NORT KNPQSW**X** 6
2 AEHJKOQRTVXY ABDE**F**H 7
3 EL**S** ABEFNQR 8
4 O**P** JKL 9
5 ABK AHIJ**N**TU10
16A ❶ €28,90
13 ha 584T(50-80m²) 33D ❷ €36,00

N 43°20'44'' E 16°57'43''
Am Küstenweg, Name aufgenommen in der Reklamesäule, Pfeilen Richtung Autokamp folgen. Unterteil eines großen Komplexes mit Hotel. Von Split nach Basko Voda rechts.

Brijesta, HR-20246 / Dubrovnik-Neretva

Zakono
Brijesta 10
1 Mai - 31 Okt
+385 (0)98-344204
peric@brijesta.com

1 ADI**L**NOPRST KN**X**Y 6
2 AEHJPWY ABDE**F** 7
3 ABEFKNQR 8
4 9
5 ABI AHJ**NP**U10
B 16A ❶ €20,00
1 ha 51**T**(65-80m²) ❷ €26,00

N 42°54'14'' E 17°31'57''
Durchgangsstraße Ston-Orebic. Am Ortsschild Brijesta ist der CP Vrela und Zakono angezeigt.

Drvenik, HR-21333 / Split-Dalmatija

Camp Ciste
Magistrate Ciste
1 Jan - 31 Dez
+385 (0)21-679906
camp_ciste@yahoo.com

1 A**JM**NOPRST KMNOPQRX 6
2 AEJKMRUWX ABDE 7
3 ABEFNQR 8
4 AO K 9
5 ABGI AFHIJ**NO**TU10
6A CEE ❶ €26,30
1 ha 60T(20-60m²) ❷ €30,90

N 43°10'6'' E 17°12'32''
An der Küstenstraße E65 zwischen Zivogosce und Drvenik, rechts der Strecke.

Dubrovnik, HR-20000 / Dubrovnik-Neretva

Camping Solitudo***
Vatroslava Lisinskog 17
1 Apr - 1 Nov
+385 (0)52-465010
camping-dubrovnik@valamar.com

1 ADE**JM**NOPQRST AFKMNOPQS 6
2 ADEJRTVWX AB**C**DE**FG**H 7
3 ABE**ILMN**Q ABCDEFNQRS 8
4 **ALRT** HKL 9
5 ABDIJ ABHIJ**NP**TU10
10A ❶ €47,45
10 ha 393T(90m²) 11**D** ❷ €52,70

N 42°39'43'' E 18°4'16''
E66 Richtung Dubrovnik. Über die neue Brücke links abbiegen, Schild 'Dubrovnik', dem CP-Schild 'Solitudo' nachfahren.

Duce Luka/Dugi Rat, HR-21315 / Split-Dalmatija

Delfin
Poljicka Cesta 79
15 Apr - 15 Okt
+385 (0)91 1062218
ducedelfin@gmail.com

1 A**JM**NOPQRT KMNPQRS**X** 6
2 AEHOPWY AB**F** 7
3 ABEFNQR 8
4 A X 9
5 AFJ ABHIJ**N**R10
16A ❶ €30,00
0,4 ha 50T(80-100m²) ❷ €33,00

N 43°26'28'' E 16°39'26''
E65 Richtung Omis. In Dugi Rat den Schildern 'Delfin' folgen.

Korcula, HR-20260 / Dubrovnik-Neretva

Kalac-Korcula II
Autostrada
15 Mai - 1 Okt
+385 (0)20-726693
htp-korcula@du.tel.hr

1 BDE**JM**NOPRS**T** AKNPQSWXYZ 6
2 AEHKOQRTUVXY ABDE 7
3 E**IL**M ABEFNQR 8
4 **A** L 9
5 ACFIJ AHI**N**UV10
10A ❶ €33,00
1 ha 70**T**(80-120m²) ❷ €40,70

N 42°57'3'' E 17°8'41''
Auf der Insel Korcula, hinter den Tennisplätzen auf der rechten Seite, kurz darauf Einfahrt. CP 500m vom Boot aus.

Kuciste, HR-20267 / Dubrovnik-Neretva

Palme
Kuciste 45
1 Jan - 31 Dez
+385 (0)20-719164
info@kamp-palme.com

1 AB**JL**NOPQRST K**N**OPQSW**XYZ** 6
2 AEFJRUWXY ABCDE**F** 7
3 A ABCEFNQRU 8
4 O EK 9
5 IK AHIK**NO**VZ10
B 10A ❶ €39,40
1,2 ha 122T(50-80m²) 5D ❷ €47,30

N 42°58'35'' E 17°13'46''
An der Durchgangsstraße durch Orbic. Nach 3 km ist der CP auf der rechten Seite angezeigt.

Kuciste/Viganj, HR-20267 / Dubrovnik-Neretva

Antony Boy
1 Jan - 31 Dez
+385 (0)20-719077
info@antony-boy.com

1 A**JL**NOPRS**T** KNOPQRSW 6
2 AEFGKOPRTUWXY ABCDE**F**H 7
3 B ABEFKNQRS 8
4 DIMU 9
5 ABIJK AHIK**NO**RV10
16A ❶ €32,00
2,5 ha 250T(60-80m²) 18D ❷ €38,50

N 42°58'45'' E 17°6'27''
Schon früh auf der Halbinsel Peljesac ausgeschildert. In Kuciste/Viganj rechts von der Straße.

Lokva Rogoznica, HR-21317 / Split-Dalmatija

Autocamp Danijel
Magistrala 6
1 Jun - 30 Sep
+385 (0)21-871403
acamp.d@gmail.com

1 B**JM**NOR KNPQSW 6
2 AEFKORTUVY AD**F** 7
3 ACEFNOR 8
4 **A** 9
5 ABFHI**NP**V10
16A ❶ €21,00
1,1 ha 80T(30-40m²) ❷ €27,60

N 43°24'35'' E 16°44'43''
Am Küstenweg E65; Caravans aufgepast, steile Auffahrt.

Loviste, HR-20269 / Dubrovnik-Neretva

Kamp Lupis
Loviste 68
15 Apr - 15 Okt
+385 (0)20-718063
lupis.djani@amis.net

1 AHKNOPQRS K**N**PQSX 6
2 AEKMORUVWXY ABDE**FG** 7
3 A ABEFNQR 8
4 9
5 ABHJNOUV10
Anzeige auf dieser Seite B 16A ❶ €27,00
0,8 ha 55T(50-80m²) ❷ €34,00

N 43°1'41'' E 17°1'48''
Von Orebic Richtung Loviste. Bei Loviste ist das CP-Schild Lupis deutlich angegeben.

Makarska, HR-21300 / Split-Dalmatija

Kamp Jure
Ivana Gorana Kovacic bb
15 Mär - 31 Okt
+385 (0)21-616063
info@kamp-jure.com

1 ACDE**JM**NOPQRST KMNOPQRSW 6
2 ABEHMOQVY ABDE**FGHJ** 7
3 C**FLMN**Q ABEFNQR 8
4 **A**F**OX** DEJLMNUV 9
5 ADEHIJ ABFHIJ**NO**UV10
10A ❶ €34,00
0,7 ha 60T(45-100m²) 68**D** ❷ €41,80

N 43°18'28'' E 17°0'16''
Richtung Makarska. Hinter dem Ortschild Makarska mit CP-Schild Jure rechts angezeigt.

Kroatien

Teilkarte Dalmatien auf Seite 530

Mokalo/Orebic, HR-20250 / Dubrovnik-Neretva

Camp Vala
1 Apr - 30 Okt
+385 (0)98-1653822
info@vala-matkovic.com
N 42°58'36'' E 17°13'34''

1 AJMNORST	KNX 6
2 EKMRUWXY	ABDEFH 7
3 AB	ABCDEFNQR 8
4 O	IV 9
5 AFIK	BHIJNOTUV 10
16A	❶ €33,00
1,1 ha 50T 5D	❷ €40,00

An der Durchgangsstraße nach Orebic. Hinter dem Schild Mokalo Camping 'Vala' an der linken Seite deutlich angezeigt.

Molunat, HR-20219 / Dubrovnik-Neretva

Autokamp Monika
Molunat 28
1 Jan - 31 Dez
+385 (0)20-794557
info@camp-monika.hr
N 42°27'12'' E 18°25'41''

1 AJMNOPRST	KNOPQSX 6
2 EFHJLOPQRUWXY	ABDEF 7
3	ABEFNOQR 8
4 A	9
5 J	AKNOTU 10
6-16A CEE	❶ €29,15
1,5 ha 60T(40-80m²)	❷ €32,45

Der Küstenstraße bis zur Ausfahrt Molunat folgen. Dann dem CP-Schild folgen. Nach 9 km rechts. Der CP liegt nach 2,5 km links.

Okrug Gornji, Split-Dalmatija

Kamp Labadusa
Uvala Duboka BB
1 Mai - 1 Okt
+385 (0)91-3777705
camp@labadusa.com
N 43°28'55'' E 16°14'41''

1 AJMNOPRT	KNX 6
2 AEFJMRUWXY	ABF 7
3 AS	ABEFNR 8
4 O	DX 9
5 AIJ	CDHIJNOTU 10
6A	❶ €24,00
0,6 ha 50T 12D	❷ €34,00

Küstenstraße D8 Richtung Trogir-Zentrum. Über die Brücke links der Straße folgen, 2. Brücke rechts, nach 3 km der Beschilderung folgen.

Okrug Gornji, HR-21223 / Split-Dalmatija

Rozac Auto Camp***
Setaliste Brace Radic 56
1 Apr - 1 Nov
+385 (0)21-806105
booking@camp-rozac.hr
N 43°30'19'' E 16°15'30''

1 ADGJMNOPRST	KMNOPQRSTWXYZ 6
2 ABEFJKOPQXY	ABDEFG 7
3 B	ABCDEFKLNQRSTUV 8
4 ABDFHOQX	EOQRSUV 9
5 EFGIJL	ABHIJNPTU 10
B 16A CEE	❶ €34,45
2,5 ha 150T(60-100m²) 39D	❷ €43,45

Küstenstraße E65 folgen bis Trogir, Richtung Zentrum über die Brücke links der Straße folgen, über die 2. Brücke rechts. Nach 2 km ist rechts der CP.

Omis, HR-21310 / Split-Dalmatija

Autocamp Sirena
Lokva Rogoznica
1 Jan - 31 Dez
+385 (0)21-870266
autocamp-sirena@st.t-com.hr
N 43°24'23'' E 16°46'39''

1 BJMNOPQRST	MOPQSXYZ 6
2 AEFJMOSUWX	ABEF 7
3 A	ABEFNQR 8
4 AO	V 9
5 ABI	AHJNOUV 10
16A CEE	❶ €27,85
1,7 ha 70T(bis 80m²)	❷ €33,90

Der 8 durch Omis Richtung Süden folgen. Nach 8 km CP deutlich ausgeschildert rechts vor dem Tunnel.

Omis, HR-21310 / Split-Dalmatija

Galeb***
Vukovarska 7
1 Jan - 31 Dez
+385 (0)21-864430
camping@galeb.hr
N 43°26'26'' E 16°40'47''

1 ADEJMNOPQRST	KMNQRSWX 6
2 AEGHOPQRVWXY	ADFH 7
3 ABEFM	ABEFIKLNQRSTU 8
4 ABDILO	EKLMNTU 9
5 ABDEFIJ	ABHIKNPUV 10
B 16A CEE	❶ €39,45
7 ha 443T(70m²) 20D	❷ €49,45

An der E65, am Ortsschild Omis an der rechten Seite, vor der Tankstelle.

Orasac, HR-20234 / Dubrovnik-Neretva

Auto-Camp Pod Maslinom
Put Na More bb
1 Apr - 1 Nov
+385 (0)20-891169
bozo@orasac.com
N 42°41'57'' E 18°0'21''

1 AJMNOPRST	KM 6
2 ABEJOQXY	ABDEF 7
3	ABEFNQR 8
4 A	L 9
5	AHIJNOTU 10
10A	❶ €18,55
1 ha 80T(70m²)	❷ €23,25

Der CP liegt an der E27. Hinter dem Schild Orasac nach 200m rechts. CP deutlich ausgeschildert.

Orebic, HR-20250 / Dubrovnik-Neretva

Nevio Camping****
Dubravica
1 Apr - 15 Nov
+385 (0)20-714465
info@nevio-camping.com
N 42°58'51'' E 17°11'55''

1 ADEJMNOPQRST	AKMNOPQSXYZ 6
2 AEFJORUVWXY	ABCDEFGHI 7
3 BM	ABEFGIKNQRST 8
4 AO	EJ 9
5 CGJK	ABFGHJNPUV 10
B 16A	❶ €34,00
1,5 ha 204T(80-100m²) 53D	❷ €45,00

An der Durchgangsstraße nach Orebic. 2 km vor Orebic ist der CP an der linken Straßenseite angezeigt.

Podaca, HR-21335 / Split-Dalmatija

Uvala Borova***
Lucica 23
1 Apr - 30 Sep
+385 (0)21-629111
camp.uvala.borova@gmail.com
N 43°7'52'' E 17°17'16''

1 ADEJMNOPQRS	KMNOPQSX 6
2 ABEFJKORUWXY	ABF 7
3 AL	ABEFNQRT 8
4 O	T 9
5 ABEFIL	ABFHIJNPV 10
B 16A CEE	❶ €27,85
2 ha 100T(40-80m²) 3D	❷ €37,05

An der Küstenstraße folgen. Hinter dem Schild Podaca-Camping nach rechts. Der CP ist deutlich angezeigt.

Seget Donji/Trogir, HR-21218 / Split-Dalmatija

Kamp Seget
Hrvatskih zrtava 121
1 Apr - 20 Okt
+385 (0)21-880394
kamp@kamp-seget.hr
N 43°31'8'' E 16°13'27''

1 ADEJMNOPRST	KMNPQSWX 6
2 AEFJKOPTUWX	ADF 7
3	AEFNQR 8
4 AO	GK 9
5 AB	AHIKNPUV 10
16A CEE	❶ €33,00
1,5 ha 100T(80-100m²) 40D	❷ €42,60

An der E65, in Seget Donji, alter Küstenweg nach rechts, CP ausgeschildert.

Seget Vranjica/Trogir, HR-21218 / Split-D.

Belvedere***
Kralja Zvonimira 62
27 Mär - 20 Okt
+385 (0)21-798222
info@vranjica-belvedere.hr
N 43°30'42'' E 16°11'38''

1 ADEJMNOPQRST	AKNPQSWXZ 6
2 AEFJKOPQRTUVWXY	ABDFGH 7
3 BEILMQ	ACDEFIKNQRS 8
4 ABDO	IKLT 9
5 ACDEFIJ	ABDHJNPUV 10
B 16A	❶ €35,70
15 ha 450T(80-100m²) 166D	❷ €45,15

5 km nördlich von Trogir an der E65.

Stobrec, HR-21311 / Split-Dalmatija

Split****
Sv. Lovre 6
1 Jan - 31 Dez
+385 (0)21-325426
camping.split@gmail.com
N 43°30'15'' E 16°31'34''

1 ACDEGJMNOPQRST	KMNOPQSW 6
2 AEFHJMOQVWY	ABDEFG 7
3 BFLQS	ABEFKNQRSTU 8
4 ABDO	AELQRTU 9
5 ABCEFIKLM	ABHIJNPTUVY 10
B 16A CEE	❶ €35,00
5 ha 330T(90-110m²) 76D	❷ €44,20

5 km hinter Split am Schild Stobrec rechts ab. Nach 100m CP auf der linken Seite.

Ston/Dubrovnik, HR-20230 / Dubrovnik-Neretva

Prapratno
1 Mai - 30 Sep
+385 (0)20-754000
FAX +385 (0)20-754344
N 42°49'4'' E 17°40'34''

1 ADEJMNOPQRST	MNOPQSWX 6
2 ABEHKOPQRWXY	ABDEFH 7
3 EM	ABEFNQR 8
4	KL 9
5 ABDI	AHIKNOU 10
10A	❶ €36,25
4,5 ha 400T(80-120m²)	❷ €47,70

Mit blauen Schildern weit vor Ston ausgeschildert. Schöner, breiter Weg zum CP.

Trsteno, HR-20233 / Dubrovnik-Neretva

Auto Camp Trsteno
1 Apr - 30 Sep
+385 (0)20-751060
camping-trsteno@trsteno.hr
N 42°42'49'' E 17°58'40''

1 ABJMNOR	NPQS 6
2 AKOPRWX	ABDE 7
3	ABEFNQ 8
4	GK 9
5 AG	AHINR 10
10A	❶ €16,00
H100 1 ha 60T(60-80m²) 2D	❷ €16,00

An der Route 2, deutlich ausgeschildert. 2. Schild nehmen.

Vela Luka, HR-20270 / Dubrovnik-Neretva

Auto-Kamp Mindel
Pinski rat 17
1 Jun - 15 Sep
+385 (0)20-813600
velaluka@hotmail.com
N 42°59'2'' E 16°40'15''

1 BJLNOPRST	LNPQW 6
2 ADEJKMPRUWX	AD 7
3 LMQ	AEFNQR 8
4 H	KL 9
5 ABG	AHIKV 10
10A	❶ €23,00
H60 1 ha 100T(80-120m²)	❷ €26,95

Von Vela Luka CP-Schildern folgen.

Kroatien

Teilkarte Dalmatien auf Seite 530

Zaostrog, HR-21334 / Split-Dalmatija

Camping Viter
A.K. Miosica 1
1 Apr - 31 Okt
+385 (0)98-704018
info@camp-viter.com
N 43°8'21'' E 17°16'50''

1 ACJMNOPQRT	KMNPQSX	6
2 AEJKORWXY	ABFGH	7
3	ABEFKNQR	8
4		9
5	ABHIJNPTU	10
B 10A CEE	❶ €30,75	
1,3 ha 100T 20D	❷ €41,25	

Hinter dem Schild Zaostrog 600m rechts dem Schild Viter folgen.

Zivogosce/Blato, HR-21331 / Split-Dalmatija

Dole
Jadranska Magistrala
1 Mai - 15 Okt
+385 (0)21-628749
auto-camp-dole@st.htnet.hr
N 43°10'15'' E 17°11'48''

1 ADEJMNOPQRST	KMNOPQSWXY	6
2 AEGJKOPRTWXY	ABDE	7
3 LMQ	ABEFNQR	8
4 AO	T	9
5 ABDE	ABHIJNPTUV	10
10A CEE	❶ €37,50	
5 ha 560T(80-120m²) 50D	❷ €44,50	

An der Küstenstraße E65, gut ausgeschildert. Route 2.

Ost-Kroatien

Legende Karten

Ein offenes Zelt bedeutet daß sich hier ein Campingplatz befindet.

Ein geschlossenes Zelt bedeutet daß hier mehrere Campingplätze zu finden sind.

Campingplätze die CampingCard ACSI akzeptieren.

70 — Auf dieser Seite finden Sie das Teilgebiet.

73 — Pfeile mit Seitenangaben am Kartenrand verweisen auf angrenzende Gebiete.

Die Übersichtskarte des betreffenden Landes und im welchen Teilgebiet Sie sich befinden.

Duga Resa, HR-47250 / Karlovac

Camp Slapic****
Mreznicki Brig 79b
1 Apr - 31 Okt
+385 (0)98-860601
autocamp@inet.hr
N 45°25'11'' E 15°29'1''

1 ABDEJMNOPQRST	JN	6
2 CGPVWXY	ABDEFGH	7
3 AFLM	ABCDEFKNQRTV	8
4 AHO	IQV	9
5 AGJ	ABHIJORV	10
B 16A	❶ €26,30	
2,3 ha 100T(100-130m²) 6D	❷ €32,85	

Von Karlovac die D23 Richtung Duga Resa/Senj. Von Duga Resa ist der CP angezeigt.

Rakovica, HR-47245 / Karlovac

Autocamp Korita
Grabovac 319
1 Apr - 31 Okt
+385 (0)47-704490
autocampkorita@gmail.com
N 44°57'52'' E 15°38'37''

1 ABJMNORT		6
2 FGPVW	ABDEF	7
3 S	ABEFNPQRV	8
4 HO	G	9
5 AJ	AHJP	10
Anzeige auf dieser Seite 16A	❶ €21,95	
H500 1 ha 31T(50m²) 6D	❷ €25,90	

Liegt an der N1 Karlovac-Gracac in Rakovica, 30 km südlich von Slunj und 14 km nördlich von vom Eingang zum Naturpark Plitvicka Jezera, entlang der Ostseite der Straße. Camping ist angezeigt.

Grabovac/Rakovica, HR-47245 / Karlovac

Camping Turist Grabovac***
Grabovac 102
1 Apr - 15 Okt
+385 (0)47-784192
info@kamp-turist.hr
N 44°58'20'' E 15°38'51''

1 ABDEJMNOPQRST		6
2 OPRTVWXY	ABDEFGH	7
3 AL	ABEFKNQRV	8
4 AH	GI	9
5 ABGJ	ABHJORVY	10
16A CEE	❶ €31,95	
H460 4,5 ha 120T(70-120m²) 23D	❷ €38,55	

D1 Karlovac-Plitvice. 10 km vor Plitvice in Grabovac gegenüber der INA Tankstelle und neben Restaurant ATG-Turist.

Zagreb, HR-10250 / Zagreb

Autocamp Plitvice
Lucko bb
1 Mai - 30 Sep
+385 (0)1-6530444
motel@motel-plitvice.hr
N 45°46'26'' E 15°52'40''

1 ABDEJMNOPQRST		6
2 APXY	AB	7
3	ABEFNQRV	8
4 O	GL	9
5 ABDGHJ	AHNORY	10
16A	❶ €24,95	
2 ha 150T 56D	❷ €30,30	

Komend aus dem Norden auf der A11/E59, vorbei Ausfahrt Ljubljana beim Motel Plitvice über den Parkplatz zum CP rechts.

Plitvicka/Jezera, HR-47245 / Karlovac

Autocamp Korana**
Catrnja bb
1 Apr - 31 Okt
+385 (0)53-751888
kamp.korana@np-plitvicka-jezera.hr
N 44°57'2'' E 15°38'28''

1 ABDEJMNOPQRST		6
2 GOPTWXY	ABDEF	7
3	ABEFNQRV	8
4 AFHO	JL	9
5 ACDGJ	AHIJOR	10
16A	❶ €27,55	
H450 35 ha 700T 47D	❷ €32,95	

E59 von Karlovac nach Plitvice. 6 km vor Plitvice gut ausgeschildert.

Rakitje/Zagreb, HR-10437 / Zagreb

Camp Zagreb
Jezerska 6
1 Jan - 31 Dez
+385 (0)1-3324506
info@campzagreb.com
N 45°48'9'' E 15°49'35''

1 ABDEJMNOPQRST	LN	6
2 ADGIPRSVWX	ABDEFGI	7
3 A	ABCDEFJKNQRSTUV	8
4 AOTUX	JLV	9
5 EFG	AHIJMNOSV	10
16A CEE	❶ €41,50	
1,1 ha 57T(75-100m²) 4D	❷ €41,50	

Von der Hälfte des Rings um Zagreb (A2) Ausfahrt nach Ljubljana (A3) Richtung Bregana. Erste Ausfahrt rechts nach Rakitje. Nach ein paar Kilometer rechts ab bei den Campingschildern.

Kroatien

Bosnien-Herzegowina

ⓘ Allgemein

Bosnien-Herzegowina ist ein Land für den Abenteuercamper. In Bosnien können Sie noch wie früher auf kleinen Campings übernachten, wo man Sie herzlich empfängt. Rechnen Sie aber damit, dass das Ausstattungsniveau niedriger ist als in den üblichen 'Campingländern'. Die Bevölkerung ist zuvorkommend und gastfreundlich. Bosnien-Herzegowina ist inzwischen zum Campen wieder ein friedliches Land. Unsichere Stellen und Orte aus den Folgen des Jugoslawienkrieges sind deutlich mit Warnschildern angezeigt. Bosnien-Herzegowina ist kein EU-Mitglied.

Zeit

In Bosnien-Herzegowina is es genauso spät wie in Berlin.

Sprache

Bosnisch, Kroatisch und Serbisch. In Touristenorten kommt man auch mit Englisch gut zurecht.

Grenzformalitäten

Viele Formalitäten und Vereinbarungen, wie erforderliche Reisedokumente, KFZ-Papiere, Anforderungen an Ihr Fahrzeug und Ihren Aufenthalt, Krankenkosten und das Mitführen von Tieren, sind nicht nur vom Zielort abhängig, sondern auch von Ihrem Ausgangsort und Ihrer Nationalität. Auch die Dauer Ihres Aufenthaltes spielt dabei eine Rolle. Im Rahmen dieses Führers ist es leider nicht möglich, allen Lesern korrekte und aktuelle Informationen in dieser Hinsicht zu garantieren.

Wir raten Ihnen, vor Ihrer Abreise bei den entsprechenden Behörden in Erfahrung zu bringen:

- welche Reisedokumente Sie für sich selbst und Ihre Reisebegleitung brauchen
- welche Dokumente Sie für Ihr Auto brauchen
- welchen Anforderungen Ihr Fahrzeug entsprechen muss
- welche Güter Sie ein- und ausführen dürfen
- wie im Unglücks- oder Krankheitsfall die medizinische Versorgung im Urlaubsland organisiert ist und bezahlt wird
- ob Sie Ihre Haustiere mitnehmen können. Nehmen Sie rechtzeitig Kontakt zu Ihrem Tierarzt auf. Dort erhalten Sie Informationen über relevante Impfungen, entsprechende Bestätigungen und Verpflichtungen bei Ihrer Rückkehr. Es ist auch sinnvoll herauszufinden, ob an Ihrem Urlaubsziel bestimmte Bedingungen für Haustiere in der Öffentlichkeit geknüpft sind. So müssen in manchen Ländern Hunde immer einen Maulkorb tragen oder vergittert transportiert werden.

Viele allgemeine Infos finden Sie auf ▸ *www.europa.eu* ◂ aber sorgen Sie selbst dafür, die richtige Information für Ihre individuelle Situation herauszufinden.

Aktuelle Zollbestimmungen entnehmen Sie den Botschaften des jeweiligen Urlaubslandes an Ihrem Wohnort.

Währung und Geld

Münzeinheit ist die Bosnische Mark (BAM).
Wechselkurs (September 2014): € 1 = BAM 2.
Sie können auch in Euro zahlen.
Es empfiehlt sich Euros in kleinen Scheinen dabei zu haben.

Geldautomat

In großen Städten wie Sarajevo, Mostar und Banja Luka gibt es ausreichend Bankautomaten. Auf dem Land gibt es weniger Geldautomaten, daher immer genug Bargeld dabei haben, wenn man über Land fährt.

Kreditkarten

Besonders in Sarajevo, aber auch an immer mehr Orten kann man mit Kreditkarte zahlen.

Öffnungszeiten und Feiertage

Banken

Im Allgemeinen sind die Banken montags bis freitags bis 19.00 Uhr und oft an Samstagen von 9.00 bis 12.00 Uhr geöffnet. Geldwechsel bei Banken und Wechselstuben.

Geschäfte

Bosnien-Herzegowina hat sehr umfangreiche Geschäftsöffnungszeiten. Die Läden sind montags bis samstags bis 23.00 Uhr geöffnet und sonntags bis 22:00 Uhr.

Apotheken

In größeren Städten findet man ausreichend Apotheken mit ausreichend vorrätigen Arzneien. Auf dem Land gibt es Ortschaften ohne Apotheken und es kann sein, dass nicht alles vorrätig ist.

Feiertage
Neujahr, 7. Januar (orthodoxe Weihnachten), 9. Januar (Tag der Republik), 14. Januar (Neujahr orthodox), 1. März (Unabhängigkeit), Karfreitag, Ostern, 1. Mai (Tag der Arbeit), 17. Juli (Zuckerfest, islamistisch), 15. August (Mariä Himmelfahrt), 23. September (Opferfest, islamistisch), 25. Oktober (Neujahr, islamistisch) Allerheiligen, 25. November (Nationalfeiertag). 1. Weihnachtsfeiertag.

Im Westen von Bosnien-Herzegovina gibt es überwiegend römisch-katholische Kultur und Feiertage, im Osten meist die orthodoxen.

Kommunikation

(Mobil)Telefon
Das Mobilnetz ist gut, abgesehen von dünnbesiedelten Gebieten. Es gibt ein 3 G-Netzwerk für das mobile Internet.

W-Lan, Internet
W-Lan eingeschränkt verfügbar. Es gibt wenige Internetcafés.

Post
Die Öffnungszeiten sind durchgängig montags bis freitags bis 17.00 Uhr. Für Postversendung müssen Sie zum Postamt.

Straßen und Verkehr

Straßennetz
Bosnien-Herzegovina hat keine richtigen Autobahnen, die 2-spurigen Hauptstraßen sind aber ganz gut befahrbar. Auf dem Land noch viele unbefestigte Straßen. An den wichtigsten Strecken wurden die Straßen gerade repariert. Fahrten bei Dunkelheit sind stark abzuraten. Den Bosnischen Pannenhilfsdienst BIHAMK erreicht man unter: Tel. 033-1282.

Verkehrsvorschriften
Rechts vor links. Straßenbahnen haben immer Vorfahrt. Auf engen Bergstraßen hat der bergauffahrende Verkehr Vorfahrt vor dem talfahrenden.

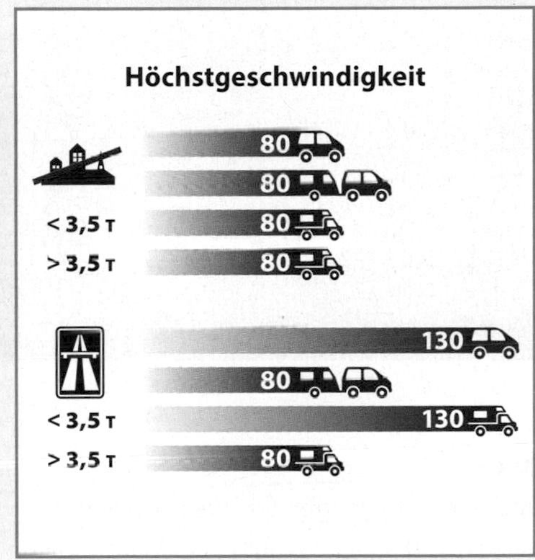

Promillehöchstgrenze 0,3 ‰. Telefonieren nur mit Freisprechanlage. Tagsüber mit Abblendlicht fahren. Sie sind verpflichtet ein Set Reservelampen und Abschleppseil mitzuführen. Kinder unter 12 Jahre dürfen nicht vorne sitzen. Fahrzeuge mit Wohnwagen brauchen zwei Warndreiecke. Zwischen 15. November und 15. April Winterreifenpflicht.

Navigation
Warnung vor festen Blitzern durch Navi oder Mobiltelefon Apps ist nicht erlaubt.

Zulässige Maße
Höhe 4m, Breite 2,50m und Länge von KFZ mit Caravan 18,75m.

Maut
Auf der 37 km langen Strecke zwischen Kakovi und Sarajevo muss man Maut zahlen.

Kraftstoff
Super, Diesel und LPG sind gut erhältlich.

Tankstellen
Die meisten Tankstellen sind 24 Std offen. An Tankstellen der OMV, INA, Energo Patrol und Patrol bekommt man die besten Qualitätskraftstoffe.

Notruf
- 122: Polizei
- 123: Feuerwehr
- 124: Krankenwagen

Campen
Die bosnischen Campings richten sich immer mehr an ausländische Gäste. Die meisten Campgelände sind relativ klein; immer mehr Plätze haben Spielplätze und es kommen auch jetzt immer mehr kleine Speiseangebote hinzu. Campinggas bekommt man in Bosnien-Herzegowina nicht.

Praktisch
- Am besten immer Universalstecker dabei haben.
- Verwenden Sie lieber (Mineral)Wasser aus Flaschen als Leitungswasser. Essen Sie keine Früchte, die Sie nicht selbst geschält haben.

Klima Sarajevo	Jan.	Feb.	März	April	Mai	Juni	Juli	Aug.	Sept.	Okt.	Nov.	Dez.
Tagestemperatur	0	1	7	12	15	19	21	22	18	12	7	3
Sonnenstunden am Tag	2	3	4	5	6	8	9	9	7	4	2	2
Regentage	16	14	13	13	16	14	12	8	9	12	15	15

Bihac, BIH-77000 / Unsko-sanski

Autocamp Orljani***	1 ADEGJMNOPRST	JNU 6
Put 5 Korpusa, bb	2 CGIOPY	ABDEF 7
1 Mai - 30 Okt	3 AFM	ABEFNOQRV 8
+387 (0)37-318100	4 O	9
info@aduna.ba	5 AGJ	AHIJOPTUW 10
	16A	① €18,55
N 44°48'5'' E 15°54'25''	H200 1,5 ha 120T(bis 100m²)	② €21,55

Vom Zentrum Bihac Richtung Sarajevo. 1,5 km ortsaußerhalb von Bihac liegt der CP rechts (Hotel Ada). Autogas in Umgebung.

Bihac, BIH-77000 / Unsko-sanski

Una RC Kiro Rafting***	1 ADEGHKNOPQRST	JMNUV 6
Golubic bb	2 CFGPTUWXY	ABDE 7
1 Jan - 31 Dez	3 AFLPQ	ABCEFNQRV 8
+387 (0)61-192338	4 EFHO	AIQRUV 9
extreme@una-kiro-rafting.com	5 AIL	ABHIJPTU 10
	16A	① €20,05
N 44°46'57'' E 15°55'29''	H230 2,5 ha 15T(bis 100m²) 25D	② €25,05

In Bihac den Schildern 'Una RC Kiro Rafting' folgen. Golubic ist ein Ortsteil. CP-Beschilderung befolgen. Autogas in Umgebung.

Lukavac, BIH-75300

Ontario	1 AJMNOPQRST	HLMNX 6
Gornji Bistarac BB	2 DGIOPWXY	ABFK 7
1 Mai - 30 Sep	3 DEF	ABEFNQV 8
+387 (0)61-724110	4 FO	J 9
alma_suvalic@yahoo.com	5 ABDEGL	ABIJRVW 10
	8A	① €15,00
N 44°31'57'' E 18°33'37''	H500 4 ha 220T(100-200m²) 25D	② €15,00

Kreuzung M18/M4, Ausfahrt Tuzla. Steile Zufahrt.

Blagaj/Mostar, BIH-88201

Autocamp Blagaj	1 JMNOPQRST	JNU 6
1 Jan - 31 Dez	2 CFLOPWY	AD 7
+387 (0)61-533771	3 A	ABEFNUV 8
info@autocamp-blagaj.com	4 O	9
	5 ABG	BHJNPR 10
	16A	① €20,05
N 43°15'30'' E 17°52'48''	H81 40T(bis 60m²)	② €20,05

M17 Dubrovnik-Sarajevo Ausfahrt Blagaj. In Blagaj rechts ab, der Beschilderung folgen.

Medugorje, BIH-88266 / Hercegovacko-neretvanski

Camp Vérité	1 AJMNOPRST	6
Bijakovicí	2 OPRWXY	ABDEFK 7
1 Jan - 31 Dez	3 L	ABEFNQRV 8
+387 (0)36-651678	4 AEO	G 9
mate.pavlovic@tel.net.ba	5 ADGIL	BIJNOPRV 10
	16A CEE	① €10,00
N 43°11'35'' E 17°41'6''	H300 0,7 ha 150T(100m²) 31D	② €10,00

In Medugorje deutlich ausgeschildert.

Bosanska Krupa, BIH-77240

Unakamp***	1 AJMNOPRST	JNU 6
Unska bb	2 BCFGPW	ABDEF 7
1 Jan - 31 Dez	3 AEL	ABCDEFNQRV 8
+387 (0)61-972071	4 O	JU 9
unacamping@web.de	5 AIL	ADHIJNOPRV 10
	16A	① €17,00
N 44°54'54'' E 16°9'27''	H200 1 ha 48T(bis 100m²) 3D	② €23,00

Der M14 Bihac-Bosanska Krupa folgen und nach ± 3 km rechts über die grüne Brücke, dann gleich links und der Straße ± 1 km am Fluss emtlang folgen. GPS-Signal nicht überall gut empfangbar.

Medugorje, BIH-88266 / Hercegovacko-neretvanski

Camp Zemo	1 AJMNOPRST	6
Sivrci bb	2 ORWY	ABDE 7
1 Jan - 31 Dez	3	ABCDEFNRV 8
+387 (0)36-651878	4	G 9
jakov.sivric@tel.net.ba	5 IL	ABHIJOPTUVX 10
	16A CEE	① €11,50
N 43°11'41'' E 17°40'28''	H57 0,8 ha 100T(100m²) 25D	② €13,55

In Medugorje der Beschilderung folgen.

Foca, BIH-73300 / Focanska regija

Auto Camp Drina	1 AJMNOPRST	JNU 6
Santiceva BR.6	2 CFGIOPW	AB 7
15 Mai - 15 Sep	3 F	AEFNQV 8
+387 (0)65-591460	4 E	F 9
autocampdrina@gmail.com	5 AIL	HJOR 10
	16A	① €17,00
N 43°31'47'' E 18°47'0''	H384 0,8 ha 20T(100m²) 5D	② €21,00

Die 1120 von Foca nach Belgrado. Der CP ist ausgeschildert.

Mostar, BIH-88000 / Hercegovacko-neretvanski

Mali Wimbledon***	1 AJMNOPRST	NU 6
Blagaj bb	2 FOPRWX	FIJ 7
1 Jan - 31 Dez	3 ELMNQ	ABEFNQRV 8
+387 (0)61-204300	4 HO	GUV 9
ibrozalihic@hotmail.com	5 L	AHJPRVW 10
	16A	① €21,05
N 43°15'47'' E 17°52'40''	H53 0,7 ha 62T(bis 80m²) 4D	② €23,05

E73 von Dubrovnik-Mostar. Ist gut ausgeschildert (an der Strecke von Nevesinge-Gacko).

Jajce, BIH-70101 / Srednjobosanski

Plivsko Jezero****	1 ADEILNOPRST	LNU 6
Mile bb	2 DFGPY	ABDEFIJK 7
15 Apr - 15 Okt	3 AEFILMNQ	ABEFGILMNQRUV 8
+387 (0)30-647210	4 AEFHO	JLNRUV 9
booking@jajcetours.com	5 ADGIL	AHIJOTUV 10
	B 16A CEE	① €15,05
N 44°21'10'' E 17°13'37''	H464 2,5 ha 120T 16D	② €19,05

Camping liegt an der Strecke Jajce-Mrkonjic Grad (E761/5), ± 5km von Jajce. Am Hotel Plivsko Jezero abbiegen, dann der Straße weiter folgen.

Sarajevo-Ilidza, BIH-71000

Autocamp Oaza***	1 ADEJMNOPRST	6
IV Viteske brigade 3	2 AOPWXY	ABF 7
1 Jan - 31 Dez	3 A	ABEFNQRV 8
+387 (0)33-636140	4	G 9
oaza@hotelilidza.ba	5 AEGJ	ABGHIJO 10
	16A	① €24,55
N 43°49'41'' E 18°17'49''	H500 44 ha 150T(100-150m²) 52D	② €24,55

M17 Sarajevo-Mostar. An der Ausfahrt Ilidza/Mostar Richtung Mostar. Nach etwa 200m die Ausfahrt Ilidza nehmen. Danach ist der CP ausgeschildert.

Bosnien-Herzegowina

Karte Bosnien-Herzegowina auf Seite 534

Griechenland

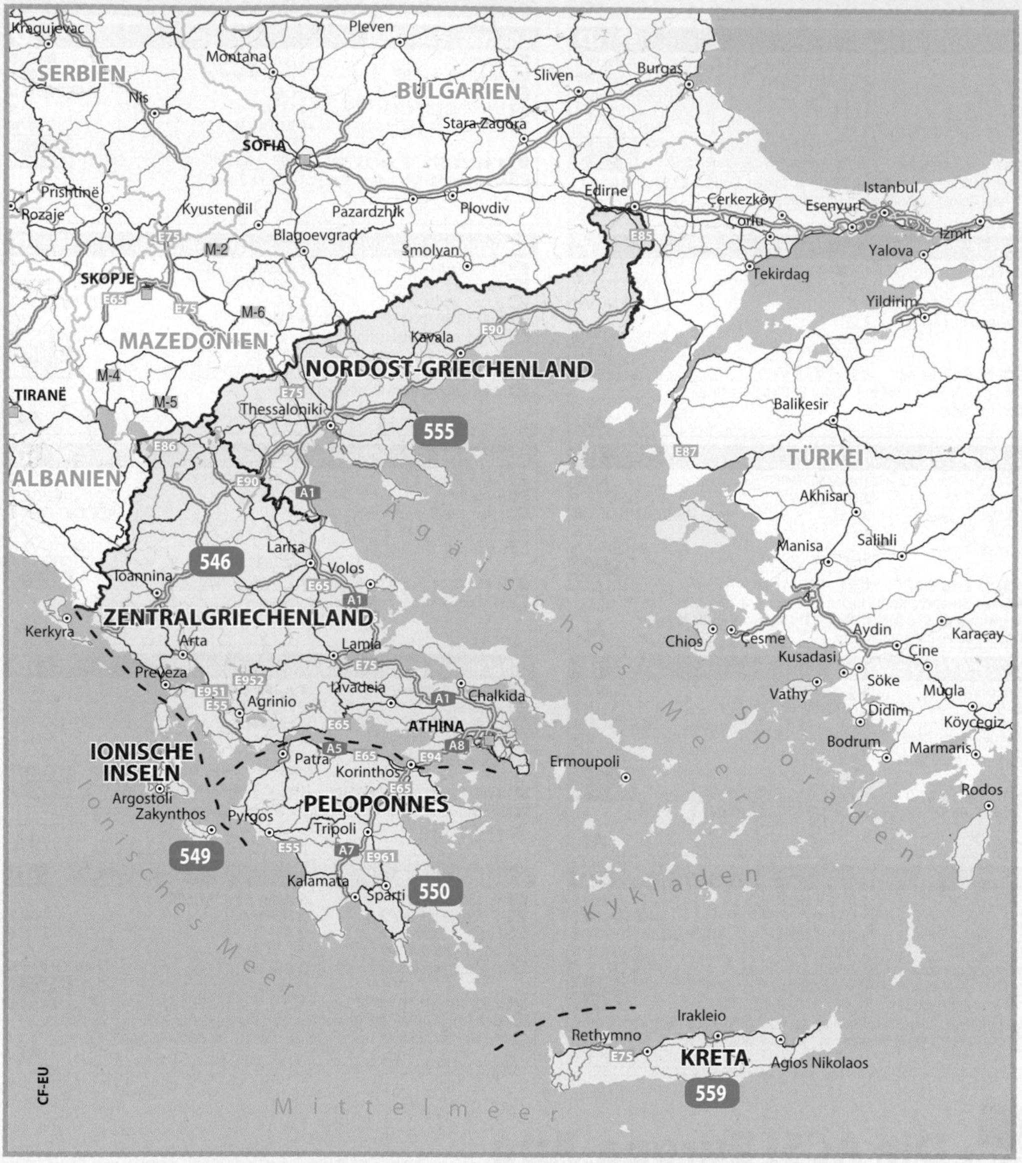

Allgemein

Griechenland ist EU-Mitglied.

Zeit

In Griechenland ist es eine Stunde später als in Berlin.

Sprache

Griechisch, es wird aber auch Englisch und Deutsch gesprochen.

Grenzformalitäten

Viele Formalitäten und Vereinbarungen, wie erforderliche Reisedokumente,

KFZ-Papiere, Anforderungen an Ihr Fahrzeug und Ihren Aufenthalt, Krankenkosten und das Mitführen von Tieren, sind nicht nur vom Zielort abhängig, sondern auch von Ihrem Ausgangsort und Ihrer Nationalität. Auch die Dauer Ihres Aufenthaltes spielt dabei eine Rolle. Im Rahmen dieses Führers ist es leider nicht möglich, allen Lesern korrekte und aktuelle Informationen in dieser Hinsicht zu garantieren.

Wir raten Ihnen, vor Ihrer Abreise bei den entsprechenden Behörden in Erfahrung zu bringen:

- welche Reisedokumente Sie für sich selbst und Ihre Reisebegleitung brauchen
- welche Dokumente Sie für Ihr Auto brauchen
- welchen Anforderungen Ihr Fahrzeug entsprechen muss
- welche Güter Sie ein- und ausführen dürfen
- wie im Unglücks- oder Krankheitsfall die medizinische Versorgung im Urlaubsland organisiert ist und bezahlt wird
- ob Sie Ihre Haustiere mitnehmen können. Nehmen Sie rechtzeitig Kontakt zu Ihrem Tierarzt auf. Dort erhalten Sie Informationen über relevante Impfungen, entsprechende Bestätigungen und Verpflichtungen bei Ihrer Rückkehr. Es ist auch sinnvoll herauszufinden, ob an Ihrem Urlaubsziel bestimmte Bedingungen für Haustiere in der Öffentlichkeit geknüpft sind. So müssen In manchen Ländern Hunde immer einen Maulkorb tragen oder vergittert transportiert werden.

Viele allgemeine Infos finden Sie auf ▸ *www.europa.eu* ◂ aber sorgen Sie selbst dafür, die richtige Information für Ihre individuelle Situation herauszufinden.

Aktuelle Zollbestimmungen entnehmen Sie den Botschaften des jeweiligen Urlaubslandes an Ihrem Wohnort.

Währung und Geld

Währungseinheit in Griechenland ist der Euro. Achtung: Manche Geldautomaten geben erst das Geld heraus und danach Ihre EC-Karte. Bezahlen mit EC-Karte ist nicht möglich.

Kreditkarten

Kreditkarten werden in größeren Hotels, Restaurants, Ladenketten und Autovermietungen akzeptiert. Es ist ratsam ausreichend Bargeld mitzuführen.

Öffnungszeiten und Feiertage

Banken

Banken sind geöffnet bis 14.00 Uhr. In großen Städten und touristischen Zentren sind viele Banken abends und samstags geöffnet.

Geschäfte

Die Geschäfte haben im Sommer und Winter unterschiedliche Öffnungszeiten. Im Winter sind die Öffnungszeiten am Montag und Mittwoch bis 16.30 Uhr, Dienstag, Donnerstag und Freitag bis 14.00 Uhr und abends von 17.00 bis 20.00 Uhr.
Samstag bis 15.00 Uhr.
Im Sommer sind die Geschäfte am Montag, Mittwoch und Samstag bis 14.00 Uhr, Dienstag, Donnerstag und Freitag bis 14.00 Uhr und abends von 17.30 bis 20.30 Uhr geöffnet.

Apotheken, Ärzte

Arzneipreise sind deutlich niedriger als in Deutschland. Beachten Sie, dass fachärztliche Hilfe auf den griechischen Inseln beschränkt ist. Apotheken sind bis 14.00 Uhr geöffnet. In großen Städten können Apotheken außerdem zwischen 17.30 und 22.00 Uhr geöffnet sein.

Feiertage

Neujahr, 6. Januar (Dreikönige), 23. Februar (Grüner Montag), 25. März (Unabhängigkeit), Karfreitag, 12. April (Ostern orthodox), 1. Mai (Tag der Arbeit), 1. Juni (Pfingsten orthodox), 15. August (Mariä Himmelfahrt), 28. Oktober (Nationalfeiertag), Weihnachten.

Kommunikation

(Mobil)Telefon

Das Mobilfunknetz ist in ganz Griechenland gut. Es gibt ein 3 G-Netz für das mobile Internet.
Man kann auch von Kiosks mit einem Zähler anrufen.

W-Lan, Internet

Internetcafés findet man in größeren Städten und in touristischen Gebieten.

Post

Griechische Postämter heißen 'Tachydromeia'. Sie sind von Montag bis Freitag bis 19.00 Uhr geöffnet, auf dem Land bis 14.00 Uhr.

Straßen und Verkehr

Straßennetz

Griechische Autofahrer nehmen die Verkehrsregeln nicht immer genau! Auf den griechischen Inseln, mit Ausnahme auf Kreta, ist das Straßennetz beschränkt.

Es wird abgeraten nach Einbruch der Dunkelheit außerhalb der großen Städte zu fahren. Wenn Sie einen Auslandsschutzbrief haben, können Sie die Hilfe des griechischen Automobilclubs (ELPA) in Anspruch nehmen: Tel. 10400.

Verkehrsvorschriften
Innerhalb geschlossener Ortschaften gilt rechts vor links, außerhalb hat der Verkehr auf der Hauptstraße Vorfahrt. Im Kreisverkehr hat der von rechts kommende Vorfahrt. Steigender Verkehr hat an Bergstrecken gegenüber dem Talverkehr Vorfahrt.

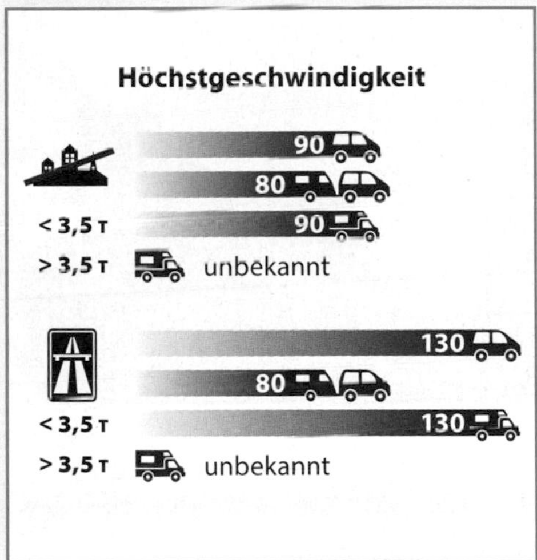

Promillehöchstgrenze: 0,5‰. Tagsüber gibt es keine Beleuchtungspflicht. Telefonieren nur mit Freisprechanlage. Gurtpflicht nur vorne im Auto. Befindet sich ein Kind unter 12 Jahre im Fahrzeug, darf nicht geraucht werden. Sie brauchen keine Winterreifen dabeizuhaben.

Navigation
Warnung vor festen Blitzern durch Navi oder Mobiltelefon Apps ist erlaubt.

Wohnwagen, Reisemobil
Beachten Sie, dass auf den griechischen Inseln die Einrichtungen für Wohnmobile und Wohnwagen beschränkt sind. Reisen Sie mit KFZ und Wohnwagen, zahlen Sie auf Mautstrecken den doppelten Tarif. Mit dem Reisemobil ist die Maut noch höher als mit KFZ und Caravan.

Zulässige Maße
Höhe 4m, Breite 2,55m und Länge Gespann 18,75m.

Kraftstoff
Bleifrei und Diesel sind gut erhältlich. LPG auf dem Festland ganz gut.

Tankstellen
Tankstellen in großen Städten schließen um Mitternacht, ansonsten zwischen 7.00 und 22.00 Uhr geöffnet. Achtung! Seit dem Sommer 2012 sind an der neuen 670 km langen Autobahn Egnatia Odos, von Igoumenitsa über Thessaloniki nach Alexandroupoli einige Tankstellen geöffnet.

Maut
Verschiedene griechische Straßen sind mautpflichtig. Sie können nur bar bezahlen, nicht mit EC-oder Kreditkarte.

Notruf
112: nationaler Notruf für Polizei, Feuerwehr und Krankenwagen.

Campen
Wildes Campen ist nicht erlaubt. Die meisten Campingplätze sind sehr ordentlich. Die Sanitäranlagen sind meist gut gepflegt. Campings mit Parzellen findet man auf dem Festland und der Halbinsel Peloponnes. Campings auf den

griechischen Inseln richten sich vorallem an Zeltcamper. Rechnen Sie damit, dass die meisten Campingplätze in der Vor- und Nachsaison zwar wesentlich ruhiger sind als im Sommer, in dieser Zeit können Sie jedoch möglicherweise nicht alle Einrichtungen benutzen.

Fähren

Beachten Sie, dass die Plätze für Reisemobile auf den Fähren beschränkt sind.
Wenn Sie in der Hochsaison über Italien nach Griechenland reisen, sollten Sie frühzeitig buchen.
Fahrkarten für die Fähren zwischen griechischen Inseln kauft man am besten einen Tag vorher.

Praktisch

- Tiefseetauchen ist nur in speziellen freigegebenen Gebieten möglich und nur in Begleitung eines Tauchlehrers erlaubt.
- Am besten immer Universalstecker dabei haben.
- Verwenden Sie lieber (Mineral)Wasser aus Flaschen als Leitungswasser.

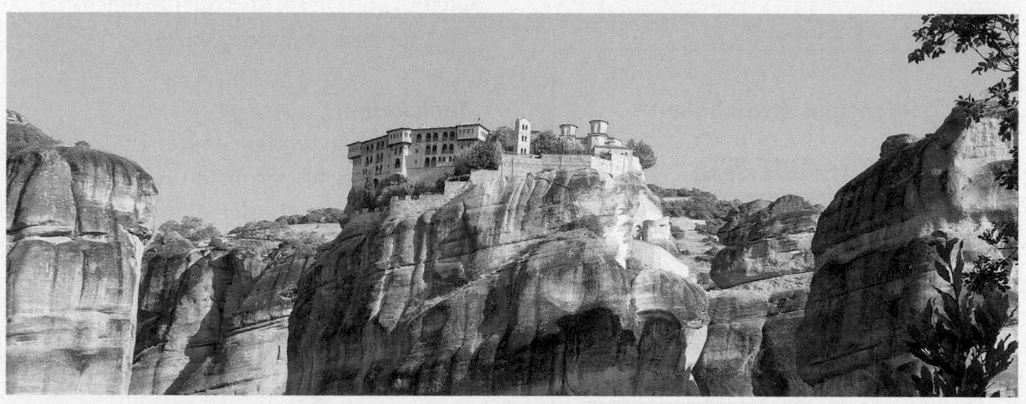

Klima Athen	Jan.	Feb.	März	April	Mai	Juni	Juli	Aug.	Sept.	Okt.	Nov.	Dez.
Tagestemperatur	11	11	13	17	22	26	29	30	26	21	16	12
Sonnenstunden am Tag	5	6	6	7	8	10	12	11	9	7	5	4
Regentage	8	7	6	5	5	3	1	2	3	5	8	8
Wassertemperatur	15	14	16	18	21	24	25	23	23	22	18	17

Klima Kreta	Jan.	Feb.	März	April	Mai	Juni	Juli	Aug.	Sept.	Okt.	Nov.	Dez.
Tagestemperatur	13	14	15	17	21	24	26	27	25	21	18	15
Sonnenstunden am Tag	3	4	6	8	10	12	13	12	10	7	6	4
Regentage	9	6	6	4	3	1	1	1	1	4	7	9
Wassertemperatur	15	14	16	16	18	22	25	26	23	22	20	17

Klima Thessaloniki	Jan.	Feb.	März	April	Mai	Juni	Juli	Aug.	Sept.	Okt.	Nov.	Dez.
Tagestemperatur	7	9	11	16	21	26	29	28	24	19	13	9
Sonnenstunden am Tag	4	5	6	8	9	10	12	11	8	6	4	4
Regentage	4	4	5	5	4	4	3	2	3	4	5	5
Wassertemperatur	14	13	14	16	18	21	24	24	22	20	17	15

Aghia Anna (Evia), GR-34010 / Evvoia

Club Agia Anna	1 ADEGJKNOPRT	AFKPQSWXY 6
25 Apr - 15 Sep	2 EGQVXY	ADFIJ 7
+30 22270-97250	3 BEFL	ABEFNOQRV 8
info@clubagiaanna.gr	4 BDIJLMNOPQZ	ACJ 9
	5 ABDEFGHK	ABHILNPV 10
	6A	❶ €39,00
N 38°51'33" E 23°26'39"	5 ha 150T(16-75m²) 69D	❷ €39,00

Insel Evia, Straße 77 Chalkis-Edipsos Richtung Aghia Anna, deutlich ausgeschildert.

Agios Serafim, GR-35009 / Fthiotis

Venezuela	1 AJMNOPRST	KMNQSWX 6
Paralia	2 AEHKPQRVWXY	ABDEFHI 7
1 Mai - 30 Sep	3 A	ABEFNQRSTV 8
+30 22350-41692	4 O	9
camping@venezuela.gr	5 ABJKL	GHIJNPR 10
	B 10A	❶ €24,00
N 38°49'23" E 22°42'56"	1,6 ha 90T(60-80m²)	❷ €31,00

Kommend aus beiden Richtungen, Ausfahrt Molos, dann den Schildern folgen.

Athen, GR-12136 / Attiki

Athens	1 ADJMNOPQRST	6
198 Leofor. Athinon	2 AOQRXY	ABDEFGH 7
1 Jan - 31 Dez	3	ABEFNOQRV 8
+30 210-5814114	4 O	A 9
info@campingathens.com.gr	5 ABDJKL	ABCHILP 10
	Anzeige auf dieser Seite 16A	❶ €30,00
N 38°0'32" E 23°40'20"	1,4 ha 66T(40-60m²) 10D	❷ €42,00

Von Norden aus Thessaloniki-Lamia die E75 Athen-Pireas, zweiten Ausfahrt rechts Richtung E94 Korinthos (alt Nat.Road Nr.8) Nach 2,3 km CP rechts der Straße.

Athen/Nea Kifissia, GR-14564 / Attiki

Nea Kifissia	1 AJMNOPRST	A 6
60 Potamou & Dimitsanas str.	2 GORXY	ABDEFHIJ 7
1 Jan - 31 Dez	3 L	ABEFNRV 8
+30 210-8075579	4 OY	D 9
camping@hol.gr	5 D	ABHJP 10
	10A	❶ €33,00
N 38°6'0" E 23°47'32"	0,2 ha 66T(40-84m²) 13D	❷ €43,00

Nat. Road Athen-Thessaloniki, Ausf. Kifissia (re). Nach 200m am Kreisel 3. Straße re, unter der Nat. Road durch. CP ausgeschildert. Von Larissa aus die Ausf. Varibombi und die Parallelstraße nehmen. Am CP-Schild re und weiter die 5. Straße re.

Delphi, GR-33054 / Fokis

CC€18

Apollon Cat.A	1 ADILNOPRST	A 6
1 Jan - 31 Dez	2 FGOQUVXY	ABDEFHJ 7
+30 22650-82750	3 AEL	ABEFKNQRTV 8
apollon4@otenet.gr	4 EFO	ADJV 9
	5 ABEGJKL	FGHIJNPR 10
	B 16A	❶ €30,00
N 38°29'2" E 22°28'32"	H600 2,5 ha 120T(30-70m²) 29D	❷ €40,00

CP liegt als erster CP an der Straße Delphi-Itea.

Teilkarte Zentralgriechenland auf Seite 546

Delphi, GR-33054 / Fokis

Delphi Camping Cat.A
Delphi-Itea Road
1 Jan - 31 Dez
+30 22650-82745
info@delphicamping.com

1 ADEILNOPRST A 6
2 FGOQRUVXY ABDEFHJ 7
3 AL ABEFKNRV 8
4 O D 9
5 ABJK AGHIJLNOPTU 10
B 10A ❶ €26,30
H380 2,2 ha 100T(60-80m²) 2D ❷ €35,50

N 38°28'42" E 22°28'31"

Liegt an der Straße Itea-Delphi, 4 km vor Delphi.

Kalambaka, GR-42200 / Trikala

Philoxenia
Nat. Road Trikala-Kalambaka
1 Apr - 10 Okt
+30 24320-24466
philoxeniacamp@gmail.com

1 ADJMNOR**T** AH 6
2 PRX ABDEHIJ 7
3 AE ABEFNR 8
4 A**E**IO EG 9
5 GK AGHKLV 10
6A ❶ €15,50
H300 1 ha 100T 16D ❷ €19,00

N 39°40'58" E 21°39'13"

An Straße Trikala-Kalambaka CP 2 km vor Kalambaka links.

Delphi/Fokis, GR-33054 / Fokis

Chrissa Camping Cat.A
1 Apr - 10 Okt
+30 22650-82050
info@chrissacamping.gr

1 AD**JM**NOPRS**T** AF 6
2 FGOQRTUXY BE**F**HJ 7
3 A ABDEFNQRV 8
4 **E**O IJK 9
5 ABDEJK GHIJL**N**PU 10
10A ❶ €20,00
H152 1,6 ha 70T(80-100m²) 10D ❷ €28,00

N 38°28'22" E 22°27'43"

Der CP liegt 7 km westlich von Delphi, an der Straße Delphi-Itea.

Kanali/Preveza, GR-48100 / Preveza

Monolithi Camping
1 Mai - 30 Sep
+30 26820-51132
info@campingmonolithi.gr

1 ADHKNOT KM 6
2 AEFHOQVXY ABDEF 7
3 A ABEFNR 8
4 OPQ ADF 9
5 ABEGHL BHJ**N** 10
16A CEE ❶ €25,00
3,7 ha 17T 21D ❷ €25,00

N 39°2'53" E 20°42'23"

1,5 km hinter Kanali Richtung Preveza. An der 3er-Gabelung geradeaus. Der CP liegt links der Strecke.

Eretria (Evia), GR-34008 / Evvoia

Milos
15 Apr - 30 Sep
+30 22290-60420
info@camping-in-evia.gr

1 ADEJMNOPQRST AKMNPQSW**X**Y 6
2 EGKOPQRVXY AD**F**IJ 7
3 A ABEFNQRV 8
4 LZ 9
5 ABDGLM BGHIJOR 10
16A ❶ €25,00
1,8 ha 40T(25-64m²) 44D ❷ €31,80

N 38°23'29" E 23°46'32"

Insel Evia, Straße 44. CP 1,5 km vor Eretria rechts der Straße. Gut ausgeschildert.

Kastraki/Kalambaka, GR-42200 / Trikala

Meteora Garden
Odos Ioanninon
1 Apr - 30 Okt
+30 24320-75566
info@camping-meteora-garden.gr

1 AJMNORST A 6
2 GPRY BE**F**H 7
3 AE ABEFNOQRS 8
4 IO DGI 9
5 ABDIK AHIKOR 10
B 16A ❶ €16,00
H350 1 ha 120T(65m²) 28D ❷ €19,00

N 39°42'31" E 21°36'34"

CP 1 km außerhalb von Kalambaka, an der Straße rechts von Kalambaka nach Ioannina. Gut ausgeschildert.

Igoumenitsa, GR-46100 / Thesprotia

Camping Drepanos
Beach Drepanos
1 Jan - 31 Dez
+30 26650-26980
camping@drepano.gr

1 ADEJMNOPQRST KMNPQSWXY 6
2 EFHORWXY AD 7
3 F AEFNQRV 8
4 H AVXZ 9
5 ABEFGJ HIPTU 10
6-17A ❶ €26,50
5 ha 80T(30-100m²) 10D ❷ €35,50

N 39°30'37" E 20°13'16"

Von Igoumenitsa aus die Küstenstraße in nördliche Richtung. Am Ortsausgang den Hinweisen Drepanos Beach folgen.

Kastraki/Kalambaka, GR-42200 / Trikala

Vrachos Kastraki
1 Jan - 31 Dez
+30 24320-22293
campingkastraki@yahoo.com

1 ACJMNOQRST A 6
2 GOPRXY ABDE**F**J 7
3 AE ABCDEFKNQR 8
4 IO ADFG 9
5 ABDIJKL AHIJNORV 10
16A ❶ €19,00
H350 3,5 ha 300T 32D ❷ €19,00

N 39°42'48" E 21°36'57"

In der Ortseinfahrt von Kalambaka, die Straße nach Kastraki nehmen. CP liegt 1 km weiter an Straße zu den Meteoraklöstern. Vor dem CP ist eine Bushaltestelle.

Ioannina, GR-45500 / Ioannina

Limnopula
Kanari 10
1 Apr - 15 Okt
+30 2651-25265
+30 2651-38060

1 AJMNOR**T** X 6
2 ADOPRWXY ABDE**F** 7
3 ABEFNR 8
4 K 9
5 AB AHJR 10
4-6A ❶ €27,00
1 ha 60T ❷ €33,00

N 39°40'41" E 20°50'34"

Von der A2 Ausfahrt Ioannina (E951) Ring zum Flugplatz. Vor dem Flugplatz rechts ab Richtung Zentrum. Den CP-Schildern folgen. Die Strecke per Navigation führt quer durch die Stadt!

Kastri (Pilion), GR-37006 / Magnisia

Kastri Beach
Kastri
1 Jun - 30 Sep
+30 24230-71209
annagtn@yahoo.gr

1 AJMNOPQR**T** KMNPQSWXY 6
2 EHRSUWXY ABDE**F**I 7
3 F ABEFNOQRV 8
4 O L 9
5 ABEGIKLM AHIJNRV 10
8A ❶ €24,70
1,6 ha 40T ❷ €31,70

N 39°8'38" E 23°18'19"

In Volos Richtung Pilio/Argalasti. Dann Richtung Platanias. An der Kreuzung CP gut ausgeschildert. Gut befestigte, steile Straße.

Itea/Kirra, GR 33200 / Fokis

Ayannis
1 Mai - 30 Okt
+30 22650-32555
campingayannis@gmail.com

1 ADJMNOPRS**T** KMNPQSWX 6
2 EKPQRUVY AD**F**H 7
3 AEFNOR 8
4 O D 9
5 ABGIKL ABHIJNO 10
6A ❶ €20,00
2,2 ha 120T 8D ❷ €25,00

N 38°25'28" E 22°27'32"

Ab der Strecke Nafpaktos nach Itea. Dort nach Itea rein, dann rechts ab Richtung Desfina. Nach 2 km liegt der CP rechts der Strecke.

Kato Gatzea (Pilion), GR-37010 / Magnisia

Hellas International
Kato Gatzea
1 Jan - 31 Dez
+30 24230-22267
info@campinghellas.gr

1 ACDEJMNOPQRST KMNPQSWXY 6
2 EHOQRXY ABDE**F**H 7
3 ABEFNRV 8
4 FO ALXZ 9
5 ABDEFGJKL**M** ABGHIJLPR 10
B 16A ❶ €23,00
2 ha 120T 10D ❷ €30,00

N 39°18'40" E 23°6'33"

In Volos nach Pilio/Argalasti. Nach 18 km CP in Kato Gatzea. Gut ausgeschildert.

Kato Gatzea (Pilion), GR-37300 / Magnisia

Sikia
Kato Gatzea
15 Mär - 10 Nov
+30 24230-22279
info@camping-sikia.gr

1 ACDJMNOPQRST KMNOPQSWXYZ 6
2 EFHKOPQRUVWXY ABDE**F**IJ 7
3 AE ABCDEFINOQRSV 8
4 **A**O GILXZ 9
5 ACDEFGJKL ADGHIJL**N**PRV 10
B 16A ❶ €24,00
3 ha 120T 35**D** ❷ €32,80

N 39°18'37" E 23°6'36"

In Volos Richtung Pilion/Argalasti. Nach 18 km CP in Kato Gatzea gut ausgeschildert.

Marathon/Schinias, GR-19007 / Attiki

Ramnous
174 Possidonos Avenue 21/22
15 Apr - 15 Okt
+30 22940-55855
ramnous@otenet.gr

1 AJMNOPRST KMNPQSW 6
2 AEGHOQRVXY ABDE**FG**HI 7
3 F ABEFINR 8
4 IO 9
5 ABDG HKR 10
16A ❶ €24,00
2 ha 135T(70-80m²) ❷ €31,00

N 38°7'53" E 24°0'26"

Straße Athen-Marathon. Ca. 6 km hinter Nea Makri Ausfahrt rechts, bei der Ampel und den Schildern 'Kato Souli Schinias' rechts, den CP-Schildern folgen (4,5 km).

Teilkarte Zentralgriechenland auf Seite 546

Milina (Pilion), GR-37013 / Magnisia

Olizon
1 Mai - 30 Sep
+30 24230-65236
olizon-m@otenet.gr
N 39°9'53'' E 23°13'0''

1 ADJMNOPQRST KNPQSWXY 6
2 EHJORUVXY AD 7
3 ABEFNQRV 8
4 FO GIXZ 9
5 ABJKLM AHIJOR 10
10A ❶ €24,80
8 ha 65T 23D ❷ €31,20

Von Volos, Richtung Pilion/Argalasti. Hinter Argalasti nach Milina, CP gut ausgeschildert, etwas außerhalb des Dorfes Milina, Richtung Trikeri.

Parga/Lichnos, GR-48060 / Preveza

Enjoy Lichnos
1 Mai - 15 Okt
+30 26840-31371
holidays@enjoy-lichnos.net
N 39°17'1'' E 20°25'59''

1 AJMNORT KNQSWX 6
2 EHPQRUXY ABEFH 7
3 A ABEFKNR 8
4 AIO GHILMOPQT 9
5 ACDEGIK ABHIJNOR 10
16A ❶ €28,80
4,8 ha 150T 21D ❷ €37,80

Straße von Igoumenitsa Richtung Süden (Parga). Richtung Parga (Morfi) abzweigen, 3 km vor Parga, links der Straße liegt der CP an der Bucht. Oder die neue Straße (Egnatia Odos) von Igoumenitsa nach Ioannina, Ausfahrt Parga.

Platanias (Pilion), GR-37006 / Magnisia

Camping Louisa
20 Mai - 15 Sep
+30 24230-71572
info@camplouisa.gr
N 39°8'39'' E 23°16'32''

1 BDEJMNOPRT K 6
2 EOPQRTXY ABDEFI 7
3 A ABEFNOQRV 8
4 EF A 9
5 DEJL AHIJORV 10
5A CEE ❶ €26,00
1 ha 50T 10D ❷ €33,00

Halbinsel von Pilion. 60 km nach Volos, Richtung Tsangarada/Argalasti/Platanias. Links von der Hauptstraße.

Plataria/Igoumenitsa, GR-46100 / Thesprotia

Elena's Beach
1 Apr - 31 Okt
+30 26650-71414
info@campingelena.gr
N 39°27'37'' E 20°15'40''

1 AJMNOPQRST KMNPQSWXZ 6
2 EHJKPQRUVXY ABDFGHIJ 7
3 A ABEFINR 8
4 O GLNQSTXZ 9
5 ABEGJKLM ABHIJPTU 10
B 4A ❶ €26,50
15 ha 80T 4D ❷ €33,50

An Straße von Igoumenitsa nach Plataria - an der Meeresseite - 8 km hinter Igoumenitsa. 2 km vor Plataria, gut ausgeschildert.

Plataria/Igoumenitsa, GR-46100 / Thesprotia

Kalami Beach
PB8
20 Mär - 15 Okt
+30 26650-71211
info@campingkalamibeach.gr
N 39°28'20'' E 20°14'38''

1 ADEJMNOPQRST KNPQSWXYZ 6
2 EJORUXY ABEFGH 7
3 ABCDEFNQRV 8
4 IO FXZ 9
5 ABDGJKLM ABGHIJPRX 10
4A ❶ €26,00
1,2 ha 67T 2D ❷ €32,00

An der Straße von Igoumenitsa nach Plataria. 7 km hinter Igoumenitsa erster CP auf der rechten Straßenseite, deutlich ausgeschildert.

Plataria/Igoumenitsa, GR-46100 / Thesprotia

Nautilos
Plataria Beach
1 Apr - 20 Okt
+30 26650-71416
wassosf@otenet.gr
N 39°26'38'' E 20°15'29''

1 AJMNOPQRST AKMNPQSWXYZ 6
2 EHJKRTUVWXY ABDEFHIJK 7
3 FM ABEFNQRV 8
4 AFJLXZ 9
5 ABGIKL AGHIJOR 10
8A ❶ €27,50
4,4 ha 200T(50-150m²) 84D ❷ €36,50

Auf Straße von Igoumenitsa nach Plataria und Sivota. Etwas außerhalb Plataria. In einer Kurve befindet sich der CP. Gut ausgeschildert.

Preveza, GR-48100 / Arta

Camping Village Kalamitsi Beach
1 Mai - 15 Sep
+30 26820-22192
info@campingkalamitsi.eu
N 38°58'26'' E 20°42'58''

1 ADJMNOQRST AKQSX 6
2 EHPRXY ABDFH 7
3 A ABEFNR 8
4 IO HKL 9
5 ABDIKL AHIJNOR 10
B 4A ❶ €20,50
1,4 ha 116T 17D ❷ €32,50

Hinter Kanaliki (von Parga aus) der E55 folgen und Richtung Preveza fahren(Tunnel). 4 km vor Preveza liegt der CP rechts (über eine kleine Straße).

Preveza, GR-48100 / Arta

Panorama
Monolithi
1 Jun - 30 Sep
+30 26820-41841
campanorama@in.gr
N 39°2'3'' E 20°42'51''

1 AJMNORT KNQX 6
2 EHJOQRTXY ABDHI 7
3 ABEFNR 8
4 O AK 9
5 EFGIL BHNOR 10
16A ❶ €27,00
1 ha 60T(ab 40m²) 10D ❷ €27,00

An Straße Igoumenitsa-Preveza, 13 km vor Preveza, CP links direkt an der Straße. Tunnel zum Strand.

Rafina, GR-19009 / Attiki

Kokkino Limanaki
Coast road to Mati
1 Apr - 30 Sep
+30 22940-31604
info@athenscampings.com
N 38°1'52'' E 24°0'0''

1 ADILNOPQRST KNQSW 6
2 AEHKQRTUXY ABDEH 7
3 ABEFNOQRV 8
4 AF 9
5 DEGJ ABHJOV 10
16A ❶ €22,50
1,4 ha 65T(80-100m²) 11D ❷ €30,50

Athen-Rafina, nach der Ampel vor Rafina (Richtung Rafina) ist der CP ausgeschildert. Am Schild links, dann noch ca. 800m.

Riza/Preveza, GR-48100 / Preveza

Acrogiali
Riza Beach
1 Jan - 31 Dez
+30 26820-56382
campmacro@hol.gr
N 39°8'6'' E 20°35'3''

1 ADGJMNORS KNQX 6
2 AEJKOQX ABDEFH 7
3 ABEFNOR 8
4 OP GHIL 9
5 ABGIKL HIJOV 10
10A ❶ €22,50
1,5 ha 50T 13D ❷ €29,50

Von Igoumenitsa (50 km) Richtung Preveza (20 km), Ausfahrt Lichia rechts, dann CP (nach 1 km) am Strand.

Riza/Preveza, GR-48100 / Preveza

Corali Camping
Riza Beach
1 Jan - 31 Dez
+30 26820-56386
info@camping-corali.gr
N 39°8'4'' E 20°35'7''

1 AGJMNOPRST KNX 6
2 AEJMPQVXY ABIJK 7
3 ABEFNOQR 8
4 G 9
5 ABILM ABHIJLPTU 10
16A ❶ €18,00
16 ha 100T(ab 100m²) 20D ❷ €24,00

Von Igoumenitsa (50 km) Richtung Preveza (20 km) Ausfahrt Lichia rechts ab, danach liegt nach 1 km der CP direkt am Meer.

Rovies (Evia), GR-34005 / Evvoia

Camping Rovies
1 Apr - 30 Okt
+30 22270-71120
info@campingevia.com
N 38°49'58'' E 23°11'56''

1 AJMNOPRST KMNOPQRSWXYZ 6
2 EJKORVXY ABDI 7
3 E ABEFNQRT 8
4 EO ADL 9
5 ABEILM ABHJOR 10
12A ❶ €29,00
2,4 ha 135T(40-80m²) 12D ❷ €38,00

Von Süden: die Strecke Limni-Loutra Edipsou. Nach 12 km CP links. Von Norden: die Strecke Loutra Edipsou-Limni. Nach 19 km CP rechts.

Soynio/Attika, GR-19500 / Attiki

Bacchus
PB56
1 Jan - 31 Dez
+30 22920-39572
campingbacchus@hotmail.com
N 37°40'37'' E 24°2'51''

1 ACDJMNOPRST KOPQSW 6
2 BEHJNOQRTUXY ABDEFHIJK 7
3 A ABEFNQRT 8
4 IO D 9
5 ABDGI AJOV 10
16A ❶ €29,50
1,5 ha 60T(30-60m²) 3D ❷ €37,50

Die Strecke Athen-Markopoulo-Lavrio-Sourio.

Stylida, GR-35300 / Fthiotis

Interstation
National Road
1 Jan - 31 Dez
+30 22380-23828
interstation@hotmail.com
N 38°53'48'' E 22°39'20''

1 AILNOPQRST KMNPQSWXY 6
2 AEGKPQRWXY ABDEFHJ 7
3 BEFLM ABEFNR 8
4 O J 9
5 ABEGJKLM AHIKR 10
B 10A ❶ €27,40
5 ha 150T(60m²) 82D ❷ €35,60

An der Nationalstraße Athen-Thessaloniki, nicht an der Autobahn gelegen, circa 3 km östlich von Stylida. Siehe CP-Schilder.

Valtos/Parga, GR-48060 / Preveza

Valtos Camping
1 Mai - 30 Sep
+30 26840-31287
info@campingvaltos.gr
N 39°17'8'' E 20°23'23''

1 ADJMNORT KNQSX 6
2 EHPRY ABDEFH 7
3 AEFNR 8
4 IJL 9
5 ACDEGL ABHIKPR 10
16A ❶ €28,50
1 ha 100T 9D ❷ €37,50

Richtung Parga. Vor Parga rechts Richtung Valtos Beach. Ringstraße anstatt Navigation nehmen. Gut ausgeschildert. Die Straße führt zur Bucht von Parga/Valtos, dort liegt der CP rechts.

ACSI Durchreisecampingplätze

In diesem Führer finden Sie eine handliche Karte mit Campingplätzen an den wichtigen Durchgangsstrecken zu Ihrem Ferienziel.

Teilkarte Zentralgriechenland auf Seite 546

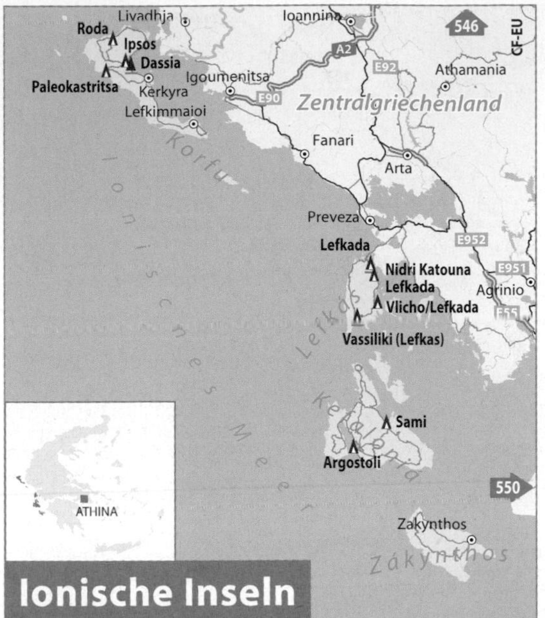

Ionische Inseln

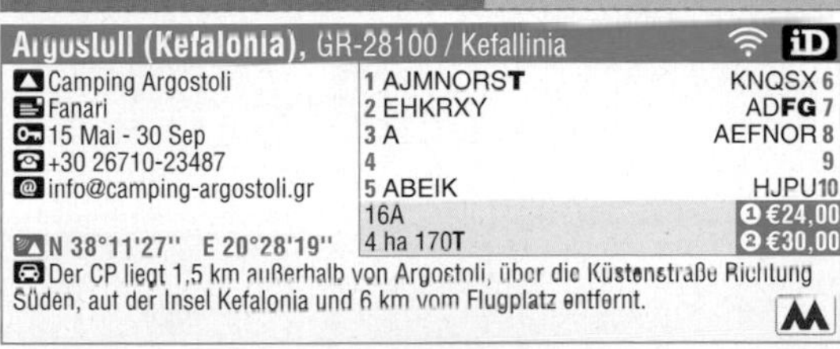

Argostoli (Kefalonia), GR-28100 / Kefallinia

Camping Argostoli
Fanari
15 Mai - 30 Sep
+30 26710-23487
info@camping-argostoli.gr
N 38°11'27'' E 20°28'19''

1 AJMNORS**T**	KNQSX 6
2 EHKRXY	AD**FG** 7
3 A	AEFNOR 8
4	9
5 ABEIK	HJPU10
16A	❶ €24,00
4 ha 170T	❷ €30,00

Der CP liegt 1,5 km außerhalb von Argostoli, über die Küstenstraße Richtung Süden, auf der Insel Kefalonia und 6 km vom Flugplatz entfernt.

Dassia (Corfu), GR-49083 / Corfu

Dionysus
Dassia Dafnilas Bay/PB 185
1 Apr - 20 Okt
+30 26610-91417
laskari7@otenet.gr
N 39°39'53'' E 19°50'41''

1 AILNOPRS**T**	A 6
2 GJKOPRUVWXY	AD**FG**HIJ 7
3	AEFNQRV 8
4 O	FLUVXZ 9
5 ABDEFGIKL	GHIJ**N**PRV10
16A CEE	❶ €25,00
2 ha 107**T**(50-100m²) 55**D**	❷ €33,00

Von Korfu Hafen der Hauptstraße nach rechts folgen (Richtung Paleokastritsa). Nach 8,5 km an den Pfeilen Dassia/Kassiopi rechts. 1 km weiter CP rechts der Strecke. Einfahrt deutlich ausgeschildert.

Dassia (Corfu), GR-49100 / Corfu

Karda Beach
PB 225
10 Apr - 10 Okt
+30 26610-93595
campco@otenet.gr
N 39°41'10'' E 19°50'19''

1 ADEJMNOPQRS**T**	AFKNPQSWXZ 6
2 EGJKOPRVWXY	ABDE**FH**IJ 7
3 AEL	ABCDEFNOQRV 8
4 O**P**	JLXZ 9
5 ACDEGJK	ABHIJL**N**OR10
B 16A	❶ €29,80
2,6 ha 130**T**(60-120m²) 46**D**	❷ €38,00

Vom Korfu Hafen die Hauptstraße nach rechts (Richtung Paleokastritsa). Nach 8,5 km rechts an den Pfeilen Dassia/Kassiopi. 3,5 km weiter ist der CP rechts der Strecke. Einfahrt deutlich ausgeschildert.

Ipsos (Corfu), GR-49100 / Corfu

Ipsos Beach Camping Corfu
1 Mai - 30 Sep
+30 26610-93579
corfucampingipsos@yahoo.com
N 39°41'45'' E 19°50'16''

1 ADEILNOPRS**T**	KMNPQSWXYZ 6
2 EGJOPQRUXY	ABDE 7
3	ABEFNV 8
4 IO	LXZ 9
5 EFGJKL	HIJOTU10
4A	❶ €26,50
1,3 ha 75**T** 15**D**	❷ €34,50

Von Korfu Hafen der Hauptstraße nach rechts folgen (Richtung Paleokastritsa). Nach 8,5 km an den Pfeilen Dassia/Kassiopi rechts. Durch Dassia bis nach Ipsos. Am Ortseingang von Ipsos ist der CP nach 100m links. Deutlich ausgeschildert.

Lefkada, GR-31100 / Lefkas

Kariotes Beach
Spasmeni Vrisi
1 Apr - 30 Sep
+30 26450-71103
campkar@otenet.gr
N 38°48'16'' E 20°42'52''

1 AJMNOQRS**T**	AFK**X** 6
2 EHOPRY	AD**F**HI 7
3	ABEFNR 8
4 O	AL 9
5 ABDEIK	ABHIKPV10
16A	❶ €27,00
0,8 ha 75**T** 8**D**	❷ €35,00

CP an der Hauptstraße von Lefkada nach Vasiliki. CP 2 km südlich von Lefkada-Stadt, rechts der Straße.

Nidri Katouna Lefkada, GR-31100 / Lefkas

Episkopos Beach
National Road Lefkas-Nidri
15 Mai - 30 Sep
+30 26450-92544
info@lefkadastudios.gr
N 38°46'11'' E 20°43'16''

1 AJMNOR**T**	A 6
2 EQRY	AD**F** 7
3	AEFNR 8
4 O	AHK 9
5 ABDGK	HKPR10
16A	❶ €28,50
0,8 ha 60**T** 12**D**	❷ €35,50

CP an der Hauptstraße von Lefkada nach Vassiliki. CP 8 km von Lefkada, rechts der Straße.

Paleokastritsa (Corfu), GR-49083 / Corfu

Camping Paleokastritsa
20 Mai - 15 Okt
+30 26630-41204
paleohols@gmail.com
N 39°40'35'' E 19°43'31''

1 ADEJMNOPQRS**T**	A 6
2 EGOQRUXY	AD**F**IJ 7
3 A	ABEFNOQR 8
4 F	HXZ 9
5 L	AHIJOR10
4A	❶ €20,70
1,5 ha 48**T** 24**D**	❷ €26,90

An Straße nach Paleokastritsa, direkt vor dem Dorf rechts der Straße. Man kann sich kaum verfahren, da es nur eine Straße gibt.

Roda (Corfu), GR-49081 / Corfu

Roda Beach Camping
15 Apr - 31 Okt
+30 26630-63120
info@rodacamping.gr
N 39°47'3'' E 19°47'7''

1 ACDEJMNOPQRS**T**	A 6
2 GOPRWXY	ABDE**F**IJ 7
3 ABL	ABCEFNRV 8
4 IO**P**	ALUVXZ 9
5 BDEGK**L**	AHIJL**P**RV10
4A	❶ €26,00
2 ha 83**T** 10**D**	❷ €33,00

An der einzigen großen Kreuzung in Roda Richtung Kerkyra. Nach 20m rechts. CP rechts an dieser Straße, nach 300m.

Sami (Kefalonia), GR-28080 / Kefallinia

Karavomilos Beach
15 Apr - 30 Sep
+30 26740-22480
info@camping-karavomilos.gr
N 38°15'3'' E 20°38'17''

1 ADJMNOQRST	A**F**KNQSW**X** 6
2 EJPRVY	AD**FG**HIJ 7
3 AE	ABEFGINOR 8
4 O	KL 9
5 ABDIL	BGHIJ**N**OR10
B 16A	❶ €30,00
4 ha 253**T**(60-100m²)	❷ €39,00

CP liegt auf der Insel Kefalonia, 1 km nordwestlich von Sami, 23 km von Argostoli entfernt. Gut ausgeschildert. Direkt am Meer.

Vassiliki (Lefkas), GR-31082 / Lefkas

Vassiliki-Beach
15 Apr - 30 Sep
+30 26450-31308
campingvassilikibeach@hotmail.com
N 38°37'51'' E 20°36'23''

1 ADJMNORS**T**	KNQSWXY 6
2 EJPRWXY	ABDEH 7
3	ABEFNQR 8
4 I	9
5 K	AHIKR10
10A	❶ €27,50
1,2 ha 150**T**	❷ €34,50

Von Lefkada Straße Richtung Süden. Bei der Einfahrt in Vassiliki, die Umfahrung (neu) rechts halten, 1. Ausfahrt. Na ± 200m liegt der CP links der Straße. Ist gut ausgeschildert.

Vlicho/Lefkada, GR-31100 / Lefkas

Desimi Beach
1 Apr - 31 Okt
+30 26450-95374
camping.desimi@gmail.com
N 38°40'21'' E 20°42'40''

1 AJMNOR**T**	KNQSWXY 6
2 EJNPRVX	AD**F** 7
3 A	AEFNOR 8
4	EN 9
5 ABDI	AHIKOR10
16A	❶ €28,00
1,5 ha 150**T**(ab 80m²) 5**D**	❷ €35,00

Von Lefkada die Straße Richtung Süden, nach Vassiliki nehmen. Vlicho befindet sich 20 km von Lefkada. Bei Vlicho links Richtung Dessimi. Nach 2 km erster CP rechts.

Teilkarte Ionische Inseln auf Seite 549

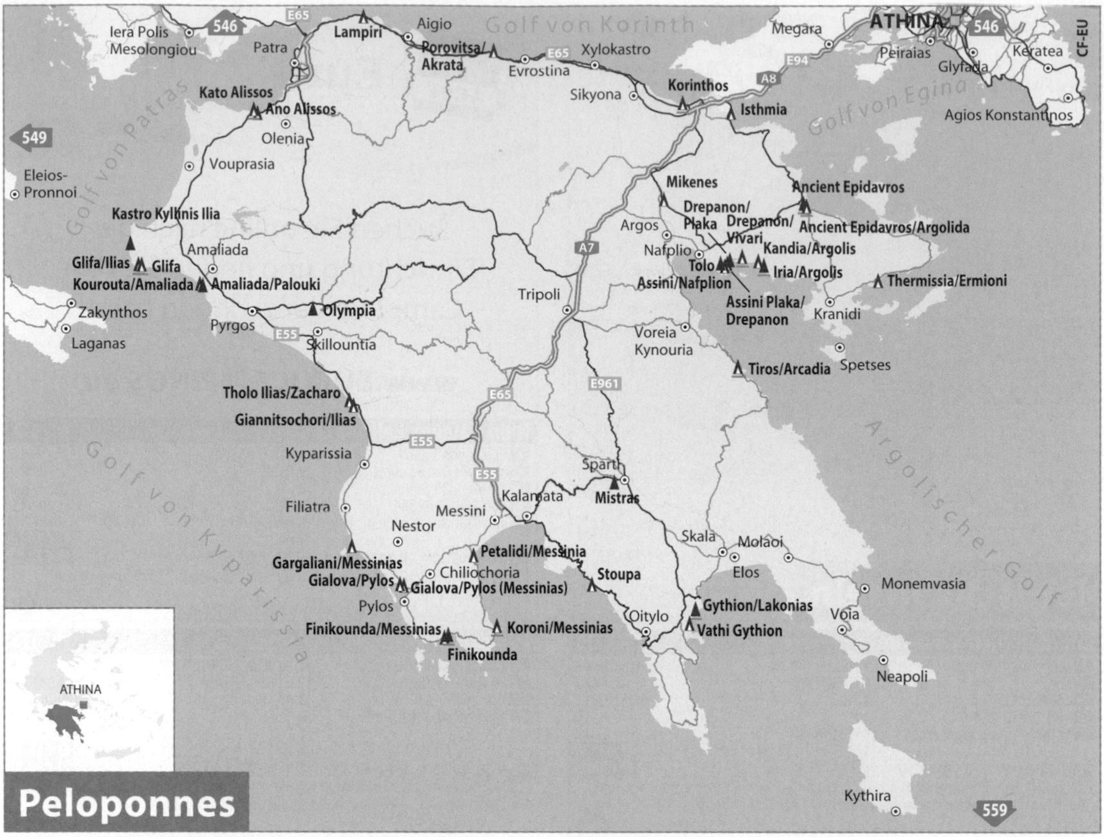

Peloponnes

Camping Palouki - 80 km südlich von Patras

Amaliada/Palouki, GR-27200 / Ilia

Paradise	1 ACJMNOPRST	KMNOPQSWX 6
1 Apr - 31 Okt	2 AEHOPQWX	ABDEFI 7
+30 26220-22721	3 AEF	ACDEFNQR 8
info@campingparadise.gr	4 O	AD 9
	5 ABDGIJL	ABHIJNPR 10
	6A	❶ €22,00
N 37°45'28'' E 21°18'17''	25 ha 200**T** 8**D**	❷ €28,00

An der Strecke Patras-Pirgos. Circa 70 km hinter Patras, Ausfahrt Palouki rechts. Den Schildern circa 2 km folgen.

Amaliada/Palouki, GR-27200 / Ilia

Palouki	1 AJMNOPRS**T**	KMNPQSW**X**Y**Z** 6
1 Apr - 31 Okt	2 AEHOPVWXY	ABDE**F**H 7
+30 26220-24942	3 F	ABEFNQRT 8
info@camping-palouki.gr	4 O**X**	G 9
	5 ACGJL	ABFGHIJNPR 10
	Anzeige auf dieser Seite B 6A	❶ €28,00
N 37°45'15'' E 21°18'22''	1,7 ha 61**T**(45-80m²) 2**D**	❷ €35,00

Nat. Road Patras-Pirgos, bei Km-Pfahl 80 rechts, bei Ausfahrt Palouki. Nach ca. 2 km CP links, ausgeschildert.

Ancient Epidavros, GR-21059 / Argolis

Bekas	1 ADJMNOPRST	KMNOQSW**X**Y 6
Nikolaou Pitidi	2 EJQRTWXY	ABDE**F**HIJK 7
27 Mär - 20 Okt	3 EM	ABEFNORSV 8
+30 27530-99930-1	4 O	IVZ 9
info@bekas.gr	5 ABJKL	AFHJNPR 10
	B 16A	❶ €29,50
N 37°37'7'' E 23°9'23''	2,1 ha 100**T**(60-120m²) 21**D**	❷ €37,00

Von Athen hinter der Brücke von Korinth links Ri. Epidavros. Ausf. Ancient Epidavros, Kranidi, Portocheli, Galatas, Ermiono. Dieser Straße folgen und nach ± 150m li unter der Straße durch und an der Kreuzung wieder li. Weiter den CP-Schildern folgen.

Ancient Epidavros, GR-21059 / Argolis

Nicolas I	1 AJMNOPRST	KMNQSW 6
1 Apr - 31 Okt	2 EGIJQRXY	ABDEF**F** 7
+30 27530-41297	3	ABEFNRV 8
info@nicolasgikas.gr	4 O	GH 9
	5 ABDJ	ABHJPR 10
	16A	❶ €29,50
N 37°37'49'' E 23°9'26''	1 ha 100**T**(20-50m²) 20**D**	❷ €37,50

Von Athen, hinter der Brücke von Korinth, li Ri. Epidavros. Ausf. Ancient Epidavros, Kranidid, Portocheli, Galatas, Ermioni. Dieser Straße folgen und nach ± 150m li unter der Straße durch und auf der Kreuzung wieder li. Den CP-Schildern folgen.

Ancient Epidavros, GR-21059 / Argolis

Verdelis Beach	1 ACDJMNOPRST	KNQSXY 6
1 Apr - 31 Okt	2 EHJQVXY	ABDE**F** 7
+30 27530-41425	3	ABEFNOQRV 8
info@campingverdelis.gr	4 IO	9
	5 ABDI	HKP 10
	16A	❶ €22,00
N 37°37'8'' E 23°9'23''	0,8 ha 56**T**(30-70m²)	❷ €27,00

Von Athen hinter der Brücke von Korinth li Ri. Epidavros. Ausf. Ancient Epidavros, Kranidi, Portocheli, Galatas, Ermioni. Dieser Straße folgen und nach ± 150m li unter der Straße durch und auf der Kreuzung wieder li, dann CP-Schildern folgen.

Ancient Epidavros/Argolida, GR-21059 / Argolis

Nicolas II	1 AJMNOPRST	AKMNQSWXY 6
Nikolaou Pitidi	2 EJPQRUXY	ABDE**FG**H 7
1 Apr - 31 Okt	3	ABEFNRV 8
+30 27530-41445	4 I	D 9
info@nicolasgikas.gr	5 ABJKL	BFJPR 10
	16A	❶ €29,50
N 37°37'5'' E 23°9'30''	1,2 ha 90**T**(35-50m²) 3**D**	❷ €37,50

Von Athen nach der Brücke von Korinth li Ri. Epidavros. Ausf. Ancient Epidavros, Kranidi, Portocheli, Galatas, Ermioni. Diese Straße folgen und nach ± 150m li unter der Straße her und auf der Kreuzung wieder li. Dann den CP-Schildern folgen.

Ano Alissos, GR-25002 / Akhaia

Golden Sunset	1 ADEJMNOPRS**T**	A**H**KNPQS**X** 6
19 km - Old Nat. Road Patras-Pyrgos	2 AEGHOPRVY	ABDE**F**IJ 7
1 Jul - 1 Sep	3 EM	ABEFNQR 8
+30 26930-71276	4 O**UY**	DG 9
info@goldensunset.gr	5 ABDGJL	ABHIKNOR 10
	B 10A	❶ €32,00
N 38°8'38'' E 21°35'16''	8 ha 177**T**(60-80m²) 6**D**	❷ €39,00

19 km von Patras. Den Schildern folgen. Auf der neuen Nat. Road Richtung Pyrgos. Bei Km 20, rechts ab. Am Ende der Straße wieder rechts. CP nach 300m links. Dem CP liegt an der alten Nat. Road in Höhe von Km 19.

Assini Plaka/Drepanon, GR-21100 / Argolis

Assini Beach	1 AJMNOPRST	KMNQSW 6
15 Apr - 31 Okt	2 EJQRXY	ABDE**F**HIJK 7
+30 27520-92396	3	ABEFNRSV 8
campingassini@yahoo.gr	4 IO	ADG 9
	5 ABDK	AHPR 10
	B 16A	❶ €25,00
N 37°31'53'' E 22°52'59''	1,1 ha 100**T**(30-40m²) 5**D**	❷ €32,00

An der Straße Nafplion-Tolo. Hinter Assini über den Kreisel und Kasatraki geradeaus folgen. Ausfahrt links Drepano, Plaka und am Ende der Straße nach rechts. Siehe CP-Schild.

Assini/Nafplion, GR-21100 / Argolis

Kastraki	1 AILNOPRST	KMNQSWXY 6
1 Apr - 30 Sep	2 EHJKQRVXY	ABDE**F**HI 7
+30 27520-59387	3 AEM	ABCDE**F**KNRS 8
sgkarmaniola@kastrakicamping.gr	4 O	D 9
	5 ABDGH	ABFHIJPR 10
	B 16A	❶ €26,80
N 37°31'43'' E 22°52'32''	2,4 ha 120**T**(30-55m²) 4**D**	❷ €36,80

Liegt an der Straße Nafplion-Tolo, hinter Assini links beim Kreisel Kastraki folgen. Nach ± 2 km in der Kurve links. Dann ausgeschildert.

Drepanon/Plaka, GR-21060 / Argolis

Argolic Strand	1 ACDJMNOPRST	KMPQSW 6
1 Jan - 31 Dez	2 EHJRVWY	ABDE**F**HIJ 7
+30 27520-92376	3	ABEFNRV 8
info@argolic-strand.gr	4 O	GJ 9
	5 ABD	AHPR 10
	16A	❶ €23,00
N 37°32'3'' E 22°53'31''	1,1 ha 70**T**(50-70m²) 16**D**	❷ €29,00

Nafplion-Drepanon, im Dorf Drepanon rechts, Schildern folgen, ca. 800m.

Drepanon/Plaka, GR-21060 / Argolis

Triton I New	1 ADJMNOPRST	KMNQSW 6
1 Apr - 30 Okt	2 EJQRVXY	ABDE**F**HIJ 7
+30 27520-92128	3	ABEFNQRSTV 8
info@tritonii.gr	4 O	D 9
	5 ABGJKL	AHJPR 10
	B 16A	❶ €25,00
N 37°31'55'' E 22°53'29''	0,6 ha 50**T**(70-90m²) 1**D**	❷ €32,00

Nafplion-Drepanon, im Dorf Drepanon rechts, nach ± 250m (beim Schild Plaka) links ab und die Straße folgen. Dann ausgeschildert.

Drepanon/Plaka, GR-21060 / Argolis

Triton II	1 ADJMNOPRST	KMNQSWX 6
1 Jan - 31 Dez	2 EHJQRVXY	ABDE**F**HIJ 7
+30 27520-92228	3 A**M**	ABEFINOQRSUV 8
tritonii@otenet.gr	4 IO	FG 9
	5 ABDJKL	ABGHIJPSTV 10
	B 16A	❶ €25,00
N 37°31'55'' E 22°53'29''	1,7 ha 200**T**(50-120m²) 39**D**	❷ €30,00

Nafplion-Depranon. Im Dorf Depranon rechts, nach ± 250m (beim Schild Plaka) links ab und die Straße folgen. Dann ausgeschildert.

Drepanon/Vivari, GR-21100 / Argolis

Lefka Beach	1 ADJMNOPRST	KNQSW 6
1 Apr - 10 Nov	2 EJQRTUXY	ABDE**F** 7
+30 27520-92334	3	ABDEFNRV 8
info@camping-lefka.gr	4 IO	9
	5 ABDJL	AHJO 10
	16A	❶ €28,00
N 37°32'2'' E 22°55'54''	1,3 ha 68**T**(25-45m²)	❷ €36,00

Der Strecke Nafplion-Drepanon-Iria folgen, Richtung Vivari, nach ca. 1 km rechts. CP ist ausgeschildert.

Finikounda, GR-24006 / Messinia

Anemomilos	1 AJMNOPRS**T**	KMPQRSTWX 6
1 Apr - 30 Okt	2 EHJOPQRVXY	ABDE**F**H 7
+30 27230-71360	3	ABEFNR 8
kromb70@yahoo.gr	4 O	J 9
	5 ABDGJLM	AHIJNPR 10
	10A	❶ €25,00
N 36°48'22'' E 21°48'1''	1,3 ha 115**T**(25-40m²) 5**D**	❷ €32,00

CP liegt westlich vom Dorf Finikounda. Gut ausgeschildert.

Finikounda, GR-24006 / Messinia

Finikes	1 ADJMNOPQRS**T**	KMNPQSWX 6
1 Jan - 31 Dez	2 EHPRVXY	ABDE**F**IJ 7
+30 27230-28524	3 A	ABEFNRS 8
info@finikescamping.gr	4 O	G 9
	5 ABDIL**M**	ABGHIJNPRV 10
	B 10A	❶ €24,00
N 36°48'10'' E 21°46'52''	1,3 ha 82**T**(48-72m²) 16**D**	❷ €31,00

Der CP liegt an der Strecke Methoni-Finikounda. Gut ausgeschildert. 2,8 km westlich von Finikounda.

Finikounda, GR-24006 / Messinia

Loutsa	1 AJMNORT	KMNPQSX 6
1 Mai - 15 Okt	2 EHOPQRVXY	ABDE**F** 7
+30 27230-71169	3	ABEFNRV 8
loutsacamping@yahoo.gr	4	9
	5 ABDEIL	DHIJNOPR 10
	10A CEE	❶ €23,50
N 36°48'16'' E 21°49'17''	0,8 ha 70**T**(36-48m²)	❷ €31,50

Der CP liegt 1500m östlich von Finikounda an der Strecke zwischen Methoni und Coroni. Der CP ist angezeigt.

Finikounda, GR-24006 / Messinia

Thines	1 AJMNOPRS**T**	KMNPQSWX 6
1 Jan - 31 Dez	2 EHRVXY	ABDE**F**HIJ 7
+30 27230-71200	3 F	ABEFNR 8
thines@otenet.gr	4 O	9
	5 ABDGILM	ABHIJNPRV 10
	10A	❶ €26,50
N 36°48'18'' E 21°47'43''	0,8 ha 55**T**(49-56m²)	❷ €34,50

Der CP liegt 1 km westlich von Finikounda und ist ausgeschildert.

Finikounda/Messinias, GR-24006 / Messinia

Ammos	1 AJMNOPRS**T**	KMNPQSX 6
1 Mai - 31 Okt	2 EHOQRXY	ABD**F** 7
+30 27230-71262	3 F	AEFNR 8
Fax +30 27230-71124	4 O	L 9
	5 ABDEGIJL	AHIJ**NP**R 10
	10A	❶ €23,50
N 36°48'18'' E 21°47'27''	2,5 ha 200**T**(60-100m²)	❷ €31,50

CP an der Straße Methoni-Koroni. 2 km westlich von Finikounda. Gut ausgeschildert.

Gargaliani/Messinias, GR-24400 / Messinia

Proti	1 AJMNOPRS**T**	AFKNP 6
25 Mai - 30 Sep	2 EKMRXY	ABDE**F**I 7
+30 27630-61211	3 A	AEFNQR 8
info@camping-proti.gr	4	9
	5 ABDL	BHJNPR 10
	15A	❶ €24,00
N 37°4'4'' E 21°34'47''	1,8 ha 80**T**(40-100m²)	❷ €30,00

Von Filiatra Richtung Marathoupolis. CP 1 km nördlich von Marathoupolis. Ausgeschildert.

Teilkarte Peloponnes auf Seite 550

www.erodioss.gr
info@erodioss.gr
24001 GIALOVA, PYLOS
facebook.com/erodiosgr

Glifa, GR-27050 / Ilia

CC€18 iD

Ionion Beach
1 Jan - 31 Dez
+30 26230-96395
ioniongr@otenet.gr

1 ADEFJMNOPQRST	AFKMNPQSWX 6
2 EHJPQRVXY	ABDE**FG**I 7
3 ABFL	ABCDEFNR 8
4 **A**O	IJ 9
5 ABDFGJKL	ABHIJ**NP**R10
Anzeige auf Seite 553 B 16A	❶ €30,60
3,8 ha 210**T**(50-120m²) 30**D**	❷ €38,60

N 37°50'11'' E 21°8'1''

Von der Nationalstraße Patras-Pirgos nach Km-Pfahl 67 rechts über Gastouni und Vartalomia Richtung Loutra Killini. An der großen Kreuzung links abbiegen nach Glifa Beach. Ausgeschildert.

Glifa/Ilias, GR-27050 / Ilia

CC€16 iD

Aginara Beach***
1 Jan - 31 Dez
+30 26230-96211
info@camping-aginara.gr

1 ADEJMNOPRST	KMNQSWX 6
2 EHJPQRVY	ABDE**FH** 7
3 AF	ABEFGINR 8
4 O	J 9
5 ABDGJKL	ABHIJNPR10
Anzeige auf Seite 553 B 16A	❶ €28,00
3,8 ha 120**T**(70-100m²) 30**D**	❷ €34,00

N 37°50'18'' E 21°7'47''

Nat. Road Patras-Pirgos, nach Km-Pfahl 67 rechts über Gatsouni und Vartalomia. Richtung Loutra Killinis (Schildern). Bei großer Kreuzung Richtung Glifa Beach, Schildern folgen.

Gythion/Lakonias, GR-23200 / Lakonia

CC€16 iD

Camping Gythion Bay***
Highway Gythion-Areopoli
1 Jan - 31 Dez
+30 27330-22522
info@gythiocamping.gr

1 AJMNOPRS**T**	AFKMNPQSWX 6
2 EHJOPRXY	ABDE**FI**J 7
3 AFL	ABEFHKNOPQRS 8
4 O	AL 9
5 ACDEGJKL	AGHIJOR10
Anzeige auf dieser Seite B 16A	❶ €27,00
4 ha 300**T**(30-100m²) 6**D**	❷ €36,20

N 36°43'45'' E 22°32'43''

CP 3,5 km außerhalb von Gythion, links an der Straße Gythion-Areopolis, direkt am Meer.

Gialova/Pylos, GR-24001 / Messinia

iD

Erodios***
15 Apr - 15 Okt
+30 27230-23269
info@erodioss.gr

1 ADEJMNOPQRS**T**	KMNPQSX 6
2 EHPQRVXY	ABDE**F**HIJ 7
3 AF**KL**	ABEFNQRS 8
4 NO	ADH 9
5 ACDEGHKL	ABGHIJ**N**PQRV10
Anzeige auf dieser Seite B 10A	❶ €26,10
4 ha 90**T**(48-80m²) 18**D**	❷ €33,30

N 36°57'10'' E 21°41'45''

CP liegt an der Küstenstraße Kyparissia-Pylos, etwas außerhalb von Gialova, gut ausgeschildert.

Gythion/Lakonias, GR-23200 / Lakonia

CC€16 iD

Camping Meltemi
Highway Gythion-Areopoli
1 Apr - 31 Okt
+30 27330-23260
info@campingmeltemi.gr

1 ADEJMNOPRST	AKMNPQRSWX 6
2 EHOPXY	ABDE**FG**IJ 7
3 AEFLM	ABCDEFKNQRV 8
4 BO	FJL 9
5 ABDEHKL	GHIJOPR10
B 16A CEE	❶ €26,00
3 ha 180**T**(40-80m²) 6**D**	❷ €34,00

N 36°43'51'' E 22°33'12''

Der Camping liegt etwa 3 km südlich von Gytheio an der linken Straßenseite nach Areopoli.

Gialova/Pylos (Messinias), GR-24001 / Messinia

iD

Navarino Beach
1 Apr - 31 Okt
+30 27230-22973
info@navarino-beach.gr

1 ADEJMNOPRST	KMNPQSWX 6
2 EHQRXY	ABDE**F**HI 7
3 **K**	ABEFNR 8
4 O	IJL 9
5 ACIL	ABHIJNPR10
10A	❶ €26,50
1,9 ha 140**T**(40-120m²) 8**D**	❷ €32,50

N 36°56'52'' E 21°42'23''

An Küstenstraße zwischen Kyparissia und Pylos, etwas außerhalb des Dorfes Gialova in Richtung Pylos, direkt an der Bucht.

Gythion/Lakonias, GR-23200 / Lakonia

iD

Mani-Beach
Highway Gythion-Areopoli
1 Jan - 31 Dez
+30 27330-23450
info@manibeach.gr

1 ACDEJMNOPRST	KMNPQSWX 6
2 EHOPXY	ABDEFHIJ 7
3 AF**G**L	ABEFNQR 8
4 IOP	ADFL 9
5 ABDGJKL	AGIJLOR10
B 16A	❶ €26,00
3,2 ha 238**T**(40-120m²) 48**D**	❷ €34,00

N 36°43'42'' E 22°32'32''

CP liegt ca. 4 km südlich von Gythion an der Straße nach Aeropolis, direkt am Meer.

Giannitsochori/Ilias, GR-27054 / Ilia

iD

Apollo Village
Nat. Road Pirgos-Kyparissia
1 Mai - 30 Okt
+30 26250-61200
campingapollo@gmail.com

1 AJMNOPRS**T**	KMPQSWX 6
2 EHQRXY	ABDE**F**HIJ 7
3 AL	ABEFNR 8
4 IOQ	ADGL 9
5 ABDGIKL	HIJOV10
15A	❶ €23,00
5 ha 120**T**(20-100m²) 22**D**	❷ €27,00

N 37°23'49'' E 21°40'38''

Nat. Road zwischen Pirgos und Kyparissia, 11 km südlich von Zacharo. CP ist ausgeschildert. Bei der T-Kreuzung rechts ab.

Iria/Argolis, GR-21060 / Argolis

CC€16 iD

Iria Beach Camping
Paralia Iria
1 Jan - 31 Dez
+30 27520-94253
iriabeach@naf.forthnet.gr

1 AJMNOPQRS**T**	AFKNPQSWX 6
2 EHORXY	ABDE**FG**H 7
3 A	ABCDEFJKLNQRS 8
4 O	D 9
5 ABDFKL	ABGHJ**P**R10
16A	❶ €25,40
1,4 ha 72**T**(40-100m²) 26**D**	❷ €33,40

N 37°29'50'' E 22°59'26''

Von Drepanon Straße Richtung Iria, nach ca. 12 km liegt der CP links an der Straße.

Teilkarte Peloponnes auf Seite 550

Iria/Argolis, GR-21060 / Argolis

Posidon Camping
Paralia-Iria
1 Mär - 31 Okt
+30 27520-94091
info@posidon-camping.gr

1 AJMNOPRST	KMNPQSWX	6
2 EHOQRXY	ABDEF	7
3 BL	ABEFNR	8
4 AIOQ	J	9
5 ACDGIKL	AHIJPR	10
16A		① €23,40
2 ha 255T(30-70m²) 42D		② €31,50

N 37°30'19'' E 22°59'14''
Von Drepanon Straße Richtung Iria, nach ca. 10 km CP rechts an der Straße.

Isthmia, GR-20100 / Korinthia

Isthmia Beach Camping
15 Apr - 15 Okt
+30 27410-37447
info@campingisthmia.gr

1 ADJKNOPQRST	KMNPQSW	6
2 AEJKPRVXY	ABDEFI	7
3 AE	ABEFNOQRV	8
4		9
5 ABI	ABFHJNO	10
10A		① €23,70
2,5 ha 100T(40-50m²) 15D		② €30,10

N 37°53'22'' E 23°0'20''
Nat. Road Patras-Athen oder Athen-Patras. Ausfahrt Epidavros. Schildern folgen.

Kandia/Argolis, GR-21060 / Argolis

Scala Beach Camping
1 Jun - 15 Sep
+30 27520 94366
scalacamp@gmail.com

1 AJMNOPRT	KNPQSWX	6
2 EHRXY	ABDEF	7
3	ABEFNRT	8
4	A	9
5 ABL	HJPR	10
16A		① €21,00
0,7 ha 30T(40-100m²) 11D		② €27,00

N 37°31'11'' E 22°58'35''
Von Drepanon Straße Richtung Iria, nach ca. 7 km CP rechts an der Küstenstraße.

Kastro Kyllinis Ilia, GR-27050 / Ilia

Fournia Beach & Fournia Village
1 Apr - 20 Okt
+30 26230-95095
fournia@otenet.gr

1 ADEJMNORST	AFKMNPQSWX	6
2 EFGHIMPQVWX	ABDEF	7
3 AL	ABCDEFNQRV	8
4 O	IJ	9
5 ABGJKL	ABCHIJNPRV	10
B 16A		① €21,30
30 ha 90T(45-95m²) 55D		② €27,40

N 37°53'58'' E 21°7'0''
Nat. Road Patras-Pirgos, nach ca. 61 km bei Ausfahrt Kylini/Zakynthos, rechts und dann 15 km lang den CP-Schildern Melissa und/oder Fournia Beach nach Kastro Kyllinis folgen (Achtung: mehrmals links abbiegen).

Kastro Kyllinis Ilia, GR-27050 / Ilia

Melissa
1 Apr - 31 Okt
+30 26230-95213
camping_melissa@yahoo.gr

1 AJMNOPQRST	KMNQSWX	6
2 EHQVWXY	ABDEFH	7
3 A	ABEFNRV	8
4 O	DG	9
5 ACGHJK	ABHJNPR	10
10A		① €25,00
2 ha 100T(48-64m²) 7D		② €31,00

N 37°53'9'' E 21°6'46''
Nat. Road Patras-Pirgos. Nach Km-Pfahl 61 km rechts, Ausfahrt Kyllini/Zakynthos, dann ca. 13 km CP-Schildern Melissa und/oder Fournia Beach folgen (Achtung: mehrmals links abbiegen)

Kato Alissos, GR-25002 / Akhaia

Kato Alissos
1 Apr - 25 Okt
+30 26930-71249
demiris-cmp@otenet.gr

1 ADEJMNOPRST	KMNOPQSXY	6
2 AEFJOPRXY	ABDEFHIJ	7
3 A	ABEFNQRV	8
4 O	G	9
5 ABDEJKL	ABHIJNPR	10
B 10A		① €24,80
1,2 ha 60T(60-80m²) 8D		② €31,80

N 38°9'0'' E 21°34'38''
Neue Nat. Road Patras-Pirgos, beim Km-Stein 21 rechts, am Ende der Straße links auf alte Nat. Road, nach 700m rechts, am Ende rechts.

Korinthos, GR-20011 / Korinthia

Blue Dolphin
1 Apr - 31 Okt
+30 27410-25766
skouspos@otenet.gr

1 ADJMNOPRST	KMQSWX	6
2 AEJKOQRVXY	ABDEFHIJ	7
3	ABEFNQRV	8
4 Q	ADG	9
5 ABJ	AHIJPTV	10
B 16A		① €23,00
100T(20-50m²) 10D		② €30,00

N 37°56'5'' E 22°51'56''
A8/E94 Patras-Korinthos-Athen, Ausfahrt Ancient Korinth, Schildern Blue Dolphin folgen. Athen: Ausfahrt Loutraki, über den Kanal von Korinth. Patras Schildern Blue Dolphin folgen.

Koroni/Messinias, GR-24004 / Messinia

Camping Koroni
1 Jan - 31 Dez
+30 27250-22119
info@koronicamping.com

1 ADEJMNOPRST	AKMNPQSW	6
2 EGHPRUXY	ABDEFHIJ	7
3 L	ABEFNR	8
4 O	A	9
5 ABDEGIL	BFGHJPR	10
16A		① €30,00
1,3 ha 86T(25-80m²) 5D		② €38,00

N 36°47'58'' E 21°57'0''
Straße von Kalamata nach Pylos und bei Rizomylos links, durch Petalidi durch, nach Koroni, CP links an der Straße, 200m vor Koroni.

Teilkarte Peloponnes auf Seite 550

Kourouta/Amaliada, GR-27200 / Ilia

Kourouta
1 Apr - 31 Okt
+30 26220-22901
info@campingkourouta.gr

1 AJMNOPRST	KMNOQSWX 6
2 AEHOPQWXY	ABDEF 7
3	AEFNR 8
4 O	J 9
5 ABDFJL	ABCHIJLNOR 10
6A	❶ €26,50
1,9 ha 84T 8D	❷ €32,50

N 37°45'59'' E 21°17'58''
An der Straße Patras-Pirgos. Hinter dem Km-Pfahl 78 rechts Ausfahrt Kourouta, dann noch ca. 2 km. An dem kleinen Platz geradeaus. Den Schildern folgen. Kourouta Ortseingang: links ab.

Lampiri, GR-25100 / Akhaia

Tsolis Camping
Old National Road
1 Jan - 31 Dez
+30 26910-31469
camping.tsolis@gmail.com

1 ADJMNOPRST	KNOPQSWXY 6
2 AEFKORUVWXY	ABDEFHI 7
3 A	ABEFNQRV 8
4 MO	FG 9
5 ACDGJKL	ABHNOR 10
6A	❶ €24,40
7 ha 107T 38D	❷ €32,40

N 38°19'15'' E 21°58'19''
Nat. Road Korinthos-Patras, Ausfahrt Longos, Old Nat. Road Korinthos-Patra (links), entlang Longos und Kamares, 1,5 km hinter Lampiri.

Mikenes, GR-21200 / Argolis

Atreus
1 Apr - 31 Okt
+30 27510-76221
atreus@otenet.gr

1 ADJMNOPRST	AF 6
2 AOQRXY	ABDEFI 7
3	ABEFNQRV 8
4 IO	9
5 ABIL	JO 10
6A	❶ €24,00
1 ha 56T(50-80m²)	❷ €31,00

N 37°43'8'' E 22°44'28''
E65, Straße von Korinthos nach Argos. Bei Fichti links Richtung Mikenes. CP 200m links von der Straße vor dem Dorf Mikenes.

Mistras, GR-23100 / Lakonia

Castle View
Nat.Rd. to Mistras
1 Apr - 15 Okt
+30 27310-83303
info@castleview.gr

1 ADEILNOPRST	A 6
2 OPXY	ABDEF 7
3 A	ABEFNQR 8
4 O	IJ 9
5 ABDEIL	AHIJNO 10
16A	❶ €25,00
H252 1,2 ha 72T(40-100m²) 4D	❷ €33,00

N 37°4'10'' E 22°22'55''
Bei Sparta Richtung Mistras. Ca. 4,5 km außerhalb von Sparta liegt CP nördlich der Straße, 0,5 km vor Mistras. Auch über Kalamata erreichbar: in Tripi Richtung Mistras.

Mistras, GR-23100 / Lakonia

Paleologio
1 Jan - 31 Dez
+30 27310-22724
alexiaba@hotmail.com

1 AJMNOPRS	A 6
2 OPXY	ABDEFGH 7
3 A	AEFNQR 8
4 IO	L 9
5 ABDEIL	FHIJP 10
16A	❶ €23,50
H215 0,8 ha 60T(25-100m²)	❷ €30,00

N 37°4'19'' E 22°24'17''
CP in Paleologio, auf halber Strecke zwischen Sparta und Mistras. Eingang CP ist ebenfalls eine Tankstelle.

Olympia, GR-27065 / Ilia

Alphios
1 Apr - 15 Okt
+30 26240-22951
alphios@otenet.gr

1 ADEJMNORST	A 6
2 FGPQRUVXY	ABDEFHIJ 7
3	ABEFNQRS 8
4 O	A 9
5 ABDGJKL	BHIJNPR 10
16A	❶ €24,60
H400 2,5 ha 97T(bis 72m²) 5D	❷ €32,70

N 37°38'34'' E 21°37'11''
Straße Pirgos-Olympia. Die Hauptstraße durch Olympia ganz durchfahren, am Platz rechts. Der CP ist ausgeschildert.

Olympia, GR-27065 / Ilia

Diana
1 Jan - 31 Dez
+30 26240-22314
campingdiana@gmail.com

1 AJMNORT	A 6
2 PQRUWXY	ABDFI 7
3	ABEFNQR 8
4 O	9
5 ABL	BHIJNPR 10
Anzeige auf dieser Seite 6A	❶ €33,00
H80 0,5 ha 48T(40-60m²)	❷ €43,00

N 37°38'43'' E 21°37'20''
An Straße Pirgos-Olympia. Hauptstraße einfahren; erste Straße rechts ab. CP ist ausgeschildert.

Petalidi/Messinia, GR-24005 / Messinia

Petalidi Beach
1 Apr - 31 Okt
+30 27220-31154
campingpetalidi@yahoo.gr

1 AJMNOPRST	KMNPQSWX 6
2 EJOPQRXY	ABDEFGIJ 7
3 AEL	ABEFNR 8
4 O	GJ 9
5 ABDEGIL	AGHIJNPR 10
16A	❶ €23,40
1,5 ha 68T(40-80m²) 7D	❷ €29,80

N 36°58'54'' E 21°55'44''
Die Strecke Kalamata-Pylos, bei Ryzomilos links Richtung Petalidi einschlagen. 3 km vor Petalidi die Straße links zur Küste und nach 100m CP links der Strecke.

Porovitsa/Akrata, GR-25006 / Akhaia

Akrata Beach
1 Apr - 31 Okt
+30 26960-31988
tzabcamp@otenet.gr

1 ADEJMNOPRST	KNPQSX 6
2 AEJKRVXY	ABDEFHI 7
3	ABCDEFNQRV 8
4 O	9
5 ABDIKL	ABHIJNPRV 10
Anzeige auf dieser Seite B 16A	❶ €22,30
7,5 ha 32T 25D	❷ €28,10

N 38°10'21'' E 22°20'12''
Autobahn Patras-Korinthos, Ausfahrt Akrata zur alten Nat. Road, dann links und nach 2 km liegt der CP direkt am Fluss, den Schildern folgen.

Stoupa, GR-24024 / Messinia

Kalogria
Barbezea Nicos 29
1 Mai - 31 Okt
+30 27210-77319
info@campingkalogria.gr

1 AJMNOPRST	KMNPQSWX 6
2 EHOPRXY	ABDEF 7
3 AF	ABEFNQR 8
4	9
5 ABDGL	AGHNPR 10
16A	❶ €21,20
2 ha 102T(50-120m²)	❷ €27,20

N 36°50'58'' E 22°15'32''
Der CP ist in Stoupa, einem Dorf an der Küstenstraße Kalamata-Aeropolis, Ausfahrt Kalogrid-Beach, Ausfahrt Stoupa, Kalogria.

Thermissia/Ermioni, GR-21051 / Argolis

Hydra's Waves Camping
12 Mai - 31 Okt
+30 27540-41095
info@hydraswave.gr

1 ADEILNOPRST	KMNPQSWXY 6
2 EHKPQRXY	ABDEFHIJ 7
3 A	ABEFNOR 8
4 O	ADG 9
5 ABDGIKL	BGHIJPR 10
16A	❶ €22,00
3,9 ha 120T(50-80m²) 15D	❷ €28,00

N 37°24'21'' E 23°18'56''
An Straße Ermioni Richtung Thermissia, 8 km östlich von Ermioni.

Geografisch suchen

Schlagen Sie Seite 540 mit der Übersichtskarte dieses Landes auf. Suchen Sie das Gebiet Ihrer Wahl und gehen Sie zur entsprechenden Teilkarte. Hier sehen Sie alle Campingplätze auf einen Blick.

Teilkarte Peloponnes auf Seite 550

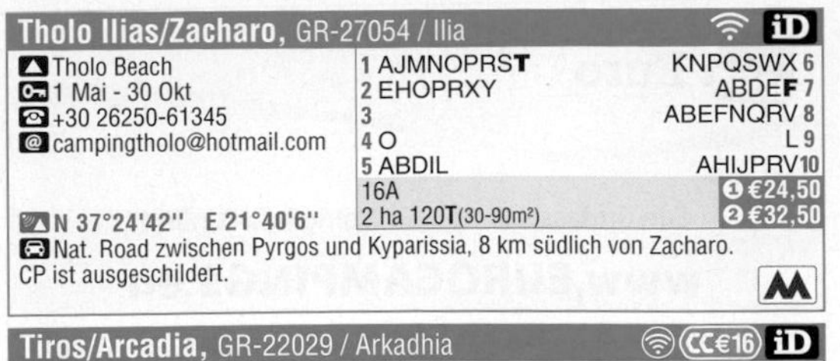

Tholo Ilias/Zacharo, GR-27054 / Ilia

Tholo Beach
1 Mai - 30 Okt
+30 26250-61345
campingtholo@hotmail.com

1 AJMNOPRS**T**	KNPQSWX 6	
2 EHOPRXY	ABDE**F** 7	
3	ABEFNQRV 8	
4 O	L 9	
5 ABDIL	AHIJPRV10	
16A		❶ €24,50
2 ha 120**T**(30-90m²)		❷ €32,50

N 37°24'42'' E 21°40'6''

Nat. Road zwischen Pyrgos und Kyparissia, 8 km südlich von Zacharo. CP ist ausgeschildert.

Tolo, GR-21056 / Argolis

Sunset
Nafpliou 11
1 Apr - 31 Okt
+30 27520-59566
info@camping-sunset.gr

1 ADJMNOPRST	NQSW 6	
2 QRUVXY	ABDE**F**HIJK 7	
3	ABEFNRV 8	
4 IO**Y**	DJ 9	
5 ABDGI	AHNPR10	
B 16A		❶ €23,00
1,8 ha 50**T**(60-80m²) 46**D**		❷ €28,00

N 37°31'49'' E 22°51'54''

Richtung Nafplion-Tolo, hinter Assini beim Kreisel Schild Lido rechts ab folgen. Dann ausgeschildert.

Tiros/Arcadia, GR-22029 / Arkadhia

Zaritsi Camping
1 Apr - 15 Okt
+30 27570-41429
campingzaritsi@gmail.com

1 ADEJMNOPRST	KNPQSWX 6	
2 EJORXY	ABDE**F**I 7	
3 E	ABEFNRV 8	
4 O	D 9	
5 ABEIJL	AGHJOR10	
Anzeige auf dieser Seite 12A		❶ €25,70
3 ha 120**T**(48-80m²) 47**D**		❷ €32,70

N 37°16'32'' E 22°50'26''

Von Nafplio fährt man in südlicher Richtung nach Astros. Der CP liegt in der Mitte von Nafplio und Gythio, 30 km südlich von Astros und 5 km nördlich von Tyros. Am CP-Schild scharfe Kurve Richtung Meer (800m Gefälle, befestigte Straße).

Tolo, GR-21056 / Argolis

Lido
1 Apr - 31 Okt
+30 27520-59396
camping@lido.gr

1 AJMNOPRST	KMNQSW 6	
2 EHOQRUVXY	ABDE**F**HIJK 7	
3 A	ABEFNRSV 8	
4 O	ADGJ 9	
5 ABDG	AHJPRV10	
16A		❶ €26,00
2,2 ha 140**T**(40-55m²) 15**D**		❷ €34,00

N 37°31'44'' E 22°51'56''

Richtung Nafplion-Tolo, durch Assini, beim Kreisverkehr Lido rechts folgen. Dann ausgeschildert.

Vathi Gythion, GR-23200 / Lakonia

Porto Ageranos
Highway Gythion-Areopoli
15 Apr - 31 Okt
+30 27330-93342
info@porto-ageranos.gr

1 ACJMNOPRST	KMNPQSW**X** 6	
2 EHPRXY	ABDE**F**IJ 7	
3 AL	ABEFNOR 8	
4 I	GI 9	
5 ABDJKL	AHIJPR10	
14A		❶ €24,00
2,5 ha 150**T**(40-120m²) 24**D**		❷ €32,00

N 36°42'14'' E 22°31'15''

Gythion-Aeropolis, nach 12 km hinter der Avin Tankstelle Ausfahrt links. Dann ausgeschildert.

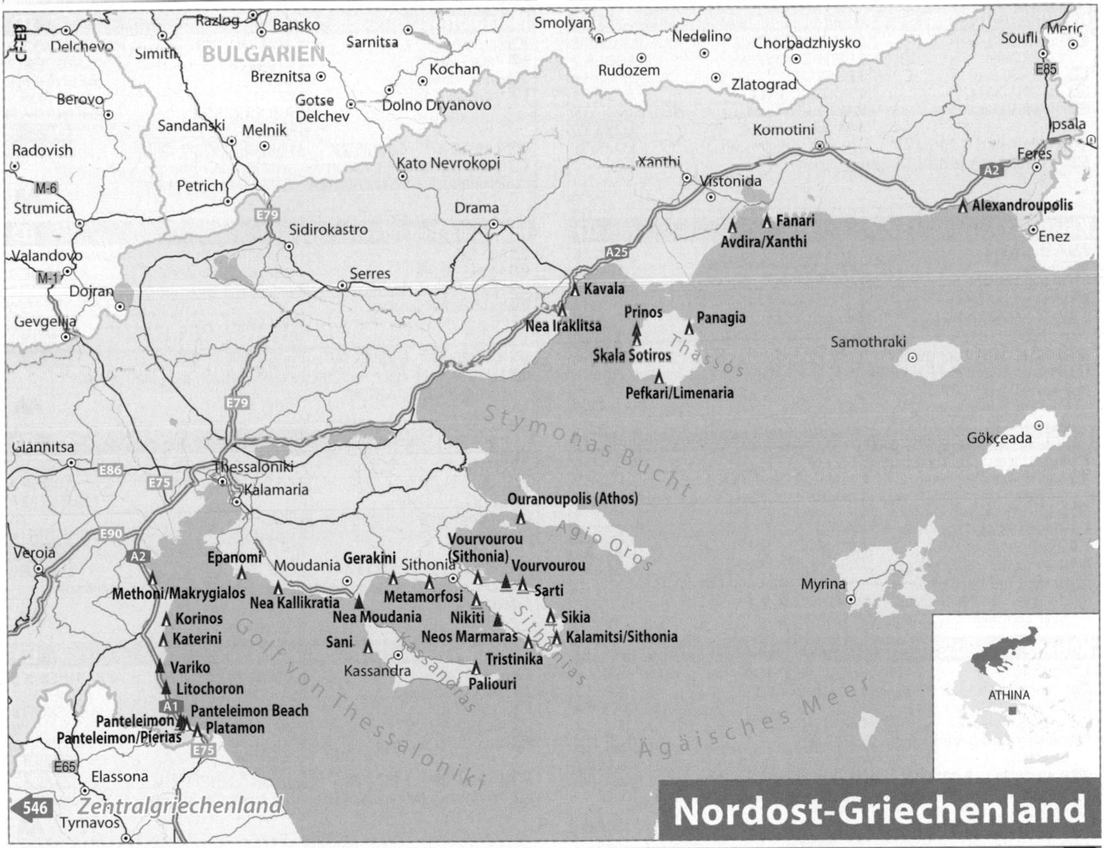

Nordost-Griechenland

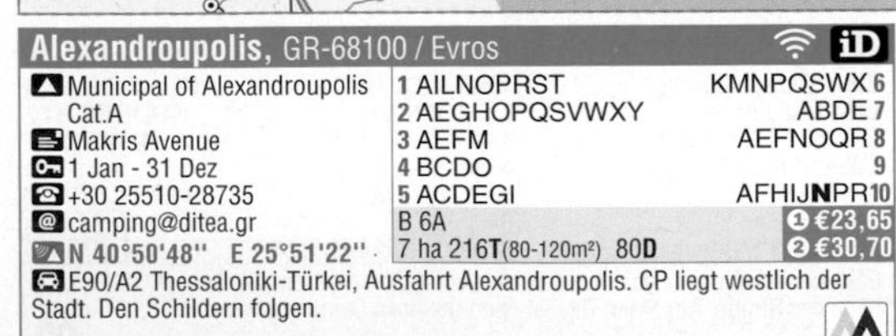

Alexandroupolis, GR-68100 / Evros

Municipal of Alexandroupolis Cat.A
Makris Avenue
1 Jan - 31 Dez
+30 25510-28735
camping@ditea.gr

1 AILNOPRST	KMNPQSWX 6	
2 AEGHOPQSVWXY	ABDE 7	
3 AEFM	AEFNOQR 8	
4 BCDO	9	
5 ACDEGI	AFHIJ**N**PR10	
B 6A		❶ €23,65
7 ha 216**T**(80-120m²) 80**D**		❷ €30,70

N 40°50'48'' E 25°51'22''

E90/A2 Thessaloniki-Türkei, Ausfahrt Alexandroupolis. CP liegt westlich der Stadt. Den Schildern folgen.

Avdira/Xanthi, GR-67061 / Xanthi

Camping Natura
Mandra Beach
10 Mai - 10 Okt
+30 25410-51040
info@camping-natura.gr

1 ADEFJMNOPRS**T**	KMNPS**X** 6	
2 AEFHPWXY	ABDE**F**HIJ 7	
3 AEF	AEFOV 8	
4 O	ADJ 9	
5 ABEGJ	ABHIJNPRV10	
B 16A		❶ €22,50
1,5 ha 75**T**(40-100m²) 41**D**		❷ €29,50

N 40°58'8'' E 25°0'46''

Von Odos Egnatia (E90) Ausfahrt Xanthi-Ost Richtung Porto Lagos. Bei Kessani rechts nach Mandra. Vor Mandra links Richtung Mandra Beach (Paralia) bis zum CP. Der Beschilderung folgen.

Epanomi, GR-57500 / Thessaloniki

Akti Retzika
1 Mai - 1 Okt
+30 6937-456553
info@retzikas.gr

1 ADEGJMNOPRS**T** KMNPQSWX 6
2 EHPQVWXY ABDE**F** 7
3 AF ABEFNR 8
4 O GHIJ 9
5 AGJLM AHIKPR 10
6A ❶ €22,80
50**T**(35-60m²) 72**D** ❷ €28,80

N 40°22'56'' E 22°55'36''

Hauptstraße bis Epanomi, ab dort den Schildern Epanomi-Beach folgen. Dann den CP-Schildern folgen. Potamos folgen. Letztes Stück über einen unbefestigten Weg über den Strand.

Fanari, GR-67063 / Rodhopi

Fanari ETAD
1 Jun - 30 Sep
+30 25350-31217

1 ABILNORT KMPQS 6
2 EFHJOPSVWXY ABDE**F** 7
3 A ABEFNQ 8
4 9
5 HIJNOR 10
B 10A ❶ €28,95
1 ha 180**T**(80m²) 100**D** ❷ €35,35

N 40°57'22'' E 25°8'25''

E90 Thessaloniki-Istanbul. Ausfahrt Xanthi-Ost richtung Porto Lagos, dann Ausfahrt Fanari, ca. 6 km, CP ist ausgeschildert.

Litochoron, GR-60200 / Pieria

Olympios Zeus
15 Apr - 30 Sep
+30 23520-22115
bgolzeus@otenet.gr

1 ADILNOPQRS**T** KMNPQSWX 6
2 AEHPQRVWXY ABDE 7
3 EF**M** ABEFNOQTV 8
4 O J 9
5 ABDEFHK AHIJ**N**OPR 10
6A ❶ €28,50
1,5 ha 100**T**(80m²) 115**D** ❷ €38,50

N 40°5'36'' E 22°33'53''

Nat. Road Athen-Thessaloniki. Ca. 60 km hinter Larissa, Ausfahrt Litochoron Plaka, den CP-Schildern folgen.

Gerakini, GR-63100 / Khalkidhiki

Kouyoni
1 Mai - 30 Sep
+30 23710-52226
info@kouyoni.gr

1 AJMNOPRST AFKMNPQSWXYZ 6
2 AEHOPQVXY ABDE**F** 7
3 A ABEFNOQR 8
4 O**P** HJV 9
5 ACDEFGJL AHJNPRV 10
6A CEE ❶ €29,20
20 ha 60**T**(40-90m²) 90**D** ❷ €37,60

N 40°15'53'' E 23°27'48''

Die Straße von Nea Moudania nach Sithonia. 2 km östlich Gerakina, Ausfahrt Richtung Meer. CP ist ausgeschildert.

Litochoron, GR-60200 / Pieria

Olympos Beach
Plaka
25 Apr - 15 Okt
+30 23520-22112
info@olympos-beach.gr

1 ADILNOR**T** KMNPQSWXY 6
2 AEJKOPQWXY ABDE**FG** 7
3 A ABCDEFNOQRV 8
4 O J 9
5 ABGHJK AHINOPTU 10
16A ❶ €26,00
2,7 ha 72**T**(60-70m²) 71**D** ❷ €35,00

N 40°6'6'' E 22°33'44''

Nat. Road Athen-Thessaloniki. Ca. 60 km hinter Larissa Ausfahrt Litochoron Plaka, Schildern folgen.

Kalamitsi/Sithonia, GR-63042 / Khalkidhiki

Thalatta Kalamitsi Village Camp
1 Mai - 30 Sep
+30 23750-41410
info@thalattacamp.gr

1 ADEJMNOPRS**T** AKMNPQRS 6
2 EFGHOPQVWXY ABDE**F** 7
3 BEFLM ABCEFNOR 8
4 BCDILMN**PRT** AEJMQRT 9
5 ACDEFGHJL**M** ABFHIJNOPR 10
B 6A CEE ❶ €29,70
6 ha 256**T**(40-100m²) 210**D** ❷ €37,70

N 39°59'15'' E 23°59'13''

20 km südlich von Sarti. CP ausgeschildert.

Metamorfosi, GR-63088 / Khalkidhiki

Sunny Bay
1 Mai - 26 Okt
+30 23750-61352
sunnybay@otenet.gr

1 ADFJMNOPRT KMNPQSWXY 6
2 EHPQVXY ABDE**FI** 7
3 BEL AEFNOQR 8
4 O ADH 9
5 ABCDEGJK**M** ABHIJ**N**PRW 10
16A ❶ €23,80
14 ha 25**T**(80-120m²) 65**D** ❷ €30,80

N 40°13'37'' E 23°35'22''

Straße nach Sithonia, 14 km von Gerakina und 10 km von Nikiti entfernt, in Metamorfosi rechts bis zum Meer, rechts. Dann noch 1 km.

Katerini, GR-60100 / Pieria

Kristi Cat.B
Paralia
15 Mai - 15 Sep
+30 23510-61354
campingkristi@yahoo.gr

1 AHKNOR**T** KM 6
2 AEHOPXY ABDE 7
3 AEFNO 8
4 A 9
5 AHIOR 10
10A ❶ €26,00
0,8 ha 30**T**(40-60m²) 10**D** ❷ €33,00

N 40°15'10'' E 22°35'23''

Ausfahrt Katarini/Paralia. Weiter Aktiki folgen. Dann der Küstenstraße folgen, nach ca. 800m CP rechts.

Methoni/Makrygialos, GR-60066 / Pieria

Agiannis
1 Mai - 15 Okt
+30 23530-41386
metalnikos@gmail.com

1 AILNOPRS**T** AKMNPQSWXY 6
2 AEFHPQRUVWXY ABDE 7
3 A ABEFNOQR 8
4 O G 9
5 ACDGJK AHIJPR 10
16A ❶ €25,00
20 ha 30**T**(90m²) 90**D** ❷ €31,00

N 40°25'38'' E 22°36'14''

Auf der A1 von Athen nach Thessaloniki, Ausfahrt nach Makrygialos. Dort den CP-Schildern folgen.

Kavala, GR-65500 / Kavala

Batis Multiplex 'Camping Terra'
4 km Kavala-Thessaloniki Old Road
1 Jan - 31 Dez
+30 2510-245918
info@batis-sa.gr

1 ADILNOPR**T** AFKMP 6
2 AEGHIJOQRSVXY ADE 7
3 ABEF ABEFNOR 8
4 N 9
5 DEGJ FHIOTU 10
10A ❶ €30,80
3,3 ha 125**T**(65-80m²) 15**D** ❷ €38,80

N 40°54'56'' E 24°22'43''

Der E90 Thessaloniki-Kavala, Ausfahrt Nea Peramos/Iraklitsa/Palio Richtung Kavala weiter folgen. CP liegt 4 km westlich von Kavala. CP ist ausgeschildert. Einfahrt in einer scharfen Kurve.

Nea Iraklitsa, GR-64007 / Kavala

Paradiso
1 Mai - 31 Okt
+30 25940-21595
camping_paradiso@yahoo.gr

1 ABJMNOPQRS**T** KMNOPQSWX 6
2 AEFHOQRSVWXY ABDE**F** 7
3 F ABEFGNO 8
4 OQ 9
5 DEGJK ABCHIJNPR 10
16A ❶ €19,15
3,2 ha 100**T** 70**D** ❷ €27,70

N 40°52'13'' E 24°18'44''

A2 (Via Egnatia) Ausfahrt Nea Iraklitsa. Camping ist an der Küstenstraße entlang ausgeschildert.

Korinos, GR-60062 / Pieria

Odysseia
Korinos Beach
1 Mai - 30 Okt
+30 23510-42542
info@odysseiacamping.gr

1 ACDILNOPRST KMNPQSWX 6
2 AEFHOPQWXY ABDE 7
3 AF ABEFNORV 8
4 **A**O J 9
5 ABGJ**M** AHIJNOPR 10
10A ❶ €27,50
4 ha 30**T**(60-80m²) 136**D** ❷ €33,50

N 40°18'21'' E 22°37'3''

Autobahn Athen-Thessaloniki, Ausfahrt Korinos. Dann Ringroad Beach und CP-Schildern folgen.

Nea Kallikratia, GR-63080 / Khalkidhiki

Aigeas Camp
Nikita Katsirma 55
20 Mai - 15 Sep
+30 23990-23871
info@aigeas-camp.gr

1 ADEJMNOPRST AFKMNPQS**X** 6
2 EHPQVY ABDE**F**HI 7
3 ABFT ABEFNOR 8
4 O**P** 9
5 ACGJ HIJNPR 10
16A ❶ €23,00
8,5 ha 82**T**(40-80m²) 41**D** ❷ €30,00

N 40°18'59'' E 23°2'38''

Thessaloniki-Kassandra, Ausfahrt Nea Kallikratia. Danach Schildern folgen.

Litochoron, GR-60200 / Pieria

Mitikas
Gritsa
1 Mai - 30 Okt
+30 23520-61275
camp.mitikas@gmail.com

1 AILNOR**T** AKNPQSTX 6
2 AEHOPRVXY ABDEFHJ 7
3 ABEFNOV 8
4 O J 9
5 ABDEI HIJPV 10
10A ❶ €24,50
0,8 ha 53**T**(70m²) 26**D** ❷ €30,50

N 40°9'1'' E 22°32'36''

Nationalstraße 1/E75 Athen-Thessaloniki, Ausfahrt Litochoron Plaka. Auf Küstenstraße ausgeschildert. Die Einfahrt liegt an der Durchgangsstraße, Supermarkt und Restaurant an der Ortstraße.

Nea Moudania, GR-63200 / Khalkidhiki

A. Ouzouni Beach
1 Mai - 20 Sep
+30 23730-42922
ouzounibeach@gmail.com

1 AJMNOPRST KMNPQSWX 6
2 EHOPVXY ABDE**FGHI** 7
3 AF AB**F**NOR 8
4 O L 9
5 ACDGIK**M** ABGHIJNPR 10
6A ❶ €27,60
8 ha 60**T**(40-100m²) 15**D** ❷ €35,60

N 40°12'58'' E 23°19'6''

3 km südlich von Nea Moudania Richtung Meer fahren (Süd), nach 100m am Ende der Straße. Am Meer. Das ist dann der linke Campingplatz.

Griechenland

Teilkarte Nordost-Griechenland auf Seite 555

Nea Moudania, GR-63200 / Khalkidhiki

Ouzouni Beach
1 Mai - 20 Sep
+30 23730-42444
info@ouzounibeach.gr

1 AJMNOPRST	KMNPQSWX 6
2 EHOPVXY	ABDE 7
3 AF	ABFNR 8
4	9
5 BK**M**	ABGHIJR 10
6A	❶ €27,60
9 ha 160**T**(65-85m²) 15**D**	❷ €35,60

N 40°12'58" E 23°19'6"

3 km südlich von Nea Moudania Richtung Meer abbiegen (Süden). Nach 100m am Straßenende am Meer. Bezieht sich auf den rechten Campingplatz.

Neos Marmaras (Sithonia), GR-63081 / Khalkid.

Areti
1 Mai - 31 Okt
+30 23750-71430
info@areti-chalkidiki.gr

1 AILNOPRST	KMNPQSXY 6
2 EFGHJPRXY	ABDE**F**HI 7
3 AE**M**	ABFNQR 8
4 O	IJ 9
5 ACGJKL	ABHIJNOV 10
16A	❶ €40,00
4 ha 147**T**(60-120m²) 27**D**	❷ €49,00

N 40°1'27" E 23°48'58"

An der Westküste von Sithonia, ca. 12 km südlich von Neos Marmaras, CP ausgeschildert. Danach 4 km abschüssige, schlängelnde, gute Asphaltstraße. Den Schildern folgen, nicht dem Navi, da besserer Weg.

Neos Marmaras (Sithonia), GR-63081 / Khalkidhiki

Castello
1 Mai - 30 Sep
+30 23750-71094
castello@otenet.gr

1 ADEHKNOPRST	KMNPQSWXY 6
2 EFGHOPRVXY	ABDE**F**H 7
3 AE**KM**	ABCDEFNQR 8
4 O	9
5 ACEGHJL	BHIJ**NP**R 10
16A	❶ €23,00
1,5 ha 174**T**(50m²) 102**D**	❷ €31,00

N 40°7'32" E 23°45'55"

An der Westküste von Sithonia, 3 km nördlich von Neos Marmaras. Von Thessaloniki und Neos Marmaras ausgeschildert.

Neos Marmaras (Sithonia), GR-63081 / Khalkidhiki

Marmaras
15 Mai - 10 Okt
+30 23750-71901
info@campingmarmaras.gr

1 ADEFILNORT	KMNPQSWXYZ 6
2 EFHORTUVXY	ABDE**FIK** 7
3 AEFM	ABEFNQRS 8
4 AO**P**	ADLMT 9
5 ACDEGJLM	ABFHIJNPRV 10
16A	❶ €26,60
2 ha 150**T**(75-90m²) 31**D**	❷ €33,20

N 40°5'46" E 23°46'34"

Von Thessaloniki kommend an der Ausfahrt Neos Marmaras A. CP ausgeschildert. Nicht dem Navi folgen, denn das gibt eine viel zu steile Route vor. Den Schildern folgen.

Neos Marmaras (Sithonia), GR-63081 / Khalkid.

Stavros
1 Apr - 31 Okt
+30 23750-71975
info@campingstavros.gr

1 AILNOPRST	KMNOPQSWXY 6
2 EHPQRXY	ABDE**F**H 7
3 AE	ABEFNOR 8
4 O	DGI 9
5 ACEJ	ADIJNOR 10
10A	❶ €30,00
2,5 ha 90**T**(70-80m²) 61**D**	❷ €39,00

N 40°2'33" E 23°48'51"

Westküste Sithonia. Südlich von Neos Marmaras sind zwei Zufahrtstraßen angezeigt. Die südlichste ist die beste. Gute Asphaltstraße.

Nikiti, GR-63088 / Khalkidhiki

CC€16

Mitari
1 Mai - 30 Sep
+30 23750-71775
mitaricamp@hotmail.com

1 AILNOPRT	KMNPQSW**X**Y 6
2 EFHOQRUXY	AD**F** 7
3 EFM	AEFOR 8
4 O	9
5 ACD	AHIJOR 10
10A	❶ €26,00
30 ha 70**T**(65-90m²) 80**D**	❷ €33,00

N 40°8'36" E 23°44'8"

Westküste Sithonia, 12 km hinter Nikiti. Ausgeschildert.

Ouranoupolis (Athos), GR-63075 / Khalkidhiki

Ouranoupoli
1 Apr - 31 Okt
+30 23770-71171
camping-ouranoupoli@hotmail.com

1 AJMNOPRST	KMNPQSWXY 6
2 EHOPRVWXY	ABDE**F** 7
3 AF	AEFNOR 8
4 OQ	AJL 9
5 ACJKL	ABFHIJNPR 10
B 10A	❶ €28,20
1,1 ha 110**T**(70-110m²) 56**D**	❷ €30,60

N 40°20'22" E 23°58'14"

CP liegt an der Strecke Ierissos-Ouranopolis, 2 km vor Ouranopolis an der rechten Seite.

Paliouri, GR-63085 / Khalkidhiki

Xenia
1 Mai - 30 Sep
+30 23740-92169
FAX +30 23740-92254

1 AJMNOPRST	KMNOPQSWXY 6
2 EHPQRWXY	ABDE**F** 7
3 AEF	ABEFN 8
4	MQST 9
5 AB	AHIJLOR 10
10A	❶ €32,50
20 ha 300**T**(100-120m²) 160**D**	❷ €40,10

N 39°57'51" E 23°40'31"

Am südlichsten Punkt von Kassandra, 3 km nördlich von Paliouri, 26 km südlich von Kalithea.

Panagia (Thassos), GR-64004 / Kavala

Golden Beach Camping
1 Mai - 10 Okt
+30 25930-61472
info@camping-goldenbeach.gr

1 ADEFJMNOPRS**T**	KMNOPQSWX 6
2 EFGHNOPQRVWXY	ABDE**F** 7
3 BEF	ABEFNOR 8
4 DO	DL 9
5 ACDGL**M**	AFHIJNOR 10
16A	❶ €24,50
4 ha 195**T**(80m²) 95**D**	❷ €31,10

N 40°43'34" E 24°45'24"

An der Ostseite von Thassos, 9 km südlich von Limenas (= Thassos-Stadt) in Panagia, über stark abschüssige, sich schlängelnde Asphaltstraße bis Meereshöhe erreichbar. CP ist ausgeschildert.

Panteleimon, GR-60065 / Pieria

Arion
Platamon/Panteleimon
1 Apr - 31 Okt
+30 23520-41500
t.papathan@yahoo.gr

1 AILNOPRST	KMNPQSWX 6
2 AEHPQVWXY	ABDE**F**HJK 7
3	ABEFNQRV 8
4 O	DV 9
5 ADKM	ABHIJPR 10
10A	❶ €28,20
1,2 ha 90**T**(70-80m²) 72**D**	❷ €36,20

N 40°0'50" E 22°35'23"

Nationalstraße 1/E75, ca. 55 km hinter Larissa Ausfahrt Panteleimon. Zunächst den Übersichtstafeln Camping folgen, dann der Beschilderung Arion folgen.

Panteleimon, GR-60065 / Pieria

Heraklia
1 Mai - 30 Sep
+30 23520-41403
campingheraklia@gmail.com

1 ADEILNOPRST	KMNPQSWX 6
2 AEFHJPQVXY	ABDE**F**H 7
3	ABEFNOQRSV 8
4 O	I 9
5 ABDEGJKL**M**	BHIJNPR 10
10A	❶ €30,50
1,5 ha 100**T**(40-50m²) 80**D**	❷ €37,50

N 40°0'38" E 22°35'31"

Nat. Road Athen-Thessaloniki. Ca. 55 km hinter Larissa Ausfahrt Panteleimon, dann den Schildern folgen.

Panteleimon, GR-60065 / Pieria

Orpheus
1 Mai - 30 Sep
+30 23520-91274
camping_orpheus@yahoo.gr

1 AILNOPRS**T**	KMNPQSWX 6
2 AEHPQRVXY	ABDE**F**H 7
3	ABEFNOQV 8
4	G 9
5 ACK	HIJNPR 10
10A	❶ €24,00
1,7 ha 40**T**(60-80m²) 44**D**	❷ €31,00

N 40°1'16" E 22°35'9"

Nationalstraße 1/E75 Ca. 55 km hinter Larissa Ausfahrt Panteleimon. Den Übersichtstafeln Camping und danach der Beschilderung Orpheus/ Orfeas folgen.

Panteleimon, GR-60065 / Pieria

CC€16

Poseidon Beach
1 Apr - 31 Okt
+30 23520-41654
info@poseidonbeach.net

1 ADJMNOPRST	KMNPQSWX 6
2 AEHPQVXY	ABDE**FG**H 7
3	ABEFNQRV 8
4 O	DIJ 9
5 G	ABFGHIJNPR 10
6-16A	❶ €27,00
2,8 ha 45**T**(60-120m²) 118**D**	❷ €35,00

N 40°0'47" E 22°35'25"

Nat. Road Athen-Thessaloniki. Ca. 55 km nach Larissa Ausfahrt Panteleimon. Zunächst den Orientierungsschildern folgen, danach der Beschilderung Poseidon Beach folgen.

Panteleimon Beach, GR-60065 / Pieria

Castle
15 Mai - 15 Sep
+30 23520-41252
info@castlecamping.gr

1 AILNOPRST	KMNQSWX 6
2 ABEFHJPQVWXY	ABDE**FG**H 7
3 AF	ABEFNOQV 8
4 O	J 9
5 GIL	ABHIJNOR 10
6A	❶ €20,20
1,2 ha 35**T**(35-70m²) 52**D**	❷ €27,00

N 40°0'38" E 22°35'37"

Nat. Road Athen-Thessaloniki. Ca. 55 km hinter Larissa, Ausfahrt Panteleimon, Schildern folgen.

Teilkarte Nordost-Griechenland auf Seite 555

Panteleimon/Pierias, GR-60065 / Pieria

Esperides
Platamon
1 Mai - 30 Sep
+30 23520-41066
info@camping-esperides.gr
N 40°0'44'' E 22°35'29''

1 AILNOPR**T** — KMNOQWX 6
2 AEFHPQVY — ABDE**FG**H 7
3 — ABEFNQRV 8
4 — J 9
5 K — ABHIJNPR 10
6-10A — ❶ €27,00
1,6 ha 20T(50m^2) 154D — ❷ €36,00

Nat. Road Athen-Thessaloniki. Ca. 55 km hinter Larissa Ausfahrt Panteleimon, Schildern folgen.

Pefkari/Limenaria (Thassos), GR-64002 / Kavala

Pefkari
1 Mai - 30 Sep
+30 25930-51190
info@camping-pefkari.gr
N 40°36'58'' E 24°36'1''

1 AGILNOPRST — KMNOPQSW**X** 6
2 EFHJOPQUVWXY — ABDE**FH**I 7
3 F — ABEFNOQR 8
4 O — 9
5 ABEHJL — AFHIJNOSTV 10
B 6-10A — ❶ €24,00
1,8 ha 91T(50-90m^2) — ❷ €31,00

An der Südseite von Thassos, 4 km östlich von Limenaria Richtung Meer abzweigen, CP ist ausgeschildert.

Platamon, GR-60065 / Pieria

Kalamaki Cat.A
M. Alexandrou.
1 Mai - 15 Sep
+30 23520-41676
mail@calamaki.com
N 39°59'7'' E 22°37'54''

1 ADEILNOPRST — KMNOPQSWX 6
2 ABEFHJOPQVWY — ABDE**FG**H 7
3 F — ABE**F**NOQRV 8
4 O — 9
5 ACGL — AHIJNOPST 10
4A — ❶ €26,00
3 ha 60T(60-80m^2) 100D — ❷ €34,00

Nat.Road Athen-Thessaloniki. Ca. 55 km hinter Larissa Ausfahrt Platamon. An BP-Tankstelle über die alte Bahnstrecke rechts. CP-Schildern folgen.

Prinos (Thassos), GR-64010 / Kavala

Camping Prinos
15 Mai - 15 Okt
+30 25930-61207
info@campingthassos.gr
N 40°45'41'' E 24°33'51''

1 ADEILNOPRS**T** — KMNPQSW**X** 6
2 EHJPQVXY — A**B**DE 7
3 A — ABEFN 8
4 — 9
5 ACGLM — IJNOR 10
6-10A — ❶ €19,10
1,8 ha 272T(60-120m^2) 13D — ❷ €24,60

An der Westseite von Thassos. Von der Fähre aus Kavala. In Prinos nach Skala und von der westlichen Umgehung rechts ab, am Kai entlang nach Süden. Nach 1 km.

Sani, GR-63077 / Khalkidhiki

Blue Dream
1 Mai - 30 Sep
+30 23740-31249
info@campingbluedream.gr
N 40°5'45'' E 23°18'44''

1 ADILNOPRST — KMNPQSWX 6
2 EGHPUVWXY — ABDE**F** 7
3 AEF — ABE**F**NR 8
4 MO**P** — H 9
5 ACDEGJ — BHIJNPR 10
16A — ❶ €32,00
42 ha 207T 69D — ❷ €40,00

12 km südlich von Nea Moudania, bei Kassandra abzweigen Richtung Westen. Nach 5 km an Kreuzung rechts Richtung CP. Nach 3 km am Meer.

Sarti (Sithonia), GR-63072 / Khalkidhiki

CC€16

Armenistis
1 Mai - 30 Sep
+30 23750-91497
info@armenistis.com.gr
N 40°9'7'' E 23°54'49''

1 ADEGILNOPRST — KMNPQSWX 6
2 EGHOPQVY — ABDE**F** 7
3 BEFM**N** — ABEFNOR 8
4 BCDMNOR — BDGJKLQRT 9
5 ACDEGJK**M** — ABFHIJLOSTY 10
B 4A CEE — ❶ €30,40
6 ha 300T(50-100m^2) 164D — ❷ €38,40

An der Ostküste von Sithonia, 17 km südlich von Vourvourou und 13 km nördlich von Sarti. Einfahrt ausgeschildert.

Sikia, GR-63072 / Khalkidhiki

CC€12

Melissi
1 Mai - 30 Sep
+30 23750-41631
info@camping-melissi.gr
N 40°2'45'' E 23°59'5''

1 ADEGILNOPRST — KMNOPQSWX 6
2 EFHPRVWXY — ABDE**F** 7
3 A — ABEFNOR 8
4 — 9
5 ACIL — AHIJNPRV 10
6A — ❶ €21,00
1,5 ha 100T(54-100m^2) 30D — ❷ €27,00

An der Ostküste von Sithonia, 7 km südlich von Sarti, an der Küstenstraße angezeigt mit 'Sikia Beach'. Danach über den Asphaltweg am Strand wieder gut angezeigt.

Skala Sotiros (Thassos), GR-64010 / Kavala

Dedalos
1 Mai - 30 Sep
+30 25930-61207
tseltha@otenet.gr
N 40°44'8'' E 24°33'20''

1 AFJMNOPRT — KMNPQSWX 6
2 EFGHJOPQVWXY — ABDE**FIJ** 7
3 AFL — ABEFN 8
4 NO — AV 9
5 ABGHJL — ABFHIJLNORV 10
16A — ❶ €18,00
3,3 ha 80T(40-70m^2) 50D — ❷ €23,00

An der Westseite der Insel. Mit der Fähre in Limenas (= Thassos-Stadt) 20 km in südlicher Richtung nach Prinos/Limenaria. CP ausgeschildert.

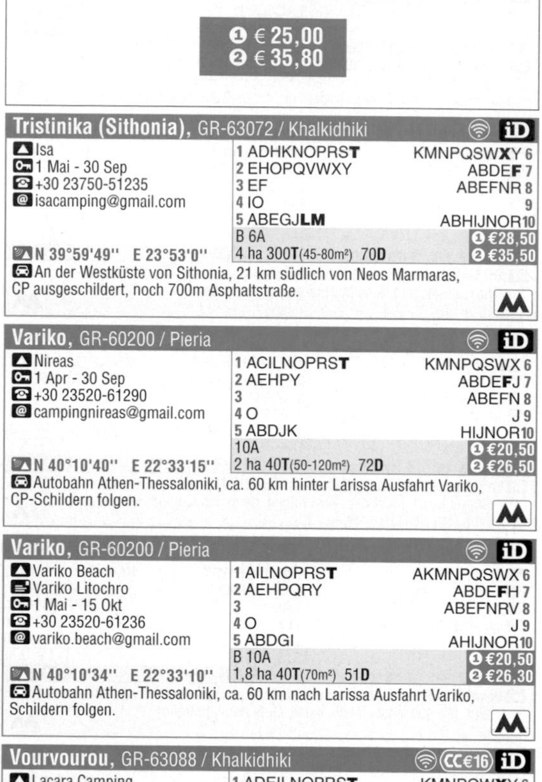

Gebrauchsanweisung

Um die Möglichkeiten des Führers optimal nutzen zu können, sollten Sie die Gebrauchsanweisung auf Seite 10 gut durchlesen. Hier finden Sie wertvolle Informationen, beispielsweise die Berechnung der Übernachtungspreise.

❶ € 25,00
❷ € 35,80

Tristinika (Sithonia), GR-63072 / Khalkidhiki

Isa
1 Mai - 30 Sep
+30 23750-51235
isacamping@gmail.com
N 39°59'49'' E 23°53'0''

1 ADHKNOPRS**T** — KMNPQSW**X**Y 6
2 EHOPQVWXY — ABDE**F** 7
3 EF — ABEFNR 8
4 IO — 9
5 ABEGJ**LM** — ABHIJNOR 10
B 6A — ❶ €28,50
4 ha 300T(45-80m^2) 70D — ❷ €35,50

An der Westküste von Sithonia, 21 km südlich von Neos Marmaras, CP ausgeschildert, noch 700m Asphaltstraße.

Variko, GR-60200 / Pieria

Nireas
1 Apr - 30 Sep
+30 23520-61290
campingnireas@gmail.com
N 40°10'40'' E 22°33'15''

1 ACILNOPRS**T** — KMNPQSWX 6
2 AEHPY — ABDE**FJ** 7
3 — ABEFN 8
4 O — J 9
5 ABDJK — HIJNOR 10
10A — ❶ €20,50
2 ha 40T(50-120m^2) 72D — ❷ €26,50

Autobahn Athen-Thessaloniki, ca. 60 km hinter Larissa Ausfahrt Variko, CP-Schildern folgen.

Variko, GR-60200 / Pieria

Variko Beach
Variko Litochro
1 Mai - 15 Okt
+30 23520-61236
variko.beach@gmail.com
N 40°10'34'' E 22°33'10''

1 AILNOPRS**T** — AKMNPQSWX 6
2 AEHPQRY — ABDE**F**H 7
3 — ABEFNRV 8
4 O — J 9
5 ABDGI — AHIJNOR 10
B 10A — ❶ €20,50
1,8 ha 40T(70m^2) 51D — ❷ €26,30

Autobahn Athen-Thessaloniki, ca. 60 km nach Larissa Ausfahrt Variko, Schildern folgen.

Vourvourou, GR-63088 / Khalkidhiki

CC€16

Lacara Camping
Akti Koutloumoussi
1 Mai - 30 Sep
+30 23750-91444
info@lacaracamping.gr
N 40°10'12'' E 23°51'15''

1 ADEILNOPRS**T** — KMNPQW**XY** 6
2 ABCEFGHJOPQVWXY — ABDE**FG** 7
3 AEFM — ABEFNOQR 8
4 O — BEJL 9
5 ACDEGJ — ABHIJ**NO**R 10
B 6A — ❶ €29,00
7,6 ha 196T(40-120m^2) 101D — ❷ €37,00

An der Ostküste von Sithonia von Norden hinter der Ortschaft Vourvourou 8,5 km. CP ist ausgeschildert.

Vourvourou, GR-63078 / Khalkidhiki

Porto Elea
1 Jun - 30 Sep
+30 6984-625587
reservations@portoelea.com
N 40°10'10'' E 23°51'37''

1 AGILNOPRST — KMNOPQSW**X**YZ 6
2 EFGHPRUVWXY — ABDE**F** 7
3 AF — ABEFMNOQR 8
4 O — GIJNR 9
5 ABDEGJ**LM** — ABHIJNORV 10
B 6A CEE — ❶ €30,00
4 ha 137T(45-70m^2) 109D — ❷ €38,00

An der Ostküste der Halbinsel Sithonia, 10 km südlich von Vourvourou an der Ausfahrt Zografou Beach ausgeschildert. Abfallende, teils unbefestigte Straße. Gut erreichbar.

Vourvourou (Sithonia), GR-63078 / Khalkidhiki

Rea
1 Mai - 30 Sep
+30 23750-91100
campingrea@gmail.com
N 40°12'24'' E 23°45'46''

1 AILNOPRST — KNOPQSWXY 6
2 EHOPQVWXY — ABDE**F** 7
3 A — ABEFNOR 8
4 O — D 9
5 ACEJLM — ABHIJNPRV 10
16A — ❶ €26,00
2 ha 40T(80-100m^2) 32D — ❷ €32,00

An der Ostküste von Sithonia, 4 km südlich van Agios Nikolaos und 2 km nördlich von Vourvourou. CP ausgeschildert.

Griechenland

Teilkarte Nordost-Griechenland auf Seite 555

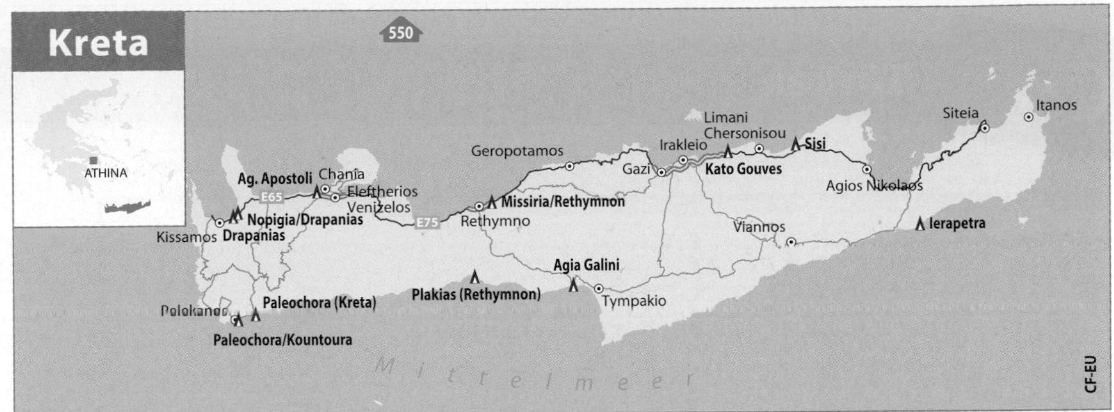

Ag. Apostoli, GR-73100 / Khania

Camping Hania
1 Apr - 30 Okt
+30 28210-31138
camhania@otenet.gr
N 35°30'43'' E 23°59'5''

1 DEGILNOQR	AFKNQSW	6
2 EHNORXY	ADFIJ	7
3 A	ABEFNOV	8
4 AIOPQ	AELVXZ	9
5 ABDGHJK	ABHILOTUV	10
4A	❶ €29,00	
2 ha 50T 20D	❷ €36,00	

New Nat. Road folgen, Ausfahrt Omalos 36 km, Chania 4 km. Chania wählen, nach 1 km an der Ampel links, nach ca. 2 km rechts. CP ist ausgeschildert.

Missiria/Rethymnon, GR-74100 / Rethimni

Camping Elizabeth
Ionias 84 Terma
1 Jan - 31 Dez
+30 28310-28694
info@camping-elizabeth.net
N 35°22'5'' E 24°30'54''

1 ADEJMNOPQRST	KMNOPQSW	6
2 AEHOQWXY	ABDF	7
3 F	ABEFNQRV	8
4 AEFO	ADFLVXZ	9
5 ADEGIKLM	AHJLPRV	10
12A	❶ €29,50	
2,4 ha 120T 28D	❷ €37,50	

Von Heraklion: vor Rethymnon Ausfahrt Platanes/Arkadi. Der Straße folgen, CP 1 km hinter Platanes, rechts beim CP-Schild an einem unbefestigten Weg

Agia Galini, GR-74056 / Rethimni

Agia Galini 'No problem'
1 Jan - 31 Dez
+30 28320-91386
FAX +30 28320-91239
N 35°6'0'' E 24°41'43''

1 AJMNOPQRST	AFKNOPQSWX	6
2 CEJORXY	ADFJ	7
3	ABEFNRV	8
4 O	HLXZ	9
5 ABDFGJK	HIJNOTU	10
6A	❶ €22,00	
0,9 ha 45T 3D	❷ €30,00	

Strecke Heraklion-Agia Galini folgen und 3 km vor dem Ort links zum CP.

Nopigia/Drapanias, GR-73400 / Khania

Camping Nopigia
Nopigia
1 Mai - 30 Sep
+30 28220-31111
info@campingnopigia.com
N 35°30'33'' E 23°43'12''

1 AJMNOPQRST	AFKMNOPQSWXY	6
2 AEGKMRVXY	ADFI	7
3	ABEFNQV	8
4 AFOP	ALVXZ	9
5 ABDEGIKL	BHIJLPTUV	10
12A	❶ €25,50	
1 ha 60T(40-70m²) 25D	❷ €31,50	

Von Chania Richtung Kastelli und nach ca. 30 km ist der CP im Ort Nopigia deutlich mit einem großen Schild an der Straße ausgeschildert.

Drapanias, GR-73400 / Khania

Camping Mithimna
1 Apr - 31 Okt
+30 28220-31444
info@campingmithimna.gr
N 35°30'9'' E 23°42'9''

1 ADEJMNOPQRST	KMNPQSWX	6
2 AEHJQRWY	ADFHI	7
3 AF	AEFNRV	8
4 AO	AHILUVXZ	9
5 ACDEGJKL	HJPR	10
20A	❶ €22,00	
1,8 ha 100T 48D	❷ €27,00	

An der Straße Chania-Kastelli, CP gut ausgeschildert, kurz vor dem sich nähernden Kastelli (Kissamos).

Paleochora (Kreta), GR-73001 / Khania

Camping Paleochora
Paleochora
1 Jan - 31 Dez
+30 28230-41120
info@campingpaleochora.gr
N 35°14'15'' E 23°41'34''

1 AILNOPRT	KNQSXY	6
2 EFKRWXY	ADFI	7
3 A	AEFNQV	8
4 FMQ	AGRXZ	9
5 ADEGIL	HNORV	10
6A	❶ €20,00	
1,1 ha 40T 12D	❷ €20,00	

Von Paleochora aus mit CP-Schildern angezeigt.

Ierapetra, GR-72200 / Lasithi

Camping Koutsounari
1 Jan - 31 Dez
+30 28420-61213
info@camping-koutsounari.gr
N 35°0'31'' E 25°49'17''

1 ADEJMNOPQRST	AFKNOPQSWX	6
2 EGHJOQVWXY	ADFIJ	7
3 AF	AEFNRV	8
4 AOQ	FGILUVXZ	9
5 ACDEGJKL	AHIPTUV	10
12A	❶ €25,50	
1,4 ha 66T(30-70m²) 17D	❷ €32,50	

7 km östlich von Ierapetra befindet sich der CP, direkt am Strand, gut ausgeschildert.

Paleochora/Kountoura, GR-73001 / Khania

Camping Grammeno
Kountoura
1 Jan - 31 Dez
+30 28230-42125
info@grammenocamping.gr
N 35°14'8'' E 23°38'8''

1 BDEGHKNOPQRST	KMNPQSWX	6
2 EHOQWX	ABFI	7
3 A	ABEFNV	8
4	AEUVXZ	9
5 ABDGIM	BHJPRV	10
16A	❶ €26,50	
1,4 ha 75T(bis 70m²) 26D	❷ €33,50	

Die Strecke Kandanos Richtung Paleochora. Am Ortseingang von Paleochora rechts Richtung Kountoura. Nach 4,5 km liegt der CP links der Strecke.

Kato Gouves, GR-70014 / Iraklion

Creta Camping
Gouves
1 Jan - 31 Dez
+30 28970-41400
cretacamp@hotmail.com
N 35°19'58'' E 25°17'31''

1 ADEJMNOPQRST	KMNOPQSWXY	6
2 AEHOQRVWXY	ABDEF	7
3 E	ABEFNRV	8
4 AIOPQ	AFILVXZ	9
5 ACDEGIKL	AGHIJLPRV	10
16A	❶ €23,00	
2 ha 90T 85D	❷ €30,00	

New National Road von Iraklion Richtung Agios Nikolaos folgen. Den Schildern 'Cretaquarium' folgen. An der T-Kreuzung am Strand nach rechts. 300m weiter ist der CP rechts.

Plakias (Rethymnon), GR-74060 / Rethimni

Apollonia Camping
Agios Vasilios
15 Apr - 31 Okt
+30 028320-31318
apollonia-camping@hotmail.com
N 35°11'18'' E 24°23'58''

1 ADEGJMNOPQRT	AFKMNOPQSWXY	6
2 EGHOQRWY	ABDEFI	7
3 A	ABEFKNRV	8
4 O	AGLVXZ	9
5 DG	HJORV	10
6A	❶ €23,00	
1,2 ha 65T 9D	❷ €29,00	

Aus Richtung Rethymon kommend ist der CP an der rechten Straßenseite, wenn man in den Badeort Plakis reinkommt.

Sisi, GR-72400 / Lasithi

Sisi Camping
18 Apr - 31 Okt
+30 28410-71247
info@sisicamping.gr
N 35°18'13'' E 25°30'31''

1 AJMNOPQRST	AFKNOPQSWXY	6
2 AEGMOQRVXY	ABDEFI	7
3	ABEFNOQRV	8
4	AXZ	9
5 ADGKL	ABHIJLPR	10
16A	❶ €24,00	
1,4 ha 40T(9-35m²) 13D	❷ €31,00	

Von der Nat. Road aus ungefähr 4 km östlich von Malia die Ausfahrt Sisi-Milatos. Den CP-Schildern folgen.

Teilkarte Kreta auf Seite 559

Türkei

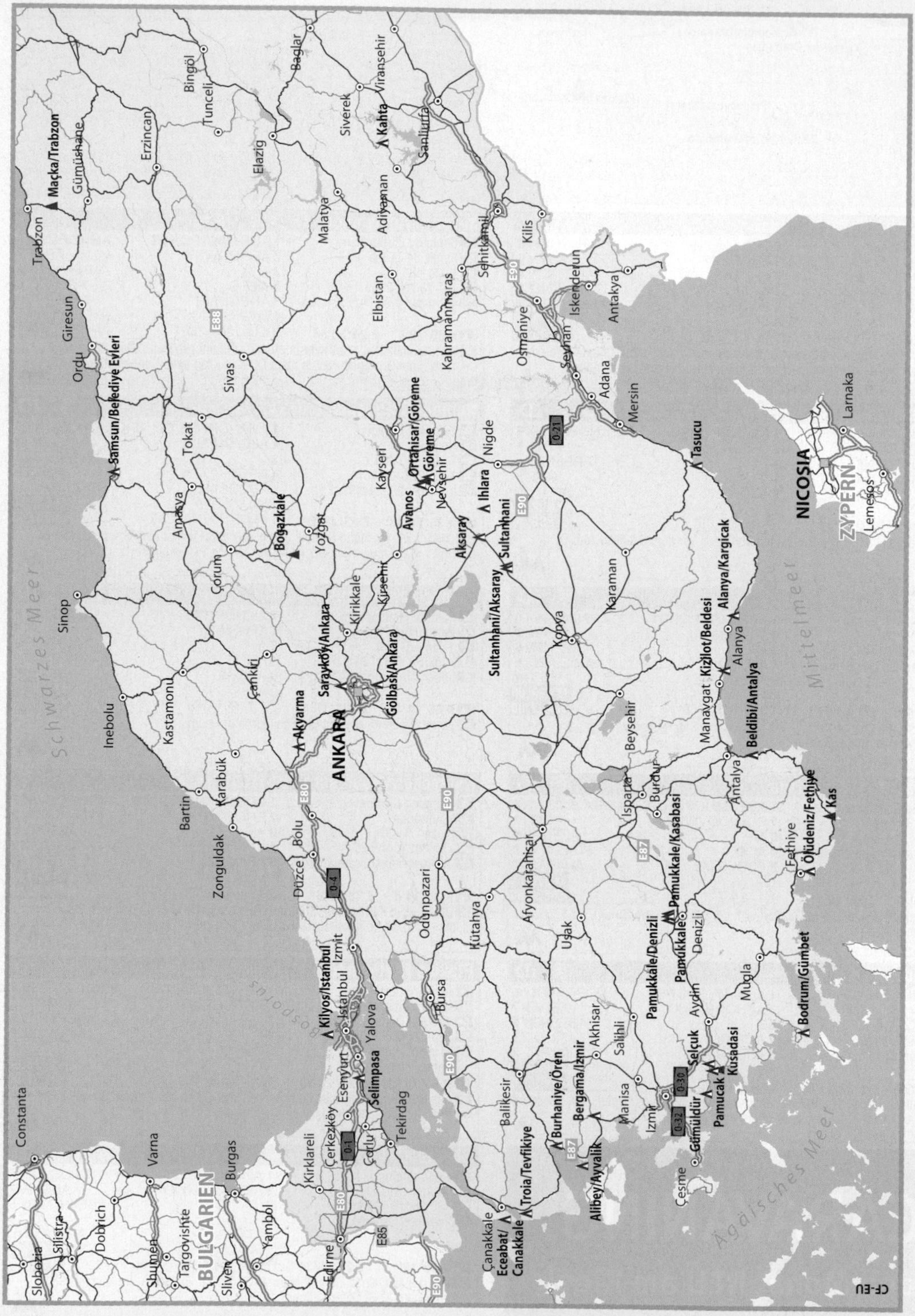

Schwarzes Meer
Mittelmeer
Ägäisches Meer
Bosporus
BULGARIEN
ZYPERN
NICOSIA
ANKARA
Maçka/Trabzon
Samsun/Belediye Evleri
Bogazkale
Akyarma
Sarayköy/Ankara
Gölbasi/Ankara
Kahta
Avanos
Ortahisar/Göreme
Göreme
Ihlara
Sultanhani
Sultanhani/Aksaray
Tasucu
Alanya/Kargicak
Kizilot/Beldesi
Beldibi/Antalya
Kas
Ölüdeniz/Fethiye
Bodrum/Gümbet
Pamukkale/Kasabasi
Pamukkale/Denizli
Pamukkale
Kusadasi
Pamucak
Selçuk
Gümüldür
Bergama/Izmir
Burhaniye/Ören
Alibey/Ayvalik
Troia/Tevfikiye
Eceabat/Canakkale
Kilyos/Istanbul
Selimpasa
Trabzon
Gümüshane
Giresun
Ordu
Sinop
Inebolu
Kastamonu
Karabük
Bartin
Zonguldak
Düzce
Bolu
Izmit
Istanbul
Esenyurt
Yalova
Bursa
Tekirdag
Çorlu
Çerkezköy
Kirklareli
Edirne
Canakkale
Balikesir
Manisa
Izmir
Çesme
Akhisar
Salihli
Aydin
Mugla
Denizli
Usak
Kütahya
Odunpazari
Afyonkarahisar
Isparta
Burdur
Antalya
Fethiye
Manavgat
Alanya
Beysehir
Konya
Karaman
Mersin
Adana
Seyhan
Osmaniye
Iskenderun
Antakya
Kilis
Sehitkamil
Kahramanmaras
Elbistan
Malatya
Adiyaman
Sanliurfa
Siverek
Viransehir
Baglar
Elazig
Tunceli
Bingöl
Erzincan
Sivas
Tokat
Amasya
Çorum
Yozgat
Kirikkale
Kirsehir
Kayseri
Nevsehir
Aksaray
Nigde
Cankiri
Larnaka
Lemesos
Constanta
Varna
Burgas
Dobrich
Silistra
Slobozia
Shumen
Targovishte
Sliven
Yambol
E80
E87
E88
E90
E85
O-4
O-21
O-30
O-32
O-1
CF-EU

Allgemein

Die Türkei ist kein Mitglied der EU.

Zeit

In der Türkei ist es eine Stunde später als in Berlin.

Sprache

Türkisch, aber Deutsch und Englisch werden auch verstanden.

Grenzformalitäten

Viele Formalitäten und Vereinbarungen, wie erforderliche Reisedokumente, KFZ-Papiere, Anforderungen an Ihr Fahrzeug und Ihren Aufenthalt, Krankenkosten und das Mitführen von Tieren, sind nicht nur vom Zielort abhängig, sondern auch von Ihrem Ausgangsort und Ihrer Nationalität. Auch die Dauer Ihres Aufenthaltes spielt dabei eine Rolle. Im Rahmen dieses Führers ist es leider nicht möglich, allen Lesern korrekte und aktuelle Informationen in dieser Hinsicht zu garantieren.

Wir raten Ihnen, vor Ihrer Abreise bei den entsprechenden Behörden in Erfahrung zu bringen:

- welche Reisedokumente Sie für sich selbst und Ihre Reisebegleitung brauchen
- welche Dokumente Sie für Ihr Auto brauchen
- welchen Anforderungen Ihr Fahrzeug entsprechen muss
- welche Güter Sie ein- und ausführen dürfen
- wie im Unglücks- oder Krankheitsfall die medizinische Versorgung im Urlaubsland organisiert ist und bezahlt wird
- ob Sie Ihre Haustiere mitnehmen können. Nehmen Sie rechtzeitig Kontakt zu Ihrem Tierarzt auf. Dort erhalten Sie Informationen über relevante Impfungen, entsprechende Bestätigungen und Verpflichtungen bei Ihrer Rückkehr. Es ist auch sinnvoll herauszufinden, ob an Ihrem Urlaubsziel bestimmte Bedingungen für Haustiere in der Öffentlichkeit geknüpft sind. So müssen in manchen Ländern Hunde immer einen Maulkorb tragen oder vergittert transportiert werden.

Viele allgemeine Infos finden Sie auf ▸ *www.europa.eu* ◂ aber sorgen Sie selbst dafür, die richtige Information für Ihre individuelle Situation herauszufinden.

Aktuelle Zollbestimmungen entnehmen Sie den Botschaften des jeweiligen Urlaubslandes an Ihrem Wohnort.

Währung und Geld

Die Türkische Lira (TRY) ist die Währung.
Wechselkurs (September 2014):
€ 1 = TRY 2,82.
Der Euro wird im Allgemeinen auch als Zahlungsmittel akzeptiert. Touristen sollten möglichst die Wechselbons bis zur Ausreise aufbewahren, denn diese werden beim Zurückwechseln beim Verlassen des Landes verlangt.

Geldautomat
Mit einer EC Karte kann man nur Geld abheben, aber nicht bezahlen. Es gibt ausreichend EC Automaten, vorallem in den touristischen Gebieten.

Kreditkarten
Mit der Kreditkarte kommt man fast überall weiter, wie Hotels, Restaurants und Geschäfte.

Öffnungszeiten und Feiertage

Banken
Staatsbanken sind von Montag bis Freitag zwischen 8.30 und 12.30 Uhr, sowie von 13.30 bis 17.00 Uhr geöffnet. Privatbanken sind wochentags ohne Mittagspause geöffnet bis 17.00 Uhr und samstags von 11.00 bis 15.00 Uhr.

Geschäfte
Täglich von 9.30 bis 19.00 Uhr, auch an Samstagen.

Die Öffnungszeiten der Bazare in großen Städten sind von Montag bis Samstag von 7.00 bis 19.00 Uhr.

Apotheken
Apotheken sind montags bis samstags bis 19.00 Uhr geöffnet. In kleineren Orten spricht das Apothekenpersonal oft nur türkisch.

Feiertage
Neujahr, 23. April (Tag des Kindes/ Unabhängigkeit), 19. Mai (Geburtstag von Atatürk und Jugend- und Sporttag), Zuckerfest, 30. August (Befreiung), 4-6 Oktober (Opferfest), 29. Oktober (Tag der Republik).

Während des Zuckerfestes und Opferfestes sind die Banken und Büros geschlossen, Geschäfte eingeschränkt geöffnet.

Kommunikation

(Mobil)Telefon

Das Mobilfunknetz ist in großen Teilen der Türkei gut, bis auf Gebirgsregionen. In Telefonläden kann man international anrufen. Telefonkarten für Telefonzellen erhält man an Kiosks, Postämtern und Telefonläden.

W-Lan, Internet

Internetcafés findet man in größeren Städten und in touristischen Gebieten.

Post

Postämter sind von Montag bis Freitag geöffnet zwischen 8.30 und 12.30 Uhr und von 13.30 bis 17.30 Uhr.

Straßen und Verkehr

Straßennetz

Die Hauptverkehrswege sind im Allgemeinen in gutem Zustand. Verkehrszeichen und -regeln werden nicht immer genau genommen. Bitte sei vorsichtig. Wegen der schlechten Straßen wird es abgeraten nach Einbruch der Dunkelheit außerhalb der großen Städte zu fahren. Die türkische Straßenwacht ist der TTOK: Tel. 0212-2828140.

Verkehrsvorschriften

Rechts hat Vorfahrt, außer an Hauptstraßen. Ein in den Kreisel einfahrendes Fahrzeug hat Vorfahrt vor den im Kreis befindlichen.

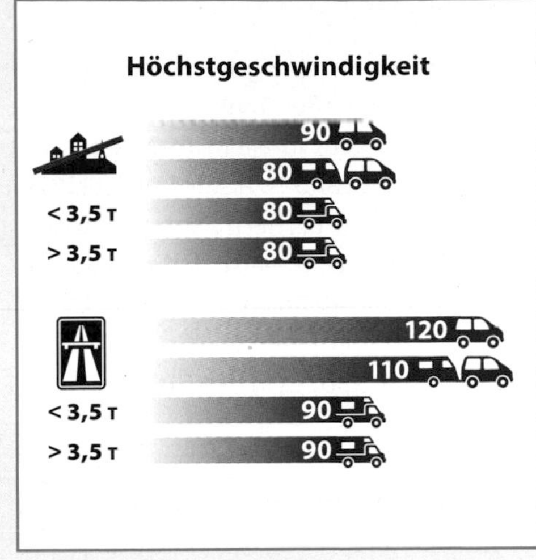

Die Promillehöchstgrenze ist 0,5 ‰. Telefonieren nur mit Freisprechanlage. Abblendlicht ist Tagsüber keine Pflicht. Gurtpflicht besteht nur vorne im Fahrzeug. Man muss zwei Warndreiecke dabei haben: eins vor dem Wagen und eins hinter dem Wagen. Radfahrer haben Helmpflicht. Winterreifen sind keine Pflicht, werden aber empfohlen.

Navigation

Warnung vor festen Blitzern durch Navi oder Mobiltelefon Apps ist erlaubt.

Wohnwagen, Reisemobil

Für Fahrer von Reisemobilen und Caravans gilt absolutes Alkoholverbot. Innerhalb geschlossener Ortschaften dürfen Sie mit dem Caravan maximal 40 km/h fahren. Es wird empfohlen eine Inventarliste mit teuren Campingartikeln mitzuführen.

Zulässige Maße

Höhe 4m, Breite 2,50m und Länge KFZ mit Caravan 18,75m.

Kraftstoff

Benzin und Diesel sind gut erhältlich. LPG gibt es an den großen Tankstellen und in großen Städten, vorallem im Westen und Süden des Landes. Ansonsten ist LPG schwer erhältlich. Bis nach Zentralanatolien und ans Schwarze Meer ist bleifreies Benzin nahezu überall erhältlich (Tank niemals ganz leer fahren!). Bleifrei heißt 'Kursunsuz'. SB-Tankstellen gibt es in der Türkei nicht.

Tanken

Tankstellen sind an den Autobahnen 24 Stunden offen, ansonsten sind die Öffnungszeiten zwischen 6.00 und 22.00 Uhr.

Maut

Die Strecken zwischen Istanbul und Ankara und zwischen Ankara und Adana sind mautpflichtig.
Auf immer mehr Strecken kann man nicht mehr bar oder mit Kreditkarte bezahlen. Stattdessen muss man mit HGS-Prepaid Karte bezahlen, die Sie auf Banken oder HGS-Büros bei Mautstationen kaufen können.
Die HGS-Karte braucht man auch mit dem PKW über die Bosporusbrücke und die Fatih Sultan Mehmetbrücke in Istanbul. Beide kosten 3,75 Türkische Lira (ca € 1,40) Richtung Europa nach Asien. Die umgekehrte Richtung ist gratis.

Notruf

- 155: Polizei
- 112: Krankenwagen
- 110: Feuerwehr

 Campen

Rechnen Sie damit, dass das Qualitätsniveau türkischer Campings niedriger ist als der europäische Durchschnitt. Die Anzahl der Einrichtungen ist eher bescheiden: oft gibt es kein warmes Wasser.
Innerhalb 48 Stunden nach Einreise in die Türkei müssen Sie sich bei der örtlichen Polizei anmelden. Wenn Sie auf einem Camping bleiben, regelt das der Inhaber für Sie.

Praktisch

- Am besten immer Universalstecker dabei haben.
- Leitungswasser ist in der Türkei kein Trinkwasser. Zum Kochen und Trinken nehmen Sie besser Mineralwasser.
- Vorsicht beim Essen: essen Sie beispielsweise nur Früchte, die Sie selbst geschält haben.

Weitere Grenzbestimmungen für die Türkei

Für Autofahrer ist für die Verzollung des KFZ/Reisemobils und/oder Caravans ein Reisepass Pflicht. Sie brauchen für die Türkei ein Visum. Seit April 2014 ist das ein E-Visum. Das E-Visum müssen Sie vor Reisebeginn bei ▸ ***www.evisa.gov.tr/de/*** ◂ anfordern.

Klima Ankara	Jan.	Feb.	März	April	Mai	Juni	Juli	Aug.	Sept.	Okt.	Nov.	Dez.
Tagestemperatur	1	3	7	13	18	21	25	25	21	16	10	4
Sonnenstunden am Tag	3	4	6	7	9	11	12	12	10	7	5	3
Regentage	8	8	7	7	8	5	2	1	3	4	6	8

Klima Istanbul	Jan.	Feb.	März	April	Mai	Juni	Juli	Aug.	Sept.	Okt.	Nov.	Dez.
Tagestemperatur	7	7	10	15	19	24	26	26	22	18	14	9
Sonnenstunden am Tag	3	4	5	6	8	10	12	11	8	6	4	3
Regentage	11	11	9	8	7	4	3	2	3	7	9	11
Wassertemperatur	10	9	8	11	15	20	23	23	22	19	14	11

Klima Marmaris	Jan.	Feb.	März	April	Mai	Juni	Juli	Aug.	Sept.	Okt.	Nov.	Dez.
Tagestemperatur	12	13	14	18	23	27	30	30	27	23	19	15
Sonnenstunden am Tag	5	6	7	8	10	12	13	12	10	8	6	4
Regentage	10	8	6	4	4	2	1	1	2	4	6	9
Wassertemperatur	15	14	16	17	19	22	24	25	24	22	20	17

Aksaray, TR-68100 / Aksaray

Agaçli | 1 ADHKNOPRST | **A** 6
Ankara/Adana Asf.E90 | 2 GOPQRVXY | ABDEFIJ 7
1 Apr - 1 Nov | 3 BEL | ABEFNQTU 8
+90 (0)382-2152400 | 4 R**T** | GLV 9
agacli@superonline.com.tr | 5 BDHJ | AINOR 10
16A | ❶ €12,00
N 38°23'12'' E 33°59'36'' | H1006 1 ha 40**T** 70**D** | ❷ €12,00

CP an Kreuzung der 300 und E90 Ankara-Tarsus rechts der Strecke am großen Motelkomplex und der Shell-Tankstelle.

Akyarma, TR-06891 / Ankara

Yayla Camping | 1 BILNORST | N 6
E5 Karayolu 108 km. | 2 BCDPQTXY | A 7
1 Jan - 31 Dez | 3 | ABNOQ 8
+90 (0)312-7515101 | 4 O | GJ 9
hamza3806@hotmail.com | 5 DEI | J**O**R 10
16A | ❶ €17,00
N 40°38'0'' E 32°26'0'' | H1464 8 ha 30**T** 14**D** | ❷ €17,00

CP liegt an der D750. Von Ankara-Zentrum aus auf der rechten Seite der Straße nach 105 km, von Gerede aus nach ca. 30 km auf der linken Seite der Straße D750.

Alanya/Kargicak, TR-07407 / Antalya

Perle Camping | 1 ABDEJMNOPRS**T** | KMNPQX 6
Antalya-Mersin Yolu | 2 AEHOPQXY | ABDE**F** 7
1 Jan - 31 Dez | 3 | ABEFNQR 8
+90 (0)242-5262066 | 4 O | 9
+90 (0)242-5262037 | 5 AGJ | ABHIPR 10
6A | ❶ €10,00
N 36°27'38'' E 32°7'19'' | 0,3 ha 25**T** | ❷ €10,00

An der D400 von Alanya Richtung Gazipasa. CP liegt hinter dem Schild 'Kargicak'. Nach ca. 300m auf der rechten Straßenseite.

Alibey/Ayvalik, TR-10400 / Balikesir

Ada Camp | 1 AJMNOPRST | KNQSWXYZ 6
Alibey | 2 EKPQRX | ABDE**F** 7
1 Jan - 31 Dez | 3 A | ACDEFNOQR 8
+90 (0)266-3271211 | 4 | DJKQ 9
+90 (0)266-3272065 | 5 AGIJ | HIJOR 10
6A | ❶ €32,00
N 39°20'0'' E 26°37'19'' | 0,5 ha 30**T** 46**D** | ❷ €32,00

Von Ayvalik dem nördlichen Küstenweg mit Namen Yunus Emre Cadesi, der in die Alibey Adasi übergeht, bis in den Ort Alibey folgen. Dann den Schildern folgen.

Avanos, TR-50500 / Nevsehir

Ada Camping | 1 ABILNOPRST | A 6
Kizilirmak 20 | 2 GOPX | A 7
1 Apr - 1 Nov | 3 AB | AEFNOQ 8
+90 (0)384-5112429 | 4 O | UV 9
info@adacampingavanos.com | 5 ADI | AHIJNOR 10
16A | ❶ € 8,85
N 38°42'56'' E 34°50'2'' | H924 1,5 ha 45**T** | ❷ €10,65

Von Göreme Richtung Avanos. Bei der M.Oil-Tankstelle geradeaus weiter bis zur Kreuzung (Kreisel), dann links ab und den Schildern folgen.

Beldibi/Antalya, TR-07983 / Antalya

Orkinos Kamping | 1 ABDJMNOPRST | KMNPQSWXYZ 6
Bahçecik Mevki Atatürk Cad. | 2 EHOQWX | AD**F**H 7
1 Jan - 31 Dez | 3 | BEFNOR 8
+90 (0)242-8249464 | 4 MO | 9
+90 (0)242-8248534 | 5 GI | HIJ**P**RV 10
6A | ❶ €15,00
N 36°43'14'' E 30°33'49'' | 1,2 ha 80**T**(60-80m²) 5**D** | ❷ €15,00

Von der D400 Antalya- Kemer, 3. Ausfahrt Beldibi Tatil Köyleri nehmen. Nach 350m rechts liegt CP links vor dem Hotel 'Carelta'.

Bergama/Izmir, TR-35700 / Izmir

Caravan Camping | 1 ADJMNOPRS**T** | A 6
Atatürk Bulvari 148 | 2 GOPRX | ABDE**F** 7
1 Jan - 31 Dez | 3 | AEFNQR 8
+90 (0)232-6333902 | 4 O | 9
info@caravancamping.net | 5 AGI | AHIJOR 10
6A | ❶ €15,00
N 39°5'58'' E 27°9'21'' | H50 0,5 ha 25**T** | ❷ €15,00

D550 Canakkale-Izmir. Ausfahrt Bergama. CP liegt ca. 2 km vor dem Zentrum, links der Strecke. Ausgeschildert.

Bodrum/Gümbet, TR-48400 / Mugla

Zetas Camping Gümbet | 1 ABDJMNOPRST | KQSW 6
Mahallesi Etem Kaptan 10 | 2 EOPQY | ABDEIJ 7
1 Jan - 31 Dez | 3 | AEFNO 8
+90 (0)252-3192231 | 4 | 9
huseyindengiz@hotmail.com | 5 | HIR 10
6A | ❶ €20,00
N 37°1'55'' E 27°23'56'' | 1,2 ha 60**T**(60-80m²) 15**D** | ❷ €23,50

Hinter Bodrum Richtung Turgutreis, Ausfahrt Bitez. Hinter Bitez über Bergamut Caddesi übergehend in die Bitez Caddesi. Am Ende finden Sie den CP auf der linken Seite am Meer.

Bogazkale, TR-19310 / Corum

Asikoglu Tourist Camp | 1 AB**IL**NOPRST | 6
Ankara Sungurlu Asfalti | 2 OPQRSX | **FH** 7
1 Apr - 31 Okt | 3 A | ABEFNOQ 8
+90 (0)364-4522004 | 4 O | G 9
hotelasikoglu@hotmail.com | 5 AJ | AJNOR 10
10A | ❶ €10,00
N 40°1'36'' E 34°36'28'' | H994 1,5 ha 70**T** 43**D** | ❷ €10,00

Von der D190 aus den Schildern folgen. Nach 14 km in der Ortseinfahrt von Bogazkale rechts. Gut angegeben.

Bogazkale, TR-19310 / Corum

Baskent TIC.LTD.STI | 1 ABCILNORST | 6
Yazilikaya Yolu Üzeri 45 | 2 FRSX | 7
1 Jan - 31 Dez | 3 | AEFNOQR 8
+90 (0)364-4522037 | 4 O | G 9
baskenthotel@hotmail.com | 5 AI | AHJNOR 10
23A | ❶ €10,00
N 40°1'35'' E 34°36'28'' | H1036 0,5 ha 100**T** 60**D** | ❷ €10,00

Von Corum nach Bogazkale. Im Zentrum von Bogazkale Ausfahrt Hattussas. Dann den Schildern folgen.

Burhaniye/Ören, TR-10700 / Balikesir

Altin camp | 1 ABJMNOPRS**T** | KNQSW 6
1 Mai - 31 Okt | 2 EHQY | ABDE 7
+90 (0)266-4163732/33 | 3 L**M** | ABCDEFNQR 8
info@altincamp.com | 4 O**Q** | GQ 9
5 AH | AHIJ**O** 10
6A | ❶ €18,50
N 39°30'36'' E 26°56'7'' | 4 ha 200**T** 18**D** | ❷ €24,50

Route 555 Çanakkale-Izmir. In Burhaniye Ausfahrt Ören nehmen und den Schildern Altin Camp/Hotel folgen.

Eceabat/Canakkale, TR-17900 / Canakkale

Kum Camping & Hotel | 1 ABDJMOPRS | **AF**QRX 6
Kabatepe Limani Mevkli | 2 EHOPRVX | ABDFIJ 7
1 Mär - 31 Okt | 3 ABE | AEFNOQR 8
+90 (0)286-8141455 | 4 MO | G 9
info@hotelkum.com | 5 ADGHI | GHIJP 10
6A | ❶ €20,00
N 40°9'33'' E 26°14'50'' | 0,7 ha 35**T** 87**D** | ❷ €20,00

Von der türkischen Grenze Richtung Çanakkale. Am Schild 'Kabatepe Limani' rechts abbiegen. Ca. 13 km den Schildern 'Kum Hotel' folgen.

Gölbasi/Ankara, TR-06830 / Ankara

Ulasan Hotel | 1 BDILOR | A 6
Konya Yolu 3. Km | 2 ADFGPRSW | ABJ 7
1 Jan - 31 Dez | 3 A**P** | ABEFMNQ 8
+90 (0)312-4845858 | 4 OQT | GL 9
manager@ulasanhotel.com | 5 AIJ | BHJNOR 10
16A | ❶ €20,00
N 39°45'20'' E 32°48'14'' | H987 16**T**(60m²) 47**D** | ❷ €20,00

Der CP liegt an der E90 Richtung Konya, 6 km südlich von Ankara. Von Ankara aus liegt der CP rechts von der Straße. Hinter Gölbari noch ± 3 km. Danach mit CP-Schild angezeigt.

Göreme, TR-50000 / Nevsehir

Dilek Camping | 1 ABDJKNOPQRST | A 6
Air Museum Yolu | 2 AFGOPQRSWX | AB**CEFHIJ**K 7
1 Jan - 31 Dez | 3 G | ABEFNQTUV 8
+90 (0)384-2712395 | 4 AEFHIO**VW**X | AHJV 9
info@dilekcamping.com | 5 ABDEIJK | NOPSTVWX 10
16A | ❶ €12,00
N 38°38'40'' E 34°50'0'' | H1000 6 ha 50**T** 38**D** | ❷ €12,00

Nevsehir-Ürgüp. Erste Abfahrt links Richtung Göreme. An der Kreuzung in Göreme Richtung 'Open Air Museum'. Nach 100m auf der linken Seite.

Göreme, TR-50180 / Nevsehir

Göreme Camping Aqua Park | 1 ABJMNOPRST | AHI 6
On the way Göreme- Open Air Museum | 2 FGOPRVWX | ABDE**FHIJ** 7
3 DG | ABEFNQRV 8
1 Mär - 1 Dez | 4 AEFHIO | A 9
+90 (0)384-2712523 | 5 ABDEG | ABHIJNOR 10
camping@goremecamping.com | 16A CEE | ❶ €12,00
N 38°38'52'' E 34°50'21'' | H923 0,8 ha 70**T** 10**D** | ❷ €18,00

An der Straße Göreme-Freiluftmuseum (Open Air Museum). Wird mit einem Schild an der Straße angezeigt.

Göreme, TR-50500 / Nevsehir

Göreme Panorama Teras | 1 ABDJMNOPRS**T** | A 6
Nevsehir - Göreme | 2 FGOQRSTUVY | ABDFHIJ 7
1 Jan - 31 Dez | 3 A | ABEFNQRV 8
+90 (0)384-2712352 | 4 **AE**FHIO | AGL 9
panoramacamping@hotmail.com | 5 ABDGIKLM | ABFHIJLMNOPRV 10
16A CEE | ❶ €16,00
N 38°38'50'' E 34°49'18'' | H1150 10 ha 50**T** 19**D** | ❷ €18,00

Straße Nevsehir-Göreme, in Göreme links der Straße.

Türkei

Gümüldür, TR-35480 / Izmir

Hipocamp
Meryemana Cad. 19
14 Jun - 15 Sep
+90 (0)232-7987444
info@hipocamp.com
N 38°3'17'' E 27°2'29''

1 ADJMNOPRST	AFKNQSWX 6
2 EGHOPQY	ADIJ 7
3 BEFILMS	AEFNOR 8
4 O	J 9
5 ABDI	AHIJ**PR**10
6A	❶ €21,00
2,5 ha 100**T** 130**D**	❷ €28,00

An der 35/39, Sefarihisar Richtung Kusadasi, 3 km hinter Gümüldür, über die zweite Brücke auf der rechten Seite der Straße.

Kizilot/Beldesi, TR-07600 / Antalya

Osay Camping
Misirlilar Mahallesi
1 Jan - 31 Dez
+90 (0)242-7482878
osaycampic-07@hotmail.com
N 36°42'40'' E 31°34'14''

1 ABJMNOPRST	KMPQSX 6
2 EHOPX	AD**F** 7
3	AEFNQR 8
4 O	G 9
5 AI	AHIJPRV10
6A	❶ €15,00
1 ha 60**T** 16**D**	❷ €15,00

Der CP liegt 14 km hinter Manavgat an der D400, Manavgat-Alanya, 2700m hinter der Kreuzung Akseki-Konya.

Ihlara, TR-68570 / Aksaray

Yesil Vadi Otel
1 Jan - 31 Dez
+90 (0)382-4537559
+90 (0)382-4537706
N 38°14'53'' E 34°16'59''

1 BDJMNOPRST	6
2 QRW	DEFGHIK 7
3	ABEFNOQ 8
4 O	G 9
5 AGI	JNOPR10
16A	❶ €10,65
H1295 1 ha 20**T** 12**D**	❷ €10,65

Straße 300 Nevsehir-Aksary, 10 km vor Aksary links, dem Schild Richtung Ihlara folgen, CP liegt auf der rechten Seite der Straße.

Kusadasi, TR-09400 / Aydin

Önder
Ataturk Bulvari 88
1 Jan - 31 Dez
+90 (0)256-6181590
ondercamping@gmail.com
N 37°52'5'' E 27°15'52''

1 ABDJMNOPRS**T**	AFK 6
2 EHOPRY	AD**F** 7
3 B	AEFNQR 8
4 O	G 9
5 ADGJ	GHIJOR10
6A	❶ €10,00
0,8 ha 50**T** 23**D**	❷ €10,00

Aus nördlicher Richtung liegt der CP am Boulevard, 1 km vor dem Zentrum.

Kahta, TR-02400 / Adiyaman

Kommagene Nemrut Camping
Attaturk Boulevard
+90 (0)532-2003856
admin@nemruttours.info
N 37°47'18'' E 38°36'56''

1 BDILNOPR	6
2 OSWX	**F** 7
3 EFNOQ	8
4 O	L 9
5 J	KNR10
10A	❶ € 7,10
H730 15**T**	❷ € 7,10

Von Adyaman aus auf der D360, in der Ortseinfahrt von Kahta links von der Straße gegenüber dem ONAKRO Market.

Kusadasi, TR-09400 / Aydin

Yat
Atatürk Bulvari 90
1 Jan - 31 Dez
+90 (0)256-6181516
yatcamping@hotmail.com
N 37°52'5'' E 27°15'52''

1 JMNOPRS**T**	AK 6
2 EHOPX	ABD**FGH** 7
3	ABEFNOR 8
4	GK 9
5	AHIJOR10
6A	❶ €10,00
0,8 ha 50**T** 47**D**	❷ €14,00

Von Izmir aus kommend liegt der CP am Boulevard, ca. 1 km vor dem Zentrum.

Kas, TR-07580 / Antalya

Kas Camping
Hastahane Caddesi
1 Jan - 31 Dez
+90 (0)242-8361050
info@kaskamping.com
N 36°11'58'' E 29°37'57''

1 ABDJMNORS**T**	KNOPQS 6
2 EFLORUX	ADF 7
3	AEFNQ 8
4	JS 9
5 AGI	HIJPR10
6A	❶ €19,00
0,3 ha 20**T** 16**D**	❷ €27,00

Ab Fethiye auf der D400 vor Kas, Ausfahrt Sehir Merkezi. Danach den CP-Schildern folgen.

Maçka/Trabzon, TR-61750 / Trabzon

Sümela-s Camping
Meryemana, Cosandere
1 Apr - 31 Okt
+90 (0)538-9803105
sumelas_camping55@hotmail.com
N 40°45'49'' E 39°35'59''

1 ABILNORT	N 6
2 CFPRW	7
3	AEFNO 8
4	9
5 AIJ	HJNORV10
10A	Preise auf
H520 4 ha 26**T**	Anfrage

Von Trabzon aus der E97 nach Maçka folgen. Hinter dem Tunnel links durch das Zentrum Ri. Sümela. CP ist angezeigt durch ein Schild rechts, über die Brücke und vor der Moschee direkt wieder links, dann dem Kiesweg folgen, ca. 500m.

Kas, TR-07580 / Antalya

Olympos Mocamp
Kalkan-Yolu
1 Apr - 31 Okt
+90 (0)242-8362252
cerci_82@hotmail.com
N 36°12'28'' E 29°37'5''

1 ADJMNOPRS**T**	KMQSW 6
2 EJLOQRX	AD**F** 7
3	AFNOQR 8
4 O	JQ 9
5 ADI	HIJPR10
6A	❶ €15,00
0,3 ha 25**T**(60-80m²) 10**D**	❷ €15,00

Ca. 3 km von Kas dem Küstenweg Richtung Fethiye folgen. Der CP liegt rechts der Strecke. Links das Meer.

Maçka/Trabzon, Trabzon

Sümer Restaurant
Meryemana Yous 2 km
1 Jan - 31 Dez
+90 (0)462-5121581
info@sumerrestaurant.com
N 40°47'7'' E 39°36'53''

1 ABDILNOR	6
2 COPWX	7
3 B	AEFOQ 8
4 O	9
5 AJ	JOR10
16A	❶ €12,40
H444 50**T**	❷ €12,40

Von Trabzon aus der E97 nach Maçka folgen. Hinter dem Tunnel links ab durchs Zentrum Richtung Sümela. Der CP ist angezeigt.

Kilyos/Istanbul, Istanbul

Mistik Camping
Turban Cadesi 76
1 Apr - 31 Okt
+90 (0)212-2011077
mistikcamping@yahoo.com
N 41°14'40'' E 29°1'57''

1 ABJMNOPRST	K 6
2 EHOPVX	AD 7
3	AEFNR 8
4 IO	G 9
5	HIJPSV10
6A	❶ €23,00
0,5 ha 20**T**(45-65m²) 27**D**	❷ €29,00

Von der Schnellstraße E80 in Istanbul Richtung Sariyer. Vor Sariyer Ausfahrt Kilyos und in Kilyos Richtung Saglik Ocagi. Hinter der Moschee links halten, nach ± 400m liegt der CP auf der linken Straßenseite.

Ölüdeniz/Fethiye, TR-48300 / Mugla

The Sugar Beach Club / Camp
Ölüdeniz Caddesi 20
1 Jan - 31 Dez
+90 (0)252-6170048
info@thesugarbeachclub.com
N 36°33'12'' E 29°6'56''

1 ABDEHKOPRS**T**	AKLMNOP**X** 6
2 DEGHIJLOQRTWXY	AD**F**GH 7
3 ADF**G**L	AENRTU 8
4 O	JQT 9
5 ABCGHIJ	ABHIJNPRV10
6A	❶ €25,00
0,4 ha 30**T** 45**D**	❷ €30,00

Kommend von Fethiye in Ölüdeniz beim Strand rechts ab. Nach ca. 1 km liegt der CP links am Meer (Lagune).

Türkei

Karte Türkei auf Seite 560

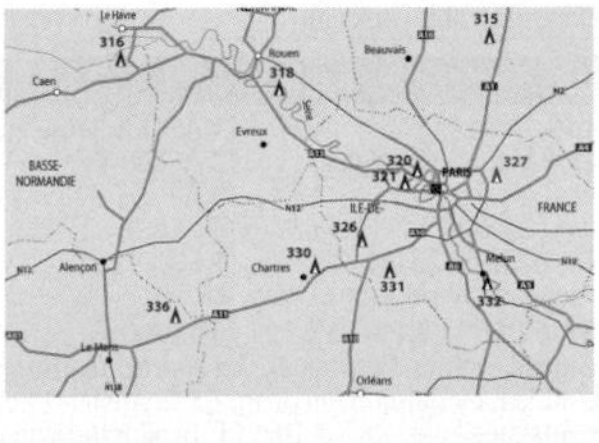

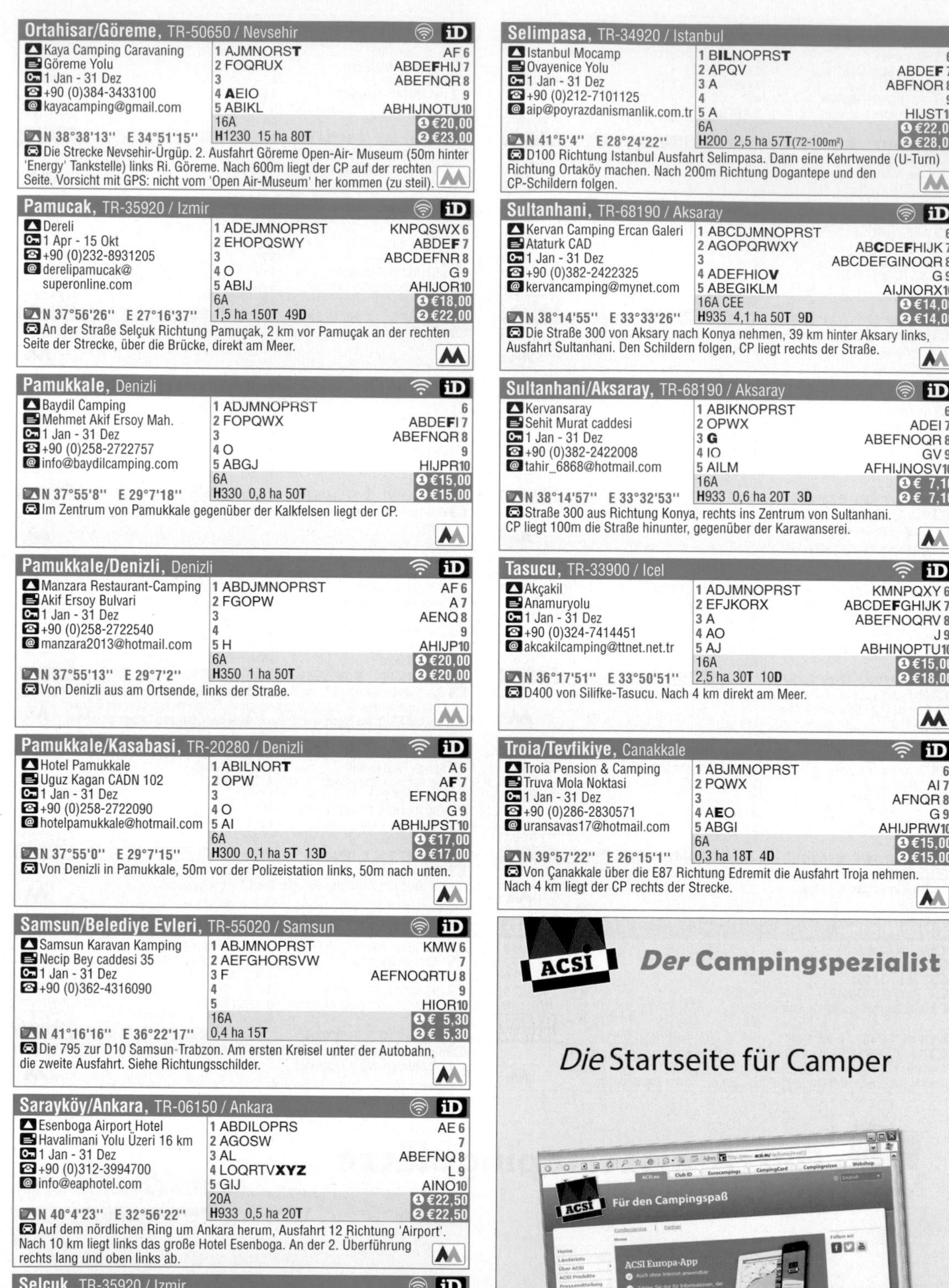

Ortahisar/Göreme, TR-50650 / Nevsehir

Kaya Camping Caravaning
Göreme Yolu
1 Jan - 31 Dez
+90 (0)384-3433100
kayacamping@gmail.com
N 38°38'13'' E 34°51'15''

1 AJMNORS**T**	AF 6
2 FOQRUX	ABDE**F**HIJ 7
3	ABEFNQR 8
4 **A**EIO	9
5 ABIKL	ABHIJNOTU 10
16A	❶ €20,00
H1230 15 ha 80T	❷ €23,00

Die Strecke Nevsehir-Ürgüp. 2. Ausfahrt Göreme Open-Air- Museum (50m hinter 'Energy' Tankstelle) links Ri. Göreme. Nach 600m liegt der CP auf der rechten Seite. Vorsicht mit GPS: nicht vom 'Open Air-Museum' her kommen (zu steil).

Selimpasa, TR-34920 / Istanbul

Istanbul Mocamp
Ovayenice Yolu
1 Jan - 31 Dez
+90 (0)212-7101125
aip@poyrazdanismanlik.com.tr
N 41°5'4'' E 28°24'22''

1 B**IL**NOPRS**T**	6
2 APQV	ABDE**F** 7
3 A	ABFNOR 8
4	9
5 A	HIJST 10
6A	❶ €22,00
H200 2,5 ha 57**T**(72-100m²)	❷ €28,00

D100 Richtung Istanbul Ausfahrt Selimpasa. Dann eine Kehrtwende (U-Turn) Richtung Ortaköy machen. Nach 200m Richtung Dogantepe und den CP-Schildern folgen.

Pamucak, TR-35920 / Izmir

Dereli
1 Apr - 15 Okt
+90 (0)232-8931205
derelipamucak@superonline.com
N 37°56'26'' E 27°16'37''

1 ADEJMNOPRST	KNPQSWX 6
2 EHOPQSWY	ABDE**F** 7
3	ABCDEFNR 8
4 O	G 9
5 ABIJ	AHIJOR 10
6A	❶ €18,00
1,5 ha 150T 49**D**	❷ €22,00

An der Straße Selçuk Richtung Pamuçak, 2 km vor Pamuçak an der rechten Seite der Strecke, über die Brücke, direkt am Meer.

Sultanhani, TR-68190 / Aksaray

Kervan Camping Ercan Galeri
Ataturk CAD
1 Jan - 31 Dez
+90 (0)382-2422325
kervancamping@mynet.com
N 38°14'55'' E 33°33'26''

1 ABCDJMNOPRST	6
2 AGOPQRWXY	AB**C**DE**F**HIJK 7
3	ABCDEFGINOQR 8
4 ADEFHIO**V**	G 9
5 ABEGIKLM	AIJNORX 10
16A CEE	❶ €14,00
H935 4,1 ha 50T 9**D**	❷ €14,00

Die Straße 300 von Aksary nach Konya nehmen, 39 km hinter Aksary links, Ausfahrt Sultanhani. Den Schildern folgen, CP liegt rechts der Straße.

Pamukkale, Denizli

Baydil Camping
Mehmet Akif Ersoy Mah.
1 Jan - 31 Dez
+90 (0)258-2722757
info@baydilcamping.com
N 37°55'8'' E 29°7'18''

1 ADJMNOPRST	6
2 FOPQWX	ABDE**FI** 7
3	ABEFNQR 8
4 O	9
5 ABGJ	HIJPR 10
6A	❶ €15,00
H330 0,8 ha 50T	❷ €15,00

Im Zentrum von Pamukkale gegenüber der Kalkfelsen liegt der CP.

Sultanhani/Aksaray, TR-68190 / Aksaray

Kervansaray
Sehit Murat caddesi
1 Jan - 31 Dez
+90 (0)382-2422008
tahir_6868@hotmail.com
N 38°14'57'' E 33°32'53''

1 ABIKNOPRST	6
2 OPWX	ADEI 7
3 **G**	ABEFNOQR 8
4 IO	GV 9
5 AILM	AFHIJNOSV 10
16A	❶ € 7,10
H933 0,6 ha 20T 3**D**	❷ € 7,10

Straße 300 aus Richtung Konya, rechts ins Zentrum von Sultanhani. CP liegt 100m die Straße hinunter, gegenüber der Karawanserei.

Pamukkale/Denizli, Denizli

Manzara Restaurant-Camping
Akif Ersoy Bulvari
1 Jan - 31 Dez
+90 (0)258-2722540
manzara2013@hotmail.com
N 37°55'13'' E 29°7'2''

1 ABDJMNOPRST	AF 6
2 FGOPW	A 7
3	AENQ 8
4	9
5 H	AHIJP 10
6A	❶ €20,00
H350 1 ha 50T	❷ €20,00

Von Denizli aus am Ortsende, links der Straße.

Tasucu, TR-33900 / Icel

Akçakil
Anamuryolu
1 Jan - 31 Dez
+90 (0)324-7414451
akcakilcamping@ttnet.net.tr
N 36°17'51'' E 33°50'51''

1 ADJMNOPRST	KMNPQXY 6
2 EFJKORX	ABCDE**F**GHIJK 7
3 A	ABEFNOQRV 8
4 AO	J 9
5 AJ	ABHINOPTU 10
16A	❶ €15,00
2,5 ha 30T 10**D**	❷ €18,00

D400 von Silifke-Tasucu. Nach 4 km direkt am Meer.

Pamukkale/Kasabasi, TR-20280 / Denizli

Hotel Pamukkale
Uguz Kagan CADN 102
1 Jan - 31 Dez
+90 (0)258-2722090
hotelpamukkale@hotmail.com
N 37°55'0'' E 29°7'15''

1 ABILNOR**T**	A 6
2 OPW	A**F** 7
3	EFNQR 8
4 O	G 9
5 AI	ABHIJPST 10
6A	❶ €17,00
H300 0,1 ha 5T 13**D**	❷ €17,00

Von Denizli in Pamukkale, 50m vor der Polizeistation links, 50m nach unten.

Troia/Tevfikiye, Canakkale

Troia Pension & Camping
Truva Mola Noktasi
1 Jan - 31 Dez
+90 (0)286-2830571
uransavas17@hotmail.com
N 39°57'22'' E 26°15'1''

1 ABJMNOPRST	6
2 PQWX	AI 7
3	AFNQR 8
4 A**E**O	G 9
5 ABGI	AHIJPRW 10
6A	❶ €15,00
0,3 ha 18T 4**D**	❷ €15,00

Von Çanakkale über die E87 Richtung Edremit die Ausfahrt Troja nehmen. Nach 4 km liegt der CP rechts der Strecke.

Samsun/Belediye Evleri, TR-55020 / Samsun

Samsun Karavan Kamping
Necip Bey caddesi 35
1 Jan - 31 Dez
+90 (0)362-4316090
N 41°16'16'' E 36°22'17''

1 ABJMNOPRST	KMW 6
2 AEFGHORSVW	7
3 F	AEFNOQRTU 8
4	9
5	HIOR 10
16A	❶ € 5,30
0,4 ha 15T	❷ € 5,30

Die 795 zur D10 Samsun-Trabzon. Am ersten Kreisel unter der Autobahn, die zweite Ausfahrt. Siehe Richtungsschilder.

Sarayköy/Ankara, TR-06150 / Ankara

Esenboga Airport Hotel
Havalimani Yolu Üzeri 16 km
1 Jan - 31 Dez
+90 (0)312-3994700
info@eaphotel.com
N 40°4'23'' E 32°56'22''

1 ABDILOPRS	AE 6
2 AGOSW	7
3 AL	ABEFNQ 8
4 LOQRTV**XYZ**	L 9
5 GIJ	AINO 10
20A	❶ €22,50
H933 0,5 ha 20T	❷ €22,50

Auf dem nördlichen Ring um Ankara herum, Ausfahrt 12 Richtung 'Airport'. Nach 10 km liegt links das große Hotel Esenboga. An der 2. Überführung rechts lang und oben links ab.

Selçuk, TR-35920 / Izmir

Garden Camping
Isabey Mahallesi Kalealti Mevkii 4
1 Jan - 31 Dez
+90 (0)232-8926165
gardencamping@hotmail.com
N 37°57'15'' E 27°21'57''

1 ABDJMNOPRS**T**	6
2 AGOPXY	ABDE**F** 7
3 A	ABCDEFNOQR 8
4	9
5 G	GHIJOTU 10
6A	❶ €28,00
0,5 ha 60T	❷ €38,00

In Selçuk Richtung Pamuçak. An der rechten Straßenseite steht ein braunes Schild mit Isabey Camii Saint Jean. Diese Ausfahrt nehmen und nach 300m an der Moschee links vorbei. Den CP-Schildern folgen.

Türkei

Das ACSI Inspektorenteam 2015

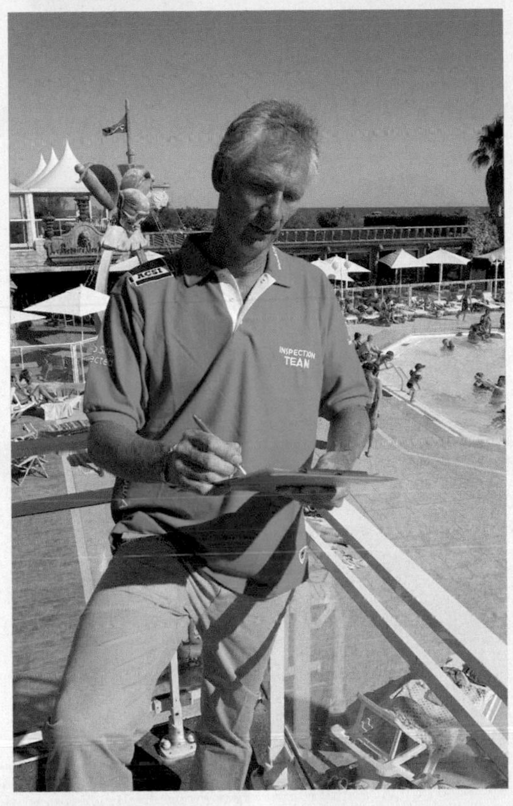

Dieser ACSI-Campingführer ist voll mit brandaktuellen Informationen.
Alle in diesem Führer vorgestellten Campingplätze werden jedes Jahr durch einen ACSI-Inspektor besucht.
Es handelt sich um Spezialisten, die vom ACSI speziell ausgebildet wurden.
Untenstehend die Namen und Fotos der Inspektoren, die die hier vorgestellte Plätze kontrolliert haben.

H. van den Abbeele

I. Aerbeydt

W. Ament

A. Ballet

J. Bastiaanse

Y. Bastiaanse-Jongeneelen

P. van der Beek

G. Beerning

G. van den Berg

D. Bernards

N. Bijlsma

J. Blankenvoort

Y. Boorsma

J. Bosgra

J. Bosman

E. Bouman

H. Breeuwsma-Disse

R. de Brie

A. Brink

G. Brink

J. Broeders

J. Broers

J. Bronsema-Blanksma

J. Buddelmeijer

M. De Clercq

J. Coenen

L. Coolen-Spaans

A. Damen-Kuystermans

E. Damsté

H. Degen

M. Devilee-van den Berg

H. Dirks

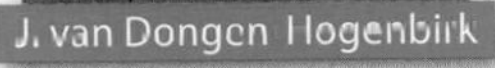
J. van Dongen-Hogenbirk

J. Duijvekam

C. Dumont

C. Eijkenbroek

P. Ertmann

G. Faber

B. Fikse

M. van Gasteren

K. Geeraert

H. Gelling

P. Gommers

R. Goossens

P. Graafmans

R. Groesbeek

G. de Grooth-Visser

H. de Haan

E. den Haan-de Kuyer

P. Hamstra

M. Harmsen-Kunnen

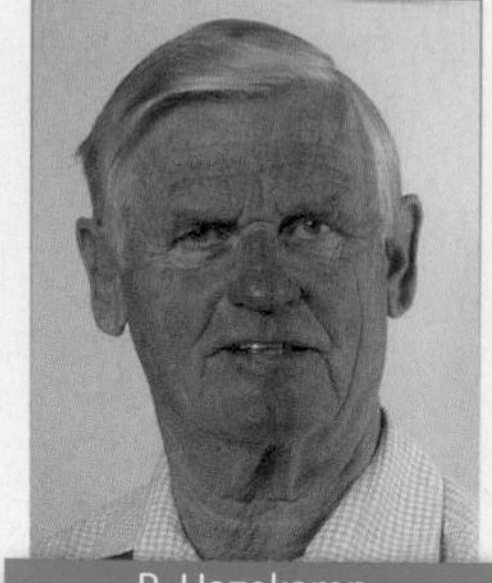
R. Hazekamp

A. voor 't Hekke

H. Hemelaer

A. Hertsens

H. Hesselink

H. Heuvelmans

W. Hidden

H. Hilbrandie

W. Hoek

W. Hogeslag

T. van der Holst-Spit

A. Holwerda

W. De Hoog

J. Hoogeboom

H. van den Hoogen

J. van den Hoven

A. van den Hurk

C. Iking

P. Jacobs

H. Jager

H. de Jong

S. Kampherbeek

F. Kampman

A. Kelderman-van Straten

H. Kellij

G. van Kempen-Gerrits

J. Van den Kerkhof

H. Knobbout

R. Kok

M. Koldewijn-ten Hove

J. Kolen

H. Kolkman

A. van Kooten

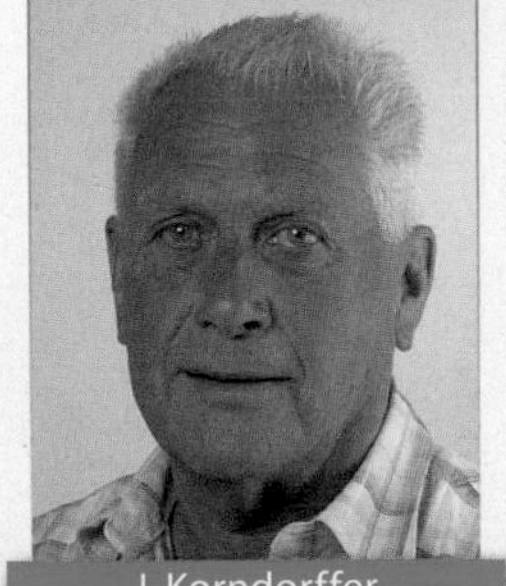
J. Korndorffer

F. Koster

F. Koster

G. Kranenborg-Kuiper

G. De Laat-Machtens

Y. Laverman-van Lingen

B. Leenders

G. Lettinga

M. van Loenen-Pots

W. Los

J. Maes

R. van der Molen

C. Molenaar

A. Mombarg

W. van Mourik

T. Mudde-Broers

K. Mylle

P. Nanninga

A. Nootebos

J. Nordsiek

A. Nowee

J. Olink

S. Omlo-Moolenbeek

E. Onclin

W. Oosterbeek

B. Oude Kotte

G. Peelen

G. Pelgrim

R. Pierlot

M. Pieterse

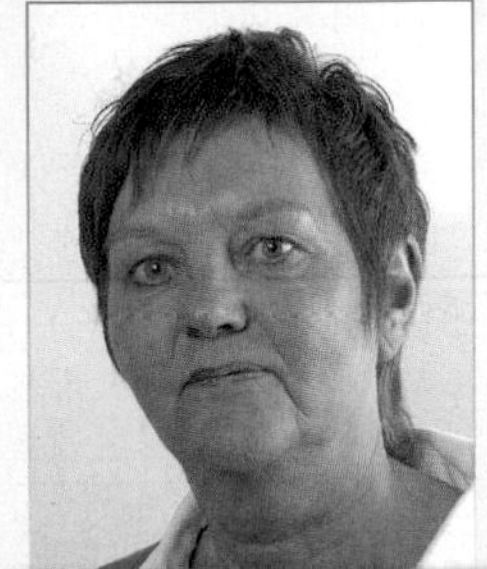
R. Pinnoo

P. Pit-Oosten

M. Prevaas-Kusters

J. Quekel-Verheugen

N. Renes

H. van de Rijdt

M. Rijfkogel-de Vrijer

J. Riksman

J. van Roekel

J. Roodenrijs

K. de Rooij

B. Rooseboom

J. Roumen

J. Ruts-van Leeuwen

M. Schaap

F. Scholtis

J. Schoonenberg

W. Schuijlenburg

B. Schulte

A. Schulte-Hoekstra

R. Schut

M. Segers

B. Smid

G. Snakkers

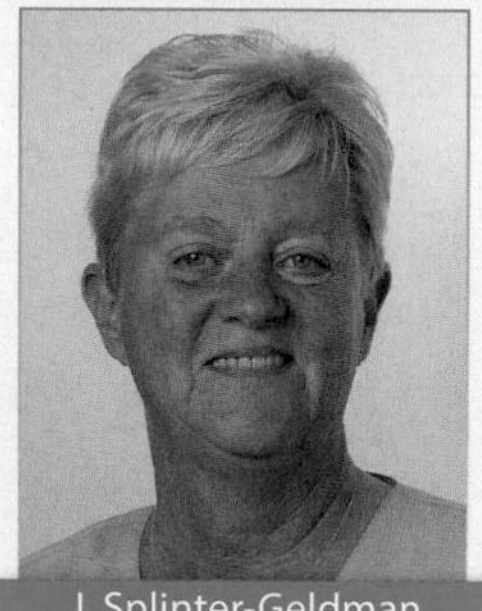
J. Splinter-Geldman

T. Spoelstra

P. van Sprang

E. van Spreeuwel

J. Stassen

W. van der Steen

T. Steunebrink

K. Stormink

A. Sybesma

L. Thiele

H. Tijink

M. Tijink

P. Tuinenburg

J. Urlings

S. Veenman

R. van Veldhoven

G. Veldhuis

E. Verhoeven

C. Verhoeven-Keeris

J. Verrezen

G. Vervliet

C. Voets

T. van Vooren-Naninck

H. Vos

H. de Vrede

S. de Vries

D. Waage

A. Walraven

G. Warnaer

R. Wauters

M. Weidner-Cuppers

L. De Weirt

N. Wennekes

H. Westbroek

R. Wijkel

J. de Wilde

R. Willems

W. Willems

J. Willighagen

P. Winkelhuijzen

J. van der Zee-Grijpma

P. Zijlstra

Ortsnamenregister

A

B

C

D

E

F

G

I

J

K

L

M

N

P

R

S

T

U

V

W

CampingCard ACSI: *die* Ermäßigungskarte für die Vor- und Nachsaison

2015 sind Sie auf 2940 Campings willkommen!

Für Sie als Käufer des ACSI Campingführer Europa gratis:

- ihre persönliche CampingCard ACSI-Ermäßigungskarte
- eine Übersicht aller Campings, auf denen Sie von der Ermäßigung profitieren
- herausnehmbarer Mini-Atlas von Europa mit allen teilnehmenden CampingCard ACSI-Campingplätzen

Benutzerhinweise

Was ist die CampingCard ACSI?

CampingCard ACSI sieht aus wie eine Scheck- oder Kreditkarte, ist aber eine Ermäßigungskarte. Mit der CampingCard ACSI können Sie günstig auf Qualitätscampings in Europa in der Nebensaison Urlaub machen, und zwar zu einem der Festtarife von: € 12, € 14, € 16 oder € 18. Auf einigen Campings in diesem Führer gibt es sogar den günstigen Tarif von 10 Euro. Sie können mit einem hohen Preisnachlass pro Übernachtung rechnen! Mindestens 10%, manchmal sogar 50% vom regulären Preis! Die 2940 teilnehmenden CampingCard ACSI-Campings sind Platz für Platz von ACSI inspizierte und genehmigte Anlagen.

Achtung! Von den 8500 inspizierten ACSI-Campings akzeptieren *nur* diese 2940 Plätze mit dem blauen CC-Logo die CampingCard ACSI. Das blaue CC-Logo finden Sie auf dem Sticker oder der großen Flagge an der Campingrezeption. *Nur* auf diesen Campings haben Sie daher das Recht auf Ermäßigung. Diese 2940 Anlagen stehen im CampingCard ACSI-Führer 2015 und auf ▸ *www.campingcard.com* ◂ In dem vorliegenden ACSI Campingführer Europa ist ein blaues CC-Logo bei den Campings abgebildet, die an der CampingCard ACSI teilnehmen.

Wie funktioniert die CampingCard ACSI?

- Füllen Sie die Rückseite der CampingCard ACSI vollständig aus (nur eine komplett ausgefüllte Karte wird akzeptiert).
- Zeigen Sie Ihre Ermäßigungskarte bei der Ankunft am Camping vor.
- Genießen Sie innerhalb der Akzeptanzperiode Ihren Urlaub auf dem Camping solange Sie wollen.
- Zeigen Sie vor der Endabrechnung auf dem Camping nochmals Ihre Ermäßigungskarte an der Rezeption.*
- Sie rechnen ab zum günstigen CampingCard ACSI Tarif für nur € 12, € 14, € 16 oder € 18 pro Übernachtung.**

* Im Prinzip können Sie mit der CampingCard ACSI hinterher bezahlen. In bestimmten Fällen kann aber der Abrechnungsmodus durch die Regelung auf dem Camping selbst bestimmt werden, also auch der Zeitpunkt der Abrechnung, oder ob Sie eine Anzahlung leisten müssen. Geben Sie bspw. an, nur eine Nacht bleiben zu wollen, oder wollen Sie reservieren, dann kann der Camping eine sofortige Bezahlung verlangen. An der Rezeption wird man Sie über diesen Punkt informieren.

** Eventuell zusätzliche Kosten lesen Sie unter 'Exklusiv'.

Akzeptanzperioden CampingCard ACSI

Jeder teilnehmende Camping hat die Zeiträume, in denen die CampingCard ACSI akzeptiert wird, selbst festgelegt. Das sind mindestens 9 Wochen in den Monaten Mai, Juni und September, meist sind aber diese Akzeptanzperioden länger: durch das gesamte Kalenderjahr durchlaufend, mit höchstens 15 Tagen in den Monaten Juli und August. Für die meisten Campings bilden die Sommermonate Juli und August nämlich die Hochsaison.
Die teilnehmenden Campings haben sich verpflichtet dafür zu sorgen, dass die wichtigsten Einrichtungen auch in der Akzeptanzperiode der Ermäßigungskarte vorhanden sind und funktionieren.

Was bieten die teilnehmenden Campings zum festen CampingCard ACSI-Tarif?

- Einen Stellplatz.*
- Aufenthalt von zwei Erwachsenen.
- Auto + Caravan + Vorzelt
  oder Auto + Zeltwagen
  oder Auto + Zelt
  oder Reisemobil mit Markise.
- Strom. Im CampingCard ACSI-Tarif ist ein Anschluss von maximal 6A inbegriffen. Wenn der Camping nur Plätze hat mit einer niedrigen Ampèrezahl, dann gilt die niedrige Ampèrezahl. Stromverbrauch bis maximal 4 kWh pro Tag ist im Übernachtungspreis inbegriffen. Wollen Sie einen Anschluss mit höherer Amperezahl oder verbrauchen Sie mehr als 4 kWh, dann hat der Camping das Recht auf Zuzahlung zum normal gültigen Tarif auf diesem Camping.

- Warme Duschen. Wenn der Camping Duschmünzen verwendet, haben Sie als CampingCard ACSI-Inhaber das Recht auf eine Duschmünze pro Erwachsener, pro Tag.**
- Der Aufenthalt von 1 Hund, soweit Hunde auf diesem Camping erlaubt sind.
- Mehrwertsteuer.

* Manche Campings unterscheiden zwischen Standard- , Luxus- oder Komfortplätzen. Die Luxus- oder Komfortplätze sind überwiegend etwas größer und haben eigenen Wasseranschluss und Kanal, manche liegen am Wasser. In den meisten Fällen wird man Ihnen Standardplätze zuweisen, aber es kann auch sein, dass Sie zum CampingCard ACSI-Tarif auch so einen teureren Stellplatz benutzen dürfen. Der Camping hat das Recht dies selbst zu regeln: Sie haben in keinem Fall einen Anspruch auf einen Luxus- oder Komfortplatz. Beachten Sie bitte auch, dass manche Campings andere Bestimmungen haben für Caravans mit Doppelachse und Mobilheime die zu groß sind für einen Standardplatz.

** Der Camping muss dem CampingCard ACSI-Inhaber die Gelegenheit geben, einmal am Tag zu duschen. Dabei hat jeder CampingCard ACSI-Inhaber das Recht auf eine Duschmünze pro Erwachsener, pro Tag. Wird vom Camping ein anderes 'Duschsystem' gehandhabt, bspw. Münzen, Schlüssel oder Schlüsselkarte, dann gilt oben genanntes, allerdings muss das der Camper mit dem Camping selbst absprechen und regeln. Warmwasser bei den Abwaschbecken ist nicht im Preis inbegriffen. Übrig gebliebene Duschmünzen können nicht in Geld getauscht werden.

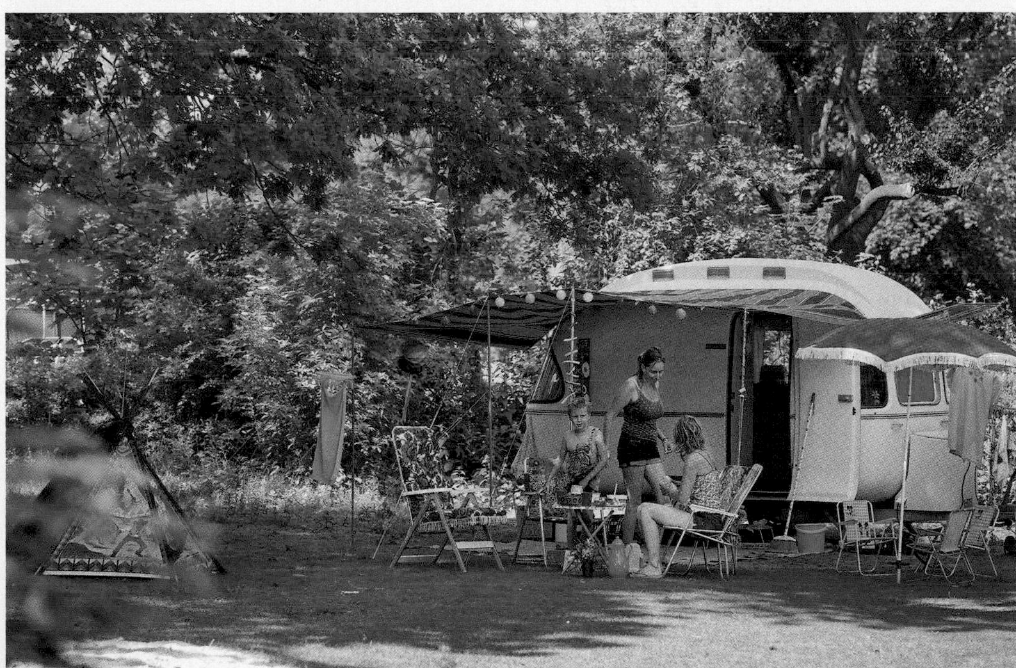

Exklusiv

- Abgaben an örtliche Behörden, wie Touristensteuer, Umweltabgabe, Ecotax oder Abfallbeitrag sind nicht im CampingCard ACSI-Tarif inbegriffen, da sie pro Land und Region unterschiedlich sind und weil der Camping diese Abgaben direkt an die örtliche Behörde abführen muss.
- Ein Camping darf Reservierungskosten berechnen.
- Ein Stromanschluss von 6A oder ein Verbrauch von 4 kWh ist im Preis inbegriffen. Es kann sein, dass ein Camping auch Plätze hat, auf denen bspw. 10A verfügbar sind. Falls Sie 10A wünschen, dann geben Sie dies deutlich dem Campingplatzinhaber an, aber rechnen Sie dann auch damit, dass der Mehrpreis in Rechnung gestellt werden kann.
- Für einen Luxus- oder Komfortplatz darf der Camping einen Zuschlag in Rechnung stellen (es sei denn, dass nur Komfortplätze auf dem Camping sind).
- Zusatzleistungen, wie Einrichtungen, die der Camping gegen Bezahlung anbietet oder vermietet (Tennisplatz oder dergleichen), können zum normal gültigen Nebensaisontarif durchberechnet werden. Für den Aufenthalt eines dritten Erwachsenen oder für Kinder gilt dies nur, wenn es unter die Vorschriften des Campings fällt.

Reservieren

Auf einigen Campings können Sie vorab mit der CampingCard reservieren. Ein Camping hat dann Einrichtungspunkt 10D bei seinen Angaben gemeldet.
Eine Reservierung mit der CampingCard ACSI wird im Prinzip wie eine normale Reservierung behandelt, nur der Übernachtungstarif ist billiger. Bitte geben Sie bei einer Reservierung an, dass Sie CampingCard ACSI-Inhaber sind! Falls Sie das nicht tun, besteht die Möglichkeit, dass Sie dennoch den normalen Tarif bezahlen müssen.
Für eine Reservierung muss in manchen Fällen bezahlt werden und es kann nach einer Anzahlung gefragt werden. Eine vom CampingCard ACSI-Inhaber lange vorher gemachte Reservierung kann vom Camping als aufwendig angesehen werden. Ein Camping kann die Regelung haben, dass er in diesem Fall keine Reservierung akzeptiert. Es gibt übrigens auch Campings bei denen keine Reservierung möglich ist.

Extra Ermäßigung

Viele Campings geben Zusatzermäßigungen wenn Sie länger bleiben. Beispiel: ist bei einem Camping in unserem Führer 7=6 eingetragen, dann zahlen Sie für einen Aufenthalt von 7 Nächten nur 6 mal zum CampingCard ACSI-Tarif! Geben Sie daher beim Registrieren oder der Reservierung an, wieviele Nächte Sie bleiben wollen. Der Camping macht dann vorab eine Buchung und gibt darauf Rabatt. Dieser Rabatt muss nicht gelten, wenn Sie während Ihres Aufenthaltes sich entschließen länger zu bleiben, und so an die erforderliche Anzahl Tagen kommen.

Vorsicht! Wenn ein Camping eine Anzahl dieser Art Ermäßigungen anbietet, haben Sie nur das Recht auf eins dieser Angebote.
Beispiel: Angebot 4=3, 7=6 und 14=12. Sie bleiben 13 Nächte: dann haben Sie ein einmaliges

Recht auf die Ermäßigung 7=6 und nicht auf die Anzahl 4=3 oder einer Kombination von beiden Angeboten 4=3 und 7=6.

Wo erfahre ich mehr über den CampingCard ACSI-Platz, den ich suche?

Wenn Sie die Tipps in dieser Übersicht lesen, ist das Auffinden eines Campings nur noch ein Kinderspiel.

Es gibt CampingCard ACSI-Campings in folgenden 20 europäischen Ländern:

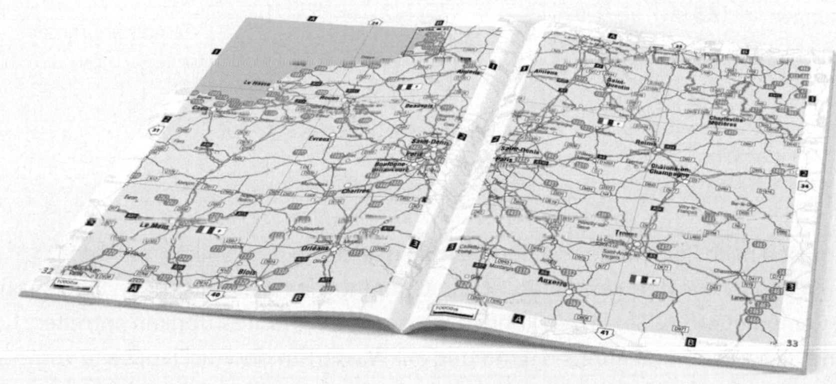

54 in Belgien
55 in Dänemark
292 in Deutschland
1246 in Frankreich
30 in Griechenland
47 in Großbritannien
11 in Irland
274 in Italien
65 in Kroatien
26 in Luxemburg

386 in den Niederlanden
9 in Norwegen
90 in Österreich
19 in Portugal
18 in Schweden
49 in der Schweiz
14 in Slowenien
225 in Spanien
16 in Tschechien
14 in Ungarn

Dieser ACSI Campingführer Europa besteht aus zwei Teilen. In Teil 1 finden Sie die CampingCard ACSI-Plätze folgender Länder: Norwegen, Schweden, Dänemark, Niederlande, Belgien, Luxemburg, Deutschland, Schweiz, Österreich, Tschechien, Ungarn, Slowenien, Kroatien und Griechenland.

In Teil 2 sind die CampingCard ACSI-Plätze der übrigen Länder: Großbritannien, Irland, Frankreich, Spanien, Portugal und Italien.

Angaben pro Camping in diesem Führer
Ab Seite 617 sind alle CampingCard ACSI-Plätze aufgezählt. Sie finden zu jedem CampingCard ACSI-Platz eine kurze Beschreibung, Tarife, Akzeptanzzeiten und Einrichtungen. Diese Beschreibung sieht wie folgt aus:

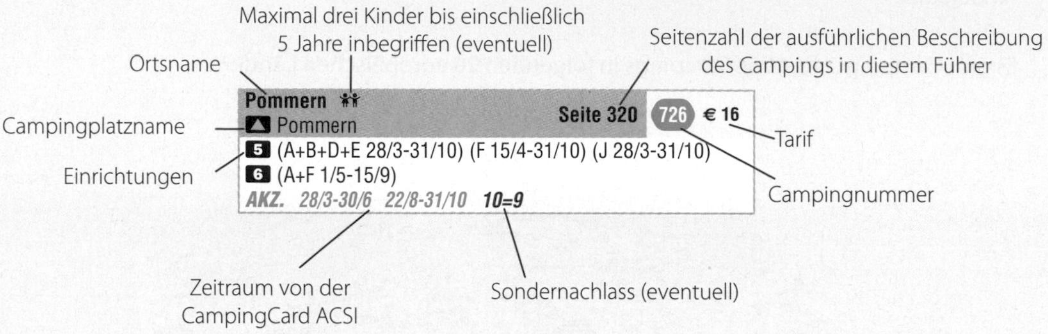

Die Campings sind nach Reihenfolge der Ortsnamen gelistet. In den 'Balken' mit den Campingdaten können Sie bequem sehen, ob ein Camping die für Sie wichtigen Einrichtungen hat. Bei den CampingCard ACSI-Plätzen können Sie zwei Einrichtungsrubriken antreffen: Rubrik 5 (Einkauf und Restaurant) und Rubrik 6 (Erholung am Wasser). In der Ausklappseite vorne im Führer, können Sie genau sehen, um welche Ausstattung es geht. Zum Beispiel 5D sagt aus, dass es einen Imbiss auf dem Camping gibt, dahinter sehen Sie dann die für diese Einrichtung geltenden Öffnungszeiten, z. B: 28/3 - 31/10.

Zu den vollständigen Informationen über einen teilnehmenden Camping verweisen wir Sie mit der Seitenangabe zu den ausführlichen Redaktionseinträgen des Platzes vorne im Führer. Die Seitenzahl des Campings steht im orangen Block. Unter dem ausführlichen Redaktionseintrag können Sie an dem blauen CampingCard ACSI-Logo erkennen, dass der Camping die CampingCard ACSI akzeptiert und welche Tarife (€ 12, € 14, € 16 oder € 18) gelten.

Vorsicht!
Die Seitenzahl verweist auf die Seiten in diesem Führer: ACSI Campingführer Europa.

Mini-Atlas Europa

In diesem Führer finden Sie einen Mini-Atlas von Europa. Das Register im Mini-Atlas ist wie folgt aufgebaut: Folgenummer des Campings, Name des Campings, Ortsnamen in alphabetischer Reihenfolge (in den Niederlanden, Deutschland, Frankreich, Spanien und Italien nach alphabetischer Reihenfolge pro Region), Seitenzahl, Teilgebiet auf der Seite.
Sie können auf diese Weise nach einem CampingCard ACSI-Platz in der Gegend suchen, in der Sie campen möchten.

Internet

Auf ▸ *www.campingcard.com* ◂ finden Sie alle teilnehmenden CampingCard ACSI-Plätze. Diese Webseite wurde vollständig erneuert und ist Ihnen beim schnellen und einfachen Suchen und Finden der Teilnehmerplätze behilflich. Die Suchergebnisse werden blitzschnell präsentiert. Sie sehen dann zum jeweiligen Platz bequem alle Angaben. Die Webseite wurde außerdem für Tablets und Mobiltelefone angepasst.

Sie können auf ▸ *www.campingcard.com* ◂ auf viele Arten nach einem Campingplatz suchen. Zum Beispiel:

- *Nach Karte*
  Klicken Sie auf das gewünschte Land oder Region. Wenn die Regionalebene erscheint, sehen Sie auf der Karte kleine rote Zeltchen. Wenn Sie auf ein solches rotes Zeltchen klicken, erscheinen die Angaben des Platzes, den Sie ausgewählt haben.

- *Nach Ortsnamen*
  Hierbei müssen Sie nur den Ortsnamen (oder einen Teil davon) eintippen.

- *Nach Campingnummer*
  Wenn Sie die Campingnummer des Campings wissen, z. B. von dem Mini-Atlas oder aus dem CampingCard ACSI-Führer, können Sie diese benutzen, um den Camping schnell zu finden. Die Campingnummer steht im blauen Logo in der Beschreibung der CampingCard ACSI-Plätze die hiernach folgt.

- *Nach Campingname*
  Hierbei müssen Sie nur den Campingnamen (oder einen Teil davon) eintippen.

- *Nach Ferienzeiten*
  Geben Sie an, in welchem Zeitraum Sie verreisen wollen und/oder ob Sie wollen, dass die CampingCard ACSI in Ihrem gesamten Urlaub akzeptiert wird.

- *Nach Einrichtungen*
  Klicken Sie die Einrichtungen an, die Sie bei dem Camping zu dem Sie wollen für wichtig halten, wie bspw. Schwimmbad oder dass der Platz Hunde erlaubt.

- *nach Thema*
  Sie finden hier Campings mit diversen Themen wie bspw für Behinderte, Wintersportcampings und FKK-Campings.

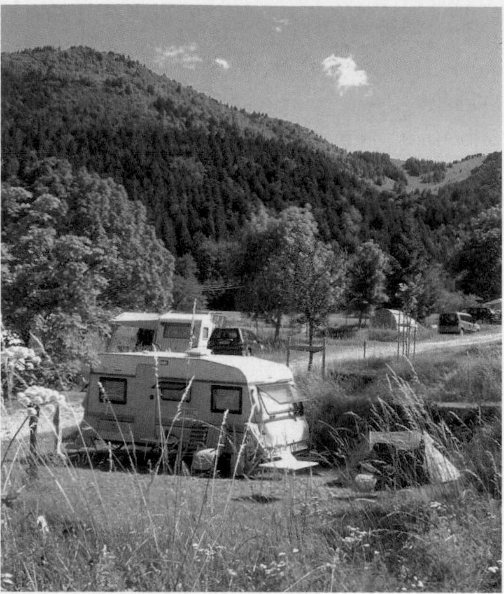

Nachdem Sie auf 'Suchen' geklickt haben, erhalten Sie die Ergebnisliste. Diese Liste beginnt mit den Campings, die die meisten Suchkriterien erfüllen.
Sie werden auf unserer Webseite auch viel Freude am integrierten Routenplaner haben. Sie wählen selbst den Maßstab: von der Übersichtskarte bis zur äußerst detaillierten Teilkarte der Regionen, in die Sie hinwollen.

Nur für 2015!

Die CampingCard ACSI-Ermäßigungskarte, die Sie in Teil 2 von diesem ACSI Campingführer Europa finden, gilt ausschließlich für das Jahr 2015, genauso wie die Informationen zu den CampingCard ACSI-Plätzen. Jedes Kalenderjahr können sich neue Campings anmelden, ein Platz kann die Akzeptanzperiode ändern, oder einen anderen Übernachtungstarif verlangen. Die Angaben im Führer werden daher auch jedes Jahr aktualisiert. Sorgen Sie dafür, dass Sie immer den aktuellsten Führer haben, wenn Sie in Urlaub fahren. Schauen Sie vor der Abreise auf ▸ *www.campingcard.com/anderungen* ◂ nach den aktuellsten Informationen.

CampingCard ACSI-Führer 2015

Für das Gesamtangebot der CampingCard ACSI-Plätze können Sie auch den speziellen CampingCard ACSI-Führer 2015 benutzen. Mit weiteren, noch ausführlicheren Informationen pro Camping, die detaillierte Karte mit der Lage der Campings, einem informativen Text und zwei Fotos von jedem Camping, um schon mal einen Eindruck von der Aussicht und der Atmosphäre zu bekommen.
Diesen Führer kann man für € 14,95 (exkl. Versandkosten) bestellen. Oder abonnieren Sie die CampingCard ACSI für € 10,95 pro Jahr (exkl. Versandkosten). Jedes Jahr werden dann die Ermäßigungskarte und der CampingCard ACSI-Führer automatisch zugeschickt.
Schauen Sie dazu ▸ *webshop.acsi.eu* ◂

CampingCard ACSI

Norwegen

Süd-Norwegen

Aurdal i Valdres — Seite 64 — 1 — € 18
Aurdal Fjordcp og Hytter****
5 (A+B+D+E 1/5-1/10)
AKZ. 1/5-23/6 18/8-20/9

Byglandsfjord — Seite 64 — 2 — € 16
Neset****
5 (A 15/5-15/9) (B 15/5-30/9) (D+E+F 1/6-15/9) (I 15/6-1/9)
AKZ. 1/1-30/6 17/8-31/12

Hovet i Hallingdal — Seite 67 — 3 — € 16
Birkelund Camping
5 (A+B+D 1/1-31/12) 6 (A 1/6-31/8)
AKZ. 1/1-30/6 17/8-31/12

Koppang — Seite 68 — 4 — € 18
Koppang Cp & Hytteutleie****
5 (B 1/6-15/9)
AKZ. 1/5-21/6 17/8-30/9

Lillehammer — Seite 68 — 5 — € 18
Hunderfossen Camping***
AKZ. 1/4-10/7 27/8-4/10

Olden — Seite 70 — 6 — € 16
Olden Camping Gytri***
5 (A+B 15/6-15/8)
AKZ. 1/5-20/6 20/8-15/9

Seljord — Seite 71 — 7 — € 16
Seljord Camping****
5 (A+B 23/6-10/8)
AKZ. 1/5-30/6 17/8-11/9 15/9-30/9

Sogndal — Seite 71 — 8 — € 18
Kjørnes****
5 (A+B 1/6-25/8)
AKZ. 1/5-22/6 20/8-1/10

Vang i Valdres — Seite 72 — 9 — € 16
Bøflaten Camping****
5 (A+B 1/1-31/12)
AKZ. 1/1-22/6 31/8-31/12

Schweden

Süd-Schweden

Åhus — Seite 85 — 10 — € 16
Regenbogen Ferienanlage Åhus****
5 (A+B 1/4-15/10) (J 1/4-31/10)
AKZ. 16/3-12/6 17/8-31/10

Älmhult — Seite 85 — 11 — € 16
Sjöstugans Camping***
5 (A+B+E+H+I 1/5-30/9)
AKZ. 1/1-17/6 19/8-31/12 ***7=6***

Gunnarp — Seite 87 — 15 — € 16
Yxningens Camping
5 (A+B 19/4-15/9) (E 17/4-12/9)
AKZ. 1/5-17/6 21/6-25/6 1/9-12/9

Höör — Seite 88 — 16 — € 18
Jägersbo Camping***
5 (A 1/5-15/9) (B 1/1-31/12) (C 13/6-16/8) (I 13/6-17/8)
AKZ. 1/1-17/6 21/6-30/6 17/8-31/12 ***7=6***

Hultsfred — Seite 88 — 18 — € 16
Hultsfreds Turism AB
5 (A+B 1/6-31/8)
AKZ. 1/4-15/6 1/9-30/9

Oknö/Mönsterås — Seite 90 — 21 — € 16
Regenbogen Ferienanlage Oknö/Mönsterås****
5 (A+B+J 1/4-31/10)
AKZ. 1/4-15/6 17/8-31/10

Tranås — Seite 92 — 24 — € 16
Hätte Camping****
5 (A 15/6-15/8) (B 1/1-31/12) (E 1/5-31/8) (F 1/1-31/12) (I+J 1/5-31/8)
AKZ. 1/1-14/6 17/8-31/12

Varberg — Seite 92 — 26 — € 18
Apelviken.se****
5 (A+B 1/4-30/9) (I 15/6-15/8) (J 23/3-27/10)
6 (A+G 1/5-31/8)
AKZ. 1/1-13/5 18/5-17/6 21/6-26/6 17/8-31/12

Värnamo — Seite 92 — 27 — € 10
Värnamo Camping***
5 (A 1/6-31/8) (B 1/6-30/8)
AKZ. 1/5-12/6 22/6-30/6 17/8-14/9

West-Schweden

Årjäng — Seite 94 — 12 — € 16
Camp Grinsby
5 (A 1/7-15/8) (B 25/6-15/8)
AKZ. 1/5-12/7 29/8-6/9

Ed — Seite 94 — 13 — € 16
Gröne Backe Cp & Stugor***
5 (A+B 15/6-15/8) (F+I 1/1-31/12)
AKZ. 1/1-8/6 1/9-31/12

Ausführliche Redaktionseinträge: Seite 64 bis 94

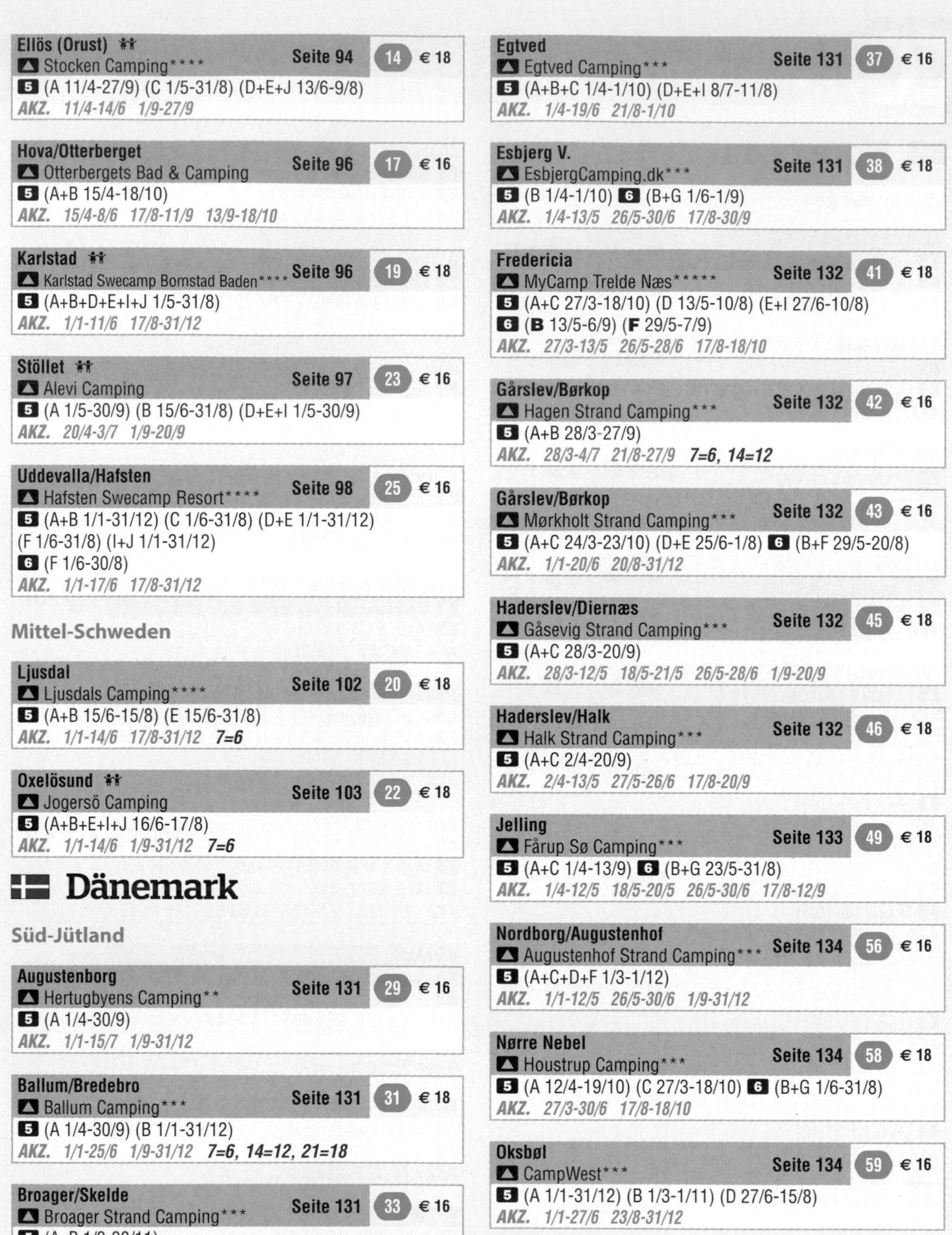

Ellös (Orust) Seite 94 — 14 — € 18
Stocken Camping****
5 (A 11/4-27/9) (C 1/5-31/8) (D+E+J 13/6-9/8)
AKZ. 11/4-14/6 1/9-27/9

Hova/Otterberget Seite 96 — 17 — € 16
Otterbergets Bad & Camping
5 (A+B 15/4-18/10)
AKZ. 15/4-8/6 17/8-11/9 13/9-18/10

Karlstad Seite 96 — 19 — € 18
Karlstad Swecamp Bomstad Baden****
5 (A+B+D+E+I+J 1/5-31/8)
AKZ. 1/1-11/6 17/8-31/12

Stöllet Seite 97 — 23 — € 16
Alevi Camping
5 (A 1/5-30/9) (B 15/6-31/8) (D+E+I 1/5-30/9)
AKZ. 20/4-3/7 1/9-20/9

Uddevalla/Hafsten Seite 98 — 25 — € 16
Hafsten Swecamp Resort****
5 (A+B 1/1-31/12) (C 1/6-31/8) (D+E 1/1-31/12) (F 1/6-31/8) (I+J 1/1-31/12)
6 (F 1/6-30/8)
AKZ. 1/1-17/6 17/8-31/12

Mittel-Schweden

Ljusdal Seite 102 — 20 — € 18
Ljusdals Camping****
5 (A+B 15/6-15/8) (E 15/6-31/8)
AKZ. 1/1-14/6 17/8-31/12 ***7=6***

Oxelösund Seite 103 — 22 — € 18
Jogersö Camping
5 (A+B+E+I+J 16/6-17/8)
AKZ. 1/1-14/6 1/9-31/12 ***7=6***

Dänemark

Süd-Jütland

Augustenborg Seite 131 — 29 — € 16
Hertugbyens Camping**
5 (A 1/4-30/9)
AKZ. 1/1-15/7 1/9-31/12

Ballum/Bredebro Seite 131 — 31 — € 18
Ballum Camping***
5 (A 1/4-30/9) (B 1/1-31/12)
AKZ. 1/1-25/6 1/9-31/12 ***7=6, 14=12, 21=18***

Broager/Skelde Seite 131 — 33 — € 16
Broager Strand Camping***
5 (A+B 1/2-30/11)
AKZ. 1/2-26/3 7/4-12/5 26/5-4/7 21/8-30/11 ***7=6, 14=12***

Egtved Seite 131 — 37 — € 16
Egtved Camping***
5 (A+B+C 1/4-1/10) (D+E+I 8/7-11/8)
AKZ. 1/4-19/6 21/8-1/10

Esbjerg V. Seite 131 — 38 — € 18
EsbjergCamping.dk***
5 (B 1/4-1/10) 6 (B+G 1/6-1/9)
AKZ. 1/4-13/5 26/5-30/6 17/8-30/9

Fredericia Seite 132 — 41 — € 18
MyCamp Trelde Næs*****
5 (A+C 27/3-18/10) (D 13/5-10/8) (E+I 27/6-10/8)
6 (**B** 13/5-6/9) (**F** 29/5-7/9)
AKZ. 27/3-13/5 26/5-28/6 17/8-18/10

Gårslev/Børkop Seite 132 — 42 — € 16
Hagen Strand Camping***
5 (A+B 28/3-27/9)
AKZ. 28/3-4/7 21/8-27/9 ***7=6, 14=12***

Gårslev/Børkop Seite 132 — 43 — € 16
Mørkholt Strand Camping***
5 (A+C 24/3-23/10) (D+E 25/6-1/8) 6 (B+F 29/5-20/8)
AKZ. 1/1-20/6 20/8-31/12

Haderslev/Diernæs Seite 132 — 45 — € 18
Gåsevig Strand Camping***
5 (A+C 28/3-20/9)
AKZ. 28/3-12/5 18/5-21/5 26/5-28/6 1/9-20/9

Haderslev/Halk Seite 132 — 46 — € 18
Halk Strand Camping***
5 (A+C 2/4-20/9)
AKZ. 2/4-13/5 27/5-26/6 17/8-20/9

Jelling Seite 133 — 49 — € 18
Fårup Sø Camping***
5 (A+C 1/4-13/9) 6 (B+G 23/5-31/8)
AKZ. 1/4-12/5 18/5-20/5 26/5-30/6 17/8-12/9

Nordborg/Augustenhof Seite 134 — 56 — € 16
Augustenhof Strand Camping***
5 (A+C+D+F 1/3-1/12)
AKZ. 1/1-12/5 26/5-30/6 1/9-31/12

Nørre Nebel Seite 134 — 58 — € 18
Houstrup Camping***
5 (A 12/4-19/10) (C 27/3-18/10) 6 (B+G 1/6-31/8)
AKZ. 27/3-30/6 17/8-18/10

Oksbøl Seite 134 — 59 — € 16
CampWest***
5 (A 1/1-31/12) (B 1/3-1/11) (D 27/6-15/8)
AKZ. 1/1-27/6 23/8-31/12

Ausführliche Redaktionseinträge: Seite 94 bis 134

Ribe Seite 134 (63) € 18
Ribe Camping***
5 (A 1/4-23/10) (B 16/3-20/10) (D 1/7-15/8)
6 (B+G 1/6-31/8)
AKZ. 1/1-31/3 6/4-30/4 3/5-12/5 25/5-30/6 20/8-3/9 6/9-23/12
7=6, 14=11

Rømø Seite 134 (65) € 16
Rømø Familiecamping***
5 (A+B 3/4-18/10)
AKZ. 3/4-21/5 26/5-5/7 22/8-18/10 ***14=11, 21=18***

Sjølund/Grønninghoved Seite 134 (69) € 18
Grønninghoved Strand Cp****
5 (A+C 1/4-15/9) 6 (B+G 14/5-31/8)
AKZ. 4/4-13/5 18/5-22/5 26/5-30/6 17/8-15/9

Skærbæk Seite 136 (70) € 16
Skærbæk Familie Camping***
5 (B 1/1-31/12)
AKZ. 1/1-30/6 1/9-31/12 ***7=6, 14=12, 21=18***

Sydals/Mommark Seite 136 (75) € 16
Mommark Marina Camping**
5 (A+B+D+E+I 1/4-18/10)
AKZ. 1/4-30/6 1/9-18/10

Tønder Seite 136 (77) € 18
Tønder Camping***
5 (A 10/1-19/12) 6 (E+G 1/1-31/12)
AKZ. 10/1-30/6 1/9-19/12

Vejers Strand Seite 136 (82) € 16
Vejers Familie Camping***
5 (A+B 27/3-13/9) 6 (B+G 23/5-30/8)
AKZ. 1/1-21/5 25/5-3/7 20/8-31/12 ***7=6, 14=12, 21=18***

Mittel-Jütland

Auning Seite 137 (30) € 16
Auning Camping**
5 (A+C 27/3-18/10)
AKZ. 27/3-30/6 17/8-18/10 ***7=6***

Bork Havn/Hemmet Seite 137 (32) € 16
Bork Havn Camping***
5 (C 1/1-31/12) (D+E 1/4-31/10)
AKZ. 27/3-12/5 25/5-30/6 17/8-31/10

Bryrup/Silkeborg Seite 138 (34) € 18
Bryrup Camping****
5 (A+C 4/4-21/9) 6 (B+G 15/5-15/9)
AKZ. 27/3-12/5 26/5-26/6 17/8-20/9

Ebeltoft Seite 138 (35) € 18
Blushøj Camping - Ebeltoft***
5 (A+C 1/4-13/9) 6 (B+G 1/6-15/8)
AKZ. 27/3-14/5 25/5-30/6 17/8-12/9

Ebeltoft/Krakær Seite 138 (36) € 18
Krakær Camping***
5 (A+C 29/3-18/10) (D 25/6-6/8) (E+I 24/6-5/8)
6 (B+G 1/6-30/9)
AKZ. 29/3-28/6 17/8-18/10

Glesborg Seite 138 (44) € 16
FDM Camping Hegedal Strand***
5 (A+B 27/3-16/9)
AKZ. 10/4-13/5 26/5-2/7 27/8-16/9

Horsens Seite 139 (48) € 18
Husodde Strand Camping***
5 (A 1/1-31/12) (C 29/3-18/10)
AKZ. 1/1-27/3 6/4-30/4 3/5-8/5 25/5-26/6 30/8-31/12

Lisbjerg/Århus-N Seite 140 (50) € 18
Aarhus Camping***
5 (A+C+D+E 1/1-31/12) 6 (B+G 15/6-15/8)
AKZ. 1/1-21/5 26/5-30/6 17/8-31/12

Løgstrup Seite 140 (51) € 16
Hjarbæk Fjord Camping***
5 (A+C+E 27/4-27/9) 6 (A+F 1/6-15/8)
AKZ. 1/1-13/5 25/5-30/6 17/8-31/12

Østbirk Seite 140 (60) € 18
Elite Camp Vestbirk***
5 (A+C 12/4-20/9) (D+E 26/6-16/8) 6 (B+G 14/5-30/8)
AKZ. 28/3-12/5 17/5-21/5 25/5-25/6 17/8-19/9

Ringkøbing Seite 140 (64) € 18
Ringkøbing Camping***
5 (A 1/7-31/8) (B 21/3-27/9)
AKZ. 21/3-20/6 17/8-26/9

Skaven/Vostrup/Tarm Seite 141 (72) € 18
Skaven Strand Camping***
5 (A+C+H+J 27/3-24/10) 6 (B+G 15/5-15/9)
AKZ. 7/4-13/5 26/5-28/6 24/8-24/10

Ulbjerg/Skals Seite 142 (80) € 16
Camping Ulbjerg***
5 (A+C 21/3-18/10) 6 (B+F 1/6-1/9)
AKZ. 1/1-30/6 17/8-31/12

Ulfborg Seite 142 (81) € 16
Vedersø Klit Camping***
5 (A+B+C 21/3-18/10) (D 1/6-1/9) (E 21/3-18/10)
6 (B+G 1/6-1/9)
AKZ. 1/5-22/5 1/6-28/6 17/8-1/10

Nord-Jütland

Farsø Seite 143 (40) € 16
Farsø Fjord Camping***
5 (A+C+D+E 1/4-30/9) 6 (B 1/6-31/8) (G 1/4-30/9)
AKZ. 1/4-21/5 26/5-30/6 17/8-30/9

Ausführliche Redaktionseinträge: Seite 134 bis 143

Løkken
Camping Rolighed*** — Seite 144 — 52 — € 16
5 (A 1/1-31/12) (C+E+I 1/4-20/10) 6 (B+G 31/5-31/8)
AKZ. 27/3-27/6 17/8-31/12

Løkken
Løkken Strandcamping*** — Seite 144 — 53 — € 18
5 (A+B 1/6-7/9)
AKZ. 1/5-30/6 17/8-6/9 ***7=6***

Løkken/Ingstrup
Grønhøj Strand Camping*** — Seite 144 — 54 — € 16
5 (A+B 11/4-14/9)
AKZ. 27/3-30/6 17/8-14/9 ***7=6***

Rebild/Skørping
Safari Camping Rebild*** — Seite 145 — 62 — € 18
5 (A 1/6-31/8) (C 1/1-31/12)
AKZ. 1/1-15/6 17/8-31/12 ***14=12, 21=18, 28=24***

Sindal
A35 Sindal Cp & Kanoudlejning*** — Seite 145 — 68 — € 18
5 (A+B 1/4-20/9) 6 (B+G 1/6-15/8)
AKZ. 1/1-30/6 17/8-31/12

Skagen
Råbjerg Mile Camping*** — Seite 145 — 71 — € 18
5 (A+B 29/3-30/9) (D+E 3/7-6/8)
6 (B 27/6-7/8) (E+G 23/6-17/8)
AKZ. 29/3-28/6 17/8-30/9

Skiveren/Aalbæk
Skiveren Camping**** — Seite 146 — 73 — € 18
5 (A+C 27/3-30/9) (D+E+H+I 16/4-14/9)
6 (B+G 30/5-31/8)
AKZ. 27/3-27/6 17/8-30/9

Tversted
Aabo Camping*** — Seite 146 — 79 — € 18
5 (A+C 1/7-15/8) (D 23/6-15/8) (E+F+H 1/7-15/8)
6 (B+G 1/6-30/8)
AKZ. 20/3-30/6 3/8-17/8 1/9-14/9 ***7=6,14=12***

Fünen

Assens
Sandager Næs*** — Seite 146 — 28 — € 16
5 (A+C 27/3-13/9) (D+E+I 30/6-5/8) 6 (B+G 18/5-1/9)
AKZ. 28/3-13/5 18/5-22/5 26/5-26/6 17/8-13/9 ***7=6, 14=12***

Faaborg
Faaborg Camping*** — Seite 147 — 39 — € 18
5 (A+B 1/4-24/10)
AKZ. 1/1-31/3 6/4-12/5 17/5-21/5 25/5-2/7 19/8-31/12

Hesselager
Bøsøre Strand Feriepark***** — Seite 147 — 47 — € 16
5 (A+C+D+E+J 27/3-18/10) 6 (**E**+**G** 27/3-18/10)
AKZ. 27/3-13/5 26/5-28/6 18/8-18/10

Middelfart
Vejlby Fed Strand Camping**** — Seite 148 — 55 — € 16
5 (A+C 28/3-13/9) (D+E+F+H 1/5-30/8) 6 (**B**+**G** 1/6-1/9)
AKZ. 28/3-13/5 18/5-21/5 26/5-27/6 17/8-13/9

Nørre Åby
Ronæs Strand Camping*** — Seite 148 — 57 — € 18
5 (A+C 21/3-20/9) (D+E 2/7-7/8)
AKZ. 21/3-1/4 7/4-12/5 26/5-27/6 17/8-20/9

Otterup
Hasmark Strand Camping*** — Seite 148 — 61 — € 16
5 (A+C 28/3-20/9) (D 12/4-21/9) (E+F+J 28/3-20/9)
6 (**B** 28/6-11/8)
AKZ. 28/3-13/5 26/5-26/6 10/8-24/8 1/9-20/9

Tårup/Frørup
Tårup Strandcamping*** — Seite 149 — 76 — € 16
5 (A+C 1/4-20/5)
AKZ. 1/4-5/7 23/8-20/9

Tranekær
Feriepark Langeland/Emmerbølle Strand Cp**** — Seite 149 — 78 — € 16
5 (A+C 27/3-20/9) (D+E+F+I 29/6-12/8) 6 (**B**+**G** 1/6-10/9)
AKZ. 27/3-30/6 17/8-20/9

Seeland

Sakskøbing
Sakskøbing Camping*** — Seite 153 — 67 — € 18
5 (A+B 20/3-18/10) 6 (**E** 1/1-31/12)
AKZ. 20/3-26/6 17/8-18/10

Strøby
Stevns Camping*** — Seite 154 — 74 — € 18
5 (A+B+E 1/4-31/10) 6 (B+G 1/6-15/8)
AKZ. 1/1-13/5 18/5-22/5 26/5-30/6 17/8-31/12

Bornholm

Rønne
Galløkken Strand Camping*** — Seite 155 — 66 — € 16
5 (A+B 1/5-2/9)
AKZ. 1/5-4/7 21/8-2/9

Niederlande

Nord-Holland

Akersloot/Alkmaar
De Boekel — Seite 161 — 83 — € 14
5 (A+B 1/1-31/12)
AKZ. 1/1-24/4 18/5-21/5 26/5-14/6 22/6-10/7 31/8-31/12

Alkmaar
Camping Alkmaar — Seite 162 — 84 — € 16
5 (A 20/3-1/10)
AKZ. 11/5-12/5 18/5-21/5 26/5-12/6 22/6-30/6 1/9-30/9

Ausführliche Redaktionseinträge: Seite 144 bis 162

Amstelveen Seite 162 85 € 16
Het Amsterdamse Bos
5 (A+C 1/1-31/12)
AKZ. 1/4-15/7 1/9-30/10

Amsterdam Seite 162 86 € 18
Camping de Badhoeve
5 (A+B+D+E+I+J 27/3-5/10)
AKZ. 27/3-9/7 31/8-4/10

Amsterdam Seite 162 87 € 18
Gaasper Camping Amsterdam
5 (A+C 15/3-1/11,27/12-31/12) (D+E+F+I+J 1/4-1/10)
AKZ. 26/5-30/6 1/9-5/10

Andijk Seite 162 88 € 16
Vakantiedorp Het Grootslag
5 (A+C 1/4-31/10) (D+E+F+J 1/1-31/12)
6 (E+G 1/1-5/1,13/2-31/12)
AKZ. 1/4-13/5 19/5-22/5 26/5-10/7 28/8-31/10

Blaricum/Huizen Seite 162 89 € 16
Kampeercentrum De Woensberg
5 (D+E+I+J 1/4-1/11)
AKZ. 1/4-1/5 26/5-6/7 24/8-1/11

Bloemendaal aan Zee Seite 162 90 € 18
Kennemer Duincp de Lakens
5 (A+C+F+J 27/3-25/10)
AKZ. 27/3-13/5 27/5-3/7 31/8-25/10

Callantsoog Seite 163 91 € 14
Callassande
5 (A+C+D+E+I+J 27/3-1/11) 6 (E+G 27/3-1/11)
AKZ. 7/4-24/4 26/5-4/6 8/6-7/7 24/8-30/10

Callantsoog Seite 163 92 € 16
De Nollen
5 (A+C+D+E+J 28/3-31/10)
AKZ. 28/3-12/5 25/5-30/6 17/8-31/10

Callantsoog Seite 163 93 € 16
Tempelhof
5 (A+C+D+E+J 27/3-1/11) 6 (E+G 27/3-1/11)
AKZ. 1/1-27/3 12/4-1/5 26/5-3/7 22/8-31/12

Castricum Seite 163 94 € 16
Kennemer Duincp Geversduin
5 (A+C 27/3-25/10) (D+I 1/5-25/5,4/7-30/8)
AKZ. 27/3-30/4 18/5-21/5 26/5-2/7 30/8-24/10

Castricum aan Zee Seite 163 95 € 16
Kennemer Duincamping Bakkum
5 (A+C+D+F+I 27/3-25/10)
AKZ. 27/3-30/4 18/5-21/5 26/5-2/7 30/8-24/10

De Cocksdorp (Texel) Seite 163 96 € 16
Vakantiepark De Krim Texel
5 (A+C+D+E+F+I+J 1/1-31/12)
6 (B 15/5-15/9) (E+G 1/1-31/12)
AKZ. 1/1-2/4 8/4-26/4 27/5-5/7 27/8-31/12

De Koog (Texel) Seite 164 97 € 16
Texelcp De Shelter/Om de Noord
5 (A 29/3-25/10)
AKZ. 29/3-2/4 8/4-26/4 27/5-5/7 27/8-25/10

Den Helder Seite 164 98 € 16
De Donkere Duinen
AKZ. 16/4-23/5 25/5-4/7 24/8-3/9

Edam Seite 164 99 € 16
Strandbad
5 (A+D+E+I+J 27/3-30/9) 6 (F 15/4-15/9)
AKZ. 27/3-13/5 18/5-21/5 26/5-3/7 1/9-30/9

Egmond aan Zee Seite 164 100 € 18
Kustcamping Egmond aan Zee
5 (A+C+D+E+F+I+J 1/1-31/12) 6 (B+G 24/4-13/9)
AKZ. 7/4-24/4 26/5-4/6 8/6-7/7 24/8-30/10

Halfweg Seite 165 101 € 14
DroomPark Spaarnwoude
5 (A+B 27/3-24/10) (D+I 1/7-31/8)
AKZ. 27/3-1/5 18/5-22/5 29/5-25/6 30/6-10/7 28/8-24/10

Hilversum Seite 165 102 € 14
De Zonnehoek
5 (D+E+J 15/3-31/10) 6 (F 15/3-31/10)
AKZ. 15/3-27/4 26/5-4/7 23/8-31/10

Hoorn/Berkhout Seite 165 103 € 16
't Venhop
5 (A 27/6-29/8) (B+E+I+J 1/1-31/12)
AKZ. 1/1-12/5 27/5-2/7 24/8-31/12

Julianadorp aan Zee Seite 165 104 € 16
Ardoer camping 't Noorder Sandt
5 (A+C+D+E+F+J 31/3-25/10) 6 (E+G 31/3-25/10)
AKZ. 12/4-26/4 10/5-12/5 18/5-21/5 27/5-2/7 23/8-24/10

Julianadorp aan Zee Seite 165 105 € 16
De Zwaluw
5 (A+B+D 28/3-11/10) (J 2/1-31/12)
AKZ. 27/3-12/5 26/5-26/6 22/8-10/10

Petten Seite 165 106 € 16
Corfwater
5 (A+B 27/3-4/10)
AKZ. 27/3-13/5 26/5-4/7 22/8-4/10

Schoorl Seite 166 107 € 16
Kampeerterrein Buitenduin
AKZ. 27/3-24/4 27/5-30/6 31/8-1/11

St. Maartenszee Seite 166 108 € 16
St. Maartenszee
5 (A+C+E+F+I+J 28/3-5/10)
AKZ. 12/4-26/4 10/5-12/5 18/5-21/5 27/5-2/7 23/8-4/10

Ausführliche Redaktionseinträge: Seite 162 bis 166

Tuitjenhorn Seite 166 (109) € 16
Campingpark de Bongerd
5 (A+C+D+I 1/4-27/9) 6 (B 25/4-31/8) (G 1/4-27/9)
AKZ. 1/4-27/4 26/5-15/7 1/9-27/9

Velsen-Zuid Seite 166 (110) € 14
DroomPark Buitenhuizen
5 (A+B+D 27/3-24/10) (E+J 1/1-31/12) 6 (B 1/5-1/10)
AKZ. 27/3-1/5 18/5-22/5 29/5-25/6 30/6-10/7 28/8-24/10

Vogelenzang Seite 166 (111) € 16
Vogelenzang
5 (A+C+D+E+I 1/4-30/9) 6 (A+F 15/5-15/9)
AKZ. 1/4-13/5 27/5-5/7 22/8-30/9

Wijdenes Seite 167 (112) € 16
Het Hof
5 (A 27/3-25/10) (D+E+I 27/3-20/9) 6 (B+G 1/5-30/8)
AKZ. 27/3-12/5 18/5-21/5 26/5-5/7 24/8-25/10

Zandvoort Seite 167 (113) € 16
de Branding
5 (A+B 27/3-5/10)
AKZ. 27/3-2/4 6/4-12/5 17/5-20/5 25/5-2/6 7/6-25/6 1/9-4/10

Süd-Holland

Brielle Seite 168 (114) € 14
Camp. Jachthaven de Meeuw
5 (B+D+E 28/3-25/10) (I 1/4-1/9)
AKZ. 28/3-2/4 7/4-23/4 28/4-12/5 18/5-21/5 26/5-3/7 31/8-25/10

Delft Seite 168 (115) € 18
Recreatiecentrum Delftse Hout
5 (A 1/7-31/8) (C 1/4-31/10) (D+E+J 1/4-1/10)
6 (B+G 1/5-15/9)
AKZ. 27/3-17/4 18/5-21/5 25/5-1/7 24/8-1/11

Den Haag Seite 168 (116) € 18
Kampeerresort Kijkduin
5 (A+C+D+E+F+I+J 1/1-31/12) 6 (E+G 1/1-31/12)
AKZ. 1/1-27/3 7/4-24/4 26/5-4/6 8/6-7/7 24/8-30/10

Hellevoetsluis Seite 168 (117) € 16
De Quack
5 (B+D+I 27/3-31/12)
AKZ. 7/4-13/5 26/5-30/6 1/9-31/12

Melissant Seite 169 (118) € 14
Elizabeth Hoeve
AKZ. 15/3-12/7 29/8-31/10 ***14=12, 21=18, 28=24***

Noorden Seite 169 (119) € 16
Koole Kampeerhoeve
AKZ. 10/4-10/5 29/5-30/6 28/8-4/10 ***7=6, 14=11***

Noordwijk Seite 169 (120) € 16
De Carlton
6 (B 1/6-15/9)
AKZ. 26/5-2/7 30/8-31/10

Noordwijk Seite 169 (121) € 16
De Duinpan
AKZ. 1/1-19/4 25/5-2/7 30/8-31/12

Noordwijk Seite 169 (122) € 16
Le Parage
5 (D+E+I 1/7-1/9)
AKZ. 15/3-31/3 1/5-10/5 1/6-30/6 1/9-30/9

Noordwijkerhout Seite 169 (123) € 14
Op Hoop van Zegen
5 (A 1/4-15/10)
AKZ. 15/3-22/4 26/5-2/7 24/8-30/10

Oostvoorne Seite 169 (124) € 14
Molecaten Park Kruininger Gors
5 (A 1/4-30/9) (C+D+J 27/3-30/9)
AKZ. 27/3-23/4 18/5-21/5 26/5-7/7 24/8-30/9

Ouddorp Seite 169 (125) € 16
Camping Port Zélande
5 (A 27/3-1/11) (C+D+E+F+H+J 1/1-31/12)
6 (B+E+G 1/1-31/12)
AKZ. 7/4-23/4 11/5-12/5 18/5-21/5 26/5-3/6 7/6-25/6 1/9-3/10

Ouddorp Seite 169 (126) € 14
RCN Vakantiepark Toppershoedje
5 (C+D+E+I+J 27/3-2/11)
AKZ. 27/3-13/5 18/5-22/5 26/5-10/7 27/8-2/11

Rockanje Seite 170 (127) € 12
Midicamping Van der Burgh
5 (A 1/7-31/8)
AKZ. 1/1-30/4 26/5-30/6 1/9-31/12

Rockanje Seite 170 (128) € 16
Molecaten Park Rondeweibos
5 (A+C+D+E+J 27/3-15/9) 6 (B+F 1/5-31/8)
AKZ. 27/3-23/4 18/5-21/5 26/5-7/7 24/8-31/10

Rockanje Seite 170 (129) € 16
Molecaten Park Waterbos
5 (B 27/3-31/10) (D+I 15/6-15/9) 6 (B+G 30/4-1/9)
AKZ. 27/3-23/4 18/5-21/5 26/5-7/7 24/8-31/10

Zevenhuizen Seite 171 (130) € 14
Recreatiepark De Koornmolen
5 (A+D+E+I 14/7-1/9) (J 1/1-31/12) 6 (E 1/1-31/12)
AKZ. 1/4-23/4 26/5-7/7 24/8-29/9

Zeeland

Aagtekerke Seite 171 (131) € 16
Ardoer camping Westhove
5 (A+C+D+I 27/3-1/11) 6 (E+G 27/3-1/11)
AKZ. 27/3-3/4 6/4-24/4 10/5-13/5 25/5-4/7 22/8-1/11

Ausführliche Redaktionseinträge: Seite 166 bis 171

Baarland Seite 171 (132) € 16
▲ Ardoer comfortcp Scheldeoord
5 (C+D+E+I 28/3-27/10)
6 (B 16/5-1/9) (E+G 1/1-3/1,20/2-31/12)
AKZ. 26/3-5/7 22/8-31/10

Breskens Seite 172 (133) € 12
▲ Zeebad
5 (A+C+D+E+I 2/7-4/9) 6 (E+G 1/1-31/12)
AKZ. 1/1-3/4 7/4-24/4 26/5-7/7 24/8-30/10

Brouwershaven Seite 172 (134) € 16
▲ Den Osse
5 (C+D+E+J 20/3-1/11) 6 (B+G 8/5-31/8)
AKZ. 20/3-12/5 26/5-2/6 8/6-3/7 23/8-1/11 7=6

Burgh-Haamstede Seite 172 (135) € 14
▲ Ardoer camping Ginsterveld
5 (C+D+E+F+I+J 27/3-1/11) 6 (E+G 27/3-1/11)
AKZ. 27/3-3/4 7/4-24/4 10/5-13/5 26/5-4/7 29/8-1/11

Burgh-Haamstede Seite 172 (136) € 16
▲ De Duinhoeve B.V.
5 (C+D+E+J 27/3-1/11)
AKZ. 26/3-2/4 7/4-13/5 26/5-28/6 1/9-31/10

Burgh-Haamstede Seite 172 (137) € 16
▲ Groenewoud
5 (A+D+E+I+J 28/3-25/10) 6 (B+G 1/5-1/10)
AKZ. 28/3-24/4 18/5-21/5 26/5-3/7 24/8-24/10

Cadzand Seite 172 (138) € 14
▲ Wulpen
5 (A 1/5-30/8) (B 13/7-23/8)
AKZ. 3/4-12/5 27/5-10/7 28/8-14/10

Cadzand-Bad Seite 173 (139) € 16
▲ Molecaten Park Hoogduin
5 (A+C+D+J 27/3-31/10)
AKZ. 1/1-23/4 18/5-21/5 26/5-7/7 24/8-31/12

Dishoek/Koudekerke Seite 173 (140) € 14
▲ Dishoek
5 (C+D+E+F+I 27/3-26/10)
AKZ. 7/4-24/4 26/5-4/6 8/6-7/7 24/8-30/10

Domburg Seite 173 (141) € 18
▲ Hof Domburg
5 (C+D+E+I+J 1/1-31/12) 6 (B 1/4-31/10) (E 1/1-31/12)
AKZ. 1/1-27/3 7/4-24/4 26/5-4/6 8/6-7/7 24/8-30/10

Ellemeet Seite 173 (142) € 16
▲ Klaverweide
5 (A+C+D+I 1/4-25/10)
AKZ. 15/3-12/5 26/5-25/6 28/6-4/7 22/8-25/10

Groede Seite 173 (143) € 16
▲ Strandcamping Groede
5 (A+C 26/3-2/11) (D+E+I+J 26/3-27/9)
AKZ. 12/4-24/4 10/5-13/5 17/5-21/5 26/5-3/6 7/6-27/6 23/8-1/11

Groot Valkenisse/Biggekerke Seite 174 (144) € 16
▲ Strandcamping Valkenisse bv
5 (A+C+D+E 3/4-24/10) (I 1/4-25/10) (J 3/4-24/10)
AKZ. 27/3-2/4 7/4-13/5 18/5-21/5 26/5-10/7 29/8-4/10

Hengstdijk Seite 174 (145) € 16
▲ Recreatiecentrum De Vogel
5 (C 1/4-31/10) (D+E+F+I+J 5/1-20/12) 6 (E+G 1/3-2/11)
AKZ. 26/5-5/7 24/8-30/9

Hoek Seite 174 (146) € 16
▲ Oostappen Vakantiepark Marina Beach
5 (A+C+D+E+I+J 18/4-26/10)
AKZ. 7/4-30/4 26/5-3/7 29/8-15/10

Kamperland Seite 174 (147) € 16
▲ RCN de Schotsman
5 (C+D+E+H+I+J 27/3-2/11) 6 (B+G 1/5-14/9)
AKZ. 27/3-13/5 18/5-22/5 26/5-10/7 27/8-2/11

Kamperland Seite 174 (148) € 14
▲ Roompot Beach Resort
5 (A+C+D+E+F+H+I 1/1-31/12) 6 (E+G 1/1-31/12)
AKZ. 1/1-27/3 7/4-24/4 26/5-4/6 8/6-7/7 24/8-30/10

Kortgene Seite 174 (149) € 16
▲ Ardoer vakantiepark de Paardekreek
5 (A+C+D+J 27/3-1/11) 6 (C 1/5-30/9)
AKZ. 12/4-24/4 26/5-3/6 7/6-3/7 29/8-1/11

Nieuwvliet Seite 175 (150) € 14
▲ Ardoer camping International
5 (A+B+D+E 27/3-1/11) 6 (F 14/5-13/9)
AKZ. 13/4-1/5 26/5-3/7 30/8-31/10

Nieuwvliet-Bad Seite 175 (151) € 14
▲ Schippers
AKZ. 27/3-12/5 26/5-3/7 28/8-31/10

Nieuwvliet-Bad Seite 175 (152) € 16
▲ Zonneweelde
5 (A+C+D+E+I 20/3-2/11) 6 (A+F 1/5-15/9)
AKZ. 1/1-11/7 28/8-31/12

Noordwelle/Renesse Seite 175 (153) € 18
▲ Ardoer strandpark De Zeeuwse Kust
5 (A+B+D+E+J 1/1-31/12) 6 (E+G 1/1-31/12)
AKZ. 1/1-2/4 8/4-30/4 10/5-12/5 26/5-2/6 8/6-4/7 1/9-31/12

Oostkapelle Seite 175 (154) € 16
▲ Ardoer camping De Pekelinge
5 (C+D+I 27/3-1/11) 6 (E+G 27/3-1/11)
AKZ. 12/4-24/4 26/5-29/6 29/8-1/11

Oostkapelle Seite 175 (155) € 16
▲ Ardoer campingpark Ons Buiten
5 (A+C+D+E+I+J 27/3-1/11) 6 (B+C+E+G 27/3-1/11)
AKZ. 27/3-25/4 26/5-11/7 28/8-1/11

Ausführliche Redaktionseinträge: Seite 171 bis 175

Renesse Seite 176 (156) € 16
Ardoer camping De Wijde Blick
5 (A 1/1-31/12) (C+D+E+I 1/3-30/10) 6 (E+G 1/1-31/12)
AKZ. 1/1-3/4 7/4-2/5 26/5-29/6 22/8-31/12

Renesse Seite 176 (157) € 16
Duinhoeve
5 (C+D+E+I+J 13/4-28/10) 6 (D 13/4-28/10)
AKZ. 15/4-30/4 27/5-11/6 14/6-3/7 30/8-25/10

Renesse Seite 176 (158) € 16
International
5 (A+C 1/3-1/11)
AKZ. 1/3-1/4 8/4-12/5 27/5-3/6 8/6-25/6 29/8-1/11

Renesse Seite 176 (159) € 16
Julianahoeve
5 (A+C+D+E+I+J 20/3-1/11) 6 (E+G 20/3-1/11)
AKZ. 13/4-23/4 10/5-12/5 18/5-21/5 26/5-2/6 8/6-25/6 31/8-31/10

Retranchement/Cadzand Seite 176 (160) € 16
Ardoer camping De Zwinhoeve
5 (A+B+D+E+J 27/3-1/11)
AKZ. 13/4-23/4 10/5-12/5 18/5-21/5 26/5-2/6 8/6-30/6 31/8-31/10

Retranchement/Cadzand Seite 176 (161) € 16
Cassandria-Bad
5 (A+D+E 27/3-31/10)
AKZ. 27/3-9/7 26/8-30/10

Retranchement/Cadzand Seite 177 (162) € 14
Den Molinshoeve
AKZ. 3/4-12/5 18/5-21/5 26/5-10/7 31/8-24/10

Scharendijke Seite 177 (163) € 16
Duin en Strand
5 (A+C+D 15/3-15/11)
AKZ. 1/3-12/5 17/5-21/5 25/5-25/6 28/6-2/7 29/8-15/11

Scharendijke Seite 177 (164) € 16
Resort Land & Zee
5 (B 14/3-1/11) (J 1/1-31/12)
AKZ. 13/2-2/4 6/4-12/5 17/5-21/5 7/6-25/6 28/6-15/7 1/9-31/12

St. Kruis/Oostburg Seite 178 (165) € 16
Bonte Hoeve
5 (A 1/4-1/11) (B+D 1/7-31/8)
AKZ. 1/4-12/7 29/8-1/11 ***7=6, 14=11***

Vrouwenpolder Seite 178 (166) € 12
De Zandput
5 (A+C+D+J 27/3-1/11)
AKZ. 7/4-24/4 26/5-4/6 8/6-7/7 24/8-30/10

Utrecht

Baarn Seite 179 (167) € 18
Allurepark De Zeven Linden
5 (A+B+C 27/3-25/10) (D 28/4-10/6,15/7-15/8)
AKZ. 27/3-10/5 26/5-12/7 29/8-25/10

Bilthoven Seite 179 (168) € 16
Bos Park Bilthoven
5 (A 15/7-31/8) (D+I+J 28/3-24/10) 6 (B+G 27/4-13/9)
AKZ. 28/3-23/4 27/5-11/7 29/8-23/10

Bunnik Seite 179 (169) € 14
Buitengoed De Boomgaard
5 (A 1/7-31/8) 6 (A 1/5-31/8)
AKZ. 27/3-13/5 26/5-3/7 20/8-1/11

Doorn Seite 179 (170) € 16
RCN Het Grote Bos
5 (A+C+D+E+I+J 27/3-2/11) 6 (B+G 30/4-15/9)
AKZ. 27/3-24/4 8/5-13/5 18/5-22/5 26/5-10/7 27/8-2/11

Doorn Seite 179 (171) € 14
Recr.Centr. De Maarnse Berg
5 (A+D+E+I+J 27/3-25/10) 6 (F 28/3-26/10)
AKZ. 27/3-12/5 25/5-5/7 22/8-25/10

Leersum Seite 179 (172) € 16
Molecaten Park Landgoed Ginkelduin
5 (A+C+D+E+F+I+J 1/1-31/12)
6 (B 15/5-15/9) (E+G 16/1-31/12)
AKZ. 27/3-23/4 18/5-21/5 26/5-7/7 24/8-31/10

Maarn Seite 179 (173) € 18
Allurepark Laag-Kanje
5 (A+C+D+E+J 29/3-27/9)
AKZ. 28/3-10/5 26/5-12/7 29/8-27/9

Renswoude Seite 179 (174) € 16
Camping de Grebbelinie
5 (A 21/3-17/10)
AKZ. 21/3-27/4 26/5-9/7 26/8-17/10

Woerden Seite 180 (175) € 16
Batenstein
6 (**E+G** 1/1-31/12)
AKZ. 27/3-26/4 26/5-4/7 28/8-1/11

Woudenberg Seite 180 (176) € 14
't Boerenerf
AKZ. 27/3-1/5 26/5-4/7 21/8-26/9

Woudenberg Seite 180 (177) € 16
Vakantiepark De Heigraaf
5 (A+C+D 28/3-25/10) (J 1/5-9/5,10/7-22/8)
AKZ. 27/3-8/5 26/5-4/7 21/8-31/10

Zeist Seite 180 (178) € 18
Allurepark De Krakeling
5 (A+C+D+E+I+J 28/3-28/9)
AKZ. 27/3-10/5 26/5-12/7 29/8-27/9

Ausführliche Redaktionseinträge: Seite 176 bis 180

Flevoland

Almere Seite 180 (179) € 16
▲ Waterhout
5 (A+B+D+E+I 3/4-18/10)
AKZ. 3/4-12/5 18/5-21/5 27/5-15/7 1/9-18/10

Biddinghuizen 👪 Seite 180 (180) € 12
▲ Aqua Centrum Bremerbergse Hoek
5 (A+C+D+E+J 15/4-25/10)
AKZ. 15/4-24/4 10/5-13/5 26/5-3/6 8/6-3/7 24/8-25/10

Biddinghuizen Seite 180 (181) € 16
▲ Molecaten Park Flevostrand
5 (A+C+D+E+I 1/1-31/12)
6 (B 15/5-15/9) (E+G 1/1-31/12)
AKZ. 27/3-23/4 18/5-21/5 26/5-7/7 24/8-31/10

Biddinghuizen Seite 180 (182) € 16
▲ Oostappen Vakantiepark Rivièra Beach
5 (A+C+D+E+H+I+J 1/4-30/10) 6 (E+G 1/4-30/10)
AKZ. 7/4-30/4 26/5-3/7 29/8-15/10

Dronten Seite 181 (183) € 14
▲ 't Wisentbos
5 (E 1/4-30/9)
AKZ. 1/4-13/5 26/5-30/6 1/9-30/9

Kraggenburg Seite 181 (184) € 16
▲ De Voorst
5 (D+E 1/1-31/12) (F 16/3-31/10) (I+J 1/1-31/12)
6 (A 29/5-31/8) (F 1/5-15/9)
AKZ. 1/4-8/5 1/6-30/6 17/8-30/9

Lelystad Seite 181 (185) € 14
▲ 't Oppertje
5 (A 28/3-4/10)
AKZ. 28/3-10/5 27/5-12/7 29/8-4/10

Urk Seite 181 (186) € 14
▲ Vakantiepark 't Urkerbos
5 (A 1/4-1/11) (D+E 14/5-25/5,1/7-31/8) (I 1/4-1/11)
6 (A+F 15/5-1/9)
AKZ. 1/4-12/5 26/5-30/6 24/8-31/10

Zeewolde Seite 181 (187) € 14
▲ Camping het Groene Bos
5 (A 1/6-1/9)
AKZ. 1/4-10/5 26/5-5/7 24/8-18/10

Zeewolde Seite 181 (188) € 16
▲ Erkemederstrand
5 (A+C+D+E+J 27/3-25/10)
AKZ. 27/3-12/5 19/5-21/5 26/5-8/7 25/8-24/10

Zeewolde Seite 181 (189) € 14
▲ RCN Zeewolde
5 (A+C+D+E+J 27/3-2/11) 6 (E 1/4-1/11) (G 1/5-15/9)
AKZ. 27/3-13/5 18/5-22/5 26/5-10/7 27/8-2/11

Overijssel

Balkbrug Seite 182 (190) € 18
▲ 't Reestdal
5 (A 27/4-5/5,1/7-31/8) (B+D 1/4-1/11)
(E 27/4-5/5,1/7-31/8) (I+J 1/4-1/11)
6 (B+G 1/5-15/9)
AKZ. 1/4-1/5 26/5-3/7 24/8-31/10

Bathmen Seite 182 (191) € 14
▲ de Flierweide
AKZ. 15/3-13/5 26/5-5/7 22/8-1/11

Beerze/Ommen Seite 182 (192) € 18
▲ Beerze Bulten
5 (A+C+D+E 1/4-1/11) (F+I+J 1/1-31/12)
6 (A 25/4-5/9) (E+G 1/1-31/12)
AKZ. 28/3-3/7 22/8-2/11

Belt-Schutsloot Seite 182 (193) € 16
▲ Kleine Belterwijde
6 (F 1/4-31/10)
AKZ. 1/4-10/5 1/6-5/7 24/8-31/10

Beuningen Seite 182 (194) € 16
▲ Natuurkampeerterrein Olde Kottink
5 (A 14/5-25/5,11/7-23/8)
AKZ. 1/4-13/5 26/5-7/7 24/8-27/9 ***21=19, 28=22***

Blokzijl Seite 182 (195) € 14
▲ Watersportcp 'Tussen de Diepen'
5 (A+B+D+E+F+I+J 1/4-31/10) 6 (B+G 1/5-15/9)
AKZ. 1/4-8/5 1/6-3/7 20/8-30/9

Dalfsen 👪 Seite 183 (196) € 16
▲ Starnbosch
5 (A+B 30/3-1/10) (C 28/4-2/9) (E 30/3-1/10) (J 1/1-31/12)
6 (D+G 1/4-1/11)
AKZ. 1/1-13/5 26/5-5/7 24/8-31/12 ***7=6***

Dalfsen Seite 183 (197) € 16
▲ Vechtdalcamping Het Tolhuis
5 (A+B 28/3-30/9) (D+E+F+I+J 30/4-15/9) 6 (B+G 30/4-15/9)
AKZ. 28/3-12/5 27/5-4/7 21/8-30/9

De Bult/Steenwijk Seite 183 (198) € 16
▲ Residence De Eese
5 (A+D+E+F+I+J 1/1-31/12) 6 (B+G 1/5-1/9)
AKZ. 1/1-3/4 8/4-14/4 27/5-4/7 1/9-31/12

De Lutte Seite 183 (199) € 16
▲ Landgoedcamping Het Meuleman
5 (A 1/4-30/9) (E+J 1/1-31/12)
AKZ. 1/4-13/5 26/5-30/6 1/9-30/9

Delden 👪 Seite 183 (200) € 16
▲ Park Camping Mooi Delden
5 (B+D+I 1/4-30/9) 6 (B+G 1/5-15/9)
AKZ. 1/4-12/5 25/5-5/7 22/8-30/9

Ausführliche Redaktionseinträge: Seite 180 bis 183

Denekamp Seite 183 201 € 16
▲ De Papillon
5 (A+C+D+E+I+J 10/4-20/9) 6 (D+G 10/4-20/9)
AKZ. 28/3-11/5 27/5-3/7 22/8-27/9

Deventer Seite 183 202 € 16
▲ Stadscamping Deventer
AKZ. 1/4-1/5 4/5-13/5 25/5-4/6 7/6-12/6 14/6-1/7 31/8-31/10
7=6

Diffelen/Hardenberg Seite 183 203 € 14
▲ de Vechtvallei
5 (A+D+E+I 1/4-31/10) 6 (D 1/4-31/10) (F 1/5-30/8)
AKZ. 7/4-24/4 26/5-1/7 18/8-30/10

Enschede Seite 184 204 € 18
▲ Euregio-Cp 'De Twentse Es'
5 (A+C+D+E+F 1/4-1/10) (I+J 1/1-31/12) 6 (B+G 13/5-1/10)
AKZ. 1/1-13/5 18/5-23/5 26/5-30/6 17/8-31/12

Haaksbergen (Twente) Seite 184 205 € 14
▲ Cp & Bungalowpark 't Stien'n Boer
5 (A 1/4-30/9,11/10-25/10) (B 1/4-30/9) (C 1/7-1/9)
(D+E+H+I 3/4-30/9) (J 1/5-30/9)
6 (**B** 1/5-1/9) (**E**+G 2/1-30/12)
AKZ. 27/3-12/5 26/5-10/7 28/8-30/9

Haaksbergen (Twente) Seite 184 206 € 16
▲ Camping Scholtenhagen B.V.
5 (B 1/1-31/12) (D+E+I 1/7-31/8) 6 (C 1/1-31/12)
AKZ. 1/1-13/5 25/5-7/7 24/8-31/12

Hardenberg/Heemserveen Seite 184 207 € 16
▲ Ardoer vakantiepark 't Rheezerwold
5 (A+B+D+I 1/4-25/10) 6 (B 1/5-1/9) (E+G 1/4-25/10)
AKZ. 1/4-1/5 18/5-22/5 26/5-5/7 22/8-25/10 ***14=12, 21=18***

Heino Seite 184 208 € 16
▲ Camping Heino
5 (A+B+D+E+I+J 27/3-30/9) 6 (E+G 27/3-30/9)
AKZ. 27/3-13/5 26/5-5/7 24/8-30/9

Hellendoorn Seite 184 209 € 14
▲ Natuurcamping Eelerberg
5 (A+B+D+I 1/4-4/10) 6 (A 1/5-31/5,1/7-31/8) (F 1/5-31/8)
AKZ. 1/4-30/4 26/5-3/7 24/8-3/10

Holten Seite 184 210 € 16
▲ Ardoer camping De Holterberg
5 (A 3/4-15/9) (B 1/1-31/12) (D+E+J 3/4-15/9)
6 (B+G 1/5-31/8)
AKZ. 1/1-13/5 26/5-3/7 21/8-31/12 ***14=12***

Lattrop Seite 184 211 € 14
▲ De Bergvennen
5 (A+D+E+I 1/4-1/10)
AKZ. 1/4-13/5 26/5-5/7 24/8-29/9

Lemele Seite 185 212 € 14
▲ de Lemeler Esch Natuurcamping
5 (A+B+D+E 1/4-24/10) (I 1/1-31/12) 6 (B+G 24/4-15/9)
AKZ. 1/4-30/4 27/5-3/7 20/8-23/10

Lemelerveld Seite 185 213 € 16
▲ Charmecamping Heidepark
5 (A 1/7-1/9) (B+D+E+I 28/3-30/9) 6 (B+G 1/5-30/9)
AKZ. 28/3-30/4 27/5-4/7 22/8-30/9

Mander Seite 185 214 € 16
▲ Dal van de Mosbeek
5 (A 1/7-31/8)
AKZ. 27/3-2/4 7/4-23/4 26/5-30/6 1/9-31/10

Markelo Seite 185 215 € 14
▲ De Bovenberg
5 (A+B+D 28/3-25/10)
AKZ. 28/3-13/5 26/5-4/7 21/8-25/10 ***14=12, 21=18***

Nijverdal Seite 185 216 € 16
▲ Ardoer camping De Noetselerberg
5 (A 28/3-26/10) (B 4/4-26/10) (C+D+E+F+J 28/3-26/10)
6 (A 2/5-1/9) (E+G 28/3-26/10)
AKZ. 28/3-30/4 18/5-22/5 26/5-4/7 22/8-25/10

Oldemarkt/Paasloo Seite 185 217 € 16
▲ De Eikenhof
5 (A 1/4-31/10) (D+E+I+J 1/5-15/9) 6 (B+G 1/5-31/8)
AKZ. 1/4-13/5 26/5-3/7 9/7-17/7 29/8-31/10

Olst Seite 185 218 € 16
▲ 't Haasje
5 (A+B 1/4-1/10) (D+E 1/4-15/9) (I+J 1/5-15/9)
6 (B+G 30/4-5/9)
AKZ. 1/4-13/5 26/5-30/6 17/8-31/10 ***7=6, 14=11***

Ommen Seite 186 219 € 14
▲ Recreatiecentrum Besthmenerberg
5 (A+C+D+E+I+J 28/3-25/10)
6 (B 2/5-1/9) (**E**+G 1/1-31/12)
AKZ. 28/3-2/4 7/4-23/4 28/4-12/5 18/5-21/5 26/5-3/7 31/8-25/10

Ommen Seite 186 220 € 16
▲ Resort de Arendshorst
5 (A+B+D+E+F+J 27/3-31/10) 6 (F 15/6-15/9)
AKZ. 27/3-13/5 26/5-7/7 24/8-31/10

Ootmarsum Seite 186 221 € 14
▲ Bij de Bronnen
5 (D+E 1/4-1/10) (I 1/1-31/12)
AKZ. 1/1-12/5 26/5-8/7 25/8-31/12

Ootmarsum Seite 186 222 € 14
▲ De Kuiperberg
5 (A+D+I 28/3-1/11)
AKZ. 28/3-12/7 31/8-31/10

Ausführliche Redaktionseinträge: Seite 183 bis 186

Ootmarsum Seite 186 (223) € 14
De Witte Berg
5 (A+D+E 4/4-30/9) (I 1/4-27/10)
AKZ. 1/4-13/5 26/5-5/7 22/8-25/10

Ootmarsum/Agelo Seite 186 (224) € 14
De Haer
5 (A 1/4-1/11) (D 5/7-1/9) 6 (A 14/5-1/9)
AKZ. 1/4-13/5 26/5-11/7 28/8-31/10

Ootmarsum/Hezingen Seite 186 (225) € 16
Hoeve Springendal
5 (A 1/1-31/12)
AKZ. 1/1-12/5 26/5-15/7 1/9-31/12

Reutum Seite 186 (226) € 14
De Weuste
5 (A+D 3/4-25/9) 6 (B+G 25/4-13/9)
AKZ. 3/4-12/5 18/5-21/5 26/5-10/7 27/8-25/9

Rheeze Seite 186 (227) € 14
't Veld
5 (A+B+D+E+I 28/3-26/9) 6 (D+G 28/3-26/9)
AKZ. 3/4-1/5 18/5-21/5 26/5-3/7 29/8-2/10

Rheeze/Hardenberg Seite 187 (228) € 16
Kampeerdorp de Zandstuve
5 (A+C+D+E+F+I+J 2/4-21/9) 6 (B 29/4-11/9) (E+G 2/4-21/9)
AKZ. 2/4-1/5 9/5-13/5 26/5-4/7 22/8-21/9

St. Jansklooster Seite 187 (229) € 12
Kampeer- & Chaletpark Heetveld
AKZ. 27/3-10/5 1/6-14/7 31/8-11/10

Steenwijk/Baars Seite 187 (230) € 12
't Kapple
5 (B 1/4-30/9) 6 (F 1/4-30/9)
AKZ. 1/4-12/5 1/6-15/7 1/9-30/9

Stegeren/Ommen Seite 187 (231) € 16
De Kleine Wolf
5 (A+C+D+E+I+J 1/4-21/9,16/10-24/10)
6 (B 1/5-15/9) (E+G 1/4-21/9,16/10-24/10)
AKZ. 1/4-30/4 10/5-12/5 18/5-21/5 26/5-3/7 22/8-20/9 16/10-23/10

Tubbergen Seite 187 (232) € 14
Ardoer recreactiepark 'n Kaps
5 (A+B+D 28/3-31/10) (E 20/3-31/10) (I+J 1/1-31/12)
6 (B+G 25/4-1/9)
AKZ. 28/3-12/5 26/5-5/7 22/8-31/10

Vollenhove Seite 187 (233) € 12
Ardoer vakantiepark ´t Akkertien
5 (A+B 1/1-31/12) (D 1/5-1/9) 6 (B+G 1/5-15/9)
AKZ. 1/1-12/5 26/5-3/7 17/8-27/8 31/8-31/12

IJhorst Seite 187 (234) € 14
De Vossenburcht
5 (D+E+I 25/7-4/9) 6 (B+G 1/5-15/9)
AKZ. 1/1-30/4 26/5-3/7 20/8-31/12

Zuna/Nijverdal Seite 187 (235) € 14
Vakantiepark Mölke
5 (A 1/1-31/12) (B 1/5-1/10) (D+E+I+J 1/1-31/12)
6 (E+G 1/1-31/12)
AKZ. 1/4-13/5 18/5-21/5 26/5-3/7 22/8-31/10

Zwolle Seite 187 (236) € 16
De Agnietenberg
5 (A+B 1/4-31/10) (D+E 1/7-1/9) (I+J 2/1-31/12)
6 (F 1/4-1/10)
AKZ. 27/3-13/5 26/5-4/7 24/8-31/10 ***7=6, 14=11***

Zwolle Seite 187 (237) € 16
Terra Nautic
AKZ. 1/4-13/5 26/5-30/6 1/9-30/9 ***7=6***

Friesland

Anjum Seite 188 (238) € 14
Landal Esonstad
5 (A+C+D+F 1/4-1/11) (I+J 1/1-31/12) 6 (E+G 1/1-31/12)
AKZ. 27/3-2/4 7/4-23/4 11/5-13/5 18/5-21/5 26/5-9/7 26/8-15/10

Appelscha Seite 188 (239) € 14
Alkenhaer
5 (A 30/3-31/10) (D+E+I 30/3-30/9) 6 (F 1/5-1/9)
AKZ. 1/4-13/5 26/5-12/7 29/8-31/10

Appelscha Seite 188 (240) € 14
RCN Vakantiepark De Roggeberg
5 (A 28/3-27/10) (C+D+E+I+J 28/3-25/10) 6 (B+F 1/5-1/9)
AKZ. 1/1-13/5 18/5-22/5 26/5-10/7 27/8-31/12

Bakhuizen Seite 188 (241) € 16
De Wite Burch
5 (A+C+D 1/4-15/9) (I 1/7-31/8)
AKZ. 15/3-13/5 26/5-1/7 18/8-31/10

Bakkeveen Seite 188 (242) € 14
De Ikeleane
5 (A+D+E+F+I 29/3-30/9)
AKZ. 1/4-2/5 10/5-13/5 26/5-3/7 22/8-30/9

Bakkeveen Seite 188 (243) € 16
Molecaten Park 't Hout
5 (A+D+E+F+I 5/4-29/5,7/7-8/9) 6 (B+G 1/5-30/8)
AKZ. 27/3-23/4 18/5-21/5 26/5-7/7 24/8-30/9

Dokkum Seite 189 (244) € 14
Harddraverspark
AKZ. 1/4-10/5 26/5-5/7 7/9-31/10

Franeker Seite 189 (245) € 16
Recreatiepark Bloemketerp bv
5 (C+D+E+J 1/1-31/12) 6 (**E+F** 1/1-31/12)
AKZ. 1/1-8/7 25/8-31/12

Ausführliche Redaktionseinträge: Seite 186 bis 189

Niederlande

Harlingen
▲ De Zeehoeve — Seite 189 — 246 — € 18
[5] (D+E 1/4-1/10) (J 15/6-30/8)
AKZ. 14/4-8/5 28/5-26/6 2/9-26/10

Hindeloopen
▲ Hindeloopen — Seite 189 — 247 — € 16
[5] (A+B 1/4-1/11) (D 5/4-1/11) (I 1/7-1/9)
AKZ. 12/4-12/5 7/6-27/6 1/9-31/10

Koudum
▲ Vakantiepark de Kuilart — Seite 189 — 248 — € 16
[5] (A 28/3-25/4,6/9-1/11) (C 25/4-6/9) (D+E+I+J 28/3-1/11)
[6] (E+G 28/3-1/11)
AKZ. 1/1-1/5 10/5-12/5 18/5-22/5 26/5-3/7 22/8-31/12

Leeuwarden
▲ De Kleine Wielen — Seite 189 — 249 — € 16
[5] (A+B+C+D+I+J 1/4-30/9)
AKZ. 1/4-12/5 27/5-3/7 24/8-30/9

Offingawier
▲ RCN De Potten — Seite 190 — 250 — € 14
[5] (A 1/7-31/8) (B+D+E+F+I+J 27/3-2/11)
AKZ. 27/3-13/5 18/5-22/5 26/5-10/7 27/8-2/11

Oudega
▲ De Bearshoeke — Seite 190 — 251 — € 16
AKZ. 1/4-13/5 18/5-21/5 26/5-6/7 24/8-31/10

Oudemirdum
▲ De Wigwam — Seite 190 — 252 — € 16
[5] (A 1/4-31/10) (D 1/7-15/8) [6] (F 15/6-15/8)
AKZ. 1/4-13/5 26/5-7/7 24/8-31/10

Rijs
▲ Rijsterbos — Seite 190 — 253 — € 16
[5] (A+B+D+E+F+I+J 17/5-30/9) [6] (B 17/5-30/9)
AKZ. 1/4-13/5 27/5-30/6 1/9-31/10

Roodhuis
▲ De Finne — Seite 190 — 254 — € 14
AKZ. 14/3-12/5 26/5-30/6 1/9-18/10

Sloten
▲ Watersport en Recr.camp. De Jerden — Seite 190 — 255 — € 16
[5] (A 15/4-30/9)
AKZ. 15/3-13/5 26/5-5/7 22/8-31/10

Sneek
▲ Camping de Domp — Seite 190 — 256 — € 16
[5] (I+J 1/1-31/12) [6] (**D**+**G** 1/1-31/12)
AKZ. 1/1-13/5 18/5-22/5 26/5-3/7 31/8-31/12

St. Nicolaasga
▲ Camping Blaauw — Seite 191 — 257 — € 14
[5] (A 13/7-16/8) (D 28/3-25/10) (I+J 28/3-1/9)
AKZ. 28/3-2/4 7/4-12/5 18/5-21/5 26/5-9/7 26/8-31/10

Weidum
▲ Weidumerhout — Seite 192 — 258 — € 16
[5] (A+I 10/1-10/12)
AKZ. 1/3-28/6 1/9-31/10

Witmarsum
▲ Mounewetter — Seite 192 — 259 — € 16
[5] (D 1/6-15/8) [6] (B+F 1/5-6/9)
AKZ. 1/4-13/5 26/5-3/7 24/8-11/10

Workum
▲ It Soal — Seite 192 — 260 — € 16
[5] (A+C+D+E+I+J 27/3-3/11)
AKZ. 27/3-2/4 7/4-13/5 25/5-3/6 7/6-4/7 22/8-1/11

Woudsend
▲ Aquacamping De Rakken — Seite 192 — 261 — € 16
AKZ. 1/1-12/5 18/5-21/5 26/5-2/6 8/6-2/7 24/8-31/12

Groningen

Bourtange
▲ 't Plathuis — Seite 193 — 262 — € 16
[5] (A+D+I 1/4-1/11)
AKZ. 1/4-13/5 26/5-7/7 24/8-20/12 ***7=6, 14=12***

Kropswolde
▲ Meerwijck — Seite 193 — 263 — € 16
[5] (A+C 27/3-4/10) (D+E 25/4-6/9) (I+J 25/4-4/10)
[6] (E+G 27/3-4/10)
AKZ. 3/4-12/5 27/5-3/7 23/8-4/10

Lauwersoog
▲ Cp recreatiecentrum Lauwersoog — Seite 193 — 264 — € 16
[5] (A+C 1/1-31/12) (D 1/4-1/11) (E+F+I+J 1/1-31/12)
AKZ. 1/1-13/5 25/5-4/7 28/8-31/12 ***7=6, 14=11***

Midwolda
▲ De Bouwte — Seite 193 — 265 — € 16
[5] (A 15/4-15/9) (D+E+I 1/4-30/9)
AKZ. 6/1-5/7 22/8-20/12

Opende
▲ De Watermolen — Seite 194 — 266 — € 14
[5] (A+B+I 1/4-30/9)
AKZ. 1/4-3/7 20/8-30/9

Sellingen
▲ De Bronzen Eik — Seite 194 — 267 — € 16
[5] (E 1/4-31/10) (I+J 1/1-31/12)
AKZ. 1/1-12/5 17/5-22/5 25/5-5/7 22/8-31/12

Sellingen
▲ Vakantiepark de Barkhoorn — Seite 194 — 268 — € 16
[5] (A+C+D+E+I+J 1/4-31/10) [6] (B+F 4/5-8/9)
AKZ. 1/4-12/4 17/5-22/5 25/5-5/7 22/8-31/10 ***7=6, 14=11, 30=20***

Ausführliche Redaktionseinträge: Seite 189 bis 194

Vierhuizen Seite 194 (269) € 16
▲ Lauwerszee
5 (A 2/7-1/9) (J 24/4-30/9)
AKZ. 1/4-13/5 26/5-5/7 31/8-31/10

Wedde Seite 194 (270) € 16
▲ Wedderbergen
5 (A+C+D+E+I 27/3-5/10) 6 (D+G 27/3-5/10)
AKZ. 27/3-2/4 7/4-30/4 26/5-2/7 30/8-5/10

Drenthe

Amen Seite 195 (271) € 12
▲ Ardoer Vakantiepark Diana Heide
5 (A+B+D+I 1/4-1/10)
AKZ. 1/4-3/4 7/4-30/4 11/5-12/5 18/5-21/5 26/5-3/7 20/8-1/10

Assen Seite 195 (272) € 16
▲ Vakantiepark Witterzomer
5 (A 1/1-31/12) (C+D+E+I+J 28/3-31/10) 6 (B+G 1/5-6/9)
AKZ. 1/1-4/5 26/5-23/6 17/8-31/12 ***7=6, 14=12***

Borger Seite 195 (273) € 10
▲ Bospark Lunsbergen
5 (A+C+D+E+J 1/4-1/11) 6 (E+G 1/4-1/11)
AKZ. 27/3-7/7 24/8-30/10

Borger Seite 196 (274) € 12
▲ Camping Hunzedal
5 (A+C+D+F 27/3-1/11) (I+J 28/3-27/10)
6 (B 28/3-27/10) (E+G 27/3-1/11)
AKZ. 27/3-3/4 7/4-24/4 26/5-7/7 24/8-30/10

Diever Seite 196 (275) € 18
▲ Diever
5 (A+B+F 1/4-1/10)
AKZ. 1/4-1/5 26/5-30/6 17/8-30/9

Diever/Oude Willem Seite 196 (276) € 14
▲ Hoeve aan den Weg
5 (A+B+D+E+F+I+J 27/3-11/10) 6 (B+G 1/5-15/9)
AKZ. 27/3-12/5 26/5-4/7 21/8-11/10

Diever/Wittelte Seite 196 (277) € 12
▲ Wittelterbrug
5 (A+B+D+E+I 1/4-31/10) 6 (E+G 1/5-15/9)
AKZ. 1/4-13/5 26/5-3/7 20/8-31/10

Drouwen Seite 196 (278) € 14
▲ Alinghoek
5 (A+B+D+E 1/4-1/10) (I+J 1/1-31/12) 6 (B+F 13/5-1/9)
AKZ. 1/4-12/5 26/5-10/7 27/8-30/9

Dwingeloo Seite 196 (279) € 16
▲ Meistershof
5 (A+B 1/4-1/10) (D 1/5-1/9)
AKZ. 1/4-30/4 27/5-30/6 17/8-30/9

Dwingeloo Seite 196 (280) € 14
▲ RCN De Noordster
5 (A+B+D+E+I+J 27/3-2/11) 6 (B+G 1/5-1/9)
AKZ. 27/3-13/5 18/5-22/5 26/5-10/7 27/8-2/11

Dwingeloo Seite 196 (281) € 16
▲ Torentjeshoek
5 (A 1/4-27/9) (B 1/1-31/12) (D 1/4-31/10) 6 (B+G 1/5-1/9)
AKZ. 1/1-12/5 26/5-2/7 19/8-31/12

Echten Seite 196 (282) € 14
▲ Vakantiepark Westerbergen BV
5 (A+C+D+E+F+I+J 29/3-31/10)
6 (B 1/5-1/9) (E+G 1/1-31/12)
AKZ. 29/3-13/5 26/5-11/7 28/8-31/10

Een (Gem. Noordenveld) Seite 196 (283) € 14
▲ Recreatie Centrum 'Ronostrand'
5 (A 1/4-1/10) (C 1/4-15/4) (D+E+F+H 1/4-15/9) (I 1/5-1/9)
AKZ. 1/4-12/5 27/5-3/7 20/8-30/9

Een-West/Noordenveld Seite 196 (284) € 16
▲ De Drie Provinciën
5 (I+J 1/1-31/12)
AKZ. 28/3-13/5 26/5-7/7 24/8-1/10

Ees Seite 196 (285) € 12
▲ De Zeven Heuveltjes
5 (A 2/5-10/5,4/7-16/8) 6 (B+G 1/5-1/9)
AKZ. 1/4-6/5 26/5-4/7 21/8-30/9

Eext Seite 196 (286) € 16
▲ De Hondsrug
5 (A+C+D+I 4/4-30/8) 6 (B 1/5-30/8) (E+G 1/4-30/9)
AKZ. 1/4-1/5 26/5-3/7 23/8-30/9

Exloo Seite 197 (287) € 14
▲ Camping Exloo
AKZ. 1/1-12/5 19/5-21/5 27/5-5/7 25/8-31/12

Frederiksoord/Nijensleek Seite 197 (288) € 16
▲ De Moesberg
5 (D+I 30/3-31/10) 6 (B+G 1/5-1/9)
AKZ. 28/3-12/5 26/5-30/6 17/8-31/10

Gasselte Seite 197 (289) € 16
▲ De Lente van Drenthe
5 (A+B+D+E+I+J 3/4-3/10) 6 (B+F 2/5-13/9)
AKZ. 3/4-1/5 18/5-21/5 26/5-30/6 24/8-3/10

Gasselte Seite 197 (290) € 14
▲ Het Horstmannsbos
5 (A+D+E 14/5-31/8) 6 (F 1/6-31/8)
AKZ. 1/4-13/5 26/5-7/7 24/8-31/10

Gasselternijveen Seite 197 (291) € 10
▲ Hunzepark
5 (A+B+D+E+I 27/3-1/11) 6 (B 1/5-13/9)
AKZ. 27/3-7/7 24/8-30/10

Ausführliche Redaktionseinträge: Seite 194 bis 197

Gees 👪
Vakantiecentrum De Wolfskuylen — Seite 197 — 292 — € 12
5 (D 27/4-9/5,11/7-22/8) 6 (B+G 25/4-5/9)
AKZ. 1/1-11/7 28/8-31/12

Gieten
Zwanemeer — Seite 197 — 293 — € 16
5 (A 1/4-1/10) 6 (B+G 25/4-29/8)
AKZ. 1/4-30/6 23/8-1/10 ***7=6, 14=12***

Havelte
Jelly's Hoeve — Seite 197 — 294 — € 16
5 (A 1/4-30/9)
AKZ. 1/4-12/5 26/5-5/7 24/8-30/9

Hoogersmilde 👪
De Reeënwissel — Seite 197 — 295 — € 16
5 (A+I 27/3-27/9) 6 (A+F 1/5-1/9)
AKZ. 26/5-5/7 24/8-27/9

Klijndijk/Odoorn
De Fruithof — Seite 197 — 296 — € 16
5 (A+C+D+E+I+J 27/4-15/9) 6 (D+G 3/4-13/9)
AKZ. 1/4-1/5 9/5-12/5 18/5-21/5 26/5-3/7 20/8-27/9

Meppen 👪
De Bronzen Emmer — Seite 198 — 297 — € 16
5 (A 28/3-31/10) (B+D+E+I 24/4-31/8)
6 (E 18/4-30/10) (F 18/4-20/10)
AKZ. 28/3-13/5 18/5-21/5 26/5-11/7 28/8-31/10
7=6, 14=12, 21=18, 28=24

Meppen
Erfgoed de Boemerang — Seite 198 — 298 — € 14
AKZ. 1/4-7/5 27/5-2/7 24/8-31/10

Norg
Boscamping Langeloërduinen — Seite 198 — 299 — € 16
AKZ. 3/4-3/5 26/5-3/7 23/8-30/9

Norg
De Norgerberg — Seite 198 — 300 — € 16
5 (A+B+D+E 27/3-1/11) (I+J 1/1-31/12) 6 (E 28/3-16/10)
AKZ. 27/3-3/4 7/4-1/5 26/5-3/7 22/8-16/10

Rolde
De Weyert — Seite 198 — 301 — € 16
5 (A 2/5-15/9)
AKZ. 1/4-13/5 26/5-5/7 22/8-25/10

Ruinen 👪
De Wiltzangh — Seite 198 — 302 — € 16
5 (A+C+D+I+J 27/3-2/11) 6 (B+G 1/5-1/9)
AKZ. 27/3-13/5 26/5-8/7 25/8-2/11

Ruinen
Landclub Ruinen — Seite 198 — 303 — € 16
5 (A 3/4-28/9) (B 3/4-29/9) (D+E+F 3/4-28/9) (I 1/7-31/8)
6 (E+G 3/4-28/9)
AKZ. 3/4-12/5 18/5-21/5 26/5-30/6 17/8-28/9

Schipborg
De Vledders — Seite 198 — 304 — € 16
5 (A+B+C+D+E 3/4-30/9) (J 3/4-25/10)
AKZ. 3/4-8/5 1/6-3/7 24/8-25/10 ***14=12, 21=18***

Schoonebeek
Camping Emmen — Seite 198 — 305 — € 14
5 (A+B+D+E+I 1/1-31/12)
AKZ. 1/1-5/7 24/8-31/12

Uffelte
De Blauwe Haan — Seite 198 — 306 — € 16
5 (A+B+D+F 27/3-25/10) 6 (F 1/5-1/9)
AKZ. 27/3-1/5 18/5-21/5 27/5-3/7 20/8-2/10

Vledder
De Adelhof — Seite 198 — 307 — € 16
5 (A 30/4-4/9) (B 30/4-31/8) (D+E+H+I+J 1/4-1/11)
6 (**B+G** 1/5-1/9)
AKZ. 1/4-30/6 17/8-31/10

Wateren
Molecaten Park Het Landschap — Seite 199 — 308 — € 14
5 (A+C+D+E+I 27/3-31/10) 6 (E+G 1/5-30/9)
AKZ. 27/3-23/4 18/5-21/5 26/5-7/7 24/8-31/10

Wezuperbrug
Molecaten Park Kuierpad — Seite 199 — 309 — € 16
5 (A 27/3-31/10) (C 1/5-31/10) (D+E+I+J 27/3-31/10)
6 (B 28/5-1/9) (E+G 1/1-31/12)
AKZ. 27/3-23/4 18/5-21/5 26/5-7/7 24/8-31/10

Zorgvlied
Park Drentheland — Seite 199 — 310 — € 14
5 (A+B+D 1/5-1/9) 6 (B+G 1/5-1/9)
AKZ. 1/4-13/5 26/5-30/6 17/8-31/10

Zweeloo 👪
De Knieplanden — Seite 200 — 311 — € 14
5 (D+E 1/4-1/10) 6 (B 25/4-30/8)
AKZ. 1/4-12/5 26/5-3/7 24/8-1/10

Gelderland

Aalten 👪
Goorzicht — Seite 200 — 313 — € 16
5 (A+D 2/5-25/5,11/7-23/8) 6 (**B**+F 2/5-31/8)
AKZ. 1/4-8/5 26/5-30/6 17/8-30/9 ***7=6, 14=12, 21=18, 28=24***

Aalten 👪
Lansbulten — Seite 200 — 314 — € 16
5 (A 14/5-25/5,11/7-23/8) 6 (B+F 15/5-15/9)
AKZ. 1/4-12/5 26/5-15/7 1/9-1/10 ***7=6, 14=12, 21=18***

Aalten 👪
't Walfort — Seite 200 — 312 — € 12
5 (A 14/5-25/5,4/7-23/8) 6 (F 14/5-31/8)
AKZ. 28/3-12/5 26/5-2/7 19/8-30/10 ***7=6, 14=12***

Ausführliche Redaktionseinträge: Seite 197 bis 200

Aerdt — Seite 201 — 315 — € 14
▲ De Rijnstrangen V.O.F.
AKZ. 1/3-24/4 26/5-3/7 24/8-1/11 ***14=13***

Apeldoorn — Seite 201 — 316 — € 12
▲ De Parelhoeve
AKZ. 1/4-12/5 26/5-30/6 17/8-31/10

Arnhem — Seite 201 — 317 — € 16
▲ DroomPark Hooge Veluwe
5 (A+B+D+E+I+J 27/3-24/10) **6** (B 13/5-1/9) (F+G 27/3-24/10)
AKZ. 27/3-1/5 18/5-22/5 29/5-10/7 28/8-24/10

Arnhem — Seite 201 — 318 — € 16
▲ Oostappen Vakantiepark Arnhem
5 (A+C+D+E+I+J 27/3-1/11) **6** (C+G 27/3-1/11)
AKZ. 7/4-30/4 26/5-3/7 29/8-15/10

Beek (gem. Bergh) 👫 — Seite 201 — 319 — € 14
▲ Vakantiepark De Byvanck BV
6 (E 1/1-31/12)
AKZ. 1/1-28/6 17/8-31/12 ***7=6, 14=12, 21=18***

Beekbergen — Seite 201 — 320 — € 14
▲ Het Lierderholt
5 (A+B 1/4-31/10) (D+E+J 1/1-31/12) **6** (B+F 25/4-16/9)
AKZ. 1/1-8/5 26/5-9/7 26/8-31/12 ***14=12, 21=18***

Beekbergen — Seite 201 — 321 — € 14
▲ Vak.centrum De Hertenhorst
5 (A+B+D+I 1/4-26/10) **6** (B+G 27/4-1/9)
AKZ. 1/4-13/5 26/5-5/7 22/8-26/10

Beesd — Seite 201 — 322 — € 18
▲ Beluwestrand
5 (A 1/4-1/10) (C 25/3-26/9) (D+E+J 1/4-30/9)
AKZ. 28/3-30/4 26/5-3/7 22/8-27/9

Beltrum 👫 — Seite 202 — 323 — € 12
▲ Erve 't Byvanck
AKZ. 7/4-10/5 27/5-2/7 31/8-31/10

Berg en Dal 👫 — Seite 202 — 324 — € 16
▲ Nederrijkswald
AKZ. 15/3-25/4 26/5-4/7 25/8-30/10

Braamt — Seite 202 — 325 — € 12
▲ Recreatie Te Boomsgoed
5 (A 2/5-10/5,11/7-30/8) (D+F 1/1-31/12)
AKZ. 1/1-1/5 26/5-30/6 26/8-31/12

Doesburg — Seite 202 — 326 — € 14
▲ Cp & Jachthaven Het Zwarte Schaar
5 (D+I+J 1/1-31/12) **6** (**D** 30/3-31/10) (F 1/5-15/9)
AKZ. 1/4-10/5 27/5-3/7 31/8-17/10 ***7=6, 14=12, 21=18***

Doesburg — Seite 202 — 327 — € 14
▲ IJsselstrand
5 (A+C 1/3-31/10) (D+I+J 1/1-31/12) **6** (D+G 30/3-31/10)
AKZ. 1/1-24/4 26/5-10/7 27/8-16/10 23/10-31/12
7=6, 14=12, 21=18

Doetinchem — Seite 202 — 328 — € 14
▲ De Wrange
5 (A 1/5-10/5,13/7-22/8) (C+D+E+I 13/7-22/8) (J 1/7-30/8)
6 (B+G 1/5-1/9)
AKZ. 1/4-1/5 18/5-22/5 26/5-5/7 24/8-30/10 ***7=6, 14=11***

Doornenburg — Seite 202 — 329 — € 18
▲ De Waay
5 (A+B+D+E 2/5-25/5,12/7-28/8) (I+J 2/5-25/5)
6 (B+**C**+G 2/5-25/5)
AKZ. 1/4-11/5 26/5-9/7 31/8-1/10

Ede — Seite 202 — 330 — € 16
▲ Bos- en Heidecp Zuid-Ginkel
5 (A+B 27/3-25/10)
AKZ. 27/3-12/5 26/5-6/7 23/8-25/10 ***7=6, 14=12, 21=18***

Eerbeek — Seite 202 — 331 — € 14
▲ Landal Coldenhove
5 (A+C+D+E+I+J 1/1-31/12) **6** (E+G 1/1-31/12)
AKZ. 13/3-2/4 7/4-23/4 11/5-13/5 18/5-21/5 26/5-9/7 26/8-15/10

Eerbeek 👫 — Seite 203 — 332 — € 14
▲ Robertsoord
5 (A 1/7-31/8) (D 1/7-1/9)
AKZ. 3/4-30/4 26/5-5/7 31/8-31/10

Eibergen — Seite 203 — 333 — € 16
▲ Het Eibernest
5 (A 1/1-31/12) (D+E+I+J 4/4-31/10) **6** (B+G 4/4-31/10)
AKZ. 1/1-30/6 22/8-31/12

Elburg 👫 — Seite 203 — 334 — € 14
▲ Natuurcp Landgoed Old Putten
5 (A 18/7-15/8) **6** (F 1/4-25/9)
AKZ. 3/4-3/5 25/5-15/7 1/9-23/9

Emst — Seite 203 — 335 — € 16
▲ De Zandhegge
5 (A+B+D+E 28/3-1/10) **6** (B+G 30/4-15/9)
AKZ. 28/3-2/5 26/5-10/7 27/8-1/10 ***7=6, 14=12, 21=17***

Epe — Seite 204 — 336 — € 14
▲ De Vossenberg
5 (A 15/5-15/8) (D+E 1/5-31/8) (I 15/7-23/8) (J 15/7-16/8)
6 (B+G 1/5-1/9)
AKZ. 1/4-1/5 27/5-9/7 24/8-29/8 1/9-31/10

Epe — Seite 204 — 337 — € 14
▲ RCN de Jagerstee
5 (A 1/1-31/12) (B+D+E 27/3-2/11) (I+J 27/3-2/11,24/12-5/1)
6 (B+G 1/5-15/9)
AKZ. 1/1-13/5 18/5-22/5 26/5-10/7 27/8-31/12

Ermelo — Seite 204 — 338 — € 14
▲ De Kriemelberg
5 (A+B 27/3-31/10) (D 4/4-12/9)
AKZ. 27/3-24/4 11/5-13/5 26/5-3/7 20/8-31/10

Ausführliche Redaktionseinträge: Seite 201 bis 204

Ermelo
In de Rimboe — Seite 204 — 339 — € 16
5 (A+D+E+I+J 29/3-27/10) 6 (B 15/5-15/9) (G 1/5-15/9)
AKZ. 28/3-13/5 26/5-5/7 24/8-30/10

Ermelo
Recreatiecentrum De Paalberg — Seite 204 — 340 — € 16
5 (A+C+D+E+J 1/4-31/10) 6 (B 1/5-31/8) (E+G 1/1-31/12)
AKZ. 1/1-1/5 26/5-5/7 22/8-31/12

Garderen (Veluwe)
Ardoer camping De Hertshoorn — Seite 204 — 341 — € 14
5 (A+C+D+E+J 27/3-1/11) 6 (B 1/5-1/9) (E+G 27/3-1/11)
AKZ. 28/3-30/4 27/5-3/7 29/8-25/10

Gorssel
Jong Amelte — Seite 204 — 342 — € 12
5 (D+E+I 11/7-30/8)
AKZ. 1/1-3/4 7/4-12/5 26/5-10/7 31/8-31/12 ***10=9***

Groesbeek
De Oude Molen — Seite 205 — 343 — € 14
5 (A 26/4-3/5,11/7-23/8) (B 30/3-31/10)
(D 26/4-3/5,11/7-23/8) (E 11/7-23/8) (I 11/7-17/8)
6 (B+G 1/5-31/8)
AKZ. 30/3-1/5 26/5-3/7 20/8-30/10 ***14=12, 21=18***

Hall
Nivon Het Hallse Hull — Seite 205 — 344 — € 12
AKZ. 1/5-12/5 26/5-2/7 1/9-4/10

Harfsen
Camping De Waterjuffer — Seite 205 — 345 — € 14
5 (D+I 27/3-25/10)
AKZ. 27/3-30/4 26/5-5/7 22/8-25/10 ***14=12, 21=18***

Hattem
Molecaten Park De Leemkule — Seite 205 — 346 — € 16
5 (A+C+D+E+I+J 1/1-31/12)
6 (B 13/5-31/8) (E+G 1/1-31/12)
AKZ. 27/3-23/4 18/5-21/5 26/5-7/7 24/8-31/10

Hattem
Molecaten Park Landgoed Molecaten — Seite 205 — 347 — € 14
5 (A+D+I 27/3-30/9)
AKZ. 27/3-23/4 18/5-21/5 26/5-7/7 24/8-30/9

Heerde
De Mussenkamp — Seite 205 — 348 — € 14
AKZ. 1/4-8/5 30/5-3/7 20/8-31/10

Heerde
De Zandkuil — Seite 205 — 349 — € 14
5 (A+B 1/4-31/10) (D 25/4-3/5,4/7-23/8)
(E 4/7-23/8,25/4-3/5) (I+J 25/4-3/5,4/7-23/8)
6 (B+G 1/5-1/9)
AKZ. 29/3-10/5 27/5-5/7 22/8-31/10 ***7=6, 14=11***

Heerde
Molecaten Park De Koerberg — Seite 205 — 350 — € 16
5 (A+B+D+E+I+J 27/3-31/10) 6 (B+G 1/6-16/9)
AKZ. 27/3-23/4 18/5-21/5 26/5-7/7 24/8-31/10

Hengelo (Gld.)
Kom-Es-An — Seite 205 — 351 — € 14
5 (A 1/4-31/10) (B 15/5-1/9) (D 1/4-1/11) (E+I 1/4-31/10)
6 (A+F 1/6-1/9)
AKZ. 1/4-13/5 26/5-3/7 24/8-31/10

Heteren
Camping Overbetuwe — Seite 205 — 352 — € 14
5 (B 1/1-31/12)
AKZ. 1/1-30/6 17/8-31/12

Hoenderloo
De Pampel — Seite 206 — 353 — € 16
5 (A+C+D+E+F+J 1/4-30/9)
6 (B+C 29/3-30/9,15/10-31/10) (G 29/3-31/10)
AKZ. 1/1-1/5 25/5-3/7 20/8-31/12 ***7=6, 14=12, 21=18***

Hoenderloo
Recreatiepark 't Veluws Hof — Seite 206 — 354 — € 16
5 (A+C+D+E 1/3-26/10) (J 2/1-30/12) 6 (B+G 26/4-14/9)
AKZ. 1/3-30/4 26/5-10/7 27/8-26/10 ***7=6, 14=12, 21=18***

Hoenderloo
Veluwe camping 't Schinkel — Seite 206 — 355 — € 14
5 (A+B+D+E+I+J 1/4-30/9) 6 (B+G 26/4-15/9)
AKZ. 1/4-1/5 25/5-10/7 27/8-30/9 ***7=6, 14=12, 21=18***

Hulshorst
DroomPark Bad Hoophuizen B.V. — Seite 206 — 356 — € 14
5 (A+B+D+E+I+J 27/3-26/10) 6 (E+G 1/1-31/12)
AKZ. 27/3-1/5 18/5-22/5 29/5-10/7 28/8-25/10

Hummelo
Camping De Graafschap — Seite 206 — 357 — € 16
5 (A 1/5-30/7) (B+D 1/1-31/12) (I 1/5-31/7)
AKZ. 1/1-30/4 29/5-30/6 17/8-31/12 ***14=13***

Hummelo
Camping Jena — Seite 206 — 358 — € 14
5 (A+B+D 3/4-31/10)
AKZ. 3/4-30/4 29/5-30/6 17/8-31/10 ***14=13***

Kootwijk
Harskamperdennen — Seite 206 — 359 — € 16
5 (A+B 27/3-24/10)
AKZ. 27/3-30/4 26/5-9/7 26/8-24/10

Kring van Dorth (gem. Lochem)
de Vlinderhoeve — Seite 206 — 360 — € 14
5 (A 18/7-15/8) (B 2/5-9/5,18/7-15/8) (D+E+I 1/4-31/10)
6 (B+G 14/5-31/8)
AKZ. 1/4-1/5 28/5-8/7 25/8-31/10 ***14=12, 21=18***

Ausführliche Redaktionseinträge: Seite 204 bis 206

Laag-Soeren Seite 206 361 € 16
▲ Ardoer Vakantiedorp De Jutberg
5 (A+B 1/4-31/10) (D+E+I+J 1/4-30/10) 6 (C+G 1/4-31/10)
AKZ. 1/1-30/4 26/5-10/7 27/8-31/12 ***7=6, 14=12, 21=18***

Laag-Soeren Seite 206 362 € 12
▲ Boszicht
AKZ. 27/3-1/6 26/6-10/7 27/8-1/11 ***14=12, 21=18***

Lieren/Beekbergen Seite 206 363 € 16
▲ Ardoer comfortcp De Bosgraaf
5 (A+C+D+I 3/4-15/9) 6 (B+G 26/4-15/9)
AKZ. 27/3-10/7 27/8-25/10

Lunteren Seite 207 364 € 14
▲ De Rimboe
AKZ. 1/3-12/5 26/5-6/7 23/8-25/10 ***14=12, 21=18***

Maurik Seite 207 365 € 14
▲ Camp. Jachthaven de Loswal
5 (D+E+I 1/4-1/10)
AKZ. 1/4-10/5 1/6-30/6 24/8-1/10

Neede Seite 207 366 € 12
▲ 't Klumpke
5 (A 18/4-21/4,28/5-1/6) (B 26/4-5/5,6/6-9/6) (C+D+E+H+I 1/4-31/10)
6 (B+G 26/4-1/10)
AKZ. 1/4-30/6 17/8-31/10 ***7=6, 14=12, 21=18***

Neede Seite 207 367 € 12
▲ Den Blanken
5 (A 1/4-30/9) (B 30/3-28/9) (D+E+I 18/4-30/9)
6 (B+G 30/4-1/9)
AKZ. 28/3-1/5 18/5-21/5 26/5-4/7 21/8-31/10 ***7=6, 14=12, 21=18***

Nieuw-Milligen Seite 208 368 € 16
▲ Landal Rabbit Hill
5 (A+C+D+E+H+J 1/1-31/12)
6 (B 1/6-15/9) (E+G 1/1-31/12)
AKZ. 1/1-2/4 7/4-23/4 18/5-21/5 26/5-9/7 28/8-15/10 2/11-31/12

Nunspeet Seite 208 369 € 16
▲ Molecaten Park De Hooghe Bijsschel
5 (A+B 29/5-9/6,1/7-31/8) (D+E+I 14/5-25/5,1/7-31/8)
6 (B+G 30/4-1/9)
AKZ. 27/3-23/4 18/5-21/5 26/5-7/7 24/8-30/9

Nunspeet Seite 208 370 € 12
▲ Recreatiecentrum De Witte Wieven
5 (A+B+D+E+I 1/4-1/11) 6 (A+F 1/6-31/8)
AKZ. 1/4-13/5 26/5-4/7 29/8-31/10

Olburgen Seite 208 371 € 14
▲ Dorado Beach
5 (A+B+D+I 1/4-31/10) 6 (B 1/5-1/10)
AKZ. 1/4-30/6 1/9-26/10

Otterlo Seite 208 372 € 16
▲ Ardoer camping De Wije Werelt
5 (A+C+D+E+I+J 27/3-31/10) 6 (B+G 25/4-15/9)
AKZ. 27/3-25/4 26/5-10/7 27/8-31/10 ***14=12, 21=18***

Otterlo Seite 208 373 € 16
▲ Beek en Hei
5 (A 1/5-1/10)
AKZ. 1/1-12/5 28/5-12/7 29/8-31/12 ***7=6, 14=12, 21=18***

Putten Seite 208 374 € 16
▲ Strandparc Nulde
5 (A+B+D+E+I 1/4-1/10)
AKZ. 1/4-13/5 26/5-5/7 24/8-30/9 ***7=6***

Ruurlo Seite 208 375 € 12
▲ De Meibeek
5 (A 1/4-31/10) (B 1/5-13/10) (D+E+H+I+J 1/4-31/10)
6 (B+F 1/5-31/8)
AKZ. 1/4-13/5 26/5-6/7 24/8-31/10

Ruurlo Seite 208 376 € 16
▲ Tamaring
5 (A+B+I 1/4-31/10) 6 (F 1/7-31/8)
AKZ. 1/4-13/5 26/5-4/7 22/8-31/10

Stokkum Seite 209 377 € 16
▲ Brockhausen
AKZ. 27/3-12/5 25/5-3/7 21/8-30/10

Stokkum Seite 209 378 € 14
▲ De Slangenbult
5 (A 1/4-1/10)
AKZ. 23/1-9/5 28/5-11/7 28/8-19/12

Stroe Seite 209 379 € 14
▲ Jacobus Hoeve
5 (A 14/5-25/5,2/7-25/8) (D+I 1/2-30/11)
AKZ. 1/2-13/5 26/5-3/7 21/8-30/11

Ugchelen Seite 209 380 € 14
▲ De Wapenberg
AKZ. 27/3-2/5 26/5-4/7 21/8-1/11 ***21=18***

Vaassen Seite 209 381 € 16
▲ De Helfterkamp
5 (A 5/4-25/10) (C 14/2-31/10)
AKZ. 14/2-24/4 26/5-3/7 20/8-31/10

Vierhouten Seite 209 382 € 16
▲ De Paasheuvel
5 (A 14/5-25/5,1/7-31/8) (D+E 14/5-25/5,1/6-31/10) (F+I 1/4-31/10)
AKZ. 1/4-1/5 26/5-6/7 24/8-1/11

Vierhouten Seite 209 383 € 16
▲ Recreatiepark Samoza
5 (A 30/3-26/10) (C+D+I+J 28/3-25/10)
6 (B 17/5-31/8) (E+G 1/1-31/12)
AKZ. 28/3-2/4 7/4-23/4 28/4-12/5 18/5-21/5 26/5-3/7 31/8-25/10

Ausführliche Redaktionseinträge: Seite 206 bis 209

Voorthuizen
Ardoer recreatiecentrum Ackersate — Seite 209 — 384 — € 16
5 (A+C+D+E+J 27/3-24/10)
6 (E 30/3-27/10) (G 27/3-24/10)
AKZ. 28/3-24/4 28/5-4/7 22/8-24/10

Voorthuizen
Recreatiepark De Boshoek — Seite 210 — 385 — € 16
5 (A+B+C+D+E+J 1/1-31/12)
6 (B 1/5-30/9) (**E**+**G** 1/1-31/12)
AKZ. 21/3-2/4 7/4-1/5 26/5-3/7 24/8-31/10 ***7=6, 14=11, 21=16***

Vorden
't Meulenbrugge — Seite 210 — 386 — € 16
AKZ. 15/3-13/5 26/5-11/7 29/8-31/10

Vorden
De Reehorst — Seite 210 — 387 — € 16
5 (A 1/7-31/8) (D+E+I+J 1/4-30/9)
AKZ. 1/4-10/7 27/8-31/10

Winterswijk
Cp Klompenmakerij ten Hagen — Seite 210 — 388 — € 14
AKZ. 1/1-1/4 7/4-30/4 18/5-21/5 26/5-2/6 8/6-9/7 26/8-31/12

Winterswijk
Vakantiepark De Twee Bruggen — Seite 210 — 389 — € 16
5 (A+B+C+D+I+J 1/1-31/12) 6 (B 1/5-15/9) (**E**+G 1/1-31/12)
AKZ. 1/1-2/4 7/4-12/5 18/5-21/5 26/5-7/7 24/8-31/12

Winterswijk
Vreehorst — Seite 211 — 390 — € 16
5 (A+B 27/3-1/11) (D 1/5-30/9) (I 28/3-2/11)
6 (A+G 28/3-1/11)
AKZ. 1/1-2/4 7/4-30/4 11/5-12/5 18/5-21/5 26/5-3/7 22/8-31/12

Winterswijk/Henxel
Het Wieskamp — Seite 211 — 391 — € 16
5 (A 1/1-31/12) (D+E 15/3-26/10) (J 1/1-31/12)
6 (B+G 14/5-31/8)
AKZ. 13/3-12/5 18/5-21/5 26/5-2/7 21/8-31/10

Winterswijk/Woold
De Harmienehoeve — Seite 211 — 392 — € 12
5 (A+B+D+E 1/1-31/12) 6 (A 24/5-31/8)
AKZ. 1/1-31/3 8/4-30/4 4/5-13/5 27/5-31/5 8/6-30/6 1/9-31/12
7=6, 14=11

Zennewijnen
Campingpark Zennewijnen — Seite 211 — 393 — € 16
5 (A+B+D+E+I 15/3-31/10) 6 (A+F 15/5-15/9)
AKZ. 15/3-13/5 26/5-12/7 29/8-31/10

Nord-Brabant

Alphen (N.Br.)
't Zand — Seite 212 — 394 — € 14
5 (A 26/4-5/5,4/7-31/8) (B 26/4-5/5,1/7-31/8) (D 27/3-27/9)
(E 26/4-5/5,1/7-31/8) (F 26/4-5/5,1/7-5/9) (I 27/3-27/9)
AKZ. 27/3-2/4 8/4-24/4 9/5-13/5 26/5-10/7 27/8-26/9

Alphen (N.Br.)
Buitenlust — Seite 212 — 395 — € 14
5 (A+D+E+I+J 1/3-1/11)
AKZ. 1/3-2/4 6/4-13/5 17/5-21/5 25/5-2/7 31/8-1/11

Asten/Heusden
De Peel — Seite 212 — 396 — € 14
5 (A 11/7-22/8) 6 (A 1/6-31/8)
AKZ. 15/3-12/5 26/5-10/7 27/8-31/10

Asten/Ommel
Oostappen Vakantiepark Prinsenmeer — Seite 212 — 397 — € 16
5 (C 22/3-2/11) (D+F+H 1/5-30/9) 6 (E+G 1/5-30/9)
AKZ. 7/4-30/4 26/5-3/7 29/8-15/10

Bergen op Zoom
Uit en Thuis — Seite 212 — 398 — € 14
5 (B 1/4-1/11) (D+E+I 1/4-1/10)
AKZ. 1/4-13/5 18/5-21/5 26/5-30/6 1/9-31/10

Breda
Liesbos — Seite 212 — 399 — € 16
5 (A+B+D+E 1/4-30/9) (J 1/4-31/8) 6 (B+F 30/4-30/9)
AKZ. 1/4-9/5 26/5-30/6 1/9-1/10

Chaam
RCN De Flaasbloem — Seite 212 — 400 — € 14
5 (A+C+D+E+F+I+J 27/3-2/11)
6 (B 1/5-1/9) (E 1/2-31/12) (G 1/5-1/9)
AKZ. 27/3-24/4 8/5-13/5 18/5-22/5 26/5-10/7 27/8-2/11

De Heen
De Uitwijk — Seite 213 — 401 — € 16
5 (A+E+J 28/3-28/9)
AKZ. 27/3-3/4 6/4-24/4 10/5-13/5 18/5-22/5 26/5-10/7 30/8-27/9
14=12

Eerde
Het Goeie Leven — Seite 213 — 402 — € 16
5 (A+D+E+J 4/7-30/8) 6 (B 14/5-15/9)
AKZ. 28/3-30/4 17/5-21/5 26/5-2/7 30/8-15/10

Eersel
Recreatiepark TerSpegelt — Seite 213 — 403 — € 16
5 (C+D+E+I+J 27/3-9/11) 6 (E+G 27/3-9/11)
AKZ. 27/3-23/4 18/5-21/5 26/5-2/6 8/6-10/7 28/8-8/11

Esbeek
De Spaendershorst — Seite 213 — 404 — € 16
5 (A 18/7-30/8) (D 1/4-1/10) 6 (B+G 1/4-31/10)
AKZ. 1/4-29/4 26/5-30/6 1/9-31/10

Hilvarenbeek
Vakantiepark Beekse Bergen — Seite 214 — 405 — € 12
5 (A 1/4-1/11) (C+D+E+F+I+J 1/1-31/12)
6 (E+G 1/1-31/12)
AKZ. 27/3-24/4 26/5-4/7 29/8-1/11

Ausführliche Redaktionseinträge: Seite 209 bis 214

Hoeven Seite 214 406 € 16
▲ Molecaten Park Bosbad Hoeven
5 (A+B+D+J 27/3-31/10) 6 (B 26/4-31/8) (E+F 27/3-31/10)
AKZ. 27/3-23/4 18/5-21/5 26/5-7/7 24/8-31/10

Kaatsheuvel Seite 214 407 € 16
▲ Oostappen Vakantiepark Droomgaard
5 (A+C+D+E+I+J 18/4-26/10) 6 (B 1/6-31/8) (E+G 18/4-26/10)
AKZ. 7/4-30/4 26/5-3/7 29/8-15/10

Lage Mierde Seite 214 408 € 16
▲ De Hertenwei
5 (A 12/4-13/10) (C 22/3-26/10) (D+E+I+J 1/1-31/12)
6 (B 28/5-31/8) (E 1/1-31/12) (G 28/5-31/8)
AKZ. 1/1-1/5 17/5-22/5 25/5-5/7 22/8-31/12

Lierop/Someren Seite 214 409 € 18
▲ De Somerense Vennen
5 (A 2/5-8/5,1/7-15/8) (D+E+I+J 2/5-8/5,1/7-31/8)
6 (D+G 1/5-15/9)
AKZ. 28/3-30/4 9/5-12/5 18/5-21/5 26/5-2/7 29/8-24/10 ***14=12***

Luyksgestel Seite 214 410 € 18
▲ Vakantiecentrum De Zwarte Bergen
5 (C 28/3-27/9) (D+I+J 2/5-27/9) 6 (B+G 12/5-1/9)
AKZ. 28/3-12/5 18/5-21/5 26/5-10/7 27/8-26/9

Mierlo Seite 214 411 € 12
▲ Boscamping 't Wolfsven
5 (C+D+E+I+J 27/3-1/11) 6 (E+G 27/3-1/11)
AKZ. 27/3-3/4 7/4-24/4 26/5-7/7 24/8-30/10

Mierlo Seite 214 412 € 14
▲ De Sprink
5 (D 4/4-15/9)
AKZ. 27/3-15/7 1/9-31/10

Netersel 👪 Seite 214 413 € 14
▲ De Couwenberg
5 (A+D+I 1/7-15/8) 6 (B+G 1/5-15/9)
AKZ. 1/1-15/7 1/9-31/12 ***14=12***

Nijnsel/St. Oedenrode Seite 214 414 € 18
▲ Landschapscamping De Graspol
5 (A 15/3-15/10)
AKZ. 1/3-12/5 26/5-15/7 1/9-30/9

Nispen/Roosendaal Seite 215 415 € 14
▲ Zonneland
5 (B 1/5-30/9) 6 (B 1/5-1/9)
AKZ. 1/3-7/7 24/8-5/10

Oirschot Seite 215 416 € 18
▲ de Bocht
5 (D 1/7-31/8) (E+I 1/1-31/12) 6 (A+F 16/6-31/8)
AKZ. 1/1-1/5 26/5-2/7 25/8-31/12

Oirschot 👪 Seite 215 417 € 18
▲ Vakantiepark Latour
5 (D 27/3-27/9) (I 27/3-17/9) (J 27/3-27/9)
6 (B 1/5-31/8) (E+G 27/3-27/9)
AKZ. 27/3-15/7 1/9-26/9 ***7=6, 14=11***

Oisterwijk Seite 215 418 € 16
▲ Ardoer streekpark Klein Oisterwijk
5 (A+C+D+E+I 1/4-26/9) (J 1/1-31/12) 6 (B+G 1/5-28/8)
AKZ. 1/1-24/4 26/5-5/7 22/8-31/12

Oisterwijk Seite 215 419 € 16
▲ Ardoer vakantiepark De Reebok
5 (A+B+D+E 1/4-31/10) (J 1/1-31/12)
AKZ. 1/1-24/4 26/5-3/7 21/8-31/12

Oisterwijk Seite 215 420 € 14
▲ Natuurkampeerterrein Morgenrood
AKZ. 1/1-30/4 26/5-30/6 1/9-31/12

Oosterhout Seite 215 421 € 14
▲ De Katjeskelder
5 (A+C+D+E+F+H+I+J 1/1-31/12)
6 (B 26/4-26/10) (E+G 1/1-31/12)
AKZ. 27/3-3/4 7/4-24/4 26/5-7/7 24/8-30/10

Schaijk Seite 216 422 € 14
▲ De Holenberg
5 (A 15/7-17/8) (B 29/5-1/11) (D+E 14/5-25/5,15/7-17/8)
(I 15/7-17/8)
AKZ. 1/4-1/5 26/5-6/7 24/8-1/11

Sint Anthonis Seite 216 423 € 16
▲ Ardoer vak.centrum De Ullingse Bergen
5 (A+D+E+J 2/4-27/9) 6 (B+G 24/4-10/9)
AKZ. 1/4-13/5 18/5-22/5 26/5-5/7 22/8-27/9

Sint Hubert Seite 216 424 € 12
▲ Van Rossum's Troost
5 (A 5/4-28/4) (B 30/4-11/9) (D 23/4-11/9) 6 (F 16/7-21/8)
AKZ. 3/4-8/5 26/5-11/7 29/8-27/9 ***14=12***

Udenhout Seite 216 425 € 16
▲ Ardoer recreatiepark Duinhoeve
5 (A 1/5-31/8) (B+D+E+I 1/4-27/9) 6 (B+G 25/4-31/8)
AKZ. 1/4-23/4 26/5-7/7 24/8-27/9

Valkenswaard Seite 216 426 € 14
▲ Oostappen Vakantiepark Brugse Heide
5 (A+D+I 1/7-31/8) 6 (B+F 1/5-1/9)
AKZ. 7/4-30/4 26/5-3/7 29/8-15/10

Veldhoven Seite 216 427 € 18
▲ Ardoer vakantiepark 't Witven
5 (A+B+D+E+I+J 28/3-27/9)
AKZ. 28/3-12/5 18/5-21/5 26/5-11/6 15/6-15/7 1/9-26/9

Vessem 👪 Seite 216 428 € 16
▲ Eurocamping Vessem
5 (B+D 1/7-31/8) 6 (A+F 15/5-1/9)
AKZ. 28/3-12/5 18/5-21/5 26/5-15/7 1/9-3/10

Ausführliche Redaktionseinträge: Seite 214 bis 216

Vinkel Seite 216 429 € 12
Vakantiepark Dierenbos
5 (A+C+D+E+J 1/1-31/12)
6 (B 15/5-1/9) (E 1/1-31/12) (G 15/5-1/9)
AKZ. 27/3-24/4 26/5-4/7 29/8-1/11

Wanroij Seite 216 430 € 14
Vakantiepark De Bergen
5 (C+D+E+J 1/7-15/8)
AKZ. 1/4-12/5 1/6-15/7 1/9-30/10

Zandoerle/Veldhoven Seite 218 431 € 16
Vakantiepark Molenvelden
5 (D+I+J 27/3-27/9) 6 (B+G 1/5-27/9)
AKZ. 27/3-15/7 1/9-26/9 ***7=6, 14=11***

Limburg

Afferden Seite 218 432 € 16
Klein Canada
5 (A 1/4-31/10) (C 1/5-31/8) (D 27/3-31/8) (E+I+J 1/5-31/8)
6 (A 1/5-31/8) (E+F 27/3-31/10)
AKZ. 1/1-12/5 26/5-10/7 29/8-31/12 ***7=6, 14=11, 21=16***

Afferden Seite 218 433 € 14
Roland
5 (A 1/4-15/9) (B+C 1/4-23/9) (D+E+J 1/4-20/9)
6 (B+G 25/4-14/9)
AKZ. 1/1-13/5 26/5-8/7 25/8-31/12

Arcen Seite 218 434 € 12
Klein Vink
5 (A+C+D+I+J 1/1-31/12) 6 (E+G 1/1-31/12)
AKZ. 1/1-3/4 7/4-24/4 26/5-7/7 24/8-30/10

Baarlo Seite 218 435 € 16
Oostappen Vakantiepark De Berckt
5 (A+C+D+E 22/3-25/5,6/7-30/8) (I+J 22/3-2/11)
6 (E+G 22/3-2/11)
AKZ. 7/4-30/4 26/5-3/7 29/8-15/10

Beesel Seite 218 436 € 16
Petrushoeve
5 (A+F 1/3-31/10)
AKZ. 1/3-4/7 21/8-31/10

Belfeld Seite 218 437 € 16
DroomPark Maasduinen
5 (A 1/7-31/8) (D 28/3-30/9) (I+J 28/3-24/10)
6 (E+G 28/3-24/10)
AKZ. 27/3-1/5 18/5-22/5 29/5-10/7 28/8-24/10

Blitterswijck Seite 219 438 € 16
't Veerhuys
5 (D+E 1/4-31/10) (I+J 1/1-31/12) 6 (F 1/5-31/10)
AKZ. 1/4-13/5 25/5-10/7 27/8-31/10 ***7=6, 14=12***

Echt Seite 219 439 € 14
Marisheem
5 (D 7/7-18/8) 6 (A+F 17/5-1/9)
AKZ. 1/3-30/6 17/8-31/10 ***7=6, 14=12, 21=18, 28=24***

Geijsteren/Maashees Seite 219 440 € 16
Natuurkampeerterrein Landgoed Geijsteren
5 (A 1/7-10/8,1/7-31/8) (B 1/7-10/8)
AKZ. 27/5-29/6 31/8-31/10

Grubbenvorst Seite 219 441 € 14
Californië
AKZ. 15/3-15/7 1/9-15/10 ***7=6***

Gulpen Seite 219 442 € 16
Gulperberg Panorama
5 (A+B 6/4-28/10) (C 28/4-15/9) (D+E+F+J 6/4-28/10)
6 (A+F 28/4-25/9)
AKZ. 27/3-2/5 9/5-14/5 26/5-8/7 29/8-5/11 ***7=6, 14=11, 21=16***

Gulpen Seite 220 443 € 14
Osebos
5 (A+C+D+E+I+J 28/3-1/11) 6 (A+F 15/5-30/9)
AKZ. 28/3-13/5 17/5-4/7 21/8-31/10

Heel Seite 220 444 € 12
Narvik HomeParc Heelderpeel B.V.
5 (A+D+E 1/7-31/8) (I 1/7-1/9) (J 1/7-30/9) 6 (B 1/5-15/9)
AKZ. 28/3-5/7 22/8-24/10 ***7=6, 14=12***

Heerlen Seite 220 445 € 14
Hitjesvijver
6 (B+G 10/5-30/8)
AKZ. 1/1-13/5 1/6-10/6 16/6-7/7 24/8-31/12 ***7=6, 14=11***

Helden Seite 220 446 € 14
Ardoer cp De Heldense Bossen
5 (A+C+D+E+J 28/3-1/11)
6 (B 25/4-30/8) (E+G 28/3-1/11)
AKZ. 28/3-1/5 10/5-13/5 17/5-22/5 25/5-4/7 28/8-1/11

Herkenbosch Seite 220 447 € 16
Oostappen Vakantiepark Elfenmeer
5 (A+C 22/3-2/11) (I+J 30/4-8/5,1/7-2/9) 6 (B+G 30/4-2/9)
AKZ. 7/4-30/4 26/5-3/7 29/8-15/10

Kelpen-Oler Seite 220 448 € 14
Geelenhoof
5 (B 1/3-30/10)
AKZ. 1/3-12/5 26/5-12/7 29/8-4/11 ***7=6, 14=12, 21=18***

Landgraaf Seite 220 449 € 16
De Watertoren
5 (A+B+D+E 1/4-31/10) 6 (B+G 15/5-1/9)
AKZ. 1/4-12/5 18/5-10/6 15/6-6/7 23/8-31/10

Meerlo Seite 220 450 € 16
't Karrewiel
5 (A+B+D+E+I 1/1-31/12) 6 (A+F 1/5-15/9)
AKZ. 1/4-10/7 27/8-30/10 ***7=6, 14=12, 21=18, 28=24***

Ausführliche Redaktionseinträge: Seite 216 bis 220

Meerssen Seite 221 451 € 16
▲ Camping Meerssen
AKZ. 1/4-13/7 1/9-30/9

Meijel Seite 221 452 € 14
▲ Kampeerbos De Simonshoek
5 (A 31/3-31/10) (D+I 1/4-31/5,1/7-31/8)
6 (B+C+G 1/1-31/12)
AKZ. 1/1-6/7 24/8-31/12

Panningen Seite 221 453 € 14
▲ Beringerzand
5 (A+C 27/3-8/11) (D+E+I 1/1-31/12)
6 (B 1/7-1/9) (E+G 1/1-31/12)
AKZ. 27/3-23/4 26/5-1/7 6/7-10/7 24/8-29/9 2/11-8/11

Plasmolen/Mook Seite 221 454 € 16
▲ Camping Eldorado
5 (A+C 2/5-25/5,28/7-30/8) (D 2/5-25/5,20/7-30/8)
(I+J 2/5-25/5,28/7-30/8)
AKZ. 1/4-29/4 26/5-30/6 1/9-31/10

Roermond Seite 222 455 € 16
▲ Resort Marina Oolderhuuske
5 (A 1/4-31/10) (B 1/7-31/8) (D 1/5-1/10) (I+J 1/1-31/12)
6 (**E**+**G** 1/1-31/12)
AKZ. 8/4-29/4 4/5-13/5 18/5-22/5 26/5-3/6 8/6-3/7 24/8-31/10
14=12

Roggel Seite 222 456 € 16
▲ Recreatiepark De Leistert
5 (A+C+D+E+F+I+J 27/3-9/11) 6 (B 15/5-1/9) (E+G 1/1-31/12)
AKZ. 27/3-30/4 18/5-21/5 26/5-11/7 28/8-9/11

Schimmert Seite 222 457 € 12
▲ Mareveld
5 (A 7/7-19/8) (J 1/1-31/12) 6 (B 1/6-31/8)
AKZ. 30/3-5/7 24/8-15/10

Schin op Geul Seite 223 458 € 14
▲ Schoonbron
5 (A+C+D+E+F+I+J 12/4-1/11) 6 (B 26/4-15/9) (G 16/4-15/9)
AKZ. 15/3-13/5 18/5-22/5 26/5-5/7 22/8-31/10
7=6, 14=11, 21=15, 28=18

Schin op Geul/Valkenburg Seite 223 459 € 14
▲ Vinkenhof
5 (A 13/5-26/5,18/7-23/7) (D+E+F+I+J 1/4-1/10)
6 (B 1/5-30/9)
AKZ. 1/1-3/1 1/3-16/4 20/4-12/5 17/5-21/5 25/5-4/7 21/8-31/12

Vaals Seite 223 460 € 14
▲ Natuurkampeerterrein Hoeve De Gastmolen
5 (A 10/7-15/8)
AKZ. 1/4-1/5 25/5-3/7 20/8-31/10

Valkenburg aan de Geul Seite 223 461 € 16
▲ De Bron BV
5 (A+B+D+E+I+J 1/4-1/11) 6 (A+F 1/6-31/8)
AKZ. 1/4-16/4 20/4-12/5 26/5-5/7 22/8-31/10 ***7=6, 14=11***

Valkenburg aan de Geul Seite 224 462 € 16
▲ De Cauberg
5 (A 14/3-31/10,13/11-31/12) (B 13/11-31/12)
(D+E+I 1/4-31/10,13/11-31/12)
AKZ. 14/3-1/4 7/4-14/4 20/4-30/4 26/5-4/7 23/8-31/10

Valkenburg/Berg en Terblijt Seite 224 463 € 16
▲ Oriëntal
5 (A+C 2/4-1/11) (D 1/7-26/8) (I 1/1-31/12) 6 (D+G 2/4-1/11)
AKZ. 2/4-17/4 20/4-24/4 6/5-13/5 26/5-4/7 21/8-1/11 ***7=6, 14=12***

Venray/Oostrum Seite 224 464 € 16
▲ Parc De Witte Vennen
5 (B 11/7-28/8) (D 6/7-31/8)
AKZ. 11/4-1/5 18/5-21/5 26/5-30/6 1/9-26/9

Vijlen Seite 224 465 € 16
▲ Cottesserhoeve
5 (A+C 29/3-15/9) (D 2/5-9/5,4/7-23/8) (I 4/7-23/8)
6 (B+G 1/5-15/9)
AKZ. 20/3-2/5 26/5-4/7 22/8-30/9

Vijlen/Vaals Seite 224 466 € 18
▲ Rozenhof
5 (A+C+D+E+I+J 1/1-31/12) 6 (B+G 1/5-30/9)
AKZ. 1/1-1/5 27/5-5/7 22/8-31/12

Wijlre Seite 224 467 € 14
▲ De Gele Anemoon
6 (F 1/4-30/9)
AKZ. 28/3-12/5 26/5-5/7 22/8-3/10

Wijlre Seite 224 468 € 16
▲ De Gronselenput
5 (A+B+F 1/4-1/11)
AKZ. 1/4-1/5 26/5-6/7 24/8-1/11

Belgien

Flandern

Blankenberge Seite 231 475 € 18
▲ Bonanza 1***
5 (A+D+E+F+J 4/4-19/4,4/7-30/8)
AKZ. 27/3-3/4 7/4-14/5 18/5-22/5 26/5-3/7 22/8-27/9

Bocholt Seite 232 477 € 16
▲ Goolderheide****
5 (A 3/4-30/9) (C+D+E+H 1/7-31/8) 6 (B+G 1/6-31/8)
AKZ. 3/4-5/7 24/8-30/9

Bredene Seite 232 479 € 16
▲ 17 Duinzicht
5 (D+E+I 30/3-15/10)
AKZ. 1/1-2/4 20/4-12/5 18/5-21/5 26/5-3/7 31/8-31/12

Bredene Seite 233 480 € 18
▲ Veld en Duin***
AKZ. 1/1-2/4 7/4-13/5 18/5-21/5 26/5-7/7 24/8-31/12 ***7=6***

Ausführliche Redaktionseinträge: Seite 221 bis 233

Bree Seite 233 481 € 12
Recreatieoord Kempenheuvel
5 (A+D+E+J 1/7-31/8) 6 (B+G 15/5-15/9)
AKZ. 1/3-3/7 22/8-15/11

De Haan Seite 233 484 € 18
Strooiendorp
5 (D 4/4-19/4,1/7-31/8)
AKZ. 1/1-2/4 7/4-30/4 4/5-12/5 18/5-22/5 26/5-7/7 24/8-31/12

De Klinge Seite 233 485 € 16
Fort Bedmar**
5 (A 1/4-30/9) (D 1/7-31/8) 6 (B+G 15/5-15/9)
AKZ. 1/1-12/5 26/5-9/7 26/8-31/12

Hechtel/Eksel Seite 234 487 € 12
Vakantiecentrum De Lage Kempen*****
5 (A 3/4-1/11) (B 14/5-13/9) (D+I 3/4-1/11)
6 (B 13/5-6/9) (G 13/5-31/8)
AKZ. 6/4-12/5 25/5-4/7 24/8-31/10

Houthalen Seite 234 489 € 16
De Binnenvaart
5 (A+D+J 1/1-31/12)
AKZ. 1/1-4/7 25/8-31/12 ***7=6***

Houthalen/Helchteren Seite 234 490 € 16
Oostappen Vakantiepark Hengelhoef
5 (A+C 18/4-26/10) (D 1/7-31/8) (E+F 18/4-26/10) (J 1/7-31/8)
6 (B+E+G 1/4-30/9)
AKZ. 7/4-30/4 26/5-3/7 29/8-15/10

Jabbeke Seite 234 491 € 18
Klein Strand
5 (A+B 1/6-31/8) (D+E+I+J 1/1-31/12) 6 (F 15/5-15/9)
AKZ. 1/1-3/7 30/8-31/12 ***7=6, 14=11, 21=15***

Kasterlee Seite 234 492 € 16
Houtum
5 (B 1/1-31/12) (D+E+I 1/7-31/8)
AKZ. 1/1-26/6 7/9-31/12

Lommel Seite 235 494 € 16
Oostappen Vakantiepark Blauwe Meer*****
5 (A+C+D+E+J 1/7-31/8) 6 (B+G 24/4-1/9)
AKZ. 7/4-30/4 26/5-3/7 29/8-15/10

Lommel-Kolonie Seite 235 495 € 14
Oostappen Vakantiepark Parelstrand
5 (A+C+D+E+I 1/7-31/8) 6 (A+F 1/7-31/8)
AKZ. 7/4-30/4 26/5-3/7 29/8-15/10

Mol Seite 235 498 € 16
Oostappen Vakantiepark Zilverstrand
5 (A+B+D+E+J 1/7-31/8) 6 (G 1/7-31/8)
AKZ. 7/4-30/4 26/5-3/7 29/8-15/10

Nieuwpoort Seite 236 500 € 16
Kompas CP Nieuwpoort****
5 (A+C+D+E 27/3-11/11) (J 3/4-19/4,1/7-31/8)
6 (B+G 14/5-13/9)
AKZ. 27/3-3/4 19/4-30/4 3/5-13/5 17/5-22/5 25/5-1/7 31/8-30/10

Opglabbeek Seite 236 501 € 16
Recreatieoord Wilhelm Tell****
5 (A+B+D+E+F+J 1/1-31/12)
6 (B 1/7-31/8) (E 1/1-31/12) (G 1/7-31/8)
AKZ. 1/1-4/7 25/8-31/12 ***7=6***

Opgrimbie/Maasmechelen Seite 236 502 € 14
Recreatieoord Kikmolen
5 (A 1/4-15/9) (C 1/6-15/8) (D 1/4-30/9) (E+I+J 1/7-30/9)
AKZ. 1/4-5/7 24/8-31/10

Opoeteren Seite 236 503 € 16
Zavelbos***
5 (A+D+E+J 1/1-31/12)
AKZ. 1/1-4/7 25/8-31/12 ***7=6***

Remersdaal/Voeren Seite 236 507 € 16
Camping Natuurlijk Limburg BVBA
5 (A+D+I 1/1-31/12) 6 (A+F 1/7-1/9)
AKZ. 1/1-13/5 18/5-21/5 26/5-5/7 31/8-31/12

Retie Seite 236 508 € 14
Berkenstrand****
5 (A+C 4/4-19/4,1/7-31/8) (D+E+I+J 1/4-30/9)
AKZ. 1/4-2/4 19/4-29/4 3/5-12/5 18/5-21/5 26/5-30/6 18/8-30/9

Turnhout Seite 236 516 € 16
Baalse Hei***
5 (A+B+D+E+I+J 1/4-30/9)
AKZ. 29/5-30/6 1/9-30/9

Westende Seite 237 517 € 16
Kompas Camping Westende****
5 (A+C 27/3-11/11) (D+E+J 3/4-19/4,1/7-31/8)
AKZ. 27/3-3/4 19/4-30/4 3/5-13/5 17/5-22/5 25/5-1/7 31/8-30/10

Westende Seite 237 518 € 18
Poldervallei**
5 (A+B+D+E 1/7-31/8)
AKZ. 1/4-3/4 20/4-13/5 26/5-30/6 31/8-26/11 ***8=7, 14=12***

Westende Seite 237 519 € 18
Westende
5 (A+C+E 1/3-15/11) (I+J 1/4-1/9) 6 (B 15/6-1/9)
AKZ. 1/3-3/4 6/4-30/4 3/5-13/5 17/5-22/5 25/5-1/7 31/8-15/11

Westerlo/Heultje Seite 237 520 € 16
Hof van Eeden***
5 (D 1/1-31/12) (E 1/5-31/10) (I+J 1/1-31/12)
6 (A+F 21/6-31/8)
AKZ. 1/1-5/7 22/8-31/12

Ausführliche Redaktionseinträge: Seite 233 bis 237

Zele 👪
▲ Groenpark*** Seite 237 (521) € 16
5 (A 1/6-31/8)
AKZ. 28/3-30/6 1/9-1/11

Zonhoven
▲ Holsteenbron Seite 237 (522) € 16
5 (A+D+I 1/4-8/11)
AKZ. 1/4-30/6 1/9-8/11

Wallonien

Aische-en-Refail
▲ Manoir de la Bas** Seite 238 (469) € 16
5 (A 1/4-31/10) (D+E+I+J 1/7-31/8) 6 (**B**+**G** 1/7-31/8)
AKZ. 1/4-30/6 1/9-31/10

Arlon
▲ Officiel Arlon** Seite 239 (470) € 16
5 (A+B 1/1-31/12) (I 1/4-31/10) 6 (A 15/6-15/9)
AKZ. 1/1-30/6 1/9-31/12 ***7=6, 14=12, 21=18***

Attert
▲ Sud**** Seite 239 (471) € 12
5 (A+B+D+E+J 1/4-15/10) 6 (A+F 1/7-31/8)
AKZ. 1/4-7/7 25/8-14/10

Aywaille 👪
▲ Domaine Château de Dieupart* Seite 240 (472) € 16
5 (A+C 1/1-31/12) (D+I 1/5-30/9)
AKZ. 1/1-13/5 26/5-5/7 24/8-31/12

Bertrix
▲ Ardennen Camping Bertrix**** Seite 240 (473) € 16
5 (A+B+D+E+F+J 27/3-12/11) 6 (B+G 30/4-15/9)
AKZ. 27/3-10/7 27/8-29/10 ***7=6***

Bihain/Vielsalm 👪
▲ Aux Massotais** Seite 240 (474) € 16
5 (A+D 30/1-31/12) (E 1/1-31/12) (J 30/1-31/12)
6 (A 1/7-31/8)
AKZ. 1/1-30/6 1/9-31/12

Blier-Erezée 👪
▲ Le Val de l'Aisne**** Seite 240 (476) € 16
5 (A+D+E+F+J 1/1-31/12)
AKZ. 1/1-12/5 18/5-22/5 27/5-5/7 24/8-31/12 ***7=6, 14=12, 21=18***

Bomal-sur-Ourthe 👪
▲ Camping International** Seite 240 (478) € 14
5 (D 1/3-15/11) (E 15/3-15/11) (I 1/3-15/11)
AKZ. 1/3-7/7 24/8-15/11

Bure/Tellin
▲ Parc La Clusure**** Seite 240 (482) € 16
5 (A 1/1-31/12) (C+D+E+F+I+J 6/4-4/11) 6 (B+G 28/4-16/9)
AKZ. 1/1-12/5 17/5-21/5 25/5-5/7 22/8-31/12 ***7=6***

Bütgenbach
▲ Worriken* Seite 240 (483) € 16
5 (A+D+I+J 1/1-31/12) 6 (E 1/1-22/11,20/12-31/12)
AKZ. 1/1-3/7 23/8-31/12

Grand-Halleux
▲ Les Neufs Pres*** Seite 241 (486) € 16
6 (**B**+F 1/7-31/8)
AKZ. 1/4-30/6 1/9-30/9

Hotton 👪
▲ Eau-zone Seite 242 (488) € 14
5 (A 1/3-30/11) (J 1/7-31/8)
AKZ. 1/3-12/5 18/5-22/5 27/5-5/7 24/8-30/11 ***7=6, 14=12, 21=18***

La Roche
▲ Benelux** Seite 242 (493) € 16
5 (A+C 28/3-30/9) (D 10/7-15/8) (J 1/1-31/12)
AKZ. 28/3-4/7 21/8-30/9

Malempré/Manhay 👪
▲ Domaine Moulin de Malempré**** Seite 242 (496) € 16
5 (A+C 1/3-11/11) (I 1/7-31/8) 6 (B 28/5-14/9) (G 15/5-15/9)
AKZ. 1/3-5/7 22/8-11/11

Malmedy/Arimont
▲ Familial Seite 242 (497) € 14
5 (A 1/7-31/8) (B+D+E+F 1/4-1/11) (I 1/7-31/8)
6 (A 1/7-31/8)
AKZ. 1/1-5/7 24/8-31/12

Neufchâteau 👪
▲ Spineuse Neufchâteau*** Seite 243 (499) € 12
5 (A+D+E+J 1/4-1/11) 6 (A 15/5-15/9) (F 1/7-31/8)
AKZ. 1/1-5/7 22/8-31/12

Oteppe
▲ L'Hirondelle Holiday Resort Seite 243 (504) € 14
5 (A+C 1/4-15/9) (D+E+H+I+J 1/4-30/9)
6 (A 1/6-10/9) (D 1/4-30/9) (F 1/6-10/9)
AKZ. 1/4-30/6 1/9-31/10

Polleur 👪
▲ Polleur Seite 243 (505) € 12
5 (A 1/4-31/10) (C+D+E 1/7-30/8) (F 15/7-15/8) (I 1/4-31/10)
6 (B+F 30/4-30/9)
AKZ. 3/4-30/4 10/5-13/5 18/5-21/5 26/5-3/7 25/8-31/10
7=6, 21=17

Poupehan
▲ Ile de Faigneul*** Seite 243 (506) € 16
5 (A+B+D+E 1/4-30/9)
AKZ. 1/4-12/5 18/5-21/5 26/5-2/7 31/8-30/9

Rochefort
▲ Les Roches**** Seite 243 (509) € 16
5 (A 1/4-4/11) (D+E+I 1/7-31/8) 6 (**B**+**G** 1/7-31/8)
AKZ. 1/4-30/6 1/9-4/11

Ausführliche Redaktionseinträge: Seite 237 bis 243

Sart-lez-Spa
Spa d'Or**** Seite 244 510 € 16
5 (A 15/4-28/9) (C 12/4-28/9) (D 7/7-15/8) (E+I+J 12/4-28/9)
6 (B+G 28/4-15/9)
AKZ. 3/4-12/5 17/5-21/5 25/5-10/7 27/8-28/9 ***7=6***

Spa
Parc des Sources Seite 244 511 € 16
5 (A+D 1/7-31/8) (E+I 1/4-31/10) 6 (A+F 1/7-31/8)
AKZ. 1/4-13/5 18/5-21/5 26/5-3/7 25/8-31/10

Stavelot
l'Eau Rouge** Seite 244 512 € 16
5 (A+D 26/4-3/5,1/7-2/9) 6 (B 26/4-30/9)
AKZ. 15/3-13/5 18/5-21/5 25/5-10/7 1/9-1/11

Tenneville
Pont de Berguème*** Seite 244 513 € 16
5 (A+C 1/1-31/12)
AKZ. 1/1-13/5 26/5-6/7 25/8-31/12

Thommen/Burg-Reuland
Hohenbusch***** Seite 244 514 € 16
5 (A+D+E+I 1/4-1/11) 6 (B 14/5-31/8)
AKZ. 1/4-12/5 18/5-21/5 26/5-5/7 24/8-1/11

Tintigny
De Chênefleur*** Seite 244 515 € 16
5 (A+B 1/4-30/9) (D+E+J 25/4-3/5,1/7-31/8)
6 (B+G 25/4-15/9)
AKZ. 1/4-3/7 20/8-30/9 ***7=6, 14=12***

Luxemburg

Alzingen
Bon Accueil Kat. I Seite 249 523 € 14
5 (A+C+D 1/4-15/10)
AKZ. 1/4-30/6 1/9-15/10 ***7=6***

Beaufort
Camping Plage Beaufort Kat.I Seite 249 524 € 16
5 (D 16/5-30/8) (I 1/1-31/12) 6 (B+G 16/5-30/8)
AKZ. 5/1-2/4 26/5-30/6 1/9-15/10 9/11-17/12

Berdorf
Bon Repos Kat.I/**** Seite 249 525 € 16
5 (A 1/5-25/5,1/7-31/8) (B 1/4-8/11)
AKZ. 1/4-8/5 18/5-30/6 17/8-7/11

Berdorf
Martbusch Kat.I/*** Seite 249 526 € 16
5 (A 1/1-31/12) (D+E+I 4/4-31/10)
AKZ. 1/1-13/5 26/5-30/6 1/9-31/12

Bourscheid/Moulin
Um Gritt**** Seite 249 527 € 16
5 (A+D+E+F+I+J 1/4-31/10)
AKZ. 1/4-12/5 25/5-3/7 23/8-31/10

Diekirch
De la Sûre*** Seite 249 528 € 16
5 (A 27/3-18/10) (D 1/7-31/8)
AKZ. 27/3-27/5 4/6-30/6 17/8-18/10

Diekirch
Op der Sauer Kat.I Seite 249 529 € 14
5 (A+I+J 1/3-31/10)
AKZ. 1/3-27/5 1/6-5/7 22/8-30/10 ***7=6, 14=12***

Dillingen
Wies-NeuKat.I Seite 250 530 € 16
5 (A 15/5-15/9) (B 14/4-3/11) (D 15/5-10/9)
AKZ. 1/4-3/7 20/8-14/11

Echternach
Officiel Seite 250 531 € 16
5 (A 1/7-31/8) 6 (B+G 1/7-30/8)
AKZ. 12/4-10/5 26/5-30/6 17/8-31/10

Eisenbach
TopCamp Kohnenhof Kat.I/**** Seite 250 532 € 16
5 (A+B+D+E+I+J 1/4-1/11)
AKZ. 1/4-30/4 10/5-12/5 17/5-21/5 25/5-10/7 27/8-31/10 ***7=6***

Ermsdorf
Neumuhle Kat.I/**** Seite 250 533 € 14
5 (A+B 15/3-26/10) (D 1/7-20/8) (I+J 15/3-26/10)
6 (A 1/5-30/8)
AKZ. 15/3-9/7 26/8-29/10

Esch-sur-Sûre
Im Aal*** Seite 250 534 € 16
5 (A+B 1/4-30/9)
AKZ. 13/2-3/4 7/4-26/4 4/5-13/5 26/5-7/7 24/8-19/12

Ettelbruck
Ettelbruck**** Seite 250 535 € 16
5 (A+D+E+I 1/4-1/11)
AKZ. 14/4-29/6 17/8-31/10

Heiderscheid
Fuussekaul***** Seite 250 536 € 16
5 (A+C+D+E+F+I+J 1/1-31/12) 6 (B+G 1/5-30/9)
AKZ. 1/1-4/7 22/8-31/12 ***7=6, 14=11, 21=16, 28=21***

Ingeldorf/Diekirch
Gritt Kat.I/*** Seite 250 537 € 16
5 (D+E+I 1/4-1/10)
AKZ. 1/4-30/6 17/8-30/10

Larochette
Birkelt Kat.I/***** Seite 251 538 € 12
5 (A+C+D+E+I+J 28/3-8/11) 6 (B 15/5-1/9) (D 28/3-8/11)
AKZ. 27/3-5/7 29/8-1/11

Ausführliche Redaktionseinträge: Seite 244 bis 251

Lieler Seite 251 539 € 16
Trois Frontières Kat.I****
5 (A+D 1/1-31/12) (E 1/4-1/11) (I+J 1/1-31/12)
6 (D 1/4-30/10) (G 1/7-31/8)
AKZ. 1/1-3/7 20/8-31/12

Mamer/Luxemburg Seite 251 540 € 16
Camping Mamer Kat.I
5 (A 1/7-30/8) (E 1/4-30/9) (I 1/4-15/10)
AKZ. 1/4-30/6 24/8-15/10

Maulusmühle Seite 251 541 € 16
Woltzdal Kat.I/***
5 (A+C 4/4-31/10) (D 12/4-25/10) (E 4/4-31/10) (I 4/4-25/10)
AKZ. 4/4-30/6 17/8-31/10

Mersch Seite 251 542 € 16
Camping Krounebierg*****
5 (A+C+D+E+J 1/4-31/10) 6 (**E** 1/4-31/10) (F 15/5-30/9)
AKZ. 1/4-3/7 22/8-30/10

Nommern Seite 251 543 € 16
TopCamp Europacp NommerlayenKat.I/*****
5 (A+C+D+E+I+J 1/4-31/10) 6 (A+D+E+G 1/5-15/9)
AKZ. 1/4-25/4 25/5-4/7 22/8-31/10

Reisdorf Seite 251 544 € 16
De la SûreKat.I
5 (A+B+D+E+I+J 30/3-31/10)
AKZ. 30/3-30/6 17/8-30/10 ***7=6, 14=12, 21=18***

Rosport Seite 251 545 € 16
Du Barrage RosportKat.I
6 (B 15/6-15/9)
AKZ. 15/3-4/7 24/8-31/10 ***7=6, 14=12***

Troisvierges Seite 252 546 € 14
WalensbongertKat.I
5 (A 1/4-30/9) (D+E 1/7-31/8)
6 (**B** 1/7-31/8) (**E** 1/1-31/12) (**F** 1/7-31/8)
AKZ. 1/4-5/7 23/8-30/9

Walsdorf Seite 252 547 € 16
Beter-uit Vakantiepark Walsdorf****
5 (A+B 24/4-3/10) (C 1/7-31/8) (D 24/4-3/10)
(I 24/4-30/6,1/9-3/10) (J 30/6-31/8)
AKZ. 24/4-1/5 11/5-3/7 20/8-2/10

Wiltz Seite 252 548 € 16
KaulKat.I
5 (D+E 1/4-1/10) (I 1/4-31/10) 6 (B+**G** 1/6-31/8)
AKZ. 1/4-12/5 17/5-21/5 25/5-3/7 23/8-31/10

Deutschland

Weser-Ems

Bad Bentheim Seite 260 550 € 16
Am Berg
5 (I 2/3-23/12)
AKZ. 2/3-29/3 12/4-13/5 26/5-30/6 17/8-23/12

Bad Rothenfelde Seite 260 551 € 16
Campotel*****
5 (A+B+D+E+I+J 1/1-31/12)
AKZ. 5/1-22/3 13/4-13/5 26/5-3/7 1/9-20/12

Butjadingen/Burhave Seite 261 555 € 14
Knaus Cppark Burhave / Nordsee****
5 (A+D+E+J 15/4-15/10)
AKZ. 15/4-17/5 7/6-27/6 6/9-15/10

Eckwarderhörne Seite 261 559 € 16
Knaus Cppark Eckwarderhörne****
5 (A+B+D+E+J 1/1-31/12)
AKZ. 1/1-17/5 7/6-27/6 6/9-31/12

Ganderkesee/Steinkimmen Seite 262 562 € 16
CP & Ferienpark Falkensteinsee
5 (A+B+D+E+J 1/4-31/10)
AKZ. 15/1-13/5 17/5-22/5 26/5-31/5 7/6-19/6 1/7-12/7 1/9-15/12

Ostercappeln/Schwagstorf Seite 263 572 € 14
Freizeitpark Kronensee
5 (A 1/4-30/9) (B 1/4-31/10) (D 1/5-31/8) (I 1/3-31/12)
AKZ. 1/1-13/5 26/5-3/6 8/6-5/7 1/9-31/12

Rieste Seite 263 575 € 18
Alfsee Ferien- und Erholungspark*****
5 (A 1/4-31/10) (C 1/3-31/10) (D+E 1/4-31/10)
(F+I+J 1/1-31/12)
AKZ. 1/1-27/3 12/4-29/4 3/5-13/5 27/5-3/6 8/6-26/6 30/8-31/12

Schüttorf Seite 263 576 € 16
Quendorfer See
5 (A+B 27/3-31/10)
AKZ. 4/5-10/5 27/5-31/5 8/6-30/6 1/9-30/9

Tossens Seite 263 584 € 14
Knaus Campingpark Tossens****
5 (A+B+D+E+J 15/4-15/10) 6 (**E**+**G** 1/1-31/12)
AKZ. 15/4-17/5 7/6-27/6 6/9-15/10

Werlte Seite 264 586 € 14
Hümmlingerland/Werlte
5 (A 1/4-31/10)
AKZ. 13/4-10/5 1/6-28/6 24/8-31/10

Wiesmoor Seite 264 587 € 16
Cp. & Bungalowpark Ottermeer*****
5 (A+B+D+E 1/4-31/10)
AKZ. 1/1-31/3 7/4-10/5 26/5-15/7 1/9-31/12

Zetel/Astederfeld Seite 265 591 € 16
Campingplatz am Königssee
5 (A 1/1-31/12)
AKZ. 1/1-15/7 1/9-31/12

Ausführliche Redaktionseinträge: Seite 251 bis 265

Lüneburg

Bad Bederkesa Seite 265 549 € 14
Regenbogen Ferienanlage Bad Bederkesa**
5 (A 1/4-30/9) (E 28/3-2/11) (I+J 1/1-31/12)
AKZ. 1/1-3/7 31/8-31/12

Bispingen/Behringen Seite 265 552 € 16
Brunautal****
5 (A 1/3-8/11) (B 22/3-6/10) (D 1/6-30/9)
AKZ. 1/3-26/6 15/9-8/11

Bleckede Seite 265 553 € 18
KNAUS Cppark Elbtalaue****
5 (A+B+D+E 1/1-31/12) 6 (B+G 1/5-30/8)
AKZ. 1/1-13/5 8/6-27/6 30/8-31/12

Bleckede (OT Radegast) Seite 266 554 € 18
Camping Elbeling
5 (A+B+D+E+F+I 1/4-1/10) 6 (A 1/5-1/10)
AKZ. 1/3-1/7 1/9-1/10

Dorum/Neufeld Seite 266 557 € 14
Knaus Campingpark Dorum
5 (D+I 1/4-15/10)
AKZ. 1/4-17/5 7/6-27/6 6/9-30/9

Egestorf Seite 266 560 € 14
Regenbogen Ferienanlage Egestorf
5 (A+B+J 27/3-1/11) 6 (A 15/5-15/9)
AKZ. 27/3-2/7 31/8-31/10

Essel/Engehausen Seite 266 561 € 16
Aller-Leine-Tal
5 (A 15/3-15/10) (E+I 1/3-31/10)
AKZ. 1/3-30/6 17/8-31/10

Garlstorf Seite 267 563 € 14
Freizeit-Camp-Nordheide e.V.
AKZ. 1/3-14/7 1/9-31/10

Heidenau Seite 267 564 € 16
Ferienzentrum Heidenau****
5 (A+B 1/1-31/12) (E+J 1/1-31/10,1/12-31/12)
6 (B+G 1/5-15/9)
AKZ. 1/1-23/5 26/5-4/6 1/9-31/10

Hösseringen/Suderburg Seite 267 568 € 16
Am Hardausee*****
5 (A 1/4-15/10) (B+D+E+I 1/4-31/10)
AKZ. 1/3-29/3 12/4-10/5 1/6-15/7 6/9-31/10

Müden/Örtze (Gem. Faßberg) Seite 268 571 € 14
Sonnenberg
5 (A+I 1/4-1/11)
AKZ. 1/4-7/7 1/9-31/10

Oyten Seite 268 574 € 16
Knaus Campingpark Oyten
5 (D 1/5-1/10)
AKZ. 27/3-13/5 8/6-27/6 30/8-2/11

Sottrum/Everinghausen Seite 268 580 € 16
Camping-Paradies "Grüner Jäger"
5 (A+B+E+J 1/1-31/12) 6 (A+F 10/6-20/8)
AKZ. 1/1-4/6 17/8-31/12

Stove/Hamburg Seite 269 581 € 16
CP Stover Strand International*****
5 (A+C+D+E+J 1/1-31/12)
AKZ. 1/1-1/4 1/5-10/5 1/6-10/7 1/9-31/12

Wingst/Land Hadeln Seite 270 588 € 18
Knaus Campingpark Wingst****
5 (A+B+E+I+J 27/3-2/11) 6 (A 1/5-15/9) (E+G 1/1-31/12)
AKZ. 27/3-13/5 8/6-27/6 30/8-2/11

Winsen (Aller) Seite 270 589 € 14
Campingpark Hüttensee
5 (A+B+E+J 1/4-30/10)
AKZ. 1/1-15/7 1/9-31/12 ***7=6, 14=11***

Winsen (Aller) Seite 270 590 € 16
Campingplatz Winsen (Aller)
5 (A+B+E 1/1-31/12) (I 1/10-31/12)
AKZ. 1/1-15/7 1/9-31/12

Hannover

Heinsen Seite 271 565 € 16
Weserbergland Camping
5 (A+B 15/3-1/11) 6 (B 1/5-31/10)
AKZ. 1/4-5/7 24/8-31/10

Holle Seite 271 567 € 16
Seecamp Derneburg
5 (A+B+E+J 1/4-31/10)
AKZ. 11/4-13/5 1/6-30/6 7/9-18/10

Laatzen/Hannover Seite 272 569 € 16
Campingplatz Birkensee
5 (A+B+D+E+F+I+J 1/1-31/12)
AKZ. 1/1-1/7 1/9-31/12

Silberborn/Solling Seite 272 579 € 16
Silberborn****
5 (A+E+J 1/1-31/12)
AKZ. 1/1-30/6 1/9-31/12

Stuhr/Groß Mackenstedt Seite 272 582 € 16
Familienpark Steller See
5 (A+B+D+E+I 1/4-30/9)
AKZ. 1/4-13/5 1/6-30/6 1/9-30/9

Ausführliche Redaktionseinträge: Seite 265 bis 272

Stuhr/Groß Mackenstedt Seite 272 583 € 16
▲ Märchencp (Camp. Wienberg)
5 (A 1/1-31/12) (D+E+I 1/4-30/9) 6 (A+F 1/5-30/9)
AKZ. 1/1-5/7 24/8-31/12 ***7=6***

Braunschweig

Clausthal-Zellerfeld Seite 274 556 € 16
▲ Prahljust****
5 (A+C+D+E+J 1/1-31/12) 6 (E 1/1-31/12)
AKZ. 1/1 14/7 1/9 31/12

Dransfeld Seite 274 558 € 18
▲ Am Hohen Hagen*****
5 (A 15/4-31/12) (B+D+E+I+J 1/1-31/12) 6 (**B**+**G** 1/5-15/9)
AKZ. 2/1-2/4 7/4-13/5 26/5-30/6 1/9-31/10 1/12-31/12

Hohegeiß (Harz) Seite 274 566 € 16
▲ Am Bärenbache****
5 (A+E+J 1/1-31/12) 6 (B+F 1/6-30/8)
AKZ. 1/1-30/6 17/8-31/12 ***14=12***

Löwenhagen Seite 274 570 € 14
▲ Campingplatz Am Niemetal
5 (A+B+E+I 1/4-31/10)
AKZ. 1/4-4/7 23/8-31/10 ***7=6, 14=12, 21=17***

Osterode (Harz) Seite 274 573 € 16
▲ Campingplatz Eulenburg***
5 (A+B+D+E+I+J 1/1-31/12) 6 (A+F 15/5-15/10)
AKZ. 1/1-30/6 1/9-31/12

Seeburg Seite 274 577 € 14
▲ Comfort-Camping Seeburger See
5 (A+B+D 1/1-6/1,1/3-31/12) (E+J 1/1-31/12) 6 (**F** 15/5-15/9)
AKZ. 1/1-6/1 1/3-5/7 23/8-31/12 ***7=6, 14=12, 21=17***

Seesen Seite 274 578 € 16
▲ Brillteich***
5 (A+J 15/3-15/11)
AKZ. 15/3-25/6 15/9-15/11

Walkenried Seite 275 585 € 18
▲ Knaus Cppark Walkenried****
5 (A+B 1/1-31/10,20/12-31/12) (E+J 1/1-31/12)
6 (E 1/1-31/10,20/12-31/12)
AKZ. 3/1-13/5 8/6-27/6 30/8-19/12

Schleswig-Holstein

Altenteil (Fehmarn) Seite 276 592 € 14
▲ Belt-Camping-Fehmarn****
5 (A+B+E+F 1/4-4/10)
AKZ. 1/4-5/7 7/9-4/10

Augstfelde/Plön Seite 276 593 € 16
▲ Augstfelde-Vierer See****
5 (C+D+E+J 1/4-26/10)
AKZ. 1/4-13/5 26/5-4/7 30/8-26/10

Basedow Seite 276 594 € 14
▲ Lanzer See
5 (A+B+D 1/4-4/10) (J 1/1-31/12)
AKZ. 27/3-12/5 18/5-22/5 26/5-2/7 24/8-4/10

Bliesdorf Seite 276 595 € 16
▲ Walkyrien*****
5 (C+D+E+I+J 27/3-18/10)
AKZ. 19/4-29/4 4/5-12/5 26/5-25/6 7/9-18/10

Dahme Seite 277 596 € 14
▲ Eurocamping Zedano*****
5 (A 1/1-31/12) (B+D 1/4-31/10) (E+F+J 1/1-31/12)
AKZ. 1/1-21/5 27/5-26/6 5/9-31/12 ***7=6, 14=11***

Dahme Seite 277 597 € 12
▲ Stieglitz****
5 (A+C 27/3-25/10) (D 1/5-15/9) (E+J 27/3-25/10)
AKZ. 1/1-10/1 27/3-12/7 30/8-25/10 18/12-31/12

Fehmarnsund (Fehmarn) Seite 277 598 € 16
▲ Camping Miramar*****
5 (A+C+D+E+J 3/4-31/10)
AKZ. 1/1-13/5 26/5-26/6 7/9-31/12

Flügge (Fehmarn) Seite 278 599 € 14
▲ Flüggerteich****
AKZ. 1/4-13/5 25/5-10/7 7/9-4/10

Gammendorf (Fehmarn) Seite 278 600 € 16
▲ Am Niobe****
5 (A+B 1/4-15/10) (D 1/7-31/8) (J 1/4-15/10)
AKZ. 1/4-21/5 28/5-30/6 1/9-15/10

Glücksburg Seite 278 601 € 16
▲ Ostseecamp Glücksburg-Holnis****
5 (B+D+E+I 28/3-11/10)
AKZ. 28/3-13/5 27/5-25/6 1/9-10/10

Großenbrode Seite 278 602 € 14
▲ Strandparadies Großenbrode****
AKZ. 1/4-12/5 27/5-30/6 26/8-28/10

Katharinenhof (Fehmarn) Seite 279 603 € 16
▲ Ostsee*****
5 (A 1/4-15/10) (C+D+E+J 27/3-15/10)
AKZ. 27/3-21/5 26/5-28/6 29/8-15/10

Klausdorf (Fehmarn) Seite 279 604 € 16
▲ Klausdorfer Strand****
5 (A+C 1/4-18/10) (D 1/7-31/8) (E+J 1/4-18/10)
AKZ. 1/4-13/5 27/5-11/7 5/9-18/10

Klein Rönnau/Bad Segeberg Seite 279 605 € 16
▲ KlüthseeCamp & Seeblick
5 (A+B+D+E 1/4-31/10) (J 1/1-31/12) 6 (**B** 1/4-1/10)
AKZ. 1/1-31/1 1/3-30/6 1/9-31/12 ***10=9, 14=12***

Ausführliche Redaktionseinträge: Seite 272 bis 279

Kleinwaabs Seite 280 606 € 16
Ostsee-Campingplatz Heide
5 (A+C+D+E+F+J 29/3-31/10) 6 (E 29/3-31/10)
AKZ. 28/5-4/7 29/8-10/10

Meeschendorf (Fehmarn) Seite 280 607 € 16
Südstrand****
5 (A+C+E+J 1/4-30/9)
AKZ. 1/4-9/5 26/5-27/6 30/8-30/9

Rabenkirchen-Faulück Seite 281 608 € 16
Campingpark Schlei-Karschau
5 (A+B+D+E+J 25/3-31/10)
AKZ. 1/1-30/6 1/9-31/12

Rosenfelde/Grube Seite 281 609 € 16
Rosenfelder Strand Ostsee CP****
5 (A+C 27/3-18/10) (D 22/5-26/5,5/7-29/8) (E+J 27/3-18/10)
AKZ. 27/3-13/5 27/5-5/7 31/8-18/10

Schobüll Seite 282 610 € 16
Seeblick
5 (A+D+E 20/3-18/10)
AKZ. 20/3-2/4 7/4-21/5 26/5-21/6 1/9-18/10

Schönberg (Ostseebad) Seite 282 611 € 16
California Ferienpark GmbH****
5 (A+C+D+E+J 1/4-30/9)
AKZ. 1/4-10/5 29/5-30/6 24/8-30/9

Strukkamphuk (Fehmarn) Seite 283 612 € 16
Strukkamphuk-Fehmarn*****
5 (A+C+E+J 1/4-31/10)
AKZ. 12/4-12/5 28/5-27/6 7/9-31/10

Wallnau (Fehmarn) Seite 284 613 € 16
Strandcamping Wallnau****
5 (A+C 27/3-1/11) (D 1/7-31/8) (E+J 27/3-1/11)
AKZ. 27/3-28/6 29/8-1/11

Wulfen (Fehmarn) Seite 285 614 € 16
Wulfener Hals*****
5 (A+C 1/4-7/11,25/12-31/12) (D 12/4-31/10)
(E+H+I+J 1/4-7/11)
6 (B 1/5-15/10)
AKZ. 1/1-13/5 26/5-4/7 1/9-24/12

Mecklenburg-Vorpommern

Ahrensberg Seite 285 615 € 16
Campingplatz Am Drewensee****
5 (A+B 23/3-31/10) (D 1/5-14/9)
AKZ. 23/3-13/5 17/5-22/5 26/5-11/7 29/8-31/10

Alt-Schwerin Seite 285 616 € 18
Camping am See
5 (A+B 1/4-31/10) (I 1/5-30/8)
AKZ. 1/4-10/7 31/8-31/10

Altenkirchen Seite 286 617 € 16
Drewoldke****
5 (A 1/4-31/10) (B+D+E 1/5-30/9) (I 1/5-31/8) (J 1/5-30/9)
AKZ. 1/4-12/5 27/5-20/6 28/8-31/10 ***14=12, 21=18***

Altenkirchen Seite 286 618 € 16
Knaus CP-und Ferienhauspark Rügen
5 (A+D+J 1/4-31/10)
AKZ. 1/1-13/5 8/6-27/6 30/8-31/12

Born Seite 286 619 € 14
Regenbogen Ferienanlage Born
5 (A+B 1/4-31/10)
AKZ. 1/5-10/5 1/6-23/6 1/9-30/9

Dobbertin Seite 286 620 € 14
Campingplatz am Dobbertiner See
5 (A 1/5-30/9)
AKZ. 1/4-30/6 1/9-31/10

Dranske Seite 286 621 € 14
Regenbogen Ferienanlage Nonnevitz
5 (A 1/4-31/10) (C 1/5-31/10) (D+E 1/4-31/10) (F 1/5-30/9)
(I 1/4-31/10)
AKZ. 1/4-2/6 1/9-31/10

Flessenow Seite 286 622 € 16
Seecamping Flessenow****
5 (A+B+C+D 1/4-1/10)
AKZ. 27/3-21/5 27/5-3/7 23/8-11/10

Gramkow Seite 287 623 € 16
Campingplatz 'Liebeslaube'
5 (A+B 11/4-19/10) (D+E+I 1/5-30/9)
AKZ. 11/4-12/5 26/5-3/7 5/9-19/10

Groß Quassow/Userin Seite 287 624 € 16
CP- und Ferienpark Havelberge*****
5 (A 1/1-31/12) (B+D+E+J 1/4-31/10)
AKZ. 1/1-13/5 17/5-22/5 26/5-11/7 29/8-31/12

Karlshagen Seite 287 625 € 18
Dünencamp Karlshagen*****
5 (A+B+D+E 1/5-30/9) (I 1/4-30/9)
AKZ. 1/1-30/6 1/9-31/12

Klein Pankow Seite 287 626 € 16
Camping am Blanksee
5 (A+B+C+D+E+I 1/4-31/10)
AKZ. 1/4-30/6 1/9-31/10

Ausführliche Redaktionseinträge: Seite 280 bis 287

Lohme/Nipmerow Seite 288 627 € 16
Krüger Naturcamp
5 (A+B+E+I+J 17/4-20/10)
AKZ. 17/4-3/7 28/8-26/10

Lütow Seite 288 628 € 16
Natur Camping Usedom
5 (A 1/4-31/10) (C 1/5-30/9) (D 1/5-30/8) (E 1/4-31/10) (J 1/5-30/9)
AKZ. 1/4-14/5 18/5-21/5 26/5-30/6 1/9-31/10

Markgrafenheide/Rostock Seite 288 629 € 16
Camp. & Ferienpark Markgrafenheide
5 (A 1/5-15/10) (C 15/5-15/10) (D+E 1/1-31/12) (F 1/7-31/8) (H 1/3-31/10) (J 1/1-31/12)
6 (**A** 1/3-31/10) (**E** 1/1-31/12)
AKZ. 1/1-30/3 6/4-22/5 26/5-30/6 1/9-31/12

Ostseebad Rerik Seite 288 630 € 16
Cppark 'Ostseebad Rerik'*****
5 (A+B+D+E 1/1-31/12) (J 1/4-31/10)
AKZ. 1/1-10/7 4/9-31/12

Ostseebad Zinnowitz Seite 288 631 € 18
Familien CP Pommernland GmbH*****
5 (A 1/3-31/12) (B+C 1/4-31/10) (D 1/6-31/8) (E+J 1/4-30/11)
6 (**E+F** 1/1-31/12)
AKZ. 1/3-25/6 1/9-31/12

Plau am See/Plötzenhöhe Seite 289 632 € 16
Campingpark Zuruf
5 (A+B+D+E 15/4-15/10)
AKZ. 1/3-24/4 4/5-12/5 1/6-30/6 7/9-31/10

Pruchten Seite 289 633 € 16
Naturcamp Pruchten****
5 (A+C 1/5-31/10) (E+J 1/5-30/9)
AKZ. 1/4-30/6 1/9-31/10

Schwaan Seite 290 634 € 16
Campingplatz Schwaan
5 (A+B+D+E 1/5-30/9)
AKZ. 1/3-30/6 17/8-31/10

Sternberg Seite 290 635 € 16
Sternberger Seenland
5 (A+B+D 1/4-31/10) (J 1/4-31/12)
AKZ. 1/4-13/5 27/5-18/6 1/9-31/10

Trassenheide Seite 290 636 € 18
Ostseeblick****
5 (A 28/3-2/11) (B+D 15/5-15/9) (E 1/4-31/10) (I 15/5-15/9)
AKZ. 28/3-30/6 1/9-2/11

Waren (Müritz) Seite 290 637 € 16
CampingPlatz Ecktannen
5 (A 1/1-31/12) (B+D+I 1/4-30/10)
AKZ. 1/1-12/5 27/5-30/6 7/9-31/12

Zierow/Wismar Seite 291 638 € 18
Ostseecp-Ferienpark Zierow KG****
5 (A+C 1/4-30/9) (D 1/6-31/12) (E 1/1-31/12) (J 1/4-15/10)
6 (**E** 1/1-31/12)
AKZ. 1/1-26/3 12/4-10/5 26/5-26/6 31/8-31/12

Zwenzow Seite 291 639 € 16
Zwenzower Ufer****
5 (C+D+E 23/3-31/10)
AKZ. 23/3-13/5 17/5-22/5 26/5-11/7 29/8-31/10

Sachsen-Anhalt

Bergwitz/Kemberg Seite 292 640 € 16
Camp. und Wassersportpark Bergwitzsee****
5 (A+B 1/1-31/12) (D+E+J 1/5-2/10)
AKZ. 1/1-13/5 26/5-30/6 1/9-31/12

Havelberg Seite 292 641 € 18
Campinginsel Havelberg*****
5 (A 1/4-31/10) (B 10/6-30/9) (D+I 1/4-31/10)
AKZ. 8/4-12/5 26/5-30/6 8/9-31/10

Neudorf/Harzgerode Seite 292 642 € 16
Ferienpark Birnbaumteich***
5 (A+B 1/1-31/12) (D+E+I 1/4-30/9)
AKZ. 1/1-7/7 24/8-31/12

Plötzky/Schönebeck Seite 292 643 € 18
Ferienpark Plötzky
5 (A 1/4-31/10) (B+D+E+F+J 1/1-31/12)
AKZ. 1/1-2/4 7/4-13/5 26/5-30/6 1/9-31/12

Schlaitz (Muldestausee) Seite 292 644 € 18
Heide-Camp Schlaitz GbR
5 (A 1/3-3/10) (B+D+E+J 1/1-31/12)
AKZ. 1/1-13/5 26/5-30/6 1/9-31/12

Süplingen Seite 293 645 € 16
CP Süplinger Steinbruch***
5 (A+B+D+E 1/4-31/10) (J 1/1-31/12)
AKZ. 1/4-13/5 26/5-30/6 1/9-15/10

Brandenburg

Altglobsow Seite 294 646 € 12
Ferienhof Altglobsow
5 (A+I+J 1/1-31/12)
AKZ. 1/1-3/4 7/4-13/5 18/5-22/5 26/5-30/6 1/9-23/12 27/12-30/12

Beetzseeheide/Gortz Seite 294 647 € 14
Flachsberg
5 (A 1/4-30/10) (I 1/6-15/9)
AKZ. 1/4-30/6 1/9-31/10

Berlin-Schmöckwitz Seite 294 648 € 18
CP Krossinsee 1930 GmbH***
5 (A+B 1/4-31/10) (J 1/1-31/12)
AKZ. 1/1-1/4 13/4-13/5 18/5-22/5 26/5-1/7 1/9-31/12

Ausführliche Redaktionseinträge: Seite 288 bis 294

Erkner/Jägerbude Seite 294 649 € 16
Jägerbude
5 (A 1/3-30/11) (J 1/1-31/12)
AKZ. 1/1-15/7 1/9-31/12

Ferch (Schwielowsee) Seite 294 650 € 16
Schwielowsee-Camping***
5 (A 1/4-13/10)
AKZ. 7/4-26/4 7/5-9/5 1/6-30/6 1/9-31/10

Ferchesar Seite 294 651 € 18
Campingpark Buntspecht****
5 (A+B+E 15/4-15/10) (J 1/5-15/10)
AKZ. 15/4-13/5 26/5-30/6 1/9-15/10

Grünheide Seite 295 652 € 16
Grünheider CP am Peetzsee GmbH
AKZ. 28/3-6/7 1/9-5/10

Ketzin Seite 295 653 € 16
Campingplatz An der Havel
5 (A+D 1/4-31/10)
AKZ. 1/4-13/5 26/5-30/6 22/8-31/10

Lauchhammer Seite 295 654 € 18
Themenpark Grünewalder Lauch***
5 (A+B+D+E+I 1/4-31/10)
AKZ. 1/4-15/6 1/9-31/10

Warnitz Seite 296 655 € 16
Camping am Oberuckersee
5 (A 1/4-5/10) (B 3/7-1/9)
AKZ. 1/4-12/5 18/5-21/5 26/5-10/7 1/9-5/10 ***12=10, 21=18***

Sachsen

Bautzen Seite 298 656 € 16
Natur- und Abenteuercamping
5 (A+B 1/4-31/10)
AKZ. 1/4-13/5 18/5-21/5 26/5-10/6 1/9-31/10

Großschönau Seite 298 657 € 18
Trixi Park
5 (A+B+D+H+J 1/1-31/12) 6 (A 1/5-30/9) (**E**+**G** 1/1-31/12)
AKZ. 1/1-13/5 25/5-20/6 29/8-31/12

Seiffen Seite 299 658 € 16
Ferienpark Seiffen
5 (B+I+J 1/1-31/12)
AKZ. 1/4-25/6 27/7-10/8 1/9-5/11

Thüringen

Catterfeld Seite 300 659 € 16
Paulfeld*****
5 (A+B 1/1-31/12) (E+I 1/1-31/10,1/12-31/12)
AKZ. 1/1-10/5 1/6-30/6 17/8-31/12 ***14=12***

Hohenfelden Seite 301 660 € 16
Stausee Hohenfelden****
5 (A 1/1-31/12) (B 1/5-30/9) (I 1/1-31/12)
AKZ. 1/1-12/5 26/5-15/7 1/9-31/12

Jena Seite 301 661 € 16
CP Jena unter dem Jenzig
5 (A 1/3-31/10) (D 1/5-30/9) 6 (**A**+**F** 15/5-15/9)
AKZ. 1/3-10/5 1/6-30/6 1/9-15/11

Pahna Seite 301 662 € 16
See-CP Altenburg-Pahna****
5 (A+C+D+E+I 1/4-31/10)
AKZ. 1/1-12/5 26/5-30/6 1/9-31/12

Weberstedt Seite 301 663 € 16
Am Tor zum Hainich****
5 (A+B+D 1/1-31/12)
AKZ. 1/1-13/5 1/6-30/6 1/9-31/12 ***7=6, 14=12***

Nordrhein-Westfalen

Attendorn/Biggen Seite 302 664 € 16
Hof Biggen
5 (A+C+D+E+J 1/1-31/12)
AKZ. 1/1-30/6 17/8-31/12

Barntrup Seite 303 665 € 18
Ferienpark Teutoburgerwald Barntrup****
5 (A 1/4-31/10) 6 (B+G 20/5-15/9)
AKZ. 27/3-12/5 17/5-22/5 26/5-4/7 21/8-1/11

Bielefeld Seite 303 666 € 18
CampingPark Bielefeld
5 (A+C 1/4-30/9) (F 15/4-31/10)
AKZ. 1/3-7/7 24/8-31/10

Brilon Seite 303 667 € 16
Camping & Ferienpark Brilon
5 (A 1/1-31/12)
AKZ. 5/1-12/5 18/5-21/5 27/5-15/7 1/9-25/10

Extertal Seite 304 668 € 14
Campingpark Extertal****
5 (A+B 1/1-31/12) (D 1/4-31/10)
AKZ. 1/1-30/6 1/9-31/12 ***7=6, 14=12, 21=17***

Extertal/Bösingfeld Seite 304 669 € 14
Bambi****
5 (A 1/1-31/12)
AKZ. 1/1-30/6 1/9-31/12 ***7=6, 14=12, 21=18***

Höxter Seite 305 670 € 16
Wesercamping Höxter***
5 (A+B+D+E+I 15/4-15/10) 6 (**B**+**F** 15/5-15/9)
AKZ. 1/1-29/3 13/4-10/5 1/6-28/6 17/8-31/12

Ausführliche Redaktionseinträge: Seite 294 bis 305

Lemgo Seite 306 671 € 18
Campingpark Lemgo
5 (A 1/4-30/9) 6 (**B**+**E**+**G** 1/1-31/12)
AKZ. 1/3-7/7 24/8-31/10

Lienen Seite 306 672 € 14
Eurocamp
5 (I 1/1-31/12)
AKZ. 1/1-13/5 26/5-15/7 1/9-31/12

Meschede (Hennesee) Seite 306 673 € 18
Knaus Cppark Hennesee*****
5 (A+B 1/1-31/12) (C 5/5-30/9) (D+E+J 1/1-31/12)
6 (E 1/1-31/10,1/12-31/12)
AKZ. 6/1-17/5 7/6-27/6 6/9-31/12

Monschau/Imgenbroich Seite 307 674 € 18
Zum Jone-Bur****
5 (E+I 1/1-31/12) 6 (F 15/6-15/9)
AKZ. 1/1-31/3 12/4-12/5 18/5-22/5 26/5-30/6 24/8-31/12

Monschau/Perlenau Seite 307 675 € 18
Perlenau****
5 (A 1/7-31/8) (B 15/5-15/9) (D+I+J 1/4-1/11) 6 (F 15/6-15/9)
AKZ. 12/4-12/5 26/5-5/7 24/8-31/10

Sassenberg Seite 308 676 € 16
Campingpark Heidewald*****
5 (A+B+D+I 1/4-1/11)
AKZ. 1/1-1/4 7/4-10/5 26/5-30/6 17/8-31/12

Sassenberg Seite 308 677 € 16
Münsterland Eichenhof*****
5 (A+B+D+E+J 1/1-31/12)
AKZ. 1/1-2/4 6/4-13/5 25/5-7/7 24/8-4/10 18/10-31/12

Simmerath/Hammer Seite 308 678 € 16
Camp Hammer
5 (A 1/5-30/9) (B+E 1/4-31/10) (I 1/1-31/12)
AKZ. 1/1-10/5 26/5-27/6 26/8-31/12

Tecklenburg/Leeden Seite 308 679 € 18
Regenbogen Ferienanlage Tecklenburg
5 (A 1/5-31/10) (B 1/1-31/10) (D+E 1/4-31/10)
(I 1/1-31/10,15/12-31/12)
6 (A 15/5-31/10) (**E**+F 1/4-31/10)
AKZ. 12/2-27/3 12/4-12/5 27/5-25/6 1/9-30/9 1/11-31/12

Wesel/Flüren Seite 309 680 € 16
Erholungszentrum Grav Insel GmbH & Co.KG
5 (A+C+D 1/1-15/1,15/3-31/12) (E 1/1-31/12) (F 1/4-31/10)
(J 1/1-31/12)
AKZ. 1/4-15/7 1/9-31/10

Wettringen Seite 309 681 € 16
Haddorfer Seen
5 (A+B+D+E+H+I 1/4-20/10)
AKZ. 1/1-26/3 13/4-10/5 27/5-31/5 8/6-26/6 1/9-31/12 ***7=6, 14=11***

Hessen

Alheim/Licherode Seite 310 682 € 16
Alte Mühle
5 (A+E+I 1/1-31/10)
AKZ. 1/5-30/6 1/9-31/10

Eschwege Seite 312 683 € 18
Knaus CPpark Eschwege*****
5 (A+B 1/4-30/10) (D 1/1-31/12) (E 1/1-1/11,1/12-31/12)
(I 1/1-31/12)
AKZ. 6/1-11/4 11/5-3/6 14/6-30/6 1/9-2/11

Eschwege/Meinhard Seite 312 684 € 16
Campingplatz Meinhardsee
5 (A 1/4-31/8) (B 1/4-31/10) (D+E 1/6-31/8) (J 1/2-31/12)
6 (A 1/1-31/12)
AKZ. 1/1-12/5 5/6-30/6 5/9-31/12

Fuldatal/Knickhagen Seite 312 685 € 16
Fulda-Freizeitzentrum
5 (A+B+E+J 1/1-31/12)
AKZ. 1/1-7/7 25/8-31/12

Geisenheim Seite 312 686 € 18
Geisenheim am Rhein
5 (A 15/3-15/10) (B 1/4-30/9) (J 1/1-31/12)
AKZ. 16/3-1/4 25/5-3/6 8/6-30/6 1/9-30/9

Hirschhorn/Neckar Seite 313 687 € 16
Odenwald Camping Park
5 (A+C 1/4-6/10) (E+J 27/3-5/10) 6 (B 2/6-10/9)
AKZ. 27/3-21/5 7/6-30/6 17/8-5/10

Hünfeld Seite 313 688 € 18
Knaus Cppark Hünfeld Praforst*****
5 (A 1/1-31/12) (B+D 1/1-31/10,1/12-31/12) (I 1/1-31/12)
AKZ. 6/1-11/4 11/5-3/6 14/6-4/7 23/8-2/11

Naumburg (Edersee) Seite 314 609 € 16
Camping in Naumburg****
5 (A+B+E+I 1/1-31/12) 6 (**B** 1/5-30/9) (G 1/6-30/9)
AKZ. 1/5-14/6 13/9-30/9

Oberweser/Oedelsheim Seite 314 690 € 14
Campen am Fluss****
5 (A+D+E+I 1/4-31/10) 6 (E 1/4-31/10) (G 25/3-31/10)
AKZ. 7/4-30/4 4/5-13/5 8/6-30/6 1/9-30/9 5/10-31/10

Schlüchtern/Hutten Seite 315 691 € 14
Hutten-Heiligenborn
5 (A+B 1/1-31/12) 6 (**A**+**F** 1/4-30/9)
AKZ. 1/4-15/7 1/9-30/9

Witzenhausen Seite 315 692 € 16
Campingplatz Werratal
5 (A+B 1/1-31/12)
6 (**B** 15/5-15/9) (**E** 16/9-31/12) (**G** 1/1-15/5,15/9-31/12)
AKZ. 1/1-30/6 1/9-31/12

Ausführliche Redaktionseinträge: Seite 306 bis 315

Koblenz

Ahrbrück Seite 316 693 € 16
Denntal Campingplatz****
5 (A 5/4-1/11) (D 1/1-31/12) (I 1/2-31/12)
AKZ. 1/2-30/4 4/5-12/5 26/5-3/6 8/6-15/7 1/9-30/11

Bullay (Mosel) Seite 317 697 € 16
Bären-Camp****
5 (A+C+E+I 28/3-31/10) (J 17/4-1/11)
AKZ. 28/3-5/7 22/8-31/10

Bürder Seite 317 698 € 16
Zum stillen Winkel*****
5 (A 1/4-15/10)
AKZ. 1/4-12/5 18/5-20/5 27/5-2/6 8/6-9/7 1/9-31/10

Burgen Seite 317 699 € 16
Camping Burgen****
5 (A+B 2/4-18/10) 6 (A 31/5-1/9)
AKZ. 2/4-11/5 9/6-5/7 28/8-18/10

Burgen Seite 317 700 € 16
Knaus Cppark Burgen/Mosel
5 (A+B+D+E+J 3/4-18/10) 6 (B 15/5-15/9)
AKZ. 3/4-17/5 7/6-27/6 6/9-18/10

Dausenau Seite 318 701 € 16
Lahn Beach
5 (A+I 1/4-31/10)
AKZ. 1/4-10/5 8/6-30/6 17/8-31/10

Ediger/Eller Seite 318 704 € 18
Zum Feuerberg
5 (A+B 1/4-31/10) 6 (A 23/5-30/9)
AKZ. 1/4-6/7 19/9-31/10

Girod/Ww. Seite 318 710 € 16
Eisenbachtal
5 (A 15/5-31/8) (B+J 1/1-31/12)
AKZ. 1/4-15/7 1/9-30/9 ***7=6, 14=12***

Guldental Seite 318 711 € 16
Campingpark Lindelgrund
5 (A+B+J 1/4-31/10)
AKZ. 15/3-10/5 7/6-4/7 1/9-31/10

Hausbay/Pfalzfeld Seite 318 712 € 16
Country CP Schinderhannes GmbH****
5 (A+B 1/3-1/11) (E 1/1-31/12) (J 16/2-19/10)
AKZ. 1/1-15/7 1/9-31/12

Lahnstein Seite 319 717 € 16
Wolfsmühle
5 (A 15/3-31/10) (B+D+I 1/4-31/10)
AKZ. 15/3-5/7 22/8-30/9

Lingerhahn Seite 319 719 € 16
CP und Mobilheimpark Am Mühlenteich****
5 (A+B+D+E+J 1/1-31/12) 6 (A 1/1-31/12)
AKZ. 1/1-15/6 7/9-31/12

Mendig Seite 319 721 € 14
Siesta
5 (A+B+D+E+I 1/1-31/12)
AKZ. 1/1-30/6 1/9-31/12 ***7=6, 14=12***

Monzingen Seite 319 722 € 16
Nahemühle
5 (A+B+D+E 1/3-31/10) (J 1/3-31/12)
AKZ. 1/3-30/6 1/9-30/9

Oberwesel Seite 320 725 € 16
Schönburgblick
5 (A 14/3-2/11) (D 3/4-18/10)
AKZ. 14/3-13/5 26/5-12/7 1/9-6/9 20/9-2/11

Pommern Seite 320 726 € 16
Pommern
5 (A+B+D+E 28/3-31/10) (F 15/4-31/10) (J 28/3-31/10)
6 (A+F 1/5-15/9)
AKZ. 28/3-30/6 22/8-31/10 ***10=9***

Pünderich Seite 320 727 € 16
Moselland
5 (A+B+D+E 1/4-1/11)
AKZ. 1/4-30/6 1/9-1/11

Schweppenhausen Seite 320 733 € 16
Aumühle
5 (A+D+E+I 1/4-31/10)
AKZ. 1/4-30/6 1/9-31/10

Seck Seite 321 734 € 18
Camping Park Weiherhof*****
5 (A+C 1/4-31/10) (D+E+J 1/1-31/12)
AKZ. 1/4-12/5 18/5-21/5 27/5-2/6 8/6-5/7 22/8-30/10 15/12-31/12

Senheim am Mosel Seite 321 735 € 16
Holländischer Hof****
5 (A+C+D+E+F+I+J 15/4-31/10)
AKZ. 15/4-7/7 21/9-31/10

St. Goar am Rhein Seite 321 737 € 16
Friedenau***
5 (A+B+E 1/4-1/11) (J 1/1-31/12)
AKZ. 1/4-1/7 18/8-16/9 20/9-1/11

Wassenach/Maria Laach Seite 321 740 € 18
Camping Laacher See****
5 (A 1/4-27/9) (B 1/5-1/9) (D+E 1/4-27/9) (I+J 1/1-31/12)
AKZ. 14/4-14/5 17/5-22/5 9/6-24/6 1/9-27/9

Ausführliche Redaktionseinträge: Seite 316 bis 321

Trier

Bollendorf — Seite 323  € 16
Altschmiede****
5 (A 1/5-15/9) (B+D+E 1/6-31/8) (I 1/6-15/9) **6** (B 1/6-31/8)
AKZ. *1/4-3/7 22/8-31/10*

Dockweiler — Seite 323 702 € 14
Campingpark Dockweiler Mühle
5 (A+D+E+I 1/1-31/12)
AKZ. *1/1-10/5 30/5-30/6 1/9-31/12*

Echternacherbrück — Seite 323 703 € 16
Cppark Freibad Echternacherbrück
5 (A 27/3-15/10) (C+D+E 1/1-31/12) (F 27/3-15/10) (I 1/5-1/9)
6 (B+F 1/5-15/9)
AKZ. *27/3-13/5 26/5-2/7 28/8-15/10*

Erden — Seite 324 705 € 16
Erden
5 (A+B+D+E+I 28/3-31/10)
AKZ. *1/4-30/6 1/9-25/9 5/10-31/10*

Gentingen — Seite 324  € 16
Ourtalidyll****
5 (A+B 28/3-2/11) (I 3/4-31/10)
AKZ. *28/3-30/6 17/8-2/11* ***21=18***

Gerolstein — Seite 324  € 16
Eifelblick / Waldferienpark Gerolstein*****
5 (A+E+J 13/2-31/12,13/2-31/12) **6** (E 13/2-31/12,13/2-31/12)
AKZ. *13/2-30/6 28/8-31/12*

Gillenfeld — Seite 324  € 14
Feriendorf Pulvermaar
5 (A 1/3-1/12) (B 1/1-31/12) (D+E 1/3-30/11)
AKZ. *1/1-20/5 28/5-3/7 30/8-31/12*

Heidenburg — Seite 324  € 16
Moselhöhe****
5 (A+B+D+E+I+J 15/3-1/11)
AKZ. *1/1-7/7 1/9-31/12*

Irrel — Seite 324  € 14
Nimseck
5 (A 15/6-15/8) (D+E 1/6-15/8) (J 12/3-3/11) **6** (B 15/6-14/8)
AKZ. *12/3-4/7 21/8-3/11* ***7=6, 14=12***

Irrel — Seite 324  € 14
Südeifel
5 (A+D+I 1/5-30/9)
AKZ. *11/3-4/7 21/8-2/11* ***7=6, 14=12***

Kyllburg — Seite 325  € 14
Naturcamping Kyllburg
5 (A+B+E+I 1/1-31/12) **6** (**B** 15/5-30/9) (**G** 15/3-30/9)
AKZ. *1/1-1/7 24/8-31/12*

Leiwen — Seite 325 718 € 16
Landal Sonnenberg****
5 (A 1/4-6/11) (C 1/1-31/12) (D+E 1/6-31/8) (J 1/1-31/12)
6 (E+F 1/1-31/12)
AKZ. *20/3-2/4 7/4-23/4 18/5-21/5 26/5-2/6 8/6-2/7 28/8-1/10*

Manderscheid — Seite 325 720 € 16
Naturcamping Vulkaneifel***
5 (A 14/3-31/10) (B 1/4-30/9) (D+E 1/6-30/9)
AKZ. *1/4-12/7 1/9-31/10*

Neuerburg — Seite 325 723 € 16
Camping in der Enz****
5 (A 16/3-31/10) (D+E+I 1/5-5/9) **6** (B+G 15/5-1/9)
AKZ. *16/3-4/7 24/8-31/10*

Oberweis — Seite 325 724 € 18
Prümtal-Camping Oberweis*****
5 (A+B 1/1-31/12) (D 1/6-21/8) (E+F+J 1/1-31/12)
6 (B+G 1/5-1/9)
AKZ. *1/1-5/7 23/8-31/12*

Reinsfeld — Seite 325 728 € 16
AZUR Campingpark Hunsrück
5 (A 1/4-31/10) (D+E+I 1/5-31/8) (J 1/5-16/8)
6 (B+G 30/5-31/8)
AKZ. *1/4-2/7 23/8-30/10*

Saarburg — Seite 326 730 € 16
Landal Warsberg****
5 (A 20/3-2/11) (C 1/1-31/12) (D 1/7-31/8) (E 1/7-31/12) (I+J 1/1-31/12)
6 (E+G 1/1-31/12)
AKZ. *20/3-2/4 7/4-23/4 18/5-21/5 26/5-2/6 8/6-2/7 28/8-15/10*

Saarburg — Seite 326 729 € 14
CP & Wohnmobilpark Leukbachtal***
AKZ. *28/3-4/7 21/8-11/10*

Saarburg — Seite 326 731 € 16
Waldfrieden****
5 (A 1/3-3/11) (B+D 3/4-3/11) (E 8/4-3/11) (I 20/2-3/11)
AKZ. *1/3-4/7 21/8-3/11*

Stadtkyll — Seite 326 738 € 14
Landal Wirfttal****
5 (A+B+D+E+F+I+J 1/1-31/12)
AKZ. *1/1-2/4 7/4-12/5 26/5-1/6 8/6-9/7 26/8-15/10 2/11-31/12*

Waxweiler/Heilhausen — Seite 327 741 € 14
Heilhauser Mühle
5 (A 1/7-31/8) (E+J 1/1-31/12)
AKZ. *1/1-30/6 17/8-31/12* ***7=6***

Rheinhessen-Pfalz

Bacharach — Seite 327 694 € 16
Sonnenstrand
5 (A+B+E+I 1/4-31/10)
AKZ. *1/5-10/5 26/5-6/7 1/9-10/9 21/9-30/9*

Ausführliche Redaktionseinträge: Seite 323 bis 327

Bad Dürkheim Seite 327 695 € 18
Knaus Cppark Bad Dürkheim****
5 (A 1/1-31/12) (B 1/3-1/12) (D+E+F+J 1/2-31/12)
AKZ. 1/1-13/5 17/5-22/5 25/5-3/6 7/6-30/6 21/9-31/12

Gerbach Seite 328 707 € 18
Donnersberg
5 (A 1/4-31/10) (B+D+E+J 1/4-30/10) 6 (A 29/5-1/9)
AKZ. 1/4-27/6 30/8-31/10

Schönenberg-Kübelberg Seite 328 732 € 16
Ohmbachsee****
5 (A+B+C+D+E+J 1/1-31/12) 6 (A+F 1/6-31/8)
AKZ. 1/1-20/5 28/5-5/7 22/8-31/12 ***11=10***

Sippersfeld Seite 328 736 € 16
Naturcampingplatz Pfrimmtal****
5 (A+B+J 1/1-31/12)
AKZ. 7/4-30/4 4/5-13/5 18/5-22/5 26/5-3/6 8/6-28/6 7/9-18/10

Waldfischbach Seite 329 739 € 18
Clausensee****
5 (A 1/1-31/12) (C+D+E+F+I+J 1/4-31/10)
AKZ. 2/1-13/5 8/6-15/7 4/9-30/11

Wolfstein Seite 329 742 € 18
Camping am Königsberg****
5 (A+B 1/3-31/10) (E+F+J 1/3-31/12) 6 (B 15/5-15/9)
AKZ. 1/3-30/6 1/9-31/10

Saarland

Losheim/Britten Seite 329 743 € 16
Landhaus Girtenmühle***
5 (A+E+I+J 1/1-2/11,17/11-31/12)
AKZ. 1/1-30/6 1/9-2/11 17/11-31/12

Rehlingen/Siersburg Seite 329 744 € 16
Siersburg
5 (A+B+E 1/4-31/10)
AKZ. 1/4-7/7 24/8-31/10

Karlsruhe

Alpirsbach Seite 330 746 € 18
Alpirsbach
5 (A+B+E+I 1/1-31/12)
AKZ. 1/4-30/6 1/9-15/11

Bad Liebenzell Seite 330 748 € 16
Campingpark Bad Liebenzell
5 (D+E 1/1-31/12) (I 28/3-3/11) 6 (B+F 15/5-15/9)
AKZ. 28/3-3/7 1/9-3/11

Bad Rippoldsau-Schapbach Seite 330 749 € 18
Alisehof*****
5 (A+B+D+E 3/1-31/12) (I 1/1-31/12)
AKZ. 12/1-5/7 31/8-13/12

Binau Seite 331 751 € 16
Fortuna Camping
5 (A+B+D 16/3-25/10) (E 16/3-20/10) (I 16/3-25/10)
6 (A 1/6-30/8)
AKZ. 16/3-3/4 13/4-30/4 4/5-13/5 18/5-22/5 26/5-13/6 1/9-25/10

Dornstetten/Hallwangen Seite 331 753 € 18
Höhencamping Königskanzel
5 (A+B 1/1-31/12) (D+E+I 1/1-31/10,26/12-31/12)
6 (B+G 1/6-15/9)
AKZ. 15/3-30/6 30/8-8/11

Eberbach Seite 331 754 € 14
Eberbach
5 (A+B+E 1/4-31/10) (J 28/3-31/10)
6 (**B** 15/6-30/9) (**E** 28/3-31/10) (**F** 1/4-31/10)
AKZ. 1/4-13/5 17/5-22/5 25/5-3/6 7/6-12/7 1/9-31/10

Freudenstadt Seite 331 759 € 18
Langenwald
5 (A+B+D+E+I 1/4-31/10) 6 (B 1/6-15/9)
AKZ. 1/4-30/6 1/9-31/10

Horb am Neckar Seite 332 765 € 16
Schüttehof
5 (A+B 1/1-31/12) (E 1/5-1/10) (J 1/4-30/9)
6 (A+F 15/6-15/9)
AKZ. 1/1-7/7 1/9-31/12

Karlsruhe Seite 332 767 € 18
AZUR Cp-park Turmbergblick
5 (A 1/5-15/9) (B 1/4-31/10)
AKZ. 1/4-21/5 8/6-26/6 23/8-30/10

Neckargemünd Seite 332 769 € 16
Friedensbrücke
5 (A+B+D+E+H+I 29/3-25/10)
AKZ. 29/3-5/7 1/9-25/10

Neckarzimmern Seite 332 770 € 18
Cimbria
5 (A+D+E+I 1/4-31/10) (J 1/4-30/10) 6 (B 15/5-30/9)
AKZ. 1/4-8/7 25/8-31/10

Neubulach Seite 332 771 € 18
Erbenwald
5 (A+B+D+E+J 1/1-31/12) 6 (B 1/6-31/8) (G 1/5-30/9)
AKZ. 1/1-30/6 1/9-31/12

Ausführliche Redaktionseinträge: Seite 327 bis 332

Schömberg Seite 332 (775) € 16
Höhencp-Langenbrand*****
5 (C+D 1/1-31/12)
AKZ. 1/1-30/6 1/9-31/12

Wildberg Seite 333 (787) € 16
Camping Carpe Diem
5 (A+E+I+J 1/4-1/10) 6 (A+F 31/5-31/8)
AKZ. 1/4-30/6 1/9-1/10 ***7=6***

Freiburg

Allensbach/Markelfingen Seite 334 (745) € 16
Willam****
5 (A+B+E+I+J 24/3-3/10)
AKZ. 24/3-22/5 7/6-15/7 1/9-3/10

Bad Bellingen/Bamlach Seite 334 (747) € 18
Lug ins Land-Erlebnis*****
5 (A+C 15/3-31/10) (D+E 1/3-1/11) (F 1/3-30/11) (J 1/1-31/12)
6 (B+F 7/4-31/10)
AKZ. 1/1-27/3 13/4-30/4 4/5-13/5 8/6-10/7 1/9-31/12

Freiburg Seite 335 (757) € 18
Freiburg Camping Hirzberg
5 (A 1/4-31/10) (B+E+J 1/1-31/12)
AKZ. 6/1-27/3 3/5-13/5 7/6-30/6 1/9-30/9 1/11-20/12

Freiburg/Hochdorf Seite 336 (758) € 18
Tunisee Camping
5 (A+B+D+E+J 1/4-31/10)
AKZ. 1/4-5/7 1/9-31/10

Gaienhofen/Horn Seite 336 (760) € 18
Campingplatz Horn Bodensee
5 (A+B+E+F+J 28/3-3/10)
AKZ. 28/3-23/5 7/6-11/7 6/9-3/10

Grafenhausen/Rothaus Seite 336 (761) € 16
Rothaus Camping
5 (A+E+J 1/1-31/12)
AKZ. 1/4-15/6 1/9-31/10

Herbolzheim Seite 336 (762) € 18
Terrassencp Herbolzheim****
5 (A 12/4-3/10) (B 27/3-2/10) (J 15/4-2/10)
6 (**B** 15/5-15/9) (**F** 15/4-2/10)
AKZ. 27/3-5/7 1/9-3/10

Hinterzarten/Titisee Seite 336 (763) € 18
Bankenhof****
5 (A+C+D+E+J 1/1-31/12)
AKZ. 12/4-23/5 7/6-5/7 13/9-18/10

Orsingen Seite 339 (772) € 18
Camping und Ferienpark Orsingen
5 (A+C 1/1-31/12) (D 1/4-15/9) (E+J 1/3-31/12)
6 (**B**+**G** 1/4-15/9)
AKZ. 1/1-27/3 13/4-13/5 18/5-22/5 8/6-30/6 7/9-31/12

Riegel/Kaiserstuhl Seite 339 (773) € 16
Müller-See
5 (A+D 1/4-31/10)
AKZ. 1/4-16/5 31/5-5/7 1/9-31/10

Simonswald Seite 340 (777) € 18
Schwarzwaldhorn****
5 (A+C 1/4-20/10) (D+E 1/6-20/10)
AKZ. 1/4-4/7 23/8-20/10

St. Peter Seite 340 (779) € 16
Steingrubenhof
5 (A+J 1/1-31/12)
AKZ. 1/2-7/7 25/8-10/11

Steinach Seite 340 (780) € 12
Kinzigtal
5 (A 15/4-30/9) (B+E+F+J 1/1-31/12) 6 (**B**+**F** 1/5-30/9)
AKZ. 20/4-30/6 1/9-19/9

Stockach (Bodensee) Seite 340 (781) € 16
Campingpark Papiermühle
5 (A+B 1/1-31/12)
AKZ. 1/1-23/5 6/6-30/6 14/9-31/12

Sulzburg Seite 341 (782) € 16
Sulzbachtal*****
5 (A+B+D+E+I 1/1-31/12) 6 (A 1/5-30/9)
AKZ. 1/1-1/4 12/4-29/4 3/5-21/5 26/5-2/6 7/6-11/7 6/9-31/12

Titisee Seite 341 (783) € 16
Sandbank****
5 (A+C+E+J 1/4-19/10)
AKZ. 1/4-30/6 1/9-20/10

Todtnau/Muggenbrunn Seite 341 (784) € 16
Hochschwarzwald****
5 (A+B+E+J 1/1-31/12)
AKZ. 2/3-5/7 7/9-13/12

Wahlwies/Stockach Seite 341 (785) € 16
Campinggarten Wahlwies
5 (A+B+D 1/4-31/10)
AKZ. 1/1-22/5 7/6-10/7 1/9-31/12

Willstätt/Sand Seite 341 (788) € 16
Europa Camping Sand
5 (A 1/4-15/10) (F+J 1/4-31/10)
AKZ. 1/4-5/7 24/8-31/10

Wolfach/Halbmeil Seite 341 (789) € 18
Trendcamping Wolfach*****
5 (A+D+E+I+J 1/4-18/10)
AKZ. 1/4-30/6 1/9-18/10

Stuttgart

Bettingen Seite 342 (750) € 16
Wertheim-Bettingen
5 (A+E+J 1/4-31/10)
AKZ. 1/4-21/5 8/6-30/6 1/9-31/10

Ausführliche Redaktionseinträge: Seite 332 bis 342

Creglingen/Münster Seite 342 752 € 16
Cp. Romantische Strasse
5 (A 30/3-1/11) (B 30/3-15/11) (E+J 30/3-8/11)
6 (E 30/3-15/11)
AKZ. 15/3-21/5 26/5-5/7 1/9-15/11 ***14=13***

Ellwangen Seite 342 755 € 16
AZUR Cp. Ellwangen a.d. Jagst
5 (A+D+E+J 1/4-31/10) 6 (**E** 1/1-31/12)
AKZ. 1/4-26/6 23/8-30/10

Essingen/Lauterburg Seite 342 756 € 16
Hirtenteich
5 (A+B+E+I+J 1/1-31/12) 6 (A 15/5-15/9)
AKZ. 1/1-12/7 30/8-31/12 ***14=12***

Hohenstadt Seite 342 764 € 16
Camping Waldpark Hohenstadt
5 (A+B 1/5-30/9) (E+F+J 1/3-31/10) 6 (B 15/5-15/9)
AKZ. 1/3-30/6 1/9-31/10

Schurrenhof Seite 343 776 € 16
Schurrenhof
5 (A+B+D+E+J 1/1-31/12) 6 (A 1/6-30/9)
AKZ. 1/1-13/7 30/8-31/12

Weikersheim/Laudenbach Seite 343 786 € 16
Schwabenmühle****
5 (A 27/3-11/10)
AKZ. 27/3-5/7 22/8-11/10

Tübingen

Isny im Allgäu Seite 344 766 € 18
Waldbad CP Isny GmbH*****
5 (A+D+E 1/1-31/12) (I+J 1/1-31/10,18/12-31/12)
AKZ. 1/1-11/1 1/3-12/7 1/9-31/10

Kirchberg (Iller) Seite 344 768 € 18
Christophorus****
5 (A 1/4-15/10) (B 1/1-15/10) (E 1/4-15/10) (J 1/1-31/12)
6 (**E** 1/1-31/12)
AKZ. 1/1-30/6 1/9-31/12

Salem/Neufrach Seite 345 774 € 16
Gern-Campinghof Salem****
5 (A+B+D+E+I 1/4-31/10)
AKZ. 1/4-23/5 6/6-11/7 6/9-31/10

Sonnenbühl/Erpfingen Seite 345 778 € 16
AZUR Rosencp. Schwäbische Alb
5 (A 1/5-1/10) (B+E 1/4-31/10) (J 1/1-31/12)
6 (B 15/5-15/9)
AKZ. 1/1-2/7 23/8-30/12

Nord-Bayern

Fichtelberg Seite 346 802 € 16
Fichtelsee*****
5 (A+B 1/1-8/11,19/12-31/12)
AKZ. 10/1-20/5 27/5-15/7 1/9-8/11

Frickenhausen/Ochsenfurt Seite 346 803 € 18
Knaus Campingpark
5 (A 1/4-16/10) (B 1/4-6/11) (J 1/1-31/10,1/12-31/12)
6 (A 1/5-1/10)
AKZ. 1/1-17/5 7/6-27/6 6/9-31/12

Kirchzell Seite 347 814 € 16
AZUR Campingpark Odenwald
5 (A+C 1/4-31/10) 6 (E 1/4-31/10)
AKZ. 1/4-2/7 23/8-30/10

Selb Seite 348 827 € 16
Halali-Park
5 (A+D+E+I 1/4-31/10)
AKZ. 1/4-14/7 1/9-31/10

Stadtsteinach Seite 348 830 € 16
Camping Stadtsteinach
5 (A 1/3-30/11) (E+I+J 1/3-30/10) 6 (**B**+G 15/5-15/9)
AKZ. 15/3-5/7 23/8-30/9 ***14=12, 21=18***

Triefenstein/Lengfurt Seite 348 833 € 18
Main-Spessart-Park*****
5 (A+B 1/4-31/10) (E+J 1/1-31/12)
AKZ. 12/4-10/5 7/6-5/7 30/8-31/10

Mittel-Bayern

Geslau Seite 350 804 € 16
Mohrenhof
5 (A+B 1/1-31/12) (E+I 3/4-7/11) (J 3/4-7/11,26/12-31/12)
AKZ. 1/1-27/3 12/4-14/5 17/5-22/5 7/6-14/7 7/9-31/10 8/11-24/12

Gunzenhausen Seite 350 807 € 16
Campingplatz Fischer-Michl
5 (A+B 1/3-31/10) (D+E+I 1/4-31/10)
AKZ. 1/4-22/5 8/6-15/7 1/9-31/10

Hirschau Seite 351 808 € 18
Freizeitpark Monte Kaolino
5 (A 1/5-30/9) (B+D 15/5-15/9) (E+I+J 1/5-30/9)
6 (B+G 1/5-30/9)
AKZ. 1/1-24/5 8/6-30/6 1/9-16/9 1/10-31/12

Mitterteich Seite 351 818 € 16
Panorama und Wellness Cp. Großbüchlberg*****
5 (A+B+E+I+J 1/1-31/12)
AKZ. 1/1-15/7 1/9-31/12

Ausführliche Redaktionseinträge: Seite 342 bis 351

Neualbenreuth 👪 Seite 351 (819) € 16
Campingplatz Platzermühle
5 (A 1/1-31/12) (J 1/4-31/10)
AKZ. 1/1-30/6 17/8-31/12

Pleinfeld Seite 352 (822) € 16
Waldcamping Brombach
5 (A 1/1-31/12) (C 1/4-30/9) (D+E+F 1/5-15/9) (J 1/1-31/12)
AKZ. 1/1-26/3 12/4-29/4 3/5-12/5 17/5-21/5 7/6-2/7 6/9-31/12

Roth/Wallesau Seite 352 (823) € 16
Camping Waldsee
5 (A+B+E+I 1/1-31/12)
AKZ. 1/1-22/5 8/6-30/6 1/9-31/12 ***7=6, 14=12***

Schillingsfürst Seite 352 (825) € 16
Frankenhöhe
5 (A+B+D 30/3-30/10) (I 30/3-31/10)
AKZ. 1/1-14/7 1/9-31/12 ***7=6, 14=12***

Simmershofen/Walkershofen Seite 352 (828) € 16
Camping-Paradies-Franken****
5 (A+B+E+J 1/1-31/12)
AKZ. 1/1-5/7 22/8-31/12

Wackersdorf Seite 352 (835) € 16
Camping Murner See****
5 (A+B 1/4-31/10) (J 1/1-31/12)
AKZ. 1/4-22/5 15/6-30/6 1/9-31/10

Waldmünchen Seite 352 (836) € 16
Ferienpark Perlsee
5 (A+B 1/5-15/9) (D 1/5-1/10) (E+J 1/1-31/12)
AKZ. 12/1-30/6 1/9-20/12

Südwest-Bayern

Augsburg-Ost Seite 354 (791) € 18
Bella Augusta
5 (A+B+D 1/4-31/10) (E+F 1/1-31/12) (J 1/4-31/10)
AKZ. 1/1-30/6 1/9-31/12

Breitenthal 👪 Seite 354 (797) € 16
See Camping Günztal
5 (A+B+D+E 1/4-30/10)
AKZ. 28/3-22/5 8/6-30/6 1/9-8/11

Illertissen 👪 Seite 354 (809) € 18
Illertissen***
5 (A+B 1/4-30/10) 6 (A 31/5-15/9)
AKZ. 1/4-30/6 1/9-31/10

Immenstadt (Allgäu) Seite 354 (810) € 16
Alpsee Camping****
5 (A+B+D+I 1/1-31/12)
AKZ. 3/1-13/5 8/6-12/7 1/9-2/11

Lechbruck am See (Allgäu) Seite 355 (816) € 16
Via Claudia Camping****
5 (A+B 1/1-31/12) (D+E 15/4-31/10) (J 30/3-31/10,23/12-31/12)
AKZ. 1/1-22/5 7/6-27/6 9/9-31/12

Wemding Seite 356 (837) € 16
Campingpark Waldsee Wemding
5 (A+B 16/3-6/11) (D 1/6-30/9) (E+J 16/3-6/11)
AKZ. 16/3-22/5 8/6-21/6 24/8-2/11

Wertach 👪 Seite 356 (838) € 16
Grüntensee CP International****
5 (A+B+D 1/1-31/12) (F 1/1-6/11,12/12-31/12) (J 1/1-31/12)
AKZ. 1/1-31/3 7/4-20/5 7/6-30/6 12/9-30/9 5/10-6/11 1/12-20/12

Wertach 👪 Seite 356 (839) € 14
Waldesruh****
AKZ. 23/3-12/7 31/8-15/11

Südost-Bayern

Arlaching/Chieming Seite 357 (790) € 16
Kupferschmiede
5 (A+B+D+E 1/4-3/10) (F 1/4-30/9) (J 1/4-3/10)
AKZ. 1/4-17/5 1/6-30/6 14/9-3/10

Bad Abbach Seite 357 (792) € 16
Freizeitinsel
5 (A+B 1/3-31/10)
AKZ. 1/3-23/5 8/6-30/6 13/9-31/10

Bad Füssing/Egglfing Seite 358 (793) € 16
Fuchs Kur-Camping****
5 (A+B+E+J 1/1-31/12) 6 (B 15/4-15/10)
AKZ. 1/1-13/5 28/5-8/7 25/8-6/9 21/9-31/12

Bad Füssing/Egglfing Seite 358 (794) € 18
Kur- und Feriencp Max 1*****
5 (A+B+E+J 1/1-31/12) 6 (A+F 1/4-31/10)
AKZ. 1/1-31/3 13/4-11/5 27/5-30/6 14/9-27/12

Bayerbach 👪 Seite 358 (795) € 16
Vital Camping Bayerbach*****
5 (A+B+D+E+F 1/1-30/12) (I+J 1/1-31/12)
6 (A 1/4-30/9) (E 1/1-31/12)
AKZ. 1/1-7/7 24/8-31/12

Bischofswiesen Seite 359 (796) € 16
Winkl-Landthal****
5 (A 2/4-16/10,15/11-31/12) (B+D 2/4-16/10)
AKZ. 10/1-20/3 1/4-10/7 1/9-16/10

Chieming Seite 359 (798) € 16
Möwenplatz
5 (A 12/4-30/9) (B 1/4-30/9)
AKZ. 1/4-15/7 1/9-30/9

Ausführliche Redaktionseinträge: Seite 351 bis 359

Chieming Seite 359 (799) € 16
▲ Sport-Ecke
5 (A+B 1/5-15/9)
AKZ. 1/4-15/7 1/9-30/9

Chieming/Stöttham Seite 359 (800) € 16
▲ Seehäusl***
5 (A+B+E 1/4-1/10) (F+J 15/3-31/10,1/12-31/12)
AKZ. 1/1-15/1 15/3-22/5 8/6-26/6 1/9-31/12

Eging am See Seite 360 (801) € 16
▲ Bavaria Kur- und Sport CP****
5 (A 1/4-30/10) (B 1/1-31/12) (E+J 1/4-31/10)
AKZ. 1/1-15/7 1/9-31/12 ***14=13***

Gottsdorf/Untergriesbach Seite 360 (805) € 16
▲ Feriendorf Bayerwald am Donautal
5 (A 1/1-31/12) (B 4/7-15/8) (D+F 1/1-31/12) (I 4/7-15/8)
6 (**A** 15/6-30/9) (**E** 1/1-31/12) (**F** 15/6-30/9)
AKZ. 1/1-30/6 22/8-31/12 ***7=6, 14=11***

Grainau Seite 360 (806) € 16
▲ CP Erlebnis Zugspitze GmbH***
5 (A 1/1-31/12)
AKZ. 7/1-27/3 13/4-13/5 18/5-18/6 22/6-30/6 14/9-20/12

Ingolstadt Seite 360 (811) € 18
▲ AZUR Waldcamping Ingolstadt
AKZ. 1/1-21/5 8/6-26/6 30/8-30/12

Kinding/Pfraundorf Seite 360 (812) € 16
▲ Kratzmühle****
5 (A+B 1/4-31/10) (D+E 1/4-30/9) (J 1/1-31/12)
AKZ. 1/1-21/5 8/6-25/6 1/9-31/12

Kipfenberg (Altmühltal) Seite 360 (813) € 18
▲ AZUR Camping Altmühltal
5 (D 1/4-31/10)
AKZ. 1/4-21/5 8/6-26/6 30/8-30/10

Lackenhäuser Seite 362 (815) € 18
▲ Knaus Cppark Lackenhäuser****
5 (A+C 1/1-31/12) (E+J 1/1-31/10,1/12-31/12)
6 (B 15/5-15/9) (E+G 1/1-31/10,1/12-31/12)
AKZ. 6/1-17/5 7/6-27/6 6/9-19/12

Mittenwald Seite 362 (817) € 18
▲ Naturcampingpark Isarhorn
5 (A+B+E+I 1/1-1/11,15/12-31/12)
AKZ. 10/1-12/5 8/6-30/6 1/9-1/11

Oberammergau Seite 362 (820) € 16
▲ Campingpark Oberammergau
5 (A 1/1-31/12)
AKZ. 1/3-27/3 1/5-24/5 8/6-30/6 15/9-30/9

Oberwössen Seite 362 (821) € 18
▲ Litzelau****
5 (A 1/1-31/12) (B 1/1-15/12) (E+J 1/1-31/12)
AKZ. 7/1-30/6 13/9-20/12

Rottenbuch/Ammer Seite 363 (824) € 16
▲ Terrassen-CP am Richterbichl****
5 (A+B+D 1/1-31/12)
AKZ. 10/1-30/6 1/9-15/12

Seefeld am Pilsensee Seite 364 (826) € 18
▲ Pilsensee
5 (A+C+D+E+J 1/4-31/10)
AKZ. 1/1-28/3 13/4-23/5 8/6-23/6 7/9-31/12

Spatzenhausen/Hofheim Seite 364 (829) € 16
▲ Brugger am Riegsee
5 (A+B+D+E+I+J 1/5-2/10)
AKZ. 20/3-22/5 7/6-26/6 6/9-17/10

Taching am See Seite 364 (831) € 16
▲ Seecamping Taching am See
5 (A+B+E+F+I+J 1/4-15/10)
AKZ. 1/4-30/6 1/9-15/10

Tittmoning Seite 364 (832) € 18
▲ Seebauer
5 (A 1/5-30/9) (B 1/4-30/9)
AKZ. 1/4-15/7 1/9-30/9

Viechtach Seite 365 (834) € 16
▲ Knaus Cppark Viechtach****
5 (A+B+E+J 1/1-31/12) 6 (E 1/1-31/12)
AKZ. 6/1-17/5 7/6-27/6 6/9-19/12

Zwiesel Seite 365 (840) € 16
▲ Ferienpark Arber****
5 (A+B+D+J 1/1-1/3,1/4-30/9)
6 (B 1/5-30/9) (E+G 1/1-1/3,1/4-30/9)
AKZ. 7/1-8/2 23/2-28/2 7/4-3/7 31/8-30/9

Schweiz

Westschweiz

Enney Seite 373 (851) € 18
▲ Haute Gruyère***
5 (A+B+D+E+J 1/4-31/10) 6 (A 15/6-1/9)
AKZ. 1/1-5/7 22/8-31/12

Le Landeron Seite 373 (861) € 18
▲ Des Pêches****
5 (C+I 1/4-15/10)
AKZ. 1/4-30/6 1/9-15/10

Lignières Seite 373 (864) € 16
▲ Fraso Ranch****
5 (A 1/1-30/10) (B 1/1-30/10,24/12-31/12) (C 1/5-30/9) (D 5/5-30/9) (I 1/1-31/10) (J 1/1-30/10,24/12-31/12)
6 (B+G 1/6-31/8)
AKZ. 1/1-30/6 1/9-31/10

Ausführliche Redaktionseinträge: Seite 359 bis 373

Wallis

Brig Seite 375 843 € 16
Geschina****
5 (A+B 18/4-20/10) 6 (**B+G** 1/5-30/9)
AKZ. 17/4-5/7 22/8-24/10

La Fouly Seite 376 859 € 18
Des Glaciers****
5 (A+B 15/5-30/9)
AKZ. 14/5-3/7 22/8-30/9

Le Bouveret Seite 376 860 € 18
Rive Bleue****
5 (C+D+I 1/4-12/10) 6 (B+F 15/5-31/8)
AKZ. 1/4-30/6 17/8-18/10

Les Haudères Seite 376 863 € 18
Molignon****
5 (A+B 15/6-15/9) (E 1/6-30/9) (J 1/5-31/10)
6 (B+C+G 20/5-15/9)
AKZ. 1/5-3/7 20/8-31/10

Randa/Zermatt Seite 376 872 € 16
Attermenzen****
5 (A 1/1-31/12) (B 15/6-15/9) (E+F+I+J 15/2-31/12)
AKZ. 27/2-5/7 22/8-31/12

Raron/Turtig Seite 377 873 € 16
Santa Monica****
5 (A+B+D+E 2/4-18/10) (I 15/5-30/9)
6 (B 23/5-14/9) (G 1/6-15/9)
AKZ. 2/4-5/7 22/8-18/10

Reckingen Seite 377 874 € 18
Augenstern***
5 (A 1/1-15/3,11/5-16/10) (B 1/1-1/4,16/5-17/10)
(D+I+J 1/1-15/3,11/5-16/10)
6 (**B+G** 1/7-30/8)
AKZ. 11/5-26/6 17/8-16/10

Saas-Grund Seite 377 875 € 18
Am Kapellenweg***
5 (A+B 1/5-11/10)
AKZ. 1/5-30/6 17/8-11/10

Saas-Grund Seite 377 876 € 18
Mischabel***
5 (A+B 29/5-4/10)
AKZ. 29/5-30/6 17/8-4/10

Salgesch Seite 377 878 € 18
Swiss Plage****
5 (A+C+D+E+F+J 29/3-18/10) 6 (F 1/7-31/8)
AKZ. 7/4-13/5 26/5-30/6 28/8-18/10

Susten Seite 378 883 € 18
Bella-Tola*****
5 (A+B+D+E+J 25/4-11/10) 6 (B+G 30/5-20/9)
AKZ. 25/4-30/6 24/8-11/10

Susten Seite 378 884 € 18
Torrent***
5 (A 1/7-31/8) (D 1/4-18/10) 6 (F 1/7-31/8)
AKZ. 1/4-30/6 17/8-18/10

Vétroz Seite 378 886 € 18
Botza*****
5 (A+B+D+E 1/1-31/12) (F 1/7-30/8) (I+J 1/1-31/12)
6 (B+G 15/5-1/9)
AKZ. 1/3-13/5 26/5-3/7 22/8-31/10

Visp Seite 378 887 € 16
Cp/Schwimmbad Mühleye***
5 (A 3/4-2/11) (D+E+I+J 1/5-15/9) 6 (**B+G** 1/5-15/9)
AKZ. 3/4-5/7 22/8-2/11

Berner Oberland

Aeschi/Spiez Seite 380 842 € 16
Panorama-Rossern***
5 (A 18/7-31/8)
AKZ. 14/5-30/6 1/9-11/10

Frutigen Seite 380 853 € 18
Grassi****
5 (A+B 1/7-30/8)
AKZ. 1/1-5/7 22/8-31/12

Gstaad Seite 381 854 € 18
Bellerive***
5 (A 1/1-31/12)
AKZ. 5/1-30/1 2/3-26/6 24/8-7/9 16/9-18/12

Innertkirchen Seite 381 856 € 16
Aareschlucht***
5 (A 15/6-15/9)
AKZ. 1/5-5/7 22/8-31/10

Interlaken/Unterseen Seite 381 857 € 18
Alpenblick****
5 (A 1/1-31/12) (B 1/4-31/10) (D+E+I 1/1-31/12)
AKZ. 1/1-12/7 30/8-31/12

Krattigen Seite 382 858 € 18
Stuhlegg****
5 (A+B+D+E+I 1/1-31/10,1/12-31/12) 6 (B+G 1/5-30/9)
AKZ. 1/5-30/6 1/9-30/9

Meiringen Seite 382 867 € 18
AlpenCamping****
5 (A+B+D 1/1-31/10,1/12-31/12)
AKZ. 1/4-11/6 22/6-12/7 31/8-1/11

Ausführliche Redaktionseinträge: Seite 375 bis 382

Schweiz

Meiringen
Balmweid**** Seite 382 868 € 18
5 (A+B+D+E+F+I+J 1/1-31/12) 6 (A 1/7-31/8)
AKZ. 1/1-30/6 1/9-31/12

Stechelberg
Breithorn*** Seite 382 881 € 16
5 (C 1/1-31/12)
AKZ. 1/5-30/6 1/9-31/10

Stechelberg
Rütti*** Seite 382 882 € 16
5 (A+B+D 1/5-30/9)
AKZ. 1/5-30/6 1/9-30/9

Zweisimmen
Vermeille**** Seite 382 889 € 18
5 (A+B 1/1-31/12) 6 (B 1/6-31/8)
AKZ. 5/1-8/2 30/3-13/5 8/6-15/7 1/9-18/12

Ostschweiz

Egnach
Seehorn**** Seite 383 849 € 18
5 (A+B+D+E+I 1/3-21/10) (J 1/1-31/12) 6 (F 1/5-1/9)
AKZ. 1/3-3/7 31/8-31/10

Ottenbach
Reussbrücke**** Seite 384 871 € 18
5 (A+B+D+I 1/4-10/10) 6 (A 1/6-15/9) (F 7/4-10/10)
AKZ. 28/3-28/6 1/9-10/10

Winden
Camping Manser*** Seite 385 888 € 18
5 (A+B 15/6-31/8)
AKZ. 1/4-3/4 7/4-13/5 26/5-3/7 31/8-31/10

Zentralschweiz

Engelberg
Eienwäldli***** Seite 385 850 € 18
5 (A+C+D+E+F+I+J 1/1-31/12) 6 (**E**+**G** 1/1-31/12)
AKZ. 1/3-27/3 20/4-13/5 7/6-30/6 1/9-2/10 18/10-18/12

Lungern
Obsee*** Seite 385 865 € 18
5 (A 15/5-31/10) (B+E+J 1/1-31/12)
AKZ. 1/1-30/6 31/8-31/12

Meierskappel
Campingplatz Gerbe Seite 386 866 € 16
5 (A+B 1/3-30/9) (D+J 1/3-31/10) 6 (F 5/4-31/10)
AKZ. 1/3-30/6 17/8-1/11

Sachseln
Ewil Seite 386 877 € 18
5 (A+B 15/5-15/9)
AKZ. 18/4-4/7 22/8-26/9

Tessin

Acquarossa
Acquarossa** Seite 387 841 € 18
5 (A 15/6-7/10) (B 1/5-15/10) 6 (A 15/6-1/9)
AKZ. 1/3-14/6 31/8-30/9

Cugnasco
Riarena**** Seite 387 847 € 18
5 (A+B+D+E+F+I+J 25/3-17/10) 6 (A+F 15/5-17/10)
AKZ. 13/3-30/6 17/8-18/10

Gudo
Isola**** Seite 387 855 € 18
5 (A+B 15/3-30/10) (D+F+I+J 15/1-15/12)
6 (A 15/5-30/9) (F 1/5-30/9)
AKZ. 15/1-30/6 17/8-15/12

Molinazzo di Monteggio
Tresiana**** Seite 388 869 € 16
5 (A 1/4-18/10) (B+D+E+I 9/4-18/10)
6 (A 1/5-30/9) (F 1/5-15/9)
AKZ. 1/5-30/6 1/9-18/10

Graubünden

Chur (GR)
CampAu Chur*** Seite 389 844 € 18
5 (A+B+D+E+I+J 1/1-31/12)
6 (**B** 1/5-1/9) (**E** 1/1-31/12) (**G** 1/5-1/9)
AKZ. 16/3-19/6 7/9-29/11

Churwalden
Pradafenz**** Seite 389 845 € 18
5 (A 1/1-15/4,1/7-31/8) (D+E+I+J 1/1-15/4,1/6-31/10)
AKZ. 25/5-30/6 1/9-31/10

Cinuos-chel/Chapella
Chapella** Seite 389 846 € 16
5 (A 5/6-15/9) (B 15/6-15/9)
AKZ. 1/5-28/6 1/9-31/10

Davos Glaris
RinerLodge Seite 390 848 € 18
5 (A 1/5-31/10) (B+D+I 1/1-31/12)
AKZ. 1/5-18/6 14/9-31/10

Filisur
Islas**** Seite 390 852 € 16
5 (A+B+E+F+J 1/4-31/10) 6 (A 1/6-1/9)
AKZ. 1/4-30/6 1/9-31/10

Le Prese
Cavresc**** Seite 390 862 € 18
5 (A+B 1/1-31/12) (D+F+I 1/4-31/10)
AKZ. 1/1-30/6 17/8-31/12

Ausführliche Redaktionseinträge: Seite 382 bis 390

Müstair Seite 390 (870) € 16
▲ Muglin
5 (A+B+D+I 1/5-27/10)
AKZ. 1/5-30/6 1/9-31/10

Splügen Seite 391 (879) € 18
▲ Auf dem Sand****
5 (A+B+D+I 1/1-31/12)
AKZ. 1/4-19/6 14/9-31/12

Sta Maria Seite 391 (880) € 16
▲ Pè da Munt***
5 (A 22/5-4/10)
AKZ. 22/5-30/6 17/8-4/10

Thusis Seite 391 (885) € 16
▲ Viamala A.G.***
5 (A 1/1-31/12) (I 1/1-31/10,1/12-31/12)
AKZ. 1/1-10/7 27/8-31/12

Österreich

Vorarlberg

Innerbraz (Klostertal) Seite 397 (920) € 18
▲ Walch's CP & Landhaus****
5 (A+B 1/1-31/10,1/12-31/12)
AKZ. 30/4-26/6 1/9-18/10

Nenzing Seite 397 (944) € 18
▲ Alpencamping Nenzing*****
5 (A+B+D+E 1/1-31/12) (F 8/7-24/8) (J 1/1-31/12)
6 (B 27/4-6/11,18/12-8/1) (E 1/1-31/12) (G 1/5-15/10)
AKZ. 6/1-12/2 24/4-14/5 17/5-23/5 7/6-30/6 13/9-30/9

Nüziders Seite 397 (946) € 18
▲ Panorama Camping Sonnenberg
5 (A+B 8/5-27/9)
AKZ. 1/5-7/6 1/9-27/9 ***28=27***

Tirol

Achenkirch Seite 398 (895) € 18
▲ Alpen-Caravanpark Achensee*****
5 (A+B+D+E+F+J 1/1-31/12)
AKZ. 6/1-30/6 1/9-19/12

Biberwier Seite 398 (900) € 16
▲ Feriencenter Camping Biberhof
5 (A+B 1/1-31/12)
AKZ. 25/4-28/6 1/9-13/12

Fieberbrunn Seite 399 (908) € 18
▲ Tirol Camp****
5 (A+C+D+E+J 11/5-1/11,9/12-12/4)
6 (B 1/6-1/10) (E+F 11/5-1/11,9/12-12/4)
AKZ. 11/5-30/6 1/9-1/11

Grän Seite 399 (911) € 18
▲ Comfort-Camp Grän GmbH****
5 (A 10/5-2/11,15/12-25/4) (B 8/5-2/11,15/12-20/4) (D+E+F+J 1/1-31/12)
6 (E 15/5-2/11,15/12-20/4)
AKZ. 8/5-30/6 1/9-9/9

Haiming Seite 399 (913) € 16
▲ Center Oberland GmbH***
5 (A+B 1/6-31/8) (D+E 1/6-15/9) (J 1/1-31/12)
AKZ. 1/5-30/6 1/9-31/10

Hall (Tirol) Seite 399 (914) € 16
▲ Schwimmbad CP Hall in Tirol***
5 (A+B 1/5-30/9) (D+E+I 15/5-15/9) 6 (B+G 15/5-15/9)
AKZ. 1/5-30/6 1/9-30/9

Hopfgarten Seite 399 (918) € 16
▲ Camping Reiterhof****
5 (A+E+J 1/1-31/12) 6 (**B**+**F** 1/5-15/9)
AKZ. 14/3-30/6 1/9-31/10

Imst Seite 400 (919) € 16
▲ Campingpark Imst-West
5 (A+C+D 1/1-31/12)
AKZ. 11/1-30/6 1/9-1/11

Itter/Hopfgarten Seite 400 (922) € 18
▲ Terrassencp Schlossberg Itter*****
5 (A+B+D+E+J 1/1-15/11,1/12-31/12) 6 (B+G 1/5-15/9)
AKZ. 1/5-30/6 1/9-31/10

Kals am Großglockner Seite 400 (923) € 18
▲ Nationalparkcamping Kals****
5 (A+B 1/1-7/4,17/5-20/10)
AKZ. 7/1-7/2 1/3-12/4 23/5-30/6 1/9-18/10 18/12-22/12

Kramsach (Krummsee) Seite 400 (927) € 16
▲ Seencamping Stadlerhof*****
5 (A+B+D+E+J 1/1-31/12) 6 (B 1/1-31/12) (G 1/6-30/9)
AKZ. 18/4-27/6 1/9-19/12

Kramsach (Reintalersee) Seite 400 (928) € 16
▲ Camping Seeblick Toni*****
5 (A+C 1/1-31/12) (D 1/6-30/9) (E+J 1/1-31/12)
AKZ. 5/1-30/6 1/9-19/12

Kramsach (Reintalersee) Seite 401 (929) € 16
▲ Camping Seehof*****
5 (A+B+D+E+J 1/1-31/12)
AKZ. 7/1-30/6 1/9-18/12

Leutasch Seite 401 (931) € 18
▲ Tirol.Camp Leutasch*****
5 (A 1/1-31/10,8/12-31/12) (B 8/12-31/12) (E+J 1/1-30/10,8/12-31/12)
6 (E+G 1/1-30/10,8/12-31/12)
AKZ. 1/3-31/3 1/5-30/6 1/9-31/10 8/12-20/12

Ausführliche Redaktionseinträge: Seite 390 bis 401

Lienz/Amlach 👪 Seite 401 932 € 16
Dolomiten CP Amlacherhof****
5 (A 1/5-31/10) (B 1/5-15/9) (D+E+F+I 1/5-30/9)
6 (A 1/5-1/10)
AKZ. 15/3-22/5 5/6-30/6 1/9-31/10 ***11=10, 22=20***

Lienz/Tristach 👪 Seite 401 933 € 16
Camping Seewiese****
5 (A 12/5-14/9) (B+I+J 9/6-8/9) 6 (F 1/6-1/9)
AKZ. 13/5-30/6 1/9-14/9 ***12=10, 20=17***

Matrei in Osttirol Seite 401 937 € 16
Edengarten
5 (D+I+J 1/4-31/10)
AKZ. 1/4-30/6 1/9-31/10

Mayrhofen Seite 402 938 € 16
Mayrhofen****
5 (A+C 1/1-31/10,10/12-31/12) (D+E+J 1/1-30/10,10/12-31/12)
6 (B+E+G 1/1-30/10,18/12-31/12)
AKZ. 8/1-8/2 20/4-30/6 7/9-27/9 9/10-31/10

Nassereith Seite 402 942 € 14
Rossbach****
5 (A+B 1/1-31/12) (D+E+I 1/7-31/8) 6 (B+G 15/5-15/9)
AKZ. 1/3-30/6 1/9-30/11

Natters Seite 402 943 € 18
Ferienparadies Natterer See*****
5 (A+C+D 1/1-31/12) (E 15/3-1/10) (F 15/5-1/10) (J 15/3-1/10)
AKZ. 10/1-30/6 1/9-30/11

Neustift Seite 402 945 € 16
Stubai****
5 (A+C+D+E+J 1/1-31/12)
AKZ. 30/4-30/6 1/9-30/9

Pettneu am Arlberg 👪 Seite 402 956 € 14
Arlberglife CP + Appartements
5 (A+B+D+F+I 1/1-31/12)
AKZ. 12/1-13/2 2/3-27/3 13/4-30/6 1/9-18/12 ***7=6, 14=11***

Prutz 👪 Seite 404 957 € 14
Aktiv Camping Prutz****
5 (A+B 1/1-31/12) (D+E+I 15/5-15/10,15/12-30/4)
AKZ. 10/4-30/6 1/9-20/12 ***10=9, 20=18***

Reutte Seite 404 959 € 18
Camping Reutte
5 (A+B+D+E+J 1/1-31/12)
AKZ. 1/4-30/6 1/9-31/10

Ried 👪 Seite 404 960 € 16
Dreiländereck****
5 (A+B+C+D+E+F+I+J 1/1-31/12)
AKZ. 10/1-31/1 7/3-28/3 11/4-30/6 1/9-18/12 ***14=13, 21=19***

Stams 👪 Seite 405 967 € 16
Eichenwald
5 (A+B 1/1-31/12) (D+E+F+J 1/5-30/9)
6 (B 1/5-30/9) (G 1/5-31/8)
AKZ. 1/1-30/6 1/9-30/9

Strassen Seite 405 970 € 16
Camping Lienzer Dolomiten***
5 (A 1/1-31/12) 6 (A 1/6-30/9)
AKZ. 1/3-30/6 1/9-31/10 ***7=6, 14=12, 21=18***

Waidring Seite 406 974 € 18
Camping Steinplatte GmbH
5 (A+B 1/1-1/11,1/12-31/12) (D+E+F+I+J 1/1-31/10,1/12-31/12)
AKZ. 12/1-30/6 1/9-24/12

Walchsee Seite 406 975 € 18
Ferienpark Terrassencp Süd-See****
5 (A 1/1-31/12) (B+D+E+I+J 1/1-31/10,1/12-31/12)
AKZ. 10/1-30/6 1/9-15/12

Weer Seite 406 976 € 16
Alpencamping Mark****
5 (A+B 1/4-31/10) (D+E 20/5-15/9) (J 20/5-1/9)
6 (B+G 1/5-15/9)
AKZ. 1/4-30/6 1/9-31/10

Westendorf Seite 406 978 € 16
Panorama Camping
5 (A+B+E 1/1-31/12) (J 1/6-31/12) 6 (**B+G** 20/5-15/9)
AKZ. 7/4-30/6 1/9-28/10

Zell im Zillertal Seite 406 979 € 14
Campingdorf Hofer
5 (A+C 1/1-31/12) (D+E+J 1/1-14/10,1/11-31/12)
6 (C 1/4-15/10)
AKZ. 7/4-30/6 1/9-10/10

Oberösterreich

Grein Seite 407 912 € 16
Grein
5 (A+B+D+E+I 1/3-31/10)
AKZ. 1/4-30/6 1/9-15/10

Mondsee Seite 407 940 € 18
AustriaCamp
5 (A+B+D+E+F 1/4-30/9) (I 1/5-30/9) (J 1/4-30/9)
AKZ. 1/4-30/5 8/6-30/6 1/9-30/9

Mondsee/Tiefgraben Seite 407 941 € 16
Camp MondSeeLand****
5 (A+B+E+F 4/4-4/10) (J 12/4-10/10) 6 (B 1/5-30/9)
AKZ. 4/4-30/6 1/9-4/10

Ausführliche Redaktionseinträge: Seite 401 bis 407

Pettenbach Seite 408 955 € 16
Almtal Camp
5 (A 1/5-31/12) (B 15/5-1/9) (E+J 1/1-31/12)
6 (B+G 1/5-15/10)
AKZ. 1/1-30/6 1/9-31/12 ***7=5, 14=10***

Salzburg

Abersee/St. Gilgen Seite 408 890 € 16
Birkenstrand Wolfgangsee****
5 (A 1/4-31/10)
AKZ. 1/4-30/6 1/9-31/10 ***7=6***

Abersee/St. Gilgen Seite 408 891 € 16
Romantik Camp. Wolfgangsee Lindenstrand****
5 (A+B 1/4-31/10) (C+F 1/5-30/9)
AKZ. 1/4-30/6 1/9-31/10

Abersee/St. Gilgen Seite 408 892 € 16
Seecamping Primus
5 (A 25/4-30/9)
AKZ. 25/4-30/6 1/9-30/9 ***7=6***

Abersee/St. Gilgen Seite 409 893 € 16
Seecamping Wolfgangblick
5 (A+C+D+E+F+I+J 1/5-14/9)
AKZ. 18/4-30/6 1/9-30/9 ***7=6, 14=12***

Abersee/Strobl Seite 409 894 € 16
Schonblick
5 (A+B 1/5-15/10)
AKZ. 1/5-30/6 1/9-15/10 ***7=6***

Bad Gastein Seite 409 898 € 18
Kur-Camping Erlengrund
5 (A+B 1/1-31/12) 6 (B 1/6-30/9)
AKZ. 3/1-30/1 11/4-26/6 1/9-18/12

Bruck Seite 409 901 € 18
Sportcamp Woferlgut****
5 (A+C 1/1-31/12) (D 1/6-15/9) (E+F+J 1/1-31/12)
6 (B+G 27/4-15/10)
AKZ. 6/1-31/1 14/3-28/3 11/4-30/6 5/9-19/12

Maishofen Seite 410 934 € 14
Neunbrunnen am Waldsee
5 (A+E+F+J 1/1-31/12)
AKZ. 1/5-30/6 1/9-30/9

St. Johann im Pongau Seite 411 962 € 16
Kastenhof
5 (A+B 1/1-31/12)
AKZ. 1/5-30/6 1/9-18/10

St. Martin bei Lofer Seite 411 963 € 18
Park Grubhof
5 (A+C+D+E+F+I+J 1/1-11/4,24/4-1/11)
AKZ. 6/1-11/4 24/4-30/6 1/9-1/11

St. Veit im Pongau Seite 411 966 € 16
Sonnenterrassencp St.Veit im Pongau****
5 (A+B+D+E 1/1-31/12)
AKZ. 20/4-30/6 1/9-31/10

Kärnten

Annenheim Seite 412 897 € 16
Camping Bad Ossiacher See
5 (A+C+D+E+F+H+I+J 11/4-5/10)
AKZ. 12/1-22/2 13/4-22/5 8/6-27/6 10/9-26/10

Döbriach Seite 413 902 € 16
Brunner am See
5 (A 1/1-31/12) (C+E+F+I+J 15/5-30/9)
AKZ. 1/1-30/6 1/9-31/12

Döbriach Seite 414 903 € 16
Happy Camping Golser GmbH
5 (A+B 1/6-30/9)
AKZ. 1/5-30/6 1/9-30/9

Döbriach Seite 414 904 € 16
Seecamping Mössler
5 (A+C 15/5-30/9) (E+F+J 1/5-31/10) 6 (B+G 10/5-30/9)
AKZ. 15/3-30/6 1/9-15/11

Eberndorf Seite 414 905 € 18
Rutar Lido
5 (A 1/1-31/12) (C 1/5-30/9) (D+E+J 1/1-31/12)
6 (B 1/6-30/9) (E 1/1-31/12) (G 1/5-30/9)
AKZ. 1/3-30/6 1/9-31/10

Faak am See Seite 414 906 € 16
Arneitz
5 (A 23/4-30/9) (C+E+F+H+J 1/5-20/9)
AKZ. 23/4-30/6 14/9-30/9

Feistritz im Rosental Seite 414 907 € 16
Juritz
5 (A+E 15/4-30/9) (J 1/1-31/12) 6 (C 15/4-15/10)
AKZ. 15/4-30/6 1/9-30/9

Gösselsdorf Seite 414 910 € 16
Sonnencamp Gösselsdorfer See
5 (A 1/5-30/9) (B 1/7-30/8) (D+E+F+J 1/5-30/9)
AKZ. 1/5-30/6 1/9-30/9

Heiligenblut Seite 416 915 € 18
Nat.Park-Camp. Großglockner
5 (A 1/1-31/12) (B+D+E+I 1/5-15/10,20/12-31/3)
(J 1/6-20/9,20/12-31/3)
AKZ. 1/5-30/6 1/9-30/11

Hermagor-Pressegger See Seite 416 916 € 18
Schluga Camping Hermagor*****
5 (A 1/1-31/12) (C 15/5-15/9) (E+H+J 1/1-31/12)
6 (B+**G** 1/5-30/9)
AKZ. 6/1-30/6 1/9-20/12

Ausführliche Redaktionseinträge: Seite 408 bis 416

Österreich

Hermagor-Pressegger See — Seite 416 — 917 — € 14
Sport-Camping-Flaschberger
5 (A 1/1-31/12) (C 15/5-15/9) (D+E+I 1/1-31/12)
6 (B 25/5-30/9)
AKZ. 1/1-30/6 1/9-31/12 ***7=6, 14=11, 21=17***

Irschen — Seite 416 — 921 — € 14
Rad-Wandercamping-Ponderosa
5 (A+B 27/4-4/10) (D+E+F+J 4/5-19/9)
AKZ. 27/4-30/6 1/9-4/10

Keutschach am See — Seite 416 — 925 — € 16
Strandcamping Süd
5 (A+B+D+E+J 1/5-30/9)
AKZ. 1/5-9/5 17/5-30/6 1/9-30/9

Maltatal — Seite 417 — 935 — € 16
Terrassencamping Maltatal****
5 (A+C+D+E+F+J 30/4-12/10) 6 (**B**+**G** 20/5-15/9)
AKZ. 30/4-30/6 1/9-12/10

Millstatt/Dellach — Seite 417 — 939 — € 14
Neubauer
5 (A 1/5-15/10) (E+F+I 15/5-15/9)
AKZ. 1/5-30/6 1/9-15/10

Oberdrauburg — Seite 418 — 947 — € 14
Natur- & Familiencp Oberdrauburg
5 (A 1/6-31/8) (D+H+I 5/6-1/9) 6 (B+G 5/6-1/9)
AKZ. 1/5-30/6 1/9-30/9

Ossiach — Seite 418 — 949 — € 16
Ideal Camping Lampele****
5 (A 1/5-15/9) (C 1/5-20/9) (D+E+F+J 15/5-18/9)
6 (**E** 1/1-31/12)
AKZ. 1/5-30/6 1/9-30/9

Ossiach — Seite 418 — 950 — € 14
Kalkgruber
5 (A 24/4-30/9)
AKZ. 24/4-30/6 1/9-30/9

Ossiach — Seite 418 — 951 — € 16
Kölbl
5 (A+B 1/1-31/12) (D+E+F 1/5-30/9) (J 1/6-30/9)
AKZ. 1/4-30/6 1/9-31/10

Ossiach — Seite 418 — 952 — € 16
Terrassen Camping Ossiacher See
5 (A+C 1/5-30/9) (E+F+H+J 15/5-15/9)
AKZ. 1/5-30/6 1/9-30/9

Ossiach — Seite 418 — 953 — € 16
Wellness Seecamping Parth
5 (A 1/4-30/10) (C 1/5-30/9) (D 1/6-31/8) (E 1/4-30/10)
(J 1/4-30/9,26/12-10/1)
AKZ. 1/4-30/6 1/9-2/11

Pesenthein — Seite 418 — 954 — € 16
Terrassencamping Pesenthein
5 (A+J 1/5-30/9)
AKZ. 1/5-30/6 1/9-30/9

Reisach — Seite 418 — 958 — € 18
Alpenferienpark Reisach
5 (A 1/1-1/10,15/12-31/12) (B 1/1-1/10) (I 1/1-1/10,15/12-31/12)
6 (A+F 1/6-1/10)
AKZ. 1/5-30/6 1/9-30/9

St. Primus — Seite 420 — 965 — € 16
Camping Breznik - Turnersee
5 (A+C 28/4-21/9) (D 24/5-14/9) (E 1/5-13/9) (F 17/5-6/9)
(J 1/7-10/9)
AKZ. 12/4-30/6 1/9-4/10

Steindorf — Seite 420 — 968 — € 16
Seecamping Laggner****
5 (A+D+E+J 1/5-30/9)
AKZ. 11/5-30/6 1/9-20/9

Steindorf/Stiegl — Seite 420 — 969 — € 16
Seecamping Hoffmann****
5 (A+B 1/5-30/9) (D 1/7-7/9) (E 1/5-30/9) (J 15/4-30/10)
AKZ. 1/5-30/6 1/9-30/9

Villach/Landskron — Seite 421 — 973 — € 16
Seecamping Berghof*****
5 (A+C 4/4-18/10) (D 1/7-31/8) (E 4/4-18/10) (F 8/6-10/9)
(J 4/4-18/10)
AKZ. 4/4-14/6 7/9-18/10

Wertschach bei Nötsch — Seite 421 — 977 — € 16
Alpenfreude
5 (C 1/5-30/9) (D+E+F+H+I+J 15/5-15/9) 6 (B+G 1/6-15/9)
AKZ. 1/5-30/6 1/9-30/9

Niederösterreich/Wien

Kaumberg — Seite 421 — 924 — € 16
Paradise Garden
5 (B 1/4-30/9)
AKZ. 1/4-30/6 1/9-30/9

Klosterneuburg — Seite 422 — 926 — € 18
Donaupark CP Klosterneuburg
5 (A+B 1/4-31/10) (E+I 1/5-30/9)
AKZ. 23/3-30/6 1/9-8/11

Krems (Donau) — Seite 422 — 930 — € 16
Donaupark Camping Krems
5 (A+B+D 1/4-31/10)
AKZ. 1/4-30/6 1/9-31/10

Ausführliche Redaktionseinträge: Seite 416 bis 422

Marbach an der Donau Seite 422 (936) € 16
Marbacher Freizeitzentrum
5 (A+B 4/4-25/10)
AKZ. 4/4-30/6 1/9-25/10

Traisen Seite 423 (971) € 16
Terrassen-Camping Traisen
5 (A 1/6-30/9) (B 15/2-15/11) (D 15/5-15/9)
6 (B 15/5-30/9)
AKZ. 15/2-30/6 1/9-15/11

Tulln an der Donau Seite 423 (972) € 18
Donaupark Camping Tulln
5 (B+D+E+I+J 15/4-15/10)
AKZ. 1/4-30/6 1/9-15/10

Steiermark/Burgenland

Aigen (Ennstal) Seite 424 (896) € 16
Putterersee
5 (A+B+D+F 1/5-30/9)
AKZ. 15/4-30/6 1/9-31/10 ***10=9, 20=18***

Bad Waltersdorf Seite 424 (899) € 16
Thermenland CP Rath & Pichler
5 (A+B 1/1-31/12) (D+E 1/4-31/10) 6 (B+G 15/5-15/9)
AKZ. 6/1-27/3 3/5-14/5 25/5-4/6 7/6-30/6 13/9-25/12

Fisching/Weißkirchen Seite 425 (909) € 18
50plus Cppark Fisching****
5 (A+D+E+J 1/4-30/10)
AKZ. 1/4-30/6 1/9-30/10

Oggau (Burgenland) Seite 426 (948) € 16
Oggau
5 (A+B+E+I+J 1/4-31/10) 6 (**A**+**F** 15/5-1/9)
AKZ. 1/4-22/5 26/5-30/6 1/9-31/10

St. Georgen/Murau Seite 426 (961) € 16
Olachgut*****
5 (A+B+E+I 1/1-31/12)
AKZ. 1/1-30/6 1/9-31/12

St. Peter am Kammersberg Seite 426 (964) € 16
Bella Austria****
5 (A+E+J 28/3-27/9) 6 (B+G 15/6-10/9)
AKZ. 28/3-30/6 1/9-27/9

Tschechien

Cerná v Pošumaví Seite 461 (980) € 16
Camping Olšina***
5 (B+D+I 20/4-20/10)
AKZ. 20/4-30/6 23/8-10/10 ***7=6, 14=12***

Cheb/Podhrad Seite 462 (981) € 16
Camping am See "Václav"****
5 (A+B+D+E+I 27/4-13/9)
AKZ. 27/4-5/7 24/8-13/9

Chvalsiny Seite 462 (982) € 16
Camping Chvalsiny
5 (A+B+D+E+F+I 1/6-30/8) 6 (A 15/6-31/8)
AKZ. 17/4-30/6 22/8-15/9

Dvur Králové n. L Seite 463 (983) € 18
Safari Kemp
5 (A+B+D+F 1/6-30/9) (H+I 1/1-31/12) 6 (B 1/6-30/9)
AKZ. 1/5-4/6 1/9-30/9

Frymburk Seite 463 (984) € 16
Camping Frymburk****
5 (A+B+D+E+I 10/5-15/9)
AKZ. 24/4-30/6 23/8-20/9

Hluboká nad Vltavou Seite 463 (985) € 14
Camping Kostelec
5 (A+B+D+E 1/6-31/8) 6 (A 1/6-31/8)
AKZ. 1/5-6/7 23/8-15/9 ***14=13, 21=19***

Nové Strasecí Seite 465 (986) € 14
Bucek****
5 (A+E+I 1/5-6/9) 6 (**E** 1/5-6/9)
AKZ. 1/5-4/7 24/8-6/9

Opatov (Okr. Trebíc) Seite 465 (987) € 16
Vídlák
5 (A 1/6-20/8)
AKZ. 15/4-11/7 28/8-15/10 ***14=11***

Planá u Mariánských Lázní Seite 466 (988) € 14
Camp Karolina****
5 (A 1/7-31/8) (D 1/5-30/9) 6 (A 1/7-31/8)
AKZ. 1/5-7/7 24/8-30/9

Prag 8/Dolní Chabry Seite 467 (989) € 18
Triocamp***
5 (B+D+I 1/1-31/12) 6 (A 15/5-1/9)
AKZ. 1/1-19/6 18/8-31/12

Prag 9/Dolní Pocernice Seite 467 (990) € 16
Sokol Praha****
5 (A+B+D 1/4-31/10) (I 1/1-31/12) (J 1/4-31/10)
6 (A 1/4-31/10)
AKZ. 1/4-4/7 22/8-31/10 ***7=6, 14=12***

Strázov Seite 468 (991) € 16
u Dvou Orechu
5 (D 15/6-16/8)
AKZ. 25/4-5/7 24/8-30/9

Ausführliche Redaktionseinträge: Seite 422 bis 468

Vrané nad Vltavou/Prag Seite 468 992 € 12
Camp Matyás
5 (A+B 20/4-15/10) (D+J 1/7-31/8) **6** (**F** 1/6-30/9)
AKZ. 1/4-10/7 27/8-15/10

Vranov nad Dyji Seite 468 993 € 10
Camping Vranovská Pláž***
5 (A+B 15/5-15/9) (F 1/7-31/8) (I 1/5-30/9) (J 1/7-31/8)
AKZ. 1/5-12/6 1/9-30/9

Vrchlabí Seite 468 994 € 10
Euro-Air-Camping
5 (A+B 1/6-15/9) (J 1/3-30/11) **6** (A 1/6-30/8) (F 1/6-30/9)
AKZ. 1/5-6/7 25/8-30/9

Zlatníky/Prag Seite 468 995 € 14
Camping Oase Praag****
5 (A+B 25/4-14/9) (D 1/7-31/8) (E+J 25/4-14/9)
6 (A 1/7-31/8) (E 25/4-14/9) (F 1/7-31/8)
AKZ. 25/4-26/6 22/8-14/9

Ungarn

West-Ungarn

Badacsonytomaj Seite 480 996 € 12
Tomaj Camping***
5 (D 1/5-30/9)
AKZ. 1/5-30/6 1/9-30/9

Balatonszemes Seite 480 997 € 10
CP & Bungalows Vadvirág**
5 (A+B 1/5-6/9) **6** (A 24/4-6/9)
AKZ. 24/4-27/6 22/8-6/9

Bükfürdö Seite 481 1001 € 14
Romantik Camping***
5 (E+J 1/1-31/12) **6** (A 1/5-1/10)
AKZ. 1/5-4/7 23/8-30/9 7=6

Cserszegtomaj Seite 481 1002 € 10
Panoráma***
5 (A 1/4-31/10) **6** (A 1/4-31/10)
AKZ. 16/4-15/7 1/9-31/10

Gyenesdiás Seite 481 1003 € 12
Wellness Park Camping
5 (A 1/5-30/9) (E+J 1/5-31/8) **6** (A 15/5-15/9)
AKZ. 1/3-7/7 25/8-30/10

Keszthely Seite 482 1004 € 10
Balatontourist CP & Bungalows Zala***
5 (A+B+D+E+J 1/5-4/10) **6** (A 15/5-15/9)
AKZ. 17/4-27/6 22/8-4/10

Pápa Seite 482 1007 € 16
Thermal Camping Pápa
5 (A 1/3-31/10) (B+D+E+F+H+J 1/1-31/12)
6 (**B**+**E** 1/1-31/12) (**G** 1/5-30/9)
AKZ. 29/5-30/6 1/9-31/10

Mittel-Ungarn

Budapest Seite 484 998 € 16
Arena CP & Guesthouse Budapest
5 (J 1/1-31/12)
AKZ. 1/3-25/3 10/5-10/7 28/8-31/10

Budapest Seite 484 999 € 16
Haller Camping**
5 (E+F+J 10/5-30/9)
AKZ. 10/5-14/7 1/9-30/9

Budapest Seite 484 1000 € 16
Zugligeti 'Niche' Camping***
5 (B 1/7-31/8) (D+I+J 1/1-31/12)
AKZ. 1/3-10/4 5/5-30/6 1/9-31/10

Komló-Sikonda Seite 486 1005 € 14
Thermal Camping Mediano
5 (A+B+D+E 15/4-30/9) **6** (**B** 15/5-30/9) (**E**+**G** 1/1-31/12)
AKZ. 1/4-30/6 1/9-31/10 7=6

Szentendre Seite 487 1008 € 14
Pap-Sziget Camping***
5 (A+D+F+J 15/4-30/9) **6** (A 1/7-31/8) (F 15/6-31/8)
AKZ. 10/4-10/7 27/8-18/10

Ost-Ungarn

Mátráfüred/Sástó Seite 489 1006 € 12
Mátra Camping Sástó****
5 (A+B+D 15/4-10/10) (E+H 1/5-30/9)
6 (**E**+**G** 14/4-10/10)
AKZ. 1/4-30/6 24/8-31/10 7=6, 14=12

Szentes Seite 490 1009 € 12
Szentesi Üdülöközpont Nonprofit KFT**
5 (D 1/5-31/10) **6** (B+E 1/5-31/10) (F 1/5-30/9)
AKZ. 1/5-30/6 1/9-15/9

Slowenien

Ankaran Seite 500 1010 € 18
Adria****
5 (A 1/5-14/10) (B 1/5-30/9) (F 1/5-15/10) (H+I 20/6-15/9) (J 1/5-30/9)
6 (A 1/6-30/9) (**E** 1/1-31/12) (F 1/6-30/9)
AKZ. 1/4-30/6 1/9-13/10

Ausführliche Redaktionseinträge: Seite 468 bis 500

Banovci/Verzej Seite 500 1011 € 16
▲ Terme Banovci***
5 (A 27/3-1/11) (D 29/3-17/11) (F 1/1-31/12) (H 15/6-15/9) (J 1/1-31/12)
6 (B+E 1/1-31/12) (G 25/4-30/9)
AKZ. 11/5-12/7 1/9-13/9

Bled Seite 500 1012 € 18
▲ Bled*****
5 (A+C+D+E+J 1/4-15/10)
AKZ. 1/4-30/6 26/8-15/10

Bohinjska Bistrica Seite 500 1013 € 16
▲ Camp Danica Bohinj***
5 (A 1/7-31/8) (D+J 1/1-31/12)
AKZ. 1/1-7/7 26/8-31/12

Bovec Seite 500 1014 € 16
▲ Polovnik***
5 (D+E+J 1/4-15/10)
AKZ. 1/4-30/6 1/9-15/10

Kobarid Seite 501 1015 € 18
▲ Camping Chalets Koren****
5 (A+B+D+F 1/1-31/12)
AKZ. 1/3-30/6 25/8-1/11

Lendava Seite 501 1016 € 18
▲ Camping Terme Lendava***
5 (D 20/6-31/8) (J 1/1-31/12)
6 (B 1/5-30/9) (E 1/1-31/12) (G 1/6-5/9)
AKZ. 7/1-26/3 14/5-28/6 30/7-13/8 1/9-20/9 2/11-27/12

Ljubljana Seite 502 1017 € 16
▲ Ljubljana Resort (hotel & cp)****
5 (A 1/6-15/9) (D 1/6-1/9) (E+F 1/1-31/12) (J 1/3-31/10,1/12-31/12)
6 (**B**+**G** 15/6-1/9)
AKZ. 15/3-10/7 1/9-31/10 ***7=6***

Maribor Seite 502 1018 € 16
▲ Camping Center Kekec
5 (F+J 1/1-31/12)
AKZ. 1/1-30/6 3/9-31/12

Moravske Toplice Seite 502 1019 € 18
▲ Terme 3000 Moravske Toplice Spa****
5 (A 1/4-31/10) (D+E+F+I+J 1/1-31/12)
6 (B 1/5-30/10) (E+G 1/1-31/12)
AKZ. 1/1-26/3 4/5-5/7 24/8-13/9 2/11-31/12

Ptuj Seite 503 1020 € 16
▲ Camping Terme Ptuj****
5 (A 1/5-15/9) (E+F 1/7-31/8) (J 1/1-31/12)
6 (**B** 1/5-30/9) (E+G 1/1-31/12)
AKZ. 7/1-2/4 3/5-18/6 30/8-21/12

Recica ob Savinji Seite 504 1021 € 16
▲ Menina****
5 (A 1/7-31/8) (F+I 1/5-31/10)
AKZ. 1/4-1/7 25/8-15/11 ***14=12***

Sempas Seite 504 1022 € 16
▲ Camp Lijak*
5 (A 1/1-31/12)
AKZ. 1/1-30/6 29/8-31/12 ***7=6***

Soca Seite 504 1023 € 16
▲ Camp Soca**
5 (A+D 1/4-31/10)
AKZ. 1/4-30/6 1/9-31/10

Kroatien

Istrien

Banjole Seite 510 1024 € 16
▲ Diana***
6 (A+F 1/5-20/9)
AKZ. 1/5-1/7 1/9-20/9

Banjole/Pula Seite 510 1025 € 14
▲ Camp Peškera***
5 (I 1/4-31/10)
AKZ. 1/4-30/6 22/8-31/10

Banjole/Pula Seite 510 1026 € 16
▲ Camping Village Indije*
5 (A+C+D+E+F+J 23/4-20/9)
AKZ. 1/5-12/6 1/9-20/9

Fazana Seite 510 1032 € 16
▲ Bi-Village***
5 (A+C+D+E+F+J 3/4-31/10) 6 (B+G 3/4-31/10)
AKZ. 3/4-27/6 29/8-30/10

Funtana/Vrsar Seite 511 1033 € 14
▲ Valkanela**
5 (A 21/4-22/9) (C 17/4-3/10) (D 1/5-3/10) (F+H 1/5-15/9) (I 1/5-27/9) (J 1/5-3/10)
AKZ. 17/4-26/6 30/8-3/10

Labin Seite 511 1041 € 18
▲ Camping Marina***
5 (A 12/4-1/11) (B 3/4-1/11) (D 3/4-30/9) (E+F 12/4-1/11) (I 1/5-1/11)
AKZ. 3/4-2/6 1/9-31/10

Medulin Seite 512 1050 € 16
▲ Camping Village Kažela**
5 (A+C+D+E+F+J 2/4-11/10) 6 (A 7/6-15/9)
AKZ. 1/5-2/6 1/9-30/9

Ausführliche Redaktionseinträge: Seite 500 bis 512

Medulin Seite 512 1051 € 16
Camping Village Medulin*
5 (A+C+D+E+F+J 2/4-11/10)
AKZ. 1/5-2/6 1/9-30/9

Novigrad Seite 512 1057 € 16
Camping Park Mareda****
5 (A+C 1/5-30/9) (D 1/6-30/9) (F+I+J 1/5-30/9)
6 (A+F 1/5-30/9)
AKZ. 17/4-10/7 1/9-11/10

Novigrad Seite 512 1058 € 16
Camping Sirena****
5 (A+C 1/4-30/9) (D 1/6-31/8) (F 1/6-15/9) (I 1/5-30/9)
AKZ. 20/3-10/7 1/9-10/11

Pomer Seite 512 1067 € 14
Camping Pomer
6 (A+D+E+F+J 1/6-25/9)
AKZ. 1/5-5/6 1/9-27/9

Premantura Seite 514 1068 € 14
Camping Runke*
5 (A 1/5-18/9) (B 1/7-18/9) (J 1/5-18/9)
AKZ. 1/5-12/6 1/9-20/9

Premantura Seite 514 1069 € 14
Camping Tasalera*
5 (A+C 1/6-15/9) (E 15/6-31/8) (J 23/4-27/9)
AKZ. 1/5-5/6 1/9-27/9

Premantura Seite 514 1070 € 16
Camping Village Stupice*
5 (A+C 15/4-11/10) (D 1/5-15/9) (E+F+J 15/4-11/10)
AKZ. 1/5-2/6 1/9-30/9

Pula Seite 514 1072 € 16
Camping Village Stoja***
5 (A+C+D+E+F+J 2/4-11/10)
AKZ. 1/5-2/6 1/9-30/9

Rovinj Seite 514 1078 € 16
Polari***
5 (A+C 17/4-26/9) (D+E 1/5-26/9) (F+I 17/4-26/9) (J 1/5-26/9)
6 (A+F 20/5-20/9)
AKZ. 17/4-22/5 5/6-19/6 30/8-26/9

Rovinj Seite 514 1077 € 14
Amarin***
5 (A 1/6-15/9) (C 25/4-26/9) (D 18/5-20/9) (E 1/7-31/8) (F 18/5-20/9) (H 25/4-26/9) (J 18/5-20/9)
6 (A+F 25/4-26/9)
AKZ. 25/4-26/6 22/8-26/9

Vrsar Seite 519 1086 € 16
Porto Sole***
5 (A+C 1/5-15/9) (D 1/1-31/12) (F 15/5-29/9) (J 1/5-29/9)
6 (A+F 15/5-25/9)
AKZ. 1/1-19/6 30/8-31/12

Primorje-Gorski Kotar/Lika-Senj/Zadar/Sibenik-Knin

Baska (Krk) Seite 520 1027 € 14
Camp Zablace***
5 (A+B+D+E+F+J 17/4-11/10) **6** (B+E+F 17/4-11/10)
AKZ. 17/4-7/6 6/9-11/10

Baska (Krk) Seite 520 1028 € 16
Naturist-Camp Bunculuka****
5 (A+C+E+F+H+J 23/4-4/10)
AKZ. 23/4-7/6 6/9-4/10

Biograd na Moru Seite 520 1029 € 18
Camping Park Soline****
5 (A 1/6-30/9) (B+D+F+J 1/5-30/9)
AKZ. 15/4-30/6 1/9-30/9

Drage Seite 520 1030 € 18
Oaza Mira****
5 (A+B 1/6-30/9) (J 1/5-31/10) **6** (A 1/6-30/9)
AKZ. 1/4-30/6 1/9-31/10

Glavotok (Krk) Seite 521 1034 € 16
Camping Glavotok
5 (A+B+E+J 24/4-8/10)
AKZ. 24/4-23/5 6/6-21/6 4/9-30/9

Kampor Seite 521 1035 € 16
Lando Resort****
5 (A 1/4-1/11) (D+E 15/5-1/10) (J 1/4-1/11)
6 (B 1/4-1/11)
AKZ. 1/4-6/6 1/9-1/11

Klimno/Dobrinj Seite 522 1036 € 16
Slamni****
5 (A 15/4-15/10) (B 1/6-15/9) (E+J 15/4-15/10)
AKZ. 15/4-22/5 1/6-11/6 1/9-15/10

Kolan (Pag) Seite 522 1037 € 14
Camping Village Šimuni***
5 (A 1/4-30/9) (C+D+F 1/5-30/9) (H+I+J 1/5-20/9)
AKZ. 1/1-1/7 29/8-31/12

Krk (Krk) Seite 522 1038 € 18
Camping Bor***
5 (A 1/1-31/12) (B+J 1/4-30/9) **6** (A+F 1/6-1/9)
AKZ. 1/1-5/7 1/9-31/12 ***14=13***

Ausführliche Redaktionseinträge: Seite 512 bis 522

Krk (Krk) 👫
▲ Camping Krk**** Seite 522 (1039) € 18
5 (A+B+E+F+J 3/4-4/10) 6 (B+G 3/4-4/10)
AKZ. 3/4-2/6 1/9-4/10

Lopar (Rab)
▲ San Marino**** Seite 522 (1042) € 16
5 (A 15/5-30/9) (C+D 1/5-30/9) (E 1/7-31/8) (F 15/5-30/9) (I+J 1/5-15/10)
AKZ. 1/5-22/5 6/6-20/6 5/9-30/9

Lozovac
▲ Camp Krka Seite 524 (1044) € 12
5 (A 1/1-31/12) (I 1/4-30/10)
AKZ. 1/1-8/7 26/8-31/12 ***7=6, 14=12***

Lozovac
▲ Camp Marina (NP. KRKA)** Seite 524 (1045) € 12
5 (A+I 1/3-15/11)
AKZ. 1/1-8/7 26/8-31/12

Mali Losinj (Losinj)
▲ Camping Cikat*** Seite 524 (1047) € 16
5 (A+C 1/1-31/12) (D 15/6-15/9) (E 12/4-20/10) (I 1/5-30/9) (J 12/4-20/10)
AKZ. 1/1-26/5 8/6-25/6 12/9-31/12

Mali Losinj (Losinj)
▲ Poljana*** Seite 524 (1048) € 16
5 (A+C+E+F+J 26/3-2/11)
AKZ. 26/3-25/6 1/9-2/11

Martinšcica (Cres)
▲ Camping Slatina**** Seite 524 (1049) € 16
5 (A+C 28/3-10/10) (E 20/4-10/10) (F 1/7-31/8) (J 1/5-30/9)
AKZ. 28/3-26/5 8/6-25/6 12/9-10/10

Medveja 👫
▲ Autocamp Medveja*** Seite 524 (1052) € 18
5 (A+C+E+J 1/5-13/10)
AKZ. 26/4-15/6 1/9-13/10

Moscenicka Draga 👫
▲ Autocamp Draga** Seite 524 (1053) € 16
5 (A 14/4-1/10)
AKZ. 14/4-2/6 1/9-1/10

Nin
▲ Ninska Laguna Seite 525 (1054) € 12
AKZ. 1/4-10/7 1/9-15/10

Njivice (Krk) 👫
▲ Njivice** Seite 525 (1055) € 16
5 (A+C+E+F 11/4-1/11) (I 13/4-1/11)
AKZ. 11/4-20/6 5/9-1/11 ***7=6, 14=12***

Novalja (Pag)
▲ Strasko**** Seite 526 (1056) € 16
5 (A+C 17/4-11/10) (D+F+I 1/5-30/9) (J 17/4-11/10)
AKZ. 17/4-20/6 1/9-11/10 ***7=6, 14=12, 21=19***

Pakostane
▲ Autocamp Nordsee Seite 526 (1064) € 16
5 (D+I 14/3-31/10)
AKZ. 1/3-28/6 1/9-15/11

Pakostane
▲ Kozarica**** Seite 526 (1065) € 16
5 (A+C 15/5-15/9) (J 15/6-15/9) 6 (F 1/5-30/9)
AKZ. 7/4-15/6 7/9-31/10

Primosten
▲ AdriaticCat.1 Seite 526 (1071) € 16
5 (A+C 1/5-15/10) (D+E+F+I 1/5-30/9) (J 1/6-30/9)
AKZ. 1/5-30/6 15/9-1/11

Punat (Krk) 👫
▲ Camp Pila*** Seite 528 (1073) € 16
5 (A+C 1/5-30/9) (D+E+J 1/5-15/9)
AKZ. 24/4-18/6 1/9-18/10

Punat (Krk) 👫
▲ Naturist Camp Konobe*** Seite 528 (1074) € 16
5 (A 24/4-30/9) (C 15/5-15/9) (D 1/7-31/8) (E+J 1/5-30/9)
AKZ. 24/4-18/6 1/9-30/9

Rab
▲ Padova III*** Seite 528 (1075) € 16
5 (A+C+D+E+F+J 1/4-15/10)
AKZ. 1/5-22/5 6/6-20/6 5/9-30/9

Selce 👫
▲ Camping Selce** Seite 528 (1080) € 16
5 (A 1/6-15/10) (B 1/6-1/10) (J 1/4-15/10)
AKZ. 1/5-6/6 1/9-30/9 ***7=6, 14=11***

Sibenik
▲ Camping Resort Solaris**** Seite 528 (1081) € 16
5 (A+C+D 1/4-15/10) (E 15/3-15/10) (F+I+J 1/4-15/10)
6 (A+E+F 15/4-15/10)
AKZ. 1/4-26/6 1/9-15/10

Starigrad/Paklenica
▲ Paklenica Seite 529 (1082) € 16
5 (A+C 6/4-31/10) (F 1/6-30/9) (I 15/5-1/10) (J 6/4-31/10)
6 (A+F 1/5-30/9)
AKZ. 6/4-30/6 1/9-31/10

Ausführliche Redaktionseinträge: Seite 522 bis 529

Starigrad/Paklenica Seite 529 (1083) € 14
Plantaza
5 (A 15/5-30/9) (F 1/4-31/10) (J 1/4-30/10)
AKZ. 1/1-30/6 1/9-31/12

Tisno Seite 530 (1085) € 16
Camp Dalmacija***
5 (A 15/7-31/8) (F+I 15/6-10/9)
AKZ. 15/4-30/6 1/9-15/10 ***14=13***

Zaton/Nin (Zadar) Seite 530 (1088) € 18
Zaton Holiday Resort****
5 (A+C+D+F 1/5-30/9) (I 15/5-20/9) (J 1/5-30/9)
6 (B+G 1/5-30/9)
AKZ. 1/5-27/6 1/9-30/9

Dalmatien

Kuciste Seite 531 (1040) € 16
Palme
5 (I 15/4-31/10)
AKZ. 1/1-30/6 1/9-30/12

Loviste Seite 531 (1043) € 16
Kamp Lupis
AKZ. 15/4-30/6 1/9-15/10

Makarska Seite 531 (1046) € 16
Kamp Jure
5 (A+D+E+H+I+J 15/3-31/10)
AKZ. 15/3-15/6 1/9-30/10

Okrug Gornji Seite 532 (1059) € 14
Kamp Labadusa
5 (A+I+J 1/5-1/10)
AKZ. 1/5-30/6 1/9-1/10

Okrug Gornji Seite 532 (1060) € 16
Rozac Auto Camp***
5 (E+F+I+J 1/4-1/11)
AKZ. 1/4-15/6 1/9-31/10

Omis Seite 532 (1061) € 16
Galeb***
5 (A+B 1/1-1/12) (D 1/1-31/12) (E+F 1/5-15/10) (I+J 1/4-31/10)
AKZ. 1/1-1/7 24/8-31/12

Orasac Seite 532 (1062) € 12
Auto-Camp Pod Maslinom
AKZ. 1/4-6/7 1/9-1/11

Orebic Seite 532 (1063) € 16
Nevio Camping****
5 (C 1/1-31/12) (J 1/4-30/10) **6** (A 1/5-15/10)
AKZ. 1/4-30/6 1/9-15/11

Podaca Seite 532 (1066) € 16
Uvala Borova***
5 (A+B+E 15/6-15/9) (F+I 1/6-15/9)
AKZ. 1/4-30/6 1/9-30/9

Seget Vranjica/Trogir Seite 532 (1079) € 16
Belvedere***
5 (A+C+D+E+F+I+J 15/5-1/10) **6** (A 15/4-15/10)
AKZ. 27/3-30/6 30/8-20/10 ***21=19***

Stobrec Seite 532 (1084) € 16
Split****
5 (A+B+C+E+F+I 1/1-31/12)
AKZ. 1/1-30/6 1/9-31/12

Zaostrog Seite 533 (1087) € 16
Camping Viter
AKZ. 1/4-6/7 1/9-31/10

Ost-Kroatien

Duga Resa Seite 533 (1031) € 16
Camp Slapic****
5 (A 1/4-31/10) (J 1/5-15/9)
AKZ. 1/4-30/6 1/9-31/10

Rakovica Seite 533 (1076) € 14
Autocamp Korita
5 (A+J 1/4-31/10)
AKZ. 1/4-30/6 1/9-31/10

Griechenland

Zentralgriechenland

Delphi Seite 546 (1092) € 18
Apollon Cat.A
5 (A+B+E+J 1/5-1/10) **6** (A 1/4-15/10)
AKZ. 1/5-30/6 1/9-30/9

Delphi Seite 547 (1093) € 16
Delphi Camping Cat.A
5 (A 1/1-31/12) (B 1/4-30/10) (J 1/5-30/9) **6** (A 20/4-15/10)
AKZ. 1/4-30/6 1/9-30/10

Delphi/Fokis Seite 547 (1094) € 16
Chrissa Camping Cat.A
5 (A+B+D+E 1/4-10/10) (J 1/1-31/12)
6 (A 1/5-10/10) (F 1/4-15/10)
AKZ. 1/4-10/6 1/9-10/10

Igoumenitsa Seite 547 (1101) € 16
Camping Drepanos
5 (A 1/1-31/12) (B+E+F+J 1/4-30/9)
AKZ. 1/1-25/6 1/9-31/12

Ausführliche Redaktionseinträge: Seite 529 bis 547

Kastraki/Kalambaka Seite 547 1103 € 16
Vrachos Kastraki
5 (A+B 1/1-31/12) (D+I+J 1/4-30/10) 6 (A 15/4-15/9)
AKZ. 1/5-1/7 25/8-31/10

Kato Gatzea (Pilion) Seite 547 1105 € 16
Hellas International
5 (A 1/1-31/12) (B+D+E+F+J 1/4-31/10)
AKZ. 1/1-30/6 1/9-31/12

Kato Gatzea (Pilion) Seite 547 1106 € 16
Sikia
5 (A+C+D+E+F+J 1/4-31/10)
AKZ. 15/3-6/7 1/9-10/11

Parga/Lichnos Seite 548 1112 € 18
Enjoy Lichnos
5 (A+C+D+E 15/5-30/9) (I 15/5-15/9)
AKZ. 1/5-30/6 1/9-30/9

Preveza Seite 548 1113 € 16
Camping Village Kalamitsi Beach
5 (A+B 1/6-15/9) (D+I 10/6-15/9) 6 (A 10/6-15/9)
AKZ. 1/5-20/6 1/9-15/9

Ionische Inseln

Dassia (Corfu) Seite 549 1091 € 16
Karda Beach
5 (A+C+D+E+J 1/5-30/9) 6 (A+F 1/5-30/9)
AKZ. 10/4-15/6 1/9-10/10

Lefkada Seite 549 1109 € 16
Kariotes Beach
5 (A+B 1/6-30/9) (D+E 15/5-30/9) (I 1/4-30/9)
6 (A+F 15/6-15/9)
AKZ. 1/4-10/7 27/8-30/9

Vassiliki (Lefkas) Seite 549 1117 € 16
Vassiliki-Beach
AKZ. 15/4-11/6 10/9-30/9

Peloponnes

Ancient Epidavros Seite 551 1089 € 16
Nicolas I
5 (A 1/4-31/10) (B+D 15/5-30/9) (J 15/4-15/10)
AKZ. 1/4-30/6 1/9-31/10

Ancient Epidavros/Argolida Seite 551 1090 € 16
Nicolas II
5 (A 1/4-31/10) (B 11/5-30/9) (J 1/5-30/9) 6 (A 1/6-15/9)
AKZ. 1/4-30/6 1/9-31/10

Drepanon/Vivari Seite 551 1095 € 16
Lefka Beach
5 (A 1/5-20/10) (B 1/5-30/9) (D+J 1/5-20/10)
AKZ. 1/4-30/6 1/9-10/11

Finikounda Seite 551 1096 € 16
Anemomilos
5 (A+B 1/4-30/10) (D 1/4-30/9) (J 1/4-30/10)
AKZ. 1/4-17/6 15/9-30/10

Glifa Seite 552 1097 € 18
Ionion Beach
5 (A+B 1/4-30/10) (D+F 15/5-15/10) (J 1/4-31/10)
6 (A 1/5-31/10) (F 1/4-31/10)
AKZ. 1/1-23/5 1/6-30/6 10/9-31/12

Glifa/Ilias Seite 552 1098 € 16
Aginara Beach***
5 (A+B 20/3-31/10) (D 1/5-31/10) (J 20/3-31/10)
AKZ. 1/5-30/6 1/9-31/10 ***7=6***

Gythion/Lakonias Seite 552 1099 € 16
Camping Gythion Bay***
5 (A+C+D+E+J 1/6-30/9) 6 (A+F 1/4-31/10)
AKZ. 1/1-30/6 1/9-31/12

Gythion/Lakonias Seite 552 1100 € 16
Camping Meltemi
5 (A 1/4-31/10) (B+D+E+H 15/5-15/9) 6 (A 10/6-15/9)
AKZ. 1/4-14/6 11/9-30/9

Iria/Argolis Seite 552 1102 € 16
Irla Beach Camping
5 (A 15/4-30/10) (B 1/6-30/9) (D 20/6-10/9) (F 20/6-15/9)
6 (A+F 1/5-30/9)
AKZ. 1/1-5/7 24/8-31/12

Kato Alissos Seite 553 1104 € 16
Kato Alissos
5 (A+B 1/4-20/10) (D 30/6-31/8) (E 1/5-15/9) (J 1/5-30/9)
AKZ. 1/4-30/6 1/9-25/10

Korinthos Seite 553 1107 € 16
Blue Dolphin
5 (A+B 1/5-15/9) (J 1/5-30/9)
AKZ. 1/4-30/6 1/9-31/10

Koroni/Messinias Seite 553 1108 € 16
Camping Koroni
5 (A+B+D+E+I 1/4-15/10) 6 (A 1/4-15/10)
AKZ. 1/1-20/6 15/9-31/12 ***7=6***

Ausführliche Redaktionseinträge: Seite 547 bis 553

Griechenland

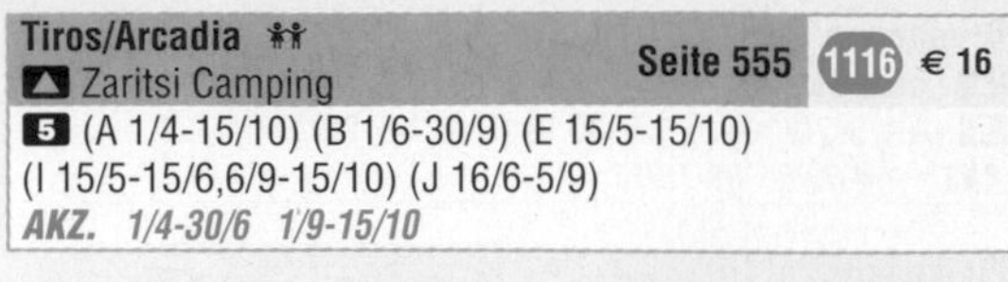

Tiros/Arcadia 👫
▲ Zaritsi Camping — **Seite 555** — 1116 — € 16
5 (A 1/4-15/10) (B 1/6-30/9) (E 15/5-15/10) (I 15/5-15/6,6/9-15/10) (J 16/6-5/9)
AKZ. *1/4-30/6 1/9-15/10*

Nordost-Griechenland

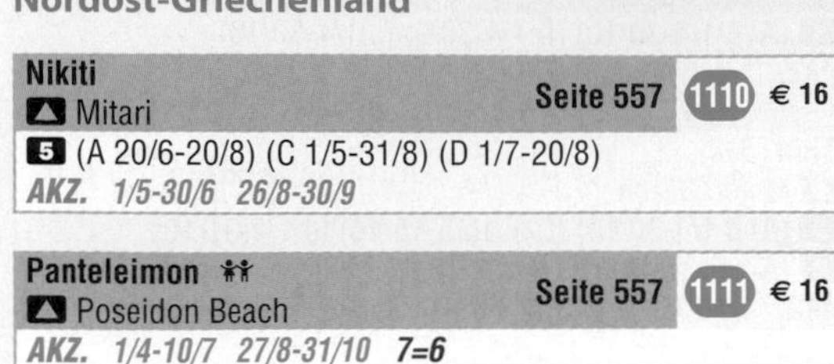

Nikiti
▲ Mitari — **Seite 557** — 1110 — € 16
5 (A 20/6-20/8) (C 1/5-31/8) (D 1/7-20/8)
AKZ. *1/5-30/6 26/8-30/9*

Panteleimon 👫
▲ Poseidon Beach — **Seite 557** — 1111 — € 16
AKZ. *1/4-10/7 27/8-31/10* ***7=6***

Sarti (Sithonia) 👫
▲ Armenistis — **Seite 558** — 1114 — € 16
5 (A+C+D+E+J 1/5-30/9)
AKZ. *1/5-30/6 1/9-30/9*

Sikia
▲ Melissi — **Seite 558** — 1115 — € 12
5 (A+C 1/5-15/9) (I 1/6-15/9)
AKZ. *1/5-30/6 1/9-30/9*

Vourvourou
▲ Lacara Camping — **Seite 558** — 1118 — € 16
5 (A+C+D+E+J 1/5-30/9)
AKZ. *1/5-30/6 1/9-30/9*

Suchmaschine
Auf der Webseite **www.campingcard.com** finden Sie eine Suchmaschine, die Ihnen auf so manche Art bei der Suche nach einem Camping helfen kann: nach Region oder dem Ort Ihrer Wahl, nach Campingnamen oder der Folgenummer, die Sie in dem Mini-Atlas hinten in diesem Führer finden. Die Suchergebnisse werden blitzschnell präsentiert. Pro Camping sehen Sie sich dann alle Angaben in Ruhe an.

Routenplaner
Sie werden vorallem viel Freude an dem integrierten Routenplaner haben. Sie wählen den Maßstab selbst: von der Übersichtskarte bis hin zur äußerst detaillierten Teilkarte der Region, in die Sie wollen.

Navigationssystem
Wenn Sie über ein Navigationssystem verfügen, dann können Sie die GPS-Koordinaten der Campingplätze direkt und gratis über **www.campingcard.com** downloaden.

Ausführliche Redaktionseinträge: Seite 555 bis 558

Information/Reservierung

Mit diesen Coupons können Sie Informationen anfragen oder beim Camping Ihrer Wahl reservieren. Ein Tipp: machen Sie vorher Kopien, damit Sie die Coupons noch weiter gebrauchen können.

Die Coupons stehen in 5 Sprachen zur Verfügung (ein Coupon in deutsch, niederländisch und französisch; ein Coupon in englisch und italienisch).

Auf der DVD-ROM finden Sie auch bei jedem Camping diese Formulare.

Reservieren ist meist bis einschließlich März sinnvoll. Die meisten Campingplätze werden Ihnen ihr eigenes Reservierungsformular zusenden und um eine Anzahlung bitten. Die Art und Weise der Zahlung ist ein internationaler Postwechsel (teuer), die Kreditkarte (wenn der Camping dies in der Reservierungsbestätigung erwähnt) oder ein internationaler Überweisungsauftrag Ihrer Bank.

Außerhalb der Monate Juli und August und in der Wintersaison ist Reservierung bei den meisten Campingplätzen nicht nötig. Ausnahmen: Oster-, Pfingst- und Herbstferien.

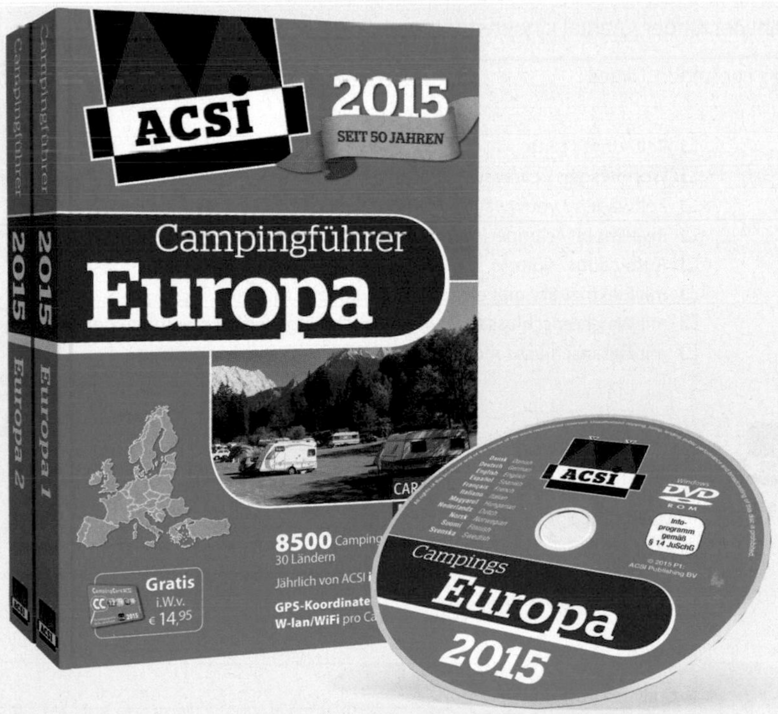

Dieses Formular direkt zum Camping schicken

Achtung! Jeder Camping hat seine eigenen Reservierungskonditionen.
Auch kann bei einer Reservierung nach einer Anzahlung gefragt werden.

Wir möchten Sie bitten:

- ❑ uns weitere Informationen über Ihren Campingplatz zuzuschicken;
- ❑ uns einen Platz auf Ihrem Campingplatz zu reservieren und uns Ihr Bestätigungs-/Buchungsformular zuzuschicken;
- ❑ uns weitere Informationen über das Mieten eines Caravans / eines Bungalows / eines Zelts zuzuschicken *.

Wij verzoeken u vriendelijk:

- ❑ ons meer informatie te sturen over uw camping;
- ❑ een plaats te reserveren op uw camping en zien uw bevestiging / reserveringsformulier tegemoet;
- ❑ ons meer informatie te sturen over het huren van een (sta)caravan / bungalow / tent *.

Nous vous prions:

- ❑ de nous envoyer de plus amples informations au sujet de votre camping;
- ❑ de réserver un emplacement sur votre camping. Nous attendons votre confirmation / votre formulaire de réservation;
- ❑ de nous envoyer de plus amples informations par rapport à la location d'une caravane résidentielle / d'un mobilhome / d'un bungalow / d'une tente *.

* *Bitte umranden Sie das was anwendbar ist*

Anreise / Aankomst / Arrivée : ____________________

Abreise / Vertrek / Départ : ____________________

Anzahl der Erwachsenen / Aantal volwassenen / Nombre d'adultes : ____________________

Anzahl der Kinder / Aantal kinderen / Nombre d'enfants : ____________________

Alter / Leeftijden / Ages : ____________________

- ❑ Zelt / tent / tente
- ❑ Wohnwagen / caravan / caravane
- ❑ Zeltwagen / vouwwagen / caravane pliante
- ❑ Reisemobil / camper / campingcar
- ❑ Auto / auto / voiture
- ❑ mit Elektrizität / met elektriciteit / with electricity
- ❑ mit Wasseranschluss / met wateraansluiting / with water mains connection
- ❑ mit Gasanschluss / met gasaansluiting / with gas connection

ACSI

2015

Name : ____________________

Straße : ____________________

Postleitzahl : ____________________

Wohnort : ____________________

Land : ____________________

Telefon : ____________________

E-Mail : ____________________

Dieses Formular direkt zum Camping schicken

Achtung! Jeder Camping hat seine eigenen Reservierungskonditionen.
Auch kann bei einer Reservierung nach einer Anzahlung gefragt werden.

We kindly request:

- ❑ to send us some information about your campsite;
- ❑ to make a reservation at your campsite and to send us your confirmation or booking-form;
- ❑ to send us some information about renting a (static) caravan / bungalow / tent *.

La preghiamo gentilmente:

- ❑ di farci pervenire ulteriori informazioni riguardanti il suo campeggio;
- ❑ di riservare un posto nel suo campeggio e attendiamo la sua conferma / modulo di prenotazione;
- ❑ di farci pervenire informazioni riguardanti il noleggio di una casa mobile o roulotte / bungalow / tenda *.

* *Bitte umranden Sie das was anwendbar ist*

Arrival / Arrivo: ______________________

Departure / Partenza: ______________________

Number of adults / Numero degli adulti: ______________________

Number of children / Numero dei bambini: ______________________

Ages / Età: ______________________

- ❑ tent / tenda
- ❑ caravan / roulotte
- ❑ motorhome / camper
- ❑ trailer-tent / carello tendo
- ❑ car / auto
- ❑ with electricity / con attacco luce
- ❑ with water mains connection / con attacco acqua
- ❑ with gas connection / con attacco gas

ACSI

2015

Name : ______________________

Straße : ______________________

Postleitzahl : ______________________

Wohnort : ______________________

Land : ______________________

Telefon : ______________________

E-Mail : ______________________

Information/Reservierung

Mit diesen Coupons können Sie Informationen anfragen oder beim Camping Ihrer Wahl reservieren. Ein Tipp: machen Sie vorher Kopien, damit Sie die Coupons noch weiter gebrauchen können.

Die Coupons stehen in 5 Sprachen zur Verfügung (ein Coupon in deutsch, niederländisch und französisch; ein Coupon in englisch und italienisch).

Auf der DVD-ROM finden Sie auch bei jedem Camping diese Formulare.

Reservieren ist meist bis einschließlich März sinnvoll. Die meisten Campingplätze werden Ihnen ihr eigenes Reservierungsformular zusenden und um eine Anzahlung bitten. Die Art und Weise der Zahlung ist ein internationaler Postwechsel (teuer), die Kreditkarte (wenn der Camping dies in der Reservierungsbestätigung erwähnt) oder ein internationaler Überweisungsauftrag Ihrer Bank.

Außerhalb der Monate Juli und August und in der Wintersaison ist Reservierung bei den meisten Campingplätzen nicht nötig. Ausnahmen: Oster-, Pfingst- und Herbstferien.

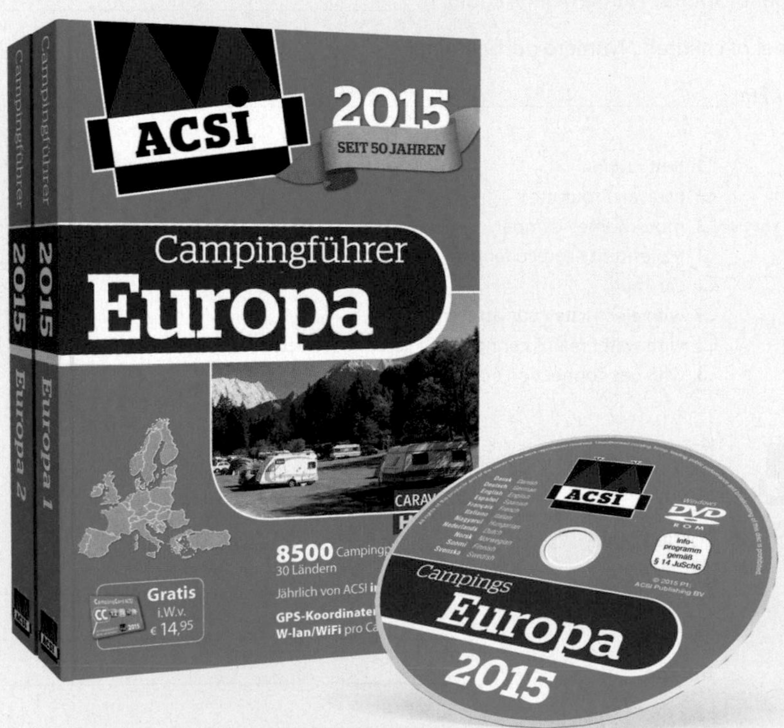